AF238133

ACCEDA HOY MISMO A smarteca Y AL CONTENIDO DE LA OBRA:

Manual de licencias
de apertura de establecimientos

Código Descuento*: 20250CQ3

Disponga de la versión electrónica del libro, *Manual de licencias de apertura de establecimientos* siguiendo las siguientes instrucciones:

1. Abra su navegador de internet y acceda a la tienda Smarteca en la siguiente URL: https://tienda.wolterskluwer.es/p/manual-de-licencias-de-apertura-de-establecimientos

2. Seleccione formato Biblioteca Digital y pulse en el botón "Comprar ahora".

3. En la casilla **Código Descuento** introduzca el Código Descuento que aparece al inicio de esta página y pulse "Aplicar" para completar la compra sin efectuar pago alguno.

4. Pulse **Tramitar pedido**.

    Si no está previamente identificado, se abrirá una pantalla en la que deberá:

    a. Identificarse si ya está registrado con anterioridad en Smarteca. En tal caso, pulse **Acceder a mi cuenta**.

    b. Registrarse como nuevo usuario rellenando los datos solicitados en el cuestionario de esa misma ventana.

5. Una vez identificado, pulse **Comprar** para finalizar el proceso de compra.

    Terminado el proceso, podrá entrar en su biblioteca para ver el libro en su estantería.

---

* Este código podrá ser utilizado para una descarga.   ...→

smarteca

Smarteca, la nueva biblioteca profesional 100% digital de Wolters Kluwer, recoge gran parte de nuestras publicaciones profesionales, y tiene las siguientes características:

- Los contenidos podrán trabajarse y personalizarse, marcándolos, subrayándolos, añadiendo notas, y creando dossiers con los fragmentos de diferentes publicaciones.
- Es **compatible** con todos los sistemas operativos y dispositivos (ordenador, portátil o tablet).
- Si utiliza para su trabajo más de un dispositivo (p.e. ordenador y tablet), éstos se **sincronizan automáticamente**.
- Use smarteca también **sin conexión a Internet**. Su trabajo se sincronizará cuando recupere la conexión.

MÁS INFORMACIÓN
Servicio de Atención al Cliente
Tel: 902 25 05 00
Fax: 902 25 05 02
clientes@wolterskluwer.com

EL CONSULTOR
DE LOS AYUNTAMIENTOS

Manual de licencias de apertura de establecimientos

Para juristas y técnicos

Antonio Cano Murcia

. Wolters Kluwer

© **Antonio Cano Murcia**, 2018
© **Wolters Kluwer España, S.A.**

Wolters Kluwer
C/ Collado Mediano, 9
28231 Las Rozas (Madrid)
Tel: 902 250 500 – Fax: 902 250 502
e-mail: clientes@wolterskluwer.com
http://www.wolterskluwer.es

Primera edición: Noviembre 2018

Depósito Legal: M-32631-2018
ISBN versión impresa con complemento electrónico: 978-84-7052-785-2
ISBN versión electrónica: 978-84-7052-786-9

Diseño, Preimpresión e Impresión: Wolters Kluwer España, S.A.
Printed in Spain

Antonio Cano Murcia
Técnico de la Administración Local
Ayuntamiento de Alcalá la Real. Abogado

Para Carlota, la niña de mis ojos

ABREVIATURAS

CA-DR	Calificación ambiental mediante declaración responsable.
CC.AA.	Comunidades Autónomas.
CE	Constitución española.
CTE	Código Técnico de la Edificación. Real Decreto 314/2006, de 17 de marzo, por el que se aprueba el Código Técnico de la Edificación
D.A.	Disposición adicional.
DIR/SER	Directiva 2006/123/CE del Parlamento Europeo y del Consejo, de 12 de diciembre de 2006, relativa a los servicios en el mercado interior.
GICA	Ley 7/2007, de 9 de julio, de Gestión Integrada de la Calidad Ambiental.
LAS	Ley 17/2009, de 23 de noviembre, sobre el Libre Acceso a las Actividades de Servicios y su Ejercicio.
LES	Ley 2/2011, de 4 de marzo, de Economía Sostenible.
LEPAR	Ley 13/1999, de 15 de diciembre de Espectáculos Públicos y Actividades Recreativas de Andalucía.
LOE	Ley 38/1999, de 5 de noviembre, de Ordenación de la Edificación.
LOUA	Ley 7/2002, de 17 de diciembre, de Ordenación Urbanística de Andalucía.
LRBRL	Ley 7/1985, de 2 de abril, reguladora de las bases del régimen local.
LPACAP	Ley 39/2015, de 1 de octubre, de Procedimiento Administrativo Común de las Administraciones Públicas.
LRJSP	Ley 40/2015, de Régimen Jurídico del Sector Público.
Par.	Párrafo.
RAMINP	Decreto 2414/1961, de 30 de noviembre, por el que se aprueba el Reglamento de Actividades Molestas, Insalubres, nocivas y Peligrosas.
RDUAn	Decreto 60/2010, de 16 de marzo, por el que se aprueba el Reglamento de Disciplina Urbanística.
REPAR	Decreto 2816/1982, de 27 de agosto, por el que se aprueba el Reglamento de Espectáculos Públicos y Actividades Recreativas.
RSCL	Reglamento de Servicios de las Corporaciones Locales de 17 de junio de 1955.
STA	Sentencia Tribunal Administrativo.
STC	Sentencia Tribunal Constitucional.
STS	Sentencia Tribunal Supremo.
STSJ	Sentencia Tribunal Superior de Justicia.
TRLRHL	Texto Refundido de la Ley Reguladora de las Haciendas Locales, aprobado por el Real Decreto Legislativo 2/2004, de 5 de marzo.

1.ª PARTE

ACTIVIDADES EN GENERAL

CAPÍTULO I

ACTIVIDADES NO SUJETAS A CONTROL MUNICIPAL

I.   COMENTARIO

No resulta fácil **delimitar las actividades** que están sujetas a comunicación previa o declaración responsable, de las que no lo están; no siendo ésta una cuestión pacífica de resolver, al existir una resistencia por parte de la Administración para dejar el libre ejercicio de determinadas actividades sin necesidad de un control administrativo previo.

Con anterioridad a la entrada en vigor de la **Ley 17/2009**, de 23 de noviembre, sobre el Libre Acceso a las Actividades de Servicios y su Ejercicio (LAS) **la pregunta** que nos hacíamos era qué actividades estaban sujetas a licencia de apertura y cuáles no.

El art. 22.1 del Reglamento de Servicios de las Corporaciones Locales de 17 de junio de 1955 (RSCL) adaptado por RD 2009/2009, de 23 de diciembre a la Directiva 2006/123/CE del Parlamento Europeo y del Consejo, de 12 de diciembre de 2006, relativa a los servicios en el mercado interior (DIR/SER) y a la LAS, dice que la apertura de establecimientos industriales y mercantiles podrá sujetarse a los medios de intervención municipal, en los términos previstos en la legislación básica en materia de régimen local y en la LAS.

Ahora el planteamiento tenemos que encauzarlo sobre si están sujetas a declaración responsable o comunicación previa todas las actividades que realizan las personas físicas o jurídicas, o por el contrario sólo alguna de ellas.

El punto de partida lo encontramos en los arts. 1 y 2.1 de la LAS. **Facilitar la libre prestación de servicios** a cambio de una contraprestación económica por un prestador. Para ello tenemos que tener claro qué se entiende por servicio y quién es el prestador del mismo, definiciones que se recogen en el art. 3 de la citada LAS.

• **Servicio** es cualquier actividad económica por cuenta propia, prestada normalmente a cambio de una remuneración, contemplada en el art. 50 del Tratado de la Unión Europea:

> «Se considerarán como servicios las prestaciones realizadas normalmente a cambio de una remuneración, en la medida en que no se rijan por las disposiciones relativas a la libre circulación de mercancías, capitales y personas.

Los servicios comprenderán, en particular:

a) actividades de carácter industrial;

b) actividades de carácter mercantil;

c) actividades artesanales;

d) actividades propias de las profesiones liberales».

• **Prestador** es por su parte, cualquier persona física con la nacionalidad de cualquier Estado miembro, o residente legal en España, o cualquier persona jurídica o entidad constituida de conformidad con la legislación de un Estado miembro, cuya sede social o centro de actividad principal se encuentre dentro de la Unión Europea, que ofrezca o preste un servicio.

Una vez delimitado el ámbito de aplicación del concepto servicio, nos centramos en todos aquellos **servicios que expresamente se exceptúan** del ámbito de aplicación de la LAS (art. 2.2).

La no aplicación de la LAS a los servicios contemplados en su art. 2.2 *¿supone que los mismos, pese a no estar sujetos a comunicación previa o declaración responsable, tampoco lo están a licencia de apertura?*

Aquí nos encontramos con uno de los problemas más importantes de aplicación práctica. No exigir el régimen de comunicación previa o declaración responsable para las actividades del art. 2.2 LAS *¿supone para el Ayuntamiento la imposibilidad de realizar un control de la actividad desde el punto de vista urbanístico y ambiental?, o por el contrario, ¿las actividades exceptuadas del ámbito de aplicación de la Ley 17/2009 no lo están del control citado?*

Existen **servicios** que por su propio contenido obviamente no están **sujetos a control municipal**. Así en el caso de los servicios de seguridad privada, actividades que supongan el ejercicio de la autoridad pública, etc. Cuestión distinta será que para el ejercicio de dichos servicios se necesite de un establecimiento o local cuyo **uso deberá estar permitido por el planeamiento urbanístico** para que pueda ejercerse en un local o inmueble concreto o determinado.

Por ejemplo, la actividad de notario o registrador de la propiedad no podrá ejercerse en un local en el que el planeamiento prohíba la realización de actividades de tal índole.

Al margen de las actividades exceptuadas del ámbito de aplicación de la LAS existen otras que claramente se encuentran al fuera de la intervención municipal y al margen de la necesidad de presentar comunicación previa o declaración responsable[1]. Así:

• Actividades religiosas o de culto.

• Actividades educativas

• Actividades administrativas públicas

• Actividades privadas o de carácter familiar

• Instalación de aparatos de aire acondicionado

• Garajes privados o particulares

---

(1)   No obstante alguna de estas actividades, las CC.AA las sujetan a control previo.

- Conservatorio de danza

- Nave agrícola

Sobre las **actividades religiosas**, se plantea con cierta frecuencia en la práctica la duda si los mismos están sujetos o no a licencia de apertura. La respuesta ha de ser necesariamente negativa. Ciertamente un salón o un inmueble para uso religioso no entran dentro del concepto de establecimiento mercantil no industrial que el artículo 22 del RS somete a previa licencia de apertura o funcionamiento. Lo contrario nos llevaría a tener que someter a dicha licencia a todo tipo de locales cuya finalidad o destino fuesen los cultos de cada religión (Iglesias, Capillas, etcétera). También queda fuera del ámbito de la **Ley 17/2009**.

El artículo 16.1 de la Constitución garantiza «la libertad ideológica, religiosa y de culto de los individuos y las comunidades sin más limitación, en sus manifestaciones, que la necesaria para el mantenimiento del orden público protegido por la ley». Y esta disposición constitucional ha sido desarrollada por **Ley Orgánica 7/1980,** de 5 julio, de Libertad Religiosa, cuyo artículo 2.1 dispone que «la libertad religiosa y de culto garantizada por la Constitución comprende, con la consiguiente inmunidad de acción, el derecho de toda persona... a practicar los actos de culto...». No cabe, pues, pretender someter a ese derecho, amparado por la Constitución y por la Ley de Libertad Religiosa, a límites y requisitos distintos de los señalados por la ley. En efecto, el artículo 3.1 de la **Ley Orgánica 7/1980**, citada, dispone que «el ejercicio de los derechos dimanantes de la libertad religiosa y de culto tienen como únicos límites la protección del derecho de los demás al ejercicio de sus libertades públicas y derechos fundamentales, así como la salvaguardia de la seguridad, de la salud y de la moralidad pública, elementos constitutivos del orden público protegido por ley en el ámbito de una sociedad democrática», recogiendo este precepto, en términos casi literales, lo establecido al respecto por el artículo 9.2 del Convenio Europeo para la Protección de los Derechos Humanos de 4 noviembre 1950. En consecuencia con todo lo expuesto, resulta incuestionable, que con la exigencia del requisito de la licencia municipal de apertura —como si se tratase de un establecimiento mercantil o industrial— carente de base legal, se vendría a establecer unos límites a la libertad religiosa y de culto distintos de los permitidos por la Ley de Libertad Religiosa, y contrarios, por tanto, al derecho fundamental consagrado en el artículo 16 de la Constitución, el cual, según tiene proclamado el Tribunal Constitucional, entre otras, en las Sentencias 15/1982, de 23 abril y 19/1985, de 3 febrero, «comprende junto a las modalidades de la libertad de conciencia y la de pensamiento, íntima y también exteriorizada, una libertad de acción», en cuya esfera obviamente interferiría la Administración con la aludida exigencia o condicionamiento.

La jurisprudencia se ha pronunciado hasta ahora de forma dispar en torno a la sujeción de diversas **actividades profesionales** a licencia. Si hasta la entrada en vigor de la LAS, las actividades profesionales no estaban sujetas a licencia de apertura, ahora sí lo están a comunicación previa o declaración responsable. Por ello y como decimos, hasta ahora, la línea jurisprudencia se movía en torno a los dictados de las ordenanzas municipales, las que en numerosos casos sujetaban a licencia municipal las actividades profesionales, línea jurisprudencial no pacífica. Así *la STS 1 febrero 1991 (Ponente Reyes Monterreal) decía que* «La tesis defendida por el Ayuntamiento —exigibilidad de previa licencia de apertura— sería admisible si, en efecto, el despacho en que el abogado ejerce su profesión constituye un establecimiento mercantil o industrial o, en otro aspecto, si el ejercicio de ésta supone de algún modo una actividad incidente en él, pero hay que rechazar ambas hipótesis en la medida en que, en cuanto a la primera, aunque como entiende dicha parte, del vocablo «establecimiento» puede participar un despacho u oficina, a los efectos que interesan el mismo se objetiva con una calificación específica de «industrial» o «mercantil», que no cabe atribuir aquel en que el abogado ejerce su profesión, porque éste no es titular de una industria ni un comercio y, en cuanto a la segunda, porque la actividad, en sí misma, no es molesta, ni insalubre, ni nociva, ni peligrosa, si bien en casos excepcionales, siempre de obligada justificación por la Administración municipal, por los elementos de su instalación o por cualquier otra circunstancia —por lo demás comunes a otras actividades o usos y no privativos de aquéllas— resulta que lo es y, en consecuencia, es procedente que se adopten las medidas correctoras que en cada caso requiera la licencia que ha de ser solicitada».

Por el contrario las SSTS 7 mayo 1987 (Ponente González Navarro) —actividad de acupuntura— 18 septiembre 1988 (Ponente Gordillo García) —instalación de aparato de aire acondicionado— instalación de aparatos eléctricos de aire acondicionado de los llamados de ventana en locales destinados a despacho profesional de Abogados no requiere la previa obtención de licencia municipal, ya que se trata de la simple existencia o uso de aparatos electrodomésticos y 16 octubre 1990 y 1 febrero 2001 manifestaban que «A falta de otra disposición de rango legal o reglamentario que se refiera a supuestos en que sea precisa licencia de apertura distintos a los enumerados en el artículo 22 RSCL, debe entenderse que las potestades administrativas en orden a la sumisión previa licencia en el uso y apertura de locales se constriñen al caso de que aquéllos constituyan establecimientos mercantiles o industriales, a los que no cabe equiparar, dado su carácter, los despachos profesionales en que desarrollan su actividad los abogados en ejercicio».

La tendencia actual en el marco legislativo en el que nos movemos se refuerza asimismo con lo dispuesto en el art. 3.1 b) de la **Ley 40/2015,** de 1 de octubre, de Régimen Jurídico del Sector Público (LRJSP) en el que se dice que las Administraciones Públicas deberá respetar en su actuación y relaciones entre otros los principios de «**simplicidad, claridad y proximidad a los ciudadanos**», **principio de simplicidad** que como se decía en el derogado art. 4.7 de la **Ley 2/2011**, de 4 de marzo, de Economía Sostenible (LES), exige que toda iniciativa normativa atienda a la consecución de un marco normativo sencillo, claro y poco disperso, que facilite el conocimiento y la comprensión del mismo.

Aunque si ha de quedar claro que **las actividades, fundamentalmente de índole profesional**, como las se ha citado antes, no estén sujetas a declaración responsable, comunicación previa o licencia de actividad no quiere decir que queden al margen del control urbanístico mediante la licencia de primera utilización u ocupación, o mediante la presentación de la declaración responsable en el caso de aquellas Comunidades Autónomas en las que no se exige la licencia.

En el caso de **Andalucía** el **Decreto 60/2010**, de 16 de marzo, por el que se aprueba el Reglamento de Disciplina Urbanística (RDUAn) de la Comunidad Autónoma de Andalucía distingue en su art. 7. d) entre la **licencia de ocupación** se exigirá cuando el uso previsto sea el de **vivienda**, y la **licencia de utilización en los demás supuestos.**

II.   RESEÑA JURISPRUDENCIAL

1.   Acupuntura, homeopatía y naturismo

En relación a la alegación relativa a que **las actividades de acupuntura, homeopatía y naturismo, realizadas en el centro Asturnat, no tienen la consideración de actividades sanitarias y por ello no se necesita autorización administrativa de funcionamiento**, de conformidad con lo dispuesto en el art. 29 de la Ley 14/1986 de 25 de abril General de Sanidad que exige la necesaria **intervención administrativa con respecto a los centros y establecimientos sanitarios**, al disponer que, cualesquiera que sean su nivel y categoría o titular precisarán **autorización administrativa previa para su instalación y funcionamiento,** así como las modificaciones que respecto de su estructura y régimen sin cual puede establecerse; hay que partir de lo establecido en el art. 2.1 c) del Decreto 53/2006 de 8 de junio del Principado de Asturias por el que se regula la autorización de centros y servicios sanitarios que señala que a los efectos de este Decreto **se entiende por actividad sanitaria el conjunto de acciones de promoción, prevención, diagnóstico, tratamiento o rehabilitación dirigidas a fomentar, restaurar o mejorar la salud de las personas realizadas por profesionales sanitarios estando sujeto por ello a la previa autorización administrativa establecida** en el art. 12 so pena de clausura o cierre, **por lo que la acupuntura, homeopatía y naturismo o demás técnicas de la medicina alternativa, tienen por objeto la salud humana siendo por ello actividades sanitarias sujetas a autorización administrativa por lo que respecta a la apertura de los establecimientos en que se realizan las mismas, por lo que el cierre ha sido acordado simplemente por el hecho de no tener la autorización de funcionamiento,** y en este sentido el art. 36 señala que no tendrá carácter de sanción la clausura o cierre de centros o servicios sanitarios que no cuenten con las previas autorizaciones o registros sanitarios preceptivos. [STSJ Principado de Asturias 17 octubre 2012.- LA LEY 161630/2012]

2.   Confesión religiosa y usos urbanísticos

Ahora bien si **resulta posible por parte del Ayuntamiento comprobar a través de una licencia la compatibilidad del uso pretendido «el de lugar de culto religioso» con base en la legislación urbanística, que acredite la compatibilidad del dicho uso** de la edificación con el previsto en el Plan General de Ordenación Urbana para la Zona o Sector donde se encuentra enclavado, no puede pretenderse por la entidad recurrente que por el mero hecho de tratarse **de una entidad religiosa ostente el privilegio de no estar sometida al Ordenamiento Jurídico,** ello sería contrario al artículo 9 de la Constitución (LA LEY 2500/1978) que establece la sumisión de los ciudadanos y los poderes públicos a la Constitución y al resto del Ordenamiento jurídico, **y la legislación urbanística obliga por igual a las personas físicas y a las jurídicas y dentro de esta tanto si se trata de corporaciones de derecho público como de asociaciones de interés particular o interés público y también a las confesiones Religiosas, privar a los Municipios del Control de la actividad urbanística sería tanto como permitir a la confesión religiosa a realizar cualquier acto de uso del suelo sin licencia alguna,** ello permitiría por ejemplo la construcción en suelo rústico de especial protección o la demolición de edificios singularmente protegidos o catalogados, incluso los que forman parte del patrimonio monumental y artístico. **La licencia que se le exige por la autoridad municipal es la de insta-**

lación, **exclusivamente para comprobar si la actividad a realizar es compatible con el uso del suelo establecido en el Plan de Ordenación. Por lo tanto para la instalación de un lugar de culto es preciso que en la zona se permita dicho uso.** Ha de concluirse por lo tanto que la Confesión Religiosa **precisa la concesión de esta licencia de contenido urbanístico, cuya concesión es de carácter reglado, y que ha de concederse si existe compatibilidad de uso**, esta es la licencia que se le exige y respecto de esta la jurisprudencia entiende su solicitud es obligatoria, prueba de ello es la Sentencia de la sala Tercera del Tribunal Supremo de 10 de abril de 1989 que señala que bastará indicar que en nuestro ordenamiento jurídico están sujetas a licencia municipal la primera utilización de los edificios y la modificación del uso de los mismos —artículos 178,1 del Texto Refundido de la ley del Suelo y 1, 10 y 13 del reglamento de Disciplina Urbanística— que siendo la finalidad de tal intervención municipal, la de comprobar si el uso proyectado se ajusta al destino urbanístico previsto en el planeamiento así como también si el edificio reúne las condiciones de seguridad y salubridad necesarias —artículo 2, 2 d) del reglamento de Servicios—. **Siendo clara la necesidad de un control municipal sobre los extremos mencionados, especialmente si se tiene en cuenta que el nuevo destino de culto religioso va a implicar una concentración de personas de cierta entidad.** Con todo el respeto que merecen las distintas manifestaciones de la vida religiosa, la Administración no puede renunciar a su deber de velar por los importantes aspectos del interés público de que se ha hecho mención: el respeto a los distintos cultos religiosos ha de ser armonizado —artículo 16,1 de la Constitución, *in fine* (LA LEY 2500/1978)— con el servicio a otros fines de interés general —artículo 103.1 de la Constitución (LA LEY 2500/1978)— que la Administración no puede olvidar. Señalando entre otros problemas dicha resolución la normativa de protección de incendios, aún más cuando en el local se puede producir una alta concentración de personas. [STSJ Madrid 2 julio 2009.- LA LEY 256090/2009]

3. Consulta de podología

La incompatibilidad que ha determinado la denegación de la autorización instada se ha apoyado por la Administración en el hecho de que se ha considerado a la **consulta / gabinete de podología como un centro de ortopedia que tiene la entidad de establecimiento sanitario**.

En contra de lo manifestado por la Comunidad de Madrid, **esta Sala no admite que la actividad que desarrolla la actora sea la propia de un centro de ortopedia que efectivamente tiene la consideración de establecimiento sanitario** —Anexo I Real Decreto 1277/2003— **sino que es una consulta de podología** regulada en el Anexo II del Real Decreto 1277/2003 como unidad asistencial dado que el objeto de «Zafan Ibérica, S.L.» —según consta en el contrato suscrito con El Corte Ingles— es el «desarrollo y comercialización de calzados anatómicos altamente especializados y productos de podología, conocidos genéricamente bajo la denominación de su propia marca comercial SCHOOLL así como la prestación de servicios de podología». Actividades estas que, por otra parte, **no suponen la venta de productos con finalidad sanitaria propia de los establecimientos sanitarios**. [STSJ Madrid 27 mayo 2010.- LA LEY 126210/2010]

4.   Despachos profesionales

El titular de la clínica y la Administración la asimilan a un **despacho profesional y derivan de ello que no es necesaria licencia municipal.**

La Sala no comparte esta interpretación, por una doble razón: en primer lugar, la normativa vigente difícilmente permite asimilar la actividad que pretende llevarse a cabo en la consulta con la que se desarrolla en un despacho profesional; en segundo lugar, aun en el caso de que así fuera, no debe extraerse de dicho carácter —despacho profesional— la consecuencia que se plasma en la resolución impugnada: la exención de licencia... Esta afirmación se realiza sobre la base de una jurisprudencia ya superada recaída en torno al alcance del artículo 22 del RSCL, que dispone que «estará sujeta a licencia la apertura de establecimientos industriales y **mercantiles». El Tribunal Supremo sostuvo, efectivamente, la innecesariedad de licencia en los casos de apertura de establecimientos en los que la actividad que se va a realizar es profesional, y no mercantil o fabril** (por ejemplo, la Sentencia de 5 de febrero de 1997 o la de 18 de febrero de 1993). Esta jurisprudencia ha sido dictada con carácter general para despachos de profesionales —casi siempre de abogados— que venían desarrollando su actividad con anterioridad sin licencia, en los que **no concurría ninguna circunstancia especial que pudiera exigir un control preventivo municipal** y en los que no hubiese ni primera ocupación del edificio ni modificación de su uso. Si se diese alguna circunstancia especial, la conclusión sería distinta, exigiéndose en tales casos, por exigencia de la legislación urbanística, licencia de actividad clasificada, de primera utilización o de modificación del uso para el caso de que se pretendiese cambiar el existente (sentencia de 22 de julio de 1996, o más claramente la sentencia de 29 de septiembre de 1989).

Más recientemente y de forma muy reiterada, la jurisprudencia anterior se ha matizado, a fin de evitar el alcance limitativo que se pretendió dar al artículo 22 del RSCL con la aplicación de aquella jurisprudencia citada. El Tribunal Supremo parte de que ya el artículo 1 del RSCL, al igual que el artículo 84 de la LBRL, prevén la intervención de las Corporaciones Locales en la actividad de los administrados mediante el sometimiento a licencia de sus actividades. El artículo 22 del Reglamento de Servicios menciona los establecimientos industriales y mercantiles, pero ello carece del alcance limitativo que se le pretende dar excluyendo de cualquier tipo de control a los despachos profesionales.

En primer lugar, porque, en su apartado 2, el artículo 22 remite al planeamiento («la intervención municipal tenderá a verificar si los locales o instalaciones reúnen las condiciones de tranquilidad, seguridad y salubridad, y las que, en su caso, estuvieren dispuestas en los planes de urbanismo debidamente aprobados») por lo que determina la necesidad de controlar los usos a la luz del planeamiento. **Y ha de aceptarse que los Planes de urbanismo no sólo regulan los usos «mercantiles e industriales», sino también terciarios, en el que está el de despachos profesionales, domésticos o no.** [STSJ Galicia 24 noviembre 2011.- LA LEY 242618/2011]

5.   Establecimientos y servicios de atención farmacéutica y centros sanitarios

La actividad de establecimientos y servicios de atención farmacéutica y centros sanitarios está recogida dentro del apartado 3.10 del Anexo al decreto 165/1999 de 9 de marzo, por el que **se establece la relación de actividades exentas de obtención de**

licencia de actividad prevista en la Ley 3/1998, de 27 de febrero, General de Protección del medio ambiente del País Vasco. Esto significa, como dice la demandada, que la ley establece dos categorías para la tramitación de las licencias, las que se rigen por la ley 3/1998, que se llaman clasificadas y que tienen un procedimiento más gravoso para su obtención, ya que incluye la tramitación de dos licencias, de actividad y de apertura, y **aquellas que tienen un procedimiento más atenuado para su obtención, a las que se ha llamado exentas, es decir, exentas del cumplimiento de alguno de los trámites exigidos para las clasificadas, pero no exentas de la obtención de la licencia municipal.** En este sentido, el artículo 4.4 del Decreto 31/2006 de autorización de centros, servicios y establecimientos sanitarios dispone que «la obtención de las autorizaciones sanitarias reguladas en este Decreto no exime a los centros, servicios y establecimientos sanitarios de la obtención del resto de autorizaciones o licencias que sean precisas para su apertura al público, desarrollo de sus actividades o funcionamiento de sus apartados o equipos». **En definitiva, que dada la naturaleza del centro de la recurrente**, y al estar éste encuadrado dentro del apartado 3.10 del Anexo al decreto 165/1999 de 9 de marzo (LA LEY 5641/1999), por el que se **establece la relación de actividades exentas de obtención de licencia de actividad** prevista en la Ley 3/1998, de 27 de febrero, General de Protección del medio ambiente del País Vasco, **la preceptiva autorización municipal es la denominada licencia de actividad exenta**. [SJCA Donostia-San Sebastián 22 agosto 2012.- LA LEY 232851/2012]

6.   Instalaciones de distribución de energía eléctrica

Las instalaciones de distribución de energía eléctrica no están, de conformidad con lo expuesto, sujetas a licencia de actividad. Por ello, no puede ser tampoco acogida la alegación del actor relativa a que la ubicación de la Subestación Eléctrica de Granja de Rocamora incumple el régimen de distancias previsto en el art. 4 del Decreto 2414/1961, de 30 de noviembre (LA LEY 60/1961), de aprobación del Reglamento de Actividades Molestas, Insalubres, Nocivas y Peligrosas, precepto que al tiempo de los hechos. En este mismo sentido, la precitada sentencia n.º 434/10 de esta Sección manifiesta que «**hay que reiterar que la actividad de transporte y transformación de electricidad no es calificada**, por lo que no puede exigirse tal distancia de 2000 al núcleo urbano». [STSJ Comunidad Valenciana 2 abril 2012.- LA LEY 105215/2012]

7.   Locales de uso religioso

A lo que debemos añadir lo resuelto por esta Sección en sentencia de 10 de enero de 2013 (LA LEY 17486/2013) recurso de apelación n.º 1133/2012), trasladable al supuesto de autos: «El motivo o causa que provoca la orden del cese de la actividad, según se expresa en la resolución impugnada, es la de no contar con la preceptiva licencia de funcionamiento. Ahora bien, la exigencia de dicha licencia obvia la doctrina jurisprudencial expuesta por nuestro Tribunal Supremo en Sentencias de 24 de junio de 1988 y 18 de junio de 1992 (a cuyos extensos razonamientos nos remitimos), según **la cual los locales de uso religioso, como el que aquí nos ocupa, quedan exceptuados de la obtención de la licencia de apertura y funcionamiento exigible a otros establecimientos** por los Reglamentos de Actividades Clasificadas y de Espectáculos Públicos». [STSJ Madrid 11 marzo 2015.- LA LEY 35347/2015]

8. Salas de reunión

No obstante, la Sentencia apelada ha entendido posible someter a licencia de apertura el establecimiento de que se trata acogiendo la alegación del Ayuntamiento —que no encuentra prueba ni justificación en todo lo actuado— de que el local en cuestión era, al **menos inicialmente, una «Sala de Reunión», entendiendo por tal la que se dedica a actividades ligadas a la vida de relación.** Con la consecuencia de que a dichas Salas de reunión serían aplicables las condiciones del uso comercial y las establecidas en el Reglamento General de Policía de Espectáculos Públicos y Actividades Recreativas según el Plan General de Ordenación Urbana de Madrid (arts.10.4.1 y 10.4.26). Sin embargo, es preciso rectificar tal apreciación, que no resulta admisible e incide negativamente en la libertad de culto de la apelante. **La precisión de si un local es o no lugar de culto corresponde a la propia Entidad religiosa, que es titular del derecho a establecerlos con fines religiosos** (art. 2.2 de la LO 7/1980, de 5 de julio (LA LEY 1364/1980) y, por consiguiente, del de manifestar cuáles son lo ostentan dicho carácter, tal y como en este caso se comprueba por las alegaciones de la apelante y por la objetiva inscripción del local como lugar de culto en el Ministerio de Justicia sin que se desprenda —en modo alguno— del escrito inicial de la Iglesia de 16 de mayo de 1985, que **el local en cuestión fuese destinado en ningún momento a Sala de reuniones.** [STSJ Madrid 11 marzo 2015.- LA LEY 35347/2015]

PREGUNTAS CLAVE

1. ¿En el caso de ejercer una actividad no sujeta a comunicación previa o declaración responsable, hay que obtener alguna licencia del Ayuntamiento?

El hecho de que una actividad no esté sujeta a comunicación previa o declaración responsable no exime al titular de la misma que tenga que solicitar la licencia de utilización, ya que es el planeamiento urbanístico el que ha de permitir el uso en un determinado lugar. Así el art. 7 d) del RDUAn dice que tiene la consideración de licencia urbanística la licencia de ocupación y de utilización, exigiéndose la primera cuando el uso previsto sea el de vivienda y la segunda en los demás supuestos, sujetando a licencia la utilización de los edificios o elementos susceptibles de aprovechamiento independiente, establecimientos o instalaciones en general, así como la modificación de su uso total o parcial (art. 8. e) RDUAn).

2. ¿Cómo ha de actuarse en el caso de que se solicite una licencia de apertura para una actividad que no está sujeta a la misma, ni a declaración responsable ni comunicación previa?

En este supuesto el ayuntamiento informará al interesado de que no es necesario tramitar expediente alguna para la concesión de la licencia solicitada o para la toma de conocimiento del ejercicio de la actividad mediante la declaración responsable o comunicación previa presentada, procediéndose al archivo del expediente.

3. ¿Existe un nomenclátor o catálogo de actividades no sujetas a licencia de apertura ni a declaración responsable ni comunicación previa?

La inexistencia de un catálogo de actividades de diversa índole (profesionales, culturales, administrativas, educativas, etc.) ha sido un foco constante de conflicto al incluirse en muchos casos en las ordenanzas municipales toda una serie de actividades a las que se sujetaba a control municipal. Actualmente ha de recurrirse por exclusión a las que no se encuentran dentro de los anexos de las distintas normas ambientales, de espectáculos públicos y actividades recreativas, junto con las que figuran en particular en la **Ley 12/2012** de 26 de diciembre, de medidas urgentes de liberalización del comercio y de determinados servicios así como a lo dispuesto en el art. 84 de la **Ley 7/1985**, de 2 de abril, reguladora de las bases del régimen local (LRBRL).

4. ¿Qué actividades podemos incluir dentro de las no sujetas a licencia a licencia de apertura ni a declaración responsable ni comunicación previa?

Sin ser exhaustivos, se incluyen las actividades profesionales, mercantiles en régimen ambulante, así como las actividades religiosas o de culto, actividades educativas, actividades administrativas públicas, actividades privadas o de carácter familiar.

5. ¿Qué clase de control se ha de realizar por el Ayuntamiento ante el ejercicio de una actividad no sujeta a declaración responsable ni licencia de apertura?

Como ha señalado la STSJ Madrid de 4 mayo 2015 —LA LEY 66594/2015—, la actividad ha de poder ejercerse en locales o edificios que tengan asignado o permitido el uso de que se trate, además de exigir que se cumpla con las exigencias legales en cuanto al aforo permitido así como a las previsiones establecidas para todo tipo de actividades en materia de ruido y vibraciones, medio ambiente, prevención de incendios, etc.

III. NORMATIVA AUTONÓMICA

No es este un tema al que la legislación autonómica dedique especial atención, ya que las distintas normas que existen sobre la materia lo que hacen es precisamente lo contrario, es decir, relacionar las actividades que sí están sujetas a control administrativo, pero sin hacer una remisión expresa a aquellas actividades que no están sujetas a control ambiental o bien que quedan fuera de las tradicionalmente consideradas como actividades inocuas.

1. Andalucía

Si bien la **Ley 7/2007**, de 9 de julio, de Gestión Integrada de la Calidad Ambiental (GICA), no hace mención a actividades excluidas, por el contrario el art. 1.4 de la **Ley 13/1999**, de 15 de diciembre de Espectáculos Públicos y Actividades Recreativas, modificado por el art. 9.uno del **Decreto-Ley 5/2014**, de 22 de abril, de medidas normativas para reducir las trabas administrativas para las empresas se mencionan qué actividades quedan fuera de su ámbito de aplicación:

> «Sin perjuicio del cumplimiento de las normas aplicables en materia de orden público y de seguridad ciudadana, **quedan excluidas** del ámbito de aplicación de la presente ley, las celebraciones de carácter **estrictamente privado o familiar**, así como las que supongan el **ejercicio de derechos fundamentales** en el ámbito **laboral, político, religioso, sindical o docente**. No obstante lo anterior, los recintos, locales, establecimientos o instalaciones donde se realicen estas actividades **deberán reunir las condiciones de seguridad** exigidas en esta ley y en las normas que la desarrollen».

4. Cantabria

La **Ley 17/2006**, de 11 de diciembre, Control Ambiental Integrado **no hace mención a actividades excluidas** o no sujetas ni a licencia de actividad ni a comunicación previa o declaración responsable, si bien se hace una exclusión tácita de aquellas actividades que no incidan en la salud y seguridad de las personas y sobre el ambiente (*a sensu contrario*, arts. 1.1 y 3).

Sin embargo la **Ley 3/2017**, de 5 de abril, de Espectáculos Públicos y Actividades Recreativas de Cantabria, en su art. 2 excluye expresamente de su ámbito de aplicación, a:

a) Las actividades que supongan el ejercicio de derechos fundamentales en el ámbito **laboral, político, religioso, sindical, empresarial o docente**, así como los establecimientos que estén dedicados a dicho fin.

b) Los actos de **naturaleza privada y carácter familiar** que, por su contenido, no impliquen la organización o celebración de espectáculos públicos o actividades recreativas previstas en la normativa de espectáculos.

c) Las instalaciones y actividades previstas en el catálogo del anexo de esta ley, que, por su ubicación, formen parte de la dotación de los elementos comunes de las **comunidades de propietarios** sujetas a la legislación de propiedad horizontal y estén dotadas de normas de uso interno, siempre que no estén abiertas a la pública concurrencia.

d) Los espectáculos públicos y las actividades recreativas que se realicen en el marco de **actuaciones formativas, educativas o escolares**, sean o no regladas, realizadas en centros de carácter académico o similar.

e) **Actividades de turismo**, excepto cuando afecte a un espectáculo o actividad recreativa.

f) Los espectáculos públicos y actividades recreativas que se desarrollen y discurran en **aguas de dominio público**, excepto los que tengan lugar en la zona marítimo terrestre o portuaria.

g) Los espectáculos públicos y actividades recreativas relacionadas con la **navegación aérea**.

h) Las **actividades cinegéticas**.

5. Castilla-La Mancha

Con la entrada en vigor de la **Ley 8/2014,** de 20 de noviembre, por la que se modifica la Ley 2/2010, de 13 de mayo, de Comercio de Castilla-La Mancha, que deja sin aplicación en el ámbito territorial de Castilla-La Mancha el **Decreto 2414/1961**, de 30 de noviembre, por el que se aprueba el Reglamento de Actividades Molestas, Insalubres, Nocivas y Peligrosas, a partir del 23 de diciembre de 2014,de conformidad con lo dispuesto en la disposición adicional única, entendemos que pese al esfuerzo de la exposición de motivos en despejar cualquier duda o incertidumbre para la tramitación de los distintos procedimientos ambientales que hasta ahora quedaban bajo el paraguas del

RAMINP, la situación de inseguridad jurídica va a tener efectos negativos por cuanto no existe una norma en esa Comunidad que sustituya, con todas sus carencias, al RAMINP, siendo de difícil comprensión cuando se dice en la citada exposición de motivos que «el abanico legislativo sobre la regulación de las actividades objeto del Reglamento es tan amplio, específico, eficaz y eficiente, que es capaz de garantizar que las mismas se desarrollen sin producir molestias, amenacen al medio ambiente o afecten a la salud de las personas».

El Art. 2.3. de la **Ley 7/2011**, de 21 de marzo, de Espectáculos Públicos, Actividades Recreativas y Establecimientos Públicos de Castilla-La Mancha, excluye a «las **celebraciones privadas, de carácter familiar o social** que no estén abiertas a la concurrencia pública, así como las que se realicen en el ejercicio de los derechos de reunión y manifestación consagrados en la Constitución Española. No obstante, deberán cumplir con lo previsto en las normas aplicables en materia de orden público, seguridad ciudadana, forestal y de conservación de la naturaleza».

6.   Castilla y León

El art. 4.2. de la **Ley 7/2006**, de 2 de octubre. Espectáculos públicos y actividades recreativas de la Comunidad de Castilla y León, excluye de la aplicación de la misma a «las actividades restringidas al ámbito estrictamente familiar o privado, las actividades que no se hallen abiertas a la pública concurrencia, los actos privados de carácter educativo que no estén abiertos a la concurrencia, así como los actos y celebraciones que se realicen en el ejercicio de los derechos fundamentales consagrados en la Constitución».

7.   Cataluña

El Art. 4.5 de la **Ley 11/2009**, de 6 de julio, de regulación administrativa de los espectáculos públicos y las actividades recreativas, excluye de su ámbito de aplicación a:

> «a) Los **actos y celebraciones privados o de carácter familiar** que no efectúan en establecimientos abiertos al público y que, por sus características, no conllevan riesgo alguno para la integridad de los espacios públicos, para la convivencia entre los ciudadanos o para los derechos de terceros.
>
> b) Las actividades efectuadas en ejercicio de los **derechos fundamentales de reunión y de manifestación.**
>
> c) Los actos y las celebraciones de **carácter vecinal o asociativo**, con un aforo bajo o medio, que no se realizan en establecimientos abiertos al público incluidos en el catálogo establecido por reglamento, siempre y cuando no comporten un riesgo grave para la seguridad de las personas, para los derechos de terceros o para la integridad de los espacios públicos, sin perjuicio de lo establecido por las ordenanzas municipales».

El anexo I (observaciones generales) de la **Ley 16/2015**, de 21 de julio, de simplificación de la actividad administrativa de la Administración de la Generalidad y de los gobiernos locales de Cataluña y de impulso de la actividad económica, declara exentas de presentar declaración responsable las **actividades profesionales, científicas y técnicas** (grupo M) y las **actividades administrativas y de servicios auxiliares** (epígrafes 821, 822, 823 y 829 del grupo N) que se desarrollen en la vivienda particular.

8. Comunidad de Madrid

El Art. 3 de la **Ley 17/1997**, de 4 de julio, de Espectáculos Públicos y Actividades Recreativas, excluye a «las actividades privadas, de carácter familiar o educativo que no estén abiertas a la pública concurrencia, así como las que se realicen en el ejercicio de los derechos fundamentales consagrados en la Constitución».

9. Comunidad Valenciana

El art. 2 de la **Ley 14/2010**, de 3 de diciembre, de la Generalitat, de Espectáculos Públicos, Actividades Recreativas y Establecimientos Públicos excluye del ámbito de aplicación los actos privados que no estén abiertos a la pública concurrencia.

10. Extremadura

La **Ley 16/2015,** de 23 de abril, de protección ambiental de la Comunidad Autónoma de Extremadura, no hace referencia a este tipo de actividades, limitándose el art. 2 a decir que la ley será de aplicación a cualquier plan, programa, proyecto, obra, instalación y actividad, de titularidad pública o privada, que se desarrolle en el ámbito territorial de la Comunidad Autónoma de Extremadura y que puedan generar impactos en el medio ambiente y/o poner en riesgo la salud de las personas.

11. Galicia

La **Ley 1/1995** de 2 de enero, de Protección Ambiental de la Comunidad Autónoma de Galicia no realiza una exclusión expresa de actividades no sujetas a licencia municipal y por ende a comunicación previa o declaración responsable.

De otro lado la **Ley 10/2017**, de 27 de diciembre, de espectáculos públicos y actividades recreativas de Galicia declara excluidos de su ámbito de aplicación:

a) Los **actos y celebraciones de carácter privado o familiar que** no se efectúen en establecimientos abiertos al público y que, por sus características, no supongan ningún riesgo para la integridad de los espacios públicos, para la convivencia entre la ciudadanía o para los derechos de terceros.

b) Las actividades efectuadas en ejercicio de los **derechos fundamentales de reunión y manifestación.**

12. Islas Baleares

La **Ley 8/2009**, de 16 de diciembre, de reforma de la Ley 11/2001, de 15 de junio, de ordenación de la actividad comercial en las Illes Balears para la transposición de la DIR/SER, introduce un nuevo régimen sobre actividades que están exentas o no sujetas de licencia de apertura, siendo de destacar por su importancia la disposición adicional sexta de la Ley 11/2001, añadida por art. 34 de la Ley 8/2009, que dice:

«Los establecimientos comerciales con superficie de venta inferior a 700 m² en la Isla de Mallorca, a 400 m² en las Islas de Ibiza y de Menoría y a 200 m² en la isla de Formentera que estén abiertos al público con anterioridad al 17 de octubre de 2006 y carezcan de licencia de instalación y de apertura y funcionamiento, estarán exentos de su obtención. La no exigibilidad del permiso de instalación y de la licencia de apertura y funcionamiento no supondrá la exención del cumplimiento de la normativa aplicable».

De otro lado el art. 2, en sus apartados 2,3, 5 y 6 de la **Ley 7/2013**, de 26 de noviembre, de régimen jurídico de instalación, acceso y ejercicio de actividades en las Illes Balears, excluye de su ámbito de aplicación a las siguientes actividades:

«a) Las actividades expresamente excluidas por una ley estatal o autonómica.

b) Las actividades afectas a la defensa nacional, a las fuerzas y a los cuerpos de seguridad del Estado, a los cuerpos de la policía autonómica, a los de la policía local, a instituciones penitenciarias y a las que acrediten documentalmente las normas o los tratados que amparan su derecho a la exclusión.

c) Los aparcamientos vinculados a una única vivienda. No se excluyen del ámbito de aplicación los aparcamientos donde existan infraestructuras comunes.

d) Las instalaciones técnicas no vinculadas a una actividad y las vinculadas a viviendas.

e) La instalación de placas solares térmicas y fotovoltaicas, antenas de telefonía móvil, estaciones base de telefonía móvil y similares, excepto las **situadas en edificios** catalogados o que tengan impacto en el patrimonio histórico-artístico, **y las que precisen** una evaluación de impacto ambiental conforme a la Ley 11/2006, de 14 de septiembre.

f) Estancias turísticas en viviendas.

g) Oficinas administrativas de **despachos** profesionales que pertenecen a la vivienda, de menos de 50 m^2 útiles afectos a la actividad.

h) Las actividades relacionadas con el destino o la naturaleza de las fincas referidas en el artículo 21 de la Ley 6/1997, de 8 de julio, del suelo rústico de las Illes Balears, que se regirán por su normativa específica, a menos de que se trate de actividades sujetas a una evaluación de impacto ambiental conforme a su normativa reguladora. La administración enviará las denuncias y cualesquiera otras actuaciones a la administración competente en materia de agricultura para su resolución.

i) Las modalidades de venta ambulante.

Asimismo quedan excluidas del régimen de inspección y sancionador indicado en la presente ley las actividades sujetas al régimen de autorizaciones ambientales integradas. La tramitación de los expedientes relativos a estas autorizaciones se rige por lo dispuesto en el título VII de la presente ley, y su régimen de inspecciones y sanciones por lo dispuesto en la Ley 16/2002, de 1 de julio, de prevención y control integrado de la contaminación.

Sin perjuicio de cumplir con la normativa vigente en materia de orden público y de seguridad ciudadana, se excluyen del ámbito de aplicación de esta ley los **actos esporádicos o eventuales, de carácter privado o familiar,** siempre que no estén abiertos a pública concurrencia y que no tengan lugar en establecimientos físicos o espacios públicos. También se excluyen los actos esporádicos o eventuales de carácter educativo que se celebren en centros vinculados a la enseñanza.

Igualmente, quedan excluidos del ámbito de aplicación de esta ley los actos que supongan el ejercicio de los derechos fundamentales consagrados en la Constitución Española, que se regularán por su normativa específica».

13.   La Rioja

El art. 1.3 de la **Ley 4/2000** de 25 de octubre, de Espectáculos Públicos y Actividades Recreativas de la Comunidad Autónoma de La Rioja, y sin perjuicio del cumplimiento de las normas aplicables en materia de orden público y de seguridad ciudadana, excluyen de la aplicación las actividades restringidas al ámbito **estrictamente familiar o pri-**

vado, que no se hallen abiertas a la pública concurrencia, así como los actos y celebraciones que se realicen en el ejercicio de los derechos fundamentales consagrados en la Constitución.

14. Navarra

El art. 1.2 de la **Ley foral 2/1989**, de 13 de marzo, reguladora de espectáculos públicos y actividades recreativas excluye de su ámbito de aplicación a las actividades restringidas al ámbito puramente privado, de carácter familiar o social, que no se hallen abiertas a la pública concurrencia.

15. País Vasco

El art. 3.2 de la **Ley 10/2015**, de 23 de diciembre, de Espectáculos Públicos y Actividades Recreativas se entienden excluidas de su ámbito de aplicación las celebraciones estrictamente privadas, de carácter familiar o social, que no estén abiertas a la concurrencia pública; las actividades que se realicen en el ejercicio de los derechos de reunión y manifestación, así como las celebraciones religiosas.

Se precisa no obstante, que dichas celebraciones y actividades deberán cumplir con lo establecido en la legislación de protección de la seguridad ciudadana y reunir los requisitos de seguridad y salud y las condiciones técnicas necesarias para garantizar el derecho al descanso y la convivencia normalizada y evitar molestias a terceros, exigidos para los establecimientos o espacios donde se ejerzan.

16. Principado de Asturias

La **Ley del Principado de Asturias 8/2002**, de 21 de octubre, de Espectáculos Públicos y Actividades Recreativas, excluye de la aplicación las actividades restringidas al ámbito puramente privado, de carácter familiar o social, que no se hallen abiertas a la pública concurrencia, así como las que se realicen en el ejercicio de los derechos fundamentales consagrados en la Constitución, aunque los establecimientos, locales o instalaciones donde se realicen dichas actividades deberán reunir en todo caso las condiciones de seguridad exigidas la citada Ley.

17. Región de Murcia

El art. 59 de la **Ley 4/2009** de 14 de mayo, de Protección Ambiental Integrada, recoge las siguientes actividades no sujetas a licencia de actividad:

a) Las actividades necesarias para la explotación agrícola,

b) La actividad apícola y las instalaciones de carácter doméstico.

IV.   MODELO DE EXPEDIENTE

(Disponible a texto íntegro en smarteca.es)

1)   **Escrito solicitando licencia de apertura o presentado declaración responsable o comunicación previa de inicio de actividad inocua**

2)   **Providencia de la Alcaldía admitiendo a trámite el expediente**

3)   **Informe técnico sobre la solicitud presentada**

4)   **Informe jurídico sobre la solicitud presentada**

5)   **Resolución de la petición de licencia**

6)   **Notificación de la resolución**

CAPÍTULO II

ACTIVIDADES SUJETAS A DECLARACIÓN RESPONSABLE Y/O COMUNICACIÓN PREVIA

I.   COMENTARIO

Ya se ha convertido en realidad el **cambio de régimen de intervención municipal** en un gran número de actividades que han pasado de la licencia de apertura previa a la simple presentación de la declaración responsable o comunicación previa para el ejercicio de la actividad sin tener que esperar al no siempre justificado procedimiento de autorización que imperaba a tenor de lo dispuesto en el art. 22.1 del RSCL, que en su redacción primitiva, antes de la modificación que el artículo único del **RD 2009/2009**, de 23 de diciembre le dio, decía «**Estará sujeta** a licencia la apertura de establecimientos industriales y mercantiles».

Actualmente el contenido del art. 22.1 RSCL es el siguiente: «La apertura de establecimientos industriales y mercantiles **podrá sujetarse** a los medios de intervención municipal, en los términos previstos en la legislación básica en materia de régimen local y en la Ley 17/2009, de 23 de noviembre, sobre el libre acceso a las actividades de servicios y su ejercicio».

Es precisamente este cambio legislativo, el que sirve de impulso a modificaciones ulteriores en el ámbito de la legislación estatal, que han ido consolidando la declaración responsable y/o comunicación previa como el **modo normal de «darse a conocer» por parte de los prestadores de las actividades**, ajenos desde el momento de la presentación al control previo que hasta fechas recientes se venía haciendo, aunque ello no es óbice para eludir el control posterior que el Ayuntamiento puede hacer, nada nuevo por otro lado, ya que la potestad de inspección una vez que la actividad está funcionando, antes con licencia, y ahora sin la misma, no ha cambiado en absoluto.

Decíamos que el cambio legislativo ya se ha consolidado mediante la **Ley 12/2012**, de 26 de diciembre, de medidas urgentes de liberalización del comercio y de determinados servicios, si bien ya ha dejado claro que quedan al margen las actividades desarrolladas en los establecimientos que tengan impacto en el patrimonio histórico-artístico o en el uso privativo y ocupación de los bienes de dominio público (art. 2.2.).

Este cambio nace de la **Directiva 2006/123/CE** del Parlamento Europeo y del Consejo, de 12 de diciembre de 2006, relativa a los servicios en el mercado interior, cuando dice que «Una de las **principales dificultades** a que se enfrentan en especial las PYME en el acceso a las actividades de servicios y su ejercicio reside en la **complejidad, la extensión y la inseguridad jurídica de los procedimientos administrativos**. Por este motivo, y a semejanza de otras iniciativas de modernización y de buenas prácticas administrativas a nivel comunitario o nacional, **procede establecer principios de simplificación administrativa, en concreto limitando la autorización previa obligatoria a aquellos casos en que sea indispensable e introduciendo el principio de autorización tácita de las autoridades competentes una vez vencido un plazo determinado.** El objetivo de este tipo de acción de modernización es, aparte de **garantizar los requisitos de transparencia** y actualización de los datos relativos a los operadores, **eliminar los retrasos, costes y efectos disuasorios** que ocasionan, por ejemplo, **trámites innecesarios o excesivamente complejos y costosos**, la duplicación de operaciones, las formalidades burocráticas en la presentación de documentos, **el poder arbitrario de las autoridades competentes, plazos indeterminados o excesivamente largos**, autorizaciones concedidas con un período de vigencia limitado o gastos y sanciones desproporcionados. Este tipo de prácticas tienen efectos disuasorios especialmente importantes para los prestadores que deseen desarrollar sus actividades en otros Estados miembros y requieren una modernización coordinada en un mercado interior ampliado a veinticinco Estados miembros».

1. La declaración responsable o comunicación previa en la Ley 7/1985

El número dos del artículo 1 de la **Ley 25/2009**, de 22 de diciembre, de modificación de diversas leyes para su adaptación a la Ley sobre el libre acceso a las actividades de servicios y su ejercicio, modificó el art. 84 de la LRBRL introduciendo en su apartado 1 c) el sometimiento a **comunicación previa o a declaración responsable como medio de intervención de la actividad de los ciudadanos**, junto a la licencia y otros actos de control preventivo, y de conformidad con lo establecido en el art. 71 bis de la Ley 30/1992, de 26 de noviembre, de Régimen Jurídico de las Administraciones Públicas y del Procedimiento Administrativo Común, que se corresponde con el actual art. 69 de la **Ley 39/2015**, de 1 de octubre, del Procedimiento Administrativo Común de las Administraciones Públicas (LPACAP).

Después de este primer paso, la posterior evolución normativa propició una nueva modificación del art. 84 bis, introducido por **Ley 2/2011**, de 4 de marzo, de Economía Sostenible, mediante la nueva redacción que al mismo se da por la **Ley 27/2013**, de 27 de diciembre, de racionalización y sostenibilidad de la Administración Local, a decir que:

> «1. Sin perjuicio de lo dispuesto en el artículo anterior, con carácter general, el ejercicio de actividades no se someterá a la obtención de licencia u otro medio de control preventivo.
>
> No obstante, podrá exigirse una licencia u otro medio de control preventivo respecto a aquellas actividades económicas:
>
> a) Cuando esté justificado por razones de orden público, seguridad pública, salud pública o protección del medio ambiente en el lugar concreto donde se realiza la actividad, y estas razones **no puedan salvaguardarse mediante la presentación de una declaración responsable o de una comunicación**».

2. La declaración responsable en la Ley 17/2009

La LAS al incorporar la **Directiva 2006/123/CE** del Parlamento Europeo y del Consejo, de 12 de diciembre de 2006, relativa a los servicios en el mercado interior, establece como **régimen general el de la libertad de acceso a las actividades de servicios** y su libre ejercicio en todo el territorio español y regula como excepcionales los supuestos que permiten imponer restricciones a estas actividades, teniendo como **objeto** el de «establecer las disposiciones y principios necesarios para garantizar el libre acceso a las actividades de servicios y su ejercicio realizadas en territorio español por prestadores establecidos en España o en cualquier otro Estado miembro de la Unión Europea, **simplificando los procedimientos** y fomentando al mismo tiempo un nivel elevado de calidad en los servicios, promoviendo un marco regulatorio transparente, predecible y favorable para la actividad económica, **impulsando la modernización de las Administraciones Públicas** para responder a las necesidades de empresas y consumidores y garantizando una mejor protección de los derechos de los consumidores y usuarios de servicios» (Preámbulo I, par. 5)

Precisamente en aras al **principio de simplificación administrativa** de los procedimientos y para evitar restricción a la libertad de establecimiento, el Preámbulo II, par. 12 reafirma tal voluntad al manifestar que «Los regímenes de autorización son uno de los trámites más comúnmente aplicados a los prestadores de servicios, constituyendo una restricción a la libertad de establecimiento. La Ley establece un **principio general según el cual el acceso a una actividad de servicios y su ejercicio no estarán sujetos a un régimen de autorización.** Únicamente podrán mantenerse regímenes de autorización previa cuando no sean discriminatorios, estén justificados por una razón imperiosa de interés general y sean proporcionados. En particular, se considerará que **no está justificada una autorización cuando sea suficiente una comunicación o una declaración responsable** del prestador, para facilitar, si es necesario, el control de la actividad».

El art. 3.9 LAS **define a la declaración responsable como** «el documento suscrito por la persona titular de una actividad empresarial o profesional en el que declara, bajo su responsabilidad, que cumple con los requisitos establecidos en la normativa vigente, que dispone de la documentación que así lo acredita y que se compromete a mantener su cumplimiento durante la vigencia de la actividad».

Declaración responsable que junto a la comunicación se convierten en el eje del régimen de autorización del art. 5 LAS:

> «La normativa reguladora del acceso a una actividad de servicios o del ejercicio de la misma **no podrá imponer a los prestadores un régimen de autorización, salvo excepcionalmente y siempre que concurran las siguientes condiciones, que** habrán de **motivarse suficientemente** en la ley que establezca dicho régimen.
>
> **a) No discriminación: que** el régimen de autorización no resulte discriminatorio ni directa ni indirectamente en función de la nacionalidad o de que el establecimiento se encuentre o no en el territorio de la autoridad competente o, por lo que se refiere a sociedades, por razón del lugar de ubicación del domicilio social;
>
> **b) Necesidad: que** el régimen de autorización esté **justificado por razones de orden público, seguridad pública, salud pública, protección del medio ambiente**, o cuando la escasez de recursos naturales o la existencia de inequívocos impedimentos técnicos limiten el número de operadores económicos del mercado.
>
> **c) Proporcionalidad: que** dicho régimen sea el instrumento más adecuado para garantizar la consecución del objetivo que se persigue porque no existen otras medidas menos

restrictivas que permitan obtener el mismo resultado, en particular cuando un control *a posteriori* se produjese demasiado tarde para ser realmente eficaz. Así, **en ningún caso, el acceso a una actividad de servicios o su ejercicio se sujetarán a un régimen de autorización cuando sea suficiente una comunicación o una declaración responsable** del prestador mediante la que se manifieste, en su caso, el cumplimiento de los requisitos exigidos y se facilite la información necesaria a la autoridad competente para el control de la actividad».

Estas determinaciones son recogidas posteriormente en el art. 84 bis LRBRL:

«1. Sin perjuicio de lo dispuesto en el artículo anterior, **con carácter general, el ejercicio de actividades no se someterá a la obtención de licencia u otro medio de control preventivo.**

No obstante, podrá exigirse una licencia u otro medio de control preventivo respecto a aquellas actividades económicas:

a) Cuando esté **justificado por razones de orden público, seguridad pública, salud pública o protección del medio ambiente** en el lugar concreto donde se realiza la actividad, y estas razones no puedan salvaguardarse mediante la presentación de una declaración responsable o de una comunicación.

b) **Cuando por la escasez de recursos naturales, la utilización de dominio público,** la existencia de inequívocos impedimentos técnicos o en función de la existencia de servicios públicos sometidos a tarifas reguladas, el número de operadores económicos del mercado sea limitado».

Los efectos de la realización de una **comunicación o una declaración responsable** son de acuerdo con el art. 7 LAS los siguientes:

1.- Permitir el acceso a una actividad de servicios y ejercerla por tiempo indefinido.

[En el mismo sentido se expresa el art. 4.3 de la Ley 25/2009, de 22 de diciembre, de modificación de diversas leyes para su adaptación a la Ley sobre el libre acceso a las actividades de servicios y su ejercicio: «La comunicación o declaración responsable habilita desde el día de su presentación para el desarrollo de la actividad de que se trate en todo el territorio español y con una duración indefinida».]

2.- Permitir al prestador acceder a la actividad de servicios y ejercerla en la totalidad del territorio español, incluso mediante el establecimiento de sucursales.

2.1.   Efectos de la presentación de la declaración responsable/comunicación

Consecuencia de la presentación de la declaración responsable o de la comunicación es que ambas **habilitan para el inicio de la actividad,** sin tener que esperar a que por parte del Ayuntamiento se le realice comunicación alguna, si bien ha de tenerse en cuenta dos situaciones:

1.ª El interesado podrá diferir el inicio de la actividad a un momento posterior a la presentación de la declaración responsable o de la comunicación, debiéndose hacer constar de forma expresa tal circunstancia.

2.ª El control posterior de la actividad por parte del Ayuntamiento puede iniciarse en cualquier momento, con independencia de que se haya o no iniciado aquélla.

3. Lo que dice la Ley 12/2012

Los principios generales emanados de la LAS y recogidos en las normas que por ésta se modifican, y en lo que aquí interesa, dentro del ámbito del derecho local en la LRBRL, culmina en la Ley 12/2012 de 26 de diciembre, de medidas urgentes de liberalización del comercio y de determinados servicios de 26 de diciembre, de medidas urgentes de liberalización del comercio y de determinados servicios, en la que se recoge el régimen jurídico que servirá de punto de partida para el resto de las normas reguladoras del ejercicio de actividades no sujetas a licencia previa. En definitiva la Ley 12/2012 es el verdadero punto de partida para la simplificación administrativa mediante la eliminación de trámites previos que ahora devienen innecesarios.

> «Artículo 1. *Objeto*
>
> El Título I de esta Ley tiene por objeto el **impulso y dinamización de la actividad comercial minorista y de determinados servicios** mediante la eliminación de cargas y restricciones administrativas existentes que afectan al inicio y ejercicio de la actividad comercial, en particular, mediante la supresión de las licencias de ámbito municipal vinculadas con los establecimientos comerciales, sus instalaciones y determinadas obras previas.
>
> Artículo 2. *Ámbito de aplicación*
>
> 1. Las disposiciones contenidas en el Título I de esta Ley se aplicarán a **las actividades comerciales minoristas y a la prestación de determinados servicios** previstos en el anexo de esta Ley, realizados a través de establecimientos permanentes, situados en cualquier parte del territorio nacional, y cuya superficie útil de exposición y venta al público no sea superior a 750 metros cuadrados.
>
> 2. Quedan al **margen de la regulación contenida en el Título I de esta Ley las actividades desarrolladas en los mencionados establecimientos que tengan impacto en el patrimonio histórico-artístico o en el uso privativo y** ocupación de los bienes de dominio público.
>
> Artículo 3. *Inexigibilidad de licencia*
>
> 1. **Para el inicio y desarrollo de las actividades comerciales y servicios** definidos en el artículo anterior, **no podrá exigirse** por parte de las administraciones o entidades del sector público **la obtención de licencia previa** de instalaciones, de funcionamiento o de actividad, ni otras de clase similar o análogas que sujeten a previa autorización el ejercicio de la actividad comercial a desarrollar o la posibilidad misma de la apertura del establecimiento correspondiente.
>
> 2. **Tampoco** están sujetos a licencia los **cambios de titularidad** de las actividades comerciales y de servicios. En estos casos será exigible comunicación previa a la administración competente a los solos efectos informativos.
>
> 3. No será exigible licencia o autorización previa para **la realización de las obras ligadas al acondicionamiento de los locales** para desempeñar la actividad comercial cuando no requieran de la redacción de un proyecto de obra de conformidad con el artículo 2.2 de la Ley 38/1999, de 5 de noviembre, de Ordenación de la Edificación.
>
> 4. La inexigibilidad de licencia que por este artículo se determina no regirá respecto de **las obras de edificación** que fuesen precisas conforme al ordenamiento vigente, las cuales se seguirán regulando, en cuanto a la exigencia de licencia previa, requisitos generales y competencia para su otorgamiento, por su normativa correspondiente.

Artículo 4. *Declaración responsable o comunicación previa*

1. **Las licencias previas** que, de acuerdo con los artículos anteriores, no puedan ser exigidas, **serán sustituidas por declaraciones responsables, o bien por comunicaciones previas**, de conformidad con lo establecido en el artículo 71.bis de la Ley 30/1992, de 26 de noviembre, de Régimen Jurídico de las Administraciones Públicas y del Procedimiento Administrativo Común[2], relativas al cumplimiento de las previsiones legales establecidas en la normativa vigente. En todo caso, el declarante deberá estar en posesión del justificante de pago del tributo correspondiente cuando sea preceptivo.

2. La declaración responsable, o la comunicación previa, **deberán contener una manifestación explícita** del cumplimiento de aquellos requisitos que resulten exigibles de acuerdo con la normativa vigente incluido, en su caso, estar en posesión de la documentación que así lo acredite y del proyecto cuando corresponda.

3. **Los proyectos** a los que se refiere el apartado anterior deberán estar firmados por técnicos competentes de acuerdo con la normativa vigente.

4. Cuando deban realizarse **diversas actuaciones** relacionadas con la misma actividad o en el mismo local en que ésta se desarrolla, las declaraciones responsables, o las comunicaciones previas, **se tramitarán conjuntamente**.

Artículo 5. *Sujeción al régimen general de control*

La presentación de la declaración responsable, o de la comunicación previa, con el consiguiente efecto **de habilitación a partir de ese momento para el ejercicio material de la actividad comercial**, no prejuzgará en modo alguno la situación y efectivo acomodo de las condiciones del establecimiento a la normativa aplicable, ni limitará el ejercicio de las potestades administrativas, de **comprobación, inspección, sanción**, y en general de control que a la administración en cualquier orden, estatal, autonómico o local, le estén atribuidas por el ordenamiento sectorial aplicable en cada caso.

En el marco de sus competencias, se habilita a las entidades locales a regular el **procedimiento de comprobación posterior** de los elementos y circunstancias puestas de manifiesto por el interesado a través de la declaración responsable o de la comunicación previa, de acuerdo con lo dispuesto en el artículo 71.bis de la Ley 30/1992, de 26 de noviembre[3]».

3.1. *La innecesariedad de licencia de obras cuando para el ejercicio de una actividad se exige declaración responsable y la comunicación previa*

Aunque no con ciertos titubeos, la **Ley 12/2012** en su art.3.3 y 4 da un primer paso, aunque siempre bajo la atenta mirada de la invasión de competencias urbanísticas *por mor* del art. 148.1 3.ª CE para **suprimir la licencia o autorización previa** para la realización de obras ligadas al **acondicionamiento de los locales** para desempeñar la actividad comercial.

No obstante esta regla tiene unas importantes **excepciones**. A saber:

• Las obras no han de requerir de la redacción de un proyecto de obra de conformidad con el art. 2.2 de la **Ley 38/1999**, de 5 de noviembre, de Ordenación de la Edificación (LOE).

• La inexigibilidad de licencia no regirá respecto de las obras de edificación que fuesen precisas conforme al ordenamiento vigente, las cuales se seguirán regulando,

---

(2)   Se corresponde con el art. 69 de la LPACAP.

(3)   *Vid.* nota anterior.

en cuanto a la exigencia de licencia previa, requisitos generales y competencia para su otorgamiento, por su normativa correspondiente.

3.2. La transmisión o cambio de titularidad

Poco entendible asimismo es que de un lado el cambio de titularidad de las actividades comerciales y de servicios no esté sujeto a licencia (art. 3.2 **Ley 12/2012**) y de otro que la falta de comunicación previa por cambio de titularidad en tales actividades se tipifique como infracción leve (art. 20. b) Ley 12/2012, sancionable con multa de hasta 3.000 € (art. 29.3 Ley 12/2012).

Basta recordar que la que la jurisprudencia tiene declarada la responsabilidad solidaria entre el anterior y nuevo titular:

- Recordemos que la comunicación al Ayuntamiento de **la transmisión de la licencia no es constitutiva,** y sus **efectos se contraen a limitar la responsabilidad al actual titular de la misma, extendiéndolos también al transmitente en caso contrario,** y ello por el interés público en saber a quién imputar las posibles responsabilidades por el ejercicio de la actividad autorizada. Es correcto así verificar que ha existido adquisición de licencia, sin que este análisis pueda extenderse a la legalidad del acto de toma de conocimiento de la administración verificado en otro acto administrativo. [STSJ País Vasco 10 octubre 2011.- LA LEY 300763/2011]

- Expuestos los anteriores antecedentes y entrando en el análisis de la legalidad del primero de los actos impugnados, **hay que decir que existe una constante jurisprudencia sobre la transmisión de las licencias de apertura que interpreta el alcance que debe de otorgarse al artículo 13 del Reglamento de Servicios de las Corporaciones Locales,** aprobado por Decreto de 17 de junio de 1955.

Dicha jurisprudencia viene a decir que **en la medida en que la licencia de la que estamos hablando es de carácter objetivo, la transmisión opera de manera automática, en tanto en cuanto subsistan y no se hayan alterado, las condiciones que determinaron el otorgamiento de la misma**, sin perjuicio de las potestades de la Administración para verificar que ello es así y sin que las mismas puedan servir para denegar la transmisión de la licencia, en tanto en cuanto no se haya tramitado el oportuno expediente al efecto.

Concretamente, dice la Sentencia de la Sala de lo Contencioso-Administrativo del Tribunal Superior de Justicia de Andalucía, Sala de Sevilla de fecha 27 de marzo del año 2000, dictada en el recurso 939 / 1998. Pte.: Alejandro Durán, M.ª Luisa que «El artículo 13 del R.S.C.L. dispone que "las licencias relativas a condiciones de una obra, instalación o servicio serán transmisibles, pero el antiguo y el nuevo constructor o empresario deberán comunicarlo por escrito a la Corporación...". **Se trata por tanto de una intervención administrativa mínima que se justifica en que el interés público se satisface y atiende simplemente con el hecho objetivo que la actividad de que se trate se realice conforme a la legalidad a que el objeto de la licencia tenga que ajustarse, y cuya adecuación a la legalidad ya ha sido controlada mediante el acto de licencia otorgada antes**, aunque la actividad pueda realizarse por otra persona distinta del titular originario.

Este efecto automático sólo encuentra un límite en el artículo 15 R.S.C.L. "las licencias relativas a las condiciones de una obra instalación tendrán vigencia mientras subsistan aquéllas", de forma que toda variación de las características del local o instalación que en él se desarrolla, generará la correspondiente inspección municipal, actividad administrativa que daría lugar a la expedición de nueva licencia».

Y añade en su Fundamento de Derecho Cuarto «En el presente supuesto la **existencia de la licencia es algo indiscutible y el expediente tiene la única misión del cambio de titularidad subjetiva, no debiendo plantearse problema alguno ajeno a la mencionada titularidad pues la intervención municipal en caso de transmisión de licencias no es de previa o expresa autorización para que aquélla opere, sino de mera constatación o toma de razón de lo extra-administrativamente producido por el acuerdo entre el antiguo y nuevo titular.**

En cuanto a los nuevos motivos legales en contestación a la demanda sobre nuevas exigencias por encontrarse en zona saturada no cabe duda que la Administración tiene competencia para intervenir en el modo y en la forma en que se ejercita la actividad autorizada, estando legitimada para adoptar las medidas que aseguren la protección de los intereses públicos que puedan verse afectados. Pero ello **no permite desde luego, sin expediente específico a tal finalidad instruido, realizar una denegación de la licencia (por cambio de titularidad) que en realidad constituye revocación de la ya otorgada».**

Esta interpretación de las exigencias a las que debe someterse la transmisión de una licencia de apertura es coincidente con la que mantienen otras Salas de lo Contencioso-Administrativo, como es el caso de Madrid.

Así, la Sentencia de fecha 7 de febrero de 2003, dictada por ese Tribunal en el recurso 1603/1998 Pte.: López Candela, Javier Eugenio dice «Y a este respecto ha de recordarse que la Jurisprudencia ha venido entendiendo que **el cambio de titularidad de la actividad constituye un supuesto de acto, comunicado amparado en el carácter objetivo de las licencias, que no son por ello** *intuitu personae***, es decir de carácter personalísimo,** conforme a los art. 13 y 15 del Reglamento de Servicios de las Corporaciones locales de 17 de junio de 1955 (STS 12 de julio de 2.000, 13 de febrero y 23 de diciembre de 2.000) y es así que dado el carácter revisor de esta jurisdicción es evidente, y así lo ha declarado esta Sala que **la existencia de un acto comunicado no constituye una facultad conferida a los entes locales para revisar una licencia concedida,** so pena de incurrir en desviación de poder prohibida por el art. 63.1 de la Ley 30/92 de 26 de noviembre del PAC, y ello en la medida en que la Administración debe **limitarse a resolver en dicho procedimiento iniciado por el particular si procede o no dicho cambio de titularidad,** sin perjuicio de iniciar con posterioridad los trámites oportunos para el restablecimiento de la legalidad urbanística o medioambiental».

Igualmente el Tribunal Supremo en Sentencia de 19 de diciembre de 2001, dictada en el recurso de casación 5877/1996. Pte.: Soto Vázquez, Rodolfo ha dicho que «Una vez más ha de recordarse que el artículo 13 del Decreto mencionado distingue a efectos de la transmisión de la titularidad entre **licencias concernientes a las cualidades del sujeto, o ejercicio de actividades relacionadas con bienes de dominio público, y aquellas otras que se refieren a las condiciones de una obra, instalación o servicio, resultando las primeras transmisibles sin otro requisito que la conjunta comunicación al Ayuntamiento** por parte de cedente y cesionario, cuya omisión determina que ambos **quedarán sujetos solidariamente a las responsabilidades que fueren procedentes frente a dicha Corporación...**

Ello no significa desconocer que si al socaire de un mero cambio de titularidad se pretendiese la obtención de una nueva licencia, o bien se pusiese de manifiesto un cambio de actividad o de las condiciones en que ésta se venía desarrollando, pudiese dispensarse el cesionario de solicitar y obtener en la debida forma una nueva autorización, **ni tampoco que el cambio de titularidad implique que deje de estar sometido a la necesidad de adoptar todas aquellas medidas correctoras que la autoridad local pueda exigir para evitar las posibles consecuencias que afecten al sosiego y salubridad de los ciudadanos**, según dispone el Decreto sobre Actividades Molestas, Insalubres, Nocivas o Peligrosas de 1.961 EDL1961/63». [STSJ Castilla y León (Burgos) 28 noviembre 2011.- LA LEY 232204/2011]

3.3. La actividad de control

Precisamente es la actividad de **control posterior** al ejercicio de la actividad en general, o al de la presentación de la declaración responsable o de la comunicación previa el que subyace detrás del cambio de intervención administrativa y que como el art. 5 de la **Ley 12/2012** determina que:

> «La presentación de la declaración responsable, o de la comunicación previa, con el consiguiente efecto de habilitación a partir de ese momento para el ejercicio material de la actividad comercial, no prejuzgará en modo alguno la situación y efectivo acomodo de las condiciones del establecimiento a la normativa aplicable, **ni limitará el ejercicio de las potestades administrativas, de comprobación, inspección, sanción, y en general de control que a la administración en cualquier orden, estatal, autonómico o local**, le estén atribuidas por el ordenamiento sectorial aplicable en cada caso».

Para hacer efectiva la potestad de comprobación posterior se habilita a las entidades locales a regular el procedimiento correspondiente tendente a la verificación de las circunstancias puestas de manifiesto por el interesado a través de la declaración previa o de la declaración responsable de acuerdo con el art. 69 LPACAP.

3.4. El régimen sancionador en la ley 12/2012

La Ley 12/2012 establece el siguiente régimen sancionador por incumplimiento de las medidas para el inicio y ejercicio de la actividad comercial y de determinados servicios:

1. Ámbito de aplicación (art. 16)

El incumplimiento de las obligaciones contenidas en los arts. 1 a 5 de la Ley 12/2012.

2. Disposiciones generales del régimen sancionador (art. 17)

2.1. En los términos del artículo 5, las entidades locales competentes comprobarán el cumplimiento de lo previsto en el título I, a cuyo fin podrán desarrollar las **actuaciones inspectoras precisas** en los correspondientes establecimientos comerciales y de prestación de determinados servicios y actividades.

2.2. Sin perjuicio de las responsabilidades civiles, penales o de otro orden que puedan concurrir, las Administraciones Públicas sancionarán, mediante resolución motivada, las infracciones cometidas **previa instrucción del oportuno expediente** y de acuerdo con lo previsto en la LPACAP y en la LRJSP.

2.3. Quienes, en el marco de una actuación inspectora, conozcan de la posible comisión de hechos constitutivos de delito o falta deberán ponerlo en **conocimiento de la autoridad competente**. Asimismo, las personas y las entidades de cualquier naturaleza jurídica que dispongan o tengan el deber jurídico de disponer de información o documentación que pudiera contribuir al esclarecimiento de la comisión de infracciones o a la determinación del alcance y/o gravedad de las mismas, colaborarán con quienes realicen las actividades de comprobación de los requisitos de los declarantes.

2.4. La instrucción de causa penal ante los Tribunales de Justicia **suspenderá la tramitación del expediente administrativo sancionador** que hubiera sido incoado por los mismos hechos y, en su caso, la eficacia de las resoluciones sancionadoras.

2.5. La **competencia sancionadora** corresponderá a las entidades locales, en el ámbito de sus competencias, sin perjuicio de que las Comunidades Autónomas en su normativa específica establezcan otra cosa.

3. Responsables (art. 18)

3.1. Se considerarán responsables de la infracción **quienes tengan la obligación de presentar declaración responsable o comunicación previa** y realicen por acción u omisión hechos constitutivos de las infracciones que se detallan en los siguientes artículos.

3.2. Ante una misma infracción y en el caso de existir una **pluralidad de obligados** a presentar la declaración responsable o comunicación previa, éstos responderán **solidariamente.**

4. Tipicidad (art. 19)

4.1. Sólo constituyen infracciones administrativas, a los efectos de lo establecido en Ley 12/2012, las acciones y omisiones tipificadas como infracciones leves, graves o muy graves en la presente norma.

4.2. Por la comisión de las infracciones administrativas señaladas anteriormente, deberán imponerse las sanciones reguladas en los arts. 28 y 29 Ley 12/2012.

5. Clases de infracciones (arts. 20, 21 y 22)

Se tipifican en:

5.1. Infracciones leves (art. 20)

Tendrán la consideración de **infracciones leves**:

a) La inexactitud, falsedad u omisión, de carácter no esencial en cualquier dato, o manifestación contenido en la declaración responsable o comunicación previa a las que se refiere esta Ley.

b) La falta de comunicación previa por cambio de titularidad en las actividades comerciales y servicios a los que se refiere esta Ley.

5.2. Infracciones graves (art. 21)

Tendrán la consideración de **infracciones graves**:

a) El inicio o desarrollo de las actividades comerciales y de prestación de servicios sin la presentación de la correspondiente declaración responsable o comunicación previa, salvo que la normativa correspondiente autorice expresamente a presentar la declaración responsable o la comunicación previa dentro de un plazo posterior al inicio o desarrollo de las actividades comerciales y de prestación de servicios.

b) La inexactitud, falsedad u omisión, de carácter esencial, en cualquier dato, o manifestación contenida en la declaración responsable o comunicación previa. Se considerará esencial, en todo caso, la información relativa a la titularidad de la actividad, naturaleza de la misma, el cumplimiento de las obligaciones relativas a la adopción de las medidas de seguridad en el ejercicio de la actividad, incluidas las relativas a la protección del medio ambiente y aquellas obligaciones que afecten a la salud de los consumidores y usuarios.

c) No estar en posesión de la documentación o el proyecto a los que hace referencia la declaración responsable o la comunicación previa, o bien la falsedad, inexactitud u omisión en el contenido de los mismos.

d) La falta de firma por técnico competente de los proyectos a los que se refiere el artículo 4.3 de la Ley 12/2012

e) La obstaculización del ejercicio de las funciones inspectoras por parte de la autoridad competente.

5.3. Infracciones muy graves (art. 22)

Tendrán la consideración de **infracciones muy graves** la reiteración o reincidencia de una infracción grave, en los términos definidos en el artículo 24 de la Ley 12/2012

5.4. Infracciones permanentes (art. 23)

Para los supuestos previstos en las letras a), b) y c) del artículo 21 de esta Ley, tendrán la consideración de infracciones permanentes aquellas **constituidas por un único ilícito** que se mantiene en el tiempo y susceptible de interrupción por la sola voluntad del infractor.

5.5. Reiteración y reincidencia (art. 24)

Se entenderá que **existe reiteración** cuando se cometa una nueva infracción de la misma índole, dentro del plazo de un año después de la anterior, sin que medie resolución firme en vía administrativa.

La reincidencia se producirá por comisión en el término de un año de más de una infracción de la misma naturaleza, ya sancionada con anterioridad, cuando así haya sido declarado por resolución firme en vía administrativa.

5.6. Medidas provisionales (art. 25)

En los términos y con los efectos previstos en el artículo 56 LPACAP, la Administración competente podrá adoptar las medidas de carácter provisional que estime necesarias para asegurar la eficacia de la resolución que pudiera recaer, las exigencias de los intereses generales, el buen fin del procedimiento o evitar el mantenimiento de los efectos de la infracción.

5.7. Prescripción de las infracciones

• Las infracciones **muy graves** prescribirán a los tres años, las **graves** a los dos años y las **leves** al año.

• El plazo de prescripción de las infracciones **comenzará a contar** a partir de la fecha en que la infracción se haya cometido.

• Cuando se trate de **infracciones permanentes**, el plazo de prescripción se computará a partir de la fecha de finalización de la actividad infractora.

• La iniciación del procedimiento sancionador con conocimiento del interesado, **interrumpirá la prescripción**, reanudándose el plazo de prescripción si el expediente sancionador estuviera paralizado más de un mes por causa no imputable al presunto responsable o infractor.

5.8. Clases de sanciones y cuantía (arts. 27 y 29)

• Las infracciones en esta materia se sancionarán mediante la imposición de **sanciones pecuniarias**, y cuando proceda, de sanciones **no pecuniarias**. Estos dos tipos de sanciones serán **compatibles entre sí** y se podrán imponer de manera simultánea en el caso de las infracciones graves y muy graves, en atención a la naturaleza de la infracción.

• Las **sanciones pecuniarias** consistirán en una multa, fijada de conformidad con lo establecido en el artículo 29:

1. Las infracciones **muy graves** se sancionarán con multa de 60.001 euros a 1.000.000 de euros.

2. Las infracciones **graves** se sancionarán con multas de 3.001 euros a 60.000 euros.

3. Las infracciones **leves** se sancionarán con multas de hasta 3.000 euros.

• Las **sanciones no pecuniarias**, que se podrán imponer en caso de infracciones graves o muy graves, podrán consistir en:

a) **Suspensión** con carácter definitivo o temporal de la actividad comercial y acuerdo de la correspondiente clausura del establecimiento. El acuerdo de cierre deberá determinar las medidas complementarias para su plena eficacia.

b) **Inhabilitación** por un período máximo de tres años para abrir un comercio, desarrollar una actividad comercial, recibir subvenciones o beneficiarse de incentivos fiscales.

c) **Resarcimiento** de todos los gastos que haya generado la intervención a cuenta del infractor.

d) **Decomiso** de las mercancías y/o precintado de las instalaciones que no cuenten con la declaración responsable o comunicación previa.

e) **Obligación de restitución** del estado de las cosas a la situación previa a la comisión de la infracción.

5.9. Graduación de las sanciones (art. 28)

En la imposición de sanciones se deberá guardar la **debida adecuación entre la gravedad** del hecho constitutivo de la infracción y **la sanción aplicada**, para lo que se atenderá a los siguientes **criterios** para la graduación de la sanción:

a) Gravedad del perjuicio ocasionado e imposibilidad de reparación del mismo.

b) Cuantía del beneficio obtenido.

c) Plazo de tiempo durante el que se haya cometido la infracción.

d) Existencia y/o grado de intencionalidad.

e) Existencia de reiteración o reincidencia en un plazo superior al año.

En cualquier caso, el montante de la sanción pecuniaria impuesta deberá ser, como mínimo, el equivalente a la estimación del **beneficio económico obtenido** con la infracción más los daños y perjuicios ocasionados, sin perjuicio de la imposición de las sanciones no pecuniarias procedentes.

5.10. Caducidad del procedimiento (art. 30)

El plazo máximo para resolver será de **6 meses** desde el inicio del procedimiento sancionador. Transcurrido este plazo y siempre que no concurran las causas de suspensión previstas en el art. 22.1 LPACAP, se producirá la caducidad del procedimiento.

5.11. Prescripción de las sanciones (art. 31)

• Las sanciones **muy graves** prescribirán a los tres años, las **graves** a los dos años y las **leves** a los seis meses.

• El plazo de prescripción de las sanciones **comenzará a contarse** desde el día siguiente a aquel en que adquiera firmeza la resolución por la que se impone la sanción.

• **Interrumpirá la prescripción** la iniciación, con conocimiento del interesado, del procedimiento de ejecución, reanudándose el plazo de prescripción si el procedimiento de ejecución estuviera paralizado más de un mes por causa no imputable al infractor.

4. La declaración responsable y la comunicación en la LPACAP

4.1. ¿Qué es la declaración responsable?

La LPACAP define a la **declaración responsable** en su art. 69.1 como «el documento suscrito por un interesado en el que éste manifiesta, bajo su responsabilidad, que **cumple con los requisitos** establecidos en la normativa vigente para **obtener el reconocimiento de un derecho o facultad o para su ejercicio**, que **dispone de la documentación** que así lo acredita, que la **pondrá a disposición** de la Administración cuando le sea requerida, y que **se compromete** a mantener el cumplimiento de las anteriores obligaciones durante el período de tiempo inherente a dicho reconocimiento o ejercicio».

Por lo que a los requisitos se refiere abunda el párrafo segundo del citado art. 69.1 diciendo que «Los requisitos a los que se refiere el párrafo anterior **deberán estar recogidos de manera expresa, clara y precisa** en la correspondiente declaración responsable. Las Administraciones podrán requerir en cualquier momento que se aporte la documentación que acredite el cumplimiento de los mencionados requisitos y el interesado deberá aportarla».

4.2. ¿Qué es la comunicación?

La LPACAP define la **comunicación** en su art. 69.2 como «documento mediante el que los interesados ponen en conocimiento de la Administración Pública competente sus **datos identificativos** o cualquier otro dato relevante **para el inicio de una actividad o el ejercicio de un derecho**».

Llama la atención que se suprime el adjetivo «previa» sin que se justifique o explique el cambio de denominación, lo que puede inducir a confusión en la medida que las normas de las CC.AA mantenga la expresión «comunicación previa».

Así, no ha tenido mucho éxito el esfuerzo del legislador estatal en llevar a cabo tal supresión, manteniéndose en normas posteriores a la LPACAP, así:

- El art. 142 de la **Ley 2/2016**, de 10 de febrero, del suelo de **Galicia,** relativo a las licencias urbanísticas y comunicaciones previas

- **Ley 12/2016**, de 17 de agosto, de evaluación ambiental de las **Illes Balears**, que en sus arts. 14 y 24 se habla, expresamente, de la comunicación previa.

- **Decreto 144/2016**, de 22 de septiembre, por el que se aprueba el Reglamento único de regulación integrada de actividades económicas y apertura de establecimientos de **Galicia** en sus arts. 5 (Portal electrónico de comunicaciones previas y licencias municipales), 6 (Forma y lugar de presentación de las comunicaciones previas y las solicitudes de licencia o autorización), 11 (Contenido), entre otros.

- **Ley 2/2017**, de 13 de febrero, de medidas urgentes para la reactivación de la actividad empresarial y del empleo a través de la liberalización y de la supresión de cargas burocráticas de la **Región de Murcia** por la que se modifica la Ley 4/2009, de 14 de mayo, de Protección Ambiental Integrada, se regula la comunicación previa al inicio de la explotación en su art. 40.

- El art. 17. 3. de la **Ley 3/2017,** de 5 de abril, de Espectáculos Públicos y Actividades Recreativas de Cantabria, se dice que «Los Municipios, a través de sus ordenanzas, podrán sustituir el régimen de licencia o autorización municipal por el de **comunicación previa,** siempre que las normativas específicas que resulten de aplicación expresamente lo admitan»

- Los arts. 74 (Usos, actividades y construcciones en suelo rústico), 75 (Licencia municipal y comunicación previa) (Licencia municipal y comunicación previa) y 332 (Actuaciones sujetas a comunicación previa), entre otros de la **Ley 4/2017**, de 13 de julio, del Suelo y de los Espacios Naturales Protegidos de **Canarias.**

Por otro lado, la comunicación presenta como particularidad a los efectos de la LPACAP que «podrá presentarse dentro de un plazo posterior al inicio de la actividad cuando la legislación correspondiente lo prevea expresamente» (art. 69.3 par. segundo).

4.3.　*Efectos de las declaraciones responsables y las comunicaciones*

De acuerdo con el art. 69.3 LPACAP las declaraciones responsables y las comunicaciones **permitirán, el reconocimiento o ejercicio de un derecho o bien el inicio de una actividad**, desde el día de su presentación, sin perjuicio de las facultades de comprobación, control e inspección que tengan atribuidas las Administraciones Públicas.

Otro de los efectos o consecuencias es el contemplado en el art. 69.4 LPACAP, al decir que » La **inexactitud, falsedad u omisión**, de carácter esencial, de cualquier dato o información que se incorpore a una declaración responsable o a una comunicación, **o la no presentación** ante la Administración competente de la declaración responsable, la documentación que sea en su caso requerida para acreditar el cumplimiento de lo declarado, o la comunicación, **determinará la imposibilidad de continuar con el ejercicio del derecho o actividad** afectada desde el momento en que se tenga constancia de tales hechos, sin perjuicio de las responsabilidades penales, civiles o administrativas a que hubiera lugar.

Asimismo, la resolución de la Administración Pública que declare tales circunstancias podrá determinar la obligación del interesado **de restituir la situación jurídica al** momento previo al reconocimiento o al ejercicio del derecho o al inicio de la actividad correspondiente, así como **la imposibilidad de instar un nuevo procedimiento** con el mismo objeto durante un período de tiempo determinado por la ley, todo ello conforme a los términos establecidos en las normas sectoriales de aplicación».

4.4. Modelos

La publicación de modelos de declaración responsable y de comunicación es una obligación de las Administraciones Públicas recogida en el art. 69.5 LPACAP: «Las Administraciones Públicas tendrán permanentemente publicados y actualizados modelos de declaración responsable y de comunicación, **fácilmente accesibles** a los interesados».

Llama la atención, y para ello basta con realizar una búsqueda de los modelos de declaración responsable y comunicación (previa) que publican los Ayuntamientos, que en numerosos casos los mismos presenta una complejidad tal, tanto en su cumplimentación como en la documentación que el interesado a de disponer, que parece que más que facilitar el ejercicio de actividades, son elementos disuasorios para iniciar una actividad. Sobre esta cuestión sería conveniente que se reflexionara sobre los documentos que ha de aportarse. ¿Realmente alguien está en condiciones de conocer toda la normativa que sobre un establecimiento es exigible?

4.5. Concurrencia de ambos documentos

El art. 69.6 LPACAP determina que «Únicamente será exigible, bien una declaración responsable, bien una comunicación para iniciar una misma actividad u obtener el reconocimiento de un mismo derecho o facultad para su ejercicio, **sin que sea posible la exigencia de ambas acumulativamente**».

Acaso no es lógico que se presenten ambos documentos, ¿qué quiere decir que no se exija acumulativamente? O, por el contrario lo que se pretende es que se elija entre la presentación de la declaración responsable o la comunicación. ¿Pero si ambos documentos son distintos en contenido y finalidad, qué sentido tiene la interdicción del art. 69.6. LPACAP.

La conclusión es que el legislador no ha estado afortunado en la redacción de precepto citado. Es más, ni siquiera ha tenido en cuenta que dependiendo del ámbito administrativo en el que nos movamos, es el propio legislador (véase el cuadro comparativo que se inserta a continuación en el epígrafe 5.6) el que determina si es exigible una u otra.

4.6. Ejemplos contradictorios en el ámbito del derecho urbanístico del empleo de la declaración responsable y comunicación previa

Si nos fijamos en el ámbito del derecho urbanístico resulta que el legislador sujeta a declaración responsable o a comunicación previa, unas actuaciones u otras en función de la clasificación que la propia norma urbanística establezca, sin que exista un criterio homogéneo sobre los actos urbanísticos que quedan afectos a declaración responsable o a comunicación previa, lo que pone de manifiesto que ambas figuras se utilizan o exigen para actos urbanísticos distintos, sin que pueda elegirse entre la presentación de uno u otro. Así:

COMUNIDAD AUTONOMA	NORMA	DECLARACIÓN RESPONSABLE	COMUNICACIÓN PREVIA
ANDALUCÍA	**Ley 7/2002**, de 17 de diciembre, de Ordenación Urbanística de Andalucía	D.A. Décimo cuarta	
ARAGÓN	**DL 1/2014**, de 8 de julio, del Gobierno de Aragón, por el que se aprueba el Texto Refundido de la Ley de Urbanismo de Aragón	Art. 227	Art. 228
CANARIAS	**Ley 4/2017**, de 13 de julio, del Suelo y de los Espacios Naturales Protegidos de Canarias.		Arts. 75 y 332
CANTABRIA	**Ley 2/2001**, de 25 de junio, de Ordenación Territorial y Régimen Urbanístico del Suelo de Cantabria	------	------
CASTILLA-LA MANCHA	**Decreto Legislativo 1/2010,** de 18/05/2010, por el que se aprueba el Texto Refundido de la Ley de Ordenación del Territorio y de la Actividad Urbanística		Art. 157
CASTILLA Y LEÓN	**Ley 5/1999**, de 8 de abril, de Urbanismo de Castilla y León	Art. 105 bis	
	Decreto 22/2004, de 29 de enero, por el que se aprueba el Reglamento de Urbanismo de Castilla y León	Art. 314 bis	
CATALUÑA	**Decreto Legislativo 1/2010**, de 3 de agosto, por el que se aprueba el Texto refundido de la Ley de urbanismo		Art. 187 bis

2. Aragón

La **Ley 11/2014**, de 4 de diciembre, de Prevención y Protección Ambiental de Aragón no contempla aquéllas actividades que no se sujetan a licencia de apertura, sirviéndonos tan solo de referencia *a sensu contrario* el art. 71 relativo a las actividades sometidas a licencia ambiental, y el art. 72 sobre las sujetas a declaración responsable.

Por su parte el art. 4 de la **Ley 11/2005** de 28 diciembre de espectáculos públicos, actividades recreativas y establecimientos públicos de la Comunidad Autónoma de Aragón, excluye del ámbito de aplicación de la misma los actos o celebraciones privadas, de carácter familiar o social, que no estén abiertos a pública concurrencia y los que supongan el ejercicio de los derechos fundamentales consagrados en la Constitución.

Dichas actividades excluidas deberán cumplir con lo establecido en la legislación de protección de la seguridad ciudadana y, en todo caso, los recintos, locales y establecimientos donde se realicen dichas actividades deberán reunir las condiciones de seguridad y de tipo técnico exigidas en Ley 11/2005, en sus reglamentos de desarrollo y aplicación y en la normativa técnica específica.

> «Artículo 4. *Exclusiones*.- 1. Quedan excluidos del ámbito de aplicación a esta Ley los **actos o celebraciones privadas, de carácter familiar o social**, que no estén abiertos a pública concurrencia y los que supongan el ejercicio de los derechos fundamentales consagrados en la Constitución.
>
> 2. Las actividades excluidas de esta Ley deberán cumplir con lo establecido en la legislación de **protección de la seguridad ciudadana** y, en todo caso, los recintos, locales y establecimientos donde se realicen dichas actividades deberán reunir las **condiciones de seguridad y de tipo técnico** exigidas en esta Ley, en sus reglamentos de desarrollo y aplicación y en la normativa técnica específica».

3. Canarias

La **Ley 7/2011**, establece como régimen ordinario de intervención el de la comunicación previa (art. 5.1), operando la autorización administrativa de forma excepcional.

Quedan excluidas de acuerdo con el art. 2.3, del régimen de intervención administrativa previa las siguientes actividades:

> «a) Las celebraciones de carácter **estrictamente familiar, privado o docente**, que no estén abiertos a la pública concurrencia, así como las que supongan el ejercicio de derechos fundamentales en el ámbito **laboral, religioso, político o docente.**
>
> b) Las actividades en las que por concurrir circunstancias asimilables a las del apartado a) anterior el Gobierno de Canarias mediante decreto justificadamente declarase exentas.
>
> c) Las actividades no clasificadas o inocuas».

Las exclusiones anteriores no exoneran de la aplicación de la ley **7/2011** y de la normativa sectorial y urbanística, en su caso, con respecto al cumplimiento de los requisitos de seguridad y salud exigidos para los locales donde se ejerzan dichas actividades; ni al ejercicio de las potestades de policía administrativa cuando procedan.

COMUNIDAD AUTONOMA	NORMA	DECLARACIÓN RESPONSABLE	COMUNICACIÓN PREVIA
	Decreto 64/2014, de 13 de mayo, por el que se aprueba el Reglamento sobre protección de la legalidad urbanística		Art. 71
COMUNIDAD VALENCIANA	**Ley 5/2014**, de 25 de julio, de la Generalitat, de Ordenación del Territorio, Urbanismo y Paísaje, de la Comunitat Valenciana	Art. 214	
EXTREMADURA	**Ley 15/2001**, de 14 de diciembre, del Suelo y Ordenación Territorial de Extremadura	Art. 176	Art. 172
GALICIA	**Ley 2/2016**, de 10 de febrero, del suelo de Galicia		Art. 142
ISLAS BALEARES	**Ley 2/2014,** de 25 de marzo, de ordenación y uso del suelo		Art. 134 y 136
LA RIOJA	**Ley 5/2006**, de 2 de mayo, de Ordenación del Territorio y Urbanismo de La Rioja	------	------
NAVARRA	**Ley Foral 35/2002**, de 20 de diciembre, de Ordenación del Territorio y Urbanismo	Art. 189.ter	Art. 189.ter
PAÍS VASCO	**Ley 2/2006**, de 30 de junio, de Suelo y Urbanismo	Art. 206.1	Arts. 206.1 y 207.5
PRINCIPADO DE ASTURIAS	**Decreto Legislativo 1/2004**, de 22 de abril, por el que se aprueba el Texto Refundido de las disposiciones legales vigentes en materia de ordenación del territorio y urbanismo	------	------

COMUNIDAD AUTONOMA	NORMA	DECLARACIÓN RESPONSABLE	COMUNICACIÓN PREVIA
REGIÓN DE MURCIA	**Ley 13/2015**, de 30 de marzo, de ordenación territorial y urbanística de la Región de Murcia	Arts. 261.a) y 264	Arts. 261.a) y 265

5. Efectos fiscales de la declaración responsable y comunicación previa

La sustitución de la licencia de apertura por la declaración responsable/comunicación previa llevó aparejada la **modificación del art. 20.4 h) e i)** del Texto Refundido de la Ley Reguladora de las Haciendas Locales, aprobado por el **Real Decreto Legislativo 2/2004,** de 5 de marzo (TRLRHL) para adaptar su contenido a las nuevas exigencias fiscales derivadas de la presencia de la declaración responsable y la declaración previa en la realización de obras y en el ejercicio de actividades no sujetas a licencia previa. De este modo se garantizó el cobro de la tasa por la realización de actividades administrativas de **control posterior** a la presentación de aquéllos documentos.

Quedan redactados de la siguiente manera:

«h) Otorgamiento de las licencias urbanísticas exigidas por la legislación del suelo y ordenación urbana o **realización de las actividades administrativas de control** en los supuestos en los que la exigencia de licencia fuera sustituida por la presentación de declaración responsable o comunicación previa.

i) Otorgamiento de las licencias de apertura de establecimientos o **realización de las actividades administrativas de control** en los supuestos en los que la exigencia de licencia fuera sustituida por la presentación de declaración responsable o comunicación previa».

6. Otros efectos: desaparece el acto reglado

Aunque sea una obviedad, la presentación de la declaración responsable o la comunicación previa conlleva la **desaparición de los efectos del acto reglado** propio de las licencias de actividad y urbanísticas. Como afirma la STSJ Madrid 4 octubre 2012.- LA LEY 176318/2012, «Las licencias tienen un esencial y marcado carácter reglado, por lo que el órgano competente al efecto debe limitar su actividad a realizar un examen de la legalidad urbanística».

O, la STSJ Madrid 20 octubre 2011.- LA LEY 228620/2011 «Es cierto que la licencia como la examinada tiene una naturaleza **rigurosamente reglada, constituye un acto debido en cuanto que necesariamente «debe» otorgarse o denegarse según que la actuación pretendida se adapte o no a la ordenación aplicable.** Son manifestación de la Intervención administrativa».

También irá dejando paso la nueva situación administrativa a la doctrina que como la de la STSJ Andalucía (Granada) 8 noviembre 2010.- LA LEY 289410/2010, dice que «Una reiterada y constante jurisprudencia ha venido proclamando, insistentemente que las licencias municipales **no son actos discrecionales, sino reglados**; que no sólo es reglado el acto de la concesión, sino también el contenido de los mismos; y que la licencia, como técnica de control de una determinada normativa no puede desnaturalizarse y convertirse en medio de conseguir, fuera de los cauces legítimos, un objetivo distinto; que, en definitiva, **la licencia debe ser concedida o denegada en función de la legalidad vigente**, sin que puedan exigirse otros requisitos ni condicionamientos distintos».

Por lo tanto, con el régimen actual **ya no se concede licencia**, sino que se pone en marcha el mecanismo de control de la actividad una vez que el Ayuntamiento ha tenido conocimiento de que se va a ejercer o se está ejerciendo una actividad, como consecuencia de la presentación de la declaración responsable o la comunicación previa, tal como el art. 5 de la Ley 12/2012 determina «*La presentación de la declaración responsable, o de la comunicación previa, …, no prejuzgará en modo alguno la situación y efectivo acomodo de las condiciones del establecimiento a la normativa aplicable, ni limitará el ejercicio de las potestades administrativas, de comprobación, inspección, sanción, y en general de control…*».

7. Declaración responsable en materia de telecomunicaciones

Dentro de la evolución que se produce en la sustitución de la licencia previa de actividad por la declaración responsable, en el ámbito de las telecomunicaciones el art. 34.6 de la **Ley 9/2014**, de 9 de mayo, General de Telecomunicaciones, dispone que **no podrá exigirse la obtención de licencia** previa de instalaciones, de funcionamiento o actividad, ni otras de clase similar o análogas, para:

- La **instalación de las estaciones o infraestructuras radioeléctricas utilizadas para la prestación de servicios de comunicaciones electrónicas disponibles** para el público a las que se refiere la disposición adicional tercera de la **Ley 12/2012**, de 26 de diciembre, de medidas urgentes de liberalización del comercio y de determinados servicios.

- Asimismo para **la instalación de redes públicas de comunicaciones electrónicas o de estaciones radioeléctricas** en **dominio privado** distintas de las señaladas en el párrafo anterior, no podrá exigirse por parte de las administraciones públicas competentes la obtención de licencia o autorización previa de instalaciones, de funcionamiento o de actividad, o de carácter medioambiental, ni otras licencias o aprobaciones de clase similar o análogas que sujeten a previa autorización dicha instalación, en el caso de que el operador haya presentado a la administración pública competente para el otorgamiento de la licencia o autorización un plan de despliegue o instalación de red de comunicaciones electrónicas, en el que se contemplen dichas infraestructuras o estaciones, y siempre que el citado plan haya sido aprobado por dicha administración.

- **Las licencias o autorizaciones previas** que, de acuerdo con los párrafos anteriores, no puedan ser exigidas, serán **sustituidas por declaraciones responsables,** de conformidad con lo establecido en el artículo 69 LPACAP. En todo caso, el declarante deberá estar en posesión del justificante de pago del tributo correspondiente cuando sea preceptivo.

- **La declaración responsable deberá contener** una manifestación explícita del cumplimiento de aquellos requisitos que resulten exigibles de acuerdo con la normativa vigente, incluido, en su caso, estar en posesión de la documentación que así lo acredite.

• Cuando deban realizarse diversas actuaciones relacionadas con la infraestructura o estación radioeléctrica, las declaraciones responsables se **tramitarán conjuntamente** siempre que ello resulte posible.

• La presentación de la declaración responsable, con el consiguiente efecto de habilitación a partir de ese momento para ejecutar la instalación, **no prejuzgará en modo alguno** la situación y efectivo acomodo de las condiciones de la infraestructura o estación radioeléctrica a la normativa aplicable, ni limitará el ejercicio de las potestades administrativas de comprobación, inspección, sanción, y, en general, de control que a la administración en cualquier orden, estatal, autonómico o local, le estén atribuidas por el ordenamiento sectorial aplicable en cada caso.

• La **inexactitud, falsedad u omisión**, de carácter esencial, en cualquier dato, manifestación o documento que se acompañe o incorpore a una declaración responsable, o la no presentación de la declaración responsable determinará la imposibilidad de explotar la instalación y, en su caso, la obligación de retirarla desde el momento en que se tenga constancia de tales hechos, sin perjuicio de las responsabilidades penales, civiles o administrativas a que hubiera lugar.

8. Declaración responsable en el caso de actividades sujetas a control ambiental

[Véase el estudio que se hace para cada Comunidad Autónoma.]

9. Declaración responsable en el caso de espectáculos públicos y actividades recreativas

[Véase el estudio que se hace para cada Comunidad Autónoma.]

II. RESEÑA JURISPRUDENCIAL

• En las actuaciones se acredita no sólo que se haya renunciado al cambio de titularidad de licencia, sino el cese de la actividad por don Adrián, tal y consta al folio 234 del expediente administrativo. Es evidente que cesó la actividad y su autorización, por lo que efectivamente el recurso Contencioso-Administrativo carecía de objeto. La actuación referente a la apertura del local en la actualidad no puede ser objeto de recurso, pues la acción quedó limitada por el acto administrativo que como se ha dicho quedó sin objeto. **La nueva actuación y situación material se corresponde con la declaración responsable e inicio de actividad** —como se apuntó en el escrito de demanda y se mantiene en el de apelación—, en relación con la actividad de «Bar de Categoría Especial» a desarrollar en la Avda. de la Libertad 57, en la actualidad 61, de la localidad de Casariche, **de conformidad con el nuevo régimen jurídico** determinado por la Ley 25/2009, de 22 de diciembre, de modificación de diversas leyes para su adaptación a la Ley 17/2009, de 23 de noviembre, sobre libre acceso a las actividades de servicios, que ha incorporado, parcialmente, al Derecho español, la Directiva 2006/123/CE del Parlamento Europeo y del Consejo, de 12 de diciembre de 2006, relativa a los servicios en el mercado interior. [STSJ Andalucía (Sevilla) 7 febrero 2013.- LA LEY 250433/2013]

• De acuerdo con estos razonamientos **no puede entenderse producido, ni siquiera iniciado, el transcurso del plazo para que se considere acaecido el silencio administrativo, desde el momento en que la declaración responsable no estaba revestida de las formalidades exigidas para el reconocimiento del derecho**, pues no estaba debidamente cumplimentada al omitir datos esenciales que debían estar incorporados a la misma respecto al grupo y categoría en el que pretende clasificar el establecimiento a efectos de su inscripción. Más si se tiene en cuenta que la actora fue reiteradamente requerida de subsanación de aquélla omisión, pese a lo cual no la hizo efectiva.

En lo que respecta, por último, a la pretendida vulneración del principio de autonomía local el Magistrado *a quo* da cumplida y justificada respuesta desestimatoria a dicho argumento.

Como expresa en su Sentencia «**no puede considerarse violentado el principio de autonomía local desde el momento en que ya que no era necesario que la demandante contase con licencia municipal de apertura**, puesto que, con arreglo al art. 84.1.b) de la LBRL, **el régimen aplicable al ejercicio de la actividad turística** era el previsto en la Ley 17/09, esto es, el de la **comunicación previa de competencia autonómica**, que en el ámbito de Andalucía se desarrolla en el Decreto 35/2008, de 5 de febrero, por el que se regula la organización y funcionamiento del Registro de Turismo de Andalucía, tras la modificación introducida por el Decreto 80/2010, de 30 de marzo, de simplificación de trámites administrativos y de modificación de diversos Decretos para su adaptación al Decreto-Ley 3/2009, de 22 de diciembre, por el que se modifican diversas Leyes para la transposición en Andalucía de la Directiva relativa a los Servicios en el Mercado Interior».

A tal razonamiento cabe añadir únicamente que la competencia de la Comunidad Autónoma de Andalucía en materia de turismo le viene dada por el artículo 71 del Estatuto de Autonomía para Andalucía, integrante del bloque de constitucionalidad; siendo de competencia autonómica el Registro de Turismo de Andalucía, y las inscripciones a realizar en él, regulados en la Ley de Turismo andaluz. Consistiendo principalmente la modificación operada por el Decreto 80/2010 sobre el Decreto 35/2008, en lo que a la inscripción a instancia de interesado respecta, **en la sustitución del procedimiento originariamente previsto por el trámite de la declaración responsable en los términos ya expuestos; sin que en nada afecte esa modificación procedimental, que no competencial, a la autonomía local invocada por la parte actora**. [STSJ Andalucía (Sevilla) 10 octubre 2013.- LA LEY 233427/2013]

• Cierto es que conforme a lo preceptuado en el art. 20.4.i) del TRLHL (LA LEY 362/2004) las entidades locales, en los términos previstos en esa Ley «podrán» establecer tasas por cualquier supuesto de prestación de servicios o de realización de actividades administrativas de competencia local, y en particular por el otorgamiento de las licencias de apertura de establecimientos o realización de las actividades administrativas de control en los supuestos en los que la exigencia de licencia fuera sustituida por la presentación de declaración responsable o comunicación previa.

Ahora bien, **una cosa es que los Ayuntamientos tengan la posibilidad de establecer tasas por la realización de tales actividades, y otra, que el Ayuntamiento de Ágreda pueda exigir Tasas por un concepto u otro indistintamente, sin la previa aprobación de la oportuna Ordenanza acordando su concreta imposición.**

En efecto, el precepto invocado del TRLHL (LA LEY 362/2004) tan sólo brinda al Ayuntamiento la posibilidad de establecer tasas en esos supuestos, pero habrá de ser la Corporación mediante la correspondiente aprobación, por el procedimiento legalmente establecido, de la respectiva Ordenanza Fiscal, previo correspondiente estudio económico-financiero adecuado a la realidad existente en la fecha de su aprobación, la que posibilite la exacción de tal Tasa, lo que no acontece en el presente caso, por cuanto la Ordenanza Fiscal aplicada es la Reguladora de la Tasa por Licencia de Apertura de Establecimientos, **no constando que a la fecha de presentación de la comunicación previa, el Ayuntamiento de Ágreda hubiese ejercitado su potestad estableciendo una Tasa por la realización de las actividades administrativas de control** en los supuestos en los que la exigencia de licencia fuese sustituida por la presentación de declaración responsable o comunicación previa, como aquí acontece.

Como señala la sentencia apelada, el TRLHL (LA LEY 362/2004) permite que el Ayuntamiento establezca una **Tasa en los casos de presentación de declaración responsable o comunicación previa,** pero ello no quiere decir que con base en este artículo se tenga que interpretar de manera extensiva la Ordenanza aquí aplicada. El artículo 20.4.i) TRLHL (LA LEY 362/2004) es una norma competencial, que **habilita a las entidades locales para establecer una tasa en el caso de declaración responsable o comunicación previa, pero no equipara en modo alguno estas modalidades de control con la licencia**. Es más, el precepto apoya la tesis de la nulidad por cuanto pudiendo haber gravado estas presentaciones, no se ha hecho, por lo que el cobro de la Tasa no es admisible. [STSJ Castilla y León (Burgos) 22 diciembre 2014.- LA LEY 195827/2014]

• **Para poder dar comienzo al inicio de la actividad se precisa estar en posesión de la licencia de actividad y funcionamiento (o de la declaración responsable)** tal y como indicaba el Reglamento de Servicios de las Corporaciones Locales cuyo artículo 22 apartado 1.º establecía que estará sujeta a licencia la apertura de establecimientos industriales y mercantiles, y que en la actualidad, tiene el siguiente tenor la apertura de establecimientos industriales y mercantiles podrá sujetarse a los medios de intervención municipal, en los términos previstos en la legislación básica en materia de régimen local y en la Ley 17/2009, de 23 de noviembre, sobre el libre acceso a las actividades de servicios y su ejercicio. La intervención municipal tenderá a verificar si los locales e instalaciones reúnen las condiciones de tranquilidad, seguridad y salubridad, y las que, en su caso, estuvieren dispuestas en los planes de urbanismo debidamente aprobados. **La intervención que en la actualidad se produce a través de la declaración responsable** necesaria tras la entrada en vigor de la Ley 17/2009, de 23 de noviembre. **Si no se dispone de dichos títulos no puede iniciarse la actividad** y si la misma comienza el Ayuntamiento está obligado a acordar la medida cautelar de clausura hasta que se ese en posesión de dicha licencia o se formule la declaración responsable en la forma y con los documentos establecidos en la Ley. [STSJ Madrid 11 noviembre 2015.- LA LEY 191468/2015]

• En las actuaciones se acredita no sólo que se haya renunciado al cambio de titularidad de licencia, sino el cese de la actividad por don Adrián, tal y consta al folio 234 del expediente administrativo. Es evidente que cesó la actividad y su autorización, por lo que efectivamente el recurso Contencioso-Administrativo carecía de objeto. La actuación referente a la apertura del local en la actualidad no puede ser objeto de recurso, pues la acción quedó limitada por el acto administrativo que como se ha dicho quedó sin objeto. **La nueva actuación y situación material se corresponde con la declaración responsable e inicio de actividad** —como se apuntó en el escrito de demanda y se mantiene en el de apelación—, en relación con la actividad de «Bar de Categoría Especial» a desarrollar en la Avda. de la Libertad 57, en la actualidad 61, de la localidad de Casariche, **de conformidad con el nuevo régimen jurídico** determinado por la Ley 25/2009, de 22 de diciembre, de modificación de diversas leyes para su adaptación a la Ley 17/2009, de 23 de noviembre, sobre libre acceso a las actividades de servicios, que ha incorporado, parcialmente, al Derecho español, la Directiva 2006/123/CE del Parlamento Europeo y del Consejo, de 12 de diciembre de 2006, relativa a los servicios en el mercado interior. [STSJ Andalucía (Sevilla) 7 febrero 2013.- LA LEY 250433/2013]

• De acuerdo con estos razonamientos **no puede entenderse producido, ni siquiera iniciado, el transcurso del plazo para que se considere acaecido el silencio administrativo, desde el momento en que la declaración responsable no estaba revestida de las formalidades exigidas para el reconocimiento del derecho,** pues no estaba debidamente cumplimentada al omitir datos esenciales que debían estar incorporados a la misma respecto al grupo y categoría en el que pretende clasificar el establecimiento a efectos de su inscripción. Más si se tiene en cuenta que la actora fue reiteradamente requerida de subsanación de aquélla omisión, pese a lo cual no la hizo efectiva.

En lo que respecta, por último, a la pretendida vulneración del principio de autonomía local el Magistrado *a quo* da cumplida y justificada respuesta desestimatoria a dicho argumento.

Como expresa en su Sentencia «**no puede considerarse violentado el principio de autonomía local desde el momento en que ya que no era necesario que la demandante contase con licencia municipal de apertura,** puesto que, con arreglo al art. 84.1.b) de la LBRL, **el régimen aplicable al ejercicio de la actividad turística** era el previsto en la Ley 17/09, esto es, el de la **comunicación previa de competencia autonómica,** que en el ámbito de Andalucía se desarrolla en el Decreto 35/2008, de 5 de febrero, por el que se regula la organización y funcionamiento del Registro de Turismo de Andalucía, tras la modificación introducida por el Decreto 80/2010, de 30 de marzo, de simplificación de trámites administrativos y de modificación de diversos Decretos para su adaptación al Decreto-Ley 3/2009, de 22 de diciembre, por el que se modifican diversas Leyes para la transposición en Andalucía de la Directiva relativa a los Servicios en el Mercado Interior».

A tal razonamiento cabe añadir únicamente que la competencia de la Comunidad Autónoma de Andalucía en materia de turismo le viene dada por el artículo 71 del Estatuto de Autonomía para Andalucía, integrante del bloque de constitucionalidad; siendo de competencia autonómica el Registro de Turismo de Andalucía, y las inscripciones a realizar en él, regulados en la Ley de Turismo andaluz. Consistiendo principalmente la modificación operada por el Decreto 80/2010 sobre el Decreto 35/2008, en lo que a la inscripción a instancia de interesado respecta, **en la sustitución del procedimiento originariamente previsto por el trámite de la declaración responsable en los términos ya expuestos; sin que en nada afecte esa modificación procedimental, que no competencial, a la autonomía local invocada por la parte actora.**. [STSJ Andalucía (Sevilla) 10 octubre 2013.- LA LEY 233427/2013]

• Cierto es que conforme a lo preceptuado en el art. 20.4.i) del TRLHL (LA LEY 362/2004) las entidades locales, en los términos previstos en esa Ley «podrán» establecer tasas por cualquier supuesto de prestación de servicios o de realización de actividades administrativas de competencia local, y en particular por el otorgamiento de las licencias de apertura de establecimientos o realización de las actividades administrativas de control en los supuestos en los que la exigencia de licencia fuera sustituida por la presentación de declaración responsable o comunicación previa.

Ahora bien, **una cosa es que los Ayuntamientos tengan la posibilidad de establecer tasas por la realización de tales actividades, y otra, que el Ayuntamiento de Ágreda pueda exigir Tasas por un concepto u otro indistintamente, sin la previa aprobación de la oportuna Ordenanza acordando su concreta imposición.**

En efecto, el precepto invocado del TRLHL (LA LEY 362/2004) tan sólo brinda al Ayuntamiento la posibilidad de establecer tasas en esos supuestos, pero habrá de ser la Corporación mediante la correspondiente aprobación, por el procedimiento legalmente establecido, de la respectiva Ordenanza Fiscal, previo correspondiente estudio económico-financiero adecuado a la realidad existente en la fecha de su aprobación, la que posibilite la exacción de tal Tasa, lo que no acontece en el presente caso, por cuanto la Ordenanza Fiscal aplicada es la Reguladora de la Tasa por Licencia de Apertura de Establecimientos, **no constando que a la fecha de presentación de la comunicación previa, el Ayuntamiento de Ágreda hubiese ejercitado su potestad estableciendo una Tasa por la realización de las actividades administrativas de control** en los supuestos en los que la exigencia de licencia fuese sustituida por la presentación de declaración responsable o comunicación previa, como aquí acontece.

Como señala la sentencia apelada, el TRLHL (LA LEY 362/2004) permite que el Ayuntamiento establezca una **Tasa en los casos de presentación de declaración responsable o comunicación previa,** pero ello no quiere decir que con base en este artículo se tenga que interpretar de manera extensiva la Ordenanza aquí aplicada. El artículo 20.4.i) TRLHL (LA LEY 362/2004) es una norma competencial, que **habilita a las entidades locales para establecer una tasa en el caso de declaración responsable o comunicación previa, pero no equipara en modo alguno estas modalidades de control con la licencia**. Es más, el precepto apoya la tesis de la nulidad por cuanto pudiendo haber gravado estas presentaciones, no se ha hecho, por lo que el cobro de la Tasa no es admisible. [STSJ Castilla y León (Burgos) 22 diciembre 2014.- LA LEY 195827/2014]

• **Para poder dar comienzo al inicio de la actividad se precisa estar en posesión de la licencia de actividad y funcionamiento (o de la declaración responsable)** tal y como indicaba el Reglamento de Servicios de las Corporaciones Locales cuyo artículo 22 apartado 1.º establecía que estará sujeta a licencia la apertura de establecimientos industriales y mercantiles, y que en la actualidad, tiene el siguiente tenor la apertura de establecimientos industriales y mercantiles podrá sujetarse a los medios de intervención municipal, en los términos previstos en la legislación básica en materia de régimen local y en la Ley 17/2009, de 23 de noviembre, sobre el libre acceso a las actividades de servicios y su ejercicio. La intervención municipal tenderá a verificar si los locales e instalaciones reúnen las condiciones de tranquilidad, seguridad y salubridad, y las que, en su caso, estuvieren dispuestas en los planes de urbanismo debidamente aprobados. **La intervención que en la actualidad se produce a través de la declaración responsable** necesaria tras la entrada en vigor de la Ley 17/2009, de 23 de noviembre. **Si no se dispone de dichos títulos no puede iniciarse la actividad** y si la misma comienza el Ayuntamiento está obligado a acordar la medida cautelar de clausura hasta que se ese en posesión de dicha licencia o se formule la declaración responsable en la forma y con los documentos establecidos en la Ley. [STSJ Madrid 11 noviembre 2015.- LA LEY 191468/2015]

PREGUNTAS CLAVE

1. ¿Qué actividades están sujetas al régimen de declaración responsable o comunicación previa?

Las actividades comerciales minoristas y a la prestación de determinados servicios, realizados a través de establecimientos permanentes, situados en cualquier parte del territorio nacional, y cuya superficie útil de exposición y venta al público no sea superior a 750 metros cuadrados, y que figuran en el anexo I de la Ley 12/2012.

2. ¿Qué medidas han de adoptarse por el Ayuntamiento en el caso de incumplir el requerimiento de control posterior de la actividad?

El Ayuntamiento requerirá al interesado para que complete la documentación, con la advertencia de que, en caso de no hacerlo, se procederá a dictar resolución de cese de la actividad, previa audiencia del interesado.

3. ¿Cómo se formaliza la declaración responsable o comunicación previa?

La comunicación de inicio de actividades inocua se presentará ante el ayuntamiento en el que vaya a realizarse la actividad y surtirá efectos desde su presentación.

4. ¿Cuándo podrá iniciarse el ejercicio de la actividad?

Una vez presentada la declaración responsable o la comunicación podrá iniciarse el ejercicio de la actividad, sin perjuicio de las facultades de comprobación, control e inspección que tengan atribuidas las administraciones públicas.

5. ¿Cuándo se comprueba por el Ayuntamiento la veracidad de los datos y documentos de la comunicación de actividad inocua?

La administración podrá comprobar, en cualquier momento, la veracidad de todos los datos y documentos aportados, así como el cumplimiento de los requisitos que la normativa aplicable exija para el ejercicio de la actividad.

6. ¿Qué ocurre si no se presenta la declaración responsable o comunicación previa para el ejercicio de actividad?

La falta de presentación ante la administración, así como la inexactitud, falsedad u omisión, de carácter esencial, en cualquier dato, manifestación o documento que se acompañe o incorpore a la comunicación ambiental, determinará la imposibilidad de continuar con el ejercicio de la actividad, sin perjuicio de las responsabilidades penales, civiles o administrativas a que hubiera lugar.

7. ¿Cómo ha de actuarse en el caso de modificación de la actividad?

Cualquier modificación posterior durante el ejercicio de la actividad deberá ser objeto de comunicación al ayuntamiento.

8. ¿Puede el titular de la actividad inocua ampliarla sin necesidad de comunicarlo al ayuntamiento?

En el caso de que el titular de una actividad decida ampliarla, bien mediante la realización de obras, o bien mediante el cambio o modificación de la misma, deberá en el primer caso presentar una comunicación de inicio de obras, que si no necesitan proyecto técnico, no están sujetas a previa licencia, de acuerdo con el art. 3.3 de la Ley 12/2012; y en el segundo caso deberá comunicar la ampliación de la actividad, al objeto de que el ayuntamiento compruebe si la misma es compatible con los usos permitidos para el lugar.

9. ¿Está sujeta a licencia o autorización la realización de obras ligadas a la ampliación o modificación de la actividad?

No será exigible licencia o autorización previa para la realización de las obras ligadas al acondicionamiento de los locales para desempeñar la actividad comercial cuando no requieran de la redacción de un proyecto de obra de conformidad con el artículo 2.2 de la Ley 38/1999, de 5 de noviembre, de Ordenación de la Edificación (LA LEY 4217/1999).

La inexigibilidad de licencia no regirá respecto de las obras de edificación que fuesen precisas conforme al ordenamiento vigente, las cuales se seguirán regulando, en cuanto a la exigencia de licencia previa, requisitos generales y competencia para su otorgamiento, por su normativa correspondiente (art. 3. 3 y 4 de la Ley 12/2012).

10. ¿Está sujeta a licencia o autorización la realización de obras ligadas a la ampliación o modificación de la actividad?

No será exigible licencia o autorización previa para la realización de las obras ligadas al acondicionamiento de los locales para desempeñar la actividad comercial cuando no requieran de la redacción de un proyecto de obra de conformidad con el artículo 2.2 de la Ley 38/1999, de 5 de noviembre, de Ordenación de la Edificación.

La inexigibilidad de licencia no regirá respecto de las obras de edificación que fuesen precisas conforme al ordenamiento vigente, las cuales se seguirán regulando, en cuanto a la exigencia de licencia previa, requisitos generales y competencia para su otorgamiento, por su normativa correspondiente (art. 3.3 y 4 de la Ley 12/2012).

11. ¿Qué requisitos han de cumplirse para realizar el cambio de titularidad una actividad?

Para que el nuevo titular de una actividad pueda realizar el cambio de titularidad, deberá ser comunicado al Ayuntamiento a efectos informativos (art. 3.2 de la Ley 12/2012).

12. ¿Es necesario que el anterior titular comunique la transmisión de la actividad a un tercero?

No es un requisito necesario. El art. 3.2 de la Ley 12/2012 no exige que esta comunicación tenga que ser preceptiva, si bien ha de tenerse en cuenta que se tipifica como infracción leve la falta de comunicación previa por cambio de titularidad en las actividades comerciales y de servicios (art. 20. b) Ley 12/2012).

13. ¿Qué ocurre si no se comunica la transmisión de la actividad?

La no comunicación del cambio de titularidad de la actividad por el anterior o el nuevo titular supone que el anterior y nuevo titular queda sujetos, de forma solidaria, a todas las responsabilidades y obligaciones derivadas de dicho incumplimiento, sin perjuicio de la comisión de una infracción leve tipificada en el art. 20.b) Ley 12/2012.

III. MODELO DE EXPEDIENTE: ACTIVIDAD INOCUA (LEY 12/2012)

(Disponible a texto íntegro en smarteca.es)

1) Escrito realizando comunicación de inicio de actividad inocua

2) Toma de conocimiento del Ayuntamiento del inicio de la actividad inocua

3) Notificación de la toma de conocimiento de comunicación de actividad inocua

4) Control posterior del Ayuntamiento de la actividad

5) Notificación de inicio de expediente de control de actividad inocua

6) Escrito dando cumplimiento a las medidas de control impuestas por el Ayuntamiento

7) Informe técnico sobre cumplimiento de la actividad a la normativa de aplicación

8) Resolución dando por finalizado el expediente de control posterior de la actividad inocua

9) Notificación de la resolución

10) Comunicación de modificación de la actividad

11) Inicio de procedimiento de control de la modificación de la actividad

IV. NORMATIVA AUTONÓMICA

1. Andalucía

1. Normativa básica

— Estatal

Directiva 2006/123/CE del Parlamento y del Consejo, de 12 de diciembre de 2006, relativa a los servicios en el mercado interior.

Ley 17/2009, de 23 de noviembre, sobre el Libre Acceso a las Actividades de Servicios.

Ley 2/2011, de 4 de marzo, de Economía Sostenible.

Ley 12/2012, de 26 de diciembre, de medidas urgentes de liberalización del comercio y de determinados servicios.

Ley 39/2015, de 1 de octubre, del Régimen Jurídico de las Administraciones Públicas y del Procedimiento Administrativo Común.

— Autonómica

Ley 7/2007, de 9 de julio, de Gestión Integrada de la Calidad Ambiental.

Ley 13/1999, de 15 de diciembre de Espectáculos Públicos y Actividades Recreativas.

Decreto 78/2002, de 26 de febrero, por el que se aprueba el nomenclátor y catálogo de espectáculos públicos, actividades recreativas y establecimientos públicos en el Comunidad Autónoma de Andalucía.

Ley 4/2011, de 6 de junio, de medidas para potenciar inversiones empresariales de interés estratégico para Andalucía y de simplificación, agilización administrativa y mejora de la regulación de actividades económicas en la Comunidad Autónoma de Andalucía.

Decreto 247/2011, de 19 de julio, por el que se modifican diversos Decretos en materia de espectáculos públicos y actividades recreativas para su adaptación a la Ley 17/2009, de 23 de noviembre, sobre el libre acceso a las actividades de servicios y su ejercicio.

Decreto-Ley 5/2014, de 22 de abril, de medidas normativas para reducir las trabas administrativas para las empresas.

Decreto 1/2016, de 12 de enero por el que se establece un conjunto de medidas para la aplicación de la declaración responsable para determinadas actividades económicas reguladas en la Ley 3/2014, de 1 de octubre, de medidas normativas para reducir las trabas administrativas para las empresas, y en el proyecto «Emprende en 3».

2. La realización de obras no sujetas a licencia urbanística

Aunque la legislación andaluza no es proclive a dejar constancia expresa sobre las obras que quedan al margen de la licencia urbanística, salvo la excepción de la disposición adicional decimocuarta de la **Ley 7/2002**, de 17 de diciembre de Ordenación Urbanística de Andalucía (LOUA), relativa a la inexigibilidad de licencia, no es menos ciertos que los municipios viene de forma paulatina suprimiendo la licencia urbanística previa cuando se refiere a las denominadas obras menores, por la declaración responsable y/o comunicación previa.

Tampoco el **Decreto 60/2010**, de 16 de marzo, por el que se aprueba el Reglamento de Disciplina Urbanística de la Comunidad Autónoma de Andalucía, se refiere a este modo de control urbanístico posterior, aunque el art. 4 *a sensu contrario* permite una intervención posterior en el supuesto de que no se opte por la intervención preventiva.

> «Artículo 4. *Potestades administrativas y presupuestos de la actividad de ejecución*
>
> 1. Para el cumplimiento de la legislación y ordenación urbanística, las Administraciones públicas competentes **ejercerán las siguientes potestades**:
>
> a) La **intervención preventiva** de los actos de instalación, construcción o edificación, y uso del suelo, incluidos el subsuelo y el vuelo, en las formas dispuestas en las Leyes.

b) La **inspección de la ejecución** de los actos sujetos a intervención preventiva.

c) La **protección de la legalidad urbanística** y el restablecimiento del orden jurídico perturbado, en los términos previstos en las Leyes.

d) La **sanción de las infracciones urbanísticas**».

La falta de resolución normativa expresa, produce que en la C.A. de Andalucía el régimen de intervención urbanística predominante sea con carácter general de la licencia urbanística, en contra de las tendencias legislativas existentes en prácticamente todas las CC.AA (*Véase cuadro comparativo del presente capítulo, 5.6. Ejemplos contradictorios en el ámbito del derecho urbanístico del empleo de la declaración responsable y comunicación previa*), lo que provoca el recurrente uso de los arts. 21.1 y 22.3 del RSCL.

3. Declaración responsable en el caso de actividades inocuas

Para la tramitación de expedientes de actividades inocuas, esto es, que no están sujetas a control ambiental por parte de la GICA, y que figuran en el anexo I de la Ley 12/2012, de 26 de diciembre, nos remitimos a lo expuesto en el presente capítulo relativo al estudio de la citada Ley.

No obstante hemos de precisar que la disposición adicional decimocuarta de la LOUA, relativa a la inexigibilidad de licencia dispone que:

«Para el **inicio y desarrollo de las actividades económicas** previstas en el ámbito de aplicación de la Ley 12/2012, de 26 de diciembre, y en los términos que se establezcan reglamentariamente, **no podrá exigirse** por parte de las administraciones y entidades del sector público de Andalucía la obtención **de licencia previa de instalaciones, de funcionamiento o de actividad, ni otras de clase similar o análogas** que sujeten a previa autorización el ejercicio de la actividad económica a desarrollar o la posibilidad misma de la apertura del establecimiento correspondiente.

Asimismo, **no será exigible licencia o autorización previa** para la realización de las **obras ligadas al acondicionamiento de los locales** para desempeñar la actividad económica cuando **no requieran de la redacción de un proyecto de obra** de conformidad con el artículo 2.2 de la Ley 38/1999, de 5 de noviembre, de Ordenación de la Edificación. En esos casos, será **sustituida por la presentación de una declaración responsable o bien por una comunicación previa**».

4. Declaración responsable en el caso de actividades sujetas a control ambiental

El **Decreto 1/2016**, de 12 de enero por el que se establece un conjunto de medidas para la aplicación de la declaración responsable para determinadas actividades económicas reguladas en la Ley 3/2014, de 1 de octubre, de medidas normativas para reducir las trabas administrativas para las empresas, y en el proyecto «Emprende en 3» **innova el ejercicio de actividades sujetas a calificación ambiental mediante declaración responsable** (CA-DR), al **suprimir el procedimiento de calificación ambiental**, bastando para el ejercicio de la actividad, la presentación de declaración responsable, manifestando el titular que dispone de la siguiente documentación:

a) Proyecto Técnico suscrito, cuando así lo exija la legislación, por personal técnico competente, que deberá incluir, a los efectos ambientales, el análisis ambiental que recoja los extremos incluidos en el artículo 9 del Reglamento de Calificación

Ambiental, aprobado por el Decreto 297/1995, de 19 de diciembre. El técnico competente que suscriba el análisis ambiental, en función de las características de la actividad y de su ubicación, podrá incluir una justificación razonada para no desarrollar alguno de los extremos mencionados en el citado artículo 9.

b) Certificación de personal técnico competente, en el supuesto en el que la legislación exija la suscripción de Proyecto técnico, acreditando que la actuación se ha llevado a cabo en cumplimiento estricto de las medidas de corrección medioambiental incluidas en el análisis ambiental recogido en el párrafo a); o, en su defecto, el titular de la actuación deberá contar con las certificaciones o documentación pertinente, que justifiquen que la actividad a desarrollar cumple la normativa de aplicación.

c) Documento de valoración de impacto en la salud, en caso de que la actuación esté incluida en el Anexo I del Decreto 169/2014, de 9 de diciembre, por el que se establece el procedimiento de la Evaluación del Impacto en la Salud de la Comunidad Autónoma de Andalucía, como «CA-DR».

El **documento de declaración responsable** debidamente presentado ante la Administración competente, siempre que la actividad se desarrolle en el suelo urbano consolidado, surtirá los mismos efectos frente a la Administración y frente a las empresas suministradoras de servicios públicos que **la licencia a la que sustituye.**

Asimismo ha de tenerse en cuenta que cuando se pretenda desarrollar en el mismo establecimiento, **junto a una actividad ya existente, una nueva actividad** en la que concurran las condiciones previstas en la disposición adicional decimocuarta de la Ley 7/2002, de 17 de diciembre, y en el Anexo I de la Ley 7/2007, de 9 de julio, como calificación ambiental mediante declaración responsable «CA-DR», **bastará con la presentación de una declaración responsable ante la Administración competente para poder iniciar la actividad**, **salvo** que ésta hubiera fijado un régimen de comunicación **previa**, y sin perjuicio de las demás obligaciones que, en su caso, establezca la legislación sectorial aplicable.

PREGUNTAS CLAVE

1. ¿Cómo se articula la declaración responsable en el trámite de la calificación ambiental?

Hasta que no se proceda al desarrollo reglamentario del art. 44 de la Ley 7/2007, de 9 de julio, de Gestión Integrada de la Calidad Ambiental, y conscientes de la problemática que supone no tener una norma reglamentaria que define el procedimiento de calificación ambiental, ha de entenderse que las actividades del anexo I de la Ley 7/2007, sujetas a calificación ambiental mediante declaración responsable han de someterse a la tramitación de la calificación ambiental, previa a la presentación de la declaración responsable, que en este caso sustituirá a la puesta en marcha de la actividad para el comienzo de su ejercicio.

En definitiva ha de tramitarse el procedimiento de calificación. Ambiental previsto en los arts. 8 a 18 del Decreto 297/1995, de 19 de diciembre, por el que se aprueba el Reglamento de Calificación Ambiental.

2. ¿Cómo ha de actuarse en el caso de que se produzcan modificaciones sustanciales en la actividad sujeta a calificación ambiental?

En el supuesto de que se produzcan modificaciones sustanciales en la actividad, las mismas se tramitarán como si se tratase de un nuevo procedimiento, sometiéndolas al trámite de calificación ambiental. Así el art. 41.1 de la Ley 7/2007, de 9 de julio, de Gestión Integrada de la Calidad Ambiental, dice que »Están sometidas a calificación ambiental y a declaración responsable de los efectos ambientales las actuaciones, tanto públicas como privadas, así señaladas en el Anexo I y sus modificaciones sustanciales».

3. ¿Cuándo existen modificaciones sustanciales en la actividad sujeta a calificación ambiental?

De conformidad con lo dispuesto en el art. 19.11 de la Ley 7/2007, de 9 de julio, de Gestión Integrada de la Calidad Ambiental, que define la modificación sustancial como cualquier cambio o ampliación de actuaciones ya autorizadas que pueda tener efectos adversos significativos sobre la seguridad, la salud de las personas o el medio ambiente, a efectos de la autorización ambiental unificada y calificación ambiental, se entenderá que existe una modificación sustancial cuando en opinión del órgano ambiental competente se produzca, de forma significativa, alguno de los supuestos siguientes:

1.º Incremento de las emisiones a la atmósfera.

2.º Incremento de los vertidos a cauces públicos o al litoral.

3.º Incremento en la generación de residuos.

4.º Incremento en la utilización de recursos naturales.

5.º Afección al suelo no urbanizable o urbanizable no sectorizado.

6.º Afección a un espacio natural protegido o áreas de especial protección designadas en aplicación de normativas europeas o convenios internacionales.

4. ¿Sustituye la presentación de la declaración responsable a la puesta en marcha de la actividad?

Aunque la redacción del art. 45 GICA pueda dar lugar a confusión, «*En todo caso, la puesta en marcha de las actividades con calificación ambiental se realizará una vez que se traslade al Ayuntamiento la certificación acreditativa del técnico director de la actuación de que ésta se ha llevado a cabo conforme al proyecto presentado y al condicionado de la calificación ambiental*», teniendo en cuenta que la presentación de la CA-DR tiene los mismos efectos que la licencia) art. único.1 del Decreto 1/2016, ha de entenderse que no es necesaria la previa puesta en marcha para el ejercicio de actividades sujetas a CA-DR del anexo I GICA.

5. Procedimiento

Las actividades sujetas al procedimiento de **calificación ambiental mediante declaración responsable** son las que figuran en el anexo I de la GICA, y las que el art. 41.1 de ésta menciona diciendo que «Están sometidas a calificación ambiental y a **declara-**

ción responsable de los efectos ambientales las actuaciones, tanto **públicas como privadas**, así señaladas en el Anexo I y sus **modificaciones sustanciales**».

El art. 44 GICA, se refiere al procedimiento tanto de calificación ambiental como de calificación ambiental sujeta a presentación de declaración responsable, con las cautelas propias del desarrollo reglamentario del mismo, lo que produce en la práctica múltiples interpretaciones ante la parca dicción del citado precepto, debiéndose recurrir a los dictados del **Decreto 1/2016**, de 12 de enero Decreto 1/2016, de 12 de enero, con la finalidad de tener una visión lo más aproximada al procedimiento simplificado que supone la CA-DR.

«Artículo 44. *Procedimiento*

1. El procedimiento de calificación ambiental se desarrollará con arreglo a lo que reglamentariamente se establezca.

2. Se integrará en el de la correspondiente licencia municipal cuando la actividad esté sometida a licencia municipal.

3. Se resolverá con carácter previo en los supuestos en que el inicio de la actividad esté sujeto a presentación de declaración responsable.

4. Cuando el inicio de la actividad esté sujeto a presentación de declaración responsable, reglamentariamente se determinará en qué supuestos la evaluación de los efectos ambientales de la actividad podrá efectuarse también mediante declaración responsable.

5. Junto con la solicitud de la correspondiente licencia municipal, **o con carácter previo a la presentación de la declaración responsable,** los titulares o promotores de las actuaciones sometidas a calificación ambiental deberán presentar **un análisis ambiental** como documentación complementaria del proyecto técnico».

Ha de tenerse en cuenta:

1. La necesidad de presentar un **análisis ambiental** como documentación complementaria del proyecto técnico de la actividad sujeta a CA-DR.

2. Si la actividad se encuentra dentro de las que figuran en el anexo I del Decreto 169/2014, de 9 de diciembre, se someterá a **Evaluación del Impacto en la Salud**.

3. La CA-DR es independiente de si el sujeto o titular de la actividad es una **administración pública o un particular**.

4. El documento de declaración responsable debidamente presentado ante la Administración competente, siempre que la actividad se desarrolle en el **suelo urbano consolidado**, **surtirá los mismos efectos** frente a la Administración y frente a las empresas suministradoras de servicios públicos que **la licencia a la que sustituye.**

MODELO DE EXPEDIENTE *(Disponible a texto íntegro en smarteca.es)*

[No es necesaria la tramitación del procedimiento de calificación ambiental prevista en el Decreto 297/1995, de 19 de diciembre, Reglamento de Calificación Ambiental, y en consecuencia se ha de prescindir de:

- *Información pública y notificación a colindantes*

- *Emisión de calificación ambiental*

ya que el documento de declaración responsable, siempre que la actividad se desarrolle en suelo urbano consolidado surte los mismos efectos que la licencia.]

1) *Declaración responsable para inicio de actividad sujeta a calificación ambiental*

2) *Providencia de la Alcaldía admitiendo a trámite el expediente*

3) *Acta de Inspección*

4) *Informe Técnico favorable para ejercicio de actividad sujeta a calificación ambiental mediante declaración responsable*

5) *Informe del Secretario/Técnico de Administración General favorable para ejercicio de actividad sujeta a calificación ambiental mediante declaración responsable*

6) *Decreto dando por efectuado control posterior de ejercicio de actividad de calificación ambiental mediante declaración responsable*

7) *Notificación del Decreto de toma de conocimiento de ejercicio de actividad sujeta a calificación ambiental mediante declaración responsable*

6. Declaración responsable en el caso de espectáculos públicos y actividades recreativas

Pendiente de desarrollo reglamentario los arts. 2 y 9 de la **Ley 13/1999** de 15 de diciembre de Espectáculos Públicos y Actividades Recreativas hacen mención a la declaración responsable y la comunicación previa como modo de ejercicio de actividad sujetas a este medio de intervención.

> «Art. 2.3. Cuando se requiera autorización previa para la organización de espectáculos públicos y actividades recreativas, esta deberá señalar, de forma explícita a sus titulares, el tiempo por el que se conceden los espectáculos públicos o actividades recreativas que mediante la misma se permite y el establecimiento público en que pueden ser celebrados o practicados, así como el aforo permitido en cada caso.
>
> Cuando el medio de intervención administrativa sea **la declaración responsable y la comunicación previa**, el documento correspondiente también deberá recoger los datos citados en el párrafo anterior, y su presentación permitirá, con carácter general, el reconocimiento o ejercicio de un derecho o bien el inicio de una actividad, sin perjuicio de las facultades de comprobación, control e inspección que tengan atribuidas las administraciones públicas.
>
> 4. Las autorizaciones administrativas concedidas para la celebración de espectáculos o realización de actividades recreativas serán transmisibles, previa comunicación al órgano competente y siempre que se mantenga el cumplimiento de los demás requisitos exigibles.

No obstante, cuando el medio de intervención administrativa sea la presentación de declaración responsable y comunicación previa, las mismas **no podrán ser objeto de transmisión**.

[...]

7. Reglamentariamente, se establecerán los **tipos de espectáculos públicos, actividades recreativas y establecimientos públicos** cuyas celebraciones y aperturas podrán estar sujetas a la presentación de declaración responsable o comunicación previa como medios de intervención por parte de la Administración competente».

«Art. 9.6. Reglamentariamente, se establecerán **los tipos de establecimientos públicos** cuyas aperturas podrán estar sujetas a la presentación de declaración responsable o comunicación previa como medio de intervención por parte de la Administración competente».

De acuerdo con el contenido de los artículos anteriores, ha de tenerse en cuenta que la declaración responsable y la comunicación previa ha de contener:

- Titulares de la actividad

- Tiempo de duración de la actividad

- Aforo permitido

Asimismo es importante recordar que cuando el medio de intervención administrativa sea la presentación de declaración responsable y comunicación previa, las mismas **no podrán ser objeto de transmisión**.

No tiene sentido alguno el modo de resolver la transmisión de la autorización administrativa cuando aquélla no deja de ser una mera toma de conocimiento administrativo sobre el anterior y el nuevo titular, tal como acertadamente dice el art. 3.2 de la **Ley 12/2012.**

«Tampoco están sujetos a licencia los cambios de titularidad de las actividades comerciales y de servicios. En estos casos será exigible **comunicación previa** a la administración competente a los **solos efectos informativos**».

2. Aragón

1. Normativa básica

— Estatal

Directiva 2006/123/CE del Parlamento y del Consejo, de 12 de diciembre de 2006, relativa a los servicios en el mercado interior.

Ley 17/2009, de 23 de noviembre, sobre el Libre Acceso a las Actividades de Servicios.

Ley 2/2011, de 4 de marzo, de Economía Sostenible.

Ley 12/2012, de 26 de diciembre, de medidas urgentes de liberalización del comercio y de determinados servicios.

Ley 39/2015, de 1 de octubre, del Régimen Jurídico de las Administraciones Públicas y del Procedimiento Administrativo Común.

— Autonómica

Arts. 71 y 72 de la Ley 11/2014, de 4 de diciembre, de Prevención y Protección Ambiental de Aragón, y anexo V.

Arts. 227 y 228 del Decreto-Legislativo 1/2014, de 8 de julio, del Gobierno de Aragón, por el que se aprueba el Texto Refundido de la Ley de Urbanismo de Aragón

2. La realización de obras no sujetas a licencia urbanística

El **Decreto-Legislativo 1/2014,** de 8 de julio, del Gobierno de Aragón, por el que se aprueba el Texto Refundido de la Ley de Urbanismo de Aragón, recoge en sus arts. 227 y 228 la **declaración responsable y la comunicación previa,** respectivamente, como modo de realizar obras sin estar sujetas a la previa licencia urbanística, contemplada en el art. 226.

La declaración responsable en materia de urbanismo (art. 227) es el documento en el que cualquier persona manifiesta, bajo su responsabilidad, al Alcalde que cumple los requisitos establecidos en la normativa vigente para realizar uno de los actos de transformación, construcción, edificación o uso del suelo o el subsuelo sujetos a la misma, que dispone de la documentación acreditativa del cumplimiento de los anteriores requisitos, y que se compromete a mantener dicho cumplimiento durante el período de tiempo inherente a la realización del acto objeto de la declaración.

La declaración responsable legitima para la realización de su objeto desde el día de su presentación en el registro general del municipio.

Las declaraciones responsables se sujetarán al procedimiento establecido en la normativa sobre régimen local y en las ordenanzas municipales. El documento de declaración responsable habrá de contener, además de los datos establecidos en la legislación del procedimiento administrativo común (art. 66 LPACAP) los siguientes:

a) La identificación y ubicación de su objeto.

b) La enumeración de los requisitos administrativos aplicables.

c) La relación de los documentos acreditativos del cumplimiento de los anteriores requisitos, indicando en cada caso su contenido general y el nombre del técnico o profesional que lo suscriba, sin perjuicio de que voluntariamente puedan aportarse copias de tales documentos.

d) El compromiso expreso de mantener el cumplimiento de dichos requisitos durante el período de tiempo inherente a la realización del acto objeto de la declaración.

Por su parte la **comunicación previa** en materia de urbanismo es el documento en el que cualquier persona pone en conocimiento del Alcalde que reúne los requisitos para realizar un acto de transformación, construcción, edificación o uso del suelo o el subsuelo que no está sujeto ni a declaración responsable ni a licencia en materia de urbanismo.

El documento de comunicación previa habrá de contener, además de los datos establecidos en la legislación del procedimiento administrativo común (art. 66 LPACAP), los siguientes:

a) La identificación y ubicación de su objeto.

b) La declaración de que concurren los requisitos administrativos aplicables, especificando cuando proceda los relativos a la seguridad de personas y bienes.

En ambos casos, cuando las obras afectan a establecimientos comerciales de los señalados por la **Ley 12/2012**, de 26 de diciembre, de medidas urgentes de liberalización del comercio y de determinados servicios, no se necesita la previa licencia al disponer el art. 3.3. de la misma que no será exigible licencia o autorización previa para la realización de las obras ligadas al acondicionamiento de los locales para desempeñar la actividad comercial cuando no requieran de la redacción de un proyecto de obra de conformidad con el artículo 2.2 de la **Ley 38/1999**, de 5 de noviembre, de Ordenación de la Edificación.

PREGUNTAS CLAVE

1. ¿Están sujetos a licencia urbanística, declaración responsable o comunicación previa, todos los actos de transformación, construcción, edificación y uso del suelo y el subsuelo que se promuevan por la Administración de la Comunidad Autónoma de Aragón?

El art. 240.1 y 2 del Decreto-Legislativo 1/2014, excluye de la intervención municipal a los proyectos de interés general de Aragón, así la realización de grandes obras de ordenación territorial o cuando razones de urgencia o excepcional interés público lo exijan.

2. ¿Qué plazo dispone el Ayuntamiento para comunicar la conformidad o disconformidad del proyecto presentado por la Comunidad Autónoma?

Dispone del plazo de un mes para notificar la conformidad o disconformidad con el planeamiento urbanístico vigente, entendiéndose que, si en dicho plazo no se manifiesta una disconformidad expresa, existe conformidad al proyecto por parte del municipio (art. 240.2 DL 1/2014).

3. ¿Cuándo pueden comenzar las obras objeto de declaración responsable?

La presentación de la comunicación previa y la declaración responsable legitiman para la realización de su objeto **desde el día de su presentación** en el registro general del municipio (art. 229.2 DL 1/2014).

4. ¿Qué potestad tiene el Ayuntamiento sobre la presentación de la declaración responsable?

En cualquier momento el municipio **podrá inspeccionar la ejecución de los actos** de transformación, construcción, edificación y uso del suelo y el subsuelo a fin de comprobar que se realizan de conformidad con la licencia o el **contenido de la declaración responsable o comunicación previa** y en todo caso con arreglo a la legalidad y el planeamiento urbanístico aplicables (art. 230.1 DL 1/2014).

3. Declaración responsable en el caso de actividades inocuas

El art. 71.3 de la **Ley 11/2014**, de 4 de diciembre, de Prevención y Protección Ambiental de Aragón introduce la particularidad de distinguir entre actividades excluidas del sometimiento a la licencia ambiental de actividades clasificadas cuando éstas estén incluidas en el anexo V de la misma, que se sujetarán a licencia municipal de apertura, y las actividades incluidas en el art. 2 de la **Ley 12/2012**, con lo que nos encontramos con dos tipos de procedimientos:

- Licencia de apertura para actividades del anexo V de la Ley 11/2014.

- Declaración responsable y/o comunicación previa de la Ley 12/2012.

La declaración responsable no es de aplicación para las actividades sujetas a autorización o informe previo a su ejercicio, tal como el apartado 3 del art. 72 de la Ley 11/2014.

Para la tramitación de expedientes de actividades inocuas, esto es, que no están sujetas a control ambiental por parte de la 11/2014, y que figuran en el anexo I de la Ley 12/2012, de 26 de diciembre, nos remitimos a lo expuesto en el presente capítulo relativo al estudio de la citada Ley.

«Artículo 72. *Declaración responsable*

1. Las actividades sujetas a licencia ambiental de actividades clasificadas podrán iniciarse mediante **declaración responsable** del titular de la actividad empresarial o profesional avalada mediante informe redactado por profesional técnico competente. Dicho informe incluirá, al menos, una manifestación explícita e inequívoca de que la actividad cumple con todos los requisitos que resulten exigibles de acuerdo con la normativa que resulta de aplicación.

2. La **presentación de la declaración responsable** conllevará la obligación de presentar, en el plazo máximo de **tres meses**, la solicitud de licencia ambiental de actividades clasificadas acompañada de la documentación que resulte procedente. En el supuesto de que no se presentara dicha solicitud en el plazo indicado, la declaración responsable quedará sin efectos automáticamente, debiendo cesar la actividad ya iniciada.

3. **No podrán iniciarse mediante declaración responsable** las actividades clasificadas sujetas a la licencia ambiental de actividades clasificadas que, de forma previa o simultánea, requieran alguna de las siguientes autorizaciones o informes para su ejercicio:

a) Evaluación de impacto ambiental, en los supuestos previstos en la presente ley.

b) Autorización de vertederos.

c) Autorización de instalaciones de actividades de gestión de residuos peligrosos.

d) Autorización de instalaciones de actividades de gestión de residuos no peligrosos.

e) Autorización de centros de tratamiento de vehículos al final de su vida útil.

f) Autorización de emisión de gases de efecto invernadero.

g) Autorización de actividades potencialmente contaminadoras de la atmósfera.

h) Autorización de plantas de biogás con subproductos animales no destinados a consumo humano.

i) Autorización de plantas de compostaje con subproductos animales no destinados a consumo humano.

j) Autorización de plantas de incineración y coincineración con subproductos animales no destinados a consumo humano.

k) La instalación de explotaciones ganaderas de cría intensiva».

4. Declaración responsable en el caso de actividades sujetas a control ambiental

La **Ley 17/2009**, de 23 de noviembre, establece un **principio general** según el cual el acceso a una actividad de servicios y su ejercicio **no estarán sujetos a un régimen de autorización**. Únicamente podrán mantenerse regímenes de autorización previa cuando no sean discriminatorios, estén justificados en una razón imperiosa de interés general y sean proporcionados. En particular, se considerará que no está justificada una autorización cuando sea **suficiente una comunicación o una declaración responsable** del prestador, para facilitar, si es necesario, el control de la actividad.

Mientras que la **declaración responsable es definida** en el procedimiento de licencia ambiental de actividad clasificada (art. 4.l) como el documento suscrito por el titular de una actividad empresarial o profesional en el que declara bajo su responsabilidad, y con el aval de informe redactado por profesional técnico competente, que cumple con los requisitos establecidos en la normativa vigente para el ejercicio de la actividad que se dispone a iniciar; por el contrario **la comunicación previa** no es definida en la Ley 11/2014, aunque si contiene referencias a la misma unidad siempre a la declaración responsable.

De conformidad con el art. 5.2. de la **Ley 11/2014**, «cuando el acceso a una actividad o a su ejercicio exija una declaración responsable o una comunicación previa y, de acuerdo con esta ley, requiera una evaluación de impacto ambiental, la declaración responsable o la comunicación previa no podrán presentarse hasta que no haya concluido dicha evaluación de impacto ambiental por el órgano ambiental».

Por su parte el art. 85 de la citada **Ley 11/2014** se refiere a los supuestos **exentos de tramitar licencia de inicio de actividad** cuando se haya presentado declaración responsable, sin perjuicio de la presentación de la documentación a la que se hace referencia en el artículo 84 y la comprobación que corresponda efectuar por el órgano municipal competente cuando se otorgue la licencia ambiental de actividad clasificada, debiendo en cualquier caso, el titular de la actividad comunicar al ayuntamiento el inicio de la actividad.

También ha de ponerse de manifiesto, según dispone el art. 88 de la **Ley 11/2014**, que la presentación de declaración responsable de la licencia ambiental de actividades clasificadas, **será previa** a la concesión de las **autorizaciones de enganche** o ampliación de suministro de energía eléctrica, de utilización de combustibles líquidos o gaseosos, de suministro de agua potable de consumo público y demás autorizaciones preceptivas para el ejercicio de la actividad. No obstante lo anterior, podrán concederse autorizaciones provisionales para la realización de las pruebas precisas para la comprobación del funcionamiento de la actividad.

PREGUNTAS CLAVE

1. ¿Es obligatorio la presentación de una declaración responsable para el ejercicio de actividades sujetas a licencia ambiental de actividades clasificadas?

No. Es una potestad del titular de la actividad (art. 72.1 Ley 11/2014):

> «Las actividades sujetas a licencia ambiental de actividades clasificadas **podrán iniciarse** mediante declaración responsable del titular de la actividad empresarial o profesional avalada mediante informe redactado por profesional técnico competente».

2. ¿Hay actividades excluidas de la declaración responsable?

Sí. En el art. 72.3 se recogen una serie de actividades que no pueden iniciarse con la presentación de la declaración responsable, al requerir de autorizaciones o informes previos para su ejercicio.

«**No podrán iniciarse mediante declaración responsable** las actividades clasificadas sujetas a la licencia ambiental de actividades clasificadas que, de forma previa o simultánea, requieran alguna de las siguientes autorizaciones o informes para su ejercicio:

a) Evaluación de impacto ambiental, en los supuestos previstos en la presente ley.

b) Autorización de vertederos.

c) Autorización de instalaciones de actividades de gestión de residuos peligrosos.

d) Autorización de instalaciones de actividades de gestión de residuos no peligrosos.

e) Autorización de centros de tratamiento de vehículos al final de su vida útil.

f) Autorización de emisión de gases de efecto invernadero.

g) Autorización de actividades potencialmente contaminadoras de la atmósfera.

h) Autorización de plantas de biogás con subproductos animales no destinados a consumo humano.

i) Autorización de plantas de compostaje con subproductos animales no destinados a consumo humano.

j) Autorización de plantas de incineración y coincineración con subproductos animales no destinados a consumo humano.

k) La instalación de explotaciones ganaderas de cría intensiva».

3. ¿De qué plazo dispone el titular de la actividad para solicitar la licencia ambiental de actividades clasificadas?

Una vez que se ha presentado la declaración responsable, en el plazo máximo de **tres meses** ha de presentarse la solicitud de licencia ambiental (art. 72.2 Ley 11/2014).

4. ¿Qué consecuencias tienes para el titular de la actividad la no presentación de la solicitud de licencia ambiental de actividades clasificadas una vez presentada la declaración responsable?

En el supuesto de que no se presentara la solicitud de licencia ambiental, la declaración responsable quedará sin efectos automáticamente, debiendo **cesar la actividad** ya iniciada (art. 72.2 Ley 11/2014).

5. ¿Puede continuarse el ejercicio de la actividad con posterioridad a la presentación de la licencia ambiental de actividades clasificadas?

Sí. Una vez que se presenta la solicitud de licencia ambiental de actividades clasificadas, la declaración responsable habilita para el inicio y desarrollo de la actividad, sin perjuicio de lo que resulte de la resolución por la que se otorgue o deniegue la licencia ambiental (art. 72.1 y 2 Ley 11/2014).

6. ¿Cuándo se presenta una declaración responsable, ha de solicitarse licencia de inicio de actividad?

La presentación de la declaración responsable exime de la tramitación de la licencia de inicio de actividad (art. 85.1 Ley 11/2014), sin perjuicio de la presentación de la documentación a la que se hace mención en el art. 84 de la citada Ley.

5. Procedimiento

Las actividades sujetas a licencia ambiental de actividades clasificadas pueden iniciarse mediante la presentación de una declaración responsable por el titular de la actividad sin necesidad de obtener previamente la licencia ambiental de actividad clasificada.

Una vez presentada la declaración responsable, en el plazo de tres meses ha de solicitarse la licencia ambiental.

Este procedimiento es distinto, y no puede confundirse con el de la **Ley 12/2012**, de 26 de diciembre, de medidas urgentes de liberalización del comercio y de determinados servicios.

El art. 72 de la **Ley 11/2014**, de 4 de diciembre, de Prevención y Protección Ambiental de Aragón recoge la forma de proceder en el caso de optarse por la declaración responsable.

MODELO DE EXPEDIENTE *(Disponible a texto íntegro en smarteca.es)*

1)   Comunicación de declaración responsable de actividad sujeta a licencia ambiental de actividad clasificada

2)   Admisión a trámite del expediente de declaración responsable

3)   Informe técnico sobre declaración responsable

4)   Informe jurídico sobre declaración responsable

5)   Resolución tomando conocimiento de la presentación de la declaración responsable

6)   Notificación de la toma de conocimiento de la declaración responsable

6. Declaración responsable en el caso de espectáculos públicos y actividades recreativas

La **Ley 11/2005**, de 28 de diciembre, reguladora de los espectáculos públicos, actividades recreativas y establecimientos públicos de la Comunidad Autónoma de Aragón no hace mención alguna a la declaración responsable o comunicación previa para la realización de actividades sujetas las actividades a desarrollar en establecimientos públicos a las correspondientes licencias urbanísticas, ambientales y cualesquiera otras que procedan de acuerdo con la legislación vigente (art. 16.1).

3. Canarias

1. Normativa básica

— Estatal

Directiva 2006/123/CE del Parlamento y del Consejo, de 12 de diciembre de 2006, relativa a los servicios en el mercado interior.

Ley 17/2009, de 23 de noviembre, sobre el Libre Acceso a las Actividades de Servicios.

Ley 2/2011, de 4 de marzo, de Economía Sostenible.

Ley 12/2012, de 26 de diciembre, de medidas urgentes de liberalización del comercio y de determinados servicios.

Ley 39/2015, de 1 de octubre, del Régimen Jurídico de las Administraciones Públicas y del Procedimiento Administrativo Común.

— Autonómica

Arts. 34 a 36 de la Ley 7/2011, de 5 de abril, de actividades clasificadas y espectáculos públicos y otras medidas administrativas complementarias.

Decreto 86/2013, de 1 de agosto, por el que se aprueba el Reglamento de actividades clasificadas y espectáculos públicos.

Decreto Legislativo 1/2012, de 21 de abril, por el que se aprueba el Texto Refundido de las Leyes de Ordenación de la Actividad Comercial de Canarias y reguladora de la licencia comercial.

Decreto 52/2012, de 7 de junio, por el que se establece la relación de actividades clasificadas y se determinan aquellas a las que resulta de aplicación el régimen de autorización administrativa previa.

2. La realización de obras no sujetas a licencia urbanística

La Ley 4/2017, de 13 de julio, del Suelo y de los Espacios Naturales Protegidos de Canarias en el caso de uso, actividad o construcción en suelo rústico lo sujeta a licencia municipal, o a comunicación previa, siendo ambos el título habilitante (arts. 74 y 75).

Por lo que se refiere a suelo urbano, los títulos habilitantes para la realización de actuaciones urbanísticas podrán consistir en un acto administrativo autorizatorio (licencia municipal) o en una comunicación previa dirigida a la Administración competente (art. 329).

Ha de destacarse que la Ley 4/2017, distingue entre:

• Actuaciones sujetas a licencia (art. 330).

• Actuaciones amparadas por otro título habilitante (art. 331), destacando entre ellas las obras e instalaciones, y sus respectivos usos, amparadas por autorización ambiental integrada o por título habilitante para la instalación de actividad clasificada (art. 331.1 d).

• Las actuaciones sujetas a comunicación previa (art. 332).

• Las actuaciones exentas (art. 333).

Asimismo los ayuntamientos deberán publicar, en sus respectivos portales de internet, la relación de actuaciones sujetas a licencia municipal y a comunicación previa. En dichos portales se facilitará, igualmente, el acceso a los modelos de comunicación previa que se establezcan por cada administración (art. 338).

3. Declaración responsable en el caso de actividades no sujetas a régimen de autorización

Para la tramitación de expedientes de actividades inocuas, esto es, que no están sujetas a control ambiental por parte de la Ley 7/2011, de 5 de abril, de actividades clasificadas y espectáculos públicos y otras medidas administrativas complementarias, y que figuran en el anexo I de la Ley 12/2012, de 26 de diciembre, nos remitimos a lo expuesto en el presente capítulo relativo al estudio de la citada Ley.

Se regula en los arts. 34 a 36 de la Ley 7/2011, de 5 de abril, de actividades clasificadas y espectáculos públicos y otras medidas administrativas complementarias.

PREGUNTAS CLAVE

1. ¿Qué actividades están sujetas al régimen de declaración responsable o comunicación previa?

Las actividades comerciales minoristas y a la prestación de determinados servicios, realizados a través de establecimientos permanentes, situados en cualquier parte del territorio nacional, y cuya superficie útil de exposición y venta al público no sea superior a 750 metros cuadrados, y que figuran en el anexo I de la Ley 12/2012.

2. ¿De acuerdo con el art. 34.1 de la Ley 7/2011, de 5 de abril, de actividades clasificadas y espectáculos públicos y otras medidas administrativas complementarias, es necesario la declaración responsable para el ejercicio de actividades?

Se exige únicamente comunicación previa cuando la actividad no está sometida a licencia de actividad clasificada ni a autorización ambiental integrada.

3. ¿Qué efectos tiene la presentación de la comunicación previa?

Habilita al interesado para el inicio de la instalación o de la actividad, desde el día de su presentación (35.3 de la Ley 7/2011, de 5 de abril, de actividades clasificadas y espectáculos públicos y otras medidas administrativas complementarias).

4. ¿Cuándo puede iniciarse una actividad comercial del anexo I de la Ley 12/2012?

Cuando se presente la declaración responsable o comunicación previa

5. ¿Cómo se formaliza la declaración responsable o comunicación previa?

La comunicación de inicio de actividades inocua se presentará ante el ayuntamiento en el que vaya a realizarse la actividad y surtirá efectos desde su presentación.

6. ¿Cuándo podrá iniciarse el ejercicio de la actividad inocua?

Una vez presentada la comunicación podrá iniciarse el ejercicio de la actividad, sin perjuicio de las facultades de comprobación, control e inspección que tengan atribuidas las administraciones públicas (art. 5 de la Ley 12/2012)

7. ¿Cuándo se comprueba por el Ayuntamiento la veracidad de los datos y documentos de la comunicación de actividad inocua?

La administración podrá comprobar, en cualquier momento, la veracidad de todos los datos y documentos aportados, así como el cumplimiento de los requisitos que la normativa aplicable exija para el ejercicio de la actividad.

8. ¿Qué ocurre si no se presenta la declaración responsable o comunicación previa para el ejercicio de actividades inocuas?

La falta de presentación ante la administración, así como la inexactitud, falsedad u omisión, de carácter esencial, en cualquier dato, manifestación o documento que se acompañe o incorpore a la comunicación ambiental, determinará la imposibilidad de continuar con el ejercicio de la actividad, sin perjuicio de las responsabilidades penales, civiles o administrativas a que hubiera lugar.

9. ¿Cómo ha de actuarse en el caso de modificación de la actividad inocua?

Cualquier modificación posterior durante el ejercicio de la actividad deberá ser objeto de comunicación al ayuntamiento.

MODELO DE EXPEDIENTE *(Disponible a texto íntegro en smarteca.es)*

1) *Escrito presentando comunicación previa de inicio de actividad no sometida a licencia de actividad clasificada*

2) *Toma de conocimiento del Ayuntamiento del inicio de la actividad*

3) *Notificación de la toma de conocimiento de comunicación de inicio de actividad*

4) *Comprobación y control posterior del Ayuntamiento de la actividad*

5) *Notificación de inicio de expediente de comprobación y control de actividad*

6) *Escrito dando cumplimiento a las medidas de control impuestas por el ayuntamiento*

7) *Informe técnico sobre cumplimiento de la actividad a la normativa de aplicación*

8) *Resolución dando por finalizado el expediente de control posterior de la actividad inocua*

9) *Notificación de la resolución*

10)   Comunicación de modificación de la actividad

11)   Inicio de procedimiento de control de la modificación de la actividad

4.   Declaración responsable en el caso de espectáculos públicos y actividades recreativas

Ley 7/2011, de 5 de abril, de actividades clasificadas y espectáculos públicos y otras medidas administrativas complementarias, en su art. 1.2 c) define los **Espectáculos públicos** como las actividades recreativas, de ocio y esparcimiento, incluidos los deportes, que se desarrollen esporádicamente y en lugares distintos a los establecimientos destinados al ejercicio habitual de dicha actividad y, en todo caso, las celebradas en instalaciones desmontables o a cielo abierto, independientemente de que su organización sea hecha por una entidad privada o pública y de su carácter lucrativo o no, quedando los mismos sujetos al **régimen de autorización previa** (art. 37.1).

Queda excluido por lo tanto su ejercicio de la presentación de declaración responsable o comunicación previa.

4.   Cantabria

1.   Normativa básica

— Estatal

Directiva 2006/123/CE del Parlamento y del Consejo, de 12 de diciembre de 2006, relativa a los servicios en el mercado interior.

Ley 17/2009, de 23 de noviembre, sobre el Libre Acceso a las Actividades de Servicios.

Ley 2/2011, de 4 de marzo, de Economía Sostenible.

Ley 12/2012, de 26 de diciembre, de medidas urgentes de liberalización del comercio y de determinados servicios.

Ley 39/2015, de 1 de octubre, del Régimen Jurídico de las Administraciones Públicas y del Procedimiento Administrativo Común.

— Autonómica

Ley 17/2006, de 11 de diciembre, de Control Ambiental Integrado

Ley 3/2017, de 5 de abril, de Espectáculos Públicos y Actividades Recreativas.

2.   La realización de obras no sujetas a licencia urbanística

No se hace alusión alguna en la Ley de Cantabria 2/2001, de 25 de junio, de Ordenación Territorial y Régimen Urbanístico del Suelo de Cantabria a obras no sujetas a licencia urbanística.

3.   Declaración responsable en el caso de actividades inocuas

Para la tramitación de expedientes de actividades inocuas, esto es que no están sujetas a control ambiental por parte de la Ley 17/2006, de 11 de diciembre, de Control

Ambiental Integrado, y que figuran en el anexo I de la Ley 12/2012, de 26 de diciembre, nos remitimos a lo expuesto en el presente capítulo relativo al estudio de la citada Ley.

4. Declaración responsable en el caso de actividades sujetas a control ambiental

La Ley 17/2006 no regula procedimiento en el caso de actividades sujetas a comprobación ambiental que también lo pueda estar a declaración responsable o comunicación previa.

5. Comunicacion previa en el caso de espectáculos públicos y actividades recreativas

La Ley 3/2017, de 5 de abril, de Espectáculos Públicos y Actividades Recreativas no establece un régimen específico para actividades sujetas a comunicación previa al otorgar tal potestad a los municipios, los que a través de sus ordenanzas, podrán sustituir el régimen de licencia o autorización municipal por el de comunicación previa, siempre que las normativas específicas que resulten de aplicación expresamente lo admitan (art. 17.3).

5. Castilla-La Mancha

1. Normativa básica

— Estatal

Directiva 2006/123/CE del Parlamento y del Consejo, de 12 de diciembre de 2006, relativa a los servicios en el mercado interior.

Ley 17/2009, de 23 de noviembre, sobre el Libre Acceso a las Actividades de Servicios.

Ley 2/2011, de 4 de marzo, de Economía Sostenible.

Ley 12/2012, de 26 de diciembre, de medidas urgentes de liberalización del comercio y de determinados servicios.

Ley 39/2015, de 1 de octubre, del Régimen Jurídico de las Administraciones Públicas y del Procedimiento Administrativo Común.

— Autonómica

Ley 1/2013, de 21 de marzo, de medidas para la dinamización y flexibilización de la actividad comercial y urbanística en Castilla-La Mancha.- LA LEY 4329/2013.

Ley 7/2011, de 21 de marzo, de Espectáculos Públicos, Actividades Recreativas y Establecimientos Públicos de Castilla-La Mancha.- LA LEY 5970/2011.

Decreto Legislativo 1/2010, de 18/05/2010, por el que se aprueba el Texto Refundido de la Ley de Ordenación del Territorio y de la Actividad Urbanística.- LA LEY 10441/2010.

Ley 7/2013, de 21 de noviembre, de adecuación de procedimientos administrativos y reguladora del régimen general de la declaración responsable y comunicación previa[4].

---

(4) Esta norma se aplica a procedimientos sobre los que la Administración de la Junta de Comunidades de Castilla-La Mancha ostenta competencias normativas, tanto respecto del silencio administrativo, como de los plazos de resolución y notificación.

2. La realización de obras no sujetas a licencia urbanística

La Ley 1/2013, 21 marzo, de medidas para la dinamización y flexibilización de la actividad comercial y urbanística en Castilla-La Mancha, modifica los arts. 157 a 159 del Decreto Legislativo 1/2010, de 18/05/2010, por el que se aprueba el Texto Refundido de la Ley de Ordenación del Territorio y de la Actividad Urbanística, afectado al régimen de comunicación previa (art. 157), al procedimiento de comunicación previa (art. 158), declarando clandestinos los actos sujetos a comunicación previa sin que se haya presentado la misma (art. 159).

Por lo que al régimen de comunicación previa se refiere, ha de **tenerse en cuenta** a tenor de lo dispuesto en el art. 157 citado lo siguiente:

1. **Quedan sujetos** al régimen de comunicación previa al Municipio los actos de aprovechamiento y uso del suelo, no incluidos en el ámbito de aplicación del artículo 165.

2. Asimismo, quedan sujetos al régimen de comunicación previa las **transmisiones** de cualesquiera **licencias urbanísticas** y el cambio de titularidad de **actividades comerciales y de servicios** a los que no resulte exigible la obtención de licencia previa.

3. En todo caso, se sujetarán al régimen de comunicación previa:

a) El ejercicio de aquellas **actividades de comercio minorista y de prestación de servicios** incluidas en el Anexo de la **Ley 1/2013**, de 21 de marzo, de medidas para la dinamización y flexibilización de la actividad comercial y urbanística en Castilla-La Mancha, que no afecten al patrimonio histórico-artístico ni impliquen el uso privativo y ocupación de los bienes de dominio público.

b) Las **obras necesarias para el acondicionamiento** de los establecimientos en los que se pretendan implantar las actividades señaladas en la letra anterior cuando no requieran la presentación de un proyecto de obra, de conformidad con la Ley 38/1999, de 5 de noviembre, de Ordenación de la Edificación.

El **procedimiento de comunicación previa**, regulado en el art.158, se caracteriza por:

1.- **Inicio de la actividad**. El promotor de las actuaciones podrá iniciarlas a partir del momento de presentación de la comunicación previa.

2.- **Documentación**. La comunicación deberá ir acompañada de una descripción suficiente del acto, la operación o la actividad y de copia auténtica de los permisos y autorizaciones que requiera el acto, la operación o la actividad de conformidad con la restante normativa que sea aplicable.

También se presentará en los supuestos del art. 157.3:

a) Memoria justificativa del cumplimiento de la legislación vigente así como de la adecuación a la ordenación territorial y urbanística.

b) La documentación técnica exigible.

c) Justificante de la liquidación de los tributos y demás ingresos de derecho público o privado que correspondan.

3.- **Control e inspección**. La habilitación para el ejercicio de actuaciones sujetas a comunicación previa, no prejuzga la situación y efectivo acomodo de las condiciones del establecimiento a la normativa aplicable, ni limitará el ejercicio de las potestades administrativas de control que a la Administración le estén atribuidas por el ordenamiento sectorial aplicable en cada caso. La inactividad de la Administración no implicará la subsanación de los defectos o irregularidades que presente el acto, la operación o la actividad objeto de comunicación.

4.- **Requerimientos**. Dentro de los quince días hábiles siguientes a la comunicación el Municipio podrá:

a) Señalar al interesado la necesidad de solicitar una licencia o autorización urbanística en los términos que se regulan en la sección siguiente.

b) Requerir del interesado ampliación de la información facilitada, en cuyo caso, se interrumpirá el cómputo del plazo, reiniciándose una vez cumplimentado el requerimiento.

5.- **Comunicaciones**. El Municipio dará traslado a las Administraciones competentes, de las comunicaciones cuyo objeto les afecte.

6.- **Transmisión licencia urbanística**. En los supuestos de transmisibilidad de licencias urbanísticas el único requisito de la misma es que sea comunicada por escrito a la Administración concedente, bien por el transmitente o bien el nuevo titular; no obstante, la ausencia de tal comunicación no afectará a la eficacia de la transmisión efectuada ni a la vigencia de la propia licencia, aunque en tal caso ambos quedarán sujetos de forma solidaria a las responsabilidades que pudieran derivarse de la actuación objeto de licencia transmitida.

La comunicación del titular anterior podrá ser sustituida por la aportación del documento público o privado que acredite la transmisión *inter vivos* o *mortis causa* de la propiedad o posesión del inmueble, local o solar, siempre que en el mismo se identifique suficientemente la licencia transmitida en la comunicación que se realice.

7.- **Cambio titularidad**. En los supuestos de cambios de titularidad de las actividades comerciales y de servicios a los que no resulte exigible la obtención de licencia previa, será exigible la comunicación previa a la Administración competente a los solos efectos informativos.

3. Declaración responsable en el caso de actividades inocuas

Para la tramitación de expedientes de actividades inocuas, esto es, que no están sujetas a control ambiental, y que figuran en el anexo I de la **Ley 12/2012**, de 26 de diciembre, nos remitimos a lo expuesto en el presente capítulo relativo al estudio de la citada Ley.

Asimismo ha de tenerse en cuenta que **Ley 1/2013**, de 21 de marzo, de medidas para la dinamización y flexibilización de la actividad comercial y urbanística en Castilla-La Mancha, en sus arts. 4 y 5 se refiere a la declaración responsable o comunicación previa y al régimen de control en la forma que se expresa a continuación, reiterando lo dispuesto en la **Ley 12/2012**.

«Artículo 4. *Declaración responsable o comunicación previa*

De conformidad con lo establecido en el artículo 4 de la Ley 12/2012, de 26 de diciembre, de medidas urgentes de liberalización del comercio y de determinados servicios, o precepto que lo sustituya, las licencias previas que, de acuerdo con el artículo anterior, no puedan ser exigidas, serán sustituidas por declaraciones responsables, o bien por comunicaciones previas, de conformidad con lo establecido en el artículo 71 bis de la Ley 30/1992, de 26 de noviembre, de Régimen Jurídico de las Administraciones Públicas y del Procedimiento Administrativo Común[5], relativas al cumplimiento de las previsiones legales establecidas en la normativa vigente.

Artículo 5. *Régimen de control*

De acuerdo con lo establecido en el artículo 5 de la Ley 12/2012, de 26 de diciembre, de medidas urgentes de liberalización del comercio y de determinados servicios, o precepto que lo sustituya, la presentación de la declaración responsable, o de la comunicación previa, con el consiguiente efecto de habilitación a partir de ese momento para el ejercicio material de la actividad comercial, no prejuzgará en modo alguno la situación y efectivo acomodo de las condiciones del establecimiento a la normativa aplicable, ni limitará el ejercicio de las potestades administrativas, de comprobación, inspección, sanción, y en general de control que a la administración en cualquier orden, estatal, autonómico o local, le estén atribuidas por el ordenamiento sectorial aplicable en cada caso».

4. Declaración responsable en el caso de espectáculos públicos y actividades recreativas

La Ley 7/2011, de 21 de marzo, de Espectáculos Públicos, Actividades Recreativas y Establecimientos Públicos de Castilla-La Mancha, hace una especial mención a la declaración responsable como medio de ejercer una actividad sin necesidad de licencia previa. Así en su exposición de motivos se afirma que «De conformidad con la normativa en vigor, la presente Ley establece que para la celebración o desarrollo de espectáculos públicos y actividades recreativas, así como para la apertura de los establecimientos públicos en que se llevan a cabo, **es necesario formular declaración responsable, dando así adecuado cumplimiento a la regulación de la libertad de establecimiento** recogida en el artículo 4 de la Ley 17/2009, de 23 de noviembre, sobre el libre acceso a las actividades de servicios y su ejercicio».

Para hacer efectiva la declaración responsable, el art. 7.1 se remite al catálogo que figura como anexo, diciendo que «Para la celebración o desarrollo de los espectáculos públicos o actividades recreativas y la apertura de los establecimientos públicos previstos en el catálogo que figura como anexo de esta Ley, será necesaria la presentación de una declaración responsable ante la Administración que corresponda de conformidad con la distribución de competencias de los artículos 4 y 5 de esta Ley».

Con independencia del aforo, el apartado 3 del citado art. 7 dispone que «Por participar las actividades a desarrollarse de una común naturaleza cultural y artística **carente del riesgo** que motiva la exigencia de licencia, **quedan sujetos a declaración responsable con independencia del aforo**: cines, teatros, auditorios, pabellones de congresos, salas de conciertos, salas de conferencia, salas multiuso, casas de cultura, museos, bibliotecas, ludotecas, videotecas, hemerotecas, salas de exposiciones, salas de conferencias, palacios de exposiciones y congresos y ferias del libro».

---

(5)   Se corresponde con el art. 69 LPACAP.

Por su parte el apartado 4 del art. 7 recoge las actividades que están exentas de la necesidad de licencia o municipal o de declaración responsable, salvo que las ordenanzas o reglamentos municipales, en supuestos expresamente justificados y de carácter excepcional establezcan lo contrario. Son las siguientes:

«a) Los espectáculos públicos y actividades recreativas de carácter extraordinario **organizados por el Ayuntamiento** con motivo de fiestas y verbenas populares, con independencia de la titularidad del establecimiento o espacio abierto al público donde se llevan a cabo.

b) Los espectáculos públicos y actividades recreativas de interés artístico o cultural, con un **aforo reducido de hasta 50 personas,** en el caso de que se lleven a cabo ocasionalmente en espacios abiertos al público o en cualquier tipo de establecimientos públicos.

c) Los establecimientos abiertos al público que son de **titularidad del propio Ayuntamiento».**

El art. 15.1 viene a completarlo al disponer que «Para los establecimientos sujetos a declaración responsable conforme a lo establecido en el artículo 7 de esta Ley, **antes de su puesta en funcionamiento se requerirá la presentación de dicha declaración.** Reglamentariamente se establecerán los requisitos y condiciones en que se deberán formular las declaraciones responsables y su respectiva notificación así como la comprobación material por parte de la Administración correspondiente».

Con las anteriores determinaciones la Ley 7/2011 se detiene en las declaraciones responsables, estableciendo en su art. 8 el régimen jurídico de las mismas:

«Artículo 8. *Régimen jurídico de las declaraciones responsables*

1. Mediante la declaración responsable recogida en el artículo anterior, **se manifiesta expresamente que** cumple los requisitos establecidos en la normativa vigente a la que se refiere el artículo 20.2 de esta Ley para la organización de un espectáculo público o actividad recreativa y/o para la apertura de establecimientos públicos, que se dispone de la documentación acreditativa, el compromiso de mantener su cumplimiento durante el período de tiempo a que se refiere y se comunica el inicio de los mismos y/o su apertura.

2. La declaración responsable deberá **presentarse antes del inicio del espectáculo público o de la actividad recreativa y/o de la apertura del establecimiento público.** La Administración competente para recibirla podrá solicitar la colaboración necesaria a otras Administraciones públicas en virtud del principio de cooperación y colaboración, debiendo estas últimas facilitar la información que se les precise sobre la actividad que desarrollen en el ejercicio de sus propias competencias.

3. La declaración responsable **permitirá la realización de los espectáculos públicos, las actividades recreativas y/o la apertura** de los establecimientos públicos correspondientes a que se refiere.

4. Las declaraciones responsables **deberán identificar** a sus titulares; los espectáculos públicos, actividades recreativas o servicios que prestan en su caso, el tiempo por el que se realizarán; los establecimientos públicos en que dichos espectáculos o actividades pueden celebrarse y el aforo de los mismos.

5. Quien realice cualquier actividad sujeta a declaración responsable según esta Ley, **deberá comunicar cualquier modificación** que pretenda llevar a cabo, al efecto de que la administración competente valore si se trata de una alteración sustancial, entendida como toda variación de un elemento esencial del espectáculo público, de la actividad recreativa, del establecimiento público o del servicio que se preste, con el fin de determinar si procede emitir nueva declaración responsable.

6. Los **derechos y obligaciones** asumidos en la declaración responsable serán **transmisibles**, salvo que se hayan formulado teniendo en cuenta las características particulares de los sujetos.

7. Los **cambios de titularidad** requieren una notificación por escrito al órgano competente, que acredite la subrogación de los nuevos titulares en los derechos y obligaciones. Reglamentariamente se determinará el plazo para tal notificación.

8. En todo caso, las declaraciones responsables para celebración de espectáculos o el desarrollo de actividades recreativas a realizar en acto único **se extinguirán** con la celebración del espectáculo o actividad.

9. Reglamentariamente, se establecerá el **procedimiento administrativo** para la formulación de la declaración responsable así como el plazo en que la Administración competente para recibirla deberá girar visita de comprobación.

10. Los espectáculos públicos, las actividades recreativas y los establecimientos públicos **podrán ser suspendidos**, previa audiencia al interesado, en caso de incumplimiento de alguno o algunos de sus requisitos esenciales, de inexactitud o falsedad en lo declarado o en caso de no haber formulado previamente la pertinente declaración responsable».

De otro lado el art. 13 relativa a la publicidad de las declaraciones responsables, licencias y autorizaciones, dispone que «En el acceso a los locales comprendidos en el ámbito de aplicación de esta Ley, y en lugar visible y legible desde el exterior, **deberá exhibirse una placa normalizada** en la que se harán constar, en la forma en que reglamentariamente se determine, los datos esenciales de la declaración responsable presentada o de la licencia o autorización concedida, según proceda, incluyendo el horario de apertura y cierre del local, así como el aforo máximo permitido».

Por lo que a la celebración de espectáculos públicos o actividades recreativas en espacio abierto y vía pública, el art. 19.1 establece que «La celebración o desarrollo de los espectáculos públicos o las actividades recreativas que se realicen en **espacio abierto y en la vía pública** requerirá la presentación de declaración responsable, salvo que sea necesario utilizar instalaciones o estructuras eventuales, portátiles o desmontables de carácter no permanente que de conformidad con lo establecido en el artículo 7.2.b de esta Ley precisan de la oportuna autorización o licencia previa«.

El incumplimiento de los requisitos y condiciones que en la declaración responsable se establezca podrá determinar la clausura o suspensión temporal del establecimiento, tal como el art. 15.2 dispone: 'El incumplimiento de los requisitos y condiciones establecidos en la declaración responsable podrá determinar la **clausura o suspensión temporal** del establecimiento, previa tramitación del oportuno expediente en el que se dará **audiencia al interesado**, en los términos que se establezcan reglamentariamente».

Finalmente ha de tenerse en cuenta que se tipifica como infracción muy grave o grave ejercer la actividad sin haber formulado la declaración responsable, tal como prescriben los arts. 45.12 y 46.1.

«Artículo 45. *Infracciones muy graves*

Son infracciones muy graves:

12. La realización, sin haber formulado la declaración responsable o sin contar con la autorización o licencia correspondiente, de modificaciones sustanciales en establecimientos o instalaciones que supongan alteración de las condiciones con grave **riesgo para la salud y seguridad de personas o bienes**.

Artículo 46. *Infracciones graves*

Son infracciones graves:

1. La celebración de espectáculos públicos o actividades recreativas o apertura de establecimientos públicos sin la correspondiente licencia, autorización o declaración responsable, cuando **no se deriven situaciones de grave riesgo para las personas o bienes».**

5. A tener en cuenta

• La declaración responsable es preceptiva con independencia de su aforo para las actividades de: cines, teatros, auditorios, pabellones de congresos, salas de conciertos, salas de conferencia, salas multiuso, casas de cultura, museos, bibliotecas, ludotecas, videotecas, hemerotecas, salas de exposiciones, salas de conferencias, palacios de exposiciones y congresos y ferias del libro.

• Están exentas de declaración responsable, salvo que las ordenanzas o reglamentos municipales, en supuestos expresamente justificados y de carácter excepcional establezcan lo contrario, los espectáculos públicos y actividades recreativas:

— Organizados por el Ayuntamiento con motivo de fiestas y verbenas populares.

— Con un aforo reducido de hasta 50 personas.

— Los establecimientos abiertos al público de titularidad municipal.

• Cualquier modificación de la actividad sujeta a declaración responsable ha de comunicarse al Ayuntamiento.

• Los derechos y obligaciones asumidos en la declaración responsable son transmisibles.

• Los cambios de titularidad requieren una notificación por escrito.

MODELO DE EXPEDIENTE *(Disponible a texto íntegro en smarteca.es)*

1)   *Declaración responsable para ejercicio de actividad sujeta declaración responsable*

2)   *Toma de conocimiento por el Ayuntamiento del inicio de la actividad sujeta a declaración responsable*

3)   *Notificación de la toma de conocimiento presentación de declaración responsable*

6. Castilla y León

1. Normativa básica

— Estatal

Directiva 2006/123/CE del Parlamento y del Consejo, de 12 de diciembre de 2006, relativa a los servicios en el mercado interior.

Ley 17/2009, de 23 de noviembre, sobre el Libre Acceso a las Actividades de Servicios.

Ley 2/2011, de 4 de marzo, de Economía Sostenible.

Ley 12/2012, de 26 de diciembre, de medidas urgentes de liberalización del comercio y de determinados servicios.

Ley 39/2015, de 1 de octubre, del Régimen Jurídico de las Administraciones Públicas y del Procedimiento Administrativo Común.

— **Autonómica**

Decreto Legislativo 1/2015, de 12 de noviembre, por el que se aprueba el Texto Refundido de la Ley de Prevención Ambiental de Castilla y León.

Ley 5/1999, de 8 de abril, de Urbanismo de Castilla y León.

2. La realización de obras no sujetas a licencia urbanística

En la esfera del derecho urbanístico, la Ley 5/1999 de 8 de abril, de Urbanismo de Castilla y León y el Decreto 22/2004 de 29 de enero, por el que se aprueba el Reglamento de Urbanismo de Castilla y León se refiere a diversos actos sujetos a declaración responsable (art. 105 bis y 314 bis respectivamente).

Por lo que al **régimen de la declaración responsable** se refiere, el art. 105 ter de la Ley 5/1999 y el art. 314 ter del Decreto 22/2004, se postulan de la siguiente forma:

1. La declaración responsable es el documento mediante el cual su promotor manifiesta, bajo su exclusiva responsabilidad, que los actos a los que se refiere cumplen las condiciones prescritas en la normativa aplicable, que posee la documentación técnica exigible que así lo acredita, y que se compromete a mantener el citado cumplimiento durante el tiempo que dure el ejercicio de los actos a los que se refiere.

2. La formalización de la declaración responsable no prejuzga ni perjudica derechos patrimoniales del promotor ni de terceros, y sólo producirá efectos entre el Ayuntamiento y el promotor.

3. La formalización de una declaración responsable no podrá ser invocada para excluir o disminuir la responsabilidad civil o penal en que pueda incurrir su promotor en el ejercicio de los actos a los que se refiera.

La presentación de la declaración responsable, acompañada de la siguiente **documentación:**

a) Proyecto de obras, cuando sea legalmente exigible; en otro caso bastará una memoria que describa de forma suficiente las características del acto.

b) Copia de las autorizaciones de otras administraciones que sean legalmente exigibles, en su caso, produce, de conformidad con el art. 105 quater y 314 quater (Ley 7/1999 y Decreto 22/2004) los siguientes **efectos:**

a) El declarante quedará legitimado para realizar el acto de uso del suelo declarado, en las condiciones establecidas en la legislación y en el planeamiento urbanístico.

b) El acto declarado podrá ser objeto, por parte de los servicios municipales, de comprobación o inspección de los requisitos habilitantes para su ejercicio y de la adecuación de lo ejecutado a lo declarado.

Asimismo ha de tenerse en cuenta, de conformidad con el art. 314 quater.5 del Decreto 22/2004 que los actos de uso del suelo amparados por declaración responsable deben **realizarse dentro de los siguientes plazos de inicio y finalización,** sin posibilidad de interrupción ni de prórroga, cumplidos los cuales la declaración se entenderá caducada:

a) Plazo de inicio: antes de un mes desde la presentación de la declaración.

b) Plazo de finalización: antes de seis meses desde la presentación de la declaración.

Y que **las modificaciones** de los actos legitimados por declaración responsable requerirán la presentación en el Ayuntamiento de una declaración complementaria (art. 314 quater.7 del Decreto 22/2004)

3. Declaración responsable en el caso de actividades inocuas

Para la tramitación de expedientes de actividades inocuas, esto es, que no están sujetas a control ambiental por parte del Decreto Legislativo 1/2015, de 12 de noviembre, por el que se aprueba el Texto Refundido de la Ley de Prevención Ambiental de Castilla y León, y que figuran en el anexo I de la Ley 12/2012, de 26 de diciembre, nos remitimos a lo expuesto en el presente capítulo relativo al estudio de la citada Ley.

4. Declaración responsable en el caso de actividades sujetas a control ambiental

El Decreto Legislativo 1/2015, de 12 de noviembre, por el que se aprueba el Texto Refundido de la Ley de Prevención Ambiental de Castilla y León no contiene procedimiento para el ejercicio de actividades sujetas a autorización ambiental, de licencia ambiental y de comunicación ambiental, en las que de forma excepcional o particular pueda sustituirse por la declaración responsable en razón de su menor grado de incidencia o repercusión medio ambiental.

5. Declaración responsable en el caso de espectáculos públicos y actividades recreativas

No contiene referencia alguna la Ley 7/2006, de 2 de octubre, de espectáculos públicos y actividades recreativas de la Comunidad de Castilla y León a la declaración responsable o comunicación previa para el ejercicio de espectáculos públicos y actividades recreativas.

7. Cataluña

1. Normativa básica

— Estatal

Directiva 2006/123/CE del Parlamento y del Consejo, de 12 de diciembre de 2006, relativa a los servicios en el mercado interior.

Ley 17/2009, de 23 de noviembre, sobre el Libre Acceso a las Actividades de Servicios.

Ley 2/2011, de 4 de marzo, de Economía Sostenible.

Ley 12/2012, de 26 de diciembre, de medidas urgentes de liberalización del comercio y de determinados servicios.

Ley 39/2015, de 1 de octubre, del Régimen Jurídico de las Administraciones Públicas y del Procedimiento Administrativo Común.

— Autonómica

Arts. 96 y 97 del Decreto 179/1995, de 13 de junio, por el que se aprueba el Reglamento de obras, actividades y servicios de los entes locales.- LA LEY 5220/1995

Arts. 51 a 53 de la Ley 20/2009, de 4 de diciembre, de prevenció i control ambiental de les activitats.

Arts. 12 a 15 Ley 16/2015, de 21 de julio, de simplificación de la actividad administrativa de la Administración de la Generalidad y de los gobiernos locales de Cataluña y de impulso de la actividad económica.

Decreto Legislativo 2/2003, de 28 de abril, por el que se aprueba el Texto refundido de la Ley municipal y de régimen local de Cataluña

2. La realización de obras no sujetas a licencia urbanística

El Decreto Legislativo 1/2010, de 3 de agosto, por el que se aprueba el Texto refundido de la Ley de urbanismo, en su art. 187 bis. y el art. 71 del Decreto 64/2014, de 13 de mayo, por el que se aprueba el Reglamento sobre protección de la legalidad urbanística, sujetan a comunicación previa determinados actos urbanísticos, entre los que se encuentran, el cambio de uso y las obras vinculados al desarrollo de actividades que, de acuerdo con la legislación sectorial, no necesitan licencia previa.

El procedimiento de la comunicación se recoge en el art. 72 del citado Decreto 64/2014, presentando las siguientes características:

• La presentación de la comunicación es previa a la ejecución del acto de que se trate.

• Se ha de presentar ante la administración municipal.

• La no presentación de la comunicación con los requisitos exigidos supone que no puede llevarse a cabo el acto.

• Con carácter general la persona interesada está habilitada para ejecutar el acto desde el momento de la presentación de la comunicación previa.

3. Declaración responsable y comunicación previa en el caso de actividades inocuas

Para la tramitación de expedientes de actividades inocuas, esto es, que no están sujetas a control ambiental por parte de la Ley 20/2009, de 4 de diciembre, de prevenció i control ambiental de les activitats y que figuran en el anexo I de la Ley 12/2012, de 26 de diciembre, nos remitimos a lo expuesto en el presente capítulo relativo al estudio de la citada Ley.

La Ley 16/2015, de 21 de julio, de simplificación de la actividad administrativa de la Administración de la Generalidad y de los gobiernos locales de Cataluña y de impulso de la actividad económica determina en su art. 5.2 que los **mecanismos de intervención administrativa** en el ejercicio de la actividad económica son, con carácter general, **la declaración responsable y la comunicación previa**. En cualquier caso, los titulares de la actividad deben disponer del comprobante de pago de la tasa correspondiente.

- **Los regímenes de intervención (art. 13 Ley 16/2015)**

Los regímenes de intervención de las actividades económicas son los siguientes:

a) Las **actividades económicas inocuas** están sujetas a **declaración responsable**. El titular, o la persona que le represente, debe poner en conocimiento de la Administración pública competente el inicio de una determinada actividad mediante la presentación de una declaración responsable en la que debe declarar, bajo su responsabilidad, que cumple los requisitos establecidos por la normativa vigente para acceder al ejercicio de la actividad, que dispone de un certificado técnico justificativo de cumplirlos y que se compromete a mantener su cumplimiento durante la vigencia del ejercicio de la actividad.

b) Las **actividades económicas de bajo riesgo** están sujetas al régimen de **comunicación previa**. El titular, o la persona que le represente, debe poner en conocimiento de la Administración pública competente el inicio de la actividad mediante una comunicación previa, en los términos establecidos por la Ley 26/2010, de 3 de agosto, de régimen jurídico y de procedimiento de las administraciones públicas de Cataluña, que debe ir acompañada por el proyecto técnico justificativo del cumplimiento de los requisitos establecidos por la normativa vigente para acceder al ejercicio de la actividad firmado por un técnico competente, y por el certificado del técnico competente que sea responsable de la puesta en funcionamiento de la actividad.

- **Contenido (art. 13.2)**

La declaración responsable o la comunicación previa deben contener una manifestación explícita sobre la conformidad de la actividad económica con el régimen urbanístico del suelo.

- **Habilitación (art. 13.3)**

La presentación de la declaración responsable o la comunicación previa habilita de forma inmediata para el ejercicio de la actividad bajo la responsabilidad de su titular, y a la vez faculta a la Administración para realizar cualquier actuación de comprobación.

- **Obras de acondicionamiento (art. 13.6)**

En caso de que las obras de acondicionamiento de los locales para realizar una actividad económica descrita en los anexos I y II de la Ley 16/2015, estén sujetas al régimen de comunicación previa establecido por la legislación urbanística, dicha comunicación habilita al titular para iniciar la actividad si cumple los requisitos exigidos por el apartado 1 del art. 13.

- **Régimen sancionador (art. 8)**

El inicio de actividades económicas sin haber presentado la comunicación previa o la declaración responsable oportunas, o haberlas presentado con datos falsos o inexactos con afectaciones sobre la salud, el medio ambiente o la seguridad de las personas, es objeto de sanción.

A falta de norma sancionadora específica preferente, estas conductas se tipifican como infracciones graves y se sancionan con una multa de 6.000 euros a 20.000 euros, atendiendo a los criterios de proporcionalidad en materia sancionadora establecidos con carácter general por la legislación de régimen jurídico y procedimiento administrativo.

- **Los cambios de titularidad y modificaciones (art. 14)**

El cambio de titularidad en el ejercicio de las actividades económicas **produce efectos** desde su comunicación a la Administración competente, y en el caso de las actividades económicas inocuas, debe incorporar una nueva declaración responsable. El portal único para las empresas establecido por el artículo 16 debe disponer de modelos normalizados.

La modificación de las condiciones en que se realizan las actividades requiere una **nueva declaración responsable o comunicación previa**, en función de la clasificación de los anexos I y II, teniendo en cuenta cómo queda la situación final del establecimiento como consecuencia de la modificación.

4. Declaración responsable en el caso de actividades sujetas a control ambiental

Ley 20/2009, de 4 de diciembre, de prevenció i control ambiental de les activitats, no contempla este procedimiento, refiriéndose en su art. 51 al ejercicio de las actividades que quedan sometidas a comunicación de la persona o la empresa titulares.

Asimismo debe tenerse en cuenta lo dispuesto en el art. artículo 236.3 del Texto Refundido de la Ley municipal y de régimen local de Cataluña, aprobado por el Decreto legislativo 2/2003, de 28 de abril, que establece:

«El ejercicio de actividades no debe someterse a intervención administrativa previa mediante autorización u otros actos de control preventivo. **Excepcionalmente,** pueden exigirse actos de control preventivo:

a) Si alguna de las imperiosas razones de interés general reconocidas por el derecho comunitario justifica la intervención pública, mediante el mecanismo de la autorización, a fin de preservar determinados bienes e intereses generales.

b) Si el número de operadores económicos del mercado es limitado como consecuencia de la escasez de recursos naturales, la utilización de dominio público, la existencia de impedimentos técnicos o la existencia de servicios públicos sometidos a tarifas reguladas».

5. Comunicación previa y declaración responsable en el caso de espectáculos públicos y actividades recreativas

Ley 11/2009, de 6 de julio, de regulación administrativa de los espectáculos públicos y las actividades recreativas se refiere a la comunicación previa como modo de simplificar la intervención administrativa, diciendo en su preámbulo que «para simplificar lo máximo posible la intervención administrativa, la Ley faculta a los reglamentos de la Generalidad y a las ordenanzas municipales para establecer la **obligatoriedad de una comunicación previa en los casos en que la legislación no requiere autorización ni licencia,** e incluso para eximir de la necesidad de licencia o de autorización a determinados tipos de espectáculos públicos o de actividades recreativas, especialmente si tienen un aforo limitado o si tienen un valor cultural o artístico especial».

En consonancia con lo expuesto, el art. 29.6 establece que «En los casos en que la legislación sobre el control ambiental preventivo no requiere autorización ni licencia, **los reglamentos de la Generalidad o las ordenanzas municipales pueden sustituir el régimen de autorización por el de comunicación previa a la Administración, si consideran que no existe una razón imperiosa de interés general,** a que se refiere el artículo 9.1.b de la Directiva 2006/123 (CE) del Parlamento Europeo y del Consejo, de 12 de diciembre de 2006, relativa a los servicios en el mercado interior. Los establecimientos abiertos al público, espectáculos públicos y actividades recreativas sometidos a comunicación previa tienen que cumplir las mismas condiciones generales establecidas para las licencias y autorizaciones».

De otro lado el Decreto 112/2010, de 31 de agosto, por el que se aprueba el Reglamento de espectáculos públicos y actividades recreativas, al refiere a la comunicación previa, recoge a la **declaración responsable.** Así después de indicar los casos sometidos a comunicación previa (art. 124), y que son:

a) La modificación no sustancial de los establecimientos abiertos al público que cuenten con la correspondiente licencia municipal.

b) Los establecimientos abiertos al público destinados a espectáculos cinematográficos.

c) Los establecimientos abiertos al público destinados a espectáculos públicos y actividades recreativas musicales con un aforo autorizado hasta 150 personas.

d) Establecimientos abiertos al público de actividades de restauración con un aforo autorizado hasta 150 personas, y siempre que no dispongan de terraza o cualquier otro espacio complementario al aire libre.

e) Las actuaciones en directo en los establecimientos recogidos en el catálogo del anexo I.

Establece en su art. 125 las **condiciones y requisitos** de la comunicación previa:

1. En el caso de los establecimientos abiertos al público previstos en el artículo anterior, el titular de los mismos deberá presentar, previamente a la fecha prevista de su apertura, una comunicación al órgano administrativo competente.

2. La comunicación previa debe ir acompañada de la documentación siguiente:

a) **Declaración responsable** de que el establecimiento o actividad cumple los requisitos establecidos por este Reglamento.

b) Declaración responsable de disponer de la póliza de seguros.

8.   Comunidad de Madrid

1.   Normativa básica

— Estatal

Directiva 2006/123/CE del Parlamento y del Consejo, de 12 de diciembre de 2006, relativa a los servicios en el mercado interior.

Ley 17/2009, de 23 de noviembre, sobre el Libre Acceso a las Actividades de Servicios.

Ley 2/2011, de 4 de marzo, de Economía Sostenible.

Ley 12/2012, de 26 de diciembre, de medidas urgentes de liberalización del comercio y de determinados servicios.

Ley 39/2015, de 1 de octubre, del Régimen Jurídico de las Administraciones Públicas y del Procedimiento Administrativo Común.

— Autonómica

Ley 17/1997, de 4 de julio, de Espectáculos Públicos y Actividades Recreativas.

Ley 2/2002, de 19 de junio, de Evaluación Ambiental de la Comunidad de Madrid.

Ley 4/2014, de 22 de diciembre, de Medidas Fiscales y Administrativas.

2.   La realización de obras no sujetas a licencia urbanística

La Ley 9/2001, de 17 de julio, del Suelo de la Comunidad de Madrid, cuando se refiere a actos no sujetos a intervención municipal precia, regula en su art. 156 el régimen de intervención, sujeto a las siguientes reglas:

1.º Para legitimar su ejecución bastará con comunicar al Ayuntamiento la intención de llevar a cabo el acto con una antelación mínima de quince días hábiles a la fecha en que pretenda llevarse a cabo o comenzar su ejecución.

2.º La comunicación deberá ir acompañada de:

a) Descripción suficiente de las características del acto de que se trate.

b) Declaración de técnico facultativo habilitado legalmente de su conformidad a la ordenación urbanística aplicable.

c) Copia de las restantes autorizaciones y, en su caso, concesiones, cuando sean legalmente exigibles al solicitante.

d) En el supuesto de parcelaciones en suelo no urbanizable de protección y suelo urbanizable no sectorizado además, el informe a que se refiere el artículo 144 de la presente Ley.

3.º Transcurrido el plazo a que se refiere la regla 1.º la comunicación practicada con los requisitos de la regla 2.º producirá los **efectos de la licencia urbanística**, salvo que tengan lugar las actuaciones municipales previstas en las reglas siguientes.

4.º Dentro de los quince días siguientes a la comunicación el Ayuntamiento podrá adoptar, motivadamente, las medidas provisionales que entienda oportunas para evitar toda alteración de la realidad en contra de la ordenación urbanística aplicable, comunicándolas al interesado por cualquier medio que permita acreditar su recepción.

5.º El Ayuntamiento deberá dictar la orden de ejecución que proceda para garantizar la plena adecuación del acto o los actos a la ordenación urbanística dentro de los quince días siguientes a la adopción de cualquier medida provisional. La orden que se dicte producirá los efectos propios de la licencia urbanística.

No hace referencia a la declaración responsable, reconociéndole a la comunicación los efectos de licencia urbanística.

3.   Declaración responsable en el caso de actividades inocuas

Para la tramitación de expedientes de actividades inocuas, esto es, que no están sujetas a control ambiental por parte de la Ley 2/2002 de 19 de junio, de Evaluación Ambiental de la Comunidad de Madrid y que figuran en el anexo I de la Ley 12/2012, de 26 de diciembre, nos remitimos a lo expuesto en el presente capítulo relativo al estudio de la citada Ley.

4.   Declaración responsable en el caso de espectáculos públicos y actividades recreativas

En la disposición adicional novena de la Ley 17/1997, de 4 de julio, de Espectáculos Públicos y Actividades Recreativas, se regula el régimen de la **declaración responsable** para la apertura de establecimientos públicos sujetos a dicha norma, disponiendo que:

1. Los locales y establecimientos regulados en la presente Ley necesitarán previamente a su puesta en funcionamiento la licencia municipal de funcionamiento o la declaración responsable del solicitante ante el Ayuntamiento, a **elección del solicitante**, sin perjuicio de otras autorizaciones que le fueran exigibles.

Para desarrollar cualquiera de las actividades contempladas en el ámbito de aplicación de la presente Ley podrá a elección del solicitante presentar, ante el Ayuntamiento del municipio de que se trate, **una declaración responsable** en la que, al menos, se indique la identidad del titular o prestador, ubicación física del establecimiento público, actividad recreativa o espectáculo público ofertado y manifieste bajo su exclusiva responsabilidad que se cumple con todos los requisitos técnicos y administrativos previstos en la normativa vigente para proceder a la apertura del local.

En todo caso, esta declaración responsable se entenderá sin perjuicio de lo que puedan exigir otras legislaciones sectoriales.

2. Junto a la declaración responsable citada en el apartado anterior se deberá aportar, como mínimo, la **siguiente documentación**:

a) Proyecto de obra y actividad conforme a la normativa vigente firmado por técnico competente y visado, si así procediere, por colegio profesional.

b) En su caso, copia de la declaración de impacto ambiental o de la resolución sobre la innecesariedad de sometimiento del proyecto a evaluación de impacto ambiental, si la actividad se corresponde con alguno de los proyectos sometidos a evaluación ambiental.

c) Asimismo, en el supuesto de la ejecución de obras se presentará certificado final de obras e instalaciones ejecutadas, firmados por técnico competente y visados, en su caso, por el colegio oficial correspondiente, acreditativo de la realización de las mismas conforme a la licencia. En el supuesto de que la implantación de la actividad no requiera la ejecución de ningún tipo de obras, se acompañará el proyecto o, en su caso, la memoria técnica de la actividad correspondiente.

d) Certificado que acredite la suscripción de un contrato de seguro, en los términos indicados en la presente Ley.

e) Copia del resguardo por el que se certifica el abono de las tasas municipales correspondientes.

3. El Ayuntamiento, una vez recibida la declaración responsable y la documentación anexa indicada, procederá a **registrar de entrada** dicha recepción en el mismo día en que ello se produzca, entregando copia al interesado.

4. El Ayuntamiento **inspeccionará el establecimiento** para acreditar la adecuación de este y de la actividad del proyecto presentado por el titular o prestador.

Esta apertura no exime al Consistorio de efectuar la visita de comprobación. En este caso, si se detectase una inexactitud o falsedad de carácter esencial se atenderá a lo indicado en el apartado anterior.

5. Los municipios, que por sus circunstancias, no dispongan de equipo técnico suficiente para efectuar la visita de comprobación prevista deberán, en virtud de lo indicado en el artículo 5 de esta Ley, acogerse al **régimen de cooperación y colaboración administrativa** con otras Entidades Locales o con la Administración Autonómica para este contenido.

6. Reglamentariamente se podrá establecer un **procedimiento especial** para los establecimientos que se ubiquen dentro del ámbito de actividades declaradas expresamente de interés general, o celebradas en el marco de acontecimientos considerados como tales.

7. Los Ayuntamientos deberán efectuar la **comprobación administrativa** de que las instalaciones se ajustan al proyecto presentado para la obtención de la oportuna licencia y de que, en su caso, las medidas correctoras adoptadas funcionan con eficacia.

8. Esta comprobación deberá realizarse en el plazo máximo de **un mes** desde la comunicación a los Ayuntamientos de la finalización de las obras, o de la finalización de las medidas correctoras o de la realización de la declaración responsable del solicitante, y se plasmará en una resolución expresa del órgano competente que constituye, en el supuesto de ser positiva, la licencia de funcionamiento.

9. Comunidad Valenciana

1. Normativa básica

— Estatal

Directiva 2006/123/CE del Parlamento y del Consejo, de 12 de diciembre de 2006, relativa a los servicios en el mercado interior.

Ley 17/2009, de 23 de noviembre, sobre el Libre Acceso a las Actividades de Servicios.

Ley 2/2011, de 4 de marzo, de Economía Sostenible.

Ley 12/2012, de 26 de diciembre, de medidas urgentes de liberalización del comercio y de determinados servicios.

Ley 39/2015, de 1 de octubre, del Régimen Jurídico de las Administraciones Públicas y del Procedimiento Administrativo Común.

— Autonómica

Arts. 71 a 74 de la Ley 6/2014, de 25 de julio, de la Generalitat, de Prevención, Calidad y Control Ambiental de Actividades en la Comunitat Valenciana.

2. La realización de obras no sujetas a licencia urbanística

La Ley 5/2014, de 25 de julio, de la Generalitat, de Ordenación del Territorio, Urbanismo y Paisaje, de la Comunitat Valenciana, en su art. 222 se refiere a la declaración responsable para la ejecución de obras de reforma de edificios, construcciones o instalaciones y obras menores, remitiéndose a lo previsto en la legislación en materia de procedimiento administrativo común, actualmente recogida en el art. 69 de la Ley 39/2015, de 1 de octubre, del Procedimiento Administrativo Común de las Administraciones Públicas.

Las actuaciones sujetas a declaración responsable, son las enumeradas en el art. 214 de la Ley 5/2014, a saber:

a) La instalación de tendidos eléctricos, telefónicos u otros similares y la colocación de antenas o dispositivos de comunicación de cualquier clase y la reparación de conducciones en el subsuelo, solo en suelo urbano y siempre que no afecte a dominio público.

b) Las obras de modificación o reforma que afecten a la estructura o al aspecto exterior e interior de las construcciones, los edificios y las instalaciones de todas clases, cualquiera que sea su uso, que no supongan ampliación ni obra de nueva planta.

c) Las obras de mera reforma que no suponga alteración estructural del edificio, ni afecten a elementos catalogados o en trámite de catalogación, así como las de mantenimiento de la edificación que no requieran colocación de andamiaje en vía pública.

d) La primera ocupación de las edificaciones y las instalaciones, concluida su construcción, de acuerdo con lo previsto en la legislación vigente en materia de ordenación y calidad de la edificación, así como el segundo y siguientes actos de ocupación de viviendas.

La declaración responsable irá acompañada de los siguientes documentos adicionales: (art. 222.2 Ley 5/2014)

a) Acreditación de la identidad del promotor y del resto de los agentes de la edificación.

b) Descripción gráfica y escrita de la actuación y su ubicación física, así como proyecto suscrito por técnico competente cuando lo requiera la naturaleza de la obra, con sucinto informe emitido por el redactor que acredite el cumplimiento de la normativa exigible.

c) Documentación adicional exigida por la normativa ambiental, cuando proceda.

d) Indicación del tiempo en que se pretende iniciar la obra y medidas relacionadas con la evacuación de escombros y utilización de la vía pública.

Efecto inmediato de la presentación de la declaración responsable, junto con toda la documentación exigida, es que el promotor estará habilitado para el inicio inmediato de las obras, sin perjuicio de las potestades municipales de comprobación o inspección (art. 222.3 de la Ley 5/2014), surtiendo los efectos de la concesión de la licencia municipal (art. 222.4 de la Ley 5/2014) pudiéndose hacer valer tanto ante la administración como ante cualquier persona, natural o jurídica, pública o privada.

De otro lado, la inexactitud, falsedad u omisión, de carácter esencial, en cualquier dato, manifestación o documento que se acompañe o incorpore a la declaración responsable, o la no presentación ante la administración competente de esta, determinará la imposibilidad de iniciar las obras o de realizar los actos correspondientes desde el momento en que se tenga constancia de tales hechos, sin perjuicio de las responsabilidades a que hubiera lugar (art. 222.5 de la Ley 5/2014), y la resolución administrativa que declare tales circunstancias podrá determinar la obligación del interesado de restituir la situación jurídica al momento previo al reconocimiento o al ejercicio del derecho o al inicio de la actividad correspondiente, sin perjuicio de la tramitación, en su caso, del procedimiento sancionador correspondiente.

3. Declaración responsable en el caso de actividades inocuas

Para la tramitación de expedientes de actividades inocuas, esto es, que no están sujetas a control ambiental por parte de la Ley 6/2014, y que figuran en el anexo I de la Ley 12/2012, de 26 de diciembre, nos remitimos a lo expuesto en el presente capítulo relativo al estudio de la citada Ley.

PREGUNTAS CLAVE

1. ¿Qué actividades están sujetas al régimen de comunicación de actividades inocuas?

De acuerdo con el art. 71 de la Ley 6/2014, de 25 de julio, de la Generalitat, de Prevención, Calidad y Control Ambiental de Actividades en la Comunitat Valenciana, dos son los tipos de actividades sujetas al régimen de comunicación. De un lado aquellas actividades que no tienen incidencia ambiental, y que son las que cumplas todas las condiciones establecidas en el anexo III de dicha ley. Y de otro, aquellas actividades que los ayuntamientos incluya en sus ordenanzas bajo la consideración de inocuas.

2. ¿Cuándo se formaliza la comunicación de actividades inocuas?

Una vez acabadas las obras y las instalaciones necesarias, y obtenidas, en su caso, las autorizaciones u otros medios de intervención que procedan en virtud de la normativa sectorial no ambiental y antes del comienzo de la actividad (art. 73.1 Ley 6/2014 de 25 de julio, de la Generalitat, de Prevención, Calidad y Control Ambiental de Actividades en la Comunitat Valenciana)

3. ¿Cómo se formaliza la comunicación de actividades inocuas?

Se formalizará de acuerdo con el modelo que a tal efecto se encuentre disponible en la página web del correspondiente ayuntamiento o, en su defecto, el que con carácter general ponga a disposición la consellería competente en medio ambiente (art. 73.2 Ley 6/2014 de 25 de julio, de la Generalitat, de Prevención, Calidad y Control Ambiental de Actividades en la Comunitat Valenciana)

4. ¿Dónde se formaliza la comunicación de actividades inocuas?

La comunicación de actividades inocuas se presentará ante el ayuntamiento en el que vaya a realizarse la actividad y surtirá efectos desde su presentación (art. 73.3 Ley 6/2014 de 25 de julio, de la Generalitat, de Prevención, Calidad y Control Ambiental de Actividades en la Comunitat Valenciana)

5. ¿Cuándo podrá iniciarse el ejercicio de la actividad inocua?

Una vez presentada la comunicación podrá iniciarse **el** ejercicio de la actividad, sin perjuicio de las facultades de comprobación, control e inspección que tengan atribuidas las administraciones públicas (art. 73.3 Ley 6/2014 de 25 de julio, de la Generalitat, de Prevención, Calidad y Control Ambiental de Actividades en la Comunitat Valenciana)

6. ¿Puede el interesado solicitar la conformidad del ayuntamiento sobre la comunicación de actividad inocua?

Es una potestad del interesado solicitar del ayuntamiento la consignación en la comunicación presentada o mediante certificado expreso, la conformidad de la administración (art. 73.4 Ley 6/2014 de 25 de julio, de la Generalitat, de Prevención, Calidad y Control Ambiental de Actividades en la Comunitat Valenciana)

7. ¿Cuándo se comprueba por el Ayuntamiento la veracidad de los datos y documentos de la comunicación de actividad inocua?

La administración podrá comprobar, en cualquier momento, la veracidad de todos los datos y documentos aportados, así como el cumplimiento de los requisitos que la normativa aplicable exija para el ejercicio de la actividad (art. 73.5 Ley 6/2014 de 25 de julio, de la Generalitat, de Prevención, Calidad y Control Ambiental de Actividades en la Comunitat Valenciana)

8. ¿Qué ocurre si no se presenta la comunicación de actividades inocuas?

La falta de presentación ante la administración, así como la inexactitud, falsedad u omisión, de carácter esencial, en cualquier dato, manifestación o documento que se acompañe o incorpore a la comunicación ambiental, determinará la imposibilidad de continuar con el ejercicio de la actividad, sin perjuicio de las responsabilidades penales, civiles o administrativas a que hubiera lugar (art. 73.6 Ley 6/2014 de 25 de julio, de la Generalitat, de Prevención, Calidad y Control Ambiental de Actividades en la Comunitat Valenciana)

9. ¿Cómo ha de actuarse en el caso de modificación de la actividad inocua?

De acuerdo con el art. 74 de la Ley 6/2014 de 25 de julio, de la Generalitat, de Prevención, Calidad y Control Ambiental de Actividades en la Comunitat Valenciana) Cualquier modificación posterior durante el ejercicio de la actividad deberá ser objeto de comunicación al ayuntamiento.

Si la modificación implica un cambio de régimen de intervención ambiental, se estará a lo establecido en la disposición adicional sexta de la Ley 6/2014.

MODELO DE EXPEDIENTE *(Disponible a texto íntegro en smarteca.es)*

1) *Escrito realizando comunicación de inicio de actividad inocua*

2) *Toma de conocimiento del Ayuntamiento del inicio de la actividad inocua*

3) *Notificación de la toma de conocimiento de comunicación de actividad inocua*

4) *Control posterior del Ayuntamiento de la actividad*

5) *Notificación de inicio de expediente de control de actividad inocua*

6) *Escrito dando cumplimiento a las medidas de control impuestas por el ayuntamiento*

7) *Informe técnico sobre cumplimiento de la actividad a la normativa de aplicación*

8) *Resolución dando por finalizado el expediente de control posterior de la actividad inocua*

9) *Notificación de la resolución*

10) *Comunicación de modificación de la actividad*

11) *Inicio de procedimiento de control de la modificación de la actividad*

4. Declaración responsable en el caso de actividades sujetas a control ambiental

Para la tramitación declaración responsable ambiental que se aplica a las actividades que no pueden considerarse inocuas por no cumplir alguna de las condiciones del anexo III de la **Ley 6/2014**, de 25 de julio, de la Generalitat, de Prevención, Calidad y Control Ambiental de Actividades en la Comunitat Valenciana, ha de tenerse en cuenta lo siguiente:

1.º Antes de su presentación, los interesados han de haber efectuado las obras e instalaciones necesarias en función de la actividad a desarrollar, así como haber obtenido las autorizaciones o formuladas las comunicaciones que sean legalmente exigibles por la normativa sectorial aplicable a la actividad.

2.º La declaración responsable ambiental se presentará de acuerdo con el modelo disponible en la web del ayuntamiento o, en su defecto, con el que con carácter general ponga a disposición la consellería competente en medio ambiente.

3.º La presentación de la declaración responsable ambiental permitirá al interesado la apertura e inicio de la actividad transcurrido el plazo máximo de un mes desde dicha presentación.

4.º La modificación de la actividad será objeto de comunicación al ayuntamiento.

PREGUNTAS CLAVE

1. ¿La presentación de la declaración responsable ambiental habilita sin más para la apertura e inicio de la actividad?

No. Es necesario que trascurra el plazo máximo de un mes desde la presentación de dicha declaración (art. 69.1 de la Ley 6/2014, de 25 de julio, de la Generalitat, de Prevención, Calidad y Control Ambiental de Actividades en la Comunitat Valenciana).

2. ¿Qué ocurre si después de presentada la declaración responsable ambiental se detectan deficiencias en la documentación presentada?

En tal caso se requerirá al interesado para que subsane los defectos advertidos, surtiendo la declaración responsable efectos desde la fecha de levantamiento de acta de conformidad por los servicios técnicos municipales (art. 69.2 y 3 de la Ley 6/2014, de 25 de julio, de la Generalitat, de Prevención, Calidad y Control Ambiental de Actividades en la Comunitat Valenciana).

3. ¿Cómo ha de actuarse en el caso de que se incumplan los requerimientos de subsanación de deficiencias una vez presentada la declaración responsable e iniciada la actividad?

En caso de incumplimiento debidamente constatado, o en el supuesto de haberse detectado en la visita de comprobación deficiencias insubsanables, el ayuntamiento dictará resolución motivada de cese de la actividad, previa audiencia del interesado (art. 69.4 par. Segundo de la Ley 6/2014, de 25 de julio, de la Generalitat, de Prevención, Calidad y Control Ambiental de Actividades en la Comunitat Valenciana).

4. ¿Qué plazo tiene el ayuntamiento para emitir el certificado de conformidad con la apertura en el procedimiento de declaración ambiental responsable?

Un mes (art. 69.6 de la Ley 6/2014, de 25 de julio, de la Generalitat, de Prevención, Calidad y Control Ambiental de Actividades en la Comunitat Valenciana).

5. ¿Qué ocurre si se produce una modificación de la actividad sujeta al procedimiento de declaración ambiental responsable?

Cualquier modificación posterior durante el ejercicio de la actividad deberá ser objeto de comunicación al ayuntamiento.

Cuando la modificación implique un cambio de régimen de intervención ambiental, se estará a lo establecido en la disposición adicional sexta (art. 70 de la Ley 6/2014, de 25 de julio, de la Generalitat, de Prevención, Calidad y Control Ambiental de Actividades en la Comunitat Valenciana).

MODELO DE EXPEDIENTE *(Disponible a texto íntegro en smarteca.es)*

1)   *Escrito realizando presentación de la declaración ambiental responsable*

2)   *Inicio de expediente de comprobación*

3)   *Traslado de la resolución a servicios técnicos municipales para visita de comprobación*

4)   *Informe de los servicios técnicos municipales*

5)   *Resolución ordenando subsanación de deficiencias no sustanciales*

6)   *Notificación al interesado del informe de los servicios técnicos municipales para subsanar deficiencias*

7)   *Escrito del interesado comunicando la subsanación de deficiencias*

8)   *Informe de los servicios técnicos municipales de comprobación de la subsanación de deficiencias*

9)   *Resolución de apertura e inicio de actividad al darse cumplimiento a la subsanación de deficiencias*

10) *Notificación*

11) *Resolución de cese de la actividad por incumplimiento de subsanación de deficiencias*

12) *Notificación*

13) *Comunicación de modificación de la actividad*

14) *Inicio de procedimiento de control de la modificación de la actividad*

5. Declaración responsable en el caso de espectáculos públicos y actividades recreativas

La Ley 14/2010, de 3 de diciembre, de la Generalitat, de Espectáculos Públicos, Actividades Recreativas y Establecimientos Públicos en su preámbulo anuncia que «se procede a la *sustitución (que no supresión)* del, hasta ahora preponderante, régimen de autorización administrativa, por un modelo basado en la declaración responsable del titular o prestador. De hecho, este último pasa a ser el *régimen general para la apertura* de establecimientos públicos, quedando el régimen de autorización sólo para supuestos específicos en los que, objetivamente, puede darse una mayor situación de riesgo».

Esta manifestación se traslada al articulado en el que se concreta el régimen de la declaración responsable, que en el art. 6, se determina diciendo:

«1. La celebración de espectáculos públicos y actividades recreativas y la apertura de establecimientos públicos a que se refiere la presente ley requerirá la presentación de una declaración responsable por parte del interesado o, en su caso, de autorización administrativa, cuando proceda, con el cumplimiento de los trámites y requisitos a los que se refieren los capítulos II, III y IV de este título.

A los efectos de esta ley, se considerará como declaración responsable al documento suscrito por un titular o prestador en el que manifiesta, bajo su responsabilidad, que cumple con los requisitos establecidos en la normativa vigente para la organización de un espectáculo público o actividad recreativa y/o para la apertura de un establecimiento público, que dispone de la documentación que así lo acredita y que se compromete a mantener su cumplimiento durante la vigencia de aquéllos.

2. La declaración responsable, efectuada de acuerdo con lo establecido en esta ley, habilitará, de acuerdo con los requisitos procedimentales previstos, para el ejercicio de los espectáculos públicos y actividades recreativas indicados en ella. Para la realización de otro u otros distintos a los manifestados se requerirá de declaración específica para ello».

Por su parte el art. 9 regula el **procedimiento** de apertura mediante declaración responsable:

«1. Para desarrollar cualquiera de las actividades contempladas en el ámbito de aplicación de la presente ley será necesaria la presentación, ante el ayuntamiento del municipio de que se trate, de una declaración responsable en la que, al menos, se indique la identidad del titular o prestador, ubicación física del establecimiento público, actividad recreativa o espectáculo público ofertado y manifieste bajo su exclusiva responsabilidad que se cumple con todos los requisitos técnicos y administrativos previstos en la normativa vigente para proceder a la apertura del local.

2. Junto a la declaración responsable citada en el apartado anterior se deberá aportar, como mínimo, la siguiente documentación:

a) Proyecto de obra y actividad conforme a la normativa vigente firmado por técnico competente y visado, si así procediere, por colegio profesional.

b) En su caso, copia de la declaración de impacto ambiental o de la resolución sobre la innecesariedad de sometimiento del proyecto a evaluación de impacto ambiental, si la actividad se corresponde con alguno de los proyectos sometidos a evaluación ambiental.

c) Asimismo, en el supuesto de la ejecución de obras, se presentará certificado final de obras e instalaciones ejecutadas, firmados por técnico competente y visados, en su caso, por el colegio oficial correspondiente, acreditativo de la realización de las mismas conforme a la licencia. En el supuesto de que la implantación de la actividad no requiera la ejecución de ningún tipo de obras, se acompañará el proyecto o, en su caso, la memoria técnica de la actividad correspondiente.

d) Certificados expedidos por entidad que disponga de la calificación de organismo de certificación administrativa (OCA), por el que se acredite el cumplimiento de todos y cada uno de los requisitos técnicos y administrativos exigidos por la normativa en vigor para la apertura del establecimiento público. Reglamentariamente, se determinarán las condiciones y requisitos exigibles a las entidades que se constituyan como organismos de certificación administrativa (OCA).

Alternativamente, certificado emitido por técnico u órgano competente y visado, si así procede, por colegio profesional, en el que se acredite el cumplimiento de los requisitos establecidos en la normativa vigente para la realización del espectáculo público o actividad recreativa de que se trate.

e) Certificado que acredite la suscripción de un contrato de seguro, en los términos indicados en la presente ley.

f) Copia del resguardo por el que se certifica el abono de las tasas municipales correspondientes.

3. El ayuntamiento, una vez recibida la declaración responsable y la documentación anexa indicada, procederá a registrar de entrada dicha recepción en el mismo día en que ello se produzca, entregando copia al interesado.

4. Si la documentación contuviera el certificado de un OCA referido en el punto d del apartado 2, la apertura del establecimiento podrá realizarse de manera inmediata y no precisará de otorgamiento de licencia municipal. Sin perjuicio de ello el ayuntamiento podrá proceder, en cualquier momento, a realizar inspección.

En el caso de que se realice esta inspección, si se comprobara en ese momento o en otro posterior la inexactitud o falsedad de cualquier dato, manifestación o documento de carácter esencial presentado o que no se ajusta a la normativa en vigor, el ayuntamiento decretará la imposibilidad de continuar con el ejercicio de la actividad, sin perjuicio de las responsabilidades penales, civiles o administrativas a que hubiere lugar.

A los efectos de esta ley, se considerará como dato, manifestación o documento de carácter esencial tanto la declaración responsable como la documentación anexa a la que se refiere el apartado 2 de este artículo.

5. En caso de que no se presente un certificado por un OCA, el ayuntamiento inspeccionará el establecimiento para acreditar la adecuación de éste y de la actividad al proyecto presentado por el titular o prestador, en el plazo máximo de un mes desde la fecha del registro de entrada. En este sentido, una vez girada la visita de comprobación y verificados los extremos anteriores, el ayuntamiento expedirá el acta de comprobación favorable, lo que posibilitará la apertura del establecimiento con carácter provisional hasta el otorgamiento por el ayuntamiento de la licencia de apertura.

Si la visita de comprobación no tuviera lugar en el plazo citado, el titular o prestador podrá, asimismo, bajo su responsabilidad, abrir el establecimiento, previa comunicación al órgano municipal correspondiente.

Esta apertura no exime al consistorio de efectuar la visita de comprobación. En este caso, si se detectase una inexactitud o falsedad de carácter esencial se atenderá a lo indicado en el apartado anterior.

6. Los municipios que, por sus circunstancias, no dispongan de equipo técnico suficiente para efectuar la visita de comprobación prevista deberán, en virtud de lo indicado en el artículo 5 de esta ley, acogerse al régimen de cooperación y colaboración administrativa con otras entidades locales o con la administración autonómica para este cometido.

7. Reglamentariamente se podrá establecer un procedimiento especial para los establecimientos que se ubiquen dentro del ámbito de actividades declaradas expresamente de interés general, o celebradas en el marco de acontecimientos considerados como tales».

De igual forma, y en el caso de **instalaciones eventuales, portátiles o desmontables,** se dispone en el art. 17 su ejercicio a través de la declaración responsable:

«1. Precisarán de declaración responsable ante el ayuntamiento correspondiente, las actividades recreativas o espectáculos públicos que, por su naturaleza, requieran la utilización de instalaciones o estructuras eventuales, portátiles o desmontables de carácter no permanente.

2. Asimismo, precisarán de dicha declaración, los espectáculos y actividades que con carácter temporal pretendan desarrollarse en instalaciones portátiles o desmontables.

3. Para la realización de lo previsto en los apartados anteriores deberán cumplirse las condiciones técnicas establecidas en el artículo 4 de esta ley, así como la disponibilidad del seguro obligatorio en términos análogos a lo indicado para instalaciones fijas.

4. Corresponderá a los ayuntamientos comprobar la adecuación entre lo declarado por los interesados y el cumplimiento de lo dispuesto en este artículo, a los efectos de otorgar la licencia de apertura. Se exceptúa el caso en el que a la declaración responsable y documentación anexa se acompañe certificado de Organismo de Certificación Administrativa (OCA), en cuyo supuesto se podrá iniciar directamente la actividad.

5. Los ayuntamientos podrán exigir la constitución de una fianza, en la cuantía que se fije reglamentariamente, con el fin de que los titulares o prestadores respondan de las posibles responsabilidades que pudieren derivarse. En este caso, la fianza será devuelta, previa solicitud, a los interesados cuando cesen en la actividad para la que se otorgó la licencia y tras la comprobación de la no existencia de denuncias fundadas, actuaciones previas abiertas, procedimientos sancionadores en trámite o sanciones pendientes de ejecución».

MODELO DE EXPEDIENTE *(Disponible a texto íntegro en smarteca.es)*

1)   Declaración responsable para ejercicio de actividad sujeta declaración responsable de las de la Ley 14/2010, de 3 de diciembre, de la Generalitat, de Espectáculos Públicos, Actividades Recreativas y Establecimientos Públicos

2)   Toma de conocimiento por el ayuntamiento del inicio de la actividad sujeta a declaración responsable

3)   Notificación de la toma de conocimiento presentación de declaración responsable

10. Extremadura

1. Normativa básica

— Estatal

Directiva 2006/123/CE del Parlamento y del Consejo, de 12 de diciembre de 2006, relativa a los servicios en el mercado interior.

Ley 17/2009, de 23 de noviembre, sobre el Libre Acceso a las Actividades de Servicios.

Ley 2/2011, de 4 de marzo, de Economía Sostenible.

Ley 12/2012, de 26 de diciembre, de medidas urgentes de liberalización del comercio y de determinados servicios.

Ley 39/2015, de 1 de octubre, del Régimen Jurídico de las Administraciones Públicas y del Procedimiento Administrativo Común.

— Autonómica

Ley 15/2001, de 14 de diciembre, del Suelo y Ordenación Territorial de Extremadura.

Decreto-ley 3/2012, de 19 de octubre, de estímulo de la actividad comercial.

Ley 16/2015, de 23 de abril, de protección ambiental de la Comunidad Autónoma de Extremadura.

2. La realización de obras no sujetas a licencia urbanística

Mediante la comunicación previa podrán realizarse los actos de aprovechamiento y uso del suelo contemplados en el art. 172 de la Ley 15/2001, de 14 de diciembre, del Suelo y Ordenación Territorial de Extremadura, a saber:

a) Las obras de mera reforma y las que modifiquen la disposición interior de las edificaciones o construcciones, cualquiera que sea su uso que no requieran la redacción de un proyecto por no alterar su configuración arquitectónica ni supongan impacto sobre el patrimonio histórico-artístico o sobre el uso privativo y ocupación de bienes de dominio público.

b) La implantación de estaciones o instalaciones radioeléctricas utilizadas para la prestación de servicios de comunicaciones electrónicas disponibles para el público cuando no se sujeten a licencia urbanística de acuerdo con lo previsto por los artículos 180 y 184.

c) El cerramiento de fincas, muros y vallados.

d) La colocación de carteles y vallas de propaganda visibles desde la vía pública.

e) La instalación de invernaderos.

f) La apertura de establecimientos permanentes en los que se desarrollen actividades comerciales cuya superficie útil de exposición y venta al público no sea superior a 750 metros cuadrados y siempre que no supongan un impacto sobre el patrimonio histórico-artístico o sobre el uso privativo y ocupación de bienes de dominio público.

g) La modificación de uso de los edificios, construcciones e instalaciones cuando no se sujete a licencia urbanística conforme a lo previsto en el artículo 184.

h) La reparación de firmes y pavimentos de caminos existentes.

Asimismo, quedan sujetos al régimen de comunicación previa las transmisiones de cualesquiera licencias urbanísticas y el **cambio de titularidad de actividades comerciales y de servicios** a los que no resulte exigible la obtención de licencia previa.

La comunicación previa se articula a través del procedimiento establecido en el art. 173 de la citada **Ley 15/2001**, para lo cual, ha de tenerse en cuenta:

1. **El promotor** de los actos, las operaciones y las actividades a los que sea aplicable el artículo anterior, **deberá comunicar** su realización al menos **quince días naturales** antes del comienzo de ésta. La comunicación **deberá ir acompañada** de una descripción suficiente del acto, la operación o la actividad y de fotocopia de las concesiones o autorizaciones que legalmente sean preceptivos de conformidad con la restante normativa que sea aplicable.

2. **Transcurridos los quince días** naturales a los que se refiere el apartado anterior sin que se haya practicado notificación de resolución alguna obstativa conforme al apartado siguiente, el promotor **podrá realizar el acto, ejecutar la operación o desarrollar la actividad** en los términos proyectados. La inactividad de la Administración no implicará la subsanación de los defectos o irregularidades que presente el acto, la operación o la actividad objeto de comunicación.

3. **Dentro de los quince días naturales** siguientes a la comunicación, **el Municipio podrá**:

a) **Señalar al interesado** la necesidad de solicitar una licencia o autorización urbanística en los términos que se regulan en la Sección siguiente.

b) **Requerir del interesado** ampliación de la información facilitada, en cuyo caso, se interrumpirá el cómputo del plazo, reiniciándose una vez cumplimentado el requerimiento.

Las actuaciones, operaciones y actividades a las que se refiere el art. 172 que se realicen sin comunicación previa al Municipio o en disconformidad con su contenido o con la ordenación territorial o urbanística, se considerarán clandestinas o ilegales, según dispone el art. 174 Ley 15/2001.

Es importante poner de manifiesto la interrelación que la Ley 15/2001 realiza en el caso del ejercicio de actividades, al decir en su art. 27.5 que «Cuando, de acuerdo con la ley, se exija una declaración responsable o una comunicación previa para acometer obras o **para acceder a una actividad o a su ejercicio** y una calificación urbanística, **la declaración responsable o la comunicación previa no podrán presentarse hasta haber obtenido previamente la calificación urbanística** y, en todo caso, deberá disponerse de la documentación que así lo acredite».

3.   Declaración responsable en el caso de actividades inocuas

Para la tramitación de expedientes de actividades inocuas, esto es, que no están sujetas a control ambiental por parte de la **Ley 16/2015,** de 23 de abril, de protección ambiental de la Comunidad Autónoma de Extremadura, y que figuran en el anexo I de la **Ley 12/2012**, de 26 de diciembre, nos remitimos a lo expuesto en el presente capítulo relativo al estudio de la citada Ley.

4. Declaración responsable o comunicación en el caso de actividades sujetas a control ambiental

La Ley 16/2015, de 23 de abril, de protección ambiental de la Comunidad Autónoma de Extremadura se inspira en dos principios básicos: la reducción de cargas administrativas para los promotores, dotando de celeridad a la tramitación de los procedimientos administrativos que la misma regula, y la reducción de los plazos de tramitación de los procedimientos administrativos.

La comunicación ambiental municipal es el documento mediante el cual el titular de una instalación en la que pretenda desarrollarse una actividad, pone en conocimiento de las Administraciones Públicas competentes sus datos identificativos y demás requisitos exigibles para el inicio de la misma.

El procedimiento para el inicio de una actividad sujeta a calificación ambiental municipal no existe como tal, ya que basta con la presentación de la comunicación ambiental para el inicio de la actividad.

En el caso de que sea necesario realizar obras en el local o instalaciones, deberán finalizarse éstas antes de la presentación de la comunicación ambiental municipal.

PREGUNTAS CLAVE

1. ¿Es necesario disponer de licencia municipal previo al ejercicio de una actividad sujeta a calificación ambiental municipal?

No. La presentación de la comunicación ambiental municipal habilita para el ejercicio de la actividad (art. 35.4 de la Ley 16/2015).

¿Ha de someterse a información pública, mediante anuncio en el Boletín Oficial de la Provincia, la comunicación ambiental municipal?

No. El procedimiento de la comunicación ambiental municipal no exige la tramitación de información pública alguno, ni la notificación a los vecinos colindantes, a tenor del art. 35 de la Ley 16/2015.

¿Cuándo se presenta la comunicación ambiental municipal?

Una vez finalizadas las obras e instalaciones necesarias para el ejercicio de la actividad (art. 35.1 Ley 16/2015).

¿Quién responde del ejercicio de la actividad sujeta a comunicación ambiental municipal?

Existe una responsabilidad compartida entre el titular de la actividad y el personal técnico que haya aportado y suscrito las certificaciones, mediciones análisis y comprobaciones ambientales correspondientes (art. 35.4 Ley 16/2015).

¿Está sujeta a comunicación el traslado y modificación sustancial de la actividad sometida a comunicación ambiental municipal?

Sí. Así lo exige expresamente el art. 36 de la Ley 16/2015, salvo que el traslado o la modificación a implique un cambio en el régimen de intervención administrativa ambiental aplicable a la actividad, en cuyo caso se estará a lo dispuesto en la citada ley para dicho régimen.

MODELO DE EXPEDIENTE *(Disponible a texto íntegro en smarteca.es)*

1)   *Inicio expediente de comunicación ambiental municipal*

2)   *Admisión a trámite del expediente*

3)   *Informe técnico*

4)   *Resolución de toma de conocimiento de la comunicación ambiental municipal*

5)   *Notificación toma de conocimiento de la comunicación ambiental municipal*

5.   Expediente de cambio de titularidad de la comunicación ambiental municipal (art. 37 Ley 16/2015)

5.1.   Claves del Expediente

Aunque es una cuestión que puede considerarse pacífica, el cambio de titularidad en general de los establecimientos, negocios y actividades en general y en particular de la licencia ambiental se sujeta al cumplimiento de unos requisitos mínimos, que tienen como objetivo fundamental el poner en conocimiento de la Administración (órgano sustantivo ambiental) el nuevo titular de la actividad.

A tenor del artículo 13.1 del Reglamento de Servicios de las Corporaciones Locales, aprobado por **Decreto de 17 de junio de 1955** (RSCL), las licencias relativas a las condiciones de una obra, instalación o servicio serán transmisibles, pero el antiguo y el nuevo constructor o empresario deberán comunicarlo por escrito a la Corporación, sin lo cual quedarán ambos sujetos a todas las responsabilidades que se derivaren para el titular.

Esta posición legal ha quedado superada mediante el art. 3.2 de la Ley 12/2012, de 26 de diciembre, de medidas urgentes de liberalizació6n del comercio y de determinados servicios, al decir que no están sujetos a licencia los cambios de titularidad de las actividades comerciales y de servicios, siendo exigible en estos casos una comunicación previa a la administración competente a los solos efectos informativos.

Ha de tenerse en cuenta:

• La comunicación ha de ser expresa.

• No es necesario que vaya acompañada de título o documento que acredite la transmisión (contrato de compraventa, de arrendamiento, de cesión etc.).

• Si la transmisión se produce sin realizar la correspondiente comunicación, el anterior y el nuevo titular quedan sujetos, de forma solidaria, a todas las responsabilidades y obligaciones derivadas del incumplimiento de dicha obligación.

La Ley 16/2015, de 23 de abril, de protección ambiental de Extremadura en su art. 37 establece las condiciones que han de cumplirse para la comunicación de la transmisión de a comunicación ambiental municipal.

PREGUNTAS CLAVE

1. ¿Cómo ha de procederse a comunicar el cambio de titularidad?

Se deberá proceder a comunicarlo por escrito por parte del nuevo titular de la actividad (art. 37.1 Ley 16/2015).

2. ¿Qué plazo se dispone para comunicar la transmisión de la comunicación ambiental?

Los sujetos que intervenga en la transmisión de la actividad sujeta a comunicación ambiental disponen del plazo de un mes desde que la transmisión se haya producido para ponerlo en conocimiento del Ayuntamiento (art. 37.1 Ley 16/2015).

3. ¿Tiene alguna consecuencia para al anterior y nuevo titular comunicar la transmisión después de transcurrido el plazo de un mes?

Aparte de la responsabilidad solidaria ante el Ayuntamiento, se incurre en la comisión de una infracción leve del art. 131.3.e) de la Ley 16/2015, sancionable con multa de hasta 20.000 € y clausura temporal, total o parcial de las instalaciones por un período máximo (art. 132 1 c).

4. ¿Ha de firmar el cambio de titularidad el anterior titular?

No es un requisito necesario, ni exigible, al basta la simple comunicación del nuevo titular (art. 37.1 Ley 16/2015).

5. ¿Qué requisitos han de cumplirse para realizar el cambio de titularidad una actividad sujeta a licencia ambiental?

Para que el nuevo titular de una actividad pueda realizar el cambio de titularidad, deberá ser comunicado al Ayuntamiento a efectos informativos (art. 3.2 de la Ley 12/2012).

6. ¿Es necesario que el anterior titular comunique la transmisión de la actividad a un tercero?

No es un requisito necesario. El art. 3.2 de la Ley 12/2012 no exige esta comunicación.

7. ¿Qué ocurre si no se comunica la transmisión de la actividad?

La no comunicación del cambio de titularidad de la actividad por el anterior o el nuevo titular supone que el anterior y nuevo titular queda sujetos, de forma solidaria, a todas las responsabilidades y obligaciones derivadas de dicho incumplimiento (art. 37.3 Ley 16/2015).

8. ¿Puede transmitir la licencia de actividad el que no es propietario del local en el que se ejerce la misma?

Sí. El ejercicio de una actividad tanto mediante la concesión expresa de licencia de apertura o actividad o mediante la comunicación previa o declaración responsable tiene carácter real, al margen de la titularidad del inmueble y de las relaciones subjetivas que existan entre el titular del mismo y el que ocupe el local mediante contrato de arrendamiento, u cualquier otro título. En este sentido es de aplicación lo dispuesto en el art. 12. 1 RSCL «Las autorizaciones y licencias se entenderán otorgadas salvo el derecho de propiedad y sin perjuicio del de tercero».

9. ¿Qué documentación ha de presentarse junto con la comunicación de transmisión de la titularidad de la comunicación ambiental?

Se acuerdo con el art. 37.2 de la Ley 16/2015, deberá aportarse copia del acuerdo suscrito entre las partes, en el que deberá identificarse la persona o personas que pretendan subrogarse, total o parcialmente, en la actividad, expresando todas y cada una de las condiciones en que se verificará la subrogación.

10. ¿Ha de resolverse expresamente por el Ayuntamiento la comunicación de cambio de titularidad?

No. El art. 3.2 de la Ley 12/2012 habla de comunicación previa a la administración competente, sin que sea necesario posteriormente dictar resolución alguna. A efectos prácticos bastaría en cualquier caso tomar conocimiento de la transmisión, dejando constancia en el expediente.

11. ¿Qué ocurre si el Ayuntamiento no dicta resolución de cambio de titularidad?

Si el Ayuntamiento, recibida la comunicación de cambio de titularidad de la actividad, no resuelve expresamente el mismo, ha de entenderse que por silencio administrativo positivo se da por cumplido el trámite a todos los efectos, teniendo en cuenta que la resolución del órgano sustantivo no es generadora de derechos para el nuevo titular de la actividad, sino que tiene los efectos de una simple comunicación, que el Ayuntamiento constata mediante la toma de conocimiento del nuevo titular. En este sentido para la STS de 15 octubre 1981 «La intervención municipal en caso de transmisión de licencias no es de previa y expresa autorización para que aquélla opere, sino de mera constatación o toma de razón de la extra-administrativamente producida por el simple acuerdo del antiguo y nuevo propietario, cuyo incumplimiento determina que ambos queden sujetos a todas las responsabilidades que se deriven para el titular».

5.2.   *Jurisprudencia*

• No constando que la licencia de apertura en su día concedida al demandante lo fuese en atención a su persona, esto es, a especiales circunstancias personales del mismo que impidiesen su transmisión a los efectos prevenidos en el art. 13 del Reglamento de Servicios de las Corporaciones Locales, tal y como se sostiene, entre otras, en la STS de 12 Jul. 2000, **el cambio de titular no requiere la solicitud de una nueva licencia, la cual solo sería exigible si hubiese existido una modificación de la actividad para la cual aquélla se concedió, lo que no se da en este caso.** Por tanto, el único efecto o consecuencia jurídica de la falta de notificación por escrito de tal circunstancia es la **sumisión conjunta de transmitente y adquirente a las responsabilidades** de la explotación de la licencia, sin que lleve consigo la imposición de la sanción debatida en estos autos. [STSJ Extremadura 27 septiembre 2001.- LA LEY 170424/2001]

• La transmisión de la licencia constituye en definitiva la realización de un **negocio jurídico del transmitente en cuanto titular originario de la autorización administrativa pero sin que tal operación traslativa tenga relevancia a efectos de alterar las condiciones de la propia autorización,** de tal modo que permanece idéntica su eficacia y viabilidad jurídica del acto proyectado y en consecuencia del incumplimiento del deber administrativo impuesto por el artículo 13.1 del R. S. C. L., de comunicar la transferencia al Ayuntamiento, circunstancia no realizada en el supuesto de autos, **no repercute sobre**

la validez y existencia de la licencia y sí en cambio, únicamente en el régimen de responsabilidades derivado de la titularidad de la licencia quedando también el transmitente sujeto junto con el adquirente a dichas responsabilidades máxime cuando el deber de comunicación de la transmisión de la licencia ha de operar a efectos de información del Ayuntamiento de los titulares en cada momento de licencias. [STSJ Extremadura 15 diciembre 2006.- LA LEY 214993/2006]

• Tampoco cabe oponer el artículo 42 de la Ley 11/2003 de 8 de abril, de Prevención Ambiental de Castilla y León puesto que, de su lectura e interpretación literal, llegamos a una conclusión distinta de la que se contiene en la Sentencia recurrida, ya que claramente se refiere **solo al deber de comunicación a las Administraciones y a las consecuencias del incumplimiento de tal deber**, que se ventilan no en la denegación de la transmisión de la licencia, sino en el de las responsabilidades de cedente y cesionario del incumplimiento de las obligaciones que impone la ley. [STSJ Castilla y León de Burgos, Sala de lo Contencioso-administrativo, Sección 2.ª, Sentencia de 28 Nov. 2011, rec. 70/2011.- LA LEY 232204/2011]

• El cambio de titular por sí solo resultaba jurídicamente irrelevante en cuanto afectaría a los posibles derechos de los particulares (STS de 23 diciembre 1998), porque la licencia mantenía su vigencia mientras subsistieran las condiciones de la actividad, de modo que el Ayuntamiento, **de no advertir otras modificaciones que las subjetivas, que son inoperantes a estos efectos, debió otorgar la transmisión de la titularidad de la licencia cuando le fue comunicado por escrito por el dueño del establecimiento,** toda vez que no ofrecía duda el título legítimo de la transmisión ya que la subrogación en la explotación se producía por los dueños del local a favor del nuevo titular, una vez que el anterior arrendamiento había sido declarado extinguido por resolución judicial. [STSJ País Vasco 13 julio 2001]

• La Administración está obligada a reconocer el cambio de la titularidad de la licencia sin perjuicio de las distintas actuaciones que le conciernen ejercer contra la misma del mismo modo que si no se hubiese transmitido. [STSJ Madrid 18 septiembre 2001]

• Para proceder al cambio de titularidad el Ayuntamiento ha de tener constancia de que efectivamente dicho cambio se ha producido, y ello por dos mecanismos alternativos, uno bilateral, que no es otro que la conformidad del anterior titular, y otro, que no precisa dicha conformidad, más complejo, que consiste en la acreditación de que se ha adquirido por cualquier medio, *inter vivos* o *mortis causa*, la propiedad o posesión del inmueble en cuestión. [STSJ Madrid 15 enero 2004]

5.3.   *Legislación aplicable*

— Europea

Directiva 2006/123/CE del Parlamento y del Consejo, de 12 de diciembre de 2006, relativa a los servicios en el mercado interior.

— Estatal

Ley 17/2009, de 23 de noviembre, sobre el Libre Acceso a las Actividades de Servicios.

Arts. 21.1. q) y s), 124.4.ñ), 70.bis y 84, 84 bis y 84 ter. de la Ley 7/1985, de 2 de abril, Reguladora de las Bases de Régimen Local.

Reglamento de Organización, Funcionamiento y Régimen Jurídico de las Entidades Locales de 28 de noviembre de 1986.

Ley 39/2015, de 1 de octubre, del Procedimiento Administrativo Común de las Administraciones Públicas.

Arts. 1 a 5 de la Ley 12/2012, de 26 de diciembre, de medidas urgentes de liberalización del comercio y de determinados servicios.

Arts. 12 a 16 del Reglamento de Servicios de las Corporaciones Locales de 17 junio 1955.

— Autonómica

Art. 37 de la Ley 16/2015, de 23 de abril, de protección ambiental de Extremadura.

5.4.   Documentos de interés

— Doctrina

CANO MURCIA, Antonio. «El nuevo régimen jurídico de las licencias de apertura». *El Consultor de los Ayuntamientos y de los Juzgados.* 2010.

—. «Apunte legislativo sobre actividades sujetas a licencia-comunicación previa o declaración responsable».- LA LEY 18578/2011.

—. «Apunte legislativo sobre actividades no sujetas a comunicación previa o declaración responsable».- LA LEY 18570/2011.

—. «Apunte legislativo sobre procedimiento de actividades inocuas».- LA LEY 18583/2011.

CHOLBÍ CACHÁ, Francisco Antonio. «La regulación legal sobre informes o autorizaciones sectoriales».- LA LEY 21133/2011.

—. «El contenido de la normativa autonómica en los supuestos de interrelación de las autorizaciones urbanísticas con las de actividades».- LA LEY 21150/2011.

MORA GONZÁLEZ, María Jesús. «La transmisión de las licencias urbanísticas». *El Consultor de los Ayuntamientos y de los Juzgados*, n.º 23, Quincena del 15 al 29 Dic. 2007, Ref. 3889/2007, pág. 3889, tomo 3, LA LEY.- LA LEY 6927/2007.

— Reseña jurisprudencial

STSJ Extremadura, 27 septiembre 2001.- LA LEY 170424/2001.

STSJ Extremadura, 15 diciembre 2006.- LA LEY 214993/2006.

MODELO DE EXPEDIENTE: Cambio de titularidad de actividad sujeta a comunicación ambiental *(Disponible a texto íntegro en smarteca.es)*

1)   Comunicación de cambio de titularidad de comunicación ambiental

2)   Resolución de cambio de titularidad de licencia ambiental

3)   Notificación de cambio de titularidad de licencia ambiental

6. Declaración responsable o comunicación en el caso de espectáculos públicos y actividades recreativas

No existe normativa de espectáculos públicos y actividades recreativas que regulen esta materia.

Nos remitimos a lo expuesto con anterioridad relativo a la comunicación ambiental municipal de la Ley 16/2015, de 23 de abril, de protección ambiental de la Comunidad Autónoma de Extremadura, que es de aplicación también a espectáculos públicos y actividades recreativas (grupo 4.9 del anexo III).

11. Galicia

1. Normativa básica

— Estatal

Directiva 2006/123/ce del parlamento y del consejo, de 12 de diciembre de 2006, relativa a los servicios en el mercado interior.

Ley 17/2009, de 23 de noviembre, sobre el libre acceso a las actividades de servicios.

Ley 2/2011, de 4 de marzo, de economía sostenible.

Ley 12/2012, de 26 de diciembre, de medidas urgentes de liberalización del comercio y de determinados servicios.

Ley 39/2015, de 1 de octubre, del régimen jurídico de las administraciones públicas y del procedimiento administrativo común.

— Autonómica

Ley 9/2013, de 19 de diciembre, del emprendimiento y de la competitividad económica de Galicia.

Decreto 144/2016, de 22 de septiembre, por el que se aprueba el reglamento único de regulación integrada de actividades económicas y apertura de establecimientos.

2. La realización de obras no sujetas a licencia urbanística

La comunicación previa en materia de urbanismo es el documento en el que el interesado pone en conocimiento de la Administración municipal que reúne los requisitos para realizar un acto de transformación, construcción, edificación o uso del suelo o el subsuelo que no está sujeto a declaración responsable ni a licencia urbanística.

Están sujetos a comunicación previa los actos de edificación y uso del suelo y subsuelo no sujetos a licencia (art. 142.3 de la Ley 2/2016, de 10 de febrero, del suelo de Galicia).

3. Declaración responsable en el caso de actividades inocuas

Para la tramitación de expedientes de actividades inocuas, esto es, que no están sujetas a control ambiental por parte de la Ley 9/2013, de 19 de diciembre, del emprendimiento y de la competitividad económica de Galicia, y que figuran en el anexo I de la **Ley 12/2012**, de 26 de diciembre, nos remitimos a lo expuesto en el presente capítulo relativo al estudio de la citada Ley.

4. El régimen de comunicación previa en el caso de actividades sujetas a control ambiental

El ejercicio de actividades tradicionalmente denominadas inocuas, se sujeta al régimen de declaración responsable o comunicación previa, no siendo necesario la tramitación de procedimiento alguno para iniciar la actividad, todo ello como consecuencia de la Directiva 2006/123/CE del Parlamento y del Consejo, de 12 de diciembre de 2006, relativa a los servicios en el mercado interior, y de Ley 17/2009, de 23 de noviembre, sobre el Libre Acceso a las Actividades de Servicios.

En la Comunidad Autónoma de Galicia se da un paso decidido para la eliminación de las trabas administrativas existentes mediante la supresión con carácter general de la licencia municipal de actividad, de apertura o funcionamiento, **sustituyéndose por la comunicación previa al inicio de la actividad** o de la apertura del establecimiento, y, en su caso, para el inicio de la obra o instalación que se destine específicamente a una actividad (art. 23 y 24 de la Ley 9/2013, de 19 de diciembre, del emprendimiento y de la competitividad económica de Galicia).

El expediente para el ejercicio de la actividad se circunscribe a la presentación de la comunicación previa antes del inicio de la misma, sin perjuicio de la facultad de control posterior del Ayuntamiento.

Ha de tenerse en cuenta que el régimen de comunicación previa afecta a espectáculos públicos y actividades recreativas no incluidos en los supuestos de concurrencia de razones de interés general del art. 41 de la Ley 9/2013.

El Decreto 144/2016, de 22 de septiembre, por el que se aprueba el Reglamento único de regulación integrada de actividades económicas y apertura de establecimientos, que tiene por objeto establecer el régimen jurídico y el procedimiento de intervención administrativa aplicables al ejercicio de actividades económicas y a la apertura de los establecimientos destinados a las mismas, y a la organización y desarrollo de espectáculos públicos y actividades recreativas en cumplimiento del mandato de desarrollo reglamentario contenido en la disposición final sexta de la Ley 9/2013, de 19 de diciembre, del emprendimiento y de la competitividad económica de Galicia, dispone en su art. 9.1 que «la instalación, implantación o ejercicio de cualquier actividad económica, empresarial, profesional, industrial o comercial en el territorio de la Comunidad Autónoma de Galicia, así como la apertura de los establecimientos destinados a este tipo de actividades, requiere la presentación por parte de la persona titular de la actividad de una comunicación previa con el contenido previsto en este reglamento ante el ayuntamiento en el que se pretenda desarrollar la actividad o abrir el establecimiento».

El citado Decreto 144/2016, de 22 de septiembre, en sus arts. 9 a 23 regula el **régimen de comunicación previa**, del que destacamos lo siguiente:

1.- Actividades y establecimientos sujetos (art. 9)

La instalación, implantación o ejercicio de cualquier actividad económica, empresarial, profesional, industrial o comercial en el territorio de la Comunidad Autónoma de Galicia, así como la apertura de los establecimientos destinados a este tipo de actividades, requiere la presentación por parte de la persona titular de la actividad de **una comunicación previa con el contenido** previsto en este ante el ayuntamiento en el que se pretenda desarrollar la actividad o abrir el establecimiento.

Cuando la actividad se ejerza en **un sólo establecimiento**, bastará una única comunicación previa por actividad y persona titular de la misma. En otro caso, deberá presentarse una comunicación por establecimiento.

Dentro de las actividades a incluir se comprenderán las actividades desarrolladas, entre otras, por **entidades sin ánimo de lucro y entidades públicas**, así como la puesta en funcionamiento de equipamientos públicos.

2.- Excepciones (art. 10)

Se exceptúan de lo establecido en el apartado primero del artículo anterior:

a) El ejercicio de actividades y la apertura de establecimientos sometidos a otro régimen de intervención administrativa por la normativa sectorial que resulte de aplicación.

b) El ejercicio de actividades que no estén vinculadas a un establecimiento físico.

3.- Contenido de la comunicación previa (art. 11)

La comunicación previa deberá estar **firmada por los interesados** y contendrán los siguientes datos y documentos:

a) Los datos identificativos de la persona física o jurídica titular de la actividad o del establecimiento y, en su caso, de quien la represente, así como una dirección a efectos de notificaciones.

b) Una memoria explicativa de la actividad que se pretenda realizar que detalle los aspectos básicos de la misma, su localización y el establecimiento o establecimientos donde se va a desarrollar.

c) El justificante del pago de los tributos municipales que resulten preceptivos.

d) Una declaración de la persona titular de la actividad o del establecimiento, en su caso, suscrita por un técnico competente, de que se cumplen todos los requisitos para el ejercicio de la actividad y de que el establecimiento reúne las condiciones de seguridad, salubridad y las demás previstas en el plan urbanístico.

e) El proyecto y la documentación técnica que resulte exigible según la naturaleza de la actividad o instalación. A estos efectos, se entiende por proyecto el conjunto de documentos que definen las actuaciones a desarrollar, con el contenido y detalle que le permita a la Administración conocer el objeto de ellas y determinar su ajuste a la normativa urbanística y sectorial aplicable, según lo regulado en la normativa de aplicación. El proyecto y la documentación técnica serán redactados y firmados por persona técnica competente.

f) La autorización o declaración ambiental, en su caso.

g) Las demás autorizaciones e informes sectoriales que sean preceptivos.

h) En su caso, el certificado de conformidad emitido por las entidades de certificación de conformidad municipal previstas en este reglamento.

Si para el desarrollo de la actividad o la apertura del establecimiento se precisa la **realización de una obra**, la documentación anterior se presentará con la comunicación previa prevista en la normativa urbanística o con la solicitud de licencia de obra, a los efectos de lo establecido en el artículo 13 de este reglamento. Después de finalizar la obra, se presentará comunicación previa para el inicio de la actividad o la apertura del establecimiento sin más requisitos que los datos de identificación de la persona titular y la referencia de la comunicación previa o la licencia urbanística que amparó la obra realizada y el certificado final de obra firmado por técnico competente, así como cuando proceda el certificado acústico.

4.- Efectos (art. 12)

La presentación de una comunicación previa que cumpla los requisitos establecidos en este reglamento **habilita** desde el mismo momento de dicha presentación **para el inicio de la actividad o la apertura del establecimiento** a la que la misma se refiera, **salvo el derecho de propiedad y sin perjuicio de terceros.** La referida presentación no constituye una autorización administrativa tácita, sino únicamente la transmisión de la información correspondiente a efectos del conocimiento municipal y de posibilitar la intervención mediante el control posterior, sin perjuicio de las facultades de inspección ordinaria.

No obstante, cuando la actividad requiera la **ejecución de obras o instalaciones**, no se podrán iniciar o desarrollar las actividades hasta que estén las obras o instalaciones totalmente finalizadas y se presente la comunicación previa de inicio o desarrollo de la actividad acompañada con la documentación indicada en este reglamento.

El error por parte de la persona titular de la actividad en la calificación del escrito presentado no impedirá que surta los efectos previstos, siempre que se deduzca su verdadero carácter y contenga todos los datos y documentos previstos en el artículo anterior.

La persona titular de la actividad es **responsable del mantenimiento** en el tiempo de los requisitos que la actividad tenía que cumplir cuando se presentó la comunicación previa, así como de la adaptación a los nuevos requisitos que posteriores normativas establezcan.

5.- Obras destinadas al desarrollo de una actividad (art. 13)

Cuando la **obra tenga por objeto el desarrollo de una actividad**, se consignará expresamente esa circunstancia y, junto con la comunicación previa o la solicitud de licencia de obra, en su caso, se pondrán en conocimiento de la Administración municipal los datos identificativos y se presentará la documentación prevista en el artículo 11.

Las **facultades municipales de comprobación, control e inspección** se ejercerán en primer lugar en relación con la actividad a la que vaya destinada la obra, y debe **suspenderse toda actuación administrativa** en relación con esta última mientras la persona interesada no acredite debidamente el cumplimiento de los requisitos legales para el ejercicio de la actividad, en los siguientes términos:

a) Si el régimen aplicable a la obra fuese el de **comunicación previa** urbanística y la Administración municipal formulase requerimiento a la persona interesada para enmendar los incumplimientos o deficiencias detectados en la documentación o en los requisitos relativos a la actividad dentro del plazo de quince días, ese plazo quedará en suspenso desde la notificación del requerimiento hasta la acreditación de la enmienda de los incumplimientos o deficiencias y la comunicación previa urbanística relativa a la obra no tendrá eficacia mientras no se produzca la reanudación del cómputo de dicho plazo y el total cumplimiento del mismo.

b) Si el régimen aplicable a la obra fuese el de **licencia urbanística** y se formulase requerimiento a la persona interesada para enmendar los incumplimientos o deficiencias detectados en la documentación o en los requisitos relativos a la actividad, el procedimiento de otorgamiento de la licencia y el plazo de resolución del mismo quedarán en suspenso desde la notificación del requerimiento hasta la acreditación de la enmienda de los incumplimientos o deficiencias, sin perjuicio de la eventual aplicación de las normas de la legislación del procedimiento administrativo común sobre caducidad de los procedimientos iniciados a solicitud de persona interesada por paralización de los mismos por causa imputable a la persona interesada.

6.- Publicidad (art. 14)

En el caso de la apertura de establecimientos, una copia sellada de la comunicación previa deberá exponerse en un **lugar visible y de fácil acceso** de los mismos.

La persona titular de la actividad deberá disponer de una **copia sellada de la comunicación previa** y exhibirla cuando se lo requiera una inspección administrativa o cualquier persona para la que se realice la actividad.

7.- Procedimiento de verificación (art. 15)

Una vez recibida una comunicación previa, el ayuntamiento verificará **de oficio**:

a) Su propia competencia.

b) Si se trata del medio de intervención legalmente indicado para la actividad o el establecimiento.

c) Si la comunicación previa contiene los datos y la documentación exigidos por este reglamento.

Si el ayuntamiento estimase que no le corresponde la competencia para la recepción de la comunicación previa o que la actividad o establecimiento al que se refiere la comunicación previa está sometido a otro régimen de intervención administrativa, iniciará de oficio el procedimiento de **declaración de ineficacia** de la misma.

Si los **datos o la documentación** presentados con la comunicación previa estuviesen **incompletos** o tuviesen cualquier otra deficiencia subsanable, el ayuntamiento concederá a la persona que la hubiera presentado un plazo de **subsanación de diez días**.

Si las deficiencias detectadas fuesen insubsanables o no se subsanasen en el plazo otorgado, se iniciará de oficio el procedimiento de **declaración de ineficacia** de la comunicación previa.

El órgano competente para declarar la ineficacia de la comunicación previa podrá adoptar **medidas provisionales** para la protección de los intereses públicos y de terceras personas, incluido el cese del ejercicio de la actividad o el cierre del establecimiento, en los términos establecidos por la legislación del procedimiento administrativo común.

Si la deficiencia detectada fuese un **error en la calificación** del escrito presentado que, no impida la eficacia del mismo como comunicación previa, **se notificará a la persona titular de la actividad** esta circunstancia al efecto de que tenga conocimiento de que cumple los requisitos administrativos para el ejercicio de la actividad o la apertura del establecimiento.

Esta actuación de **verificación será potestativa** en aquellos supuestos en los que la documentación presentada incluya un certificado de conformidad emitido por las entidades de certificación de conformidad municipal previstas en este reglamento.

Las actuaciones de verificación **no exigen en ningún caso una resolución o acto administrativo** en los supuestos de que los datos y la documentación presentada estuviesen completos.

8.- Actuaciones de control (art. 16)

El ayuntamiento puede realizar **en cualquier momento**, de oficio o a solicitud de persona interesada, las actuaciones de inspección y control de la actividad o del establecimiento que sean necesarias para comprobar el cumplimiento de los requisitos establecidos por la normativa que resulte de aplicación.

Las actuaciones de inspección de oficio serán objeto de **planificación** por parte de los ayuntamientos.

Las solicitudes de comprobación obligan al ayuntamiento a **notificar el resultado de la actuación de inspección y control** realizada a la persona solicitante y a la persona titular de la actividad o del establecimiento, en el plazo que establezca la ordenanza prevista o, en su defecto, en el plazo máximo de **tres meses.**

El **acta de comprobación** que documente el resultado de la actividad de inspección y control señalará expresamente si se cumplen los requisitos para el ejercicio de la actividad y, en su caso, la apertura del establecimiento.

En el supuesto de que los requisitos no se cumplan, se señalarán los **concretos incumplimientos o deficiencias detectados** y se concederá a la persona titular de la actividad un **plazo de enmienda**, siempre que aquellos fuesen subsanables. El órgano competente para declarar la ineficacia de la comunicación previa puede adoptar **medidas provisionales** para la protección de los intereses públicos y de terceras personas, incluido el cese del ejercicio de la actividad o el cierre del establecimiento, en los términos establecidos por la legislación del procedimiento administrativo común.

La **corrección de los incumplimientos o deficiencias** detectados en el plazo de enmienda se declarará por resolución administrativa que se notificará a la persona titular de la actividad y, en su caso, a la persona que solicitase la comprobación, en el plazo que establezca la ordenanza o, en su defecto, en el plazo máximo de un mes desde el vencimiento del plazo de enmienda.

El transcurso del plazo de enmienda sin que se corrijan los incumplimientos o deficiencias detectadas o el carácter insubsanable de estos dará lugar a la iniciación de oficio del procedimiento de **declaración de ineficacia de la comunicación previa**, sin perjuicio de las responsabilidades sancionadoras a las que hubiere lugar, las cuales se exigirán a través del correspondiente procedimiento sancionador.

9.- Causas de ineficacia (art. 17)

Son causas de ineficacia de las comunicaciones previas:

a) El incumplimiento originario o sobrevenido de los requisitos legales a los que estuviese sometida la actividad o el establecimiento.

b) La inexactitud, falsedad u omisión, de carácter esencial, en cualquier dato, manifestación o documento que se presentase o incorporase a la comunicación previa.

c) La presentación de la comunicación previa ante una Administración incompetente para recibirla o cuando la actividad o establecimiento estuviese sometido a otro régimen de intervención administrativa.

d) El no ejercicio de la actividad en el plazo de seis meses contado desde que la comunicación previa habilite para el ejercicio de la misma, sin perjuicio de la posibilidad de poder formular una nueva comunicación previa conforme a la normativa vigente para el ejercicio de la actividad.

e) La interrupción de la actividad durante un año, contado desde la fecha en que se produjo esta interrupción, sin perjuicio de la posibilidad de poder formular una nueva comunicación previa conforme a la normativa vigente para el ejercicio de la actividad.

Al efecto de lo establecido en la letra b) del apartado anterior, se entenderá por:

a) **Inexactitud de carácter esencial**: la falta de correspondencia con la realidad del contenido de cualquier dato, manifestación o documento que se presentase o incorporase a la comunicación previa, siempre que las características reales de la actividad o del establecimiento no se ajusten a los requisitos legales a los que estuviese sometida la actividad o el establecimiento y no exista falsedad de carácter esencial de acuerdo con lo previsto en el apartado siguiente.

b) **Falsedad de carácter esencial**: la introducción intencionada de elementos que no se correspondan con la realidad en cualquier dato, manifestación o documento que se presentase o incorporase a la comunicación previa, con el fin de superar los controles administrativos previstos en este reglamento sin cumplir los requisitos legales a los que estuviese sometida la actividad o el establecimiento.

c) **Omisión de carácter esencial**, la ausencia de cualquier dato, manifestación o documento que fuese preceptivo presentar o incorporar a la comunicación previa según el artículo 11 de este reglamento y la ordenanza prevista en el artículo 4, y que sea determinante para verificar el cumplimiento de los requisitos normativos a los que estuviese sometida la actividad o el establecimiento.

10.- Procedimiento de declaración de ineficacia (art. 18)

El procedimiento de declaración de ineficacia **se iniciará de oficio** por el ayuntamiento ante el que se presentó la comunicación previa. El órgano competente para resolver puede adoptar o, en su caso, **prorrogar las medidas provisionales** necesarias para la protección de los intereses públicos y de terceras personas, incluido el cese del ejercicio de la actividad o el cierre del establecimiento, en los términos establecidos por la legislación del procedimiento administrativo común.

En el procedimiento se dará **audiencia a la persona titular de la actividad o establecimiento.** Si la causa de ineficacia fuese subsanable, en el mismo trámite se concederá a la persona titular de la actividad un plazo de enmienda de los incumplimientos o deficiencias detectados, salvo que ya se hubiese concedido en un procedimiento previo de verificación o control o se aprecie reiteración o reincidencia en el incumplimiento. En ningún caso podrá considerarse subsanable la falsedad de carácter esencial en cualquier dato, manifestación o documento que se presentase o incorporase a la comunicación previa.

Si se enmendase la irregularidad en el plazo de enmienda concedido o se acreditase en el trámite de audiencia haberla enmendado, el **procedimiento será sobreseído**.

La **resolución será motivada** y se notificará en los términos previstos por la legislación del procedimiento administrativo común en el plazo máximo de tres meses, transcurrido el cual el procedimiento caducará y deberán archivarse las actuaciones, de oficio o a solicitud de la persona interesada.

Si la causa de ineficacia fuese la presentación de comunicación previa ante una Administración incompetente para recibirla o cuando la actividad o establecimiento estuviese sometido a otro régimen de intervención administrativa, la resolución indicará el procedimiento de intervención aplicable y, en su caso, ante qué Administración deberá tramitarse. Si se tratase del propio ayuntamiento, los datos y documentos aportados con la comunicación previa, si fuesen pertinentes, se incorporarán a la solicitud que eventualmente presente la persona interesada si ésta así lo pide en la misma.

11.- Efectos de la declaración de ineficacia (art. 19)

La declaración de ineficacia de una comunicación previa **impide**, desde el momento de su notificación a la persona titular de la actividad o del establecimiento, **el ejercicio** de aquella o la apertura de éste.

Igualmente, comportará la iniciación de oficio de las correspondientes actuaciones de **restablecimiento de la legalidad**, que podrán determinar la obligación de la persona interesada de restituir la situación jurídica al punto previo al inicio de la actividad o a la apertura del establecimiento y la indemnización de los daños y pérdidas producidos a bienes públicos.

Asimismo, **podrá determinar la inhabilitación de la persona** interesada para presentar ante el ayuntamiento una nueva comunicación previa para la misma actividad o establecimiento durante un período de tiempo determinado de entre tres meses y un año. La inhabilitación se establecerá, en su caso, en la misma resolución que declare la ineficacia de la comunicación previa, y para su imposición se valorará motivadamente la existencia de reiteración o reincidencia en el incumplimiento que dé lugar a la declaración de ineficacia.

La declaración de ineficacia es **independiente de las responsabilidades sancionadoras** a las que hubiere lugar, las cuales se exigirán a través del correspondiente procedimiento sancionador.

12.- Cambio de titularidad de la actividad o del establecimiento (art. 20)

El cambio de titularidad de la actividad o del establecimiento será **comunicado por escrito por la nueva persona titular** al ayuntamiento ante el que se hubiese presentado la comunicación previa al inicio de la actividad o a la apertura del establecimiento.

En la comunicación del cambio de titularidad **bastará incluir los datos identificativos de la nueva persona titular,** acompañados de la **referencia del título habilitante inicial** y, en su caso, de los que se hubiesen tramitado para posteriores cambios de titularidad o modificaciones de la actividad o del establecimiento.

La responsabilidad del cumplimiento de los requisitos administrativos a los que estuviera sometida la actividad o el establecimiento **se trasladará a la nueva persona titular** a partir del momento en el que el cambio de titularidad se hiciese efectivo, con independencia de la fecha en la que se lleve a cabo la comunicación del cambio de titularidad prevista en este artículo. En caso de que la nueva persona titular no presente dicha comunicación, la anterior persona titular se eximirá de toda responsabilidad si acredita ante la Administración el cambio de titularidad por cualquier medio admisible en derecho.

13.- Modificaciones de la actividad o del establecimiento (art. 21)

La persona titular de la actividad debe **poner en conocimiento del órgano competente**, cuando se produzca, cualquier cambio relativo a las condiciones o a las características de la actividad o del establecimiento, incluidas las modificaciones que se realicen, para su adaptación a los nuevos requisitos que posteriores normativas establezcan.

Es **necesaria una nueva comunicación previa** en los siguientes casos:

a) Modificación de la clase de actividad.

b) Cambio de localización, sin perjuicio de lo dispuesto en la letra b) del artículo 10.

c) Reforma sustancial de los locales o instalaciones.

También es necesaria una nueva comunicación previa cuando se pretenda realizar cualquier cambio que implique una variación que afecte a la seguridad, salubridad o peligrosidad del establecimiento.

En este caso con la comunicación previa sólo habrá que presentar los datos y documentos vinculados específicamente al cambio proyectado.

14.- Actividades económicas y establecimientos promovidos por administraciones públicas (art. 22)

Las actividades y establecimientos destinados a las mismas que promuevan órganos de las administraciones públicas o entidades de derecho público quedan sujetos al **régimen de control municipal**, **excepto** en los casos en los que estén expresamente exceptuados por la legislación que les resulte de aplicación.

Las actividades y establecimientos municipales se entenderán autorizadas por el **acuerdo de aprobación del órgano competente** del ayuntamiento, después de la acreditación en el expediente del cumplimiento de los requisitos exigidos para el ejercicio de la actividad y, en su caso, la apertura del establecimiento.

15.- Restablecimiento de la legalidad en el caso de ejercicio de actividades económicas o apertura de establecimientos sin presentación de comunicación previa (art. 23)

Fuera de los casos contemplados en los artículos 10 y 22, el ejercicio de una actividad económica o la apertura de un establecimiento sin la presentación ante el ayuntamiento de la comunicación previa obliga a aquel a adoptar, de oficio o a solicitud de cualquier persona, las medidas necesarias para el **restablecimiento de la legalidad**, sin perjuicio de las responsabilidades sancionadoras a las que hubiere lugar.

PREGUNTAS CLAVE

1. ¿Está sujeta a licencia de actividad o comunicación previa la actividad de explotación forestal?

En el caso de actividades agrícolas o forestales por su propia naturaleza están excluidas de la intervención municipal, como tampoco sería el caso de actividad pesquera o de explotación extensiva ganadera. Cuestión diferente es, en el caso de la explotación forestal, que para llevar a cabo la misma se necesite autorización previa de la Consejería competente, o como establece el art. 194.2. i) de la Ley 9/2002, de 30 de diciembre, de ordenación urbanística y protección del medio rural de Galicia, sujeta a previa licencia municipal,, sin perjuicio de las autorizaciones que sea procedentes de acuerdo con la legislación aplicable, **la tala de masas arbóreas o de vegetación arbustiva en terrenos incorporados a procesos de transformación urbanística** y, en todo caso, cuando dicha tala se derive de la legislación de protección del dominio público.

Por su parte la Ley **7/2012, de 28 de junio, de montes de Galicia**, en su art. 84. dispone que la persona titular del monte es el propietario de los recursos forestales que en él se producen, tanto madereros como no madereros, incluyendo, entre otros, la madera, la biomasa forestal, los pastos, los aprovechamientos cinegéticos, las setas, los frutos, los corchos, las resinas, las plantas aromáticas y medicinales y los productos apícolas, teniendo derecho a su aprovechamiento, que se realizará con sujeción a las prescripciones de la presente ley y disposiciones que la desarrollen, parta en su apartado 3, decir que **los aprovechamientos de los recursos forestales, los servicios o las actividades contemplados en un instrumento de ordenación o gestión aprobado por la Administración forestal no necesitan de autorización para su ejecución, bastando una notificación previa,** con arreglo al artículo 81.3, pudiendo la **Administración forestal podrá efectuar las inspecciones, controles y reconocimientos que estime convenientes,** tanto durante la realización del aprovechamiento o del suministro del servicio como una vez finalizado el mismo.

En conclusión, la explotación forestal no está sujeta a licencia de actividad o comunicación previa, y ambas son necesarias en cualquier caso cuando la actividad se lleva a cabo en un local o establecimiento, con la finalidad de controlar si el uso está permitido o es compatible con el planeamiento.

2. ¿Se ha suprimido en Galicia la licencia municipal de actividad?

Sí. Con la finalidad de eliminar trabas administrativas, con carácter general se suprime por el art. 23 de la Ley 9/2013 la necesidad de obtención de licencia municipal de actividad, apertura o funcionamiento para la instalación, implantación o ejercicio de cualquier actividad económica, empresarial, profesional, industrial o comercial.

3. ¿Cómo se articula el ejercicio de actividades económicas, empresariales, profesionales, industriales o comerciales como consecuencia de la supresión de la licencia municipal de actividad?

La supresión de la licencia municipal de apertura se sustituye con la comunicación previa (art. 24 Ley 9/2013) al inicio de la actividad o de la apertura del establecimiento.

4. ¿Qué contenido tiene la comunicación previa?

La comunicación previa contendrá los datos identificación del titular de la actividad o establecimiento, debiéndose adjuntar a la misma la documentación acreditativo del cumplimiento de los requisitos exigibles para el ejercicio de la actividad o por el inicio de la obra e instalación (art. 24.1 Ley 9/2013).

5. ¿Qué ocurre si hay que hacer obra antes de proceder a la apertura de una actividad o establecimiento?

Si para el desarrollo de la actividad fuera precisa la realización de una obra, la documentación de comunicación previa de la actividad, se presentará con la comunicación previa contemplada en la normativa urbanística o con la solicitud de licencia de obra, si procediera. Al haber finalizado la obra, se presentará comunicación previa para el inicio de la actividad (art. 24.2 Ley 9/2013).

6. ¿Está sujeta a comunicación previa el cambio de titularidad de las actividades e instalaciones?

Sí. Así lo exige expresamente el art. 24.3 de la Ley 9/2013.

7. ¿Cómo ha de procederse a comunicar el cambio de titularidad?

Se deberá proceder a comunicarlo por escrito por parte del nuevo titular de la actividad (art. 24.3 Ley 9/2013).

8. ¿Ha de firmar el cambio de titularidad el anterior titular?

No es un requisito necesario, ni exigible, al basta la simple comunicación del nuevo titular (art. 24.3 Ley 9/2013).

9. ¿Cómo puede presentarse la documentación de la comunicación previa y del cambio de titularidad?

Toda la documentación requerida en el presente artículo podrá presentarse telepáticamente, y todos los ayuntamientos de Galicia deberán tener en su página web un portal telemático de comunicaciones previas y autorizaciones administrativas.

10. ¿Qué efectos tiene la comunicación previa?

La comunicación previa presentada cumpliendo con todos los requisitos constituye un acto jurídico del particular que, de acuerdo con la ley, habilita para el inicio de la actividad o la apertura del establecimiento y, en su caso, para el inicio de la obra o instalación, y faculta a la Administración pública para verificar la conformidad de los datos que en ella se contienen (art. 25.1 Ley 9/2013).

11. ¿Es una potestad o una obligación realizar por los ayuntamientos procedimientos de control posterior al inicio de la actividad?

El art. 25.2 de la Ley 9/2013 obliga a los ayuntamientos a establecer y planificar los procedimientos de comunicación necesarios, así como los de verificación posterior del cumplimiento de los requisitos precisos para el ejercicio de la actividad y su control posterior.

12. ¿Qué consecuencias tiene para el titular de la actividad el incumplimiento de las condiciones de la comunicación previa?

El incumplimiento sobrevenido de las condiciones de la comunicación previa o de los requisitos legales de la actividad será causa de la ineficacia de la comunicación previa y habilitarán al ayuntamiento respectivo a su declaración previa audiencia del/la interesado/a (art. 25.3 Ley 9/2013).

13. ¿Qué consecuencias y efectos produce la inexactitud, falsedad u omisión en los datos aportados en la comunicación previa?

La inexactitud, falsedad u omisión, de carácter esencial, en cualquier dato, manifestación o documento que se aporta o incorpora a la comunicación previa conlleva, previa audiencia de la persona interesada, la declaración de ineficacia de la comunicación efectuada e impide el ejercicio del derecho o de la actividad afectada desde el momento en que se conoce, sin perjuicio de las sanciones que procediera imponer por tales hechos (art. 26.1 Ley 9/2013).

14. ¿Está obligado el titular de una actividad sujeta a comunicación previa a mantener las condiciones y adaptar las instalaciones?

Quien ostente la titularidad de las actividades debe garantizar que sus establecimientos mantendrán las mismas condiciones que tenían cuando estas fueron iniciadas, así como también adaptar las instalaciones a las nuevas condiciones que posteriores normativas establezcan (art. 27.1 Ley 9/2013).

15. ¿En qué circunstancias procede la presentación de una nueva comunicación previa?

Será necesaria una nueva comunicación previa, cumpliendo los requisitos del artículo 24, en los casos de modificación de la clase de actividad, cambio de emplazamiento, reforma sustancial de los locales, instalaciones o cualquier cambio que implique una variación que afecte a la seguridad, salubridad o peligrosidad del establecimiento (art. 27.3 Ley 9/2013).

16. ¿Están sujetas a control las actividades promovidas por las administraciones públicas?

Sí. Para el art. 30.1 de la Ley 9/2013, las actividades y las obras necesarias para su ejercicio que promuevan órganos de las administraciones públicas o entidades de derecho público estarán **sujetas a control municipal por medio de la obtención de licencia municipal o, en su caso, comunicación previa,** salvo los supuestos exceptuados por la legislación aplicable y en los términos establecidos reglamentariamente.

17. ¿Están sujetas a control las actividades promovidas por los ayuntamientos?

De conformidad con el art. 30.2 de la Ley 9/2013, Las actividades municipales y las obras necesarias para su ejercicio se entenderán autorizadas por el acuerdo de aprobación del órgano competente del ayuntamiento, previa acreditación en el expediente del cumplimiento de la normativa.

18. ¿Están excluidas de la comunicación previa los espectáculos públicos y actividades recreativas?

La apertura de los establecimientos públicos y la organización de espectáculos públicos y actividades recreativas están sometidas al régimen de comunicación previa, salvo en los casos que por razones de interés general fuera necesario la obtención de licencia municipal (art. 40 Ley 9/2013).

19. ¿Cuándo es necesaria la obtención de licencia municipal?

El art. 41 de la Ley 9/2013 dice que en atención a la concurrencia de razones de interés general derivadas de la necesaria protección de la seguridad y salud pública, de los derechos de las personas consumidoras y usuarias, del mantenimiento del orden público, así como de la adecuada conservación del medio ambiente y el patrimonio histórico artístico, será precisa la obtención de licencia o autorización para:

a) La apertura de establecimientos y la celebración de espectáculos públicos o actividades recreativas que se desarrollen en establecimientos públicos con un aforo superior a 500 personas, o que presenten una especial situación de riesgo, de conformidad con lo dispuesto en la normativa técnica en vigor.

b) La instalación de terrazas al aire libre o en la vía pública, anexas al establecimiento.

c) La celebración de espectáculos y actividades extraordinarias y, en todo caso, los que requieran la instalación de escenarios y estructuras móviles.

d) La celebración de los espectáculos públicos y actividades recreativas o deportivas que se desarrollen en más de un término municipal de la comunidad autónoma, conforme al procedimiento que reglamentariamente se establezca.

e) La celebración de los espectáculos y festejos taurinos.

f) La apertura de establecimientos y la celebración de espectáculos públicos o actividades recreativas cuya normativa específica exija la concesión de autorización.

MODELO DE EXPEDIENTE *(Disponible a texto íntegro en smarteca.es)*

1)   *Escrito presentando declaración responsable o comunicación previa de inicio de inicio de actividad anexo I Ley 12/2012*

2)   *Toma de conocimiento del Ayuntamiento del inicio de la actividad*

3)   *Notificación de la toma de conocimiento de comunicación de inicio de actividad*

4)   *Control posterior del Ayuntamiento de la actividad*

5)   *Notificación de inicio de expediente de control de actividad inocua*

6)   *Escrito dando cumplimiento a las medidas de control impuestas por el ayuntamiento*

7)   *Informe técnico sobre cumplimiento de la actividad a la normativa de aplicación*

8)   *Resolución dando por finalizado el expediente de control posterior de actividad*

9)   *Notificación de la resolución*

10)   *Comunicación de modificación de la actividad*

11) *Inicio de procedimiento de control de la modificación sustancial de la actividad (art. 27.3 Ley 9/2013)*

5. Expediente de cambio de titularidad de comunicación previa (art. 24.3 Ley 9/2013)

5.1. Claves del Expediente

Aunque es una cuestión que puede considerarse pacífica, el cambio de titularidad en general de los establecimientos, negocios y actividades en general y en particular de la licencia ambiental se sujeta al cumplimiento de unos requisitos mínimos, que tienen como objetivo fundamental el poner en conocimiento de la Administración (órgano sustantivo ambiental) el nuevo titular de la actividad.

A tenor del artículo 13.1 del Reglamento de Servicios de las Corporaciones Locales (RSCL), aprobado por **Decreto de 17 de junio de 1955**, las licencias relativas a las condiciones de una obra, instalación o servicio serán transmisibles, pero el antiguo y el nuevo constructor o empresario deberán comunicarlo por escrito a la Corporación, sin lo cual quedarán ambos sujetos a todas las responsabilidades que se derivaren para el titular.

Esta posición legal ha quedado superada mediante el art. 3.2 de la **Ley 12/2012**, de 26 de diciembre, de medidas urgentes de liberalización del comercio y de determinados servicios, al decir que no están sujetos a licencia los cambios de titularidad de las actividades comerciales y de servicios, siendo exigible en estos casos una comunicación previa a la administración competente a los solos efectos informativos.

Ha de tenerse en cuenta:

- La comunicación ha de ser expresa.

- No es necesario que vaya acompañada de título o documento que acredite la transmisión (contrato de compraventa, de arrendamiento, de cesión etc.)

- Si la transmisión se produce sin realizar la correspondiente comunicación, el anterior y el nuevo titular quedan sujetos, de forma solidaria, a todas las responsabilidades y obligaciones derivadas del incumplimiento de dicha obligación.

La **Ley 9/2013**, de 19 de diciembre, del emprendimiento y de la competitividad económica de Galicia, en su art. 24.3 se refiere al cambio de titularidad de la comunicación previa, entendiendo que el mismo también es aplicación a la licencia municipal de apertura de las actividades del art. 41.

PREGUNTAS CLAVE

1. ¿Qué requisitos han de cumplirse para realizar el cambio de titularidad una actividad sujeta a licencia ambiental?

Para que el nuevo titular de una actividad pueda realizar el cambio de titularidad, deberá ser comunicado al Ayuntamiento a efectos informativos (art. 3.2 de la Ley 12/2012).

2. ¿Es necesario que el anterior titular comunique la transmisión de la actividad a un tercero?

No es un requisito necesario. El art. 3.2 de la Ley 12/2012 no exige esta comunicación.

3. ¿Qué ocurre si no se comunica la transmisión de la actividad?

La no comunicación del cambio de titularidad de la actividad por el anterior o el nuevo titular supone que el anterior y nuevo titular queda sujetos, de forma solidaria, a todas las responsabilidades y obligaciones derivadas de dicho incumplimiento.

4. ¿Puede transmitir la licencia de actividad el que no es propietario del local en el que se ejerce la misma?

Sí. El ejercicio de una actividad tanto mediante la concesión expresa de licencia de apertura o actividad o mediante la comunicación previa o declaración responsable tiene carácter real, al margen de la titularidad del inmueble y de las relaciones subjetivas que existan entre el titular del mismo y el que ocupe el local mediante contrato de arrendamiento, u cualquier otro título. En este sentido es de aplicación lo dispuesto en el art. 12. 1 RSCL «Las autorizaciones y licencias se entenderán otorgadas salvo el derecho de propiedad y sin perjuicio del de tercero».

5. ¿Ha de resolverse expresamente por el Ayuntamiento la comunicación de cambio de titularidad?

No. El art. 3.2 de la Ley 12/2012 habla de comunicación previa a la administración competente, sin que sea necesario posteriormente dictar resolución alguna. A efectos prácticos bastaría en cualquier caso tomar conocimiento de la transmisión, dejando constancia en el expediente.

6. ¿Qué ocurre si el Ayuntamiento no dicta resolución de cambio de titularidad?

Si el Ayuntamiento, recibida la comunicación de cambio de titularidad de la actividad, no resuelve expresamente el mismo, ha de entenderse que por silencio administrativo positivo se da por cumplido el trámite a todos los efectos, teniendo en cuenta que la resolución del órgano sustantivo no es generadora de derechos para el nuevo titular de la actividad, sino que tiene los efectos de una simple comunicación, que el Ayuntamiento constata mediante la toma de conocimiento del nuevo titular. En este sentido para la STS 15 octubre 1981 «La intervención municipal en caso de transmisión de licencias no es de previa y expresa autorización para que aquélla opere, sino de mera constatación o toma de razón de la extra-administrativamente producida por el simple acuerdo del antiguo y nuevo propietario, cuyo incumplimiento determina que ambos queden sujetos a todas las responsabilidades que se deriven para el titular».

7. ¿Está sujeta a comunicación previa el cambio de titularidad de las actividades e instalaciones?

Sí. Así lo exige expresamente el art. 24.3 de la Ley 9/2013).

8. ¿Cómo ha de procederse a comunicar el cambio de titularidad?

Se deberá proceder a comunicarlo por escrito por parte del nuevo titular de la actividad (art. 24.3 Ley 9/2013).

9. ¿Ha de firmar el cambio de titularidad el anterior titular?

No es un requisito necesario, ni exigible, al basta la simple comunicación del nuevo titular (art. 24.3 Ley 9/2013).

10. ¿Cómo puede presentarse la comunicación del cambio de titularidad?

Toda la documentación requerida en el presente artículo podrá presentarse telemáticamente, y todos los ayuntamientos de Galicia deberán tener en su página web un portal telemático de comunicaciones previas y autorizaciones administrativas (art. 24.4 Ley 9/2013).

11. ¿Está sujeta a licencia el cambio de titularidad la licencia municipal?

No. Es aplicable a estos efectos lo dispuesto en el art. 24.3 de la Ley 9/2013, así como el art. 28 de la Ley 13/2010, de 17 de diciembre, del comercio interior de Galicia, modificado por la disposición final quinta de la Ley 9/2013, que dispone que no será exigible licencia para el inicio y desarrollo de las actividades comerciales objeto de la presente ley ni para el cambio de titularidad. En estos casos bastará la comunicación previa prevista en la Ley del emprendimiento de Galicia y en la normativa urbanística, si procede.

5.2. Jurisprudencia

• La Administración está obligada a reconocer el cambio de la titularidad de la licencia sin perjuicio de las distintas actuaciones que le conciernen ejercer contra la misma del mismo modo que si no se hubiese transmitido. [STSJ Madrid 18 septiembre 2001]

• Para proceder al cambio de titularidad el Ayuntamiento ha de tener constancia de que efectivamente dicho cambio se ha producido, y ello por dos mecanismos alternativos, uno bilateral, que no es otro que la conformidad del anterior titular, y otro, que no precisa dicha conformidad, más complejo, que consiste en la acreditación de que se ha adquirido por cualquier medio, *inter vivos* o *mortis causa*, la propiedad o posesión del inmueble en cuestión. [STSJ Madrid 15 enero 2004]

5.3. Legislación aplicable

— Europea

Directiva 2006/123/CE del Parlamento y del Consejo, de 12 de diciembre de 2006, relativa a los servicios en el mercado interior.

— Estatal

Ley 17/2009, de 23 de noviembre, sobre el Libre Acceso a las Actividades de Servicios.

Arts. 21.1. q) y s), 124.4.ñ), 70.bis y 84, 84 bis y 84 ter. de la Ley 7/1985, de 2 de abril, Reguladora de las Bases de Régimen Local.

Reglamento de Organización, Funcionamiento y Régimen Jurídico de las Entidades Locales de 28 de noviembre de 1986.

Ley 39/2015, de 1 de octubre, del Procedimiento Administrativo Común de las Administraciones Públicas.

Arts. 1 a 5 de la Ley 12/2012, de 26 de diciembre, de medidas urgentes de liberalización del comercio y de determinados servicios.

Arts. 12 a 16 del Reglamento de Servicios de las Corporaciones Locales de 17 junio 1955.

— Autonómica

Art. 24.3 de la Ley 9/2013, de 19 de diciembre, del emprendimiento y de la competitividad económica de Galicia.

5.4. Documentos de interés

— Doctrina

CANO MURCIA, Antonio. «Apunte legislativo sobre actividades sujetas a licencia-comunicación previa o declaración responsable».- LA LEY 18636/2011.

—. Apunte legislativo sobre procedimiento de actividades inocuas».- LA LEY 18641/2011.

—. Cuestiones prácticas sobre transmisión o cambio de titularidad.- LA LEY 18653/2011.

—. «Apunte legislativo sobre transmisión o cambio de titularidad».- LA LEY 18652/2011.

CHOLBÍ CACHÁ, Francisco Antonio. «El contenido de la normativa autonómica en los supuestos de interrelación de las autorizaciones urbanísticas con las de actividades».- LA LEY 21335/2011.

—. «Apunte legislativo sobre las relaciones en la tramitación administrativa de las autorizaciones urbanísticas y de actividades».- LA LEY 21339/2011.

—. «Actos promovidos por Administraciones Públicas. Necesidad de licencia».- LA LEY 21256/2011.

PENSADO SEIJAS, Alberto. «Unificación normativa de la tramitación integral de las actividades en Galicia». *El Consultor de los Ayuntamientos y de los Juzgados*, n.º 18, Sección Colaboraciones, Quincena del 30 Sep. al 14 Oct. 2014, Ref. 1909/2014, pág. 1909, tomo 2. —LA LEY 6277/2014.

—. «Adaptación de las Ordenanzas de los Ayuntamientos Gallegos a la Ley 9/2013, del emprendimiento y de la competitividad económica de Galicia. Notas a la Propuesta de Reglamento de la FEGAMP». *El Consultor de los Ayuntamientos y de los Juzgados, n.º 15*, Sección Opinión / Colaboraciones, agosto 2015, Ref. 1803/2015, pág. 1803, Wolters Kluwer.- LA LEY 4972/2015.

—. «Comentario de urgencia sobre el RDL 8-2014, de 4 de julio, de aprobación de medidas urgentes para el crecimiento, la competitividad y la eficiencia, respecto a las actividades comerciales». *El Consultor de los Ayuntamientos y de los Juzgados*, n.º 15/16, Sección Actualidad, agosto 2014, Ref. 1665/2014, pág. 1665, tomo 2,.- LA LEY 5016/2014.

MODELO DE EXPEDIENTE *(Disponible a texto íntegro en smarteca.es)*

1)   *Comunicación de cambio de titularidad de comunicación previa*

2)   *Resolución de cambio de titularidad de licencia ambiental*

3)   *Notificación de cambio de titularidad de licencia ambiental*

6.   La comunicación previa en el caso de espectáculos públicos y actividades recreativas

Decreto 144/2016, de 22 de septiembre, por el que se aprueba el Reglamento único de regulación integrada de actividades económicas y apertura de establecimientos, en su art. 33 determina que «La organización de espectáculos públicos y actividades recreativas y la apertura de los establecimientos destinados a los mismos cuando estén sometidos al **régimen de comunicación previa** se ajustarán a lo establecido en el título II de este reglamento sin perjuicio de lo dispuesto en la Ley del emprendimiento y de la competitividad económica de Galicia».

Los arts. 9 a 23 del citado Decreto regulan en régimen de la comunicación previa, de los que hemos hecho mención en el apartado sobre «EL REGIMEN DE COMUNICACIÓN PREVIA EN EL CASO DE ACTIVIDADES SUJETAS A CONTROL AMBIENTAL».

12.   Islas Baleares

1.   Normativa básica

— Estatal

Directiva 2006/123/CE del Parlamento y del Consejo, de 12 de diciembre de 2006, relativa a los servicios en el mercado interior.

Ley 17/2009, de 23 de noviembre, sobre el Libre Acceso a las Actividades de Servicios.

Ley 2/2011, de 4 de marzo, de Economía Sostenible.

Ley 12/2012, de 26 de diciembre, de medidas urgentes de liberalización del comercio y de determinados servicios.

Ley 39/2015, de 1 de octubre, del Régimen Jurídico de las Administraciones Públicas y del Procedimiento Administrativo Común.

— Autonómica

Ley 7/2013 de 26 de noviembre, de régimen jurídico de instalación, acceso y ejercicio de actividades en las Illes Balears. LA LEY 19190/2013.

2.   La realización de obras no sujetas a licencia urbanística

La **Ley 2/2014**, de 25 de marzo, de ordenación y uso del suelo, en su art. 133, distingue entre licencia urbanística y comunicación previa. La importancia de dicha distinción radica que el hecho de que mientras con la licencia urbanística se adquiere la facultad de llevar a cabo actos de transformación o utilización del suelo o subsuelo, con la comunicación previa se pone en conocimiento de la administración municipal sus datos identificativos y demás requisitos establecidos para el ejercicio de las facultades urbanísticas no sujetas a licencia.

Como actos sujetos al régimen de comunicación previa se encuentran las obras de técnica sencilla y escasa entidad constructiva u obras de edificación que no necesitan proyecto de acuerdo con la **Ley 38/1999**, de 5 de noviembre, de ordenación de la edificación (art. 136)

3.   Declaración responsable en el caso de actividades inocuas

Para la tramitación de expedientes de actividades inocuas, esto es, que no están sujetas a intervención administrativa por parte de la **Ley 7/2013** de 26 de noviembre, de régimen jurídico de instalación, acceso y ejercicio de actividades en las Illes Balears, y que figuran en el anexo I de la **Ley 12/2012**, de 26 de diciembre, nos remitimos a lo expuesto en el presente capítulo relativo al estudio de la citada Ley.

4. Declaración responsable en el caso de actividades sujetas a control ambiental

PREGUNTAS CLAVE

1. ¿Es necesario disponer de autorización sectorial para iniciar y ejercer una actividad?

En el caso de que sea preceptiva la emisión de autorización sectorial, no se podrá iniciar y ejercer una actividad si no se dispone de la misma (art. 8.3 de la Ley 7/2013 de 26 de noviembre, de régimen jurídico de instalación, acceso y ejercicio de actividades).

2. ¿Tiene obligación el titular de una actividad de contratar un seguro de responsabilidad civil?

Dispone el art. 10 de la Ley 7/2013 de 26 de noviembre, de régimen jurídico de instalación, acceso y ejercicio de actividades, que el titular deberá contratar y mantener en vigor un seguro durante el ejercicio de la actividad en el establecimiento físico o en el lugar donde se desarrolle, que cubra la responsabilidad civil por los daños corporales, materiales y consecuenciales derivados de ella, ocasionados a terceras personas.

3. ¿Existe alguna excepción para no contratar seguro de responsabilidad civil?

En el caso de actividades no permanentes menores, el órgano competente, motivadamente, podrá eximir del seguro, sin perjuicio de la responsabilidad que se pueda derivas de ellas (art. 10.1 par. Tercero de la Ley 7/2013 de 26 de noviembre, de régimen jurídico de instalación, acceso y ejercicio de actividades).

4. ¿Qué duración ha de tener el seguro de responsabilidad civil de los técnicos titulados profesionales?

Los técnicos titulados profesionales, deberán cubrir, mediante un seguro, y por un período mínimo de dos años desde su última actuación, los riesgos de responsabilidad civil en que puedan incurrir a consecuencia de su ejercicio profesional en materia de actividades, sin perjuicio de la responsabilidad que se pueda derivar de ello.

Esta obligación no será exigible cuando los derechos a terceros estén garantizados en virtud de otra legislación aplicable a la actividad de que se trate, o en virtud de acuerdo de aplicación general con la misma finalidad (art. 10.2 de la Ley 7/2013 de 26 de noviembre, de régimen jurídico de instalación, acceso y ejercicio de actividades).

5. ¿Necesita seguro de responsabilidad civil las actividades de titularidad pública?

El art. 10.3 de la Ley 7/2013 de 26 de noviembre, de régimen jurídico de instalación, acceso y ejercicio de actividades, excluye de la obligatoriedad de este seguro a las actividades de titularidad pública.

6. ¿Ha de presentarse alguna documentación previa para el inicio de instalación de una actividad inocua, menor o para su modificación?

De conformidad con el art. 35 de la Ley 7/2013 de 26 de noviembre, de régimen jurídico de instalación, acceso y ejercicio de actividades, para el inicio de instalación de una actividad inocua, menor, o de las modificaciones que estén incluidas en los títulos II y III del anexo I de esta ley, cuando no se tienen que realizar obras sujetas a licencia o comunicación previa de acuerdo con lo que establece la normativa urbanística, no es preceptiva la presentación de ninguna documentación previa a la administración competente.

7. ¿El informe de idoneidad es preceptivo o facultativo?

De acuerdo con lo dispuesto en el párrafo segundo de la Ley 7/2013 de 26 de noviembre, de régimen jurídico de instalación, acceso y ejercicio de actividades podrá solicitarse el informe de idoneidad de uso y de ubicación, conforme a lo dispuesto en la disposición adicional séptima de dicha ley.

8. ¿Para el inicio de instalación de una actividad inocua, menor o para su modificación qué documentación ha de presentarse?

De acuerdo con el art. 36.1 de la Ley 7/2013 de 26 de noviembre, de régimen jurídico de instalación, acceso y ejercicio de actividades, para el inicio de instalación de una actividad inocua, menor, o modificación que estén incluidas en los títulos II y III del anexo I de esta ley, con obras en edificios que no necesiten proyecto conforme al artículo 2 de la Ley 38/1999, de 5 de noviembre, de ordenación de la edificación, será preceptiva la presentación ante la administración competente de una comunicación previa para el inicio de las obras, a la que se deberá adjuntar la siguiente documentación:

a) Una estimación del importe total de las obras acompañada de una relación de las obras a realizar o de planos del estado actual con fotografías representativas. Reglamentariamente, la administración competente podrá optar por una de las dos fórmulas.

b) Ficha resumen suscrita por un técnico o una técnica competente.

c) Cuando se trate de obras de edificación que afecten a la seguridad estructural, pero no precisen proyecto conforme a lo dispuesto en el artículo 2 de la Ley 38/1999, de 5 de noviembre, de ordenación de la edificación, será necesario un certificado o un documento que acredite que el director de la obra asume la dirección. Este documento, en su caso, debe ir visado.

9. ¿Para el inicio y ejercicio de actividad que no precise permiso de obra, qué documentación ha de presentarse por el titular de la actividad?

De acuerdo con el art. 44 de la Ley 7/2013 de 26 de noviembre, de régimen jurídico de instalación, acceso y ejercicio de actividades una vez finalizada la instalación de la actividad, el titular deberá presentar una declaración responsable de inicio y ejercicio de la actividad, manifestar la conformidad de ésta con el planeamiento urbanístico e instar a su inscripción en el registro autonómico de actividades.

La declaración responsable de inicio y ejercicio de la actividad deberá ir acompañada de los siguientes datos y documentos:

En el caso de actividades inocuas: un certificado sobre el cumplimiento de la normativa aplicable suscrito por un técnico o una técnica competente que incluya una memoria técnica sucinta sobre la actividad y las instalaciones, acompañada de los planos de emplazamiento y de lo realmente ejecutado, tanto de planta como de altura, a escala adecuada, con la ubicación de los elementos esenciales de las instalaciones técnicas y de maquinaria, con una ficha resumen de la actividad. En el caso de actividades menores: el proyecto de actividad de lo realmente ejecutado conforme al título I del anexo II que incluya la ficha resumen, y un certificado del técnico director conforme a los modelos oficiales.

10. ¿Para el inicio y ejercicio de actividad que precise permiso de obra, qué documentación ha de presentarse por el titular de la actividad?

De acuerdo con el art. 45 de la Ley 7/2013 de 26 de noviembre, de régimen jurídico de instalación, acceso y ejercicio de actividades una vez finalizadas la instalación de la actividad y las obras mencionadas en el artículo 36 de esta ley, el titular presentará una declaración responsable de inicio y ejercicio de la actividad, manifestando que es conforme con el planeamiento urbanístico e instando a su inscripción en el registro autonómico de actividades.

La declaración responsable de inicio y ejercicio de la actividad deberá ir acompañada de los siguientes datos y documentos:

a) En el caso de actividades inocuas: un certificado sobre el cumplimiento de la normativa aplicable suscrito por un técnico o una técnica competente que incluya una memoria técnica sucinta sobre la actividad y las instalaciones, acompañada de los planos de emplazamiento y de aquello realmente ejecutado, tanto de planta como de altura, a escala adecuada, con la ubicación de los elementos esenciales de las instalaciones técnicas y de maquinaria, con una ficha resumen de la actividad. En el caso de actividades menores: el proyecto de actividad de aquello realmente ejecutado, de acuerdo con el título I del anexo II de esta ley que incluya la ficha resumen, y un certificado del técnico director de acuerdo con los modelos oficiales.

b) Cuando se trate de obras de edificación que afecten a la seguridad estructural, pero no necesiten proyecto, de acuerdo con el artículo 2 de la Ley 38/1999, de 5 de noviembre, de ordenación de la edificación, será necesario un certificado o un documento que acredite que el director de la obra asume la dirección. Este documento, si cabe, estará visado por el colegio profesional correspondiente.

c) En caso de que, de acuerdo con el punto 1.a) del artículo 36 de esta ley, se haya optado por la presentación de planos del estado actual con fotografías representativas, se presentará una relación de las obras ejecutadas con el incremento del importe de las obras, en su caso.

11. ¿Cuándo ha de solicitarse informe vinculante para el ejercicio de actividad permanente?

En el caso de edificios catalogados o protegidos por un instrumento de planeamiento general, cuando las características arquitectónicas no permitan el pleno cumplimiento de las condiciones técnicas exigida por la normativa vigente (art. 41 de la

Ley 7/2013 de 26 de noviembre, de régimen jurídico de instalación, acceso y ejercicio de actividades).

12. ¿Cuándo caduca el título habilitante de una actividad permanente?

Cuando la actividad no se haya ejercido en el plazo de dos años o cuando, aunque tenga permiso de instalación o comunicación previa de inicio de instalación y obras, no se haya presentado la declaración responsable de inicio y ejercicio de la actividad (art. 13 de la Ley 7/2013 de 26 de noviembre, de régimen jurídico de instalación, acceso y ejercicio de actividades).

13. ¿Dónde han de exhibirse los títulos habilitantes del ejercicio de la actividad?

En el lugar donde se ejerce la actividad, salvo que la misma esté escrita en los registros de actividades y la documentación sea accesible por medios telemáticos (art. 14 de la Ley 7/2013 de 26 de noviembre, de régimen jurídico de instalación, acceso y ejercicio de actividades).

14. ¿Están admitidos los usos indeterminados de obras o establecimientos?

Como norma general, no se admiten los usos indeterminados de obras o establecimientos, por lo que, cuando la edificación de un inmueble se destine específicamente a una actividad con unas determinadas características y un uso específico, la obra y la actividad se tramitarán en un único procedimiento para adecuarlas a los niveles de seguridad, salubridad y medio ambiente adecuados, y para garantizar el cumplimiento de la normativa urbanística (art. 15.1 de la Ley 7/2013 de 26 de noviembre, de régimen jurídico de instalación, acceso y ejercicio de actividades).

15. ¿Cómo se tramitará el expediente de obra y actividad de un centro colectivo?

Cuando se trate de un centro colectivo, la obra y el permiso de instalación de las infraestructuras comunes se tramitarán en un único procedimiento (art. 15.2 de la Ley 7/2013 de 26 de noviembre, de régimen jurídico de instalación, acceso y ejercicio de actividades).

16. ¿Cómo se tramitará el expediente de edificios con diferentes actividades por determinar?

De acuerdo con el art. 15.3 de la Ley 7/2013 de 26 de noviembre, de régimen jurídico de instalación, acceso y ejercicio de actividades, cuando se trate de edificios con diferentes actividades o establecimientos físicos susceptibles de actividades por determinar, no podrá otorgarse la licencia de obras del edificio sin el permiso de inicio de instalación de las infraestructuras comunes, excepto en los siguientes casos, que no precisarán este permiso de inicio de instalación:

a) Cuando se trate de edificios de una sola planta donde cada uno de los establecimientos físicos susceptibles de actividades por determinar sólo compartan la medianera y siempre y cuando el proyecto de obra cumpla las condiciones del artículo 16 de esta ley.

b) Cuando se trate de un edificio exclusivamente de viviendas donde en la planta baja haya establecimientos físicos susceptibles de actividades por determinar, y siempre que el proyecto de obra cumpla las condiciones del artículo 16 de esta ley.

c) Cuando se trate de edificios en los cuales no les sea de aplicación la Ley de propiedad horizontal, siempre que el proyecto de obra cumpla las condiciones del artículo 16 de esta ley.

d) En el caso de división o segregación de los establecimientos indicados, no se otorgará licencia de obras si no se mantienen estas condiciones en cada uno de los establecimientos físicos resultantes.

17. ¿Está vinculada la licencia de obras para el mantenimiento de un inmueble sin uso específico al permiso de inicio de instalación y obras?

La licencia de obras para el mantenimiento de un inmueble sin un uso específico predeterminado no estará vinculada al permiso de inicio de instalación y obras o a la comunicación previa de inicio de instalación y obras. En caso de que en un inmueble se desarrolle una actividad determinada, la licencia de obras para la modernización y el mantenimiento del establecimiento físico no requerirá un nuevo permiso de instalación o comunicación previa si se realiza conforme a su título habilitante (art. 15.3 de la Ley 7/2013 de 26 de noviembre, de régimen jurídico de instalación, acceso y ejercicio de actividades).

MODELO DE EXPEDIENTE *(Disponible a texto íntegro en smarteca.es)*

1)   *Procedimiento de instalación de actividad permanente inocua que no precise obras (art. 35 Ley 7/2013)*

2)   *Declaración responsable de inicio y ejercicio de actividad permanente inocua*

3)   *Toma de conocimiento del Ayuntamiento del inicio de la actividad permanente inocua*

4)   *Notificación de la toma de conocimiento de inicio de actividad permanente inocua*

5)   *Procedimiento de inicio de instalación y obras (art. 36 de la Ley 7/2013)*

A)   Comunicación previa para el inicio de las obras de actividad permanente inocua

B)   Toma de conocimiento del Ayuntamiento del inicio de obras e instalación de actividad permanente inocua

C)   Notificación de la toma de conocimiento de inicio de obras e instalación de actividad

6)	*Declaración responsable de inicio y ejercicio de actividad permanente inocua*

7)	*Toma de conocimiento del Ayuntamiento del inicio de la actividad permanente inocua*

8)	*Notificación de la toma de conocimiento de inicio de actividad permanente inocua*

Expediente de actividad permanente menor

### 1.	*Claves del Expediente*

La simplificación de trámites y evitar duplicidad de competencias es consecuencia de no sujetar al régimen de autorización ambiental integrada a actividades permanentes, con independencia de su clasificación en permanentes mayores, menores, inocuas o de infraestructuras comunes.

El inicio de instalación de una actividad menor no es preceptiva la presentación de ninguna documentación previa.

Se ha de tener en cuenta sin son necesarias ejecutar obras de instalación.

Es potestativo la solicitud de informe de idoneidad de uso y de ubicación.

Los arts. 35, 36, 44 y 45 de la **Ley 7/2013** de 26 de noviembre, de régimen jurídico de instalación, acceso y ejercicio de actividades, recogen los aspectos fundamentales del procedimiento de las actividades permanentes menores.

### 2.	*Legislación aplicable*

— Europea

Directiva 2006/123/CE del Parlamento y del Consejo, de 12 de diciembre de 2006, relativa a los servicios en el mercado interior.

— Estatal

Ley 17/2009, de 23 de noviembre, sobre el Libre Acceso a las Actividades de Servicios.

Arts. 21.1. q) y s), 124.4.ñ), 70.bis y 84, 84 bis y 84 ter. de la Ley 7/1985, de 2 de abril, Reguladora de las Bases de Régimen Local.

Ley 39/2015, de 1 de octubre, del Procedimiento Administrativo Común de las Administraciones Públicas.

— Autonómica

Ley 7/2013 de 26 de noviembre, de régimen jurídico de instalación, acceso y ejercicio de actividades.

Ley 11/2014, de 15 de octubre, de comercio de las Illes Balears.

3. Reseña jurisprudencial

STSJ Les Illes Balears, Sala de lo Contencioso-administrativo, n.º 401/2015, de 15 Jun. 2015, Rec. 89/2015.- LA LEY 87698/2015.

STSJ Les Illes Balears, Sala de lo Contencioso-administrativo, n.º 13/2015, de 27 Ene. 2015, Rec. 202/2012.- LA LEY 971/2015.

STSJ Les Illes Balears, Sala de lo Contencioso-administrativo, de 29 Abr. 2010, rec. 193/2008.- LA LEY 77091/2010.

STSJ Les Illes Balears, Sala de lo Contencioso-administrativo, de 19 May. 2010, rec. 17/2010.- LA LEY 77125/2010.

STSJ Les Illes Balears, Sala de lo Contencioso-administrativo, de 27 Jun. 2011, rec. 727/2009.- LA LEY 120915/2011.

STSJ Les Illes Balears, Sala de lo Contencioso-administrativo, de 23 Abr. 2010, rec. 700/2005.- LA LEY 60588/2010.

MODELO DE EXPEDIENTE *(Disponible a texto íntegro en smarteca.es)*

1) *Procedimiento de instalación de actividad permanente menor que no precise obras (art. 35 Ley 7/2013)*

2) *Declaración responsable de inicio y ejercicio de actividad permanente menor*

3) *Toma de conocimiento del Ayuntamiento del inicio de la actividad permanente menor*

4) *Notificación de la toma de conocimiento de inicio de actividad permanente menor*

5) *Procedimiento de inicio de instalación y obras (art. 36 de la Ley 7/2013)*

A) Comunicación previa para el inicio de las obras de actividad permanente menor

B) Toma de conocimiento del Ayuntamiento del inicio de obras e instalación de actividad permanente menor

C) Notificación de la toma de conocimiento de inicio de obras e instalación de actividad permanente menor

6) *Declaración responsable de inicio y ejercicio de actividad permanente menor*

7)   Toma de conocimiento del Ayuntamiento del inicio de la actividad permanente menor

8)   Notificación de la toma de conocimiento de inicio de actividad permanente menor

5.   Declaración responsable en el caso de espectáculos públicos y actividades recreativas

Ley 7/2013, de 26 de noviembre, de régimen jurídico de instalación, acceso y ejercicio de actividades en las Illes Balears, en su art. 17 se refiere al procedimiento de instalación e inicio y ejercicio de actividades de espectáculos públicos y recreativas, y establecimientos públicos, diciendo que el procedimiento para instalar, ejecutar obras, iniciar y ejercer las actividades de espectáculos públicos y recreativas, y establecimientos públicos se corresponderá, según sus parámetros, con los procedimientos previstos para las actividades permanentes o no permanentes.

No hay referencia expresa a declaración responsable o comunicación para el ejercicio de espectáculos públicos y actividades recreativas.

13.   La Rioja

1.   Normativa básica

— Estatal

Directiva 2006/123/CE del Parlamento y del Consejo, de 12 de diciembre de 2006, relativa a los servicios en el mercado interior.

Ley 17/2009, de 23 de noviembre, sobre el Libre Acceso a las Actividades de Servicios.

Ley 2/2011, de 4 de marzo, de Economía Sostenible.

Ley 12/2012, de 26 de diciembre, de medidas urgentes de liberalización del comercio y de determinados servicios.

Ley 39/2015, de 1 de octubre, del Régimen Jurídico de las Administraciones Públicas y del Procedimiento Administrativo Común.

— Autonómica

Art. 83 de la Ley 7/2012, de la Ley 7/2012, de 21 de diciembre, de Medidas Fiscales y Administrativas para el año 2013. LA LEY 22127/2012.

Ley 6/2017, de 8 de mayo, de Protección del Medio Ambiente de la Comunidad Autónoma de La Rioja.

2.   La realización de obras no sujetas a licencia urbanística

No se hace alusión alguna en la **Ley 5/2006**, de 2 de mayo, de Ordenación del Territorio y Urbanismo de La Rioja a obras no sujetas a licencia urbanística, manteniéndose el régimen del control previo mediante licencia urbanística.

3. Declaración responsable en el caso de actividades inocuas

Para la tramitación de expedientes de actividades inocuas, esto es, que no están sujetas a control ambiental por parte de la <<>>, y que figuran en el anexo I de la **Ley 12/2012**, de 26 de diciembre, nos remitimos a lo expuesto en el presente capítulo relativo al estudio de la citada Ley.

De otro lado dispone **Ley 6/2017**, de 8 de mayo, de Protección del Medio Ambiente de la Comunidad Autónoma de La Rioja en su exposición de motivos que «**La declaración responsable de apertura** se configura como un título habilitante para el desarrollo de una actividad, pero que viene a cumplir dos funciones claramente diferenciadas.

Por un lado, se establece la **supresión de la licencia de apertura** en la Comunidad Autónoma de La Rioja, cuya finalidad había sido garantizar la adecuación final del proyecto, instalación u obra a los condicionantes derivados del mecanismo de intervención ambiental que hubiera sido de aplicación en el momento de puesta en marcha del proyecto, instalación o actividad. De esta forma, los proyectos, instalaciones o actividades que deban obtener una evaluación de impacto ambiental, autorización ambiental integrada o **licencia ambiental deberán posteriormente hacer una declaración responsable de apertura** en la que se manifieste tanto el inicio de la actividad como el cumplimiento de los condicionantes ambientales derivados de los anteriores mecanismos de intervención.

Por otro lado, en las materias que en principio tengan **menor incidencia ambiental**, la **declaración responsable de apertura habilitará para su puesta en marcha sin necesidad de someter el proyecto, instalación o actividad a otros mecanismos de control** (como evaluación de impacto ambiental, autorización ambiental integrada y, fundamentalmente, licencia ambiental). De esta forma, las actividades de menor incidencia ambiental, y para las que anteriormente se exigía la obtención de una licencia ambiental y una licencia de apertura, con la nueva ley podrán desarrollarse mediante la presentación de una única declaración responsable de apertura, que habilita para el desarrollo de la actividad desde su presentación».

La intervención administrativa de las actividades recogidas en el art. 9.2 d) de la citada **Ley 6/2017**, esto es:

«1.º Cuando desde el punto de vista ambiental sea necesaria la evaluación de impacto ambiental, la autorización ambiental integrada o la licencia ambiental para la puesta en marcha de un proyecto, instalación o actividad, en cuyo caso el inicio de la actividad quedará supeditado a la presentación de la declaración responsable de apertura por parte del promotor y del técnico responsable del proyecto, en la que manifestará la adecuación de la obra ejecutada a las exigencias impuestas derivadas de la evaluación de impacto ambiental, la autorización ambiental integrada o la licencia ambiental. No será necesario presentar esta declaración responsable cuando, de conformidad con la normativa urbanística, la instalación esté sujeta a licencia de primera ocupación.

2.º En los casos previstos en el anexo de la Ley 12/2012, de 26 de diciembre, de medidas urgentes de liberalización del comercio y de determinados servicios, o normativa básica que la sustituya, cuando la superficie útil de exposición y venta al público sea igual o inferior a mil metros cuadrados.

3.º Aquellas actividades que de conformidad con la presente ley estarían sujetas a licencia ambiental, pero que por estar por debajo de determinados parámetros predeterminados en una orden aprobada por el titular de la consejería competente en materia de medio ambiente se considere que puedan producir una escasa incidencia en el medio ambiente o en la salud de las personas.

4.º. Las explotaciones ganaderas extensivas, incluida la apicultura, que no incluyan edificaciones para el establecimiento temporal o continuado del ganado y cumplan con la normativa sectorial correspondiente».

Tiene su regulación en los arts. 23 y 24, el primero relativo al ámbito de aplicación, requisitos y efectos y el segundo al cese de la actividad, con las siguientes determinaciones:

• **Se entenderá por declaración responsable** el documento suscrito por el interesado y el técnico responsable en el que manifiesta, bajo su responsabilidad, que cumple con los requisitos establecidos en la normativa vigente para acceder al reconocimiento de un derecho o facultad o para su ejercicio, que dispone de la documentación que así lo acredita y que se compromete a mantener su cumplimiento durante el período de tiempo inherente a dicho reconocimiento o ejercicio. En el caso de las declaraciones responsables previstas en el artículo 9.2.d).1.º, la declaración deberá hacer referencia expresa al cumplimiento de las exigencias establecidas, en su caso, en la evaluación de impacto ambiental, la autorización ambiental integrada o la licencia ambiental.

En todo caso, los requisitos a los que se refiere el párrafo anterior deberán estar recogidos de manera expresa, clara y precisa en la correspondiente declaración responsable.

• La **inexactitud, falsedad u omisión, de carácter esencial**, en cualquier dato, manifestación o documento que se acompañe o incorpore a una declaración responsable o la no presentación ante la Administración competente de la declaración responsable determinarán la imposibilidad de continuar con el ejercicio del derecho o actividad afectada desde el momento en que se tenga constancia de tales hechos, sin perjuicio de las responsabilidades penales, civiles o administrativas a que hubiere lugar.

• La presentación de las declaraciones responsables permitirá, con carácter general, la **puesta en marcha de un proyecto o instalación o el inicio de una actividad, desde el día de su presentación,** sin perjuicio de las facultades de comprobación, control e inspección que tengan atribuidas las Administraciones Públicas competentes en cada caso.

• El titular deberá comunicar al órgano competente el **cese de la actividad** en el plazo de un mes desde que se produzca.

PREGUNTAS CLAVE

1. ¿Qué actividades están sujetas al régimen de declaración responsable de apertura?

Las actividades comerciales minoristas y a la prestación de determinados servicios, realizados a través de establecimientos permanentes, situados en cualquier parte del territorio nacional, y cuya superficie útil de exposición y venta al público no sea superior a 750 metros cuadrados, y que figuran en el anexo I de la Ley 12/2012.

Asimismo las actividades a las que se hace mención en el art. 9.2 d) de la Ley 6/2017, esto es:

«1.º Cuando desde el punto de vista ambiental sea necesaria la evaluación de impacto ambiental, la autorización ambiental integrada o la licencia ambiental para la puesta en marcha de un proyecto, instalación o actividad, en cuyo caso el inicio de la actividad quedará supeditado a la presentación de la declaración responsable de apertura por parte del promotor y del técnico responsable del proyecto, en la que manifestará la adecuación de la obra ejecutada a las exigencias impuestas derivadas de la evaluación de impacto ambiental, la autorización ambiental integrada o la licencia ambiental. No será necesario presentar esta declaración responsable cuando, de conformidad con la normativa urbanística, la instalación esté sujeta a licencia de primera ocupación.

2.º En los casos previstos en el anexo de la Ley 12/2012, de 26 de diciembre, de medidas urgentes de liberalización del comercio y de determinados servicios, o normativa básica que la sustituya, cuando la superficie útil de exposición y venta al público sea igual o inferior a mil metros cuadrados.

3.º Aquellas actividades que de conformidad con la presente ley estarían sujetas a licencia ambiental, pero que por estar por debajo de determinados parámetros predeterminados en una orden aprobada por el titular de la consejería competente en materia de medio ambiente se considere que puedan producir una escasa incidencia en el medio ambiente o en la salud de las personas.

4.º. Las explotaciones ganaderas extensivas, incluida la apicultura, que no incluyan edificaciones para el establecimiento temporal o continuado del ganado y cumplan con la normativa sectorial correspondiente».

2. ¿Cuándo puede iniciarse una actividad comercial del anexo I de la Ley 12/2012?

Cuando se presente la declaración responsable.

Asimismo y de acuerdo con lo dispuesto en el art. 23.4 de la Ley 6/2017, la presentación de las declaraciones responsables permitirá, con carácter general, la **puesta en marcha de un proyecto o instalación o el inicio de una actividad, desde el día de su presentación,** sin perjuicio de las facultades de comprobación, control e inspección que tengan atribuidas las Administraciones Públicas competentes en cada caso.

3. ¿Cómo se formaliza la declaración responsable de apertura?

La declaración responsable de apertura para el inicio de actividades inocua se presentará ante el ayuntamiento en el que vaya a realizarse la actividad y surtirá efectos desde su presentación (art. 23.2 de la Ley 6/2017).

4. ¿Cuándo podrá iniciarse el ejercicio de la actividad inocua?

Una vez presentada la comunicación podrá iniciarse el ejercicio de la actividad, sin perjuicio de las facultades de comprobación, control e inspección que tengan atribuidas las administraciones públicas (art. 5 de la Ley 12/2012 y 23. 4 de la Ley 6/2017).

5. ¿Cuándo se comprueba por el Ayuntamiento la veracidad de los datos y documentos de la comunicación de actividad inocua?

La administración podrá comprobar, en cualquier momento, la veracidad de todos los datos y documentos aportados, así como el cumplimiento de los requisitos que la normativa aplicable exija para el ejercicio de la actividad (art. 23.4 Ley 6/2017).

6. ¿Qué ocurre si no se presenta la declaración responsable o comunicación previa para el ejercicio de actividades inocuas?

La falta de presentación ante la administración, así como la inexactitud, falsedad u omisión, de carácter esencial, en cualquier dato, manifestación o documento que se acompañe o incorpore a la comunicación ambiental, determinará la imposibilidad de continuar con el ejercicio de la actividad, sin perjuicio de las responsabilidades penales, civiles o administrativas a que hubiera lugar.

7. ¿En caso del cese de la actividad, cómo ha de actuarse?

El titular deberá comunicar el cese de la actividad en el plazo de un mes desde que se produzca (art. 24 Ley 6/2017).

MODELO DE EXPEDIENTE *(Disponible a texto íntegro en smarteca.es)*

1) *Escrito presentando declaración responsable o comunicación previa de inicio de actividad inocua*

2) *Toma de conocimiento del Ayuntamiento del inicio de la actividad inocua*

3) *Notificación de la toma de conocimiento de comunicación de actividad inocua*

4) *Control posterior del Ayuntamiento de la actividad*

5) *Notificación de inicio de expediente de control de actividad inocua*

6) *Escrito dando cumplimiento a las medidas de control impuestas por el ayuntamiento*

7) *Informe técnico sobre cumplimiento de la actividad a la normativa de aplicación*

8) *Resolución dando por finalizado el expediente de control posterior de la actividad inocua*

9) *Notificación de la resolución*

10) *Comunicación de modificación de la actividad*

11) *Inicio de procedimiento de control de la modificación de la actividad*

4. Declaración responsable en el caso de espectáculos públicos y actividades recreativas

Ley 4/2000, de 25 de octubre, de Espectáculos Públicos y Actividades Recreativas de la Comunidad Autónoma de La Rioja no recoge el régimen de la declaración responsable, diciendo en su art. 7.1 que «Los establecimientos o instalaciones en los que hayan de realizarse espectáculos públicos o actividades recreativas, **deberán contar previamente con licencia de funcionamiento expedida por la Administración Municipal** correspondiente, sin perjuicio de otras autorizaciones que les sean exigibles en virtud de normativa específica».

14. Navarra

1. Normativa básica

— Estatal

Directiva 2006/123/CE del Parlamento y del Consejo, de 12 de diciembre de 2006, relativa a los servicios en el mercado interior.

Ley 17/2009, de 23 de noviembre, sobre el Libre Acceso a las Actividades de Servicios.

Ley 2/2011, de 4 de marzo, de Economía Sostenible.

Ley 12/2012, de 26 de diciembre, de medidas urgentes de liberalización del comercio y de determinados servicios.

Ley 39/2015, de 1 de octubre, del Régimen Jurídico de las Administraciones Públicas y del Procedimiento Administrativo Común.

— **Autonómica**

Art. 2 Ley Foral 4/2005, de 22 de marzo, de intervención para la protección ambiental.

2. La realización de obras no sujetas a licencia urbanística

El **Decreto Foral Legislativo 1/2017**, de 26 de julio, por el que se aprueba el Texto Refundido de la Ley Foral de Ordenación del Territorio y Urbanismo en su art. 190.4 no sujeta a licencia los actos de uso del suelo y de la edificación sujetos al régimen de declaración responsable o comunicación, que se regula en el art. 192, al decir:

«1. Quedan sujetos al régimen de declaración responsable o comunicación, a los efectos de su constancia, realización y control posterior, las siguientes actuaciones:

a) La realización de las obras ligadas al acondicionamiento de los locales para desempeñar la actividad comercial de conformidad con la normativa sectorial que resulte aplicable.

b) Aquellas obras de escasa entidad o dimensión que se determinen en las ordenanzas municipales correspondientes.

c) Cerramientos y vallados.

d) Carteles publicitarios visibles desde la vía pública.

e) Obras menores.

f) Trabajos previos a la construcción, tales como sondeos, prospecciones, catas y ensayos.

2. El régimen de declaración responsable no exime ni condiciona las facultades de inspección, control y sanción de la entidad local sobre las obras que no se ajusten a la legislación, al planeamiento o a la propia declaración responsable».

Por lo que al procedimiento se refiere se recoge en el art. 195:

«1. La declaración responsable **facultará al titular de la actividad para realizar la actuación urbanística** pretendida y declarada en su solicitud, siempre que vaya acompañada de la documentación necesaria e imprescindible, y sin perjuicio de las facultades de comprobación, control e inspección que correspondan.

2. El procedimiento **se iniciará mediante su presentación** dirigida a la entidad local competente, suscrita por el promotor y **con el siguiente contenido mínimo** que podrá ser completado por la normativa municipal:

a) Instancia con los datos indicados en la normativa reguladora del Procedimiento Administrativo Común.

b) Manifestación expresa del cumplimiento de los requisitos exigidos por la normativa vigente, incluido el de estar en posesión de la documentación que así lo acredite.

c) La documentación exigida por la normativa específica, y como mínimo la siguiente:

c.1) Documentación gráfica expresiva de la ubicación del inmueble objeto de la actuación a realizar y descripción suficiente de esta.

c.2) Presupuesto de la actuación y justificante del pago de las tasas e impuestos correspondientes.

c.3) Los permisos y autorizaciones que requiera el acto, la operación o la actividad de que se trate y que vengan exigidos por la normativa en cada caso aplicable.

3. En el supuesto de que la Administración municipal detecte que la comunicación previa formulada presenta **deficiencias derivadas del incumplimiento** o falta de concreción de alguno de los requisitos establecidos en los preceptos anteriores, o bien resulte imprecisa la información aportada para la valoración de la legalidad del acto comunicado, se requerirá al promotor la subsanación de aquella.

4. La inexactitud, falsedad u omisión de carácter esencial en cualquier dato, manifestación o documento que se acompañe o incorpore a una declaración responsable, o su no presentación, así como la inobservancia de los requisitos impuestos por la normativa aplicable, determinará la **imposibilidad de iniciar la actividad urbanística** solicitada desde el momento en que se tenga constancia de tales hechos, sin perjuicio de las responsabilidades penales, civiles o administrativas a que hubiere lugar.

5. El titular de la actividad, si así lo estimase conveniente, podrá **comprobar previamente** a la presentación de la declaración responsable, la viabilidad urbanística de la actividad, a través de la formulación de una consulta urbanística.

6. En **ningún caso se entenderán adq**uiridas por la declaración responsable facultades en contra de la legislación o el planeamiento urbanístico.

7. **Serán nulas de pleno derecho** las declaraciones responsables que sean contrarias a la legislación o al planeamiento urbanístico cuando carezcan de los requisitos esenciales para su eficacia.

8. Las actuaciones sujetas a declaración responsable que se realicen sin haberse presentado la misma cuando sea preceptiva se considerarán como **actuaciones sin licencia a todos los efectos,** aplicándoseles el mismo régimen de protección de la legalidad y sancionador que a las obras y usos sin licencia».

3. Declaración responsable en el caso de actividades inocuas

Para la tramitación de expedientes de actividades inocuas, esto es, que no están sujetas a control ambiental por parte de la **Ley Foral 4/2005**, de 22 de marzo, de intervención para la protección ambiental, y que figuran en el anexo I de la **Ley 12/2012**, de 26 de diciembre, nos remitimos a lo expuesto en el presente capítulo relativo al estudio de la citada Ley.

MODELO DE EXPEDIENTE *(Disponible a texto íntegro en smarteca.es)*

1)   Escrito presentando declaración responsable o comunicación previa de inicio de actividad inocua

2)   Providencia de la Alcaldía

3)   Informe técnico sobre actividad inocua

4)   Informe jurídico sobre actividad inocua

5)   Toma de conocimiento del Ayuntamiento del inicio de la actividad inocua

6)   Notificación de la toma de conocimiento de comunicación de actividad inocua

4. Declaración responsable en el caso de espectáculos públicos y actividades recreativas

La Ley Foral 2/1989, de 13 de marzo, reguladora de espectáculos públicos y actividades recreativas no contiene procedimiento sobre declaración responsable o comunicación previa para espectáculos públicos y actividades recreativas, diciendo su art. 4.1 que ningún local, sea cerrado o descubierto, podrá dedicarse a la celebración de espectáculos públicos y actividades recreativas sin haber obtenido previamente las correspondientes licencias de actividad y de apertura previstas en la legislación vigente.

15. País Vasco

1. Normativa básica

— Estatal

Directiva 2006/123/CE del Parlamento y del Consejo, de 12 de diciembre de 2006, relativa a los servicios en el mercado interior.

Ley 17/2009, de 23 de noviembre, sobre el Libre Acceso a las Actividades de Servicios.

Ley 2/2011, de 4 de marzo, de Economía Sostenible.

Ley 12/2012, de 26 de diciembre, de medidas urgentes de liberalización del comercio y de determinados servicios.

Ley 39/2015, de 1 de octubre, del Régimen Jurídico de las Administraciones Públicas y del Procedimiento Administrativo Común.

— **Autonómica**

Art. 55 Ley 3/1998, de 27 de febrero, de Protección general del Medio Ambiente.

2. La realización de obras no sujetas a licencia urbanística

El art. 207.5 de la **Ley 2/2006**, de 30 de junio, de Suelo y Urbanismo dispone que «**las ordenanzas municipales** podrán sustituir la necesidad de obtención de **licencias por una comunicación previa**, por escrito, del interesado al ayuntamiento, cuando se trate de la ejecución de obras de escasa entidad técnica, para las cuales no sea necesaria la presentación de proyecto técnico, o para el ejercicio de actividades que no tengan la condición de molestas, insalubres, nocivas o peligrosas, y para aquellas otras actuaciones que prevean las propias ordenanzas. El ayuntamiento podrá verificar en cualquier momento la concurrencia de los requisitos exigidos y podrá ordenar, mediante resolución motivada, el cese de la actuación cuando no se ajuste a lo requerido».

Por su parte el art. 206.1 establece que «Las actuaciones de transformación y utilización del suelo, subsuelo y vuelo objeto de ordenación urbanística quedarán sujetos en todo caso a control de su legalidad a través de:

> d) El sometimiento a **comunicación previa o declaración responsable**, de conformidad con lo establecido en el artículo 71 bis de la Ley 30/1992, de 26 de noviembre, de Régimen Jurídico de las Administraciones Públicas y del Procedimiento Administrativo Común[6]»

3. Declaración responsable en el caso de actividades inocuas

Para la tramitación de expedientes de actividades inocuas, esto es, que no están sujetas a control ambiental por parte de la Ley **3/1998**, de 27 de febrero, de Protección general del Medio Ambiente, y que figuran en el anexo I de la **Ley 12/2012**, de 26 de diciembre, nos remitimos a lo expuesto en el presente capítulo relativo al estudio de la citada Ley.

MODELO DE EXPEDIENTE *(Disponible a texto íntegro en smarteca.es)*

1)   Escrito presentando declaración responsable o comunicación previa de inicio de actividad inocua

2)   Toma de conocimiento del Ayuntamiento del inicio de la actividad inocua

---

(6)   Art. 71 bis que se corresponde con el actual art. 68 de la Ley 39/2015, de 1 de octubre, de Procedimiento Administrativo Común de las Administraciones Públicas.

3) *Notificación de la toma de conocimiento de comunicación de actividad inocua*

4) *Control posterior del Ayuntamiento de la actividad*

5) *Notificación de inicio de expediente de control de actividad inocua*

6) *Escrito dando cumplimiento a las medidas de control impuestas por el ayuntamiento*

7) *Informe técnico sobre cumplimiento de la actividad a la normativa de aplicación*

8) *Resolución dando por finalizado el expediente de control posterior de la actividad inocua*

9) *Notificación de la resolución*

10) *Comunicación de modificación de la actividad*

11) *Inicio de procedimiento de control de la modificación de la actividad*

4. Comunicación previa en el caso de espectáculos públicos y actividades recreativas

Ley 10/2015, de 23 de diciembre, de Espectáculos Públicos y Actividades Recreativas reconoce en su art. 25 la comunicación previa como título habilitante para el ejercicio de determinados espectáculos o actividades.

Sobre la comunicación previa de espectáculos públicos o actividades recreativas conviene destacar lo siguiente:

1.- La licencia o comunicación previa de actividad clasificada de un establecimiento público habilita para el desarrollo de los espectáculos y actividades inherentes al tipo de establecimiento de que se trate o que se contemplen en dicho título habilitante (art. 25.2)

2.- En las comunicaciones previas de actividad clasificada, además de la documentación obligada conforme a la Ley 3/1998, de 27 de febrero, General de Protección del Medio Ambiente del País Vasco, el titular del establecimiento o de la actividad deberá aportar:

a) Certificado que acredite la suscripción de un contrato de seguro, en los términos indicados en la presente ley.

b) La documentación pertinente en atención a la normativa de autoprotección (art. 27)

3.- El régimen de comunicación previa supone: (art. 39)

1. En los supuestos en que sea exigible comunicación previa, esta debe presentarse con un período mínimo de antelación de diez días en relación con el inicio del espectáculo público o actividad recreativa, indicando:

a) La persona titular del establecimiento o persona organizadora del espectáculo o actividad.

b) Los espectáculos públicos, actividades recreativas o servicios que prestan en su caso.

c) El tiempo por el que se realizarán en su caso.

d) Los establecimientos públicos o espacios en que dichos espectáculos o actividades vayan a celebrarse.

e) El aforo o capacidad de los mismos.

f) El resto de documentación que se establezca reglamentariamente.

2. La presentación de la comunicación previa faculta la celebración del espectáculo público o actividad recreativa de que se trate, sin perjuicio de las facultades de comprobación, control e inspección de la administración competente. Su vigencia se extinguirá con la celebración del espectáculo o actividad.

3. La no presentación ante la administración competente de la comunicación previa, o la inexactitud, falsedad u omisión, de carácter esencial, en cualquier dato, manifestación o documento que se acompañe o incorpore a la misma, determinará la imposibilidad de continuar con el ejercicio del derecho o actividad afectada desde el momento en que se tenga constancia de tales hechos, sin perjuicio de las responsabilidades penales, civiles o administrativas a que hubiera lugar. En tales casos, la administración competente podrá suspender el espectáculo público o actividad recreativa.

Son datos esenciales a estos efectos los relacionados en el apartado primero de este artículo.

4.- Los ayuntamientos realizan la inspección de los establecimientos públicos e instalaciones existentes en el término municipal, así como el control de las actividades en ellos desarrolladas, e igualmente el control del resto de espectáculos y actividades recreativas cuando conforme a esta ley les corresponda la autorización de aquellas o la recepción de su comunicación previa (art. 42.1)

5.- Clausura y precinto (art. 47)

1. Las autoridades competentes pueden, asimismo, proceder mediante resolución motivada y previa audiencia de las personas interesadas, a la clausura y precinto de los locales e instalaciones que carezcan de licencia o comunicación previa.

2. Asimismo pueden adoptar dichas medidas respecto de aquellos locales e instalaciones que, aun teniendo licencia o habiendo presentado comunicación previa, presenten deficiencias que hagan peligrar gravemente la seguridad de personas y bienes o la salubridad pública.

16. Principado de Asturias

1. Normativa básica

— Estatal

Directiva 2006/123/CE del Parlamento y del Consejo, de 12 de diciembre de 2006, relativa a los servicios en el mercado interior.

Ley 17/2009, de 23 de noviembre, sobre el Libre Acceso a las Actividades de Servicios.

Ley 2/2011, de 4 de marzo, de Economía Sostenible.

Ley 12/2012, de 26 de diciembre, de medidas urgentes de liberalización del comercio y de determinados servicios.

Ley 39/2015, de 1 de octubre, del Régimen Jurídico de las Administraciones Públicas y del Procedimiento Administrativo Común.

— Autonómica

En el caso del Principado de Asturias hay que tener en cuenta que se mantiene la aplicación del RAM, cuyo art. 2 se refiere a las actividades reguladas, sin que se haya referencia alguna a actividades no sujetas a licencia de apertura o actividad y por ende a comunicación previa o declaración responsable.

2. La realización de obras no sujetas a licencia urbanística

Decreto Legislativo 1/2004, de 22 de abril, por el que se aprueba el Texto Refundido de las disposiciones legales vigentes en materia de ordenación del territorio y urbanismo no hace mención alguna a la ejecución de obras sin necesidad de licencia y sujetas a declaración responsable o comunicación previa.

3. Declaración responsable en el caso de actividades inocuas

Para la tramitación de expedientes de actividades inocuas, esto es, que no están sujetas a control ambiental, y que figuran en el anexo I de la Ley 12/2012, de 26 de diciembre, nos remitimos a lo expuesto en el presente capítulo relativo al estudio de la citada Ley.

MODELO DE EXPEDIENTE *(Disponible a texto íntegro en smarteca.es)*

1)   Escrito presentando declaración responsable o comunicación previa de inicio de actividad inocua

2)   Toma de conocimiento del Ayuntamiento del inicio de la actividad inocua

3)   Notificación de la toma de conocimiento de comunicación de actividad inocua

4)   Control posterior del Ayuntamiento de la actividad

5)   Notificación de inicio de expediente de control de actividad inocua

6)   Escrito dando cumplimiento a las medidas de control impuestas por el ayuntamiento

7)   Informe técnico sobre cumplimiento de la actividad a la normativa de aplicación

8)   Resolución dando por finalizado el expediente de control posterior de la actividad inocua

9)   Notificación de la resolución

10)   Comunicación de modificación de la actividad

11)   Inicio de procedimiento de control de la modificación de la actividad

4.   Declaración responsable en el caso de espectáculos públicos y actividades recreativas

Ley del Principado de Asturias 8/2002, de 21 de octubre, de Espectáculos Públicos y Actividades Recreativas no hace alusión a la declaración responsable o comunicación previa para el ejercicio de actividades sujetas a la misma, diciendo en su art. 8 que « Los establecimientos y locales regulados en la presente Ley, previamente a su puesta en funcionamiento, necesitarán obtener las preceptivas licencias municipales, sin perjuicio de otras autorizaciones que pudieran ser exigibles».

17.   Region de Murcia

1.   Normativa básica

— Estatal

Directiva 2006/123/CE del Parlamento y del Consejo, de 12 de diciembre de 2006, relativa a los servicios en el mercado interior.

Ley 17/2009, de 23 de noviembre, sobre el Libre Acceso a las Actividades de Servicios.

Ley 2/2011, de 4 de marzo, de Economía Sostenible.

Ley 12/2012, de 26 de diciembre, de medidas urgentes de liberalización del comercio y de determinados servicios.

Ley 39/2015, de 1 de octubre, del Régimen Jurídico de las Administraciones Públicas y del Procedimiento Administrativo Común.

— Autonómica

Ley 4/2009, de 14 de mayo, de Protección Ambiental Integrada.

2. La realización de obras no sujetas a licencia urbanística

Ley 13/2015, de 30 de marzo, de ordenación territorial y urbanística de la Región de Murcia **restringe al máximo la exigencia de licencia municipal de obra** y se amplían enormemente los supuestos en los que se puede acudir a la comunicación previa o declaración responsable. Esta ley apuesta decididamente por la declaración responsable entendiendo que la madurez de los agentes implicados y de las administraciones públicas permite otorgar un importante grado de confianza y grandes dosis de entusiasmo en lograr compatibilizar la mayor agilidad posible en la implantación de actividades con el cumplimiento de la normativa de aplicación.

El art. 261 de la **Ley 13/2015** confiere a la declaración responsable y la declaración previa el control de la legalidad junto con la licencia urbanística.

El art. 264 se refiere a la declaración responsable en materia de urbanismo diciendo que «es el documento suscrito por un interesado en el que manifiesta bajo su responsabilidad a la Administración municipal que cumple los requisitos establecidos en la normativa vigente para realizar actos de transformación, construcción, edificación o uso del suelo o el subsuelo enumerados en el párrafo siguiente, que dispone de la documentación acreditativa del cumplimiento de los anteriores requisitos y que se compromete al mantener dicho cumplimiento durante el período de tiempo inherente a la realización objeto de la declaración».

El art. 265 hace alusión a la comunicación previa en materia de urbanismo, la que se define como «el documento en el que el interesado pone en conocimiento de la Administración municipal que reúne los requisitos para realizar un acto de transformación, construcción, edificación o uso del suelo o el subsuelo que no está sujeto a declaración responsable ni a licencia urbanística», siendo la misma exigible como regla general para la realización de obras menores.

3. Declaración responsable en el caso de actividades inocuas

Para la tramitación de expedientes de actividades inocuas, esto es, que no están sujetas a control ambiental por parte de la Ley 4/2009, de 14 de mayo, de Protección Ambiental Integrada, y que figuran en el anexo I de la **Ley 12/2012**, de 26 de diciembre, nos remitimos a lo expuesto en el presente capítulo relativo al estudio de la citada Ley.

La **Ley 4/2009**, de 14 de mayo, de Protección Ambiental Integrada, modificada por **Ley 2/2017**, de 13 de febrero, de medidas urgentes para la reactivación de la actividad empresarial y del empleo a través de la liberalización y de la supresión de cargas burocráticas se refiere en los arts. 69 a 78 a la declaración responsable de actividad, indicándose en su art. 71 —declaración responsable en el caso de actividades inocuas— que:

«1. Son actividades inocuas aquellas que, por cumplir todas las condiciones establecidas en el anexo II de esta ley, no cabe esperar que tengan incidencia significativa en el medio ambiente, la seguridad o salud de las personas.

2. Para el ejercicio de las actividades inocuas, el certificado emitido por técnico competente a que se refiere el párrafo b) del apartado 4 del artículo anterior podrá sustituirse por otro que acredite el cumplimiento de las todas las condiciones establecidas en el anexo II.

En este caso, solo será necesario acompañar a la declaración responsable el certificado de cumplimiento de todas las condiciones del anexo II, pero el declarante deberá cumplir con los requisitos establecidos por la normativa aplicable, incluido en su caso el de estar en posesión de la documentación que así lo acredite».

MODELO DE EXPEDIENTE *(Disponible a texto íntegro en smarteca.es)*

1) *Escrito presentando declaración responsable o comunicación previa de inicio de actividad inocua*

2) *Toma de conocimiento del Ayuntamiento del inicio de la actividad inocua*

3) *Notificación de la toma de conocimiento de comunicación de actividad inocua*

4) *Control posterior del Ayuntamiento de la actividad*

5) *Notificación de inicio de expediente de control de actividad inocua*

6) *Escrito dando cumplimiento a las medidas de control impuestas por el Ayuntamiento*

7) *Informe técnico sobre cumplimiento de la actividad a la normativa de aplicación*

8) *Resolución dando por finalizado el expediente de control posterior de la actividad inocua*

9) *Notificación de la resolución*

10) *Comunicación de modificación de la actividad*

11) *Inicio de procedimiento de control de la modificación de la actividad*

4. Declaración responsable en el caso de espectáculos públicos y actividades recreativas

No existe procedimiento para ejercicio de espectáculos públicos y actividades recreativas a través de la declaración responsable o comunicación previa, estando sujetas a licencia ambiental (anexo I.4 de la Ley 4/2009, de 14 de mayo, de Protección Ambiental Integrada), con la salvedad de la disposición adicional octava de la Ley 2/2017, de 13 de febrero, de medidas urgentes para la reactivación de la actividad empresarial y del empleo a través de la liberalización y de la supresión de cargas burocráticas, sobre régimen de control previo de los espectáculos públicos y actividades recreativas ocasionales o extraordinarias.

CAPÍTULO III

ACTIVIDADES SUJETAS A CONTROL AMBIENTAL

I.   COMENTARIOS

Recayendo en los Ayuntamientos la competencia para la concesión de la licencia de apertura (art.21.1 q) LRBRL y art. 41.9 ROF), así como la potestad del control posterior a la presentación de la comunicación previa y declaración responsable (art. 84 bis LRBRL), la intervención de la Administración General del Estado en el ejercicio de actividades pasa a un segundo plano.

No por ello, la legislación estatal establece los cauces de intervención administrativa, partiendo de los arts. 84, 84 bis y 84 ter LRBRL, que consideramos son el punto de inflexión para el ejercicio de actividades por los prestadores.

La DIR/SER en el ámbito del derecho estatal es el punto de partida del nuevo régimen jurídico aplicable al ejercicio de actividades y servicios.

1.   Régimen de Autorización

La LAS en su art. 5, relativo al régimen de autorización sienta el principio básico por el que se regula el acceso a una actividad de servicio o el ejercicio de la misma cuando dice que no podrá imponerse a los prestadores un régimen de autorización, salvo con carácter excepcional y cuando concurran tres condiciones que han de ser motivadas suficientemente:

- No discriminación
- Necesidad
- Proporcionalidad

En ningún caso, el acceso a una actividad de servicios o su ejercicio se sujetarán a un régimen de autorización cuando sea suficiente una comunicación o una declaración responsable del prestador mediante la que se manifieste, en su caso, el cumplimiento de los requisitos exigidos y se facilite la información necesaria a la autoridad competente para el control de la actividad.

2. Procedimientos de autorización

De acuerdo con el art. 6 LAS los procedimientos para la obtención de las autorizaciones tienen las siguientes **notas características:**

- Tienen carácter reglado

- Han de ser claros e inequívocos

- Han de ser objetivos, imparciales y transparentes

- Han de ser proporcionados al objetivo de interés general

- Han de darse a conocer con antelación

- Han de garantizar la aplicación general del silencio administrativo positivo.

- El silencio administrativo negativo constituye una excepción, debiendo estar previsto en norma con rango de ley, justificada por razones imperiosas de interés general.

Los anteriores requisitos se refuerzan con el de simplicidad previsto en el art. 4.7 y 40 a 42 de la LES.

3. La innovación legislativa por la LRBRL

La LRBRL en su art. 84 en su redacción dada por el número dos del artículo 1 de la **Ley 25/2009**, de 22 de diciembre, de modificación de diversas leyes para su adaptación a la Ley sobre el libre acceso a las actividades de servicios y su ejercicio, presenta un cambio radical sobre su anterior redacción al incluir un inciso en el apartado b) cuando dice que «…. No obstante, cuando se trate del acceso y ejercicio de actividades de servicios incluidas en el ámbito de aplicación de la Ley 17/2009, de 23 de noviembre, sobre el libre acceso a las actividades de servicios y su ejercicio, se estará a lo dispuesto en la misma». Esto supone la sustitución de la licencia de apertura por la comunicación previa o declaración responsable.

Precisamente para **potenciar la simplificación administrativa**, la LES en su art. 41 modifica la LRBRL añadiendo dos nuevos artículos, el 84 bis y el 84 ter.

El innovador art. 84 bis. ha tenido una nueva redacción por la **Ley 27/2013**, de 27 de diciembre, de racionalización y sostenibilidad de la Administración Local reforzando la tendencia iniciada desde la **Ley 17/2009** sobre la intervención mínima de la administración en el ejercicio de la actividad económica.

Con **carácter general**, el ejercicio de actividades no se someterá a la obtención de licencia u otro medio de control preventivo.

Excepciones. No obstante, podrán someterse a licencia o control preventivo aquellas actividades:

a) Cuando esté justificado por razones de orden público, seguridad pública, salud pública o protección del medio ambiente **en el lugar concreto donde se realiza la**

actividad, y estas razones no puedan salvaguardarse mediante la presentación de una declaración responsable o de una comunicación.

b) Cuando por la **escasez** de recursos naturales, la utilización de dominio público, la existencia de inequívocos impedimentos técnicos o en función de la existencia de servicios públicos sometidos a tarifas reguladas, el número de operadores económicos del mercado sea limitado.

La importante innovación del art. 84 bis radica en la posibilidad de **discriminar positivamente el ejercicio de una actividad en función del lugar en el que se ubica la misma.** Es decir se persigue eliminar la tramitación innecesaria (simplificación administrativa) de procedimientos de control preventivo cuando la actividad se ubique en lugares en los que la incidencia contra el orden público, seguridad pública, salud pública o protección del medio ambiente sea irrelevante. Así por ejemplo hay que entender que una actividad en un polígono industrial podrá estar sujeta a la presentación de la declaración responsable o de la comunicación previa, mientras que esa misma actividad en una zona urbana en la que el uso sea compatible con el residencial, si deba someterse a control preventivo.)

La evaluación del riesgo de las **instalaciones o infraestructuras físicas (generar daños** sobre el medioambiente y el entorno urbano, la seguridad o la salud públicas y el patrimonio histórico) se determinará en función de las **características de las instalaciones** (art. 84 bis. 2 LRBRL) entre las que estarán las siguientes:

a) La potencia eléctrica o energética de la instalación.

b) La capacidad o aforo de la instalación.

c) La contaminación acústica.

d) La composición de las aguas residuales que emita la instalación y su capacidad de depuración.

e) La existencia de materiales inflamables o contaminantes.

f) Las instalaciones que afecten a bienes declarados integrantes del patrimonio histórico.

No obstante queda sin aclararse los límites dentro de los cuales se han de evaluar, y que han de ser como mínimo paritarios para todas las comunidades autónomas, si no se quiere caer en el incumplimiento del principio de intervención mínima de la administración en el ejercicio de actividades económicas (art. 5 LAS), y ahora también recogido en el preámbulo de la **Ley 27/2013** de racionalización y sostenibilidad de la Administración Local, al decir que para evitar intervenciones administrativas desproporcionadas, se limita el uso de autorizaciones administrativas para iniciar una actividad económica a casos en los que su necesidad y proporcionalidad queden claramente justificadas.

Lo **requisitos que** han de cumplirse para exigir licencia o control preventivo son:

- Que la decisión de sometimiento esté justificada

- Que resulte proporcionada

Cuando el ejercicio de actividades no precise autorización habilitante y previa, las Entidades locales deberán establecer y **planificar los procedimientos de comunicación** necesarios, así como los de verificación posterior del cumplimiento de los requisitos precisos para el ejercicio de la misma por los interesados previstos en la legislación sectorial.

4. La derogación del RAM

Ley 34/2007, de 15 de noviembre, de calidad del aire y protección de la atmósfera, en su disposición derogatoria única deroga el **Decreto 2414/1961**, de 30 de noviembre, por el que se aprueba el Reglamento de actividades molestas, insalubres, nocivas y peligrosas.

No obstante, el citado Reglamento mantendrá su vigencia en aquellas comunidades y ciudades autónomas que no tengan normativa aprobada en la materia, en tanto no se dicte dicha normativa.

En el Principado de Asturias, así como en las Ciudades Autónomas de Ceuta y Melilla se sigue aplicando del RAM.

En el siguiente cuadro se recogen las normas de las distintas CC.AA. que de forma paulatina han dejado de aplicar en cada una de ellas el citado RAM, sustituyéndose por normas ambientales específicas.

COMUNIDAD AUTÓNOMA	NORMA QUE DEJA SIN EFECTO EL RAM
ANDALUCÍA	Decreto 297/1995, de 19 de diciembre. Reglamento de Calificación Ambiental.- LA LEY 6055/1995
ARAGÓN	D.A. Sexta DE Ley 7/2006, de 22 de junio, de protección ambiental de Aragón.- LA LEY 7279/2006
CANARIAS	D.T. Cuarta. Ley 1/1998, de 8 de enero, de Régimen Jurídico de los Espectáculos Públicos y Actividades Clasificadas.- LA LEY 424/1998. Mantiene el nomenclator. También la Ley 7/2011, de 5 de abril, de Actividades clasificadas y espectáculos públicos y otras medidas administrativas complementarias.- La LEY 7493/2011, en su D.T. Cuarta
CANTABRIA	D.A. Tercera de la Ley 17/2006, de 11 de diciembre. Ley de Control Ambiental Integrado.- LA LEY 12273/2006
CASTILLA-LA MANCHA	D.A. única de la Ley 8/2014, de 20 de noviembre, por la que se modifica la Ley 2/2010, de 13 de mayo, de Comercio de Castilla-La Mancha.- LA LEY 18387/2014
CASTILLA Y LEÓN	D. Derogatoria única, Ley 11/2003, de 8 de abril, de Prevención Ambiental de Castilla y León.- LA LEY 795/2003
CATALUÑA	D.A. Sexta. Ley 3/1998, de 27 de febrero, de la intervención integral de la Administración Ambiental.- LA LEY 1423/1998

COMUNIDAD AUTÓ-NOMA	NORMA QUE DEJA SIN EFECTO EL RAM
COMUNIDAD DE MADRID	D.A. Cuarta Ley 2/2002, de 19 de junio, de Evaluación Ambiental de la Comunidad de Madrid.- LA LEY 162/2002
COMUNIDAD VALENCIANA	D.F. Cuarta Ley 2/2006, de 5 de mayo, de Prevención de la Contaminación y Calidad Ambiental.- LA LEY 4586/2006
EXTREMADURA	D.A. Tercera Ley 5/2010, de 23 de junio, de prevención y calidad ambiental de la Comunidad Autónoma de Extremadura.- LA LEY 13156/2010
GALICIA	D.F. Primera Decreto 133/2008, de 12 de junio, por el que se regula la evaluación de incidencia ambiental.- LA LEY 8702/2008
ISLAS BALEARES	D.A. Séptima Ley 16/2006, de 17 de octubre, de Régimen jurídico de las licencias integradas de actividad de las Illes Balears.- LA LEY 10426/2006
LA RIOJA	Ley 5/2002, de 8 de octubre, de Protección del Medio Ambiente de La Rioja.- LA LEY 1472/2002
NAVARRA	D.A. Tercera Ley Foral 4/2005, de 22 de marzo, de intervención para la protección ambiental.- LA LEY 732/2005
PAÍS VASCO	Ley 3/1998, de 27 de febrero, de protección general del Medio Ambiente.- LA LEY 8888/1998
REGIÓN DE MURCIA	D.A. Sexta Ley 1/1995, de 8 de marzo, de Protección del Medio Ambiente de la Región de Murcia.- LA LEY 2121/1995

5. La función del Reglamento de Servicios de 17 junio 1955

El RSCL, normativa clave junto al RAM en la intervención administrativa para la concesión de las licencias de apertura y actividad también ha sido objeto de modificación, como consecuencia de la aprobación de la **Ley 17/2009**, de 23 de noviembre, sobre el libre acceso a las actividades de servicios y su ejercicio, que traspone la **Directiva 2006/123/CE**, de 12 de diciembre, del Parlamento Europeo y del Consejo, de servicios en el mercado interior, supone un nuevo marco de referencia en la regulación del sector servicios.

El **Real Decreto 2009/2009,** de 23 de diciembre, modifica el Reglamento de servicios de las corporaciones locales, aprobado por Decreto de 17 de junio de 1955. Dicha modificación afecta a los siguientes artículos:

1.- Art. 5 que queda redactado del siguiente modo:

«La intervención de las corporaciones locales en la actividad de sus administrados se ejercerá por los medios y principios enunciados en la legislación básica en materia de régimen local».

2.- Se suprime el art. 8.

3.- Se suprime el apartado 2 del art. 15.

4.- El apartado 1 del art. 22 queda redactado del siguiente modo:

> «La apertura de establecimientos industriales y mercantiles podrá sujetarse a los medios de intervención municipal, en los términos previstos en la legislación básica en materia de régimen local y en la Ley 17/2009, de 23 de noviembre (LA LEY 20597/2009), sobre el libre acceso a las actividades de servicios y su ejercicio».

6. La simplificación administrativa

Uno de los grandes retos con los que se enfrenta todo el nuevo régimen jurídico relativo al libre acceso a las actividades de servicios y su ejercicio es el de la simplificación administrativa, que se manifiesta en dos aspectos, recogidos en los arts. 17 y 18 de la LAS:

6.1. La simplificación de procedimientos

El art. 4 de la LES, dentro de los principios de buena regulación aplicables a las iniciativas normativas de las Administraciones Públicas, en su apartado 7 recoge el de la simplicidad que exige que toda iniciativa normativa atienda a la consecución de un marco normativo sencilla, claro y poco disperso, que facilite el conocimiento y la comprensión del mismo.

El art. 17 LAS obliga a las Administraciones Públicas a la revisión de los procedimientos y trámites aplicables al establecimiento y la prestación de servicios con el objeto de impulsar su simplificación.

Quizás el principal respaldo en la simplificación de los procedimientos lo encontramos en el art. 96 LPACAP, que con el título de «Tramitación simplificada del procedimiento administrativo común», dice:

> «1. Cuando razones de interés público o la falta de complejidad del procedimiento así lo aconsejen, las Administraciones Públicas podrán acordar, de oficio o a solicitud del interesado, la tramitación simplificada del procedimiento.
>
> En cualquier momento del procedimiento anterior a su resolución, el órgano competente para su tramitación podrá acordar continuar con arreglo a la tramitación ordinaria.
>
> 2. Cuando la Administración acuerde de oficio la tramitación simplificada del procedimiento deberá notificarlo a los interesados. Si alguno de ellos manifestara su oposición expresa, la Administración deberá seguir la tramitación ordinaria.
>
> 3. Los interesados podrán solicitar la tramitación simplificada del procedimiento. Si el órgano competente para la tramitación aprecia que no concurre alguna de las razones previstas en el apartado 1, podrá desestimar dicha solicitud, en el plazo de cinco días desde su presentación, sin que exista posibilidad de recurso por parte del interesado. Transcurrido el mencionado plazo de cinco días se entenderá desestimada la solicitud.
>
> 4. En el caso de procedimientos en materia de responsabilidad patrimonial de las Administraciones Públicas, si una vez iniciado el procedimiento administrativo el órgano competente para su tramitación considera inequívoca la relación de causalidad entre el funcionamiento del servicio público y la lesión, así como la valoración del daño y el cálculo

de la cuantía de la indemnización, podrá acordar de oficio la suspensión del procedimiento general y la iniciación de un procedimiento simplificado.

5. En el caso de procedimientos de naturaleza sancionadora, se podrá adoptar la tramitación simplificada del procedimiento cuando el órgano competente para iniciar el procedimiento considere que, de acuerdo con lo previsto en su normativa reguladora, existen elementos de juicio suficientes para calificar la infracción como leve, sin que quepa la oposición expresa por parte del interesado prevista en el apartado 2.

6. Salvo que reste menos para su tramitación ordinaria, los procedimientos administrativos tramitados de manera simplificada deberán ser resueltos en treinta días, a contar desde el siguiente al que se notifique al interesado el acuerdo de tramitación simplificada del procedimiento, y constarán únicamente de los siguientes trámites:

a) Inicio del procedimiento de oficio o a solicitud del interesado.

b) Subsanación de la solicitud presentada, en su caso.

c) Alegaciones formuladas al inicio del procedimiento durante el plazo de cinco días.

d) Trámite de audiencia, únicamente cuando la resolución vaya a ser desfavorable para el interesado.

e) Informe del servicio jurídico, cuando éste sea preceptivo.

f) Informe del Consejo General del Poder Judicial, cuando éste sea preceptivo.

g) Dictamen del Consejo de Estado u órgano consultivo equivalente de la Comunidad Autónoma en los casos en que sea preceptivo. Desde que se solicite el Dictamen al Consejo de Estado, u órgano equivalente, hasta que éste sea emitido, se producirá la suspensión automática del plazo para resolver.

El órgano competente solicitará la emisión del Dictamen en un plazo tal que permita cumplir el plazo de resolución del procedimiento. El Dictamen podrá ser emitido en el plazo de quince días si así lo solicita el órgano competente.

En todo caso, en el expediente que se remita al Consejo de Estado u órgano consultivo equivalente, se incluirá una propuesta de resolución. Cuando el Dictamen sea contrario al fondo de la propuesta de resolución, con independencia de que se atienda o no este criterio, el órgano competente para resolver acordará continuar el procedimiento con arreglo a la tramitación ordinaria, lo que se notificará a los interesados. En este caso, se entenderán convalidadas todas las actuaciones que se hubieran realizado durante la tramitación simplificada del procedimiento, a excepción del Dictamen del Consejo de Estado u órgano consultivo equivalente.

h) Resolución.

7. En el caso que un procedimiento exigiera la realización de un trámite no previsto en el apartado anterior, deberá ser tramitado de manera ordinaria».

Los aspectos del art. 96 LPACAP que llaman la atención son:

a) Queda al **libre albedrío de la administración** decidir si se tramita o no el procedimiento simplificado. Esto nos hace pensar que la tramitación simplificada más que una vía para acelerar procedimientos, es un brindis al sol para llenar titulares de prensa.

b) La **denegación no es recurrible**. Reiteramos lo anterior y añadimos, se corre el riesgo de que la Administración actúe arbitrariamente. Para corregir esta inseguridad jurídica sería conveniente, por lo que al urbanismo se refiere que mediante **ordenanza** se establezcan los procedimientos simplificados por su falta de complejidad.

c) El procedimiento simplificado de la Ley 39/2015 es una **versión actualizada y ampliada** del procedimiento simplificado recogido en los arts. 23 y 24 del derogado

RD 1398/1993, de 4 de agosto, por el que se aprueba el Reglamento del procedimiento para el ejercicio de la Potestad Sancionadora, o del art. 143 de la Ley 30/1992, referido al procedimiento de responsabilidad patrimonial, desarrollado en los arts. 14 a 17 del RD 429/1993429/1993, de 26 de marzo, por el que se aprueba el Reglamento de los Procedimientos de las Administraciones Públicas en materia de responsabilidad patrimonial, con la particularidad de que puede **afectar a todos los procedimientos.**

d) La limitación de la tramitación simplificada en el caso de procedimientos de naturaleza sancionadora en los que la infracción se califique como **leve,** no deja de ser un contrasentido cuando lo que se pretende es simplificar procedimientos, darle agilidad y resolverlos en un corto período de tiempo (treinta días). Entonces, ¿por qué no puede tramitarse un procedimiento simplificado aunque la infracción, en este caso urbanística, sea **grave o muy grave,** si ambas partes, administración e interesados están de acuerdo?

6.2. La ventanilla única

• La **Ley 17/2009** en sus arts. 18 y 19 se refiere a la ventanilla única, otorgando a los prestadores de servicios las potestad de acceder, electrónicamente y a distancia a través de una ventanilla única, tanto a la información sobre los procedimientos necesarios para el acceso a una actividad de servicios y su ejercicio, como a la realización de los trámites preceptivos para ello, incluyendo las declaraciones, notificaciones o solicitudes necesarias para obtener una autorización, así como las solicitudes de inscripción en registros, listas oficiales, asociaciones, colegios profesionales y consejos generales y autonómicos de colegios profesionales.

Por su parte las Administraciones Públicas garantizarán que los prestadores de servicios puedan, a través de la ventanilla única:

a) Obtener toda la información y formularios necesarios para el acceso a su actividad y su ejercicio.

b) Presentar toda la documentación y solicitudes necesarias.

c) Conocer el estado de tramitación de los procedimientos en que tengan la condición de interesado y recibir la correspondiente notificación de los actos de trámite preceptivos y la resolución de los mismos por el órgano administrativo competente.

Se reconoce a los prestadores y los destinatarios el derecho a obtener, a través de la ventanilla única y por medios electrónicos, la siguiente información, que deberá ser clara e inequívoca:

a) Los requisitos aplicables a los prestadores establecidos en territorio español, en especial los relativos a los trámites necesarios para acceder a las actividades de servicios y su ejercicio, así como los datos de las autoridades competentes que permitan ponerse en contacto directamente con ellas.

b) Los medios y condiciones de acceso a los registros y bases de datos públicos relativos a los prestadores y a los servicios.

c) Las vías de reclamación y los recursos que podrán interponerse en caso de litigio entre las autoridades competentes y el prestador o el destinatario, o entre un prestador y un destinatario, o entre prestadores.

d) Los datos de las asociaciones sectoriales de prestadores de servicios y las organizaciones de consumidores que presten asistencia a los prestadores y destinatarios de los servicios.

Por su parte las Administraciones Públicas adoptarán medidas para que en la ventanilla única pueda accederse a la información contemplada en este artículo en castellano, en las lenguas cooficiales del Estado y en alguna otra lengua de trabajo comunitaria.

3. Asimismo, se facilitará que los prestadores y los destinatarios puedan obtener por medios electrónicos y a distancia, en particular a través de las ventanillas únicas de otros Estados miembros, el acceso a:

a) Información general sobre los requisitos aplicables en los demás Estados miembros al acceso a las actividades de servicios y su ejercicio, y en especial, la información relacionada con la protección de los consumidores.

b) Información general sobre las vías de recurso disponibles en caso de litigio entre el prestador y el destinatario en otros Estados miembros.

c) Datos de las asociaciones u organizaciones de otros Estados miembros, incluidos los centros de la Red de centros europeos de los consumidores, que pueden ofrecer a los prestadores o destinatarios asistencia práctica.

• También la **Ley 25/2009** en su art. 3 modifica la Ley 11/2007, de 22 de junio, de acceso electrónico de los ciudadanos a los Servicios Públicos, modifica el apartado 3 del art. 6 que queda redactado en los siguientes términos:

«3. En particular, en los procedimientos relativos al acceso a una actividad de servicios y su ejercicio, los ciudadanos tienen derecho a la realización de la tramitación a través de una ventanilla única, por vía electrónica y a distancia, y a la obtención de la siguiente información a través de medios electrónicos, que deberá ser clara e inequívoca:

a) Los requisitos aplicables a los prestadores establecidos en territorio español, en especial los relativos a los procedimientos y trámites necesarios para acceder a las actividades de servicio y para su ejercicio.

b) Los datos de las autoridades competentes en las materias relacionadas con las actividades de servicios, así como los datos de las asociaciones y organizaciones distintas de las autoridades competentes a las que los prestadores o destinatarios puedan dirigirse para obtener asistencia o ayuda.

c) Los medios y condiciones de acceso a los registros y bases de datos públicos relativos a prestadores de actividades de servicios.

d) Las vías de reclamación y recurso en caso de litigio entre las autoridades competentes y el prestador o el destinatario, o entre un prestador y un destinatario, o entre prestadores».

La simplificación administrativa se refuerza con la nueva redacción del art. 84 bis LRBRL modificado por la **Ley 27/2013,** de 27 de diciembre, de racionalización y sostenibilidad de la Administración Local, al disponer:

«1. Sin perjuicio de lo dispuesto en el artículo anterior, con carácter general, el ejercicio de actividades **no se someterá** a la obtención de licencia u otro medio de control preventivo.

No obstante, **podrá exigirse una licencia** u otro medio de control preventivo respecto a aquellas actividades económicas:

a) Cuando esté justificado por razones de orden público, seguridad pública, salud pública o protección del medio ambiente **en el lugar concreto donde se realiza la actividad**, y estas razones no puedan salvaguardarse mediante la presentación de una declaración responsable o de una comunicación.

b) Cuando por la escasez de recursos naturales, la utilización de dominio público, la existencia de inequívocos impedimentos técnicos o en función de la existencia de servicios públicos sometidos a tarifas reguladas, el número de operadores económicos del mercado sea limitado.

2. Las **instalaciones o infraestructuras físicas** para el ejercicio de actividades económicas **solo se someterán** a un **régimen de autorización** cuando lo establezca una Ley que defina sus requisitos esenciales y las mismas sean **susceptibles de generar daños** sobre el medioambiente y el entorno urbano, la seguridad o la salud públicas y el patrimonio histórico y **resulte proporcionado**. La evaluación de este riesgo se determinará en función de las **características de las instalaciones,** entre las que estarán las siguientes:

a) La potencia eléctrica o energética de la instalación.

b) La capacidad o aforo de la instalación.

c) La contaminación acústica.

d) La composición de las aguas residuales que emita la instalación y su capacidad de depuración.

e) La existencia de materiales inflamables o contaminantes.

f) Las instalaciones que afecten a bienes declarados integrantes del patrimonio histórico.

3. En caso de existencia de **licencias o autorizaciones concurrentes** entre una Entidad Local y otra Administración, la Entidad Local deberá motivar expresamente en la justificación de la necesidad de la autorización o licencia el interés general concreto que se pretende proteger y que éste no se encuentra ya cubierto mediante otra autorización ya existente».

6.3.   Conceptos básicos

Los nuevos conceptos básicos que emanan de la DIR/SER y normativa estatal, y que se incorporan de pleno derecho en la esfera administrativa son, sin perjuicio de cuantos se relacionan en las distintas normas de cada comunidad autónoma, los siguientes

• **Prestador**: cualquier persona física con la nacionalidad de cualquier Estado miembro, o residente legal en España, o cualquier persona jurídica o entidad constituida de conformidad con la legislación de un Estado miembro, cuya sede social o centro de actividad principal se encuentre dentro de la Unión Europea, que ofrezca o preste un servicio.

• **Declaración responsable**: (**Ley 17/2009**) el documento suscrito por la persona titular de una actividad empresarial o profesional en el que declara, bajo su responsabilidad, que cumple con los requisitos establecidos en la normativa vigente, que dispone de la documentación que así lo acredita y que se compromete a mantener su cumplimiento durante la vigencia de la actividad.

- **Declaración responsable:** (art. 69.1 LPACAP) Documento suscrito por un interesado en el que éste manifiesta, bajo su responsabilidad, que cumple con los requisitos establecidos en la normativa vigente para obtener el reconocimiento de un derecho o facultad o para su ejercicio, que dispone de la documentación que así lo acredita, que la pondrá a disposición de la Administración cuando le sea requerida, y que se compromete a mantener el cumplimiento de las anteriores obligaciones durante el período de tiempo inherente a dicho reconocimiento o ejercicio.

- **Comunicación**: (art. 69.2 LPACAP) Documento mediante el que los interesados ponen en conocimiento de la Administración Pública competente sus datos identificativos o cualquier otro dato relevante para el inicio de una actividad o el ejercicio de un derecho.

- **Régimen de autorización**: Cualquier sistema previsto en el ordenamiento jurídico o en las normas de los colegios profesionales que contenga el procedimiento, los requisitos y autorizaciones necesarios para el acceso o ejercicio de una actividad de servicios.

- **Razón imperiosa de interés general**: razón definida e interpretada la jurisprudencia del Tribunal de Justicia de las Comunidades Europeas, limitadas las siguientes: el orden público, la seguridad pública, la protección civil, la salud pública, la preservación del equilibrio financiero del régimen de seguridad social, la protección de los derechos, la seguridad y la salud de los consumidores, de los destinatarios de servicios y de los trabajadores, las exigencias de la buena fe en las transacciones comerciales, la lucha contra el fraude, la protección del medio ambiente y del entorno urbano, la sanidad animal, la propiedad intelectual e industrial, la conservación del patrimonio histórico y artístico nacional y los objetivos de la política social y cultural.

6.4. Referencias en la legislación estatal a las licencias locales de actividad

La disposición adicional séptima del **RDL 8/2011**, de 1 de julio, de medidas de apoyo a los deudores hipotecarios, de control del gasto público y cancelación de deudas con empresas y autónomos contraídas por las entidades locales, de fomento de la actividad empresarial e impulso de la rehabilitación y de simplificación administrativa, dispone que «a excepción de las autorizaciones que se impongan en cumplimiento de la legislación de patrimonio de las Administraciones Públicas y de armas y explosivos, las menciones contenidas en la legislación estatal a las licencias o autorizaciones municipales relativas a la actividad, funcionamiento o apertura se entenderán referidas a los distintos medios de intervención administrativa en la actividad de los ciudadanos, *según los principios del artículo 39 bis de la Ley 30/1992, de 26 de noviembre, de Régimen Jurídico de las Administraciones Públicas y del Procedimiento Administrativo Común* y contempladas en el artículo 84.1 de la Ley 7/1985, de 2 de abril, reguladora de las Bases del Régimen Local».

7. A modo de conclusión

La Administración realiza una **intervención previa cada vez menos intensa** para el ejercicio de determinadas actividades que en otra época están sujetas a un amplio control y que en la actualidad se va buscando que el mismo se extienda a aquellos casos en los que verdaderamente está justificada la intervención administrativa para preservar el medioambiente y el entorno urbano, la seguridad o la salud públicas y el patrimonio histórico.

Es por ello que las **ordenanzas municipales** puede convertirse en una auténtica vara de medir, con el riesgo añadido que supone que las mismas se pongan en manos de una discrecionalidad abusiva que haga ineficaces las medidas de simplificación administrativa perseguidas por el art. 84 bis de la LRBRL.

II. JURISPRUDENCIA

1. Actuación reglada

• Una reiterada y constante jurisprudencia ha venido proclamando, insistentemente que **las licencias municipales no son actos discrecionales, sino reglados; que no sólo es reglado el acto de la concesión, sino también el contenido de los mismos**; y que la licencia, como técnica de control de una determinada normativa no puede desnaturalizarse y convertirse en medio de conseguir, fuera de los cauces legítimos, un objetivo distinto; que, en definitiva, la licencia debe ser concedida o denegada en función de la legalidad vigente, sin que puedan exigirse otros requisitos ni condicionamientos distintos. [STSJ Andalucía (Granada) 17 julio 2009.- LA LEY 242177/2009]

• **La intervención de las Corporaciones locales en la actividad** de los ciudadanos a través del sometimiento a licencia previa o a otros actos de control preventivo (artículo 84.1.b) de la Ley 7/1985, de 2 de abril, reguladora de las Bases del Régimen Local) **es rigurosamente reglada**, no pudiendo exigirse o establecerse fuera y más allá de los supuestos específicos en que tal intervención resulta normativamente autorizada, **y sin que pueda extenderse por analogía a supuestos que la ley no prevea,** porque se trata de limitaciones a derechos de los ciudadanos, en las que, además, ha de actuarse con sujeción, en todo caso, a los principios de igualdad de trato, congruencia con los motivos y fines justificativos y respeto a la libertad individual.

Por ello **su otorgamiento no tiene un carácter discrecional** sino que constituye un acto debido en cuanto que necesariamente deben otorgarse o denegarse según que la actuación pretendida se adapte o no al ordenamiento aplicable, es decir la Administración ha de actuar vinculada a los dictados de las normas y de los planes operantes en cada caso. [STSJ Madrid 25 marzo 2010.- LA LEY 69821/2010]

• La licencia, como la examinada, tiene una **naturaleza rigurosamente reglada**, constituye un acto debido en cuanto que necesariamente «debe» otorgarse o denegarse según que la actuación pretendida se adapte o no a la ordenación aplicable. [STSJ Region de Murcia 20 diciembre 2012.- LA LEY 222955/2012]

• Así, aun **cuando la concesión de la licencia de apertura de un gran centro comercial no sea un acto absolutamente reglado, tampoco es completamente discrecional,** pues a tenor de los preceptos citados habrán de ponderarse una serie de factores entre los que son especialmente importantes la existencia previa de una dotación comercial en la zona afectada por el nueva emplazamiento, así como el análisis de los efectos que la apertura pueda producir en la estructura comercial de la zona. [STSJ Andalucía (Málaga) 18 septiembre 2015.- LA LEY 175337/2015]

2. Efectos aditivos en exterior del local

• Pero lo más trascendente para denegar una licencia con base en unos supuestos aditivos hace preciso que en el expediente administrativo se acredite la imposibilidad de impedir dichos efectos o neutralizarlos adoptando las medidas correctoras exigidas por la normativa aplicable. **En el caso presente no existe en el expediente exposición de medida correctora alguna que pudiera servir para neutralizar dichos efectos** porque en realidad lo que se pretende es aplicar los criterios de los apartados b) y c) del apartado 11 del artículo 30 Ley Territorial del Comunidad de Madrid 5/2002, de 27 de junio, sobre Drogodependencias y otros Trastornos Adictivos que señalan que ha de tenerse en cuenta el derecho de los ciudadanos a disfrutar de su vivienda en forma digna y adecuada y a que se les garantice el derecho al descanso necesario y la acumulación reiterada de personas en su exterior con consumo de bebidas alcohólicas o emisión desordenada de música o ruidos. **Estos criterios de la Ley son voluntaristas pero de difícil aplicación en la medida que no puede hacerse responsable al titular de la licencia de lo que ocurre en el exterior de su local. Ni siquiera es posible saber si las personas que causan los ruidos y las molestias son sus clientes, clientes de otros locales, vecinos del lugar o meros transeúntes. Nos encontramos ante un supuesto de inexigibilidad de conducta pues el titular de un local tiene la capacidad para evitar las molestias que se producen en la vía pública ni el ordenamiento le pone a su disposición medios para evitar tales molestias a los vecinos. La responsabilidad es única y exclusiva de las administraciones públicas, que son las que deben garantizar la seguridad y la tranquilidad en la vía pública**. Por ello el apartado el artículo 25 de la Ley 7/1985, de 2 de abril, reguladora de las Bases del Régimen Local atribuye competencia a los Ayuntamientos para la Seguridad en Lugares Públicos, protección del medio ambiente, protección de la salubridad pública. **Para ello disponen de potestades, como la sancionadora y de medios coercitivos suficientes, en especial cuerpos de policía que han de destinarse a garantizar la tranquilidad pública y al uso ordenado de la vía pública: En conclusión no es exigible que el Ayuntamiento exija del particular, algo que el particular no puede realizar, cual es el control de la vía pública, al tiempo que realiza una dejación absoluta de sus potestades que comportan obligaciones para con los ciudadanos.** El apartado 11 solo establece criterios ponderativos, que sólo pueden ser aplicados en los supuestos en que exista prueba de una relación de causalidad directa entre la actividad que se pretende realizar y el derecho de los ciudadanos a disfrutar de su vivienda en forma digna y adecuada y a que se les garantice el derecho al descanso necesario, o que la acumulación reiterada de personas en su exterior con consumo de bebidas alcohólicas o emisión desordenada de música o ruidos, se deba a la actuación del propio titular. Pero la presunción de que estas molestias que se realizan en la vía pública son imputables al que pretende realizar una actividad no se ajusta a Derecho más aun dicha actividad resulta conforme con los usos urbanísticos, determinados en las Normas Urbanísticas del Plan General de Ordenación Urbana de Madrid, que son precisamente los que le facultan para realizar dicha actividad, existiendo por tanto un derecho a realizar dicha actividad. **La tranquilidad ciudadana puede conseguirse utilizando la potestad de planeamiento urbanístico, limitando los usos, y en algunos casos si se trata de zonas saturadas utilizando incluso la facultad expropiatoria, pero no utilizando discrecionalmente unos meros criterios de ponderación** establecidos en la Ley que de no ser interpretados en la forma establecida en esta resolución, convirtiéndolos en normas de aplicación directa este Tribunal no tendría otra posibilidad que plantear una cuestión de constitucionalidad por infracción del principio de igualdad pues no es dable que se otorgue o no una licencia por el mero hecho de existir otras ya concedidas cuando el derecho (que se deriva de las propias normas de planeamiento urbanístico) es el mismo, ello supondría una limitación a la libertad de empresa al impedir la libre concurrencia. [STSJ Madrid 4 octubre 2012.- LA LEY 176299/2012]

3.   Licencia

• Se trata sin duda de actividad industrial o mercantil sujeta a licencia conforme previene el artículo 22 del Reglamento de Servicios de las Corporaciones Locales, aprobado por Decreto de 17 de junio de 1955. Como recoge la sentencia del Tribunal Supremo de 11 de octubre de 1991, «**La licencia administrativa es expresión típica de intervención de la Administración en la esfera de la actividad privada y constituye requisito necesario para el ejercicio de dicha actividad**. Dentro del término licencia se comprenden figuras afines (**autorizaciones, permisos, habilitaciones, dispensas, inscripciones**, etc).que son conceptos que definen la intervención administrativa atendiendo a situaciones diversas. **En el ámbito local, el término dominante** en el que se designa la intervención administrativa a fin de controlar la actividad de los administrados en defensa del interés público, **es la licencia. El término licencia es genérico que hay que especificar (a veces con otros términos como ha quedado expresado) a tenor de las normas positivas**. Tal especificación, de cara a la exigencia de **licencia en la esfera municipal, aparece contenida, entre otras, de las siguientes normas**: 1. Art. 84. l,b), de la Ley 7/1985, de 2 de abril, reguladora de las Bases del Régimen Local, que establece que las Corporaciones locales podrán intervenir la actividad de los ciudadanos, sometiéndola a previa licencia. Se trata de una norma legal general que encuentra en otras normas positivas la concreción de la exigencia de la licencia previa. 2. Art. 8.º del Reglamento de Servicios de las Corporaciones locales, aprobado por Decreto de 17 de junio de 1955, que limita la actividad interventora a través de la licencia a los casos previstos «por la Ley, el presente Reglamento y otras disposiciones de carácter general» y 3. En el art.22 reglamento de Servicios de las Corporaciones Locales, contiene otra concreción en orden a la exigencia de licencia de apertura: Que la refiere a establecimientos industriales y mercantiles, es decir a actividades presididas por el ánimo de lucro». La actividad que nos ocupa está ligada a la explotación mercantil de los camiones, en cuanto tiene por objeto su aparcamiento, abastecimiento y lavado de los mismos, está sujeta a licencia de apertura. [STSJ Andalucía (Granada) 3 junio 2013.- LA LEY 134574/2013]

4.   Límites

• La autonomía municipal atribuye a los Ayuntamientos **potestades de intervención en la actividad de los ciudadanos** (arts. 84.1 de la Ley de Bases de Régimen Local y 1.º y 5.º del Reglamento de Servicios) que pueden llegar al sometimiento a previa licencia y otros actos de control preventivo. Pero **dicha actividad de intervención debe** —máxime al tratarse del ejercicio de un derecho como el que aquí se examina- **ajustarse cuidadosamente a los principios de igualdad** (art. 14 CE), **proporcionalidad y *favor libertatis*** que explicita el art. 84.2 de la referida Ley de Bases del Régimen Local... Por lo que, en relación con dichos locales religiosos, **la única intervención municipal exigible es la**

dirigida a comprobar si el uso proyectado se ajusta al destino urbanístico previsto en el planeamiento (LA LEY 847/1985). [STSJ Madrid 11 marzo 2015.- LA LEY 35347/2015]

5. Pasividad

• **El que la actividad se pueda ejercitar al margen de las condiciones de la licencia debe llevar a la reacción de la la Administración pues estamos ante una licencia de funcionamiento respecto a la cual el Ayuntamiento**, de oficio, o a la instancia de parte, **está obligado a ejercitar esas potestades** de control que le confiere la Ley de Espectáculos Públicos y Actividades Clasificadas, **de forma que la pasividad municipal podrá dar lugar a la denuncia de la inactividad y a cuantas acciones considere oportunas el perjudicado**, pero sin que pueda modificarse lo que fue el objeto de este proceso, limitado a la legalidad de la autorización de funcionamiento de la actividad. [STSJ Canarias (Las Palmas de Gran Canaria) 12 marzo 2010.- LA LEY 220379/2010]

6. Protección intereses de afectados

• Quiere ello decir que **los intereses de los vecinos y el público o común y de terceros** afectados por el ruido y los malos olores que supuestamente se producen y emanan de dicho local **ya están protegidos por la actividad municipal que la propia licencia de actividad y de apertura debe generar sin resquicio de duda**; mientras el ayuntamiento se mantenga en la postura de defender la ejecutividad de la licencia concedida no puede dar lugar a su suspensión la serie de protestas y denuncias que, de momento, son conjeturas sobre el funcionamiento del local, por lo que **el interés preferente radica en la efectividad de la licencia concedida** mientras el ayuntamiento no lo clausure por razones de ineficacia de las medidas correctoras exigidas, situación que no deben descartar los vecinos acudiendo al ayuntamiento cuando así suceda. [STSJ Cantabria 5 noviembre 2010.- LA LEY 326150/2010]

III. NORMATIVA AUTONÓMICA

1. Andalucía

A. Expediente de calificación ambiental

1. Claves del Expediente

La calificación ambiental, entendida como el informe resultante de la evaluación de los efectos ambientales de las actuaciones sometidas a este instrumento de prevención y control ambiental y recogido en los arts. 41 a 45 de la Ley 7/2007, de 9 de julio, de Gestión Integrada de la Calidad Ambiental, se sustancia mediante un procedimiento que se regula en los arts. 8 a 20 del Decreto 297/1995, de 19 de diciembre, por el que se aprueba el Reglamento de Calificación Ambiental, que aunque anacrónico se mantiene vigente por la Ley 7/2007, hasta que se produzca el desarrollo reglamentario (art. 44.1 Ley 7/2007).

El procedimiento de calificación ambiental que afecta a las actividades del anexo I de la Ley 7/2007, así como a sus modificaciones sustanciales. Dichas actividades están sujetas bien a calificación ambiental, o a calificación ambiental mediante declaración responsable.

En la tramitación del expediente para la concesión de la calificación ambiental a tener en cuenta lo siguiente:

1.- Que no hay un único procedimiento, sino que dependiendo de la actividad que figura en el anexo I de la Ley 7/2007, habrá un expediente de calificación ambiental, y otro de calificación ambiental mediante declaración responsable.

2.- El procedimiento para los expedientes de calificación ambiental está pendiente de desarrollo reglamentario, por lo que supletoriamente se aplicará el Decreto 297/1995. Esta situación jurídica supone en la práctica que no exista un protocolo de actuación claro y uniforme.

3.- Termina el procedimiento con la puesta en marcha de la actividad, si bien para las actividades sujetas calificación ambiental mediante declaración responsable, han de entenderse que no es necesario.

2. Jurisprudencia

• Resulta fuera de toda duda que las licencias de apertura vengan condicionadas a lo dispuesto en los instrumentos de planeamiento, ya de antiguo así se contemplaba en la legislación a propósito, así véase el artº 4 del Decreto 2414/61 o la Orden de 15 de marzo de 1963. Y en tal sentido debemos de considerarlo por aplicación directa de la legislación andaluza sobre la materia, puesto que no en balde el Decreto 297/95, de 19 de diciembre, Reglamento de Calificación Ambiental, art. 9, exige que el Proyecto incluya el emplazamiento de la actividad, adjuntando planos, escala y descripción del edificio, y en la descripción del emplazamiento se señalarán las distancias a viviendas más próximas, pozos y tomas de agua, centros públicos, industrias calificadas, etc., aportando plano que evidencien estas relaciones; lo que nos lleva a concluir con la lógica que dimana de dicha regulación, que correspondiendo al ayuntamiento estas autorizaciones, la exigencia de la anterior documentación no se entiende sino en función del examen de legalidad urbanística que ha de someterse a la solicitud.

Es de resaltar que **de las situaciones de hechos ilegales no puede derivarse consecuencias jurídicas favorables a quien ha creado dicha situación. Si la actora, se desentiende de los términos de la licencia concedida y sus limitaciones y extiende la actividad a otras no autorizadas,** al margen de la legalidad, sin licencia que lo autorice, no puede oponer con éxito, ni otras situaciones ilegales toleradas, puesto que no puede predicarse la igualdad en la ilegalidad, ni una realidad social al margen de la normativa aplicable, **cuando como en este caso las licencias se caracterizan por su sometimiento a la legalidad**; si la parte actora conoce otras situaciones iguales, de Estaciones que actúan al margen de la licencia de apertura, debe denunciarlo, pero **lo que no cabe es pretender que la situación ilegal de otras ampare una actividad clandestina por carecer de licencia.** [STSJ Andalucía (Sevilla) 20 marzo 2007.- LA LEY 230276/2007]

• En cuanto a la alegación de inexistencia de vulneración del trámite exigido por el art. 13 del RD 297/1995, ha de coincidirse con la parte apelante en que no se infringió el indicado precepto. La norma exige que tras la apertura del expediente de calificación ambiental y una vez comprobado que se ha aportado toda la documentación exigida, el Ayuntamiento o ente local competente, antes del término de 5 días, abrirá un período de información pública por plazo de 20 días mediante publicación en el tablón de edictos del Ayuntamiento en cuyo término municipal haya de desarrollarse el proyecto o actividad y notificación personal a los colindantes del predio en el que se pretenda realizar. Durante el período de información pública el expediente permanecerá expuesto al público en las oficinas del Ayuntamiento. **Del examen del expediente administrativo se desprende claramente que el trámite de información pública fue practicado tal y como exige la normativa, en cuanto a la publicación y plazos. Respecto a la notificación personal a los colindantes del predio en que se pretende realizar el expediente de calificación ambiental, no puede afirmarse que la Administración no procediera diligentemente a practicar las notificaciones a todos los colindantes, incluida la parte apelada.** Efectivamente con la documentación aportada en la contestación a la demanda, se acredita que el domicilio de la demandante y colindante del predio, sobre el que se iba a realizar la calificación ambiental, era el de Avda. República Argentina nº. 13, donde se procedió a realizar correctamente la notificación en fecha 15 de septiembre de 2003, sin que pueda aceptarse que en diciembre de 2003, se comunicara a la Administración otros domicilios, que en su caso se podían haber comunicado cuando se practicó la notificación y no se rechazó. [STSJ Andalucía (Sevilla) 24 mayo 2007.- LA LEY 263409/2007]

• Tal y como se ha expuesto en el Fundamento de Derecho anterior, una de las novedades introducidas por el Decreto andaluz 297/1995 en relación al Decreto 2414/1961, de 30 de noviembre, por el que se aprueba el Reglamento de Actividades Molestas, Insalubres, Nocivas y Peligrosas, es la desaparición de la visita municipal de comprobación prevista en el art. 34 del Decreto 2414/1961, previa a la iniciación de la actividad. Dicha visita se sustituye por la remisión a los técnicos municipales de una Certificación suscrita por el Director Técnico del Proyecto en la que se acredite el cumplimiento de las condiciones impuestas en la licencia; una vez enviado esta certificación, puede comenzarse sin más la actividad. **De la sencillez del procedimiento expuesto podría inferirse que el procedimiento administrativo de calificación ambiental comienza con la solicitud del interesado y finaliza con la licencia de instalación; razón por la cual una vez concedida esta última, las vicisitudes que ocurran —y, especialmente, el incumplimiento del condicionado expuesto— podrán determinar la paralización de la actividad e, incluso, el ejercicio de la actividad sancionadora por parte de la Administración municipal, pero no afectar a la validez de la propia licencia.** Y es que, como razonábamos en el Fundamento de Derecho anterior, la inactividad del Administrado solo podría dar lugar a la caducidad de un procedimiento ya iniciado, pero no al del que ya ha finalizado. Sin embargo, y como ya ha tenido ocasión de exponer esta Sala en sentencias como las de 15/03/1999 y 17/12/2001, **el procedimiento de calificación ambiental diseñado por el Decreto 297/1995 es, en realidad, un único procedimiento que se caracteriza por la existencia de dos fases: la de apertura o instalación y la de funcionamiento; esas dos fases forman parte de un mismo expediente que concluye cuando, cumplimentadas las medidas correctoras impuestas, se inicia el funcionamiento de la actividad, de modo que la licencia de instalación es un acto cuya efectividad queda condicionada al cumplimiento de las medidas correctoras impuestas, comprobadas favorablemente por la Administración.** En consecuencia, la caducidad podría producirse, afectando a la totalidad del procedimiento, cualquiera que sea la fase o el momento en que se produzca la injustificada inactividad del interesado. Y es que, una cosa es que la normativa andaluza intente agilizar el proceso de otorgamiento de licencia y puesta en marcha de la correlativa actividad, y otra muy distinta que ello sirva para dar carta de naturaleza a la actitud de quien obtiene una licencia de instalación y pone en marcha la actividad sin cumplir los requisitos, dejando que dicha licencia quede en una situación de pendencia permanente por negarse a cumplimentar los requisitos impuestos en la misma. [STSJ Andalucía (Granada) 15 octubre 2007.- LA LEY 268304/2007]

• Como se ha indicado, estamos ante una **licencia de apertura condicionada, lo que constituye lo que doctrinalmente se conoce como acto condicionado, que no crea derecho alguno a favor del administrado hasta tanto no se cumple dicha condición, que** en este caso se concreta en que el desarrollo de la actividad además de ajustarse a las condiciones técnicas requeridas, debía de someterse a las condiciones expresas recogidas en los propios términos de la licencia. Por tanto, en el mejor de los supuestos, sería un acto condicionado, que por su propia naturaleza y esencia no puede engendrar o crear derechos subjetivos plenos o definitivos que exijan para su desaparición el ejercicio de la potestad anulatoria de oficio.

El art. 15 del Decreto 297/95 prevé el otorgamiento de **licencia condicionada, sin que sea posible comenzar la actividad hasta que se compruebe el cumplimiento de las condiciones medioambientales, en el presente caso claramente concretadas en las limitaciones o condicionantes impuestos**; consta que ya en el recurso de reposición contra el acto objeto del recurso, la parte actora del recurso ponía de manifiesto el incumplimiento de las condiciones antes citada, con expresión concreta y circunstanciada de los incumplimientos y las denuncias cursadas. Resulta evidente que la condición no se estaba cumpliendo, no sólo lo ponía de manifiesto la parte actora, sino que así aparece anunciado en los medios de comunicación, no sólo se estaba acreditando el incumplimiento de las condiciones impuestas de neto carácter medioambiental encaminadas a la protección acústica del medio ambiente que garantiza el derecho a la salud y a la integridad física de los vecinos, con vulneración de los derechos fundamentales antes referidos, sino que se estaba incumpliendo las condiciones impuestas lisa y llanamente.

Todo lo cual nos lleva a considerar que se trata de una actividad ilegal, carente de licencia de apertura, porque **la que se concedió condicionada no produce efecto alguno mientras no se demuestre por el titular el cumplimiento de las condiciones**; y en este caso, tal y como de manera prolija pone de manifiesto la sentencia de instancia, con enumeración de los incumplimientos que se estaban produciendo, no se cumplieron las condiciones a cuya realización y satisfacción se sujetaba la plena eficacia de la licencia de apertura, del acto cuya bondad jurídica se cuestionaba.

En definitiva, **no se cumplió por parte de la solicitante de la licencia de apertura el cumplimiento de las medidas y condiciones impuestas en la resolución, sin cuyo requisito, dado su carácter imprescindible, no es posible el ejercicio de la actividad**; y ello porque se otorga la correspondiente licencia de apertura o funcionamiento de la actividad, cuya efectividad queda condicionada al cumplimiento de las medidas correctoras y condiciones impuestas, comprobadas favorablemente por la Administración. Y era evidente que en este caso, las condiciones medioambientales impuestas no se cumplían. [STSJ Andalucía (Sevilla) 9 enero 2008.- LA LEY 12692/2008]

• Como se indica en la sentencia apelada **la calificación ambiental se integra en el procedimiento de otorgamiento de licencia necesaria, para la implantación, ampliación, modificación o traslado de las actu**aciones incluidas en el Anexo Tercero de la Ley 7/1994, en la medida en que a la licencia de actividad se le condiciona el cumplimiento de la normativa ambiental, por tanto **la licencia no tiene un carácter excluyente sino que concurre con la calificación ambiental**, tal y como se desprende de los art. 4, 5 y 8 del Decreto 297/1995, de 19 de diciembre. La sentencia examina el art. 9 del Decreto 297/1995 y concluye como no puede ser de otra manera que el Proyecto técnico debe incluir un estudio de riesgos ambientales previsibles y medidas correctoras propuestas, indicando el resultado final previsto en situaciones de funcionamiento normal y en caso de producirse anomalías o accidentes, como mínimo en relación con apartado i) ruidos y vibraciones. Efectivamente ha de coincidirse con la sentencia en que el estudio acústico se integra en la documentación que debía de aportarse necesariamente al inicio del expediente de calificación ambiental, para que con posterioridad y a tenor de lo dispuesto en el art. 13 del decreto 297/1995, se abriese un período de información pública y notificación personal a los colindantes y de conformidad con el art. 14, se pusiese de manifiesto el expediente a los interesados para presentación de alegaciones y documentos oportunos. La esencialidad del estudio acústico y el conocimiento de su exigencia por el Reglamento Ambiental, se evidencia en la actuación del expediente administrativo en el que sin haberse practicado requerimiento para la aportación del estudio acústico se aportó a la finalización de los tramites, con infracción del art. 13 y 14 por lo antedicho y porque el documento no pudo ser objeto de informe previo municipal, en la media en que presentado al ayuntamiento en 3 de abril de 2006, no pudo ser valorado por el informe de la Ingeniero Técnico del Servicios de Licencias y Disciplina Urbanística de fecha 10 de febrero de 2006, como tampoco pudo ser valorado por los servicios jurídicos del Ayuntamiento, pues el informe se emite en 3 de abril de 2006, por tanto, en la misma fecha de entrada del estudio acústico en el Ayuntamiento.

No ofrece duda que **la calificación ambiental forma parte del procedimiento de concesión de la licencia de actividad, como** se ha dicho con anterioridad y así se desprende no sólo de los preceptos mencionados sino del art. 15.3 del Decreto 297/1995. Mas allende del art. 32 de la Ley 7/1994, se deduce **la calificación ambiental previa a actuaciones sujetas a la misma, pues en ningún caso puede otorgarse licencia para el ejercicio de actividades o realizaciones de obras que hayan sido calificadas desfavorablemente.** Por último, debe afirmarse de acuerdo con la sentencia apelada, que la documentación no fue sometida a información pública, fue sustraída del trámite de alegaciones posterior a la misma, los informes técnicos y jurídicos municipales no lo tuvieron en cuenta en su valoración y no se produjo subsanación de trámites procediéndose directamente a la redacción de la propuesta de resolución. Las anteriores omisiones, constituyeron defectos de forma del procedimiento, debido a que no se pudieron realizar alegaciones sobre el estudio acústico, no sólo con carácter general, sino la comunidad de propietarios, cuyas alegaciones últimas no fueron conocidas ni valoradas en la propuesta de resolución ni en la resolución posterior, al ser presentadas en la misma fecha, lo anterior supone que los defectos de forma determinaron una clara indefensión material, lo que supone el acierto de la sentencia anulando la resolución y ordenando la retroacción de actuaciones con la finalidad de cumplir debidamente el procedimiento y por ende la desestimación del recurso de apelación. [STSJ Andalucía (Sevilla) 14 enero 2010.- LA LEY 102219/2010]

• **En cuanto a la vulneración del principio de audiencia**, es correcta la apreciación de la Sentencia de instancia en cuanto que se omitió el preceptivo trámite de información pública en cuanto que aunque la actividad esté encuadrada en el Anexo III de la ley 7/94, y precise calificación ambiental, resulta de aplicación el Decreto 297/95 Decreto 297/1995, de 19 de diciembre (LA LEY 6055/1995), por el que se aprueba el Reglamento de Calificación Ambiental que prevé en su artículo 13 el trámite de información pública omitido, inclusive de notificación a los colindantes de la actividad, lo que como correctamente se aprecia en la Sentencia apelada, **se constituye en trámite esencial del procedimiento y su ausencia provoca la nulidad del mismo.**

No es cuestión controvertida y viene expresamente reconocido por el Ayuntamiento demandado que dicho trámite no se llevó a cabo, por lo que se confirma el pronunciamiento de la Sentencia que declara la nulidad de la licencia impugnada. STSJ Andalucía (Granada) 16 diciembre 2013.- LA LEY 247164/2013]

• Se basa el recurso de apelación en que se han producido una serie de infracciones que de forma sucinta han quedado expuestos y que impiden el otorgamiento de licencia de actividad.

El acto recurrido se pronuncia de manera favorable a los efectos de la concesión de la licencia de apertura y de obras, pero condicionada a una serie de medidas que enumera. En el recurso de apelación se describen diversos incumplimientos que, a juicio del recurrente impedían el otorgamiento de la licencia de actividad.

La sentencia apelada considera dicho Decreto conforme a derecho, sin perjuicio de que como consecuencia de la actividad inspectora se adopten las medidas pertinentes en orden a la adecuación de la actividad del establecimiento a las condiciones y proyecto obrante en el expediente administrativo.

No se deja de estar ante una licencia de apertura condicionada que no crea derecho alguno a favor del administrado hasta tanto no se cumple dicha condición, en este caso los requisitos que describe, y que no podría crear derechos subjetivos definitivos que exijan para su desaparición el ejercicio de la potestad anulatoria de oficio. El art. 15 del Decreto 297/95 prevé el otorgamiento de licencia condicionada, sin que sea posible comenzar la actividad hasta que se compruebe el cumplimiento de las condiciones, en el presente caso, concretadas en los requisitos que constan igualmente en la resolución impugnada.

Las objeciones puestas de manifiesto en el recurso de apelación no impedían la concesión de la licencia impugnada, reiterándose argumentos de la demanda, a los que se da respuesta en la sentencia y sin contener propiamente una crítica de ésta. Tanto en cuanto al cumplimiento del trámite de información pública, como de los demás requisitos exigidos, que la sentencia explica con detalle y se desprende del propio expediente administrativo. **En el momento en que tenga lugar el comienzo de la actividad para la que se concede licencia de apertura y de obras y se compruebe por la administración que éstas se adecuan al proyecto y a las condiciones establecidas en la licencia, podrá iniciarse la actividad**, sin perjuicio de que, en cualquier momento cabe la comprobación del cumplimiento de tales condiciones. Procede, por tanto, la desestimación del recurso y la confirmación de la sentencia recurrida.` [STSJ Andalucía (Granada) 21 abril 2014.- LA LEY 86159/2014]

3. Legislación aplicable

— Europea

Directiva 2006/123/CE del Parlamento y del Consejo, de 12 de diciembre de 2006, relativa a los servicios en el mercado interior.

— Estatal

Arts. 1, 2, 4, 5 y 6 de la Ley 17/2009, de 23 de noviembre, sobre el Libre Acceso a las Actividades de Servicios.

Arts. 21.1. q) y s), 124.4.ñ), 70.bis y 84, 84 bis y 84 ter. de la Ley 7/1985, de 2 de abril, Reguladora de las Bases de Régimen Local.

Ley 39/2015, de 1 de octubre, del Procedimiento Administrativo Común de las Administraciones Públicas.

— Autonómica

Arts. 41 a 45 de la Ley 7/2007, de 9 de julio, de Gestión Integrada de la Calidad Ambiental.

Decreto 297/1995, de 19 de diciembre, por el que se aprueba el Reglamento de Calificación Ambiental.

Ley 13/1999, de 15 de diciembre de Espectáculos Públicas y Actividades Recreativas.

Decreto 78/2002, de 26 de febrero, por el que se aprueba el nomenclátor y catálogo de espectáculos públicos, actividades recreativas y establecimientos públicos en el Comunidad Autónoma de Andalucía.

Decreto 247/2011, de 19 de julio, por el que se modifican diversos Decretos en materia de espectáculos públicos y actividades recreativas para su adaptación a la Ley 17/2009, de 23 de noviembre, sobre el libre acceso a las actividades de servicios y su ejercicio.

Decreto-Ley 5/2014, de 22 de abril, de medidas normativas para reducir las trabas administrativas para las empresas.

Decreto Ley 3/2015 de 3 de marzo, por el que se modifica la Ley 7/2007, de 9 de julio, de gestión integrada de la calidad ambiental.

Arts. 7, 8, 9.12; 9.13 f) e i); 9.14 a) de la Ley 5/2010, de 11 de junio, de Autonomía Local de Andalucía.

4. Documentos de interés

— Doctrina

BULLEJOS CALVO, Carlos. «Las actividades de turismo activo: condiciones medioambientales y régimen jurídico de intervención administrativa a la luz de la Directiva 2006/123 del Mercado Interior de Servicios», *Anuario Andaluz de Derecho Deportivo*, Asociación Andaluza de Derecho Deportivo, Año VIII, Comares, 2008.

CANO MURCIA, Antonio. «Calificación ambiental y la declaración responsable en la Ley 7/2007, de gestión integrada de la calidad ambiental de Andalucía. Análisis crítico al Decreto-Ley 3/2015». *El Consultor de los Ayuntamientos y de los Juzgados*, n.º 9/2015.

—. «El Nuevo Régimen de las Licencias de Apertura». *El Consultor de los Ayuntamientos y de los Juzgados*. Madrid 2010.

GOMEZ PUERTO, Ángel B. «Administración Local y efectividad jurídica de la protección del medio ambiente». Esta doctrina forma parte del libro *Estudios sobre la modernización de la Administración Local: teoría y práctica*, El Consultor de los Ayuntamientos y de los Juzgados, Madrid, 2009.- LA LEY 4049/2010.

—. «Consideraciones constitucionales y administrativas sobre el medio ambiente. El papel de los Ayuntamientos». *Actualidad Administrativa*, n.º 9, Sección A Fondo, septiembre 2013, pág. 1100, tomo 2.- LA LEY 4868/2013.

HERNÁNDEZ LÓPEZ, Juan. «La Directiva de Servicios y su incidencia en el ámbito municipal. Apuntes de urgencia», *El Consultor de los Ayuntamientos y de los Juzgados*, n.º 19, Quincena del 15 al 29 de octubre de 2009, Ref. 2772/2009.- LA LEY 15863/2009.

MARTÍN HERNÁNDEZ, Paulino. «Las licencias para actividades clasificadas». Esta doctrina forma parte del libro *Administración Local. Estudios en Homenaje a Ángel Ballesteros*, 1.ª ed., El Consultor de los Ayuntamientos y de los Juzgados, Madrid, enero 2011.- LA LEY 21893/2011.

MOLINA FLORIDO, Ignacio. «La Directiva de Servicios y las Entidades locales», *El Consultor de los Ayuntamientos y de los Juzgados*, n.º 19, Quincena del 15 al 29 de octubre de 2009, Ref. 2794/2009, La Ley 15864/2009.

RODRÍGUEZ LAÍNZ, José Luis. «La actividad hostelera en la calle como actividad contaminante: principios rectores y dimensión medioambiental». *El Consultor de los Ayuntamientos y de los Juzgados*, 27 Jun. 2013.- LA LEY 4366/2013.

VALERA ESCOBAR, Ginés. «Régimen Jurídico General de la Licencia Municipal de Obras y Apertura de Establecimiento en Andalucía», *Consejería de Gobernación*, Junta de Andalucía, Sevilla, 2008.

PREGUNTAS CLAVE

1. ¿Ha de someterse a información pública, mediante anuncio en el Boletín Oficial de la Provincia, el expediente de calificación ambiental?

Aunque sigue siendo frecuente la publicación del anuncio de tramitación de expediente de calificación ambiental en el Boletín Oficial de la Provincia por parte de los ayuntamientos, este trámite es innecesario al no exigirse en el art. 13 del Decreto 297/1995, de 19 de diciembre, por el que se aprueba el Reglamento de Calificación Ambiental, aparte de generar un injustificado retraso en la tramitación de la calificación ambiental.

2. ¿Está vigente el Reglamento de Calificación Ambiental?

El Decreto 297/1995, de 19 de diciembre, por el que se aprueba el Reglamento de Calificación Ambiental no ha sido derogado expresamente por la disposición derogatoria única de la Ley 7/2007, de 9 de julio, de Gestión Integrada de la Calidad Ambiental, siendo de aplicación en todo cuanto no se aponga a lo dispuesto en los arts. 41 a 45 de la misma.

3. ¿Es necesaria siempre la puesta en marcha para el ejercicio de una actividad sujeta a calificación ambiental?

La puesta en marcha para el ejercicio de una actividad sujeta a calificación ambiental es previa, salvo que se trate de una actividad de calificación ambiental mediante declaración responsable. En este caso la puesta en marcha se sustituye por el control posterior de la actividad que el Ayuntamiento podrá hacer al amparo del art. 84.1 d) de la Ley 7/1985, de 2 de abril, Reguladora de las Bases del Régimen Local.

4. ¿Puede suprimirse el trámite de audiencia previsto en el art. 14.1 del Decreto 297/1995?

Puede considerarse como innecesario el trámite de audiencia del art. 14.1 si en el expediente no se aportan nuevos documentos o alegaciones durante el trámite de información pública que puedan afectar a la resolución de la calificación ambiental. No obstante ha de resaltarse que la redacción del citado precepto induce al alargamiento innecesario del procedimiento. En este sentido sería de aplicación el art. 82.4 LPACAP que dice «Se podrá prescindir del trámite de audiencia cuando no figuren en el procedimiento ni sean tenidos en cuenta en la resolución otros hechos ni otras alegaciones y pruebas que las aducidas por el interesado».

5. ¿Cómo se articula la declaración responsable en el trámite de la calificación ambiental?

Hasta que no se proceda al desarrollo reglamentario del art. 44 de la Ley 7/2007, de 9 de julio, de Gestión Integrada de la Calidad Ambiental, y conscientes de la problemática que supone no tener una norma reglamentaria que define el procedimiento de calificación ambiental, ha de entenderse que las actividades del anexo I de la Ley 7/2007, sujetas a calificación ambiental mediante declaración responsable han de someterse a la tramitación de la calificación ambiental, previa a la presentación de la declaración responsable, que en este caso sustituirá a la puesta en marcha de la actividad para el comienzo de su ejercicio.

En definitiva ha de tramitarse el procedimiento de calificación. Ambiental previsto en los arts. 8 a 18 del Decreto 297/1995, de 19 de diciembre, por el que se aprueba el Reglamento de Calificación Ambiental.

6. ¿Cómo ha de actuarse en el caso de que se produzcan modificaciones sustanciales en la actividad sujeta a calificación ambiental?

En el supuesto de que se produzcan modificaciones sustanciales en la actividad, las mismas se tramitarán como si se tratase de un nuevo procedimiento, sometiéndolas al trámite de calificación ambiental. Así el art. 41.1 de la Ley 7/2007, de 9 de julio, de Gestión Integrada de la Calidad Ambiental, dice que »Están sometidas a calificación ambiental y a declaración responsable de los efectos ambientales las actuaciones, tanto públicas como privadas, así señaladas en el Anexo I y sus modificaciones sustanciales».

7. ¿Cuándo existen modificaciones sustanciales en la actividad sujeta a calificación ambiental?

De conformidad con lo dispuesto en el art. 19.11 de la Ley 7/2007, de 9 de julio, de Gestión Integrada de la Calidad Ambiental, que define la modificación sustancial como cualquier cambio o ampliación de actuaciones ya autorizadas que pueda tener efectos adversos significativos sobre la seguridad, la salud de las personas o el medio ambiente, a efectos de la autorización ambiental unificada y calificación ambiental, se entenderá que existe una modificación sustancial cuando en opinión del órgano ambiental competente se produzca, de forma significativa, alguno de los supuestos siguientes:

1.º Incremento de las emisiones a la atmósfera.

2.º Incremento de los vertidos a cauces públicos o al litoral.

3.º Incremento en la generación de residuos.

4.º Incremento en la utilización de recursos naturales.

5.º Afección al suelo no urbanizable o urbanizable no sectorizado.

6.º Afección a un espacio natural protegido o áreas de especial protección designadas en aplicación de normativas europeas o convenios internacionales.

8. ¿Puede concederse licencia o puesta en marcha de una actividad sin la calificación ambiental favorable?

De conformidad con lo dispuesto en el art. 41.2 de la Ley 7/2007, de 9 de julio, de Gestión Integrada de la Calidad Ambiental, la calificación ambiental favorable constituye requisito indispensable para el otorgamiento de la licencia municipal correspondiente. Por lo tanto, sin la calificación ambiental favorable no podrá concederse licencia municipal o puesta en marcha de la actividad.

MODELO DE EXPEDIENTE *(Disponible a texto íntegro en smarteca.es)*

1)   Inicio expediente para concesión de la calificación ambiental

2)   Admisión a trámite del expediente

3)   Requerimiento vecinos a policía local

4)   Edicto de información pública

5)   Informe técnico

6)   Notificación a vecinos colindantes

7)   Certificado de reclamaciones

8)   Trámite de audiencia

9)   Notificación trámite de audiencia

10)   Escrito de alegaciones en trámite de audiencia

11)   Requerimiento informe técnico y jurídico para propuesta de calificación ambiental

12)   Informe técnico para propuesta de calificación ambiental

13) *Informe jurídico para propuesta de calificación ambiental*

14) *Calificación ambiental*

15) *Notificación calificación ambiental*

16) *Comunicación de la calificación ambiental a la comunidad autónoma*

B. Expediente de puesta en marcha de actividad sujeta a calificacion ambiental

1. Claves del Expediente

La calificación ambiental, entendida como el informe resultante de la evaluación de los efectos ambientales de las actuaciones sometidas a este instrumento de prevención y control ambiental y recogido en los arts. 41 a 45 de la Ley 7/2007, de 9 de julio, de Gestión Integrada de la Calidad Ambiental, se sustancia mediante un procedimiento que se regula en los arts. 8 a 20 del Decreto 297/1995, de 19 de diciembre, por el que se aprueba el Reglamento de Calificación Ambiental, que aunque anacrónico se mantiene vigente por la Ley 7/2007, hasta que se produzca el desarrollo reglamentario (art. 44.1 Ley 7/2007).

El procedimiento de calificación ambiental que afecta a las actividades del anexo I de la Ley 7/2007, así como a sus modificaciones sustanciales. Dichas actividades están sujetas bien a calificación ambiental, o a calificación ambiental mediante declaración responsable.

En la tramitación del expediente para la concesión de la calificación ambiental ha de tener en cuenta lo siguiente:

1.- La puesta en marcha puede equipararse a la licencia municipal de apertura.

2.- La Ley 7/2007, de 9 de julio, de Gestión Integrada de la Calidad Ambiental utiliza, ambos términos, provocando equívocos (arts.44.5 y 45)

3.- Termina el procedimiento para el ejercicio de la actividad con la puesta en marcha de la actividad, si bien para las actividades sujetas calificación ambiental mediante declaración responsable, han de entenderse que no es necesario.

PREGUNTAS CLAVE

1. ¿Es necesaria siempre la puesta en marcha para el ejercicio de una actividad sujeta a calificación ambiental?

La puesta en marcha para el ejercicio de una actividad sujeta a calificación ambiental es previa, salvo que se trate de una actividad de calificación ambiental mediante declaración responsable. En este caso la puesta en marcha se sustituye por el control posterior de la actividad que el Ayuntamiento podrá hacer al amparo del art. 84.1 d) de la Ley 7/1985, de 2 de abril, Reguladora de las Bases del Régimen Local.

2. ¿Puede concederse licencia o puesta en marcha de una actividad sin la calificación ambiental favorable?

De conformidad con lo dispuesto en el art. 41.2 de la Ley 7/2007, de 9 de julio, de Gestión Integrada de la Calidad Ambiental, la calificación ambiental favorable constituye requisito indispensable para el otorgamiento de la licencia municipal correspondiente. Por lo tanto, sin la calificación ambiental favorable no podrá concederse licencia municipal o puesta en marcha de la actividad.

MODELO DE EXPEDIENTE: Puesta en marcha *(Disponible a texto íntegro en smarteca.es)*

1)   *Escrito del interesado solicitando puesta en marcha de la actividad*

2)   *Requerimiento informe técnico y jurídico para puesta en marcha de actividad*

3)   *Informe técnico para puesta en marcha de actividad*

4)   *Informe jurídico para puesta en marcha de la actividad*

5)   *Resolución concediendo puesta en marcha para el ejercicio de la actividad calificada*

6)   *Notificación de la puesta en marcha*

C.   Expediente de calificacion ambiental con modificaciones sustanciales

1.   Claves del Expediente

En la tramitación del expediente con modificaciones sustanciales de la calificación ambiental ha de tenerse en cuenta lo siguiente:

1. La primera cuestión que ha de resolverse es la existencia de modificaciones de acuerdo con el art. 19.11 de la citada Ley 7/2007, se produce modificación sustancial de la calificación ambiental, cuando en opinión del órgano ambiental competente se produzca, de forma significativa, alguno de los supuestos siguientes:

1.º Incremento de las emisiones a la atmósfera.

2.º Incremento de los vertidos a cauces públicos o al litoral.

3.º Incremento en la generación de residuos.

4.º Incremento en la utilización de recursos naturales.

5.º Afección al suelo no urbanizable o urbanizable no sectorizado.

6.º Afección a un espacio natural protegido o áreas de especial protección designadas en aplicación de normativas europeas o convenios internacionales.

2. El procedimiento que ha de seguirse es el ordinario para la obtención de la calificación ambiental, a falta de desarrollo reglamentario de la Ley 7/2007, de 9 de julio.

3. Termina el procedimiento con la puesta en marcha de las modificaciones sustanciales de la actividad, si bien para las actividades sujetas calificación ambiental mediante declaración responsable, han de entenderse que no es necesario.

PREGUNTAS CLAVE

1. ¿Ha de someterse a información pública, mediante anuncio en el Boletín Oficial de la Provincia, el expediente de calificación ambiental con modificación sustancial?

Aunque sigue siendo frecuente la publicación del anuncio de tramitación de expediente de calificación ambiental en el Boletín Oficial de la Provincia por parte de los ayuntamientos, este trámite es innecesario al no exigirse en el art. 13 del Decreto 297/1995, de 19 de diciembre, por el que se aprueba el Reglamento de Calificación Ambiental, aparte de generar un injustificado retraso en la tramitación de la calificación ambiental.

2. ¿Está vigente el Reglamento de Calificación Ambiental a los efectos de la tramitación de la modificación sustancial de la calificación ambiental?

El Decreto 297/1995, de 19 de diciembre, por el que se aprueba el Reglamento de Calificación Ambiental no ha sido derogado expresamente por la disposición derogatoria única de la Ley 7/2007, de 9 de julio, de Gestión Integrada de la Calidad Ambiental, siendo de aplicación en todo cuanto no se aponga a lo dispuesto en los arts. 41 a 45 de la misma.

3. ¿Es necesaria siempre la puesta en marcha para el ejercicio de una actividad sujeta a calificación ambiental con modificación sustancial?

La puesta en marcha para el ejercicio de una actividad sujeta a calificación ambiental es previa, salvo que se trate de una actividad de calificación ambiental mediante declaración responsable. En este caso la puesta en marcha se sustituye por el control posterior de la actividad que el Ayuntamiento podrá hacer al amparo del art. 84.1 d) de la Ley 7/1985, de 2 de abril, Reguladora de las Bases del Régimen Local. Por aplicación del art. 41.1 de la Ley 7/2007, si es necesario la puesta en marcha.

4. ¿Puede suprimirse el trámite de audiencia previsto en el art. 14.1 del Decreto 297/1995 para el expediente de calificación ambiental con modificación sustancial de la actividad?

Puede considerarse como innecesario el trámite de audiencia del art. 14.1 si en el expediente no se aportan nuevos documentos o alegaciones durante el trámite de información pública que puedan afectar a la resolución de la calificación ambiental. No obstante ha de resaltarse que la redacción del citado precepto induce al alargamiento innecesario del procedimiento. En este sentido sería de aplicación el art. 82.4 de la LPACAP que dice «Se podrá prescindir del trámite de audiencia cuando no figuren en el procedimiento ni sean tenidos en cuenta en la resolución otros hechos ni otras alegaciones y pruebas que las aducidas por el interesado».

5. ¿Cómo ha de actuarse en el caso de que se produzcan modificaciones sustanciales en la actividad sujeta a calificación ambiental?

En el supuesto de que se produzcan modificaciones sustanciales en la actividad, las mismas se tramitarán como si se tratase de un nuevo procedimiento, sometiéndolas al trámite de calificación ambiental. Así el art. 41.1 de la Ley 7/2007, de 9 de julio, de Gestión Integrada de la Calidad Ambiental, dice que »Están sometidas a calificación ambiental y a declaración responsable de los efectos ambientales las actuaciones, tanto públicas como privadas, así señaladas en el Anexo I y sus modificaciones sustanciales».

6. ¿Cuándo existen modificaciones sustanciales en la actividad sujeta a calificación ambiental?

De conformidad con lo dispuesto en el art. 19.11 de la Ley 7/2007, de 9 de julio, de Gestión Integrada de la Calidad Ambiental, que define la modificación sustancial como cualquier cambio o ampliación de actuaciones ya autorizadas que pueda tener efectos adversos significativos sobre la seguridad, la salud de las personas o el medio ambiente, a efectos de la autorización ambiental unificada y calificación ambiental, se entenderá que existe una modificación sustancial cuando en opinión del órgano ambiental competente se produzca, de forma significativa, alguno de los supuestos siguientes:

1.º Incremento de las emisiones a la atmósfera.

2.º Incremento de los vertidos a cauces públicos o al litoral.

3.º Incremento en la generación de residuos.

4.º Incremento en la utilización de recursos naturales.

5.º Afección al suelo no urbanizable o urbanizable no sectorizado.

6.º Afección a un espacio natural protegido o áreas de especial protección designadas en aplicación de normativas europeas o convenios internacionales.

MODELO DE EXPEDIENTE *(Disponible a texto íntegro en smarteca.es)*

1)   *Inicio expediente para modificación sustancial de la calificación ambiental*

2)   *Admisión a trámite del expediente*

3)   *Requerimiento vecinos a policía local*

4)   *Edicto de información pública*

5)   *Informe técnico*

6)   *Notificación a vecinos colindantes*

7)   *Certificado de reclamaciones*

8)   *Trámite de audiencia*

9)   *Notificación trámite de audiencia*

10)   *Escrito de alegaciones en trámite de audiencia*

11)   *Requerimiento informe técnico y jurídico para propuesta de modificación sustancial de la calificación ambiental*

12)   *Informe técnico para propuesta de modificación sustancial de la calificación ambiental*

13)   *Informe jurídico para propuesta de modificación sustancial de la calificación ambiental*

14)   *Calificación ambiental*

15)   *Notificación de la modificación sustancial de la calificación ambiental*

16)   *Comunicación de la modificación sustancial de la calificación ambiental a la comunidad autónoma*

D.   Expediente de control e inspección de actividad sujeta a calificación ambiental

1.   Claves del Expediente

El expediente de control e inspección de actividad sujeta a calificación ambiental tiene lugar una vez que la actividad está funcionando, luego es un control posterior a su ejercicio y se encuadra dentro de la potestad municipal art. 21 del vigente Decreto 297/1995, de 19 diciembre, por el que se aprueba el Reglamento de Calificación Ambiental, al decir que los servicios técnicos del Ayuntamiento o entidad competente para realizar la calificación ambiental podrán en cualquier momento realizar las inspecciones y comprobaciones que consideren necesarias en relación con las actividades objeto de calificación.

La inspección de la actividad podrá producirse como consecuencia de denuncia efectuada por particulares, o fruto de la inspección que el Ayuntamiento realice en el marco de sus atribuciones de inspección y vigilancia.

La importancia de este expediente y por ende de la actuación municipal radica en que el hecho de que se podrá detectar anomalías o deficiencias en el funcionamiento de las medidas correctoras, y por lo tanto sirve para exigir el cumplimiento al titular de la actividad del correcto funcionamiento de la misma, lo que evitará daños al medio ambiente y a la seguridad de las personas.

La inspección, es una facultad que se reserva el Ayuntamiento que en cualquier momento, y con posterioridad a la puesta en marcha, puede comprobar el grado de eficacia y funcionamiento de las medidas correctoras, verificar el estado de las instalaciones, etc. Es decir, se pretende con esta medida el velar por el buen estado de la actividad, requiriendo la subsanación de las deficiencias que se detecten.

Como consecuencia del resultado del expediente, podrá abrirse procedimiento sancionador.

2. Jurisprudencia

• **La licencia de apertura y/o funcionamiento crea una relación permanente con la Administración**, ya que las exigencias del interés público demandan un funcionamiento correcto de la actividad y de sus medidas correctoras, lo cual **implicará que la actividad desarrollada quede, durante la vigencia de la licencia, sujeta a inspecciones administrativas para la comprobación del cumplimiento de las condiciones expresadas en la misma**, conforme declaran, entre otras, las SSTS de 4 octubre 1986 y 30 junio 1987. [STSJ Madrid 13 noviembre 2001]

• Otorgada una licencia de funcionamiento de una actividad **la Administración no queda desposeída de potestades, sino que puede y debe ejercer la actividad administrativa de policía** a fin de defender y garantizar los intereses generales; y esa actividad de policía ha de tener concreción en actos de intervención congruentes con los motivos y fines que la justifiquen —arts. 84.2 Ley 7/1985, de 2 abril (Reguladora de las Bases del Régimen Local) y 5.1 RSCL—. [STS 22 junio 1993]

PREGUNTAS CLAVE

1. ¿Cuáles son las actividades que se están sujetas a control posterior al inicio de la actividad en Andalucía?

De acuerdo con el art. 13 del Decreto Ley 5/2014, de 22 de abril, de medidas normativas para reducir las trabas administrativas para las empresas, son las que no se encuentran incluidas en ninguno de los catálogos o anexos de:

a) La Ley 7/2007, de 9 de julio, de Gestión Integrada de la Calidad Ambiental.

b) La Ley 13/1999, de 15 de diciembre, de Espectáculos Públicos y Actividades Recreativas de Andalucía.

c) La Ley 22/2011, de 28 de julio, de residuos y suelos contaminados, y normativa que las desarrolle.

d) La Ley 1/2005, de 9 de marzo, por la que se regula el régimen del comercio de derechos de emisión de gases de efecto invernadero.

e) El Real Decreto 9/2005, de 14 de enero, por el que se establece la relación de actividades potencialmente contaminantes del suelo y los criterios y estándares para la declaración de suelos contaminados.

f) El Real Decreto 100/2011, de 28 de enero, por el que se actualiza el catálogo de actividades potencialmente contaminadoras de la atmósfera y se establecen las disposiciones básicas para su aplicación.

Hay que considerar también incluidas las de características similares a las que figuran en los catálogos o anexos citados, así como a las que no les sea de aplicación el art. 84 bis de la Ley 7/1985, de 2 de abril, Reguladora de las Bases del Régimen Local.

2. ¿Quién tiene la competencia de vigilancia, control, inspección de las licencias ambientales?

La competencia recae en el Ayuntamiento y corresponde ejercerla al alcalde y por delegación de éste a la Junta de Gobierno Local, o concejal delegado.

3. ¿A quién corresponde la función inspectora de la licencia ambiental?

El art. 21 del Decreto 297/1997, en el ámbito de las competencias municipales encomienda la inspección a los servicios técnicos del ayuntamiento.

4. ¿Cuándo se realiza el control de una actividad sujeta a calificación ambiental?

Una vez que se ha concedido la licencia de apertura o puesta en marcha, y con posterioridad a la misma el ayuntamiento podrá en cualquier momento inspeccionar el establecimiento para comprobar el funcionamiento de las medidas correctoras impuestas con la calificación ambiental (art. 21 del Decreto 297/1995)

5. ¿Puede incoarse procedimiento sancionador como consecuencia del acta de comprobación que se levante?

Una de las consecuencias de la inspección que se realice y posterior levantamiento del acta de comprobación es la incoación de procedimiento sancionador, ya que según dispone el art. 130.2 de la Ley 7/2007, en toda visita de inspección se levantará acta descriptiva de los hechos y en especial de los que pudieran ser constitutivos de infracción administrativa.

6. ¿Quién tiene la condición de agentes de la autoridad en la inspección de actividades?

De conformidad con el art. 130.1 de la Ley 7/2007, en el ejercicio de sus funciones, tendrán la consideración de agentes de la autoridad todas aquellas personas que realicen las tareas de vigilancia, inspección y control que tengan una relación estatutaria con la Administración de la Junta de Andalucía u otras Administraciones.

7. ¿Qué ocurre si como consecuencia de una inspección del establecimiento se comprueba que la superficie o el aforo del mismo excede el de la calificación ambiental mediante declaración responsable?

Cuando como consecuencia de una actividad de inspección se comprueba que el establecimiento excede de la superficie o aforo que le califica como actividad sujeta a calificación ambiental mediante declaración responsable (p.e. pasa de la categoría

13.42 bis a la 13.42 del anexo I de la Ley 7/2007), deberá procederse a la modificación de la calificación ambiental para adaptarla a categoría que realmente le corresponde.

MODELO DE EXPEDIENTE: Control de actividad sujeta a calificación ambiental *(Disponible a texto íntegro en smarteca.es)*

1)   Acta de comprobación

2)   Resolución ordenando apertura de expediente

3)   Notificación de acta de comprobación en trámite de audiencia

4)   Escrito de alegaciones en trámite de audiencia

5)   Resolución del expediente de comprobación

6)   Notificación de la resolución

E.   Expediente de cambio de titularidad de actividad clasificada

1.   Claves del Expediente

Aunque es una cuestión que puede considerarse pacífica, el cambio de titularidad en general de los establecimientos, negocios y actividades en general y en particular de la licencia ambiental se sujeta al cumplimiento de unos requisitos mínimos, que tienen como objetivo fundamental el poner en conocimiento de la Administración (órgano sustantivo ambiental) el nuevo titular de la actividad.

A tenor del artículo 13.1 del Reglamento de Servicios de las Corporaciones Locales, aprobado por Decreto de 17 de junio de 1955, las licencias relativas a las condiciones de una obra, instalación o servicio serán transmisibles, pero el antiguo y el nuevo constructor o empresario deberán comunicarlo por escrito a la Corporación, sin lo cual quedarán ambos sujetos a todas las responsabilidades que se derivaren para el titular.

Esta posición legal ha quedado superada mediante el art. 3.2 de la Ley 12/2012, de 26 de diciembre, de medidas urgentes de liberalización del comercio y de determinados servicios, al decir que no están sujetos a licencia los cambios de titularidad de las actividades comerciales y de servicios, siendo exigible en estos casos una comunicación previa a la administración competente a los solos efectos informativos.

Ha de tenerse en cuenta:

• La comunicación ha de ser expresa.

• No es necesario que vaya acompañada de título o documento que acredite la transmisión (contrato de compraventa, de arrendamiento, de cesión etc.)

• Si la transmisión se produce sin realizar la correspondiente comunicación, el anterior y el nuevo titular quedan sujetos, de forma solidaria, a todas las responsabilidades y obligaciones derivadas del incumplimiento de dicha obligación.

Aunque está pendiente de desarrollo reglamentario la Ley 7/2007, de 9 de julio, de Gestión Integrada de la Calidad Ambiental, y hasta tanto se produzca el mismo, ha de tenerse en cuenta, considerando las características de estas actividad, por la repercusión que al medio ambiente tienen, y a la salud y seguridad de las personas, que ha de controlarse especialmente el correcto funcionamiento de las medidas correctoras que se impusieron en su día a la actividad, y que han de ser de especial vigilancia e inspección al presentarse la comunicación de cambio de titularidad de la actividad.

2.   Jurisprudencia

• La Administración está obligada a reconocer el cambio de la titularidad de la licencia sin perjuicio de las distintas actuaciones que le conciernen ejercer contra la misma del mismo modo que si no se hubiese transmitido. [STSJ Madrid 18 septiembre 2001]

• Para proceder al cambio de titularidad el Ayuntamiento ha de tener constancia de que efectivamente dicho cambio se ha producido, y ello por dos mecanismos alternativos, uno bilateral, que no es otro que la conformidad del anterior titular, y otro, que no precisa dicha conformidad, más complejo, que consiste en la acreditación de que se ha adquirido por cualquier medio, *inter vivos* o *mortis causa*, la propiedad o posesión del inmueble en cuestión. [STSJ Madrid 15 enero 2004]

• El cambio de titular por sí solo resultaba jurídicamente irrelevante en cuanto afectaría a los posibles derechos de los particulares (STS de 23 diciembre 1998), porque la licencia mantenía su vigencia mientras subsistieran las condiciones de la actividad, de modo que el Ayuntamiento, **de no advertir otras modificaciones que las subjetivas, que son inoperantes a estos efectos, debió otorgar la transmisión de la titularidad de la licencia cuando le fue comunicado por escrito por el dueño del establecimiento,** toda vez que no ofrecía duda el título legítimo de la transmisión ya que la subrogación en la explotación se producía por los dueños del local a favor del nuevo titular, una vez que el anterior arrendamiento había sido declarado extinguido por resolución judicial. [STSJ País Vasco 13 julio 2001]

3.   Legislación aplicable

— Estatal

Art. 13 del Decreto de 17 de junio de 1955, por el que se aprueba el Reglamento de Servicios de las Corporaciones Locales.

Arts. 21.1. q) y s), 124.4.ñ), 70.bis y 84, 84 bis y 84 ter. de la Ley 7/1985, de 2 de abril, Reguladora de las Bases de Régimen Local.

Art. 3 de la Ley 12/2012, de 26 de diciembre, de medidas urgentes de liberalización del comercio y de determinados servicios.

— Autonómica

Decreto Ley 3/2009, de 22 de diciembre, por el que se modifican diversas Leyes para la transposición en Andalucía de la Directiva 2006/123/CE, de 12 de diciembre de 2006, del Parlamento Europeo y del Consejo, relativa a los servicios en el mercado interior.

Art. 13 del Decreto Ley 5/2014, de 22 de abril, de medidas normativas para reducir las trabas administrativas para las empresas.

Arts. 7, 8, 9.12; 9.13 f) e i); 9.14 a) de la Ley 5/2010, de 11 de junio, de Autonomía Local de Andalucía.

4. Documentos de interés

— Doctrina

CANO MURCIA, Antonio. «Apunte legislativo sobre transmisión o cambio de titularidad».- LA LEY 19118/2011.

—. «Los Tribunales dicen... sobre transmisión o cambio de titularidad».- LA LEY 19117/2011.

—. «Efectos de la Ley 17/2009, de 23 de noviembre, sobre el libre acceso a las actividades de servicios».- LA LEY 19116/2011.

—. «Requisitos generales para la transmisión de la licencia de apertura».- LA LEY 19115/2011.

CHOLBÍ CACHÁ, Francisco Antonio. «El contenido supletorio del Reglamento de Servicios sobre interrelación de licencias».- LA LEY 24314/2011.

MORA GONZÁLEZ, María Jesús. «La transmisión de las licencias urbanísticas». *El Consultor de los Ayuntamientos y de los Juzgados*, n.º 23, Quincena del 15 al 29 Dic. 2007, Ref. 3889/2007, pág. 3889, tomo 3, LA LEY.- LA LEY 6927/2007.

PREGUNTAS CLAVE

1. ¿Qué requisitos han de cumplirse para realizar el cambio de titularidad una actividad?

Para que el nuevo titular de una actividad pueda realizar el cambio de titularidad, deberá ser comunicado al Ayuntamiento a efectos informativos (art. 3.2 de la Ley 12/2012).

2. ¿Es necesario que el anterior titular comunique la transmisión de la actividad a un tercero?

No es un requisito necesario. El art. 3.2 de la Ley 12/2012 no exige esta comunicación.

3. ¿Qué ocurre si no se comunica la transmisión de la actividad?

La no comunicación del cambio de titularidad de la actividad por el anterior o el nuevo titular supone que el anterior y nuevo titular queda sujetos, de forma solidaria, a todas las responsabilidades y obligaciones derivadas de dicho incumplimiento.

4. ¿Puede transmitir la licencia de actividad el que no es propietario del local en el que se ejerce la misma?

Sí. El ejercicio de una actividad tanto mediante la concesión expresa de licencia de apertura o actividad o mediante la comunicación previa o declaración responsable tiene carácter real, al margen de la titularidad del inmueble y de las relaciones subjetivas que existan entre el titular del mismo y el que ocupe el local mediante contrato de arrendamiento, u cualquier otro título. En este sentido es de aplicación lo dispuesto en el art. 12. 1 RSCL «Las autorizaciones y licencias se entenderán otorgadas salvo el derecho de propiedad y sin perjuicio del de tercero».

5. ¿Ha de resolverse expresamente por el Ayuntamiento la comunicación de cambio de titularidad?

No. El art. 3.2 de la Ley 12/2012 habla de comunicación previa a la administración competente, sin que sea necesario posteriormente dictar resolución alguna. A efectos prácticos bastaría en cualquier caso tomar conocimiento de la transmisión, dejando constancia en el expediente.

6. ¿Qué ocurre si el Ayuntamiento no dicta resolución de cambio de titularidad?

Si el Ayuntamiento, recibida la comunicación de cambio de titularidad de la actividad, no resuelve expresamente el mismo, ha de entenderse que por silencio administrativo positivo se da por cumplido el trámite a todos los efectos, teniendo en cuenta que la resolución del órgano sustantivo no es generadora de derechos para el nuevo titular de la actividad, sino que tiene los efectos de una simple comunicación, que el Ayuntamiento constata mediante la toma de conocimiento del nuevo titular. En este sentido para la STS 15 octubre 1981 «La intervención municipal en caso de transmisión de licencias no es de previa y expresa autorización para que aquélla opere, sino de mera constatación o toma de razón de la extra-administrativamente producida por el simple acuerdo del antiguo y nuevo propietario, cuyo incumplimiento determina que ambos queden sujetos a todas las responsabilidades que se deriven para el titular».

MODELO DE EXPEDIENTE: Cambio de titularidad de licencia ambiental *(Disponible a texto íntegro en smarteca.es)*

1)   *Comunicación de cambio de titularidad de licencia ambiental*

2)   *Resolución de cambio de titularidad de licencia ambiental*

3)   *Notificación de cambio de titularidad de licencia ambiental*

2. Aragón

A. Expediente de licencia ambiental de actividades clasificadas con concesion de licencia (arts. 75 y ss. Ley 11/2014)

1. Claves del Expediente

La tramitación de la licencia ambiental de actividades clasificadas se sustancia mediante un procedimiento con participación municipal y del órgano comarcal competente para la calificación de la actividad.

Se regula en los arts. 71 y ss. de la Ley 11/2014, de 4 de diciembre, de Prevención y Protección Ambiental de Aragón.

Ha de tenerse en cuenta en este expediente:

• Se denegará la licencia si la actividad es contraria al ordenamiento jurídico o incompatible con el planeamiento o las ordenanzas municipales, sin necesidad de informe del órgano comarcal.

• El expediente se somete a información pública y notificación a vecinos inmediatos

• Corresponde a las comarcas la calificación de actividades, salvo delegación de éstas en el Ayuntamiento.

• La licencia ambiental de actividades clasificadas ha de resolverse en el plazo máximo de cuatro meses contados desde la fecha de entrada de la solicitud en el registro municipal.

• La licencia indicará el plazo de comienzo de la actividad

• Previamente al comienzo de la actividad, deberá obtenerse la licencia de inicio de la actividad.

• Si se ha presentado declaración responsable para el ejercicio de una actividad clasificada, conforme al art. 72 de la Ley 11/2014, no es necesario tramitar licencia de inicio de actividad.

• En el caso de que sea necesario la obtención de licencia urbanística junto con la licencia ambiental, serán objeto de resolución única.

2. Legislación aplicable

— Europea

Directiva 2006/123/CE del Parlamento y del Consejo, de 12 de diciembre de 2006, relativa a los servicios en el mercado interior.

— Estatal

Arts. 1, 2, 4, 5 y 6 Ley 17/2009, de 23 de noviembre, sobre el Libre Acceso a las Actividades de Servicios.

Arts. 21.1. q) y s), 124.4.ñ), 70.bis y 84, 84 bis y 84 ter. de la Ley 7/1985, de 2 de abril, Reguladora de las Bases de Régimen Local.

Ley 39/2015, de 1 de octubre, del Procedimiento Administrativo Común de las Administraciones Públicas.

Arts. 1 a 5 de la Ley 12/2012, de 26 de diciembre, de medidas urgentes de liberalización del comercio y de determinados servicios.

Arts. 12 a 16 del Reglamento de Servicios de las Corporaciones Locales de 17 junio 1955.

— Autonómica

Arts. 71 y ss. de la Ley 11/2014, de 4 de diciembre, de Prevención y Protección Ambiental de Aragón.

Art. 231 del Decreto-Legislativo 1/2014, de 8 de julio, del Gobierno de Aragón, por el que se aprueba el Texto Refundido de la Ley de Urbanismo de Aragón

3. Documentos de interés

— Doctrina

ALONSO RIESGO, María Dora; FERNÁNDEZ GANCEDO, Inmaculada. «Licencias municipales de actividad y de apertura en el marco de la libre prestación de servicios». *El Consultor de los Ayuntamientos y de los Juzgados*, n.º 21, Quincena del 15 al 29 Nov. 2011, Ref. 2506/2011, pág. 2506, tomo 2, LA LEY.

CANO MURCIA, Antonio. «El nuevo régimen jurídico de las licencias de apertura». *El Consultor de los Ayuntamientos y de los Juzgados*. 2010.

CHOLBÍ CACHÁ, Francisco Antonio; MERINO MOLINS, Vicente. «Comentario crítico sobre la directiva de Servicios y de las leyes 17 y 25/2009 en aplicación de la misma: especial incidencia en el ámbito de las licencias urbanísticas y de actividad». *El Consultor de los Ayuntamientos y de los Juzgados*, n.º 7, Quincena del 15 al 29 Abr. 2010, Ref. 1035/2010, pág. 1035, tomo 1, LA LEY.

PASTOR GARCÍA, José M.ª. «La comunicación de inicio de actividades, como forma de intervención municipal sustitutiva de la licencia de apertura de establecimientos. Especial incidencia en Castilla y León». *El Consultor de los Ayuntamientos y de los Juzgados*, n.º 2, Quincena del 30 Ene. al 14 Feb. 2013, Ref. 147/2013, pág. 147, tomo 1, LA LEY.

PENSADO SEIJAS, Alberto. «Evolución exprés de las licencias de actividad inocuas». *El Consultor de los Ayuntamientos y de los Juzgados*, n.º 17, Quincena del 15 al 29 Sep. 2013, Ref. 1623/2013, pág. 1623, tomo 2, LA LEY.

PREGUNTAS CLAVE

1. ¿Existe una relación de actividades sujetas a licencia ambiental?

No. El art. 71 de la Ley 11/2014, se remite de forma genérica a las actividades que merezcan la consideración de molestas, insalubres, nocivas y peligrosas, excluyendo asimismo a las que quedan sujetas al otorgamiento de autorización ambiental integrada y a las que figuran en el anexo V de la citada norma.

2. ¿Sustituye la presentación de una declaración responsable a la licencia ambiental de actividades clasificadas?

No. Son actuaciones distintas. La primera permite el inicio de la actividad, aunque condicionada a la presentación dentro del plazo de tres meses de la solicitud de licencia ambiental, mientras que ésta no está supeditada a la presentación de la declaración responsable para su tramitación (art. 72 Ley 11/2014).

3. ¿Quién tiene la competencia para otorgar la licencia ambiental de actividades clasificadas?

Corresponde al alcalde, de conformidad con el art. 75 de la Ley 11/2014.

4. ¿Ha de solicitarse siempre licencia ambiental de actividades clasificadas?

Sí. La presentación de la declaración responsable no exime de la obligación de solicitar la licencia ambiental (art. 76 Ley 11/2014).

5. ¿Puede denegarse sin más trámite la licencia ambiental de actividades clasificadas?

Sí. El alcalde, previo informe de los servicios municipales de urbanismo, denegará el otorgamiento de la licencia en el caso de que la actividad sea contraria al ordenamiento jurídico y, en particular, no sea compatible con los instrumentos de planeamiento urbanístico o las ordenanzas municipales (art. 77.1 Ley 11/2014).

6. ¿En qué supuestos se solicitará informe al órgano comarcal competente en materia de agricultura?

Cuando se trate de explotaciones ganaderas o núcleos zoológicos, el ayuntamiento solicitará informe al órgano de ámbito comarcal correspondiente del departamento competente en materia de ganadería para que se pronuncie sobre las cuestiones de su competencia en relación con este tipo de instalaciones, pudiendo denegar el otorgamiento de la licencia de acuerdo con el contenido del informe (art. 77.2 Ley 11/2014).

7. ¿Se ha de someter a información pública el expediente de licencia ambiental de actividades clasificadas?

Sí. El expediente se someterá a información pública por un período de quince días naturales mediante anuncio en el «Boletín Oficial de Aragón», y exposición en el tablón de anuncios del ayuntamiento. La apertura del trámite de información pública se notificará personalmente a los vecinos inmediatos al lugar del emplazamiento propuesto, a los efectos de que puedan alegar lo que estimen oportuno (art. 77.3 Ley 11/2014).

8. ¿Está sujeto a información pública todo el expediente?

Se exceptúa de la información pública los datos de la solicitud y la documentación que estén amparados por el régimen de confidencialidad (art. 77.3 *in fine* Ley 11/2014).

9. ¿Existe una exposición pública conjunta con la calificación ambiental?

Sí. En los supuestos en que la actividad esté, asimismo, sujeta a evaluación de impacto ambiental ordinaria, el expediente se someterá a información pública, conjuntamente con el estudio de impacto ambiental, por un período de un mes (art. 77.3 Ley 11/2014).

10. ¿Quién es competente para calificar las actividades sometidas a licencia ambiental de actividades clasificadas?

La calificación ambiental corresponde a las comarcas (art.78.1 Ley 11/2014).

11. ¿Es delegable la competencia de las comarcas para calificar las actividades sometidas a licencia ambiental de actividades clasificadas?

Sí. Así lo contempla expresamente el art. 78.6 de la Ley 11/2014.

12. ¿Cuál es el plazo máximo para resolver y notificar la licencia ambiental de actividades clasificadas?

Cuatro meses contados desde la fecha de entrada de la solicitud en el registro municipal (art. 79.1 Ley 11/2014).

13. ¿Se aplica el silencio administrativo positivo en caso de no resolver en plazo la licencia ambiental de actividades clasificadas?

Transcurrido el plazo máximo sin haberse notificado la resolución, podrá entenderse estimada la solicitud presentada, siempre que se haya emitido el informe de calificación de la actividad con carácter favorable o, en su caso, siempre que se hubiera formulado la declaración de impacto ambiental o el informe de impacto ambiental con carácter favorable (art. 79.2 Ley 11/2014).

14. ¿Ha de recogerse en la licencia ambiental de actividades clasificadas el plazo de comienzo de la misma?

Sí. Es un requisito que se exige en el art. 80.3 de la Ley 11/2014).

15. ¿Cuál es el plazo para iniciar la actividad?

Dos años a partir de la fecha del otorgamiento de la licencia, siempre que en esta no se fije un plazo distinto, y salvo casos de fuerza mayor (art. 83.1 a) Ley 11/2014).

16. ¿La modificación de la licencia ambiental de actividades clasificadas da derecho a indemnización?

No, cuando se persiga como fin la adaptación a las modificaciones de la normativa aplicable y al progreso técnico y científico (art. 81 Ley 11/2014).

17. ¿Es necesaria siempre la licencia de inicio de actividad?

La licencia de actividad ha de obtenerse con carácter previo al comienzo de la actividad, salvo que se haya presentado declaración responsable para el ejercicio de una actividad clasificada (arts. 84.1 y 85.1 de la Ley 11/2014).

18. ¿Es vinculante para el Ayuntamiento el informe desfavorable del órgano autonómico ambiental?

Sí. El ayuntamiento quedará vinculado por el informe emitido por el órgano autonómico competente cuando se proponga la denegación de la licencia (art. 86.3 Ley 11/2014).

19. ¿Qué plazo dispone el ayuntamiento para resolver y notificar la licencia de inicio de actividad?

Quince días contados desde la fecha de la solicitud (art. 87.1 Ley 11/2014).

20. ¿Qué efectos tiene no resolver en plazo la licencia de inicio de actividad?

El interesado podrá entender estimada su solicitud transcurrido el plazo de quince días (art. 87.2 Ley 11/2014).

21. ¿Es necesaria la licencia de inicio de actividad para la contratación de suministros?

La obtención de la licencia de inicio de actividad o, en su caso, presentación de declaración responsable de la licencia ambiental de actividades clasificadas, será previa a la concesión de las autorizaciones de enganche o ampliación de suministro de energía eléctrica, de utilización de combustibles líquidos o gaseosos, de suministro de agua potable de consumo público y demás autorizaciones preceptivas para el ejercicio de la actividad (art. 88 Ley 11/2014).

22. ¿Puede conceder autorización provisional para la contratación de suministros?

Podrán concederse autorizaciones provisionales para la realización de las pruebas precisas para la comprobación del funcionamiento de la actividad (art. 88 *in fine* Ley 11/2014).

23. ¿Cómo ha de actuarse en el supuesto de que sea necesaria licencia urbanística junto con la licencia ambiental de actividad clasificada?

El Art. 231.1 del Decreto-Legislativo 1/2014, de 8 de julio, del Gobierno de Aragón, por el que se aprueba el Texto Refundido de la Ley de Urbanismo de Aragón, dispone que cuando un mismo acto de transformación, construcción, edificación o uso del suelo o el subsuelo requiera la obtención de licencia urbanística y de autorización municipal administrativa expresa relativa a la adecuación de las obras al ejercicio de una actividad, sea o no clasificada, serán objeto de resolución única, sin perjuicio de la formación y tramitación de piezas separadas para cada intervención administrativa.

MODELO DE EXPEDIENTE: Licencia ambiental de actividad clasificada con resolución favorable *(Disponible a texto íntegro en smarteca.es)*

1)   *Inicio expediente de licencia ambiental de actividad clasificada*

2)   *Admisión a trámite del expediente de licencia ambiental*

3)   *Requerimiento vecinos a policía local*

4)   *Edicto de información pública*

5)   *Notificación a vecinos colindantes*

6)   *Certificado de reclamaciones*

7)   *Remisión del expediente al órgano competente para la calificación de la actividad*

8)   *Informe de calificación de actividad clasificada*

9)   *Calificación de la actividad clasificada*

10)   *Resolución concediendo licencia ambiental de actividad clasificada*

11)   *Notificación de la resolución de concesión de la licencia ambiental de actividad clasificada*

B.   Expediente de licencia de inicio de actividad (art. 84 Ley 11/2014)

1.   Claves del Expediente

La tramitación de la licencia ambiental de inicio de actividad actividades clasificadas se regula en los arts. 84 a 88. de la Ley 11/2014, de 4 de diciembre, de Prevención y Protección Ambiental de Aragón.

Ha de tenerse en cuenta en este expediente:

• Si se ha presentado declaración responsable para el ejercicio de una actividad clasificada, conforme al art. 72 de la Ley 11/2014, no es necesario tramitar licencia de inicio de actividad.

• La licencia de inicio de actividad es previa para el comienzo de la actividad sujeta a licencia ambiental de actividad clasificada

MODELO DE EXPEDIENTE: Licencia de inicio de actividad *(Disponible a texto íntegro en smarteca.es)*

1)   Solicitud de licencia inicio de actividad

2)   Admisión a trámite de la solicitud de licencia de inicio de actividad

3)   Acta de comprobación de las instalaciones

4)   Resolución de la licencia de inicio de actividad

5)   Notificación de la licencia de inicio de actividad

6)   Comunicación de inicio de la actividad (art. 85.2 Ley 11/2014)

C. Expediente de inspección y control de actividad sujeta a licencia ambiental de actividad clasificada

1. Claves del Expediente

La inspección y control de las actividades sujetas a licencia ambiental de actividades clasificadas es tiene como objetivo garantizar y verificar el cumplimiento de las condiciones establecidas en la licencia.

La inspección y control de la actividad podrá producirse como consecuencia de denuncia efectuada por particulares, o de oficio como consecuencia de la inspección que el Ayuntamiento realice en el marco de sus atribuciones de inspección y vigilancia.

La importancia de este expediente y por ende de la actuación municipal radica en que el hecho de que se podrá detectar anomalías o deficiencias en el funcionamiento de las medidas correctoras, y por lo tanto sirve para exigir el cumplimiento al titular de la actividad del correcto funcionamiento de la misma, lo que evitará daños al medio ambiente y a la seguridad de las personas.

La inspección, es una facultad que se reserva el Ayuntamiento que en cualquier momento, sin perjuicio de la delegación de funciones en otras administraciones.

Como consecuencia del resultado del expediente, podrá abrirse procedimiento sancionador.

Ha de tenerse en cuenta en el expediente de inspección y control los arts. 89 a 102 de la Ley 11/2014, de 4 de diciembre, de Prevención y Protección Ambiental de Aragón.

2.   Jurisprudencia

• La licencia de apertura y/o funcionamiento crea una **relación permanente con la Administración, ya que las exigencias del interés público demandan un funcionamiento correcto de la actividad y de sus medidas correctoras**, lo cual implicará que la actividad desarrollada quede, durante la vigencia de la licencia, sujeta a inspecciones administrativas para la comprobación del cumplimiento de las condiciones expresadas en la misma, conforme declaran, entre otras, las SSTS de 4 octubre 1986 y 30 junio 1987. [STSJ Madrid 13 noviembre 2001]

• Otorgada una licencia de funcionamiento de una actividad **la Administración no queda desposeída de potestades, sino que puede y debe ejercer la actividad administrativa de policía a fin de defender y garantizar los intereses generales**; y esa actividad de policía ha de tener concreción en actos de intervención congruentes con los motivos y fines que la justifiquen —arts. 84.2 Ley 7/1985, de 2 abril (Reguladora de las Bases del Régimen Local) y 5.1 RSCL—. [STS 22 junio 1993]

3.   Legislación aplicable

— **Estatal**

Art. 84.1 b) y d); 84 bis) LRBRL.

— **Autonómica**

Arts. 89 a 102 de la Ley 11/2014, de 4 de diciembre, de Prevención y Protección Ambiental de Aragón.

4.   Documentos de interés

— **Doctrina**

BARRANCO VELA, Rafael; BULLEJOS CALVO, Carlos y CAMPOS SÁNCHEZ, Miguel Ángel. «Espectáculos Públicos, Actividades Recreativas y Establecimientos Públicos». *El Consultor de los Ayuntamientos y de los Juzgados*. 2011.

CANO MURCIA, Antonio. «El nuevo régimen jurídico de las licencias de apertura. *El Consultor de los Ayuntamientos y de los Juzgados*. 2010.

—. «Manual de Licencias de Apertura de Establecimientos. Aranzadi.

CHOLBI CACHÁ, Francisco Antonio. «El régimen de la comunicación previa, las licencias de urbanismo y su procedimiento y otorgamiento». *El Consultor de los Ayuntamientos y de los Juzgados*. 2010.

PREGUNTAS CLAVE

1. ¿Quién tiene la competencia de vigilancia, control, inspección de las instalaciones sometidas a licencia ambiental de actividades clasificadas?

La competencia recae en el Ayuntamiento, sin perjuicio de la delegación de funciones que pueda realizar en otras administraciones (art. 89.1 b) Ley 11/2014)

2. ¿A quién corresponde la función inspectora de la licencia ambiental de actividades clasificadas?

Al personal funcionario designado para tal efecto (art. 93.1 Ley 11/2014).

3. ¿Qué plazo se concederá para la corrección de las deficiencias de funcionamiento de la actividad?

Advertidas deficiencias en el funcionamiento de la actividad, el ayuntamiento requerirá al titular de la misma para que las corrija en un plazo acorde con la naturaleza de las medidas a adoptar, que no podrá ser superior a seis meses ni inferior a uno, salvo casos especiales debidamente justificados (art. 99.1 Ley 11/2014)

4. ¿El requerimiento para la subsanación de deficiencias en el funcionamiento de la actividad conlleva la suspensión de la misma?

Dicho requerimiento podrá llevar aparejada la suspensión cautelar de la actividad, previa audiencia al interesado, cuando exista un riesgo de daño o deterioro grave para el medio ambiente o un peligro grave para la seguridad o salud de las personas (art. 99.2 Ley 11/2014)

5. ¿En qué supuestos se produce la suspensión de la actividad?

De acuerdo con el art. 101.1 de la Ley 11/2014, por cualquiera de los siguientes motivos:

a) Inicio de la ejecución del proyecto, instalación o actividad sin contar con la preceptiva autorización ambiental integrada, licencia ambiental de actividades clasificadas, declaración de impacto ambiental, informe de impacto ambiental o licencia de inicio de actividad, todo ello sin perjuicio de lo dispuesto en el artículo 72 para las declaraciones responsables.

b) Ocultación de datos, su falseamiento o manipulación maliciosa en el procedimiento de intervención ambiental.

c) El incumplimiento de las condiciones ambientales impuestas para la ejecución del proyecto o el desarrollo de la actividad.

d) Cuando existan razones fundadas de daños graves o irreversibles al medio ambiente o peligro inmediato para las personas o bienes, en tanto no desaparezcan las circunstancias determinantes, pudiendo adoptar las medidas necesarias para comprobar o reducir riesgos.

6. ¿Qué procedimiento ha de seguirse para la suspensión de la actividad?

Tal como dispone el art. 101. 2 y 3 de la Ley 11/2014, la suspensión de actividades se efectuará siempre previo requerimiento formal, bajo apercibimiento de suspensión y previo trámite de audiencia al interesado, salvo en los casos en que por razones de urgencia, atendiendo a la existencia de un peligro inminente para la seguridad o la salud humana o para el medio ambiente, se adopte de forma inmediata, sin requerimiento previo y sin audiencia.

En cualquier caso, la resolución que así lo acuerde será motivada y fijará el plazo o las condiciones que deben concurrir para el alzamiento de la suspensión

7. ¿Podrá ejecutarse subsidiariamente las medidas preventivas, correctoras o compensatorias de la actividad?

Tal como dispone el art. 102 de la Ley 11/2014, cuando el titular de una actividad o instalación sometida a intervención ambiental, tanto en funcionamiento como en situación de suspensión temporal o clausura definitiva, se niegue a adoptar alguna medida preventiva, correctora o compensatoria que le haya sido impuesta en virtud de la presente ley, la Administración que haya requerido la acción, previo apercibimiento, podrá ejecutarla con carácter subsidiario a costa del responsable, pudiendo ser exigidos los gastos de la ejecución subsidiaria por la vía de apremio, con independencia de la sanción que, en su caso, pueda imponerse.

No será necesario requerimiento previo, pudiendo procederse de modo inmediato a la ejecución, cuando de la persistencia de la situación pudiera derivarse un peligro inminente para la salud humana o el medio ambiente.

MODELO DE EXPEDIENTE: Inspección y control de actividad sujeta a licencia ambiental de actividad clasificada *(Disponible a texto íntegro en smarteca.es)*

1)   *Acta de comprobación*

2)   *Resolución ordenando apertura de expediente*

3)   *Notificación de acta de comprobación en trámite de audiencia*

4)   *Escrito de alegaciones en trámite de audiencia*

5)   *Resolución del expediente de comprobación*

6)   *Notificación de la resolución*

D.   Expediente de transmisión de la licencia ambiental de actividad clasificada (art. 82 Ley 11/2014)

1.   Claves del Expediente

Aunque es una cuestión que puede considerarse pacífica, el cambio de titularidad en general de los establecimientos, negocios y actividades en general y en particular de la licencia ambiental se sujeta al cumplimiento de unos requisitos mínimos, que tienen como objetivo fundamental el poner en conocimiento de la Administración (órgano sustantivo ambiental) el nuevo titular de la actividad.

A tenor del artículo 13.1 del Reglamento de Servicios de las Corporaciones Locales, aprobado por Decreto de 17 de junio de 1955, las licencias relativas a las condiciones de una obra, instalación o servicio serán transmisibles, pero el antiguo y el nuevo constructor o empresario deberán comunicarlo por escrito a la Corporación, sin lo cual quedarán ambos sujetos a todas las responsabilidades que se derivaren para el titular.

Esta posición legal ha quedado superada mediante el art. 3.2 de la Ley 12/2012, de 26 de diciembre, de medidas urgentes de liberalización del comercio y de determinados servicios, al decir que no están sujetos a licencia los cambios de titularidad de las acti-

vidades comerciales y de servicios, siendo exigible en estos casos una comunicación previa a la administración competente a los solos efectos informativos.

Ha de tenerse en cuenta:

- La comunicación ha de ser expresa.

- No es necesario que vaya acompañada de título o documento que acredite la transmisión (contrato de compraventa, de arrendamiento, de cesión etc.)

- Si la transmisión se produce sin realizar la correspondiente comunicación, el anterior y el nuevo titular quedan sujetos, de forma solidaria, a todas las responsabilidades y obligaciones derivadas del incumplimiento de dicha obligación.

El art. 82 de la Ley 11/2014 de 4 de diciembre, de Prevención y Protección Ambiental de Aragón recoge los requisitos que han de cumplirse para llevar a cabo la transmisión de la licencia ambiental, aunque no es afortunada al exigir que la misma sea realizada por los sujetos que intervienen en la transmisión, por los problemas que suscita cuando el anterior titular está ausente, se desconoce (en el caso de sucesión hereditaria) o se niega a hacerlo.

2.   Jurisprudencia

- **La Administración está obligada a reconocer el cambio de la titularidad de la licencia** sin perjuicio de las distintas actuaciones que le conciernen ejercer contra la misma del mismo modo que si no se hubiese transmitido. [STSJ Madrid 18 septiembre 2001]

- Para proceder al cambio de titularidad el Ayuntamiento ha de tener constancia de que efectivamente dicho cambio se ha producido, y ello por dos mecanismos alternativos, uno bilateral, que no es otro que la conformidad del anterior titular, y otro, que no precisa dicha conformidad, más complejo, que consiste en la acreditación de que se ha adquirido por cualquier medio, *inter vivos* o *mortis causa*, la propiedad o posesión del inmueble en cuestión. [STSJ Madrid 15 enero 2004]

- El cambio de titular por sí solo resultaba jurídicamente irrelevante en cuanto afectaría a los posibles derechos de los particulares (STS de 23 diciembre 1998), porque la licencia mantenía su vigencia mientras subsistieran las condiciones de la actividad, de modo que el Ayuntamiento, **de no advertir otras modificaciones que las subjetivas, que son inoperantes a estos efectos, debió otorgar la transmisión de la titularidad de la licencia cuando le fue comunicado por escrito por el dueño del establecimiento,** toda vez que no ofrecía duda el título legítimo de la transmisión ya que la subrogación en la explotación se producía por los dueños del local a favor del nuevo titular, una vez que el anterior arrendamiento había sido declarado extinguido por resolución judicial. [STSJ País Vasco 13 julio 2001]

3.   Legislación aplicable

— Autonómica

El art. 82 de la Ley 11/2014 de 4 de diciembre, de Prevención y Protección Ambiental de Aragón.

— **Estatal**

Art. 13 del Decreto de 17 de junio de 1955, por el que se aprueba el Reglamento de Servicios de las Corporaciones Locales.

Art. 3 de la Ley 12/2012, de 26 de diciembre, de medidas urgentes de liberalización del comercio y de determinados servicios.

4. Documentos de interés

— **Doctrina**

CANO MURCIA, Antonio. Apunte legislativo sobre transmisión o cambio de titularidad.- LA LEY 19118/2011.

—. Los Tribunales dicen... sobre transmisión o cambio de titularidad.- LA LEY 19117/2011.

—. Efectos de la Ley 17/2009, de 23 de noviembre, sobre el libre acceso a las actividades de servicios.- LA LEY 19116/2011.

—. Requisitos generales para la transmisión de la licencia de apertura.- LA LEY 19115/2011.

CHOLBÍ CACHÁ, Francisco Antonio. «El contenido supletorio del Reglamento de Servicios sobre interrelación de licencias».- LA LEY 24314/2011.

MORA GONZÁLEZ, María Jesús. «La transmisión de las licencias urbanísticas». *El Consultor de los Ayuntamientos y de los Juzgados*, n.º 23, Quincena del 15 al 29 Dic. 2007, Ref. 3889/2007, pág. 3889, tomo 3, LA LEY.- LA LEY 6927/2007.

PREGUNTAS CLAVE

1. ¿Qué requisitos han de cumplirse para realizar el cambio de titularidad una actividad?

Para que el nuevo titular de una actividad pueda realizar el cambio de titularidad, deberá ser comunicado al Ayuntamiento a efectos informativos (art. 3.2 de la Ley 12/2012).

2. ¿Es necesario que el anterior titular comunique la transmisión de la actividad a un tercero?

No es un requisito necesario. El art. 3.2 de la Ley 12/2012 no exige esta comunicación.

3. ¿Qué ocurre si no se comunica la transmisión de la actividad?

La no comunicación del cambio de titularidad de la actividad por el anterior o el nuevo titular supone que el anterior y nuevo titular queda sujetos, de forma solidaria, a todas las responsabilidades y obligaciones derivadas de dicho incumplimiento.

4. ¿Puede transmitir la licencia de actividad el que no es propietario del local en el que se ejerce la misma?

Sí. El ejercicio de una actividad tanto mediante la concesión expresa de licencia de apertura o actividad o mediante la comunicación previa o declaración responsable tiene carácter real, al margen de la titularidad del inmueble y de las relaciones subjetivas que existan entre el titular del mismo y el que ocupe el local mediante contrato de arrendamiento, u cualquier otro título. En este sentido es de aplicación lo dispuesto en el art. 12. 1 RSCL «Las autorizaciones y licencias se entenderán otorgadas salvo el derecho de propiedad y sin perjuicio del de tercero».

5. ¿Está sujeto al pago de tasa la comunicación de cambio de titularidad o transmisión de una actividad?

Como afirma la STSJ Andalucía, Málaga, 21 marzo 1997 en los supuestos de cambio de titularidad, con carácter general, no cabe exigir el pago de tasa alguna, puesto que no se produce actividad administrativa relevante, sino que ésta se limita a un mero cambio en los registros municipales y, a lo sumo, a una comprobación rutinaria de la continuación de la misma por el nuevo titular; pero en este caso sí puede hablarse de actividad administrativa relevante, derivada de la comprobación por parte del municipio del cambio en las condiciones de ejercicio de la actividad, ya que con ocasión del cambio de titularidad se pusieron de manifiesto ciertas alteraciones en el local y en lo que venía siendo el desarrollo de su actividad (deficiencias higiénico-sanitarias, de seguridad, etc.), por lo que la tasa está justificada.

6. ¿Ha de resolverse expresamente por el Ayuntamiento la comunicación de cambio de titularidad?

No. El art. 3.2 de la Ley 12/2012 habla de comunicación previa a la administración competente, sin que sea necesario posteriormente dictar resolución alguna. A efectos prácticos bastaría en cualquier caso tomar conocimiento de la transmisión, dejando constancia en el expediente.

7. ¿Qué ocurre si el Ayuntamiento no dicta resolución de cambio de titularidad?

Si el Ayuntamiento, recibida la comunicación de cambio de titularidad de la actividad, no resuelve expresamente el mismo, ha de entenderse que por silencio administrativo positivo se da por cumplido el trámite a todos los efectos, teniendo en cuenta que la resolución del órgano sustantivo no es generadora de derechos para el nuevo titular de la actividad, sino que tiene los efectos de una simple comunicación, que el Ayuntamiento constata mediante la toma de conocimiento del nuevo titular. En este sentido para la STS 15 octubre 1981 «La intervención municipal en caso de transmisión de licencias no es de previa y expresa autorización para que aquélla opere, sino de mera constatación o toma de razón de la extra-administrativamente producida por el simple acuerdo del antiguo y nuevo propietario, cuyo incumplimiento determina que ambos queden sujetos a todas las responsabilidades que se deriven para el titular».

8. ¿Qué ocurre si no se comunica la transmisión de la actividad?

La no comunicación del cambio de titularidad de la actividad por el anterior o el nuevo titular supone que el anterior y nuevo titular queda sujetos, de forma solidaria, a todas las responsabilidades y obligaciones derivadas de dicho incumplimiento (art. 82.2 Ley 11/2014).

9. ¿Qué plazo existe para comunicar la transmisión de la licencia?

Un mes (art. 82.1 Ley 11/2014).

10. ¿Ha de comunicarse por el anterior y nuevo titular la transmisión de la licencia?

Sí. Así lo exige el art. 82.1 de la Ley 11/2014.

> **11. ¿Qué documentación se ha de presentar con la comunicación de transmisión de la licencia?**
>
> Título o documento que acredite la transmisión (art. 82.1 Ley 11/2014).

MODELO DE EXPEDIENTE: Transmisión de la licencia ambiental de actividad clasificada *(Disponible a texto íntegro en smarteca.es)*

1)   Comunicación de cambio de transmisión de la licencia ambiental de actividad clasificada

2)   Resolución de cambio de titularidad de licencia ambiental de actividad clasificada

3)   Notificación de cambio de la transmisión de la titularidad de licencia ambiental de actividad clasificada

3. Canarias

A.   Expediente de licencia de actividad clasificada (arts. 17 a 27 Ley 7/2011)

1.   Claves del Expediente

La obtención de la licencia de actividad clasificada se sujeta a régimen excepcional de intervención administrativa, frente al ordinario de la comunicación previa.

La Ley 7/2011, de 5 de abril, de actividades clasificadas y espectáculos públicos y otras medidas administrativas complementarias, regula en sus arts. 17 a 24 el procedimiento general, recogiéndose dentro del mismo el informe previo de calificación, antes de dictar la resolución del procedimiento, y con posterioridad a éste y antes del inicio de la actividad la presentación de declaración responsable (art. 28).

A tener en cuenta la innecesariedad de practicar notificación del expediente a vecinos colindantes con la actividad.

2.   Legislación aplicable

— Europea

Directiva 2006/123/CE del Parlamento y del Consejo, de 12 de diciembre de 2006, relativa a los servicios en el mercado interior.

— Estatal

Ley 17/2009, de 23 de noviembre, sobre el Libre Acceso a las Actividades de Servicios.

Arts. 21.1. q) y s), 124.4.ñ), 70.bis y 84, 84 bis y 84 ter. de la Ley 7/1985, de 2 de abril, Reguladora de las Bases de Régimen Local.

Ley 39/2015, de 1 de octubre, del Procedimiento Administrativo Común de las Administraciones Públicas.

— **Autonómica**

Ley 7/2011, de 5 de abril, de actividades clasificadas y espectáculos públicos y otras medidas administrativas complementarias.- LA LEY 7493/2011.

Decreto 86/2013, de 1 de agosto, por el que se aprueba el Reglamento de actividades clasificadas y espectáculos públicos.- LA LEY 13360/2013.

Decreto Legislativo 1/2012, de 21 de abril, por el que se aprueba el Texto Refundido de las Leyes de Ordenación de la Actividad Comercial de Canarias y reguladora de la licencia comercial.- LA LEY 7477/2012.

Decreto 52/2012, de 7 de junio, por el que se establece la relación de actividades clasificadas y se determinan aquellas a las que resulta de aplicación el régimen de autorización administrativa previa.- LA LEY 10669/2012.

3. Documentos de interés

— **Doctrina**

CANO MURCIA, Antonio. «Cuestiones prácticas sobre transmisión o cambio de titularidad». -LA LEY 18292/2011.

—. «Apunte legislativo sobre transmisión o cambio de titularidad».- LA LEY 18291/2011.

—. «Los Tribunales dicen... sobre transmisión o cambio de titularidad».- LA LEY 18290/2011.

—. «Requisitos generales de la transmisión o cambio de titularidad de la licencia de apertura». -LA LEY 18288/2011.

—. «Apunte legislativo sobre actividades no sujetas a comunicación previa o declaración responsable».- LA LEY 18269/2011.

—. «Apunte legislativo sobre actividades sin licencia».- LA LEY 18319/2011.

—. «Procedimiento licencia instalación actividades clasificadas».- LA LEY 18285/2011.

CHOLBÍ CACHÁ, Francisco Antonio. «El contenido de la normativa autonómica en los supuestos de interrelación de las autorizaciones urbanísticas con las de actividades».- LA LEY 23007/2011.

—. «Apunte legislativo sobre las relaciones en la tramitación administrativa de las autorizaciones urbanísticas y de actividades».- LA LEY 23011/2011.

—. «Los distintos tipos de autorizaciones ambientales para el ejercicio de actividades».- LA LEY 23002/2011.

—. «Los Tribunales dicen... sobre las relaciones en la tramitación administrativa de las autorizaciones urbanísticas y de actividades».- LA LEY 23010/2011.

—. «Especial consideración a las actividades sujetas a licencias de uso cuando llevan aparejadas la ejecución de obras».- LA LEY 23009/2011.

—. «Los principales problemas en la tramitación conjunta de las autorizaciones urbanísticas cuando el destino de las obras es el ejercicio de actividades».- LA LEY 23008/2011.

—. «El contenido supletorio del Reglamento de Servicios sobre interrelación de licencias».- LA LEY 23005/2011.

—. «La interrelación existente entre las autorizaciones en materia urbanística y las autorizaciones en materia ambiental».- LA LEY 23004/2011.

—. «El régimen jurídico de las autorizaciones en materia urbanística para el ejercicio de actividades: introducción».- LA LEY 23001/2011.

PREGUNTAS CLAVE

1. ¿Qué documentación es necesario presentar para el otorgamiento de licencia de actividad clasificada?

De conformidad con el art. 17 de la Ley 7/2011, de 5 de abril, de actividades clasificadas y espectáculos públicos y otras medidas administrativas complementarias, al menos se presentará junto con la solicitud de licencia proyecto técnico realizado y firmado por técnico competente y visado por el colegio profesional correspondiente si este fuere exigible, en el que se explicitará la descripción de la actividad, su incidencia ambiental y las medidas correctoras propuestas, debiendo justificarse expresamente que el proyecto técnico cumple la normativa sectorial así como la urbanística sobre usos aplicables

2. ¿Qué plazo hay para resolver la admisión a trámite de la solicitud de licencia de instalación de actividad clasificada?

Cinco días hábiles (art. 18.1 de la Ley 7/2011, de 5 de abril, de actividades clasificadas y espectáculos públicos y otras medidas administrativas complementarias)

3. ¿Qué importancia tiene el informe de los servicios municipales, una vez que se ha admitido a trámite la solicitud de licencia de instalación de actividad clasificada

El art. 19 de la Ley 7/2011, de 5 de abril, de actividades clasificadas y espectáculos públicos y otras medidas administrativas complementarias concede especial importancia al informe del proyecto, ya que del contenido del mismo dependerá la denegación motivada de la solicitud, o, la apertura de la fase de información pública y solicitud de informes preceptivos

4. ¿Qué tiempo ha de exponerse al público el anuncio de la solicitud de licencia de instalación de actividad clasificada?

20 días, mediante anuncio que se publicará en el Boletín Oficial de la Provincia (art. 20.1 de la Ley 7/2011, de 5 de abril, de actividades clasificadas y espectáculos públicos y otras medidas administrativas complementarias)

5. ¿Ha de notificarse la tramitación del procedimiento a los vecinos colindantes con la actividad?

El trámite de información pública se limita a la publicación de anuncio en el Boletín Oficial de la Provincia, sin que sea necesario ni preceptivo dar cuenta del expediente a los colindantes con la actividad (art. 20.1 de la Ley 7/2011, de 5 de abril, de actividades clasificadas y espectáculos públicos y otras medidas administrativas complementarias)

6. ¿Qué plazo hay para emitir los informes sectoriales de la licencia de instalación de actividad clasificada?

15 días, salvo que la normativa sectorial establezca uno distinto (art. 20.2 de la Ley 7/2011, de 5 de abril, de actividades clasificadas y espectáculos públicos y otras medidas administrativas complementarias.

7. ¿Qué ocurre si no se emite en plazo los informes sectoriales?

Transcurrido el plazo de 15 días sin haberse emitido los informes sectoriales solicitados, podrán seguirse las actuaciones (art. 20.2 de la Ley 7/2011, de 5 de abril, de actividades clasificadas y espectáculos públicos y otras medidas administrativas complementarias.

8. ¿Qué plazo hay para emitir y notificar el informe de calificación?

Un mes desde la recepción de la solicitud por el órgano competente (art. 21.5 de la Ley 7/2011, de 5 de abril, de actividades clasificadas y espectáculos públicos y otras medidas administrativas complementarias)

9. ¿Qué sentido tiene el informe de calificación si el mismo no se emite en plazo?

De acuerdo con el art. 21.5 de la Ley 7/2011, de 5 de abril, de actividades clasificadas y espectáculos públicos y otras medidas administrativas complementarias, transcurrido el plazo de un mes sin que por el órgano competente para resolver sobre la autorización se hubiere recibido el informe, este se **entenderá favorable a la solicitud**. En todo caso, si el mencionado informe **fuera negativo o condicionado** y se recibiera por el órgano competente antes de dictar la resolución y dentro siempre del plazo para resolver el procedimiento, tendrá la eficacia vinculante del apartado anterior.

10. ¿Quién es competente para emitir el informe de calificación?

Dependiendo de los supuestos contemplados en el art. 21.6 de la Ley 7/2011, de 5 de abril, de actividades clasificadas y espectáculos públicos y otras medidas administrativas complementarias, corresponde al cabildo insular correspondiente o al ayuntamiento.

11. ¿En qué casos ha de darse trámite de audiencia del expediente de calificación?

Cuando el informe de calificación fuera desfavorable o condicionado (art. 22 de la Ley 7/2011, de 5 de abril, de actividades clasificadas y espectáculos públicos y otras medidas administrativas complementarias)

12. ¿Cómo se resuelve la discrepancia sobre el contenido del informe de calificación desfavorable o condicionado?

En el supuesto de que el órgano competente para otorgar la licencia de instalación de la actividad clasificada discrepara del contenido del informe de calificación desfavorable o condicionado, y no se hubieran operado los efectos del silencio positivo en la obtención de la licencia, podrá elevar en el plazo de diez días la correspondiente discrepancia al órgano competente para ello, cuyo acuerdo, de carácter vinculante, se notificará al órgano que haya elevado la discrepancia, al órgano que hubiera emitido el informe de calificación, y al interesado (art. 23.2 de la Ley 7/2011, de 5 de abril, de actividades clasificadas y espectáculos públicos y otras medidas administrativas complementarias)

13. ¿Quién tiene la competencia para resolver los supuestos de discrepancia?

Corresponde:

a) **Al pleno del cabildo insular**, en los supuestos en que el informe de calificación hubiera sido emitido por el cabildo insular en los casos previstos en el artículo 21.6.a) de la presente ley.

b) En los demás supuestos no previstos en el apartado anterior:

• La **junta de gobierno de la corporación local** a la que corresponda autorizar la actividad, cuando dicha corporación sea el cabildo insular o esté sujeta al régimen jurídico de los municipios de gran población.

• **El pleno del ayuntamiento** al que corresponda autorizar la actividad, cuando se trate de municipios no sujetos al régimen jurídico de los municipios de gran población.

[Art. 23.3 de la Ley 7/2011, de 5 de abril, de actividades clasificadas y espectáculos públicos y otras medidas administrativas complementarias].

14. ¿Qué plazo hay para resolver y notificar el procedimiento de otorgamiento de licencia de actividad clasificada

Tres meses con carácter general y cinco meses, en los supuestos previstos en el art. 21.6 a) párrafo primero (art. 24.1 de la Ley 7/2011, de 5 de abril, de actividades clasificadas y espectáculos públicos y otras medidas administrativas complementarias).

15. ¿Se obtiene la licencia por silencio positivo?

Podrá entenderse estimada la solicitud y obtenida la licencia por silencio positivo, cuando concurra cualquiera de los dos siguientes supuestos:

a) que el informe de calificación hubiese sido favorable, o condicionado al cumplimiento de determinadas medidas correctoras, operando, en este último caso, la estimación, por silencio, de la solicitud condicionada al cumplimiento de las medidas impuestas en el informe;

b) que el informe de calificación, en el caso de actividades molestas, no hubiere sido emitido ni notificado al interesado dentro del plazo de resolución del procedimiento previsto en el apartado 1 (art. 24.2 de la Ley 7/2011, de 5 de abril, de actividades clasificadas y espectáculos públicos y otras medidas administrativas complementarias).

16. ¿Qué procedimiento se aplica cuando la licencia de instalación de actividad clasificada necesite de evaluación de impacto ambiental?

[Art. 24.1 de la Ley 7/2011, de 5 de abril, de actividades clasificadas y espectáculos públicos y otras medidas administrativas complementarias].

17. ¿Qué procedimiento se aplica cuando la licencia de instalación de actividad clasificada necesite de evaluación de impacto ambiental?

El procedimiento a seguir será el general con las variaciones que se establecen en el art. 26 de la Ley 7/2011, de 5 de abril, de actividades clasificadas y espectáculos públicos y otras medidas administrativas complementarias.

18. ¿Qué plazo hay para resolver y notificar el procedimiento de evaluación de impacto ambiental?

Diez meses (art. 27.1 de la Ley 7/2011, de 5 de abril, de actividades clasificadas y espectáculos públicos y otras medidas administrativas complementarias).

19. ¿Se produce silencio positivo si no se resuelve el plazo el procedimiento de evaluación de impacto ambiental?

Transcurrido el plazo de diez meses, sin que se hubiere producido la resolución y su notificación al interesado, este podrá entender estimada la solicitud y obtenida la autorización por silencio positivo, cuando concurra cualquiera de los dos siguientes supuestos:

a) que la declaración de impacto hubiese sido favorable o condicionada al cumplimiento de determinadas medidas correctoras, operando, en este último caso la estimación, por silencio, de la solicitud condicionada al cumplimiento de las medidas impuestas en la declaración;

b) que la declaración de impacto no hubiere sido emitida ni notificada al interesado dentro del plazo establecido para ello por la legislación ambiental y siempre que por ley o norma comunitaria no se anude a la falta de emisión o notificación en plazo de dicha declaración un efecto desfavorable u obstativo a la autorización de la actividad sometida a evaluación (art. 27.2 de la Ley 7/2011, de 5 de abril, de actividades clasificadas y espectáculos públicos y otras medidas administrativas complementarias).

MODELO DE EXPEDIENTE: Licencia de actividad clasificada (Arts. 17 a 27 Ley 7/2011) (Disponible a texto íntegro en smarteca.es)

1) *Inicio expediente de actividad clasificada*

2) *Admisión a trámite de la solicitud*

3) *Enjuiciamiento previo del proyecto con informe técnico*

4) *Enjuiciamiento previo del proyecto con informe jurídico*

5) *Providencia ordenando apertura información pública y emisión informes preceptivos*

6) *Anuncio de información pública*

7) *Solicitud informes*

8) *Certificado de reclamaciones*

9) *Remisión del expediente para informe de calificación*

10) *Informe de calificación*

11)   Trámite de audiencia

12)   Notificación trámite de audiencia

13)   Escrito de alegaciones al trámite de audiencia

14)   Resolución licencia actividad clasificada

15)   Notificación la resolución de licencia de actividad clasificada

B.   Expediente de inicio de actividad clasificada (arts. 28 y 29 Ley 7/2011)

1.   Claves del Expediente

Este expediente es una continuación del procedimiento para el otorgamiento de la licencia de instalación de actividad clasificada regulado en los arts. 17 a 27 de la Ley 7/2011, de 5 de abril, de actividades clasificadas y espectáculos públicos y otras medidas administrativas complementarias.

Para iniciar el ejercicio de una actividad clasificada es necesario la puesta en marcha, previa presentación de una comunicación previa. Aquí el legislador mezcla en el art. 28 de la Ley 7/2011 comunicación previa, con puesta en marcha y declaración responsable, lo que provoca confusión a la hora de resolver el expediente de inicio de la actividad, ya que si bien basta con la presentación de la declaración responsable para la puesta en marcha, también podría finalizar el procedimiento concediendo de forma expresa licencia de apertura o puesta en marcha de la actividad.

El procedimiento a seguir es el de previsto para la comunicación previa.

PREGUNTAS CLAVE

1. ¿Qué requisito ha de cumplirse para la puesta en marcha de la actividad clasificada?

La puesta en marcha de actividades clasificadas requerirá la presentación de declaración responsable por el promotor ante la Administración competente adjuntando la certificación técnica, visada por el colegio profesional correspondiente en caso de actividades calificadas como insalubres o peligrosas, acreditativa de la conclusión de las obras y de su adecuación a las condiciones establecidas en la licencia de instalación (art. 28 de la Ley 7/2011, de 5 de abril, de actividades clasificadas y espectáculos públicos y otras medidas administrativas complementarias).

2. ¿Existe un procedimiento específico para la puesta en marcha de actividades clasificadas?

La apertura, el inicio, puesta en marcha o funcionamiento de establecimientos que sirven de soporte al ejercicio de actividades clasificadas no sujetas a autorización ambiental integrada o a evaluación de impacto ambiental, se someterá siempre al régimen de comunicación previa (art. 68.3 del Decreto 86/2013, de 1 de agosto, por el que se aprueba el Reglamento de actividades clasificadas y espectáculos públicos).

3. ¿Cuándo puede iniciarse el ejercicio de una actividad clasificada?

La presentación de la comunicación previa y de la documentación que la ha de acompañar habilitará a la persona interesada, a partir de ese momento, para el ejercicio material de la actividad si bien no prejuzgará la situación y efectivo cumplimiento de las condiciones previstas para su desarrollo o de los requisitos del local o establecimiento, ni limitará el ejercicio de las potestades administrativas de comprobación, inspección, sanción y, en general, de control que el ordenamiento jurídico prevé (art. 35.3 de la Ley 7/2011, de 5 de abril, de actividades clasificadas y espectáculos públicos y otras medidas administrativas complementarias y art. 101.5 del Decreto 86/2013, de 1 de agosto, por el que se aprueba el Reglamento de actividades clasificadas y espectáculos públicos).

4. En el caso de que la actividad esté sujeta a la obtención de título habilitante previo que lleve implícita la licencia de actividad clasificada, ¿existe plazo para resolver y notificar el inicio de la actividad?

En dicho supuesto, el plazo de resolución y notificación de la resolución, cuando rija el régimen autorizatorio, será el establecido en la normativa específica, y, en su defecto, el de 2 meses, transcurridos los cuales se entenderá obtenida por silencio administrativo positivo, salvo que la normativa específica disponga otro régimen distinto (art. 29 de la Ley 7/2011, de 5 de abril, de actividades clasificadas y espectáculos públicos y otras medidas administrativas complementarias).

MODELO DE EXPEDIENTE: Inicio de actividad clasificada *(Disponible a texto íntegro en smarteca.es)*

1) *Presentación de declaración responsable para inicio de la actividad clasificada*

2) *Providencia de la Alcaldía*

3) *Informe técnico sobre comprobación*

4) *Decreto dando por efectuada comprobación para el ejercicio de actividad clasificada*

5) *Notificación de la resolución de comprobación para el ejercicio de la actividad clasificada*

2. Control de actividades inocuas

PREGUNTAS CLAVE

> **¿Cuáles son las actividades que se están sujetas a control posterior al inicio de la actividad en Islas Canarias?**
>
> Las actividades consideradas como inocuas por la Ley 7/2011, de 5 de abril, de actividades clasificadas y espectáculos públicos y otras medidas administrativas complementarias.
>
> También hay que considerar incluidas las de características similares a las que figuran en el anexo I de la Ley 12/2012, de 26 de diciembre, de medidas urgentes de liberalización del comercio y de determinados servicios, así como a las que no les sea de aplicación el art. 84 bis de la Ley 7/1985, de 2 de abril, Reguladora de las Bases del Régimen Local.

C. Expediente de cambio de titularidad de actividad clasificada

1. Claves del Expediente

Aunque es una cuestión que puede considerarse pacífica, el cambio de titularidad en general de los establecimientos, negocios y actividades en general y en particular de la licencia ambiental se sujeta al cumplimiento de unos requisitos mínimos, que tienen como objetivo fundamental el poner en conocimiento de la Administración (órgano sustantivo ambiental) el nuevo titular de la actividad.

A tenor del artículo 13.1 del Reglamento de Servicios de las Corporaciones Locales, aprobado por Decreto de 17 de junio de 1955, las licencias relativas a las condiciones de una obra, instalación o servicio serán transmisibles, pero el antiguo y el nuevo constructor o empresario deberán comunicarlo por escrito a la Corporación, sin lo cual quedarán ambos sujetos a todas las responsabilidades que se derivaren para el titular.

Esta posición legal ha quedado superada mediante el art. 3.2 de la Ley 12/2012, de 26 de diciembre, de medidas urgentes de liberalización del comercio y de determinados servicios, al decir que no están sujetos a licencia los cambios de titularidad de las actividades comerciales y de servicios, siendo exigible en estos casos una comunicación previa a la administración competente a los solos efectos informativos.

Ha de tenerse en cuenta:

- La comunicación ha de ser expresa.

- Se exige que se acredite que la comunicación de la transmisión vaya acompañada de título o documento que acredite la transmisión (contrato de compraventa, de arrendamiento, de cesión etc.)

- Si la transmisión se produce sin realizar la correspondiente comunicación, el anterior y el nuevo titular quedan sujetos, de forma solidaria, a todas las responsabilidades y obligaciones derivadas del incumplimiento de dicha obligación.

La Ley 7/2011, de 5 de abril, de actividades clasificadas y espectáculos públicos y otras medidas administrativas, en su art. 33 complementarias, regula las condiciones en las que se ha de llevar a cabo la transmisión de la actividad.

PREGUNTAS CLAVE

1. ¿Quién está obligado a comunicar la transmisión de la licencia de instalación o actividad?

El anterior y el nuevo titular (art. 33.1 de la Ley 7/2011, de 5 de abril, de actividades clasificadas y espectáculos públicos y otras medidas administrativas complementarias).

2. ¿Cómo ha de efectuarse la comunicación de la transmisión de la instalación o actividad?

Mediante escrito que se presentará en el Ayuntamiento en el plazo de un mes desde que se hubiera formalizado el cambio de titularidad, acompañado de una copia del título o documento que ampare la transmisión anterior y el nuevo titular (art. 33.2 de la Ley 7/2011, de 5 de abril, de actividades clasificadas y espectáculos públicos y otras medidas administrativas complementarias).

La exigencia de la acreditación de la transmisión, ha de entenderse que carece de toda lógica, contraria al alcance y contenido que se le da por el art. 3 de la Ley 12/2012, de 26 de diciembre, de medidas urgentes de liberalización del comercio y de determinados servicios, en consonancia con una consolidada jurisprudencia.

3. ¿Qué ocurre si no se cumple el deber de comunicarla transmisión de la instalación o actividad?

El incumplimiento del deber de comunicación determina que el antiguo y el nuevo titular serán responsables, de forma solidaria, de cualquier obligación y responsabilidad dimanante de la licencia de actividad clasificada entre la fecha de su transmisión y de la comunicación de esta (art. 33.2 de la Ley 7/2011, de 5 de abril, de actividades clasificadas y espectáculos públicos y otras medidas administrativas complementarias).

4. ¿Qué requisitos han de cumplirse para realizar el cambio de titularidad una actividad?

Para que el nuevo titular de una actividad pueda realizar el cambio de titularidad, deberá ser comunicado al Ayuntamiento a efectos informativos (art. 3.2 de la Ley 12/2012).

5. ¿Es necesario que el anterior titular comunique la transmisión de la actividad a un tercero?

No es un requisito necesario. El art. 3.2 de la Ley 12/2012 no exige esta comunicación.

6. ¿Qué ocurre si no se comunica la transmisión de la actividad?

La no comunicación del cambio de titularidad de la actividad por el anterior o el nuevo titular supone que el anterior y nuevo titular queda sujetos, de forma solidaria, a todas las responsabilidades y obligaciones derivadas de dicho incumplimiento.

7. ¿Puede transmitir la licencia de actividad el que no es propietario del local en el que se ejerce la misma?

Sí. El ejercicio de una actividad tanto mediante la concesión expresa de licencia de apertura o actividad o mediante la comunicación previa o declaración responsable tiene carácter real, al margen de la titularidad del inmueble y de las relaciones subjetivas que existan entre el titular del mismo y el que ocupe el local mediante contrato de arrendamiento, u cualquier otro título. En este sentido es de aplicación lo dispuesto en el art. 12. 1 RSCL «Las autorizaciones y licencias se entenderán otorgadas salvo el derecho de propiedad y sin perjuicio del de tercero».

8. ¿Ha de resolverse expresamente por el Ayuntamiento la comunicación de cambio de titularidad?

No. El art. 3.2 de la Ley 12/2012 habla de comunicación previa a la administración competente, sin que sea necesario posteriormente dictar resolución alguna. A efectos prácticos bastaría en cualquier caso tomar conocimiento de la transmisión, dejando constancia en el expediente.

9. ¿Qué ocurre si el Ayuntamiento no dicta resolución de cambio de titularidad?

Si el Ayuntamiento, recibida la comunicación de cambio de titularidad de la actividad, no resuelve expresamente el mismo, ha de entenderse que por silencio administrativo positivo se da por cumplido el trámite a todos los efectos, teniendo en cuenta que la resolución del órgano sustantivo no es generadora de derechos para el nuevo titular de la actividad, sino que tiene los efectos de una simple comunicación, que el Ayuntamiento constata mediante la toma de conocimiento del nuevo titular. En este sentido para la STS 15 octubre 1981 «La intervención municipal en caso de transmisión de licencias no es de previa y expresa autorización para que aquélla opere, sino de mera constatación o toma de razón de la *extra*-administrativamente producida por el simple acuerdo del antiguo y nuevo propietario, cuyo incumplimiento determina que ambos queden sujetos a todas las responsabilidades que se deriven para el titular».

2. Jurisprudencia

• No constando que la licencia de apertura en su día concedida al demandante lo fuese en atención a su persona, esto es, a especiales circunstancias personales del mismo que impidiesen su transmisión a los efectos prevenidos en el art. 13 del Reglamento de Servicios de las Corporaciones Locales, tal y como se sostiene, entre otras, en la STS de 12 Jul. 2000, **el cambio de titular no requiere la solicitud de una nueva licencia, la cual solo sería exigible si hubiese existido una modificación de la actividad para la cual aquélla se concedió, lo que no se da en este caso.** Por tanto, el único efecto o consecuencia jurídica de la falta de notificación por escrito de tal circunstancia es la **sumisión conjunta de transmitente y adquirente a las responsabilidades** de la explotación de la licencia, sin que lleve consigo la imposición de la sanción debatida en estos autos. [STSJ Extremadura 27 septiembre 2001.- LA LEY 170424/2001]

• La transmisión de la licencia constituye en definitiva la realización de un **negocio jurídico del transmitente en cuanto titular originario de la autorización administrativa pero sin que tal operación traslativa tenga relevancia a efectos de alterar las condiciones de la propia autorización,** de tal modo que permanece idéntica su eficacia y viabilidad jurídica del acto proyectado y en consecuencia del incumplimiento del deber administrativo impuesto por el artículo 13.1 del R. S. C. L., de comunicar la transferencia al Ayuntamiento, circunstancia no realizada en el supuesto de autos, **no repercute sobre la validez y existencia de la licencia y sí en cambio, únicamente en el régimen de responsabilidades derivado de la titularidad de la licencia** quedando también el transmitente sujeto junto con el adquirente a dichas responsabilidades máxime cuando el deber de comunicación de la transmisión de la licencia ha de operar a efectos de información del Ayuntamiento de los titulares en cada momento de licencias. [STSJ Extremadura 15 diciembre 2006.- LA LEY 214993/2006]

• Tampoco cabe oponer el artículo 42 de la Ley 11/2003 de 8 de abril, de Prevención Ambiental de Castilla y León puesto que, de su lectura e interpretación literal, llegamos a una conclusión distinta de la que se contiene en la Sentencia recurrida, ya que claramente se refiere **solo al deber de comunicación a las Administraciones y a las consecuencias del incumplimiento de tal deber**, que se ventilan no en la denegación de la transmisión de la licencia, sino en el de las responsabilidades de cedente y cesionario del incumplimiento de las obligaciones que impone la ley. [STSJ Castilla y León de Burgos. Sala de lo Contencioso-administrativo, Sección 2.ª, de 28 Nov. 2011, rec. 70/2011. -LA LEY 232204/2011]

• El cambio de titular por sí solo resultaba jurídicamente irrelevante en cuanto afectaría a los posibles derechos de los particulares (STS de 23 diciembre 1998), porque la licencia mantenía su vigencia mientras subsistieran las condiciones de la actividad, de modo que el Ayuntamiento, **de no advertir otras modificaciones que las subjetivas, que son inoperantes a estos efectos, debió otorgar la transmisión de la titularidad de la licencia cuando le fue comunicado por escrito por el dueño del establecimiento,** toda vez que no ofrecía duda el título legítimo de la transmisión ya que la subrogación en la explotación se producía por los dueños del local a favor del nuevo titular, una vez que el anterior arrendamiento había sido declarado extinguido por resolución judicial. [STSJ País Vasco 13 julio 2001]

• **La Administración está obligada a reconocer el cambio de la titularidad** de la licencia sin perjuicio de las distintas actuaciones que le conciernen ejercer contra la misma del mismo modo que si no se hubiese transmitido. [STSJ Madrid 18 septiembre 2001]

• Para proceder al cambio de titularidad el Ayuntamiento ha de tener **constancia de que efectivamente dicho cambio se ha producido,** y ello por dos mecanismos alternativos, uno bilateral, que no es otro que la conformidad del anterior titular, y otro, que no precisa dicha conformidad, más complejo, que consiste en la acreditación de que se ha adquirido por cualquier medio, *inter vivos* o *mortis causa*, la propiedad o posesión del inmueble en cuestión. [STSJ Madrid 15 enero 2004]

3.   Legislación aplicable

— Estatal

Art. 13 del Decreto de 17 de junio de 1955, por el que se aprueba el Reglamento de Servicios de las Corporaciones Locales.

Art. 3 de la Ley 12/2012, de 26 de diciembre, de medidas urgentes de liberalización del comercio y de determinados servicios.

— Autonómica

Art. 33 y 34 de la Ley 7/2011, de 5 de abril, de actividades clasificadas y espectáculos públicos y otras medidas administrativas complementarias.- LA LEY 7493/2011.

Art. 83 y 103 del Decreto 86/2013, de 1 de agosto, por el que se aprueba el Reglamento de actividades clasificadas y espectáculos públicos.- LA LEY 13360/2013.

Decreto Legislativo 1/2012, de 21 de abril, por el que se aprueba el Texto Refundido de las Leyes de Ordenación de la Actividad Comercial de Canarias y reguladora de la licencia comercial.- LA LEY 7477/2012.

Decreto 52/2012, de 7 de junio, por el que se establece la relación de actividades clasificadas y se determinan aquellas a las que resulta de aplicación el régimen de autorización administrativa previa.- LA LEY 10669/2012.

4. Documentos de interés

— Doctrina

CANO MURCIA, Antonio. «Apunte legislativo sobre transmisión o cambio de titularidad».- LA LEY 19118/2011.

—. «Los Tribunales dicen... sobre transmisión o cambio de titularidad».- LA LEY 19117/2011.

—. «Efectos de la Ley 17/2009, de 23 de noviembre, sobre el libre acceso a las actividades de servicios».- LA LEY 19116/2011.

—. «Requisitos generales para la transmisión de la licencia de apertura».- LA LEY 19115/2011.

CHOLBÍ CACHÁ, Francisco Antonio. «El contenido supletorio del Reglamento de Servicios sobre interrelación de licencias».- LA LEY 24314/2011.

MORA GONZÁLEZ, María Jesús. «La transmisión de las licencias urbanísticas». *El Consultor de los Ayuntamientos y de los Juzgados*, n.º 23, Quincena del 15 al 29 Dic. 2007, Ref. 3889/2007, pág. 3889, tomo 3, LA LEY.- LA LEY 6927/2007.

MODELO DE EXPEDIENTE: Cambio de titularidad de actividad clasificada *(Disponible a texto íntegro en smarteca.es)*

1)   Comunicación de cambio de titularidad de actividad clasificada

2)   Resolución de toma de conocimiento del cambio de titularidad de actividad clasificada

3)   Notificación de la toma de conocimiento del cambio de titularidad de actividad clasificada

4. Cantabria

A. Expediente de licencia de actividad mediante comprobación ambiental

1. Claves del Expediente

Las licencias para la realización de actividades o el establecimiento y funcionamiento de instalaciones, así como para su modificación sustancial, que puedan ser causa de molestias, riesgos o daños para las personas, sus bienes o el medio ambiente y no precisen de autorización ambiental integrada ni declaración de impacto ambiental, se otorgarán previa comprobación y evaluación de su incidencia ambiental.

La tramitación del procedimiento de comprobación ambiental, es previo a la concesión de la licencia.

El procedimiento es bifásico, al intervenir la Comisión para la comprobación ambiental, adscrito a la Consejería de Medio Ambiente, con la emisión del informe de comprobación ambiental, y el Ayuntamiento con competencia para la concesión de la licencia de actividad.

La Ley de Cantabria 17/2006, de 11 de diciembre, de Control Ambiental Integrado, y el Decreto 19/2010 de 18 de marzo, por el que se aprueba el reglamento de la Ley 17/2006 de 11 de diciembre de Control Ambiental Integrado, regulan el procedimiento de comprobación ambiental.

La peculiaridad de este procedimiento es que antes de admitirse a trámite la solicitud de licencia ha de emitirse certificado favorable de compatibilidad urbanística.

Pone fin al procedimiento la declaración de incompatibilidad de la actividad con el planeamiento.

PREGUNTAS CLAVE

1. ¿Qué es la comprobación ambiental?

Es un trámite que forma parte del procedimiento para el otorgamiento de las licencias de actividad y apertura, entre cuyas determinaciones se incluirán las condiciones de prevención y protección ambiental exigibles (art. 31.4 de la Ley 17/2006, de 11 de diciembre, de Control Ambiental Integrado)

2. ¿Qué requisito ha de cumplirse para la concesión de licencia de actividad sujeta a la Ley 17/2006, de 11 de diciembre, de Control Ambiental Integrado?

De acuerdo con el art. 31 de la citada Ley, las licencias se otorgarán previa comprobación y evaluación de su incidencia ambiental.

3. ¿Cuándo se considera, con carácter general, que una actividad sujeta a la Ley 17/2006, de 11 de diciembre, de Control Ambiental Integrado, tiene modificación sustancial?

Se considerarán de carácter sustancial las modificaciones de una actividad o instalación cuando concurra alguna de las siguientes circunstancias:

a) Un incremento del volumen de la actividad o instalación superior al veinticinco por ciento.

b) Un incremento de la producción que supere el cincuenta por ciento.

c) Una incidencia significativa en la calidad y capacidad regenerativa de los recursos naturales de las áreas geográficas que puedan verse afectados.

4. ¿Qué finalidad tiene la comprobación ambiental?

La comprobación ambiental tiene como finalidad la de prevenir o reducir en origen la producción de residuos y la emisión de sustancias contaminantes al aire, al agua o al suelo, así como la generación de molestias o de riesgos que produzcan las correspondientes actividades e instalaciones y que sean susceptibles de afectar a las personas, bienes o al medio ambiente (art. 31.4 de la Ley 17/2006, de 11 de diciembre, de Control Ambiental Integrado).

5. ¿Puede exigirse por la comprobación ambiental la constitución de fianza y seguros?

Si, ya que entre las condiciones de la comprobación ambiental podrá incluirse la constitución de fianzas y seguros adecuados para cubrir los posibles daños que pueda producir la actividad o instalación (art. 32.3 de la Ley 17/2006, de 11 de diciembre, de Control Ambiental Integrado).

6. ¿Es preceptiva la comprobación ambiental para la concesión de licencia urbanística?

Si, ya que de acuerdo con el art. 33 de la de la Ley 17/2006, de 11 de diciembre, de Control Ambiental Integrado, No podrán otorgarse las autorizaciones y licencias que fueren necesarias para la ejecución de los proyectos o la instalación o el funcionamiento de las actividades que requieran una comprobación ambiental en tanto no se haya completado ésta.

7. ¿Cuándo puede comenzar a funcionar una actividad o instalación objeto de licencia por la Ley 17/2006, de 11 de diciembre, de Control Ambiental Integrado?

Cuando se haya comprobado por los servicios ambientales la efectividad de las medidas correctoras (art. 34.1 de la Ley 17/2006, de 11 de diciembre, de Control Ambiental Integrado).

8. ¿Qué documento es necesario para contratar con las empresas suministradoras los servicios de energía eléctrica, agua, gas, telefonía y otros servicios similares?

El acta de conformidad ambiental (art. 34.2 de la Ley 17/2006, de 11 de diciembre, de Control Ambiental Integrado y art. 79.4 del Decreto 19/2010 de 18 de marzo, por el que se aprueba el reglamento de la Ley 17/2006 de 11 de diciembre de Control Ambiental Integrado).

9 ¿Está viciada de nulidad la autorización de apertura o funcionamiento que se otorgue sin la comprobación ambiental?

Sí. Así lo establece el art. 35 de la Ley 17/2006, de 11 de diciembre, de Control Ambiental Integrado.

10. ¿Qué órgano es competente para emitir la comprobación ambiental?

> Corresponde a la comisión para la comprobación ambiental (art. 37.1 de la Ley 17/2006, de 11 de diciembre, de Control Ambiental Integrado).

2. Jurisprudencia

• La Ley 16/2002 es una **normativa unitaria y específica que faculta «a los solos efectos de la protección del medio ambiente y de la salud de las personas» para autorizar la explotación de una de las actividades que constituyen su objeto**. Prevalece, por tanto, frente al RAMINP, que en lo referente a distancias ex art. 4, queda desplazado. Esta interpretación es, además, acorde con la ulterior evolución legislativa (Ley de Cantabria 17/2006 y Ley 34/2007) del RAMINP, derogado sin sustitución de una regla concreta de distancias. [STSJ Cantabria, 31 julio 2009. LA LEY 176258/2009]

• En materia de actividades calificadas, **lo que importa es la actividad que como tal se realiza, y sus consecuencias medio-ambientales**, siendo intrascendente el beneficio económico que genere dicha actividad, y al margen de su carácter lucrativo o no. [STSJ Cantabria 13 febrero 2012. LA LEY 206183/2012]

• Cierto es que **la autonomía municipal atribuye a los Ayuntamientos potestades de intervención en la actividad de los ciudadanos** que pueden llegar al sometimiento a previa licencia y otros actos de control preventivo. Pero **dicha actividad de intervención debe ajustarse en la actualidad cuidadosamente a los principios de igualdad, proporcionalidad y *favor libertatis*** que recogen los artículos 84 y ss. de la Ley 7/1985, de 2 de abril, reguladora de las Bases del Régimen Local tras la entrada en vigor de la Directiva de Servicios, Directiva 2006/123/CE del Parlamento Europeo y del Consejo, de 12 de diciembre de 2006, relativa a los servicios en el mercado interior, también conocida como «Directiva Bolkestein». Esta Directiva ha dado lugar a la importante reforma en materia de intervención, entre ellas y a los efectos de resolución del presente procedimiento, la Ley 17/2009, de 23 de noviembre, sobre el libre acceso a las actividades de servicios y su ejercicio.

Esta normativa abre paso a **modalidades de control menos agresivas que la licencia o autorización, tales como la comunicación previa o la declaración responsable.** [STSJ Cantabria 13 abril 2012. LA LEY 180450/2012]

3. Legislación aplicable

— Estatal

Ley 17/2009, de 23 de noviembre, sobre el Libre Acceso a las Actividades de Servicios.

Arts. 21.1. q) y s), 124.4.ñ), 70.bis y 84, 84 bis y 84 ter. de la Ley 7/1985, de 2 de abril, Reguladora de las Bases de Régimen Local.

Ley 39/2015, de 1 de octubre, del Procedimiento Administrativo Común de las Administraciones Públicas.

— Autonómica

Ley de Cantabria 17/2006, de 11 de diciembre, de Control Ambiental Integrado.

Decreto 19/2010 de 18 de marzo, por el que se aprueba el reglamento de la Ley 17/2006 de 11 de diciembre de Control Ambiental Integrado.

Art. 186 y 187 de la Ley de Cantabria 2/2001, de 25 de junio, de Ordenación Territorial y Régimen Urbanístico del Suelo de Cantabria.

4. Documentos de Interés

— Doctrina

CHOLBÍ CACHÁ, Francisco Antonio. «Especial consideración a las actividades sujetas a licencias de uso cuando llevan aparejadas la ejecución de obras».- LA LEY 23194/2011.

—. «Apunte legislativo sobre las relaciones en la tramitación administrativa de las autorizaciones urbanísticas y de actividades».- LA LEY 23196/2011.

—. «El contenido supletorio del Reglamento de Servicios sobre interrelación de licencias». -LA LEY 23190/2011.

—. «Los distintos tipos de autorizaciones ambientales para el ejercicio de actividades».- LA LEY 23187/2011.

MARTÍN HERNÁNDEZ, Paulino. «Las licencias para actividades clasificadas». Esta doctrina forma parte del libro *Administración Local. Estudios en Homenaje a Ángel Ballesteros*, 1.ª ed., *El Consultor de los Ayuntamientos y de los Juzgados*. Madrid, enero 2011.- LA LEY 21893/2011.

MODELO DE EXPEDIENTE: Licencia de actividad mediante comprobación ambiental (*Disponible a texto íntegro en smarteca.es*)

*1)	Inicio expediente*

*2)	Providencia requiriendo la emisión de informe de compatibilidad urbanística*

*3)	Informe de compatibilidad urbanística*

*4)	Certificación de compatibilidad urbanística*

*5)	Resolución denegando la admisión a trámite de la solicitud de licencia*

*6)	Notificación de la resolución*

*7)	Admisión a trámite del expediente*

*8)	Edicto de información pública*

*9)	Certificado de reclamaciones*

*10)	Informe técnico a las alegaciones presentadas*

11) *Contestación municipal a las alegaciones presentadas*

12) *Remisión del expediente a la Comisión para la comprobación ambiental*

13) *Emisión de informe de comprobación ambiental*

14) *Resolución concediendo licencia de actividad*

15) *Notificación de la resolución concediendo licencia de actividad*

B. Expediente de licencia de funcionamiento o puesta en marcha de actividad (art. 79 Decreto 19/2010)

1. Claves del Expediente

Emitido informe de comprobación ambiental y concedida licencia de actividad, ésta no podrá comenzar a ejercerse hasta que se haya comprobado el adecuado funcionamiento de las medidas correctoras.

Este expediente se inicia a instancia del interesado, y contiene informe de los servicios técnicos, acta de conformidad ambiental y resolución concediendo puesta en marcha de las instalaciones y el inicio de la actividad.

El acta de conformidad ambiental ha de expedirse en el plazo de treinta días.

PREGUNTAS CLAVE

1. ¿Qué es la comprobación ambiental?

Es un trámite que forma parte del procedimiento para el otorgamiento de las licencias de actividad y apertura, entre cuyas determinaciones se incluirán las condiciones de prevención y protección ambiental exigibles (art. 31.4 de la Ley 17/2006, de 11 de diciembre, de Control Ambiental Integrado).

2. ¿Qué requisito ha de cumplirse para la concesión de licencia de actividad sujeta a la Ley 17/2006, de 11 de diciembre, de Control Ambiental Integrado?

De acuerdo con el art. 31 de la citada Ley, las licencias se otorgarán previa comprobación y evaluación de su incidencia ambiental.

3. ¿Cuándo se considera, con carácter general, que una actividad sujeta a la Ley 17/2006, de 11 de diciembre, de Control Ambiental Integrado, tiene modificación sustancial?

Se considerarán de carácter sustancial las modificaciones de una actividad o instalación cuando concurra alguna de las siguientes circunstancias:

a) Un incremento del volumen de la actividad o instalación superior al veinticinco por ciento.

b) Un incremento de la producción que supere el cincuenta por ciento.

c) Una incidencia significativa en la calidad y capacidad regenerativa de los recursos naturales de las áreas geográficas que puedan verse afectados.

4. ¿Qué finalidad tiene la comprobación ambiental?

La comprobación ambiental tiene como finalidad la de prevenir o reducir en origen la producción de residuos y la emisión de sustancias contaminantes al aire, al agua o al suelo, así como la generación de molestias o de riesgos que produzcan las correspondientes actividades e instalaciones y que sean susceptibles de afectar a las personas, bienes o al medio ambiente (art. 31.4 de la Ley 17/2006, de 11 de diciembre, de Control Ambiental Integrado).

5. ¿Puede exigirse por la comprobación ambiental la constitución de fianza y seguros?

Sí, ya que entre las condiciones de la comprobación ambiental podrá incluirse la constitución de fianzas y seguros adecuados para cubrir los posibles daños que pueda producir la actividad o instalación (art. 32.3 de la Ley 17/2006, de 11 de diciembre, de Control Ambiental Integrado).

6. ¿Es preceptiva la comprobación ambiental para la concesión de licencia urbanística?

Sí, ya que de acuerdo con el art. 33 de la de la Ley 17/2006, de 11 de diciembre, de Control Ambiental Integrado, no podrán otorgarse las autorizaciones y licencias que fueren necesarias para la ejecución de los proyectos o la instalación o el funcionamiento de las actividades que requieran una comprobación ambiental en tanto no se haya completado ésta.

7. ¿Cuándo puede comenzar a funcionar una actividad o instalación objeto de licencia por la Ley 17/2006, de 11 de diciembre, de Control Ambiental Integrado?

Cuando se haya comprobado por los servicios ambientales la efectividad de las medidas correctoras, y se haya expedido acta de conformidad ambiental (art. 34.1 de la Ley 17/2006, de 11 de diciembre, de Control Ambiental Integrado y art. 79.1 del Decreto 19/2010 de 18 de marzo, por el que se aprueba el reglamento de la Ley 17/2006 de 11 de diciembre de Control Ambiental Integrado).

8. ¿Qué documento es necesario para contratar con las empresas suministradoras los servicios de energía eléctrica, agua, gas, telefonía y otros servicios similares?

El acta de conformidad ambiental (art. 34.2 de la Ley 17/2006, de 11 de diciembre, de Control Ambiental Integrado y art. 79.4 del Decreto 19/2010 de 18 de marzo, por el que se aprueba el reglamento de la Ley 17/2006 de 11 de diciembre de Control Ambiental Integrado).

9. ¿Está viciada de nulidad la autorización de apertura o funcionamiento que se otorgue sin la comprobación ambiental?

Sí. Así lo establece el art. 35 de la Ley 17/2006, de 11 de diciembre, de Control Ambiental Integrado.

10. ¿Qué órgano es competente para emitir la comprobación ambiental?

Corresponde a la comisión para la comprobación ambiental (art. 37.1 de la Ley 17/2006, de 11 de diciembre, de Control Ambiental Integrado).

11. ¿Qué plazo hay para expedir el acta de conformidad ambiental?

Treinta días desde la solicitud de su expedición (art. 79.3 del Decreto 19/2010 de 18 de marzo, por el que se aprueba el reglamento de la Ley 17/2006 de 11 de diciembre de Control Ambiental Integrado).

12. ¿Qué ocurre en el caso de que el Ayuntamiento no expida en plazo el acta de conformidad ambiental?

Cuando el Ayuntamiento no expida el acta de comprobación ambiental en el plazo señalado, podrá el interesado iniciar la actividad después de comunicar al Ayuntamiento esta circunstancia (art. 79.3 del Decreto 19/2010 de 18 de marzo, por el que se aprueba el reglamento de la Ley 17/2006 de 11 de diciembre de Control Ambiental Integrado).

MODELO DE EXPEDIENTE: Licencia de funcionamiento o puesta en marcha de actividad *(Disponible a texto íntegro en smarteca.es)*

1)   Solicitud de visita de comprobación para inicio de actividad

2)   Admisión a trámite del expediente

3)   Informe de comprobación de los servicios técnicos municipales y acta de conformidad ambiental

4)   Resolución concediendo licencia de funcionamiento y puesta en marcha de la actividad

5)   Notificación de la resolución concediendo licencia de actividad

C.   Expediente de procedimiento simplificado de licencia de actividad (art. 81 Decreto 19/2010)

1.   Claves del Expediente

El procedimiento simplificado afecta únicamente a las actividades del anexo C.2 del Decreto 19/2010 de 18 de marzo, por el que se aprueba el reglamento de la Ley 17/2006 de 11 de diciembre de Control Ambiental Integrado.

Se reduce el plazo a quince días para la emisión del informe de comprobación ambiental.

Se ha de tramitar el mismo procedimiento que el ordinario de comprobación ambiental.

PREGUNTAS CLAVE

1. Para la tramitación del procedimiento simplificado ha de seguirse el trámite de información pública?

Sí. Este trámite, junto con el resto de los previstos en el art. 32.4 de la Ley 17/2006, ha de practicarse (art. 82.2 del Decreto 19/2010 de 18 de marzo, por el que se aprueba el reglamento de la Ley 17/2006 de 11 de diciembre de Control Ambiental Integrado).

2. ¿Qué plazo dispone la comisión para la comprobación ambiental para emitir el informe en el procedimiento simplificado?

Quince días (art. 82.2 del Decreto 19/2010 de 18 de marzo, por el que se aprueba el reglamento de la Ley 17/2006 de 11 de diciembre de Control Ambiental Integrado).

3. ¿Ha de tramitarse el procedimiento «ordinario» para las actividades sujetas a procedimiento simplificado?

El art. 82.2 del Decreto 19/2010 de 18 de marzo, por el que se aprueba el reglamento de la Ley 17/2006 de 11 de diciembre de Control Ambiental Integrado exige la tramitación del expediente de acuerdo con los trámites del art. 32.4 de la Ley 17/2006, así como los del art. 71 del citado Decreto. Por lo tanto y salvo la reducción del plazo para la emisión del informe de comprobación ambiental, en realidad estamos ante un mismo procedimiento.

MODELO DE EXPEDIENTE: Procedimiento simplificado de licencia de actividad *(Disponible a texto íntegro en smarteca.es)*

1)   *Inicio expediente de procedimiento simplificado*

2)   *Providencia requiriendo la emisión de informe de compatibilidad urbanística*

3)   *Informe de compatibilidad urbanística*

4)   *Certificación de compatibilidad urbanística*

5)   *Resolución denegando la admisión a trámite de la solicitud de licencia*

6)   *Notificación de la resolución*

7)   *Admisión a trámite del expediente*

8)   *Edicto de información pública*

9)   *Certificado de reclamaciones*

10)   *Informe técnico a las alegaciones presentadas*

11)   Contestación municipal a las alegaciones presentadas

12)   Remisión del expediente a la Comisión para la comprobación ambiental

13)   Emisión de informe de comprobación ambiental

14)   Resolución concediendo licencia de actividad

15)   Notificación de la resolución concediendo licencia de actividad

D.   Expediente de revision de oficio de la licencia de actividad (art. 80 Decreto 19/2010)

1.   Claves del Expediente

La revisión de la licencia ambiental es una potestad municipal, que se inicia de oficio por el Ayuntamiento.

Es necesario la emisión de informe preceptivo por la Comisión para la comprobación ambiental.

La resolución se dictará previa audiencia al interesado.

El expediente se resolverá en el plazo máximo de tres meses.

PREGUNTAS CLAVE

1. ¿Cuándo puede modificarse las condiciones ambientales de la licencia municipal?

El Ayuntamiento podrá modificar las condiciones ambientales de la licencia municipal cuando desaparezcan las circunstancias determinantes de su otorgamiento o sobrevinieran otras que hubieran justificado su denegación, cuando la aplicación de las mejores técnicas disponibles permita reducir significativamente las emisiones sin costes excesivos y cuando lo exija la adaptación de la licencia a la legislación que resulte de aplicación a la instalación (art. 80 del Decreto 19/2010 de 18 de marzo, por el que se aprueba el reglamento de la Ley 17/2006 de 11 de diciembre de Control Ambiental Integrado).

2. ¿Son preceptivas la adopción de medidas provisionales una vez su acuerde la revisión de oficio de la licencia municipal?

Es una potestad del Ayuntamiento, pudiendo acordar al mismo tiempo de la incoación del procedimiento de revisión de oficio, la adopción de la las medidas provisionales que fueran necesarias en función de las circunstancias (art. 80.3 del Decreto 19/2010 de 18 de marzo, por el que se aprueba el reglamento de la Ley 17/2006 de 11 de diciembre de Control Ambiental Integrado).

3. ¿Qué plazo hay para resolver y notificar el procedimiento de revisión de oficio de la licencia ambiental?

> Tres meses (art. 80.3 del Decreto 19/2010 de 18 de marzo, por el que se aprueba el reglamento de la Ley 17/2006 de 11 de diciembre de Control Ambiental Integrado).
>
> **4. ¿Qué informe ha de recabarse preceptivamente en el procedimiento de revisión de oficio de la licencia ambiental?**
>
> El de la Comisión para la comprobación ambiental (art. 80.3 del Decreto 19/2010 de 18 de marzo, por el que se aprueba el reglamento de la Ley 17/2006 de 11 de diciembre de Control Ambiental Integrado).
>
> **5. ¿Es indemnizable la modificación de las condiciones o medidas correctoras previstas en una licencia municipal?**
>
> No, así lo establece el art. 80.4 del Decreto 19/2010 de 18 de marzo, por el que se aprueba el reglamento de la Ley 17/2006 de 11 de diciembre de Control Ambiental Integrado, que exige su cumplimiento en el plazo razonable que se fije.

MODELO DE EXPEDIENTE: Revisión de oficio de la licencia de actividad *(Disponible a texto íntegro en smarteca.es)*

1)   *Inicio expediente de revisión ambiental de la licencia ambiental*

2)   *Requerimiento de informe a la Comisión para la comprobación ambiental*

3)   *Trámite de audiencia*

4)   *Notificación trámite de audiencia*

5)   *Escrito de alegaciones en trámite de audiencia*

6)   *Resolución revisando la licencia de actividad*

7)   *Notificación de la resolución*

E.   Expediente de licencia de actividad mediante comprobación ambiental con modificaciones sustanciales (art. 69.2 Decreto 19/2010)

1.   Claves del Expediente

Iniciado el ejercicio de una actividad, puede producirse en estas modificaciones que necesiten del control administrativo mediante el procedimiento de comprobación ambiental.

La importancia de este expediente radica en el hecho de que es necesario realizar nuevamente el trámite de comprobación ambiental.

Puede iniciarse el expediente a instancia del interesado, o bien como consecuencia de la actividad inspectora del Ayuntamiento.

Este procedimiento es distinto de revisión ambiental de la licencia de actividad del art. 80 del Decreto 19/2010.

PREGUNTAS CLAVE

1. ¿Qué es la comprobación ambiental?

Es un trámite que forma parte del procedimiento para el otorgamiento de las licencias de actividad y apertura, entre cuyas determinaciones se incluirán las condiciones de prevención y protección ambiental exigibles (art. 31.4 de la Ley 17/2006, de 11 de diciembre, de Control Ambiental Integrado).

2. ¿Qué requisito ha de cumplirse para la concesión de licencia de actividad sujeta a la Ley 17/2006, de 11 de diciembre, de Control Ambiental Integrado?

De acuerdo con el art. 31 de la citada Ley, las licencias se otorgarán previa comprobación y evaluación de su incidencia ambiental.

3. ¿Cuándo se considera, con carácter general, que una actividad sujeta a la Ley 17/2006, de 11 de diciembre, de Control Ambiental Integrado, tiene modificación sustancial?

Se considerarán de carácter sustancial las modificaciones de una actividad o instalación cuando concurra alguna de las siguientes circunstancias:

a) Un incremento del volumen de la actividad o instalación superior al veinticinco por ciento.

b) Un incremento de la producción que supere el cincuenta por ciento.

c) Una incidencia significativa en la calidad y capacidad regenerativa de los recursos naturales de las áreas geográficas que puedan verse afectados.

El art. 69.2 del Decreto 19/2010, amplia las causas por las que una actividad puede estar sujeta a modificación de carácter sustancial.

4. ¿Qué finalidad tiene la comprobación ambiental?

La comprobación ambiental tiene como finalidad la de prevenir o reducir en origen la producción de residuos y la emisión de sustancias contaminantes al aire, al agua o al suelo, así como la generación de molestias o de riesgos que produzcan las correspondientes actividades e instalaciones y que sean susceptibles de afectar a las personas, bienes o al medio ambiente (art. 31.4 de la Ley 17/2006, de 11 de diciembre, de Control Ambiental Integrado).

5. ¿Puede exigirse por la comprobación ambiental la constitución de fianza y seguros?

Si, ya que entre las condiciones de la comprobación ambiental podrá incluirse la constitución de fianzas y seguros adecuados para cubrir los posibles daños que pueda producir la actividad o instalación (art. 32.3 de la Ley 17/2006, de 11 de diciembre, de Control Ambiental Integrado).

6. ¿Es preceptiva la comprobación ambiental para la concesión de licencia urbanística?

Si, ya que de acuerdo con el art. 33 de la de la Ley 17/2006, de 11 de diciembre, de Control Ambiental Integrado, no podrán otorgarse las autorizaciones y licencias que fueren necesarias para la ejecución de los proyectos o la instalación o el funcionamiento de las actividades que requieran una comprobación ambiental en tanto no se haya completado ésta.

7. ¿Cuándo puede comenzar a funcionar una actividad o instalación objeto de licencia por la Ley 17/2006, de 11 de diciembre, de Control Ambiental Integrado?

Cuando se haya comprobado por los servicios ambientales la efectividad de las medidas correctoras (art. 34.1 de la Ley 17/2006, de 11 de diciembre, de Control Ambiental Integrado).

8. ¿Qué documento es necesario para contratar con las empresas suministradoras los servicios de energía eléctrica, agua, gas, telefonía y otros servicios similares?

El acta de conformidad ambiental (art. 34.2 de la Ley 17/2006, de 11 de diciembre, de Control Ambiental Integrado y art. 79.4 del Decreto 19/2010 de 18 de marzo, por el que se aprueba el reglamento de la Ley 17/2006 de 11 de diciembre de Control Ambiental Integrado).

9. ¿Está viciada de nulidad la autorización de apertura o funcionamiento que se otorgue sin la comprobación ambiental?

Sí. Así lo establece el art. 35 de la Ley 17/2006, de 11 de diciembre, de Control Ambiental Integrado.

10. ¿Qué órgano es competente para emitir la comprobación ambiental?

Corresponde a la comisión para la comprobación ambiental (art. 37.1 de la Ley 17/2006, de 11 de diciembre, de Control Ambiental Integrado).

11. ¿En caso de modificación sustancial, qué procedimiento ha de seguirse?

Cuando en una actividad se ha producido una modificación sustancial, deberá tramitarse el procedimiento de comprobación ambiental previsto en los arts. 31 y ss. de la Ley 17/2006, de 11 de diciembre, de Control Ambiental Integrado en relación con los arts. 69 a 79 del Decreto 19/2010 de 18 de marzo, por el que se aprueba el reglamento de la Ley 17/2006 de 11 de diciembre de Control Ambiental Integrado.

MODELO DE EXPEDIENTE: Licencia de actividad mediante comprobación ambiental con modificaciones sustanciales *(Disponible a texto íntegro en smarteca.es)*

1)   *Inicio expediente*

2)   *Providencia requiriendo la emisión de informe de compatibilidad urbanística*

3)   *Informe de compatibilidad urbanística*

4)   *Certificación de compatibilidad urbanística*

5)   Resolución denegando la admisión a trámite de la solicitud de licencia

6)   Notificación de la resolución

7)   Admisión a trámite del expediente de modificación sustancial de actividad

8)   Edicto de información pública

9)   Certificado de reclamaciones

10)   Informe técnico a las alegaciones presentadas

11)   Contestación municipal a las alegaciones presentadas

12)   Remisión del expediente a la Comisión para la comprobación ambiental

13)   Emisión de informe de comprobación ambiental

14)   Resolución concediendo modificación de la licencia de actividad

15)   Notificación de la resolución concediendo licencia de actividad

2.   El control de actividades inocuas

PREGUNTAS CLAVE

¿Cuáles son las actividades que se están sujetas a control posterior al inicio de la actividad en Cantabria?

Las que no están sujetas al régimen de licencia ambiental de la Ley 17/2006, de 11 de diciembre, Control Ambiental Integrado, así como las de características similares a las que figuran en el anexo I de la Ley 12/2012, de 26 de diciembre, de medidas urgentes de liberalización del comercio y de determinados servicios, así como a las que no les sea de aplicación el art. 84 bis de la Ley 7/1985, de 2 de abril, Reguladora de las Bases del Régimen Local.

3. Control de actividades inocuas que pasa a actividad sujeta a comprobación ambiental

El ejercicio de actividades tradicionalmente denominadas inocuas, se sujeta al régimen de declaración responsable o comunicación previa, no siendo necesario la tramitación de procedimiento alguno para iniciar la actividad, todo ello como consecuencia de la Directiva 2006/123/CE del Parlamento y del Consejo, de 12 de diciembre de 2006, relativa a los servicios en el mercado interior, y de Ley 17/2009, de 23 de noviembre, sobre el Libre Acceso a las Actividades de Servicios.

El control que se realiza por parte del ayuntamiento, una vez se ha comunicado que se va a realizar una actividad inocua o iniciado el ejercicio de la misma ha de hacerse bajo el principio de la menor intervención administrativa posible.

El control e inspección de la actividad puede hacerse en cualquier momento.

Como consecuencia de la inspección puede ocurrir que la actividad que se ejerza en el local o establecimiento no tenga la consideración de inocua, y por lo tanto incluida dentro de alguno del anexo C de la Ley de Cantabria 17/2006, de 11 de diciembre, de Control Ambiental Integrado.

PREGUNTAS CLAVE

1. ¿Qué ocurre si como consecuencia de la inspección que se realice se comprueba que en el local no se ejerce una actividad inocua?

Si al amparo de una declaración responsable o comunicación previa, se ejerce una actividad distinta e incluida dentro del anexo C de la Ley de Cantabria 17/2006, de 11 de diciembre, de Control Ambiental Integrado, se incoará procedimiento, con audiencia al interesado para que bien ejerza la actividad para la que presente la declaración responsable o comunicación previa, o bien para que presente solicitud de licencia de actividad a los efectos de la tramitación de la comprobación ambiental.

2. ¿Ha de procederse al cierre del establecimiento si se comprueba que la declaración responsable o comunicación previa no le ampara para el ejercicio de una actividad sujeta a calificación ambiental?

En tal caso, el titular de la actividad se encuentra en el ejercicio de una actividad sin licencia de actividad, por lo que será tipificada como infracción grave (art. 44.2 b) de la Ley 17/2006, de 11 de diciembre, de Control Ambiental Integrado), debiéndose proceder a la incoación de procedimiento sancionador, siendo potestad del órgano competente para resolverlo la adopción de alguna o algunas de las medidas cautelares o provisionales recogidas en el art. 47 de la citada Ley 17/2006 y en el art. 104 del Decreto 19/2010 que lo desarrolla.

F. Expediente de cambio de titularidad de licencia de actividad sujeta a comprobación ambiental

1. Claves del Expediente

Aunque es una cuestión que puede considerarse pacífica, el cambio de titularidad en general de los establecimientos, negocios y actividades en general y en particular de la licencia ambiental se sujeta al cumplimiento de unos requisitos mínimos, que tienen como objetivo fundamental el poner en conocimiento de la Administración (órgano sustantivo ambiental) el nuevo titular de la actividad.

A tenor del artículo 13.1 del Reglamento de Servicios de las Corporaciones Locales, aprobado por Decreto de 17 de junio de 1955, las licencias relativas a las condiciones de una obra, instalación o servicio serán transmisibles, pero el antiguo y el nuevo constructor o empresario deberán comunicarlo por escrito a la Corporación, sin lo cual quedarán ambos sujetos a todas las responsabilidades que se derivaren para el titular.

Esta posición legal ha quedado superada mediante el art. 3.2 de la Ley 12/2012, de 26 de diciembre, de medidas urgentes de liberalización del comercio y de determinados servicios, al decir que no están sujetos a licencia los cambios de titularidad de las actividades comerciales y de servicios, siendo exigible en estos casos una comunicación previa a la administración competente a los solos efectos informativos.

Ha de tenerse en cuenta:

• La comunicación ha de ser expresa.

• No es necesario que vaya acompañada de título o documento que acredite la transmisión (contrato de compraventa, de arrendamiento, de cesión etc.).

• Si la transmisión se produce sin realizar la correspondiente comunicación, el anterior y el nuevo titular quedan sujetos, de forma solidaria, a todas las responsabilidades y obligaciones derivadas del incumplimiento de dicha obligación.

La Ley 17/2006 no menciona el régimen al que han de someterse la transmisión de licencia de actividad sujeta a comprobación ambiental, si bien se tipifica como infracción grave realizar la transmisión sin previa comunicación al Ayuntamiento.

PREGUNTAS CLAVE

1. ¿Existe una regulación específica para la transmisión de la titularidad de actividades sujetas a de licencia de actividad sujeta a comprobación ambiental?

No. Tanto la Ley de Cantabria 17/2006, de 11 de diciembre, de Control Ambiental Integrado, como su Reglamento aprobado por Decreto 19/2010, no establecen régimen jurídico sobre la transmisión de la titularidad de la licencia de actividad sujeta a comprobación ambiental, si bien se tipifica como infracción grave realizar la transmisión sin comunicación previa al Ayuntamiento (art. 44.2. f) de la Ley 17/2006).

2. ¿Qué régimen jurídico ha de aplicarse a la transmisión de la titularidad de actividades sujetas a de licencia de actividad sujeta a comprobación ambiental?

Supletoriamente se aplicará el previsto en el art. 13 del Decreto de 17 de junio de 1955, por el que se aprueba el Reglamento de Servicios de las Corporaciones Locales, y art. 3 de la Ley 12/2012, de 26 de diciembre, de medidas urgentes de liberalización del comercio y de determinados servicios.

3. ¿Qué requisitos han de cumplirse para realizar el cambio de titularidad una actividad?

Para que el nuevo titular de una actividad pueda realizar el cambio de titularidad, deberá ser comunicado al Ayuntamiento a efectos informativos (art. 3.2 de la Ley 12/2012).

4. ¿Es necesario que el anterior titular comunique la transmisión de la actividad a un tercero?

No es un requisito necesario. El art. 3.2 de la Ley 12/2012 no exige esta comunicación.

5. ¿Qué ocurre si no se comunica la transmisión de la actividad?

La no comunicación del cambio de titularidad de la actividad por el anterior o el nuevo titular supone que el anterior y nuevo titular queda sujetos, de forma solidaria, a todas las responsabilidades y obligaciones derivadas de dicho incumplimiento.

6. ¿Puede transmitir la licencia de actividad el que no es propietario del local en el que se ejerce la misma?

Sí. El ejercicio de una actividad tanto mediante la concesión expresa de licencia de apertura o actividad o mediante la comunicación previa o declaración responsable tiene carácter real, al margen de la titularidad del inmueble y de las relaciones subjetivas que existan entre el titular del mismo y el que ocupe el local mediante contrato de arrendamiento, u cualquier otro título. En este sentido es de aplicación lo dispuesto en el art. 12. 1 RSCL «Las autorizaciones y licencias se entenderán otorgadas salvo el derecho de propiedad y sin perjuicio del de tercero».

7. ¿Ha de resolverse expresamente por el Ayuntamiento la comunicación de cambio de titularidad?

No. El art. 3.2 de la Ley 12/2012 habla de comunicación previa a la administración competente, sin que sea necesario posteriormente dictar resolución alguna. A efectos prácticos bastaría en cualquier caso tomar conocimiento de la transmisión, dejando constancia en el expediente.

8. ¿Qué ocurre si el Ayuntamiento no dicta resolución de cambio de titularidad?

Si el Ayuntamiento, recibida la comunicación de cambio de titularidad de la actividad, no resuelve expresamente el mismo, ha de entenderse que por silencio administrativo positivo se da por cumplido el trámite a todos los efectos, teniendo en cuenta que la resolución del órgano sustantivo no es generadora de derechos para el nuevo titular de la actividad, sino que tiene los efectos de una simple comunicación, que el Ayuntamiento constata mediante la toma de conocimiento del nuevo titular. En este sentido para la STS 15 octubre 1981 «La intervención municipal en caso de transmisión de licencias no es de previa y expresa autorización para que aquélla opere, sino de mera constatación o toma de razón de la *extra*-administrativamente producida por el simple acuerdo del antiguo y nuevo propietario, cuyo incumplimiento determina que ambos queden sujetos a todas las responsabilidades que se deriven para el titular».

2. Legislación aplicable

— Estatal

Art. 13 del Decreto de 17 de junio de 1955, por el que se aprueba el Reglamento de Servicios de las Corporaciones Locales.

Art. 3 de la Ley 12/2012, de 26 de diciembre, de medidas urgentes de liberalización del comercio y de determinados servicios.

— **Autonómica**

Art. 23.d) y 44.2 f) de la Ley de Cantabria 17/2006, de 11 de diciembre, de Control Ambiental Integrado.

Art. 42 y 54.5 del Decreto 19/2010 de 18 de marzo, por el que se aprueba el reglamento de la Ley 17/2006 de 11 de diciembre de Control Ambiental Integrado.

Art. 188.3 de la Ley de Cantabria 2/2001, de 25 de junio, de Ordenación Territorial y Régimen Urbanístico del Suelo de Cantabria.

MODELO DE EXPEDIENTE: Cambio de titularidad de licencia de actividad sujeta a comprobación ambiental *(Disponible a texto íntegro en smarteca.es)*

1)   *Comunicación de cambio de titularidad de licencia de actividad sujeta a comprobación ambiental*

2)   *Resolución de cambio de titularidad de licencia de actividad sujeta a comprobación ambiental*

3)   *Notificación de cambio de titularidad de licencia de actividad sujeta a comprobación ambiental*

5. Castilla-La Mancha

A. Expediente de actividad sujeta a autorizacion previa

1. Claves del Expediente

No existen un procedimiento específico para el ejercicio de actividades que por sus características medioambientales tenga que estar sujetas a un control previo por parte de los ayuntamientos.

En los casos en los que sea necesario un control preventivo por razones de orden público, seguridad pública, salud pública o protección del medio ambiente, por concurrir las circunstancias del art. 84. bis de la Ley 7/1985, de 2 de abril, Reguladora de las Bases del Régimen Local, el expediente se tramitará previo informe técnico y jurídico, con exposición pública y notificación a los vecinos colindantes con la actividad, resolviendo la concesión o denegación de la licencia de apertura, a la vista de los informes y del resultado de las alegaciones que en su caso se produzcan.

Pese a la declaración de inaplicación en Castilla la Mancha del Decreto 2414/1961, de 30 de noviembre, por el que se aprueba el Reglamento de Actividades Molestas, Insalubres, Nocivas y Peligrosas, en virtud de la disposición adicional única de la Ley 8/2014, de 20 de noviembre, por la que se modifica la Ley 2/2010, de 13 de mayo, de Comercio de Castilla-La Mancha, es frecuente comprobar cómo se sigue recurriendo al mismo por parte de municipios esta Comunidad Autónoma para la tramitación de licencias de apertura.

Es importante tener en cuenta que en el caso de que el aforo del local sea elemento determinante para el ejercicio de la actividad, si éste excede de 150 personas la actividad queda sujeta a licencia municipal de apertura (art. 7 Ley 7/2011 de 21 de marzo, de Espectáculos Públicos, Actividades Recreativas y Establecimientos Públicos de Castilla-La Mancha).

PREGUNTAS CLAVE

1. ¿Ha de someterse a información pública, mediante anuncio en el Boletín Oficial de la Provincia el expediente de actividad sujeta a control preventivo?

Aunque no existe un procedimiento tipo para esta clase de actividades, es frecuente observar que por los ayuntamientos de la C.A. de Castilla La Mancha se sigue utilizando la publicación de edictos en el Boletín Oficial de la Provincia.

2. ¿Se notificará el expediente a los vecinos colindantes a la actividad?

Tampoco este es un asunto reglado, igual que ocurre con la pregunta anterior. Va a depender en buen grado de lo que dispongan las ordenanzas municipales que regulen los procedimientos de la tramitación de actividades sujetas a control preventivo.

3. ¿Cuál es el modo de terminar el procedimiento de actividad sujeta a autorización previa?

A expensas de lo que resulte de las ordenanzas municipales, tramitado el expediente de control preventivo se dictará resolución aprobando el proyecto y concediendo licencia de obras, en el supuesto de que se requiera de la redacción de proyecto de obra de conformidad con la Ley 39/1999, de 5 de noviembre, de Ordenación de la Edificación. Con posterioridad se otorgará licencia de actividad o de apertura, sin que la misma esté sujeta a control preventivo, bastando con la presentación de una declaración responsable o comunicación previa, todo ello de acuerdo con lo dispuesto en los arts. 1 a 3 de la Ley 1/2013, de 21 de marzo, de medidas para la dinamización y flexibilización de la actividad comercial y urbanística en Castilla-La Mancha, en relación con los arts. 84, 84 bis y 84 ter de la Ley 7/1985, de 2 de abril, Reguladora de las Bases del Régimen Local.

2. Legislación aplicable

— Europea

Directiva 2006/123/CE del Parlamento y del Consejo, de 12 de diciembre de 2006, relativa a los servicios en el mercado interior.

— Estatal

Ley 17/2009, de 23 de noviembre, sobre el Libre Acceso a las Actividades de Servicios.

Arts. 21.1. q) y s), 124.4.ñ), 70.bis y 84, 84 bis y 84 ter. de la Ley 7/1985, de 2 de abril, Reguladora de las Bases de Régimen Local.

Ley 39/2015, de 1 de octubre, del Procedimiento Administrativo Común de las Administraciones Públicas.

— **Autonómica**

Ley 8/2014, de 20 de noviembre, por la que se modifica la Ley 2/2010, de 13 de mayo, de Comercio de Castilla-La Mancha.

Ley 1/2013, de 21 de marzo, de medidas para la dinamización y flexibilización de la actividad comercial y urbanística en Castilla-La Mancha.- LA LEY 4329/2013.

Ley 7/2011, de 21 de marzo, de Espectáculos Públicos, Actividades Recreativas y Establecimientos Públicos de Castilla-La Mancha.- LA LEY 5970/2011.

Decreto Legislativo 1/2010, de 18/05/2010, por el que se aprueba el Texto Refundido de la Ley de Ordenación del Territorio y de la Actividad Urbanística.- LA LEY 10441/2010.

3.   Documentos de interés

— **Doctrina**

CANO MURCIA, Antonio. «Legislación de las Comunidades Autónomas». Esta doctrina forma parte del libro *Manual de licencias de ocupación y primera utilización*, 1.ª ed., *El Consultor de los Ayuntamientos y de los Juzgados*. Madrid, abril 2012.- LA LEY 5933/2012.

HORCAJADA, María Angeles. «El control preventivo de los usos y actividades en la legislación castellano-manchega». *Práctica Urbanística*, n.º 113, Sección Estudios, marzo 2012.- LA LEY 2076/2012.

MARINERO PERAL, Ángel M.ª. «Novedades del Derecho Urbanístico en 2014». *Práctica Urbanística*, n.º 133, Sección Estudios.- LA LEY 1384/2015.

MARTÍN HERNÁNDEZ, Paulino. «Las licencias para actividades clasificadas». Esta doctrina forma parte del libro *Administración Local. Estudios en Homenaje a Ángel Ballesteros*, 1.ª ed., *El Consultor de los Ayuntamientos y de los Juzgados*. Madrid, enero 2011.- LA LEY 21893/2011.

OLMOS GONZÁLEZ, José M.ª. «Contenido temporal de las licencias urbanísticas: plazo, ampliación, caducidad y rehabilitación». *El Consultor de los Ayuntamientos y de los Juzgados*, n.º 20, Sección Opinión / Colaboraciones, Quincena del 30 Oct. al 14 Nov. 2015, Ref. 2445/2015, pág. 2445, Wolters Kluwer.- LA LEY 6207/2015.

PENSADO SEIJAS, Alberto. «Evolución exprés de las licencias de actividad inocuas». *El Consultor de los Ayuntamientos y de los Juzgados*, n.º 17, Sección Colaboraciones, Quincena del 15 al 29 Sep. 2013, Ref. 1623/2013, pág. 1623, tomo 2.- LA LEY 5239/2013.

MODELO DE EXPEDIENTE: Actividad sujeta a autorización previa *(Disponible a texto íntegro en smarteca.es)*

1)   Inicio expediente de actividad sujeta a autorización previa

2)   Admisión a trámite del expediente

3)   Requerimiento vecinos a policía local

4)   Edicto de información pública

5)   *Informe técnico*

6)   *Informe jurídico*

7)   *Notificación a vecinos colindantes*

8)   *Certificado de reclamaciones*

9)   *Trámite de audiencia*

10)   *Notificación trámite de audiencia*

11)   *Escrito de alegaciones en trámite de audiencia*

12)   *Requerimiento informe técnico y jurídico para contestar las alegaciones formuladas*

13)   *Informe técnico sobre las alegaciones*

14)   *Informe jurídico sobre las alegaciones*

15)   *Resolución aprobando el proyecto de actividad*

16)   *Notificación de la resolución*

4.   Control licencia de apertura de actividad sujeta a autorización previa

No existen un procedimiento específico para el ejercicio de actividades que por sus características medioambientales tenga que estar sujetas a un control previo por parte de los ayuntamientos.

En los casos en los que sea necesario un control preventivo por razones de orden público, seguridad pública, salud pública o protección del medio ambiente, por concurrir las circunstancias del art. 84. bis de la Ley 7/1985, de 2 de abril, Reguladora de las Bases del Régimen Local, el expediente se tramitará previo informe técnico y jurídico, con exposición pública y notificación a los vecinos colindantes con la actividad, resolviendo la concesión o denegación de la licencia de apertura, a la vista de los informes y del resultado de las alegaciones que en su caso se produzcan.

Pese a la declaración de inaplicación en Castilla la Mancha del Decreto 2414/1961, de 30 de noviembre, por el que se aprueba el Reglamento de Actividades Molestas, Insalubres, Nocivas y Peligrosas, en virtud de la disposición adicional única de la Ley 8/2014, de 20 de noviembre, por la que se modifica la Ley 2/2010, de 13 de mayo, de Comercio de Castilla-La Mancha, es frecuente comprobar cómo se sigue recurriendo al mismo por parte de municipios esta Comunidad Autónoma para la tramitación de licencias de apertura.

Es importante tener en cuenta que en el caso de que el aforo del local sea elemento determinante para el ejercicio de la actividad, si éste excede de 150 personas la actividad queda sujeta a licencia municipal de apertura (art. 7 Ley 7/2011 de 21 de marzo, de Espectáculos Públicos, Actividades Recreativas y Establecimientos Públicos de Castilla-La Mancha)

La licencia de apertura se concede una vez se haya aprobado el proyecto técnico, impuestas las medidas correctoras y presentada declaración responsable por el interesado.

Con posterioridad a la presentación de la declaración responsable el Ayuntamiento tiene la potestad de inspección y control de la actividad.

PREGUNTAS CLAVE

1. ¿Ha de someterse a información pública, mediante anuncio en el Boletín Oficial de la Provincia el expediente de actividad sujeta a control preventivo?

Aunque no existe un procedimiento tipo para esta clase de actividades, es frecuente observar que por los ayuntamientos de la C.A. de Castilla La Mancha se sigue utilizando la publicación de edictos en el Boletín Oficial de la Provincia.

2. ¿Se notificará el expediente a los vecinos colindantes a la actividad?

Tampoco este es un asunto reglado, igual que ocurre con la pregunta anterior. Va a depender en buen grado de lo que dispongan las ordenanzas municipales que regulen los procedimientos de la tramitación de actividades sujetas a control preventivo.

3. ¿Cuál es el modo de terminar el procedimiento de actividad sujeta a autorización previa?

A expensas de lo que resulte de las ordenanzas municipales, tramitado el expediente de control preventivo se dictará resolución aprobando el proyecto y concediendo licencia de obras, en el supuesto de que se requiera de la redacción de proyecto de obra de conformidad con la Ley 39/1999, de 5 de noviembre, de Ordenación de la Edificación. Con posterioridad se otorgará licencia de actividad o de apertura, sin que la misma esté sujeta a control preventivo, bastando con la presentación de una declaración responsable o comunicación previa, todo ello de acuerdo con lo dispuesto en los arts. 1 a 3 de la Ley 1/2013, de 21 de marzo, de medidas para la dinamización y flexibilización de la actividad comercial y urbanística en Castilla-La Mancha, en relación con los arts. 84, 84 bis y 84 ter de la Ley 7/1985, de 2 de abril, Reguladora de las Bases del Régimen Local.

B.   Expediente de cambio de titularidad de licencia de apertura

1.   Claves del Expediente

Aunque es una cuestión que puede considerarse pacífica, el cambio de titularidad en general de los establecimientos, negocios y actividades en general y en particular de la licencia ambiental se sujeta al cumplimiento de unos requisitos mínimos, que tienen como objetivo fundamental el poner en conocimiento de la Administración (órgano sustantivo ambiental) el nuevo titular de la actividad.

A tenor del artículo 13.1 del Reglamento de Servicios de las Corporaciones Locales, aprobado por Decreto de 17 de junio de 1955, las licencias relativas a las condiciones de una obra, instalación o servicio serán transmisibles, pero el antiguo y el nuevo constructor o empresario deberán comunicarlo por escrito a la Corporación, sin lo cual quedarán ambos sujetos a todas las responsabilidades que se derivaren para el titular.

Esta posición legal ha quedado superada mediante el art. 3.2 de la Ley 12/2012, de 26 de diciembre, de medidas urgentes de liberalización del comercio y de determinados servicios, al decir que no están sujetos a licencia los cambios de titularidad de las actividades comerciales y de servicios, siendo exigible en estos casos una comunicación previa a la administración competente a los solos efectos informativos.

Ha de tenerse en cuenta:

- La comunicación ha de ser expresa.

- No es necesario que vaya acompañada de título o documento que acredite la transmisión (contrato de compraventa, de arrendamiento, de cesión etc.)

- Si la transmisión se produce sin realizar la correspondiente comunicación, el anterior y el nuevo titular quedan sujetos, de forma solidaria, a todas las responsabilidades y obligaciones derivadas del incumplimiento de dicha obligación.

En el caso de que la actividad esté sujeta a la obtención de licencia previa, el cambio de titularidad no requiere de autorización ni nueva licencia, bastando la notificación por escrito al Ayuntamiento, en la que se acredite la subrogación de los nuevos titulares en los derechos y obligaciones.

PREGUNTAS CLAVE

1. ¿Qué requisitos han de cumplirse para realizar el cambio de titularidad de una actividad?

Para que el nuevo titular de una actividad pueda realizar el cambio de titularidad, deberá ser comunicado al Ayuntamiento a efectos informativos (art. 3.2 de la Ley 12/2012).

El art. 9.5 de la Ley 7/2011, de 21 de marzo, de Espectáculos Públicos, Actividades Recreativas y Establecimientos Públicos de Castilla-La Mancha, matiza lo anterior en el sentido de que ha de acreditarse la subrogación de los nuevos titulares en los derechos y obligaciones.

2. ¿Es necesario que el anterior titular comunique la transmisión de la actividad a un tercero?

No es un requisito necesario. El art. 3.2 de la Ley 12/2012 no exige esta comunicación.

3. ¿Qué ocurre si no se comunica la transmisión de la actividad?

La no comunicación del cambio de titularidad de la actividad por el anterior o el nuevo titular supone que el anterior y nuevo titular queda sujetos, de forma solidaria, a todas las responsabilidades y obligaciones derivadas de dicho incumplimiento.

4. ¿Puede transmitir la licencia de actividad el que no es propietario del local en el que se ejerce la misma?

Sí. El ejercicio de una actividad tanto mediante la concesión expresa de licencia de apertura o actividad o mediante la comunicación previa o declaración responsable tiene carácter real, al margen de la titularidad del inmueble y de las relaciones subjetivas que existan entre el titular del mismo y el que ocupe el local mediante contrato de arrendamiento, u cualquier otro título. En este sentido es de aplicación lo dispuesto en el art. 12. 1 RSCL «Las autorizaciones y licencias se entenderán otorgadas salvo el derecho de propiedad y sin perjuicio del de tercero».

5. ¿Ha de resolverse expresamente por el Ayuntamiento la comunicación de cambio de titularidad?

No. El art. 3.2 de la Ley 12/2012 habla de comunicación previa a la administración competente, sin que sea necesario posteriormente dictar resolución alguna. A efectos prácticos bastaría en cualquier caso tomar conocimiento de la transmisión, dejando constancia en el expediente.

6. ¿Qué ocurre si el Ayuntamiento no dicta resolución de cambio de titularidad?

Si el Ayuntamiento, recibida la comunicación de cambio de titularidad de la actividad, no resuelve expresamente el mismo, ha de entenderse que por silencio administrativo positivo se da por cumplido el trámite a todos los efectos, teniendo en cuenta que la resolución del órgano sustantivo no es generadora de derechos para el nuevo titular de la actividad, sino que tiene los efectos de una simple comunicación, que el Ayuntamiento constata mediante la toma de conocimiento del nuevo titular. En este sentido para la STS 15 octubre 1981 «La intervención municipal en caso de transmisión de licencias no es de previa y expresa autorización para que aquélla opere, sino de mera constatación o toma de razón de la extra-administrativamente producida por el simple acuerdo del antiguo y nuevo propietario, cuyo incumplimiento determina que ambos queden sujetos a todas las responsabilidades que se deriven para el titular».

MODELO DE EXPEDIENTE: Cambio de titularidad de licencia de apertura *(Disponible a texto íntegro en smarteca.es)*

1)   *Comunicación de cambio de titularidad de licencia de apertura*

2)   *Resolución de cambio de titularidad de licencia ambiental*

3)   *Notificación de cambio de titularidad de licencia ambiental*

6. Castilla y León

A.   Expediente de licencia ambiental (arts. 25 a 36 DL 1/2015)

1.   Claves del Expediente

La licencia ambiental es el procedimiento de control de competencia municipal para las actividades e instalaciones susceptibles de ocasionar molestias considerables, alterar las condiciones de salubridad, causar daños al medio ambiente o producir riesgos para las personas o bienes.

Se excluyen de esta intervención las actividades o instalaciones sujetas al régimen de la autorización ambiental, que se regirán por su régimen propio.

Ha de tenerse en cuenta que el Decreto Legislativo 1/2015, de 12 de noviembre, por el que se aprueba el texto Refundido de la Ley de Prevención Ambiental de Castilla y León (DL 1/2015 TRLPACL) no establece un listado de actividades sujetas a este trámite, remitiéndose de forma genérica al art. 25.2 «Quedan sometidas al régimen de licencia ambiental las actividades o instalaciones **susceptibles de ocasionar molestias considerables**, de acuerdo con lo establecido reglamentariamente y en la normativa sectorial, de **alterar las condiciones de salubridad, de causar daños al medio ambiente o de producir riesgos** para las personas o bienes que no estén sometidas al trámite de evaluación de impacto ambiental ordinaria por no estar incluidas en los supuestos previstos en la normativa básica estatal, así como aquellas que estén sujetas, de acuerdo con lo dispuesto en la citada normativa y en esta Ley, a evaluación de impacto ambiental simplificada y en el informe de impacto ambiental se haya determinado que el proyecto no debe someterse a evaluación de impacto ambiental ordinaria».

El plazo la resolver el procedimiento es de dos meses, con aplicación del silencio administrativo positivo en no resolverse dentro de dicho período.

Una vez otorgada la licencia ambiental, se comunicará la iniciación o puesta en marcha de la actividad o instalación mediante la presentación de una declaración responsable. Asimismo ha de comunicarse el cese definitivo o temporal de la actividad.

2. Jurisprudencia

• Examinado el expediente se comprueba que la presente solicitud de licencia ambiental no solo fue sometida a información pública mediante la colación de edictos en el tablón del Ayuntamiento y mediante anuncio en el BOP de Burgos de fecha 15.5.2012 como así resulta de los folios 24 a 26, sino que además también han recibido notificación personal al menos algunos vecinos del emplazamiento, y si a ello unimos que la actora ha formulado alegaciones durante dicho trámite de información público y que ninguno otro vecino o persona supuestamente afectada ha formulado denuncia o alegaciones por esa presunta falta de audiencia, es por lo que hemos de concluir que en el presente caso no se ha infringido ni vulnerado el tramite regulado en el art. 27.1 y 2 de la citada Ley, amén de que **la parte actora carece de legitimación para arrogarse la supuesta indefensión que por esa presunta falta de notificación han podido sufrir eventuales vecinos inmediatos** al lugar de emplazamiento de dicho colmenar. [STSJ Castilla y León 27 abril 2015.- LA LEY 50569/2015]

• Centrados en los motivos de la apelación, hay que empezar señalando que tiene razón el Ayuntamiento de Valladolid cuando pone de manifiesto que, en contra de lo que se dice por el juez *a quo*, no se produjo la vulneración del artículo 27.2 de la Ley 11/2003, de 8 de abril (LA LEY 795/2003), de Prevención Ambiental de Castilla y León, precepto que en la tramitación de una licencia ambiental impone que se haga la **notificación personal a los vecinos inmediatos al lugar del emplazamiento propuesto, así como también a aquellos que por su proximidad a éste pudieran verse afectados.** En efecto, hay que recordar que al articular este motivo del recurso la parte ahora apelada señaló, y esto es literal —apartado c) del fundamento de derecho tercero de su demanda—, que «por vecinos inmediatos no cabe entender exclusivamente a los ocupantes del edificio n.º NUM002 de la CALLE000, únicos a los que fue comunicada, sino también a todos los que puedan verse afectados por el funcionamiento de la Discoteca, que habrán de ser —por los menos— todos los habitantes del edificio n.º NUM001 de la CALLE000, en cuyo sótano también se encuentra ubicada la Discoteca, y los de los edificios n.º NUM003 de esta misma calle, con el que linda materialmente la Discoteca, y n.º NUM004 de la CALLE001, respecto de quienes no se respetan las previsiones del Reglamento Municipal para la Protección del Medio Ambiente Atmosférico». En estas condiciones, **resulta plenamente aplicable la doctrina jurisprudencial según la cual no es posible invocar en beneficio propio una indefensión sufrida por un tercero**, tesis que resulta de la regulación contenida en el artículo 63.2 de la Ley 30/1992, de 26 de noviembre (LA LEY 3279/1992), que es el que contempla los defectos de forma y que dispone que estos solo determinarán la anulabilidad cuando den lugar a la indefensión de los «interesados», no por tanto a la que eventualmente hayan podido sufrir terceros. [STSJ Castilla y León 18 noviembre 2011.- LA LEY 238695/2011]

• Llegados a este punto y una vez sentado que al haberse producido una modificación sustancial de la actividad —de acuerdo con los criterios del artículo 4.g) de la Ley Autonómica 11/2003 **parece claro que pasar en una discoteca de un aforo de poco más de trescientas personas a uno de casi setecientas puede tener repercusiones perjudiciales o importantes en la seguridad, la salud de las personas o el medio ambiente— era necesario obtener una nueva licencia ambiental, puede concluirse que en verdad se vulneraron los artículos 27.1 y 30.2 de la Ley de Prevención Ambiental** y que por consiguiente es conforme a derecho la sentencia del Juzgado *a quo* que así lo entendió. En efecto y por lo que atañe al primero de los preceptos citados, que contempla la denegación expresa de la licencia ambiental por razones de competencia municipal basadas en el planeamiento urbanístico, hay que decir que éste, que es ya el vigente al tiempo de formularse la solicitud, no admite discotecas en edificios con viviendas (artículo 298.1 de la Normativa del PGOU de Valladolid), previsión frente a la que no cabe oponer que el de autos fuera un uso existente, pues lo era pero con unas características concretas diferentes a las que en la realidad presentaba el local litigioso. Como con acierto dice la parte apelada, la licencia de actividad otorgada en su día no constituye una autorización genérica y abstracta para instalar cualquier discoteca, sino que se refiere al desarrollo de tal actividad de una determinada forma y en unas concretas circunstancias, que son las expuestas en el proyecto para el que aquella fue concedida. [STSJ Castilla y León (Valladolid).- LA LEY 235483/2011]

• El hecho de que se hubieran otorgado para la instalación del Disco-Bar de que se trata licencias municipales en virtud de los Decretos de la Alcaldía de 28 de septiembre y 3 de octubre, ambos de 1982, como se admite en el Acuerdo de la Junta de Gobierno Local de 31 de agosto de 2005, no supone que sea ilegal el Acuerdo municipal de 19 de septiembre de 2006 que denegó la licencia ambiental que había solicitado el recurrente, como antes se ha dicho. **Ese Acuerdo no puede considerarse ilegal pues, como se señala por la representación del Ayuntamiento, no podía concederse esa licencia teniendo en cuenta el carácter «vinculante» que tiene el informe «desfavorable»** emitido por la CPA, como resulta del núm. 3 del citado art. 27 de la Ley 11/2003, y que lo señalado en ese informe no ha sido desvirtuado.

No está de más indicar que la actividad de Disco-Bar desarrollada por el recurrente no podía ampararse únicamente e las citadas licencias municipales de 1982, pues emitía al exterior un nivel de ruidos superior al permitido, como resulta de la sentencia núm. 61, del Juzgado de Primera Instancia de Carrión de los Condes de 30 de junio de 2005, cuya copia consta acompañada con la demanda, en la que fue condenado el aquí apelante —como se admite en el hecho primero de la demanda— «a cesar en la perturbación, debiendo adoptar las medidas de aislamiento necesarias para evitar que se transmitan ruidos desde dicho local a la propiedad de los actores por encima de los niveles permitidos en el decreto 3/95 de la Junta de Castilla y León...». **Va el recurrente contra sus propios actos al alegar sobre la improcedencia de la licencia ambiental denegada, pues, como se ha reiterado, fue solicitada por él.** La alegación que también se formula por el apelante de que esa solicitud se efectuó atendiendo un requerimiento municipal en tal sentido no puede llevar a la revocación de la sentencia apelada y a la anulación de los actos administrativos impugnados, pues si consideraba que era improcedente pudo impugnarlo, lo que no hizo. [STSJ Castilla y León (Valladolid) 24 septiembre 2010. -LA LEY 181163/2010]

PREGUNTAS CLAVE

1. ¿Cuáles son los medios de exposición pública del expediente de licencia ambiental?

De acuerdo con el art. 28.1 del DL 1/2015 TRLPACL, el expediente se somete a información pública mediante inserción de anuncio en el Boletín Oficial de la Provincia.

Ahora bien, si existen otros procedimientos administrativos de autorización que requieran que la información pública se publique en el Boletín Oficial de Castilla y León, la información pública podrá hacerse únicamente en éste a todos los efectos, y en el tablón de edictos del Ayuntamiento.

2. ¿Durante cuánto tiempo ha de estar expuesto al público el expediente de licencia ambiental? ¿Y en el caso de revisión de oficio de la licencia ambiental

El expediente queda expuesto al público por plazo de diez días. Art. 28.1 DL 1/2015 TRLPACL.

Si se produce revisión de oficio que suponga una modificación sustancial de la actividad en el procedimiento que se instruya se abrirá trámite de información pública por un plazo mínimo de quince días y se dará audiencia al titular (art. 36.4 DL 1/2015 TRLPACL).

3. ¿Ha de solicitarse siempre informe al Servicio Territorial competente en materia de medio ambiente de la provincia?

Se solicitará informe en los siguientes supuestos (art. 30.1 DL 1/2015 TRLPACL:

a) Cuando la actividad o instalación esté sujeta, de acuerdo con la normativa básica estatal o la presente Ley, a evaluación de impacto ambiental simplificada y el informe de impacto ambiental haya determinado que el proyecto no debe someterse a evaluación de impacto ambiental ordinaria.

b) Cuando no estando la actividad o instalación sometida al trámite de evaluación de impacto ambiental ordinaria por no estar incluida en los supuestos previstos en la legislación básica estatal, requiera una autorización de uso excepcional de suelo rústico.

4. En el supuesto de emitir informe el Servicio Territorial competente en materia de medio ambiente, ¿qué sentido y alcance tiene?

El informe es vinculante para el Ayuntamiento en el supuesto de que imponga medidas correctoras, así como cuando sea desfavorable, y es determinante del contenido de la licencia (art. 30.2 DL 1/2015 TRLPACL).

5. ¿Se notifica el expediente en trámite de audiencia a los vecinos colindantes?

El expediente, se notifica, en trámite de audiencia, una vez haya finalizado el trámite de información pública, y emitido el informe del Servicio Territorial, tanto al solicitante de la licencia ambiental, como a los vecinos colindantes con la actividad o instalación (art. 31 DL 1/2015 TRLPACL).

6. ¿Qué plazo dispone el Ayuntamiento para dictar y notificar la resolución del procedimiento de licencia ambiental?

El plazo de que dispone es de dos meses (art. 33.4 DL 1/2015 TRLPACL).

7. ¿Qué ocurre si transcurre el plazo de dos meses sin que se haya notificado la resolución de licencia ambiental?

En tal caso, se entiende estimada la solicitud de licencia ambiental, quedando otorgada la licencia por silencio administrativo, sin que la misma genere facultades o derechos contrarios al ordenamiento jurídico y, particularmente, sobre el dominio público (art. 33.4 DL 1/2015 TRLPACL).

8. ¿Puede suspenderse el plazo máximo para resolver el procedimiento de licencia ambiental?

Sí. El art. 33.5 DL 1/2015 TRLPACL, contempla tal posibilidad en los supuestos previstos en el art. *42.5 de la Ley 30/1992, de 26 de noviembre, de Régimen Jurídico de las Administraciones Públicas y del Procedimiento Administrativo Común* y, en particular, cuando deban solicitarse informes que sean preceptivos y vinculantes del contenido de la resolución.

9. Una vez que se ha concedido la licencia ambiental, ¿puede sin más iniciarse el ejercicio de la actividad?

No. Con carácter previo al inicio de la actividad, el titular deberá comunicar su inicio o puesta en marcha al Ayuntamiento (art. 38 DL 1/2015 TRLPACL).

10. ¿Cómo se articula la comunicación de inicio o puesta en marcha de la actividad o instalación?

Mediante la presentación de una declaración responsable de conformidad con el *art. 71 bis de la Ley 30/1992*, indicando la fecha de inicio de la actividad o instalación así como que dispone de la documentación exigida (art. 39 DL 1/2015 TRLPACL).

11. ¿Cuándo puede iniciarse la actividad, una vez que se ha presentado la declaración responsable?

La presentación de la declaración responsable habilita, desde el día de su presentación, para el desarrollo de la actividad (art. 39.3 DL 1/2015 TRLPACL).

12. ¿Qué vigencia tiene la licencia ambiental?

La licencia ambiental se concede por un período de vigencia indefinido (art. 33.1 DL 1/2015 TRLPACL).

13. ¿Puede revisarse de oficio la licencia ambiental, y en su caso, da derecho a indemnización?

De acuerdo con el art. 36 DL 1/2015 TRLPACL, la licencia ambiental puede revisarse de oficio cuando concurran alguno de los supuestos contemplados en el mismo, sin que por tal causa haya derecho a indemnización.

14. ¿Cuándo ha de iniciarse una actividad con licencia ambiental?

Concedida la licencia ambiental, el titular de la misma dispondrá de un plazo de cuatro años, a partir de la fecha de su otorgamiento para iniciar la actividad, siempre que en aquélla no se fije un plazo superior (art. 37.2 DL 1/2015 TRLPACL).

15. ¿Cuándo pierde vigencia la licencia ambiental?

La licencia ambiental pierde su vigencia una vez transcurran los plazos para iniciar la actividad o los de cese temporal (art. 37.2 DL 1/2015 TRLPACL).

3. Legislación aplicable

— Europea

Directiva 2006/123/CE del Parlamento y del Consejo, de 12 de diciembre de 2006, relativa a los servicios en el mercado interior.

— Estatal

Arts. 1, 2, 4, 5 y 6 Ley 17/2009, de 23 de noviembre, sobre el Libre Acceso a las Actividades de Servicios.

Arts. 21.1. q) y s), 124.4.ñ), 70.bis y 84, 84 bis y 84 ter. de la Ley 7/1985, de 2 de abril, Reguladora de las Bases de Régimen Local.

Ley 39/2015, de 1 de octubre, del Procedimiento Administrativo Común de las Administraciones Públicas.

— Autonómica

Decreto Legislativo 1/2015, de 12 de noviembre, por el que se aprueba el Texto Refundido de la Ley de Protección Ambiental de Castilla y León.

4. Documentos de interés

— Doctrina

MARTÍN HERNÁNDEZ, Paulino. «Las licencias para actividades clasificadas». Esta doctrina forma parte del libro *Administración Local. Estudios en Homenaje a Ángel Ballesteros*, 1.ª ed., *El Consultor de los Ayuntamientos y de los Juzgados*. Madrid, enero 2011.- LA LEY 21893/2011.

PASTOR GARCÍA, José María. «La comunicación de inicio de actividades, como forma de intervención municipal sustitutiva de la licencia de apertura de establecimientos. Especial incidencia en Castilla y León». *El Consultor de los Ayuntamientos y de los Juzgados*, n.º 2, Sección Colaboraciones, Quincena del 30 Ene. al 14 Feb. 2013, Ref. 147/2013, pág. 147, tomo 1, LA LEY. -LA LEY 216/2013.

—. «La aplicación práctica del Real Decreto-Ley 19/2012, de 25 de mayo, en la liberalización del comercio y determinados servicios para las entidades locales. Especial incidencia en la Comunidad de Castilla y León». *El Consultor de los Ayuntamientos y de los Juzgados*, n.º 19, Sección Colaboraciones, Quincena del 15 al 29 Oct. 2012, Ref. 2164/2012, pág. 2164, tomo 2, LA LEY. -LA LEY 17167/2012.

MODELO DE EXPEDIENTE: Licencia ambiental *(Disponible a texto íntegro en smarteca.es)*

1)   *Solicitud de licencia ambiental*

2)   *Subsanación de la solicitud*

3)   *Escrito presentando documentación requerida para la subsanación de la solicitud*

4)   *Resolución para archivo del expediente por no completar o subsanar el expediente*

5)   *Notificación del archivo del expediente*

6)   *Admisión a trámite del expediente*

7)   *Edicto de información pública*

8)   *Certificado de reclamaciones*

9)   *Solicitud de informes*

10)   *Informe técnico para licencia ambiental*

11)   *Informe jurídico para licencia ambiental*

12)   *Informe del Servicio Territorial de medio ambiente*

13)   *Requerimiento vecinos a policía local*

14)   *Notificación a vecinos colindantes*

15)   *Informe propuesta*

16)   *Notificación trámite de audiencia*

17)   Escrito de alegaciones en trámite de audiencia

18)   Licencia ambiental

19)   Notificación de la licencia ambiental

B.   Expediente de comunicación de inicio de actividad sujeta a licencia ambiental (arts. 37 a 41 DL 1/2015 TRLPACL)

1.   Claves del Expediente

Antes del inicio de la actividad ha de comunicarse la puesta en marcha mediante la presentación de una declaración responsable, en la que se indicará la fecha de inicio de la actividad y que dispone de la documentación exigida por el art. 39.2 DL 1/2015 TRLPACL.

Asimismo ha de comunicarse el cese definitivo o temporal de la actividad.

La comunicación de inicio no concede facultades al titular en contra de lo previsto en la licencia ambiental.

2.   Jurisprudencia

[Véase la que figura en expediente anterior.]

PREGUNTAS CLAVE

1. Una vez que se ha concedido la licencia ambiental, ¿puede sin más iniciarse el ejercicio de la actividad?

No. Con carácter previo al inicio de la actividad, el titular deberá comunicar su puesta en marcha al Ayuntamiento (art. 38 DL 1/2015 TRLPACL).

2. ¿Cómo se articula la comunicación de inicio o puesta en marcha de la actividad o instalación?

Mediante la presentación de una declaración responsable de conformidad con el art. 69 LPACAP 71, indicando la fecha de inicio de la actividad o instalación así como que dispone de la documentación exigida (art. 39.1 y 2 DL 1/2015 TRLPACL).

3. ¿Cuándo puede iniciarse la actividad, una vez que se ha presentado la declaración responsable?

La presentación de la declaración responsable habilita, desde el día de su presentación, para el desarrollo de la actividad (art. 39.3 DL 1/2015 TRLPACL).

3.   Legislación aplicable

— Europea

Directiva 2006/123/CE del Parlamento y del Consejo, de 12 de diciembre de 2006, relativa a los servicios en el mercado interior.

— Estatal

Arts. 1, 2, 4, 5 y 6 Ley 17/2009, de 23 de noviembre, sobre el Libre Acceso a las Actividades de Servicios.

Arts. 21.1. q) y s), 124.4.ñ), 70.bis y 84, 84 bis y 84 ter. de la Ley 7/1985, de 2 de abril, Reguladora de las Bases de Régimen Local.

Ley 39/2015, de 1 de octubre, del Procedimiento Administrativo Común de las Administraciones Públicas.

— Autonómica

Decreto Legislativo 1/2015, de 12 de noviembre, por el que se aprueba el Texto Refundido de la Ley de Protección Ambiental de Castilla y León.

4.   Documentos de interés

— Doctrina

MARTÍN HERNÁNDEZ, Paulino. «Las licencias para actividades clasificadas». Esta doctrina forma parte del libro *Administración Local. Estudios en Homenaje a Ángel Ballesteros*, 1.ª ed., *El Consultor de los Ayuntamientos y de los Juzgados*. Madrid, enero 2011.- LA LEY 21893/2011.

PASTOR GARCÍA, José María. «La comunicación de inicio de actividades, como forma de intervención municipal sustitutiva de la licencia de apertura de establecimientos. Especial incidencia en Castilla y León». *El Consultor de los Ayuntamientos y de los Juzgados*, n.º 2, Sección Colaboraciones, Quincena del 30 Ene. al 14 Feb. 2013, Ref. 147/2013, pág. 147, tomo 1, LA LEY. -LA LEY 216/2013.

—. «La aplicación práctica del Real Decreto-Ley 19/2012, de 25 de mayo, en la liberalización del comercio y determinados servicios para las entidades locales: especial incidencia en la Comunidad de Castilla y León». *El Consultor de los Ayuntamientos y de los Juzgados*, n.º 19, Sección Colaboraciones, Quincena del 15 al 29 Oct. 2012, Ref. 2164/2012, pág. 2164, tomo 2, LA LEY. -LA LEY 17167/2012.

MODELO DE EXPEDIENTE: Comunicación de inicio de actividad sujeta a licencia ambiental *(Disponible a texto íntegro en smarteca.es)*

1)   *Comunicación de puesta en funcionamiento para el inicio de la actividad*

2)   *Actuación de comprobación por el Ayuntamiento*

3)   *Informe de verificación y comprobación e informe de conformidad*

4)   *Resolución comunicando inicio de la actividad*

5) Notificación de la comunicación de inicio de la actividad

5. Control de actividades inocuas

PREGUNTAS CLAVE

> **¿Cuáles son las actividades que se están sujetas a control posterior al inicio de la actividad en Castilla y León?**
>
> Las que no están sujetas al régimen de licencia ambiental del Decreto Legislativo 1/2015, de 12 de noviembre, por el que se aprueba el Texto Refundido de la Ley de Prevención Ambiental de Castilla y León, así como las de características similares a las que figuran en el anexo I de la Ley 12/2012, de 26 de diciembre, de medidas urgentes de liberalización del comercio y de determinados servicios, así como a las que no les sea de aplicación el art. 84 bis de la Ley 7/1985, de 2 de abril, Reguladora de las Bases del Régimen Local.

C. Expediente de control e inspección ambiental de las licencias ambientales (arts. 64 a 72 DL 1/2015)

1. Comentarios

El régimen de control e inspección de las licencias ambientales se regula en los arts. 64 a 72 del Decreto Legislativo 1/2015, de 12 de noviembre, por el que se aprueba el Texto Refundido de la Ley de Protección Ambiental de Castilla y León.

El control e inspección ambiental de las actividades o instalaciones sujetas a licencia ambiental corresponde al Ayuntamiento.

La Comunidad Autónoma podrá intervenir en caso de que el Ayuntamiento no ejerza el control e inspección ambiental.

Como consecuencia de la inspección que se realice podrá dictarse, de forma cautelar, la paralización total o parcial de la actividad.

PREGUNTAS CLAVE

> **1. ¿A quién corresponde el control e inspección de las licencias ambientales?**
>
> Al Ayuntamiento (art. 66.1 DL 1/2015 TRLPACL).
>
> **2. ¿Puede subrogarse en las competencias de control e inspección la Comunidad Autónoma?**
>
> La inactividad de los ayuntamientos, una vez requeridos para que actúen y transcurrido el plazo de un mes, supondrá que la Consejería competente en materia de medio ambiente ejerza las competencias que le corresponde a aquéllos (art. 66.2 DL 1/2015 TRLPACL).
>
> **3. ¿Están sujetos a publicidad los resultados de las actuaciones de control e inspección?**
>
> Si (art. 68 DL 1/2015 TRLPACL).

4. ¿Qué ocurre si se detectan deficiencias en el funcionamiento de una actividad sujeta a calificación ambiental por parte del Ayuntamiento?

El Ayuntamiento requerirá al titular de la licencia para que la corrija en el plazo máximo de seis meses, salvo que en casos especiales debidamente justificados pueda excederse del mismo (art. 69.1 DL 1/2015 TRLPACL).

5. ¿El requerimiento para corregir las deficiencias puede llevar aparejado la suspensión de la actividad?

Sí. Una consecuencia del requerimiento es que puede producir la suspensión cautelar de la actividad (art.69.1 DL 1/2015 TRLPACL).

6. ¿Qué circunstancias ha de darse para que se produzca la suspensión de la actividad?

Para que el Ayuntamiento proceda a la paralización cautelar de la actividad, total o parcialmente han de producirse alguna de las siguientes circunstancias: (art.70 DL 1/2015 TRLPACL):

a) Incumplimiento o trasgresión de las condiciones impuestas para la ejecución del proyecto.

b) Existencia de razones fundadas de daños graves o irreversibles al medio ambiente o peligro inmediato para las personas o bienes en tanto no desaparezcan las circunstancias determinantes, pudiendo adoptar las medidas necesarias para evitar los daños y eliminar los riesgos.

7. ¿Puede el Ayuntamiento ejecutar sustitutoriamente la adopción de medidas correctoras impuestas al titular de la actividad?

Sí. Así lo dispone el art. 72 DL 1/2015 TRLPACL, al decir que cuando el titular de una actividad, tanto en funcionamiento como en situación de suspensión temporal o clausura definitiva, no adopte alguna medida correctora que le haya sido impuesta, la autoridad que haya requerido la acción, previo apercibimiento, podrá ejecutarla con carácter sustitutorio por la Administración competente en primera instancia, siendo a cargo del titular los costes derivados, que serán exigibles por vía de apremio, con independencia de la sanción que proceda imponerle.

7. Cataluña

A. Expediente de licencia ambiental (arts. 33 a 50 Ley 20/2009)

1. Claves del Expediente

La licencia ambiental, de competencia local, es la resolución a través de la cual se autoriza una o varias actividades determinadas y las instalaciones o parte de las instalaciones que ocupan, ubicadas en un mismo centro o en un mismo establecimiento y que pertenecen a la misma persona o empresa titulares, con sujeción a las condiciones necesarias para garantizar el cumplimiento de los objetivos y las disposiciones de la Ley 20/2009, de 4 de diciembre, de prevención y control ambiental de las actividades.

En el procedimiento de otorgamiento de la licencia ambiental participa la Administración de la Generalidad, limitándose a la emisión de los informes preceptivos, de acuerdo con la Ley 20/2009 citada y con la normativa sectorial ambiental de aplicación.

La intervención de los consejos comarcales, han de dar la suficiencia técnica y jurídica a los municipios y garantizar, en todos los casos, un elevado grado de autonomía a los ayuntamientos para definir su relación con el ente comarcal.

También ha de tenerse en cuenta que se difiere a la regulación de las ordenanzas municipales la posibilidad de someter algunas de las intervenciones preventivas al régimen de comunicación, en función de la ubicación urbanística, de las características ambientales del medio receptor y de otros factores de incidencia ambiental, siempre y cuando no lo impida el cumplimiento de la normativa sectorial ambiental.

Los trámites del expediente figuran recogidos en el art. 37 de la Ley 20/2009 mencionada.

PREGUNTAS CLAVE

1. ¿Es preceptiva la consulta previa en el caso del Régimen de licencia ambiental con una decisión previa sobre la necesidad de declaración de impacto ambiental?

Sí. El art. 33 de la Ley 20/2009 de 4 de diciembre, de prevención y control ambiental de las actividades dispone que la persona o la empresa titulares de las actividades o de las instalaciones no incluidas en el anexo I, y que están clasificadas en los anexos II y III, deben formular una consulta previa a la Administración respecto al hecho de someterlas a una evaluación de impacto ambiental, en aplicación de los criterios fijados en el anexo V, cuando estas actividades afecten directamente a los espacios naturales con una sensibilidad ambiental elevada, incluidos en el Plan de espacios de interés natural (PEIN), aprobado por el Decreto 328/1992; en los espacios naturales de protección especial, declarados de acuerdo con la Ley 12/1985; en las zonas húmedas y las áreas designadas en aplicación de las directivas 2009/147/CE y 92/43/CE (Red Natura); en zonas húmedas incluidas en la lista del Convenio de Ramsar, y en otros espacios protegidos que se determine legalmente. Asimismo, debe formularse esta consulta previa a la Administración respecto al hecho de someter las actividades del anexo II a una evaluación de impacto ambiental, cuando se determina específicamente en el epígrafe del anexo mencionado.

2. ¿Ha de publicarse la resolución de licencia ambiental del ayuntamiento?

Cuando la resolución de la licencia ambiental del ayuntamiento, incorpore la declaración de impacto ambiental, debe publicarse en el boletín oficial correspondiente (art. 34.4 de la Ley 20/2009 de 4 de diciembre, de prevención y control ambiental de las actividades

3. ¿Qué actividades está sometidas a licencia ambiental?

De acuerdo con el art. 35 de la Ley 20/2009 de 4 de diciembre, de prevención y control ambiental de las actividades, se someten al régimen de licencia ambiental la actividad o las actividades ubicadas en un mismo centro o en un mismo establecimiento y que pertenecen a la misma persona o empresa titulares, y que se relacionan en el anexo II de la citada Ley.

4. ¿Es vinculante el informe del órgano técnico ambiental?

LEY 20/2009 de 4 de diciembre, de prevención y control ambiental de las actividades en su art. 38.4 dispone que el informe integrado del órgano técnico ambiental competente del consejo comarcal es vinculante para el ayuntamiento tanto si es desfavorable como si propone medidas correctoras. El informe también es vinculante si requiere la persona o la empresa solicitantes a redactar un proyecto u otros documentos reformados.

5. ¿Es necesario solicitar informe urbanístico previo a la redacción del proyecto y solicitud de la licencia ambiental?

La solicitud de dicho informe es potestativo para el solicitante de la licencia ambiental (art. 39.1 Ley 20/2009 de 4 de diciembre, de prevención y control ambiental de las actividades).

6. ¿Cómo ha de presentarse la documentación para solicitar licencia ambiental o la modificación de ésta?

La documentación necesaria para solicitar la licencia o las modificaciones posteriores de la actividad deben presentarse en el formato y el soporte informáticos que fije el ayuntamiento competente (art. 39.4 de la Ley 20/2009 de 4 de diciembre, de prevención y control ambiental de las actividades).

7. ¿En el caso de modificación sustancial de la actividad, qué documentación ha de presentarse?

En el caso de una modificación sustancial en una actividad ya autorizada, la solicitud y la documentación deben referirse a la parte o a las partes de la actividad que se modifica en relación con toda la actividad y con los aspectos del medio afectados por la modificación, siempre y cuando la modificación parcial permita una evaluación ambiental diferenciada del conjunto de la actividad, para que no se produzcan efectos aditivos en el conjunto de las emisiones (art. 39.4 de la Ley 20/2009 de 4 de diciembre, de prevención y control ambiental de las actividades).

8. ¿Cuándo se puede declarar el archivo de las actuaciones?

Cuando se acuerde la insuficiencia o la no-idoneidad del proyecto que debe adoptarse de una manera motivada y con la audiencia previa a la parte interesada se procederá a archivar las actuaciones (art. 40.5 Ley 20/2009 de 4 de diciembre, de prevención y control ambiental de las actividades).

9. ¿Cómo ha de actuarse en el caso de que las insuficiencias o deficiencias detectadas al proyecto sean enmendable?

En el supuesto de que en el proyecto o en la documentación presentada se detecten insuficiencias o deficiencias que sean enmendables, debe informarse a la persona o a la empresa solicitante para que las enmiende. Transcurrido el plazo de tres meses sin que se hayan resuelto las insuficiencias o las deficiencias, debe declararse la caducidad del expediente y archivarse las actuaciones (art. 40.6 Ley 20/2009 de 4 de diciembre, de prevención y control ambiental de las actividades).

10. ¿Cuándo ha de someterse a información pública el estudio ambiental?

Una vez verificada la suficiencia y la idoneidad del estudio ambiental, y de la demás documentación presentada (art. 41.1 Ley 20/2009 de 4 de diciembre, de prevención y control ambiental de las actividades).

11. ¿Cuánto tiempo y cómo ha de estar expuesto al público el estudio ambiental?

Debe someterse a información pública por un período de treinta días y, simultáneamente, debe someterse a información vecinal por un plazo de diez días. También debe difundirse por medio de las redes telemáticas de información. En todos los casos, en la publicación debe constar el derecho de los ciudadanos a acceder a la información sobre el procedimiento concreto (art. 41.1 Ley 20/2009 de 4 de diciembre, de prevención y control ambiental de las actividades).

12. ¿Qué informes sectoriales han de solicitarse en la tramitación de las licencias ambientales?

De conformidad con el art. 42 de la Ley 20/2009 de 4 de diciembre, de prevención y control ambiental de las actividades, en la tramitación de las licencias ambientales de las actividades enumeradas en el anexo VI es preceptiva la emisión de un informe de la administración hidráulica, de la administración de residuos de Cataluña y del departamento competente en materia de protección del ambiente atmosférico. Estos informes pueden ser solicitados por los entes locales directamente a las administraciones competentes o bien a través de la Oficina de Gestión Ambiental Unificada donde se ubica la actividad proyectada. Las oficinas unifican los diferentes informes emitidos en un único documento.

Cuando el sistema público de saneamiento del municipio donde se pretende ejercer la actividad esté a cargo de otro ente gestor diferente del ayuntamiento o de la administración hidráulica de Cataluña, el informe sobre el vertido de aguas residuales a este sistema o al alcantarillado municipal debe solicitarlo el ayuntamiento, directamente, al ente gestor.

Asimismo deben solicitarse también todos los demás informes que sean preceptivos por la normativa sectorial ambiental.

En el caso de actividades situadas a distancia inferior a quinientos metros de la masa forestal y en municipio declarados de alto riesgo de incendios forestales es necesario también informe de los órganos competentes en relación con las medidas de prevención de incendios forestales (43 Ley 20/2009 de 4 de diciembre, de prevención y control ambiental de las actividades).

13. Los informes sectoriales ¿en qué plazo han de emitirse?

En el plazo máximo de treinta días, y tienen carácter vinculante si son desfavorables o imponen condiciones (44 Ley 20/2009 de 4 de diciembre, de prevención y control ambiental de las actividades).

14. ¿Ha de darse audiencia antes de dicta propuesta de resolución provisional de licencia ambiental?

Sí. Así lo exige expresamente el art. 46 Ley 20/2009 de 4 de diciembre, de prevención y control ambiental de las actividades.

15. ¿Qué plazo hay para dicta y notificar la resolución de licencia ambiental?

6 meses desde la fecha de la presentación de la solicitud (art. 48.1 Ley 20/2009 de 4 de diciembre, de prevención y control ambiental de las actividades).

16. ¿Existe alguna causa por la que se pueda suspender el plazo para resolver la solicitud de licencia ambiental?

Sí. El art. 48.2 de la Ley 20/2009 de 4 de diciembre, de prevención y control ambiental de las actividades determina que el plazo para resolver queda suspendido si se pide una enmienda o una mejora de la documentación, ya sea en la fase de verificación formal y suficiencia o en la fase de propuesta de resolución provisional. El cómputo del plazo se reanuda una vez enmendada o mejorada la documentación.

17. ¿Qué ocurre si transcurre el plazo de seis meses sin que se haya resuelto y no notificado la resolución de la licencia ambiental?

La no resolución y la notificación en el plazo establecido en este artículo permite a la persona solicitante entender desestimada la solicitud de licencia, y le permite de interponer el recurso administrativo o el contencioso-administrativo que proceda (art. 48.3 de la Ley 20/2009 de 4 de diciembre, de prevención y control ambiental de las actividades).

18. ¿Puede tramitarse simultáneamente la licencia ambiental con las demás licencias sectoriales de competencia municipal?

Sí. El art. 49.2 de la Ley 20/2009 de 4 de diciembre, de prevención y control ambiental de las actividades, permite la tramitación simultánea de dichas licencias.

2. Legislación aplicable

— Europea

Directiva 2006/123/CE del Parlamento y del Consejo, de 12 de diciembre de 2006, relativa a los servicios en el mercado interior.

— Estatal

Ley 17/2009, de 23 de noviembre, sobre el Libre Acceso a las Actividades de Servicios.

Arts. 21.1. q) y s), 124.4.ñ), 70.bis y 84, 84 bis y 84 ter. de la Ley 7/1985, de 2 de abril, Reguladora de las Bases de Régimen Local.

Ley 39/2015, de 1 de octubre, del Procedimiento Administrativo Común de las Administraciones Públicas.

— Autonómica

Arts. 33 a 50 Ley 20/2009, de 4 de diciembre, de prevención y control ambiental de las actividades.

Arts. 12 a 14 Ley 16/2015, de 21 de julio, de simplificación de la actividad administrativa de la Administración de la Generalidad y de los gobiernos locales de Cataluña y de impulso de la actividad económica.

Decreto Legislativo 2/2003, de 28 de abril, por el que se aprueba el Texto refundido de la Ley municipal y de régimen local de Cataluña.

3. Documentos de interés

— Doctrina

CARPIO CARRO, Montserrat. «Análisis de la Ley 16/2015, de 21 de julio, de simplificación de la actividad administrativa de la Administración de la Generalitat y de los gobiernos locales de Cataluña y de impulso de la actividad económica».- LA LEY 5106/2015.

GONZÁLEZ I BALLESTEROS, Óscar. «Inactividad formal de la administración: obligación de resolver y notificar, y silencio administrativo». Esta doctrina forma parte del libro *Procedimiento*

Administrativo Local, 1.ª ed., *El Consultor de los Ayuntamientos y de los Juzgados*. Madrid, octubre 2010.- LA LEY 19172/2011.

MARAÑA SÁNCHEZ, José Q. «En clave constitucional: La exigencia municipal de distancias mínimas entre determinadas actividades. STS de 22 de febrero de 2010». *Consultor de los Ayuntamientos y de los Juzgados*, n.º 19, Sección Comentarios de jurisprudencia, Quincena del 15 al 29 Oct. 2010, Ref. 2867/2010, pág. 2867, tomo 3.- LA LEY 13340/2010.

— Reseña jurisprudencial

STSJ de Cataluña, Sala de lo Contencioso-administrativo, Sección 3.ª, n.º 379/2015, de 2 Jun. 2015, Rec. 326/2014.- LA LEY 131700/2015

STSJ de Cataluña, Sala de lo Contencioso-administrativo, Sección 3.ª, n.º 719/2013, de 11 Oct. 2013, Rec. 202/2013.- LA LEY 233612/2013

TSJ de Cataluña, Sala de lo Contencioso-administrativo, Sección 3.ª, de 26 Ene. 2012, rec. 340/2009.- LA LEY 48841/2012

TSJ de Cataluña, Sala de lo Contencioso-administrativo, Sección 3.ª, de 29 Nov. 2011, rec. 87/2010.- LA LEY 293811/2011.

TSJ de Cataluña, Sala de lo Contencioso-administrativo, Sección 3.ª, de 8 May. 2014, rec. 337/2011.- LA LEY 80080/2014.

TSJ de Cataluña, Sala de lo Contencioso-administrativo, Sección 3.ª, de 17 Feb. 2014, rec. 174/2013.- LA LEY 24136/2014.

STSJ de Cataluña, Sala de lo Contencioso-administrativo, Sección 3.ª, de 28 Sep. 2012, rec. 155/2012.- LA LEY 232393/2012.

STSJ de Cataluña, Sala de lo Contencioso-administrativo, Sección 3.ª, n.º 83/2015, de 16 Feb. 2015, Rec. 196/2014.- LA LEY 31581/2015.

STSJ de Cataluña, Sala de lo Contencioso-administrativo, Sección 3.ª, de 20 Abr. 2012, rec. 108/2011.- LA LEY 83536/2012.

STSJ de Cataluña, Sala de lo Contencioso-administrativo, Sección 3.ª, N.ª 296/2015, de 27 Abr. 2015, Rec. 262/2014.- LA LEY 92806/2015.

MODELO DE EXPEDIENTE: Licencia ambiental *(Disponible a texto íntegro en smarteca.es)*

1)   Solicitud de licencia ambiental

2)   Verificación formal de la documentación presentada con análisis con insuficiencia o deficiencias del proyecto

3)   Información pública y vecinal

4)   Edicto de información pública

5)   Notificación a vecinos colindantes

6)   Certificado de reclamaciones

7)   *Solicitud de informes preceptivos*

8)   *Informe integrado del órgano técnico ambiental*

9)   *Propuesta de resolución provisional*

10)   *Trámite de audiencia*

11)   *Resolución concediendo licencia ambiental*

12)   *Notificación de la licencia ambiental*

4.   Control ambiental inicial de actividad sujeta a licencia ambiental

El expediente de control e inspección de actividad sujeta a licencia ambiental tiene lugar una vez que la actividad está funcionando, luego es un control posterior a su ejercicio y se encuadra dentro de la potestad municipal reconocida en los arts. 68 y ss. de la Ley 20/2009, de 4 de diciembre, de prevención y control ambiental de las actividades.

La inspección de la actividad podrá producirse como consecuencia de denuncia efectuada por particulares, o fruto de la inspección que el Ayuntamiento realice en el marco de los planes de inspección y control ambiental.

La importancia de este expediente y por ende de la actuación municipal radica en que el hecho de que se podrá detectar anomalías o deficiencias en el funcionamiento de las medidas correctoras, y por lo tanto sirve para exigir el cumplimiento al titular de la actividad del correcto funcionamiento de la misma, lo que evitará daños al medio ambiente y a la seguridad de las personas.

Se pretende con esta medida el velar por el buen estado de la actividad, requiriendo la subsanación de las deficiencias que se detecten.

Como consecuencia del resultado del expediente, podrá abrirse procedimiento sancionador.

PREGUNTAS CLAVE

1. ¿A quién corresponde la función inspectora de la licencia ambiental?

Al personal inspector de la Administración.

2. ¿Cuándo se realiza el control de una actividad sujeta a licencia ambiental?

La acción inspectora puede llevarse a cabo en cualquier momento, con independencia de las acciones específicas de control inicial y periódico de las actividades, de revisión de las autorizaciones o de las licencias ambientales y de la función inspectora regulada por la legislación ambiental sectorial (art. 74.3 de la Ley 20/2009, de 4 de diciembre, de prevención y control ambiental de las actividades).

3. ¿Puede incoarse procedimiento sancionador como consecuencia del acta de comprobación que se levante?

Una de las consecuencias de la inspección que se realice y posterior levantamiento del acta de comprobación es la incoación de procedimiento sancionador, ya que según dispone el art. 70 de la Ley 20/2009, de 4 de diciembre, de prevención y control ambiental de las actividades, el acta de control ambiental inicial verifica el cumplimiento de las condiciones de la licencia ambiental.

4. ¿Cuáles son las actividades que se están sujetas a control posterior al inicio de la actividad en Cataluña?

Las actividades económicas inocuas y de bajo riesgo definidas en el art. 12 de la Ley 16/2015, de 21 de julio, de simplificación de la actividad administrativa de la Administración de la Generalidad y de los gobiernos locales de Cataluña y de impulso de la actividad económica.

Hay que considerar a las que no les sea de aplicación el art. 84 bis de la Ley 7/1985, de 2 de abril, Reguladora de las Bases del Régimen Local.

5. ¿Qué ocurre si la actividad incumple para su ejercicio un requisito esencial, como es que su uso sea incompatible con el planeamiento?

En este caso, no podrá seguir tramitándose el expediente de control de la actividad, debiéndose decretar, previa audiencia al interesado, la suspensión de la actividad y cierre del establecimiento. El art. 13.2 de la Ley 16/2015, de 21 de julio, de simplificación de la actividad administrativa de la Administración de la Generalidad y de los gobiernos locales de Cataluña y de impulso de la actividad económica, exige que la declaración responsable o la comunicación previa ha de contener una manifestación explícita sobre la conformidad de la actividad económica con el régimen urbanístico del suelo.

6. ¿Qué ocurre si como consecuencia de la inspección que se realice se comprueba que en el local no se ejerce una actividad inocua?

Si al amparo de una declaración responsable o comunicación previa, se ejerce una actividad distinta, incluida dentro del ámbito de aplicación de la Ley 20/2009, de 4 de diciembre, de prevención y control ambiental de las actividades, se incoará procedimiento, con audiencia al interesado para que bien ejerza la actividad para la que presente la declaración responsable o comunicación previa, o bien para que presente proyecto de licencia ambiental.

7. ¿Ha de procederse al cierre del establecimiento si se comprueba que la declaración responsable o comunicación previa no le ampara para el ejercicio de una actividad sujeta a licencia ambiental?

En tal caso, el titular de la actividad se encuentra en el ejercicio de una actividad sin licencia ambiental, por lo que será tipificada como infracción grave (art. 82.2 Ley 20/2009, de 4 de diciembre, de prevención y control ambiental de las actividades), debiéndose proceder a la incoación de procedimiento sancionador, siendo potestad del órgano competente para resolverlo la adopción de alguna o algunas de las medidas provisionales recogidas en el art. 84 de la citada norma.

B. Expediente de cambio de titularidad de actividad sujeta a licencia ambiental (art. 64 Ley 20/2009)

1. Claves del Expediente

Aunque es una cuestión que puede considerarse pacífica, el cambio de titularidad en general de los establecimientos, negocios y actividades en general y en particular de la licencia ambiental se sujeta al cumplimiento de unos requisitos mínimos, que tienen como objetivo fundamental el poner en conocimiento de la Administración (órgano sustantivo ambiental) el nuevo titular de la actividad.

A tenor del artículo 13.1 del Reglamento de Servicios de las Corporaciones Locales, aprobado por Decreto de 17 de junio de 1955, las licencias relativas a las condiciones de una obra, instalación o servicio serán transmisibles, pero el antiguo y el nuevo constructor o empresario deberán comunicarlo por escrito a la Corporación, sin lo cual quedarán ambos sujetos a todas las responsabilidades que se derivaren para el titular.

Esta posición legal ha quedado superada mediante el art. 3.2 de la Ley 12/2012, de 26 de diciembre, de medidas urgentes de liberalización del comercio y de determinados servicios, al decir que no están sujetos a licencia los cambios de titularidad de las actividades comerciales y de servicios, siendo exigible en estos casos una comunicación previa a la administración competente a los solos efectos informativos.

Los efectos del cambio de titularidad se produce desde la comunicación al Ayuntamiento, y se presentará en modelo normalizado, de acuerdo con el art. 14 de la Ley 16/2015, de 21 de julio, de simplificación de la actividad administrativa de la Administración de la Generalidad y de los gobiernos locales de Cataluña y de impulso de la actividad económica.

Ha de tenerse en cuenta:

- La comunicación ha de ser expresa.

- No es necesario que vaya acompañada de título o documento que acredite la transmisión (contrato de compraventa, de arrendamiento, de cesión etc.)

- Si la transmisión se produce sin realizar la correspondiente comunicación, el anterior y el nuevo titular quedan sujetos, de forma solidaria, a todas las responsabilidades y obligaciones derivadas del incumplimiento de dicha obligación.

En el caso de actividades sujetas a licencia ambiental, es una obligación del titular de la actividad comunicar al órgano que ha otorgado la autorización o licencia ambientales la transmisión de la titularidad.

De acuerdo con el art. 64 de la Ley 20/2009, de 4 de diciembre, de prevenció i control ambiental de les activitats:

- La autorización y la licencia ambientales son transferibles con la comunicación, dirigida al órgano ambiental competente, en la que se acredite subrogar a los nuevos titulares en los derechos y los deberes derivados de la autorización o la licencia ambientales.

- El cambio de titularidad de las actividades incluidas en el anexo III debe ser comunicado al ayuntamiento correspondiente.

• Una vez producida la transmisión, las responsabilidades y las obligaciones de los antiguos titulares son asumidas por los nuevos titulares.

• Si se produce la transmisión sin efectuar la comunicación correspondiente, tanto los antiguos titulares como los nuevos titulares quedan sujetos de una manera solidaria a todas las responsabilidades y obligaciones derivadas de la autorización ambiental, de la licencia ambiental o de la comunicación.

PREGUNTAS CLAVE

1. ¿Qué requisitos han de cumplirse para realizar el cambio de titularidad una actividad?

Para que el nuevo titular de una actividad pueda realizar el cambio de titularidad, deberá ser comunicado al Ayuntamiento a efectos informativos (art. 3.2 de la Ley 12/2012).

2. ¿Es necesario que el anterior titular comunique la transmisión de la actividad a un tercero?

No es un requisito necesario. El art. 3.2 de la Ley 12/2012 no exige esta comunicación.

3. ¿Qué ocurre si no se comunica la transmisión de la actividad?

Si se produce la transmisión sin efectuar la comunicación correspondiente, tanto los antiguos titulares como los nuevos titulares quedan sujetos de una manera solidaria a todas las responsabilidades y obligaciones derivadas de la autorización ambiental, de la licencia ambiental o de la comunicación (art. 64.4 de la Ley 20/2009, de 4 de diciembre, de prevención y control ambiental de las actividades).

4. ¿Puede transmitir la licencia de actividad el que no es propietario del local en el que se ejerce la misma?

Sí. El ejercicio de una actividad tanto mediante la concesión expresa de licencia de apertura o actividad o mediante la comunicación previa o declaración responsable tiene carácter real, al margen de la titularidad del inmueble y de las relaciones subjetivas que existan entre el titular del mismo y el que ocupe el local mediante contrato de arrendamiento, u cualquier otro título. En este sentido es de aplicación lo dispuesto en el art. 12. 1 RSCL «Las autorizaciones y licencias se entenderán otorgadas salvo el derecho de propiedad y sin perjuicio del de tercero».

5. ¿Ha de resolverse expresamente por el Ayuntamiento la comunicación de cambio de titularidad?

No. El art. 3.2 de la Ley 12/2012 habla de comunicación previa a la administración competente, sin que sea necesario posteriormente dictar resolución alguna. A efectos prácticos bastaría en cualquier caso tomar conocimiento de la transmisión, dejando constancia en el expediente.

6. ¿Qué ocurre si el Ayuntamiento no dicta resolución de cambio de titularidad?

Si el Ayuntamiento, recibida la comunicación de cambio de titularidad de la actividad, no resuelve expresamente el mismo, ha de entenderse que por silencio administrativo positivo se da por cumplido el trámite a todos los efectos, teniendo en cuenta que la resolución del órgano sustantivo no es generadora de derechos para el nuevo titular de la actividad, sino que tiene los efectos de una simple comunicación, que el Ayuntamiento constata mediante la toma de conocimiento del nuevo titular. En este sentido para la STS 15 octubre 1981 «La intervención municipal en caso de transmisión de licencias no es de previa y expresa autorización para que aquélla opere, sino de mera constatación o toma de razón de la *extra*-administrativamente producida por el simple acuerdo del antiguo y nuevo propietario, cuyo incumplimiento determina que ambos queden sujetos a todas las responsabilidades que se deriven para el titular».

7. ¿Afecta a la licencia de actividad o de apertura la no comunicación al Ayuntamiento de la transmisión de la misma?No. Como señala la STSJ Cataluña 21 de junio de 2002.- LA LEY 117342/2002, la falta de notificación al Ayuntamiento del cambio de titularidad no afecta a la licencia en sí, que sigue existiendo en sus propios términos y contenido.

2. Legislación aplicable

— Estatal

Art. 13 del Decreto de 17 de junio de 1955, por el que se aprueba el Reglamento de Servicios de las Corporaciones Locales.

Art. 3 de la Ley 12/2012, de 26 de diciembre, de medidas urgentes de liberalización del comercio y de determinados servicios.

— Autonómica

Arts. 12,13, 14 y 16 de la Ley 16/2015, de 21 de julio, de simplificación de la actividad administrativa de la Administración de la Generalidad y de los gobiernos locales de Cataluña y de impulso de la actividad económica.

Arts. 6.3 f) y 64 de la Ley 20/2009, de 4 de diciembre, de prevenció i control ambiental de les activitats.

Art. 86 Decreto 179/1995, de 13 de junio, por el que se aprueba el Reglamento de Obras, Actividades y Servicios de las Entidades Locales de Cataluña.

Decreto Legislativo 2/2003, de 28 de abril, por el que se aprueba el Texto refundido de la Ley municipal y de régimen local de Cataluña.

3. Documentos de interés

— Doctrina

CANO MURCIA, Antonio. «El nuevo régimen jurídico de las licencias de apertura». *El Consultor de los Ayuntamientos y de los Juzgados.* 2010.

—. «Apunte legislativo sobre transmisión o cambio de titularidad».- LA LEY 18525/2011.

—. «Requisitos generales de la transmisión o cambio de titularidad de la licencia de apertura». -LA LEY 18522/2011.

—. «Efectos de Ley 17/2009, de 23 de noviembre, sobre el Libre Acceso a las Actividades de Servicios».- LA LEY 18523/2011.

MORA GONZÁLEZ, María Jesús. «La transmisión de las licencias urbanísticas». *El Consultor de los Ayuntamientos y de los Juzgados*, n.º 23, Quincena del 15 al 29 Dic. 2007, Ref. 3889/2007, pág. 3889, tomo 3, LA LEY.- LA LEY 6927/2007.

MODELO DE EXPEDIENTE *(Disponible a texto íntegro en smarteca.es)*

1)   Cambio de titularidad de actividad sujeta a licencia ambiental

2)   Informe de los servicios técnicos municipales

3)   Providencia de la Alcaldía ordenando la comunicación del informe de los servicios técnicos municipales

4)   Notificación del informe técnico

5)   Escrito de titular de la actividad contestando el requerimiento de la Alcaldía

6)   Resolución de la comunicación de cambio de titularidad de licencia ambiental

7)   Notificación de la comunicación de cambio de titularidad de licencia ambiental

8. Comunidad de Madrid

A.   Expediente de evaluación ambiental de actividades

1.   Claves del Expediente

La evaluación ambiental de actividades regulada en la Ley 2/2002, de 19 de junio, de Evaluación Ambiental de la Comunidad de Madrid, mantiene el procedimiento pese a la derogación parcial de la misma por la Ley 4/2014, de 22 de diciembre, de Medidas Fiscales y Administrativas.

La evaluación ambiental de actividades es requisito legal previo para el inicio de la actividad.

PREGUNTAS CLAVE

1. ¿El procedimiento de evaluación ambiental de actividades se tramita únicamente ante el Ayuntamiento?

No, ya que el art. 43.2 de la Ley 2/2002, de 19 de junio, de Evaluación Ambiental de la Comunidad de Madrid, exige que el promotor de la actividad inicie todos los trámites necesarios para recabar los informes ambientales preceptivos de otras administraciones públicas.

2. ¿Cómo se instrumentaliza el trámite de información pública del procedimiento ambiental de actividades?

Con la publicación de anuncio en el Boletín Oficial de la Comunidad de Madrid, y en los tablones de anuncios de los Ayuntamientos afectados. Asimismo, dicha documentación será notificada a los vecinos interesados por razón del emplazamiento propuesto, quienes podrán presentar alegaciones en el mismo plazo de veinte días (art. 45 de la Ley 2/2002, de 19 de junio, de Evaluación Ambiental de la Comunidad de Madrid).

3. ¿Qué plazo dispone el Ayuntamiento para emitir el informe de evaluación ambiental de actividades?

Cinco meses, contados a partir de la fecha de presentación de la solicitud (art. 47. 3 Ley 2/2002, de 19 de junio, de Evaluación Ambiental de la Comunidad de Madrid).

4. ¿Si no se resuelve el expediente en plazo, qué sentido tiene el silencio administrativo?

Una vez transcurridos sin que se haya dictado resolución expresa, podrá entenderse que el Informe de Evaluación Ambiental de la actividad es negativo. Este plazo quedará interrumpido en caso de que se solicite información adicional o ampliación de la documentación y se reanudará una vez recibida la misma por el órgano ambiental competente o transcurrido el plazo concedido al efecto (art. 47.3Ley 2/2002, de 19 de junio, de Evaluación Ambiental de la Comunidad de Madrid).

2. Jurisprudencia

• A raíz de la entrada en vigor de la Ley 2/2002, de 19 de junio, de Evaluación Ambiental de la Comunidad de Madrid, su el artículo 41 establece que deberán someterse al procedimiento de Evaluación Ambiental de Actividades las relacionadas en el Anexo Quinto de esta Ley, con las particularidades previstas en los artículos siguientes. Y dentro de ese Anexo con carácter general se recogen, en su punto 26, todas aquellas actividades establecidas en el Decreto 2414/1961, de 30 de noviembre, por el que se aprueba el Reglamento de Actividades molestas, insalubres, nocivas y peligrosas, cuando no estén recogidas en otros Anexos de esta Ley, lo que configura la aplicación del artículo 47.3 que determina.

Se determina en el artículo 47: Informe de Evaluación Ambiental de Actividades 1. Una vez realizados los trámites previstos en los artículos anteriores, el Ayuntamiento emitirá el Informe de Evaluación Ambiental de Actividades, conforme a lo previsto en esta Ley. Dicho informe será público. Sin perjuicio de lo dispuesto en el Art. 11 de esta Ley, el Informe de Evaluación Ambiental de Actividades favorable será un requisito previo e indispensable para la concesión de cualquier licencia municipal relacionada con el proyecto o actividad en cuestión, siendo, asimismo, el contenido de dicho Informe vinculante para tales licencias. [STSJ Madrid 11 marzo 2010.- LA LEY 69718/2010]

• Por tanto, respecto al **silencio administrativo** debe señalarse que tras la entrada en vigor de la Ley Territorial de Madrid 2/2002, de 19 de junio, de Evaluación Ambiental de la Comunidad de Madrid en materia de actividades precisadas de evaluación ambiental (con vigencia desde martes, 02 de julio de 2002) entre otras las sometidas anteriormente al Reglamento de Actividades Molestas, Insalubres, Nocivas y Peligrosas aprobado por Decreto 2414/1961, de 30 de diciembre, el efecto del silencio **no es positivo sino negativo. [STSJ Madrid de 19 Nov. 2009.- LA LEY 284373/2009]**

• Ocurre que esta norma ha sido bien derogada por la ley 34/2007, de 15 de noviembre, de calidad del aire y protección de la atmósfera cuya disposición derogatoria única apartado 1.º establece que queda derogado el Reglamento de actividades molestas, insalubres, nocivas y peligrosas, aprobado por Decreto 2414/1961, de 30 de noviembre. No obstante, el citado Reglamento mantendrá su vigencia en aquellas comunidades y ciudades autónomas que no tengan normativa aprobada en la materia, en tanto no se dicte dicha normativa. La Ley 2/2002, de 19 de junio, de Evaluación Ambiental de la Comunidad de Madrid, que entro en vigor el día 2 de julio de 2002 en su Disposición Adicional Cuarta estableció que a la entrada en vigor de la Ley quedaría sin aplicación directa en el ámbito territorial de la Comunidad de Madrid, el Decreto 2414/1961, de 30 de noviembre, por el que se aprueba el Reglamento de Actividades Molestas, Insalubres, Nocivas y Peligrosas. El Tribunal había venido entendiendo que **debía mantenerse la aplicación** de la norma en su condición de normativa Básica del Estado, al menos **en dos materias**, la referida al **procedimiento de subsanación** de deficiencias establecido en los artículos 35 a 38 del Reglamento de Actividades Molestas, Insalubres, Nocivas y Peligrosas aprobado por Decreto 2414/1961, de 30 de diciembre, siempre que no exista riesgo grave para el medio ambiente o para la salud de las personas pues en este caso sería de aplicación el artículo 53 de la Ley Territorial de Madrid 2/2002, de 19 de junio, de Evaluación Ambiental de la Comunidad de Madrid y en lo referido a la **necesidad de comprobación** de la adecuación de las instalaciones al proyecto para poner en marcha la actividad, es decir en lo relativo a la licencia o acta de funcionamiento del ya citado artículo 34 del Reglamento de Actividades Molestas, Insalubres, Nocivas y Peligrosas aprobado por Decreto 2414/1961, de 30 de diciembre. En la medida en que la Comunidad Autónoma de Madrid **no ha legislado de forma general en estas dos materias** el Tribunal entiende que estos apartados del citado Reglamento **conservan vigencia** conforme a la disposición derogatoria única apartado 1.º de la a ley 34/2007, de 15 de noviembre, pues establece que el citado Reglamento mantendrá su vigencia en aquellas comunidades y ciudades autónomas que no tengan normativa aprobada en la materia, en tanto no se dicte dicha normativa. Por tanto dicha **aplicación residual** del Reglamento de Actividades Molestas, Insalubres, Nocivas y Peligrosas aprobado por Decreto 2414/1961, de 30 de diciembre exige que se disponga de licencia de funcionamiento para el inicio de la actividad. La falta de dicho acta de funcionamiento, que en el presente caso además opera como condición suspensiva para la adquisición de la licencia de actividad, impide el inicio del ejercicio de la misma, y si dicha actividad ha comenzado, debe cesar, en tanto en cuanto no se disponga de la misma, este cese se materializa en la clausura. [STSJ Madrid 5 junio 2008.- LA LEY 334027/2008]

3. Legislación aplicable

— Europea

Directiva 2006/123/CE del Parlamento y del Consejo, de 12 de diciembre de 2006, relativa a los servicios en el mercado interior.

— Estatal

Ley 17/2009, de 23 de noviembre, sobre el Libre Acceso a las Actividades de Servicios.

Arts. 21.1. q) y s), 124.4.ñ), 70.bis y 84, 84 bis y 84 ter. de la Ley 7/1985, de 2 de abril, Reguladora de las Bases de Régimen Local.

Ley 39/2015, de 1 de octubre, del Procedimiento Administrativo Común de las Administraciones Públicas.

— **Autonómica**

Ley 4/2014, de 22 de diciembre, de Medidas Fiscales y Administrativas.

Arts. 41 a 51, 72 y disposición adicional séptima y anexo quinto de la Ley 2/2002, de 19 de junio, de Evaluación Ambiental de la Comunidad de Madrid.

4.   Documentos de interés

— **Doctrina**

CANO MURCIA, ANTONIO. El Nuevo Régimen de las Licencias de Apertura. *El Consultor de los Ayuntamientos y de los Juzgados*. Madrid 2010.

CHOLBÍ CACHÁ, Francisco Antonio. «Actividades sujetas a la Ley 2/2012, de 12 de junio, de Dinamización de la Actividad Comercial en la Comunidad de Madrid».- LA LEY 7709/2012.

—. «Especial consideración a las actividades sujetas a licencias de uso cuando llevan aparejadas la ejecución de obras».- LA LEY 21770/2011.

—. «Los principales problemas en la tramitación conjunta de las autorizaciones urbanísticas cuando el destino de las obras es el ejercicio de actividades».- LA LEY 21769/2011.

GOMEZ PUERTO ANGEL B. «Administración Local y efectividad jurídica de la protección del medio ambiente». Esta doctrina forma parte del libro *Estudios sobre la modernización de la Administración Local: teoría y práctica, El Consultor de los Ayuntamientos y de los Juzgados*, Madrid, 2009.- LA LEY 4049/2010.

—. «Consideraciones constitucionales y administrativas sobre el medio ambiente. El papel de los Ayuntamientos». *Actualidad Administrativa*, n.º 9, Sección A Fondo, septiembre 2013, pág. 1100, tomo 2.- LA LEY 4868/2013.

MARTÍN HERNÁNDEZ, PAULINO. «Las licencias para actividades clasificadas». Esta doctrina forma parte del libro *Administración Local. Estudios en Homenaje a Ángel Ballesteros*, 1.ª ed., *El Consultor de los Ayuntamientos y de los Juzgados*. Madrid, enero 2011.- LA LEY 21893/2011.

MOLINA FLORIDO, IGNACIO, «La Directiva de Servicios y las Entidades locales», *El Consultor de los Ayuntamientos y de los Juzgados*, n.º 19, Quincena del 15 al 29 de octubre de 2009, Ref. 2794/2009.- LA LEY 15864/2009.

— **Reseña jurisprudencial**

STSJ de Madrid, Sala de lo Contencioso-administrativo, Sección 2.ª, n.º 378/2015, de 13 May. 2015, Rec. 96/2015.- LA LEY 71873/2015.

STSJ de Madrid, Sala de lo Contencioso-administrativo, Sección 2.ª, n.º 1008/2014, de 19 Nov. 2014, Rec. 230/2013.- LA LEY 190946/2014.

STSJ de Madrid, Sala de lo Contencioso-administrativo, Sección 2.ª, de 30 Oct. 2013, Rec. 492/2012.- LA LEY 174407/2013.

STSJ de Madrid, Sala de lo Contencioso-administrativo, Sección 2.ª, de 14 May. 2013, Rec. 1001/2011. N.º de Sentencia: 646/2013.- LA LEY 80178/2013.

STSJ de Madrid, Sala de lo Contencioso-administrativo, Sección 2.ª, de 21 Jun. 2012, Rec. 225/2011.- N.º de Sentencia: 987/2012.- LA LEY 141515/2012.

STSJ de Madrid, Sala de lo Contencioso-administrativo, Sección 2.ª, de 3 Nov. 2011, Rec. 511/2010.- N.º de Sentencia: 1663/2011.- LA LEY 306761/2011.

STSJ de Madrid, Sala de lo Contencioso-administrativo, Sección 2.ª, de 11 Mar. 2010, Rec. 1807/2009.- N.º de Sentencia: 766/2010.- LA LEY 69718/2010.

STSJ de Madrid, Sala de lo Contencioso-administrativo, Sección 2.ª, de 19 Nov. 2009, Rec. 1215/2009.- N.º de Sentencia: 2157/2009.- LA LEY 284373/2009.

STSJ de Madrid, Sala de lo Contencioso-administrativo, Sección 2.ª, de 5 Jun. 2008, Rec. 751/2008.- N.º de Sentencia: 1117/2008.- LA LEY 334027/2008.

STSJ de Madrid, Sala de lo Contencioso-administrativo, Sección 2.ª, de 26 Feb. 2008, Rec. 965/2007.- N.º de Sentencia: 30567/2008 LA LEY 41035/2008.

STSJ de Madrid, Sala de lo Contencioso-administrativo, Sección 2.ª, de 14 Feb. 2008, Rec. 1238/2007.- N.º de Sentencia: 310/2008.- LA LEY 117267/2008.

STSJ de Madrid, Sala de lo Contencioso-administrativo, Sección 2.ª, de 10 Ene. 2008, Rec. 875/2005.- N.º de Sentencia: 12/2008.- LA LEY 113122/2008.

STSJ de Madrid, Sala de lo Contencioso-administrativo, Sección 2.ª, de 21 Dic. 2007, Rec. 741/2007.- N.º de Sentencia: 2073/2007.- LA LEY 318927/2007.

STSJ de Madrid, Sala de lo Contencioso-administrativo, Sección 2.ª, de 19 Dic. 2007, Rec. 646/2007.- N.º de Sentencia: 30447/2007.- LA LEY 315039/2007.

MODELO DE EXPEDIENTE: Evaluación ambiental de actividades *(Disponible a texto íntegro en smarteca.es)*

1)   *Inicio expediente de evaluación ambiental de actividades*

2)   *Admisión a trámite del expediente*

3)   *Requerimiento vecinos a policía local*

4)   *Edicto de información pública*

5)   *Informe técnico*

6)   *Notificación a vecinos colindantes*

7)   *Certificado de reclamaciones*

8)   *Requerimiento informe técnico y jurídico para propuesta de evaluación ambiental de actividades*

9)   *Informe técnico para propuesta de evaluación ambiental de actividades*

10) *Informe jurídico para propuesta de evaluación ambiental ambiental de actividades*

11)   Evaluación ambiental de actividades

12)   Notificación del informe de evaluación ambiental de actividades

B.   Expediente de inicio de actividad sujeta a evaluación ambiental

1.   Claves del Expediente

La evaluación ambiental de actividades regulada en la Ley 2/2002, de 19 de junio, de Evaluación Ambiental de la Comunidad de Madrid, mantiene el procedimiento pese a la derogación parcial de la misma por la Ley 4/2014, de 22 de diciembre, de Medidas Fiscales y Administrativas.

La evaluación ambiental de actividades es requisito legal previo para el inicio de la actividad.

Para el inicio de la actividad es necesario la previa emisión del Informe de Evaluación de Actividades favorable.

PREGUNTAS CLAVE

1. ¿Vincula el informe de evaluación ambiental de actividades para la licencia de apertura de actividad?

El art. 47.4 de la Ley 2/2002, de 19 de junio, de Evaluación Ambiental de la Comunidad de Madrid, es taxativo a estos efectos, al decir que el Informe de Evaluación Ambiental de Actividades favorable será un requisito previo e indispensable para la concesión de cualquier licencia municipal relacionada con el proyecto o actividad en cuestión, siendo, asimismo, el contenido de dicho Informe vinculante para tales licencias.

2. ¿El procedimiento de evaluación ambiental de actividades se tramita únicamente ante el Ayuntamiento?

No, ya que el art. 43.2 de la Ley 2/2002, de 19 de junio, de Evaluación Ambiental de la Comunidad de Madrid, exige que el promotor de la actividad inicie todos los trámites necesarios para recabar los informes ambientales preceptivos de otras administraciones públicas.

3. ¿Cómo se instrumentaliza el trámite de información pública del procedimiento ambiental de actividades?

Con la publicación de anuncio en el Boletín Oficial de la Comunidad de Madrid, y en los tablones de anuncios de los Ayuntamientos afectados. Asimismo, dicha documentación será notificada a los vecinos interesados por razón del emplazamiento propuesto, quienes podrán presentar alegaciones en el mismo plazo de veinte días (art. 45 de la Ley 2/2002, de 19 de junio, de Evaluación Ambiental de la Comunidad de Madrid).

4. ¿Qué plazo dispone el Ayuntamiento para emitir el informe de evaluación ambiental de actividades?

Cinco meses, contados a partir de la fecha de presentación de la solicitud (art. 47. 3 Ley 2/2002, de 19 de junio, de Evaluación Ambiental de la Comunidad de Madrid).

5. ¿Si no se resuelve el expediente en plazo, qué sentido tiene el silencio administrativo?

Una vez transcurridos sin que se haya dictado resolución expresa, podrá entenderse que el Informe de Evaluación Ambiental de la actividad es negativo. Este plazo quedará interrumpido en caso de que se solicite información adicional o ampliación de la documentación y se reanudará una vez recibida la misma por el órgano ambiental competente o transcurrido el plazo concedido al efecto (art. 47.3 Ley 2/2002, de 19 de junio, de Evaluación Ambiental de la Comunidad de Madrid).

MODELO DE EXPEDIENTE: Inicio de actividad sujeta a evaluación ambiental *(Disponible a texto íntegro en smarteca.es)*

1) *Solicitud de licencia municipal de apertura de actividad sujeta a evaluación ambiental de actividades*

2) *Admisión a trámite del expediente*

3) *Informe técnico para licencia municipal de apertura*

4) *Informe jurídico para concesión de licencia municipal de apertura*

5) *Licencia de apertura de actividad sujeta a evaluación ambiental de actividades*

6) *Notificación del informe de evaluación ambiental de actividades*

2. Control de actividades inocuas que pasa a actividad sujeta a informe de evaluación ambiental de actividades

El ejercicio de actividades tradicionalmente denominadas inocuas, se sujeta al régimen de declaración responsable o comunicación previa, no siendo necesario la tramitación de procedimiento alguno para iniciar la actividad, todo ello como consecuencia de la Directiva 2006/123/CE del Parlamento y del Consejo, de 12 de diciembre de 2006, relativa a los servicios en el mercado interior, y de Ley 17/2009, de 23 de noviembre, sobre el Libre Acceso a las Actividades de Servicios.

El control que se realiza por parte del ayuntamiento, una vez se ha comunicado que se va a realizar una actividad inocua o iniciado el ejercicio de la misma ha de hacerse bajo el principio de la menor intervención administrativa posible.

El control e inspección de la actividad puede hacerse en cualquier momento.

Como consecuencia de la inspección puede ocurrir que la actividad que se ejerza en el local o establecimiento no tenga la consideración de inocua, y por lo tanto incluida dentro del anexo V de la Ley 2/2002, de 19 de junio, de Evaluación ambiental de actividades.

PREGUNTAS CLAVE

1. ¿Cuáles son las actividades que se están sujetas a control posterior al inicio de la actividad en la Comunidad de Madrid?

Junto a las que figuran en el Anexo V de la Ley 2/2002, de 19 de junio, de Evaluación ambiental de actividades, también lo están las que les sea de aplicación el art. 84 bis. 1 de la Ley 7/1985, de 2 de abril, Reguladora de las Bases del Régimen Local:

a) Cuando esté justificado por razones de orden público, seguridad pública, salud pública o protección del medio ambiente en el lugar concreto donde se realiza la actividad, y estas razones no puedan salvaguardarse mediante la presentación de una declaración responsable o de una comunicación.

b) Cuando por la escasez de recursos naturales, la utilización de dominio público, la existencia de inequívocos impedimentos técnicos o en función de la existencia de servicios públicos sometidos a tarifas reguladas, el número de operadores económicos del mercado sea limitado.

2. ¿Qué ocurre si como consecuencia de la inspección que se realice se comprueba que en el local no se ejerce una actividad inocua?

Si al amparo de una declaración responsable o comunicación previa, se ejerce una actividad distinta e incluida dentro del anexo V de la Ley 2/2002, de 19 de junio, de Evaluación ambiental de actividades, se incoará procedimiento, con audiencia al interesado para que bien ejerza la actividad para la que presente la declaración responsable o comunicación previa, o bien para que solicite Informe de Evaluación Ambiental de Actividades.

3. Control e inspección de actividad sujeta a informe de evaluación ambiental de actividades

El expediente de control e inspección de actividad sujeta a Informe de Evaluación Ambiental de Actividades tiene lugar una vez que la actividad está funcionando, luego es un control posterior a su ejercicio y se encuadra dentro de la potestad municipal art. 49 y 50 de la Ley 2/2002, de 19 de junio, de Evaluación Ambiental de la Comunidad de Madrid.

La inspección de la actividad podrá producirse como consecuencia de denuncia efectuada por particulares, o fruto de la inspección que el Ayuntamiento realice en el marco de sus atribuciones de inspección y vigilancia.

La importancia de este expediente y por ende de la actuación municipal radica en que el hecho de que se podrá detectar anomalías o deficiencias en el funcionamiento de las medidas correctoras, y por lo tanto sirve para exigir el cumplimiento al titular de la actividad del correcto funcionamiento de la misma, lo que evitará daños al medio ambiente y a la seguridad de las personas.

La inspección, es una facultad que se reserva el Ayuntamiento que en cualquier momento, y con posterioridad a la puesta en marcha, puede comprobar el grado de eficacia y funcionamiento de las medidas correctoras, verificar el estado de las instalaciones, etc. Es decir, se pretende con esta medida el velar por el buen estado de la actividad, requiriendo la subsanación de las deficiencias que se detecten.

Como consecuencia del resultado del expediente, podrá abrirse procedimiento sancionador.

PREGUNTAS CLAVE

1. ¿Cuáles son las actividades que se están sujetas a control posterior al inicio de la actividad en la Comunidad de Madrid?

Junto a las que figuran en el Anexo V de la Ley 2/2002, de 19 de junio, de Evaluación ambiental de actividades, también lo están las que les sea de aplicación el art. 84 bis. 1 de la Ley 7/1985, de 2 de abril, Reguladora de las Bases del Régimen Local:

a) Cuando esté justificado por razones de orden público, seguridad pública, salud pública o protección del medio ambiente en el lugar concreto donde se realiza la actividad, y estas razones no puedan salvaguardarse mediante la presentación de una declaración responsable o de una comunicación.

b) Cuando por la escasez de recursos naturales, la utilización de dominio público, la existencia de inequívocos impedimentos técnicos o en función de la existencia de servicios públicos sometidos a tarifas reguladas, el número de operadores económicos del mercado sea limitado.

2. ¿Qué ocurre si como consecuencia de la inspección que se realice se comprueba que en el local no se ejerce una actividad inocua?

Si al amparo de una declaración responsable o comunicación previa, se ejerce una actividad distinta e incluida dentro del anexo V de la Ley 2/2002, de 19 de junio, de Evaluación ambiental de actividades, se incoará procedimiento, con audiencia al interesado para que bien ejerza la actividad para la que presente la declaración responsable o comunicación previa, o bien para que solicite Informe de Evaluación Ambiental de Actividades.

C. Expediente de cambio de titularidad de licencia municipal de apertura sujeta a informe de evaluación ambiental de actividades con imposición de medidas correctoras

1. Claves del Expediente

Aunque es una cuestión que puede considerarse pacífica, el cambio de titularidad en general de los establecimientos, negocios y actividades en general y en particular de la licencia ambiental se sujeta al cumplimiento de unos requisitos mínimos, que tienen como objetivo fundamental el poner en conocimiento de la Administración (órgano sustantivo ambiental) el nuevo titular de la actividad.

A tenor del artículo 13.1 del Reglamento de Servicios de las Corporaciones Locales, aprobado por Decreto de 17 de junio de 1955, las licencias relativas a las condiciones de una obra, instalación o servicio serán transmisibles, pero el antiguo y el nuevo constructor o empresario deberán comunicarlo por escrito a la Corporación, sin lo cual quedarán ambos sujetos a todas las responsabilidades que se derivaren para el titular.

Esta posición legal ha quedado superada mediante el art. 3.2 de la Ley 12/2012, de 26 de diciembre, de medidas urgentes de liberalización del comercio y de determinados servicios, al decir que no están sujetos a licencia los cambios de titularidad de las actividades comerciales y de servicios, siendo exigible en estos casos una comunicación previa a la administración competente a los solos efectos informativos.

Ha de tenerse en cuenta:

• La comunicación ha de ser expresa.

• No es necesario que vaya acompañada de título o documento que acredite la transmisión (contrato de compraventa, de arrendamiento, de cesión etc.)

• Si la transmisión se produce sin realizar la correspondiente comunicación, el anterior y el nuevo titular quedan sujetos, de forma solidaria, a todas las responsabilidades y obligaciones derivadas del incumplimiento de dicha obligación.

La exigencia de medidas correctoras es consecuencia de la obligación del titular de la actividad en mantener constantemente la actividad en perfectas condiciones de funcionamiento.

PREGUNTAS CLAVE

1. ¿Puede ordenarse la adopción de medidas correctoras como consecuencia de la comunicación del cambio de titularidad de una actividad?

Sí. Al estar sujeta la actividad a un control posterior por parte del Ayuntamiento (arts. 49 y 50 de la Ley 2/2002, de 19 de junio, de Protección del Medio Ambiente) tanto durante su ejercicio como cuando se comunica la transmisión de la misma, producida ésta y efectuada potestativamente visita de inspección, podrá ordenarse la adopción de las medidas correctoras o la subsanación de deficiencias en el establecimiento o instalaciones que procedan.

2. ¿Puede el Ayuntamiento no tomar en cuenta la transmisión de la actividad al existir deficiencias que han de corregirse?

No. La existencia de deficiencias o subsanación de medidas correctoras no impiden la toma de conocimiento de la transmisión de la actividad. El Ayuntamiento procederá a tomar conocimiento del cambio de titularidad, sin perjuicio de realizar los requerimientos que procedan al nuevo titular.

3. ¿Existe una regulación específica para la transmisión de la titularidad de actividades sujetas a evaluación ambiental de actividades?

No. La Ley 2/2002, de 19 de junio, de Protección del Medio Ambiente, vigente parcialmente como consecuencia de la derogación realizada por la Ley 4/2014, de 22 de diciembre, de Medidas Fiscales y Administrativas, no recoge la transmisión o cambio de titularidad de la actividad o de la licencia de apertura. Supletoriamente se aplicará para estos casos tanto el art. 3 la Ley 12/2012, de 26 de diciembre, como el art. 13 del Decreto de 17 de junio de 1955, por el que se aprueba el Reglamento de Servicios de las Corporaciones Locales y el Art. 8.6. Ley 17/1997, de 4 de julio, de Espectáculos Públicos y Actividades Recreativas.

4. ¿Qué requisitos han de cumplirse para realizar el cambio de titularidad una actividad?

Para que el nuevo titular de una actividad pueda realizar el cambio de titularidad, deberá ser comunicado al Ayuntamiento a efectos informativos (art. 3.2 de la Ley 12/2012).

5. ¿Es necesario que el anterior titular comunique la transmisión de la actividad a un tercero?

No es un requisito necesario. El art. 3.2 de la Ley 12/2012 no exige esta comunicación.

6. ¿Qué ocurre si no se comunica la transmisión de la actividad?

La no comunicación del cambio de titularidad de la actividad por el anterior o el nuevo titular supone que el anterior y nuevo titular queda sujetos, de forma solidaria, a todas las responsabilidades y obligaciones derivadas de dicho incumplimiento.

7. ¿Puede transmitir la licencia de actividad el que no es propietario del local en el que se ejerce la misma?

Sí. El ejercicio de una actividad tanto mediante la concesión expresa de licencia de apertura o actividad o mediante la comunicación previa o declaración responsable tiene carácter real, al margen de la titularidad del inmueble y de las relaciones subjetivas que existan entre el titular del mismo y el que ocupe el local mediante contrato de arrendamiento, u cualquier otro título. En este sentido es de aplicación lo dispuesto en el art. 12. 1 RSCL «Las autorizaciones y licencias se entenderán otorgadas salvo el derecho de propiedad y sin perjuicio del de tercero».

8. ¿Ha de resolverse expresamente por el Ayuntamiento la comunicación de cambio de titularidad?

No. El art. 3.2 de la Ley 12/2012 habla de comunicación previa a la administración competente, sin que sea necesario posteriormente dictar resolución alguna. A efectos prácticos bastaría en cualquier caso tomar conocimiento de la transmisión, dejando constancia en el expediente.

9. ¿Qué ocurre si el Ayuntamiento no dicta resolución de cambio de titularidad?

Si el Ayuntamiento, recibida la comunicación de cambio de titularidad de la actividad, no resuelve expresamente el mismo, ha de entenderse que por silencio administrativo positivo se da por cumplido el trámite a todos los efectos, teniendo en cuenta que la resolución del órgano sustantivo no es generadora de derechos para el nuevo titular de la actividad, sino que tiene los efectos de una simple comunicación, que el Ayuntamiento constata mediante la toma de conocimiento del nuevo titular. En este sentido para la STS 15 octubre 1981 «La intervención municipal en caso de transmisión de licencias no es de previa y expresa autorización para que aquélla opere, sino de mera constatación o toma de razón de la *extra*-administrativamente producida por el simple acuerdo del antiguo y nuevo propietario, cuyo incumplimiento determina

que ambos queden sujetos a todas las responsabilidades que se deriven para el titular».

2. Jurisprudencia

• No constando que la licencia de apertura en su día concedida al demandante lo fuese en atención a su persona, esto es, a especiales circunstancias personales del mismo que impidiesen su transmisión a los efectos prevenidos en el art. 13 del Reglamento de Servicios de las Corporaciones Locales, tal y como se sostiene, entre otras, en la STS de 12 Jul. 2000, **el cambio de titular no requiere la solicitud de una nueva licencia, la cual solo sería exigible si hubiese existido una modificación de la actividad para la cual aquélla se concedió, lo que no se da en este caso.** Por tanto, el único efecto o consecuencia jurídica de la falta de notificación por escrito de tal circunstancia es la **sumisión conjunta de transmitente y adquirente a las responsabilidades** de la explotación de la licencia, sin que lleve consigo la imposición de la sanción debatida en estos autos. [STSJ Extremadura 27 septiembre 2001.- LA LEY 170424/2001

• La transmisión de la licencia constituye en definitiva la realización de un **negocio jurídico del transmitente en cuanto titular originario de la autorización administrativa pero sin que tal operación traslativa tenga relevancia a efectos de alterar las condiciones de la propia autorización,** de tal modo que permanece idéntica su eficacia y viabilidad jurídica del acto proyectado y en consecuencia del incumplimiento del deber administrativo impuesto por el artículo 13.1 del R. S. C. L., de comunicar la transferencia al Ayuntamiento, circunstancia no realizada en el supuesto de autos, **no repercute sobre la validez y existencia de la licencia y sí en cambio, únicamente en el régimen de responsabilidades derivado de la titularidad de la licencia** quedando también el transmitente sujeto junto con el adquirente a dichas responsabilidades máxime cuando el deber de comunicación de la transmisión de la licencia ha de operar a efectos de información del Ayuntamiento de los titulares en cada momento de licencias. [STSJ Extremadura 15 diciembre 2006.- LA LEY 214993/2006]

• Tampoco cabe oponer el artículo 42 de la Ley 11/2003 de 8 de abril, de Prevención Ambiental de Castilla y León puesto que, de su lectura e interpretación literal, llegamos a una conclusión distinta de la que se contiene en la Sentencia recurrida, ya que claramente se refiere **solo al deber de comunicación a las Administraciones y a las consecuencias del incumplimiento de tal deber**, que se ventilan no en la denegación de la transmisión de la licencia, sino en el de las responsabilidades de cedente y cesionario del incumplimiento de las obligaciones que impone la ley. [STSJ Castilla y León de Burgos, Sala de lo Contencioso-administrativo, Sección 2.ª, Sentencia de 28 Nov. 2011, rec. 70/2011.- LA LEY 232204/2011]

• El cambio de titular por sí solo resultaba jurídicamente irrelevante en cuanto afectaría a los posibles derechos de los particulares (STS de 23 diciembre 1998), porque la licencia mantenía su vigencia mientras subsistieran las condiciones de la actividad, de modo que el Ayuntamiento, **de no advertir otras modificaciones que las subjetivas, que son inoperantes a estos efectos, debió otorgar la transmisión de la titularidad de la licencia cuando le fue comunicado por escrito por el dueño del establecimiento,** toda vez que no ofrecía duda el título legítimo de la transmisión ya que la subrogación en la explotación se producía por los dueños del local a favor del nuevo titular, una vez que

el anterior arrendamiento había sido declarado extinguido por resolución judicial. [STSJ País Vasco 13 julio 2001]

• La Administración está obligada a reconocer el cambio de la titularidad de la licencia sin perjuicio de las distintas actuaciones que le conciernen ejercer contra la misma del mismo modo que si no se hubiese transmitido. [STSJ Madrid 18 septiembre 2001]

• Para proceder al cambio de titularidad el Ayuntamiento ha de tener constancia de que efectivamente dicho cambio se ha producido, y ello por dos mecanismos alternativos, uno bilateral, que no es otro que la conformidad del anterior titular, y otro, que no precisa dicha conformidad, más complejo, que consiste en la acreditación de que se ha adquirido por cualquier medio, *inter vivos* o *mortis causa*, la propiedad o posesión del inmueble en cuestión. [STSJ Madrid 15 enero 2004]

3.   Legislación aplicable

— Estatal

Art. 13 del Decreto de 17 de junio de 1955, por el que se aprueba el Reglamento de Servicios de las Corporaciones Locales.

Art. 3 de la Ley 12/2012, de 26 de diciembre, de medidas urgentes de liberalización del comercio y de determinados servicios.

— Autonómica

Art. 8.6. Ley 17/1997, de 4 de julio, de Espectáculos Públicos y Actividades Recreativas.

4.   Documentos de interés

— Doctrina

CANO MURCIA, Antonio. «El nuevo régimen jurídico de las licencias de apertura». *El Consultor de los Ayuntamientos y de los Juzgados*. 2010.

MORA GONZÁLEZ, María Jesús. «La transmisión de las licencias urbanísticas». *El Consultor de los Ayuntamientos y de los Juzgados*, n.º 23, Quincena del 15 al 29 Dic. 2007, Ref. 3889/2007, pág. 3889, tomo 3, LA LEY.- LA LEY 6927/2007.

— Reseña jurisprudencial

STSJ de Madrid, Sala de lo Contencioso-administrativo, Sección 2.ª, n.º 375/2015, de 13 May. 2015, Rec. 106/2014.- LA LEY 71872/2015.

STSJ de Madrid, Sala de lo Contencioso-administrativo, Sección 2.ª, n.º 377/2015, de 11 May. 2015, Rec. 126/2014.- LA LEY 71871/2015.

STSJ de Madrid, Sala de lo Contencioso-administrativo, Sección 2.ª, n.º 300/2015, de 22 Abr. 2015, Rec. 116/2014.- LA LEY 69397/2015.

STSJ de Madrid, Sala de lo Contencioso-administrativo, Sección 2.ª, n.º 697/2015, de 23 Sep. 2015, Rec. 446/2014.- LA LEY 149851/2015.

MODELO DE EXPEDIENTE: Cambio de titularidad de licencia ambiental *(Disponible a texto íntegro en smarteca.es)*

1)   Comunicación de cambio de titularidad de licencia ambiental

2)   Informe de los servicios técnicos municipales

3)   Providencia de la Alcaldía ordenando la comunicación del informe de los servicios técnicos municipales

4)   Notificación del informe técnico

5)   Escrito de titular de la actividad contestando el requerimiento de la Alcaldía

6)   Resolución de cambio de titularidad de licencia sujeta a informe de evaluación ambiental de actividades

7)   Notificación de cambio de titularidad de licencia sujeta a informe de evaluación ambiental de actividades

9. Comunidad Valenciana

A.   Expediente de licencia ambiental (arts. 51 a 65 Ley 6/2014)

1.   Claves del Expediente

La licencia ambiental es el instrumento de intervención administrativa ambiental para la actividades del anexo II de la Ley 6/2014, de 25 de julio, de la Generalitat, de Prevención, Calidad y Control Ambiental de Actividades en la Comunitat Valenciana, tramitándose de acuerdo con lo dispuesto en los arts. 51 a 63 de la misma.

El procedimiento para la obtención de la licencia ambiental se inicia de oficio, siendo competente para su concesión el Ayuntamiento, sometiéndose a información pública y audiencia a colindantes, sin perjuicio de la emisión de los informes sectoriales que procedan.

El dictamen ambiental se configura como acto administrativo con el que se concluye la tramitación, y que se define como el pronunciamiento resultante del análisis ambiental del proyecto en su conjunto, considerando la repercusión global de los distintos aspectos ambientales de la actividad, pudiendo determinar la imposición de medidas correctoras para garantizar las condiciones ambientales y de seguridad de la actividad objeto de autorización o licencia.

Concluye el expediente dictándose resolución concediendo la licencia ambiental, necesaria para el inicio de la actividad que necesitará de la presentación de la comunicación de puesta en funcionamiento de la misma.

Asimismo ha de tenerse en cuenta que la licencia ambiental está sujeta a su revisión y adaptación, a que pueda ser objeto de modificación sustancial o no, así como a su extinción, revocación, anulación, revocación y caducidad.

PREGUNTAS CLAVE

1. ¿Cómo ha de procederse en el caso de que sea necesario ejecutar obras de una actividad sujeta a licencia ambiental?

En el caso de que sea necesaria la realización de obras, deberá acompañarse el correspondiente proyecto que será tramitado conjuntamente con la licencia ambiental, con el fin de comprobar que estas se ejecutan y desarrollan de acuerdo con la normativa vigente, según dispone el art. 53.3 de la Ley 6/2014.

2. ¿Cuáles son los medios de publicación del expediente de licencia ambiental?

De acuerdo con el art. 55 de la Ley 6/2014, la información pública del procedimiento de licencia ambiental se llevará a cabo mediante de un anuncio en el tablero de edictos y publicación en la página web del ayuntamiento por un plazo no inferior a 20 días, para que las personas físicas o jurídicas, asociaciones vecinales y quienes lo consideren conveniente, formulen las alegaciones que estimen oportunas.

También se notificará a los vecinos colindantes al lugar donde se haya de emplaza la actividad.

3. ¿Cuál es el plazo mínimo por el que se ha de someter a información pública el procedimiento de licencia ambiental?

El art. 55.1 de la Ley 6/2014, dispone que el plazo de información pública no será inferior a 20 días.

4. ¿En qué medio de difusión pública se anunciará el expediente de licencia ambiental?

La ley 6/2014, en su art. 5.1 hace mención únicamente a la página web del Ayuntamiento, no mencionando otros medios, como sería el Boletín Oficial de la Provincia.

5. ¿Cuándo tiene carácter vinculante el dictamen ambiental?

El dictamen ambiental tiene carácter vinculante cuando implique la denegación de la licencia ambiental o cuando determine la imposición de medidas correctoras propuestas para anular o reducir los efectos perniciosos o de riesgo para el medio ambiente, así como en cuanto a las determinaciones resultantes de los informes de este carácter emitidos en el procedimiento (art. 58.6 Ley 6/2014).

6. ¿Qué ocurre si el ayuntamiento no tiene medios personales y técnicos para emitir el dictamen ambiental?

Si el ayuntamiento no dispone de medios personales y técnicos para emitir el dictamen ambiental, podrá solicitar el mismo sea formulado por la Comisión Territorial de Análisis Ambiental Integrado (art. 58.2 de la Ley 6/2014).

7. ¿Cuál es el plazo máximo para resolver y notificar la licencia ambiental?

De conformidad con lo previsto en el art. 60 de la Ley 6/2014 25 de julio, de la Generalitat, de Prevención, Calidad y Control Ambiental de Actividades en la Comunitat Valenciana, la licencia ambienta deberá de resolverse y notificar en el plazo de seis meses a contar desde la fecha en que la solicitud haya tenido entrada en el registro del ayuntamiento.

8. ¿Se aplica el silencio administrativo positivo en el supuesto de que no haya notificado la resolución resolviendo la licencia ambiental?

El apartado 2 de la Ley 6/2014 25 de julio, de la Generalitat, de Prevención, Calidad y Control Ambiental de Actividades en la Comunitat Valenciana, reconoce el silencio positivo, al decir que podrá entenderse estimada la solicitud presentada si no se notifica en el plazo de seis meses.

9. ¿Qué duración tiene la licencia ambiental?

La licencia ambiental se otorga por período indefinido, sin perjuicio de su posible revisión (art. 60.4 de la Ley 6/2014 25 de julio, de la Generalitat, de Prevención, Calidad y Control Ambiental de Actividades en la Comunitat Valenciana).

10. ¿A quién se notifica la resolución de licencia ambiental?

El art. 60.5 de la Ley 6/2014 25 de julio, de la Generalitat, de Prevención, Calidad y Control Ambiental de Actividades en la Comunitat Valenciana, dispone que la licencia ambiental ha de notificarse:

• A los interesados

• A la Comisión Territorial de Análisis Ambiental, cuando haya emitido o intervenido en la emisión del dictamen ambiental

• Al órgano competente en materia de accidentes graves cuando haya emitido informe vinculante en el procedimiento.

11. ¿Han de publicarse las licencias ambientales?

Cuando la licencia ambiental hubiera requerido evaluación de impacto ambiental se publicará en la página web del ayuntamiento, con la información establecida por los arts. 42 y 48 de la Ley 21/2013 de 9 de diciembre, de Evaluación Ambiental, según dispone el art. 60.6 de la Ley 6/2014 25 de julio, de la Generalitat, de Prevención, Calidad y Control Ambiental de Actividades en la Comunitat Valenciana.

12. ¿Obtenida la licencia ambiental, puede iniciarse sin más la actividad?

No. Una vez que se ha obtenida la licencia ambiental y finalizada, en su caso, la construcción de las instalaciones y obras, con carácter previo al inicio de la actividad deberá presentarse comunicación de puesta en funcionamiento (art. 61.1 de la Ley 6/2014 25 de julio, de la Generalitat, de Prevención, Calidad y Control Ambiental de Actividades en la Comunitat Valenciana).

13. ¿Cuándo puede iniciarse el ejercicio de la actividad?

Una vez que haya transcurrido el plazo de un mes desde sin que se efectúe visita de comprobación por el ayuntamiento, o bien si no se detecta inadecuación con el contenido de la licencia ambiental, como consecuencia de la visita de comprobación, en cuyo caso se emitirá informe de conformidad, pudiendo iniciarse el ejercicio de la actividad (art. 61.4, de la Ley 6/2014 25 de julio, de la Generalitat, de Prevención, Calidad y Control Ambiental de Actividades en la Comunitat Valenciana).

14. ¿Dónde y cómo se presentará la comunicación de puesta en funcionamiento de la actividad?

La comunicación de puesta en funcionamiento de la actividad se presentará ante el ayuntamiento que hubiera otorgado la licencia ambiental y se formalizará de acuerdo con el modelo que a tal efecto establezca el ayuntamiento y en defecto de este, con el que con carácter general se ponga a disposición en la página web de la consellería con competencias en materia de medio ambiente (art. 61.2 de la Ley 6/2014 25 de julio, de la Generalitat, de Prevención, Calidad y Control Ambiental de Actividades en la Comunitat Valenciana).

15. ¿Qué documentación ha de presentarse con la comunicación de puesta en funcionamiento de la actividad?

La comunicación se acompañará de certificado emitido por técnico competente de la ejecución del proyecto, en el que se especifique que la instalación y actividad se ajustan al proyecto técnico aprobado (art. 61.3 de la Ley 6/2014 25 de julio, de la Generalitat, de Prevención, Calidad y Control Ambiental de Actividades en la Comunitat Valenciana).

16. ¿Ha de estar visado el certificado que se presenta junto con la comunicación de inicio de la actividad?

No. El art. 61.3 de la Ley 6/2014, no exige que dicho certificado esté visado. A este respecto ha de considerarse que el certificado técnico es distinto del certificado final de obra de edificación al que se refiere el art. 2 b) del RD 1000/2010, de 5 de agosto, sobre visado colegial obligatorio.

17. ¿Qué plazo tiene el ayuntamiento para verificar la documentación presentada y realizar visita de comprobación de las instalaciones?

El ayuntamiento dispondrá del plazo de un mes desde la presentación de la comunicación para verificar la documentación presentada y girar visita de comprobación de la adecuación de la instalación a las condiciones fijadas en la licencia ambiental (art. 61.4 de la Ley 6/2014 25 de julio, de la Generalitat, de Prevención, Calidad y Control Ambiental de Actividades en la Comunitat Valenciana).

18. ¿Qué ocurre si efectuada visita de comprobación se detecta la inadecuación de la documentación con la licencia ambiental otorgada?

Si de la comprobación se deriva la inadecuación de la documentación con el contenido de la licencia otorgada, el ayuntamiento requerirá al interesado para que proceda a la corrección de los defectos advertidos, otorgando plazo al efecto en función de las deficiencias a subsanar, no pudiéndose iniciar la actividad hasta que exista pronunciamiento expreso de conformidad por parte del ayuntamiento.

Si no se detecta inadecuación con el contenido de la licencia ambiental, se emitirá informe de conformidad, pudiendo iniciarse el ejercicio de la actividad.

19. ¿Puede sustituirse la visita de comprobación de la actividad?

Sí. En sustitución de la visita de comprobación, los ayuntamientos podrán optar por exigir que se presente certificado expedido por entidad colaboradora en materia de calidad ambiental que acredite la adecuación de la instalación a las condiciones fijadas en la licencia ambiental (art. 61.5 de la Ley 6/2014, de 25 de julio, de la Generalitat, de Prevención, Calidad y Control Ambiental de Actividades en la Comunitat Valenciana.)

20. ¿La revisión de la licencia ambiental cuando puede realizarse?

Cuando el progreso técnico y científico o cambios de las condiciones ambientales aplicables justifiquen la fijación de nuevas condiciones de la licencia ambiental, y en particular cuando concurra alguna de las circunstancias siguientes (art. 62.1 y 3 de la Ley 6/2014. de 25 de julio, de la Generalitat, de Prevención, Calidad y Control Ambiental de Actividades en la Comunitat Valenciana):

a) La contaminación producida por la instalación haga conveniente la revisión de los valores límite de emisión impuestos o la adopción de otros nuevos.

b) Se produzca una modificación del medio receptor respecto a las condiciones que presentaba cuando se otorgó la licencia ambiental.

c) La seguridad en el funcionamiento del proceso, de la actividad o de la instalación haga necesario el empleo de otras técnicas.

d) Se aprecien circunstancias que justifiquen la revisión o modificación de la declaración de impacto ambiental y, en todo caso, si se superan los umbrales establecidos en la normativa de impacto ambiental e) En los demás supuestos que se establezcan por la normativa estatal o autonómica sobre actividades o cuando así lo exija la normativa sectorial aplicable.

Igualmente podrá ser revisada de oficio, sin derecho a indemnización, cuando los avances en las mejores técnicas disponibles permitan una reducción significativa de la contaminación sin imponer costes excesivos para el titular de la actividad.

21. ¿Es indemnizable la revisión de oficio de la licencia ambiental?

No. Así lo dice expresamente el art. 62.3 de la Ley 6/2014, de 25 de julio, de la Generalitat, de Prevención, Calidad y Control Ambiental de Actividades en la Comunitat Valenciana.

22. ¿Cuándo se considera que hay modificación sustancial de la instalación sometida a licencia ambiental?

El art. 63.2 y 3 de la Ley 6/2014, de 25 de julio, de la Generalitat, de Prevención, Calidad y Control Ambiental de Actividades en la Comunitat Valenciana, dice que cualquier ampliación o modificación de las características o del funcionamiento de una instalación se considerará sustancial si la modificación o la ampliación alcanza por sí sola, los umbrales de capacidad establecidos en el anexo II de esta ley o si ha de ser sometida al procedimiento de evaluación de impacto ambiental de acuerdo con la normativa vigente en esta materia.

Igualmente, se considera modificación sustancial cuando las modificaciones sucesivas no sustanciales producidas a lo largo de la vigencia de la licencia ambiental supongan la superación de los criterios técnicos establecidos, en lo que resulte aplicable, en la disposición adicional quinta.

23. ¿Cómo se tramita un expediente de modificación de la instalación sometida a licencia ambiental?

Cuando se pretenda realizar una modificación sustancial de las instalaciones sometidas a licencia ambiental, la misma podrá tramitarse por el procedimiento simplificado que el ayuntamiento establezca mediante sus ordenanzas, en el que se concretará el contenido de la solicitud de modificación a presentar y documentos que justifiquen el carácter sustancial de la modificación a realizar (art. 63.8 de la Ley

6/2014, de 25 de julio, de la Generalitat, de Prevención, Calidad y Control Ambiental de Actividades en la Comunitat Valenciana).

24. ¿Ha de emitirse nuevo dictamen ambiental en el caso de modificación sustancial de la licencia ambiental?

Sí. Es preceptivo la emisión de un nuevo dictamen ambiental, por parte del órgano que tenga atribuida dicha competencia, y en los terminos del art. 58 de la Ley 6/2014, de 25 de julio, de la Generalitat, de Prevención, Calidad y Control Ambiental de Actividades en la Comunitat Valenciana.

25. ¿Cuándo deja de ser exigible la licencia ambiental?

Cuando la modificación de una instalación suponga una disminución de su capacidad de producción hasta quedar por debajo de los umbrales del anexo II dejará de ser exigible la licencia ambiental, procediendo la adaptación al régimen de intervención ambiental que corresponda conforme a la disposición adicional sexta de la presente ley, y la consiguiente actualización en el Registro Ambiental de Instalaciones de la Comunitat Valenciana (art. 63.9 de la Ley 6/2014, de 25 de julio, de la Generalitat, de Prevención, Calidad y Control Ambiental de Actividades en la Comunitat Valenciana.

2. Legislación aplicable

— Europea

Directiva 2006/123/CE del Parlamento y del Consejo, de 12 de diciembre de 2006, relativa a los servicios en el mercado interior.

— Estatal

Arts. 1, 2, 4, 5 y 6 de la Ley 17/2009, de 23 de noviembre, sobre el Libre Acceso a las Actividades de Servicios.

Arts. 9, 10, 11, 12, 13, 14, 16 y22 del Reglamento de Servicios de las Corporaciones Locales Reglamento de Servicios de las Corporaciones Locales, aprobado por Decreto de 17 de junio de junio de 1955.

Arts. 21.1. q) y s), 124.4.ñ), 70.bis y 84, 84 bis y 84 ter. de la Ley 7/1985, de 2 de abril, Reguladora de las Bases de Régimen Local.

Ley 39/2015, de 1 de octubre, del Procedimiento Administrativo Común de las Administraciones Públicas.

— Autonómica

Arts. 51 a 65 de la Ley 6/2014, de 25 de julio, de la Generalitat, de Prevención, Calidad y Control Ambiental de Actividades en la Comunitat Valenciana.

3. Documentos de interés

— Doctrina

FORÉS FURIÓ, Carlos y ESCRIG GISBERT, Inmaculada. «La Ley 6/2014, de 25 de julio, de la Generalitat, de Prevención, Calidad y Control Ambiental de Actividades en la Comunitat Valenciana». *El Consultor de los Ayuntamientos y de los Juzgados*, n.º 22, Sección Práctica Local, Quincena del 30 Nov. al 14 Dic. 2014, Ref. 2445/2014, pág. 2445, tomo 2.- LA LEY 8277/2014.

MERINO MOLINS, Vicente. «Los instrumentos de intervención ambiental en la Ley 6/2014, de 25 de julio, de prevención, calidad y control ambiental de actividades de la Comunidad Valenciana. La licencia ambiental y otros medios de intervención». *El Consultor de los Ayuntamientos y de los Juzgados, n.º 7*, Sección Opinión / Colaboraciones, Quincena del 15 al 29 Abr. 2015, Ref. 830/2015, pág. 830.- LA LEY 2664/2015.

PUENTES QUILES, Jesús. «La disciplina urbanística en la Ley de Ordenación del Territorio, Urbanismo y Paisaje de la Comunitat Valenciana». *El Consultor de los Ayuntamientos y de los Juzgados, n.º 23*, Sección Colaboraciones, Quincena del 15 al 29 Dic. 2014, Ref. 2572/2014, pág. 2572, tomo 2.- LA LEY 8426/2014.

CHOLBÍ CACHÁ, Francisco Antonio. «Apunte legislativo sobre las relaciones en la tramitación administrativa de las autorizaciones urbanísticas y de actividades».- LA LEY 24320/2011.

—. «Los distintos tipos de autorizaciones ambientales para el ejercicio de actividades».- LA LEY 24311/2011.

MODELO DE EXPEDIENTE: Licencia ambiental *(Disponible a texto íntegro en smarteca.es)*

1) Inicio expediente para concesión de licencia ambiental

2) Subsanación de la solicitud

3) Escrito presentando documentación requerida para la subsanación de la solicitud

4) Resolución para archivo del expediente por no completar o subsanar el expediente

5) Notificación del archivo del expediente

6) Admisión a trámite del expediente

7) Requerimiento vecinos a policía local

8) Edicto de información pública

9) Notificación a vecinos colindantes

10) Certificado de reclamaciones

11) Solicitud de informes

12) Informe técnico para licencia ambiental

13)   *Informe jurídico para licencia ambiental*

14)   *Informe de la ponencia técnica municipal*

15)   *Dictamen ambiental*

16)   *Trámite de audiencia*

17)   *Notificación trámite de audiencia*

18)   *Escrito de alegaciones en trámite de audiencia*

19)   *Licencia ambiental*

20)   *Notificación de la licencia ambiental*

21)   *Comunicación de puesta en funcionamiento para el inicio de la actividad*

22)   *Verificación de documentación y comprobación*

23)   *Informe de verificación y comprobación e informe de conformidad*

24)   *Inicio de la actividad*

25)   *Notificación de inicio de la actividad*

26)   *Revisión de oficio de la licencia ambiental. Inicio expediente*

27)   *Trámite de audiencia a la revisión de oficio de la licencia ambiental*

28)   *Resolución de la revisión de la licencia ambiental*

29)   *Notificación de la revisión de la licencia ambiental*

30)   *Modificación sustancial de la instalación*

B. Expediente de inicio de actividad sujeta a licencia ambiental (art. 61 Ley 6/2014)

1. Claves del Expediente

La licencia ambiental no habilita *per se* para el funcionamiento de la actividad.

Es necesario la comunicación de puesta en funcionamiento previo al inicio de la actividad

Se presentará ante el Ayuntamiento y éste dispone del plazo de un mes para comprobar la documentación y realizar visita de comprobación.

La visita de comprobación podrá sustituirse certificado expedido por entidad colaboradora en materia de calidad ambiental.

PREGUNTAS CLAVE

1. ¿Habilita sin más la licencia de ambiental para el ejercicio de la actividad?

No. Una vez que se ha obtenido la licencia ambiental y finalizado, en su caso, la construcción de las instalaciones y obras, de acuerdo con el art. 61.1 de la Ley 6/2014, de 25 de julio, de la Generalitat, de Prevención, Calidad y Control Ambiental de Actividades en la Comunitat Valenciana, con carácter previo al inicio de la actividad deberá presentarse comunicación de puesta en funcionamiento.

2. ¿Puede concederse licencia de inicio de actividad sin la licencia ambiental?

No. Es un requisito previo obtener la licencia ambiental Art. 61.1 Ley 6/2014, de 25 de julio, de la Generalitat, de Prevención, Calidad y Control Ambiental de Actividades en la Comunitat Valenciana.

3. ¿Cómo ha de presentarse la comunicación de puesta en funcionamiento de la actividad?

En el modelo que a tal efecto establezca el ayuntamiento, y en su defecto en que con carácter general se ponga a disposición en la página web de la consellería competente en materia de medio ambiente (art. 61.2 Ley 6/2014, de 25 de julio, de la Generalitat, de Prevención, Calidad y Control Ambiental de Actividades en la Comunitat Valenciana).

4. ¿La comunicación de puesta en funcionamiento de la actividad ha de ir acompañada de algún documento?

Sí. De un certificado emitido por técnico competente de la ejecución del proyecto, en el que se especifique que la instalación y actividad se ajustan al proyecto técnico aprobado (art. 61.3 Ley 6/2014, de 25 de julio, de la Generalitat, de Prevención, Calidad y Control Ambiental de Actividades en la Comunitat Valenciana).

5. ¿Qué plazo tiene el ayuntamiento para resolver el expediente de puesta en funcionamiento?

Un mes (art. 61.4 Ley 6/2014, de 25 de julio, de la Generalitat, de Prevención, Calidad y Control Ambiental de Actividades en la Comunitat Valenciana).

6. ¿Qué efectos tiene para el interesado que no se realice la visita de comprobación en el plazo de un mes?

El transcurso del plazo de un mes sin que se efectúe la visita de comprobación por el ayuntamiento permite al titular de la licencia ambiental para el ejercicio de la actividad ((art. 61.3 Ley 6/2014, de 25 de julio, de la Generalitat, de Prevención, Calidad y Control Ambiental de Actividades en la Comunitat Valenciana).

MODELO DE EXPEDIENTE: Puesta en funcionamiento *(Disponible a texto íntegro en smarteca.es)*

1) *Escrito del interesado solicitando puesta en funcionamiento de la actividad*

2) *Requerimiento informe técnico y jurídico para puesta en funcionamiento de actividad*

3) *Informe de conformidad para puesta en funcionamiento de actividad*

4) *Resolución de toma de conocimiento de puesta en funcionamiento y concesión de licencia para inicio de ejercicio la actividad*

5) *Notificación de la resolución de toma de conocimiento de puesta en funcionamiento y concesión de licencia para inicio de ejercicio la actividad*

C. Expediente de modificación sustancial de la licencia ambiental (art. 63 Ley 6/2014)

1. Claves del Expediente

La licencia ambiental puede ser objeto de modificación si la misma tiene la condición se sustancial.

Existe modificación sustancial cuando la modificación o la ampliación alcanza por sí sola, los umbrales de capacidad establecidos en el anexo II de la Ley 6/2014 o si ha de ser sometida al procedimiento de evaluación de impacto ambiental de acuerdo con la normativa vigente en esta materia.

Igualmente, se considera modificación sustancial cuando las modificaciones sucesivas no sustanciales producidas a lo largo de la vigencia de la licencia ambiental supongan la superación de los criterios técnicos establecidos, en lo que resulte aplicable, en la disposición adicional quinta.

En la tramitación del expediente con modificaciones sustanciales la licencia ambiental ha de tenerse en cuenta lo siguiente:

- El titular de la licencia ambiental ha de comunicarlo al ayuntamiento.

- La modificación sustancial supone la modificación de la licencia ambiental.

- La modificación de la licencia ambiental se notificará y publicará en los mismos términos establecidos para la resolución de la licencia.

- Podrá tramitarse por procedimiento simplificado, de acuerdo con las ordenanzas municipales.

PREGUNTAS CLAVE

1. ¿Cuándo se considera que existe una modificación sustancial de una actividad sujeta a licencia ambiental?

De acuerdo con el art. 63.2 y 3 de la Ley 6/2014, de 25 de julio, se considerará sustancial si la modificación o la ampliación alcanza por sí sola, los umbrales de capacidad establecidos en el anexo II de la Ley 6/2014 citada, o si ha de ser sometida al procedimiento de evaluación de impacto ambiental de acuerdo con la normativa vigente en esta materia.

Igualmente, se considera modificación sustancial cuando las modificaciones sucesivas no sustanciales producidas a lo largo de la vigencia de la licencia ambiental supongan la superación de los criterios técnicos establecidos, en lo que resulte aplicable, en la disposición adicional quinta de la Ley 6/2014, de 25 de julio.

2. ¿Qué criterios se han de tener en cuenta para justificar la existencia de una modificación sustancial de la licencia ambiental?

Para la justificación de la modificación sustancial se tendrá en cuenta la mayor incidencia de la modificación proyectada sobre la seguridad, la salud de las personas o el medio ambiente, en los aspectos contemplados en el artículo 46 de la presente ley para la autorización ambiental integrada y los criterios técnicos establecidos en la disposición adicional quinta de la presente ley (art. 63.6 de la Ley 6/2014, de 25 de julio).

3. ¿Qué obligación tiene el titular de una licencia ambiental que pretenda modificarla?

Si el titular de una licencia ambiental quiere llevar a cabo una modificación de la instalación, deberá comunicarlo al ayuntamiento, indicando razonadamente si considera que se trata de una modificación sustancial o no sustancial, acompañando los documentos justificativos de la modificación (art. 63.5 de la Ley 6/2014, de 25 de julio).

4. ¿Si la modificación es no sustancial, cómo ha de actuar el titular de la licencia ambiental?

Cuando el titular considere que la modificación proyectada no es sustancial podrá llevarla a cabo, siempre que el ayuntamiento no manifieste lo contrario en el plazo de un mes (art. 63.7 de la Ley 6/2014, de 25 de julio).

5. ¿Si la modificación es sustancial, cómo ha de actuar el titular de la licencia ambiental?

Cuando la modificación proyectada sea considerada por el propio titular o por el ayuntamiento como sustancial, no podrá llevarse a cabo hasta que no sea modificada la licencia ambiental (art. 63.8 de la Ley 6/2014, de 25 de julio).

6. ¿Ha de someterse a información pública, mediante anuncio en el Boletín Oficial de la Provincia, el expediente de modificación sustancial de la licencia ambiental?

Sí. Así lo exige expresamente el art. 63.8 de la Ley 6/2014, de 25 de julio, de la Generalitat, de Prevención, Calidad y Control Ambiental de Actividades en la Comunitat Valenciana.

7. ¿Si la modificación de la licencia ambiental es sustancial, cómo ha de tramitarse?

La modificación sustancial podrá tramitarse por el procedimiento simplificado que el ayuntamiento establezca mediante sus ordenanzas, en el que se concretará el contenido de la solicitud de modificación a presentar, documentos que justifiquen el carácter sustancial de la modificación a realizar, y proyecto de actividad referido a la parte o partes de la instalación afectadas por la modificación que se va a llevar a cabo. En cualquier caso la modificación sustancial implicara la emisión de un nuevo dictamen ambiental, por parte del órgano que tenga atribuida dicha competencia, y en los términos establecidos en el artículo 58 de la presente ley (art. 63.8 Ley 6/2014, de 25 de julio).

8. ¿En qué supuesto dejará de ser exigible la licencia ambiental concedida a una actividad?

Cuando la modificación de una instalación suponga una disminución de su capacidad de producción hasta quedar por debajo de los umbrales del anexo II dejará de ser exigible la licencia ambiental, procediendo la adaptación al régimen de intervención ambiental que corresponda conforme a la disposición adicional sexta de la presente ley, y la consiguiente actualización en el Registro Ambiental de Instalaciones de la Comunitat Valenciana (art. 63.8 Ley 6/2014, de 25 de julio).

MODELO DE EXPEDIENTE: Modificación sustancial de licencia ambiental *(Disponible a texto íntegro en smarteca.es)*

1)   Inicio expediente para modificación sustancial de la licencia ambiental

2)   Admisión a trámite del expediente

3)   Trámites siguientes del Expediente

2.   Control de actividades inocuas que pasa a actividad clasificada

El ejercicio de actividades tradicionalmente denominadas inocuas, se sujeta al régimen de declaración responsable o comunicación previa, no siendo necesario la tramitación de procedimiento alguno para iniciar la actividad, todo ello como consecuencia de la Directiva 2006/123/CE del Parlamento y del Consejo, de 12 de diciembre de 2006, relativa a los servicios en el mercado interior, y de Ley 17/2009, de 23 de noviembre, sobre el Libre Acceso a las Actividades de Servicios.

El control que se realiza por parte del ayuntamiento, una vez se ha comunicado que se va a realizar una actividad inocua o iniciado el ejercicio de la misma ha de hacerse bajo el principio de la menor intervención administrativa posible.

La administración podrá comprobar, en cualquier momento, la veracidad de todos los datos y documentos aportados, así como el cumplimiento de los requisitos que la normativa aplicable exija para el ejercicio de la actividad (art. 73.5 de la Ley 6/2014, de 25 de julio, de la Generalitat, de Prevención, Calidad y Control Ambiental de Actividades en la Comunitat Valenciana)

PREGUNTAS CLAVE

1. ¿Cuáles son las actividades que se están sujetas a control posterior al inicio de la actividad en la Comunidad Valenciana?

Todas las actividades del anexo II de la Ley 6/2014, de 25 de julio, de la Generalitat, de Prevención, Calidad y Control Ambiental de Actividades en la Comunitat Valenciana están sujetas a control posterior al inicio de la actividad.

Hay que considerar también incluidas las de características similares a las que figuran el anexo citado, así como a las que no les sea de aplicación el art. 84 bis de la Ley 7/1985, de 2 de abril, Reguladora de las Bases del Régimen Local.

2. ¿Qué ocurre si como consecuencia de la inspección que se realice se comprueba que en el local no se ejerce una actividad inocua?

Si al amparo de una declaración responsable o comunicación previa, se ejerce una actividad distinta e incluida dentro del anexo II de la Ley 6/2014, de 25 de julio, de la Generalitat, de Prevención, Calidad y Control Ambiental de Actividades en la Comunitat Valenciana, se incoará procedimiento, con audiencia al interesado para que bien ejerza la actividad para la que presente la declaración responsable o comunicación previa, o bien para que presente solicitud de licencia ambiental.

3. ¿Ha de procederse al cierre del establecimiento si se comprueba que la declaración responsable o comunicación previa no le ampara para el ejercicio de una actividad sujeta a licencia ambiental?

En tal caso, el titular de la actividad se encuentra en el ejercicio de una actividad sin licencia ambiental, por lo que será tipificada como infracción *muy grave/grave/leve* (art. 93 de la Ley 6/2014, de 25 de julio, de la Generalitat, de Prevención, Calidad y Control Ambiental de Actividades en la Comunitat Valenciana), debiéndose proceder a la incoación de procedimiento sancionador, siendo potestad del órgano competente para resolverlo la adopción de alguna o algunas de las medidas provisionales recogidas en el art. 102 de la citada Ley 6/2014.

10. Extremadura

A. Expediente de comunicación ambiental municipal (arts. 32 a 35 Ley 16/2015)

1. Claves del Expediente

La Ley 16/2015, de 23 de abril, de protección ambiental de la Comunidad Autónoma de Extremadura se inspira en dos principios básicos: la reducción de cargas administrativas para los promotores, dotando de celeridad a la tramitación de los procedimientos administrativos que la misma regula, y la reducción de los plazos de tramitación de los procedimientos administrativos.

La comunicación ambiental municipal es el documento mediante el cual el titular de una instalación en la que pretenda desarrollarse una actividad, pone en conocimiento de las Administraciones Públicas competentes sus datos identificativos y demás requisitos exigibles para el inicio de la misma.

El procedimiento para el inicio de una actividad sujeta a calificación ambiental municipal no existe como tal, ya que basta con la presentación de la comunicación ambiental para el inicio de la actividad.

En el caso de que sea necesario realizar obras en el local o instalaciones, deberán finalizarse éstas antes de la presentación de la comunicación ambiental municipal.

PREGUNTAS CLAVE

1. ¿Es necesario disponer de licencia municipal previo al ejercicio de una actividad sujeta a calificación ambiental municipal?

No. La presentación de la comunicación ambiental municipal habilita para el ejercicio de la actividad (art. 35.4 de la Ley 16/2015).

2. ¿Ha de someterse a información pública, mediante anuncio en el Boletín Oficial de la Provincia, la comunicación ambiental municipal?

No. El procedimiento de la comunicación ambiental municipal no exige la tramitación de información pública alguno, ni la notificación a los vecinos colindantes, a tenor del art. 35 de la Ley 16/2015.

3. ¿Cuándo se presenta la comunicación ambiental municipal?

Una vez finalizadas las obras e instalaciones necesarias para el ejercicio de la actividad (art. 35.1 Ley 16/2015).

4. ¿Quién responde del ejercicio de la actividad sujeta a comunicación ambiental municipal?

Existe una responsabilidad compartida entre el titular de la actividad y el personal técnico que haya aportado y suscrito las certificaciones, mediciones análisis y comprobaciones ambientales correspondientes (art. 35.4 Ley 16/2015).

5. ¿Está sujeta a comunicación el traslado y modificación sustancial de la actividad sometida a comunicación ambiental municipal?

> Sí. Así lo exige expresamente el art. 36 de la Ley 16/2015, salvo que el traslado o la modificación a implique un cambio en el régimen de intervención administrativa ambiental aplicable a la actividad, en cuyo caso se estará a lo dispuesto en la citada ley para dicho régimen.

2. Legislación aplicable

— Europea

Directiva 2006/123/CE del Parlamento y del Consejo, de 12 de diciembre de 2006, relativa a los servicios en el mercado interior.

— Estatal

Ley 17/2009, de 23 de noviembre, sobre el Libre Acceso a las Actividades de Servicios.

Arts. 21.1. q) y s), 124.4.ñ), 70.bis y 84, 84 bis y 84 ter. de la Ley 7/1985, de 2 de abril, Reguladora de las Bases de Régimen Local.

Ley 39/2015, de 1 de octubre, del Procedimiento Administrativo Común de las Administraciones Públicas.

— Autonómica

Arts. 32 a 36 de la Ley 16/2015, de 23 de abril, de protección ambiental de Extremadura.

3. Documentos de interés

— Doctrina

CANO MURCIA, Antonio. «Apunte legislativo sobre actividades sujetas a licencia-comunicación previa o declaración responsable».- LA LEY 18578/2011.

—. «Apunte legislativo sobre actividades no sujetas a comunicación previa o declaración responsable».- LA LEY 18570/2011.

—. «Apunte legislativo sobre procedimiento de actividades inocuas».- LA LEY 18583/2011.

CHOLBÍ CACHÁ, Francisco Antonio. «La regulación legal sobre informes o autorizaciones sectoriales».- LA LEY 21133/2011.

—. «El contenido de la normativa autonómica en los supuestos de interrelación de las autorizaciones urbanísticas con las de actividades».- LA LEY 21150/2011.

MODELO DE EXPEDIENTE: Comunicación ambiental municipal *(Disponible a texto íntegro en smarteca.es)*

1)	*Inicio expediente de comunicación ambiental municipal*

2)	*Admisión a trámite del expediente*

3)	*Informe técnico*

4)   Resolución de toma de conocimiento de la comunicación ambiental municipal

5)   Notificación toma de conocimiento de la comunicación ambiental municipal

B.   Expediente de modificación de actividad sujeta a comunicación ambiental municipal (art. 36 Ley 16/2015)

1.   Claves del Expediente

La Ley 16/2015, de 23 de abril, de protección ambiental de la Comunidad Autónoma de Extremadura se inspira en dos principios básicos: la reducción de cargas administrativas para los promotores, dotando de celeridad a la tramitación de los procedimientos administrativos que la misma regula, y la reducción de los plazos de tramitación de los procedimientos administrativos.

La comunicación ambiental municipal es el documento mediante el cual el titular de una instalación en la que pretenda desarrollarse una actividad, pone en conocimiento de las Administraciones Públicas competentes sus datos identificativos y demás requisitos exigibles para el inicio de la misma.

El procedimiento para el inicio de una actividad sujeta a calificación ambiental municipal no existe como tal, ya que basta con la presentación de la comunicación ambiental para el inicio de la actividad.

En el caso de que sea necesario realizar obras en el local o instalaciones, deberán finalizarse éstas antes de la presentación de la comunicación ambiental municipal.

El traslado y la modificación sustancial de una actividad sometida a comunicación ambiental municipal se sujeta al mismo procedimiento de comunicación previsto en el art. 35 de la Ley 16/2015.

PREGUNTAS CLAVE

1. ¿Está sujeta a comunicación el traslado y modificación sustancial de la actividad sometida a comunicación ambiental municipal?

Sí. Así lo exige expresamente el art. 36 de la Ley 16/2015, salvo que el traslado o la modificación a implique un cambio en el régimen de intervención administrativa ambiental aplicable a la actividad, en cuyo caso se estará a lo dispuesto en la citada ley para dicho régimen.

2. ¿Es necesario disponer de licencia municipal previo al ejercicio de una actividad sujeta a calificación ambiental municipal?

No. La presentación de la comunicación ambiental municipal habilita para el ejercicio de la actividad (art. 35.4 de la Ley 16/2015).

3. ¿Ha de someterse a información pública, mediante anuncio en el Boletín Oficial de la Provincia, la comunicación ambiental municipal?

No. El procedimiento de la comunicación ambiental municipal no exige la tramitación de información pública alguno, ni la notificación a los vecinos colindantes, a tenor del art. 35 de la Ley 16/2015.

4. ¿Cuándo se presenta la comunicación ambiental municipal?

Una vez finalizadas las obras e instalaciones necesarias para el ejercicio de la actividad (art. 35.1 Ley 16/2015).

5. ¿Quién responde del ejercicio de la actividad sujeta a comunicación ambiental municipal?

Existe una responsabilidad compartida entre el titular de la actividad y el personal técnico que haya aportado y suscrito las certificaciones, mediciones análisis y comprobaciones ambientales correspondientes (art. 35.4 Ley 16/2015).

2. Legislación aplicable

—Europea

Directiva 2006/123/CE del Parlamento y del Consejo, de 12 de diciembre de 2006, relativa a los servicios en el mercado interior.

— Estatal

Ley 17/2009, de 23 de noviembre, sobre el Libre Acceso a las Actividades de Servicios.

Arts. 21.1. q) y s), 124.4.ñ), 70.bis y 84, 84 bis y 84 ter. de la Ley 7/1985, de 2 de abril, Reguladora de las Bases de Régimen Local.

Ley 39/2015, de 1 de octubre, del Procedimiento Administrativo Común de las Administraciones Públicas.

— Autonómica

Arts. 35 y 36 de la Ley 16/2015, de 23 de abril, de protección ambiental de Extremadura.

3. Documentos de interés

— Doctrina

CANO MURCIA, Antonio. «Apunte legislativo sobre actividades sujetas a licencia-comunicación previa o declaración responsable».- LA LEY 18578/2011.

—. «Apunte legislativo sobre actividades no sujetas a comunicación previa o declaración responsable».- LA LEY 18570/2011.

—. «Apunte legislativo sobre procedimiento de actividades inocuas».- LA LEY 18583/2011.

CHOLBÍ CACHÁ, Francisco Antonio. «La regulación legal sobre informes o autorizaciones sectoriales».- LA LEY 21133/2011.

—. «El contenido de la normativa autonómica en los supuestos de interrelación de las autorizaciones urbanísticas con las de actividades».- LA LEY 21150/2011.

MODELO DE EXPEDIENTE *(Disponible a texto íntegro en smarteca.es)*

1)   Comunicación de modificación sustancial de la actividad

2)   Admisión a trámite del expediente

3)   Informe técnico

4)   Resolución de toma de conocimiento de la modificación de la actividad sujeta comunicación ambiental municipal

5)   Notificación toma de conocimiento de la modificación de la actividad sujeta comunicación ambiental municipal

C.   Expediente de modificación de actividad sujeta a comunicación ambiental municipal con cambio de régimen de intervención (art. 36 Ley 16/2015)

1.   Claves del Expediente

La Ley 16/2015, de 23 de abril, de protección ambiental de la Comunidad Autónoma de Extremadura se inspira en dos principios básicos: la reducción de cargas administrativas para los promotores, dotando de celeridad a la tramitación de los procedimientos administrativos que la misma regula, y la reducción de los plazos de tramitación de los procedimientos administrativos.

La comunicación ambiental municipal es el documento mediante el cual el titular de una instalación en la que pretenda desarrollarse una actividad, pone en conocimiento de las Administraciones Públicas competentes sus datos identificativos y demás requisitos exigibles para el inicio de la misma.

El procedimiento para el inicio de una actividad sujeta a calificación ambiental municipal no existe como tal, ya que basta con la presentación de la comunicación ambiental para el inicio de la actividad.

En el caso de que sea necesario realizar obras en el local o instalaciones, deberán finalizarse éstas antes de la presentación de la comunicación ambiental municipal.

El traslado y la modificación sustancial de una actividad sometida a comunicación ambiental municipal se sujeta al mismo procedimiento de comunicación previsto en el art. 35 de la Ley 16/2015, salvo que se produzca un cambio en el régimen de intervención administrativa ambiental.

PREGUNTAS CLAVE

1. ¿Está sujeta a comunicación el traslado y modificación sustancial de la actividad sometida a comunicación ambiental municipal?

Sí. Así lo exige expresamente el art. 36 de la Ley 16/2015, salvo que el traslado o la modificación a implique un cambio en el régimen de intervención administrativa ambiental aplicable a la actividad, en cuyo caso se estará a lo dispuesto en la citada ley para dicho régimen.

2. ¿Qué consecuencias tiene el cambio de régimen de intervención administrativa ambiental de una actividad sujeta a comunicación ambiental municipal?

El cambio de régimen de intervención administrativa ambiental supone que al modificarse sustancialmente una actividad sujeta a comunicación ambiental municipal deberá tramitarse nuevo procedimiento dependiendo si la actividad está sometida a algunos de los procedimientos ambientales recogidos en los anexos de la Ley 16/2015, distintos de las actividades del anexo III.

3. ¿Es necesario disponer de licencia municipal previo al ejercicio de una actividad sujeta a calificación ambiental municipal?

No. La presentación de la comunicación ambiental municipal habilita para el ejercicio de la actividad (art. 35.4 de la Ley 16/2015).

4. ¿Ha de someterse a información pública, mediante anuncio en el Boletín Oficial de la Provincia, la comunicación ambiental municipal?

No. El procedimiento de la comunicación ambiental municipal no exige la tramitación de información pública alguno, ni la notificación a los vecinos colindantes, a tenor del art. 35 de la Ley 16/2015.

5. ¿Cuándo se presenta la comunicación ambiental municipal?

Una vez finalizadas las obras e instalaciones necesarias para el ejercicio de la actividad (art. 35.1 Ley 16/2015).

6. ¿Quién responde del ejercicio de la actividad sujeta a comunicación ambiental municipal?

Existe una responsabilidad compartida entre el titular de la actividad y el personal técnico que haya aportado y suscrito las certificaciones, mediciones análisis y comprobaciones ambientales correspondientes (art. 35.4 Ley 16/2015).

2. Legislación aplicable

—Europea

Directiva 2006/123/CE del Parlamento y del Consejo, de 12 de diciembre de 2006, relativa a los servicios en el mercado interior.

— Estatal

Ley 17/2009, de 23 de noviembre, sobre el Libre Acceso a las Actividades de Servicios.

Arts. 21.1. q) y s), 124.4.ñ), 70.bis y 84, 84 bis y 84 ter. de la Ley 7/1985, de 2 de abril, Reguladora de las Bases de Régimen Local.

Ley 39/2015, de 1 de octubre, del Procedimiento Administrativo Común de las Administraciones Públicas.

— Autonómica

Arts. 35 y 36 de la Ley 16/2015, de 23 de abril, de protección ambiental de Extremadura.

3. Documentos de interés

— Doctrina

CANO MURCIA, Antonio. «Apunte legislativo sobre actividades sujetas a licencia-comunicación previa o declaración responsable».- LA LEY 18578/2011.

—. «Apunte legislativo sobre actividades no sujetas a comunicación previa o declaración responsable».- LA LEY 18570/2011.

—. «Apunte legislativo sobre procedimiento de actividades inocuas».- LA LEY 18583/2011.

CHOLBÍ CACHÁ, Francisco Antonio. «La regulación legal sobre informes o autorizaciones sectoriales».- LA LEY 21133/2011.

—. «El contenido de la normativa autonómica en los supuestos de interrelación de las autorizaciones urbanísticas con las de actividades».- LA LEY 21150/2011.

MODELO DE EXPEDIENTE *(Disponible a texto íntegro en smarteca.es)*

1)   *Comunicación de modificación sustancial de la actividad*

2)   *Admisión a trámite del expediente*

3)   *Informe técnico*

4)   *Trámite de audiencia*

5)   *Notificación trámite de audiencia*

6)   *Escrito de alegaciones en trámite de audiencia*

7)   *Resolución sobre la modificación de la actividad sujeta comunicación ambiental municipal*

8)   *Notificación de la modificación de la actividad sujeta comunicación ambiental municipal*

D. Expediente de cambio de titularidad de la comunicación ambiental municipal (art. 37 Ley 16/2015)

1. Claves del Expediente

Aunque es una cuestión que puede considerarse pacífica, el cambio de titularidad en general de los establecimientos, negocios y actividades en general y en particular de la licencia ambiental se sujeta al cumplimiento de unos requisitos mínimos, que tienen como objetivo fundamental el poner en conocimiento de la Administración (órgano sustantivo ambiental) el nuevo titular de la actividad.

A tenor del artículo 13.1 del Reglamento de Servicios de las Corporaciones Locales, aprobado por Decreto de 17 de junio de 1955, las licencias relativas a las condiciones de una obra, instalación o servicio serán transmisibles, pero el antiguo y el nuevo constructor o empresario deberán comunicarlo por escrito a la Corporación, sin lo cual quedarán ambos sujetos a todas las responsabilidades que se derivaren para el titular.

Esta posición legal ha quedado superada mediante el art. 3.2 de la Ley 12/2012, de 26 de diciembre, de medidas urgentes de liberalización del comercio y de determinados servicios, al decir que no están sujetos a licencia los cambios de titularidad de las actividades comerciales y de servicios, siendo exigible en estos casos una comunicación previa a la administración competente a los solos efectos informativos.

Ha de tenerse en cuenta:

• La comunicación ha de ser expresa.

• No es necesario que vaya acompañada de título o documento que acredite la transmisión (contrato de compraventa, de arrendamiento, de cesión etc.)

• Si la transmisión se produce sin realizar la correspondiente comunicación, el anterior y el nuevo titular quedan sujetos, de forma solidaria, a todas las responsabilidades y obligaciones derivadas del incumplimiento de dicha obligación.

La Ley 16/2015, de 23 de abril, de protección ambiental de Extremadura en su art. 37 establece las condiciones que han de cumplirse para la comunicación de la transmisión de a comunicación ambiental municipal.

PREGUNTAS CLAVE

1. ¿Cómo ha de procederse a comunicar el cambio de titularidad?

Se deberá proceder a comunicarlo por escrito por parte del nuevo titular de la actividad (art. 37.1 Ley 16/2015).

2. ¿Qué plazo se dispone para comunicar la transmisión de la comunicación ambiental?

Los sujetos que intervenga en la transmisión de la actividad sujeta a comunicación ambiental disponen del plazo de un mes desde que la transmisión se haya producido para ponerlo en conocimiento del Ayuntamiento (art. 37.1 Ley 16/2015).

3. ¿Tiene alguna consecuencia para al anterior y nuevo titular comunicar la transmisión después de transcurrido el plazo de un mes?

Aparte de la responsabilidad solidaria ante el Ayuntamiento, se incurre en la comisión de una infracción leve del art. 131.3.e) de la Ley 16/2015, sancionable con multa de hasta 20.000 € y clausura temporal, total o parcial de las instalaciones por un período máximo (art. 132 1 c).

4. ¿Ha de firmar el cambio de titularidad el anterior titular?

No es un requisito necesario, ni exigible, al basta la simple comunicación del nuevo titular (art. 37.1 Ley 16/2015).

5. ¿Qué requisitos han de cumplirse para realizar el cambio de titularidad una actividad sujeta a licencia ambiental?

Para que el nuevo titular de una actividad pueda realizar el cambio de titularidad, deberá ser comunicado al Ayuntamiento a efectos informativos (art. 3.2 de la Ley 12/2012).

6. ¿Es necesario que el anterior titular comunique la transmisión de la actividad a un tercero?

No es un requisito necesario. El art. 3.2 de la Ley 12/2012 no exige esta comunicación.

7. ¿Qué ocurre si no se comunica la transmisión de la actividad?

La no comunicación del cambio de titularidad de la actividad por el anterior o el nuevo titular supone que el anterior y nuevo titular queda sujetos, de forma solidaria, a todas las responsabilidades y obligaciones derivadas de dicho incumplimiento (art. 37.3 Ley 16/2015).

8. ¿Puede transmitir la licencia de actividad el que no es propietario del local en el que se ejerce la misma?

Sí. El ejercicio de una actividad tanto mediante la concesión expresa de licencia de apertura o actividad o mediante la comunicación previa o declaración responsable tiene carácter real, al margen de la titularidad del inmueble y de las relaciones subjetivas que existan entre el titular del mismo y el que ocupe el local mediante contrato de arrendamiento, u cualquier otro título. En este sentido es de aplicación lo dispuesto en el art. 12. 1 RSCL «Las autorizaciones y licencias se entenderán otorgadas salvo el derecho de propiedad y sin perjuicio del de tercero».

9. ¿Qué documentación ha de presentarse junto con la comunicación de transmisión de la titularidad de la comunicación ambiental?

Se acuerdo con el art. 37.2 de la Ley 16/2015, deberá aportarse copia del acuerdo suscrito entre las partes, en el que deberá identificarse la persona o personas que pretendan subrogarse, total o parcialmente, en la actividad, expresando todas y cada una de las condiciones en que se verificará la subrogación.

10. ¿Ha de resolverse expresamente por el Ayuntamiento la comunicación de cambio de titularidad?

No. El art. 3.2 de la Ley 12/2012 habla de comunicación previa a la administración competente, sin que sea necesario posteriormente dictar resolución alguna. A efectos prácticos bastaría en cualquier caso tomar conocimiento de la transmisión, dejando constancia en el expediente.

11. ¿Qué ocurre si el Ayuntamiento no dicta resolución de cambio de titularidad?

Si el Ayuntamiento, recibida la comunicación de cambio de titularidad de la actividad, no resuelve expresamente el mismo, ha de entenderse que por silencio administrativo positivo se da por cumplido el trámite a todos los efectos, teniendo en cuenta que la resolución del órgano sustantivo no es generadora de derechos para el nuevo titular de la actividad, sino que tiene los efectos de una simple comunicación, que el Ayuntamiento constata mediante la toma de conocimiento del nuevo titular. En este sentido para la STS 15 octubre 1981 «La intervención municipal en caso de transmisión de licencias no es de previa y expresa autorización para que aquélla opere, sino de mera constatación o toma de razón de la extra-administrativamente producida por el simple acuerdo del antiguo y nuevo propietario, cuyo incumplimiento determina

que ambos queden sujetos a todas las responsabilidades que se deriven para el titular».

2. Jurisprudencia

• No constando que la licencia de apertura en su día concedida al demandante lo fuese en atención a su persona, esto es, a especiales circunstancias personales del mismo que impidiesen su transmisión a los efectos prevenidos en el art. 13 del Reglamento de Servicios de las Corporaciones Locales, tal y como se sostiene, entre otras, en la STS de 12 Jul. 2000, **el cambio de titular no requiere la solicitud de una nueva licencia, la cual solo sería exigible si hubiese existido una modificación de la actividad para la cual aquélla se concedió, lo que no se da en este caso.** Por tanto, el único efecto o consecuencia jurídica de la falta de notificación por escrito de tal circunstancia es la **sumisión conjunta de transmitente y adquirente a las responsabilidades** de la explotación de la licencia, sin que lleve consigo la imposición de la sanción debatida en estos autos. [STSJ Extremadura 27 septiembre 2001.- LA LEY 170424/2001]

• La transmisión de la licencia constituye en definitiva la realización de un **negocio jurídico del transmitente en cuanto titular originario de la autorización administrativa pero sin que tal operación traslativa tenga relevancia a efectos de alterar las condiciones de la propia autorización,** de tal modo que permanece idéntica su eficacia y viabilidad jurídica del acto proyectado y en consecuencia del incumplimiento del deber administrativo impuesto por el artículo 13.1 del R. S. C. L., de comunicar la transferencia al Ayuntamiento, circunstancia no realizada en el supuesto de autos, **no repercute sobre la validez y existencia de la licencia y sí en cambio, únicamente en el régimen de responsabilidades derivado de la titularidad de la licencia** quedando también el transmitente sujeto junto con el adquirente a dichas responsabilidades máxime cuando el deber de comunicación de la transmisión de la licencia ha de operar a efectos de información del Ayuntamiento de los titulares en cada momento de licencias. [STSJ Extremadura 15 diciembre 2006.- LA LEY 214993/2006]

• Tampoco cabe oponer el artículo 42 de la Ley 11/2003 de 8 de abril, de Prevención Ambiental de Castilla y León puesto que, de su lectura e interpretación literal, llegamos a una conclusión distinta de la que se contiene en la Sentencia recurrida, ya que claramente se refiere **solo al deber de comunicación a las Administraciones y a las consecuencias del incumplimiento de tal deber**, que se ventilan no en la denegación de la transmisión de la licencia, sino en el de las responsabilidades de cedente y cesionario del incumplimiento de las obligaciones que impone la ley. [STSJ Castilla y León de Burgos, Sala de lo Contencioso-administrativo, Sección 2.ª, Sentencia de 28 Nov. 2011, rec. 70/2011.- LA LEY 232204/2011]

• El cambio de titular por sí solo resultaba jurídicamente irrelevante en cuanto afectaría a los posibles derechos de los particulares (STS de 23 diciembre 1998), porque la licencia mantenía su vigencia mientras subsistieran las condiciones de la actividad, de modo que el Ayuntamiento, **de no advertir otras modificaciones que las subjetivas, que son inoperantes a estos efectos, debió otorgar la transmisión de la titularidad de la licencia cuando le fue comunicado por escrito por el dueño del establecimiento,** toda vez que no ofrecía duda el título legítimo de la transmisión ya que la subrogación en la explotación se producía por los dueños del local a favor del nuevo titular, una vez que

el anterior arrendamiento había sido declarado extinguido por resolución judicial. [STSJ País Vasco 13 julio 2001]

• La Administración está obligada a reconocer el cambio de la titularidad de la licencia sin perjuicio de las distintas actuaciones que le conciernen ejercer contra la misma del mismo modo que si no se hubiese transmitido. [STSJ Madrid 18 septiembre 2001]

• Para proceder al cambio de titularidad el Ayuntamiento ha de tener constancia de que efectivamente dicho cambio se ha producido, y ello por dos mecanismos alternativos, uno bilateral, que no es otro que la conformidad del anterior titular, y otro, que no precisa dicha conformidad, más complejo, que consiste en la acreditación de que se ha adquirido por cualquier medio, *inter vivos* o *mortis causa*, la propiedad o posesión del inmueble en cuestión. [STSJ Madrid 15 enero 2004]

3. Legislación aplicable

—Europea

Directiva 2006/123/CE del Parlamento y del Consejo, de 12 de diciembre de 2006, relativa a los servicios en el mercado interior.

— Estatal

Ley 17/2009, de 23 de noviembre, sobre el Libre Acceso a las Actividades de Servicios.

Arts. 21.1. q) y s), 124.4.ñ), 70.bis y 84, 84 bis y 84 ter. de la Ley 7/1985, de 2 de abril, Reguladora de las Bases de Régimen Local.

Reglamento de Organización, Funcionamiento y Régimen Jurídico de las Entidades Locales de 28 de noviembre de 1986.

Ley 39/2015, de 1 de octubre, del Procedimiento Administrativo Común de las Administraciones Públicas.

Arts. 1 a 5 de la Ley 12/2012, de 26 de diciembre, de medidas urgentes de liberalización del comercio y de determinados servicios.

Arts. 12 a 16 del Reglamento de Servicios de las Corporaciones Locales de 17 junio 1955.

— Autonómica

Art. 37 de la Ley 16/2015, de 23 de abril, de protección ambiental de Extremadura.

4. Documentos de interés

—Doctrina

CANO MURCIA, Antonio. «El nuevo régimen jurídico de las licencias de apertura». *El Consultor de los Ayuntamientos y de los Juzgados*. 2010.

—. «Apunte legislativo sobre actividades sujetas a licencia-comunicación previa o declaración responsable».- LA LEY 18578/2011.

—. «Apunte legislativo sobre actividades no sujetas a comunicación previa o declaración responsable».- LA LEY 18570/2011.

—. «Apunte legislativo sobre procedimiento de actividades inocuas».- LA LEY 18583/2011.

CHOLBÍ CACHÁ, Francisco Antonio. «La regulación legal sobre informes o autorizaciones sectoriales».- LA LEY 21133/2011.

—. «El contenido de la normativa autonómica en los supuestos de interrelación de las autorizaciones urbanísticas con las de actividades».- LA LEY 21150/2011.

MORA GONZÁLEZ, María Jesús. «La transmisión de las licencias urbanísticas». *El Consultor de los Ayuntamientos y de los Juzgados*, n.º 23, Quincena del 15 al 29 Dic. 2007, Ref. 3889/2007, pág. 3889, tomo 3, LA LEY.- LA LEY 6927/2007.

— Reseña jurisprudencial

STSJ Extremadura 27 septiembre 2001.- LA LEY 170424/2001.

STSJ Extremadura 15 diciembre 2006.- LA LEY 214993/2006.

MODELO DE EXPEDIENTE *(Disponible a texto íntegro en smarteca.es)*

1)   *Comunicación de cambio de titularidad de comunicación ambiental*

2)   *Resolución de cambio de titularidad de licencia ambiental*

3)   *Notificación de cambio de titularidad de licencia ambiental*

11. Galicia

En la Comunidad Autónoma de Galicia se da un paso decidido para la eliminación de las trabas administrativas existentes mediante la supresión con carácter general de la licencia municipal de actividad, de apertura o funcionamiento, sustituyéndose por la comunicación previa al inicio de la actividad o de la apertura del establecimiento, y, en su caso, para el inicio de la obra o instalación que se destine específicamente a una actividad (art. 23 y 24 de la Ley 9/2013, de 19 de diciembre, del emprendimiento y de la competitividad económica de Galicia).

A.   Expediente comunicación previa para ejercicio de actividad (arts. 24 ss. Ley 9/2013)

1.   Claves del Expediente

El ejercicio de actividades tradicionalmente denominadas inocuas, se sujeta al régimen de declaración responsable o comunicación previa, no siendo necesario la tramitación de procedimiento alguno para iniciar la actividad, todo ello como consecuencia de la Directiva 2006/123/CE del Parlamento y del Consejo, de 12 de diciembre de 2006, relativa a los servicios en el mercado interior, y de Ley 17/2009, de 23 de noviembre, sobre el Libre Acceso a las Actividades de Servicios.

En la Comunidad Autónoma de Galicia se da un paso decidido para la eliminación de las trabas administrativas existentes mediante la supresión con carácter general de la licencia municipal de actividad, de apertura o funcionamiento, sustituyéndose por la comunicación previa al inicio de la actividad o de la apertura del establecimiento, y, en su caso, para el inicio de la obra o instalación que se destine específicamente a una actividad (art. 23 y 24 de la Ley 9/2013, de 19 de diciembre, del emprendimiento y de la competitividad económica de Galicia).

La licencia municipal de apertura tiene carácter excepcional, motivada por la concurrencia de razones de interés general derivadas de la necesaria protección de la seguridad y salud pública para la actividades incluidas dentro del art. 41 de la Ley 9/2013.

En este caso se tramitará procedimiento de licencia municipal, previo a la apertura del establecimiento público o al inicio del espectáculo público o actividad recreativa, tal como exige el art. 42 Ley 9/2013, sin que sea necesario someter el expediente al trámite de información pública.

PREGUNTAS CLAVE

1. ¿Se ha suprimido en Galicia la licencia municipal de actividad?

Sí. Con la finalidad de eliminar trabas administrativas, con carácter general se suprime por el art. 23 de la Ley 9/2013 la necesidad de obtención de licencia municipal de actividad, apertura o funcionamiento para la instalación, implantación o ejercicio de cualquier actividad económica, empresarial, profesional, industrial o comercial.

2. ¿Existe algún supuesto en el que sea exigible la licencia municipal?

Sí. Tal como disponen los arts. 40 y 41 de la Ley 9/2013, Atendiendo a la concurrencia de razones de interés general derivadas de la necesaria protección de la seguridad y salud pública, de los derechos de las personas consumidoras y usuarias, del mantenimiento del orden público, así como de la adecuada conservación del medio ambiente y el patrimonio histórico artístico, será precisa la obtención de licencia o autorización para:

a) La apertura de establecimientos y la celebración de espectáculos públicos o actividades recreativas que se desarrollen en establecimientos públicos con un aforo superior a 500 personas, o que presenten una especial situación de riesgo, de conformidad con lo dispuesto en la normativa técnica en vigor.

b) La instalación de terrazas al aire libre o en la vía pública, anexas al establecimiento.

c) La celebración de espectáculos y actividades extraordinarias y, en todo caso, los que requieran la instalación de escenarios y estructuras móviles.

d) La celebración de los espectáculos públicos y actividades recreativas o deportivas que se desarrollen en más de un término municipal de la comunidad autónoma, conforme al procedimiento que reglamentariamente se establezca.

e) La celebración de los espectáculos y festejos taurinos.

f) La apertura de establecimientos y la celebración de espectáculos públicos o actividades recreativas cuya normativa específica exija la concesión de autorización.

3. ¿Cómo se articula el ejercicio de actividades económicas, empresariales, profesionales, industriales o comerciales como consecuencia de la supresión de la licencia municipal de actividad?

La supresión de la licencia municipal de apertura se sustituye con la comunicación previa (art. 24 Ley 9/2013) al inicio de la actividad o de la apertura del establecimiento.

4. ¿Qué plazo hay para emitir los informes en el expediente de licencia municipal?

Un mes, desde la recepción del expediente (art. 42.4 Ley 9/2013).

5. ¿De qué plazo dispone el Ayuntamiento para tramitar la solicitud de licencia municipal?

De tres meses, a contar desde la presentación de la solicitud y de la documentación anexa (art. 42.6 Ley 9/2013).

6. ¿Ha de someterse el expediente de licencia municipal de apertura a trámite de información pública?

No. El procedimiento de licencia municipal de apertura del art. 42 de la Ley 9/2013, no contempla ni la exposición pública a través de edicto, ni la notificación a los vecinos colindantes con la actividad.

7. ¿Qué efectos tiene no resolver la solicitud dentro del plazo de tres meses?

Transcurridos tres meses sin que el ayuntamiento comunique la resolución al interesado, se entenderá que el proyecto presentado es correcto y válido a todos los efectos y podrá entender estimada por silencio administrativo su solicitud (art. 42.6 Ley 9/2013).

8. ¿ Ha de colocarse la licencia municipal en lugar visible?

Sí. La licencia otorgada ha de exponerse en un lugar visible y de fácil acceso (art. 43.2 Ley 9/2013).

9. ¿Qué vigencia tiene la licencia municipal?

Las licencias de los establecimientos abiertos al público se conceden por tiempo indefinido, salvo que un reglamento o las propias licencias establezcan expresamente lo contrario. Todo ello sin perjuicio de los efectos de los controles y de las revisiones periódicas a que fueran sometidas (art. 44.1 Ley 9/2013).

10. ¿Cuánto tiempo ha de transcurrir para declarar la caducidad de la licencia municipal?

La no realización de la actividad para la que fue concedida la licencia durante un período ininterrumpido de un año facultará a la Administración para declarar la caducidad de las licencias. Este período podrá ser ampliado hasta un máximo de dos años, en el caso de espectáculos o actividades que para su normal desarrollo precisen de periodos de interrupción o inactividad, debiendo fijar el plazo a aplicar en la resolución por la que se otorgó la licencia (art. 46.2 Ley 9/2013).

11. ¿Qué plazo hay para tramitar la revocación o declaración de caducidad de la licencia municipal?

La revocación y la declaración de caducidad se tramitarán de oficio dando audiencia a las personas interesadas, y deberán realizarse dentro del plazo de seis meses de haberles notificado la apertura del expediente (art. 46.3 Ley 9/2013).

12. ¿Es indemnizable la revocación o la declaración de caducidad de la licencia municipal?

No. El art. 46.3 Ley 9/2013, dice que tanto la revocación como la declaración de caducidad no generarán derecho a indemnización.

13. ¿Qué efectos tiene la comunicación previa?

La comunicación previa presentada cumpliendo con todos los requisitos constituye un acto jurídico del particular que, de acuerdo con la ley, habilita para el inicio de la actividad o la apertura del establecimiento y, en su caso, para el inicio de la obra o instalación, y faculta a la Administración pública para verificar la conformidad de los datos que en ella se contienen (art. 25.1 Ley 9/2013).

14. ¿Es una potestad o una obligación realizar por los ayuntamientos procedimientos de control posterior al inicio de la actividad?

El art. 25.2 de la Ley 9/2013 obliga a los ayuntamientos a establecer y planificar los procedimientos de comunicación necesarios, así como los de verificación posterior del cumplimiento de los requisitos precisos para el ejercicio de la actividad y su control posterior.

15. ¿Qué consecuencias tiene para el titular de la actividad el incumplimiento de las condiciones de la comunicación previa?

El incumplimiento sobrevenido de las condiciones de la comunicación previa o de los requisitos legales de la actividad será causa de la ineficacia de la comunicación previa y habilitarán al ayuntamiento respectivo a su declaración previa audiencia del/la interesado/a (art. 25.3 Ley 9/2013).

16. ¿Qué consecuencias y efectos produce la inexactitud, falsedad u omisión en los datos aportados en la comunicación previa?

La inexactitud, falsedad u omisión, de carácter esencial, en cualquier dato, manifestación o documento que se aporta o incorpora a la comunicación previa conlleva, previa audiencia de la persona interesada, la declaración de ineficacia de la comunicación efectuada e impide el ejercicio del derecho o de la actividad afectada desde el momento en que se conoce, sin perjuicio de las sanciones que procediera imponer por tales hechos (art. 26.1 Ley 9/2013).

17. ¿Está obligado el titular de una actividad sujeta a comunicación previa a mantener las condiciones y adaptar las instalaciones?

Quien ostente la titularidad de las actividades debe garantizar que sus establecimientos mantendrán las mismas condiciones que tenían cuando estas fueron iniciadas, así como también adaptar las instalaciones a las nuevas condiciones que posteriores normativas establezcan (art. 27.1 Ley 9/2013).

18. ¿En qué circunstancias procede la presentación de una nueva comunicación previa?

Será necesaria una nueva comunicación previa, cumpliendo los requisitos del artículo 24, en los casos de modificación de la clase de actividad, cambio de emplazamiento, reforma sustancial de los locales, instalaciones o cualquier cambio que implique una variación que afecte a la seguridad, salubridad o peligrosidad del establecimiento (art. 27.3 Ley 9/2013).

19. ¿Están sujetas a control las actividades promovidas por las administraciones públicas?

Sí. Para el art. 30.1 de la Ley 9/2013, las actividades y las obras necesarias para su ejercicio que promuevan órganos de las administraciones públicas o entidades de derecho público estarán **sujetas a control municipal por medio de la obtención de licencia municipal o, en su caso, comunicación previa,** salvo los supuestos exceptuados por la legislación aplicable y en los términos establecidos reglamentariamente.

20. ¿Están sujetas a control las actividades promovidas por los ayuntamientos?

De conformidad con el art. 30.2 de la Ley 9/2013, Las actividades municipales y las obras necesarias para su ejercicio se entenderán autorizadas por el acuerdo de aprobación del órgano competente del ayuntamiento, previa acreditación en el expediente del cumplimiento de la normativa.

21. ¿Están excluidas de la comunicación previa los espectáculos públicos y actividades recreativas?

La apertura de los establecimientos públicos y la organización de espectáculos públicos y actividades recreativas están sometidas al régimen de comunicación previa, salvo en los casos que por razones de interés general fuera necesario la obtención de licencia municipal (art. 40 Ley 9/2013).

22. ¿Cuándo es necesaria la obtención de licencia municipal?

El art. 41 de la Ley 9/2013 dice que en atención a la concurrencia de razones de interés general derivadas de la necesaria protección de la seguridad y salud pública, de los derechos de las personas consumidoras y usuarias, del mantenimiento del orden público, así como de la adecuada conservación del medio ambiente y el patrimonio histórico artístico, será precisa la obtención de licencia o autorización para:

a) La apertura de establecimientos y la celebración de espectáculos públicos o actividades recreativas que se desarrollen en establecimientos públicos con un aforo superior a 500 personas, o que presenten una especial situación de riesgo, de conformidad con lo dispuesto en la normativa técnica en vigor.

b) La instalación de terrazas al aire libre o en la vía pública, anexas al establecimiento.

c) La celebración de espectáculos y actividades extraordinarias y, en todo caso, los que requieran la instalación de escenarios y estructuras móviles.

d) La celebración de los espectáculos públicos y actividades recreativas o deportivas que se desarrollen en más de un término municipal de la comunidad autónoma, conforme al procedimiento que reglamentariamente se establezca.

e) La celebración de los espectáculos y festejos taurinos.

f) La apertura de establecimientos y la celebración de espectáculos públicos o actividades recreativas cuya normativa específica exija la concesión de autorización.

2. Legislación aplicable

—Europea

Directiva 2006/123/CE del Parlamento y del Consejo, de 12 de diciembre de 2006, relativa a los servicios en el mercado interior.

— Estatal

Art. 41.9 Reglamento de Organización, Funcionamiento y Régimen Jurídico de las Entidades Locales de 28 de noviembre de 1986.

Arts. 1 a 5 de la Ley 12/2012, de 26 de diciembre, de medidas urgentes de liberalización del comercio y de determinados servicios.

Arts. 1, 2, 4, 5 y 6 de la Ley 17/2009, de 23 de noviembre, sobre el Libre Acceso a las Actividades de Servicios.

Arts. 9, 10, 11, 12, 13, 14, 16 y22 del Reglamento de Servicios de las Corporaciones Locales Reglamento de Servicios de las Corporaciones Locales, aprobado por Decreto de 17 de junio de junio de 1955.

Arts. 21.1. q) y s), 124.4.ñ), 70.bis y 84, 84 bis y 84 ter. de la Ley 7/1985, de 2 de abril, Reguladora de las Bases de Régimen Local.

— Autonómica

Ley 9/2013, de 19 de diciembre, del emprendimiento y de la competitividad económica de Galicia.

Art. 194.2 de la Ley 9/2002, de 30 de diciembre, de ordenación urbanística y protección del medio rural de Galicia.

3. Documentos de interés

— Doctrina

CANO MURCIA, Antonio. «Apunte legislativo sobre actividades sujetas a licencia-comunicación previa o declaración responsable».- LA LEY 18636/2011.

—. «Apunte legislativo sobre procedimiento de actividades inocuas».- LA LEY 18641/2011.

CHOLBÍ CACHÁ, Francisco Antonio. «El contenido de la normativa autonómica en los supuestos de interrelación de las autorizaciones urbanísticas con las de actividades».- LA LEY 21335/2011.

—. «Apunte legislativo sobre las relaciones en la tramitación administrativa de las autorizaciones urbanísticas y de actividades».- LA LEY 21339/2011.

—. «Actos promovidos por Administraciones Públicas. Necesidad de licencia».- LA LEY 21256/2011.

PENSADO SEIJAS, Alberto. «Unificación normativa de la tramitación integral de las actividades en Galicia». *El Consultor de los Ayuntamientos y de los Juzgados*, n.º 18, Sección Colaboraciones, Quincena del 30 Sep. al 14 Oct. 2014, Ref. 1909/2014, pág. 1909, tomo 2. —LA LEY 6277/2014.

—. «Adaptación de las Ordenanzas de los Ayuntamientos Gallegos a la Ley 9/2013, del emprendimiento y de la competitividad económica de Galicia. Notas a la Propuesta de Reglamento de la FEGAMP». *El Consultor de los Ayuntamientos y de los Juzgados*, n.º 15, Sección Opinión / Colaboraciones, agosto 2015, Ref. 1803/2015, pág. 1803, Wolters Kluwer.- LA LEY 4972/2015.

—. «Comentario de urgencia sobre el RDL 8-2014, de 4 de julio, de aprobación de medidas urgentes para el crecimiento, la competitividad y la eficiencia, respecto a las actividades comerciales». *El Consultor de los Ayuntamientos y de los Juzgados*, n.º 15/16, Sección Actualidad, agosto 2014, Ref. 1665/2014, pág. 1665, tomo 2.- LA LEY5016/2014.

MODELO DE EXPEDIENTE *(Disponible a texto íntegro en smarteca.es)*

1)   Escrito de comunicación previa para inicio de actividad

2)   Actuación de control del expediente

3)   Informe técnico

4)   Trámite de audiencia

5)   Notificación trámite de audiencia

6)   Escrito de alegaciones en trámite de audiencia

7)   Toma de conocimiento de la comunicación previa

8)   Notificación de la licencia municipal de apertura

B.   Expediente de cambio de titularidad (art. 24.3 Ley 9/2013)

1.   Claves del Expediente

Aunque es una cuestión que puede considerarse pacífica, el cambio de titularidad en general de los establecimientos, negocios y actividades en general y en particular de la licencia ambiental se sujeta al cumplimiento de unos requisitos mínimos, que tienen como objetivo fundamental el poner en conocimiento de la Administración (órgano sustantivo ambiental) el nuevo titular de la actividad.

A tenor del artículo 13.1 del Reglamento de Servicios de las Corporaciones Locales, aprobado por Decreto de 17 de junio de 1955, las licencias relativas a las condiciones de una obra, instalación o servicio serán transmisibles, pero el antiguo y el nuevo constructor o empresario deberán comunicarlo por escrito a la Corporación, sin lo cual quedarán ambos sujetos a todas las responsabilidades que se derivaren para el titular.

Esta posición legal ha quedado superada mediante el art. 3.2 de la Ley 12/2012, de 26 de diciembre, de medidas urgentes de liberalización del comercio y de determinados servicios, al decir que no están sujetos a licencia los cambios de titularidad de las actividades comerciales y de servicios, siendo exigible en estos casos una comunicación previa a la administración competente a los solos efectos informativos.

Ha de tenerse en cuenta:

• La comunicación ha de ser expresa.

• No es necesario que vaya acompañada de título o documento que acredite la transmisión (contrato de compraventa, de arrendamiento, de cesión etc.)

• Si la transmisión se produce sin realizar la correspondiente comunicación, el anterior y el nuevo titular quedan sujetos, de forma solidaria, a todas las responsabilidades y obligaciones derivadas del incumplimiento de dicha obligación.

La Ley 9/2013, de 19 de diciembre, del emprendimiento y de la competitividad económica de Galicia, en su art. 24.3 se refiere al cambio de titularidad de la comunicación previa, entendiendo que el mismo también es aplicación a la licencia municipal de apertura de las actividades del art. 41.

PREGUNTAS CLAVE

1. ¿Qué requisitos han de cumplirse para realizar el cambio de titularidad una actividad sujeta a licencia ambiental?

Para que el nuevo titular de una actividad pueda realizar el cambio de titularidad, deberá ser comunicado al Ayuntamiento a efectos informativos (art. 3.2 de la Ley 12/2012).

2. ¿Es necesario que el anterior titular comunique la transmisión de la actividad a un tercero?

No es un requisito necesario. El art. 3.2 de la Ley 12/2012 no exige esta comunicación.

3. ¿Qué ocurre si no se comunica la transmisión de la actividad?

La no comunicación del cambio de titularidad de la actividad por el anterior o el nuevo titular supone que el anterior y nuevo titular queda sujetos, de forma solidaria, a todas las responsabilidades y obligaciones derivadas de dicho incumplimiento.

4. ¿Puede transmitir la licencia de actividad el que no es propietario del local en el que se ejerce la misma?

Sí. El ejercicio de una actividad tanto mediante la concesión expresa de licencia de apertura o actividad o mediante la comunicación previa o declaración responsable tiene carácter real, al margen de la titularidad del inmueble y de las relaciones subjetivas que existan entre el titular del mismo y el que ocupe el local mediante contrato de arrendamiento, u cualquier otro título. En este sentido es de aplicación lo dispuesto en el art. 12. 1 RSCL «Las autorizaciones y licencias se entenderán otorgadas salvo el derecho de propiedad y sin perjuicio del de tercero».

5. ¿Ha de resolverse expresamente por el Ayuntamiento la comunicación de cambio de titularidad?

No. El art. 3.2 de la Ley 12/2012 habla de comunicación previa a la administración competente, sin que sea necesario posteriormente dictar resolución alguna. A efectos prácticos bastaría en cualquier caso tomar conocimiento de la transmisión, dejando constancia en el expediente.

6. ¿Qué ocurre si el Ayuntamiento no dicta resolución de cambio de titularidad?

Si el Ayuntamiento, recibida la comunicación de cambio de titularidad de la actividad, no resuelve expresamente el mismo, ha de entenderse que por silencio administrativo positivo se da por cumplido el trámite a todos los efectos, teniendo en cuenta que la resolución del órgano sustantivo no es generadora de derechos para el nuevo titular de la actividad, sino que tiene los efectos de una simple comunicación, que el Ayuntamiento constata mediante la toma de conocimiento del nuevo titular. En este sentido para la STS 15 octubre 1981 «La intervención municipal en caso de transmisión de licencias no es de previa y expresa autorización para que aquélla opere, sino de mera constatación o toma de razón de la extra-administrativamente producida por el simple acuerdo del antiguo y nuevo propietario, cuyo incumplimiento determina que ambos queden sujetos a todas las responsabilidades que se deriven para el titular».

7. ¿Está sujeta a comunicación previa el cambio de titularidad de las actividades e instalaciones?

Sí. Así lo exige expresamente el art. 24.3 de la Ley 9/2013).

8. ¿Cómo ha de procederse a comunicar el cambio de titularidad?

Se deberá proceder a comunicarlo por escrito por parte del nuevo titular de la actividad (art. 24.3 Ley 9/2013).

9. ¿Ha de firmar el cambio de titularidad el anterior titular?

No es un requisito necesario, ni exigible, al basta la simple comunicación del nuevo titular (art. 24.3 Ley 9/2013).

10. ¿Cómo puede presentarse la comunicación del cambio de titularidad?

Toda la documentación requerida en el presente artículo podrá presentarse telemáticamente, y todos los ayuntamientos de Galicia deberán tener en su página web un portal telemático de comunicaciones previas y autorizaciones administrativas (art. 24.4 Ley 9/2013).

11. ¿Está sujeta a licencia el cambio de titularidad la licencia municipal?

No. Es aplicable a estos efectos lo dispuesto en el art. 24.3 de la Ley 9/2013, así como el art. 28 de la Ley 13/2010, de 17 de diciembre, del comercio interior de Galicia, modificado por la disposición final quinta de la Ley 9/2013, que dispone que no será exigible licencia para el inicio y desarrollo de las actividades comerciales objeto de la presente ley ni para el cambio de titularidad. En estos casos bastará la comunicación previa prevista en la Ley del emprendimiento de Galicia y en la normativa urbanística, si procede.

2.   Jurisprudencia

• La Administración está obligada a reconocer el cambio de la titularidad de la licencia sin perjuicio de las distintas actuaciones que le conciernen ejercer contra la misma del mismo modo que si no se hubiese transmitido. [STSJ Madrid 18 septiembre 2001]

• Para proceder al cambio de titularidad el Ayuntamiento ha de tener constancia de que efectivamente dicho cambio se ha producido, y ello por dos mecanismos alternativos, uno bilateral, que no es otro que la conformidad del anterior titular, y otro, que no precisa dicha conformidad, más complejo, que consiste en la acreditación de que se ha adquirido por cualquier medio, *inter vivos* o *mortis causa*, la propiedad o posesión del inmueble en cuestión. [STSJ Madrid 15 enero 2004]

3.   Legislación aplicable

—Europea

Directiva 2006/123/CE del Parlamento y del Consejo, de 12 de diciembre de 2006, relativa a los servicios en el mercado interior.

— Estatal

Ley 17/2009, de 23 de noviembre, sobre el Libre Acceso a las Actividades de Servicios.

Arts. 21.1. q) y s), 124.4.ñ), 70.bis y 84, 84 bis y 84 ter. de la Ley 7/1985, de 2 de abril, Reguladora de las Bases de Régimen Local.

Reglamento de Organización, Funcionamiento y Régimen Jurídico de las Entidades Locales de 28 de noviembre de 1986.

Arts. 1 a 5 de la Ley 12/2012, de 26 de diciembre, de medidas urgentes de liberalización del comercio y de determinados servicios.

Arts. 12 a 16 del Reglamento de Servicios de las Corporaciones Locales de 17 junio 1955.

— Autonómica

Art. 24.3 de la Ley 9/2013, de 19 de diciembre, del emprendimiento y de la competitividad económica de Galicia.

4.   Documentos de interés

— Doctrina

CANO MURCIA, Antonio. «Apunte legislativo sobre actividades sujetas a licencia-comunicación previa o declaración responsable».- LA LEY 18636/2011.

—. «Apunte legislativo sobre procedimiento de actividades inocuas».- LA LEY 18641/2011.

—. «Apunte legislativo sobre transmisión o cambio de titularidad».- LA LEY 18652/2011.

—. «Cuestiones prácticas sobre transmisión o cambio de titularidad».- LA LEY 18653/2011.

CHOLBÍ CACHÁ, Francisco Antonio. «El contenido de la normativa autonómica en los supuestos de interrelación de las autorizaciones urbanísticas con las de actividades».- LA LEY 21335/2011.

—. «Apunte legislativo sobre las relaciones en la tramitación administrativa de las autorizaciones urbanísticas y de actividades».- LA LEY 21339/2011.

—. «Actos promovidos por Administraciones Públicas. Necesidad de licencia»..- LA LEY 21256/2011.

PENSADO SEIJAS, Alberto. «Unificación normativa de la tramitación integral de las actividades en Galicia». *El Consultor de los Ayuntamientos y de los Juzgados*, n.º 18, Sección Colaboraciones, Quincena del 30 Sep. al 14 Oct. 2014, Ref. 1909/2014, pág. 1909, tomo 2. —LA LEY 6277/2014.

—. «Adaptación de las Ordenanzas de los Ayuntamientos Gallegos a la Ley 9/2013, del emprendimiento y de la competitividad económica de Galicia. Notas a la Propuesta de Reglamento de la FEGAMP». *El Consultor de los Ayuntamientos y de los Juzgados, n.º 15*, Sección Opinión / Colaboraciones, agosto 2015, Ref. 1803/2015, pág. 1803, Wolters Kluwer.- LA LEY 4972/2015.

—. «Comentario de urgencia sobre el RDL 8-2014, de 4 de julio, de aprobación de medidas urgentes para el crecimiento, la competitividad y la eficiencia, respecto a las actividades comerciales». *El Consultor de los Ayuntamientos y de los Juzgados*, n.º 15/16, Sección Actualidad, agosto 2014, Ref. 1665/2014, pág. 1665, tomo 2,.- LA LEY5016/2014.

MODELO DE EXPEDIENTE *(Disponible a texto íntegro en smarteca.es)*

1)   *Comunicación de cambio de titularidad de comunicación previa*

2)   *Resolución de cambio de titularidad de licencia ambiental*

3)   *Notificación de cambio de titularidad de licencia ambiental*

12. Islas Baleares

A.   Expediente de actividad permanente mayor

1.   Claves del Expediente

La simplificación de trámites y evitar duplicidad de competencias es consecuencia de no sujetar al régimen de autorización ambiental integrada a actividades permanentes, con independencia de su clasificación en permanentes mayores, menores, inocuas o de infraestructuras comunes.

Las actividades mayores están sujetas a la obtención de permiso de instalación.

Se ha de tener en cuenta sin son necesarias ejecutar obras de instalación.

PREGUNTAS CLAVE

1. ¿Es necesario disponer de autorización sectorial para iniciar y ejercer una actividad?

En el caso de que sea preceptiva la emisión de autorización sectorial, no se podrá iniciar y ejercer una actividad si no se dispone de la misma (art. 8.3 de la Ley 7/2013 de 26 de noviembre, de régimen jurídico de instalación, acceso y ejercicio de actividades).

2. ¿Tiene obligación el titular de una actividad de contratar un seguro de responsabilidad civil?

Dispone el art. 10 de la Ley 7/2013 de 26 de noviembre, de régimen jurídico de instalación, acceso y ejercicio de actividades, que el titular deberá contratar y mantener en vigor un seguro durante el ejercicio de la actividad en el establecimiento físico o en el lugar donde se desarrolle, que cubra la responsabilidad civil por los daños corporales, materiales y consecuenciales derivados de ella, ocasionados a terceras personas.

3. ¿Existe alguna excepción para no contratar seguro de responsabilidad civil?

En el caso de actividades no permanentes menores, el órgano competente, motivadamente, podrá eximir del seguro, sin perjuicio de la responsabilidad que se pueda derivas de ellas (art. 10.1 par. Tercero de la Ley 7/2013 de 26 de noviembre, de régimen jurídico de instalación, acceso y ejercicio de actividades).

4. ¿Qué duración ha de tener el seguro de responsabilidad civil de los técnicos titulados profesionales?

Los técnicos titulados profesionales, deberán cubrir, mediante un seguro, y por un período mínimo de dos años desde su última actuación, los riesgos de responsabilidad civil en que puedan incurrir a consecuencia de su ejercicio profesional en materia de actividades, sin perjuicio de la responsabilidad que se pueda derivar de ello.

Esta obligación no será exigible cuando los derechos a terceros estén garantizados en virtud de otra legislación aplicable a la actividad de que se trate, o en virtud de acuerdo de aplicación general con la misma finalidad (art. 10.2 de la Ley 7/2013 de 26 de noviembre, de régimen jurídico de instalación, acceso y ejercicio de actividades).

5. Cuándo ha de someterse a información pública, el expediente para ejercicio de una actividad permanente mayor?

Una vez que se compruebe que el uso es compatible con la normativa urbanística (art. 40 de la Ley 7/2013 de 26 de noviembre, de régimen jurídico de instalación, acceso y ejercicio de actividades).

6. ¿Necesita seguro de responsabilidad civil las actividades de titularidad pública?

El art. 10.3 de la Ley 7/2013 de 26 de noviembre, de régimen jurídico de instalación, acceso y ejercicio de actividades, excluye de la obligatoriedad de este seguro a las actividades de titularidad pública.

7. ¿En qué medios ha de practicarse la información pública de una actividad permanente mayor?

El art. 40 de la Ley 7/2013 de 26 de noviembre, de régimen jurídico de instalación, acceso y ejercicio de actividades, no se específica los medios de difusión (tradicionales Boletín oficial, tablón de edictos) en los que se ha de practicar la información pública, limitándose a decir que la apertura del período de información pública se anunciará en la página web de la administración competente.

8. ¿Cuándo ha de solicitarse informe vinculante para el ejercicio de actividad permanente?

En el caso de edificios catalogados o protegidos por un instrumento de planeamiento general, cuando las características arquitectónicas no permitan el pleno cumplimiento de las condiciones técnicas exigida por la normativa vigente (art. 41 de la Ley 7/2013 de 26 de noviembre, de régimen jurídico de instalación, acceso y ejercicio de actividades).

9. ¿Cuándo caduca el título habilitante de una actividad permanente?

Cuando la actividad no se haya ejercido en el plazo de dos años o cuando, aunque tenga permiso de instalación o comunicación previa de inicio de instalación y obras, no se haya presentado la declaración responsable de inicio y ejercicio de la actividad (art. 13 de la Ley 7/2013 de 26 de noviembre, de régimen jurídico de instalación, acceso y ejercicio de actividades).

10. ¿Dónde han de exhibirse los títulos habilitantes del ejercicio de la actividad?

En el lugar donde se ejerce la actividad, salvo que la misma esté escrita en los registros de actividades y la documentación sea accesible por medios telemáticos (art.

14 de la Ley 7/2013 de 26 de noviembre, de régimen jurídico de instalación, acceso y ejercicio de actividades).

11. ¿Están admitidos los usos indeterminados de obras o establecimientos?

Como norma general, no se admiten los usos indeterminados de obras o establecimientos, por lo que, cuando la edificación de un inmueble se destine específicamente a una actividad con unas determinadas características y un uso específico, la obra y la actividad se tramitarán en un único procedimiento para adecuarlas a los niveles de seguridad, salubridad y medio ambiente adecuados, y para garantizar el cumplimiento de la normativa urbanística (art. 15.1 de la Ley 7/2013 de 26 de noviembre, de régimen jurídico de instalación, acceso y ejercicio de actividades).

12. ¿Cómo se tramitará el expediente de obra y actividad de un centro colectivo?

Cuando se trate de un centro colectivo, la obra y el permiso de instalación de las infraestructuras comunes se tramitarán en un único procedimiento (art. 15.2 de la Ley 7/2013 de 26 de noviembre, de régimen jurídico de instalación, acceso y ejercicio de actividades).

13. ¿Cómo se tramitará el expediente de edificios con diferentes actividades por determinar?

De acuerdo con el art. 15.3 de la Ley 7/2013 de 26 de noviembre, de régimen jurídico de instalación, acceso y ejercicio de actividades, cuando se trate de edificios con diferentes actividades o establecimientos físicos susceptibles de actividades por determinar, no podrá otorgarse la licencia de obras del edificio sin el permiso de inicio de instalación de las infraestructuras comunes, excepto en los siguientes casos, que no precisarán este permiso de inicio de instalación:

a) Cuando se trate de edificios de una sola planta donde cada uno de los establecimientos físicos susceptibles de actividades por determinar sólo compartan la medianera y siempre y cuando el proyecto de obra cumpla las condiciones del artículo 16 de esta ley.

b) Cuando se trate de un edificio exclusivamente de viviendas donde en la planta baja haya establecimientos físicos susceptibles de actividades por determinar, y siempre que el proyecto de obra cumpla las condiciones del artículo 16 de esta ley.

c) Cuando se trate de edificios en los cuales no les sea de aplicación la Ley de propiedad horizontal, siempre que el proyecto de obra cumpla las condiciones del artículo 16 de esta ley.

d) En el caso de división o segregación de los establecimientos indicados, no se otorgará licencia de obras si no se mantienen estas condiciones en cada uno de los establecimientos físicos resultantes.

14. ¿Está vinculada la licencia de obras para el mantenimiento de un inmueble sin uso específico al permiso de inicio de instalación y obras?

La licencia de obras para el mantenimiento de un inmueble sin un uso específico predeterminado no estará vinculada al permiso de inicio de instalación y obras o a la comunicación previa de inicio de instalación y obras. En caso de que en un inmueble se desarrolle una actividad determinada, la licencia de obras para la modernización y el mantenimiento del establecimiento físico no requerirá un nuevo permiso de instalación o comunicación previa si se realiza conforme a su título habilitante (art. 15.3 de la Ley 7/2013 de 26 de noviembre, de régimen jurídico de instalación, acceso y ejercicio de actividades).

2. Jurisprudencia

• La *primera exigencia en el procedimiento previsto legalmente para otorgar licencia de actividad es la conformidad de la actividad pretendida con el planeamiento municipal,* requisito de ineludible cumplimiento por tratarse dicha autorización de un acto municipal de *carácter reglado, es decir, sujeto en su concesión a un estricto juicio administrativo sobre la conformidad del proyecto con la normativa aplicable* (urbanística y medioambiental), sin que el Ayuntamiento afectado tenga algún margen discrecional al respecto para conceder o denegar la licencia, so pena de incurrir en arbitrariedad o en manifiesta ilegalidad. [STSJ Comunidad Valenciana 22 junio 2005]

• *La licencia de apertura supone la autorización para el inicio del funcionamiento de la actividad previa la realización de los informes y medidas de inspección necesarias para comprobar que la actividad a realizar se ajusta a los términos de la licencia concedida.* Partiendo de esta diferenciación, resulta patente que el Ayuntamiento ha prescindido abiertamente de dicho trámite procedimental pues, de una parte, ha tolerado el funcionamiento irregular de la actividad, meses antes, incluso, del requerimiento a la titular para la subsanación del proyecto técnico presentado y, de otra, la resolución que se recurre prescinde del previo examen y resolución acerca del contenido autorizatorio propio de la licencia de instalación que, como hemos visto, no autoriza, por sí sola, la apertura del establecimiento. [STSJ Cantabria 29 octubre 1998]

• *El otorgamiento de licencia perteneciente a la facultad reglada de la Administración, es obligada, según la doctrina jurisprudencial, cuando exista conformidad del ejercicio de la actividad pretendida, con la legislación vigente como derecho preexistente del particular cuyo desenvolvimiento es compatible con la Ley.* [STS 30 enero 1985]

• *No es obstáculo para otorgar una licencia de apertura la circunstancia de que el edificio o local en los que la actividad haya de establecerse se halle fuera de ordenación y sujeto, por ello, a las limitaciones que impone el artículo 60 TRLS, pues una cosa es que el edificio se encuentre en tal situación y otra muy diferente que el inmueble no pueda utilizarse* (SSTS 17 diciembre 1974, 13 junio 1980 y 2 febrero y 8 julio 1983]

3. Legislación aplicable

—Europea

Directiva 2006/123/CE del Parlamento y del Consejo, de 12 de diciembre de 2006, relativa a los servicios en el mercado interior.

— Estatal

Ley 17/2009, de 23 de noviembre, sobre el Libre Acceso a las Actividades de Servicios.

Arts. 21.1. q) y s), 124.4.ñ), 70.bis y 84, 84 bis y 84 ter. de la Ley 7/1985, de 2 de abril, Reguladora de las Bases de Régimen Local.

Ley 39/2015, de 1 de octubre, del Procedimiento Administrativo Común de las Administraciones Públicas.

— Legislación autonómica

Ley 7/2013 de 26 de noviembre, de régimen jurídico de instalación, acceso y ejercicio de actividades.

Ley 11/2014, de 15 de octubre, de comercio de las Illes Balears.

4. Documentos de interés

—Doctrina

CANO MURCIA, Antonio. «Apunte legislativo sobre actividades sujetas a licencia-comunicación previa o declaración responsable».- LA LEY 18696/2011.

—. «Apunte legislativo sobre actividades no sujetas a comunicación previa o declaración responsable».- LA LEY 18688/2011.

—. «Procedimiento de licencia ambiental».- LA LEY 18704/2011.

—. «Apunte legislativo sobre transmisión o cambio de titularidad».- LA LEY 18710/2011.

—. «Apunte legislativo sobre control e inspección».- LA LEY 18718/2011.

—. «Apunte legislativo sobre régimen sancionador».- LA LEY 18742/2011.

CHOLBÍ CACHÁ, Francisco Antonio. «El contenido de la normativa autonómica en los supuestos de interrelación de las autorizaciones urbanísticas con las de actividades».- LA LEY 20567/2011.

—. «Apunte legislativo sobre la comunicación previa y declaración responsable en actos y usos de naturaleza urbanística».- LA LEY 20483/2011.

—. «Apunte legislativo sobre las relaciones en la tramitación administrativa de las autorizaciones urbanísticas y de actividades».- LA LEY 20571/2011.

—Reseña jurisprudencial

STSJ Les Illes Balears, Sala de lo Contencioso-administrativo, n.º 401/2015, de 15 Jun. 2015, Rec. 89/2015.- LA LEY 87698/2015.

STSJ Les Illes Balears, Sala de lo Contencioso-administrativo, n.º 13/2015, de 27 Ene. 2015, Rec. 202/2012.- LA LEY 971/2015.

STSJ Les Illes Balears, Sala de lo Contencioso-administrativo, de 29 Abr. 2010, rec. 193/2008.- LA LEY 77091/2010.

STSJ Les Illes Balears, Sala de lo Contencioso-administrativo, de 19 May. 2010, rec. 17/2010.- LA LEY 77125/2010.

STSJ Les Illes Balears, Sala de lo Contencioso-administrativo, de 27 Jun. 2011, rec. 727/2009.- LA LEY 120915/2011.

STSJ Les Illes Balears, Sala de lo Contencioso-administrativo, de 23 Abr. 2010, rec. 700/2005.- LA LEY 60588/2010.

MODELO DE EXPEDIENTE: Actividad permanente mayor *(Disponible a texto íntegro en smarteca.es)*

1) Inicio expediente

2)   *Admisión a trámite del expediente*

3)   *Informe técnico sobre compatibilidad urbanística de la actividad*

4)   *Edicto de información pública*

5)   *Certificado de reclamaciones*

6)   *Requerimiento informe técnico integrado*

7)   *Informe técnico integrado*

8)   *Resolución otorgando permiso de inicio de instalación y obras*

9)   *Notificación de la resolución otorgando permiso de inicio de instalación y obras*

10)   *Procedimiento de inicio y ejercicio de actividad que ha requerido instalación sin obras*

A)   Declaración responsable de inicio y ejercicio de actividad

B)   Toma de conocimiento del Ayuntamiento del inicio de la actividad

C)   Notificación de la toma de conocimiento de inicio de actividad

11)   *Procedimiento de inicio y ejercicio de actividad que ha requerido instalación y obras*

A)   Declaración responsable de inicio y ejercicio de actividad

B)   Toma de conocimiento del Ayuntamiento del inicio de la actividad

C)   Notificación de la toma de conocimiento de inicio de actividad

B.   Expediente de control e inspección de actividad permanente

1.   Claves del Expediente

La inspección de la actividad podrá producirse como consecuencia de denuncia efectuada por particulares, o fruto de la inspección que el Ayuntamiento realice en cualquier momento en el marco de sus atribuciones de inspección y vigilancia.

La importancia de este expediente y por ende de la actuación municipal radica en que el hecho de que se podrá detectar anomalías o deficiencias en el funcionamiento de las medidas correctoras, y por lo tanto sirve para exigir el cumplimiento al titular de la actividad del correcto funcionamiento de la misma, lo que evitará daños al medio ambiente y a la seguridad de las personas.

Como consecuencia del resultado del expediente, podrá abrirse procedimiento sancionador.

PREGUNTAS CLAVE

1. ¿Quién tiene la competencia de vigilancia, control, inspección de las licencias ambientales?

La competencia recae en el Ayuntamiento y corresponde ejercerla al alcalde y por delegación de éste a la Junta de Gobierno Local, o concejal delegado.

2. ¿Cuándo se realiza el control de una actividad permanente?

Sin perjuicio de las inspecciones a que estén sometidas las actividades en cualquier momento por parte de las administraciones competentes, los titulares de las actividades nuevas y las actividades anteriores a la entrada en vigor de la ley 7/2013, que dispongan de la revisión técnica de actualización favorable prevista en la disposición transitoria décima, tendrán que hacer una revisión técnica periódica **cada 15 años en las actividades menores y inocuas; cada 10 años en las de infraestructuras comunes**; y en las actividades mayores, desde la fecha de inicio de la actividad o desde la fecha de presentación ante la administración competente de la revisión técnica de actualización o periódica favorable (art. 49 de la Ley 7/2013 de 26 de noviembre, de régimen jurídico de instalación, acceso y ejercicio de actividades).

3. ¿Puede incoarse procedimiento sancionador como consecuencia del acta de comprobación que se levante?

Sí. Es un consecuencia directa del resulta de presunta infracción que se derive del acta que al efecto se levante con el contenido del art. 88 de la Ley 7/2013 de 26 de noviembre, de régimen jurídico de instalación, acceso y ejercicio de actividades.

4. ¿Qué consecuencias tiene para el titular de la actividad la entrega del acta de inspección?

La entrega del acta de inspección al titular o al encargado de la actividad implica la notificación de las anomalías observadas y determina la apertura del trámite de audiencia para que en un plazo improrrogable de quince días pueda manifestar lo que considere adecuado y acreditar la legalidad de la actividad. Transcurrido este plazo, la administración competente adoptará, si procede, el acuerdo de medida cautelar de suspensión de la actividad (art. 90.1 de la Ley 7/2013 de 26 de noviembre, de régimen jurídico de instalación, acceso y ejercicio de actividades).

5. ¿Qué son las medidas provisionalísimas?

Las medidas provisionalísimas son las que podrán adoptar los inspectores con carácter previo al inicio del procedimiento sancionador, únicamente cuando a consecuencia de la infracción que se detecte se haya creado una situación concreta de peligro perfectamente objetivada conforme al punto 4 del art. 91 de la Ley 7/2013 de

26 de noviembre, de régimen jurídico de instalación, acceso y ejercicio de actividades.

2. Jurisprudencia

• La licencia de apertura y/o funcionamiento crea una relación permanente con la Administración, ya que las exigencias del interés público demandan un funcionamiento correcto de la actividad y de sus medidas correctoras, lo cual implicará que la actividad desarrollada quede, durante la vigencia de la licencia, sujeta a inspecciones administrativas para la comprobación del cumplimiento de las condiciones expresadas en la misma, conforme declaran, entre otras, las SSTS de 4 octubre 1986 y 30 junio 1987. [STSJ Madrid 13 noviembre 2001]

• Otorgada una licencia de funcionamiento de una actividad la Administración no queda desposeída de potestades, sino que puede y debe ejercer la actividad administrativa de policía a fin de defender y garantizar los intereses generales; y esa actividad de policía ha de tener concreción en actos de intervención congruentes con los motivos y fines que la justifiquen —arts. 84.2 Ley 7/1985, de 2 abril (Reguladora de las Bases del Régimen Local) y 5.1 RSCL—. [STS 22 junio 1993]

3. Legislación aplicable

—Estatal

Art. 84.1 b) y d); 84 bis) LRBRL.

— Autonómica

Arts. 49, 50, y 83 a 95 de la Ley 7/2013 de 26 de noviembre, de régimen jurídico de instalación, acceso y ejercicio de actividades.

4. Documentos de interés

— Doctrina

BARRANCO VELA, Rafael; BULLEJOS CALVO, Carlos y CAMPOS SÁNCHEZ, Miguel Ángel. «Espectáculos Públicos, Actividades Recreativas y Establecimientos Públicos». *El Consultor de los Ayuntamientos y de los Juzgados*. 2011.

CANO MURCIA, Antonio. «El nuevo régimen jurídico de las licencias de apertura». *El Consultor de los Ayuntamientos y de los Juzgados*. 2010.

—. «Manual de Licencias de Apertura de Establecimientos». Aranzadi.

CHOLBÍ CACHÁ, Francisco Antonio. «El régimen de la comunicación previa, las licencias de urbanismo y su procedimiento y otorgamiento». *El Consultor de los Ayuntamientos y de los Juzgados*. 2010.

—Reseña jurisprudencial

STSJ Les Illes Balears, Sala de lo Contencioso-administrativo, de 10 Dic. 2012, rec. 31/2012.- LA LEY 201678/2012.

STSJ Les Illes Balears, Sala de lo Contencioso-administrativo, de 23 Dic. 2011, rec. 220/2011.- LA LEY 255335/2011.

STSJ Les Illes Balears, Sala de lo Contencioso-administrativo, de 19 May. 2010, rec. 17/2010.- LA LEY 77125/2010.

STSJ Les Illes Balears, Sala de lo Contencioso-administrativo, de 16 Abr. 2010, rec. 831/2006.- LA LEY 60621/2010.

STSJ Les Illes Balears, Sala de lo Contencioso-administrativo, de 22 Mar. 2010, rec. 387/2007.- LA LEY 41613/2010.

STSJ Les Illes Balears, Sala de lo Contencioso-administrativo, de 22 Abr. 2008, rec. 702/2005.- LA LEY 185019/2008.

STSJ Les Illes Balears, Sala de lo Contencioso-administrativo, de 6 May. 2003, rec. 357/2001.- LA LEY 81430/2003.

STSJ Les Illes Balears, Sala de lo Contencioso-administrativo, de 27 Sep. 2002, rec. 340/2000.- LA LEY 158729/2002.

MODELO DE EXPEDIENTE *(Disponible a texto íntegro en smarteca.es)*

1) *Acta de inspección*

2) *Resolución confirmado las medidas provisionalísimas*

3) *Notificación de la resolución confirmando las medidas provisionalísimas*

4) *Resolución ordenando apertura de expediente*

5) *Notificación de acta de comprobación en trámite de audiencia*

6) *Escrito de alegaciones en trámite de audiencia*

7) *Resolución del expediente de comprobación*

8) *Notificación de la resolución*

C. Expediente de cambio de titularidad de actividad permanente (Ley 7/2013)

1. Claves del Expediente

Aunque es una cuestión que puede considerarse pacífica, el cambio de titularidad en general de los establecimientos, negocios y actividades en general y en particular de la licencia ambiental se sujeta al cumplimiento de unos requisitos mínimos, que tienen como objetivo fundamental el poner en conocimiento de la Administración (órgano sustantivo ambiental) el nuevo titular de la actividad.

A tenor del artículo 13.1 del Reglamento de Servicios de las Corporaciones Locales, aprobado por Decreto de 17 de junio de 1955, las licencias relativas a las condiciones de una obra, instalación o servicio serán transmisibles, pero el antiguo y el nuevo constructor o empresario deberán comunicarlo por escrito a la Corporación, sin lo cual quedarán ambos sujetos a todas las responsabilidades que se derivaren para el titular.

Esta posición legal ha quedado superada mediante el art. 3.2 de la Ley 12/2012, de 26 de diciembre, de medidas urgentes de liberalización del comercio y de determinados servicios, al decir que no están sujetos a licencia los cambios de titularidad de las actividades comerciales y de servicios, siendo exigible en estos casos una comunicación previa a la administración competente a los solos efectos informativos.

Ha de tenerse en cuenta:

- La comunicación ha de ser expresa.

- No es necesario que vaya acompañada de título o documento que acredite la transmisión (contrato de compraventa, de arrendamiento, de cesión etc.)

- Si la transmisión se produce sin realizar la correspondiente comunicación, el anterior y el nuevo titular quedan sujetos, de forma solidaria, a todas las responsabilidades y obligaciones derivadas del incumplimiento de dicha obligación.

Junto con la régimen jurídico de la legislación estatal, la exposición de motivos de la ley 7/2013, se refiere a la transmisión y cambio de titular, al decir que por su situación socio-económica, la transmisión de las actividades ha sido y es unos de los **puntos más conflictivos** que ha motivado que se produjeran **estancamientos o sobrecostes** para iniciar la actividad en establecimientos que disponían de instalaciones y condiciones favorables. Para solucionarlo, se ha optado por indicar, de forma clara, que el permiso de instalación o comunicación previa tiene un **carácter real y objetivo** y, por lo tanto, se otorga en atención a las condiciones del local, sin perjuicio que para el inicio y el ejercicio de la actividad se puedan realizar tanto transmisiones como cambios de titular.

PREGUNTAS CLAVE

1. ¿Se considera infracción no comunicar la transmisión de la actividad?

El art. 102.1 e) de la Ley 7/2013, de 26 de noviembre, de régimen jurídico de instalación, acceso y ejercicio de actividades, tipifica como infracción leve la falta de comunicación de la transmisión o del cambio de titularidad o de la baja de la actividad.

2. Resuelve el art. 12 de la Ley 7/2013, el problema del cambio de titularidad sin consentimiento del anterior titular?

Entendemos que el art. 12.2 de la Ley 7/2013 de 26 de noviembre, de régimen jurídico de instalación, acceso y ejercicio de actividades, viene a contradecir la voluntad expresada en la propia exposición de motivos, al exigir que la comunicación de la transmisión de la actividad sea firmada por el nuevo y el anterior titular. Considerando que el nuevo titular se subroga en los derechos, obligaciones y en las responsabilidades que de la transmisión se deriva, nada obsta a que el Ayuntamiento tome conocimiento de la transmisión que se realice sin el cumplimiento, no siempre posible de tal requisito.

3. ¿Es sancionable la comunicación al Ayuntamiento de la transmisión?

El art. 102.1.e) de la Ley 7/2013 de 26 de noviembre, de régimen jurídico de instalación, acceso y ejercicio de actividades, tipifica como infracción leve, sancionable con multa de 300 a 1.000 euros la falta de comunicación de la transmisión o del cambio de titularidad (art. 107.1 a).

2. Jurisprudencia

• No constando que la licencia de apertura en su día concedida al demandante lo fuese en atención a su persona, esto es, a especiales circunstancias personales del mismo que impidiesen su transmisión a los efectos prevenidos en el art. 13 del Reglamento de Servicios de las Corporaciones Locales, tal y como se sostiene, entre otras, en la STS de 12 Jul. 2000, **el cambio de titular no requiere la solicitud de una nueva licencia, la cual solo sería exigible si hubiese existido una modificación de la actividad para la cual aquélla se concedió, lo que no se da en este caso.** Por tanto, el único efecto o consecuencia jurídica de la falta de notificación por escrito de tal circunstancia es la **sumisión conjunta de transmitente y adquirente a las responsabilidades** de la explotación de la licencia, sin que lleve consigo la imposición de la sanción debatida en estos autos. [STSJ Extremadura 27 septiembre 2001.- LA LEY 170424/2001]

• La transmisión de la licencia constituye en definitiva la realización de un **negocio jurídico del transmitente en cuanto titular originario de la autorización administrativa pero sin que tal operación traslativa tenga relevancia a efectos de alterar las condiciones de la propia autorización,** de tal modo que permanece idéntica su eficacia y viabilidad jurídica del acto proyectado y en consecuencia del incumplimiento del deber administrativo impuesto por el artículo 13.1 del R. S. C. L., de comunicar la transferencia al Ayuntamiento, circunstancia no realizada en el supuesto de autos, **no repercute sobre la validez y existencia de la licencia y sí en cambio, únicamente en el régimen de responsabilidades derivado de la titularidad de la licencia** quedando también el transmitente sujeto junto con el adquirente a dichas responsabilidades máxime cuando el deber de comunicación de la transmisión de la licencia ha de operar a efectos de información del Ayuntamiento de los titulares en cada momento de licencias. [STSJ Extremadura 15 diciembre 2006.- LA LEY 214993/2006]

• Tampoco cabe oponer el artículo 42 de la Ley 11/2003 de 8 de abril, de Prevención Ambiental de Castilla y León puesto que, de su lectura e interpretación literal, llegamos a una conclusión distinta de la que se contiene en la Sentencia recurrida, ya que claramente se refiere **solo al deber de comunicación a las Administraciones y a las consecuencias del incumplimiento de tal deber,** que se ventilan no en la denegación de la transmisión de la licencia, sino en el de las responsabilidades de cedente y cesionario del incumplimiento de las obligaciones que impone la ley. [STSJ Castilla y León de Burgos, Sala de lo Contencioso-administrativo, Sección 2.ª, Sentencia de 28 Nov. 2011, rec. 70/2011.- LA LEY 232204/2011]

• El cambio de titular por sí solo resultaba jurídicamente irrelevante en cuanto afectaría a los posibles derechos de los particulares (STS de 23 diciembre 1998), porque la licencia mantenía su vigencia mientras subsistieran las condiciones de la actividad, de modo que el Ayuntamiento, **de no advertir otras modificaciones que las subjetivas, que son inoperantes a estos efectos, debió otorgar la transmisión de la titularidad de la licencia cuando le fue comunicado por escrito por el dueño del establecimiento,** toda vez que no ofrecía duda el título legítimo de la transmisión ya que la subrogación en la explotación se producía por los dueños del local a favor del nuevo titular, una vez que el anterior arrendamiento había sido declarado extinguido por resolución judicial. [STSJ País Vasco 13 julio 2001]

• La Administración está obligada a reconocer el cambio de la titularidad de la licencia sin perjuicio de las distintas actuaciones que le conciernen ejercer contra la misma del mismo modo que si no se hubiese transmitido. [STSJ Madrid 18 septiembre 2001]

• Para proceder al cambio de titularidad el Ayuntamiento ha de tener constancia de que efectivamente dicho cambio se ha producido, y ello por dos mecanismos alternativos, uno bilateral, que no es otro que la conformidad del anterior titular, y otro, que no precisa dicha conformidad, más complejo, que consiste en la acreditación de que se ha adquirido por cualquier medio, *inter vivos* o *mortis causa*, la propiedad o posesión del inmueble en cuestión. [STSJ Madrid 15 enero 2004]

3. Legislación aplicable

—Estatal

Art. 13 del Decreto de 17 de junio de 1955, por el que se aprueba el Reglamento de Servicios de las Corporaciones Locales.

Art. 3 de la Ley 12/2012, de 26 de diciembre, de medidas urgentes de liberalización del comercio y de determinados servicios.

— Autonómica

Art. 12, 102.1 e) y 107.1 a) de la Ley 7/2013 de 26 de noviembre, de régimen jurídico de instalación, acceso y ejercicio de actividades.

4. Documentos de interés

—Doctrina

CANO MURCIA, Antonio. «El nuevo régimen jurídico de las licencias de apertura». *El Consultor de los Ayuntamientos y de los Juzgados*. 2010.

—. «Apunte legislativo sobre transmisión o cambio de titularidad».- LA LEY 18710/2011.

MORA GONZÁLEZ, María Jesús. «La transmisión de las licencias urbanísticas». *El Consultor de los Ayuntamientos y de los Juzgados*, n.º 23, Quincena del 15 al 29 Dic. 2007, Ref. 3889/2007, pág. 3889, tomo 3, LA LEY.- LA LEY 6927/2007.

—Reseña jurisprudencial

STSJ Les Illes Balears, Sala de lo Contencioso-administrativo, n.º 401/2015, de 15 Jun. 2015, Rec. 89/2015.- LA LEY 87698/2015.

STSJ Les Illes Balears, Sala de lo Contencioso-administrativo, 13/2015 de 27 Ene. 2015, Rec. 202/2012.- LA LEY 971/2015.

STSJ Les Illes Balears, Sala de lo Contencioso-administrativo, de 29 Abr. 2010, rec. 193/2008.- LA LEY 77091/2010.

STSJ Les Illes Balears, Sala de lo Contencioso-administrativo, de 19 May. 2010, rec. 17/2010.- LA LEY 77125/2010.

STSJ Les Illes Balears, Sala de lo Contencioso-administrativo, de 27 Jun. 2011, rec. 727/2009.- LA LEY 120915/2011.

STSJ Les Illes Balears, Sala de lo Contencioso-administrativo, de 23 Abr. 2010, rec. 700/2005.- LA LEY 60588/2010.

MODELO DE EXPEDIENTE *(Disponible a texto íntegro en smarteca.es)*

1)   *Comunicación de cambio de titularidad de actividad permanente*

2)   *Resolución de toma de conocimiento del cambio de titularidad de actividad inocua*

3)   *Notificación de la toma de conocimiento del cambio de titularidad de actividad inocua*

13. La Rioja

A.   Expediente de concesión de licencia ambiental

1.   Claves del Expediente

La licencia ambiental, se enmarca dentro de la protección del medio ambiente como la resolución preceptiva y previa para la puesta en funcionamiento de actividad o instalaciones susceptibles de ocasionar daños al medio ambiente, causar molestas o producir riesgos a las personas y bienes.

El procedimiento no se agota con la licencia ambiental, ya que obtenida ésta es necesario la obtención de la licencia de apertura.

El procedimiento se regula en el art. 26 de la Ley 5/2002, de 8 de octubre, de Protección del Medio Ambiente y 55 a 59 del Decreto 62/2006, de 10 de noviembre.

PREGUNTAS CLAVE

1. ¿Es necesario notificar el expediente de licencia ambiental a los vecinos próximos o inmediatos a la actividad?

Tanto el art. 26. b) de la Ley 5/2002, de 8 de octubre, como el art. 57 del Decreto 62/2006, de 10 de noviembre, se limitan a exigir que el trámite de información pública se realice mediante publicación de anuncio en el Boletín Oficial de la Rioja y en el tablón de edictos del municipio. Salvo que las ordenanzas municipales impongan la notificación a los vecinos colindantes con la actividad, no es necesario notificarles a los mismos la tramitación del expediente.

2. ¿En qué medios se publicará la solicitud de tramitación de la licencia ambiental?

En el *Boletín Oficial* de La Rioja y en el tablón de edictos del municipio afectado (art. 57.2 del Decreto 62/2006).

3. ¿Qué plazo hay para resolver el expediente de licencia ambiental?

El art. 26.2 c) de la Ley 5/2002 lo fija en tres meses, si bien el mismo fue ampliado a cuatro meses desde la presentación de la solicitud por el art. 59.1 del Decreto 62/2006.

4. ¿Qué alcance tiene el silencio en el caso de que no se resuelva el procedimiento de licencia ambiental en plazo?

Transcurrido el plazo sin que hubiera recaído resolución expresa y no mediando paralización del procedimiento imputable al solicitante ni prórroga de plazo, se entenderá estimada (art. 26 c) Ley 5/2002, de 8 de octubre).

5. ¿Cuándo podrá iniciarse la ejecución de las instalaciones o actividades previstas en la licencia ambiental?

El art. 59.3 del Decreto 62/2006, dice al respecto que La licencia ambiental fijará un plazo para el inicio de la ejecución de las instalaciones o actividades, transcurrido el cual sin haberse iniciado por causas imputables a su promotor, aquélla perderá toda su eficacia, salvo que existieran causas debidamente justificadas, en cuyo caso podrá el órgano ambiental prorrogar el plazo a petición del promotor.

6. ¿Cuándo comenzará a ejercerse la actividad sujeta a licencia ambiental?

Una vez se haya obtenido la licencia de apertura (art. 59.4 del Decreto 62/2006.).

7. ¿Puede iniciarse la actividad sin que se haya otorgado la licencia de apertura?

Sí. Cuando el Alcalde no otorgue la licencia de apertura en el plazo señalado, podrá el interesado iniciar la actividad siempre que la misma se ajuste a las condiciones de la licencia ambiental, siendo suficiente a tal efecto una simple comunicación al Ayuntamiento (art. 59.4 del Decreto 62/2006).

8. ¿Cuándo queda sin efecto la licencia ambiental?

Cuando no se hubieran iniciado los trabajos de la instalación o comenzado a ejercerse la actividad en el plazo que se haya establecido en la resolución de concesión de la licencia ambiental municipal, o en su defecto en el plazo de veinte meses, a contar desde la fecha de otorgamiento (art. 62 del Decreto 62/2006).

2.   Legislación aplicable

—Europea

Directiva 2006/123/CE del Parlamento y del Consejo, de 12 de diciembre de 2006, relativa a los servicios en el mercado interior.

— Estatal

Ley 17/2009, de 23 de noviembre, sobre el Libre Acceso a las Actividades de Servicios.

Arts. 21.1. q) y s), 124.4.ñ), 70.bis y 84, 84 bis y 84 ter. de la Ley 7/1985, de 2 de abril, Reguladora de las Bases de Régimen Local.

Ley 39/2015, de 1 de octubre, del Procedimiento Administrativo Común de las Administraciones Públicas.

— Autonómica

Art. 25 ss. Ley 5/2002, de 8 de octubre, de Protección del Medio Ambiente en La Rioja.

Decreto 62/2006, de 10 de noviembre, por el que se aprueba el Reglamento de Desarrollo del Título I, «Intervención Administrativa», de la Ley 5/2002, de 8 de octubre, de Protección del Medio Ambiente de La Rioja.

3. Documentos de interés

—Doctrina

CANO MURCIA, Antonio. «El Nuevo Régimen de las Licencias de Apertura». *El Consultor de los Ayuntamientos y de los Juzgados*. Madrid 2010.

GÓMEZ PUERTO, Ángel B. «Consideraciones constitucionales y administrativas sobre el medio ambiente. El papel de los Ayuntamientos». *Actualidad Administrativa*, n.º 9, Sección A Fondo, septiembre 2013, pág. 1100, tomo 2.- LA LEY 4868/2013.

HERNÁNDEZ LÓPEZ, Juan. «La Directiva de Servicios y su incidencia en el ámbito municipal. Apuntes de urgencia», *El Consultor de los Ayuntamientos y de los Juzgados*, n.º 19, Quincena del 15 al 29 de octubre de 2009, Ref. 2772/2009, La Ley 15863/2009.

MARTÍN HERNÁNDEZ, Paulino. «Las licencias para actividades clasificadas». Esta doctrina forma parte del libro *Administración Local. Estudios en Homenaje a Ángel Ballesteros*, 1.ª ed., *El Consultor de los Ayuntamientos y de los Juzgados*. Madrid, enero 2011.- LA LEY 21893/2011.

— Reseña Jurisprudencial

STSJ La Rioja, Sala de lo Contencioso-administrativo, de 14 Mar. 2012, rec. 6/2012.- LA LEY 32475/2012.

STSJ La Rioja, Sala de lo Contencioso-administrativo, de 14 Jun. 2012, rec. 73/2012.- LA LEY 101248/2012.

STSJ La Rioja, Sala de lo Contencioso-administrativo, de 23 May. 2007, rec. 133/2006.- LA LEY 153788/2007.

MODELO DE EXPEDIENTE *(Disponible a texto íntegro en smarteca.es)*

1)   Inicio expediente para concesión de licencia ambiental

2)   Admisión a trámite del expediente

3)   Edicto de información pública

4)   Trámite de audiencia

5)   Notificación trámite de audiencia

6)   Escrito de alegaciones en trámite de audiencia

7)   Informe sobre cuestiones medioambientales

8)   *Certificado de reclamaciones*

9)   *Licencia ambiental*

10)   *Notificación calificación ambiental*

11)   *Comunicación de la licencia ambiental a la comunidad autónoma*

B.   Expediente de control e inspección de actividad sujeta a licencia ambiental

1.   Claves del Expediente

El expediente de control e inspección de actividad sujeta a licencia ambiental tiene lugar una vez que la actividad está funcionando, luego es un control posterior a su ejercicio y se encuadra dentro de la potestad municipal, de los arts. 49 a 51 de la Ley 5/2002, de 8 de octubre, de Protección del Medio Ambiente de la Rioja

La inspección de la actividad podrá producirse como consecuencia de denuncia efectuada por particulares, o fruto de la inspección que el Ayuntamiento realice en el marco de sus atribuciones de inspección y vigilancia.

La importancia de este expediente y por ende de la actuación municipal radica en que el hecho de que se podrá detectar anomalías o deficiencias en el funcionamiento de las medidas correctoras, y por lo tanto sirve para exigir el cumplimiento al titular de la actividad del correcto funcionamiento de la misma, lo que evitará daños al medio ambiente y a la seguridad de las personas.

La inspección, es una facultad que se reserva el Ayuntamiento que en cualquier momento, y con posterioridad a la puesta en marcha, puede comprobar el grado de eficacia y funcionamiento de las medidas correctoras, verificar el estado de las instalaciones, etc. Es decir, se pretende con esta medida el velar por el buen estado de la actividad, requiriendo la subsanación de las deficiencias que se detecten.

Como consecuencia del resultado del expediente, podrá abrirse procedimiento sancionador.

PREGUNTAS CLAVE

1. ¿Puede solicitar auxilio la Administración Local para la inspección de establecimientos?

En el caso de que Administración Local se considere imposibilitada para el ejercicio de la competencia de inspección, ésta podrá solicitar a la Administración Autonómica el auxilio en tal función, para lo cual se exigirá que acrediten la falta de medios técnicos, materiales y humanos (art. 49.3 de la Ley 5/2002, de 8 de octubre).

2. ¿Es necesario notificar cuando va a realizarse la inspección de la actividad o instalaciones?

Para el desempeño de la función de inspección, los titulares de las instalaciones facilitarán al personal de la inspección debidamente acreditado por la Administración competente, el acceso y la permanencia en las instalaciones y el examen de la documentación que se considere necesaria en el curso de las actuaciones.

Ahora bien, no será necesaria la notificación previa de las inspecciones cuando ésta se efectúe dentro del horario de funcionamiento de las instalaciones afectadas (art. 50.2 de la Ley 5/2002, de 8 de octubre).

3. ¿Quién tiene la competencia de vigilancia, control, inspección de las licencias ambientales?

La competencia recae en el Ayuntamiento y corresponde ejercerla al alcalde y por delegación de éste a la Junta de Gobierno Local, o concejal delegado.

4. ¿A quién corresponde la función inspectora de la licencia ambiental?

En el ámbito de las competencias municipales encomienda la inspección a los servicios técnicos del ayuntamiento.

5. ¿Cuándo se realiza el control de una actividad sujeta a calificación ambiental?

Una vez que se ha concedido la licencia de apertura o puesta en marcha, y con posterioridad a la misma el ayuntamiento podrá en cualquier momento inspeccionar el establecimiento para comprobar el funcionamiento de las medidas correctoras impuestas con la licencia ambiental (art. 50 de la Ley 5/2002, de 8 de octubre).

6. ¿Puede incoarse procedimiento sancionador como consecuencia del acta de comprobación que se levante?

Una de las consecuencias de la inspección que se realice y posterior levantamiento del acta de comprobación es la incoación de procedimiento sancionador, ya que según dispone el art. 51 de la Ley 5/2002, de 8 de octubre, en toda visita de inspección se levantará acta descriptiva de los hechos y en especial de los que pudieran ser constitutivos de infracción administrativa.

7. ¿Quién tiene la condición de agentes de la autoridad en la inspección de actividades?

De conformidad con el art. 50.2 de la Ley 5/2002, de 8 de octubre, en el ejercicio de sus funciones, tendrán la consideración de agentes de la autoridad el personal que realice la inspección.

2. Jurisprudencia

• La licencia de apertura y/o funcionamiento crea una relación permanente con la Administración, ya que las exigencias del interés público demandan un funcionamiento correcto de la actividad y de sus medidas correctoras, lo cual implicará que la actividad desarrollada quede, durante la vigencia de la licencia, sujeta a inspecciones administrativas para la comprobación del cumplimiento de las condiciones expresadas en la misma, conforme declaran, entre otras, las SSTS de 4 octubre 1986 y 30 junio 1987. [STSJ Madrid 13 noviembre 2001]

• Otorgada una licencia de funcionamiento de una actividad la Administración no queda desposeída de potestades, sino que puede y debe ejercer la actividad administrativa de policía a fin de defender y garantizar los intereses generales; y esa actividad de policía ha de tener concreción en actos de intervención congruentes con los motivos y fines que la justifiquen —arts. 84.2 Ley 7/1985, de 2 abril (Reguladora de las Bases del Régimen Local) y 5.1 RSCL—. [STS 22 junio 1993]

3. Legislación aplicable

—Europea

Art. 84.1 b) y d); 84 bis) LRBRL.

— Estatal

Ley 17/2009, de 23 de noviembre, sobre el Libre Acceso a las Actividades de Servicios.

Arts. 21.1. q) y s), 124.4.ñ), 70.bis y 84, 84 bis y 84 ter. de la Ley 7/1985, de 2 de abril, Reguladora de las Bases de Régimen Local.

— Autonómica

Art. 49 a 51 de la Ley 5/2002, de 8 de octubre, de Protección del Medio Ambiente en La Rioja.

Art. 40 del Decreto 62/2006, de 10 de noviembre, por el que se aprueba el Reglamento de Desarrollo del Título I, «Intervención Administrativa», de la Ley 5/2002, de 8 de octubre, de Protección del Medio Ambiente de La Rioja.

4. Documentos de interés

—Doctrina

CANO MURCIA, Antonio. «El Nuevo Régimen de las Licencias de Apertura». *El Consultor de los Ayuntamientos y de los Juzgados.* Madrid 2010.

GÓMEZ PUERTO, Ángel B. «Consideraciones constitucionales y administrativas sobre el medio ambiente. El papel de los Ayuntamientos». *Actualidad Administrativa*, n.º 9, Sección A Fondo, septiembre 2013, pág. 1100, tomo 2.- LA LEY 4868/2013.

HERNÁNDEZ LÓPEZ, Juan. «La Directiva de Servicios y su incidencia en el ámbito municipal. Apuntes de urgencia», *El Consultor de los Ayuntamientos y de los Juzgados*, n.º 19, Quincena del 15 al 29 de octubre de 2009, Ref. 2772/2009, La Ley 15863/2009.

MARTÍN HERNÁNDEZ, Paulino. «Las licencias para actividades clasificadas». Esta doctrina forma parte del libro *Administración Local. Estudios en Homenaje a Ángel Ballesteros*, 1.ª ed., *El Consultor de los Ayuntamientos y de los Juzgados.* Madrid, enero 2011.- LA LEY 21893/2011.

—Reseña jurisprudencial

STSJ La Rioja, Sala de lo Contencioso-administrativo, de 14 Mar. 2012, rec. 6/2012.- LA LEY 32475/2012.

STSJ La Rioja, Sala de lo Contencioso-administrativo, de 14 Jun. 2012, rec. 73/2012.- LA LEY 101248/2012.

STSJ La Rioja, Sala de lo Contencioso-administrativo, de 23 May. 2007, rec. 133/2006.- LA LEY 153788/2007.

MODELO DE EXPEDIENTE *(Disponible a texto íntegro en smarteca.es)*

1)   *Acta de inspección*

2)   *Resolución ordenando apertura de expediente*

3)   *Notificación de acta de inspección en trámite de audiencia*

4)   *Escrito de alegaciones en trámite de audiencia*

5)   *Resolución del expediente de inspección*

6)   *Notificación de la resolución*

C.   Expediente de cambio de titularidad de actividad clasificada

1.   Claves del Expediente

Aunque es una cuestión que puede considerarse pacífica, el cambio de titularidad en general de los establecimientos, negocios y actividades en general y en particular de la licencia ambiental se sujeta al cumplimiento de unos requisitos mínimos, que tienen como objetivo fundamental el poner en conocimiento de la Administración (órgano sustantivo ambiental) el nuevo titular de la actividad.

A tenor del artículo 13.1 del Reglamento de Servicios de las Corporaciones Locales, aprobado por Decreto de 17 de junio de 1955, las licencias relativas a las condiciones de una obra, instalación o servicio serán transmisibles, pero el antiguo y el nuevo constructor o empresario deberán comunicarlo por escrito a la Corporación, sin lo cual quedarán ambos sujetos a todas las responsabilidades que se derivaren para el titular.

Esta posición legal ha quedado superada mediante el art. 3.2 de la Ley 12/2012, de 26 de diciembre, de medidas urgentes de liberalización del comercio y de determinados servicios, al decir que no están sujetos a licencia los cambios de titularidad de las actividades comerciales y de servicios, siendo exigible en estos casos una comunicación previa a la administración competente a los solos efectos informativos.

Ha de tenerse en cuenta:

• La comunicación ha de ser expresa.

• No es necesario que vaya acompañada de título o documento que acredite la transmisión (contrato de compraventa, de arrendamiento, de cesión etc.).

• Si la transmisión se produce sin realizar la correspondiente comunicación, el anterior y el nuevo titular quedan sujetos, de forma solidaria, a todas las responsabilidades y obligaciones derivadas del incumplimiento de dicha obligación.

Ha de tenerse en cuenta, considerando las características de estas actividades, por la repercusión que al medio ambiente tienen, y a la salud y seguridad de las personas, que ha de controlarse especialmente el correcto funcionamiento de las medidas correctoras que se impusieron en su día a la actividad, y que han de ser de especial vigilancia e inspección al presentarse la comunicación de cambio de titularidad de la actividad.

PREGUNTAS CLAVE

1. ¿Qué plazo dispone el nuevo titular para comunicar la transmisión de la licencia ambiental?

Tres meses (art. 60 del Decreto 62/2006).

2. ¿Qué requisitos han de cumplirse para realizar el cambio de titularidad una actividad?

Para que el nuevo titular de una actividad pueda realizar el cambio de titularidad, deberá ser comunicado al Ayuntamiento a efectos informativos (art. 3.2 de la Ley 12/2012).

3. ¿Es necesario que el anterior titular comunique la transmisión de la actividad a un tercero?

No es un requisito necesario. El art. 3.2 de la Ley 12/2012 no exige esta comunicación.

4. ¿Qué ocurre si no se comunica la transmisión de la actividad?

La no comunicación del cambio de titularidad de la actividad por el anterior o el nuevo titular supone que el anterior y nuevo titular queda sujetos, de forma solidaria, a todas las responsabilidades y obligaciones derivadas de dicho incumplimiento.

5. ¿Puede transmitir la licencia de actividad el que no es propietario del local en el que se ejerce la misma?

Sí. El ejercicio de una actividad tanto mediante la concesión expresa de licencia de apertura o actividad o mediante la comunicación previa o declaración responsable tiene carácter real, al margen de la titularidad del inmueble y de las relaciones subjetivas que existan entre el titular del mismo y el que ocupe el local mediante contrato de arrendamiento, u cualquier otro título. En este sentido es de aplicación lo dispuesto en el art. 12. 1 RSCL «Las autorizaciones y licencias se entenderán otorgadas salvo el derecho de propiedad y sin perjuicio del de tercero».

6. ¿Ha de resolverse expresamente por el Ayuntamiento la comunicación de cambio de titularidad?

No. El art. 3.2 de la Ley 12/2012 habla de comunicación previa a la administración competente, sin que sea necesario posteriormente dictar resolución alguna. A efectos prácticos bastaría en cualquier caso tomar conocimiento de la transmisión, dejando constancia en el expediente.

7. ¿Qué ocurre si el Ayuntamiento no dicta resolución de cambio de titularidad?

Si el Ayuntamiento, recibida la comunicación de cambio de titularidad de la actividad, no resuelve expresamente el mismo, ha de entenderse que por silencio administrativo positivo se da por cumplido el trámite a todos los efectos, teniendo en cuenta que la resolución del órgano sustantivo no es generadora de derechos para el nuevo titular de la actividad, sino que tiene los efectos de una simple comunicación, que el Ayuntamiento constata mediante la toma de conocimiento del nuevo titular. En este sentido para la STS 15 octubre 1981 «La intervención municipal en caso de transmisión de licencias no es de previa y expresa autorización para que aquélla opere, sino de mera constatación o toma de razón de la *extra*-administrativamente producida por el simple acuerdo del antiguo y nuevo propietario, cuyo incumplimiento determina que ambos queden sujetos a todas las responsabilidades que se deriven para el titular».

2. Jurisprudencia

• No constando que la licencia de apertura en su día concedida al demandante lo fuese en atención a su persona, esto es, a especiales circunstancias personales del mismo que impidiesen su transmisión a los efectos prevenidos en el art. 13 del Reglamento de Servicios de las Corporaciones Locales, tal y como se sostiene, entre otras, en la STS de 12 Jul. 2000, **el cambio de titular no requiere la solicitud de una nueva licencia, la cual solo sería exigible si hubiese existido una modificación de la actividad para la cual aquélla se concedió, lo que no se da en este caso.** Por tanto, el único efecto o consecuencia jurídica de la falta de notificación por escrito de tal circunstancia es la **sumisión conjunta de transmitente y adquirente a las responsabilidades** de la explotación de la licencia, sin que lleve consigo la imposición de la sanción debatida en estos autos. [STSJ Extremadura 27 septiembre 2001.- LA LEY 170424/2001]

• La transmisión de la licencia constituye en definitiva la realización de un **negocio jurídico del transmitente en cuanto titular originario de la autorización administrativa pero sin que tal operación traslativa tenga relevancia a efectos de alterar las condiciones de la propia autorización,** de tal modo que permanece idéntica su eficacia y viabilidad jurídica del acto proyectado y en consecuencia del incumplimiento del deber administrativo impuesto por el artículo 13.1 del R. S. C. L., de comunicar la transferencia al Ayuntamiento, circunstancia no realizada en el supuesto de autos, **no repercute sobre la validez y existencia de la licencia y sí en cambio, únicamente en el régimen de responsabilidades derivado de la titularidad de la licencia** quedando también el transmitente sujeto junto con el adquirente a dichas responsabilidades máxime cuando el deber de comunicación de la transmisión de la licencia ha de operar a efectos de información del Ayuntamiento de los titulares en cada momento de licencias. [STSJ Extremadura 15 diciembre 2006.- LA LEY 214993/2006]

• Tampoco cabe oponer el artículo 42 de la Ley 11/2003 de 8 de abril, de Prevención Ambiental de Castilla y León puesto que, de su lectura e interpretación literal, llegamos a una conclusión distinta de la que se contiene en la Sentencia recurrida, ya que claramente se refiere **solo al deber de comunicación a las Administraciones y a las consecuencias del incumplimiento de tal deber**, que se ventilan no en la denegación de la transmisión de la licencia, sino en el de las responsabilidades de cedente y cesionario del incumplimiento de las obligaciones que impone la ley. [STSJ Castilla y León de Burgos, Sala de lo Contencioso-administrativo, Sección 2.ª, Sentencia de 28 Nov. 2011, rec. 70/2011.- LA LEY 232204/2011]

• El cambio de titular por sí solo resultaba jurídicamente irrelevante en cuanto afectaría a los posibles derechos de los particulares (STS de 23 diciembre 1998), porque la licencia mantenía su vigencia mientras subsistieran las condiciones de la actividad, de modo que el Ayuntamiento, **de no advertir otras modificaciones que las subjetivas, que son inoperantes a estos efectos, debió otorgar la transmisión de la titularidad de la licencia cuando le fue comunicado por escrito por el dueño del establecimiento,** toda vez que no ofrecía duda el título legítimo de la transmisión ya que la subrogación en la explotación se producía por los dueños del local a favor del nuevo titular, una vez que el anterior arrendamiento había sido declarado extinguido por resolución judicial. [STSJ País Vasco 13 julio 2001]

• La Administración está obligada a reconocer el cambio de la titularidad de la licencia sin perjuicio de las distintas actuaciones que le conciernen ejercer contra la misma del mismo modo que si no se hubiese transmitido. [STSJ Madrid 18 septiembre 2001]

• Para proceder al cambio de titularidad el Ayuntamiento ha de tener constancia de que efectivamente dicho cambio se ha producido, y ello por dos mecanismos alternativos, uno bilateral, que no es otro que la conformidad del anterior titular, y otro, que no precisa dicha conformidad, más complejo, que consiste en la acreditación de que se ha adquirido por cualquier medio, *inter vivos* o *mortis causa*, la propiedad o posesión del inmueble en cuestión. [STSJ Madrid 15 enero 2004]

3. Legislación aplicable

—Estatal

Art. 13 del Decreto de 17 de junio de 1955, por el que se aprueba el Reglamento de Servicios de las Corporaciones Locales.

Art. 3 de la Ley 12/2012, de 26 de diciembre, de medidas urgentes de liberalización del comercio y de determinados servicios.

— Autonómica

Art. 9, 40 y 60 del Decreto 62/2006, de 10 de noviembre.

4. Documentos de interés

—Doctrina

CANO MURCIA, Antonio. «El nuevo régimen jurídico de las licencias de apertura». *El Consultor de los Ayuntamientos y de los Juzgados*. 2010.

MORA GONZÁLEZ, María Jesús. «La transmisión de las licencias urbanísticas». *El Consultor de los Ayuntamientos y de los Juzgados*, n.º 23, Quincena del 15 al 29 Dic. 2007, Ref. 3889/2007, pág. 3889, tomo 3, LA LEY.- LA LEY 6927/2007.

—Reseña jurisprudencial

STSJ La Rioja, Sala de lo Contencioso-administrativo, de 31 Ene. 2000, rec. 175/1998.- LA LEY 26493/2000.

STSJ Cantabria, Sala de lo Contencioso-administrativo, de 5 Nov. 1999, rec. 2051/1997.- LA LEY 154605/1999.

STSJ Cantabria, Sala de lo Contencioso-administrativo, de 3 Ene. 2005, rec. 171/2004.- LA LEY 2360/2005.

STSJ Cantabria, Sala de lo Contencioso-administrativo, de 17 Jun. 2004, rec. 73/2004.- LA LEY 143319/2004.

STSJ Cantabria, Sala de lo Contencioso-administrativo, de 27 Jun. 2002, rec. 73/2002.- LA LEY 121551/2002.

MODELO DE EXPEDIENTE *(Disponible a texto íntegro en smarteca.es)*

1)   Comunicación de cambio de titularidad de licencia ambiental

2)   Resolución de cambio de titularidad de licencia ambiental

3)   Notificación de cambio de titularidad de licencia ambiental

14. Navarra

A.   Expediente de licencia municipal de actividad clasificada

1.   Claves del Expediente

La Ley Foral 4/2005, de 22 de marzo, de intervención para la protección ambiental, sujeta municipal de actividad clasificada a las actividades e instalaciones enumeradas en su anejo 4, distinguiéndose:

A. Actividades e instalaciones sometidas a licencia Municipal de actividad clasificada y a evaluación de impacto ambiental en función de la aplicación de los criterios de selección.

B. Actividades e instalaciones sometidas a licencia Municipal de actividad clasificada y preceptiva evaluación de impacto ambiental.

C. Actividades e instalaciones sometidas a licencia Municipal de actividad clasificada con previo informe ambiental del Departamento de Medio Ambiente, Ordenación del Territorio y Vivienda.

D. Actividades e instalaciones sometidas a licencia Municipal de actividad clasificada sin previo informe ambiental del Departamento de Medio Ambiente, Ordenación del Territorio y Vivienda.

El procedimiento tipo para la obtención de la licencia municipal de actividad clasificada, es el de los arts. 54 a 57 de la Ley Foral 4/2005 para actividades clasificadas no sometidas a evaluación de impacto ambiental, al que se remite los arts. 52 y 53 de la misma.

PREGUNTAS CLAVE

1. ¿Ha de comunicarse la modificación de la actividad por su titular?

De acuerdo con el art. 47.1 de la Ley Foral 4/2005, de 22 de marzo, de intervención para la protección ambiental, el titular de la actividad tiene el deber de notificar al Ayuntamiento cualquier modificación en el proceso productivo que se proyecte en la actividad sometida a la licencia municipal de actividad clasificada.

2. ¿Ha de obtenerse autorización previa para realizar la modificación no sustancial de la actividad o instalación?

Dispone el art. 47.2 de la Ley Foral 4/2005, de 22 de marzo, de intervención para la protección ambiental que cuando el titular de la instalación considere que la modificación no es sustancial podrá llevarla a cabo siempre y cuando no se hubiese pronunciado en contrario el Ayuntamiento en el plazo de un mes.

3. ¿En el caso de modificación sustancial de la actividad, es necesario la obtención previa de nueva licencia municipal?

Dispone el art. 47.3 de la Ley Foral 4/2005, de 22 de marzo, de intervención para la protección ambiental que cuando la modificación sea considerada sustancial por el titular o por el Ayuntamiento será necesaria una nueva licencia municipal de actividad clasificada no pudiendo llevarse a cabo tal modificación hasta que no sea otorgada la licencia.

4. ¿Puede modificarse de oficio la licencia de actividad clasificada?

El art. 79 del Decreto Foral 93/2006, de 28 de diciembre, por el que se aprueba el Reglamento de desarrollo de la Ley Foral 4/2005, de 22 de marzo, de Intervención para la Protección Ambiental, contempla la posibilidad de modificar de oficio y sin derecho a indemnización del contenido de la licencia de actividad clasificada cuando se den alguna de las siguientes circunstancias.

a) Los impactos o afecciones ambientales de la actividad o bien circunstancias sobrevenidas, hagan necesario revisar las condiciones establecidas en la licencia.

b) Como consecuencia de importantes cambios en las mejores técnicas disponibles, resulte posible reducir, significativamente, las emisiones u otras afecciones ambientales, sin imponer costes excesivos.

c) La seguridad del funcionamiento del proceso o actividad haga necesario emplear otras técnicas.

d) Se estime que existen circunstancias sobrevenidas que exigen la revisión de las condiciones de la licencia. Cuando la modificación se refiera a las condiciones del vertido a dominio público hidráulico deberá solicitarse al organismo de cuenca un nuevo informe vinculante sobre las condiciones del vertido.

e) Así lo exija la legislación vigente que sea aplicable a la instalación.

5. ¿Tiene plazo de caducidad la licencia de actividad?

De conformidad con el Art. 49.2 de la Ley Foral 4/2005, de 22 de marzo, de intervención para la protección ambiental, la licencia de actividad caducará por falta de ejercicio en la actividad correspondiente en el plazo de dos años a contar desde la fecha de su otorgamiento.

6. ¿La licencia obras puede concederse antes de la obtención de la licencia de actividad?

De conformidad con el Art. 49.3 de la Ley Foral 4/2005, de 22 de marzo, de intervención para la protección ambiental, no se podrán conceder licencias de obras para actividades clasificadas en tanto no se haya otorgado la licencia de actividad correspondiente. No obstante lo anterior, para determinadas actividades de baja incidencia medioambiental y en los términos y condiciones que reglamentariamente se prevean, se podrá conceder licencia de obras mientras se tramita la licencia de actividad. En dichos casos, la ejecución de las obras quedará bajo la exclusiva responsabilidad de su promotor, sin que la misma condicione el otorgamiento o denegación de la licencia de actividad, ni la necesaria y obligada adaptación a las condiciones que se señalen por el organismo medioambiental.

7. ¿La modificación de la licencia municipal de actividad clasificada, es indemnizable?

De conformidad con el Art. 50 de la Ley Foral 4/2005, de 22 de marzo, de intervención para la protección ambiental, la licencia municipal de actividad clasificada podrá ser modificada, sin derecho a indemnización, cuando concurran las siguientes causas (art. 14.1 de la Ley Foral 4/2005):

a) La contaminación producida por la instalación haga conveniente la revisión de los valores límite de emisión o de otras condiciones de la autorización.

b) Como consecuencia de importantes cambios en las mejores técnicas disponibles, resulte posible reducir significativamente las emisiones, sin imponer costes excesivos.

c) La seguridad de funcionamiento del proceso o actividad haga necesario emplear otras técnicas.

d) Se estime que existen circunstancias sobrevenidas que exigen la revisión de las condiciones de la autorización. Cuando la modificación se refiera a las condiciones del vertido a dominio público hidráulico deberá solicitarse al organismo de cuenca un nuevo informe vinculante sobre las condiciones del vertido.

e) Así lo exija la legislación vigente que sea de aplicación a la instalación.

8. ¿Qué plazo hay para resolver y notificar la concesión o denegación de la licencia de actividad municipal?

Cuatro meses desde la presentación de la solicitud con la documentación completa (art. 56.1 de la Ley Foral 4/2005, de 22 de marzo, de intervención para la protección ambiental).

9. ¿Ha de notificarse el otorgamiento de la licencia a los que hubieren presentado alegaciones?

Sí. Así lo establece el Art. 56.2 de la Ley Foral 4/2005, de 22 de marzo, de intervención para la protección ambiental.

10. ¿Ha de publicarse el otorgamiento de la licencia?

Sí. Así lo establece el Art. 56.2 de la Ley Foral 4/2005, de 22 de marzo, de intervención para la protección ambiental.

11. ¿Si no se resuelve en plazo la licencia de actividad solicitada, se adquiere la misma por silencio administrativo?

No. Transcurrido el plazo de cuatro meses sin que se haya dictado y notificado la resolución, podrá entenderse desestimada la solicitud de licencia de actividad (art. 56.3 de la Ley Foral 4/2005, de 22 de marzo, de intervención para la protección ambiental).

12. ¿Obtenida la licencia municipal de actividad clasificada, puede iniciarse la actividad?

Con carácter previo al inicio de una actividad clasificada, deberá obtenerse del Alcalde la autorización de puesta en marcha correspondiente, que se denominará licencia de apertura, con el objeto de comprobar que la actividad o instalación se ajusta al proyecto aprobado (art. 58.1 de la Ley Foral 4/2005, de 22 de marzo, de intervención para la protección ambiental).

13. ¿Qué plazo hay para resolver la licencia municipal de apertura? ¿Qué alcance tiene el silencio administrativo si no se resuelve en plazo?

La resolución y notificación de la concesión o denegación de licencia municipal de apertura deberá realizarse en el plazo de un mes desde la presentación de la solicitud. En caso contrario la licencia se entenderá otorgada por silencio positivo, excepto en aquellas actividades para las que la legislación vigente disponga otra cosa (art. 58.3 de la Ley Foral 4/2005, de 22 de marzo, de intervención para la protección ambiental).

14. ¿Puede realizarse el enganche de suministros antes de obtener la licencia municipal de apertura?

De acuerdo con el art. 58.4 de la Ley Foral 4/2005, de 22 de marzo, de intervención para la protección ambiental, se podrán obtener, con carácter previo a la obtención de la licencia de apertura, las autorizaciones de enganche o ampliación de suministro de energía eléctrica, de utilización de combustibles líquidos o gaseosos, de abastecimiento de agua potable y demás autorizaciones preceptivas para el ejercicio de la actividad, salvo en los casos en los que se determine reglamentariamente lo contrario. Estas autorizaciones estarán condicionadas a la obtención de la licencia de apertura, que de ser denegatoria conllevarán la automática denegación de las mismas y la obligación de proceder inmediatamente al corte de los suministros.

2. Legislación aplicable

—Europea

Directiva 2006/123/CE del Parlamento y del Consejo, de 12 de diciembre de 2006, relativa a los servicios en el mercado interior.

— Estatal

Ley 17/2009, de 23 de noviembre, sobre el Libre Acceso a las Actividades de Servicios.

Arts. 21.1. q) y s), 124.4.ñ), 70.bis y 84, 84 bis y 84 ter. de la Ley 7/1985, de 2 de abril, Reguladora de las Bases de Régimen Local.

Ley 39/2015, de 1 de octubre, del Procedimiento Administrativo Común de las Administraciones Públicas.

— Autonómica

Ley Foral 4/2005, de 22 de marzo, de intervención para la protección ambiental.

Decreto Foral 93/2006, de 28 de diciembre, por el que se aprueba el Reglamento de desarrollo de la Ley Foral 4/2005, de 22 de marzo, de Intervención para la Protección Ambiental.

3. Documentos de interés

—Doctrina

CANO MURCIA, Antonio. «Cuestiones prácticas sobre transmisión o cambio de titularidad».- LA LEY 18910/2011.

—. «Apunte legislativo sobre transmisión o cambio de titularidad».- LA LEY 18909/2011.

—. «Los Tribunales dicen... sobre transmisión o cambio de titularidad».- LA LEY 18908/2011.

—. «Requisitos generales para la transmisión de la licencia de apertura».- LA LEY 18906/2011.

—. «Cuestiones prácticas sobre control e inspección».- LA LEY 18918/2011.

—. «Apunte legislativo sobre control e inspección».- LA LEY 18917/2011.

—. «Los Tribunales dicen... sobre control e inspección».- LA LEY 18916/2011.

—. «El régimen jurídico de control e inspección de los establecimientos públicos».- LA LEY 18915/2011.

CHOLBÍ CACHÁ, Francisco Antonio. «Apunte legislativo sobre las relaciones en la tramitación administrativa de las autorizaciones urbanísticas y de actividades».- LA LEY 23585/2011.

—. «Los Tribunales dicen....sobre las relaciones en la tramitación administrativa de las autorizaciones urbanísticas y de actividades».- LA LEY 23584/2011.

—. «Especial consideración a las actividades sujetas a licencias de uso cuando llevan aparejadas la ejecución de obras».- LA LEY 23583/2011.

—. «Los principales problemas en la tramitación conjunta de las autorizaciones urbanísticas cuando el destino de las obras es el ejercicio de actividades».- LA LEY 23582/2011.

—Reseña jurisprudencial

STSJ Navarra, Sala de lo Contencioso-administrativo, Sentencia 41/2015 de 4 Feb. 2015, Rec. 5/2014.- LEY 106096/2015.

Tribunal Administrativo de Navarra, Sección 3.ª, Resolución de 12 Dic. 2013, rec. 13-03548/2013.- LEY 219703/2013.

Tribunal Administrativo de Navarra, Sección 3.ª, Resolución de 15 Mar. 2013, rec. 12-05504/2012.- LEY 23463/2013.

Tribunal Administrativo de Navarra, Sección 3.ª, Resolución de 18 Dic. 2012, rec. 12-01145/2012.- LEY 204035/2012.

Tribunal Administrativo de Navarra, Sección 3.ª, Resolución de 17 Abr. 2012, rec. 12-00320/2012.- LEY 51065/2012.

Tribunal Administrativo de Navarra, Sección 3.ª, Resolución de 16 Abr. 2012, rec. 11-05384/2011.- LEY 51066/2012.

Tribunal Administrativo de Navarra, Sección 3.ª, Resolución de 16 Mar. 2012, rec. 11-06638/2011.- LEY 35981/2012.

Tribunal Administrativo de Navarra, Sección 3.ª, Resolución de 23 Feb. 2012, rec. 11-05104/2011.- LEY 35968/2012.

Tribunal Administrativo de Navarra, Sección 3.ª, Resolución de 21 Sep. 2011, rec. 11-02602/2011.- LEY 172693/2011.

Tribunal Administrativo de Navarra, Sección 3.ª, Resolución de 17 Ago. 2011, rec. 11-02748/2011.- LEY 185136/2011.

Tribunal Administrativo de Navarra, Sección 3.ª, Resolución de 11 Ago. 2011, rec. 11-01859/2011.- LEY 165492/2011.

— Cabecera

Tribunal Administrativo de Navarra, Sección 3.ª, Resolución de 26 Jul. 2011, rec. 10-07280/2010.- LEY 159726/2011.

Tribunal Administrativo de Navarra, Sección 3.ª, Resolución de 26 Jul. 2011, rec. 10-07280/2010.- LEY 159726/2011.

Tribunal Administrativo de Navarra, Sección 3.ª, Resolución de 15 Abr. 2011, rec. 10-08772/2010.- LEY 127962/2011.

Tribunal Administrativo de Navarra, Sección 3.ª, Resolución de 12 Ene. 2011, rec. 09-05388/2009.- LEY 127893/2011.

STSJ Navarra, Sala de lo Contencioso-administrativo, de 30 May. 2008, rec. 190/2007.- LEY 115366/2008.

STSJ Navarra, Sala de lo Contencioso-administrativo, de 2 Oct. 2008, rec. 94/2007.- LEY 279978/2008.

MODELO DE EXPEDIENTE: Licencia municipal de actividad clasificada *(Disponible a texto íntegro en smarteca.es)*

1) Inicio expediente de licencia municipal de actividad clasificada

2) Admisión a trámite del expediente

3) Requerimiento vecinos a policía local

4) Edicto de información pública

5) Informe técnico

6) Notificación a vecinos inmediatos al lugar de emplazamiento de la actividad

7) Certificado de reclamaciones

8) Informe razonado de/la Alcalde/sa sobre el establecimiento

9) Remisión del expediente al Departamento de Medio Ambiente, Ordenación del Territorio y Vivienda

10) Resolución de licencia municipal de actividad clasificada

11) Notificación de la resolución de modificación sustancial de la licencia municipal de actividad clasificada

B. Expediente de modificacion de licencia municipal de actividad clasificada

1. Claves del Expediente

La modificación de la licencia municipal de actividad clasificada por las causas del art. 14.1 de la Ley Foral 4/2005, citada, no da lugar a derecho a indemnización.

Las modificaciones pueden ser sustanciales o no sustanciales. Para su determinación se estará a los criterios del art. 77.1 y art. 78 del Decreto Foral 93/2006, de 28 de diciembre, por el que se aprueba el Reglamento de desarrollo de la Ley Foral 4/2005, de 22 de marzo, de Intervención para la Protección Ambiental.

MODELO DE EXPEDIENTE: Modificación de licencia municipal de actividad clasificada (*Disponible a texto íntegro en smarteca.es*)

1) Inicio expediente modificación sustancial de licencia municipal de actividad clasificada

2) Admisión a trámite del expediente

3) Requerimiento vecinos a policía local

4) Edicto de información pública

5) Informe técnico

6) Notificación a vecinos inmediatos al lugar de emplazamiento de la actividad

7) Certificado de reclamaciones

8) Informe razonado del/la Alcalde/sa sobre el establecimiento

9) Remisión del expediente al Departamento de Medio Ambiente, Ordenación del Territorio y Vivienda

10) Resolución de modificación sustancial de licencia municipal de actividad clasificada

11) Notificación de la resolución de modificación sustancial de la licencia municipal de actividad clasificada

C.   Expediente de licencia municipal de apertura de actividad clasificada

1.   Claves del Expediente

La obtención de la licencia municipal de apertura, también denominada **autorización de puesta en marcha** por el art. 58.1 de la Ley Foral 4/2005, de 22 de marzo, de intervención para la protección ambiental, es requisito para el ejercicio de una actividad clasificada.

La solicitud ha de resolverse en el plazo de un mes, caducando la licencia en caso de cese o paralización durante más de dos años.

PREGUNTAS CLAVE

1. ¿Obtenida la licencia municipal de actividad clasificada, puede iniciarse la actividad?

Con carácter previo al inicio de una actividad clasificada, deberá obtenerse del Alcalde la autorización de puesta en marcha correspondiente, que se denominará licencia de apertura, con el objeto de comprobar que la actividad o instalación se ajusta al proyecto aprobado (art. 58.1 de la Ley Foral 4/2005, de 22 de marzo, de intervención para la protección ambiental).

2. ¿Qué plazo hay para resolver la licencia municipal de apertura? ¿Qué alcance tiene el silencio administrativo si no se resuelve en plazo?

La resolución y notificación de la concesión o denegación de licencia municipal de apertura deberán realizarse en el plazo de un mes desde la presentación de la solicitud. En caso contrario la licencia se entenderá otorgada por silencio positivo, excepto en aquellas actividades para las que la legislación vigente disponga otra cosa (art. 58.3 de la Ley Foral 4/2005, de 22 de marzo, de intervención para la protección ambiental y art. 84.1 del Decreto Foral 93/2006).

3. ¿Puede realizarse el enganche de suministros antes de obtener la licencia municipal de apertura?

De acuerdo con el art. 58.4 de la Ley Foral 4/2005, de 22 de marzo, de intervención para la protección ambiental, se podrán obtener, con carácter previo a la obtención de la licencia de apertura, las autorizaciones de enganche o ampliación de suministro de energía eléctrica, de utilización de combustibles líquidos o gaseosos, de abastecimiento de agua potable y demás autorizaciones preceptivas para el ejercicio de la actividad, salvo en los casos en los que se determine reglamentariamente lo contrario. Estas autorizaciones estarán condicionadas a la obtención de la licencia de apertura, que de ser denegatoria conllevarán la automática denegación de las mismas y la obligación de proceder inmediatamente al corte de los suministros.

4. ¿En qué supuestos será requerida la licencia municipal de apertura?

El art. 82 del Decreto Foral 93/2006, de 28 de diciembre, por el que se aprueba el Reglamento de desarrollo de la Ley Foral 4/2005, de 22 de marzo, de Intervención para la Protección Ambiental, establece que será requerida la obtención de la licencia de apertura:

a) Como consecuencia de la obtención de una licencia de actividad clasificada cuando ésta sea la primera que obtiene la actividad.

b) Cuando se obtengan nuevas licencias de actividad clasificada como consecuencia de la realización de una modificación sustancial.

5. ¿Qué documentación ha de presentarse con la solicitud de licencia municipal de apertura?

El art. 83 del Decreto Foral 93/2006, de 28 de diciembre, por el que se aprueba el Reglamento de desarrollo de la Ley Foral 4/2005, de 22 de marzo, de Intervención para la Protección Ambiental dispone que el titular de la actividad deberá presentar en el municipio el certificado final de obra, que garantice que la instalación se ajusta al proyecto aprobado, así como a las medidas correctoras adicionales impuestas, en su caso, en la licencia de actividad.

A tal efecto, el titular deberá presentar en el Ayuntamiento, conjuntamente con la solicitud correspondiente los certificados firmados por técnico competente y visados por los colegios correspondientes, en los que se justifique:

a) Que la instalación se ajusta al proyecto aprobado.

b) La implementación de medidas correctoras adicionales impuestas, en su caso, en la licencia de actividad.

c) Las mediciones y comprobaciones prácticas efectuadas y su adecuación a la normativa.

Asimismo, se acompañarán los planos definitivos de la instalación.

6. ¿Puede concederse una licencia municipal de apertura parcial?

Aquellos proyectos autorizados que no se ejecuten en su totalidad podrán obtener una licencia de apertura parcial, siempre que cuente con las medidas correctoras y demás condiciones relativas a la parte del proyecto ejecutada (art. 84.7 del Decreto Foral 93/2006, de 28 de diciembre, por el que se aprueba el Reglamento de desarrollo de la Ley Foral 4/2005, de 22 de marzo, de Intervención para la Protección Ambiental.

7. ¿Cuál es el plazo de caducidad de la licencia municipal de apertura?

La licencia municipal de apertura caducará en el caso de cese o paralización de la actividad durante más de dos años desde la concesión (art. 85.1 del Decreto Foral 93/2006, de 28 de diciembre, por el que se aprueba el Reglamento de desarrollo de la Ley Foral 4/2005, de 22 de marzo, de Intervención para la Protección Ambiental).

8. ¿La caducidad de la licencia municipal de apertura es automática?

La caducidad de la licencia municipal de apertura requerirá de declaración expresa del Ayuntamiento previo expediente administrativo en el que deberá darse audiencia de su titular (art. 85.2 del Decreto Foral 93/2006, de 28 de diciembre, por el que se aprueba el Reglamento de desarrollo de la Ley Foral 4/2005, de 22 de marzo, de Intervención para la Protección Ambiental).

2.   Legislación aplicable

—Europea

Directiva 2006/123/CE del Parlamento y del Consejo, de 12 de diciembre de 2006, relativa a los servicios en el mercado interior.

— Estatal

Ley 17/2009, de 23 de noviembre, sobre el Libre Acceso a las Actividades de Servicios.

Arts. 21.1. q) y s), 124.4.ñ), 70.bis y 84, 84 bis y 84 ter. de la Ley 7/1985, de 2 de abril, Reguladora de las Bases de Régimen Local.

Ley 39/2015, de 1 de octubre, del Procedimiento Administrativo Común de las Administraciones Públicas.

— Autonómica

Art. 58 de la Ley Foral 4/2005, de 22 de marzo, de intervención para la protección ambiental.

Arts. 82 a 85 del Decreto Foral 93/2006, de 28 de diciembre, por el que se aprueba el Reglamento de desarrollo de la Ley Foral 4/2005, de 22 de marzo, de Intervención para la Protección Ambiental.

3.   Documentos de interés

—Doctrina

CANO MURCIA, Antonio. «Cuestiones prácticas sobre transmisión o cambio de titularidad».- LA LEY 18910/2011.

—. «Apunte legislativo sobre transmisión o cambio de titularidad».- LA LEY 18909/2011.

—. «Los Tribunales dicen... sobre transmisión o cambio de titularidad».- LA LEY 18908/2011.

—. «Requisitos generales para la transmisión de la licencia de apertura».- LA LEY 18906/2011.

—. «Cuestiones prácticas sobre control e inspección».- LA LEY 18918/2011.

—. «Apunte legislativo sobre control e inspección».- LA LEY 18917/2011.

—. «Los Tribunales dicen... sobre control e inspección».- LA LEY 18916/2011.

—. «El régimen jurídico de control e inspección de los establecimientos públicos».- LA LEY 18915/2011.

CHOLBÍ CACHÁ, Francisco Antonio. «Apunte legislativo sobre las relaciones en la tramitación administrativa de las autorizaciones urbanísticas y de actividades».- LA LEY 23585/2011.

—. «Los Tribunales dicen… sobre las relaciones en la tramitación administrativa de las autorizaciones urbanísticas y de actividades».- LA LEY 23584/2011.

—. «Especial consideración a las actividades sujetas a licencias de uso cuando llevan aparejadas la ejecución de obras».- LA LEY 23583/2011.

—. «Los principales problemas en la tramitación conjunta de las autorizaciones urbanísticas cuando el destino de las obras es el ejercicio de actividades».- LA LEY 23582/2011.

—Reseña jurisprudencial

STSJ Navarra, Sala de lo Contencioso-administrativo, n.º 41/2015, de 4 Feb. 2015, Rec. 5/2014.- LEY 106096/2015.

Tribunal Administrativo de Navarra, Sección 3.ª, Resolución de 12 Dic. 2013, rec. 13-03548/2013.- LEY 219703/2013.

Tribunal Administrativo de Navarra, Sección 3.ª, Resolución de 15 Mar. 2013, rec. 12-05504/2012.- LEY 23463/2013.

Tribunal Administrativo de Navarra, Sección 3.ª, Resolución de 18 Dic. 2012, rec. 12-01145/2012.- LEY 204035/2012.

Tribunal Administrativo de Navarra, Sección 3.ª, Resolución de 17 Abr. 2012, rec. 12-00320/2012.- LEY 51065/2012.

Tribunal Administrativo de Navarra, Sección 3.ª, Resolución de 16 Abr. 2012, rec. 11-05384/2011.- LEY 51066/2012.

Tribunal Administrativo de Navarra, Sección 3.ª, Resolución de 16 Mar. 2012, rec. 11-06638/2011.- LEY 35981/2012.

Tribunal Administrativo de Navarra, Sección 3.ª, Resolución de 23 Feb. 2012, rec. 11-05104/2011.- LEY 35968/2012.

Tribunal Administrativo de Navarra, Sección 3.ª, Resolución de 21 Sep. 2011, rec. 11-02602/2011.- LEY 172693/2011.

Tribunal Administrativo de Navarra, Sección 3.ª, Resolución de 17 Ago. 2011, rec. 11-02748/2011.- LEY 185136/2011.

Tribunal Administrativo de Navarra, Sección 3.ª, Resolución de 11 Ago. 2011, rec. 11-01859/2011.- LEY 165492/2011.

Tribunal Administrativo de Navarra, Sección 3.ª, Resolución de 26 Jul. 2011, rec. 10-07280/2010.- LEY 159726/2011.

Tribunal Administrativo de Navarra, Sección 3.ª, Resolución de 26 Jul. 2011, rec. 10-07280/2010.- LEY 159726/2011.

Tribunal Administrativo de Navarra, Sección 3.ª, Resolución de 15 Abr. 2011, rec. 10-08772/2010.- LEY 127962/2011.

Tribunal Administrativo de Navarra, Sección 3.ª, Resolución de 12 Ene. 2011, rec. 09-05388/2009.- LEY 127893/2011

STSJ Navarra, Sala de lo Contencioso-administrativo, de 30 May. 2008, rec. 190/2007.- LEY 115366/2008.

STSJ Navarra, Sala de lo Contencioso-administrativo, de 2 Oct. 2008, rec. 94/2007.- LEY 279978/2008.

MODELO DE EXPEDIENTE: Licencia municipal de apertura *(Disponible a texto íntegro en smarteca.es)*

1)   *Solicitud de licencia municipal de apertura*

2)   *Admisión a trámite del expediente*

3)   *Informe técnico de comprobación*

4)   *Resolución de licencia municipal de apertura de actividad clasificada*

5)   *Notificación de la concesión de la licencia municipal apertura de actividad clasificada*

6)   *Edicto de información pública*

D.   Expediente de control e inspeccion de actividad sujeta a licencia municipal de actividad clasificada

1.   Claves del Expediente

El expediente de control e inspección de actividad es un control posterior a su ejercicio y se encuadra dentro de la potestad municipal.

La inspección de la actividad podrá producirse como consecuencia de denuncia efectuada por particulares, o fruto de la inspección que el Ayuntamiento realice en el marco de sus atribuciones de inspección y vigilancia.

La importancia de este expediente y por ende de la actuación municipal radica en que el hecho de que se podrá detectar anomalías o deficiencias en el funcionamiento de las instalaciones o de las medidas correctoras, y por lo tanto sirve para exigir el cumplimiento al titular de la actividad del correcto funcionamiento de la misma, lo que evitará daños al medio ambiente y a la seguridad de las personas.

La inspección, es una facultad que se reserva el Ayuntamiento que en cualquier momento, y con posterioridad a la concesión de la licencia de apertura, puede comprobar el grado de eficacia y funcionamiento de las medidas correctoras, verificar el estado de las instalaciones, etc. Es decir, se pretende con esta medida el velar por el buen estado de la actividad, requiriendo la subsanación de las deficiencias que se detecten.

Como consecuencia del resultado del expediente, podrá abrirse procedimiento sancionador.

2.   Jurisprudencia

• La licencia de apertura y/o funcionamiento crea una relación permanente con la Administración, ya que las exigencias del interés público demandan un funcionamiento correcto de la actividad y de sus medidas correctoras, lo cual implicará que la actividad desarrollada quede, durante la vigencia de la licencia, sujeta a inspecciones administrativas para la comprobación del cumplimiento de las condiciones expresadas en la misma, conforme declaran, entre otras, las SSTS de 4 octubre 1986 y 30 junio 1987. [STSJ Madrid 13 noviembre 2001]

• Otorgada una licencia de funcionamiento de una actividad la Administración no queda desposeída de potestades, sino que puede y debe ejercer la actividad administrativa de policía a fin de defender y garantizar los intereses generales; y esa actividad de policía ha de tener concreción en actos de intervención congruentes con los motivos y fines que la justifiquen —arts. 84.2 Ley 7/1985, de 2 abril (Reguladora de las Bases del Régimen Local) y 5.1 RSCL—. [STS 22 junio 1993]

PREGUNTAS CLAVE

1. ¿Quién tiene la competencia de vigilancia, control, inspección de las licencias ambientales?

La competencia recae en el Ayuntamiento y corresponde ejercerla al alcalde y por delegación de éste a la Junta de Gobierno Local, o concejal delegado.

2. ¿Cuándo se realiza el control de una actividad sujeta a licencia municipal de apertura?

Una vez que se ha concedido la licencia municipal de apertura, y con posterioridad a la misma el ayuntamiento podrá en cualquier momento inspeccionar el establecimiento para comprobar el funcionamiento de las instalaciones.

3. ¿Puede incoarse procedimiento sancionador como consecuencia del acta de inspección que se levante?

Una de las consecuencias de la inspección que se realice y posterior levantamiento del acta de inspección es posibilidad de incoar de procedimiento sancionador, ya que según dispone el art. 101.1 del Decreto Foral 93/2006, de 28 de diciembre, por el que se aprueba el Reglamento de desarrollo de la Ley Foral 4/2005, de 22 de marzo, de Intervención para la Protección Ambiental, en toda visita de inspección se levantará acta, en la que se incluirán las siguientes determinaciones:

a) Personal inspector que realiza la visita.

b) Actividad o instalación inspeccionada, titular de la misma y la identificación de las personas que presencian la visita, haciendo mención expresa de la representación o carácter con el que comparecen.

c) Lugar, fecha y hora de la inspección.

d) Hechos y circunstancias constatados durante la visita y, en su caso, métodos de toma de muestras y análisis empleados.

e) En su caso, las observaciones formuladas por los comparecientes.

f) Firma del acta por los comparecientes o, en su caso, las razones de su negativa a firmar si las manifestaran.

MODELO DE EXPEDIENTE *(Disponible a texto íntegro en smarteca.es)*

1)   *Acta de inspección*

2)   *Resolución ordenando apertura de expediente*

3)   *Notificación de acta de inspección e informe en trámite de audiencia*

4)   *Escrito de alegaciones en trámite de audiencia*

5)   *Resolución del expediente de comprobación*

6)   *Notificación de la resolución*

E.   Expediente de cambio de titularidad de licencia municipal de actividad clasificada

1.   Claves del Expediente

Aunque es una cuestión que puede considerarse pacífica, el cambio de titularidad en general de los establecimientos, negocios y actividades en general y en particular de la licencia ambiental se sujeta al cumplimiento de unos requisitos mínimos, que tienen como objetivo fundamental el poner en conocimiento de la Administración (órgano sustantivo ambiental) el nuevo titular de la actividad.

A tenor del artículo 13.1 del Reglamento de Servicios de las Corporaciones Locales, aprobado por Decreto de 17 de junio de 1955, las licencias relativas a las condiciones de una obra, instalación o servicio serán transmisibles, pero el antiguo y el nuevo constructor o empresario deberán comunicarlo por escrito a la Corporación, sin lo cual quedarán ambos sujetos a todas las responsabilidades que se derivaren para el titular.

Esta posición legal ha quedado superada mediante el art. 3.2 de la Ley 12/2012, de 26 de diciembre, de medidas urgentes de liberalización del comercio y de determinados servicios, al decir que no están sujetos a licencia los cambios de titularidad de las actividades comerciales y de servicios, siendo exigible en estos casos una comunicación previa a la administración competente a los solos efectos informativos.

Ha de tenerse en cuenta:

• La comunicación ha de ser expresa.

• No es necesario que vaya acompañada de título o documento que acredite la transmisión (contrato de compraventa, de arrendamiento, de cesión etc.).

• Si la transmisión se produce sin realizar la correspondiente comunicación, el anterior y el nuevo titular quedan sujetos, de forma solidaria, a todas las responsabilidades y obligaciones derivadas del incumplimiento de dicha obligación.

La comunicación de la transmisión tanto de la licencia municipal de actividad clasificada, como de la licencia municipal de apertura es un deber del titular de la actividad.

PREGUNTAS CLAVE

1. ¿Qué requisitos han de cumplirse para realizar el cambio de titularidad una actividad?

Para que el nuevo titular de una actividad pueda realizar el cambio de titularidad, deberá ser comunicado al Ayuntamiento a efectos informativos (art. 3.2 de la Ley 12/2012).

2. ¿Es necesario que el anterior titular comunique la transmisión de la actividad a un tercero?

No es un requisito necesario. El art. 3.2 de la Ley 12/2012 no exige esta comunicación.

En el caso de actividades sujetas a la Ley Foral 4/2005, de 22 de marzo, de intervención para la protección ambiental, sin embargo si existe el deber de comunicación (art. 104.1 d) del Decreto Foral 93/2006, de 28 de diciembre, por el que se aprueba el Reglamento de desarrollo de la Ley Foral 4/2005, de 22 de marzo, de Intervención para la Protección Ambiental, cuya omisión está tipificada como infracción leve en el art. 118.3 g) del citado Decreto Foral.

3. ¿Qué ocurre si no se comunica la transmisión de la actividad?

La no comunicación del cambio de titularidad de la actividad por el anterior o el nuevo titular supone que el anterior y nuevo titular queda sujetos, de forma solidaria, a todas las responsabilidades y obligaciones derivadas de dicho incumplimiento.

Asimismo comete infracción leve prevista en el art. 118.3 g) del Decreto Foral 93/2006, de 28 de diciembre, por el que se aprueba el Reglamento de desarrollo de la Ley Foral 4/2005, de 22 de marzo, de Intervención para la Protección Ambiental.

4. ¿Puede transmitir la licencia de actividad el que no es propietario del local en el que se ejerce la misma?

Sí. El ejercicio de una actividad tanto mediante la concesión expresa de licencia de apertura o actividad o mediante la comunicación previa o declaración responsable tiene carácter real, al margen de la titularidad del inmueble y de las relaciones subjetivas que existan entre el titular del mismo y el que ocupe el local mediante contrato de arrendamiento, u cualquier otro título. En este sentido es de aplicación lo dispuesto en el art. 12. 1 RSCL «Las autorizaciones y licencias se entenderán otorgadas salvo el derecho de propiedad y sin perjuicio del de tercero».

5. ¿Ha de resolverse expresamente por el Ayuntamiento la comunicación de cambio de titularidad?

No. El art. 3.2 de la Ley 12/2012 habla de comunicación previa a la administración competente, sin que sea necesario posteriormente dictar resolución alguna. A efectos prácticos bastaría en cualquier caso tomar conocimiento de la transmisión, dejando constancia en el expediente.

6. ¿Qué ocurre si el Ayuntamiento no dicta resolución de cambio de titularidad?

Si el Ayuntamiento, recibida la comunicación de cambio de titularidad de la actividad, no resuelve expresamente el mismo, ha de entenderse que por silencio administrativo positivo se da por cumplido el trámite a todos los efectos, teniendo en cuenta que la resolución del órgano sustantivo no es generadora de derechos para el nuevo titular de la actividad, sino que tiene los efectos de una simple comunicación, que el Ayuntamiento constata mediante la toma de conocimiento del nuevo titular. En este sentido para la STS 15 octubre 1981 «La intervención municipal en caso de transmisión de licencias no es de previa y expresa autorización para que aquélla opere, sino de mera constatación o toma de razón de la extra-administrativamente producida por el simple acuerdo del antiguo y nuevo propietario, cuyo incumplimiento determina que ambos queden sujetos a todas las responsabilidades que se deriven para el titular».

2. Legislación aplicable

—Europea

Directiva 2006/123/CE del Parlamento y del Consejo, de 12 de diciembre de 2006, relativa a los servicios en el mercado interior.

— Estatal

Ley 17/2009, de 23 de noviembre, sobre el Libre Acceso a las Actividades de Servicios.

Arts. 21.1. q) y s), 124.4.ñ), 70.bis y 84, 84 bis y 84 ter. de la Ley 7/1985, de 2 de abril, Reguladora de las Bases de Régimen Local.

Ley 39/2015, de 1 de octubre, de Procedimiento Administrativo Común de las Administraciones Públicas.

— Autonómica

Arts. 49.4, 65. d) de la Ley Foral 4/2005, de 22 de marzo, de intervención para la protección ambiental.

Arts. 75.3, 84.9, 104.1 d) y 118,3 g) del Decreto Foral 93/2006, de 28 de diciembre, por el que se aprueba el Reglamento de desarrollo de la Ley Foral 4/2005, de 22 de marzo, de Intervención para la Protección Ambiental.

3. Documentos de interés

—Doctrina

CANO MURCIA, Antonio. «Cuestiones prácticas sobre transmisión o cambio de titularidad».- LA LEY 18910/2011.

—. «Apunte legislativo sobre transmisión o cambio de titularidad».- Cano Murcia, Antonio.- LA LEY 18909/2011.

—. «Los Tribunales dicen... sobre transmisión o cambio de titularidad».- Cano Murcia, Antonio.- LA LEY 18908/2011.

—. «Requisitos generales para la transmisión de la licencia de apertura».- Cano Murcia, Antonio.- LA LEY 18906/2011.

—. «Cuestiones prácticas sobre control e inspección».- Cano Murcia, Antonio.- LA LEY 18918/2011.

—. «Apunte legislativo sobre control e inspección».- Cano Murcia, Antonio.- LA LEY 18917/2011.

—. «Los Tribunales dicen... sobre control e inspección».- LA LEY 18916/2011.

—. «El régimen jurídico de control e inspección de los establecimientos públicos».- LA LEY 18915/2011.

—. «El nuevo régimen jurídico de las licencias de apertura». *El Consultor de los Ayuntamientos y de los Juzgados*. 2010.

CHOLBÍ CACHÁ, Francisco Antonio. «Apunte legislativo sobre las relaciones en la tramitación administrativa de las autorizaciones urbanísticas y de actividades».- LA LEY 23585/2011.

—. «Los Tribunales dicen… sobre las relaciones en la tramitación administrativa de las autorizaciones urbanísticas y de actividades».- LA LEY 23584/2011.

—. «Especial consideración a las actividades sujetas a licencias de uso cuando llevan aparejadas la ejecución de obras».- LA LEY 23583/2011.

—. «Los principales problemas en la tramitación conjunta de las autorizaciones urbanísticas cuando el destino de las obras es el ejercicio de actividades».- LA LEY 23582/2011.

MORA GONZÁLEZ, María Jesús. «La transmisión de las licencias urbanísticas». *El Consultor de los Ayuntamientos y de los Juzgados*, n.º 23, Quincena del 15 al 29 Dic. 2007, Ref. 3889/2007, pág. 3889, tomo 3, LA LEY.- LA LEY 6927/2007.

—Reseña jurisprudencial

STSJ Navarra, Sala de lo Contencioso-administrativo, n.º 41/2015, de 4 Feb. 2015, Rec. 5/2014.- LEY 106096/2015.

Tribunal Administrativo de Navarra, Sección 3.ª, Resolución de 12 Dic. 2013, rec. 13-03548/2013.- LEY 219703/2013.

Tribunal Administrativo de Navarra, Sección 3.ª, Resolución de 15 Mar. 2013, rec. 12-05504/2012.- LEY 23463/2013.

Tribunal Administrativo de Navarra, Sección 3.ª, Resolución de 18 Dic. 2012, rec. 12-01145/2012.- LEY 204035/2012.

Tribunal Administrativo de Navarra, Sección 3.ª, Resolución de 17 Abr. 2012, rec. 12-00320/2012.- LEY 51065/2012.

Tribunal Administrativo de Navarra, Sección 3.ª, Resolución de 16 Abr. 2012, rec. 11-05384/2011.- LEY 51066/2012.

Tribunal Administrativo de Navarra, Sección 3.ª, Resolución de 16 Mar. 2012, rec. 11-06638/2011.- LEY 35981/2012.

Tribunal Administrativo de Navarra, Sección 3.ª, Resolución de 23 Feb. 2012, rec. 11-05104/2011.- LEY 35968/2012.

Tribunal Administrativo de Navarra, Sección 3.ª, Resolución de 21 Sep. 2011, rec. 11-02602/2011.- LEY 172693/2011.

Tribunal Administrativo de Navarra, Sección 3.ª, Resolución de 17 Ago. 2011, rec. 11-02748/2011.- LEY 185136/2011.

Tribunal Administrativo de Navarra, Sección 3.ª, Resolución de 11 Ago. 2011, rec. 11-01859/2011.- LEY 165492/2011.

— Cabecera

Tribunal Administrativo de Navarra, Sección 3.ª, Resolución de 26 Jul. 2011, rec. 10-07280/2010.- LEY 159726/2011.

Tribunal Administrativo de Navarra, Sección 3.ª, Resolución de 26 Jul. 2011, rec. 10-07280/2010.- LEY 159726/2011.

Tribunal Administrativo de Navarra, Sección 3.ª, Resolución de 15 Abr. 2011, rec. 10-08772/2010.- LEY 127962/2011.

Tribunal Administrativo de Navarra, Sección 3.ª, Resolución de 12 Ene. 2011, rec. 09-05388/2009.- LEY 127893/2011.

STSJ Navarra, Sala de lo Contencioso-administrativo, de 30 May. 2008, rec. 190/2007.- LEY 115366/2008.

STSJ Navarra, Sala de lo Contencioso-administrativo, de 2 Oct. 2008, rec. 94/2007.- LEY 279978/2008.

MODELO DE EXPEDIENTE *(Disponible a texto íntegro en smarteca.es)*

[Este expediente puede utilizarse también en el caso de la transmisión de la licencia municipal de apertura.]

1)   *Comunicación de cambio de titularidad de licencia municipal de actividad clasificada*

2)   *Resolución de cambio de titularidad de licencia municipal de actividad clasificada*

3)   *Notificación de cambio de titularidad de licencia de actividad municipal*

15. País Vasco

A. Expediente de licencia de actividad clasificada consulta previa (arts. 57.1 Ley 3/1998)

1. Claves del Expediente

La licencia de actividad clasificada, junto con la comunicación previa de actividad clasificada se configura como el modo de intervención municipal para el ejercicio de actividades del anexo II A) de la Ley 3/1998, de 27 de febrero de protección general del medio ambiente en el País Vasco.

El expediente para la concesión de la licencia de actividad clasificada, de competencia municipal para su concesión, ha de tener en cuenta para su tramitación lo siguiente:

- La solicitud irá acompaña de proyecto técnico y memoria.

- Podrá denegarse la licencia de actividad clasificada antes de su tramitación, por ir contra el planeamiento o las ordenanzas municipales.

- Se someterá a información pública y notificará a vecinos inmediatos.

- Se solicitará informe al órgano ambiental de la Comunidad Autónoma u órgano foral.

- Se aplicará el silencio administrativo positivo

- La licencia de actividad es previa a la concesión de la licencia de obras

- Antes de iniciar la actividad será necesario comunicarlo al ayuntamiento, presentando certificación técnica

PREGUNTAS CLAVE

1. ¿A quién corresponde la concesión, así como la ampliación o reforma de una actividad clasificada?

Al ayuntamiento en cuyo territorio fuera a ubicarse (art. 56.1 Ley 3/1998).

2. ¿Qué actuación puede realizar el promotor antes de solicitar la licencia de actividad?

De conformidad con el art. 57.1 de la Ley 3/1998, el promotor de la actividad pública o privada podrá realizar una consulta al Ayuntamiento, dirigida a que se le proporcione información de los requisitos jurídicos y técnicos de la licencia y de las medidas correctoras previsibles, así como sobre la viabilidad formal de la actividad.

3. ¿Puede denegarse la licencia de actividad antes de que la misma se tramite?

Es una de las consecuencias de que la actividad vaya en contra del planeamiento o de las ordenanzas municipales (art. 58.1 Ley 3/1998). En cualquier caso será necesario la previa audiencia al interesado antes de resolver la denegación de la licencia solicitada.

4. ¿Qué medios de publicidad tiene la licencia de actividad?

El expediente se somete a información pública por plazo de quince días en el Boletín Oficial del Territorio Histórico y la notificará personalmente a los vecinos inmediatos al lugar donde haya de emplazarse (art. 58.1 Ley 3/1998).

5. ¿Es preceptivo la emisión de informe sanitario?

Si, así lo exige el art. 58.2 Ley 3/1998, que a su vez le otorga el carácter de vinculante.

6. ¿Qué plazo hay para emitir el informe sanitario y técnico?

Se ha de emitir en el plazo de quince días, una vez agotado el período de exposición pública (art. 58.3 Ley 3/1998).

7. ¿Qué ocurre si no se emiten los informes sanitario y técnicos en plazo?

Sobre esta cuestión el art. 58 de la Ley 3/1998 silencia al alcance de la no emisión. Lo procedente será reiterar su emisión, ya que de lo contrario y transcurrido el plazo de seis meses desde la presentación de la solicitud de licencia, sin haberse emitido resolución expresa, se entenderá otorgada la misma en los términos del *art. 43 de la Ley 30/1992* (art. 60 Ley 3/1998).

8. ¿Es vinculante el informe del órgano ambiental de la Comunidad Autónoma u órgano foral competente?

Será vinculante para la autoridad municipal cuando sea contrario a la concesión de la licencia de actividad, así como cuando determine la necesidad de imposición de medidas correctoras (art. 59.2 Ley 3/1998).

9. ¿Qué plazo tiene el ayuntamiento para conceder la licencia de actividad clasificada?

Seis meses desde la solicitud inicial (art. 59 bis.1 Ley 3/1998).

10. ¿En qué supuesto queda sin efecto la licencia de actividad clasificada?

En el caso de que se incumplieran las condiciones a que estuvieran subordinadas (art. 59 bis 2 Ley 3/1998).

11. ¿Cuándo puede revocarse una licencia de actividad clasificada?

Cuando se conozcan circunstancias que hubieran justificado su denegación de acuerdo con los procedimientos de revisión de los actos administrativos contemplados en la *Ley 30/1992, de 26 de noviembre, de Régimen Jurídico de las Administraciones Públicas y del Procedimiento Administrativo Común* (art. 59 bis 4 Ley 3/1998).

12. ¿Es aplicable el silencio administrativo positivo en caso de paralización del Transcurridos seis meses desde que se presentó formalmente la solicitud de licencia ante el Ayuntamiento sin haberse emitido resolución expresa por el órgano decisorio, y no mediando paralización del procedimiento imputable al solicitante, se entenderá otorgada la licencia en los términos del *artículo 43 de la Ley 30/1992, de 26 de noviembre, sobre Régimen Jurídico de las Administraciones Públicas y del Procedimiento Administrativo Común*, salvo en aquellos casos en que el órgano ambiental de la Comunidad Autónoma u órgano foral competente hubiere notificado su informe desfavorable y se hallase éste pendiente de ejecución por parte del respectivo Ayuntamiento (art. 60 Ley 3/1998).

13. ¿Puede concederse licencia de obras sin que se haya concedido la licencia actividad clasificada?

El art. 61.1 de la Ley 3/1998 prohíbe la concesión de licencias de obras para actividades sujetas a licencia de actividad clasificada en tanto no se haya concedido la licencia de actividad.

14. ¿Puede iniciarse sin más una actividad una vez que se ha concedido la licencia de actividad clasificada?

No. Antes de Una vez implantadas las medidas correctoras impuestas en la licencia de actividad clasificada y habilitadas las instalaciones, el inicio de la actividad se sujetará a un régimen de comunicación previa (art. 61.2 Ley 3/1998).

15. ¿Cuándo podrá iniciarse el ejercicio de la actividad clasificada?

Una vez se efectúe la comunicación y desde el día de su presentación (art. 61.4 Ley 3/1998).

2. Jurisprudencia

Una vez concedida la licencia de actividad, puede ser concedida la licencia de obras (art. 61.1), y una vez ejecutadas y emitida la correspondiente certificación por el técnico competente que las dirige, la empresa ha de comunicar la terminación de las obras y el cumplimiento de las medidas correctoras, debiendo girar visita de inspección los técnicos municipales expidiendo un acta de comprobación, y si es favorable por ajustarse la obras al proyecto y haber sido implementadas las medidas correctoras, el Ayuntamiento ha de otorgar la licencia de apertura.

No se trata de procedimientos distintos los de concesión de la licencia de actividad y de apertura, sino de **dos actos de intervención de la Administración íntimamente ligados en un procedimiento bifásico**, en el que los interesados personados tras el período de información pública y los **vecinos personados tras la notificación personal, adquieren la condición de interesados** necesarios *ex art.* 31.1.c) LRJAP y PAC, condición que ostentan también en la fase de comprobación de la ejecución de las obras conforme al proyecto y de comprobación de la implementación de las medidas correctoras impuestas, sin que resulte exigible una segunda personación en el expediente como postula la apelante.

Si la Ley 3/1998 articula un **trámite de información pública y otro de notificación personal a los vecinos es porque considera esencial su participación en el procedimiento en defensa de sus legítimos intereses frente a la potencial afección de la actividad clasificada** (art.105-c) CE), y la *ratio* y finalidad de dicho trámite se verían defraudados, si su personación no alcanzara al trámite esencial de comprobación de que la obra se ha ejecutado conforme al proyecto que obtuvo la licencia y que se han implementado las medidas correctoras impuestas por la Administración ambiental. [STSJ País Vasco 16 marzo 2012.- LA LEY 273812/2012]

3. Legislación aplicable

—Europea

Directiva 2006/123/CE del Parlamento y del Consejo, de 12 de diciembre de 2006, relativa a los servicios en el mercado interior.

— Estatal

Ley 17/2009, de 23 de noviembre, sobre el Libre Acceso a las Actividades de Servicios.

Arts. 21.1. q) y s), 124.4.ñ), 70.bis y 84, 84 bis y 84 ter. de la Ley 7/1985, de 2 de abril, Reguladora de las Bases de Régimen Local.

Ley 39/2015, de 1 de octubre, del Procedimiento Administrativo Común de las Administraciones Públicas.

Arts. 4 y 5 de la Ley 12/2012, de 26 de diciembre, de medidas urgentes de liberalización del comercio y de determinados servicios.

— Autonómica

Arts. 55 y ss. Ley 3/1998, de 27 de febrero, de Protección general del Medio Ambiente. País Vasco.

Ley 7/2012 (País Vasco) de 23 de abril, de modificación de diversas leyes para su adaptación a la Directiva 2006/123/CE, de 12 de diciembre, del Parlamento Europeo y del Consejo, relativa a los servicios en el mercado interior.

4. Documentos de interés

—Doctrina

ALONSO RIESGO, María Dora; FERNÁNDEZ GANCEDO, Inmaculada. «Licencias municipales de actividad y de apertura en el marco de la libre prestación de servicios». *El Consultor de los Ayuntamientos y de los Juzgados*, n.º 21, Quincena del 15 al 29 Nov. 2011, Ref. 2506/2011, pág. 2506, tomo 2.- LA LEY.

CANO MURCIA, Antonio. «El nuevo régimen jurídico de las licencias de apertura». *El Consultor de los Ayuntamientos y de los Juzgados*. 2010.

CASTELAO RODRÍGUEZ, Julio. «Las licencias urbanísticas en el País Vasco». Esta doctrina forma parte del libro *Derecho urbanístico del País Vasco. El Consultor de los Ayuntamientos y de los Juzgados*, Madrid, enero 2008.- LA LEY 15640/2010.

CHOLBÍ CACHÁ, Francisco Antonio. «Apunte legislativo sobre las relaciones en la tramitación administrativa de las autorizaciones urbanísticas y de actividades».- LA LEY 23768/2011.

CHOLBÍ CACHÁ, Francisco Antonio; MERINO MOLINS, Vicente. «Comentario crítico sobre la directiva de Servicios y de las leyes 17 y 25/2009 en aplicación de la misma: especial incidencia en el ámbito de las licencias urbanísticas y de actividad». *El Consultor de los Ayuntamientos y de los Juzgados,* n.º 7, Quincena del 15 al 29 Abr. 2010, Ref. 1035/2010, pág. 1035, tomo 1.- LA LEY.

GAVIEIRO GONZÁLEZ, Sonia. «¿El fin de las licencias de apertura? Breve análisis de la situación de las licencias de actividad, obras y apertura en la Comunidad Autónoma Vasca». *Práctica Urbanística,* n.º 121, Sección Estudios.- LA LEY 1351/2013.

MARTÍN HERNÁNDEZ, Paulino. «Las licencias para actividades clasificadas». Esta doctrina forma parte del libro *Administración Local. Estudios en Homenaje a Ángel Ballesteros*, 1.ª ed., *El Consultor de los Ayuntamientos y de los Juzgados.* Madrid, enero 2011.- LA LEY 21893/2011.

PENSADO SEIJAS, Alberto. «Evolución exprés de las licencias de actividad inocuas». *El Consultor de los Ayuntamientos y de los Juzgados,* n.º 17, Quincena del 15 al 29 Sep. 2013, Ref. 1623/2013, pág. 1623, tomo 2.- LA LEY.

—Reseña jurisprudencial

STSJ País Vasco, Sala de lo Contencioso-administrativo, Sección 2.ª, Sentencia 117/2015 de 11 Mar. 2015, Rec. 118/2014.- LA LEY 40567/2015.

STSJ País Vasco, Sala de lo Contencioso-administrativo, Sección 1.ª, Sentencia de 31 Oct. 2013, rec. 429/2012.- LA LEY 194083/2013.

STSJ País Vasco, Sala de lo Contencioso-administrativo, Sección 2.ª, de 18 Sep. 2013, rec. 825/2012.- LA LEY 257064/2013.

STSJ País Vasco, Sala de lo Contencioso-administrativo, Sección 2.ª, de 2 Jul. 2013, rec. 71/2012.- LA LEY 256478/2013.

STSJ País Vasco, Sala de lo Contencioso-administrativo, Sección 2.ª, de 5 Jun. 2013, rec. 915/2011.- LA LEY 121025/2013.

STSJ País Vasco, Sala de lo Contencioso-administrativo, Sección 2.ª, n.º 191/2012, de 16 Mar. 2012, Rec. 261/2010.- LA LEY 273812/2012.

STSJ País Vasco, Sala de lo Contencioso-administrativo, Sección 2.ª, de 11 Ene. 2012, rec. 690/2010.- LA LEY 183058/2012.

STSJ País Vasco, Sala de lo Contencioso-administrativo, Sección 2.ª, de 29 Nov. 2011, rec. 688/2010.- LA LEY 300725/2011.

STSJ País Vasco, Sala de lo Contencioso-administrativo, Sección 2.ª, de 18 Dic. 2009, rec. 217/2008.- LA LEY 317167/2009.

MODELO DE EXPEDIENTE: Licencia de actividad clasificada consulta previa *(Disponible a texto íntegro en smarteca.es)*

1)   *Solicitud de consulta previa a la licencia de actividad*

2)   *Admisión a trámite del expediente*

3)   Informe jurídico a la consulta previa

4)   Informe técnico a la consulta previa

5)   Resolución de la consulta previa

6)   Notificación de la consulta previa

B.   Expediente de concesión de licencia de actividad clasificada (arts. 57.2 ss. Ley 3/1998)

1.   Claves del Expediente

La licencia de actividad clasificada, junto con la comunicación previa de actividad clasificada se configura como el modo de intervención municipal para el ejercicio de actividades del anexo II A) de la Ley 3/1998, de 27 de febrero de protección general del medio ambiente en el País Vasco.

El expediente para la concesión de la licencia de actividad clasificada, de competencia municipal para su concesión, ha de tener en cuenta para su tramitación lo siguiente:

• La solicitud irá acompaña de proyecto técnico y memoria.

• Podrá denegarse la licencia de actividad clasificada antes de su tramitación, por ir contra el planeamiento o las ordenanzas municipales.

• Se someterá a información pública y notificará a vecinos inmediatos.

• Se solicitará informe al órgano ambiental de la Comunidad Autónoma u órgano foral.

• Se aplicará el silencio administrativo positivo.

• La licencia de actividad es previa a la concesión de la licencia de obras.

• Antes de iniciar la actividad será necesario comunicarlo al ayuntamiento, presentando certificación técnica.

PREGUNTAS CLAVE

1. ¿A quién corresponde la concesión, así como la ampliación o reforma de una actividad clasificada?

Al ayuntamiento en cuyo territorio fuera a ubicarse (art. 56.1 Ley 3/1998).

2. ¿Qué actuación puede realizar el promotor antes de solicitar la licencia de actividad?

De conformidad con el art. 57.1 de la Ley 3/1998, el promotor de la actividad pública o privada podrá realizar una consulta al Ayuntamiento, dirigida a que se le proporcione información de los requisitos jurídicos y técnicos de la licencia y de las medidas correctoras previsibles, así como sobre la viabilidad formal de la actividad.

3. ¿Puede denegarse la licencia de actividad antes de que la misma se tramite?

Es una de las consecuencias de que la actividad vaya en contra del planeamiento o de las ordenanzas municipales (art. 58.1 Ley 3/1998). En cualquier caso será necesario la previa audiencia al interesado antes de resolver la denegación de la licencia solicitada.

4. ¿Qué medios de publicidad tiene la licencia de actividad?

El expediente se somete a información pública por plazo de quince días en el Boletín Oficial del Territorio Histórico y la notificará personalmente a los vecinos inmediatos al lugar donde haya de emplazarse (art. 58.1 Ley 3/1998).

5. ¿Es preceptivo la emisión de informe sanitario?

Si, así lo exige el art. 58.2 Ley 3/1998, que a su vez le otorga el carácter de vinculante.

6. ¿Qué plazo hay para emitir el informe sanitario y técnico?

Se ha de emitir en el plazo de quince días, una vez agotado el período de exposición pública (art. 58.3 Ley 3/1998).

7. ¿Qué ocurre si no se emiten los informes sanitario y técnicos en plazo?

Sobre esta cuestión el art. 58 de la Ley 3/1998 silencia al alcance de la no emisión. Lo procedente será reiterar su emisión, ya que de lo contrario y transcurrido el plazo de seis meses desde la presentación de la solicitud de licencia, sin haberse emitido resolución expresa, se entenderá otorgada la misma en los términos del *art. 43 de la Ley 30/1992* (art. 60 Ley 3/1998).

8. ¿Es vinculante el informe del órgano ambiental de la Comunidad Autónoma u órgano foral competente?

Será vinculante para la autoridad municipal cuando sea contrario a la concesión de la licencia de actividad, así como cuando determine la necesidad de imposición de medidas correctoras (art. 59.2 Ley 3/1998).

9. ¿Qué plazo tiene el ayuntamiento para conceder la licencia de actividad clasificada?

Seis meses desde la solicitud inicial (art. 59 bis.1 Ley 3/1998).

10. ¿En qué supuesto queda sin efecto la licencia de actividad clasificada?

En el caso de que se incumplieran las condiciones a que estuvieran subordinadas (art. 59 bis 2 Ley 3/1998).

11. ¿Cuándo puede revocarse una licencia de actividad clasificada?

Cuando se conozcan circunstancias que hubieran justificado su denegación de acuerdo con los procedimientos de revisión de los actos administrativos contemplados en la *Ley 30/1992, de 26 de noviembre, de Régimen Jurídico de las Administraciones Públicas y del Procedimiento Administrativo Común* (art. 59 bis 4 Ley 3/1998).

12. ¿Es aplicable el silencio administrativo positivo en caso de paralización del procedimiento de licencia de actividad clasificada?

Transcurridos seis meses desde que se presentó formalmente la solicitud de licencia ante el Ayuntamiento sin haberse emitido resolución expresa por el órgano decisorio, y no mediando paralización del procedimiento imputable al solicitante, se entenderá otorgada la licencia en los términos del *artículo 43 de la Ley 30/1992, de 26 de noviembre, sobre Régimen Jurídico de las Administraciones Públicas y del Procedimiento Administrativo Común*, salvo en aquellos casos en que el órgano ambiental de la Comunidad Autónoma u órgano foral competente hubiere notificado su informe desfavorable y se hallase éste pendiente de ejecución por parte del respectivo Ayuntamiento (art. 60 Ley 3/1998).

13. ¿Puede concederse licencia de obras sin que se haya concedido la licencia actividad clasificada?

El art. 61.1 de la Ley 3/1998 prohíbe la concesión de licencias de obras para actividades sujetas a licencia de actividad clasificada en tanto no se haya concedido la licencia de actividad.

14. ¿Puede iniciarse sin más una actividad una vez que se ha concedido la licencia de actividad clasificada?

No. Antes de Una vez implantadas las medidas correctoras impuestas en la licencia de actividad clasificada y habilitadas las instalaciones, el inicio de la actividad se sujetará a un régimen de comunicación previa (art. 61.2 Ley 3/1998).

15. ¿Cuándo podrá iniciarse el ejercicio de la actividad clasificada?

Una vez se efectúe la comunicación y desde el día de su presentación (art. 61.4 Ley 3/1998).

2.   Jurisprudencia

Una vez concedida la licencia de actividad, puede ser concedida la licencia de obras (art. 61.1), y una vez ejecutadas y emitida la correspondiente certificación por el técnico competente que las dirige, la empresa ha de comunicar la terminación de las obras y el cumplimiento de las medidas correctoras, debiendo girar visita de inspección los técnicos municipales expidiendo un acta de comprobación, y si es favorable por ajustarse la obras al proyecto y haber sido implementadas las medidas correctoras, el Ayuntamiento ha de otorgar la licencia de apertura.

No se trata de procedimientos distintos los de concesión de la licencia de actividad y de apertura, sino de **dos actos de intervención de la Administración íntimamente ligados en un procedimiento bifásico**, en el que los interesados personados tras el período de información pública y los **vecinos personados tras la notificación personal, adquieren la condición de interesados** necesarios *ex art.* 31.1.c) LRJAP y PAC, condición que ostentan también en la fase de comprobación de la ejecución de las obras conforme al proyecto y de comprobación de la implementación de las medidas correctoras impuestas, sin que resulte exigible una segunda personación en el expediente como postula la apelante.

Si la Ley 3/1998 articula un **trámite de información pública y otro de notificación personal a los vecinos es porque considera esencial su participación en el procedimiento en defensa de sus legítimos intereses frente a la potencial afección de la actividad clasificada** (art.105-c) CE), y la *ratio* y finalidad de dicho trámite se verían defraudados, si su personación no alcanzara al trámite esencial de comprobación de que la obra se ha ejecutado conforme al proyecto que obtuvo la licencia y que se han implementado las medidas correctoras impuestas por la Administración ambiental. [STSJ País Vasco 16 marzo 2012.- LA LEY 273812/2012]

3. Legislación aplicable

—Europea

Directiva 2006/123/CE del Parlamento y del Consejo, de 12 de diciembre de 2006, relativa a los servicios en el mercado interior.

— Estatal

Ley 17/2009, de 23 de noviembre, sobre el Libre Acceso a las Actividades de Servicios.

Arts. 21.1. q) y s), 124.4.ñ), 70.bis y 84, 84 bis y 84 ter. de la Ley 7/1985, de 2 de abril, Reguladora de las Bases de Régimen Local.

Ley 39/2015, de 1 de octubre, del Procedimiento Administrativo Común de las Administraciones Públicas.

Arts. 4 y 5 de la Ley 12/2012, de 26 de diciembre, de medidas urgentes de liberalización del comercio y de determinados servicios.

— Autonómica

Arts. 55 y ss. Ley 3/1998, de 27 de febrero, de Protección general del Medio Ambiente. País Vasco.

Ley 7/2012 (País Vasco) de 23 de abril, de modificación de diversas leyes para su adaptación a la Directiva 2006/123/CE, de 12 de diciembre, del Parlamento Europeo y del Consejo, relativa a los servicios en el mercado interior.

4. Documentos de interés

—Doctrina

ALONSO RIESGO, María Dora; FERNÁNDEZ GANCEDO, Inmaculada. «Licencias municipales de actividad y de apertura en el marco de la libre prestación de servicios». *El Consultor de los Ayuntamientos y de los Juzgados*, n.º 21, Quincena del 15 al 29 Nov. 2011, Ref. 2506/2011, pág. 2506, tomo 2, LA LEY.

CANO MURCIA, Antonio. «El nuevo régimen jurídico de las licencias de apertura», *El Consultor de los Ayuntamientos y de los Juzgados*, 2010.

CASTELAO RODRÍGUEZ, julio. «Las licencias urbanísticas en el País Vasco». Esta doctrina forma parte del libro *Derecho urbanístico del País Vasco, El Consultor de los Ayuntamientos y de los Juzgados*, Madrid, enero 2008.- LA LEY 15640/2010.

CHOLBÍ CACHÁ, Francisco Antonio. «Apunte legislativo sobre las relaciones en la tramitación administrativa de las autorizaciones urbanísticas y de actividades».- LA LEY 23768/2011.

CHOLBÍ CACHÁ, Francisco Antonio; MERINO MOLINS, Vicente. «Comentario crítico sobre la directiva de Servicios y de las leyes 17 y 25/2009 en aplicación de la misma: especial incidencia en el ámbito de las licencias urbanísticas y de actividad», *El Consultor de los Ayuntamientos y de los Juzgados*, n.º 7, Quincena del 15 al 29 Abr. 2010, Ref. 1035/2010, pág. 1035, tomo 1, LA LEY.

GAVIEIRO GONZÁLEZ, Sonia. «¿El fin de las licencias de apertura? Breve análisis de la situación de las licencias de actividad, obras y apertura en la Comunidad Autónoma Vasca», *Práctica Urbanística*, n.º 121, Sección Estudios.- LA LEY 1351/2013.

MARTÍN HERNÁNDEZ, Paulino. «Las licencias para actividades clasificadas». Esta doctrina forma parte del libro *Administración Local. Estudios en Homenaje a Ángel Ballesteros*, 1.ª ed., *El Consultor de los Ayuntamientos y de los Juzgados*. Madrid, enero 2011.- LA LEY 21893/2011.

PENSADO SEIJAS, Alberto. «Evolución exprés de las licencias de actividad inocuas», *El Consultor de los Ayuntamientos y de los Juzgados*, n.º 17, Quincena del 15 al 29 Sep. 2013, Ref. 1623/2013, pág. 1623, tomo 2, LA LEY.

—Reseña jurisprudencial

STSJ País Vasco, Sala de lo Contencioso-administrativo, Sección 2.ª, n.º 117/2015, de 11 Mar. 2015, Rec. 118/2014.- LA LEY 40567/2015.

STSJ País Vasco, Sala de lo Contencioso-administrativo, Sección 1.ª, de 31 Oct. 2013, rec. 429/2012.- LA LEY 194083/2013.

STSJ País Vasco, Sala de lo Contencioso-administrativo, Sección 2.ª, de 18 Sep. 2013, rec. 825/2012.- LA LEY 257064/2013.

STSJ País Vasco, Sala de lo Contencioso-administrativo, Sección 2.ª, de 2 Jul. 2013, rec. 71/2012.- LA LEY 256478/2013.

STSJ País Vasco, Sala de lo Contencioso-administrativo, Sección 2.ª, de 5 Jun. 2013, rec. 915/2011.- LA LEY 121025/2013.

STSJ País Vasco, Sala de lo Contencioso-administrativo, Sección 2.ª, n.º 191/2012, de 16 Mar. 2012, Rec. 261/2010.- LA LEY 273812/2012.

STSJ País Vasco, Sala de lo Contencioso-administrativo, Sección 2.ª, de 11 Ene. 2012, rec. 690/2010.- LA LEY 183058/2012.

STSJ País Vasco, Sala de lo Contencioso-administrativo, Sección 2.ª, de 29 Nov. 2011, rec. 688/2010.- LA LEY 300725/2011.

STSJ País Vasco, Sala de lo Contencioso-administrativo, Sección 2.ª, de 22 Feb. 2011, rec. 1225/2008.- LA LEY 140622/2011.

STSJ País Vasco, Sala de lo Contencioso-administrativo, Sección 2.ª, de 18 Dic. 2009, rec. 217/2008.- LA LEY 317167/2009.

MODELO DE EXPEDIENTE: Concesión de licencia de actividad clasificada *(Disponible a texto íntegro en smarteca.es)*

1)   *Solicitud de licencia de actividad*

2)   *Admisión a trámite del expediente*

3)   *Requerimiento de relación de vecinos inmediatos*

4)   *Edicto*

5)   *Notificación a vecinos colindantes*

6)   *Certificado de reclamaciones al trámite de información pública*

7)   *Informe razonado sobre el establecimiento (art. 58.3)*

A)   Informe técnico a la licencia de actividad

B)   Informe jurídico a la licencia de actividad

C)   Informe de sanitario

8)   *Informe ambiental (arts. 59-62, delegación competencial)*

9)   *Resolución del expediente de licencia ambiental (art. 59 bis)*

10)   *Notificación del expediente de licencia ambiental*

11)   *Solicitud de inicio de actividad (art. 61.2)*

12)   *Toma de conocimiento del inicio de la actividad*

13)   *Notificación toma de conocimiento de la comunicación ambiental municipal*

C.   Expediente de control e inspección de actividad sujeta a licencia de actividad clasificada

1.   Claves del Expediente

El expediente de control e inspección de actividad sujeta a licencia de actividad clasificada tiene lugar una vez que la actividad está funcionando, luego es un control posterior a su ejercicio.

La inspección de la actividad podrá producirse como consecuencia de denuncia efectuada por particulares, o fruto de la inspección que el Ayuntamiento realice en el marco de sus atribuciones de inspección y vigilancia.

La importancia de este expediente y por ende de la actuación municipal radica en que el hecho de que se podrá detectar anomalías o deficiencias en el funcionamiento de las medidas correctoras, y por lo tanto sirve para exigir el cumplimiento al titular de la actividad del correcto funcionamiento de la misma, lo que evitará daños al medio ambiente y a la seguridad de las personas.

La inspección, es una facultad que se reserva el Ayuntamiento que en cualquier momento, y con posterioridad a la puesta en marcha, puede comprobar el grado de eficacia y funcionamiento de las medidas correctoras, verificar el estado de las instalaciones, etc. Es decir, se pretende con esta medida el velar por el buen estado de la actividad, requiriendo la subsanación de las deficiencias que se detecten.

Como consecuencia del resultado del expediente, podrá abrirse procedimiento sancionador.

PREGUNTAS CLAVE

1. ¿Quién tiene la competencia de inspección y control, de las licencias ambientales?

La competencia recae en el Ayuntamiento y corresponde ejercerla al alcalde y por delegación de éste a la Junta de Gobierno Local, o concejal delegado (art. 64 de la Ley 3/1998, de 27 de enero, de Protección General del Medio Ambiente).

2. ¿A quién corresponde la función inspectora de la licencia ambiental?

De acuerdo con el art. 106 de la Ley 3/1998 de 27 de enero, de Protección General del Medio Ambiente, al personal adscrito a las tareas de inspección que tendrá la consideración de agentes de la autoridad, hallándose facultados para acceder, en su caso sin previo aviso, tras su identificación, a las instalaciones en las que se desarrollen actividades objeto de dicha ley.

También las Administraciones públicas podrán otorgar determinadas facultades de vigilancia y control a entidades públicas o privadas debidamente acreditadas.

3. ¿Cuándo se realiza el control de una actividad sujeta a licencia de actividad clasificada?

Con carácter general, una vez que se ha concedido la licencia municipal de actividad, y con posterioridad al funcionamiento de la misma el ayuntamiento podrá en cualquier momento inspeccionar el establecimiento para comprobar el funcionamiento de las medidas correctoras impuestas.

El art. 64.2 de la Ley 3/1998 de 27 de enero, de Protección General del Medio Ambiente, precisa que cuando se adviertan deficiencias en el funcionamiento de una actividad, el alcalde o alcaldesa requerirá al titular de la misma para que las corrija en un plazo no superior a seis meses.

4. ¿Puede incoarse procedimiento sancionador como consecuencia del acta de comprobación que se levante?

Una de las consecuencias de la inspección que se realice y posterior levantamiento del acta de comprobación es la incoación de procedimiento sancionador, ya que según dispone el art. 107 de la Ley 3/1998 de 27 de enero, de Protección General del Medio Ambiente, en toda visita de inspección se levantará acta descriptiva de los hechos que puedan ser motivo de irregularidad.

5. ¿Cómo ha de actuarse si como consecuencia de una inspección se comprueba la existencia de una amenaza inminente por el funcionamiento de la actividad?

Dispone el art. 64.3 de la Ley 3/1998 de 27 de enero, de Protección General del Medio Ambiente que cuando exista amenaza inminente de que se produzcan daños graves o irreversibles al medio ambiente o peligro inmediato para las personas o sus bienes, el alcalde o alcaldesa podrá, con carácter preventivo, imponer la adopción de medidas, incluida en su caso la suspensión de la actividad total o parcialmente, en tanto no desaparezcan las circunstancias que generen la amenaza o el peligro.

6. ¿Cómo ha de actuarse si el titular de la actividad se niega a adoptar alguna de las medidas impuestas para evitar daños a las personas o al medio ambiente?

Cuando la persona titular de una actividad se niegue a adoptar alguna medida que le haya sido impuesta, la autoridad que haya requerido la acción, previo apercibimiento, podrá ejecutarla con carácter subsidiario, siendo a cargo de la persona titular los costes derivados, que serán exigibles por vía de apremio, tal como dispone el art. 64.4 de la Ley 3/1998 de 27 de enero, de Protección General del Medio Ambiente.

2. Jurisprudencia

• La licencia de apertura y/o funcionamiento crea una relación permanente con la Administración, ya que las exigencias del interés público demandan un funcionamiento correcto de la actividad y de sus medidas correctoras, lo cual implicará que la actividad desarrollada quede, durante la vigencia de la licencia, sujeta a inspecciones administrativas para la comprobación del cumplimiento de las condiciones expresadas en la misma, conforme declaran, entre otras, las SSTS de 4 octubre 1986 y 30 junio 1987 y. [STSJ Madrid 13 noviembre 2001]

• Otorgada una licencia de funcionamiento de una actividad la Administración no queda desposeída de potestades, sino que puede y debe ejercer la actividad administrativa de policía a fin de defender y garantizar los intereses generales; y esa actividad de policía ha de tener concreción en actos de intervención congruentes con los motivos y fines que la justifiquen —arts. 84.2 Ley 7/1985, de 2 abril (Reguladora de las Bases del Régimen Local) y 5.1 RSCL—. [STS 22 junio 1993]

3. Legislación aplicable

—Estatal

Art. 84.1 b) y d); 84 bis) LRBRL.

— Autonómica

Arts. 64, 106 y 107 de la Ley 3/1998, de 27 de enero, de Protección General del Medio Ambiente.

4. Documentos de interés

—Doctrina

CANO MURCIA, Antonio. «El nuevo régimen jurídico de las licencias de apertura». *El Consultor de los Ayuntamientos y de los Juzgados*, 2010.

—. «Manual de Licencias de Apertura de Establecimientos». Aranzadi.

BARRANCO VELA, Rafael; BULLEJOS CALVO, Carlos y CAMPOS SÁNCHEZ, Miguel Ángel. «Espectáculos Públicos, Actividades Recreativas y Establecimientos Públicos». *El Consultor de los Ayuntamientos y de los Juzgados*, 2011.

CHOLBÍ CACHÁ, Francisco Antonio. «El régimen de la comunicación previa, las licencias de urbanismo y su procedimiento y otorgamiento». *El Consultor de los Ayuntamientos y de los Juzgados*. 2010.

—Reseña jurisprudencial

STSJ País Vasco, Sala de lo Contencioso-administrativo, Sección 2.ª, de 26 Sep. 2007, rec. 1364/2006.- LA LEY 231593/2007.

STSJ País Vasco, Sala de lo Contencioso-administrativo, Sección 2.ª, de 9 Feb. 2006, rec. 625/2005.- LA LEY 53109/2006.

STSJ País Vasco, Sala de lo Contencioso-administrativo, Sección 2.ª, de 18 Feb. 2005, rec. 243/2004.- LA LEY 40302/2005.

STSJ País Vasco, Sala de lo Contencioso-administrativo, Sección 2.ª, de 16 Jul. 2004, rec. 144/2004.- LA LEY 168968/2004.

STSJ País Vasco, Sala de lo Contencioso-administrativo, Sección 2.ª, de 8 Jul. 2004, rec. 162/2003.- LA LEY 161828/2004.

MODELO DE EXPEDIENTE*(Disponible a texto íntegro en smarteca.es)*

1)   *Acta de comprobación*

2)   *Resolución ordenando apertura de expediente*

3)   *Notificación de acta de inspección en trámite de audiencia*

4)   *Escrito de alegaciones en trámite de audiencia*

5)   *Resolución del expediente de inspección y control*

6)   *Notificación de la resolución del expediente de inspección y control*

D.   Expediente de cambio de titularidad de licencia de actividad clasificada

1.   Claves del Expediente

Aunque es una cuestión que puede considerarse pacífica, el cambio de titularidad en general de los establecimientos, negocios y actividades en general y en particular de la licencia ambiental se sujeta al cumplimiento de unos requisitos mínimos, que tienen como objetivo fundamental el poner en conocimiento de la Administración (órgano sustantivo ambiental) el nuevo titular de la actividad.

A tenor del artículo 13.1 del Reglamento de Servicios de las Corporaciones Locales, aprobado por Decreto de 17 de junio de 1955, las licencias relativas a las condiciones de una obra, instalación o servicio serán transmisibles, pero el antiguo y el nuevo constructor o empresario deberán comunicarlo por escrito a la Corporación, sin lo cual quedarán ambos sujetos a todas las responsabilidades que se derivaren para el titular.

Esta posición legal ha quedado superada mediante el art. 3.2 de la Ley 12/2012, de 26 de diciembre, de medidas urgentes de liberalización del comercio y de determinados servicios, al decir que no están sujetos a licencia los cambios de titularidad de las acti-

vidades comerciales y de servicios, siendo exigible en estos casos una comunicación previa a la administración competente a los solos efectos informativos.

A los efectos de la transmisión de la licencia de actividad clasificada, se tendrá en cuenta la citada Ley, ante la falta de regulación en la Ley 3/1998, de 27 de febrero de Protección General del Medio Ambiental.

Ha de tenerse en cuenta:

• La comunicación ha de ser expresa.

• No es necesario que vaya acompañada de título o documento que acredite la transmisión (contrato de compraventa, de arrendamiento, de cesión etc.).

• Si la transmisión se produce sin realizar la correspondiente comunicación, el anterior y el nuevo titular quedan sujetos, de forma solidaria, a todas las responsabilidades y obligaciones derivadas del incumplimiento de dicha obligación.

PREGUNTAS CLAVE

1. ¿Qué requisitos han de cumplirse para realizar el cambio de titularidad una actividad?

Para que el nuevo titular de una actividad pueda realizar el cambio de titularidad, deberá ser comunicado al Ayuntamiento a efectos informativos (art. 3.2 de la Ley 12/2012)

2. ¿Es necesario que el anterior titular comunique la transmisión de la actividad a un tercero?

No es un requisito necesario. El art. 3.2 de la Ley 12/2012 no exige esta comunicación.

3. ¿Qué ocurre si no se comunica la transmisión de la actividad?

La no comunicación del cambio de titularidad de la actividad por el anterior o el nuevo titular supone que el anterior y nuevo titular queda sujetos, de forma solidaria, a todas las responsabilidades y obligaciones derivadas de dicho incumplimiento.

4. ¿Puede transmitir la licencia de actividad el que no es propietario del local en el que se ejerce la misma?

Sí. El ejercicio de una actividad tanto mediante la concesión expresa de licencia de apertura o actividad o mediante la comunicación previa o declaración responsable tiene carácter real, al margen de la titularidad del inmueble y de las relaciones subjetivas que existan entre el titular del mismo y el que ocupe el local mediante contrato de arrendamiento, u cualquier otro título. En este sentido es de aplicación lo dispuesto en el art. 12. 1 RSCL «Las autorizaciones y licencias se entenderán otorgadas salvo el derecho de propiedad y sin perjuicio del de tercero».

5. ¿Ha de resolverse expresamente por el Ayuntamiento la comunicación de cambio de titularidad?

No. El art. 3.2 de la Ley 12/2012 habla de comunicación previa a la administración competente, sin que sea necesario posteriormente dictar resolución alguna. A efectos prácticos bastaría en cualquier caso tomar conocimiento de la transmisión, dejando constancia en el expediente.

6. ¿Qué ocurre si el Ayuntamiento no dicta resolución de cambio de titularidad?

Si el Ayuntamiento, recibida la comunicación de cambio de titularidad de la actividad, no resuelve expresamente el mismo, ha de entenderse que por silencio administrativo positivo se da por cumplido el trámite a todos los efectos, teniendo en cuenta que la resolución del órgano sustantivo no es generadora de derechos para el nuevo titular de la actividad, sino que tiene los efectos de una simple comunicación, que el Ayuntamiento constata mediante la toma de conocimiento del nuevo titular. En este sentido para la STS 15 octubre 1981 «La intervención municipal en caso de transmisión de licencias no es de previa y expresa autorización para que aquélla opere, sino de mera constatación o toma de razón de la extra-administrativamente producida por el simple acuerdo del antiguo y nuevo propietario, cuyo incumplimiento determina que ambos queden sujetos a todas las responsabilidades que se deriven para el titular».

2.   Jurisprudencia

• La Administración está obligada a reconocer el cambio de la titularidad de la licencia sin perjuicio de las distintas actuaciones que le conciernen ejercer contra la misma del mismo modo que si no se hubiese transmitido. [STSJ Madrid 18 septiembre 2001]

• Para proceder al cambio de titularidad el Ayuntamiento ha de tener constancia de que efectivamente dicho cambio se ha producido, y ello por dos mecanismos alternativos, uno bilateral, que no es otro que la conformidad del anterior titular, y otro, que no precisa dicha conformidad, más complejo, que consiste en la acreditación de que se ha adquirido por cualquier medio, *inter vivos* o *mortis causa*, la propiedad o posesión del inmueble en cuestión. [STSJ Madrid 15 enero 2004]

• El cambio de titular por sí solo resultaba jurídicamente irrelevante en cuanto afectaría a los posibles derechos de los particulares (STS de 23 diciembre 1998), porque la licencia mantenía su vigencia mientras subsistieran las condiciones de la actividad, de modo que el Ayuntamiento, **de no advertir otras modificaciones que las subjetivas, que son inoperantes a estos efectos, debió otorgar la transmisión de la titularidad de la licencia cuando le fue comunicado por escrito por el dueño del establecimiento,** toda vez que no ofrecía duda el título legítimo de la transmisión ya que la subrogación en la explotación se producía por los dueños del local a favor del nuevo titular, una vez que el anterior arrendamiento había sido declarado extinguido por resolución judicial. [STSJ País Vasco 13 julio 2001]

3.   Legislación aplicable

—Estatal

Art. 13 del Decreto de 17 de junio de 1955, por el que se aprueba el Reglamento de Servicios de las Corporaciones Locales.

Art. 3 de la Ley 12/2012, de 26 de diciembre, de medidas urgentes de liberalización del comercio y de determinados servicios.

— Autonómica

Art. 12.4 de la Ley 4/1995, de 10 de noviembre, de espectáculos públicos y actividades recreativas.

4. Documentos de interés

—Doctrina

ALONSO RIESGO, María Dora; FERNÁNDEZ GANCEDO, Inmaculada. «Licencias municipales de actividad y de apertura en el marco de la libre prestación de servicios». *El Consultor de los Ayuntamientos y de los Juzgados*, n.º 21, Quincena del 15 al 29 Nov. 2011, Ref. 2506/2011, pág. 2506, tomo 2, LA LEY.

CANO MURCIA, Antonio. «El nuevo régimen jurídico de las licencias de apertura», *El Consultor de los Ayuntamientos y de los Juzgados*, 2010.

CASTELAO RODRÍGUEZ, julio. «Las licencias urbanísticas en el País Vasco». Esta doctrina forma parte del libro *Derecho urbanístico del País Vasco*, El Consultor de los Ayuntamientos y de los Juzgados, Madrid, enero 2008.- LA LEY 15640/2010.

CHOLBÍ CACHÁ, Francisco Antonio; MERINO MOLINS, Vicente. «Comentario crítico sobre la directiva de Servicios y de las leyes 17 y 25/2009 en aplicación de la misma: especial incidencia en el ámbito de las licencias urbanísticas y de actividad», *El Consultor de los Ayuntamientos y de los Juzgados*, n.º 7, Quincena del 15 al 29 Abr. 2010, Ref. 1035/2010, pág. 1035, tomo 1, LA LEY.

GAVIEIRO GONZÁLEZ, Sonia. «¿El fin de las licencias de apertura? Breve análisis de la situación de las licencias de actividad, obras y apertura en la Comunidad Autónoma Vasca», *Práctica Urbanística*, n.º 121, Sección Estudios.- LA LEY 1351/2013.

MARTÍN HERNÁNDEZ, Paulino. «Las licencias para actividades clasificadas». Esta doctrina forma parte del libro *Administración Local. Estudios en Homenaje a Ángel Ballesteros*, 1.ª ed., El Consultor de los Ayuntamientos y de los Juzgados. Madrid, enero 2011.- LA LEY 21893/2011.

MORA GONZÁLEZ, María Jesús. «La transmisión de las licencias urbanísticas». *El Consultor de los Ayuntamientos y de los Juzgados*, n.º 23, Quincena del 15 al 29 Dic. 2007, Ref. 3889/2007, pág. 3889, tomo 3, LA LEY.- LA LEY 6927/2007.

PENSADO SEIJAS, Alberto. «Evolución exprés de las licencias de actividad inocuas», *El Consultor de los Ayuntamientos y de los Juzgados*, n.º 17, Quincena del 15 al 29 Sep. 2013, Ref. 1623/2013, pág. 1623, tomo 2, LA LEY.

—Reseña jurisprudencial

STSJ País Vasco 13 julio 2001.

STSJ Castilla y León (Burgos) de 28 noviembre 2011. LA LEY 232204/2011.

STSJ Madrid 18 septiembre 2001.

STSJ Madrid 15 enero 2004.

STSJ País Vasco, Sala de lo Contencioso-administrativo, Sección 2.ª, de 13 Ene. 2011, rec. 875/2008.- LA LEY 5462/2011.

STSJ País Vasco, Sala de lo Contencioso-administrativo, Sección 2.ª, de 10 Oct. 2011, rec. 1698/2009.- LA LEY 300763/2011.

STSJ País Vasco, Sala de lo Contencioso-administrativo, Sección 2.ª, de 7 Nov. 2011, rec. 398/2010.- LA LEY 300831/2011.

STSJ País Vasco, Sala de lo Contencioso-administrativo, Sección 2.ª, n.º 50/2014, de 29 Ene. 2014, Rec. 849/2012.- LA LEY 78251/2014.

MODELO DE EXPEDIENTE: Concesión de titularidad de licencia de actividad clasificada *(Disponible a texto íntegro en smarteca.es)*

1) *Comunicación de cambio de titularidad de licencia de actividad clasificada*

2) *Resolución de cambio de titularidad de licencia actividad clasificada*

3) *Notificación de cambio de titularidad de licencia actividad clasificada*

16. Principado de Asturias

A. Expediente de licencia municipal para intalación de actividad sujeta al RAMINP

1. Claves del Expediente

El Reglamento de Actividades Molestas, Insalubres, Nocivas y Peligrosas de 30 de noviembre de 1961 (RAMINP) establece el procedimiento para el ejercicio de las actividades calificadas, que figuran en su anexo, sin carácter limitativo.

Importa tener en cuenta, especialmente, lo dispuesto en el art. 84 bis de la Ley 7/1985, de 2 de abril, Reguladora de las Bases del Régimen Local, que permite ampliar la intervención o control municipal preventivo para determinadas actividades.

PREGUNTAS CLAVE

1. ¿El plazo de información pública de la licencia de actividad, es de diez o de veinte días?

La vigencia del RAMINP en el Principado de Asturias, provoca entre otras muchas cuestiones contradictorias la de fijar el plazo de información pública del expediente. *Strictu sensu*, el plazo es de diez días (art. 30.2 a) del RAMINP. Ahora bien, dicho plazo de exposición pública de diez días ha de entenderse derogado por art. 86.2 LRJPA, que lo fija en veinte días mínimo.

2. ¿Han de estar visados los proyectos técnicos?

De acuerdo con lo dispuesto en el art. 2 del RD 1000/2010, de 5 de agosto, sobre visado colegial obligatorio los proyectos técnicos deberán estar visados por remisión que dicho precepto hace al art. 2.1 de la Ley 38/1999, de 5 de noviembre, de ordenación de la edificación.

3. ¿Han de estar visados los documentos complementario que al proyecto técnico visado se presenten en sustitución o complemento de aquél?

Considerando el alcance fundamental del visado colegial, esto es comprobar la identidad y habilitación profesional del autor del trabajo (art. 13.2 a) de la Ley 2/1974, de 13 de febrero, sobre Colegios Profesionales, modificado por Ley 25/2009, de 22 de diciembre, siendo uno de los objetivos de ésta la de simplificar los procedimientos, evitando dilaciones innecesarias y reduciendo las cargas administrativas a los prestadores de servicios, tal como asimismo se recoge en la Ley 17/2009, de 23 de diciembre, leyes ambas que traen su causa en la Directiva 2006/123/CE relativa a los servicios en el mercando interior, se considerará que no es necesario el visado adicional de documentos complementarios al proyecto técnico original, bastando con que en los mismo se haga referencia al visado de éste.

4. ¿Es necesaria la puesta en marcha para el ejercicio de la actividad clasificada?

No. Como consecuencia de la entrada en vigor de la LAS, y en aplicación de lo dispuesto en DA octava de la Ley 1/2010, de 1 de marzo, de reforma de la Ley 7/1996, de 15 de enero, de Ordenación del Comercio Minorista, una vez obtenida la calificación o clasificación ambiental podrá presentarse la declaración responsable o la comunicación previa, debiendo no obstante disponer el prestador de la actividad o servicio la documentación que acredite haber realizado el trámite ambiental.

No obstante, ha de tenerse en cuenta que el RAMINP no permite la interpretación anterior, por lo que nos podemos encontrar en la práctica, con situaciones diferentes en los municipios, dependiendo el criterio de interpretación que se haya del mismo a la vista de la normativa comunitaria y estatal vigente.

2. Jurisprudencia

• El Tribunal Supremo no exige que se trate de vecinos colindantes ni de viviendas adosadas, sino una **situación de proximidad** respecto de la actividad molesta «si bien no existe un material adosamiento del edificio, lo cierto es que la situación de proximidad entre éste y los números correlativos, así como respecto a las viviendas situadas en otras calles inmediatas entre las que figura la morada de la demandante y recurrente, es de tal naturaleza que apenas median cuatro metros de distancia entre unas y otras» (sentencia de 21 de octubre de 1998). Entre los vecinos inmediatos, cabe incluir a aquellos que, **sin ser materialmente colindantes, están próximos o cercanos al punto de que se trate**. Ahora bien, no se admite una interpretación extensiva del concepto de vecindad inmediata, porque la norma añade al concepto de vecindad el de inmediación, puesto que el resto de los vecinos se prevé tomen conocimiento por medio de la información pública. [STS 3.ª secc. 5.ª, S. 26 marzo 1999]

• Se pondera por las partes que no se trataba de realizar de nuevo una actividad, ya que anteriormente el sótano se destinaba a aparcamiento abierto al público y ahora se pretende instalar un garaje; que compareció en el procedimiento administrativo la comunidad de propietarios del inmueble, aunque es cierto que no se hizo notificación personal a todos y cada uno de los vecinos; y que se siguió en debida forma el procedimiento que establece el Reglamento, **notificándose de forma personal a los vecinos de las plantas del edificio inmediatamente superiores al garaje, aunque como acaba de decirse esta notificación se omitió por lo que se refiere a los habitantes o vecinos de las plantas más altas del edificio destinado a viviendas.** A la vista de ello se razona en el sentido de que a lo sumo en la tramitación del procedimiento **se incurrió en una irregularidad, pero ésta no era invalidante,** por lo que resulta **excesivo anular la licencia** y ordenar la retroacción de actuaciones.

Es consciente esta Sala de que en el proceso casacional no es posible entrar en una nueva valoración de los hechos que considera acreditados la sentencia del Tribunal *a quo*, pero ha de tenerse en cuenta que los datos fácticos anteriores no aparecen contradichos por la sentencia del TSJ, la cual los acepta ateniéndose a la argumentación de las partes. En consecuencia, lo que es preciso realizar ahora es el enjuiciamiento de si se estaba en definitiva ante una irregularidad suficiente para declarar la nulidad del acto como entendió la sentencia recurrida, o por el contrario la irregularidad no es de naturaleza tan grave como para acordar la anulación del acto del Ayuntamiento.

Al respecto es de tener en cuenta que no puede estarse a la invocación de una sentencia de este TS singular y aislada, como hace el Tribunal *a quo* al referirse a la que fue dictada en 12 Mar. 1991. La previsión del art. 30.2 a) del Reglamento aplicable ha de ser interpretada en un sentido tal que se atienda al cumplimiento de los fines del mandato realizando en su día por el titular de la potestad reglamentaria. Entiende esta Sala que dicha **finalidad no es otra que la protección de los vecinos inmediatos,** por lo que, ponderando las circunstancias del caso enjuiciado, se llega a la conclusión de que los vecinos inmediatos, es decir, los que habitan o utilizan las plantas inmediatamente superiores al garaje, fueron notificados de modo personal. Sin duda esto supuso una interpretación minimalista por parte del Ayuntamiento del precepto aplicable, pues de algún modo los vecinos de las plantas superiores del inmueble podían verse afectados asimismo por la existencia del garaje.

Por ello hay que apreciar desde luego la existencia de una irregularidad procedimental, pero debe concluirse que **esta irregularidad, como afirman los recurrentes en casación, no es bastante para invalidar el acto administrativo**. Este juicio resulta abonado porque de existir efectivamente molestias los más afectados por ellas fueron efectivamente notificados, lo que no supone un incumplimiento radical y completo del precepto reglamentario. [STS 12 mayo 1999.- LA LEY 6972/1999]

3. Legislación aplicable

—Europea

Directiva 2006/123/CE del Parlamento y del Consejo, de 12 de diciembre de 2006, relativa a los servicios en el mercado interior.

— Estatal

Ley 17/2009, de 23 de noviembre, sobre el Libre Acceso a las Actividades de Servicios.

Arts. 21.1. q) y s), 124.4.ñ), 70.bis y 84, 84 bis y 84 ter. de la Ley 7/1985, de 2 de abril, Reguladora de las Bases de Régimen Local.

Ley 39/2015, de 1 de octubre, del Procedimiento Administrativo Común de las Administraciones Públicas.

— Autonómica

Ley del Principado de Asturias 8/2002, de 21 de octubre, de Espectáculos Públicos y Actividades Recreativas.

— Ordenanzas municipales

4. Documentos de interés

—Doctrina

BALLINA DÍAZ, Diego. «La apertura de establecimientos mercantiles e industriales en el Principado de Asturias». *Práctica Urbanística*, n.º 121, Sección Perspectivas sectoriales, LA LEY 1359/2013.

ALONSO RIESGO, María Dora; FERNÁNDEZ GANCEDO, Inmaculada. «Licencias municipales de actividad y de apertura en el marco de la libre prestación de servicios». *El Consultor de los Ayuntamientos y de los Juzgados*, n.º 21, Sección Colaboraciones, Quincena del 15 al 29 Nov. 2011, Ref. 2506/2011, pág. 2506, tomo 2,LA LEY 18042/2011.

CULLÍA DE LA MAZA, José Antonio. «La problemática de la obtención y expedición de la licencia de obras en Asturias. Regulación. Jurisprudencia del Tribunal Superior de Justicia de Asturias. *Práctica Urbanística*, n.º 108, Sección Estudios, octubre 2011.- LA LEY 17182/2011.

MARTÍN HERNÁNDEZ, Paulino. «Las licencias para actividades clasificadas». Esta doctrina forma parte del libro *Administración Local. Estudios en Homenaje a Ángel Ballesteros*, 1.ª ed., *El Consultor de los Ayuntamientos y de los Juzgados*. Madrid, enero 2011.- LA LEY 21893/2011.

OTONÍN BARRERA, Fernando. «Principado de Asturias». Esta doctrina forma parte del libro *La ordenación de establecimientos comerciales*, 1.ª ed., LA LEY, Madrid, junio 2005.- LA LEY 5263/2007.

—Reseña jurisprudencial

STSJ Principado de Asturias, Sala de lo Contencioso-administrativo, Sección 1.ª, n.º 141/2015, de 27 Feb. 2015, Rec. 258/2014.- LA LEY 11363/2015.

STSJ Principado de Asturias, Sala de lo Contencioso-administrativo, Sección 1.ª, de 20 May. 2013, rec. 1827/2011.- LA LEY 73733/2013.

STSJ Principado de Asturias, Sala de lo Contencioso-administrativo, Sección 1.ª, de 31 Jul. 2012, rec. 1308/2010.- LA LEY 115909/2012.

STSJ Principado de Asturias, Sala de lo Contencioso-administrativo, Sección 1.ª, de 7 Dic. 2010, rec. 1521/2008.- LA LEY 253578/2010.

STSJ Principado de Asturias, Sala de lo Contencioso-administrativo, Sección 1.ª, de 17 Sep. 2010, rec. 88/2010.- LA LEY 168544/2010.

STSJ Principado de Asturias, Sala de lo Contencioso-administrativo, Sección 1.ª, de 7 Jun. 2010, rec. 276/2009.- LA LEY 116759/2010.

STSJ Principado de Asturias, Sala de lo Contencioso-administrativo, Sección 1.ª, de 25 Ene. 2010, rec. 297/2009.- LA LEY 25469/2010.

STSJ Principado de Asturias, Sala de lo Contencioso-administrativo, Sección 1.ª, de 25 Jun. 2008, rec. 260/2006.- LA LEY 332246/2008.

STSJ Principado de Asturias, Sala de lo Contencioso-administrativo, Sección 1.ª, de 12 Mar. 2007, rec. 68/2006.- LA LEY 86284/2007.

MODELO DE EXPEDIENTE: Licencia municipal para instalación de actividad sujeta al RAMINP *(Disponible a texto íntegro en smarteca.es)*

1)   Inicio expediente para concesión de licencia municipal de actividad

2)   Admisión a trámite del expediente

3) *Requerimiento vecinos a policía local*

4) *Edicto de información pública*

5) *Informe técnico*

6) *Notificación a vecinos colindantes*

7) *Certificado de reclamaciones*

8) *Informe de la Corporación Municipal*

9) *Remisión expediente al Servicio de Gestión Medioambiental*

10) *Informe del Servicio de Gestión Medioambiental*

11) *Licencia de instalación de actividad*

12) *Notificación licencia de instalación*

13) *Visita de comprobación*

14) *Licencia de apertura*

15) *Notificación*

5. Control de actividades clasificadas

Se aplica el art. 34 RAM sobre comprobación de las instalaciones antes del ejercicio de la actividad.

Corresponde realizar la visita de comprobación al funcionario técnico competente, no sólo por la actividad de que se trate, sino también por la naturaleza del daño que pueda causarse. En el caso de que no dispusiere el Ayuntamiento de tal funcionario, podrá solicitarlo del correspondiente Organismo provincial.

Se impone la necesaria adaptación de esta normativa al régimen de inspección y control que se deriva del art. 84 bis LRBRL.

B. Expediente de cambio de titularidad de licencia de actividad molesta, insalubre, nociva o peligrosa

1. Claves del Expediente

Aunque es una cuestión que puede considerarse pacífica, el cambio de titularidad en general de los establecimientos, negocios y actividades en general y en particular de la licencia de actividad se sujeta al cumplimiento de unos requisitos mínimos, que tienen como objetivo fundamental el poner en conocimiento de la Administración el nuevo titular de la actividad.

A tenor del artículo 13.1 del Reglamento de Servicios de las Corporaciones Locales, aprobado por Decreto de 17 de junio de 1955, las licencias relativas a las condiciones de una obra, instalación o servicio serán transmisibles, pero el antiguo y el nuevo constructor o empresario deberán comunicarlo por escrito a la Corporación, sin lo cual quedarán ambos sujetos a todas las responsabilidades que se derivaren para el titular.

Esta posición legal ha quedado superada mediante el art. 3.2 de la Ley 12/2012, de 26 de diciembre, de medidas urgentes de liberalización del comercio y de determinados servicios, al decir que no están sujetos a licencia los cambios de titularidad de las actividades comerciales y de servicios, siendo exigible en estos casos una comunicación previa a la administración competente a los solos efectos informativos.

Ha de tenerse en cuenta:

• La comunicación ha de ser expresa.

• No es necesario que vaya acompañada de título o documento que acredite la transmisión (contrato de compraventa, de arrendamiento, de cesión etc.)

• Si la transmisión se produce sin realizar la correspondiente comunicación, el anterior y el nuevo titular quedan sujetos, de forma solidaria, a todas las responsabilidades y obligaciones derivadas del incumplimiento de dicha obligación.

Las actividades sujetas al RAMINP no difieren en su transmisión de las denominadas inocuas, si bien, y por las características de aquéllas, se suelen inspeccionar las mismas al comunicarse el cambio de titularidad.

PREGUNTAS CLAVE

1. ¿De qué plazo dispone el nuevo titular de la actividad para comunicar el cambio de titularidad de la licencia?

El cambio de titularidad de la licencia de actividad que no implique traslado o cambio de las condiciones de ejercicio de la actividad, cuando no se trate de actividades sujetas a autorización ambiental autonómica, deberá comunicarse al ayuntamiento por el adquirente en el mes siguiente a la adquisición del negocio o actividad, de conformidad con lo dispuesto en el art. 69.1 de la Ley 4/2009, de 14 de mayo, de Protección Ambiental Integrada.

2. ¿Puede realizar la comunicación de la transmisión de la actividad el transmitente?

Si el nuevo titular de la actividad no comunica la transmisión al Ayuntamiento, el transmitente o anterior titular puede poner en conocimiento del municipio la transmisión, descargando así la responsabilidad que pudiera recaerle.

3. ¿Cuándo surte efectos el cambio de titularidad de la licencia de actividad?

El cambio de titularidad de la licencia surtirá efectos ante la Administración desde la comunicación completa, quedando subrogado el nuevo titular en los derechos, obligaciones y responsabilidades del titular anterior.

4. ¿Qué consecuencia tiene la no presentación de la comunicación del cambio de titularidad de la licencia de actividad?

Si el órgano competente tiene noticia de la transmisión del negocio o actividad sin que medie comunicación, requerirá al adquirente para que acredite el título de transmisión y asuma las obligaciones correspondientes.

5. ¿Qué requisitos han de cumplirse para realizar el cambio de titularidad una actividad?

Para que el nuevo titular de una actividad pueda realizar el cambio de titularidad, deberá ser comunicado al Ayuntamiento a efectos informativos (art. 3.2 de la Ley 12/2012).

6. ¿Es necesario que el anterior titular comunique la transmisión de la actividad a un tercero?

No es un requisito necesario. El art. 3.2 de la Ley 12/2012 no exige esta comunicación.

7. ¿Qué ocurre si no se comunica la transmisión de la actividad?

La no comunicación del cambio de titularidad de la actividad por el anterior o el nuevo titular supone que el anterior y nuevo titular queda sujetos, de forma solidaria, a todas las responsabilidades y obligaciones derivadas de dicho incumplimiento.

8. ¿Puede transmitir la licencia de actividad el que no es propietario del local en el que se ejerce la misma?

Sí. El ejercicio de una actividad tanto mediante la concesión expresa de licencia de apertura o actividad o mediante la comunicación previa o declaración responsable tiene carácter real, al margen de la titularidad del inmueble y de las relaciones subjetivas que existan entre el titular del mismo y el que ocupe el local mediante contrato de arrendamiento, u cualquier otro título. En este sentido es de aplicación lo dispuesto en el art. 12. 1 RSCL «Las autorizaciones y licencias se entenderán otorgadas salvo el derecho de propiedad y sin perjuicio del de tercero».

9. ¿Ha de resolverse expresamente por el Ayuntamiento la comunicación de cambio de titularidad?

No. El art. 3.2 de la Ley 12/2012 habla de comunicación previa a la administración competente, sin que sea necesario posteriormente dictar resolución alguna. A efectos prácticos bastaría en cualquier caso tomar conocimiento de la transmisión, dejando constancia en el expediente.

10. ¿Qué ocurre si el Ayuntamiento no dicta resolución de cambio de titularidad?

Si el Ayuntamiento, recibida la comunicación de cambio de titularidad de la actividad, no resuelve expresamente el mismo, ha de entenderse que por silencio administrativo positivo se da por cumplido el trámite a todos los efectos, teniendo en cuenta que la resolución del órgano sustantivo no es generadora de derechos para el nuevo titular de la actividad, sino que tiene los efectos de una simple comunicación, que el Ayuntamiento constata mediante la toma de conocimiento del nuevo titular. En este sentido para la STS 15 octubre 1981 «La intervención municipal en caso de transmisión de licencias no es de previa y expresa autorización para que aquélla opere, sino de mera constatación o toma de razón de la extra-administrativamente producida por el simple acuerdo del antiguo y nuevo propietario, cuyo incumplimiento determina que ambos queden sujetos a todas las responsabilidades que se deriven para el titular».

2. Jurisprudencia

• No constando que la licencia de apertura en su día concedida al demandante lo fuese en atención a su persona, esto es, a especiales circunstancias personales del mismo que impidiesen su transmisión a los efectos prevenidos en el art. 13 del Reglamento de Servicios de las Corporaciones Locales, tal y como se sostiene, entre otras, en la STS de 12 Jul. 2000, **el cambio de titular no requiere la solicitud de una nueva licencia, la cual solo sería exigible si hubiese existido una modificación de la actividad para la cual aquélla se concedió, lo que no se da en este caso.** Por tanto, el único efecto o consecuencia jurídica de la falta de notificación por escrito de tal circunstancia es la **sumisión conjunta de transmitente y adquirente a las responsabilidades** de la explotación de la licencia, sin que lleve consigo la imposición de la sanción debatida en estos autos. [STSJ Extremadura 27 septiembre 2001.- LA LEY 170424/2001]

• La transmisión de la licencia constituye en definitiva la realización de un **negocio jurídico del transmitente en cuanto titular originario de la autorización administrativa pero sin que tal operación traslativa tenga relevancia a efectos de alterar las condiciones de la propia autorización,** de tal modo que permanece idéntica su eficacia y viabilidad jurídica del acto proyectado y en consecuencia del incumplimiento del deber administrativo impuesto por el artículo 13.1 del R. S. C. L., de comunicar la transferencia al Ayuntamiento, circunstancia no realizada en el supuesto de autos, **no repercute sobre la validez y existencia de la licencia y sí en cambio, únicamente en el régimen de responsabilidades derivado de la titularidad de la licencia** quedando también el transmitente sujeto junto con el adquirente a dichas responsabilidades máxime cuando el deber de comunicación de la transmisión de la licencia ha de operar a efectos de información del Ayuntamiento de los titulares en cada momento de licencias. [STSJ Extremadura 15 diciembre 2006.- LA LEY 214993/2006]

• Tampoco cabe oponer el artículo 42 de la Ley 11/2003 de 8 de abril, de Prevención Ambiental de Castilla y León puesto que, de su lectura e interpretación literal, llegamos a una conclusión distinta de la que se contiene en la Sentencia recurrida, ya que claramente se refiere **solo al deber de comunicación a las Administraciones y a las consecuencias del incumplimiento de tal deber**, que se ventilan no en la denegación de la transmisión de la licencia, sino en el de las responsabilidades de cedente y cesionario del incumplimiento de las obligaciones que impone la ley. [STSJ Castilla y León (Burgos) 28 noviembre 2011.- LA LEY 232204/2011]

• El cambio de titular por sí solo resultaba jurídicamente irrelevante en cuanto afectaría a los posibles derechos de los particulares (STS de 23 diciembre 1998), porque la licencia mantenía su vigencia mientras subsistieran las condiciones de la actividad, de modo que el Ayuntamiento, **de no advertir otras modificaciones que las subjetivas, que son inoperantes a estos efectos, debió otorgar la transmisión de la titularidad de la licencia cuando le fue comunicado por escrito por el dueño del establecimiento,** toda vez que no ofrecía duda el título legítimo de la transmisión ya que la subrogación en la explotación se producía por los dueños del local a favor del nuevo titular, una vez que el anterior arrendamiento había sido declarado extinguido por resolución judicial. [STSJ País Vasco 13 julio 2001]

• La Administración está obligada a reconocer el cambio de la titularidad de la licencia sin perjuicio de las distintas actuaciones que le conciernen ejercer contra la misma del mismo modo que si no se hubiese transmitido. [STSJ Madrid 18 septiembre 2001]

• Para proceder al cambio de titularidad el Ayuntamiento ha de tener constancia de que efectivamente dicho cambio se ha producido, y ello por dos mecanismos alternativos, uno bilateral, que no es otro que la conformidad del anterior titular, y otro, que no precisa dicha conformidad, más complejo, que consiste en la acreditación de que se ha adquirido por cualquier medio, *inter vivos* o *mortis causa*, la propiedad o posesión del inmueble en cuestión. [STSJ Madrid 15 enero 2004]

3. Legislación aplicable

— Estatal

Art. 13 del Decreto de 17 de junio de 1955, por el que se aprueba el Reglamento de Servicios de las Corporaciones Locales.

Art. 3 de la Ley 12/2012, de 26 de diciembre, de medidas urgentes de liberalización del comercio y de determinados servicios.

4. Documentos de interés

—Doctrina

CANO MURCIA, Antonio. «El nuevo régimen jurídico de las licencias de apertura», *El Consultor de los Ayuntamientos y de los Juzgados,* 2010.

—. «Cuestiones prácticas sobre transmisión o cambio de titularidad».- LA LEY 19044/2011.

—. «Apunte legislativo sobre transmisión o cambio de titularidad».- LA LEY 19043/2011.

—. «Los Tribunales dicen... sobre transmisión o cambio de titularidad».- LA LEY 19042/2011.

—. «Requisitos generales para la transmisión de la licencia de apertura».- LA LEY 19040/2011.

MORA GONZÁLEZ, María Jesús. «La transmisión de las licencias urbanísticas». *El Consultor de los Ayuntamientos y de los Juzgados,* n.º 23, Quincena del 15 al 29 Dic. 2007, Ref. 3889/2007, pág. 3889, tomo 3, LA LEY.- LA LEY 6927/2007.

—Reseña jurisprudencial

STSJ Principado de Asturias, Sala de lo Contencioso-administrativo, Sección 1.ª, 141/2015 de 27 Feb. 2015, Rec. 258/2014.- LA LEY 11363/2015.

STSJ Principado de Asturias, Sala de lo Contencioso-administrativo, Sección 1.ª, de 20 May. 2013, rec. 1827/2011.- LA LEY 73733/2013.

STSJ Principado de Asturias, Sala de lo Contencioso-administrativo, Sección 1.ª, de 31 Jul. 2012, rec. 1308/2010.- LA LEY 115909/2012.

STSJ Principado de Asturias, Sala de lo Contencioso-administrativo, Sección 1.ª, de 7 Dic. 2010, rec. 1521/2008.- LA LEY 253578/2010.

STSJ Principado de Asturias, Sala de lo Contencioso-administrativo, Sección 1.ª, de 17 Sep. 2010, rec. 88/2010.- LA LEY 168544/2010.

STSJ Principado de Asturias, Sala de lo Contencioso-administrativo, Sección 1.ª, de 7 Jun. 2010, rec. 276/2009.- LA LEY 116759/2010.

STSJ Principado de Asturias, Sala de lo Contencioso-administrativo, Sección 1.ª, de 25 Ene. 2010, rec. 297/2009.- LA LEY 25469/2010.

STSJ Principado de Asturias, Sala de lo Contencioso-administrativo, Sección 1.ª, de 25 Jun. 2008, rec. 260/2006.- LA LEY 332246/2008.

STSJ Principado de Asturias, Sala de lo Contencioso-administrativo, Sección 1.ª, de 12 Mar. 2007, rec. 68/2006.- LA LEY 86284/2007.

MODELO DE EXPEDIENTE: Cambio de titularidad de licencia de actividad molesta, insalubre, nociva o peligrosa *(Disponible a texto íntegro en smarteca.es)*

1)   *Comunicación de cambio de titularidad de licencia de actividad molesta, insalubre, nociva y peligrosa*

2)   *Resolución de toma de conocimiento del cambio de titularidad de actividad inocua*

3)   *Notificación de la toma de conocimiento del cambio de titularidad de actividad inocua*

17. Región de Murcia

A.   Expediente de licencia de actividad sujeta a informe de calificación ambiental

1.   Claves del Expediente

Las actividades no sujetas a autorizaciones autonómicas se someten sólo a licencia municipal de actividad. Aquí el procedimiento de control preventivo será el de la licencia de actividad, cuya regulación se recoge ahora con más claridad que en la legislación hasta ahora vigente. La intervención de la Comunidad Autónoma se reduce al máximo en este ámbito, aunque se prevé que aquellos ayuntamientos que no dispongan de medios materiales o personales puedan solicitar de la Comunidad Autónoma, que realice el informe de calificación ambiental de la actividad.

PREGUNTAS CLAVE

1. ¿Qué procedimiento ha de seguirse para la obtención de la licencia de actividad sujeta a informe de calificación ambiental?

Dispone el art. 62.3 de la Ley 4/2009, de 14 de mayo, de Protección Ambiental Integrada, que el procedimiento de licencia de actividad en el caso de actividades sujetas a informe de calificación ambiental será el establecido en el capítulo III de este título, pudiendo desarrollarse mediante ordenanza por los ayuntamientos.

2. ¿Ha de someterse a información pública, mediante anuncio en el Boletín Oficial de la Región de Murcia, el expediente de calificación ambiental?

Una vez que se admite a trámite el expediente, se someterá a información pública mediante edicto en el tablón de anuncios del ayuntamiento, y consulta directa a los vecinos y vecinas inmediatos al lugar del emplazamiento en un plazo máximo de veinte días (art. 77.2 de la Ley 4/2009, de 14 de mayo, de Protección Ambiental Integrada). Por lo tanto no es necesario ni preceptiva la publicación del edicto en el Boletín Oficial de la Región de Murcia.

3. ¿Quién tiene que emitir el informe de calificación ambiental?

La emisión del informe de calificación ambiental corresponderá a las unidades técnicas del respectivo ayuntamiento, tal como prescribe el art. 78.3 de la Ley 4/2009, de 14 de mayo, de Protección Ambiental Integrada, salvo que el Ayuntamiento carezca de medios técnicos o personales, en cuyo caso podrá solicitar de la Consejería con competencias en materia de medio ambiente la dispensa de la obligación de emitir el informe de calificación ambiental.

4. ¿Qué plazo hay para resolver y notificar la resolución de otorgamiento o denegación de licencia de actividad?

Seis meses (art. 80.1 de la Ley 4/2009, de 14 de mayo, de Protección Ambiental Integrada).

5. ¿Qué sentido tiene el silencio en caso de no resolver en plazo el expediente de licencia de actividad?

Si transcurre el plazo de seis meses sin que se haya otorgado o denegado expresamente la licencia de actividad, se entenderá estimada la solicitud por silencio administrativo (art. 80.1 de la Ley 4/2009, de 14 de mayo, de Protección Ambiental Integrada).

6. ¿La licencia de actividad permite si más trámite ulterior el ejercicio de la misma?

Es necesario la comunicación previa al inicio de la actividad una vez se haya terminado la instalación, acondicionamiento o montaje, el titular de la actividad deberá comunicar el inicio de la actividad al órgano municipal competente (art. 81 de la Ley 4/2009, de 14 de mayo, de Protección Ambiental Integrada).

7. ¿Puede demorarse el comienzo de la explotación de la actividad?

Podrá comenzar la explotación después de efectuar la comunicación completa, salvo que la licencia de actividad establezca un plazo entre la comunicación y el inicio de la explotación, que no podrá exceder de un mes, para el caso de que alguna de las condiciones de funcionamiento exija comprobaciones adicionales que hayan de llevarse a cabo necesariamente antes del inicio de la explotación (art. 81.3 de la 78.3 de la Ley 4/2009, de 14 de mayo, de Protección Ambiental Integrada).

8. ¿Qué plazo tiene el Ayuntamiento para realizar la primera comprobación administrativa de las condiciones impuestas en la licencia de actividad?

El ayuntamiento realizará la primera comprobación administrativa de las condiciones impuestas en la licencia de actividad, en el plazo de tres meses desde la comunicación previa al inicio de la actividad nueva o con modificación sustancial. Excepcionalmente, dicho plazo podrá ampliarse por razones justificadas, tales como la estacionalidad de la actividad o la necesidad de realizar comprobaciones sucesivas, sin que la ampliación pueda exceder de un año a contar desde la comunicación previa. El resultado del acta de primera comprobación se comunicará al titular de la explotación (art. 81.4 de la Ley 4/2009, de 14 de mayo, de Protección Ambiental Integrada).

9. ¿Cuándo pierde la licencia de actividad su vigencia?

La licencia de actividad perderá su vigencia si, una vez otorgada, no se comunica el inicio de la actividad en el plazo que se fije en la propia licencia de actividad, o en su defecto en el de dos años a contar desde la notificación de la resolución administrativa que ponga fin al procedimiento, o, una vez iniciada, se interrumpiera durante un plazo igual o superior a seis meses (art. 82.2 de la Ley 4/2009, de 14 de mayo, de Protección Ambiental Integrada).

10. ¿Puede convalidarse la licencia de actividad una vez que ha perdido su vigencia?

Las licencias que hayan perdido su vigencia por las causas indicadas en el artículo 82, podrán ser objeto de convalidación mediante procedimiento iniciado a instancia del titular, en el cual deberá acreditarse que la actividad no ha sufrido modificaciones sustanciales, ni han variado las circunstancias que determinaron su otorgamiento. No obstante, se denegará la convalidación si, por haber variado la legislación o el planeamiento aplicables, no fuera posible su otorgamiento conforme a la nueva legislación (art. 82.4 de la Ley 4/2009, de 14 de mayo, de Protección Ambiental Integrada).

2. Jurisprudencia

• Resulta **indiferente que los recurrentes ostenten o no la titularidad** de los caballos o de los terrenos sobre los que se asienta la explotación equina, pues la responsabilidad no recae en las personas que ostenten la titularidad, sino en aquellos que promuevan y exploten las instalaciones o promuevan la actividad sancionada. [STSJ Región de Murcia de 30 julio 2014.- LA LEY 161113/2014]

• Por lo tanto en todos los aspectos no regulados por la legislación regional continua vigente la normativa estatal (STC 15/1989 (LA LEY 239/1989), lo que supone que el RAMIN es **aplicable supletoriamente en todo lo no previsto por el ordenamiento autonómico y en cuanto incremente la protección medioambiental existente**. A ello no se opone la Ley 4/2009 de Protección Ambiental Integrada, ya que no era de aplicación en el momento en que se otorgó la ampliación de la licencia. Tampoco es de aplicación como es lógico el RD 100/2001, de 28 de enero, por el que se actualiza el catálogo de actividades potencialmente contaminadoras de la atmósfera y se establecen las disposiciones básicas para su aplicación. Sigue diciendo la sentencia que si bien es cierto que existen sentencias que entiende desplazada la regulación de las distancias reguladas en el RAMINP por el sistema de autorización ambiental integrada establecido en la Ley 16/2002, de 1 de julio, de prevención y control integrados de la contaminación a través de la cual se traspone a la legislación española la directiva 1996/61 de la Comunidad

Europea, en el presente caso no se ha otorgado ese tipo de autorización ambiental que hubiera hecho innecesarios acudir al RAMINP. [STSJ Región de Murcia de 18 noviembre 2011.- LA LEY 233486/2011]

3. Legislación aplicable

—Europea

Directiva 2006/123/CE del Parlamento y del Consejo, de 12 de diciembre de 2006, relativa a los servicios en el mercado interior.

— Estatal

Ley 17/2009, de 23 de noviembre, sobre el Libre Acceso a las Actividades de Servicios.

Arts. 21.1. q) y s), 124.4.ñ), 70.bis y 84, 84 bis y 84 ter. de la Ley 7/1985, de 2 de abril, Reguladora de las Bases de Régimen Local.

Ley 39/2015, de 1 de octubre, del Procedimiento Administrativo Común de las Administraciones Públicas.

— Autonómica

Arts. 59 a 82 de la Ley 4/2009, de 14 de mayo, de Protección Ambiental Integrada.

4. Documentos de interés

—Doctrina

CANO MURCIA, Antonio. «Cuestiones prácticas sobre transmisión o cambio de titularidad».- LA LEY 19044/2011.

—. «Apunte legislativo sobre transmisión o cambio de titularidad».- LA LEY 19043/2011.

—. «Los Tribunales dicen... sobre transmisión o cambio de titularidad».- LA LEY 19042/2011.

—. «Efectos de la Ley 17/2009, de 23 de noviembre, sobre el libre acceso a las actividades de servicios».- LA LEY 19041/2011.

—. «Requisitos generales para la transmisión de la licencia de apertura».- LA LEY 19040/2011.

CHOLBÍ CACHÁ, Francisco Antonio. «Apunte legislativo sobre las relaciones en la tramitación administrativa de las autorizaciones urbanísticas y de actividades».- LA LEY 24136/2011.

—. «Los Tribunales dicen....sobre las relaciones en la tramitación administrativa de las autorizaciones urbanísticas y de actividades».- LA LEY 24135/2011.

—. «Especial consideración a las actividades sujetas a licencias de uso cuando llevan aparejadas la ejecución de obras».- LA LEY 24134/2011.

—. «Los principales problemas en la tramitación conjunta de las autorizaciones urbanísticas cuando el destino de las obras es el ejercicio de actividades».- LA LEY 24133/2011.

—. «El contenido de la normativa autonómica en los supuestos de interrelación de las autorizaciones urbanísticas con las de actividades».- LA LEY 24132/2011.

MARTÍN HERNÁNDEZ, Paulino. «Las licencias para actividades clasificadas». Esta doctrina forma parte del libro *Administración Local. Estudios en Homenaje a Ángel Ballesteros*, 1.ª ed., *El Consultor de los Ayuntamientos y de los Juzgados*. Madrid, enero 2011.- LA LEY 21893/2011.

—Reseña jurisprudencial

STSJ Región de Murcia, Sala de lo Contencioso-administrativo, Sección 2.ª, de 20 Dic. 2012, rec. 317/2012.- LA LEY 222955/2012.

STSJ Región de Murcia, Sala de lo Contencioso-administrativo, Sección 1.ª, n.º 1059/2014 de 26 Dic. 2014, Rec. 74/2013.- LA LEY 206193/2014.

STSJ Región de Murcia, Sala de lo Contencioso-administrativo, Sección 2.ª, n.º 602/2014 de 30 Jul. 2014, Rec. 202/2013.- LA LEY 161113/2014.

STSJ Región de Murcia, Sala de lo Contencioso-administrativo, Sección 2.ª, 428/2014 de 10 Jun. 2014, Rec. 204/2013.- LA LEY 161118/2014.

STSJ Región de Murcia, Sala de lo Contencioso-administrativo, Sección 1.ª, de 11 Abr. 2014, rec. 26/2014.- LA LEY 47210/2014.

STSJ Región de Murcia, Sala de lo Contencioso-administrativo, Sección 2.ª, de 15 Jul. 2013, rec. 75/2013.- LA LEY 143803/2013.

STSJ Región de Murcia, Sala de lo Contencioso-administrativo, Sección 2.ª, de 10 May. 2013, rec. 63/2013.- LA LEY 80483/2013.

STSJ Región de Murcia, Sala de lo Contencioso-administrativo, Sección 2.ª, de 18 Nov. 2011, rec. 195/2011.- LA LEY 233486/2011.

STSJ Región de Murcia, Sala de lo Contencioso-administrativo, Sección 2.ª, de 28 Mar. 2011, rec. 485/2010.- LA LEY 58742/2011.

MODELO DE EXPEDIENTE: Licencia de actividad sujeta a informe de calificación ambiental *(Disponible a texto íntegro en smarteca.es)*

1)   Inicio expediente solicitud de licencia municipal de actividad

2)   Admisión a trámite del expediente

3)   Requerimiento vecinos a policía local

4)   Edicto de información pública

5)   Notificación a vecinos inmediatos al lugar del emplazamiento

6)   Certificado de reclamaciones

7)   Informe de calificación ambiental

8)   Licencia de actividad sujeta a calificación ambiental

9)   Notificación licencia de actividad sujeta a calificación ambiental

B. Expediente de comunicación previa al inicio de la actividad

1. Claves del Expediente

Las actividades no sujetas a autorizaciones autonómicas se someten sólo a licencia municipal de actividad. Aquí el procedimiento de control preventivo será el de la licencia de actividad, cuya regulación se recoge ahora con más claridad que en la legislación hasta ahora vigente. La intervención de la Comunidad Autónoma se reduce al máximo en este ámbito, aunque se prevé que aquellos ayuntamientos que no dispongan de medios materiales o personales puedan solicitar de la Comunidad Autónoma, que realice el informe de calificación ambiental de la actividad.

La comunicación previa es requisito necesario para el inicio de la actividad, y se solicitará una vez se haya obtenido la licencia municipal de actividad.

PREGUNTAS CLAVE

1. ¿Qué procedimiento ha de seguirse para la obtención de la licencia de actividad sujeta a informe de calificación ambiental?

Dispone el art. 62.3 de la Ley 4/2009, de 14 de mayo, de Protección Ambiental Integrada, que el procedimiento de licencia de actividad en el caso de actividades sujetas a informe de calificación ambiental será el establecido en el capítulo III de este título, pudiendo desarrollarse mediante ordenanza por los ayuntamientos.

2. ¿Ha de someterse a información pública, mediante anuncio en el Boletín Oficial de la Región de Murcia, el expediente de calificación ambiental?

Una vez que se admite a trámite el expediente, se someterá a información pública mediante edicto en el tablón de anuncios del ayuntamiento, y consulta directa a los vecinos y vecinas inmediatos al lugar del emplazamiento en un plazo máximo de veinte días (art. 77.2 de la Ley 4/2009, de 14 de mayo, de Protección Ambiental Integrada). Por lo tanto no es necesario ni preceptiva la publicación del edicto en el Boletín Oficial de la Región de Murcia.

3. ¿Quién tiene que emitir el informe de calificación ambiental?

La emisión del informe de calificación ambiental corresponderá a las unidades técnicas del respectivo ayuntamiento, tal como prescribe el art. 78.3 de la Ley 4/2009, de 14 de mayo, de Protección Ambiental Integrada, salvo que el Ayuntamiento carezca de medios técnicos o personales, en cuyo caso podrá solicitar de la Consejería con competencias en materia de medio ambiente la dispensa de la obligación de emitir el informe de calificación ambiental.

4. ¿Qué plazo hay para resolver y notificar la resolución de otorgamiento o denegación de licencia de actividad?

Seis meses (art. 80.1 de la Ley 4/2009, de 14 de mayo, de Protección Ambiental Integrada).

5. ¿Qué sentido tiene el silencio en caso de no resolver en plazo el expediente de licencia de actividad?

Si transcurre el plazo de seis meses sin que se haya otorgado o denegado expresamente la licencia de actividad, se entenderá estimada la solicitud por silencio administrativo (art. 80.1 de la Ley 4/2009, de 14 de mayo, de Protección Ambiental Integrada).

6. ¿La licencia de actividad permite si más trámite ulterior el ejercicio de la misma?

Es necesario la comunicación previa al inicio de la actividad una vez se haya terminado la instalación, acondicionamiento o montaje, el titular de la actividad deberá comunicar el inicio de la actividad al órgano municipal competente (art. 81 de la Ley 4/2009, de 14 de mayo, de Protección Ambiental Integrada).

7. ¿Puede demorarse el comienzo de la explotación de la actividad?

Podrá comenzar la explotación después de efectuar la comunicación completa, salvo que la licencia de actividad establezca un plazo entre la comunicación y el inicio de la explotación, que no podrá exceder de un mes, para el caso de que alguna de las condiciones de funcionamiento exija comprobaciones adicionales que hayan de llevarse a cabo necesariamente antes del inicio de la explotación (art. 81.3 de la 78.3 de la Ley 4/2009, de 14 de mayo, de Protección Ambiental Integrada).

8. ¿Qué plazo tiene el Ayuntamiento para realizar la primera comprobación administrativa de las condiciones impuestas en la licencia de actividad?

El ayuntamiento realizará la primera comprobación administrativa de las condiciones impuestas en la licencia de actividad, en el plazo de tres meses desde la comunicación previa al inicio de la actividad nueva o con modificación sustancial. Excepcionalmente, dicho plazo podrá ampliarse por razones justificadas, tales como la estacionalidad de la actividad o la necesidad de realizar comprobaciones sucesivas, sin que la ampliación pueda exceder de un año a contar desde la comunicación previa. El resultado del acta de primera comprobación se comunicará al titular de la explotación (art. 81.4 de la Ley 4/2009, de 14 de mayo, de Protección Ambiental Integrada).

9. ¿Cuándo pierde la licencia de actividad su vigencia?

La licencia de actividad perderá su vigencia si, una vez otorgada, no se comunica el inicio de la actividad en el plazo que se fije en la propia licencia de actividad, o en su defecto en el de dos años a contar desde la notificación de la resolución administrativa que ponga fin al procedimiento, o, una vez iniciada, se interrumpiera durante un plazo igual o superior a seis meses (art. 82.2 de la Ley 4/2009, de 14 de mayo, de Protección Ambiental Integrada).

10. Puede convalidarse la licencia de actividad una vez que ha perdido su vigencia?

Las licencias que hayan perdido su vigencia por las causas indicadas en el artículo 82, podrán ser objeto de convalidación mediante procedimiento iniciado a instancia del titular, en el cual deberá acreditarse que la actividad no ha sufrido modificaciones sustanciales, ni han variado las circunstancias que determinaron su otorgamiento. No obstante, se denegará la convalidación si, por haber variado la legislación o el planeamiento aplicables, no fuera posible su otorgamiento conforme a la nueva legislación (art. 82.4 de la Ley 4/2009, de 14 de mayo, de Protección Ambiental Integrada).

2. Jurisprudencia

• Resulta **indiferente que los recurrentes ostenten o no la titularidad** de los caballos o de los terrenos sobre los que se asienta la explotación equina, pues la responsabilidad no recae en las personas que ostenten la titularidad, sino en aquellos que promuevan y exploten las instalaciones o promuevan la actividad sancionada. [STSJ Región de Murcia de 30 julio 2014.- LA LEY 161113/2014]

• Por lo tanto en todos los aspectos no regulados por la legislación regional continua vigente la normativa estatal (STC 15/1989 (LA LEY 239/1989), lo que supone que el RAMIN es **aplicable supletoriamente en todo lo no previsto por el ordenamiento autonómico y en cuanto incremente la protección medioambiental existente**. A ello no se opone la Ley 4/2009 de Protección Ambiental Integrada, ya que no era de aplicación en el momento en que se otorgó la ampliación de la licencia. Tampoco es de aplicación como es lógico el RD 100/2001, de 28 de enero, por el que se actualiza el catálogo de actividades potencialmente contaminadoras de la atmosfera y se establecen las disposiciones básicas para su aplicación. Sigue diciendo la sentencia que si bien es cierto que existen sentencias que entiende desplazada la regulación de las distancias reguladas en el RAMIN por el sistema de autorización ambiental integrada establecido en la Ley 16/2002, de 1 de julio, de prevención y control integrados de la contaminación a través de la cual se traspone a la legislación española la directiva 1996/61 de la Comunidad Europea, en el presente caso no se ha otorgado ese tipo de autorización ambiental que hubiera hecho innecesarios acudir al RAMINP. [STSJ Región de Murcia de 18 noviembre 2011.- LA LEY 233486/2011]

3. Legislación aplicable

—Europea

Directiva 2006/123/CE del Parlamento y del Consejo, de 12 de diciembre de 2006, relativa a los servicios en el mercado interior.

— Estatal

Ley 17/2009, de 23 de noviembre, sobre el Libre Acceso a las Actividades de Servicios.

Arts. 21.1. q) y s), 124.4.ñ), 70.bis y 84, 84 bis y 84 ter. de la Ley 7/1985, de 2 de abril, Reguladora de las Bases de Régimen Local.

Ley 39/2015, de 1 de octubre, del Procedimiento Administrativo Común de las Administraciones Públicas.

— Autonómica

Arts. 59 a 82 de la Ley 4/2009, de 14 de mayo, de Protección Ambiental Integrada.

4. Documentos de interés

—Doctrina

MARTÍN HERNÁNDEZ, Paulino. «Las licencias para actividades clasificadas». Esta doctrina forma parte del libro *Administración Local. Estudios en Homenaje a Ángel Ballesteros*, 1.ª ed., *El Consultor de los Ayuntamientos y de los Juzgados*. Madrid, enero 2011.- LA LEY 21893/2011.

CHOLBÍ CACHÁ, Francisco Antonio. «Apunte legislativo sobre las relaciones en la tramitación administrativa de las autorizaciones urbanísticas y de actividades».- LA LEY 24136/2011.

—. «Los Tribunales dicen… sobre las relaciones en la tramitación administrativa de las autorizaciones urbanísticas y de actividades».- LA LEY 24135/2011.

—. «Especial consideración a las actividades sujetas a licencias de uso cuando llevan aparejadas la ejecución de obras».- LA LEY 24134/2011.

—. «Los principales problemas en la tramitación conjunta de las autorizaciones urbanísticas cuando el destino de las obras es el ejercicio de actividades».- LA LEY 24133/2011.

—. «El contenido de la normativa autonómica en los supuestos de interrelación de las autorizaciones urbanísticas con las de actividades».- LA LEY 24132/2011.

CANO MURCIA, Antonio. «Cuestiones prácticas sobre transmisión o cambio de titularidad».- LA LEY 19044/2011.

—. «Apunte legislativo sobre transmisión o cambio de titularidad».- LA LEY 19043/2011.

—. «Los Tribunales dicen... sobre transmisión o cambio de titularidad».- LA LEY 19042/2011.

—. «Efectos de la Ley 17/2009, de 23 de noviembre, sobre el libre acceso a las actividades de servicios».- LA LEY 19041/2011.

—. «Requisitos generales para la transmisión de la licencia de apertura».- LA LEY 19040/2011.

—Reseña jurisprudencial

STSJ Región de Murcia, Sala de lo Contencioso-administrativo, Sección 2.ª, de 20 Dic. 2012, rec. 317/2012.- LA LEY 222955/2012.

STSJ Región de Murcia, Sala de lo Contencioso-administrativo, Sección 1.ª, n.º 1059/2014, de 26 Dic. 2014, Rec. 74/2013.- LA LEY 206193/2014.

STSJ Región de Murcia, Sala de lo Contencioso-administrativo, Sección 2.ª, n.º 602/2014 de 30 Jul. 2014, Rec. 202/2013.- LA LEY 161113/2014.

STSJ Región de Murcia, Sala de lo Contencioso-administrativo, Sección 2.ª, n.º 428/2014, de 10 Jun. 2014, Rec. 204/2013.- LA LEY 161118/2014.

STSJ Región de Murcia, Sala de lo Contencioso-administrativo, Sección 1.ª, de 11 Abr. 2014, rec. 26/2014.- LA LEY 47210/2014.

STSJ Región de Murcia, Sala de lo Contencioso-administrativo, Sección 2.ª, de 15 Jul. 2013, rec. 75/2013.- LA LEY 143803/2013.

STSJ Región de Murcia, Sala de lo Contencioso-administrativo, Sección 2.ª, de 10 May. 2013, rec. 63/2013.- LA LEY 80483/2013.

STSJ Región de Murcia, Sala de lo Contencioso-administrativo, Sección 2.ª, de 18 Nov. 2011, rec. 195/2011.- LA LEY 233486/2011.

STSJ Región de Murcia, Sala de lo Contencioso-administrativo, Sección 2.ª, de 28 Mar. 2011, rec. 485/2010.- LA LEY 58742/2011.

MODELO DE EXPEDIENTE: Comunicación previa al inicio de la actividad *(Disponible a texto íntegro en smarteca.es)*

1)   Inicio expediente de comunicación previa a inicio de actividad

2)   Providencia de la Alcaldía

3)   Informe técnico sobre comunicación previa al inicio de la actividad

4) *Informe jurídico sobre comunicación previa al inicio de la actividad*

5) *Toma de conocimiento del Ayuntamiento del inicio de la actividad inocua*

6) *Notificación de la toma de conocimiento de comunicación de actividad inocua*

C. Expediente de control e inspección de actividad sujeta a licencia de actividad

1. Claves del Expediente

El expediente de control e inspección de actividad sujeta a licencia de actividad tiene lugar una vez que la actividad está funcionando, luego es un control posterior a su ejercicio y se encuadra dentro de la potestad municipal reconocida en los arts. 125 y ss. de la Ley 4/2009, de 14 de mayo, de Protección Ambiental Integrada.

La inspección de la actividad podrá producirse como consecuencia de denuncia efectuada por particulares, o fruto de la inspección que el Ayuntamiento realice en el marco de sus atribuciones de vigilancia e inspección.

La importancia de este expediente y por ende de la actuación municipal radica en que el hecho de que se podrá detectar anomalías o deficiencias en el funcionamiento de las medidas correctoras, y por lo tanto sirve para exigir el cumplimiento al titular de la actividad del correcto funcionamiento de la misma, lo que evitará daños al medio ambiente y a la seguridad de las personas.

Como consecuencia del resultado del expediente, podrá abrirse procedimiento sancionador o la adopción de las medidas procedentes.

PREGUNTAS CLAVE

1. ¿Quién tiene la competencia de vigilancia, control, inspección de las licencias ambientales?

Es una competencia compartida entre la Comunidad Autónoma de la Región de Murcia y los ayuntamientos, tal como en el art. 126 de la Ley 4/2009, de 14 de mayo, de Protección Ambiental Integrada se indica.

2. ¿Las inspecciones ambientales de qué clases son?

El art. 127 de la Ley 4/2009, de 14 de mayo, de Protección Ambiental Integrada, distingue entre:

a) Ordinarias, es decir, realizadas en ejecución de un plan de inspección.

b) Extraordinarias, es decir, realizadas a causa de una denuncia o reclamación, con ocasión de la concesión, renovación o modificación de una autorización o licencia o la emisión de un informe preceptivo, o para investigar accidentes, incidentes o supuestos de incumplimiento.

3. ¿Pueden los inspectores de vigilancia e inspección ambiental adoptar por sí mismos medidas provisionalísimas?

El art. 128.2 de la Ley 4/2009, de 14 de mayo, de Protección Ambiental Integrada la faculta para adoptar, por sí mismos, las medidas provisionalísimas que resulten necesarias en situaciones de riesgo grave e inminente para el medio ambiente o la salud de las personas, justificando debidamente en el acta las razones de su adopción.

4. Si el funcionamiento de las instalaciones es correcto, ¿es necesario levantar acta de inspección?

De acuerdo con Ley 4/2009, de 14 de mayo, de Protección Ambiental Integrada en su art. 129.2, se levantará acta aun en caso de que se compruebe el correcto funcionamiento de las instalaciones.

2. Jurisprudencia

• La licencia de apertura y/o funcionamiento crea una relación permanente con la Administración, ya que las exigencias del interés público demandan un funcionamiento correcto de la actividad y de sus medidas correctoras, lo cual implicará que la actividad desarrollada quede, durante la vigencia de la licencia, sujeta a inspecciones administrativas para la comprobación del cumplimiento de las condiciones expresadas en la misma, conforme declaran, entre otras, las SSTS de 4 octubre 1986 y 30 junio 1987. [STSJ Madrid 13 noviembre 2001]

• Otorgada una licencia de funcionamiento de una actividad la Administración no queda desposeída de potestades, sino que puede y debe ejercer la actividad administrativa de policía a fin de defender y garantizar los intereses generales; y esa actividad de policía ha de tener concreción en actos de intervención congruentes con los motivos y fines que la justifiquen —arts. 84.2 Ley 7/1985, de 2 abril (Reguladora de las Bases del Régimen Local) y 5.1 RSCL—. [STS 22 junio 1993]

3. Legislación aplicable

—Estatal

Art. 84.1 b) y d); 84 bis) LRBRL.

— Autonómica

Arts. 125 y ss. de la Ley 4/2009, de 14 de mayo, de Protección Ambiental Integrada.

Art. 261 de la Ley 13/2015, de 30 de marzo, de ordenación territorial y urbanística de la Región de Murcia.

4. Documentos de interés

—Doctrina

BARRANCO VELA, Rafael; BULLEJOS CALVO, Carlos y CAMPOS SÁNCHEZ, Miguel Ángel. «Espectáculos Públicos, Actividades Recreativas y Establecimientos Públicos». *El Consultor de los Ayuntamientos y de los Juzgados.* 2011.

CANO MURCIA, Antonio. «El nuevo régimen jurídico de las licencias de apertura». *El Consultor de los Ayuntamientos y de los Juzgados.* 2010.

—. «Manual de Licencias de Apertura de Establecimientos». Aranzadi.

CHOLBÍ CACHÁ, Francisco Antonio. «El régimen de la comunicación previa, las licencias de urbanismo y su procedimiento y otorgamiento». *El Consultor de los Ayuntamientos y de los Juzgados*. 2010.

—Reseña jurisprudencial

STSJ Región de Murcia, Sala de lo Contencioso-administrativo, Sección 1.ª, n.º 511/2015, de 5 Jun. 2015, Rec. 235/2012.- LA LEY 71229/2015.

STSJ Región de Murcia, Sala de lo Contencioso-administrativo, Sección 2.ª, de 17 May. 2013, rec. 423/2008.- LA LEY 84992/2013.

STSJ Región de Murcia, Sala de lo Contencioso-administrativo, Sección 2.ª, de 15 Jul. 2013, rec. 75/2013.- LA LEY 143803/2013.

MODELO DE EXPEDIENTE *(Disponible a texto íntegro en smarteca.es)*

1)   *Acta de inspección*

2)   *Resolución ordenando apertura de expediente*

3)   *Notificación de acta de inspección en trámite de audiencia*

4)   *Escrito de alegaciones en trámite de audiencia*

5)   *Resolución del expediente de inspección de licencia de actividad*

6)   *Notificación de la resolución*

D.   Expediente de cambio de titularidad de licencia de actividad

1.   Claves del Expediente

Aunque es una cuestión que puede considerarse pacífica, el cambio de titularidad en general de los establecimientos, negocios y actividades en general y en particular de la licencia de actividad se sujeta al cumplimiento de unos requisitos mínimos, que tienen como objetivo fundamental el poner en conocimiento de la Administración el nuevo titular de la actividad.

A tenor del artículo 13.1 del Reglamento de Servicios de las Corporaciones Locales, aprobado por Decreto de 17 de junio de 1955, las licencias relativas a las condiciones de una obra, instalación o servicio serán transmisibles, pero el antiguo y el nuevo constructor o empresario deberán comunicarlo por escrito a la Corporación, sin lo cual quedarán ambos sujetos a todas las responsabilidades que se derivaren para el titular.

Esta posición legal ha quedado superada mediante el art. 3.2 de la Ley 12/2012, de 26 de diciembre, de medidas urgentes de liberalización del comercio y de determinados servicios, al decir que no están sujetos a licencia los cambios de titularidad de las acti-

vidades comerciales y de servicios, siendo exigible en estos casos una comunicación previa a la administración competente a los solos efectos informativos.

Ha de tenerse en cuenta:

- La comunicación ha de ser expresa.

- No es necesario que vaya acompañada de título o documento que acredite la transmisión (contrato de compraventa, de arrendamiento, de cesión etc.)

- Si la transmisión se produce sin realizar la correspondiente comunicación, el anterior y el nuevo titular quedan sujetos, de forma solidaria, a todas las responsabilidades y obligaciones derivadas del incumplimiento de dicha obligación.

PREGUNTAS CLAVE

1. ¿De qué plazo dispone el nuevo titular de la actividad para comunicar el cambio de titularidad de la licencia?

El cambio de titularidad de la licencia de actividad que no implique traslado o cambio de las condiciones de ejercicio de la actividad, cuando no se trate de actividades sujetas a autorización ambiental autonómica, deberá comunicarse al ayuntamiento por el adquirente en el mes siguiente a la adquisición del negocio o actividad, de conformidad con lo dispuesto en el art. 69.1 de la Ley 4/2009, de 14 de mayo, de Protección Ambiental Integrada.

2. ¿Ha de acreditarse mediante título la transmisión del negocio o actividad?

El art. 69.1 de la Ley 4/2009, de 14 de mayo, de Protección Ambiental Integrada, en clara contradicción con el Art. 3 de la Ley 12/2012, de 26 de diciembre, de medidas urgentes de liberalización del comercio y de determinados servicios, se refiere al modo de llevar a cabo la transmisión, diciendo que se acreditará el título de transmisión del negocio o actividad y el consentimiento del transmitente en el cambio de titularidad de la licencia, salvo que ese consentimiento esté comprendido inequívocamente en el propio título.

3. ¿Puede realizar la comunicación de la transmisión de la actividad el transmitente?

Sí. El art. 69.1 de la Ley 4/2009, de 14 de mayo, de Protección Ambiental Integrada, dice que comunicación podrá realizarla el propio transmitente, para verse liberado de las responsabilidades y obligaciones que le corresponden como titular de la licencia.

4. ¿Cuándo surte efectos el cambio de titularidad de la licencia de actividad?

El cambio de titularidad de la licencia surtirá efectos ante la Administración desde la comunicación completa mencionada en el apartado anterior, quedando subrogado el nuevo titular en los derechos, obligaciones y responsabilidades del titular anterior (art. 69.2 de la Ley 4/2009, de 14 de mayo, de Protección Ambiental Integrada).

5. ¿Cuándo se produce el cambio de titularidad de actividades sujetas a autorización ambiental autonómica?

En actividades sujetas a autorización ambiental autonómica, el cambio de titularidad de la licencia de actividad se producirá cuando el órgano autonómico competente comunique al ayuntamiento la transmisión de la autorización ambiental autonómica (art. 69.4 de la Ley 4/2009, de 14 de mayo, de Protección Ambiental Integrada).

6. ¿Qué consecuencia tiene la no presentación de la comunicación del cambio de titularidad de la licencia de actividad?

Si el órgano competente tiene noticia de la transmisión del negocio o actividad sin que medie comunicación, requerirá al adquirente para que acredite el título de transmisión y asuma las obligaciones correspondientes en el plazo de un mes, aplicándose, en caso de ser desatendido el requerimiento, las consecuencias establecidas para las actividades no autorizadas (art. 69.3 de la Ley 4/2009, de 14 de mayo, de Protección Ambiental Integrada).

7. ¿Qué requisitos han de cumplirse para realizar el cambio de titularidad una actividad?

Para que el nuevo titular de una actividad pueda realizar el cambio de titularidad, deberá ser comunicado al Ayuntamiento a efectos informativos (art. 3.2 de la Ley 12/2012).

8. ¿Qué requisito ha de cumplirse para realizar el cambio de titularidad de una actividad comercial y de servicios?

Realizar la comunicación previa a la Administración local competente acompañada de una declaración responsable del cumplimiento de las previsiones legales establecidas en la normativa vigente y de la documentación técnica que se establezca en la correspondiente ordenanza municipal (art. 5.4 de la Ley 11/2006, de 22 de diciembre, sobre régimen del comercio minorista de la Región de Murcia).

9. ¿Es necesario que el anterior titular comunique la transmisión de la actividad a un tercero?

No es un requisito necesario. El art. 3.2 de la Ley 12/2012 no exige esta comunicación.

10. ¿Qué ocurre si no se comunica la transmisión de la actividad?

La no comunicación del cambio de titularidad de la actividad por el anterior o el nuevo titular supone que el anterior y nuevo titular queda sujetos, de forma solidaria, a todas las responsabilidades y obligaciones derivadas de dicho incumplimiento.

11. ¿Puede transmitir la licencia de actividad el que no es propietario del local en el que se ejerce la misma?

Sí. El ejercicio de una actividad tanto mediante la concesión expresa de licencia de apertura o actividad o mediante la comunicación previa o declaración responsable tiene carácter real, al margen de la titularidad del inmueble y de las relaciones subjetivas que existan entre el titular del mismo y el que ocupe el local mediante contrato de arrendamiento, u cualquier otro título. En este sentido es de aplicación lo dispuesto en el art. 12. 1 RSCL «Las autorizaciones y licencias se entenderán otorgadas salvo el derecho de propiedad y sin perjuicio del de tercero».

12. ¿Ha de resolverse expresamente por el Ayuntamiento la comunicación de cambio de titularidad?

No. El art. 3.2 de la Ley 12/2012 habla de comunicación previa a la administración competente, sin que sea necesario posteriormente dictar resolución alguna. A efectos prácticos bastaría en cualquier caso tomar conocimiento de la transmisión, dejando constancia en el expediente.

13. ¿Qué ocurre si el Ayuntamiento no dicta resolución de cambio de titularidad?

Si el Ayuntamiento, recibida la comunicación de cambio de titularidad de la actividad, no resuelve expresamente el mismo, ha de entenderse que por silencio administrativo positivo se da por cumplido el trámite a todos los efectos, teniendo en cuenta que la resolución del órgano sustantivo no es generadora de derechos para el nuevo titular de la actividad, sino que tiene los efectos de una simple comunicación, que el Ayuntamiento constata mediante la toma de conocimiento del nuevo titular. En este sentido para la STS 15 octubre 1981 «La intervención municipal en caso de transmisión de licencias no es de previa y expresa autorización para que aquélla opere, sino de mera constatación o toma de razón de la extra-administrativamente producida por el simple acuerdo del antiguo y nuevo propietario, cuyo incumplimiento determina que ambos queden sujetos a todas las responsabilidades que se deriven para el titular».

2. Jurisprudencia

• No constando que la licencia de apertura en su día concedida al demandante lo fuese en atención a su persona, esto es, a especiales circunstancias personales del mismo que impidiesen su transmisión a los efectos prevenidos en el art. 13 del Reglamento de Servicios de las Corporaciones Locales, tal y como se sostiene, entre otras, en la STS de 12 Jul. 2000, **el cambio de titular no requiere la solicitud de una nueva licencia, la cual solo sería exigible si hubiese existido una modificación de la actividad para la cual aquélla se concedió, lo que no se da en este caso.** Por tanto, el único efecto o consecuencia jurídica de la falta de notificación por escrito de tal circunstancia es la **sumisión conjunta de transmitente y adquirente a las responsabilidades** de la explotación de la licencia, sin que lleve consigo la imposición de la sanción debatida en estos autos. [STSJ Extremadura 27 septiembre 2001.- LA LEY 170424/2001]

• La transmisión de la licencia constituye en definitiva la realización de un **negocio jurídico del transmitente en cuanto titular originario de la autorización administrativa pero sin que tal operación traslativa tenga relevancia a efectos de alterar las condiciones de la propia autorización,** de tal modo que permanece idéntica su eficacia y viabilidad jurídica del acto proyectado y en consecuencia del incumplimiento del deber administrativo impuesto por el artículo 13.1 del R. S. C. L., de comunicar la transferencia al Ayuntamiento, circunstancia no realizada en el supuesto de autos, **no repercute sobre la validez y existencia de la licencia y sí en cambio, únicamente en el régimen de responsabilidades derivado de la titularidad de la licencia** quedando también el transmitente sujeto junto con el adquirente a dichas responsabilidades máxime cuando el deber de comunicación de la transmisión de la licencia ha de operar a efectos de información del Ayuntamiento de los titulares en cada momento de licencias. [STSJ Extremadura 15 diciembre 2006.- LA LEY 214993/2006]

• Tampoco cabe oponer el artículo 42 de la Ley 11/2003 de 8 de abril, de Prevención Ambiental de Castilla y León puesto que, de su lectura e interpretación literal, llegamos a una conclusión distinta de la que se contiene en la Sentencia recurrida, ya que claramente se refiere **solo al deber de comunicación a las Administraciones y a las conse-**

cuencias del incumplimiento de tal deber, que se ventilan no en la denegación de la transmisión de la licencia, sino en el de las responsabilidades de cedente y cesionario del incumplimiento de las obligaciones que impone la ley. [STSJ Castilla y León (Burgos) 28 noviembre 2011.- LA LEY 232204/2011]

• El cambio de titular por sí solo resultaba jurídicamente irrelevante en cuanto afectaría a los posibles derechos de los particulares (STS de 23 diciembre 1998), porque la licencia mantenía su vigencia mientras subsistieran las condiciones de la actividad, de modo que el Ayuntamiento, **de no advertir otras modificaciones que las subjetivas, que son inoperantes a estos efectos, debió otorgar la transmisión de la titularidad de la licencia cuando le fue comunicado por escrito por el dueño del establecimiento,** toda vez que no ofrecía duda el título legítimo de la transmisión ya que la subrogación en la explotación se producía por los dueños del local a favor del nuevo titular, una vez que el anterior arrendamiento había sido declarado extinguido por resolución judicial. [STSJ País Vasco 13 julio 2001]

• La Administración está obligada a reconocer el cambio de la titularidad de la licencia sin perjuicio de las distintas actuaciones que le conciernen ejercer contra la misma del mismo modo que si no se hubiese transmitido. [STSJ Madrid 18 septiembre 2001]

• Para proceder al cambio de titularidad el Ayuntamiento ha de tener constancia de que efectivamente dicho cambio se ha producido, y ello por dos mecanismos alternativos, uno bilateral, que no es otro que la conformidad del anterior titular, y otro, que no precisa dicha conformidad, más complejo, que consiste en la acreditación de que se ha adquirido por cualquier medio, *inter vivos* o *mortis causa*, la propiedad o posesión del inmueble en cuestión. [STSJ Madrid 15 enero 2004]

3.   Legislación aplicable

—Estatal

Art. 13 del Decreto de 17 de junio de 1955, por el que se aprueba el Reglamento de Servicios de las Corporaciones Locales.

Art. 3 de la Ley 12/2012, de 26 de diciembre, de medidas urgentes de liberalización del comercio y de determinados servicios.

— Autonómica

Art. 69 de la Ley 4/2009, de 14 de mayo, de Protección Ambiental Integrada.

Art. 5.4 de la Ley 11/2006, de 22 de diciembre, sobre régimen del comercio minorista de la Región de Murcia.

4.   Documentos de interés

—Doctrina

CANO MURCIA, Antonio. «El nuevo régimen jurídico de las licencias de apertura», *El Consultor de los Ayuntamientos y de los Juzgados,* 2010.

—. «Cuestiones prácticas sobre transmisión o cambio de titularidad».- LA LEY 19044/2011.

—. «Apunte legislativo sobre transmisión o cambio de titularidad».- LA LEY 19043/2011.

—. «Los Tribunales dicen… sobre transmisión o cambio de titularidad».- LA LEY 19042/2011.

—. «Requisitos generales para la transmisión de la licencia de apertura».- LA LEY 19040/2011.

MORA GONZÁLEZ, María Jesús. «La transmisión de las licencias urbanísticas». *El Consultor de los Ayuntamientos y de los Juzgados*, n.º 23, Quincena del 15 al 29 Dic. 2007, Ref. 3889/2007, pág. 3889, tomo 3, LA LEY.- LA LEY 6927/2007.

—Reseña jurisprudencial

STSJ Región de Murcia, Sala de lo Contencioso-administrativo, Sección 2.ª, de 15 Jul. 2013, rec. 75/2013.- LA LEY 143803/2013.

STSJ Región de Murcia, Sala de lo Contencioso-administrativo, Sección 2.ª, de 30 Jul. 2013, rec. 64/2013.- LA LEY 143804/2013.

STSJ Región de Murcia, Sala de lo Contencioso-administrativo, Sección 2.ª, de 31 Mar. 2011, rec. 535/2010.- LA LEY 69947/2011.

STSJ Región de Murcia, Sala de lo Contencioso-administrativo, Sección 2.ª, de 31 May. 2003, rec. 405/2002.- LA LEY 97734/2003.

MODELO DE EXPEDIENTE: Cambio de titularidad de licencia de actividad *(Disponible a texto íntegro en smarteca.es)*

1)   *Comunicación de cambio de titularidad de licencia de actividad*

2)   *Resolución de toma de conocimiento del cambio de titularidad de actividad inocua*

3)   *Notificación de la toma de conocimiento del cambio de titularidad de actividad inocua*

CAPÍTULO IV

MEDIDAS CORRECTORAS

I. COMENTARIOS

La importancia del cumplimiento de las medidas correctoras en las actividades clasificadas es tal, que su incumplimiento puede ser motivo último del cierre de la actividad. Esto se justifica por el hecho de que son precisamente **las medidas correctoras las que han de soportar el buen funcionamiento de la actividad**, en cualquiera de sus múltiples facetas que hayan de trascender tanto sobre las personas como sobre las cosas y el medio ambiente. Los ruidos, humos, gases, olores, polvos, seguridad, aforo, medidas contraincendios, etc. Componen un amplio abanico de situaciones que deben de garantizarse plenamente antes del inicio de la actividad.

En dos momentos debemos de hablar de las medidas correctoras. En el primero, **antes de que se conceda la licencia de apertura**, consistente en comprobar, por el funcionario técnico competente, que se cumplen con las medidas correctoras impuestas. La importancia de esta inspección es grande si se tiene en cuenta que dependerá de la misma el buen funcionamiento de la actividad, evitándose problemas futuros derivados de un deficiente funcionamiento de dichas medidas.

En un segundo momento, y **una vez que la actividad está en funcionamiento puede el Ayuntamiento**, y fruto de la potestad de control de la que dispone, en virtud del vínculo que une el propio desarrollo de la actividad con la administración, en el sentido de que con la licencia de apertura no se agota la intervención municipal, sino que ésta tiene carácter permanente, pudiendo en cualquier momento acordar lo preciso para que la actividad se ajuste a las exigencias del interés público, tal como afirma la STS 8 octubre 1988, ordenar la inspección del local a fin de verificar el exacto grado de cumplimiento de las medidas correctoras impuestas en su día. Esta inspección adquiere especial relevancia en la práctica por cuanto tiende a garantizar la seguridad de los usuarios y empleados de los establecimientos, así como de los vecinos inmediatos a éstos.

La dificultad de dicha inspección viene impuesta, por otro lado, por la propia carencia de medios de los Ayuntamientos, así como por la ingente reglamentación que por las distintas administraciones se va generando, en la que se exige una adaptación a las nuevas circunstancias legales, produciéndose situaciones de incumplimiento o inadaptación y que se solucionan o intentan solucionar como consecuencia de la tramitación de los expedientes de cambio de titularidad o transmisión de las licencias, momento en el cual se realiza la inspección por los servicios técnicos municipales.

También, y como consecuencia del incumplimiento de las medidas correctoras que se impongan, se deriva la comisión de infracción de la norma sustantiva.

II.   LEGISLACIÓN

1.   Andalucía

Ley 7/2007, de 9 de julio, de Gestión Integrada de la Calidad Ambiental. Arts.: 34.1 c); 71.1.c); 75.2 y 3; 135.1. c); 137.1 g) 138.1.e) 140.1 b) y 157. 1 p).

2.   Aragón

Ley 11/2014, de 4 de diciembre, de Prevención y Protección Ambiental de Aragón. Arts.: 18.3; 44.1. a); 78.4; 86.1 y 110.e.

3.   Canarias

Ley 7/2011, de 5 de abril, de actividades clasificadas y espectáculos públicos y otras medidas administrativas complementarias. Arts. 5.4; 11.4; 16.1; 17; 21.1.; 24.2. a); 27.2. a); 42.5 y 50.1 a).

4.   Cantabria

Ley de Cantabria 17/2006, de 11 de diciembre, de Control Ambiental Integrado. Arts. 20.1; 34.1; 37.4 y 39.1.b)

5.   Castilla y León

Decreto Legislativo 1/2015, de 12 de noviembre, por el que se aprueba el Texto Refundido de la Ley de Protección Ambiental de Castilla y León. Arts. 27.2. a) 7.º; 39.2; 43.3. b) y 72.

6.   Cataluña

Ley 20/2009, de 4 de diciembre, de prevención y control ambiental de las actividades. Arts. 26.2. h); 30.6 y 38.4.

7.   Comunidad de Madrid

Ley 2/2002, de 19 de junio, de Evaluación Ambiental de la Comunidad de Madrid. Art. 46.

8.   Comunidad Valenciana

Ley 6/2014 25 de julio, de la Generalitat, de Prevención, Calidad y Control Ambiental de Actividades en la Comunitat Valenciana. Arts. 34.3 y 4; 35.1 y 2; 58.3, 4 y 6 y 96 f).

9.   Extremadura

Ley 16/2015, de 23 de abril, de protección ambiental de la Comunidad Autónoma de Extremadura. Arts. 25.3; 71.2; 86.5; 89.5; 133.2.c) y 3.c) y 142.i).

10.   Islas Baleares

Ley 7/2013 de 26 de noviembre, de régimen jurídico de instalación, acceso y ejercicio de actividades. Arts. 50.1 b); 68.2 y 8; 74,4; 193.1 k; 107.5, y DA sexta.

11.   La Rioja

Ley 6/2017, de 8 de mayo, de Protección del Medio Ambiente de la Comunidad Autónoma de La Rioja. Arts. 21.a.1.º; 40; 49.1 a) y 2 e) y 50 1. F) y 2 f).

12.   Navarra

Ley Foral 4/2005, de 22 de marzo, de intervención para la protección ambiental. Arts. 1.2. f) y g); 15 b); 28.1; 29.4; 33.3; 34.1; 39.1 d); 41.3; 44; 48; 53 d); 54; 55.5; 57.5; 58.2; 68.2; 70; 72; 75. 1 d) y 80. G).

13.   País Vasco

Ley 3/1998, de 27 de febrero, de Protección general del Medio Ambiente. País Vasco. Arts. 2 e); 37.2; 45 e); 47.3; 49; 57.1 y 2; 59; 59 bis. 1 y 3; 61.2 y 3; 62; 109 d); 113.4 y 117.

14.   Región de Murcia

Ley 4/2009, de 14 de mayo, de Protección Ambiental Integrada. Arts. 34.2; 40.7; 65.3; 76 y 152.b).

III.   JURISPRUDENCIA

• Reconocido por la apelante que el local de referencia no cumple con lo recogido en el informe del Servei de Prevenció, Extinció d'Incendis i Salvament, en cuanto asegurar la estabilidad al fuego de la estructura, de conformidad a lo establecido en los indicados preceptos no se presentaba obstáculo en la orden de cese de la actividad, orden que alcanzara a la persona que sea titular de la misma. **El hecho de que el aquí apelante no sea el propietario del local sino el arrendatario no obsta la adopción de esa orden, independientemente de la persona a la que corresponda llevar a cabo las actuaciones** tendentes a conseguir esa estabilidad de la estructura. [STSJ Cataluña 26 febrero 2010.- LA LEY 55126/2010]

• Se trata, por tanto, de una potestad administrativa de control o de policía sanitaria, potestad ésta de naturaleza distinta de la sancionadora y en la que se pueden adoptar medidas restrictivas de derechos para la protección de la salud pública que, ni tienen naturaleza sancionadora —no todas las medidas restrictivas de derechos suponen el ejercicio del *ius puniendi* del Estado— ni tienen por qué derivar de forma inexorable en un ulterior procedimiento sancionador.

Coincidiendo con la sentencia apelada, la Sala considera que **la medida de suspensión cautelar, en este caso, se impuso ajustándose a los términos de la norma aplicable, como medida preventiva, y ello porque el cierre del establecimiento o la suspensión del mismo queda supeditada a la corrección de los defectos o al cumplimiento de los requisitos exigidos por razones de sanidad e higiene**, de manera que observados éstos ha de levantarse la suspensión; quedando descartada la naturaleza sancionadora. [STSJ País Vasco 15 marzo 2010.- LA LEY 211504/2010]

• Teniendo en cuenta que con motivo de la concesión de licencia de actividad y apertura por medio de decreto n.º 1277 de 9 de junio de 2009 el propio ayuntamiento **condiciona dicha efectividad al cumplimiento de las medidas correctoras previstas en el proyecto**, que tras la visita efectuada al local inicialmente hay que considerar eficaces, **no aparecen razones consistentes para que cautelarmente prevalezcan los derechos de los vecinos de la comunidad de propietarios pues, ante cualquier defectuoso funcionamiento de tales medidas correctoras, habrá de ser el propio ayuntamiento el que tome medidas al respecto de la continuidad del local y el sometimiento de su actividad a la eficacia de las mismas.**

Quiere ello decir que **los intereses de los vecinos y el público o común y de terceros** afectados por el ruido y los malos olores que supuestamente se producen y emanan de dicho local **ya están protegidos por la actividad municipal que la propia licencia de actividad y de apertura debe generar sin resquicio de duda**; mientras el ayuntamiento se mantenga en la postura de defender la ejecutividad de la licencia concedida no puede dar lugar a su suspensión la serie de protestas y denuncias que, de momento, son conjeturas sobre el funcionamiento del local, por lo que el interés preferente radica en la efectividad de la licencia concedida mientras el ayuntamiento no lo clausure por razones de ineficacia de las medidas correctoras exigidas, situación que no deben descartar los vecinos acudiendo al ayuntamiento cuando así suceda. [STSJ Cantabria 5 noviembre 2010.- LA LEY 326150/2010]

• Sin embargo, la referencia a «medidas correctoras» no pueden identificarse con la obligación de cumplimentar las medidas correctoras que se imponen en una licencia de actividad clasificada, y que en último término suponen que en tanto no se cumplimentan y se obtiene la licencia de apertura, no puede iniciarse la actividad clasificada. **No podría operar como atenuante de una conducta tipificada, consistente en que no se han adoptado medidas correctoras**, precisamente el que se hayan adoptado «algunas» aunque no todas las exigibles. [STSJ País Vasco 5 julio 2011.- LA LEY 300760/2011]

• La licencia municipal de apertura o de actividad de establecimiento postula, de acuerdo con su carácter, **una permanente adecuación a la norma** —en lo que se ha venido en denominar una **concepción institucional dinámica**, que se puede comprobar en las sentencias TS 25-2-76; 24-2-77 y 31-1-80— dado que el contenido del acto-licencia o actividad en su ejercicio **ha de acomodarse a las exigencias precisas para que la misma resulte inocua o tolerable** dentro de los márgenes establecidos para el vecindario y derechos de los demás establecimientos, **por lo que tal actividad está sometida a una posible y permanente inspección por parte de las autoridades para prevenir los posibles accidentes**. A lo que hay que unir la posibilidad de **imponer las medidas correctoras actualizadas** que prevean las Ordenanzas o Reglamentos en vigor por así exigirlo el interés público y ser ello acorde con la naturaleza jurídica de este tipo de licencia o autorizaciones, puesto que **en el caso de no ser posible, por razones jurídicas o técnicas, la instalación de las medidas precisas o adecuadas, los reglamentos, con apoyo legal, permiten la revocación de la licencia o imposición de traslado de industrias, con indemnización**. Ello quiere decir que ha de respetarse el contenido económico de lo autorizado pero el uso o ejercicio industrial etc. ha de acomodarse a las exigencias del interés público (p.e., razones de seguridad, salubridad, etc.) que puede justificar la clausura de la industria o de la actividad o del traslado forzoso a un emplazamiento más idóneo. [STSJ Comunidad Valenciana 6 mayo 2012.- LA LEY 139771/2010]

• Por ello, la autoridad competente, en el caso la municipal, puede en cualquier momento ordenar que por un funcionario técnico se gire visita de inspección a las actividades que vengan desarrollándose o instalaciones que funcionen, para comprobar el cumplimiento de las condiciones exigidas en la licencia o autorización y, efectuadas tales inspecciones (como ya disponía el artículo 36 de aquel reglamento de 1.961), deberán requerir al responsable de la actividad para la corrección de las deficiencias comprobadas en el plazo que se señale. Debiendo en consecuencia **la administración velar en todo caso por las exigencias generales de las circunstancias especiales de la actividad de que se trata y por la aplicación de las medidas correctoras, con la adopción de las medidas de corrección y máxima seguridad que se requieran en cada caso**. [STSJ Cataluña 12 julio 2012.- LA LEY 139721/2012]

• A la hora de analizar la adecuación a derecho de las medidas correctoras impuestas, es preciso clarificar desde el primer momento de nuestro análisis que **no se trata propiamente de medidas correctoras** del art. 59 LPMA en relación con el art. 213.2.a) de la Ley vasca 2/2006, de 30 de junio de Suelo y Urbanismo (LSU), **toda vez que las medidas correctoras, que operan a modo de condiciones suspensivas, tienen por finalidad evitar o minimizar los riesgos para las personas y el medio ambiente que el ejercicio de la actividad clasificada entraña, de acuerdo con el criterio de la mejor técnica disponible**, concepto al que no responden las tres condiciones impuestas por la licencia de actividad, y la de apertura litigiosas.

En realidad su naturaleza es la *conditio iuris* (STS 3.ª sec. 5.ª, S 23-03-2002, rec. 2585/1998), que **ante el incumplimiento de requisitos legales por el proyecto sometido a licencia, en lugar de denegarlo, se concede la autorización condicionada al cumplimiento de los requisitos que se exigen como condiciones suspensivas, de modo que la autorización despliega su eficacia sólo a partir del momento en que las condiciones impuestas en la licencia se cumplen, técnica que opera siempre a favor del interesado ya que evita la denegación de la licencia y la necesidad de volverla a solicitar**, pues como recuerda la STS de 12 de diciembre de 1990 «la jurisprudencia —Sentencias de 21 de abril de 1987, 2 de febrero y 8 de julio de 1989— declara no sólo la posibilidad, sino también el "deber" de **introducir** *conditiones iuris* **en el contenido de la licencia para hacer posible su otorgamiento cuando la adaptación del proyecto a la legalidad es fácil**». [STSJ País Vasco 28 noviembre 2012.- LA LEY 253042/2012]

• Esto no supone que si **una vez en funcionamiento la actividad se demuestra el incumplimiento de las condiciones a que queda sometida, no solo las expresamente introducidas en el correspondiente acto administrativo autorizatorio, sino también las determinaciones establecidas por el ordenamiento aplicable al tipo de licencia de que se trate** (sentencia del Tribunal Supremo de 5 de abril de 1999, y las que cita, y artículo 24 de la Ley territorial 1/1998), **no deba la Administración proceder a la suspensión cautelar de la actividad** (artículo 29 de la Ley 1/1998, la aplicada al caso), **a la revocación de la licencia** (artículo 27) **o a su revisión** (artículo 28), medidas todas ellas que no suponen otra cosa que una peculiaridad de este tipo de autorizaciones que disciplinan el ejercicio indefinido de ciertas actividades, denominadas por la doctrina **licencias de tracto sucesivo** que generan, en palabras del Tribunal Supremo, sentencia de 19 de enero de 1996 —entre otras muchas- una relación permanente con la Administración que en todo momento puede acordar lo preciso para que la actividad se ajuste a las exigencias de interés público: «a través de una continuada función de policía que no se agota con el otorgamiento de la licencia sino que permite **acordar el establecimiento de medidas correctoras y la revisión de éstas cuando se vuelven ineficaces**». [STSJ Canarias (Santa Cruz de Tenerife) 8 febrero 2013.- LA LEY 42832/2013]

• Sobre esta base y a propósito de las licencias de apertura y funcionamiento antes citadas, la jurisprudencia ha reconocido que «la posibilidad de actuación en esta materia de **los Ayuntamientos**, como titulares de policía de seguridad, no se agota con la concesión y la revocación de las licencias de apertura, sino que, más bien **disponen de unos poderes de intervención de oficio y de manera constante con la finalidad de salvaguardar la protección de personas y bienes pudiendo imponer, en consecuencia, cualesquiera correcciones y adaptaciones que estimen necesarias sin que ello suponga una ilícita vuelta contra los propios actos**. [STSJ Madrid 6 marzo 2013.- LA LEY 41225/2013]

• Como se está ante una licencia de actividad, ampliada, **el cumplimiento de las medidas correctoras es un trámite posterior** [—recordaremos, por su relevancia en este momento, que la sentencia desestimó el recurso dirigido contra la licencia de apertura de 2010, en relación con la de actividad de 2006, sobre la que ya no se debate en el recurso de apelación—], como expresamente recogió y en ese ámbito se deberá constatar el cumplimiento de las exigencias medioambientales en cuanto a ruido. [STSJ Comunidad Valenciana 6 noviembre 2014.- LA LEY 203182/2014]

• Sobre esta base y a propósito de las licencias de apertura y funcionamiento antes citadas, **la jurisprudencia ha reconocido que la posibilidad de actuación en esta materia de los Ayuntamientos**, como titulares de policía de seguridad, no se agota con la concesión y la revocación de las licencias de apertura, sino que, más bien disponen de unos poderes de intervención de oficio y de manera constante con la finalidad de salvaguardar la protección de personas y bienes, pudiendo imponer, en consecuencia, **cualesquiera correcciones y adaptaciones que estimen necesarias sin que ello suponga una ilícita actuación contra los propios actos**. [STSJ Madrid 12 noviembre 2014.- LA LEY 190924/2014]

• Cuando se ejerce una actividad en las condiciones de la licencia de instalación concedida pero con un defectuoso funcionamiento de los elementos industriales licenciados, con carácter previo a la clausura de la actividad es **necesario dictar una orden de «corrección de deficiencias»** concediendo plazo para ello. [STSJ Madrid 18 marzo 2015.- LA LEY 35354/2015]

IV. REPERTORIO HISTÓRICO DE JURISPRUDENCIA

1. Medidas correctoras (en general)

El RAM, establece un régimen jurídico que, esencialmente, consiste: Primero, en conceder la licencia con las medidas correctoras que se estimen normalmente adecuadas para impedir las consecuencias de incomodidad, daños o riesgos a que se refiere su artículo 1 y, después, otorgar a la Administración unas facultades de control y comprobación de cumplimiento de la licencia que le autoriza para prohibir el comienzo de la actividad mientras que no se subsanen las deficiencias que se observen en la instalación de las medidas correctoras impuestas, así como una vez comenzada, para adoptar todas aquellas otras medidas que resulten necesarias en evitación de que ese uso de la licencia las sobrepase y, por ello, cuando se trata de conceder licencia de construcción de un edificio destinado a una actividad de tal naturaleza, que ya ha sido previamente autorizado, el principio de subordinación que, con carácter general, impone el artículo 22.3 RSCL debe estimarse cumplido en todos aquellos supuestos en que la edificación proyectada resulta normalmente apta para satisfacer el cumplimiento efectivo de las condiciones de ejercicio que se ha impuesto en la licencia de la actividad. [STS 16 diciembre 1980]

Cuando a fin de evitar molestias al vecindario y en protección y seguridad del mismo se acuerde por la Autoridad municipal, ha de reputarse legítimo y ajustado al ordenamiento vigente, ya se constituya éste por la normativa específica del RAM, autorizante del mandato de adopción de las adecuadas medidas correctoras que la actividad ejercida demanda, o por la debida y constante eficacia de las que pudieran haberse adoptado de antemano, cuando por el contrario, el acuerdo corresponda de modo exclusivo a facultades de policía o buen gobierno. [STS 24 enero 1983, Sala 4.ª]

No es óbice a la imposición de medidas correctoras en materia de actividades molestas, insalubres, nocivas y peligrosas —cuyo fundamento y proporcionalidad no se discute— el que las mismas hagan referencia a actividad que viene desarrollándose al amparo de una concesión administrativa, cuyo equilibrio económico puede verse afectado al tener que sufragar los gastos de implantación y mantenimiento de los utensilios que la observancia de tales medidas correctoras impone. [STS 5 julio 1983, Sala 4.ª]

Aunque el RAM, esté pensado para que las medidas correctoras se lleven a cabo dentro de la propia industria o actividad, como sistema normal de eliminación o amortiguación de esos inconvenientes, sin embargo, en el caso, el que las medidas decretadas y asumidas por la empresa se deban realizar, no dentro de las instalaciones de la misma, sino en las viviendas vecinas, aunque constituyan una medida un tanto insólita, no por ello deja de ser legal, por haber sido recomendada en un informe técnico como la más viable. [STS 27 diciembre 1984]

Resulta improcedente que se ordene el traslado de la oficina y el almacén con base exclusiva en no considerar adecuado el local que actualmente venía destinado a tal actividad, porque la supuesta inadecuación no implicaba la prohibición de emplazamiento de la misma a la vista de las Ordenanzas o planeamiento urbanístico que resultaba aplicable, ni que aquél no pudiera convertirse en adecuado mediante la adopción de las medidas correctoras que el concreto caso aconsejaba, con mayor razón, cuando, en la hipótesis de que se quisiera hacer sinónima la inadecuación del local y la de su emplazamiento, el artículo 20 RAM, siquiera para casos muy excepcionales, previo informe favorable de la Comisión Provincial de Servicios Técnicos, permite la autorización de un emplazamiento distinto del previsto en tal Reglamento, a condición de que se adopten las máximas medidas de seguridad que se requieren en cada caso. [STS 21 enero 1985, Sala 4.ª]

Aunque la industria en cuestión esté radicada en Zona industrial, por el hecho de hallarse ésta en parte edificada con locales habitados, debe respetarse la imposición de las medidas correctoras impuestas que impiden el funcionamiento de la Industria, derivadas de lo dispuesto en las Normas Provinciales Subsidiarias de Planeamiento, no excluyendo el RAM la necesidad de imponer medidas correctoras a las actividades industriales emplazadas, conforme a las normas del Planeamiento urbanístico, Ordenanzas municipales, o en lugar adecuado indicado por la Administración competente, pues la peligrosidad, insalubridad o molestias causadas por el funcionamiento de una industria, son objeto de estudio al ser calificadas en función de su incidencia en el lugar en que se hallan sitas las industrias. [STS 4 noviembre 1985]

La circunstancia de que la actividad industrial se viniera ejerciendo antes de que el RAM entrase en vigor, cuya disposición transitoria respetaba los derechos adquiridos, no eximía a su titular de la obligación de establecer «los elementos correctores necesarios que se regulen en este Reglamento», a tal extremo, cuando los mismos no pudieran establecerse o en casos de extrema gravedad, se llegaría a la suspensión o traslado de la actividad, siquiera mediante indemnización al propietario, ello con independencia de que tal disposición no puede entenderse aplicable más que cuando lo que se venía ejerciendo no haya sido alterado con posterioridad a la vigencia de dicha norma, de forma tal que las condiciones que, en su día, se impusieran, devengan insuficientes, siendo irrelevante al efecto el hecho de que la industria a que el proceso se contrae no esté calificada expresamente de molesta por el correspondiente Reglamento, por ser reiterada jurisprudencia que la enumeración del Nomenclátor del mismo no constituye un catálogo de *numerus clausus*, sino simplemente orientativa. [STS 29 julio 1986]

La prescripción del artículo 4 RAM, al referirse a la idoneidad del emplazamiento, hace irrelevante cualquier medida correctora cuando esa idoneidad no se acredite. [STS 15 octubre 1986, Sala 4.ª]

Si es indiscutible la competencia municipal para velar por la seguridad de las personas y bienes, dentro de su término, y, por lo tanto, para acordar las medidas de salvaguardia de esos valores, no es menos evidente que es a la empresa que, con sus instalaciones industriales, pone en peligro los mismos, a quien hay que imputar la realización de las obras necesarias para atajar e impedir tales males, aunque no sea más que por pura aplicación de la ley de la relación de causalidad. [STS 3 noviembre 1987, Sala 4.ª]

Otorgada licencia para la legalización de la actividad de cebadero de cerdos, ha de señalarse que la limitación del número de animales no es en puridad una medida correctora de las molestias de una actividad, sino una cortapisa a la actividad misma, respecto de la cual no existe justificación alguna, puesto que se acredita que no está directamente relacionado con la producción de malos olores. [STS 29 marzo 1988, Sala 4.ª]

Los actos administrativos impugnados en las actuaciones que ordenaron, fundamentalmente, que los alpechines y oleazas procedentes de una determinada almazara no fueran vertidos al alcantarillado municipal y que para su recogida fueran construidas balsas o depósitos lo suficientemente alejados del casco urbano para que no se derivaran molestias para el vecindario, son ajustados a derecho, pues el examen conjunto de los elementos probatorios aportados a las actuaciones lleva al Tribunal a entender que la Sala de instancia valoró con acierto aquéllos al considerar como acreditado en el supuesto enjuiciado un riesgo para la salubridad, así como la existencia de olores desagradables que causan molestias al vecindario. [STS 15 diciembre 1988, Sala 4.ª]

• Se alega por el recurrente la improcedencia de decretar la clausura de su industria sin haber agotado previamente los procedimientos sancionados en el RAM, indicando, en este sentido, que de su artículo 40.2 se desprende que se necesita la imposición de tres multas previas para proceder a la retirada temporal de las instalaciones, si ello no es así, ya que ése es el efecto que se deriva de la reiteración de las multas, pero *la posibilidad de adoptar las medidas impugnadas viene establecida en el artículo 38 b) de dicho Reglamento, estando manifiestamente legitimadas las medidas adoptadas por el Alcalde de retirada temporal de licencia en tanto la recurrente no adoptase las medidas correctoras ordenadas, al igual que el precinto de los elementos y maquinarias que funcionaban sin licencia;* y sin que fuese en modo alguno necesario; para que pudieran adoptarse estas medidas, que mediaran previamente 3 multas, como sostiene la apelante, pues el artículo 40 del indicado Reglamento no permite esta interpretación. [STS 10 octubre 1989, Sala 3.ª, Secc. 1.ª]

• Si bien se autorizó irregularmente la puesta en funcionamiento de la actividad de garaje al no haberse controlado, por causas no acreditadas, la adopción de las medidas correctoras, tal y como dispone el artículo 34 RAM, no es menos cierto que esa irregularidad queda subsanada por la posterior actuación de la Administración, que en su labor de policía y vigilancia de esas actividades que no sólo autoriza, sino incluso exige, el artículo 35 del citado Reglamento, detecta las anomalías y requiere la adopción de las correspondientes medidas correctoras, lo cual, como expresa el citado precepto, puede hacerse en cualquier momento. [STS 17 febrero 1992, Sala 3.ª, Secc. 4.ª]

• La sentencia apelada limita las posibilidades que ofrecen los artículos 34 al 40 RAM en cuanto a las comprobaciones para la implantación de medidas correctoras, pues estos preceptos tienen su base en sus precedentes artículos 29 al 33, que dan por supuesto que se ha obtenido licencia con arreglo a ellos, no contemplándose el caso presente de que se ejerzan actividades distintas a las autorizadas por la licencia. [STS 26 octubre 1993, Sala 3.ª, Secc. 4.ª]

• Las molestias causadas por los asistentes con música o canciones y que, por supuesto, tienen que ser evitadas y, en su caso, corregidas, no derivan propiamente de la actividad del bar y, por tanto, las medidas a arbitrar para solucionarlas son de índole distinta de las correctoras previstas en el RAM. [STS 30 noviembre 1993, Sala 3.ª, Secc. 4.ª]

• *El desarrollo de actividades clasificadas no se puede alterar*, en concreto todo lo referido a maquinaria y elementos necesarios, *sin su adecuación a las medidas correctoras, dado que, en su caso implicaría modificar éstas*, y ello salvo la nueva legalización respecto a los elementos introducidos, singularmente maquinaria, que en su caso podrán ser legalizados de cumplir las exigencias medioambientales, en relación con las medidas correctoras que se deben imponer en el suelo urbano residencial. [STSJ País Vasco 21 febrero 2003]

2. Requisito para el ejercicio de la actividad

• La actividad que de hecho se viene ejerciendo y cuya legalización se pretende es de las comprendidas en el Reglamento de Actividades Molestas, Nocivas, Insalubres y Peligrosas, y esto impone la necesidad de adoptar, con carácter previo, las correspondientes medidas correctoras, a través de un procedimiento especial iniciable por el interesado, que es de naturaleza específica y excluyente de cualquier otra actividad por la que se intente suplir, pues la licencia regulada por aquél absorbe y unifica las de obras y apertura de los artículos 165 LS y 22 RSCL (STS 5 noviembre 1969) (de los Considerandos de la sentencia apelada, aceptados). [STS 15 octubre 1981]

• Según dispone el artículo 10 de la Instrucción aprobada por OM 15 marzo 1963, *ninguna industria o actividad podrá comenzar su funcionamiento sin la previa adopción de las medidas correctoras impuestas en la respectiva licencia.* [STS 26 marzo 1982]

• *La adopción de las medidas correctoras* que eviten las molestias, insalubridad, nocividad y peligrosidad de una actividad sometida al régimen jurídico establecido en el Reglamento de 30 noviembre 1961, *hace posible, precisamente, el que se conceda la autorización administrativa para su funcionamiento.* [STS 2 abril 1982]

• *Si las medidas de seguridad que se incluyen como correctoras en una licencia para la instalación de una industria no pueden en absoluto cumplirse sin invadir propiedad ajena, e incluso un camino público, ello es motivo suficiente para la denegación de tal licencia,* porque si este obstáculo es ya manifiesto, sería ilógico esperar al resultado de la comprobación ordenada en el artículo 34 RAM, al que se condiciona el ejercicio de la actividad autorizada provisionalmente. [STS 15 octubre 1984]

• No basta que al iniciar su actividad el titular de una licencia, sometida al RAM, se hayan instalado los dispositivos correctores de las molestias e insalubridad de la actividad calificada, sino que *tales medidas deben persistir durante el tiempo que se ejerza esa actividad, sin perjuicio de que de ser exigibles otras medidas, y previa nueva calificación, se determinen como necesarias otras* y se impongan al titular de la licencia (de los Considerandos de la sentencia apelada, aceptados). [STS 21 enero 1985]

• La licencia de apertura concedida en el caso, de un aparcamiento público subterráneo, no puede subordinarse a la ejecución de unas obras, cuando la explotación se realiza mediante una concesión administrativa, pues *el Ayuntamiento debe cerciorarse de la corrección y aceptar tales obras antes de expedir la autorización de la actividad y licencia de apertura, sin perjuicio de que el Ayuntamiento pueda asignarle las obras que en el transcurso del tiempo se impongan por los Ordenamientos que se dicten para regular la actividad, pero procurando acomodarse a las reglas de la concesión,* para dejar salvaguardados los intereses legítimos del concesionario. [STS 20 noviembre 1985]

• *Debe concederse la licencia solicitada siempre que se adopten previamente las medidas correctoras que se establecen* por la Subcomisión de Saneamiento y aquellas a que se refería el perito municipal en su informe, pues, como se desprende de éste, adoptadas éstas por la industria, deja de representar peligro y molestias, y, dado su carácter cuasi-artesanal, debe concederse la oportuna licencia (de los Considerandos de la sentencia apelada, aceptados). [STS 22 abril 1986]

• Tratándose de una granja para engorde de ganado porcino que en el nomenclátor del RAM se califica de molesta, insalubre y nociva, no puede declararse concedida la licencia por silencio administrativo positivo, porque constituiría un medio para conseguir lo prohibido manifiestamente por la ley, como es la instalación de una actividad molesta, insalubre, nociva y peligrosa sin medidas correctoras adecuadas (de los Considerandos de la sentencia apelada, aceptados). [STS 3 marzo 1987]

• En lo que al estricto ámbito de la licencia de instalación y apertura se refiere, no implica el que un uso industrial, por lo demás permitido, en el edificio en que se pretende efectuarlo, no sea posible cuando la intensidad de los ruidos originados por su ejercicio supere los 45 dB, sino únicamente que cuando naturalmente los produzca la actividad, deberán reducirse a esa intensidad para que sea autorizable, lo que consecuentemente se impuso en la licencia como medida correctora. [STS 30 mayo 1989, Sala 3.ª, Secc. 1.ª]

• La exigencia de nueva licencia de apertura y funcionamiento trae causa del hecho de la modificación de los condicionamientos que en orden a la adaptación de sótanos para servir de garaje le fueren impuestos al demandante en la licencia otorgada, por lo que en tanto no se legalice la rampa de acceso y la supresión de la escalera no podrá entenderse conferida la autorización municipal para la apertura y funcionamiento del garaje, al haber variado la disposición de una de sus instalaciones que conformaban, según la licencia dada, el garaje; sin perjuicio de la incidencia de los otros requisitos sin cuya concurrencia no es posible autorizar su funcionamiento como demanda el artículo 34 RAM. [STS 17 enero 1990, Sala 3.ª, Secc. 1.ª]

• En el caso, la comunidad de propietarios recurrente solicitó licencia del Ayuntamiento para la apertura de actividad de garaje-aparcamiento en los sótanos del edificio, requiriéndose a dicha comunidad para que, entre otras deficiencias, subsanara la de justificar, si la posee, la legalización de las instalaciones generales del edificio, solicitando la comunidad, como consecuencia de este requerimiento, la legalización de tales instalaciones generales, poniéndose en conocimiento de la misma que el proyecto incumplía el ordenamiento aplicable por no poseer el cuarto de calderas de otro acceso independiente del que posee por el garaje, ni tampoco ventilación natural; y así, en este caso, *la exigencia del cumplimiento de las condiciones de seguridad no supone la necesidad de adoptar unas medidas en las instalaciones generales de un edificio que cuentan ya con la correspondiente licencia, sino de supeditar la licencia que se solicita, con relación a dichas instalaciones generales, a las condiciones exigidas por la normativa existente en el momento de dicha solicitud*, y la circunstancia de que el edificio en cuestión se halle amparado con licencia municipal de construcción de nueva planta no es obstáculo a lo expuesto, pues no cabe confundir la licencia de construcción de un edificio con la de apertura del mismo o de cualquiera de sus dependencias para el ejercicio de determinada actividad, así como tampoco es posible confundir la licencia urbanística, que consiste en la primera utilización u ocupación de un edificio, con la de apertura de una actividad que en dependencias del mismo se pretenda ejercer, porque ésta sólo tiende a legitimar el ejercicio de la correspondiente actividad, en tanto la primera propende a la verificación de que el uso de aquél se ajuste al Plan Urbanístico, y por ello el hecho de que el edificio estuviera ya construido no puede impedir que para iniciar una actividad en el mismo, anteriormente no autorizada, deban cumplirse cuantas medidas correctoras exijan las ordenanzas vigentes en el momento de la solicitud. [STS 12 junio 1991, Sala 3.ª]

• Respecto del emplazamiento de la nave avícola objeto de litigio, la sentencia apelada no desconoce que ésta se encuentra a menos 2.000 m del núcleo de población más cercano; pero el Tribunal de instancia tuvo en consideración las distintas circunstancias de la actividad y que los informes técnicos que constan en el expediente, así como la resolución de la Comisión Provincial de Colaboración del Estado con las Corporaciones Locales, no contienen obstáculo alguno al emplazamiento, de ahí que la distancia de los 2.000 m que, en todo caso, es exigible para industrias fabriles —art. 4 RAM—, no sea vinculante para la Administración siempre que la nave avícola contenga las medidas correctoras y de seguridad precisas que figuran en el proyecto, con la condición de que no se instalen en dicha nave más de 1.000 gallinas y se añada a las deyecciones 40 kg de superfosfatos por t; se trata de medidas y condiciones que miran a preservar a los convecinos de las molestias que, de no ser por aquellas medidas y condiciones, pudiera representar la actividad. [STS 20 julio 1992, Sala 3.ª, Secc. 4.ª]

• En el caso, siendo favorable el informe de la Comisión Provincial de Calificación de Actividades para la apertura de la discoteca objeto de litigio, y no opuesta por el Ayuntamiento recurrente una causa impeditiva, propia de su competencia, referida a la instalación y no a su funcionamiento, deben declararse no conformes a derecho los acuerdos denegatorios impugnados, y condenar al Ayuntamiento a que otorgue la licencia para la instalación de la discoteca; con la advertencia de que no podrá funcionar sin la previa inspección del técnico competente a que se refiere el artículo 34 RAM, con la consiguiente responsabilidad de la Administración y de la titular del establecimiento si comenzara a ejercerse la actividad, sin que por ese técnico se adverara que se han aplicado y funcionaran debidamente las medidas correctoras a que se contrae el referido informe. [STS 16 enero 1996, Sala 3.ª, Secc. 4.ª]

• En el caso, no se trata sólo de que una vez otorgada la nueva licencia de apertura del bar-cafetería el Ayuntamiento incumplió su deber de que no comenzara a ejercerse la actividad hasta que se hiciera la comprobación oportuna de que se habían aplicado medidas correctoras a tenor del artículo 34 RAM, sino que además desde el primer momento el Ayuntamiento contravino la legislación reguladora, ya que, ordenada la clausura del establecimiento por la doble razón de carecer de licencia y estar incluso en el carácter de actividad molesta, al solicitarse la nueva licencia las autoridades municipales estaban obligadas a velar para que las molestias no se produjeran, siendo consecuencia obligada para el Ayuntamiento la aplicación del artículo 9 RSCL, debiendo comprobar las deficiencias antes de permitir que comenzase a funcionar el establecimiento. Ello es así tanto más cuanto que se había clausurado éste por la doble razón antes señalada de carecer de licencia y presentar deficiencias que ocasionaban notables molestias a los vecinos sobradamente probadas en el expediente. De las actuaciones y del contenido del acto impugnado se deduce que el Ayuntamiento ordenó por el contrario la apertura del establecimiento sin adoptar ninguna medida, pues a ello equivalía la revocación de la orden de clausura, vulnerándose por tanto de modo palmario el artículo 40 LPA, el cual establece que el acto administrativo será adecuado a los fines perseguidos. [STS 22 febrero 1996, Sala 3.ª, Secc. 4.ª]

• El RD 2816/1982, de 27 agosto (Reglamento general de policía de espectáculos públicos y actividades recreativas) regula, entre otros locales y actividades, los cafés, cafeterías, bares y similares, dentro de cuyas categorías se halla el local objeto del proceso —café-bar especial A—, dada la enumeración genérica que hace en el apartado IV de su anexo bajo la denominación de establecimientos públicos, siendo de aplicación, en lo referente a la seguridad de las personas, las normas del Reglamento que sean adecuadas a tal fin, aun reguladas en atención a concretas actividades, dada la formulación de su artículo 1. Las normas del Real Decreto han de ser interpretadas en relación a su fin, que es la adecuada salvaguardia de la seguridad del público y también de los vecinos del inmueble en que se ubica el local en cuestión, a cuya seguridad no se provee adecuadamente, en el caso, en tanto la puerta de emergencia desemboca en el portal de entrada y salida de los vecinos del inmueble, que se halla cerrado en su acceso a la calle por una puerta de hierro desprovista de las especiales cerraduras que tienen las de emergencia, de apertura elemental por cualquier persona y denominadas antipánico; cualidad que no tienen las cerraduras ordinarias de los portales de las casas de vecinos, que son de hierro y destinadas a asegurar la no entrada de intrusos en las horas del día y de la noche, por lo que su cierre determina una dificultad potencial para abrirlas y a uso exclusivamente de las contadas personas que disponen de llaves propias; con ello se crea una situación contraria al fin de las puertas de emergencia, con lo que el cumplimiento de este extremo, que es esencial, por referirse a la seguridad de las personas, no se da en el local de autos, siendo adecuado el fundamento desestimatorio de la licencia de apertura de la sentencia recurrida, que por ello debe ser confirmada. [STS 14 octubre 1998]

• Ahora bien sucede en el supuesto de autos que el taller en cuestión obtuvo, primero, la licencia de actividad y, posteriormente, la de funcionamiento. El hecho de haber sido concedida con medidas correctoras no impide tal concesión dado que, como antes se señaló, corresponde a la administración comprobar o verificar el cumplimiento de las mismas. [STSJ Madrid 16 julio 2002]

• La jurisprudencia del Tribunal Supremo ha venido declarando (SS 4 octubre 1986, 25 mayo y 28 septiembre 1987, y 19 febrero y 4 y 11 octubre 1988, y reiterada en la de 10 de junio de 1992) que las licencias reguladas en el Reglamento de actividades molestas, insalubres, novicias y peligrosas de 30 noviembre 1961 constituye un supuesto típico de las denominadas autorizaciones de funcionamiento que, en cuanto tales, no establecen una relación momentánea entre Administración autorizante y sujeto autorizado *sino que generan un vínculo permanente encaminado a que la Administración proteja adecuadamente en todo momento el interés público asegurándolo frente a las posibles contingencias que puedan aparecer en el futuro ejercicio de la actividad. Con ello se atenúan o incluso quiebran las reglas relativas a la intangibilidad de los actos administrativos declaratorios de derechos pues entendemos que la actividad está siempre sometida a la condición implícita de tener que ajustarse a las exigencias del interés público, lo que habilita a la Administración para —con la adecuada proporcionalidad— intervenir en la actividad, incluso de oficio, e imponer las medidas de corrección y adaptación que resulten necesarias* y, en último término, proceder a la revocación de la autorización cuando todas las posibilidades de adaptación a las exigencias del referido interés hayan quedado agotadas.

Y por último no se puede decir que la recurrente esté imposibilitada legalmente para la construcción de la chimenea que pretende el Ayuntamiento de Vigo, pues esta Administración demandada al imponer unas medidas colectoras, no tiene por qué atender a los pactos acordados entre particulares, que se contengan en el contrato de arrendamiento del local litigioso, ni incluso a los trámites que se deban observar para proceder a su ejecución, cuestiones éstas a dilucidar en su caso ante el orden jurisdiccional civil por ser ajenas a esta *litis*. [STSJ Galicia 20 septiembre 2002]

• Con los datos que se han recogido en la sentencia apelada —su justificación de la desestimación del recurso— y con los argumentos que incorpora la mercantil apelante en su recurso de apelación, no puede considerarse que incurra aquella en los errores que se defienden, dado que la licencia de actividad lo fue acogiendo los parámetros en cuanto a medidas correctoras recogidos en los previos informes técnicos en relación con el proyecto presentado; situación de autorización con previa licencia que en el curso y desarrollo de la actividad se habría contravenido en los términos que se plasmó definitivamente en las resoluciones recurridas y que ha ratificado la sentencia apelada, todo ello sin que relevante sea en este momento qué tipo o sistema de extracción de humos puede o debe instalar el titular de la actividad para el desarrollo de la misma, dado que, de no instalar la salida exterior, esto es con chimenea a dos metros por encima del alero, podrá, en su caso, establecer el sistema de extracción pero siempre cumpliendo las exigencias valoradas en cuanto al nivel de emisión de ruidos; lo mismo ha de entenderse en relación con la maquinaria que tanto la en su momento prevista, como la introducida, *siempre deberá cumplir las medidas correctoras impuestas en relación con potencia, capacidades y singularmente respecto a la producción de ruidos y vibraciones, dentro de los parámetros de la legalidad vigente en cada momento, dado que ésta no sólo se impone al titular de la licencia, sino que singularmente los es para el Ayuntamiento,* en garantía sobre todo del desarrollo de la actividad sin causar molestias al vecindario más inmediato. [STSJ País Vasco 21 febrero 2003]

3. Carácter necesario

• De la comparación del Decreto del Ayuntamiento y la Resolución de la Subcomisión Delegada de Saneamiento, se observa que al reducir las medidas correctoras el Decreto impugnado quedan en evidente peligro para el vecindario la producción de polvo y ruidos, así como el riesgo de enfermedades infectocontagiosas y riesgo igualmente para la riqueza agropecuaria que como industria molesta, insalubre y nociva ocasiona la actividad de trituración y clasificación de dolomía. [STS 23 marzo 1983]

• En materia de instalación de los garajes y de los elementos contra incendios, *las medidas consideradas necesarias para prevenir peligros u otros inconvenientes han de ser adoptadas, incluso aun en la hipótesis de que no estuvieran establecidas en la ordenación vigente en el momento de interesarse la concesión de la licencia de construcción.* [STS 27 junio 1984]

• Aunque es cierto que el plazo de 2 meses para obtener la autorización municipal quienes vinieran ejerciendo la actividad con anterioridad a la vigencia del RAM, según lo previsto en la disposición transitoria 1.ª del citado Reglamento, no tiene por qué aplicarse al caso de las actividades amparadas en licencia anterior al Reglamento, *no por ello puede entenderse que aquel derecho adquirido exima de la obligación de adoptar las medidas correctoras oportunas* porque, precisamente para ello, se establece de modo expreso en la transitoria 1.ª de las instrucciones para la aplicación del texto reglamentario el de 6 meses, a partir del 1 de octubre de 1963, lo que se corrobora por el artículo 10.2 de las mismas, preceptivo de que las industrias ya instaladas habrán de adoptar las medidas correctoras que determine la Comisión Provincial de Servicios Técnicos al proceder a su nueva calificación, ordenando que se aplique con todo rigor el régimen de sanciones establecido en el Reglamento, caso de no someterse de nuevo al trámite calificatorio, de donde resulta que, efectivamente, la omisión de dicho requisito de adaptación a las referidas normas podría determinar que se impusiera la correspondiente sanción por la Autoridad Local. [STS 5 julio 1985]

• Concedida licencia al recurrente para la instalación de una planta de gas natural líquido, pero condicionada a determinadas exigencias impuestas por precisiones de seguridad derivadas de la clasificación que debe merecer la planta de peligrosa, por explosiva, las medidas correctoras que se exigen vienen contempladas en la Orden del Ministerio de Industria de 30 diciembre 1971 (Reglamento para instalaciones distribuidoras de los licuados de petróleo con depósitos), ya que resulta fundamental a efectos de la seguridad de una planta de estas características que se provea a la debida refrigeración de los depósitos y la posibilidad de contar con generador propio que pueda asegurar el suministro eléctrico; y no resulta suficiente para invalidar la eficacia que la resolución impugnada pretende aducir, sin la debida cobertura probatoria, que la protección de que se ha dotado a la planta es más eficaz que la requerida por la Administración, *porque no se trata de un cotejo de pareceres, sino de una exigencia derivada de deberes muy específicos de la actividad administrativa que afectan a la seguridad ciudadana, porque el cumplimiento de lo exigido está en el campo de posibilidades de aquel al que se impone, sin que al ordenarlo se altere el carácter de este tipo de licencias porque más bien lo conforma y contempla.* [STS 23 noviembre 1987, Sala 4.ª]

• Aun cuando se puso de manifiesto en el caso los efectos aislantes de la pared medianera que separa la carpintería de la vivienda del demandante, se probó también que los ruidos, que hacen prácticamente inhabitable dicha vivienda, penetran por un patio interior, con un nivel de sonoridad, acreditado por el propio informe del técnico municipal, que no pudo legitimar la licencia de apertura a tenor de lo dispuesto en el artículo 34 RAM; correspondiendo al titular de la industria proceder a una correcta instalación y funcionamiento de las medidas correctoras para que, adveradas por la Administración, el ejercicio legítimo de su actividad no impida al recurrente habitar pacíficamente su morada. [STS 12 marzo 1991, Sala 3.ª, Secc. 4.ª]

• *La exigencia, a efectos de la obtención de la preceptiva licencia de apertura del café-bar, de salida a una vía pública de 7 m de anchura*, conforme el artículo 2.1 a) RD 2816/1982, de 27 agosto (Reglamento General de Policía de Espectáculos y Actividades Recreativas), para los edificios y locales cubiertos destinados a espectáculos públicos cuyo aforo no exceda de 300 personas, *no resulta directamente exigible a un local de reducidas dimensiones como el del caso, de 60 m y con un aforo máximo solicitado de 30 personas, que tiene fachada y salida a una vía de 4 m de anchura.* [STS 27 noviembre 1992, Sala 3.ª, Secc. 4.ª]

• El hecho de no superar los niveles de contaminación a que se refiere la Ley 38/1972, de 22 diciembre (Protección del Ambiente Atmosférico), no implica que una actividad sometida a la normativa del RAM no pueda, para que se otorgue la licencia de instalación o apertura y funcionamiento, ser condicionada a las medidas correctoras necesarias para que eviten los efectos lesivos propios de una actividad determinada, aunque no contamine la atmósfera. [STS 23 abril 1996, Sala 3.ª, Secc. 4.ª]

• En consecuencia, *siendo evidente que la realidad de la instalación no se adapta, en cuanto a la eficacia de las barreras aislantes, a lo recogido en el proyecto técnico en base al cual se otorgó la licencia, debe el Ayuntamiento adoptar las medidas necesarias para el cumplimiento de dichas condiciones* conforme a lo dispuesto en los arts. 35, 36 y 37 del Reglamento de Actividades Molestas, Insalubres, Nocivas y Peligrosas de 30 de noviembre de 1961, sin que sean de estimar las alegaciones del órgano demandado en el sentido de que al tratarse de una licencia de actividad y no de obras es indiferente el tipo de elementos de cierre que se utilicen con tal de que la instalación se ajuste al proyecto, ya que ello sería válido en el caso de que cualquiera que fueran los materiales empleados, se respete el estudio acústico aprobado en la licencia, circunstancia que no concurre, como se ha expuesto, en el presente caso. [STSJ Cataluña 19 septiembre 2002]

• Importa destacar que conforme a doctrina jurisprudencial reiterada, que se resume en la sentencia de 25 de mayo de 1987 «la licencia municipal de apertura de establecimiento etc. postula, de acuerdo con su carácter, una permanente adecuación a la norma —concepción institucional dinámica sentencias de 25 febrero 1976, 24 febrero 1977—, 31 enero 1980, etc. —dado que el contenido del acto— licencia o actividad en su ejercicio ha de acomodarse a las exigencias precisas para que la misma resulte inocua o tolerable dentro de los márgenes establecidos para el vecindario y derechos de los demás establecimientos, por lo que tal *actividad está sometida a una posible y permanente inspección por parte de las autoridades para prevenir los posibles accidentes, etc. Unido a la posibilidad de imponer las medidas correctoras actualizadas que prevean las Ordenanzas o Reglamentos en vigor por así exigirlo el interés público y ser ello acorde con la naturaleza jurídica de este tipo de licencia o autorizaciones, puesto que en el caso de no ser posible, por razones jurídicas o técnicas, la instalación de las medidas precisas o adecuadas, los reglamentos, con apoyo legal, permiten la revocación de la licencia o imposición de traslado de industrias, con indemnización.* Ello quiere decir que ha de respetarse el contenido económico de lo autorizado pero el uso o ejercicio industrial, etc. ha de acomodarse a las exigencias del interés público (razones de seguridad, salubridad, etc.) que puede justificar la clausura de la industria o de la actividad o del traslado forzoso a un emplazamiento más idóneo». Así las cosas, *la pretensión de la actora de quedar excluido de cualquier nueva medida correctora o condicionante del ejercicio de la actividad, es absolutamente injustificada.* Recordemos que la actora no ha expuesto en modo alguno que innovaciones o exigencias de las establecidas en la ordenanza considera injustificadas, desproporcionadas o contrarias a Derecho, por lo que su empresa no puede quedar, pura y simplemente al margen de la nueva ordenación municipal no puede ser aceptada. *La concesión de una licencia para el ejercicio de una actividad no puede suponer la petrificación del ordenamiento jurídico que tiene que ser, por esencia, receptivo a nuevas necesidades sociales, cambios culturales, económicos o tecnológicos, etc., que pueden exigir la innovación y modificación de la norma.* [STSJ Andalucía, Granada, 10 marzo 2003]

• La licencia de apertura viene claramente exigida por el art. 34 RAM conforme al cual una vez obtenida la licencia de instalación de una actividad clasificada no podrá comenzar a ejercerse sin que antes se gire la oportuna visita de comprobación por el funcionario técnico competente…, lo que habilita legalmente la llamada licencia de apertura cuyo objeto se limita a verificar que las medidas correctoras impuestas en la licencia de actividad han sido cumplidas. Por lo demás conforme a lo previsto por la disposición transitoria segunda RAM. Quienes a la fecha de la publicación de este reglamento vinieren ejerciendo actividades de las incluidas en el art. 3 del mismo con la debida autorización de la Autoridad municipal, serán respetados en sus derechos adquiridos, sin perjuicio de la obligación que les incumbe de establecer los elementos correctores necesarios que se regulan en este reglamento. *Se contempla con ello un régimen transitorio conforme al cual se dispensa de la necesidad de obtener licencia de actividad clasificada exigida por el citado Reglamento a quienes vinieran ejerciendo la actividad con anterioridad con autorización municipal, lo que no les exonera de establecer las medidas correctoras necesarias.* [STSJ País Vasco 9 abril 2003]

4. Por circunstancias sobrevenidas

• *El cambio de circunstancias conlleva la insuficiencia de la autorización concedida para una actividad cuando las actuales no se daban, en tanto no se adopten las medidas de corrección que el estado de hecho sobrevenido requiera y técnicamente se adveren como necesarias.* [STS 24 enero 1983]

• La existencia de una reglamentación sobre actividades molestas, insalubres, nocivas y peligrosas, generadora de actos administrativos en los que no se dan los efectos de la cosa juzgada, pensada para preservar intereses de la sociedad, inevitablemente atenta contra el principio de la seguridad jurídica, en este caso, con la seguridad jurídica a que tiene derecho una actividad legalizada desde su comienzo y consentida durante tantos años, *por lo que lo menos a que tiene derecho el titular de la licencia es a que cualquier alteración que se le imponga a posteriori, en sentido gravoso a sus intereses particulares, venga establecida tras el seguimiento del procedimiento legal establecido.* [STS 16 diciembre 1985]

• La necesidad de observar las reglas procedimentales establecidas en el RAM para que proceda la imposición de sanciones ha sido reiterada por la jurisprudencia que justifica la exigencia en que, al existir una licencia anterior y, por tanto, un control administrativo previo, *las medidas sancionadoras son consecuencia de una ilicitud sobrevenida por el incumplimiento de las medidas correctoras, que si bien puede dar lugar, incluso, al cierre definitivo y retirada de la licencia, es preciso para ello el oportuno requerimiento con otorgamiento de plazo para la adopción de las medidas ordenadas para la desaparición de las causas de molestia, insalubridad, nocividad o peligro.* [STS 19 enero 1996, Sala 3.ª, Secc. 4.ª]

5. Requerimiento

• En el RAM, por virtud de la especial naturaleza de las actividades reguladas, se establece la fundamental garantía, complementaria a la calificación e imposición de medidas correctoras, de que el cumplimiento de éstas y demás condiciones de la licencia, que es objeto de vigilancia e inspección gubernativa, *si bien puede dar lugar incluso al cierre definitivo y retirada de aquélla, no lo será sin que preceda el oportuno requerimiento con otorgamiento de plazo para la adopción de las medidas ordenadas para la desaparición de las causas de molestia, insalubridad, nocividad o peligro.* [STS 14 octubre 1980]

• En relación con las licencias a que se refiere el RAM, *la condición implícita de tener que ajustarse a las exigencias del interés público habilita a la Administración para requerir al titular de la actividad en cuestión para que corrija las deficiencias que se observen, señalando plazo para ello* (arts. 36 y 37), y sólo, por regla general, cuando transcurridos los plazos señalados las medidas correctoras no hayan sido aplicadas, entrarán en juego las sanciones previstas en el artículo 38 del Reglamento, sanciones, éstas, que, por razones de proporcionalidad, van desde la multa hasta la retirada definitiva de la licencia concedida, pasando por la retirada temporal de aquélla, con la consiguiente clausura o cese de la actividad mientras subsista la sanción. [STS 19 febrero 1988, Sala 4.ª]

• La invocación de un estatus jurídico o derechos adquiridos que la actora estima no pueden ser ignorados carece de consistencia, ya que, por un lado, y como señala la Administración demandada, se está en el caso enjuiciado ante una actividad clasificada, sometida al RAM en cuya disposición transitoria 2.ª se dispone que quienes a la fecha de la publicación del Reglamento vinieren ejerciendo actividades de las incluidas en el artículo 3 del mismo con la debida autorización de la Administración municipal, serán respetados en sus derechos adquiridos, sin perjuicio de la obligación que les incumbe de establecer los elementos correctores necesarios que en él se regulan, por lo que, *frente al requerimiento de que se lleven a cabo medidas correctoras, no cabe invocar la teoría de los derechos adquiridos* (de los Considerandos de la sentencia apelada, aceptados). [STS 30 noviembre 1990, Sala 3.ª, Secc. 1.ª]

• En este momento no está en discusión el que el sistema de aireación utilizado, en concreto el de captación del aire exterior de la calle, sea correcto y adecuado al ordenamiento jurídico en relación con la normativa sobre medidas correctoras en suelo urbano residencial como es el caso de autos, sino si *ha de considerarse correcto el requerimiento de la administración de cumplir la medida correctora impuesta, y en principio hemos de decir que correcta es la exigencia de cumplir la medida correctora impuesta en un acto previo firme y consentido a estos efectos*, todo ello sin perjuicio de la aplicación del principio de proporcionalidad, que tiene singularidad en el ámbito de las actividades clasificadas pero que en esta fase no es necesario reconducirnos al mismo. [STSJ País Vasco 19 septiembre 2002]

• Tal y como se hace constar por el Ayuntamiento de Marín, en materia de actividades clasificadas no existen derechos adquiridos por el transcurso del tiempo, por lo que dicha entidad tenía obligación de comprobar que durante todo el tiempo de ejercicio de la actividad por «Factoría Naval de Marín, SA». Ésta se ajustaba a la legalidad, *de forma tal que si se comprueba que las medidas correctoras no son suficientes la Administración puede y debe requerir al interesado a fin de que adopte los mecanismos necesarios para evitar la producción de molestias*. [STSJ Galicia 24 enero 2003]

• Por otra parte, y en cuanto a la aplicabilidad directa de la nueva normativa a actividades preexistentes con licencia, debe tenerse en cuenta que *deben acreditarse motivos de carácter técnico que pongan de manifiesto de un modo patente que las medidas correctoras impuestas a dichas actividades según la respectiva licencia han quedado obsoletas hasta el punto de ser impropias para la o las finalidades por las que se impusieron*, todo ello de conformidad con el estado de la técnica en el momento de dictarse la nueva normativa. [STSJ Cataluña 30 enero 2003]

• No dejan de ofrecérsele a este Tribunal fundadas dudas con respecto a la actual subsistencia del legítimo interés de las partes sobre el objeto del pleito, conjugando tanto la circunstancia del verdadero sentido del requerimiento efectuado, como el largo lapso temporal transcurrido desde la fecha del mismo y el hecho de que hubiese sido denegada la petición de suspensión del acto administrativo por la Sala de instancia. No obstante, y en trance de resolver obligadamente sobre la pretensión actora, habrá de estimarse la demanda formulada con base en la consideración —precisamente motivo de casación de la Sentencia de instancia por haberse omitido todo pronunciamiento sobre ella— de que no cabe imponer perentoriamente la realización de medidas correctoras de una actividad calificada que ha venido funcionando legalmente, cuando parte de ellas no resultan exigibles y el resto de las que puedan merecer serlo se impongan de plano, sin otorgar un plazo razonable en atención a la calidad de las correcciones a realizar ni ponderar las medidas alternativas que cupiese adoptar en el caso de que no fuese posible llevar a cabo las propuestas (arts. 36 y 37 del Decreto de 30 de noviembre de 1961 y Jurisprudencia complementaria ya citada). [STS 18 junio 2003]

• Cuando el Juzgador de Instancia confirma la resolución administrativa en el particular atinente al requerimiento efectuado al recurrente a fin de que en el plazo concedido adopte las medidas correctoras aconsejadas para preservar la salud pública de la población afectada del barrio de Zamarramala, están confirmando todas y cada una de las medidas reseñadas de forma expresa en el resto del apartado 1.º de la parte dispositiva, toda vez que tras el enunciado genérico de las medidas correctoras aconsejadas por los Servicios Veterinarios, después se reseñan nominativa y específicamente cada una de las mismas. [STSJ Castilla y León, Burgos, 20 mayo 2004]

6. Comprobación

• Fuera o no necesaria la licencia de apertura expresa para una actividad comprendida entre las denominadas molestas, insalubres, nocivas y peligrosas, *es indudable que la Administración está obligada, no sólo facultada, a realizar la operación técnica de comprobación, a los efectos de lícito funcionamiento, respecto a si se han adoptado o no las medidas correctoras exigidas o impuestas en las licencias,* ya que ninguna actividad de este tipo podrá comenzar a funcionar sin la previa adopción de tales medidas. [STS 15 abril 1983]

• *Una cosa es la concesión de una licencia autorizando una determinada actividad industrial o mercantil y otra distinta es la de examinar, en el momento de apertura, si las obras y medidas correctoras ordenadas en la licencia han sido o no cumplidas, pues esto no incide en la legalidad de la licencia, sino en la posibilidad de iniciar el ejercicio de la actividad que autoriza.* [STS 4 mayo 1983]

• Al resultar manifiesta la infracción del artículo 37 RAM, que impone comprobar por funcionario técnico competente si han sido debidamente corregidas las deficiencias señaladas, procede la estimación del recurso de apelación interpuesto y reponer el expediente administrativo al estado de que se gire visita de inspección y se emita informe por funcionario técnico competente, en el que se haga constar si han sido corregidas las deficiencias. [STS 13 diciembre 1983]

• Si bien en la actividad reglada de concesión de licencias de apertura de establecimientos el Ayuntamiento debe velar por la garantía de la seguridad de las personas en caso de evacuación por siniestro de un local abierto al público, ostentando a tal efecto potestad para establecer las medidas correctoras en la licencia que sean necesarias —arts. 36 y 37 RD 2816/1982, de 27 agosto (Reglamento General de Policía de Espectáculos y Actividades Recreativas)—, en el caso, en que se solicita licencia de apertura de un café-bar para un local de reducidas dimensiones —60 m— y con un aforo máximo solicitado de 30 personas, con fachada y salida a una vía de 4 m de anchura, tales garantías quedan proporcionalmente atendidas con una limitación del aforo y con la garantía ofrecida por el titular de una segunda salida por un pasaje debidamente iluminado y señalizado a otra vía pública que tiene 6,5 m de ancho, por lo que procede reconocer el derecho del recurrente a obtener dicha licencia. [STS 27 noviembre 1992, Sala 3.ª, Secc. 4.ª]

• De cualquier forma, conforme a los arts. 34 del Decreto 2414/1961 y 93 del Decreto 179/1995, obtenida licencia de actividad o apertura y ejecutadas las edificaciones y las instalaciones, no podrá comenzar a ejercerse la actividad sin que el Ayuntamiento gire la oportuna visita de comprobación a fin de comprobar el efectivo cumplimiento de las condiciones urbanísticas de la construcción y la debida instalación de las actividades de acuerdo con las medidas correctoras y las condiciones impuestas en la licencia, otorgándose en caso de ser aquella visita favorable, la autorización de puesta en funcionamiento. En el presente caso, no habiendo llegado el expediente al trámite de calificación por la Comisión Técnica pertinente, las medidas correctoras a comprobar por el Ayuntamiento serán las que consten en el Proyecto técnico en base al cual se solicitó la licencia, y las condiciones impuestas las tres más arriba indicadas; todo ello sin perjuicio de las adaptaciones establecidas en la Disposición Transitoria primera de la Llei 3/1998 y de los controles y revisiones que pueda llevar a cabo el Ayuntamiento. [STSJ Cataluña 6 junio 2003]

• En el presente caso se habían producido una serie de desencuentros entre la administración y el titular de la instalación, que terminaron con intento de anulación del Decreto, y la suspensión posterior del funcionamiento; pero resulta innegable que en dos ocasiones, tras reiteradas solicitudes transcurrieron tres días sin girar visita de comprobación y que en dos ocasiones, tras aquella inactividad municipal se comunicó el inicio de la actividad por escrito acompañado certificación técnica con las previsiones y contenidos legales. Y el hecho de que la administración no considere cumplidas las medidas impuestas, o se empeñara en realizar mediciones sonoras, o hubiera tenido otros desencuentros con las anunciadas visitas a su instancia no impide la aplicación del artículo 23, que daba derecho al recurrente a poner en funcionamiento la instalación.

Ahora bien, este derecho no es un efecto equiparable al de una licencia sin sujeción a término o a caducidad; ni implica que dicha posibilidad de comienzo de la actividad constituya por sí misma una corrección automática de las medidas que no se hubiesen adoptado; sino simplemente *lo que significa, como se desprende del artículo 23 es la posibilidad de poner en funcionamiento la instalación, sin usurpar a la administración su permanente derecho de control, inspección y vigilancia, así como comprobación del cumplimiento de las medidas y condiciones impuestas en la licencia de la instalación. De manera que aunque pudiese haber dado comienzo la actividad por su pasividad; esto no impide a la administración que con posterioridad efectúe sus labores de inspección y adopte las medidas correctoras que en su caso le brinda el ordenamiento sectorial.* [STSJ Canarias 28 junio 2004]

7.   Otras sentencias

Se sigue combatiendo por la representación de la empresa, ante nosotros, los acuerdos del Ayuntamiento, requiriéndole para que, en el plazo de dos meses, presente Proyecto técnico para la realización de las obras necesarias que protejan el tráfico de personas, preferentemente escolares, por un camino o carretera de acceso a unos Centros de EGB y Formación Profesional Municipal, atravesado por un teleférico de la Empresa, ante los posibles desprendimientos de materiales transportados por los cangilones del mismo, ya que la Sala declaró tales acuerdos conformes a derecho, con lo que no está de acuerdo la sociedad apelante. No se atreve a discutir la representación de la empresa la posibilidad de los peligros para las personas y vehículos que tengan que circular por este lugar, con dirección a esos Centros de Enseñanza, o en dirección contraria, y, por lo tanto, la oportunidad de las medidas correctoras oportunas. Ni el Ayuntamiento, por su parte, desconoce el largo período de tiempo en que este teleférico viene estando en funcionamiento, después de haber obtenido en su día las autorizaciones pertinentes, de los distintos órganos de la Administración del Estado, competentes en la materia. Por eso, el debate termina en la cuestión de quién tenga que hacerse cargo del coste de estas medidas correctoras.

Como problema previo hay que dejar sentado el problema de la competencia para la adopción de estas medidas, que indiscutiblemente hay que reconocer es competencia municipal, por tratarse de una vía pública del Municipio, de acceso a unos Centros de Enseñanza municipales, artículos 1.1, 3.1, 4, 5 c) y 6.1 del Reglamento de Servicios de las Corporaciones Locales de 17 junio 1955; artículos 190 y 209 del vigente Texto Refundido de la Ley del Suelo.

Si es indiscutible la competencia municipal para velar por la seguridad de las personas y bienes, dentro de su término, y, por lo tanto, para acordar las medidas de salvaguarda de esos valores, no es menos evidente que es a la empresa que con sus instalaciones industriales pone en peligro los mismos a quien hay que imputar la realización de las obras necesarias para atajar e impedir tales males, aunque no sea más que por pura aplicación de la Ley de la relación de causalidad.

Ante lo dicho, la empresa, y por imposibilidad de atacar frontalmente estas verdades tan manifiestas, trata de eludir sus naturales consecuencias, y de trasladar al Ayuntamiento la carga de corregir dichos peligros, apuntando como solución el que éste varíe nada menos que la ruta del camino en cuestión, lo que ni siquiera está probado sea viable, abstracción del coste de la obra, intento vano, sobre todo si se tiene en cuenta que, de cualquier forma, se realicen las medidas correctoras de uno u otro modo, el obligado al pago sería siempre la empresa, propietaria del teleférico creador de estos posibles peligros. [STS 3 noviembre 1987]

Las licencias reguladas en el Reglamento de Actividades Molestas, Insalubres, Nocivas y Peligrosas de 30 noviembre 1961 constituyen un supuesto típico de autorización de funcionamiento. En cuanto que autorizan el desarrollo de una actividad a lo largo del tiempo generan una relación permanente con la Administración. Con ello se atenúan o incluso quiebran las reglas relativas a la intangibilidad de los actos administrativos declarativos de derechos, pues la actividad está sometida siempre a la condición implícita de tener que ajustarse a las exigencias del interés público, lo que permite llegar en último término, cuando todas las posibilidades de adaptación a aquellas exigencias han quedado agotadas, a la revocación de la autorización.

Así, más concretamente, la mencionada condición implícita habilita a la Administración para requerir al titular de la actividad en cuestión para que corrija las deficiencias que se observen señalando plazo para ello —arts. 36 y 37 del Reglamento— *y sólo, por regla general, cuando transcurridos los plazos señalados las medidas correctoras no hayan sido aplicadas, entrarán en juego las «sanciones» previstas en el artículo 38 del Reglamento, «sanciones» éstas que por razones de proporcionalidad van desde la multa hasta la «retirada definitiva de la licencia concedida», pasando, y esto es lo que ahora se subraya, por la «retirada temporal» de aquélla «con la consiguiente clausura o cese de la actividad mientras subsista la sanción».*

Importa advertir que el régimen jurídico que acaba de esbozarse encuentra excepción en los supuestos de peligro inminente en los que cabe que la «retirada» de la licencia se produzca sin previo requerimiento; sabido es que las circunstancias excepcionales acarrean una atenuación o incluso desviación de las reglas generales, especialmente en materia procedimental.

Ahora bien, y dado que en estos casos de peligro el cese se produce sin haber formulado los requerimientos que ofrecen la oportunidad de ajustar la actividad a las exigencias del interés público, habrá que entender que lo procedente será, en principio, no una «retirada definitiva» de la licencia sino una «retirada temporal», con señalamiento de plazo para la adopción de las medidas correctoras adecuadas. [STS 19 febrero 1988]

Agotados los plazos establecidos en la disposición transitoria primera del Reglamento de Actividades Molestas, Insalubres, Nocivas y Peligrosas de 30 noviembre 1961 y en la disposición transitoria segunda de la Orden de 15 marzo 1963 que aprueba la Instrucción por la que se dictan normas complementarias para la aplicación del referido Reglamento, sin que se solicitara la correspondiente licencia de la Autoridad municipal para ejercer la actividad de almacén de trapería y chatarra que allí venía desarrollando, resulta manifiesto que tal actividad había de «ser considerada como clandestina, pudiendo procederse a su clausura durante todo el tiempo que demore formular la correspondiente petición», según se dispone, de una manera expresa, en la Disposición Transitoria Segunda número 3 de la mencionada Orden de 15 marzo 1963. La Resolución adoptada por la Comisión de Gobierno del Ayuntamiento se aparta, no obstante, de dicho precepto, al disponer una serie de medidas correctoras, por considerarlas pertinentes al tratarse de una actividad que ha de estimarse incluida en el Reglamento de Actividades Molestas, Insalubres, Nocivas y Peligrosas de 30 noviembre 1961 y calificarse como peligrosa (y también como molesta, según expone en su escrito de contestación a la demanda) lo que, sin duda, excede de las facultades atribuidas a la Autoridad municipal, ya que la calificación de la actividad y el examen de la garantía y eficacia de las oportunas medidas correctoras corresponde a la Comisión Provincial de Servicios Técnicos, a través del procedimiento establecido en los artículos 29 y siguientes del aludido Reglamento. [STS 16 marzo 1988]

En cuanto a la tercera y última, relacionada con la oposición de los titulares de las viviendas a la realización de las obras necesarias para el cumplimiento de las medidas correctoras impuestas, muy en concreto la instalación de un sistema de evacuación de humos y vapores derivados del horno de secado de pintura de los automóviles, es cuestión de naturaleza civil, complicada a lo que parece, con las posibilidades de uso de los locales que ocupa la entidad mercantil recurrente, en la que, obviamente, la autoridad administrativa municipal, como ella misma pone de relieve, no puede entrar a decidir, teniendo que limitarse, como ha hecho, a constatar la realidad del incumplimiento de las medidas correctoras y tomar la medida provisional correspondiente, que durará en tanto ellas no se adopten, no constituyendo justificación la mencionada resistencia vecinal que, en su caso, debe ser vencida, si procede en fuero distinto del de la autoridad administrativa ahora demandada. [STS 6 abril 1990]

La sociedad en estos autos interesada comunicó en su día al ayuntamiento, del cambio de denominación social de ENDASA, por la de INESPAL. A la vista de esta comunicación el ayuntamiento referido incoó un expediente en el que se dictaron los actos administrativos impugnados en las presentes actuaciones judiciales. En dichos actos se dispuso «como requisito previo a la autorización del cambio de titularidad efectuado, solicite licencia para la adopción de las medidas correctoras necesarias a fin de corregir las causas determinantes de la calificación como molesta, insalubre, nociva o peligrosa de la actividad que viene desarrollando la referida empresa (la entidad recurrente) en este término municipal, presentando al efecto el correspondiente proyecto técnico, suscrito por facultativo competente y visado por el colegio oficial correspondiente, ajustado a las determinaciones contenidas en el artículo 29 del Reglamento de Actividades Molestas, Insalubres, Nocivas y Peligrosas». La sala de instancia, estimando el recurso contencioso-administrativo interpuesto, ha anulado los mencionados actos administrativos.

La disposición transitoria tercera del Reglamento de Actividades Molestas determina que «no se podrán conceder licencias para la ampliación o reforma ni se autorizará el traspaso de industrias o actividades que no reúnan las condiciones establecidas en este Reglamento, a no ser que las medidas correctoras que se adopten eliminen con la debida garantía las causas determinantes de su calificación como actividades molestas, insalubres, nocivas y peligrosas». Habida cuenta del contenido del precepto que se acaba de indicar, el ayuntamiento dictó las resoluciones administrativas cuestionadas dado que la sociedad interesada se había fusionado con otra y además había cambiado su denominación social. La Sala de instancia, según se deduce de los fundamentos que se han aceptado, ha entendido que en el supuesto enjuiciado se ha producido una fusión por absorción que no ha supuesto ningún cambio de personalidad jurídica en la sociedad recurrente, circunstancia que impide pueda ser de aplicación lo determinado en la mencionada disposición transitoria.

Dice el Ayuntamiento apelante en su escrito de alegaciones que «efectivamente, es cierto que se ha producido una fusión, por medio de absorción». Se señala también en el referido escrito de alegaciones que «es cierto, también, que la absorción supone que la sociedad absorbida desaparece del mundo jurídico, manteniendo su personalidad la compañía absorbente». No obstante las afirmaciones que se acaban de señalar se mantienen en el escrito al que nos referimos la aplicación de lo dispuesto en la disposición transitoria mencionada en el fundamento anterior por entenderse que en el supuesto enjuiciado «se ha producido un fenómeno de fusión o, en otras palabras, de modificación de la realidad económica jurídica y de las relaciones entre las compañías fusionadas entre sí, y respecto de terceros». Se dice asimismo en el mencionado escrito que «a los efectos del Reglamento de Actividades Molestas, ha de entenderse por cambio de titularidad cualquier alteración que se produzca en la persona que ejerza la actividad calificada como de molesta, insalubre, nociva o peligrosa».

Esta Sala no comparte el criterio expresado por la parte apelante en las alegaciones que se han indicado al final del fundamento anterior. Como se deduce del texto de la disposición transitoria a la que venimos aludiendo, con relación a las industrias a las que la misma se refiere no se podrán conceder licencias «para la ampliación o reforma» ni se autorizará «el traspaso de industrias o actividades» que no cumplan las condiciones establecidas en dicha disposición transitoria. Resulta, por tanto, que ésta contempla el supuesto de un cambio en la realidad material de la industria o actividad al producirse su ampliación o reforma, y también un supuesto, que es el que interesa en el proceso que nos ocupa, de un cambio en la realidad jurídica de la industria por producirse un traspaso de la misma, esto es, un cambio en la titularidad jurídica de aquélla. Solamente, por tanto, en los casos en que se produzca dicho cambio de titularidad podrá entrar en juego lo dispuesto en la repetida disposición transitoria. No se puede, por tanto, como ya se ha adelantado, entender el mencionado traspaso de industrias o actividades como equivalente a cualquier alteración que se produzca en persona que ejerza la actividad calificada.

Si, como se reconoce por el ayuntamiento apelante, tal como quedó antes indicado, en el caso que nos ocupa se ha producido una fusión por absorción que no ha significado un cambio en la personalidad de la sociedad interesada, forzoso se hace, si se tiene en cuenta lo que se ha expuesto en el fundamento precedente, la confirmación de la sentencia apelada. [STS 21 marzo 1991]

Por ello, si *la actividad se realiza sin licencia, el ayuntamiento no sólo tiene competencia para instruir el pertinente expediente sancionador, sino que, en todo caso, puede y debe comprobar si la actividad desarrollada en el local de autos cumple las debidas condiciones de seguridad conforme a ordenanza, y ello en virtud de las facultades de intervención propia de la administración municipal.* Competencia que, como señala la Sentencia de 15 diciembre 1988, se materializa exigiendo la necesidad de proveerse de licencia de instalación, siendo, además, dicha obligación prescriptible al tratarse de una actividad continuada.

En definitiva, tanto la argumentación vertida en primera instancia como en la apelación descansa en que la imposición de las medidas de seguridad antes descritas supone la aplicación retroactiva de la ordenanza primera de prevención de incendios de 1976, toda vez que el edificio se había construido en virtud de licencia autorizada en acuerdo de 1968. Este dato, sin embargo, no puede hacernos olvidar el fundamento de que la licencia de apertura del cuestionado garaje se solicitó con fecha 7 de abril de 1978 y por tanto cuando ya estaba vigente la citada ordenanza, pues sabido es que no cabe confundir la licencia de construcción de un edificio con la de apertura del mismo o de cualquiera de sus dependencias para el ejercicio de determinada actividad, así como tampoco es posible confundir la licencia urbanística que consiste en la primera utilización y ocupación de un edificio con la de apertura de una actividad que en dependencia del mismo se pretenda ejercer, porque ésta sólo tiende a legitimar el ejercicio de la correspondiente actividad, en tanto la primera propende a que la verificación de que el uso de aquél se ajuste al plan urbanístico, es decir, que la misma tiende a comprobar si la obra o construcción cumple las exigencias legalmente establecidas (Sentencia de 7 febrero 1984. *Por ello, el hecho de que el edificio estuviera ya construido no puede impedir que para iniciar una actividad en el mismo, anteriormente no autorizada, deban cumplirse cuantas medidas correctoras exijan las ordenanzas vigentes en el momento de la solicitud máxime si, como aquí ocurre, se trata de una actividad calificada como peligrosa en el Reglamento de Actividades Molestas, Insalubres, Nocivas y Peligrosas, de 30 noviembre 1961.* [STS 27 marzo 1991]

Una cosa es que en esta materia la reglamentación de la misma haya establecido una brecha profunda entre lo rural y lo urbano, imponiendo para éste toda clase de servicios y de exigencias preventivas para la higiene y la comodidad de sus moradores, y otra muy distinta es que para los que el destino les ha confinado en el medio rural se vean desprotegidos por completo, obligándoles a soportar toda clase de incomodidades, e incluso a correr ciertos riesgos en su salud. Máxime cuando, en líneas generales, la reglamentación que nos ocupa procura compatibilizar la existencia de buen número de actividades dentro de los núcleos de poblaciones, mediante la implantación de determinadas medidas correctoras y la posibilidad de comprobaciones e inspecciones para constatar su grado de efectividad y eficacia.

No estará de más apuntar, para la más correcta interpretación de la norma que nos ocupa, que el Reglamento aplicable en este caso es el ya dicho de 1961, y que entre aquella fecha y la actual han transcurrido nada menos que tres décadas, que han coincidido con una enorme evolución en la elevación del nivel de vida de las personas, en la difusión y mejora de los servicios, salvo en los casos de aldeas minúsculas y semiabandonadas, y en la aspiración a conseguir las mejoras que se tiene conocimiento imperan en los medios urbanos.

Si hacemos este tipo de consideraciones es con el fin de valernos del propósito legislativo de interpretar la norma de acuerdo con «la realidad social del tiempo en que ha de ser aplicada», expresado en el artículo 3.1 del vigente título preliminar del Código Civil, lo que evidentemente representa una apuesta en favor de la interpretación evolutiva marcada por las necesidades y aspiraciones de los nuevos tiempos, en los que, todo lo relacionado con la ecología, cada vez va teniendo mayor relevancia. Poniendo en relación las consideraciones genéricas precedentes, con las particularidades concretas del supuesto de hecho que nos ocupa, se hace necesario destacar lo siguiente: a) el aprisco o nave para albergue de ganado lanar se encuentra dentro del casco urbano, como el propio técnico que suscribe el proyecto presentado por el solicitante de la licencia se encarga de puntualizar; b) tal aprisco excede en mucho de las simples vaquerías, establos, cuadras y corrales en los que está pensando el artículo 13 del citado Reglamento de 1961, puesto que está proyectado para dar albergue nada menos que a trescientas cabezas de ganado lanar... lo expuesto descubre que lo que en los acuerdos recurridos y en la sentencia que los confirmó se da por supuesto, sirviendo de base para sus respectivos pronunciamientos (la adopción de las necesarias medidas correctoras que vengan a eliminar o al menos paliar las molestias e insalubridad inherentes a este tipo de instalaciones) en realidad no existe, o, por lo menos, no existe la más mínima constancia de ello en las actuaciones.

Existe, por lo tanto, una quiebra en las razones que se dan para legitimar los actos administrativos, *ya que las medidas correctoras en cuestión constituyen condición, no sólo para la eficacia, sino para la validez de tales actos, al presuponer de forma explícita los mismos que aquéllas concurren, que se cuenta con ellas, lo que como hemos visto, eso no concuerda con la realidad.*

Se trata de un vicio que afecta a la causa del acto administrativo, esto es, a un elemento esencial del mismo, susceptible de subsanación, pero no en período de ejecución de sentencia, ya que, de momento, *la suerte del sentido y contenido del acto* (la concesión o denegación de la licencia que nos ocupa) *ha de depender de las medidas concretas correctoras que técnicamente se presenten, y su nueva valoración por los órganos encargados de supervisarlas, valorarlas y aprobarlas.*

Por tanto, lo procedente es decretar una nulidad de actuaciones, para reiniciar el procedimiento, requiriendo el Ayuntamiento al señor S. S. J. A. que presente nuevo proyecto técnico y memoria, incluyendo en él tan repetidas medidas correctoras, siguiendo después los demás trámites de rigor. [STS 10 mayo 1991]

Al confirmar el tribunal de instancia los acuerdos recurridos, vuelve ante nosotros la sociedad actora, propietaria del hotel-residencia de que se trata, a replantear el tema de la supuesta ilegalidad de los mismos, en cuanto, con ocasión de la petición de licencia de dicha sociedad al ayuntamiento, éste exigió la realización de determinadas medidas correctoras, indicadas por el servicio de prevención de incendios, consistentes en la construcción de una escalera exterior..., con doble puerta resistente al fuego.

La importancia de la obra a realizar al amparo de la solicitada licencia, determina, pues, que se constituya un punto de referencia obligado para establecer la normativa aplicable a la misma, sin poder verse amparado con el estatus jurídico existente cuando se concedió la licencia de obras, y de apertura, en 1964, puesto que la nueva licencia se interesa en diciembre de 1980, esto es, bastantes años después de aprobarse la referida ordenanza de marzo de 1976, que es la que obliga a la adopción de las medidas correctoras en cuestión.

Pero es que, aunque el problema no lo dejáramos resuelto con esta contundencia, y lo consideramos inmerso en la duda, la misma no debería ser resuelta a favor del régimen anterior sino del nuevo, en cuanto representa un sistema de progreso en la prevención de un riesgo tan grave como es el del incendio, y en un lugar de gran concentración de personas, como es un hotel de forma masiva y rotativa, sin tiempo para asegurarse las condiciones de seguridad del mismo, confiando en su categoría y en el control administrativo.

Precisamente la idea de progreso sirvió para romper la cerrazón del sistema monopolístico del servicio público, imponiéndose en el país galo la cláusula —implícita— de «meilleur eclarage», que facilitó la sustitución del gas por la electricidad, a pesar de que las concesiones sólo pensaban en el primero, citándose por la doctrina las resoluciones del Consejo de Estado del país vecino de 10 enero 1902 y 3 mayo 1912.

Idea de progreso que naturalmente tiene que recibir un acoplamiento menos violento en la acción de policía de la administración, como lo demuestran las medidas adoptadas en los distintos campos de actuación de la misma de las que son ejemplo la ordenada por el Decreto de 18 agosto 1959 a los fabricantes receptores de radio, para que dispongan de los circuitos adecuados para la recepción de determinadas longitudes de ondas métricas exigidas para la modulación de frecuencias. Medidas que se llevan al comercio exterior, a industria (reglamentación de aparatos elevadores), comercio interior (obligación de higienizar la leche), etc. Las medidas de policía responden, de este modo, a su condición de técnicas variables, de acuerdo con los avances de la técnica y de la ciencia, espoleadas por las exigencias sociales de una mayor comodidad y seguridad. *Lo que se ve sumamente claro en el sector de las actividades molestas, insalubres, nocivas y peligrosas, en las que, la concesión de las licencias no se convierten en situaciones petrificadas e inamovibles. En definitiva, si la administración dispone de una potestad modalizadora interna de los servicios públicos, «para la buena marcha del servicio» —art. 65 de la Ley de Contratos del Estado—, con más razón debe disponer de facultades para, en actuación de policía, velar por la seguridad de las personas y de los bienes de la forma en que técnicamente mejor se pueda conseguir.*

En conclusión, al haberse interesado una licencia de obras en diciembre de 1980, plenamente vigente la ordenanza 1.ª de prevención de incendios de marzo de 1976 en la que se imponen las medidas exigidas en los acuerdos recurridos, y al tratarse de unas obras que rebasan en mucho la consideración de pequeñas reparaciones u obras de conservación, justifican por tanto dicha aplicación ordinamental; sin que exista impedimento material para la instalación de la escalera exterior, al existir un patio interior que facilita la construcción. [STS 3 julio 1991]

• Los actos referidos, del Alcalde del Ayuntamiento, respecto de los que recayó decisión judicial en vía contencioso-administrativa (la sentencia apelada), que los declaró ajustados a derecho, comportan la necesidad de que la instalación de la chimenea de evacuación de humos del bar «Marcelo's» citado, sea corregida en términos tales que desaparezcan las molestias y malos olores de las viviendas del edificio. La decisión administrativa, con el contenido dicho, es una decisión ejecutoria, por lo que debe producir todos sus efectos. En el caso concreto a que se refiere la sentencia apelada don

Marcelo G. de M (según consta en el expediente administrativo y queda reflejado en dicha sentencia), estuvo dispuesto a la ejecución, a sus expensas, de aquellas obras de corrección. Siendo necesario el consentimiento de los propietarios de las viviendas referidas, quedó planteado ante el tribunal de instancia, la posibilidad de que, en caso de ser necesaria la ejecución forzosa dicha decisión administrativa, fuera preciso la intervención judicial (art. 87.2 de la LOPJ). *Es, por tanto correcto, que la sentencia apelada refleja en su razonamiento jurídico sexto, que la estimación del recurso contencioso-administrativo, en el particular referido, pueda implicar la necesidad de que la administración, para ejecutar el acto, deba requerir a dichos propietarios para que permitan la corrección de las deficiencias constatadas en la chimenea de evacuación de humos del bar «Marcelo's», y que, en su caso, sea precisa la autorización judicial imprescindible a que se refiere el citado artículo 87.2 de la Ley Orgánica del Poder Judicial.* [STS 18 febrero 1992]

• El expediente administrativo pone de relieve que la ventilación de los servicios del cine se efectúa a través de ventanas que dan al patio de luces de la finca en la que está ubicado el cine, dato en el que pone el acento el ayuntamiento como apelante. Las distintas inspecciones realizadas por el ayuntamiento a dicho cine, constataron la posibilidad de que la existencia de malos olores en el patio de luces de la referida finca, procediera de los servicios del cine, debido al uso casi continuo de los mismos.

Los actos impugnados, tienen el siguiente contenido: requerir a los propietarios del cine para que adopten las medidas correctoras en los servicios del cinematógrafo conforme a lo que dispone el artículo 32 de la ordenanza municipal de protección del medio ambiente. La sentencia apelada declaró que aquellos acuerdos no son acordes a derecho, dado que la administración dictó los mismos en base a informes redactados en términos vagos e imprecisos, y sin contar con datos ciertos y objetivos proporcionados por mediciones técnicas realizadas con instrumentos adecuados y por personal especializado.

La intervención administrativa en materia de actividades molestas, insalubres, nocivas y peligrosas, se ha de acomodar a lo previsto en el Reglamento aprobado por Decreto 2414/1961, de 30 noviembre y a las ordenanzas municipales que, como complemento del mismo determinen, de manera precisa, las condiciones de higiene de la actividad según las particulares características de ésta y comprendiendo las condiciones de higiene de los lavabos y servicios de las instalaciones correspondientes. La sentencia apelada considera que la administración local adoptó las resoluciones impugnadas, sin contar con datos ciertos y objetivos. La constatación de esos datos ciertos y objetivos, tiene un cauce: la prueba. El análisis del expediente administrativo incorporado al proceso y la prueba practicada en éste, nos lleva a ratificar la afirmación de la sentencia apelada. Debe añadirse que, en el caso que nos ocupa, la determinación de los datos ciertos y objetivos, no debió concretarse sólo a lo que refleja el expediente, sino que debió comprender, también, el dato fáctico de si los inodoros estaban o no dotados del debido y exigible sistema de higiene, y además, si la corrección de los defectos de que pudiera adolecer, pudo haber subsanado el hecho de la producción de olores, hecho al que se refiere la administración en sus actos, con evidente imprecisión, sin perjuicio de la prueba que pudiere haberse propuesto y practicado ante el órgano jurisdiccional, *el expediente debió haber reflejado esos indispensables datos objetivos, que son los que hubieran servido de soporte firme de las resoluciones impugnadas.* La falta de esos indispensables datos, y la falta de argumentación frente a la sentencia apelada, son factores determinantes que impiden que prospere la tesis del ayuntamiento. [STS 29 junio 1992]

• Es reiterada la jurisprudencia de este tribunal que afirma que las licencias reguladas en el Reglamento de Actividades Molestas, Insalubres, Nocivas y Peligrosas de 30 noviembre 1961, constituyen un supuesto típico de las denominadas autorizaciones de funcionamiento que, en cuanto tales, no establecen una relación momentánea entre administración autorizante y sujeto autorizado sino que generan un vínculo permanente encaminado a que la administración proteja adecuadamente en todo momento el interés público asegurándolo frente a las posibles contingencias que puedan aparecer en el futuro ejercicio de la actividad. Y ello implica que respecto de estas licencias se atenúen o incluso quiebren las reglas relativas a la intangibilidad de los actos administrativos declarativos de derechos pues entendemos que la actividad está siempre sometida a la condición implícita de tener que ajustarse a las exigencias del interés público, *lo que habilita a la administración para con la adecuada proporcionalidad intervenir en la actividad, incluso de oficio, e imponer las medidas de corrección y adaptación que resulten necesarias y, en último término, proceder a la revocación de la autorización cuando todas las posibilidades de adaptación a las exigencias del referido interés hayan quedado agotadas* (Sentencias, entre otras muchas, de 25 febrero 1976, 24 febrero 1977, 31 enero 1980, 4 octubre 1986, 25 mayo 1987, 19 febrero y 11 octubre 1988 y 10 junio y 29 julio 1992). [STS 12 diciembre 1992]

• La licencia de apertura y funcionamiento de un Bar con pista de baile supone la remoción de límites impuestos precautoriamente a la libre actividad de los particulares para garantizar que la actividad, por su conexión con el interés colectivo, discurra con las garantías necesarias y en la forma reglamentariamente establecida. Entre la clasificación de autorizaciones esta que examinamos se encuadra entre las autorizaciones de funcionamiento, en las que, dada la influencia que la actividad a desarrollar tiene para la colectividad, especialmente los que habitan en las proximidades, se mantiene un constante intervencionismo de la Administración para supervisar si se está desarrollando la actividad en forma adecuada, de tal manera que surge con motivo de la licencia una relación permanente de la Corporación municipal con aquella cuya finalidad es proteger en todo caso a la colectividad frente a las vicisitudes y circunstancias que a lo largo del desarrollo de la actividad que se autoriza pueda surgir, lo que permite que se puedan realizar correcciones y adaptaciones de la licencia concedida. *A este tipo pertenece, pues, la licencia de que tratamos, en la que la Administración no puede permanecer indiferente ante las molestias que dicha actividad, de no cumplirse escrupulosamente los condicionamientos puestos a la misma, pueda causar a terceros, con el apoyo legal derivado, no sólo en la propia naturaleza de la licencia concedida, sino y especialmente de las facultades que, para ello, concede el Reglamento de Actividades Molestas, Insalubres, Nocivas y Peligrosas en los artículos 3, 7, 11 y 35 a 38. Viene pues a suponer una carga para el titular de la licencia de establecimiento al mantener la actividad en las condiciones que fueron exigidas para su otorgamiento. Una vez concedida la licencia, sólo si con posterioridad hubiere sobrevenido la carencia o supresión de requisitos o condiciones exigidos en la actividad, puede plantearse la clausura del establecimiento y la supresión, en su caso, de la licencia otorgada.* Denuncian los vecinos, al oponerse a la reapertura de la discoteca de autos, la producción de ruidos que perturban seriamente el medio ambiente de los alrededores de la discoteca y altera el descanso y el derecho a la calidad de vida que tiene todo ciudadano, ruidos que proceden tanto de las numerosas personas que frecuentan el bar como de la carencia de las condiciones acústicas del local. *Como dice la Sentencia del Tribunal Supremo de 7 noviembre 1990, el derecho de los ciudadanos a gozar de un medio ambiente adecuado es un derecho constitucional (art. 45 de la Constitución) por cuyo respeto han de velar los poderes públicos, y los vecinos tienen derecho al descanso y a la salud, y ambos se verían afectados si no se exigen los condicionamientos debidos a la hora de conceder la autorización de reapertura consistentes en no sobrepasar un determinado número de decibelios, y si, una vez otorgada, no se vigila e impone el estricto cumplimiento de aquéllos.* Por otra parte, con posterioridad a la licencia inicial en 1979 se había publicado el Reglamento de Instalaciones de Calefacción, Climatización y Agua Caliente sanitaria aprobado por Real Decreto 1618/1980, de 4 julio, las Instrucciones Técnicas complementarias aprobadas por Orden de 16 julio 1981, las normas básicas de la edificación y condiciones acústicas de los edificios aprobada por Orden de 29 septiembre 1988 —que modifica la anterior normativa aprobadas por Real Decreto 1909/1981, de 24 julio—, así como las condiciones de protección contra incendios en los edificios NBE-CPI/1991, aprobadas por Real Decreto 279/1991, de 1 marzo. Obviamente el Ayuntamiento viene obligado a vigilar el cumplimiento de dicha normativa antes de permitir la reapertura y transmisión de la licencia de bar con pista de baile objeto de este recurso, ello habida cuenta que sólo contempla la licencia de apertura inicialmente otorgada y no la concesión de nueva licencia. [STSJ Andalucía 20 febrero 1995]

• Ahora bien la retirada temporal de la licencia que como sanción, no es medida cautelar, contempla el ya citado artículo 38 está vinculada en su duración al plazo señalado para la adopción de las medidas correctoras adecuadas y como esa duración aparecía perfectamente determinada de ahí que no quepa entender existente la denunciada infracción. *En lo que respecta a la desproporción de la sanción una lectura minuciosa de todas y cada una de las incidencias que jalonan el expediente forman nuestro criterio, avalando el combatido, de que no existe desproporción entre la entidad de las medidas correctoras ordenadas y hasta ahora, que se sepa, no realizadas, y lo resuelto en el acuerdo recurrido* (cese temporal de la actividad desarrollada en la discoteca hasta que en la misma se realicen tales medidas), *puesto que en la gama de resoluciones a adoptar en estos casos previstas en el artículo 38 del repetido Reglamento, en el acuerdo recurrido se opta por la intermedia: el cese de la actividad, pero de forma provisional, hasta que no se realicen las correcciones dispuestas*, prescindiendo de la primera —la multa— y de la tercera (la retirada definitiva de la licencia concedida); debemos concluir, conforme ya anticipábamos que no existe desproporcionalidad entre lo acordado y las circunstancias concurrentes. [STSJ Andalucía 22 febrero 1996]

• Consta en el expediente administrativo que por Acuerdo Municipal de 18 noviembre 1992, debido al elevado nivel de ruido producido por dicho establecimiento, de conformidad con lo establecido en el artículo 38 del Reglamento de Actividades de 1961, se dispuso la retirada temporal de la licencia por un mes, debiéndose adoptar las debidas medidas correctoras. El 4 de diciembre de 1992 los servicios técnicos municipales informaban que tras visita de inspección al bar citado, se observó rotura de la capa aislante del sistema de insonorización del establecimiento y «dado que la misma pudiera ser una causa del excesivo nivel de ruidos proveniente del mencionado bar, se volverá a efectuar nueva medición de ruidos». Por Decreto del Alcalde de igual fecha y con base en el mencionado informe, se autorizaba la reapertura a partir del día siguiente. Dicho Decreto fue impugnado en reposición por la actora. Contra su desestimación se interpuso el presente recurso contencioso-administrativo. *La clausura decretada en virtud del Acuerdo Municipal 18 noviembre 1992 tuvo como fundamento el ejercicio de la actividad con deficiencias que la hacían molesta para los vecinos inmediatos. Es decir, siendo la actividad mencionada de las clasificadas como molestas y habiéndose constatado por los servicios técnicos municipales que las medidas adoptadas por el Titular (la insonorización) no neutralizaba los efectos indeseables de aquélla, se procedió a decretar el cese de la actividad por un mes, debiendo adoptarse las correspondientes medidas correctoras para una adecuada insonorización. Las actividades de funcionamiento están sometidas al control de la Administración a lo largo del tiempo, de modo que si se detectan deficiencias, el Titular deberá ser requerido para que en el plazo que se le señale corrija las comprobadas. Y si no lo hace, procederá la imposición de alguna de las sanciones previstas en el artículo 38 del Reglamento de Actividades de 30 noviembre 1961.*

En el caso litigioso consta que dicho establecimiento ha ocasionado reiteradas protestas por parte del vecindario afectado y que el Ayuntamiento ha procedido a decretar su clausura en alguna ocasión más. La clausura dispuesta el 18 de noviembre de 1992 exigía para poder ser alzada, la previa comprobación por los servicios técnicos municipales de que se habían subsanado las deficiencias de insonorización comprobadas. Sin embargo, en vez de proceder la Administración a efectuar las mediciones correspondientes que pudieran fundamentar la decisión, atendiendo a la mera posibilidad de que una rotura de la capa aislante pudiera ser causa del excesivo nivel de ruido, levantó la suspensión decretada.

Así pues, al no haberse efectuado la comprobación (consistente en una medición acústica efectuada convenientemente) no era procedente adoptar dicha decisión, sin que sea admisible pretender ampararla en el principio constitucional de presunción de inocencia, según se afirma en el acto administrativo recurrido, ya que la presunción se desvirtuó con la constatación que dio lugar al Acuerdo Municipal de 18 noviembre 1992, es decir, con la comprobación del funcionamiento deficiente de la actividad, de modo que sólo una nueva comprobación municipal de que las molestias se neutralizaron con las correcciones debidas hubiera podido dar lugar al alzamiento de la clausura decretada. [STSJ Madrid 27 marzo 1996]

c) El informe de aquella Comisión de Colaboración (que al imponer medidas correctoras era vinculante para la Alcaldía, art. 7.2 del Reglamento referido), luego de calificar la actividad en los términos que más arriba se ha dicho, condicionaba, subordinaba, la concesión de la licencia municipal a la realización por el recurrente en el plazo de doce meses de dos medidas correctoras, cuales eran, la colocación de mallas protectoras en los huecos de ventilación de la granja (cosa que hizo el recurrente), y en la construcción de una fosa, impermeable y cubierta de 50 metros cúbicos de capacidad para recoger estiércol fluido producido por la explotación (cosa que no hizo el recurrente, porque, según el informe del perito procesal la composición del suelo, de piedra, en donde está enclavada la granja no lo permite, no permite, dice, hacer una fosa séptica de 85 metros de capacidad]

Por todo ello, si esa medida correctora y fundamental no se ha llevado a efecto, es concluyente que la licencia de actividad solicitada no era, así, concedible por el Ayuntamiento demandado, como efectivamente no la concedió, ni aun haciendo uso de las excepcionales facultades discrecionales del artículo 5 del Reglamento, ya que las circunstancias de hecho expuestas en los anteriores apartados determinan la denegación de la licencia. Y determinaron también que ante el anticipado funcionamiento, irregular, de aquella granja el Ayuntamiento dictase la resolución impugnada conminando al recurrente que, en caso de incumplimiento de aquella esencial medida correctora (la construcción de un depósito para detritus) procedería a la clausura del establecimiento ganadero, conforme a las facultades atribuidas a la Autoridad municipal por el artículo 6 del repetido Reglamento. Facultades municipales, que, por otra parte, en materia de sanidad se han visto reforzadas por el artículo 1 de la Ley Orgánica 3/1986, desarrollado por el artículo 42.3 de la Ley 14/1986, General de Sanidad, posibilitándose así a los Ayuntamientos la adopción de las medidas pertinentes en salvaguarda de la salubridad del municipio. [STS 8 octubre 1997]

• *Debiendo en consecuencia la Administración velar en todo caso por las exigencias generales de las circunstancias especiales de la actividad de que se trata, y por la aplicación de las medidas correctoras*, con la adopción de las medidas de corrección y máxima seguridad que se requieran en cada caso, pues, sin negar los avances de la técnica sobre la materia de actividades molestas, insalubres, nocivas y peligrosas, de la misma forma se aprecia que esas actividades igualmente evolucionan y muestran nuevas riesgos y grados de inseguridad merecedores de una atenta previsión, de ser tenidos en cuenta y de darles un tratamiento jurídico adecuado. [STSJ Cataluña 21 noviembre 2002]

• Evidentemente que la estimación de la demanda no supone que, con arreglo a lo razonado, no quepa imponer a la entidad demandada la adopción (si ya no lo hubiese verificado) de aquellas medidas correctoras de la actividad calificada que viene desarrollando y que resulten necesarias para el correcto ejercicio de la misma y la seguridad de las personas. Lo que no cabe es establecer coactivamente la obligación de ejecutar una serie de obras complementarias en la edificación propiedad de la actora, que viene funcionando con las necesarias licencias, sin previa audiencia de la misma ni otorgamiento de la posibilidad de formular un proyecto alternativo en el caso de que la ejecución de lo ordenado no resultase viable o supusiese una contingencia harto gravosa. [STS 18 junio 2003]

• *Sin el cumplimiento de las medidas correctoras impuestas en la licencia, ésta carece de eficacia alguna* como se hizo constar expresamente en la misma. Por ello, la actuación administrativa impugnada no es acorde a derecho, toda vez que el Ayuntamiento de Rascaría debió proceder a dictar orden de clausura y cese de actividad, al transcurrir el plazo de 2 meses establecido en la licencia, sin que el titular acreditara haber establecido las medidas correctoras que se le exigieron y que iban encaminadas a la protección acústica del medio ambiente que garantiza el derecho a la salud y a la integridad física de los vecinos colindantes; derecho fundamental, reconocido en el art. 15 CE que no puede ser vulnerado por actividad laboral alguna amparada en una licencia cuyas condiciones no constan cumplidas. Por tanto, entiende la Sala, que conforme a las actuaciones que obran en el expediente administrativo, *se trata de una actividad ilegal, carente de licencia de instalación, porque la que se concedió condicionada no produce efecto alguno mientras no se demuestre por el titular el cumplimiento de las condiciones; y carente además de la preceptiva licencia de funcionamiento*, que sólo puede otorgarla la Administración, tras inspeccionar la actividad, y emitir informe técnico en el que conste fehacientemente que la actividad cumple con todas las medidas correctoras necesarias para poder ejercerse. [STSJ Madrid 29 abril 2004]

• El trato de favor que ya implica el permitir que siga ejerciéndose poniendo plazos al cumplimiento de las medidas correctoras, no puede acentuarse aún más suspendiendo los mismos, pues *permitir que una actividad se desarrolle sin cumplir previamente las medidas correctoras impuestas, sería lo mismo que aceptar su realización sin licencia.* [STSJ Cataluña 15 abril 2005]

• Pues bien, en relación con la primera cuestión suscitada en el motivo, debe, de antemano, destacarse que la clasificación de una concreta actividad es, sin duda, anterior a la determinación de las medidas correctoras que puedan exigirse para paliar los efectos de la misma, y, además, es independiente de ella; esto es, que *en la clasificación no afectan las mencionadas medidas correctoras, ya que las mismas carecen de influencia alguna sobre tal actuación clasificadora, pues la misma se lleva a cabo sobre la inicial y originaria actividad, que luego, una vez concretada y determinada, podrá ver paliados sus efectos mediante la adopción de las correspondientes medidas,* pero su inicial naturaleza y caracterización en modo alguno se verá alterada por la posterior adopción de las correspondientes medidas. Tal planteamiento debemos hacerlo extensivo a las medidas que pudieran venir exigidas no como consecuencia de la clasificación de la actividad, sino derivadas o impuestas por una Declaración de Impacto Ambiental. En consecuencia, que, en la intrínseca clasificación de una determinada actividad, carecen de influencia las posibles medidas que, bien por dicha clasificación, bien por una previa Declaración de Impacto Ambiental, pudieran exigirse para la viabilidad del proyecto. [STS 5 junio 2007]

CAPÍTULO V

LA LICENCIA DE OBRAS Y LA DE APERTURA

I.   COMENTARIO

Si hay una cuestión que suscita polémica y discusión es precisamente la que se deriva del hecho si la licencia de obras es previa a la de apertura o al contrario. La proliferación de jurisprudencia, es muestra de la discrepancia que se produce en la práctica administrativa, entre la administración y el administrado. Claro está que en última instancia, si existe responsabilidad será de la administración municipal que, conocedora de la problemática que produce otorgar licencias de obras para actividades que posteriormente no se puede autorizar con los consiguientes perjuicios que se derivan para el administrado, debería de denegar las licencias de obras que se soliciten cuando su fin claramente sea el establecer una actividad comercial o industrial, sin que previamente ésta haya obtenido la oportuna licencia de apertura.

La problemática surge del artículo 22.3 RSCL que dice «*Cuando con arreglo al proyecto presentado, la edificación de un inmueble se destinara específicamente a establecimiento de características determinadas, no se concederá el permiso de obras sin el otorgamiento de la licencia de apertura, si fuere procedente*», que aunque aparentemente claro es objeto de continuos debates. Esto ha generado un amplio abanico de interpretaciones jurisprudenciales que podemos sintetizar en las siguientes:

1. **La licencia de apertura es la que debe de condicionar a la de obras** y ser, por ello, objeto de previa y especial consideración y pronunciamiento. Así las SSTS 6 abril 1961; 15 diciembre 1966; 16 noviembre 1971; 16 diciembre 1980; 14 julio y 5 octubre 1981; 15 junio y 7 noviembre 1983; 4 marzo y 6 noviembre 1985 y 28 octubre 1989.

2. **El condicionamiento recíproco entre las licencias de obras y de aperturas** y la discusión sobre cuál de ellas debe condicionar más a la otra, es problema que no admite una solución general y previa, esto es, desconectable de las circunstancias concurrentes en cada obra y en el conocimiento que tenga el órgano autorizante del subsiguiente destino específico para el que fueran proyectadas y construidas. Así las

SSTS 22 diciembre 1967; 24 enero 1975; 8 febrero 1977; 25 noviembre 1981; 21 febrero y 14 octubre 1983; 15 julio 1985; y 16 noviembre y 15 diciembre 1988.

3. **La licencia de apertura no puede denegarse cuando se otorga la de obras** para un local de características bien definidas en el correspondiente proyecto y para una concreta actividad también especificada en el mismo, por lo que, si no consta su concesión expresa, simultánea o conjuntamente con la licencia de obras, habrá que entenderla implícitamente concedida con ella. Así SSTS 3 mayo 1983; 15 noviembre 1988; 15 diciembre 1988 y 3 abril 1990.

4. **No se puede sostener dogmáticamente la tesis de que la licencia de obras habilita, sin más, para la práctica de la actividad** por razón de la que fueron autorizadas y ejecutadas, o a la inversa, pues ambas licencias nacen de presupuestos distintos, persiguen fines diferentes, se regulan por regímenes no equiparables entre sí y generan competencias y procedimientos desiguales. Así SSTS 25 junio 1981; 15 noviembre 1988; 20 enero 1989; 2 abril, 15 julio y 16 diciembre 1992; y, muy especialmente, la de 25 mayo 1994, según la cual «la licencia de obras y la de apertura son diferentes en su naturaleza y finalidad pues mientras la licencia de obras tiende a comprobar la adecuación del correspondiente Proyecto al planeamiento urbanístico, la de apertura tiene como fin acreditar si los locales y sus instalaciones reúnen las condiciones de tranquilidad, seguridad y salubridad normativamente exigibles, por lo que no puede alegarse por el recurrente la obtención de la licencia de apertura (y menos si tal obtención se logró por silencio positivo) en relación con la actividad del establecimiento en cuestión para tratar de amparar con la misma las construcciones ilegales por ejecutadas sin la previa y preceptiva licencia de obras».

5. **La licencia de apertura sólo podrá venir implícitamente presupuestada en la de obras** en los casos en los que la «competencia» para el otorgamiento de ambas licencias corresponda con exclusividad al municipio y genere correlativamente un único expediente. Así SSTS 2 febrero 1981 y 20 enero 1989.

6. **La aplicación automática** del artículo 22.3 del RSCL exige que se cumplan, al menos, estos dos requisitos: 1) Que el proyecto presentado con la solicitud concrete las características del establecimiento así como la actividad específica a la que será destinado y 2) Que tales datos proporcionen al municipio autorizante todos los elementos de juicio necesarios para poder tomar una decisión responsable. La falta de tales requisitos hará que se rompan los nexos de interdependencia que ligan entre sí a ambas licencias, que se comportarán, en consecuencia, autónomamente, de acuerdo con sus respectivos regímenes. Así SSTS 20 mayo 1983; 15 julio 1985; 14 mayo 1986; 18 julio y 15 diciembre 1988; 12 junio 1989; 3 abril 1990; 20 junio 1991; 4 marzo 1992; y 22 septiembre y 4 octubre 1993.

7. La finalidad del precepto no es otra que la de **impedir que el solicitante de la licencia de obras se vea perjudicado** por la construcción de un local que no podrá luego utilizar para la actividad que se propuso y de la que expresamente advirtió al municipio. Así SSTS 28 octubre 1989 y 3 abril 1990.

8. El fin de **evitar gastos inútiles** al solicitante de una licencia de obra no deberá conllevar el que en todos los casos en los que se le conceda la misma haya que entender que se le otorga, también, la de apertura, no sólo por los perjuicios que se les podrían seguir a los intereses públicos tutelados por esta última, cuanto porque,

en pura secuencia lógica, es la apertura la que debe condicionar a la construcción, y no al revés. Así SSTS 31 enero 1972; 20 febrero y 16 mayo 1989 y 17 abril 1990.

9. El otorgamiento de la licencia de obras sin la de apertura constituye un supuesto de **funcionamiento anormal de la Administración que** podrá generar la consiguiente responsabilidad patrimonial en favor del perjudicado. Así STS 18 junio 1990.

10. Las licencias de obras y de apertura, aun cuando ambas deban ser otorgadas por el municipio, lo serán en aplicación de **competencias distintas**, atribuidas por **dos ordenamientos sectoriales diferentes**, y que establecen tramitaciones y garantías específicas para el otorgamiento o denegación de cada una de ellas: el urbanismo, que planifica obras, y el medioambiental, que controla actividades. Su control conjunto y su otorgamiento simultáneo no siempre será posible. Así SSTS 20 enero 1989 y 17 mayo 1994.

La **legislación autonómica**, por otro lado, recoge también el testigo del Reglamento de Servicios (art. 22.3), y prueba de ello es que mantiene el principio de que la licencia de apertura es previa a la de obras, principio cuyo fundamento ha de buscarse en la previsión del legislador autonómico de no dejar sin regulación esta parte del procedimiento en la tramitación del expediente, ante las dudas que viene despertando la aplicación y consiguiente vigencia del propio Reglamento de Servicios de las Corporaciones Locales.

Así:

• Decreto 179/1995, de 13 junio, por el que se aprueba el Reglamento de Obras, Actividades y Servicios de las Entidades Locales de Cataluña, su art. 77.4 «En ningún caso se otorgará la licencia de obras sin la concesión previa o simultánea de la relativa a la actividad».

• Ley 3/1998, de Protección del Medio Ambiente del País Vasco, en su art. 61.1 de la dice que «Los Ayuntamientos no podrán conceder licencia de obra para actividades clasificadas en tanto no se haya concedido la licencia de actividad».

• Ley Foral 4/2005, de 22 de marzo, de intervención para la protección ambiental, en su art. 49,3 «No se podrán conceder licencias de obras para actividades clasificadas en tanto no se haya otorgado la licencia de actividad correspondiente. No obstante lo anterior, para determinadas actividades de baja incidencia medioambiental y en los términos y condiciones que reglamentariamente se prevean, se podrá conceder licencia de obras mientras se tramita la licencia de actividad. En dichos casos, la ejecución de las obras quedará bajo la exclusiva responsabilidad de su promotor, sin que la misma condicione el otorgamiento o denegación de la licencia de actividad, ni la necesaria y obligada adaptación a las condiciones que se señalen por el organismo medioambiental».

Considerando la variedad de actividades comerciales, industriales y recreativas existentes, podemos hacer la siguiente clasificación sobre el binomio licencia de obras-licencia de apertura:

1. Actividades no clasificadas o inocuas.

2. Actividades clasificadas.

3. Espectáculos públicos y actividades recreativas.

1. Actividades no clasificadas o inocuas

Atendiendo a las características de estas actividades, en las que la ejecución de obras será prácticamente innecesaria o superflua, revistiendo el carácter de obra menor (acondicionamiento de local, reparaciones en instalaciones, revestimientos, escaparates, etc.) en principio no es causa de conflicto el que se otorgue una licencia de obras para tal fin (acondicionamiento...) y posteriormente se solicite la de apertura.

2. Actividades clasificadas

En éstas deberemos distinguir dos fases, una primera, consistente en el procedimiento inicial de tramitación del expediente hasta que se produce la clasificación de la actividad, con la imposición de las medidas correctoras. En esta fase es posible, y debe hacerse así, el despejar los problemas de índole urbanística que conlleva la actividad sujeta a licencia.

La segunda, se inicia a partir de que la actividad ha sido clasificada. Llegado este punto, la actuación de la Administración ha de materializarse en autorizar la instalación de la actividad como acto previo a su posterior comprobación e inspección por parte del Ayuntamiento, para finalmente conceder la licencia de apertura o puesta en marcha.

Será con la licencia de instalación cuando se conceda la licencia de obras como requisito *sine qua non* para ejecutar las obras e instalaciones previstas en el proyecto, realizar las comprobaciones de toda índole que hayan de realizarse (ruido, electricidad, agua, medidas de seguridad...). Será conveniente y oportuno que se solicite conjuntamente la licencia de apertura y la de obras, y que el proyecto recoja las obras a realizar. Si por razones de competencia del técnico redactor de aquél, no pudiera llevarse a cabo tal opción, el expediente se paralizará cuando la actividad quede clasificada y señaladas las medidas correctoras. En este momento se requerirá al promotor para que solicite licencia de obras presentando el proyecto técnico suscrito por técnico competente, se tramitará esta licencia y concedida la misma y ejecutadas las obras seguirá el expediente su curso (comprobación de instalaciones, medidas correctoras, etc.), otorgándose finalmente la licencia de apertura o puesta en marcha.

Vemos pues, que es un procedimiento bifásico, en tres tiempos: expediente de calificación, expediente de obras y expediente de puesta en marcha o apertura.

Por lo tanto, la licencia de obras no se deberá de otorgar nunca de forma autónoma e independiente de la licencia de apertura de la que trae su causa, aunque sí se puede acceder a ello siempre que el solicitante renuncie a cualquier tipo de indemnización por daño o perjuicio que pueda sufrir como consecuencia de la denegación de la licencia de apertura, pese a la ejecución de las obras para una actividad concreta.

3. Espectáculos públicos y actividades recreativas

Este tipo de actividades plantea una problemática distinta de las anteriores, derivada fundamentalmente del tratamiento legal que el Reglamento General de Policía de Espectáculos Públicos y Actividades Recreativas de 27 agosto 1982 da, y que figura en su artículo 36, y ello por las siguientes razones:

1.º) Porque el procedimiento que se establece es el de tramitar primero la licencia de construcción o reforma, y posteriormente la de apertura (arts. 36 y 40). En este sentido el artículo 36.1 del citado Reglamento dice que «Para la construcción de cualquier edificio, local o recinto que haya de destinarse a espectáculos o recreo público, será preciso solicitar la licencia correspondiente del Ayuntamiento del municipio, por medio de instancia firmada por el promotor del proyecto o su representante legal, a la que se acompañará en triplicado ejemplar una *memoria explicativa de la construcción que se proyecta ejecutar, señalando su emplazamiento debidamente acotado en relación con la vía o vías públicas y anchura de las mismas y detallando los datos referentes a su construcción, materiales a emplear, clase de espectáculo o recreo a que se va a destinar y alumbrado y demás servicios que hayan de instalarse*».

2.º) Porque los fines que persigue el artículo 22.3 del RSCL quedan garantizados, ya que de la documentación presentada, el Ayuntamiento tiene información suficiente como para saber si la obra se puede autorizar o no en función de la actividad que se va a desarrollar en el edificio que se pretende construir, reformar o adaptar.

3.º) Porque puede resultar de dudosa aplicación el artículo 22.3 del Reglamento de Servicios de las Corporaciones Locales.

4.º) Porque para conceder la licencia de apertura (arts. 40, 41 y 42 y ss. del Reglamento) será necesario que se presente junto con la solicitud las certificaciones técnicas que acrediten la debida ejecución de los proyectos respectivos, así como que sus diversos elementos o instalaciones, potencialmente peligrosos para personas o bienes, han sido provistos de los dispositivos de seguridad e higiene exigidos; y para que éste se produzca será necesario que previamente se haya otorgado la previa licencia de obras.

II.   JURISPRUDENCIA

1.   Licencia de apertura y licencia de obras

• Sin negar la diferente naturaleza de la licencia de apertura y la de obras, se pone también de manifiesto la **inevitable interrelación que existe entre ellas**. En este sentido la sentencia 7 de abril de 2003 viene a señalar que, aunque con carácter general es acertada la tesis de que no cabe aplicar a la licencia de apertura los criterios urbanísticos que sólo juegan en la de obras, «...cuando por las razones que sean la licencia de obras se ha concedido antes que la de actividad y aquélla resulte nula, esta circunstancia, como ha declarado la sentencia de esta Sala de 18 de marzo de 2002, no puede desconocerse al concederse la licencia de apertura, **pues no cabe autorizar la actividad sobre un local que ha sido edificado ilegalmente**». Y en esta misma línea debe citarse la sentencia de 23 de diciembre de 2002 donde se pone de manifiesto **la virtualidad de la licencia de apertura como mecanismo hábil para verificar que la construcción ejecutada se ajusta a las previsiones del proyecto previamente presentado para la concesión de la licencia de obras.**

En definitiva, si bien es cierto, como señalan las sentencias que invoca la recurrente, que la licencia de obras es la que tiene por objeto asegurar que el proyecto presentado se acomoda al planeamiento urbanístico, ello **no impide que con ocasión de la licencia de actividad se constate si las obras ejecutadas se ajustan al proyecto** que sirvió de base para autorizar las obras. [STS 25 enero 2008.- LA LEY 1454/2008]

• La sentencia de instancia anula la licencia concedida para despacho profesional al entender que la actividad ejercida es para centro médico de «consultas médicas y de fisioterapia y rehabilitación», por tanto, necesita licencia de actividad de la entonces vigente Ley 3/1989 y no es compatible con el PGOU de Alicante.

El primer problema que plantean es Esta Sala ya se ha pronunciado en numerosas sentencias sobre **el binomio licencia de obras/licencia de actividad** en la sentencia entre otras de 10.12.1998:

«...Para que una industria o cualquier actividad funcione **necesitará tanto licencia de actividad como licencia de obras** para el espacio físico que vaya a ocupar la actividad, de tal forma que, careciendo de cualquiera de ellas no podrá obtener el certificado del art. 6 de la Ley Autonómica 3/1989, de Actividades Calificadas, y su funcionamiento devendrá imposible. A continuación se **plantea una especie de problema sobre "el huevo y la gallina", es decir, qué licencia debe obtenerse primero la licencia de actividad o la licencia de obras, la respuesta tanto a nivel legislativo como a nivel jurisprudencial es unánime en el sentido que se requiere tener previamente la licencia de actividad y posteriormente solicitar la licencia de obras para dicha actividad».

Es decir, **se trata de licencias vinculadas**, sin perjuicio de que como afirma la sentencia recurrida gocen a autonomía donde la **licencia nuclear sería la licencia de actividad y la de obras supone el elemento soporte de la licencia de actividad**, sin perjuicio, del distinto régimen interno que pueden tener una y otra licencias. [STSJ Comunidad Valenciana 11 enero 2010.- LA LEY 47405/2010]

• En efecto, el Ordenamiento jurídico, en el marco de la tendencia actual a integrar procedimentalmente las diversas intervenciones públicas que se proyectan sobre las actividades económicas y la simplificación administrativa, suele establecer, **en los casos en que es necesario obtener la licencia de actividad y además se requiere la realización de obras, la tramitación conjunta de ambos títulos habilitantes, esto es, la licencia de obras y la de actividad, de tal manera que el control administrativo sobre las obras queda integrado en el procedimiento principal de otorgamiento de la licencia de actividad**, careciendo en estos casos de sustantividad procedimental propia, pues **será la resolución sobre la solicitud de licencia de actividad la que, en caso de ser favorable, habilite para ambas actuaciones, es decir, ejecutar las obras y ejercer la actividad**. Ejemplos de este supuesto de integración procedimental plena que el legislador tiende a establecer entre la licencia de obras y la de actividad se encuentran el **la legislación de Espectáculos y Ambiental, que prevén la tramitación conjunta de las obras y de la licencia de actividad o ambiental, previa presentación por el solicitante de la licencia del correspondiente proyecto de obras**, siendo ello lógico y razonable ya que los establecimientos públicos que se destinen a la celebración de espectáculos públicos o actividades recreativas, como el caso presente, deberán reunir las condiciones técnicas de seguridad, de higiene, sanitarias, de accesibilidad y confortabilidad, de vibraciones y de nivel de ruidos que reglamentariamente se determinen en las normas específicas de cada actividad, en las Normas Básicas de Edificación y Protección contra Incendios en los

Edificios y demás normativa aplicable en materia de protección del medio ambiente y de accesibilidad de edificios. [STSJ Andalucía (Granada) 8 febrero 2010.- LA LEY 57509/2010]

• La licencia de actividad o de apertura de un establecimiento o construcción, es de **naturaleza y finalidad diferente a la de la licencia de obras**, ya que mediante ésta, en esencia, se tiende a comprobar la adecuación del proyecto de dicha obra, en su entidad material, al planeamiento urbanístico, mientras que **la licencia de apertura o actividad se dirige a comprobar si los edificios o instalaciones, en el desarrollo de su actividad propia, reúnen las condiciones de tranquilidad, seguridad, salubridad e higiene normativamente exigibles y las que en su caso estuvieren dispuestas en los planes de urbanismo, debidamente aprobados y publicados del edificio apto para tal actividad**. [STSJ País Vasco 15 julio 2010.- LA LEY 203891/2010]

• Aquí no es necesario profundizar en lo que se pudiera debatir sobre la procedencia de la licencia de apertura, pero sí se ha de concluir que no son de acoger los alegatos de la comunidad apelante, porque **el que se concediera la licencia de obras antes de la de apertura, no condiciona la ilegalidad de esta última**, que es la recurrida en la instancia.

Como se recoge, entre otras, en la STS de 3 de abril de 1990, recaída en el recurso de apelación 2.173/1988, referida en las actuaciones, el citado artículo 22.3 **no supedita la licencia de obras a la de actividad en términos absolutos, por lo que se está ante un condicionamiento en términos más relativos y, en concreto, lo hace fundamentalmente en defensa de los intereses del peticionario de la licencia para evitar el costeamiento de una construcción que luego no pueda utilizar dado el fin perseguido en ello**; al respecto, la jurisprudencia clásica ratificó lo que en la referida se plasmó con relación a pronunciamientos varios en el sentido de que el art. 22.3 **no condiciona la licencia de obras a la obtención previa de una licencia de actividad de forma absoluta, sino que sólo lo exige el cumplimiento de la condición cuando se trata de edificios de características muy determinadas**. Esa conclusión no se contradice con las SSTS que traslada la apelante, así la STS de 20 de marzo de 1996 (LA LEY 5591/1996), recurso de apelación 1677/1991, recaída en relación con actividades molestas, insalubres, nocivas y peligrosas, que en su FJ 4.º se razonó como sigue:

«Es cierto que el artículo 22-3 del Reglamento de Servicios de las Corporaciones Locales prescribe que "cuando, con arreglo al proyecto presentado, la edificación de un inmueble se destinara específicamente a establecimiento de características determinadas, no se concederá el permiso de obras sin el otorgamiento de la licencia de apertura, si fuera procedente", pero **la jurisprudencia de esta Sala ha declarado que dicho precepto no puede interpretarse en el sentido inverso de que, concedida la licencia de obras, necesariamente ha de ser otorgada después la licencia de apertura, ya que el incumplimiento del artículo 22-3 no puede llevar a autorizar un uso ilegal**, cualesquiera que puedan ser en otro orden de cosas las consecuencias de la actuación administrativa (la cual, en todo caso, ha sido provocada por el particular que solicitó la licencia de obras)». [STSJ País Vasco 6 abril 2011.- LA LEY 140784/2011]

• La jurisprudencia ha venido condicionando la **justificación de que la licencia de apertura fuera previa a la de obra, para evitar en lo posible situaciones generadoras de responsabilidad patrimonial de la Administración local**. [STSJ País Vasco 6 abril 2011.- LA LEY 140784/2011]

• Y la **falta de obtención de la preceptiva licencia urbanística y de actividad necesariamente conlleva la denegación de la licencia de apertura**, pues no puede olvidarse que ésta sólo puede otorgarse o denegarse, tras la concesión de aquélla y previa la inspección oportuna. Como recuerda el Tribunal Supremo en su sentencia de 25 de septiembre de 2001, «ciertamente el Reglamento de Actividades Molestas no emplea de forma explícita la expresión licencia de apertura, pero distingue en su artículo 34 entre la obtención de la licencia de instalación y la realización válida de la actividad, prescribiéndose en este precepto que acaba de citarse que aquella actividad no puede ejercerse hasta que medie una nueva autorización tras comprobarse las prescripciones técnicas, regulándose dicha comprobación en los artículos 36 a 38 del Reglamento de Actividades Calificadas».

Al **haber sido expresamente denegada la licencia de instalación, se insiste, no podía sino denegarse la de apertura interesada**. [STSJ Aragón 25 mayo 2011.- LA LEY 174137/2011]

• **No existe vinculación** de ningún género **entre el otorgamiento de aquella añeja licencia de obra** por dicha Administración municipal y la **denegación por su parte de aquella licencia de actividad industrial** en aquel lugar de autos, ya que ésta no resulta admisible en aquel lugar por el carácter del suelo —sometido a la tuición inherente al suelo rústico al tratarse de entorno municipal con planeamiento no adaptado como también se referenció judicialmente *a quo*—, sin que tampoco quepa alegar siquiera la **doctrina de los actos propios al no presuponer el otorgamiento de licencia de obra la concesión de licencia de actividad**. [STSJ Galicia 1 marzo 2012.- LA LEY 28503/2012]

• La sentencia apelada, que no desconoce la existencia de jurisprudencia que considera que **el otorgamiento de la licencia de obras con carácter previo a la licencia de actividad no es un vicio invalidante**, aunque pueda generar responsabilidad patrimonial de la Corporación si el proyecto no recibe finalmente la licencia de actividad.

…En el caso concreto **no cabe conjeturar si las obras estaban condicionadas por la actividad a realizar, ya que la licencia se solicitó para autorizar el proyecto modificado de un establecimiento dedicado a la actividad de hotel**.

En encadenamiento entre ambas licencias es evidente. Y la relación temporal entre ellas que contempla en el artículo 22.3 del Reglamento de Servicio de las Corporaciones Locales, decreto 17 de junio de 1955, de igual contenido que el artículo 4.1 de la Ley canaria 1/1998, de 8 de enero, **requiere que en su tramitación ajustada a Derecho, la licencia de obra esté subordinada a la previa o simultánea obtención de la de apertura**. Lo cual, trasladado al examen de la reclamada concurrencia del silencio administrativo positivo, supone que era necesario no sólo comprobar la fecha de presentación y el proyecto del reformado de las obras, sino también el cumplimiento de los demás requisitos legales, entre ellos, la relación subordinada a la licencia de actividad para el proyecto reformado, acreditando su obtención, expresa o presunta, para poder concluir sobre la obtención por silencio positivo de la licencia de obras. [STSJ Canarias (Santa Cruz de Tenerife) 12 marzo 2012.- LA LEY 263575/2012]

• Recordando la reiterada doctrina del Alto Supremo, sobre este precepto, se debe proclamar que **la imposibilidad de obtener la licencia de obras determina *per se*, la imposibilidad de obtener la licencia de apertura**… En este supuesto, en virtud de la aplicación del principio de economía y eficacia el Ayuntamiento, **en vez de denegar la licencia de apertura, ha optado por otorgar la licencia de apertura con la condición de**

que se retire el altillo no permitido por las normas urbanísticas, lo cual no vulnera el ordenamiento jurídico por cuanto que la conservación del altillo debe implicar la denegación de la licencia de apertura. [STA Navarra, 18 junio 2012.- LA LEY 129027/2012]

• Las licencias de actividad resultan **condicionadas por la previa expedición de la licencia urbanística de obra** al señalarse que «las licencias municipales de apertura e instalación de actividad..., son declaraciones de voluntad por las que la Administración permite a uno o varios sujetos el ejercicio de un derecho subjetivo, previa valoración de la legalidad del ejercicio de la actividad», así como que «cuando se está en presencia del ejercicio de una actividad..., para su autorización se exigen **dos requisitos esenciales: uno, que el emplazamiento de la misma esté permitido por las Normas urbanísticas vigentes** —cuyo no-cumplimiento ha de producir el efecto irreversible de la denegación de la preceptiva licencia—; y otro, consistente en que, acreditada esa idoneidad, se haga depender la concesión de la misma de concretas condiciones o de la adopción de las adecuadas medidas correctoras. [STSJ Galicia 30 julio 2012.- LA LEY 141182/2012]

• Por lo demás, **la solicitud de licencia de apertura en nada incide en lo expuesto, pues, como es sabido, dicha autorización no es propiamente urbanística sino que es independiente, aunque relacionada, de la solicitud de licencia de obras** y objeto de control de la actividad a desarrollar más que de la legalidad urbanística aunque también deba tener en cuenta esta. [STSJ Canarias (Las Palmas de Gran Canaria) 19 noviembre 2012.- LA LEY 255274/2012]

• Por otra parte, **en cuanto a la conexión y condicionamiento entre las licencias de obra y de actividad, nuestro más alto tribunal tiene proclamado la diferente funcionalidad y relativa independencia de unas y otras, las de actividad y las de obra o urbanísticas**, concretamente: «**La licencia de obras no excusa de la obtención de licencia de apertura, que es totalmente independiente de la licencia de obras** (sentencias de 30 de marzo de 2001 y de 16 de julio de 1992) **y en modo alguno se obtiene en forma implícita como consecuencia de la obtención de aquella**». También señala que «La jurisprudencia de este Tribunal tiene declarado, en efecto que **hay una prioridad lógica y temporal de la licencia de actividad sobre la licencia de obras** (sentencias de 18 de diciembre de 2001, 9 de junio de 1999, 26 de julio de 1996, 15 de julio de 1992, 18 de junio de 1990, 20 de febrero de 1989 y 21 de septiembre de 1985 y que sin perjuicio de su relevancia a efectos que no son aquí del caso, la falta de licencia de apertura no determina por si misma la nulidad de la licencia de obras (sentencias de 9 de junio de 1999, 2 de octubre de 1995 y de 18 de junio de 1990), **siendo de añadir ahora que la existencia de licencia de obras no permite presumir, como se razona en este motivo, que se haya alcanzado la de apertura**, ya sea en los supuestos del art. 22.3 del RSCL o en los Reglamentos de Actividades Clasificadas de 1961». Alude a que «En materia de licencias de obras y apertura es evidente que **cada una de ellas cumple la función específica y que en ocasión de la concesión de la licencia de apertura no pueden controlarse los aspectos urbanísticos de la licencia de obras**». [STSJ Andalucía (Málaga) 23 mayo 2014.- LA LEY 159676/2014]

• Teniendo en cuenta la fundamentación jurídica anteriormente expuesta, **resulta indubitada la íntima relación existente entre licencia de obras y licencia de instalación para el ejercicio de una actividad específica**, en contra de lo que sostiene la parte apelante que pretende desligar ambas autorizaciones. Asimismo, **la licencia de obras está íntimamente relacionada con la licencia de funcionamiento, toda vez que esta última tiene precisamente como función comprobar que las obras efectivamente realizadas**

concuerdan exactamente con el proyecto licenciado. [STSJ Madrid 24 noviembre 2014.- LA LEY 190913/2014]

• **La preeminencia temporal de la licencia de apertura sobre la de obra, tiene su fundamento y razón de ser en evitar que puedan acometerse obras que, sin embargo, no resulten autorizables en cuanto a su uso, por lo que, autorizada determinada actividad mediante licencia de apertura,** la Administración está obligada a respetar los derechos de su titular por la doctrina de los propios actos, que impide que aquello que por una vía es reconocido —la apertura de actividad— pueda quedar denegado de forma indirecta impidiendo la realización de las obras necesarias para que el ejercicio de la actividad pueda desenvolverse en sus condiciones esenciales, **de forma que si la licencia de apertura de actividad resulta de imposible concesión, carece de sentido la autorización de unas obras de instalación que iban a quedar afectadas al desarrollo de dicha actividad.**

Ahora bien, el control de la licencia de apertura se despliega sobre las obras ejecutadas y dicho control, sin perjuicio de que se efectúe a través de la autorización de funcionamiento también lo puede ser mediante la inclusión como condición de la licencia de apertura de la efectiva ejecución de las obras con acomodación al proyecto autorizado, y eso es lo que sucede en el caso, en el que la parte aceptó el condicionante y, sin embargo, nunca solicitó autorización de primera ocupación; dicho en otras palabras, no cumplió la condición de la licencia de apertura, no pidió a la Administración licencia de primera ocupación (en cuanto instrumento para el control del acomodo de las obras a la licencia concedida en su día), ni emitió declaración responsable.

En definitiva, **en tanto en cuanto la licencia de primera ocupación supone, como es sabido, el examen de que las obras autorizadas se ejecutaron conforme al proyecto, es posible incluir dicha obligación de obtener autorización de primera ocupación en la propia licencia de apertura,** en cuanto condición urbanística necesaria para el funcionamiento de la actividad. [STSJ Canarias (Las Palmas de Gran Canaria 13 marzo 2015.- LA LEY 152016/2015]

• Por ello y en aplicación de lo dispuesto en el artículo 22.3 del Reglamento de Servicios de las Corporaciones Locales (LA LEY 18/1955), **no cabe conceder la licencia de obra solicitada sin otorgar la licencia de actividad.** Hay que recordar que dicho artículo dispone que «cuando, con arreglo al proyecto presentado, la edificación de un inmueble se destinará específicamente a establecimiento de características determinadas, no se concederá el permiso de obras sin el otorgamiento de la licencia de apertura, si no fuere procedente».

El Tribunal Supremo **ha interpretado el alcance de este precepto.** Así en sentencia de la Sala 3.ª de 16/12/1980, ha dicho:

«Que en interpretación del artículo 22.3 del Reglamento de Servicios de las Corporaciones Locales (LA LEY 18/1955) una constante jurisprudencia —sentencias de 8 de febrero de 1.977 y 29 de diciembre de 1.978, entre otras— ha declarado que **el condicionamiento de la licencia de obras para la previa de apertura solamente es exigible cuando se trata de construcciones específicamente destinadas a una actividad tan singular que la previa autorización de apertura resulte notoriamente necesaria para evitar los graves perjuicios que se ocasionarían al interesado con la concesión anticipada de una licencia para realizar unas obras que por sus especiales características, resultarán inútiles en caso de denegarse autorización** para ejercitar la actividad en función de la cual fueron proyectadas y ejecutadas y en razón a ello, que dicho precepto excepcional contempla una estrecha interdependencia entre la construcción y el muy específico uso al que se destina que impide su aplicación cuando se trata de una obra de características normales y ordinarias, apta para cumplir una dedicación de contenido vario como es una nave-almacén, pues en tal supuesto **nada obsta a que el Ayuntamiento, si el proyecto reúne todas las condiciones urbanísticas impuestas en el planeamiento y demás normas aplicables, pueda y deba conceder la licencia de obra, sin perjuicio de que en su posterior apertura**, una vez realizada, resuelva si el uso elegido para su titular es o no de los legalmente permitidos y éste es precisamente el caso de autos en el que, siendo la nave-almacén idónea para cualquiera de los destinos agrícola, pecuario, forestal o industrial establecidos en la citada norma 5.3.2 del Plan General de Ordenación de Lugo, la ausencia de previa elección de cualquiera de éstos no constituye causa suficiente para dar aplicación al expresado artículo 22.3, sino únicamente a que **el Ayuntamiento, *a posteriori*, conceda o deniegue el ejercicio de la actividad que se elija, según esté o no incluida en alguno de los usos permitidos por aquélla norma urbanística** y así lo entendió correctamente el Ayuntamiento de Lugo al indicar en su acto resolutorio de la reposición que el titular de la licencia de obras necesitará en su día la correspondiente licencia para ejercer la actividad a que destine su nave-almacén y remitir a ese momento todas las reclamaciones que en éste orden puedan formularse, manifestándose así la legalidad, tanto sustantiva como formal, de la licencia de obras impugnada, que debe por ello ser confirmada con revocadas de la sentencia apelada».

También debemos citar la sentencia del Tribunal Supremo de 2 de octubre de 1995 (recurso 2797/91 (LA LEY 1075/1996)), que dice:

«La licencia de apertura para el funcionamiento de una determinada actividad clasificada como molesta, insalubre, nociva o peligrosa tiene por objeto el evitar que cualquiera de esas actividades clasificadas, a realizar en un determinado edificio o conjunto de ellos, produzca incomodidades o altere las condiciones normales de salubridad e higiene del medio ambiente u ocasionen daños o impliquen riesgos graves para las personas y los bienes. Naturalmente, el precepto del artículo 22.3 del Reglamento de Servicios de las Corporaciones Locales (LA LEY 18/1955) determina la **precedencia temporal de la licencia de apertura respecto de la de obras, fundamentalmente para la más adecuada protección de los intereses privados de los titulares de las licencias porque es claro que otorgada la licencia de obras y realizada la edificación consiguiente, con los grandes costos económicos que ello suele implicar, todo ello quedaría sin el aprovechamiento perseguido si no se autorizara la actividad pretendida, con los perjuicios que ello implica para su titular**.

Pero ello no implica que la licencia de obras para una determinada actividad, concedida con anterioridad a la licencia de apertura correspondiente, no pueda ser legalizada o convalidada cuando la meritada licencia de apertura es autorizada después, porque tal como ya tiene establecido esta Sala en sentencias de 3 de abril de 1990 y 18 de junio de 1.990 **la interdependencia y orden de prelación de ambas licencias, están proyectadas sobre el principio de una hipotética responsabilidad patrimonial**, por el posible funcionamiento anormal de la Administración en la inobservancia de la precedencia temporal señalada en el Reglamento de Servicios de las Corporaciones Locales (LA LEY 18/1955), al estar establecida tal procedencia, como hemos dicho, primariamente en intereses del particular afectado».

En el presente caso **hay que apreciar una «estrecha interdependencia» entre la construcción y el muy específico uso al que se va a destinar la obra** cuya licencia se ha solicitado pues no podemos olvidar que se trata de una reforma de una cafetería que, como hemos visto antes, se trata de una actividad específica sujeta a licencia de actividad y funcionamiento aunque se encuentre dentro de un centro de mayores. Por ello, resulta de aplicación la previsión del artículo 22.3 del Reglamento de Servicios y, en consecuencia, la denegación de la licencia de obras está ajustada a derecho. [STSJ Madrid 4 mayo 2016.- LA LEY 85921/2016]

• De ello se desprende que **en la tramitación de la licencia de actividad ambiental, que deberá ser ordinariamente previa, o al menos simultánea, a la de obras**, ya se examina la posibilidad de realizar en un lugar concreto una determinada actividad. De forma, que, si, como deberá ocurrir en la generalidad de los casos, se examina en primer lugar la licencia de actividad, si **la resolución a adoptar es la denegación de ésta, ello supondrá la inutilidad de obtener la de obras**. Y que si los usos permitidos en el lugar y su compatibilidad con la actividad pretendida son examinados en esta licencia de actividad, no es ineludible que el examen de esa cuestión sea reiterado en la tramitación de la licencia de obras... También en la STS (3.ª) de 18 de marzo de 2002, rec. 2919/1998 (LA LEY 5215/2002), se decía que aunque en el orden lógico y jurídico primero es la licencia de actividad y luego de obras, **pues no tiene sentido obtener una licencia de obras y que luego la actividad pretendida no sea autorizada, no es infrecuente que en la realidad de las cosas el otorgamiento temporal de las licencias se invierta concediéndose primero la de obras**. Tal circunstancia tiene lugar, al menos, cuando **iniciados simultáneamente ambos expedientes se termina antes el expediente de la licencia de obras**, como consecuencia de la demora que sufre el de actividad por efecto de la mayor complejidad de su tramitación. También sucede cuando la licencia de actividad se solicita con posterioridad o con independencia de la licencia de obras obtenida. [STS Sala Segunda, 11 octubre 2016.- LA LEY 141690/2016]

2. Repertorio histórico de jurisprudencia

• No se concede la licencia de obras, hasta que no se haya conseguido el permiso de apertura, cuando se trate de locales de características determinadas y para fines determinados, según lo dispuesto en el artículo 22.3 RSCL. [STS 26 octubre 1981]

• Cuando una edificación se destinare específicamente a establecimiento de actividades molestas, insalubres, nocivas y peligrosas, no se concederá el permiso de las obras sin el otorgamiento de la licencia de apertura, si fuere procedente ésta (SSTS 5 noviembre 1969, 16 noviembre 1971, 5 julio 1972, 12 y 13 diciembre 1977 y 14 febrero y 20 abril 1978) (de los Considerandos de la sentencia apelada, aceptados). [STS 13 diciembre 1982]

• *Al otorgamiento indebido de una licencia de obras no puede seguirse una continuación igualmente ilegal cual sería la concesión obligatoria de la licencia de apertura* (de los Considerandos de la sentencia apelada, aceptados). [STS 30 mayo 1983]

• Rectamente entendido, el artículo 23.3 RSCL sólo establece que no se concederá el permiso de obras sin el otorgamiento de la licencia de apertura, pero ello no comporta sin más que, en todo caso, otorgada la licencia de obras, automáticamente se considere concedida la de apertura, sino únicamente, que *había de entenderse concedida la auto-*

rización de apertura «tácitamente», cuando ello fuera procedente (de los Considerandos de la sentencia apelada, aceptados). [STS 7 noviembre 1983]

• *Nunca puede entenderse implícitamente concedida la licencia de apertura al ser otorgada la de obras, cuando se trata de actividades calificadas* (de los Considerandos de la sentencia apelada, aceptados). [STS 23 noviembre 1983]

• Lo que el artículo 22.3 RSCL ordena para los establecimientos de características determinadas «es que no se concederá el permiso de obras sin el otorgamiento de la licencia de apertura si fuera procedente» *texto prohibitivo de la concesión del permiso de obras que no autoriza la interpretación contraria de que la licencia de apertura se haya de entender implícitamente otorgada por silencio, porque al menos en las actividades especialmente reglamentadas la competencia del organismo municipal en torno a la apertura no es exclusiva, sino concurrente con la provincial*, al extremo de que la denuncia de mora tiene que ser simultánea y que el acuerdo desfavorable de la Comisión es vinculante (de los Considerandos de la sentencia apelada, aceptados). [STS 19 noviembre 1984]

• De acuerdo con el artículo 22.3 RSCL, *al tratarse de un local destinado específicamente a la industria de garaje, no debe concederse la licencia de obras hasta que se otorgue, si fuera procedente, la de apertura* por el procedimiento establecido en el RAM. [STS 4 marzo 1985]

• El permiso de obras no predetermina el otorgamiento de la licencia de apertura, conforme se desprende del artículo 22 RSCL. [STS 7 mayo 1985]

• *Siempre que se proyecte una obra con unas especiales características impuestas por un destino preciso que las exija, no se podrá conceder autorización para realizar dichas obras, sin el condicionado previo de la declaración municipal de procedencia de la licencia de la actividad* para la que se proyectan las mencionadas obras porque en tales casos debe lógicamente primar el destino específico industrial de la construcción sobre la obra misma. [STS 6 noviembre 1985]

• La doctrina del silencio positivo rige, de conformidad con el artículo 9 RSCL, cuando la licencia de apertura solicitada se reduce a un simple permiso o licencia de obras, distinta de la licencia de apertura por razón de las actividades contempladas en el RAM, y es por ello que el artículo 22 RSCL prohíbe en su caso conceder permiso de obras sin la licencia de actividades, debiendo la Corporación instructora dar cumplimiento a este precepto, incluso de oficio, dando a la solicitud el trámite del citado Reglamento de Actividades cuando la índole del establecimiento lo requiera (de los Considerandos de la sentencia apelada, aceptados). [SSTS 12 diciembre 1977 y 17 febrero 1978]

Se seguía ante el Ayuntamiento de autos expediente con el objeto de verificar si la industria del bar en cuestión podía ser autorizada o, por el contrario, clausurada, con arreglo al RAM, expediente que la Corporación no tramitó con arreglo a lo dispuesto en sus artículos 29 y ss., sino que lo decidió, llegando a la clausura, con fundamento exclusivamente urbanístico, incumpliendo el artículo 22 RSCL, que deslinda perfectamente las licencias urbanísticas referentes a un establecimiento de características determinadas, en las cuales no se concederá el permiso de obras sin la licencia de apertura, si fuera procedente, *y como en el caso se había denunciado que la actividad era molesta, es evidente que sin que se obtenga la licencia de apertura por los trámites del Reglamento de Actividades no podrá prosperar ninguna licencia urbanística de apertura*, y tampoco la que por silencio positivo prevé el artículo 9 RSCL (de los Considerandos de la sentencia apelada, aceptados). [STS 19 enero 1987]

• *La licencia de apertura tiene normalmente, aunque sea solicitada y se tramite conjuntamente con la de obras, carácter previo a ésta*, a fin de, pese a la apariencia lógica contraria, salvar el riesgo de que las obras a realizar resulten a la postre inadecuadas, por no ser aptas para la específica actividad a que se destinan, criterio determinado así por el artículo 22.3 RSCL y por la jurisprudencia (de los Considerandos de la sentencia apelada, aceptados). [STS 24 febrero 1987, Sala 4.ª]

• En el local en cuestión se desarrollan actividades de las previstas en el RAM, sin que conste que la entidad interesada sea titular de la correspondiente licencia municipal para llevar a cabo dichas actividades, licencia que es necesaria también cuando se proyecte la reforma o ampliación de las referidas actividades y, por otro lado *conforme al artículo 22.3 RSCL, no cabe la concesión de licencia de obras cuando, como en el supuesto enjuiciado acontece, con arreglo al proyecto presentado el inmueble tiene un destino específico*, esto es, está conectado con el ejercicio de unas determinadas actividades que precisan de otorgamiento de la oportuna licencia de apertura. [STS 22 octubre 1987, Sala 4.ª]

• Al destinarse expresamente el inmueble a guardería infantil, carecería de eficacia la licencia de obras a tenor de lo dispuesto en el artículo 22.3 RSCL, sin que previamente se hubiera concedido la de apertura, si bien ello es aplicable sólo para el caso de que la edificación del inmueble tenga un específico fin que haga imposible cualquier otro, es decir, cuando se trata de un edificio de especiales características nacidas de su específico destino, dada la finalidad exclusiva de evitar los graves perjuicios que se originarían al interesado con la concesión anticipada de una licencia para realizar unas obras que por sus especiales características resultarían inútiles, caso de denegarse autorización para ejercitar la actividad en función de la cual fueron proyectadas y ejecutadas. [SSTS 16 febrero 1980, 15 junio 1983, 7 junio 1984, 15 julio y 6 noviembre 1985 y 20 mayo 1986]

Quedando la provisionalidad de la licencia de obras otorgada exclusivamente «supeditada a que el local reúna las condiciones que señalan las Ordenanzas municipales y demás disposiciones vigentes, lo cual será comprobado por un inspector técnico del departamento de industria y actividades mediante la oportuna visita de inspección», tal licencia había de surtir sus efectos en cuanto tales condiciones técnicas propias de la actividad se cumplieran, con total abstracción de las estrictamente urbanísticas, incluso de las referentes a la legitimidad del uso y la idoneidad de su emplazamiento, perdiendo únicamente su eficacia cuando fuese negativo el resultado de la inspección, sin que al concurrir todas esas condiciones quepa denegar una licencia definitiva o invalidar la provisional con correlativa clausura de la actividad. [STS 18 julio 1988, Sala 4.ª]

• *Nada obsta a que la licencia de obras pedida goce de autonomía y su licitud o procedencia puede ser enjuiciada sin entenderla condicionada, como requisito-presupuesto, a la licencia previa de apertura*, en un caso como el de autos en que solamente se trata de una licencia de obra para *acondicionar un local sin uso específico predeterminado*, situado en un edificio destinado a viviendas, aunque la actividad café o *pub* puede estar clasificada como molesta, y por tanto, el trámite procedimental en su caso, haya de acomodarse a las prescripciones de la Reglamentación especial del RAM. [STS 15 diciembre 1988, Sala 4.ª]

• La licencia de obras está subordinada a la licencia de apertura artículo 22.3 RSCL si ésta es necesaria cuando el proyecto se refiera específicamente a un establecimiento de características determinadas, pues carecería de sentido que se autorizaran las concretas obras pretendidas si luego éstas vinieran a resultar frustradas por no ser susceptibles de ser utilizadas para su función propia, *pues las obras no son un fin en sí mismas, sino el medio para el desarrollo de una actividad*, de suerte que de no resultar ésta viable, no sería razonable e iría contra el principio de la buena fe autorizar la realización de aquéllas. [STS 8 mayo 1989, Sala 3.ª, Secc. 1.ª]

• *Es ya tradicional en nuestro Derecho la distinción entre la licencia urbanística y la licencia de apertura. Mientras la primera contempla y autoriza, en lo que ahora importa, la construcción de un edificio o su reforma, la segunda proyecta el control preventivo sobre la actividad a desarrollar en aquél. Esta dualidad de conceptos, con regulación en cuerpos normativos formalmente diferenciados, implica una quiebra en la aspiración de universalidad característica del urbanismo que pretende abarcar todos los aspectos jurídicos de la relación del hombre con el medio en que vive, quiebra esta que ha recibido apoyo de la Constitución que al regular sobre la base del principio de la competencia el nuevo reparto territorial del poder que representan las Comunidades Autónomas diferencia el urbanismo y la ordenación del territorio, por un lado, y la protección del medio ambiente, por otro —arts. 148.1.3.ª y 9.ª y 149.1.23.ª—.*

Y esta diferenciación formal de la licencia urbanística y la apertura ha dado lugar a un determinado encadenamiento temporal de ambas: la licencia de apertura ha de obtenerse con anterioridad o por lo menos simultáneamente, a la licencia urbanística para evitar el gasto innecesario de una construcción en la que no va a resultar posible la actividad que se pretende. Es claro que las obras no son un fin en sí mismas sino el medio para el desarrollo de una actividad, de suerte que de no resultar ésta viable no sería razonable e iría contra el principio de la buena fe autorizar la realización de aquéllas —Sentencias de 8 de mayo y 28 de octubre de 1989—.

Así lo advierte el art. 22.3 del Reglamento de Servicios, que prescribe que, cuando con arreglo al proyecto presentado, la edificación de un inmueble se destine específicamente a establecimiento de características determinadas, no se concederá el permiso de obras sin el otorgamiento de la licencia de apertura, si fuera procedente.

Por consecuencia de lo expuesto resulta claro que *el otorgamiento de la licencia de obras sin la de apertura integra un funcionamiento anormal de la Administración que puede generar una responsabilidad patrimonial* —Sentencia de 28 de julio de 1986)— con arreglo a lo dispuesto en los arts. 106.2 de la Constitución, 40 de la Ley de Régimen Jurídico de la Administración del Estado, 121 de la Ley de Expropiación forzosa y 54 de la Ley Reguladora de las Bases del Régimen Local 7/1585, de 2 de abril.

Y éste es justamente el caso litigioso, como con acierto pone de relieve la sentencia recurrida, pues no se aprecia por parte del en su día demandante una conducta con trascendencia bastante para interrumpir el nexo de casualidad de sus perjuicios con el otorgamiento de la licencia de obras sin la previa de apertura, posteriormente denegada:

A) Por un lado resulta que *tal demandante al solicitar la licencia de obras y con la misma fecha* —folio 14 del expediente administrativo— *formuló la declaración previa a la solicitud de apertura.*

B) Por otro, si *bien la licencia de obras no implica el otorgamiento tácito de la de apertura sí constituye una autorización de las obras que por tanto puede realizar ya el administrado al que no puede exigirsele la previsión concreta de determinados efectos aditivos.* [STS 18 junio 1990]

• El artículo 22 RSCL, invirtiendo el orden natural de sucesión de los hechos, conforme al cual primero es la construcción y después la instalación y apertura de la actividad a desarrollar en lo construido, por lo que debiera ser primero el otorgamiento de la licencia de obras y luego el de la instalación y apertura de la actividad a desarrollar en lo construido, por lo que supondría que, otorgada aquélla, luego no pudiera concederse ésta, cuando tal edificación se destina específicamente al establecimiento de una actividad determinada y concreta, *impone el que la obtención de la licencia de actividades deba ser previa o, al menos, simultánea a la de la licencia de obras, prevención con la que se evita que una construcción con un único destino quede sin utilización por no poder desarrollarse el mismo en ella y no ser susceptible de otro distinto*; siendo así que lo proyectado por la entidad recurrente se trata de una edificación formada por nueve garajes adosados, compuestos cada uno de una dependencia destinada a albergar un automóvil y otra para guardar una embarcación, con un pequeño cuarto de aseo entre ambas, es decir, de una construcción cuyo destino determinado y concreto es el de servir de garaje y no ningún otro diferente, para el que difícilmente podría servir dadas sus características, lo que, independientemente de que los garajes vayan a ser privados y no públicos, que es indiferente, motiva el que a la licencia para construirlos deba preceder la necesaria para su instalación, apertura y establecimiento. [STS 10 mayo 1991, Sala 3.ª, Secc. 5.ª]

• *La finalidad de que la licencia de apertura preceda a la de obras es evitar el gasto innecesario de una construcción* en la que no va a resultar posible la actividad que se pretende. [STS 4 marzo 1992, Sala 3.ª, Secc. 5.ª]

• *La paralización de las obras por carecer de licencia de apertura no era procedente en el caso, porque la memoria del proyecto evidenciaba el destino de la edificación que se estaba construyendo*, lo que está de acuerdo con la interpretación que la jurisprudencia viene dando al artículo 22.3 RSCL. [STS 17 marzo 1992, Sala 3.ª, Secc. 5.ª]

• En principio, la licencia de actividades y la licencia de obras, reguladas respectivamente en el RAM y en el TRLS, son autorizaciones distintas y a diferentes efectos, objeto cada una de sus particulares comprobaciones previas y a conceder en procedimientos separados en que el otorgamiento de la primera preceda al de la segunda, pero si ello es así en términos generales, lo mismo no puede sostenerse cuando el objeto de una y otra sea idéntico, de suerte que se confundan por ser las obras a realizar la propia actividad, y en el procedimiento del otorgamiento de la de mayor amplitud, evidentemente la de actividades, se examinan también los posibles inconvenientes que desde distinto punto de vista pueden obstar a las obras en sí, debiendo en tales casos entenderse concedida con la licencia de actividades la licencia de obras, que en otro caso habría de reputarse necesario obtener por separado.

Obtenida por la sociedad actora la licencia de actividades para la explotación de una cantera, y *confundiéndose en el caso la propia actividad con las obras pertinentes para realizarla, que son los necesarios movimientos de tierras para extraer el mineral*, y siendo hecho indiscutido que al tiempo de su otorgamiento hubieron de examinarse las incidencias de tales movimientos en el ambiente físico desde el punto de vista del otorgamiento de una licencia de obras, ya que así lo preceptúa el artículo 30.1 RAM, *es indiscutible que al obtener tal licencia obtuvo igualmente la de movimiento de tierras* que por el Ayuntamiento se le exige en sus impugnadas resoluciones. [STS 2 junio 1992, Sala 3.ª, Secc. 5.ª]

• Como, según el artículo 22.3 RSCL, *no se puede conceder un permiso de obras sin el previo otorgamiento de la licencia de apertura, cuando, como sucede en el caso, el inmueble de que se trate va a ser destinado específicamente a establecimiento de características determinadas*, y como el recurrente no estaba en posesión de la correspondiente licencia de actividad cuando tuvo lugar la denegación de las licencias litigiosas, forzoso se hace entender que la Sala de instancia razonó acertadamente al declarar la legalidad del acto cuestionado —acuerdo de la Comisión de Gobierno del Ayuntamiento por el que se denegó una licencia para la realización de obras consistentes en jardín, terraza y piscina, y otra para la construcción de un determinado edificio, ordenando también la demolición de lo construido sin la preceptiva licencia de obras— con base en el aludido precepto legal. [STS 24 junio 1992, Sala 3.ª, Secc. 5.ª]

• *El artículo 22.3 RSCL no libera al que se proponga el ejercicio de una específica actividad en determinado inmueble de la obligación de obtener la licencia de apertura de aquél cuando hubiera obtenido la de obras, sino todo lo contrario*, porque, precisamente, lo que dicha norma de un modo explícito da a entender es que, como esta última licencia sólo legitima la construcción de la obra necesaria para sede física del ejercicio de la actividad, carece de sentido que aquélla se otorgue sin conocer de antemano que el establecimiento, uso o destino específico para el que la obra se realiza legalmente podrá hacerse, ya que, *en beneficio, precisamente, del administrado debe evitarse autorizar una obra como simple medio para ejercer una actividad sin estar seguros de que será viable legalmente el ejercicio de la misma* (de los Considerandos de la sentencia apelada, aceptados]

Incide en error manifiesto aquel que cree que una licencia de obras puede vincular para el otorgamiento de una licencia de apertura de industria, no pudiendo entenderse concedida ésta por el hecho de que se hubiera otorgado aquélla para la edificación en que se pretende establecer, dado que, no obstante la interdependencia entre ambas licencias prevista en el artículo 22.3 RSCL, si el otorgamiento anticipado de licencia de obras para un edificio que, con arreglo al proyecto presentado, va a ser destinado específicamente a establecimiento de características determinadas no conlleva el necesario otorgamiento de la licencia de apertura, con mayor razón sucederá ello cuando esa actividad puede merecer alguna de las calificaciones contenidas en el RAM; por tanto, no es posible entender que se poseía la licencia de apertura por el hecho de que en su día se hubiera otorgado la de obras correspondiente (de los Considerandos de la sentencia apelada, aceptados). [STS 29 julio 1992, Sala 3.ª, Secc. 4.ª]

• Son cosas distintas el que sea conforme a derecho el otorgamiento de licencia de actividad de acuerdo con el RAM y el que las obras complementarias sean adecuadas al proyecto primitivo. [STS 25 noviembre 1992, Sala 3.ª, Secc. 4.ª]

• El artículo 22.3 RSCL establece que cuando con arreglo al proyecto presentado la edificación del inmueble se hubiere de destinar específicamente a establecimiento de características determinadas, no se concederá el permiso de obras sin el otorgamiento de la licencia de apertura si fuere procedente; pero, en el caso, no resulta en absoluto demostrado, ni en el expediente ni en los autos, que el proyecto básico que presentó la sociedad recurrente para realizar las obras de adaptación y de ampliación del edificio, a fin de utilizarlo para la actividad de concesionario de automóviles —proyecto de obras de fecha 12 diciembre 1986—, incluyera la industria o taller de reparación que después ha incorporado al proyecto confeccionado el 1 marzo 1988 para pedir la licencia de apertura del local y a los planos del proyecto de ejecución de adaptación y ampliación del edificio fechados en enero de 1988 y visados por el Colegio Oficial de Arquitectos el 2 marzo 1988. En la memoria del proyecto básico de obras de 12 diciembre 1986 se describe la actividad que se desarrollará en el edificio reformado y se dice que será actividad comercial, perfectamente correspondiente a la de una concesionaria de automóviles, sin mención alguna en tal memoria de 1986 —ni en ningún otro documento de aquella época— de que además de la actividad comercial de la que habla dicha memoria del proyecto de obras se tuviese la intención de incluir después en la actividad de la concesionaria una industria o taller de reparación de automóviles con 74 kW de potencia total y 26 operarios, por lo que no puede vincularse la licencia dada en 18 marzo 1987 para hacer las obras a la licencia pedida el 12 abril 1988 para ejercer la actividad concesionaria, pero incluyendo ahora también en ésta la instalación y apertura del citado taller de reparación de automóviles. [STS 20 abril 1993, Sala 3.ª, Secc. 4.ª]

• *Las licencias de obras no condicionan las posibles posteriores licencias de actividad*, como reiteradamente ha declarado la jurisprudencia, pues el Ayuntamiento debe comprobar el cumplimiento de los requisitos que exige el ordenamiento para el ejercicio de la actividad en cuestión los cuales pueden ser muy diversos; por ello no supone una discrecionalidad absoluta del Ayuntamiento, *pues si se cumplen los requisitos legales o reglamentarios la obtención de la licencia es un derecho de los particulares.* [STS 14 octubre 1993, Sala 3.ª, Secc. 4.ª]

• *La concesión de la licencia de apertura, por tener su propia autonomía y singularidad, no implica la legalidad de las obras llevadas a cabo en el inmueble de que se trate*, pues la concesión de la misma no depende de que la obra del edificio en el que la actividad se hubiese de ejercer esté o no construida conforme a los términos de la licencia de edificación que se hubiese otorgado. [STS 25 mayo 1994, Sala 3.ª, Secc. 5.ª]

• En principio, la licencia de actividades y la licencia de obras, reguladas respectivamente en el RAM y en el TRLS, son autorizaciones distintas y a diferentes efectos, objeto cada una de sus particulares comprobaciones previas y a conceder en procedimientos separados, en que el otorgamiento de la primera preceda al de la segunda; mas si ello es así en términos generales, lo mismo no puede sostenerse cuando el objeto de una y otra sea idéntico, como en el caso —licencia de movimiento de tierras y actividad extractiva de cantera—, de suerte que se confundan por ser las obras a realizar la propia actividad, *y en el procedimiento del otorgamiento de la de mayor amplitud, evidentemente la de actividades, se examinan también los posibles inconvenientes que desde distinto punto de vista pueden obstar a las obras en sí, debiendo en estos casos entenderse concedida con la licencia de actividades la licencia de obras*, que en otro caso habría de reputarse necesario obtener por separado. [STS 17 julio 1995, Sala 3.ª, Secc. 5.ª]

• La licencia de actividad y la licencia de obras, reguladas en el RAM y en el TRLS respectivamente, son autorizaciones distintas y a diferentes efectos, objeto cada una de sus particulares comprobaciones previas y a conceder en procedimientos separados, en el que el otorgamiento de la primera debe preceder al de la segunda, mas si ello es así en términos generales, ello no puede sostenerse cuando el objeto de una y otra sea idéntico, de suerte que en el procedimiento del otorgamiento de la de mayor amplitud, evidentemente la de actividad, se examinen también los posibles inconvenientes que desde distinto punto de vista pueden obstar a las obras en sí, debiendo en estos casos entenderse concedida, con la licencia de actividad, la licencia de obras, que en otro caso habría de reputarse necesario obtener por separado. [STS 20 noviembre 1995, Sala 3.ª, Secc. 5.ª]

• Es cierto que el artículo 22.3 RSCL prescribe que «cuando, con arreglo al proyecto presentado, la edificación de un inmueble se destinara específicamente a establecimiento de características determinadas, no se concederá el permiso de obras sin el otorgamiento de la licencia de apertura, si fuera procedente», pero también lo es que *la jurisprudencia ha declarado que dicho precepto no puede interpretarse en el sentido inverso de que, concedida la licencia de obras, necesariamente ha de ser otorgada después la licencia de apertura, ya que el incumplimiento del artículo 22.3 RSCL no puede llevar a autorizar un uso ilegal, cualesquiera que puedan ser en otro orden de cosas las consecuencias de la actuación administrativa (la cual, en todo caso, ha sido provocada por el particular que solicitó la licencia de obras).* [STS 20 marzo 1996, Sala 3.ª, Secc. 5.ª]

• La intervención en la actividad de los administrados para la concesión de licencias es distinta, en su fundamento y finalidad, cuando dicha intervención se solicita para el otorgamiento de una licencia a las que se refiere el artículo 9 RSCL, que en el caso contemplado en el artículo 22.3 RSCL, que establece que cuando, con arreglo al proyecto presentado, la edificación de un inmueble se destinara específicamente a establecimiento de características determinadas, no se concederá la licencia de obras sin el otorgamiento de la de apertura, si fuere procedente, sustanciándose la solicitud por los trámites establecidos en los artículos 29 y ss. RAM si resultare la actividad incluida en el mismo (de los Considerandos de la sentencia apelada, aceptados). [STS 2 abril 1996, Sala 3.ª, Secc. 5.ª]

• La jurisprudencia ha precisado, en cuanto al funcionamiento de actividades sobre una instalación previa, que ello lleva consigo un control de la legalidad urbanística respecto del uso del suelo, que según los artículos 178 TRLS y 1 RD 2187/1978, de 23 junio (Reglamento de Disciplina Urbanística), ha de realizarse a través de la licencia urbanística, de suerte que en el otorgamiento de la licencia, no sólo ha de comprobarse la conformidad de la actividad con la legislación sectorial protectora del medio ambiente y de la calidad de vida, sino también con la licitud del emplazamiento de la actividad o del uso urbanístico que supone, *equivaliendo por ello la licencia de apertura a la licencia urbanística en su aspecto de control del uso y actuando, por tanto, la potestad municipal en el ejercicio simultáneo de dos competencias atribuidas por sendos ordenamientos, el sectorial de las actividades clasificadas y el urbanístico y,* en éste, en los mismos términos de los artículos antes citados, siendo el mismo previo y eventualmente excluyente.

Las licencias de obras y de apertura son diferentes en su naturaleza y finalidad; así, la licencia de obras se otorga tras comprobar la adecuación del proyecto al planeamiento urbanístico, mientras que la licencia de apertura se dirige a comprobar si los locales o instalaciones reúnen las condiciones de seguridad, salubridad o tranquilidad a que hace mención el artículo 22 RSCL, y demás que sean exigibles en los Planes de urbanismo aplicables. *En consecuencia, no obstante la interdependencia de ambas licencias, el anticipado otorgamiento de la licencia de obras para edificio o local de determinadas características no conlleva el necesario otorgamiento de la licencia de apertura.* [STS 21 mayo 1996, Sala 3.ª, Secc. 5.ª]

• La doctrina jurisprudencial es unánime desde hace muchos años en sentar que *la licencia de actividades y la licencia de obras son autorizaciones distintas y a diferentes efectos, objeto cada una de sus comprobaciones particulares previas y a conceder en procedimientos separados, en que el otorgamiento de la primera preceda al de la segunda; salvo que por excepción cuando el objeto de una y otra sea idéntico de suerte que se confundan por ser las obras a realizar la propia actividad; y en el procedimiento del otorgamiento de la de mayor amplitud, la de actividades, se examinan también los posibles inconvenientes que desde distintos puntos de vista pueden obstar a las obras en sí, debiendo entenderse en estos supuestos concedida, con la licencia de actividades, la licencia de obras, que en otro caso habría de reputarse obtener por separado* (STS 19 noviembre 1997 y las en ella citadas, por no señalar sino alguna de las más recientes). Pero es que además, de lo expuesto resulta claro que el otorgamiento de la licencia de obras sin la previa de apertura integra un funcionamiento anormal de la Administración que puede generar una responsabilidad patrimonial —Sentencia de 28 julio 1986— a lo dispuesto en los artículos 106.2 de la Constitución, 40 de la Ley de Régimen Jurídico de la Administración del Estado, 121 de la Ley de Expropiación Forzosa y 54 de la Ley Reguladora de las Bases de Régimen Local 7/1985, de 2 abril; como se ha cuidado de advertir la Sentencia de este Tribunal de 18 junio 1990. Es por ello, también, por lo que la Administración debe cerciorarse de que la actividad a desarrollar pueda estar comprendida, o afectada, por el artículo 29 del Reglamento de Actividades de 30 noviembre 1961, ya que en beneficio de Administración y administrado *debe evitarse autorizar una obra como simple medio para ejercer una actividad sin estar seguros de que será viable legalmente el ejercicio de la misma,* como se recoge en la Sentencia de 20 febrero 1989 citada por el Ayuntamiento. Por último la sentencia, también aborda los demás argumentos accesorios aducidos por las partes si bien sin resolver expresamente sobre los mismos, porque indudablemente la cuestión principal de la denegación de la licencia, propiciada así incluso por la entidad demandante, es la que ha tratado *in extenso* la sentencia de instancia, suficientemente para provocar la desestimación del recurso contencioso interpuesto. [STS 9 marzo 1998]

• *Cuando en el proyecto de obra a realizar presentado, se expresa el específico destino de la futura construcción a un establecimiento de características determinadas, es siempre prevalente y condicionante la licencia de apertura* —Sentencias de 22 mayo 1980, 12 diciembre 1977, 6 noviembre 1985, 28 octubre 1989, etc.— y no debe concederse el permiso de obras sin el otorgamiento de la licencia de apertura si fuera procedente, toda vez que en estos casos *debe primar el destino específico de la construcción sobre la obra misma,* de conformidad con lo dispuesto en el apartado tercero del artículo 22 del Reglamento de Servicios de las Corporaciones Locales, *pues en la licencia de obra se contempla y autoriza la simple construcción de un edificio con arreglo a la normativa urbanística y en la licencia de actividad se controla tal actividad a desarrollar en el edificio, y de aquí, que entre ambas licencias haya de existir una gradación temporal, en la que la de apertura se debe obtener con anterioridad,* o al menos, simultáneamente a la de obra, por la potísima razón de ser evitado el gasto de una edificación en la que no se va a poder desarrollar la actividad pretendida, lo que no sólo representa un daño para el directamente perjudicado sino también para el interés general, contrario siempre a la inútil consunción de la riqueza.

Por todo ello, es llano que el otorgamiento de una licencia de obras sin la de apertura —legalmente imposible— integra un funcionamiento anormal de la Administración que puede generar una responsabilidad patrimonial —Sentencias de 28 julio 1986 y 18 junio 1990— con arreglo a lo dispuesto en los artículos 106.2 de la Constitución, 40 de la Ley de Régimen Jurídico de la Administración del Estado y 54 de la Ley de Bases de Régimen Local. La licencia de obras aquí cuestionada fue otorgada con la infracción indicada de la normativa del Plan General de Ordenación Urbana de Castellón y de la reglamentación Comunitaria del Sector Hotelero, sin indicación ni advertencia al interesado sobre tales extremos y la no posibilidad de obtener la correspondiente licencia de actividad.

Parece, pues, evidente, que la causa y origen del perjuicio, fue el otorgamiento indebido de la licencia de obra para una finalidad específica hotelera, sin que quepa apreciarse en la conducta del interesado una trascendencia suficiente para interrumpir el nexo de causalidad de sus perjuicios con el otorgamiento de la licencia de obra sin la previa de apertura, posteriormente no otorgada ni otorgable.

Por todo lo expuesto, procede también desestimar el presente motivo, decretando, en consecuencia no haber lugar al recurso de casación interpuesto contra la sentencia aquí impugnada, si bien ha de precisarse que la entidad de los perjuicios y daños, ha de ser realizada en base a la adecuación entre licencia otorgada para hotel de una estrella y la imposibilidad de la de actividad también para hotel de una estrella, y con apreciación de la posible adecuación del edificio a otras actividades. [STS 14 julio 1998]

• La cuestión de fondo planteada por la Comunidad recurrente consiste en determinar los efectos de una licencia de obras concedida por el Ayuntamiento de Tegueste para una actividad clasificada, sin haber concedido previamente la licencia de actividad, con infracción, por lo tanto, de lo prescrito en el artículo 22.3 del Reglamento de Servicios de las Corporaciones Locales, aprobado por Decreto de 17 de junio de 1955, que, a juicio de dicha parte, significa la nulidad de la licencia de obras concedida. Sin embargo, esta Sala ha declarado reiteradamente (Sentencias de 3 de abril y 18 de junio de 1990 y 2 de octubre de 1995) que la interdependencia y orden de prelación entre ambas licencias están proyectadas sobre el principio de una hipotética responsabilidad por el posible funcionamiento anormal de la Administración en la inobservancia de la precedencia temporal señalada ni el Reglamento de Servicios de las Corporaciones Locales, al estar establecida dicha precedencia principalmente en interés del particular afectado, a fin de evitar los gastos de la ejecución de una obra de la que no pudiera obtenerse la utilidad esperada por no ser susceptible de destinarse a la actividad para la que fue proyectada. Como hemos declarado en Sentencia de 25 de junio de 1998, a fin de evitar las antieconómicas consecuencias que supondría la concesión de una licencia de obras para unos establecimientos destinados a un tipo de actividad que luego no podría autorizarse, el artículo 22.3 del Reglamento de Servicios de las Corporaciones Locales impone la coordinación en el otorgamiento de esas dos licencias, al establecer que, cuando con arreglo al proyecto presentado, la edificación de un inmueble se destinara específicamente a establecimiento de características determinadas, no se concederá el permiso de obras ni el otorgamiento de la licencia de apertura, si fuese procedente; pero ello no significa que la alteración de la precedencia en el orden de otorgamiento de esas licencias, que resulta del precepto citado, signifique sin más la nulidad de la licencia de obras concedida antes de haberse obtenido la de apertura. Ambas licencias se han de examinar conforme a los criterios propios de cada una de ellas, la de obras según la normativa urbanística que resulte aplicable, y, desde esta perspectiva, la Comunidad recurrente no presenta objeción de ningún tipo a la licencia concedida, por lo que el recurso interpuesto por ella ha de ser desestimado. [STS 17 mayo 1999]

• En cualquier caso, la previa concesión de una licencia de obras, aunque fuera con infracción del artículo 22.3 del Reglamento de Servicios de las Corporaciones Locales de 17 de junio de 1955, que es al que la parte recurrente parece referirse aunque sin citarlo expresamente, no vincula a la Administración a conceder una licencia de apertura en contra de las prescripciones del planeamiento. [STS 19 julio 1999]

• Conviene, pues, recordar, de una parte que esta Sala tiene reiteradamente declarado que no obstante la evidente conexión e interrelación que existe entre la licencia de obras y la de actividad, según se infiere del citado artículo 22.3 del Reglamento de Servicios, es la licencia de construcción la que se condiciona a la de apertura y no esta última la que se subordina a aquéllas ya que la razón a que responde dicho precepto, reservado para supuestos de establecimientos de «características determinadas», es impedir que se levanten construcciones para realizar actividades que resulten incompatibles con el planeamiento; y de otra parte, conviene también recordar que el citado precepto no puede interpretarse al margen de las autorizaciones exigidas para la instalación, apertura y funcionamiento de las actividades denominadas clasificadas, que se rigen específicamente por su Reglamento de Actividades Molestas, Insalubres, Nocivas y Peligrosas, de 30 de noviembre de 1961, lo que en el presente caso resulta incuestionable dada la naturaleza —garaje, depósito de gasoil, etc.— de las actividades en cuestión, recogidas, además, en el Nomenclátor correspondiente, que no olvidemos tiene, por otra parte, un carácter meramente enunciativo. [STS 4 octubre 1999]

• En materia de licencias de obras y apertura es evidente que cada una de ellas cumple una función específica, y que con ocasión de la concesión de la licencia de apertura no pueden controlarse los aspectos urbanísticos de la licencia de obras.

En el plano de la causalidad física, puramente física, excluidos los efectos jurídicos de una y otra, es evidente que cuando la licencia de apertura va precedida de una licencia de obras, la imposibilidad de obtener la licencia de obras determina *per se* la imposibilidad de obtener la licencia de apertura. Parece una evidencia que si el ejercicio de una actividad requiere una licencia de obras a fin de habilitar el local en el que se va a ejercer la actividad, la imposibilidad de obtener la licencia de obras hace imposible la concesión de la licencia de apertura. La licencia de obras, en la realidad de las cosas espaciales y temporales, es presupuesto y condición de la licencia de apertura, de tal modo que si la licencia de obras no se obtiene no se puede otorgar la de apertura al no existir el local en el que la actividad se iba a desplegar. [STS 3 noviembre 2000]

• En el primer motivo de casación se alega infracción de los artículos 109 y siguientes de la Ley de Procedimiento Administrativo, porque el Ayuntamiento de Badajoz ha anulado un acto declarativo de derechos (a saber, la licencia de obras previamente concedida) sin seguir el procedimiento establecido para la revisión de oficio.

Pero no hay tal.

Ya la licencia de obras condicionó su eficacia al posterior otorgamiento de la licencia de actividad, de suerte que la denegación de ésta funcionó como el incumplimiento de una condición suspensiva, que nada tiene que ver con la revisión de oficio de los actos administrativos.

Y la sentencia de instancia contesta muy acertada y precisamente a esta argumentación de la parte actora, con razones que de ningún modo son invalidadas, y ni siquiera contestadas, por ésta. Y es que el hecho de que, en contra de lo dispuesto en el artículo 22.3 del Reglamento de Servicios de las Corporaciones Locales, el Ayuntamiento de Badajoz otorgara la licencia de obras (aun condicionada) antes de haber sido otorgada la de actividad, no puede en absoluto privar de eficacia a lo dispuesto en el artículo 30.1 y 30.2 c) del Reglamento de Actividades Calificadas de 30 noviembre 1961, que permite denegar a *limine* la licencia de actividad si el emplazamiento propuesto fuera contrario a lo dispuesto en las normas urbanísticas, que es lo que ocurre en el presente caso, en que la previsión de un vial en el Plan General impide la instalación de la Estación de Servicio. [STS 29 noviembre 2000]

• Las licencias de obras, de conformidad con los preceptos que la parte invoca, deben otorgarse de acuerdo con las previsiones de la LS, de los Planes de Ordenación Urbana y Programas de Actuación Urbanística y, en su caso, de las Normas Complementarias y Subsidiarias del Planeamiento. Ahora bien, ello no supone que no deba tenerse en cuenta la legislación sectorial correspondiente cuando dichas licencias están vinculadas al desarrollo de una concreta y determinada actividad, pues, en tal caso, el condicionamiento o interdependencia entre la licencia de obra y la de actividad obliga a considerar las previsiones normativas que conciernen a ésta, y, por tanto, en el presente caso las que se refieren a las exigencias para el establecimiento de las estaciones de servicio en las proximidades a la intersección de carreteras. Y ello debe conectarse con lo que también se plantea en el tercero de los motivos de casación de la representación de CAMPSA respecto al debido entendimiento del artículo 22.3 RSCL que establece que «cuando, con arreglo al proyecto presentado, la edificación de un inmueble se destina específicamente a establecimiento de características determinadas, no se concederá el permiso de obra sin el otorgamiento de la licencia de apertura, si fuera procedente».

Pues bien, de tal precepto resulta indudable la interdependencia entre la licencia de obra y la licencia de actividad, cuando se trata de edificio con un destino específico, aunque es cierto que la jurisprudencia de esta Sala (cfr. STS 24 marzo 2000) ha matizado la aplicación del artículo transcrito en un doble sentido. Por una parte, reitera la exigencia de que se trate de la edificación de un inmueble destinado específicamente a establecimiento de características determinadas, y, por otra, relativiza el condicionamiento, en el sentido de expresar que tiene como finalidad la defensa de los intereses del peticionario de la licencia para evitarle el coste de una construcción que luego no pueda utilizar.

Ahora bien, en el supuesto de estación de servicio no parece dudosa la aplicación del condicionamiento relativo que deriva del artículo 22.3 RSCL, pues resulta difícil imaginar una obra o construcción con un destino más específico y característico que el de unos aparatos surtidores y sus anexos, cuyo uso aparece necesariamente vinculado al suministro de carburante y al desarrollo de la consecuente actividad. Y esta misma Sala, en Sentencias de 3 junio y 16 diciembre 1998, ha entendido precisamente aplicable el condicionamiento relativo que resulta del reiterado artículo 22.3 del RSCL a estaciones de servicio o gasolineras. Según el artículo 22.3 del RSCL no debe concederse la licencia de obras sin la previa obtención de la licencia de apertura, si bien, conforme a la doctrina de esta Sala y en atención a la finalidad del condicionamiento antes señalado —evitar que puedan resultar inútiles para el solicitante de la licencia— el incumplimiento de tal previsión no legitima, por sí solo, la denegación de dicha licencia de obras, o, dicho en otros términos, no es causa de denegación sino que lo que supone es la necesaria tramitación previa del expediente de la de actividad. Esto es, la pura alteración en el orden cronológico del otorgamiento de las licencias para una estación de servicio no constituye, por sí misma, motivo de anulación, pero ello, claro está, siempre que al final ambas licencias resulten procedentes.

Por ello, en el presente caso, no puede entenderse que se produzca la vulneración del artículo 22.3 RSCL, que la recurrente denuncia, si se entiende, como resulta de la sentencia de instancia, que la licencia de obras de que se trata sólo puede otorgarse de forma condicionada a la procedencia de la de actividad a la que estaba destinada la obra, y que aquélla quedaría sin efecto como consecuencia de la improcedencia de esta última afectada por lo dispuesto en el artículo 10 de la OM 31 mayo 1969. [STS 18 diciembre 2000]

• *Por otro lado el hecho de que normalmente la licencia de apertura o de instalación sea anterior en el tiempo a la de obras, como antes apuntábamos, no excluye que en algunos casos ambas coincidan en un solo acto administrativo, aunque los efectos y el procedimiento para su concesión sean distintos. Esta circunstancia sucede cuando, como en el presente caso, el objeto de una y otra se confundan por ser las obras a realizar la propia actividad*, y en el procedimiento de otorgamiento de la de mayor amplitud, de actividades, se examina también los posibles inconvenientes estrictamente urbanísticos que puedan obstar a las obras en sí. El otorgamiento de la licencia no sólo ha de comprobar la conformidad de la actividad con la legislación sectorial protectora del medio ambiente y de la calidad de vida, sino también con la licitud del emplazamiento de la actividad o del uso urbanístico que supone, *equivaliendo por ello la licencia de apertura*, como dice la sentencia del Tribunal Supremo de 11 de noviembre de 1993, *a la licencia urbanística en su aspecto del control del uso, actuando, por tanto, la potestad municipal en el ejercicio simultáneo de dos competencias atribuidas por sendos ordenamientos, el sectorial de las actividades clasificadas y el urbanístico*, éste en los términos de los artículos 179.1 TRLS, 6 RDU y Reglamento de Actividades Molestas, Insalubres, Nocivas y Peligrosas, siendo el mismo previo y eventualmente excluyente del otro. [STSJ Andalucía, Sevilla, 11 enero 2002]

• El motivo primero considera infringido el artículo 22.3 del Reglamento de Servicios de las Entidades Locales de 17 de junio de 1955 (en adelante, RSCL). Sostiene en esencia la entidad recurrente que, al haber obtenido una licencia previa de obras ya ha conseguido implícitamente la de actividad, lo que infiere de la misma dicción del citado artículo 22.3 RSCL. Defiende, en efecto, que dicha norma debe ser interpretada en el sentido de que la concesión de licencia de obras predetermina necesariamente que se haya concedido, aunque sea tácitamente, la de actividad.

Este razonamiento debe ser rechazado por la Sala. *La licencia de obras no excusa de la obtención de licencia de apertura, que es totalmente independiente de la licencia de obras* (sentencias de 30 de marzo de 2001 y de 16 de julio de 1992) *y en modo alguno se obtiene en forma implícita como consecuencia de la obtención de aquélla. La jurisprudencia de este Tribunal tiene declarado, en efecto, que hay una prioridad lógica y temporal de la licencia de actividad sobre la licencia de obras* (sentencias de 18 de diciembre de 2001, 9 de junio de 1999, 26 de julio de 1996, 15 de julio de 1992, 18 de junio de 1990, 20 de febrero de 1989 y 3 de enero y 21 de septiembre de 1985) *y que, sin perjuicio de su relevancia a efectos que no son aquí del caso, la falta de licencia de apertura no determina por sí misma la nulidad de la licencia de obras* (sentencias de 9 de junio de 1999, 2 de octubre de 1995 y de 18 de junio de 1990), *siendo de añadir ahora que la existencia de licencia de obras no permite presumir —como se razona en este motivo— que se haya alcanzado la de apertura*, ya sea en los supuestos del artículo 22.3 del RSCL o en los del Reglamento de Actividades Clasificadas de 1961. [STS 27 mayo 2002]

• Sobre el orden que ha de seguirse para su obtención dice la STS de 26 marzo 2001 «La licencia de apertura ha de obtenerse con anterioridad, o, por lo menos, simultáneamente, a la licencia urbanística (STS 28 de octubre de 1989). A tenor del artículo 22.3 RSCL, *no es la licencia de apertura la que se subordina a la de obras, sino al revés, debiendo solicitarse aquélla con anterioridad o, por lo menos, al mismo tiempo que ésta* (SSTS de 3 de enero y 21 de septiembre de 1985, 20 de febrero de 1989, 18 de junio de 1990, 15 de julio de 1992 y 26 de julio de 1996). Esta dependencia deriva de la primacía del destino específico de la construcción sobre la obra misma (STS 11 de diciembre de 1997)». Esta Sala viene haciendo uso de un *criterio flexible en relación con la nulidad derivada de la concesión previa de la licencia de obras, en el sentido de entender superado dicho motivo de nulidad si finalmente la licencia de apertura ha sido concedida, aunque, como es obvio, la nulidad de la licencia de apertura lleva consigo la de la licencia de obras si las realizadas estaban exclusivamente destinadas al ejercicio de una determinada actividad.* [STSJ Galicia 11 julio 2002]

• Como señala la Sentencia del Tribunal Supremo de 15 de junio de 1983 la interpretación del artículo 22.3 Reglamento de Servicios de las Corporaciones Locales una constante jurisprudencia de la que se hace eco la Sentencia de del Tribunal Supremo de 16 de febrero de 1980, ha declarado, que *el condicionamiento de la licencia de obras, por la previa apertura, solamente es exigible cuando se trata de construcciones específicamente destinadas a una actividad tan singular que la previa autorización de apertura resulte notoriamente necesaria, para evitar los graves perjuicios que se ocasionarían al interesado con la concesión anticipada de una licencia para realizar unas obras que por sus especiales características resultarían inútiles caso de denegarse autorización para ejercitar la actividad en función de la cual fueron proyectadas y ejecutadas, y en razón a ello, que dicho precepto excepcional contempla una estrecha interdependencia entre la construcción y el muy específico uso al que se destina.* Por lo tanto como establece la Sentencia de la sala Tercera del Tribunal Supremo de 2 de octubre de 1995, *la finalidad de ambas licencias, la de obras y la de instalación o apertura, es diferente aunque convergente en aras de alcanzar la más amplia garantía en el logro de la seguridad y salubridad necesarias para la seguridad pública, la paz social y el adecuado sosiego en las incidencias habituales de la vida familiar e individual.* La licencia de obras, desde la estricta perspectiva urbanística, ha de otorgarse si la obra o edificación proyectada esta de acuerdo con las previsiones de Ley del Suelo y de los Planes de Urbanismo en general tal como especificaba artículo 178.2 Ley del Suelo de 9 abril 1976. La licencia de apertura para el funcionamiento de una determinada actividad clasificada como molesta, insalubre, nociva o peligrosa tiene por objeto el evitar que cualquiera de esas actividades clasificadas, a realizar en un determinado edificio o conjunto de ellos, produzca incomodidades o altere las condiciones normales de salubridad e higiene del medio ambiente u ocasionen daños o impliquen riesgos graves para las personas y los bienes. Naturalmente, el precepto del artículo 22. 3 Reglamento de Servicios de las Corporaciones Locales determina *la precedencia temporal de la licencia de apertura respecto de la de obras, fundamentalmente para la más adecuada protección de los intereses privados de los titulares de las licencias porque es claro que otorgada la licencia de obras y realizada la edificación consiguiente, con los grandes costos económicos que ello suele implicar, todo ello quedaría sin el aprovechamiento perseguido si no se autorizara la actividad pretendida, con los perjuicios que ello implica para su titular.* En el caso presente aunque la actividad fuera ejercida por terceros es exigible que la licencia se trámite conjuntamente con la de obras mas aún cuando el elemento del que se deriva la molestia e insalubridad es la instalación de climatización ya existente. El requerimiento se efectuó correctamente y no se cumplimiento por lo que no puede entenderse conseguida la licencia por silencio positivo. [STSJ Madrid 12 septiembre 2002]

• En su primer motivo de casación la parte recurrente alega que la Sala de instancia ha infringido el artículo 22.3 del Reglamento de Servicios de las Corporaciones Locales (RSCL), puesto que cuando se concedieron las licencias de obras que se impugnan en este proceso aun no se había concedido la de apertura, cuyo otorgamiento debía preceder a la de obras, según el precepto indicado, por tratarse de un inmueble destinado específicamente a establecimiento de características determinadas, y cita en su apoyo dos sentencias de esta Sala en que se confirman sendas denegaciones de licencias de obras porque sus solicitantes no habían acreditado haber obtenido previamente las de apertura. Con ser ésta la regla general que se deduce del precepto invocado, los efectos de su infracción no conducen necesariamente a la nulidad de la licencia de obras concedida. Independientemente de que en el caso presente cuando la Sala de instancia dictó su sentencia New Teknon, SA ya había obtenido licencia de apertura para la actividad de desarrollar en el edificio, esta Sala ha declarado repetidamente (sentencias de 3 de abril y 18 de junio de 1990, 2 de octubre de 1995 y 17 de mayo y 21 de junio de 1999) que *la interdependencia y orden de prelación entre ambas licencias se proyecta sobre el principio de una hipotética responsabilidad por el posible funcionamiento anormal de la Administración en la inobservancia de la precedencia temporal señalada en el RSCL, al estar establecida dicha precedencia principalmente en interés del particular afectado, a fin de evitar los gastos de ejecución de una obra de la que no pudiera obtener la utilidad esperada por no ser susceptible de destinarse a la actividad para la que fue proyectada.* Como hemos declarado en sentencia de 25 de junio de 1998, para eludir las antieconómicas consecuencias que supondría la concesión de una licencia de obras para unos establecimientos destinados a un tipo de actividad que luego no podría autorizarse, el artículo 22.3 RSCL impone la coordinación en el otorgamiento de esas dos licencias, al disponer que, cuando con arreglo al proyecto presentado, la edificación de un inmueble se destinará específicamente a establecimiento de características determinadas, no se concederá el permiso de obras sin el otorgamiento de la licencia de apertura, si fuese procedente; pero ello no significa que la alteración de la precedencia en el orden de otorgamiento de esas licencias que resulta del precepto citado, implique sin más la nulidad de la licencia de obras concedida antes de haberse obtenido la de apertura, pues cada una de ellas se ha de examinar conforme a los criterios propios, que por lo que se refiere a la licencia de obras son los de la normativa urbanística que resulte aplicable. [STS 22 enero 2003]

• Por lo que si bien lo único que ha existido es una secuencia temporal distinta, solicitando primero licencia de obra y luego de actividad, ello no puede aparejar las consecuencias que se recogen en la sentencia ya que el hecho de que jurisprudencial y legalmente se prevea que primero se solicite la licencia de actividad y después la de obra, tiene por finalidad impedir que se realicen obras con un fin específico y que luego no resulte procedente la licencia de actividad, con la posible incluso responsabilidad que pueda exigirse a la Administración, pero en modo alguno se sanciona con nulidad, *el hecho, como aquí ocurre, de que solicitada licencia de obras y advertida la necesidad, cuestionable, de que fuera precisa licencia de actividad, se trámite el procedimiento y se conceda, según el planteamiento de la sentencia no cabría nunca legalizaciones por el hecho de que desarrollada una actividad en un local, para el que se hubiera obtenido licencia de obra, sin la previa licencia de actividad, esta resultaría siempre nula por no haberse solicitado primero, cuando la propia Ley 5/1993 prevé la regularización de actividades sin licencia y en el presente caso reiteramos que se han seguido todos los trámites que se establecen en el artículo 5 de la misma, por lo que no concurre la causa de nulidad apreciada en la sentencia con relación a la licencia de actividad.* [STSJ Castilla y León, Burgos, 14 febrero 2003]

- Debe resaltarse que, como señala la STS de 29 julio 1992, Sala 3.ª, *el artículo 22.3 RSCL no libera al que se proponga el ejercicio de una específica actividad en determinado inmueble de la obligación de obtener la licencia de apertura de aquél cuando hubiera obtenido la de obras, sino todo lo contrario, porque, precisamente, lo que dicha norma de un modo explícito da a entender es que, como esta última licencia sólo legitima la construcción de la obra necesaria para sede física del ejercicio de la actividad, carece de sentido que aquélla se otorgue sin conocer de antemano que el establecimiento, uso o destino específico para el que la obra se realiza legalmente podrá hacerse, ya que, en beneficio precisamente del administrado debe evitarse autorizar una obra como simple medio para ejercer una actividad sin estar seguros de que será viable legalmente el ejercicio de la misma.*

Es cierto que el artículo 22.3 RSCL prescribe que «cuando, con arreglo al proyecto presentado, la edificación de un inmueble se destinara específicamente a establecimiento de características determinadas, no se concederá el permiso de obras sin el otorgamiento de la licencia de apertura, si fuera procedente», pero también lo es que *la jurisprudencia ha declarado que dicho precepto no puede interpretarse en el sentido inverso de que, concedida la licencia de obras, necesariamente ha de ser otorgada después la licencia de apertura, ya que el incumplimiento del artículo 22.3 RSCL no puede llevar a autorizar un uso ilegal cualesquiera que puedan ser en otro orden de cosas las consecuencias de la actuación administrativa* (la cual, en todo caso, ha sido provocada por el particular que solicitó la licencia de obras) (STS 20 marzo 1996, Sala 3.ª, Secc. 5.ª), *con lo cual a todas luces deben evitarse concesiones que pudieran resultar inútiles.* [STSJ Madrid 10 junio 2003]

- Respecto de la cuestión que se refiere al orden de obtención de las licencias dice la STS de 26 marzo 2001 que: «La licencia de apertura ha de obtenerse con anterioridad, o, por lo menos, simultáneamente, a la licencia urbanística (STS 28 de octubre de 1989). A tenor del artículo 22.3 RSCL, *no es la licencia de apertura la que se subordina a la de obras, sino al revés, debiendo solicitarse aquélla con anterioridad o, por lo menos, al mismo tiempo que ésta* (SSTS de 3 de enero y 21 de septiembre de 1985, 20 de febrero de 1989, 18 de junio de 1990, 15 de julio de 1992 y 26 de julio de 1996). Esta dependencia deriva de la primacía del destino específico de la construcción sobre la obra misma (STS 11 de diciembre de 1997)». Esta Sala viene haciendo uso de un *criterio flexible en relación con la nulidad derivada de la concesión previa de la licencia de obras, en el sentido de entender superado dicho motivo de nulidad si finalmente la licencia de apertura ha sido concedida,* aunque, como es obvio, la nulidad de la licencia de apertura lleva consigo la de la licencia de obras si las realizadas estaban exclusivamente destinadas al ejercicio de una determinada actividad. [STSJ País Vasco 24 octubre 2003]

• La recurrente alega la vulneración del artículo 22.3 del Reglamento de Servicios de las Corporaciones Locales, aprobado por Decreto de 17 de junio de 1955 que establece que cuando, con arreglo al proyecto presentado, la edificación de un inmueble se destinara específicamente a establecimiento de características determinadas, no se concederá el permiso de obras sin el otorgamiento de la licencia de apertura si fuere procedente. Como señala la Sentencia del Tribunal Supremo de 15 de junio de 1983 la interpretación del artículo 22.3 Reglamento de Servicios de las Corporaciones Locales una constante jurisprudencia de la que se hace eco la Sentencia de del Tribunal Supremo de 16 de febrero de 1980, ha declarado, que *el condicionamiento de la licencia de obras, por la previa apertura, solamente es exigible cuando se trata de construcciones específicamente destinadas a una actividad tan singular que la previa autorización de apertura resulte notoriamente necesaria, para evitar los graves perjuicios que se ocasionarían al interesado con la concesión anticipada de una licencia para realizar unas obras que por sus especiales características resultarían inútiles caso de denegarse autorización para ejercitar la actividad en función de la cual fueron proyectadas y ejecutadas, y en razón a ello, que dicho precepto excepcional contempla una estrecha interdependencia entre la construcción y el muy específico uso al que se destina.* La licencia de obras, desde la estricta perspectiva urbanística, ha de otorgarse si la obra o edificación proyectada está de acuerdo con las previsiones de Ley del Suelo y de los Planes de Urbanismo en general tal como especificaba artículo 178.2 Ley del Suelo de 9 abril 1976. La licencia de apertura para el funcionamiento de una determinada actividad clasificada como molesta, insalubre, nociva o peligrosa tiene por objeto el evitar que cualquiera de esas actividades clasificadas, a realizar en un determinado edificio o conjunto de ellos, produzca incomodidades o altere las condiciones normales de salubridad e higiene del medio ambiente u ocasionen daños o impliquen riesgos graves para las personas y los bienes. *Naturalmente, el precepto del artículo 22. 3 Reglamento de Servicios de las Corporaciones Locales determina la precedencia temporal de la licencia de apertura respecto de la de obras, fundamentalmente para la más adecuada protección de los intereses privados de los titulares de las licencias porque es claro que otorgada la licencia de obras y realizada la edificación consiguiente, con los grandes costos económicos que ello suele implicar, todo ello quedaría sin el aprovechamiento perseguido si no se autorizara la actividad pretendida, con los perjuicios que ello implica para su titular. Pero ello no implica que la licencia de obras para una determinada actividad, concedida con anterioridad a la licencia de apertura correspondiente, no pueda ser legalizada o convalidada cuando la meritada licencia de apertura es autorizada después,* porque tal como ya tiene establecido esta Sala en Sentencias de 3 de abril de 1990 y 18 de junio de 1990 la interdependencia y orden de prelación de ambas licencias, están proyectadas sobre el principio de una hipotética responsabilidad patrimonial, por el posible funcionamiento anormal de la administración en la inobservancia de la precedencia temporal señalada en el Reglamento de Servicios de las Corporaciones Locales, al estar establecida tal procedencia, como hemos dicho, primariamente en intereses del particular afectado. *En todo caso el artículo 22.3 del reglamento de Servicios no supedita la licencia de obras a la de actividad en términos absolutos, el condicionamiento lo realiza en términos más relativos, lo hace fundamentalmente en defensa de los intereses del peticionario de la licencia, para evitarle el coste de una construcción, que luego no pueda utilizar,* dado el fin perseguido con ella así lo señala la Sentencia de la sala Tercera del Tribunal Supremo de 3 de abril de 1990. En todo caso se supedita la obtención de la licencia de apertura o actividad a la de obras sin que la concesión de ésta implique la obligación del Ayuntamiento de otorgar aquélla. Así lo señala la Jurisprudencia en sentencia del Tribunal Supremo de 20 de marzo de 1996, cuando expresa que la jurisprudencia de esta Sala ha declarado que *el artículo 22.3 del Reglamento de Servicios de las Corporaciones Locales no puede interpretarse en el sentido inverso de que, concedida la licencia de obras, necesariamente ha de ser otorgada después la licencia de apertura, ya que el incumplimiento de dicho precepto no puede llevar a autorizar un uso ilegal, cualesquiera que puedan ser en otro orden de cosas las consecuencias de la actuación administrativa* (la cual, en todo caso, ha sido provocada por el particular que solicitó la licencia de obras). *En conclusión no obstante la indiscutible interdependencia de las licencias de obra y de actividades, con lo dispuesto en el artículo 22,3 del Reglamento de Servicios de las corporaciones Locales de 17 junio 1955 lo único que se trata de evitar, en cuanto concebido en beneficio del Administrado, es la realización de las obras correlativamente inútiles con el consiguiente perjuicio que para el particular deriva de ello, si no llega a conseguirse la licencia de apertura, por lo que la inobservancia de dicha norma en cuanto al orden temporal de ambas licencias, no genera la nulidad de lo actuado porque el citado precepto no significa que no se pueda otorgar la licencia de obras sin el previo otorgamiento de la de actividad, sino que la perseguida finalidad del mismo radica en tratar de evitar al administrado el perjuicio que puede suponerle la realización de una obra, con los graves costos que ello comporta usualmente sin estar en previa posesión del permiso de actividad, sin el cual resultaría vana la construcción del edificio apto para tal actividad.* Así lo señalan las Sentencias del Tribunal Supremo de 27 de octubre de 1980, 28 de junio de 1982, 21 de febrero de 1989, 3 y 17 abril de 1990 y 28 de octubre de 1996, y las más recientes de 26 de junio de 1998 y 17 de mayo de 1999. El artículo 22.3 del Reglamento de Servicios de las Corporaciones Locales sobre el principio de hipotética responsabilidad patrimonial, por el posible funcionamiento anormal de la Administración municipal, si permitiese la ejecución de unas obras destinadas a una actividad para la que no pudiera concederse licencia de apertura y por tanto no puede ser esgrimido como causa de nulidad en relación con la licencia de obras, aun cuando no se haya concedido la licencia de actividad. Por otra parte este Tribunal tiene declarado en sentencia de 14 de diciembre de 1999, en el recurso núm. 2553/1994 ha señalado que la tramitación conjunta de la licencia de obras y la de actividad tiene un carácter instrumental, para favorecer al solicitante de la licencia, puesto que su tramitación separada podría dar lugar a la concesión de una licencia de obras, sin finalidad alguna si posteriormente se deniega la licencia de actividad, con el quebranto económico que ello pudiera producir. [STSJ Madrid 28 enero 2004]

• Las potestades que se ejercen mediante la sujeción a la licencia de actividades clasificadas de aquellas actuaciones que puedan ser molestas, nocivas, insalubres y peligrosas, si bien tienen una estrecha conexión con el urbanismo, doctrinalmente tienden a ser clasificadas entre las técnicas de protección ambiental. No son propiamente licencias urbanísticas, si bien también deben considerarse los aspectos urbanísticos en su concesión. La tarea del urbanismo sería la ordenación de los distintos usos del suelo que cabe hacer dentro del territorio municipal, delimitando mediante la planificación en qué zonas pueden desarrollarse los distintos usos —residencial, comercial, industrial, etc.— y la comprobación de que los usos proyectados se ajustan a los admitidos previamente en el plan de ordenación; *mientras que la licencia de actividades clasificadas, además de controlar que se cumplen los aspectos urbanísticos, tiene como finalidad adoptar las medidas necesarias para que la actividad que se proyecta tenga la menor incidencia posible en el vecindario.* [STSJ Islas Canarias 17 enero 2005]

• La licencia de apertura para el funcionamiento de una determinada actividad clasificada como molesta, insalubre, nociva o peligrosa tiene por objeto el evitar que cualquiera de esas actividades clasificadas, a realizar en un determinado edificio o conjunto de ellos, produzca incomodidades o altere las condiciones normales de salubridad e higiene del medio ambiente u ocasionen daños o impliquen riesgos graves para las personas y los bienes. Naturalmente, el precepto del artículo 22.3 Reglamento de Servicios de las Corporaciones Locales determina la precedencia temporal de la licencia de apertura respecto de la de obras, fundamentalmente para la más adecuada protección de los intereses privados de los titulares de las licencias porque es claro que otorgada la licencia de obras y realizada la edificación consiguiente, con los grandes costos económicos que ello suele implicar, todo ello quedaría sin el aprovechamiento perseguido si no se autorizara la actividad pretendida, con los perjuicios que ello implica para su titular. *Pero ello no implica que la licencia de obras para una determinada actividad, concedida con anterioridad a la licencia de apertura correspondiente, no pueda ser legalizada o convalidada cuando la meritada licencia de apertura es autorizada después*, porque tal como ya tiene establecido esta Sala en Sentencias de 3 de abril de 1990 y 18 de junio de 1990 *la interdependencia y orden de prelación de ambas licencias, están proyectadas sobre el principio de una hipotética responsabilidad patrimonial, por el posible funcionamiento anormal de la administración* en la inobservancia de la precedencia temporal señalada en el Reglamento de Servicios de las Corporaciones Locales, al estar establecida tal precedencia, como hemos dicho, primariamente en intereses del particular afectado. [STSJ Madrid 9 febrero 2005]

• En efecto es posible que en ese concreto momento la licencia de obras concedida no apareciese de forma manifiesta y patente como contraria a Derecho, *pero una vez que por Sentencia judicial firme se ha declarado la nulidad de la licencia de actividad, la licencia de obras carece del soporte jurídico que le daba su razón de ser y consecuentemente debe quedar sin valor ni efecto alguno pues mal se puede construir una nave para una actividad que no se puede llevar a cabo.* [STSJ Navarra 4 marzo 2005]

• En todo caso también conviene reseñar la precisión que al respecto realiza la Ley 5/1999, de 8 de abril, de Urbanismo de Castilla y León en el art. 99.1.d) cuando dispone que «cuando además de licencia urbanística se requiera licencia de actividad, ambas serán objeto de resolución única, sin perjuicio de la tramitación de piezas separadas. La propuesta de resolución de la licencia de actividad tendrá prioridad, por lo que si procediera denegarla, se notificará sin necesidad de resolver sobre la licencia urbanística; en cambio, si procediera otorgar la licencia de actividad, se pasará a resolver sobre la urbanística, notificándose de forma unitaria».

...Por tanto, si se concedió la licencia urbanística o de obras por el Ayuntamiento cuando previamente era preceptiva la licencia de actividad ello determina que el Ayuntamiento incurrió en una ilegalidad, bien porque conociéndolo no subsanó tal defecto y concedió la licencia urbanística sin contar previamente con la licencia de actividad, o bien porque considera que no era preceptiva esa licencia previa de actividad, pero en ningún caso de tal irregularidad se puede obtener la conclusión que pretende la actora de considerar obtenida implícitamente tal licencia de actividad por la mera concesión de la licencia de obras. [STSJ Castilla y León [Burgos] 13 enero 2006]

• Procede comenzar indicando que no *puede confundirse la licencia de obras, con la de apertura o de instalación de determinada actividad*, pues mientras la licencia de obras tiende a comprobar la adecuación de un determinado proyecto al planeamiento, la de apertura tiene como fin comprobar si los locales o instalaciones reúnen las condiciones de tranquilidad, seguridad y salubridad normativamente exigibles y las que, en su caso, estuvieren dispuestas en los planes de urbanismo debidamente aprobados.

Siendo esto así, *la concesión de la licencia de apertura, por tener su propia autonomía y singularidad, no implica la legalidad de las obras llevadas a cabo* en el inmueble de que se trate, pues la concesión de la misma no depende de que la obra del edificio en que la actividad se hubiere de ejercer esté o no construida conforme a los términos de la licencia de edificación que se hubiere otorgado. [STSJ Principado de Asturias 13 febrero 2007]

CAPÍTULO VI

EXTINCIÓN, REVOCACIÓN Y ANULACIÓN DE LA LICENCIA DE APERTURA

I.   COMENTARIO

Las licencias de apertura de establecimientos están sometidas a la resolución, revocación y anulación, manifestación de la extinción de un derecho preexistente y concedido en virtud de la licencia administrativa y derivado de su carácter no permanente, por cuanto la licencia de apertura no nace sólo para disciplinar el funcionamiento hacia el futuro de las instalaciones. Se trata de una licencia de tracto continuo, en la que la norma posterior que incide sobre la actividad autorizada no afecta a algo que ya estaba, sino sobre algo que está siendo y que debe seguir siendo conforme en todo momento al interés general. El esquema reglado y el papel de los derechos adquiridos no pueden ser entonces los mismos. En un caso se trata de derechos ya devengados, en el otro de situaciones en curso, de situaciones hacia el futuro, simples expectativas de continuidad esencialmente condicionadas a la permanencia de su compatibilidad con el interés general1.

Aunque en la práctica administrativa, la extinción de las licencias de apertura no sea un fenómeno frecuente, por cuanto su concesión conlleva un procedimiento de control administrativo que elimina situaciones provocadoras de extinción de la licencia, no por ello se está exento de los riesgos que toda actividad administrativa comporta, razón por la cual tanto la legislación como la jurisprudencia se han encargado de establecer los límites y condiciones en los que hemos de movernos.

La legislación preconstitucional, con su máximo y clásico exponente en el artículo 16 del RSCL prevé y regula los supuestos de extinción de las licencias, en sus tres apartados de resolución, revocación y anulación.

Siendo una consecuencia directa de la extinción de la licencia, aunque no siempre, la producción de daños y perjuicios, la Constitución Española en su artículo 106 contempla el derecho indemnizatorio por los mismos, siempre que la lesión sea consecuencia del funcionamiento de los servicios públicos.

La LPACAP, en sus artículos 106 a 110 regula el procedimiento de la revisión de los actos en vía administrativa.

La extinción pues de la licencia, parte de unos principios legales, amparados en la necesidad de modificar el derecho otorgado al administrado como consecuencia de las modificaciones, variaciones o alteraciones que se hayan podido producir durante la vigencia de aquélla, así podemos afirmar:

La resolución de la licencia se da en caso de incumplimiento por el titular de las condiciones fijadas en el acto de otorgamiento de la misma (supuesto que también suele denominarse como «revocación-sanción» y, en especial, respecto del incumplimiento de plazos de ejecución de las obras en este tipo de licencia, de «caducidad» de la licencia).

La revocación propiamente dicha, que procede en caso de cambio de las circunstancias que determinan el otorgamiento de la licencia, bien por desaparición de estas circunstancias, o bien por sobrevenir otras nuevas que, si hubieren existido al otorgar la licencia, habrían justificado su denegación, aunque también cabe la posibilidad de revocación en el caso de que la entidad local adopte nuevos criterios de apreciación.

La anulación de licencia se supedita al supuesto en que hubiese sido otorgada erróneamente, aunque este supuesto ha de situarse en el contexto y régimen jurídico más amplio de la invalidez y la revisión de los actos administrativos, contenidos en la Ley de Régimen Jurídico de las Administraciones Públicas y del Procedimiento Administrativo Común.

La caducidad de la licencia es otra de las formas por las que se extingue la actividad teniendo sus presupuestos en la falta de actividad dentro de los plazos establecidos al efecto.

El instituto de la caducidad de la licencia, por la importancia que tiene ha de ser aplicada con cautela, por los efectos que tiene, con ponderación de las circunstancias que concurren, de forma tal que se aprecie una inequívoca voluntad del titular de la actividad de no abandonarla, no operando de modo automático, sino que es preciso la incoación de un expediente, con audiencia del interesado, tal como pone de manifiesto entre otras la STS 3 junio 2002 y STSJ País Vasco de 30 diciembre 2002.

1. Resolución por incumplimiento de condiciones

En el supuesto de extinción resolutoria de la licencia, por la entidad local, en el caso de incumplimiento por su titular de las condiciones a que estaba aquélla subordinada, han de entenderse incluidas no sólo las condiciones que de forma explícita vengan fijadas en el correspondiente acto administrativo autorizatorio sino también las llamadas *«condictiones iuris»*, esto es, aquellas determinaciones que vienen establecidas por el ordenamiento jurídico aplicable a la materia objeto del tipo de licencia de que se trate y que, aunque no vengan recogidas expresamente en el acto que otorgue ésta, se entiende implícita en el mismo, o a modo de contenido natural de la licencia, por venir establecidas por la ordenación jurídica aplicable en la materia de que se trate.

2. Revocación de licencias

La revocabilidad de los actos administrativos, tiene entre otros límites, el de que aquellos que son declarativos de derechos no pueden ser revisados, anulados ni revocados, de oficio, por la Administración, sino cumpliendo las determinaciones establecidas en el artículo 107 LPACAP.

La causa de la revocación de las licencias, según el artículo 16 RSCL es doble:

a) Cuando desaparezcan las circunstancias que motivaron su otorgamiento o sobrevinieran otras que, de haber existido a la sazón, habrían justificado la denegación.

b) Cuando se adopten nuevos criterios de apreciación.

Acción de revocación que procederá cuando medien exigencias del interés público que sean de tal intensidad que demanden la eliminación de la licencia ya otorgada, con el correspondiente resarcimiento de los daños y perjuicios en su caso, conforme prevé el apartado 3.º de dicho precepto [ver, en este sentido, STS, Sala 3.ª, sec. 5.ª, 16-11-2011 (LA LEY 246271/2011), rec. 3833/2007].

3. Anulación de licencias

Cuando la licencia se haya otorgado erróneamente procederá la anulación de la misma, error que ha de ser de carácter jurídico o de derecho —*error iuris*— y no simple error de hecho —*error facti*—, supuesto este último que puede ser corregido en cualquier momento por la Administración (art. 105.2 LPACAP), ya que éste no constituye un supuesto de anulación sino de simple rectificación, por tratarse de una equivocación accidental y accesoria padecida por la Administración, o por el administrado.

4. Caducidad de la licencia

Esta figura de la caducidad, más propia del ámbito urbanístico, tiene también acogida en las licencias de actividad, cuando por inactividad o cierre de la misma se producen situaciones de las que pueden derivar la pérdida de la licencia.

• Por consecuencia, «**el instituto de la caducidad de las licencias municipales ha de acogerse con cautela**» —sentencia de 20 de mayo de 1985—, **aplicándolo «con una moderación acorde con su naturaleza y sus fines»** —sentencia de 10 de mayo de 1985—, **y con un «sentido estricto»** —sentencia de 2 de enero de 1985—, **e incluso con «un riguroso criterio restrictivo»** —sentencia de 10 de abril de 1985—. En definitiva, **ha de operar con criterios «de flexibilidad, de moderación y restricción»** —sentencia de 10 de mayo de 1985—.

También hemos dicho en el fundamento de derecho anterior, que **la caducidad de una licencia no es tácita sino que ha de ser expresa y acordada dentro de un procedimiento con audiencia del interesado**. [STSJ Madrid 30 septiembre 2015.- LA LEY 149857/2015]

5. La indemnización

Consecuencia de la extinción de la licencia, es la posibilidad de que de dicho acto se produzca una lesión patrimonial susceptible de ser indemnizada amparada en el artículo 106.2 Constitución Española. El artículo 54 LBRL dice que «Las entidades locales responderán directamente de los daños y perjuicios causados a los particulares en sus bienes y derechos como consecuencia del funcionamiento de los servicios públicos o de la actuación de sus autoridades, funcionarios o agentes, en los términos establecidos en la legislación general sobre responsabilidad administrativa», indemnización que ha de contemplarse en la declaración de revocación de la licencia. [STS 19 septiembre 1983]

II. LEGISLACIÓN

I. Legislación estatal

• **Constitución Española, de 27 diciembre 1978**

Art. 106 [Control de la potestad reglamentaria y de la legalidad. Indemnización a particulares por el funcionamiento de servicios públicos].- 1. Los Tribunales controlan la potestad reglamentaria y la legalidad de la actuación administrativa, así como el sometimiento de ésta a los fines que la justifican.

2. Los particulares, en los términos establecidos por la ley, tendrán derecho a ser indemnizados por toda lesión que sufran en cualquiera de sus bienes y derechos, salvo en los casos de fuerza mayor, siempre que la lesión sea consecuencia del funcionamiento de los servicios públicos.

• **Decreto de 17 junio 1955. Reglamento de Servicios de las Corporaciones Locales**

Art. 16.- 1. Las licencias quedarán sin efecto si se incumplieren las condiciones a que estuvieren subordinadas, y deberán ser revocadas cuando desaparecieran las circunstancias que motivaron su otorgamiento o sobrevinieran otras que, de haber existido a la sazón, habrían justificado la denegación y podrán serlo cuando se adoptaren nuevos criterios de apreciación.

2. Podrán ser anuladas las licencias y restituidas las cosas al ser y estado primitivo cuando resultaren otorgadas erróneamente.

3. La revocación fundada en la adopción de nuevos criterios de apreciación y anulación por la causa señalada en el párrafo anterior, comportarán el resarcimiento de los daños y perjuicios que se causaren.

• **Real Decreto 2816/1982, de 27 agosto. Reglamento General de Policía de Espectáculos Públicos y Actividades Recreativas**

Art. 46.- 1. El incumplimiento de los términos en que se conceda la licencia solicitada, de acuerdo con lo previsto en el apartado 2 del artículo 43 determinará, sin perjuicio de las responsabilidades de orden penal o administrativo en que pueda incurrirse, la revocación de la licencia concedida.

2. Igualmente podrá revocarse la licencia si varían sustancialmente las características, condiciones, servicios e instalaciones del local, de forma tal que se pongan en peligro

la higiene y seguridad pública o de las personas que accedan o presten sus servicios en el mismo.

3. Si, en el caso a que se refiere el apartado anterior, las modificaciones indicadas no parecen susceptibles de originar los riesgos aludidos, y se consideran subsanables o reparables, se suspenderá temporalmente el funcionamiento de la Sala hasta que se remedien las causas que lo motiven.

4. A efectos de lo determinado en este artículo, los servicios técnicos municipales podrán realizar cuantos reconocimientos y visitas de inspección consideren necesarios para comprobar las condiciones de seguridad e higiene y el funcionamiento de instalaciones y servicios.

• **Ley 39/2015, de 1 de octubre, del Procedimiento Administrativo Común de las Administraciones Públicas**

Art. 109.1.- Las Administraciones Públicas podrán revocar, mientras no haya transcurrido el plazo de prescripción, sus actos de gravamen o desfavorables, siempre que tal revocación no constituya dispensa o exención no permitida por las leyes, ni sea contraria al principio de igualdad, al interés público o al ordenamiento jurídico.

II. Legislación autonómica

1. Andalucía

• **Decreto 297/1995, de 19 de diciembre. Reglamento de Calificación Ambiental**

Art. 4. Actualización.- 1. Las licencias municipales legalmente establecidas para la implantación, ampliación, modificación o traslado de las actuaciones incluidas en el Anexo Tercero de la Ley 7/1994 estarán condicionadas, en todo caso, al cumplimiento de las condiciones que la normativa ambiental exija en cada momento y podrá iniciarse expediente de revocación, en su caso, cuando concurran circunstancias que aconsejen actualizar el condicionado de la resolución de Calificación Ambiental, bien sea por la modificación de las circunstancias ambientales o de la actividad, bien por cambios en la normativa aplicable.

2. La revocación fundada en la adopción de nuevos criterios de apreciación comportará el resarcimiento de los daños y perjuicios efectivamente causados.

2. Aragón

• **Ley 11/2005, de 28 de diciembre, reguladora de los espectáculos públicos, actividades recreativas y establecimientos públicos de la Comunidad Autónoma de**

Art. 17.4.- El incumplimiento de los requisitos y condiciones en que fueron concedidas las licencias de funcionamiento determinará la suspensión cautelar de la actividad, que devendrá en revocación definitiva de las mismas si en el plazo máximo de tres meses, y a través del procedimiento correspondiente, el interesado no justifica el restablecimiento de los condicionamientos que justificaron su concesión.

Art. 19.2.- El incumplimiento de los requisitos o condiciones en virtud de los cuales se concedió la licencia, en especial, en lo relativo a inspecciones o comprobaciones periódicas o a la falta de adaptación a las medidas y condiciones introducidas por normas posteriores que prevean dicha adaptación, en los plazos que en las mismas se establezcan, una vez requeridos los titulares, determinará la inmediata revocación de la licencia, previa tramitación de procedimiento con audiencia del interesado.

3.   Canarias

• **Ley 7/2011, de 5 de abril, de actividades clasificadas y espectáculos públicos y otras medidas administrativas complementarias**

Art. 8.4.- La habilitación de la instalación y puesta en marcha de la actividad, en cualquiera de los supuestos referenciados en el presente artículo vendrá sujeta a licencia urbanística cuando fuera preceptiva, al devengo de las tasas que fueran procedentes y al cumplimiento de los requisitos aplicables a la actividad a implantar. Tal habilitación será revocable por la Administración sin dar derecho alguno a indemnización por razón de cese de la actividad o el desmonte de las instalaciones, en su caso.

Art. 31.1.- Los efectos de las licencias de instalación de actividades clasificadas se extinguirán en los siguientes casos:

a) Por renuncia de su titular.

b) Por caducidad de la licencia, declarada expresamente y previa audiencia del interesado.

c) Por revocación de la licencia, la cual operará, previa audiencia del titular, en los siguientes casos:

— Por incumplimiento acreditado de las condiciones a que estuvieren subordinadas.

— Por desaparición de las circunstancias que motivaron su otorgamiento o sobrevinieran otras que, de haber existido en aquel momento, habrían justificado la denegación.

— Por falta de adaptación a las condiciones y requisitos introducidos por normas posteriores en los plazos de adaptación que dichas normas establezcan, así como por el incumplimiento de realizar las inspecciones periódicas que vengan exigidas por la normativa aplicable durante el ejercicio de la actividad.

— Por incumplimiento de las modificaciones impuestas como consecuencia de una modificación de oficio.

— Como sanción impuesta en procedimiento sancionador.

4.   Cantabria

• **Ley 3/2017, de 5 de abril, de Espectáculos Públicos y Actividades Recreativas de Cantabria**

Art. 18.1.- El incumplimiento de los requisitos y condiciones técnicas establecidas en la presente ley, será causa de revocación de la autorización o licencia otorgada, previa tramitación del correspondiente expediente con audiencia del interesado.

5.   Castilla-La Mancha

• **Ley 7/2011, de 21 de marzo, de Espectáculos Públicos, Actividades Recreativas y Establecimientos Públicos de Castilla-La Mancha**

Art. 9.8.- Los espectáculos públicos, las actividades recreativas y los establecimientos públicos podrán ser suspendidos en caso de incumplimiento de alguno o algunos de sus requisitos esenciales o si no disponen de las autorizaciones y licencias que correspondan. Asimismo, las licencias y autorizaciones podrán ser revocadas únicamente cuando los incumplimientos no puedan ser subsanables.

Art. 16.3.- El incumplimiento de los requisitos y condiciones establecidos con ocasión del otorgamiento de la licencia de funcionamiento podrá determinar su suspensión o revocación, previa tramitación del oportuno expediente en el que se dará audiencia al interesado, en los términos que se establezcan reglamentariamente. La revocación únicamente procederá en el caso de que los incumplimientos no puedan ser subsanables.

6.   Castilla y León

• **Ley 7/2006, de 2 de octubre, de espectáculos públicos y actividades recreativas de la Comunidad de Castilla y León**

Art. 9.2.- Estas autorizaciones excepcionales quedarán sin efecto si se incumplieran todas o alguna de las condiciones a que estuvieran subordinadas, y, asimismo, podrán ser revocadas si desapareciesen o se modificasen sustancialmente todas o algunas de las circunstancias que motivaron su concesión.

7.   Cataluña

• **Ley 11/2009, de 6 de julio, de regulación administrativa de los espectáculos públicos y las actividades recreativas**

Art. 37.- 1. Las licencias y autorizaciones se extinguen por los siguientes motivos:

a) Porque el espectáculo público o la actividad recreativa se ha realizado o porque se ha cumplido el plazo al que están sometidas, si procede.

b) Por renuncia de sus titulares.

c) Por revocación.

d) Por caducidad.

2. Las licencias y autorizaciones pueden ser revocadas en los siguientes supuestos:

a) Si los titulares de las licencias o autorizaciones incumplen los requisitos o condiciones en virtud de los cuales les fueron otorgadas.

b) Si cambian o desaparecen las circunstancias que determinaron el otorgamiento de las licencias o autorizaciones, o si sobrevienen otras nuevas circunstancias que, en el caso de haber existido, habrían comportado su denegación.

c) Si los establecimientos abiertos al público no se han adaptado a las nuevas normas que los afecten, dentro del plazo que se haya otorgado con esta finalidad.

d) Si son impuestas como sanción, de acuerdo con lo establecido por el artículo 50.d.

3. La Administración puede declarar la caducidad de las licencias y autorizaciones en el caso de que, al cabo de un año de haberlas otorgado, el establecimiento abierto al público, sin causa justificada, no haya iniciado las actividades o en el caso de que, en cualquier momento de su vigencia, pare la actividad durante más de dos años ininterrumpidos.

4. La revocación y la declaración de caducidad deben tramitarse de oficio, dando audiencia a los interesados y, si se adopta el acuerdo, debe efectuarse dentro del plazo de seis meses de haberles notificado la apertura del expediente.

8. Madrid

• **Ley 17/1997, de 4 julio. Normas reguladoras de espectáculos públicos y actividades recreativas**

Art. 8.5.- El incumplimiento de los requisitos y condiciones en que fue concedida la licencia de funcionamiento determinará la revocación de la misma previa tramitación de un expediente sumario con audiencia del interesado.

9. Comunidad Valenciana

• **Ley 14/2010, de 3 de diciembre, de la Generalitat, de Espectáculos Públicos, Actividades Recreativas y Establecimientos Públicos**

Art. 16. Revocación y caducidad de la licencia.- 1. La licencia sólo será efectiva en las condiciones y para las actividades que expresamente se determinen.

Determinará la revocación de la licencia, previo procedimiento con audiencia al interesado, el incumplimiento de los requisitos o condiciones en virtud de los cuales se otorgó aquélla, así como, en particular, la no realización de las inspecciones periódicas obligatorias o, en su caso, la falta de adaptación a las novedades introducidas por normas posteriores en los plazos previstos para ello.

Este procedimiento se sobreseerá si el interesado subsana la irregularidad que motivó la apertura del mismo. No obstante, podrá no tenerse en cuenta dicho sobreseimiento caso de reiteración o reincidencia en el incumplimiento por parte de aquél.

2. La inactividad durante un período ininterrumpido de seis meses podrá determinar la caducidad de la licencia, que será declarada, en todo caso, previa audiencia del interesado y de manera motivada.

• **Ley 6/2014, de 25 de julio, de la Generalitat, de Prevención, Calidad y Control Ambiental de Actividades en la Comunitat Valenciana**

Art. 49. Extinción, revocación, anulación y suspensión.- 1. Las autorizaciones ambientales integradas solo serán efectivas en las condiciones y para las actividades e instalaciones que expresamente se determinen en las mismas.

2. Serán causas de extinción de la autorización ambiental integrada las siguientes:

a) La renuncia del titular de la autorización.

b) El mutuo acuerdo entre el titular y la administración competente.

c) La caducidad de la autorización.

d) El incumplimiento de las condiciones de la autorización, la desaparición de las circunstancias que motivaron su otorgamiento o la aparición de circunstancias nuevas que, de haber existido en el momento de su concesión, habrían justificado la denegación, previa audiencia del titular.

e) La falta de adaptación a las condiciones y requisitos introducidos por normas posteriores, en los plazos que dichas normas establezcan, así como el incumplimiento en la realización de las inspecciones periódicas exigidas por la normativa aplicable durante el ejercicio de la actividad, previa audiencia del titular.

f) El incumplimiento de las nuevas condiciones establecidas como consecuencia de la modificación de la autorización, o las que proceda realizar como consecuencia de la revisión o modificación de la autorización ambiental integrada.

g) El cierre definitivo de la instalación sometida a autorización ambiental integrada, previa ejecución de las medidas contempladas al efecto en la presente ley o que se establezcan reglamentariamente.

h) A consecuencia de un procedimiento sancionador en virtud de lo previsto en la presente ley.

3. Asimismo, las autorizaciones ambientales integradas podrán ser revocadas o anuladas de acuerdo con lo establecido en la normativa sobre procedimiento administrativo común.

4. La autorización ambiental integrada podrá ser objeto de suspensión adoptada como medida provisional, con carácter previo o en el transcurso de un procedimiento sancionador iniciado como consecuencia de infracciones previstas en la presente ley.

10.   La Rioja

• **Ley 4/2000, de 25 de octubre, de Espectáculos Públicos y Actividades Recreativas de la Comunidad Autónoma de La Rioja**

Art. 11.1 par. segundo.- El incumplimiento de los requisitos y condiciones en virtud de las cuales se concedió la licencia o la falta de adaptación a las introducidas por normas posteriores en los plazos que las mismas establezcan, una vez requeridos los titulares, determinará la revocación de la licencia.

11.   Principado de Asturias

• **Ley del Principado de Asturias 8/2002, de 21 de octubre, de Espectáculos Públicos y Actividades Recreativas**

Art. 12. Revocación de la licencia de apertura.- 1. El incumplimiento de los requisitos y condiciones en que se concedió la licencia de apertura podrá determinar la pérdida de eficacia de la misma, previa instrucción del expediente correspondiente y con audiencia al interesado.

2. Si el incumplimiento afecta sustancialmente a las condiciones de seguridad de las personas o a la salubridad pública, la autoridad municipal competente clausurará temporalmente el establecimiento en tanto se procede a la resolución del oportuno expediente para dejar sin eficacia la licencia concedida.

3. En el caso de alteración normativa del contenido de las licencias de apertura, deberá establecerse un plazo de adaptación, una vez transcurrido el cual sin resultar subsanadas las posibles deficiencias o carencias existentes se procederá a la revocación de las licencias.

III. JURISPRUDENCIA

I. Revocación de la licencia

1. *Error en la calificación de la actividad*

• **No existe** ni en la Ley de Prevención de la Contaminación y Calidad Ambiental ni en el Decreto de desarrollo **normas relativas a la revocación parcial o modificación de la licencia** y siendo cierto que esta Sala ha mantenido los criterios que se invocan en torno a la revocabilidad de las licencias, como lo es la estimación reiterada de reclamaciones por contaminación acústica y condenas municipales por inactividad vulneradora de derechos fundamentales pero todo ello no constituye un título genérico que unido a una genérica competencia legitime cualquier comportamiento, como ha parecido entender el Ayuntamiento apelante. **Las licencias no son inmutables pero su modificación tiene que tener una causa y si, como el propio Ayuntamiento reconoce, es su propio error al estimarla inocua, el que ha determinado el mismo, deberá proceder en consecuencia y proceder a la exigencia de otro instrumento de intervención distinto de la mera comunicación.** En los casos invocados, nos hallábamos ante vulneraciones de la licencia demostradas por medios técnicos, constatadas debidamente y directamente derivadas del ejercicio de la actividad y vulneración de sus condicionantes. [STSJ Comunidad Valenciana 11 mayo 2011.- LA LEY 212728/2011]

2. *Improcedencia*

• **El acto objeto del recurso está constituido por una resolución que revoca la licencia de actividad y funcionamiento para salón de bodas.** Debe señalarse que en los supuestos de la clausura de una actividad existentes perjuicios que si bien pudieran ser reparados a través de la oportuna indemnización, varios son los elementos que provocan una dificultad de reparación, en primer lugar por la difícil valoración de las perdidas comerciales, no solo presentes sino también futuras por la pérdida de expectativas y del correspondiente fondo de comercio y de la clientela. Pero además en tanto en cuanto se resuelve el proceso es patente que se producen perjuicios derivados de la pérdida de ingresos y por lo tanto de la necesidad de búsqueda de una fuente alternativa que permita la subsistencia.

Si bien es cierto que en el caso presente se ha seguido el procedimiento establecido en el artículo 8 de la Ley Territorial de Madrid 17/1997, de 4 de julio, de Espectáculos

Públicos y Actividades Recreativas al establecer que **el incumplimiento de los requisitos y condiciones en que fue concedida la licencia de funcionamiento determinará la revocación de la misma previa tramitación de un expediente sumario con audiencia del interesado**. La justificación de la decisión se encuentra en los siguientes incumplimientos de la licencia: ...**No se hace referencia a la existencia de peligro inmediato para las personas y bienes**, por tanto y teniendo en cuenta que este tribunal ha indicado que en el procedimiento establecido en el artículo 34 del Reglamento de Actividades Molestas, Insalubres, Nocivas y Peligrosas aprobado por Decreto 2414/1961, de 30 de diciembre, que es aplicable **cuando se ejerce una actividad en las condiciones de la licencia concedida pero con un defectuoso funcionamiento de los elementos industriales licenciados, en cuyo caso, con carácter previo a la clausura de la actividad es necesario dictar una orden de «corrección de deficiencias» concediendo plazo... Por tanto el Tribunal entiende que procede suspender la ejecución del acto de revocación de la licencia que supone el mantenimiento del *status* quo previo a dicha resolución** sin perjuicio de que en ejecución de este auto el Ayuntamiento de Madrid adopte las medidas correspondientes respecto de las salidas de emergencia, extintores de incendios y adecuación de la actividad a la concedida con precinto incluso de los elementos no licenciados. [STSJ Madrid 10 mayo 2012.- LA LEY 108566/2012]

3. *Principios generales*

• **En el caso de no ser posible, por razones jurídicas o técnicas, la instalación de las medidas precisas o adecuadas, los reglamentos, con apoyo legal, permiten la revocación de la licencia o imposición de traslado de industrias, con indemnización**. Ello quiere decir que ha de respetarse el contenido económico de lo autorizado pero el uso o ejercicio industrial etc. ha de acomodarse a las exigencias del interés público (p.e., razones de seguridad, salubridad, etc.) que puede justificar la clausura de la industria o de la actividad o del traslado forzoso a un emplazamiento más idóneo... de tal modo que **el incumplimiento de los requisitos o condiciones en virtud de los cuales se concedió la licencia**, en especial en lo relativo a inspecciones periódicas o la falta de adaptación a las introducidas por normas posteriores que prevean dicha adaptación en los plazos que en las mismas se establezcan, una vez requeridos los titulares, **determina la inmediata revocación de la licencia**. [STSJ Comunidad Valenciana 6 mayo 2012.- LA LEY 139771/2010]

• A la vista de tales antecedentes fácticos, hemos de convenir con el Ayuntamiento y en contra de la tesis sostenida en la sentencia recurrida en apelación, que **el acuerdo de revocación de la licencia es ajustado a Derecho**, pues el mismo, previa constatación del ejercicio de una actividad distinta a la autorizada y por tanto, no licenciada, **supone el incumplimiento de las condiciones en que fue concedida, siendo la revocación una consecuencia legal** prevista en la normativa en que se basó el Ayuntamiento. [STSJ Madrid 28 enero 2015.- LA LEY 25911/2015]

• La parte apelante, ni siquiera cuestiona que no dispusiese de licencia de primera ocupación, sino que **centra toda su argumentación en que se trata de una condición ilegal, en cuanto impone una exigencia urbanística y no de funcionamiento, y en que la revocación debió seguir los procedimientos de revisión** de la LRJAPyPAC.

Sin embargo, **el régimen jurídico de las licencias de apertura contempla la revocación** «cuando desaparecieran las circunstancias que motivaron su otorgamiento o sobrevinieran otras que, de haber existido a la sazón, habrían justificado la denegación, o resultado incompatibles con el interés general».

Y, en el caso, **otorgada licencia de apertura condicionada a la licencia de primera ocupación de las obras de acondicionamiento temporal, no consta que se hubiese obtenido dicha autorización**, ni que se hubiese presentado la declaración responsable que el actual artículo 166 bis del TRLOTCyENC exige para la primera ocupación, ni siquiera que se hayan ejecutado las obras del local conforme a lo autorizado en su día. [STSJ Canarias (Las Palmas de Gran Canaria) 13 marzo 2015.- LA LEY 152016/2015]

4.   Revocación sanción

• Recuerda también aquella sentencia la del Tribunal Constitucional 181/1990, de 15 de noviembre, que a su vez cita la STC 61/1990, que **la revocación de una licencia se basa en el incumplimiento de los requisitos establecidos por el ordenamiento para el desarrollo de la actividad pretendida, tarea en la que el margen de apreciación es escaso**. Sin embargo subraya que, en otros casos, **la revocación de la licencia responde a un más amplio margen de apreciación en manos de la administración, que se ve posibilitada para valorar determinadas conductas como contrarias al ordenamiento, en cuyo supuesto se trata de los típicos casos denominados por la doctrina «revocación-sanción»**. Añade que «trazar una línea divisoria entre ambas medidas, con pretensión de validez general, resulta poco menos que imposible y, en consecuencia, calificar unas medidas concretas como sanción o simple aplicación de las normas administrativas habilitantes para la gestión de una actividad requiere tener en cuenta las circunstancias de cada caso» (FJ4).

Subraya la mencionada STS de 21 de diciembre de 2006 que «**La sanción está sujeta al principio de legalidad** en la descripción de las acciones y omisiones reprochables, seguimiento de un cauce específico para la imposición de las sanciones (procedimiento sancionador), carácter subjetivo de la responsabilidad, en la medida en que se exige dolo o culpa, y aplicación de un régimen concreto de prescripción» Pero adiciona «que **en el caso de la revocación, por incumplimiento de obligaciones esenciales del título administrativo, basta el acto declarativo que aprecie adecuadamente dicho incumplimiento** después de un procedimiento que permita la defensa del titular a través del correspondiente trámite de audiencia». [STSJ Madrid 28 enero 2015.- LA LEY 25911/2015]

II.   Anulacion de la licencia

1.   Anulación

• En definitiva, se pone de relieve que si la sentencia de primera instancia concluyó que no existió calificación por parte del técnico municipal, debió anular la licencia. **La anulación de la licencia de actividad conlleva necesariamente la de funcionamiento**. [STSJ Comunidad Valenciana 19 septiembre 2012.- LA LEY 192532/2012]

• La anulación por aquella sentencia de la licencia de apertura o funcionamiento de dicho establecimiento lleva aparejada necesariamente el cierre y clausura del mismo. **A la declaración jurídica de anulación de una licencia de apertura le sigue, como consecuencia necesaria, el cierre del establecimiento a que esa licencia se contrae**, al ser tal orden de cierre el efecto impuesto legalmente en el caso de funcionamiento de la actividad sin estar en posesión de la correspondiente licencia. [STSJ Comunidad Valenciana 28 mayo 2013.- LA LEY 109348/2013]

• **La anulación de la mencionada licencia de apertura o funcionamiento de dicho establecimiento lleva aparejada el cierre y clausura del mismo.** A la declaración jurídica de anulación de una licencia de apertura le sigue, como consecuencia necesaria, el cierre del establecimiento a que esa licencia se contrae, al ser ese cierre el efecto impuesto legalmente en el caso de funcionamiento de la actividad sin estar en posesión de la correspondiente licencia. [STSJ Comunidad Valenciana 20 junio 2013.- LA LEY 126348/2013]

• Por otra parte, la recurrente manifestó su voluntad de extender el recurso contencioso-administrativo a los decretos de aprobación de licencia de apertura y de obra, en el escrito de demanda, no causando indefensión al resto de las partes procesales un pronunciamiento judicial sobre los mismos. **No entender que un pronunciamiento favorable a las tesis de la apelante supone la anulación no solo del decreto por el que se acuerda la calificación ambiental favorable sino también la de los decretos por los que se concede la licencia de apertura y de obra, en las circunstancias descritas, nos llevaría al absurdo de anular una acto de trámite que debe integrarse en el expediente, vinculante para los actos que ponen fin al mismo, pero no poder anular estos.** [STSJ Andalucía (Granada) 28 octubre 2013.- LA LEY 193270/2013]

• De todo ello se desprende las medidas previstas para evitar la contaminación acústica no son suficientes ni adecuadas, por lo que la actora ha acreditado el fundamento de su pretensión y **además de anular el acto recurrido, consistente en la licencia de apertura y funcionamiento, deberá la administración ante tal falta de cobertura, proceder al inmediato cierre de la actividad**, en protección de los derechos fundamentales de los vecinos de las comunidades demandadas y por incumplimiento de los requisitos necesarios para su puesta en funcionamiento. [STSJ Comunidad Valenciana 12 mayo 2015.- LA LEY 79380/2015]

III. Caducidad de la licencia

• En definitiva, el otorgamiento de licencia de actividad requiere el cumplimiento de los requisitos y condiciones técnicas que se exijan, debiendo constar en la licencia los mismos, así como la actividad para la que se otorgó. **El ejercicio de una actividad distinta a la amparada por la licencia la inutiliza, deviniendo ineficaz y obligando a la obtención de otra acorde a la diferente naturaleza de la actividad que se ejerce, y la ausencia de ejercicio de la actividad autorizada por un determinado plazo da lugar a su caducidad.** [STSJ Aragón 7 marzo 2014.- LA LEY 27308/2014 y STSJ Aragón 25 septiembre 2015.- LA LEY 162603/2015]

• Estas ideas inspiran también naturalmente, la figura de la caducidad de las licencias, en cuanto técnica jurídico-administrativa que es. La concesión de cualquier licencia implica el reconocimiento de una serie de derechos, y por tanto, **la declaración de caducidad de la misma, tiene un carácter restrictivo cuyas causas han de ser analizadas y sopesadas sobre todo teniendo en cuenta que ha de existir una voluntad inequívoca por parte del titular de la misma, de abandonar los derechos que previamente adquirió.** Así, desde el punto de vista del administrado, **no puede desconocerse que la caducidad opera con efectos restrictivos para su esfera jurídica, pues viene a truncar una**

situación favorable al administrado, cual fue la inicial concesión de la licencia. Por tanto, reiteradísima Jurisprudencia del TS ha destacado **la moderación, cautela y flexibilidad que deben caracterizar el juego de la caducidad,** considerando que:

1.- La caducidad «**Nunca opera de modo automático**» —sentencia de 20 de mayo de 1985—, es decir, «sus efectos no se producen automáticamente por el simple transcurso del tiempo, por requerir un acto formal declarativo, adoptado tras los trámites previos necesarios», sobre todo el de audiencia. —sentencia de 22 de enero de 1986—.

2.- **Para su declaración, pues, no basta la simple inactividad del titular** —sentencia de 4 de noviembre de 1985—, sino que será precisa una ponderada valoración de los hechos, ya que no puede producirse «a espaldas de las circunstancias concurrentes y de la forma en que los acontecimientos sucedan» —sentencia de 10 de mayo de 1985—.

3.- Por consecuencia, «**el instituto de la caducidad de las licencias municipales ha de acogerse con cautela**» —sentencia de 20 de mayo de 1985—, **aplicándolo «con una moderación acorde con su naturaleza y sus fines**» —sentencia de 10 de mayo de 1985—, **y con un «sentido estricto**» —sentencia de 2 de enero de 1985—, **e incluso con «un riguroso criterio restrictivo**» —sentencia de 10 de abril de 1985—. En definitiva, **ha de operar con criterios «de flexibilidad, de moderación y restricción**» —sentencia de 10 de mayo de 1985—.

También hemos dicho en el fundamento de derecho anterior, que **la caducidad de una licencia no es tácita sino que ha de ser expresa y acordada dentro de un procedimiento con audiencia del interesado.** [STSJ Madrid 30 septiembre 2015.- LA LEY 149857/2015]

IV. REPERTORIO HISTÓRICO DE JURISPRUDENCIA

I. Licencia de instalación: extinción de la licencia

1. Por traslado de la industria

• *Una licencia municipal para el ejercicio de una actividad de las comprendidas en el RAM queda extinguida al trasladar la industria a distinto emplazamiento;* por lo que es preciso, para volverla a instalar en un edificio nuevo, construido en el solar donde se encontraba en un principio, realizar todos los trámites reglamentarios para una instalación nueva, no siendo viable en ningún caso una licencia para ampliación de la industria. [STS 25 noviembre 1981]

• *La imposibilidad de seguir ejerciendo una industria en el mismo sitio en que se desarrollaba, a lo que equivale su cierre o clausura, da lugar a dos distintas situaciones que, indudablemente, inciden sobre la forma en que su titular ha de ser indemnizado:* bien que por las peculiares condiciones de la industria la pérdida de su base física suponga su extinción, en cuyo caso habrá de fijarse su valor, que representará la justa indemnización, bien que tal pérdida no suponga la imposibilidad de que pueda continuar la industria en otro emplazamiento, supuesto en el que la indemnización sólo comprenderá los gastos que el traslado comporte, gastos que la jurisprudencia ha concretado, cuando el dañado es arrendatario, en el precio de adquisición en traspaso de un nuevo local o la diferencia de renta entre el antiguo o ambos conceptos en algunos supuestos, la indemnización al personal por el tiempo de inactividad, la pérdida de clientela, la pérdida de beneficios por paralización de actividad, los gastos de traslado y los gastos de nueva apertura, el abono de lo cual compensará el sacrificio patrimonial que el traslado lleva consigo. [STS 19 junio 1991, Sala 3.ª, Secc. 5.ª]

2.   Por inactividad

• Concedida una licencia para fabricación de pan y habiendo comenzado la industria, aquélla pierde validez si ésta permanece inactiva durante un período de tiempo, en el caso presente de seis años, y *posteriormente se vuelve a fabricar pan habiendo sustituido los instrumentos de producción antigua por otros modernos, pues ello supone una nueva apertura*. [STS 17 diciembre 1981]

3.   Por revocación

• No puede invocarse la existencia de unas licencias para fundamentar en su revocación la infracción del principio de igualdad, cuando tales licencias que amparaban actividades calificadas de molestas, insalubres o nocivas resultan afectadas por una modificación impuesta con carácter general, mediante la cual los servicios municipales se perfeccionan, frente a cuyo perfeccionamiento, que afecta al interés general, y beneficia a la mayoría de la colectividad, sólo se alega el beneficio de un reducido número de administrados. [STS 11 marzo 1983]

• Las licencias reguladas en el RAM constituyen un supuesto típico de funcionamiento, en cuanto que autorizan el desarrollo de una actividad a lo largo del tiempo, generan una relación permanente con la Administración, y con ello se atenúan o incluso quiebran las reglas relativas a la intangibilidad de los actos administrativos declarativos de derechos, pues *la actividad está sometida siempre a la condición implícita de tener que ajustarse a las exigencias del interés público, lo que permite llegar, en último término, cuando todas las posibilidades de adaptación a aquellas exigencias han quedado agotadas, a la revocación de la autorización*. [STS 19 febrero 1988, Sala 4.ª]

• *No era necesario que la Administración municipal recurriese a la previa declaración de lesividad para los intereses públicos de la licencia concedida para proceder a su revocación por cuanto resulta obvio que la concesión de licencia se debió a una percepción tardía de la inidoneidad del local para el uso a que iba a ser destinado, percepción que se produjo en la visita de comprobación* del artículo 34 RAM, cuando no era ya momento para determinar la inadecuación urbanística del local. En efecto, la misma debió ser comprobada por la Administración antes de dar la licencia —art. 30.1 RAM—, y no en la visita de comprobación que se gira cuando la misma ya se ha concedido, y debe tender exclusivamente a comprobar si se han adoptado o no las medidas correctoras exigidas en la repetida licencia. [STS 17 julio 1992, Sala 3.ª, Secc. 4.ª]

• El artículo 43 a) LPA se refiere a la obligada motivación de los actos administrativos que se pronuncien sobre derechos subjetivos. Por tanto, en el caso de autos, siendo claro y terminante que la licencia de apertura de establecimiento se había otorgado en precario, y no suponía la titularidad de derecho alguno, *la falta de motivación de los actos de revocación de la licencia y de orden de clausura no es razón suficiente para anularlos*. [STS 22 marzo 1996, Sala 3.ª, Secc. 4.ª]

• La audiencia del interesado es obligada en derecho, al encontrarse consagrada por el artículo 105 c) CE, sin que exista razón alguna para prescindir del trámite de audiencia cuando se otorga una autorización administrativa en precario. Así debe entenderse si, como sucede en el caso de autos, la actividad se ejercía sin que pudiera apreciarse contravención ninguna del ordenamiento jurídico y mientras se encontraba en tramitación el otorgamiento de la licencia definitiva. Por tanto, *se declara la nulidad de la revocación de la licencia otorgada en precario y de la orden de clausura del establecimiento por haberse prescindido del trámite esencial de audiencia del interesado.* [STS 22 marzo 1996, Sala 3.ª, Secc. 4.ª]

II.   Revocación o anulación

1.   En general

• La autorización o licencia constituyen una técnica que no produce efectos consolidados irreversibles, por formar parte de la acción de policía de la Administración, en la que, en todo momento, las demandas del interés público son las que han de prevalecer; de ahí la idea de revocabilidad de las licencias, consustancial con ellas, recogida en el artículo 16 RSCL, sin más problemas que el deber de compensar económicamente al beneficiario, en unos casos, y en otros no. [STS 4 febrero 1986]

• La posibilidad de que los Ayuntamientos anulen las licencias concedidas erróneamente, que es lo que hacen las resoluciones litigiosas, está expresamente prevista en el artículo 15 RSCL (de los Considerandos de la sentencia apelada, aceptados). [STS 29 junio 1987, Sala 4.ª]

• *No puede entenderse que los supuestos de anulación de licencias previstos en el artículo 16 RSCL puedan asimilarse a la expropiación, al no estar en presencia de una función administrativa de provisión de medios.* [STS 27 abril 1988, Sala 4.ª]

• *La revocación de una licencia constituye una actuación administrativa que en ocasiones tiene una dimensión sancionadora y en otras no*; en tanto en cuanto la revocación de una licencia, al igual que su no otorgamiento, se base en el incumplimiento de los requisitos establecidos por el ordenamiento para el desarrollo de la actividad pretendida, no cabe afirmar que se esté ante una medida sancionadora, sino de simple aplicación de ese ordenamiento por parte de la Administración competente; en otros casos, *en cambio, la revocación de la licencia responde a un más amplio margen de apreciación en manos de la Administración, que se ve posibilitada para valorar determinadas conductas como contrarias al ordenamiento —son los denominados casos de revocación-sanción—, apareciendo en tales supuestos el margen de apreciación mucho más patente; trazar la línea divisoria entre ambas medidas*, con pretensión de validez general, resulta poco menos que imposible, y en consecuencia, calificar unas medidas concretas como sanción o simple aplicación de las normas administrativas habilitantes para la gestión de una actividad requiere tener en cuenta las circunstancias de cada caso. [STC 61/1990, Sala 2.ª, de 29 marzo). [STC 181/1990, de 15 noviembre]

• Es sin duda cierto que *la revocación y la anulación son dos figuras distintas*, pero también lo es que la sentencia de instancia no ha revocado sino, en sentido estricto, anulado por motivos de legalidad la licencia de apertura de actividad ampliada. Frente a ello no puede válidamente oponerse la existencia de la licencia como acto firme, consentido o declarativo de derechos. [STS 17 marzo 1994, Sala 3.ª, Secc. 4.ª]

• El recurrente funda su recurso en que la medida adoptada por el Ayuntamiento de Moraleja fue acordada por un órgano administrativo incompetente, al carecer la Corporación Local de competencia para revocar la licencia de apertura que le fue concedida en su día. La demanda está construida, respecto a los motivos de impugnación alegados, sobre la base de considerar que la revocación adoptada tiene una clara naturaleza sancionadora, *sin embargo, la revocación de una licencia constituye una actuación administrativa que puede no tener carácter sancionador.* Al tratarse de condiciones plenamente amparables en la legalidad vigente, y no existiendo datos que hagan presumir que la decisión adoptada derive de la valoración discrecional de conductas del afectado, no parece que pueda calificarse de sanción la medida adoptada.

En efecto, *en tanto en cuanto la revocación de una licencia, al igual que su no otorgamiento, se base en el incumplimiento de los requisitos establecidos por el ordenamiento para el desarrollo de la actividad pretendida, no cabe afirmar que se esté ante una medida sancionadora, sino de simple aplicación de ese ordenamiento por parte de la Administración competente, tarea en la que el margen de apreciación es escaso. En otros casos, en cambio, la revocación de la licencia responde a un más amplio margen de apreciación en manos de la Administración, que se ve posibilitada para valorar determinadas conductas como contrarias al ordenamiento;* en esos casos, típicos de la denominada por la doctrina «revocación-sanción» este último elemento aparece mucho más patente (fundamento jurídico cuarto de la STC 181/1990, de 15 de noviembre). [STSJ Extremadura 8 junio 2000]

• Pero es de entender que ello obvia o ignora la argumentación que se expresa en los Fundamentos de Derecho de la Sentencia recurrida, de cuyos razonamientos se produce una desviación sin que en definitiva se consiga enervarla. *El recurrente o su representación procesal padecen error al entender que la revocación de una licencia de apertura de establecimiento es una sanción administrativa. Pues no todo acto administrativo de contenido o consecuencias desfavorables para los particulares puede considerarse que constituya una sanción.* Ello es lo que sucede en el caso de autos, ya que se está ante una licencia municipal que se otorga, por así decirlo, sometida en términos genéricos al cumplimiento de unas condiciones. Si no se cumple el condicionado el Ayuntamiento tiene potestad para revocar la licencia, según el artículo 16.1 del Reglamento de Servicios de las Corporaciones Locales aprobado por Decreto de 17 de junio de 1955. [STS 17 julio 2000]

2.   Requisitos

• El acto en el que se dio la licencia no contenía una declaración de derechos, sino, una nueva situación precaria que se ha dejado sin efecto por el Ayuntamiento con base en la atribución al mismo conferida por el recurrente, sin más condicionamiento que la propia decisión municipal cuando lo estimara necesario, por lo que es indiferente el examen concreto de las motivaciones de la determinación Municipal que no fueron objeto de condicionamiento y que por tanto no afectarían a la validez del acuerdo a que se refiere la cuestión de fondo y que no puede menos que estimarse ajustado a Derecho con base en el principio jurídico de que nadie pueda ir contra sus propios actos (de los Considerandos de la sentencia apelada). [STS 19 febrero 1982]

• El principio de irrevocabilidad, salvo al resolver recursos de reposición, de los actos y acuerdos de las Autoridades y Corporaciones Locales declaratorios de derechos subjetivos, consagrado en el artículo 369 LRL, quiebra en los casos de licencias municipales, las cuales, a tenor del artículo 16 número 2 RSCL, podrán ser anuladas, *volviendo las cosas al ser y estado primitivo, cuando resultaren otorgadas erróneamente, error definido por la Jurisprudencia como un defectuoso o inexacto conocimiento de una realidad objetiva*. [STS 6 abril 1984]

• En el caso tratándose la anulación de las licencias de distribución y venta de vídeo-películas en cuestión de la anulación de un acto declarativo de derechos por errores no imputables al administrado, a quien por tanto no deben perjudicar aunque entra dentro de las facultades de la Administración —el art. 110 LPA—; tal prerrogativa se halla sujeta a la previa declaración de lesividad para el interés público y la ulterior impugnación ante la jurisdicción contencioso-administrativa, sin que en ningún caso pueda procederse a la anulación de plano. [STS 15 octubre 1988]

• El Ayuntamiento no puede olvidar que ha venido reconociendo a través de sus propios actos que sólo mediante una resolución administrativa adoptada en expediente tramitado con audiencia del interesado podía dar por extinguida o dejar de renovar la licencia de explotación de los puestos de venta en el mercado, y *a la extinción no se le puede dar efecto retroactivo*. [STS 28 febrero 1989, Sala 3.ª, Secc. 1.ª]

• Así las cosas, resultando que la parte actora tiene licencia de apertura, y de obras, desde el año 1984, *el obligarle ahora a realizar unas obras como condición nueva (y sin prueba suficiente para ello), implica de hecho una revocación de la licencia en su día concedida, sin seguir los trámites necesarios para ello*. [STSJ Asturias 23 julio 1998]

• Evidentemente *no es precisa la previa declaración de lesividad para proceder a una revocación de esta clase*, tal como enseñan las Sentencias de esta misma Sala de 7 febrero 1987 y 6 junio 1995. La declaración de lesividad viene impuesta para la anulación del otorgamiento de licencias urbanísticas en virtud de lo dispuesto en el artículo 187.1 del Texto Refundido de la Ley del Régimen del Suelo de 9 abril 1976; mas no para la revocación de las licencias de apertura aun cuando se pretendan fundar conjuntamente en motivos urbanísticos. No obstante, y desde el momento en que resta incombatida la afirmación de que no se ha cumplido cuanto exige el artículo 16 del Reglamento de Servicios de las Corporaciones Locales de 16 julio 1955 para poder revocar válidamente la licencia aludida, huelga efectuar pronunciamiento expreso alguno sobre la materia, procediendo confirmar el fallo recurrido. [STS 30 septiembre 1998]

3. Forma

• Es posible la revocación implícita de la licencia por representar tan sólo una variante de la normal o explícita, regulada en el artículo 16 RSCL y en el artículo 172 LS 1956. [STS 7 noviembre 1981]

• Al establecerse las condiciones de los locales y valorarse las mismas para conceder la licencia originaria es evidente que se declara un derecho en favor del administrado que, en tanto no se produzca una modificación imputable al mismo, juega en su favor y que para alterarse precisa de un procedimiento adecuado que indudablemente no es seguido, demasiado esquemático, y que ni acredita ni comprueba la infracción de normas de seguridad ni que las circunstancias sean distintas de las contempladas cuando se obtuvo la autorización, sin que tenga el más mínimo apoyo legal ni reglamentario (de los Considerandos de la sentencia apelada, aceptados). [STS 28 octubre 1985]

• *El acto administrativo relativo a la anulación de la licencia tiene verdadero carácter declarativo afectante a los derechos del recurrente por cuanto deja sin efecto las consecuencias de una licencia que le había sido otorgada*, por lo que tal decisión debía haberse instrumentado a través del artículo 109 LPA, ya que si este texto legal resulta aplicable supletoriamente en cuanto a nulidades a las Corporaciones Locales, deberá serlo en toda su extensión (De los Considerandos de la sentencia apelada, aceptados). [STS 2 febrero 1987]

• La falta de coordinación producida entre las Juntas de Distrito del caso, que obrando en el ámbito de sus respectivas competencias y con sujeción estricta a la legalidad formal, generaron dos licencias de instalación de quioscos de prensa dentro de la misma calle a ambos Distritos, para ser instalados a distancia inferior a la establecida por la normativa reguladora de la actividad de venta en la vía pública de periódicos y revistas, no puede producir efectos revocatorios de actos declarativos de derechos, *porque en razón de precisiones de seguridad jurídica que amparan la pervivencia de derechos ya declarados, hay que considerar excepcional la técnica revisora que pueda ejercitar la Administración sobre sus propias decisiones, y consecuentemente con ello es doctrina jurisprudencial, plasmada en los artículos 109 y 110 LPA, que los actos declarativos de derechos o situaciones jurídicas no pueden revocarse, desconocerse o anularse sino a través de los procedimientos revisorios que establecen dichos preceptos.* [STS 18 septiembre 1987, Sala 4.ª]

4.   Procedencia

• El Ayuntamiento no rebasó sus facultades al revocar la licencia y ordenar el cese de la actividad industrial, si efectivamente se había extinguido el derecho del actor en la ocupación del terreno en el que estaba instalado el «camping» porque, aunque el artículo 12 RSCL disponga que las licencias se entienden otorgadas sin perjuicio del derecho de propiedad, como establece el Tribunal Supremo en Sentencia 7 julio 1978, la existencia del derecho a la ocupación del terreno de dominio público es condicionante de la licencia, puesto que sólo en virtud de la realidad de aquél cabe conceder o mantener ésta. [STS 28 junio 1980]

• Una vez acreditado que la autoescuela de conductores funcionó durante un tiempo superior a un mes con un solo profesor, procederá, de acuerdo con el artículo 41.3 de la OM 10 abril 1973, revocar la autorización concedida por la inexcusable exigencia, establecida en el artículo 11 de la misma disposición general, de disponer como mínimo de dos profesores. [STS 1 diciembre 1980]

• Aun cuando la teoría jurídica de las nulidades debe ser aplicada con moderación en la esfera administrativa, porque conviene ponderar la importancia que revista el vicio o vicios acusados como generadores de la anulación, el derecho a que afecten y las derivaciones que produzcan, sin embargo, debe declararse la nulidad de pleno derecho del acuerdo municipal que incumple prácticamente todas las formalidades exigidas para su adopción por los artículos 9 y 16 RSCL, y normas complementarias del ROF y LS. [STS 8 febrero 1982]

• *La doble intervención (retirada de una licencia y otorgamiento de otra idéntica, pero a otro titular), es congruente con los fines justos y lógicos que se persiguen, y que no son otros que los de hacer desaparecer y corregir la situación anómala provocada por la primera, al adjudicar como terraza al Bar A un espacio situado frente por frente de la línea de fachada del Bar Z.* [STS 30 octubre 1984]

• *El acto recurrido es, en principio, ajustado a derecho, pues mediante el mismo no se hace sino dejar sin efecto, revocar una licencia por incumplimiento de las condiciones de su otorgamiento;* así lo prevé el artículo 46.1 en relación con el artículo 43.2, ambos del RD 2816/1982, de 27 agosto (Reglamento General de Policía de Espectáculos Públicos y Actividades Recreativas), texto reglamentario que confiere a los Ayuntamientos la competencia para el otorgamiento y revocación de las autorizaciones de instalaciones destinadas a espectáculos o actividades recreativas (de los Considerandos de la sentencia apelada, aceptados). [STS 12 julio 1988, Sala 4.ª]

• Son datos fácticos a puntualizar en el caso: a) la posesión por el actor de una licencia de apertura de la actividad desde el 20 de febrero de 1971; b) la solicitud de una licencia de ampliación del negocio efectuada poco después; c) la confusión creada por la propia Administración en el estudio de lo que debe quedar dentro del ámbito de la ampliación y lo que afecta a las obras que incidan directamente en el campo amparado por la licencia primitiva; d) la dificultad, si es que no existe imposibilidad absoluta, de decretar una clausura de actividad que se constriña exclusivamente a obras de ampliación y no de las originarias; e) la necesidad de instruir específicamente la solicitud de licencia de ampliación, resolviendo su aprobación o desaprobación conforme a derecho; y f) la eventualidad de que pueda decretarse no sólo la no aprobación de la ampliación del negocio, si lo impone el Derecho, sino hasta la revocación de la licencia originaria, si el actor incumple requerimientos legales o mantiene construcciones manifiestamente improcedentes, bajo la aplicación, por concurrencia de las condiciones necesarias, de lo previsto en el artículo 16 RSCL. [STS 13 octubre 1988, Sala 4.ª]

• La infracción que se denuncia del art. 16.3 del Reglamento de Servicios de las Corporaciones Locales (Decreto de 17 junio 1955) pretende apoyarse en la consideración de que, tratándose de la revocación de una licencia por haber advertido el Ayuntamiento la existencia de error en su concesión inicial, sería de aplicar el resarcimiento que aquel precepto establece. Esta infracción tampoco puede ser apreciada, *pues ha de advertirse que la revocación que el repetido precepto contempla —y la consecuencia indemnizatoria que establece— está referida a las licencias que hayan adquirido firmeza y que posteriormente sean anuladas. No es éste el caso que aquí se presenta, pues la licencia inicial fue dejada sin efecto a consecuencia de la estimación del recurso de reposición planteado contra el acto administrativo que acordó su otorgamiento, es decir, antes de que el mismo hubiera ganado firmeza.* [STS 5 julio 1993]

• *El incumplimiento de las condiciones de autorización —venta de bebidas alcohólicas y otros productos— no amparadas por la licencia determina la revocación de la misma* por aplicación del Decreto de concesión y artículo 16 del Reglamento de Servicios de Corporaciones Locales que así lo prevé expresamente, siendo el artículo 1 de la ordenanza transcripción literal de aquél. [STSJ Andalucía, Sevilla, 4 diciembre 2000]

• *Resultando probado el ejercicio de actividades no amparadas por la licencia de café-teatro que tiene concedida el local de autos, es decir, constatada la extralimitación del uso del local para actividades distintas de las autorizadas, debe confirmarse la sentencia apelada que a su vez confirma la resolución del Ayuntamiento de Bilbao que revoca la licencia concedida* para el ejercicio de actividad de hostelería en el local denominado «...», sito en la calle núm.... de Bilbao, ordenando su cese. [STSJ País Vasco 20 mayo 2003]

5. Improcedencia

• Las incidencias, por malos olores y análogas, que la explotación avícola de autos pueda suponer para la propiedad o finca rústica vecina, han de encontrar su solución en la adopción de las medidas correctoras que la práctica del ejercicio de la actividad demande si es que las previstas en el proyecto resultan insuficientes, pero nunca impedir la existencia de la granja instalada en local y situación adecuados. [STS 5 mayo 1981]

• *Ni la queja de unos vecinos ni «razones de interés general» pueden legitimar la revocación de una licencia otorgada, según informe del técnico-administrativo, de conformidad con las Ordenanzas municipales, al no incidir en ninguno de los supuestos a que se refiere el artículo 16 RSCL, ya que el criterio de unos vecinos no es identificable con el general y público de una comunidad, que en otro caso debe venir amparado en la Ley para ser estimado como tal* (de los Considerandos de la Sentencia apelada, aceptados). [STS 27 junio 1984]

• Resulta improcedente la anulación de un acto denegatorio de la licencia solicitada, ajustado a las ordenanzas aplicables, prohibitivas de una instalación, por la situación y extensión de la misma, que incluso devino firme, por consentimiento del interesado. [STS 4 febrero 1986]

• Acreditada la conformidad de las instalaciones de cámaras acorazadas y archivos en el sótano del edificio con las ordenanzas municipales vigentes en el tiempo en que se adoptó el Decreto desestimatorio del recurso de reposición, así como las aplicables en el tiempo en que se solicitó el cambio de uso del sótano y se ordenó la retirada temporal de la licencia, debe entenderse ya cumplida la condición impuesta, y por ello carente de fundamento la orden de retirada temporal de la licencia, y ser pertinente la legalización del cambio de uso de parte del sótano que se hizo contraviniendo la licencia otorgada. [STS 12 diciembre 1989, Sala 3.ª, Secc. 1.ª]

6. Indemnización

• Habiéndose revocado por Decreto del Alcalde Presidente del Ayuntamiento la licencia otorgada para la ejecución de las obras de construcción de viviendas y locales comerciales, quedando la misma sin efecto, y confirmada la referida resolución por Decreto de la propia Alcaldía, desestimatoria del recurso de reposición promovido frente al anterior, que adquirió firmeza al no ser impugnado en la vía contencioso-administrativa, *es a partir de la última fecha desde la que debe computarse el plazo de un año establecido para poder reclamar daños y perjuicios a la Corporación Local, y cuando resultando manifiesto el transcurso del plazo, se estime el aludido plazo como de caducidad* —con arreglo al art. 411 LRL, 24 junio 1955— como si lo fuera por prescripción conforme al artículo 122, número 2 LEF, 16 diciembre 1954 en relación con el 133, número 2 de su Reglamento 26 abril 1957, la reclamación indemnizatoria por daños y perjuicios, ejercitada resulta extemporánea. [STS 2 diciembre 1980]

• Habiendo revocado el Ayuntamiento apelante la licencia de autos, por haberla concedido erróneamente al no advertir en el momento de su concesión que el otorgamiento de licencias en la zona estaba suspendido por un anterior acuerdo del propio

Ayuntamiento, resulta rechazable su negativa a reconocer al titular de la licencia revocada el derecho de indemnización que reclama. [STS 30 junio 1982]

• *La anulación de una licencia lleva consigo, a tenor del artículo 16 RSCL, el consiguiente resarcimiento de daños y perjuicios que se hubieren causado, daños y perjuicios cuya cuantía debe determinarse en ejecución de sentencia al amparo del artículo 84 LJCA, tomando como base las instalaciones específicas realizadas por el demandado como consecuencia del otorgamiento de la licencia y que no sean utilizables para otro destino en el mismo puesto, si continúa el demandado en él con otra actividad o transportables a otro nuevo puesto al que vaya a trasladar su comercio, además de cualquier otro perjuicio legítimo y que sea consecuencia de la anulación hasta la determinación y pago de la indemnización por no ser procedente en Derecho.* [STS 4 enero 1983]

• *En aquellos supuestos en los que no se acuerda el resarcimiento de los daños y perjuicios producidos al propio tiempo que se declara la revocación de la licencia, la revocación es improcedente e ilegal* (SSTS 9 abril 1969, 28 febrero 1970 y 17 abril 1978 (de los Considerados de la sentencia apelada, aceptados). [STS 19 septiembre 1983]

• *La clausura de la actividad sin audiencia del interesado, lo que comporta la infracción de un precepto adjetivo, comporta un resultado análogo al de una anulación de licencia por concesión errónea o por nuevos motivos, y el ordenamiento anuda a estos actos el correspondiente resarcimiento de daños y perjuicios, conforme al artículo 16.3 RSCL* (de los Considerandos de la sentencia apelada, aceptados). [STS 16 julio 1986]

• En el caso, el uso de almacén, que es el principal, es un uso fuera de ordenación, debido a un error en la concesión de la licencia, por lo que tal situación permite la revocación de la licencia, por aplicación del artículo 16 números 2 y 3 RSCL, pero con resarcimiento de los daños y perjuicios que la revocación ocasione. [STS 26 marzo 1987]

• Implica el acuerdo recurrido un exceso en el normal ejercicio de la acción que corresponde a la Administración, que fue contrario al principio de equidad y al derecho de la recurrente, ya que *la denegación de la licencia para la actividad, implícitamente consentida por razones urbanísticas, durante 13 años, equivale a la revocación de las meritadas licencias sin la indemnización que corresponde a la titular de las mismas.* [STS 18 marzo 1991, Sala 3.ª, Secc. 1.ª]

• La revocación de la licencia por cambio de criterios de apreciación es una revocación por razones de oportunidad: la licencia otorgada lo fue con arreglo a Derecho; sin embargo, pasado el tiempo, la Administración, revisando su anterior criterio, no considera su mantenimiento conveniente en atención a nuevos criterios de simple oportunidad o conveniencia; por el contrario, la revocación por cambio de circunstancias es un caso de ineficacia sobrevenida; en ella la concesión de la licencia lo fue también conforme a Derecho; sin embargo, una vez que la licencia está en funcionamiento, surgen determinadas circunstancias que resultan incompatibles con el desarrollo de la actividad que la licencia permite y autoriza. Así pues, mientras que en el primer caso la razón que motiva la revocación es voluntaria (el cambio de criterio), en el segundo la causa de la revocación (cambio de circunstancias) le viene dada a la Administración, motivando la indemnización, precisamente, la voluntariedad de la causa o motivo de la revocación (de los considerandos de la sentencia apelada). [STS 3 julio 1991, Sala 3.ª, Secc. 1.ª]

• La licencia de actividad principal, que era la de venta de bebidas, sólo puede ser objeto de revocación si resulta disconforme con las prescripciones del planeamiento posterior, y con el abono de la correspondiente indemnización. [STS 4 marzo 1998]

• En cierto modo ha venido a compartir esta última postura de la actora la sentencia impugnada (y ello ha motivado el recurso de apelación del Ayuntamiento de Zaragoza, que también es preciso examinar) en la medida en que, si bien declara no haber lugar a la nulidad del Acuerdo 6 abril 1990, entiende que dicho acuerdo constituye un supuesto específico de revocación de licencia municipal válidamente otorgada, y que es obligado —de conformidad con el artículo 16 del Decreto 17 junio 1955, regulador del Reglamento de Servicios de las Corporaciones Locales— que *esa revocación haya de llevar aparejada la correspondiente obligación de resarcimiento, resarcimiento —ha de agregarse aquí— que no tiene por qué coincidir precisamente con la indemnización solicitada como consecuencia de la suspensión temporal del servicio de surtidor de gasolina.* [STS 16 septiembre 1998]

• El otro aspecto se halla referido a la pretensión de indemnización interesada en la primera instancia por la apelada y reconocida por la sentencia recurrida, acerca del que debe señalarse que ante la ausencia de objeción que haya sido deducida por el Ayuntamiento de Madrid, aparece claro el título de pedir conforme al artículo 16.3 RSCL *puesto que la causa real de la revocación hecha en los términos que antes constan, aunque devenida firme, es posterior a los requisitos contemplados para la concesión de la licencia y por lo mismo se halla tal revocación sujeta a indemnización en los términos legales expresados sin que el Decreto de revocación denegara la misma ni se haya alegado por el Ayuntamiento en el proceso causa de extinción de tal derecho,* afectado dada la fecha en que se produjo la clausura de la industria por una causa de extinción que si se fundara en la letra del artículo 40.3 LRJAE de 1957, aplicable en razón al tiempo, en su referencia al concepto de caducidad, no es menos cierto que ello no es propio dados sus antecedentes, ya que la naturaleza de la causa extintiva del derecho al resarcimiento se ha configurado por la Sentencia de esta Sala de 24 de julio de 1989 como de prescripción, la que sólo tendría efecto cuando se alegara por el deudor, en este caso el Ayuntamiento de Madrid, que no lo ha hecho; a diferencia de las situaciones de caducidad propiamente dichas que son apreciables de oficio.

Mas, por otra parte, tampoco podría ser aplicada. En efecto; *sólo ante la lesión cierta por la ejecutividad en cualquier momento del acto, no hipotética o posible, es cuando nace el derecho a solicitar la indemnización en términos* del artículo 40.1 LRJAE, cuya regulación posteriormente se explicitó por el artículo 139.2 LRJ-PAC 30/1992 con referencia a la efectividad del daño, al establecer una regulación que se corresponde a la concepción del artículo 1969 del CC, el que señala como *dies a quo* para el ejercicio de la acción «desde el día en que pudieron ejercitarse»; y a cuya concepción no es contrario el artículo 40.3 LRJAE de 1957; por ello, acordado ejecutivamente el cierre de la empresa en 13 de septiembre de 1990 al desestimar el recurso de reposición interpuesto por «Gráficas Ochoa» contra el Decreto de 6 de julio anterior que acordó la clausura, sólo desde el 14 de septiembre de 1990 se inicia el plazo de extinción del derecho a reclamar la indemnización por el daño, de forma que aun si se calificara tal plazo como de caducidad en atención al literal del artículo 40 LRJAE, a la fecha de 18 de octubre de 1990 que es la de interposición del recurso contencioso-administrativo, no había transcurrido el año a que se refiere el artículo 40.3 LRJAE de 1957, por lo que tampoco por esta vía halla fundamento la perención del derecho de la apelada, de que se deduce ser procedente la condena a la indemnización que establece la sentencia recurrida.

Todo lo que antecede determina la estimación parcial del recurso en cuanto a declarar conforme a Derecho la clausura acordada de la industria dada la inexistencia a tal fecha de la licencia que amparaba la apertura de la industria a causa de la revocación de aquella licencia, consentida por la apelada conforme a lo que antes se expone; lo que determina en este punto la revocación de la sentencia recurrida y, de otra parte, la confirmación de la misma en cuanto al pronunciamiento indemnizatorio a favor de «Gráficas Hermanos Ochoa, SA». [STS 27 enero 1999]

• El Tribunal Supremo ha declarado reiteradamente, en aplicación e interpretación del art. 16 del Reglamento de Servicios de las Corporaciones Locales (Entre otras las Sentencia de la Sala 3.ª; Sección 1.ª de 21 de marzo de 1989, y de la Sala 4.ª de 19 de septiembre de 1983, que recogen idénticos pronunciamientos de otras sentencias), que *un acuerdo de revocación de una licencia concedida por error (o por la adopción de nuevos criterios de apreciación a los que asimismo alude el indicado art. 16, en sus apartados 1 y 3) no era válida si al mismo tiempo no se acordaba el resarcimiento de los daños y perjuicios que se causaban* y que «en aquellos supuestos en los que no se acuerda el resarcimiento de los daños y perjuicios producidos, al mismo tiempo que no declara la revocación de la licencia, es improcedente e ilegal». [STSJ Galicia 8 noviembre 2002]

• El segundo submotivo debe correr la misma suerte que el primero porque *el hecho incontrovertible de haber aceptado, sin reserva alguna, una indemnización derivada de las revocación de la única licencia de apertura existente, cuál era la de venta de frutas y verduras, impide solicitar nueva o mayor indemnización por una consecuencia de aquella revocación, cual es la posible pérdida de los derechos de traspaso del local*, como así lo declaró la Sala de instancia, sin que pueda cuestionarse la exactitud de la apreciación jurídica, hecha en la sentencia recurrida, acerca de que las consecuencias de la revocación de un acto administrativo son independientes de las relaciones jurídicas entre terceros, caso de la licencia de apertura del puesto de venta de frutas y verduras respecto de los derechos u obligaciones que vinculasen a su titular con el propietario del local. [STS 14 julio 2004]

7. Efectos

Una vez anulada una licencia previamente concedida, la misma no pudo ser transmitida, de conformidad con el principio de derecho recogido en el aforismo «*nemo dat quod non habet*» (de los Considerandos de la sentencia apelada, aceptados). [STS 29 octubre 1982]

• El artículo 16 RSCL distingue cuatro clases de revocación: por incumplimiento de condiciones, por cambio de circunstancias, por cambio de criterios de apreciación y por error en el otorgamiento. Y, asimismo, para la tercera de las enumeradas que coincide con la revocación por razones de oportunidad, *exige indemnización de los daños y perjuicios que ocasione la retirada de la licencia*. En el caso de la revocación por cambio de circunstancias, que es un supuesto de ineficacia sobrevenida por incompatibilidad de la licencia con las circunstancias surgidas con posterioridad a su otorgamiento, *se trata de una revocación obligada o forzosa que no lleva aparejada ordinariamente indemnización, si bien, como ha precisado la jurisprudencia, no cabe considerar, a estos efectos, como cambio objetivo de circunstancias, aquel que es determinado por la propia Administración.* [STS 19 julio 1996, Sala 3.ª, Secc. 4.ª]

III. Caducidad de la licencia

1. Procedencia

La Jurisprudencia se muestra restrictiva en este tema de la caducidad de licencias, señalando que no opera dicha caducidad de modo automático, y que no basta, simplemente, con la inactividad del titular, por lo que «el instituto de la caducidad de las licencias municipales ha se acogerse con cautela» y aplicándolo moderadamente, como dicen, entre otras, las Sentencias del Tribunal Supremo, alegadas por la actora, de 20 mayo 1985, 18 julio 1986, 22 marzo 1989, etcétera.

En la STS 13 febrero 1995, se señala que procede la caducidad una vez acreditado «que la licencia no ha sido utilizada ni se ha realizado obra alguna para la que fue solicitada», siempre previa audiencia al interesado. [STSJ Navarra 24 julio 1998]

Atendido lo cual, debe estimarse vulneradas las prescripciones técnicas del Proyecto Técnico y de las condiciones impuestas por el Ayuntamiento demandado, lo que determina la legalidad del acuerdo de caducidad de la licencia, conforme al artículo 16 del Reglamento de Servicios de las Corporaciones Locales. [STSJ Comunidad Valenciana 17 marzo 2001]

El cese de la actividad, motivo determinante de la caducidad de la licencia, es reconocido expresamente por la parte actora en su escrito de alegaciones de 8 de mayo de 1996, al decir que «de lo expuesto podemos evidentemente deducir, que realmente la causa que motiva la caducidad de la licencia se ha producido, circunstancia ésta innegable». Ello no impide, en modo alguno, que la parte actora pueda ejercitar las acciones que estime que le asisten por los diversos motivos que alega tanto en sede administrativa como judicial, pero no en este recurso contencioso-administrativo, circunscrito al examen de la conformidad o no a Derecho de la resolución impugnada, que, como queda dicho, resulta plenamente conforme con la normativa aplicable, sin que proceda indemnización alguna. [STSJ Cataluña 21 mayo 2001]

Frente a lo que se señala en el recurso de apelación ha de indicarse que está suficientemente acreditado el cierre del establecimiento para el que tenía la licencia de apertura el aquí apelante para el mencionado bar «Muerdago», pues consta la diligencia de lanzamiento de 2 de noviembre de 1999 de ese bar, dictada en ejecución de la sentencia de desahucio de 20 de julio de 1999, del Juzgado de Primera Instancia de Salamanca, lo que comporta, como se señala en la sentencia apelada, el cierre de ese local-bar, al extinguirse el derecho de arrendamiento que legitimaba al arrendatario aquí apelante para ocupar el local. De esta forma es claro que cuando se dictó la resolución de la Alcaldía impugnada de 11 de septiembre de 2000 —e incluso cuando se inició el expediente—, *acordando la caducidad de la licencia de apertura del citado bar «Muerdago», este bar llevaba cerrado al público por un tiempo «superior a seis meses», por lo que era procedente la caducidad de esa licencia a tenor de lo dispuesto en el art. 9 de la Ordenanza municipal núm. 214.* [STSJ Castilla y León, Valladolid, 15 noviembre 2001]

Por último se ha de señalar, que si conforme al artículo 6 del Reglamento de Actividades Molestas, Insalubres, Nocivas y Peligrosas, es el Alcalde el competente para la concesión de licencias, y si conforme al artículo 38 del citado Reglamento aprobado por Decreto de 20 de noviembre de 1961 núm. 2414/1961, corresponde al Alcalde, disponer la retirada temporal o definitiva de la licencia, *es claro que también el Alcalde está facultado para declarar la caducidad de la licencia por cumplimiento de las condiciones en la misma establecida*, además de que tal potestad también aparece reconocida, de acuerdo con lo dispuesto en el Reglamento de Organización y Funcionamiento de las Corporaciones Locales, artículo 41 y en el Reglamento de Servicios, artículos 15 y 16, entre otros. [STS 12 febrero 2002]

Pero como hemos dicho, la confusión creada por la ilícita segregación de la actividad no puede beneficiar al recurrente, en relación con la concreta cuestión que nos ocupa que no es otra que la falta de actividad del local en su totalidad, y la declaración de caducidad de la licencia como consecuencia de ello, cuestión en relación con la cual únicamente se alega por el SR. Juan Ignacio indefensión por no haber sido oído, lo que ya hemos descartado, y concurriendo la causa de caducidad invocada por la resolución recurrida, procede confirmar el acto administrativo recurrido. [STSJ País Vasco 31 octubre 2002]

Partiendo de los anteriores postulados jurisprudenciales, no cabe duda que la aplicación de la causa de caducidad prevista en el artículo 58 e) de la Ordenanza Municipal de Contaminación Acústica, implica una retroactividad de primer grado, prohibida por la Ley, pues el titular del establecimiento litigioso se dio de baja en el IAE en el mes de agosto de 1997, esto es, cuando aquella norma municipal todavía no había entrado en vigor, de manera que su aplicación se está proyectando sobre una situación jurídica ya agotada. *Sin embargo, no se puede decir lo mismo de la aplicación de la causa de caducidad prevista en el artículo 58 d) (cierre del establecimiento por un período superior a seis meses), pues si bien desde la entrada en vigor de la Ordenanza Municipal hasta la presentación de la solicitud de cambio de titularidad (el 20 de mayo de 1998) transcurrieron únicamente cuatro meses, de suerte que los dos restantes han de imputarse a un período de tiempo anterior a la entrada en vigor de aquella norma municipal, no obstante, cuando entró en vigor, los efectos jurídicos de la caducidad no se habían consumado todavía, por lo que nos encontramos, ante un supuesto de retroactividad de grado medio.* Esta retroactividad debe ser aceptada teniendo en cuenta la finalidad de la norma y las circunstancias específicas que concurren en el presente caso, como es que, en definitiva, las previsiones que se contienen en el artículo 58 de la Ordenanza municipal de Contaminación Acústica del Concello de Lugo tienen por finalidad reforzar el carácter temporal de las licencias, que por su propia naturaleza son temporales, y como ya razona la STS de 3 de diciembre de 1998, citando a su vez la de 10 de junio de 1997, *la norma que establece el régimen de la caducidad, aunque sea ulterior a su concesión, no hace sino consagrar legalmente un aspecto sustancial de la licencia, añadiendo que la prohibición de retroactividad que contempla el artículo 9.3 de la Constitución, referida a disposiciones sancionadoras no favorables o restrictivas de derechos individuales (considerados éstos como derechos fundamentales), nada tiene que ver con los derechos incorporados a la licencia»*. [STSJ Galicia 17 enero 2003]

2.   Improcedencia

Tampoco cabría estimar caducada la licencia inicial por falta de legalización de las obras de reforma, pues para esto habría sido precisa la instrucción de un expediente administrativo completo en el que se hubiese justificado la no ejecución de las obras en el plazo que legalmente se hubiese señalado al interesado y por motivos ajenos a él, dado que la caducidad de las licencias no es automática conforme a la reiterada doctrina de este Tribunal; y *tampoco podía declararse, sin expediente previo, la pérdida de efi-*

cacia de la licencia aplicando el art. 2.5.20.4 del Plan General de Ordenación Urbana de Madrid, pues su operatividad está siempre subordinada a la observancia del procedimiento (ya visto), establecido en los reseñados arts. 36, 37 y 38 del Reglamento de Actividades Molestas, Insalubres, Nocivas y Peligrosas, procedimiento que, según ya queda expresado, en este caso no se siguió. [STS 5 octubre 1993]

Son rechazables las alegaciones del Ayuntamiento a que al haber permanecido el local cerrado en 1990 y 1991 la licencia había quedado sin efecto ya que, por un lado, tal inactividad no ha quedado probada; por otro, las resoluciones recurridas no se basan ni contempla tal circunstancia; y por último el art. 47.2 del Reglamento de Policía de Espectáculos Públicos de 1982 lo que contempla es la ineficacia de la licencia de apertura o de puesta en funcionamiento, pero no la caducidad de la licencia de actividad propiamente dicha. [STSJ Cataluña 14 octubre 1997]

En cuanto al motivo que pretende la anulación de la resolución del acto impugnado, por entender que las licencias se encontraban caducadas, es patente que dicha tesis se encuentra en frontal contradicción con la doctrina que esta Sala viene sosteniendo en punto a caducidad de las licencias. La caducidad de las licencias no opera de modo automático, como sostiene el Gobierno Canario. Es necesario, para su declaración, que se incoe un expediente en el que se oiga al titular de la licencia cuya caducidad se pretende. En ese expediente habrán de ponderarse las circunstancias que en él concurren a efectos de formular el pronunciamiento adecuado.

La inexistencia de procedimiento destinado a declarar la caducidad impide, de raíz, que este argumento pueda prosperar. El recurrente lo que puede es solicitar que se incoe el expediente destinado a tal fin, pero es evidente que la caducidad invocada no puede ser apreciada. [STS 3 junio 2002]

La recurrente considera que la declaración de caducidad de su licencia se sustenta únicamente en las manifestaciones recogidas en el informe efectuado por la Policía Local de Etxebarri en fecha 16 de febrero de 1998 —folio 43 del expediente administrativo— informe que carece de las exigencias legales pertinentes para que, de conformidad con lo dispuesto en el art. 137.3.º de la Ley 30/1992, de 26 de noviembre, tenga valor probatorio, por lo que al ser ese informe el único elemento de prueba utilizado por la Administración, nos encontramos ante un expediente de caducidad de licencia instruido con una falta total y absoluta de actividad probatoria por parte de la Administración actuante, invocando el principio constitucional de presunción de inocencia. Alega también la recurrente la vulneración de la doctrina jurisprudencial del Tribunal Supremo y de esta Sala que insiste en que para la declaración de caducidad de una licencia de la naturaleza de la que nos ocupa no basta con la simple inactividad del titular durante un lapso de tiempo más o menos largo, sino que precia además una ponderada valoración de los hechos, circunstancias concurrentes y forma en que los acontecimientos sucedan, especialmente cuando éstos sean indicativos de una inequívoca voluntad de no abandonar el proyecto por parte del titular de la licencia. [STSJ País Vasco 30 diciembre 2002]

Que no se produce la caducidad de las licencias de actividad y de apertura cuando ha habido cambio en la titularidad del negocio y no se ha comunicado ese cambio. [STSJ Castilla y León, Burgos, 26 abril 2004]

CAPÍTULO VII

LOS INFORMES DEL EXPEDIENTE

I.   COMENTARIO

Una parte esencial del expediente son los informes que en el mismo han de constar, de tal forma que su ausencia provocará la anulabilidad de los actos que se dicten (art. 48.2 LPACAP) por cuanto aquéllos son necesarios, por así exigirse en la normativa, para formar un criterio ajustado a derecho del órgano que ha de otorgar la licencia.

La legislación se ha encargado de dejar bien claro la necesidad de los informes, sobre todo los de carácter técnico, que tienen una doble función. La primera, la de verificar si la actividad proyectada está o no permitida por el planeamiento o normas urbanísticas. La importancia de este informe radica en que sobre el mismo se deberá de decidir si se admite a trámite el expediente o por el contrario se debe de denegar la licencia solicitada por razones urbanísticas.

La segunda, y admitido el expediente a trámite, consiste en examinar el proyecto técnico presentado, y comprobar si el mismo cumple con la normativa aplicable al caso.

Los informes podemos agruparlos en los siguientes grupos:

   a) Informe urbanístico.

   b) Informe sobre instalaciones.

   c) Informe sanitario.

   d) Informe jurídico.

   e) Informes de las Comisiones Calificadoras de Actividades.

• *Los Informes Urbanísticos*, como hemos dicho anteriormente, son los primeros que se emiten con la finalidad de verificar si la actividad para la que se solicita la licencia de apertura está permitida en los planes de ordenación urbana y ordenanzas municipales, en su caso. Se hará referencia a la calificación urbanística de la zona en que se pretenda ubicar la actividad, la situación relativa del local respecto del edificio o manzana, usos permitidos, etc., con indicación de si el planeamiento vigente admite o no la instalación de que se trate1.

Los Arquitectos o Arquitectos técnicos, son los técnicos habituales en la emisión de informes, lo que provoca en numerosas Corporaciones locales problemas derivados de la carencia de estos técnicos, y que se debe de subsanar mediante el asesoramiento técnico que por parte de las diputaciones provinciales se les ha de realizar, según dispone el artículo 36.1 b) de la Ley 7/1985, de 2 abril, Reguladora de las Bases del Régimen Local:

Son competencias propias de la Diputación las que les atribuyan, en este concepto, las Leyes del Estado y de las Comunidades Autónomas en los diferentes sectores de la acción pública y en todo caso:

[...]

b) La asistencia y cooperación jurídica, económica y técnica a los Municipios, especialmente los de menor capacidad económica y de gestión.

• *Los informes sobre instalaciones* pertenecen al segundo grupo. Se emiten con posterioridad a los de carácter urbanístico y tiene como finalidad examinar el proyecto técnico y memoria en relación con el volumen y categoría de la actividad, potencia instalada, nivel sonoro, circunstancias que de modo especial incidan en el medio ambiente atmosférico o acuático, tratamiento y eliminación de productos residuales, etc., con indicación de la valoración de los elementos correctores propuestos así como de las medidas que estimen necesario exigir en orden a reducir las causas de las molestias, insalubridad, nocividad o peligro, a límites aceptables.

En la emisión de estos informes pueden intervenir uno o varios técnicos suficientemente cualificados por razón de la materia, lo que también provocará el problema señalado en los informes urbanísticos, siendo aplicable la misma solución allí dada.

• *Los informes sanitarios*, son consecuencia de una parte, y como no podría ser de otra manera, de su exigencia por parte de la legislación específica sobre actividades clasificadas para verificar la incidencia que en la salud pública tiene la actividad sometida a licencia, y por otro, vienen a ser reflejo de la competencia que las corporaciones locales tienen en materia de sanidad. Este control sanitario de las corporaciones locales se pone de manifiesto por lo tanto, en una primera fase cuando el expediente se somete al responsable sanitario, ya que como consecuencia de las transferencias de competencias a las Comunidades Autónomas, las referencias a los Jefes de Sanidad habrán de entenderse hechas a los correspondientes órganos de la específica institución orgánica de los Servicios de Salud, diseñados en la Ley 14/1986, de 25 abril, General de Sanidad. El citado informe podrá ser emitido, en función de la actividad de que se trate, tanto por personal médico, como farmacéutico o veterinario.

En relación con el ámbito de las actividades a las que se pueden ver afectadas por la emisión de este informe, bien podría decirse que el mismo quedará circunscrito a aquellas de base sanitaria, relacionadas con la higiene de los alimentos y con la sanidad ambiental.

• *Los informes jurídicos*, deberán de ser emitidos por el Secretario de la Corporación o por el Jefe de la Dependencia a la que corresponda tramitarlos, ya que no todos los Ayuntamientos disponen de la misma estructura y personal para realizarlos.

Dispone el Reglamento de Organización, Funcionamiento y Régimen Jurídico de las Entidades Locales:

Art. 172.- 1. En los expedientes informará el Jefe de la Dependencia a la que corresponda tramitarlos, exponiendo los antecedentes y disposiciones legales o reglamentarias en que funde su criterio.

2. Los informes administrativos, jurídicos o técnicos y los dictámenes de las Juntas y Comisiones se redactarán con sujeción a las disposiciones especiales que les sean aplicables y se ceñirán a las cuestiones señaladas en el decreto o acuerdo que los haya motivado.

Art. 175.- Los informes para resolver los expedientes se redactarán en forma de propuesta de resolución y contendrán los extremos siguientes:

a) Enumeración clara y sucinta de los hechos,

b) Disposiciones legales aplicables y alegación razonada de la doctrina, y

c) Pronunciamientos que haya de contener la parte dispositiva.

El art. 3.3 b) del Real Decreto 128/2018, de 16 de marzo, por el que se regula el régimen jurídico de los funcionarios de Administración Local con habilitación de carácter nacional, dispone respecto la función pública de secretaria que el asesoramiento legal preceptivo comprende « La emisión de informes previos siempre que un precepto legal o reglamentario así lo establezca».

Ha de indicarse que los informes tienen carácter preceptivo y no vinculante, y en los mismos se han de contemplar, aparte de las circunstancias antes referidas, las posibles alegaciones o reclamaciones presentadas durante el trámite de información pública.

El artículo 80.1 LPACAP establece que «Salvo disposición expresa en contrario los informes serán facultativos y no vinculantes».

II.   JURISPRUDENCIA

• «La falta de previo informe jurídico en el procedimiento de otorgamiento de la licencia impugnada, a que se refiere el artículo 4 del Reglamento de Disciplina Urbanística de 23 de junio de 1978, **no vicia de nulidad el acto impugnado**, ya que su falta no significa que se haya prescindido total y absolutamente del procedimiento legalmente establecido (artículo 47-1-c) de la ley de Procedimiento Administrativo), sino que constituye un mero defecto de forma (artículo 48-2 de la misma) que **no arrastra la invalidez del acto sino cuando produce indefensión o cuando le impide alcanzar su fin, lo que no es el caso** (Así lo hemos dicho en nuestra sentencia de 26 de diciembre de 1995)». [STSJ Castilla y León (Burgos) 9 septiembre 2011.- LA LEY 273611/2011]

• En la Ley vasca 3/1998, de 27 de febrero General de Protección del Medio Ambiente, la implantación o modificación de actividades clasificadas, siguiendo la tradición del Reglamento de Actividades Molestas Insalubres Nocivas o Peligrosas se sujeta a la obtención de la llamada licencia de actividad, mediante un procedimiento en el que, precisamente en consideración al el impacto ambiental que pueden producir, es preceptivo un trámite de información pública y la notificación personal a los vecinos inmediatos al lugar donde haya de implantarse (art.58). **Tras la emisión de los informes técnicos preceptivos y de las alegaciones presentadas, la Administración ambiental**

competente puede considerar suficientes las medidas adoptadas en el proyecto técnico presentado, ó, si las considera insuficientes, debe emitir un informe imponiendo las medidas correctoras que considere precisas, informe que es vinculante para la Administración municipal competente para otorgar la licencia de actividad.

En el supuesto de que **el informe antedicho imponga medidas correctoras**, la autoridad municipal ha de conceder la licencia de actividad, condicionada a la ejecución de las obras con fidelidad al proyecto presentado y a la implementación de las medidas correctoras impuestas, que operan a modo de *conditio iuris*. [STSJ País Vasco 16 marzo 2012.- LA LEY 273812/2012]

III. REPERTORIO HISTÓRICO DE JURISPRUDENCIA

• Que sobre los *vicios de procedimiento* a que hace referencia la demanda, ha de advertirse: a) aun siendo cierto que no existe constancia de que se cumpliese la exigencia del art. 29 del citado Reglamento cuando requiere la presentación «por triplicado» de la instancia dirigida al Alcalde y documentación necesaria, no es éste un defecto formal determinante de la anulabilidad del acto, pues no se trata de un requisito indispensable para alcanzar su fin y no podía dar lugar a indefensión —art. 48, núm. 2, de la L. Pro. Adm.—; y b) *es también irrelevante que el preceptivo informe del Jefe Local de Sanidad (art. 30 del Reglamento), se emitiera tardíamente, puesto que, en definitiva, fue favorable a la implantación de la industria por no ofrecer «ningún problema sanitario».* [STS 3 marzo 1980]

• A tenor de la disposición adicional quinta RAM *las autoridades municipales quedan obligadas a denegar la concesión de la licencia cuando los informes de la comisión Provincial de Servicios Técnicos sean contrarios al establecimiento de la actividad.* [STS 2 junio 1980]

• La peligrosidad que viene reconocida por la Comisión de Servicios Técnicos, crea una situación respecto de la Corporación local, en que *el informe tiene el carácter de vinculante, pues si bien es cierto que la misión atribuida a tal Comisión deja siempre a salvo la competencia de los Ayuntamientos, puesto que las normas de su creación pretendían el ejercicio de un control técnico, no lo es menos que cuando se deniega la instalación el Ayuntamiento no es libre para autorizar discrecionalmente el funcionamiento de industrias.* [STS 30 junio 1980]

• La Sociedad actora aduce defectos de procedimiento consistentes en la falta de la preceptiva intervención en el expediente de la Comisión Provincial de Servicios Técnicos, alegación que ha de ser acogida por esta Sala 4.ª de conformidad con lo dispuesto en el artículo 31 del RAM. [STS 8 julio 1980]

• El artículo 5 RAM señala, cuando se trata de pequeños talleres artesanos y de explotación familiar, que han de utilizarse en su calificación, como industria molesta, insalubre, nociva o peligrosa, los criterios menos rigurosos posibles, a fin de no equipararlos a los utilizados con las industrias de importancia y relevante repercusión en la seguridad y salubridad públicas. No puede, por tanto, negarse el otorgamiento de la licencia para establecimiento y apertura de un taller de carpintería de escasa entidad, en el que sólo trabajarán el solicitante de la licencia y un cuñado suyo, existiendo en aquél una maquinaria de muy escasa potencia y, además estando igualmente acreditada la existencia de varias instalaciones industriales de mayor envergadura en solares prácticamente colindantes con aquél donde, desde 1959, venía ya funcionando el aludido taller. [STS 14 julio 1980]

• *El dictamen de calificación de la Comisión Provincial de Servicios Técnicos en relación con una industria formulado en un impreso oficial en el que no consta expresamente el examen de la garantía y eficacia de los sistemas correctores propuestos, no constituye razón suficiente para conceptuarlo de infundado e inservible a los fines del artículo 33 RAM*, pues allí se consigna que la calificación se hace, previo examen del expediente tramitado por el Ayuntamiento, y en éste constan cuatro informes técnicos, de los que resulta el carácter de la industria, y las consecuencias molestas, nocivas e insalubres no resultan suficientemente eliminadas por los medios correctores propuestos que se analizan detalladamente, informes, que entrañan un cabal cumplimiento de las previsiones del artículo 33.1 RAM, lo que confiere a la calificación un real fundamento que hace improcedente declarar su nulidad por motivos solamente formalistas, que sólo conducirían a la repetición del dictamen con infracción del principio de economía procesal. [STS 3 octubre 1980]

• *La intervención de la Comisión Provincial de Servicios Técnicos* en el ejercicio de actividades calificadas como molestas, insalubres, nocivas o peligrosas, *viene condicionada siempre a la solicitud del ejercicio de tal actividad, y cuando tal solicitud no se ha producido, aquellas industrias, establecimientos o actividades, pueden ser clausuradas por la propia Alcaldía, por ser clandestinas*, clausura en la que no tiene intervención alguna la referida Comisión, por ser ejercicio de una competencia expresamente atribuida a la Alcaldía, por el artículo 38 RAM. [STS 10 marzo 1981]

• En el específico procedimiento de Actividades, posterior a la LPA, y amparada su legalidad por la autorización concedida al Gobierno por su disposición final 4 en la referencia a las Corporaciones Locales, no está previsto el trámite de audiencia, sino para el interesado solicitante de la autorización y para el caso de que la Comisión Delegada de Saneamiento rechace los sistemas correctores propuestos por éste. [STS 10 marzo 1981]

• No es discrecional el dictamen que debe emitir la Comisión Provincial de Saneamiento, a tenor a los artículos 4 y 20 RAM. [STS 3 abril 1981]

• Aunque la actividad de destrucción de basuras está incluida en el Nomenclátor anexo al Reglamento de Actividades Molestas, Nocivas, Insalubres y Peligrosas con la doble calificación de molesta y de insalubre y nociva, el hecho de obtener esta clasificación no supone que no pueda ser ejercitada la correspondiente actividad industrial, sino que para su funcionamiento deben proponerse unas medidas correctoras, con la debida eficacia y garantía de seguridad, que pueden ser aceptadas o rechazadas por la Comisión Provincial de Servicios Técnicos, conforme al artículo 33 RAM, y sin que la calificación de una actividad como incluida en las prescripciones reglamentarias tenga el significado de impedir su funcionamiento, *dado que esa calificación se hace con la finalidad de que la Administración se asegure de que la actividad no implica incomodidades, daños, perjuicios o peligros de ninguna clase.* [STS 9 junio 1981]

• *Los informes de la Comisión de Servicios Técnicos sólo son vinculantes en el caso de que contengan calificación de actividades* —por implicar denegación de licencia o imposición de medidas correctoras— *pero jurídicamente no pueden serlo respecto de las objeciones opuestas y amparadas en las circunstancias urbanísticas concurrentes en el lugar del emplazamiento*, cuya valoración es de la exclusiva competencia municipal. [STS 15 junio 1981]

• Solicitada una licencia municipal para proceder a la construcción de dos silos para almacén de cemento, fue denegada porque la polución atmosférica consecuencia de los derrames de cemento, afectaría a las zonas más próximas de la ciudad, basándose para ello, el Ayuntamiento, en el informe del ingeniero, lo que implica la nulidad de las actuaciones por existir a tal efecto una normativa específica que prevé órganos idóneos y especialmente cualificados para pronunciarse acerca de las actividades molesta, insalubres, nocivas y peligrosas, y el municipio debió practicar las informaciones previstas en la Ley para la ulterior remisión del expediente a la Comisión Provincial de Servicios Técnicos y una vez resuelto por ésta, ejercitar el Ayuntamiento sus propias competencias. [STS 14 julio 1981]

• La Comisión Provincial de Servicios Técnicos omitió formular el preceptivo informe que con arreglo al artículo 33 RAM, le incumbe, cuya falta origina la anulabilidad del acto, según el artículo 48.2 LPA, sin que la posterior aportación de informe después de más de un año de que se dictara el acto impugnado, permita la convalidación del mismo. [STS 5 octubre 1981]

• Habiéndose omitido formular el preceptivo informe señalado en el artículo 33 RAM, se origina la anulabilidad del acto, según el artículo 48.2 LPA. [STS 12 noviembre 1981]

• No puede sostenerse que la autorización para construir habilite para la práctica de la actividad, cuando ésta se halla comprendida en el RAM y las disposiciones concordantes, puesto que *la competencia municipal para permitir la instalación es concurrente con la de la Comisión Provincial Delegada de Saneamiento, cuyo informe es vinculante para el Ayuntamiento* (SSTS 14 febrero 1978, 14 febrero 1979 y 25 junio 1981). [STS 25 noviembre 1981]

• *La fuerza vinculante de los informes desfavorables de la Comisión Provincial de Saneamiento, aunque obliga inevitablemente al Ayuntamiento a denegar la licencia, no quiere decir que esta denegación sea, por esa única razón,* conforme a derecho, sino únicamente que la revisión judicial de su legalidad se traslada al referido informe con el objeto de examinar si sus conclusiones vienen o no fundadas en una acertada valoración de las características específicas que concurren en la industria sobre la cual se informa. [STS 15 octubre 1982]

• *Ante la confusión surgida de los defectos del expediente, informes técnicos municipales y, singularmente, del dictamen de la ponencia, cuya falta de claridad impide a la Sala llegar a una conclusión* resolutoria al no aparecer claro y tajante si es favorable o desfavorable, procede declarar la nulidad del expediente administrativo desde su remisión a la superioridad por el Ayuntamiento a la Comisión Delegada de Saneamiento, cuyo expediente habrá de remitirse completo para que, por dicha Comisión, se cumplimenten los artículos 31 y ss. RAM (De los Considerandos de la sentencia apelada, aceptados). [STS 29 octubre 1982]

• Aunque se hubiera aprovechado por el Ayuntamiento la ocasión de resolver el expediente para oponer reparos urbanísticos y, por consiguiente, hubiera de declararse la invalidez de este motivo de denegación, no por ello la licencia resultaba concebible, puesto que en definitiva, seguiríamos encontrándonos con un informe de la Comisión

Provincial desfavorable al ejercicio de la actividad y, *el carácter vinculante de aquél imponía a la Autoridad municipal la obligación de denegarla.* [STS 12 marzo 1984]

• *El artículo 7.2 RAM sanciona el carácter vinculante, para la Autoridad municipal, del informe de la Subcomisión de Saneamiento cuando es desfavorable a la concesión de licencia de apertura.* [STS 27 septiembre 1985]

• *El carácter vinculante del informe* del Departamento de Urbanismo y Medio Ambiente del Gobierno Autonómico respecto a la apertura del establecimiento dedicado a venta, exposición y reparación de automóviles, que pretende la sociedad recurrente, *no lo es conforme con lo dispuesto en el artículo 7.2 RAM que determina que serán vinculantes los informes en el mismo comprendidos en el caso de denegación de licencias o la imposición de medidas correctoras de las molestias o peligros de la actividad, carácter vinculante a efectos de condicionar la resolución del alcalde de un Ayuntamiento,* en el sentido de tener que denegar la licencia o, en su caso, imponer las medidas correctoras determinadas en el informe pero que no impide que en el uso de su competencia el alcalde deniegue la licencia si concurren unas circunstancias debidamente apreciadas que lo justifiquen a base a la normativa aplicable de competencia municipal, como es la Policía viaria, sin que el alcalde esté forzado a otorgar la licencia cuando el informe es favorable, artículo 30.2 RAM. [STS 2 enero 1996, Sala 3.ª, Secc. 4.ª]

• Tenemos que concluir que con carácter previo, debe existir dicho informe y condicionamiento y *su carencia, determinaría la nulidad del expediente completo desde el inicio; ésta es la tesis mantenida por el Tribunal Superior de Justicia de la Comunidad Valenciana, entre otras muchas en su reciente Sentencia núm. 980/1997, 6 octubre 1997.* [STSJ Comunidad Valenciana 18 noviembre 1998]

• La resolución denegatoria es plenamente ajustada al criterio jurisprudencial expuesto y resuelve, no de forma discrecional sino fundada en la normativa urbanística aplicable, la solicitud planteada, *sin que pueda pretenderse un efecto vinculante del informe del Arquitecto técnico que no está calificado reglamentariamente como vinculante,* además de que el problema planteado es la inexistencia de una previsión específica de emplazamiento para este tipo de actividades. [STSJ Andalucía, Granada, 17 julio 2000]

• Pues no hay que olvidar, que el artículo 33 del Decreto de 30 de noviembre de 1961, en la redacción otorgada por el Decreto 3494/1964 de 5 de noviembre, autoriza la concesión de licencia, en determinados supuestos, incluso sin informe de la Comisión Provincial de Servicios Técnicos, o del órgano que lo haya sustituido, siempre claro está, que el expediente se hubiese remitido a la citada Comisión, cual en el supuesto aconteció. [STS 17 julio 2001]

• Entrando ya en la cuestión propiamente de fondo, la Sala comparte plenamente la tesis de la sentencia recurrida, en el sentido de que *concurre una causa de nulidad de pleno derecho en el acto administrativo combatido, cifrada en la inválida emisión de informe por parte del Arquitecto Técnico Municipal en cuanto al cumplimiento de las medidas correctoras que debía observar el establecimiento* titularidad del señor M. C. En efecto, no nos hallamos ante una simple inobservancia procedimental, un defecto formal que no habría provocado indefensión. Por el contrario, ante la clara indicación del órgano autonómico competente de las medidas correctoras a cumplir, resulta que el técnico municipal encargado de dar el visto bueno al establecimiento y al mencionado cumplimiento de los requisitos legal y reglamentariamente exigidos para las actividades clasificadas, ostenta un evidente interés directo en el asunto, dado que había redactado el proyecto de adaptación del local comercial en bar, así como había sido el autor del proyecto de demolición del edificio anteriormente existente en el lugar, y del proyecto de edificación posterior. Conflicto de intereses tan palmario, tan groseramente evidente, que vicia de nulidad de pleno derecho la resolución municipal apoyada en tan irregular informe, porque en el procedimiento [art. 62.1.e) de la Ley 30/1992, de Régimen Jurídico de las Administraciones Públicas y del Procedimiento Administrativo Común] constituye una infracción radical de las normas para el dictado del acto administrativo procedente. [STSJ Castilla-La Mancha 7 octubre 2002]

CAPÍTULO VIII

RÉGIMEN SANCIONADOR

I.   COMENTARIOS

Desde una perspectiva práctica, para abordar el tema de las infracciones y sanciones, deberemos de tener en cuenta las siguientes cuestiones con carácter general, a la vista de las distintas alternativas que tanto el ordenamiento estatal como el autonómico nos ofrecen, y ello debido a que es tal la complejidad existente, el número y clases de infracciones existentes, la graduación de las mismas, y las diversas clases de sanciones, con cuantías distintas, dispares y en muchos casos desorbitadas, porque no se debe de olvidar que cuando se pone una sanción es con el fin de que la misma no sólo sirva de ejemplo para el que comete la infracción y disuasoria para el resto, sino que además pueda ser pagada por el infractor. Y en este aspecto el legislador olvida la realidad y con demasiada ligereza contempla sanciones que difícilmente se pueden pagar, por lo que se produce el efecto contrario al que toda norma sancionadora ha de perseguir, que no es precisamente la de recaudar, sino la de impedir que se cometan actos ilícitos.

Dicho lo anterior, deberemos de tener presente en la instrucción de expedientes sancionadores por infracciones del ordenamiento en materia que directa o indirectamente afecta a los establecimientos comerciales o industriales, los siguientes aspectos:

- El órgano competente para instruir y resolver el expediente.

- El procedimiento a seguir.

- La/s norma/s a aplicar.

- La sanción a imponer.

Derogado el R.D. 1398/1993, de 4 de agosto, por el que se aprueba el Reglamento del Procedimiento para el Ejercicio de la Potestad Sancionadora (disposición derogatoria única. 2 e) de la LPACAP), será a través de la citada LPACAP y de la LRJSP, donde encontremos los fundamentos de la potestad sancionadora, con la novedad de que desaparece el secretario del procedimiento (art. 13.1 c) del RD 1398/1993), recayendo el peso administrativo del mismo en el instructor (art. 64.1 LPACAP).

Junto con las normas administrativas, el ordenamiento penal a través del artículo 325 del Código Penal, tipifica los delitos contra los recursos naturales y el medio ambiente (arts. 325 a 331), reforzándose el control que la Administración ha de realizar sobre las actividades productoras de efectos molestos, insalubres, nocivos o peligrosos, a la vez que se plantea el problema de delimitar la frontera entre el ilícito penal y la infracción administrativa, cuestión ésta que en determinadas circunstancias puede ser origen de conflicto, precisamente por la imprecisión que la norma penal establece, al ser una norma penal en blanco, y que de alguna forma viene a ser aclarada por las disposiciones legales que regulan las infracciones y sanciones.

Cuando las infracciones pudieran ser constitutivas **de delito o falta**, se pondrá en conocimiento del Ministerio Fiscal los hechos, absteniéndose la Administración de continuar el procedimiento sancionador. Así se recoge en:

1. Andalucía

• **Ley 7/2007, de 9 de julio, de Gestión Integrada de la Calidad Ambiental**

Art. 163. Remisión a la jurisdicción penal.- En los supuestos en que las infracciones pudieran ser constitutivas de delito o falta, la Administración dará cuenta de los hechos al Ministerio Fiscal y se abstendrá de proseguir el procedimiento sancionador hasta que recaiga resolución judicial firme en los supuestos de identidad de sujeto, hecho y fundamento. En el caso de no haberse apreciado la existencia de delito o falta, el órgano administrativo competente continuará el expediente sancionador. Los hechos declarados probados en la resolución judicial firme vincularán al órgano administrativo.

2. Aragón

• **Ley 11/2014, de 4 de diciembre, de Prevención y Protección Ambiental de Aragón**

Art. 112.2.- Cuando el órgano competente estime que los hechos pudieran ser constitutivos de ilícito penal, lo comunicará al órgano jurisdiccional penal competente o al Ministerio Fiscal. El órgano instructor del procedimiento administrativo sancionador deberá suspender su tramitación hasta que recaiga resolución judicial en los supuestos en que existiere identidad de hechos, sujetos y fundamento entre el ilícito administrativo y el ilícito penal.

3. Canarias

• **Ley 7/2011, de 5 de abril, de actividades clasificadas y espectáculos públicos y otras medidas administrativas complementarias**

Art. 73.- Cuando de la instrucción de un procedimiento sancionador resultasen indicios racionales de la existencia de materia delictiva, se pondrán los hechos en conocimiento del Ministerio Fiscal a los efectos que procedan.

4. Castilla y León

• **Decreto Legislativo 1/2015, de 12 de noviembre, por el que se aprueba el Texto Refundido de la Ley de Protección Ambiental de Castilla y León**

Art. 87.- Cuando en la instrucción de los procedimientos sancionadores aparezcan indicios de delito o falta, el órgano competente para iniciar el procedimiento lo pondrá en conocimiento del Ministerio Fiscal, absteniéndose de proseguir el procedimiento en los supuestos previstos legalmente. En estos últimos supuestos, la sanción penal excluirá la imposición de sanción administrativa, pero no la adopción de las medidas restauradoras de la legalidad.

5. Comunidad Valenciana

• **Ley 6/2014 25 de julio, de la Generalitat, de Prevención, Calidad y Control Ambiental de Actividades en la Comunitat Valenciana**

Art. 98.1.- Cuando, con ocasión de la incoación del procedimiento sancionador, se aprecien indicios de que determinados hechos puedan ser constitutivos de delito o falta, el órgano administrativo competente para su iniciación lo pondrá en conocimiento de la jurisdicción penal y del ministerio fiscal, y se suspenderá el procedimiento administrativo sancionador mientras la autoridad judicial no hubiera dictado resolución firme que ponga fin al procedimiento o tenga lugar el sobreseimiento o el archivo de las actuaciones o se produzca la devolución del expediente por el Ministerio Fiscal, quedando interrumpido entretanto el plazo para la resolución del procedimiento sancionador.

De no haberse apreciado la existencia de delito o falta, el órgano administrativo competente continuará el expediente sancionador. Los hechos declarados probados en la resolución judicial firme vincularán al órgano administrativo.

6. Extremadura

• **Ley 16/2015, de 23 de abril, de protección ambiental de la Comunidad Autónoma de Extremadura**

Art. 130.3.- Cuando el supuesto hecho infractor pudiera ser constitutivo de delito o falta, se dará traslado del tanto de culpa al Ministerio Fiscal, suspendiéndose desde ese mismo momento la tramitación del procedimiento administrativo sancionador mientras la autoridad judicial no hubiera dictado resolución firme que ponga fin al procedimiento o tenga lugar el sobreseimiento o el archivo de las actuaciones o se produzca la devolución del expediente por el Ministerio Fiscal. De no haberse apreciado la existencia de delito o falta, el órgano administrativo competente continuará con la tramitación del procedimiento. Los hechos declarados probados en la resolución judicial firme vincularán al órgano administrativo.

7. Islas Baleares

• **Ley 7/2013 de 26 de noviembre, de régimen jurídico de instalación, acceso y ejercicio de actividades**

Art. 108.1.- Cuando se aprecien indicios de que determinados hechos pueden ser constitutivos de delito o falta, con motivo de la incoación del procedimiento sancionador, el órgano administrativo competente lo comunicará a la jurisdicción penal o al Ministerio Fiscal, absteniéndose de continuar el procedimiento administrativo mientras la autoridad judicial no se haya pronunciado.

8. La Rioja

• **Ley 6/2017, de 8 de mayo, de Protección del Medio Ambiente de la Comunidad Autónoma de La Rioja**

Art. 56.2.- Cuando el supuesto hecho infractor pudiera ser constitutivo de delito, se dará traslado del tanto de culpa al Ministerio Fiscal, suspendiéndose desde ese mismo momento la tramitación del procedimiento sancionador mientras la autoridad judicial no hubiera dictado resolución firme que ponga fin al procedimiento o tenga lugar el sobreseimiento o el archivo de las actuaciones o se produzca la devolución del expediente por el Ministerio Fiscal. De no haberse apreciado la existencia de delito o falta, el órgano administrativo competente continuará el expediente sancionador. Los hechos declarados probados en la resolución judicial firme vincularán al órgano administrativo.

9. Navarra

• **Ley Foral 4/2005, de 22 de marzo, de intervención para la protección ambiental**

Art. 82.2.- Cuando el órgano competente estime que los hechos pudieran ser constitutivos de ilícito penal, lo comunicará al órgano jurisdiccional penal competente o al Ministerio Fiscal. El órgano instructor del procedimiento administrativo sancionador deberá suspender su tramitación hasta que recaiga resolución judicial en los supuestos en que existiere identidad de hechos, sujetos y fundamento entre el ilícito administrativo y el ilícito penal.

II. JURISPRUDENCIA

1. Actividad sin licencia

• **La consecuencia jurídica de la falta de licencia de funcionamiento, no puede ser otra que la clausura de la actividad** pues como manifiestan las Sentencias de la sala Tercera del Tribunal Supremo de 10 de junio y 24 de abril de 1.987 la apertura clandestina de establecimientos comerciales e industriales o el ejercicio sin la necesaria licencia de actividades incluidas en el Reglamento de 30 noviembre 1.961, obligan a adoptar, de plano y con efectividad inmediata, la medida cautelar de suspender la continuación de las obras, clausurar el establecimiento o paralizar la actividad, con el fin de evitar que se prolongue en el tiempo la posible transgresión de los límites impuestos por exigencias de la convivencia social, hasta la obtención de la oportuna licencia que garantice la inexistencia de infracciones o la adopción de las medidas necesarias para corregirlas, **la decisión de precinto y clausura adoptada constituye la medida de carácter cautelar y no sancionadora, más apropiada para impedir la continuidad de una actividad clandestina, que se ejerce sin la preceptiva licencia**, por tanto sin garantía para el superior principio de respeto a la seguridad de los ciudadanos. [STSJ Madrid 3 diciembre 2009.- LA LEY 284441/2009]

• A su vez el recurrente no ha negado que esté realizando la actividad, con lo que se trata de ejercicio de una actividad sin la autorización pertinente. Se trataría de una actividad continuada, que no prescribe, por lo que la Administración en cualquier momento puede dictar orden de cese de actividad y posterior clausura, **además de abrir procedimiento sancionador, con imposición de una sanción de multa por comisión de infracción, cuyo tipo sancionador es el referido, no constituyendo en ningún caso infracción leve**, al ejercerse la actividad en suelo no urbanizable especialmente protegido. [STSJ Madrid 27 noviembre 2013.- LA LEY 203856/2013]

• La decisión de **precinto y clausura adoptada constituye la medida de carácter cautelar y no sancionadora**, más apropiada para impedir la continuidad de una actividad clandestina, que se ejerce sin la preceptiva licencia, por tanto sin garantía para el superior principio de respeto a la seguridad de los ciudadanos. [STSJ Madrid 12 junio 2013.- LA LEY 131130/2013]

• No puede olvidarse que en el régimen sancionador intervienen otros elementos, entre ellos el trascendental de la culpabilidad, que han de valorarse en función de las circunstancias concretas, sin que e**l mero hecho objetivo de tener abierto un establecimiento sin licencia sea de por sí, al margen de un examen de la culpabilidad, del elemento intencional, merecedor de la sanción**. [STSJ Andalucía (Sevilla) 30 enero 2015.- LA LEY 50885/2015]

2. Indefensión

• **No ha causado indefensión** la denegación de la prueba documental interesada puesto que **en ningún momento la Administración demandada cuestionó que la recurrente hubiera solicitado la licencia de actividad** para la planta de lavado y clasificación de áridos el 21 de octubre de 2001, razonando en la propuesta de resolución y en la resolución sancionadora que, con independencia de que hubiera obtenido dicha licencia por silencio positivo, lo que era incuestionable **es que no había solicitado ni, por tanto, obtenido la correspondiente licencia de apertura**, no obstante lo cual dicha planta estaba en pleno funcionamiento cuando se tramita el procedimiento sancionador, por lo que incurría en la infracción que se le imputaba. [STSJ Castilla y León (Valladolid) 31 enero 2011.- LA LEY 28432/2011]

3. Nulidad

• Concluyendo la **incoación de expediente sancionador y la suspensión de la actividad y el precinto de la antena de telefonía móvil** acordados en la Resolución de fecha lo fueron, según revela su lectura, exclusivamente por no haber obtenido licencia ambiental, considerando como **infracción grave no haber obtenido la licencia para el funcionamiento de la instalación** y no requiriendo las instalaciones de telefonía móvil licencia ambiental, **es obvio que no deben obtener tampoco licencia de funcionamiento y en consecuencia la resolución de incoación del expediente sancionador y medida provisional es nula**, siendo este el criterio que seguirá esta Sala y Sección estimando en consecuencia el recurso y revocando al sentencia apelada. [STSJ Comunidad Valenciana 25 junio 2014.- LA LEY 133043/2014]

4. Principios del régimen sancionador

• **El principio de proporcionalidad**, que inspira este precepto, aconseja asimismo entender que «las **posibilidades de subsanación o no de los defectos que se pongan de manifiesto en el ejercicio de la actividad dependen también de las manifestaciones que se hagan en el trámite de audiencia** concedido al interesado como **paso previo para la aplicación de las correspondientes medidas o sanciones** y del carácter más o menos grave y prolongado, en este caso, de la actividad productora del exceso de ruido». Añadiendo en dicha sentencia que «**la gravedad de los incumplimientos y del riesgo o molestias generados por la actividad son las que deben determinar la graduación de la reacción de la Administración con el fin de preservar el interés general de los ciudadanos en relación con los intereses particulares del afectado, al que no pueden aplicarse medidas que vayan más allá, en la restricción de sus derechos, de las estrictamente necesarias para garantizar el fin perseguido por la norma.** Este no es otro que el de garantizar la protección y seguridad evitando que las instalaciones, establecimientos y actividades en general produzcan incomodidades o riesgos a las personas y bienes que se encuentran próximos, alteren las condiciones normales de salubridad e higiene, alteren el medio ambiente u ocasionen daños a las riquezas pública o privada». [STSJ Cantabria 1 abril 2009.- LA LEY 55612/2009]

• Los **principios del derecho sancionador en el ámbito administrativo se corresponden con los del derecho penal**; el Tribunal Constitucional (Sentencias n.º 3/1988, de 5 febrero 1988, Rec. 926/1984. y n.º 101/1988,, de 25 junio 1988, Rec. 654/1987.) ha señalado que el Art. 25.1 CE comprende una **doble garantía: La primera, de orden material y alcance absoluto,** tanto por lo que se refiere al ámbito estrictamente penal como al de las sanciones administrativas, que se traduce en la imperiosa necesidad de predeterminación normativa de las conductas ilícitas y de las sanciones correspondientes, y **la segunda, de carácter formal**, se refiere al rango necesario de las normas tipificadoras de aquellas conductas y reguladoras de aquellas, lo que aparece cumplido en el presente supuesto, en que la sanción se ha impuesto de forma proporcional, como figura en la sentencia recurrida, dada la buena fe del actor y por tratarse de primera infracción, además de aplicarse al efecto el art. 131 de la Ley 30/92 y el conocimiento del actor de carecer de licencia de apertura e instalación. [STSJ Madrid 27 noviembre 2013.- LA LEY 203856/2013]

• **Una consolidada doctrina del Tribunal Constitucional y del Tribunal Supremo, viene declarando que el elenco de garantías enunciadas en los artículos 24 y 25 de la CE, como propios del Proceso Penal, son trasladables al ámbito del Procedimiento Administrativo sancionador** en la medida en que aquéllas resultan compatibles con la naturaleza de éste último, como es el caso de los **principios de legalidad y tipicidad, que no pueden ser obviados por la Administración** debiéndose significar que la propia Ley 30/92 de 26 de noviembre configura un completo sistema de garantías del administrado frente a la potestad sancionadora de la Administración que desencadena una serie de derechos básicos de tutela del ciudadano que constituyen un verdadero estatuto, y entre lo que destacan, **el derecho a ser informado de los hechos que se le imputen** —a fin de que el interesado pueda defenderse en el seno mismo del procedimiento sin imponérsele la carga de interponer para ello un recurso contencioso-administrativo, **el de formular alegaciones, el de audiencia contradictoria, el de utilizar prueba adecuada, y el de valerse de los medios de defensa procedentes, actuando la prohibición de indefensión—**

entendida como una limitación de los medios de defensa atribuible a una indebida actuación administrativa —como **una clausura de cierre del sistema de garantías**, que evite la causación de una efectiva lesión de los derechos de defensa en un concreto procedimiento globalmente considerado—. En consecuencia, **cualquier acto administrativo que imponga una sanción con vulneración de las precitadas garantías y principio generales del derecho sancionatorio, ha de estimarse nulo de pleno derecho** por violentar el orden público de las libertades consagradas como valores constitucionales, entre lo que tiene especial trascendencia el de presunción de inocencia que ha de ser enervado mediante prueba fehaciente, o indiciaria, siempre que esta sea múltiple y coincidente y lleve a una única consecuencia de culpabilidad, de acuerdo con los criterios generales de la lógica humana, doctrina ésta recogida por el TS en sentencias de 8-3-2000, 27-1-96, 14-7-98. [STSJ Madrid 11 noviembre 2015.- LA LEY 181005/2015]

5. Proporcionalidad de la sanción

• **Tampoco es acogible la alegada falta de proporcionalidad de la sanción**, debiendo también remitirnos a lo razonado en la sentencia recurrida. No cabe desconocer que la sentencia habla de los ruidos provocados por música del establecimiento, excediéndose de los límites máximos previstos en la Ordenanza de aplicación, **causando molestias que constituyen en sí mismas una alteración intencionada por parte del titular de las condiciones, instalaciones y elementos inicialmente prescritos en la licencia de actividad**. No resulta discutido y está acreditado, que al citado establecimiento **se le han incoado procedimientos sancionadores por distintos hechos constitutivos de la misma infracción lo que abunda en la intencionalidad de la conducta y en la reiteración de la misma**, o al menos existe negligencia de la entidad actora al no controlar debidamente que su actividad no emitiera más ruido del permitido, y evitar que el sonido no se transmitiese a los moradores de los pisos inmediatos superiores del edificio donde se encuentra el establecimiento. De manera que **no puede considerarse desproporcionada la sanción impuesta de un mes y un día de suspensión de la licencia de apertura**, el período de tiempo mínimo del establecido en el artículo 29.b.2.º de la Ley 37/2003, al igual que la sanción pecuniaria que se encuentra en el grado mínimo de la que puede imponerse cumulativamente como señala el referido artículo 29.1. [STSJ Aragón 9 julio 2013.- LA LEY 210048/2013]

6. Sujetos responsables

• Cuando la infracción cometida consiste en no obtener la licencia previa que ampare el ejercicio de la actividad el responsable, resulta ocioso señalarlo, **es la persona obligada a obtener dicha licencia o, si se prefiere, es el titular de la actividad obligado a su obtención a quien debe sancionarse** tal y como, por otro lado, aquí ha acontecido. [SJCA N.º 2 Tarragona 24 septiembre 2015.- LA LEY 158067/2015]

III. REPERTORIO HISTÓRICO DE JURISPRUDENCIA

1. En general

• El ejercicio en el local de autos, por parte del demandado, de una actividad para la que precisaba una licencia municipal que ni solicitó, ni obtuvo, omitiendo por consiguiente la adopción de las medidas de seguridad que para el correcto funcionamiento de su industria le hubieran sido exigidas, implica una indudable negligencia por parte del mismo, con repercusión directa en el incendio que produjo daños sobre los bienes de los demandantes. [STS 8 julio 1982, Sala 1]

• Las sanciones determinadas en el artículo 38 RAM tienden a que las medidas ordenadas para la desaparición de la molestia, insalubridad, nocividad o peligro sean adoptadas por el titular de la licencia a cuyo efecto, y previa comprobación llevada a cabo, el alcalde, dando audiencia al interesado, puede imponer sanciones, sin que a la tramitación del expediente regulado especialmente en ese artículo le sean aplicables los artículos 133 y ss. LPA (de los Considerandos de la sentencia apelada, aceptados). [STS 21 enero 1985]

• El Alcalde decidió ordenar, como medida cautelar y hasta que se dictase resolución en el expediente, que la empresa se abstuviera de depositar más carbón en sus instalaciones, concediéndole al propio tiempo un plazo de 10 días de audiencia y vista del expediente a fin de que pudiera presentar los documentos y justificaciones que estimara pertinentes en defensa de sus derechos, y tal medida, tomada en el seno de un procedimiento en trámite, no puede calificarse de sancionadora por su carácter provisional, en cuanto que no pone fin al procedimiento seguido. [STS 23 septiembre 1987, Sala 5.ª]

• Las medidas de policía responden a su condición de técnicas variables, de acuerdo con los avances de la técnica y de la ciencia, espoleadas por las exigencias sociales de una mayor comodidad y seguridad, lo que se ve sumamente claro en el sector de las actividades molestas, insalubres, nocivas y peligrosas, en las que la concesión de licencias no las convierte en situaciones petrificadas e inamovibles; en definitiva, si la Administración dispone de una potestad modalizadora interna de los servicios públicos «para la buena marcha del servicio» (art. 65 LCE), con más razón debe disponer de facultades para, en actuación de policía, velar por la seguridad de las personas y de los bienes de la forma en que técnicamente mejor se pueda conseguir. [STS 3 julio 1991, Sala 3.ª, Secc. 5.ª]

• El artículo 34 RAM previene que, obtenida la licencia de instalación de una actividad calificada incluida en el Reglamento, la misma no podrá comenzar a ejercerse sin que antes se gire la oportuna visita de comprobación por el funcionario técnico competente, tanto por la actividad de que se trate como por la naturaleza y el daño que la misma pudiera causar; y los siguientes artículos 36, 37, 38, 40 y 41 determinan el procedimiento que se ha de seguir cuando las actividades del Reglamento se ejercen con deficiencias, habiendo de señalarse en primer lugar un plazo para su corrección (art. 36), transcurrido el cual se habrá de girar visita para inspeccionar si se han corregido o no las deficiencias, debiéndose informar al respecto, y a la vista de ese informe el alcalde dictará resolución razonada concediendo o no un segundo e improrrogable plazo, que no excederá de 6 meses, para que el propietario dé cumplimiento a lo ordenado (art. 37), y agotados los plazos anteriores sin que por el requerido se hayan adoptado las medidas ordenadas, el alcalde, a la vista del resultado de las comprobaciones llevadas a cabo, y dando audiencia al interesado, dictará providencia imponiendo las sanciones de multa, retirada temporal de licencia —con clausura o cese de la actividad— o retirada definitiva de la licencia concedida (art. 38). [STS 5 octubre 1993, Sala 3.ª, Secc. 4.ª]

• Admiten los artículos 1.2 y 133 LPA la vigencia de procedimientos sancionadores especiales distintos del regulado en su Título VI, Capítulo II, por ejemplo, procedimiento sancionador de los funcionarios de la Administración Civil del Estado, de la Ley del Suelo, etc. Entre esos procedimientos sancionadores especiales se encuentra precisamente el regulado en los artículos 36, 37 y 38 RAM y 15 de la Orden del Ministerio de la Gobernación de 15 marzo 1963 (instrucciones complementarias del RAM) (SSTS 15 octubre 1990, 4 enero 1991, 27 octubre y 18 noviembre 1992, 22 junio, 19 julio y 5 octubre 1993 y 18 octubre 1994). [STS 7 mayo 1996, Sala 3.ª, Secc. 7]

2.　Comprobación y requerimientos previos

• La instalación de una sala de fiestas o discoteca es una actividad regulada por el Reglamento de Actividades Molestas, cuyo artículo 34 dispone la visita de comprobación del funcionario técnico correspondiente antes del inicio de la actividad, y cuyo artículo 36 establece una vigilancia periódica de forma que los Alcaldes requerirán a los propietarios para que, en el plazo que se señale, corrijan las deficiencias probadas: dicha regulación permite al Ayuntamiento, una vez en marcha la discoteca, girar inspección y requerir mejoras de insonorización, como se hizo y se obedeció en una ocasión, para rebajar el nivel de ruidos transmitidos a las viviendas contiguas por debajo de los 45 decibelios; pero, sin embargo, *es contrario al ordenamiento jurídico el acuerdo municipal de imponer sanciones al propietario de la discoteca por exceso de ruidos en la actualidad si no se ha iniciado nueva investigación por los servicios técnicos municipales, ni, por supuesto, se ha requerido a la propietaria para la adopción de las nuevas medidas correctoras que resulten pertinentes, y por ello procede la anulación de las expresas sanciones.* [SAT Zaragoza 4 junio 1981]

• *La finalidad del artículo 35 RAM no es otra que introducir un criterio técnico en la comprobación de las deficiencias e irregularidades que puedan observarse en las actividades sometidas a licencia. Sin embargo, ello no supone necesariamente que se trate siempre de un funcionario con una cualificación o titulación técnica el que lleve a cabo la comprobación, de modo tal que cuando ésta pueda hacerse por medios técnicos fiables ha de entenderse que se ha cumplido la finalidad de la norma.* Este razonamiento lleva a la consecuencia de que cuando la policía municipal, empleando los medios técnicos adecuados, lleva a cabo la comprobación no se produce una vulneración del D 2412/1961, siendo entonces aplicable la atribución de competencias que efectúa a favor de aquella policía la Ley Orgánica 2/1986, de 13 marzo (Fuerzas y Cuerpos de Seguridad). Esto de ningún modo puede llevar a entender que la intervención del funcionario técnico, prevista por el Reglamento, pueda ser sustituida por la actuación de la policía municipal en todo caso, procediendo esta sustitución únicamente en aquellos supuestos en que el empleo de instrumentos utilizados por personas sin una formación específica respecto a la materia dé lugar de forma indudable a resultados técnicamente correctos. *La interpretación estricta y excesivamente formalista de entender que no sólo habían de emplearse medios técnicos sino que además debía intervenir un facultativo o especialista, contraviene lo dispuesto en el artículo 53.1 d) Ley Orgánica 2/1986 en cuanto ignora las competencias de la policía municipal y la posibilidad de que se ejerciten empleando los medios técnicos adecuados.* [STS 22 septiembre 1995, Sala 3.ª, Secc. 4.ª]

3. Audiencia del interesado

• El defecto de falta de trámite de audiencia, del artículo 38 RAM, no puede determinar en todos los casos nulidad, y no la determinará cuando no haya mediado indefensión y el asunto, vuelto a iniciarse desemboca en los mismos presupuestos determinantes de idéntica resolución. [STS 28 noviembre 1980]

• *Al faltar el control previo de la Administración, la clausura podrá acordarse sin más que acreditar la inexistencia de licencia, con la audiencia del interesado prevista en el artículo 91 LPA, puesto que se va a alterar una situación de hecho existente en ocasiones durante años; la audiencia será así imprescindible, salvo naturalmente el caso de existencia de peligro, pues las circunstancias excepcionales, al exigir una urgente decisión administrativa, influyen de forma relevante en las reglas procedimentales.* [STS 4 octubre 1986]

• La clausura de las actividades sometidas al RAM que se desarrollan sin licencia, al faltar el control previo de la Administración, podrá acordarse sin más que acreditando la inexistencia de licencia, pero con la audiencia del interesado prevista en el artículo 91 LPA, puesto que se va a alterar una situación de hecho existente, en ocasiones durante años, audiencia que será imprescindible, salvo naturalmente en el caso de existencia de peligro, ya que es sabido que las circunstancias excepcionales, al exigir una urgente decisión administrativa, influyen de forma relevante en las reglas procedimentales. [STS 28 septiembre 1987, Sala 4.ª]

• La jurisprudencia viene poniendo de relieve cómo, aun *en casos de inexistencia de licencia, es necesaria la previa audiencia para acordar la clausura*, salvo apreciación de peligro (SSTS 4 octubre 1986, 28 septiembre 1987, 28 noviembre 1988 y 17 julio 1989). [STS 15 diciembre 1989, Sala 3.ª, Secc. 1.ª]

• El procedimiento sancionador exige, según lo dispuesto en el artículo 38 RAM el trámite de audiencia, cuya omisión no puede ser subsanada y determina la nulidad de la resolución sancionadora (SSTS 18 marzo 1980, 8 junio 1982 y 12 febrero 1987). [STS 12 febrero 1994, Sala 3.ª, Secc. 4.ª]

• Es claro, en consecuencia, que *la clausura se puede acordar bastando para ello con el único requisito de acreditar la inexistencia de licencia, aunque con el trámite previo e inexcusable de la audiencia del interesado.* Dicho trámite, garantizado en el artículo 105 c) de la Constitución y previsto en el artículo 91 de la Ley de procedimiento administrativo (hoy artículo 84), apartados 1 y 4 de la Ley 30/1992, de 26 de noviembre, de Régimen Jurídico de las Administraciones Públicas y del procedimiento administrativo común, es exigible puesto que se va a alterar una situación de hecho existente, como ocurre en el caso, durante años.

La audiencia es esencial salvo en los casos de existencia de peligro o de riesgo que exijan una decisión administrativa urgente (sentencias de 11 de octubre de 2000, 14 de octubre de 1993, 10 de junio de 1992, 15 de diciembre y 17 de julio de 1989, 28 de septiembre de 1987 y 4 de octubre de 1986). [STSJ País Vasco 30 mayo 2003]

4. Multa

• La multa prevista por la producción de humos en la escombrera requiere para su aplicación no sólo la realidad de los humos, sino la previa notificación de la anomalía a los interesados (de los Considerandos de la sentencia apelada, aceptados). [STS 3 noviembre 1981]

• Han de confirmarse las resoluciones recurridas en las que se impone sanción económica a la industria que sin haber obtenido la licencia de ampliación solicitada en 1978, persiste en el ejercicio de una actividad que sigue causando molestias al vecindario, al estar la multa prevista en el artículo 38 RAM e imponerse la retirada temporal de las licencias de instalación y de apertura y la clausura mientras subsista la sanción, al no presentarse el proyecto de modificación de la instalación en el plazo para que fue requerida la sociedad titular del taller a fin de legalizarla. [STS 19 noviembre 1984]

• Habida cuenta de que la multa en cuestión fue impuesta por no atender una orden acordada por una resolución firme, obligado es entender como conformes a Derecho los actos impugnados en este proceso, si se tiene en cuenta que la Comunidad de los propietarios recurrentes puso en funcionamiento el garaje antes de haber obtenido la correspondiente licencia y no obstante la orden que recibió de no utilizar aquél y que la actividad de garaje está incluida como peligrosa en Nomenclátor anexo al RAM. [STS 7 octubre 1986]

• El Ayuntamiento de Calviá se ha inclinado por imponer la sanción prevista en la Ley Autonómica, si bien en su grado mínimo. Y tal consideración debe considerarse plausible en este trance revisor. Ello, en primer y evidente lugar, por el superior rango de la ley respecto de la Ordenanza Municipal. Pero también por la incidencia en el caso del principio de proporcionalidad de la sanción, al considerarse mucho más adecuada para aplicar a los hechos denunciados —contaminación por ruidos excesivos sin la previa autorización municipal— una sanción de 200.001 pesetas que la prevista en la Ordenanza. *Efectivamente, si tan solo se sancionaran estos hechos con multa de 25.000 pesetas, al titular de un bar que pone música, incluso con altavoces en la terraza, a más volumen del permitido le puede resultar más rentable satisfacer la multa, dado que las recaudaciones obtenidas valiéndose de estos artificios ilegales excederían con mucho del importe de la multa.* Por ello la sanción impuesta de 200.001 pesetas se revela más proporcionada a la real entidad de estos hechos.

Conocida es la doctrina jurisprudencial —por todas la sentencia de la Sala 3.ª del Tribunal Supremo de 20 de febrero de 1998)— expresiva de que el principio de proporcionalidad de la sanción y su aplicación a un supuesto de hecho concreto está íntegramente sometido al control de los Tribunales de Justicia, que deben valorar si la Administración ejerció o no debidamente las facultades que el Ordenamiento Jurídico le concede para aplicar a una falta disciplinaria una u otra sanción y si, al ejercitar tal facultad, ha respetado o no el principio de proporcionalidad entre la infracción cometida, las circunstancias de toda clase que en ella concurran y la sanción impuesta.

Y, como se ha dicho, en este trance revisor se considera que la sanción de multa de 200.001 pesetas resulta más proporcionada a la entidad de los hechos que una multa de 25.001 a 50.000 pesetas. [STSJ Baleares 4 julio 2001]

• La Ley 5/1993 de Actividades Clasificadas, en su art. 37, contempla el recurso a la multa coercitiva por el órgano sancionador. *La multa coercitiva constituye, sin duda alguna, un medio de ejecución menos restrictivo de la libertad individual* que el que propone el actor, y a la imposición de una multa coercitiva ha recurrido, en primer lugar, la Administración, una vez efectuado el apercibimiento previo, para lograr el cumplimiento de lo resuelto en el expediente sancionador. [STSJ Castilla y León, Valladolid, 8 octubre 2001]

• Respecto de las actividades, como en el caso litigioso, clasificadas, rige lo que dispone el Reglamento de Actividades Molestas, Insalubres, Nocivas y Peligrosas aprobado por Decreto 2414/1961, de 30 de diciembre. Su artículo 38 sólo prevé la posibilidad de imponer también multa, entre otras medidas, cuando se han detectado en varias ocasiones por los servicios técnicos municipales deficiencias, se ha requerido su subsanación y se ha desatendido la misma, sin que llegue incluso a constar licencia de funcionamiento. Pero ahora bien, la calificación de la infracción administrativa no es facultad discrecional de la Administración o autoridad sancionadora, sino propiamente actividad jurídica de aplicación de normas que exige, como presupuesto objetivo, el encuadre o subsunción de la falta incriminada en el tipo predeterminado legalmente, con rechazo expreso de criterios de interpretación extensivos o analógicos. De forma que como ya señalaba en su Sentencia de 13 de febrero de 1996 (Recurso 1706/1993). La consecuencia jurídica establecida por la normativa aplicable para el caso de ejercicio de una actividad calificada sin la preceptiva licencia municipal —artículos 30 y siguientes del Reglamento de actividades molestas, insalubres, nocivas y peligrosas de 1961, en relación con el 21 de la Ley 4/1984 es la clausura y cese en tanto se obtenga aquélla—. *Pero no es posible jurídicamente disponer, además, la imposición de multa amparándose en lo establecido en el artículo 84 de la Ordenanza municipal de tramitación de licencias, debiendo recordar que en este caso litigioso no se trata de una instalación* (el apartado 10 del artículo 1 del Reglamento de Disciplina Urbanística hace referencia a instalaciones en general, pero ni dicha norma ni el artículo 16.1 y 52 y siguientes de la Ley 4/1984 se refieren al ejercicio de actividades) precisada de licencia de carácter urbanístico, *sino de licencia de actividad para la apertura y funcionamiento, que al no existir determina una orden previa de legalización en el modo previsto por el artículo 21 de la Ley 4/1984, y caso de no obtenerse comporta que se impidan los usos correspondientes.* Según lo expuesto, procede en este caso la anulación de la actuación administrativa impugnada, por consistir en una multa improcedente en derecho, dadas las expresadas circunstancias. [STSJ Madrid 3 junio 2003]

5. Clausura o cese de la actividad

5.1. Doctrina general

• Los acuerdos del Ayuntamiento demandado, que ordenan la clausura de una cochiquera o cuadra del actor, porque pueden contaminar un pozo de agua del propio recurrente, son contrarios a Derecho, pues al ser el recurrente el único usuario del pozo que supuestamente se contamina por la existencia de la cuadra cuya clausura se ordena, corresponde a su exclusiva voluntad prescindir del uso del pozo para sus necesidades domésticas, con el fin de mantener el uso de la cuadra, y el ejercicio de esta posibilidad se le ha impedido al ordenarle el cierre de la cuadra de una manera definitiva, sin permitirle tampoco la adopción de adecuadas medidas correctoras que eliminen el peligro de contaminación (de los Considerandos de la sentencia apelada, aceptados). [STS 15 abril 1986]

• *El acuerdo del Ayuntamiento determinante de la clausura del local del actor no surge como resultado de un expediente sancionador, sino que es consecuencia de una actividad administrativa de carácter reglado, producida a consecuencia de un expediente para la obtención de una licencia de apertura, relativa a una actividad calificable como molesta, que culminó con una decisión denegatoria,* actividad administrativa policial ordinaria, no afectada por las garantías fundamentales de los artículos 24 y 25 CE sólo extensibles al procedimiento administrativo sancionador. [STS 6 octubre 1987]

• Recordando la objetividad e imparcialidad que ha de atribuirse en principio a los informes de los técnicos de la Administración, será de señalar que los elementos e instalaciones destinados a la elaboración de vinos no presentan especial riesgo para terceras personas y, dadas sus características y situación, tampoco pueden ser generadores de ruidos, vibraciones o cualquier otro tipo de molestias al vecindario, según informe emitido por encargo de la Alcaldía; así las cosas, *hay que entender que el cese ordenado por el Alcalde respecto de la actividad indicada elaboración de vinos, sin los previos requerimientos establecidos en los artículos 36 y 37 RAM, vulnera terminantemente lo dispuesto en el artículo 38 del mismo, al faltar el presupuesto procedimental que este precepto requiere.* [STS 19 febrero 1988, Sala 4.ª]

• La limitación derivada de la pequeña extensión del local queda desvirtuada en razón de la real entidad de la actividad que se desarrolla, que, por otra parte, en razón de los humos y emanaciones del pintado de vehículos, es notablemente molesta y perjudicial para los usuarios del inmueble, al margen de que puedan establecerse determinadas medidas correctoras que sólo serían admisibles en el caso de que la instalación del taller fuera permitida, de acuerdo con la normativa de usos de la zona, lo que no sucede en el caso, razones, todas, que tienen que llevar a la desestimación del recurso, declarando procedente el cese y precinto del establecimiento (de los Considerandos de la sentencia apelada, aceptados). [STS 7 marzo 1988, Sala 4.ª]

• *La clausura, incluso por un determinado tiempo, de los establecimientos regulados por el RAM, no puede acordarse de forma inmediata, sino siguiendo el procedimiento fijado en dicho Reglamento,* que exige, ante todo, el requerimiento para la corrección de las deficiencias apreciadas dentro del plazo señalado, con la posible concesión de un segundo e improrrogable plazo, y la previa y siempre necesaria audiencia del interesado antes de imponer las sanciones pertinentes, de lo contrario, se determina la nulidad de los acuerdos municipales al respecto. [STS 15 marzo 1989, Sala 3.ª, Secc. 1.ª]

• A la hora de acordar la clausura de actividades sometidas al RAM, hay que distinguir dos diferentes supuestos según que aquéllas se desarrollen con o sin licencia; en el primer supuesto, que es el contemplado en el Reglamento, la clausura habrá de acordarse con seguimiento de los trámites previstos en los artículos 36 y siguientes de aquél, y al existir licencia, es decir, un control anterior de la Administración, quedan justificados aquellos trámites, que pueden resultar dilatados: *la clausura es consecuencia de que la actividad inicialmente correcta, con posterioridad deja de ajustarse a las exigencias del interés público —condición implícita en estas licencias, que, por ser de funcionamiento, crean una relación permanente con la Administración—;* en el segundo caso —carencia de licencia—, al faltar el control previo de la Administración, la clausura podrá acordarse sin más que acreditar la inexistencia de licencia, pero con la audiencia del interesado prevista en el artículo 91 LPA[art. 105 c) CE], puesto que se va a alterar una situación de hecho existente, en ocasiones, durante años; por ello la audiencia será aquí imprescindible, salvo naturalmente el caso de existencia de peligro, ya que es sabido que las circunstancias excepcionales, al exigir una urgente decisión administrativa, influyen de forma relevante en las reglas procedimentales. [STS 17 julio 1989, Sala 3.ª, Secc. 1.ª]

• En principio, y con base en la distinción que en la sentencia de instancia efectúa, parece ser correcta la tesis del recurrente, por cuanto *una actividad ejercida con licencia no puede ser objeto de clausura, a los efectos prevenidos en el RAM, sin más trámites que el de la audiencia al interesado*; pero, al examinar las circunstancias concurrentes, la misma no puede compartirse, en modo alguno, con la consecuente desestimación de la apelación, ya que, si bien son perfectamente diferenciables un taller de carpintería mecánica sin fuerza y una industria de carpintería mecánica con diversas máquinas, lo cierto es que no se produjo coexistencia de dichos taller e industria, manteniéndolos diferenciados e independientes, sino que, con cesación del taller, se produjo una transformación de éste en carpintería mecánica, razón que impide que la clausura pueda ser parcial, dejando fuera de ella a una actividad que no se ha mantenido y sí se ha transformado. [STS 21 febrero 1990, Sala 3.ª, Secc. 1.ª]

• En el caso, discutiéndose si es necesaria la oportuna licencia para el cambio de uso de la parcela, ya que, existente licencia para guardería infantil en vivienda familiar, se instala posteriormente una residencia de ancianos, es de destacar que no consta probado que las Ordenanzas de la urbanización prohíban la existencia de residencia de ancianos y, por otra parte, es claro que tanto una guardería infantil como una residencia de ancianos prestan actividad asistencial, así como que más perturbador —por el bullicio propio de los ocupantes— efecto produce —sobre todo a ciertas horas— una guardería que una residencia de ancianos, tipo de actividad que precisamente parece demandar por su propia naturaleza el silencio y carácter recoleto que, en principio es propio de una zona residencial; y como tampoco se puede sostener que sea intrínsecamente comercial una actividad por el mero hecho de cobrar un precio al destinatario —no lo es, por eso, la actividad de un médico o de un abogado— debe revocarse la sentencia recurrida que consideró ajustada a derecho la suspensión de tal actividad. [STS 2 marzo 1990, Sala 3.ª, Secc. 1]

• El RAM establece un régimen que implica, que entre otras cuestiones, el permanente sometimiento o sujeción del sujeto autorizado al ejercicio por parte de la Administración de unas facultades inspectoras y de fiscalización que pueden eventualmente conllevar la imposición de la adopción de medidas correctoras, e incluso la clausura de la actividad, cuando los requerimientos formulados en este sentido sean desatendidos —arts. 35, 36 y 38 c) del citado Decreto— (de los Considerandos de la sentencia apelada, aceptados). [STS 9 junio 1990, Sala 3.ª, Secc. 1.ª]

• A la hora de acordar la clausura de las actividades sometidas al RAM —los restaurantes lo están, dado el carácter puramente orientativo del nomenclátor, como por otra parte lo evidencia el art. 9.2 de la Orden del Ministerio del Gobierno de 15 marzo 1963 (instrucciones complementarias del Reglamento de Actividades Molestas, Insalubres, Nocivas y Peligrosas)— hay que distinguir dos diferentes supuestos según que aquéllos se desarrollen con o sin licencia. En el primer supuesto, que es el contemplado en el RAM, la clausura habrá de decidirse con seguimiento de los trámites previstos en el artículo 36 y ss. de aquél; al existir la licencia quedan justificados aquellos trámites que puedan resultar dilatados: la clausura es consecuencia de que la actividad inicialmente correcta, con posterioridad, deja de ajustarse a las exigencias del interés público —condición implícita en esta clase de licencias, que por ser de funcionamiento crean una relación permanente con la Administración—. En el segundo caso (carencia de licencia), al faltar el control previo de la Administración, la clausura podrá acordarse sin más que acreditar la inexistencia de licencia, pero con la audiencia del interesado prevista en el artículo 91 LPA —art. 105 CE—, puesto que se va a alterar una situación de hecho. *La audiencia se presenta así imprescindible, salvo en caso de existencia de peligro; sabido es que las circunstancias excepcionales, al exigir una urgente decisión administrativa, influyen de forma relevante en las reglas procedimentales.* [STSJ Baleares 18 septiembre 1990]

• *Lo dispuesto en el artículo 40 RAM, que previene que la clausura se puede decretar tras la imposición de tres multas consecutivas, es para el supuesto de que la Administración no piense en la clausura en principio, que es lo normal cuando las deficiencias en las instalaciones son enmendables y subsanables con las adecuadas medidas correctoras, por lo que se trata de conseguir que la actividad pueda desarrollarse, con tales medidas; esto es, el precepto es una consecuencia de la aplicación del artículo 38 a) del mismo Reglamento, pero no lo es cuando, por las circunstancias concurrentes, como las que se dan en el supuesto, entre las que concurren, es cierto, la imposición de una sola multa, pero, aparte de ella, la práctica de una serie de inspecciones, requerimientos, advertencias, todo ello inútil ante la pertinaz conducta infractora de la recurrente, que es lo que obligó al Ayuntamiento a acogerse a la solución prevista en el artículo 38 c), decretando la clausura del almacén, o retirada definitiva de la licencia.* [STS 19 marzo 1991, Sala 3.ª, Secc. 5.ª]

• El criterio restrictivo aplicado a la orden de clausura del mesón sintoniza con el preconizado en el RSCL, al establecer que si *se dispone de diversos medios de intervención se elegirá el menos restrictivo de la libertad individual* (art. 6.1). [STS 24 abril 1991, Sala 3.ª, Secc. 1.ª]

• La iglesia evangélica recurrente es una entidad inscrita en el Registro de Entidades Religiosas del Ministerio de Justicia, resultando acreditado que el local clausurado y precintado figura anotado por el Ministerio de Justicia en el referido Registro como lugar de culto; en consecuencia, debe concluirse que el RAM invocado por la Administración municipal no sirve de válida cobertura al acto de clausura y precintado de un lugar de culto. Cierto es que, de acuerdo con lo dispuesto en el artículo 22 RSCL, *estarán sujetos a licencia de apertura los establecimientos, pero la actividad de la Administración en esta materia es estrictamente reglada y no puede emplearse la analogía para lograr la limitación de un derecho de los administrados.* [STS 18 junio 1992, Sala 3.ª, Secc. 4.ª]

• En el caso, al no haber existido un control positivo previo de la Administración sobre la actividad de climatización de la comunidad de propietarios, sometida al RAM, basta para declarar la clausura, como tiene declarado la jurisprudencia, con que se haya dado audiencia previa al interesado, salvo la existencia de peligro, y que se haya respetado el principio de proporcionalidad que establece el artículo 6.2 RSCL y hoy el artículo 84.2 Ley 7/1985, de 2 abril (Reguladora de las Bases del Régimen Local) (STS 1 febrero 1988). *La resistencia de la comunidad de propietarios a repetidos requerimientos encaminados a que se subsanen las deficiencias que se le pusieron de manifiesto, y que constan con toda precisión y claridad en el expediente, llevó, tras la imposición de varias multas coercitivas no impugnadas, al decreto de clausura que fue posterior a la audiencia conferida, de donde se concluye que la actuación municipal fue del todo conforme a derecho.* [STS 27 octubre 1992, Sala 3.ª, Secc. 4.ª]

• Contra lo que argumenta el recurrente, quien parece entender que hubieran sido necesarios dos procedimientos administrativos, no puede alegarse en el caso vicio alguno, por cuanto obviamente el cierre industrial se produce porque la planta viene funcionando hasta ahora sin licencia. Esta licencia, que el titular de la actividad había solicitado para regularizar su situación, se le deniega en virtud del procedimiento administrativo seguido, lo que lleva como consecuencia que al ser ilegal la actividad el cierre sea indudablemente procedente. *No es aplicable por tanto el procedimiento sancionador como se alega, porque no se trata de una falta o irregularidad administrativa cometida, siendo titular de licencia, sino de una actuación contraria al ordenamiento jurídico y por tanto ilegal que no procede legalizar.* [STS 1 octubre 1992, Sala 3.ª, Secc. 4.ª]

• No es conforme a derecho el acto de clausura de un garaje por carecer de licencia municipal, a pesar de que era patente según los documentos obrantes en autos que la recurrente estaba en posesión de la citada licencia. Y, sobre todo, no puede admitirse que, después de otorgada la licencia y sin revocación de ésta por el procedimiento oportuno, se entienda sin valor ni efecto en Derecho, contraviniendo las reglas sobre validez, eficacia y revisión de oficio de los actos administrativos que se contienen en los artículos 40 y ss. y 109 y ss. LPA, así como los preceptos aplicables del RSCL. Por lo demás, es obvio que *no puede confundirse el mantenimiento continuo de potestades administrativas de inspección y vigilancia con una supuesta precariedad de la licencia que permitiría dejarla sin efecto quebrantando las garantías del particular.* [STS 11 febrero 1993, Sala 3.ª, Secc. 4.ª]

• Teniendo licencia la sociedad recurrente para la instalación de la industria de producción hormigonera, no pudo la Administración decretar el cese de esa actividad y el desmonte de las instalaciones por no tener la de puesta en marcha cuando esa carencia es imputable a la propia Administración municipal demandada, siendo ello contrario al principio de responsabilidad inminente en la relación Administración y administrado, pues los hechos imputables a una parte no pueden generar aquélla en contra de quien es ajeno a la infracción, sin que pueda aducirse que la falta de la inspección previa para la puesta en marcha de la industria impedía a la sociedad demandante el funcionamiento de la misma, pues por voluntad tácita del Ayuntamiento venía funcionando desde 1975. [STS 24 mayo 1993, Sala 3.ª, Secc. 4.ª]

• No cabe aducir que los artículos 122 y ss. LJCA hayan venido a ser derogados por el artículo 24.2 CE, pues la tutela cautelar que este último precepto obliga a conceder no permite amparar supuestos de funcionamiento sin licencia municipal de actividades incluidas en el RAM; por lo que ya declarada por el Tribunal *a quo* la inexistencia de licencia municipal y la necesidad de la misma en el caso, *la apariencia de buen derecho milita a favor de la suspensión cautelar de una actividad sin licencia más que en el desarrollo sin licencia de la actividad.* [ATS 16 noviembre 1993, Sala 3.ª, Secc. 4.ª]

• La medida de clausura se ha adoptado en el caso con carácter sancionador, al margen del procedimiento adecuado, sin haber dado trámite a la solicitud de licencia en curso, ni consentido al titular la posibilidad de legalizar su situación, aduciendo denuncias de particulares que luego se han probado inexistentes y sin que la licencia de obras y los permisos obtenidos para el funcionamiento de la actividad permitan considerar tal medida como proporcionada o adecuada al principio de *favor libertatis*, que expresamente recoge el artículo 6.2 RSCL, lo que obliga a confirmar su nulidad. [STS 11 enero 1994, Sala 3.ª, Secc. 4.ª]

• Probado que el apelado tenía licencia para la actividad de venta y para la de taller, junto con la de instalación de aire acondicionado, es claro que la Corporación apelante no podía ordenar la clausura, por falta de licencia, como la sentencia apelada adecuadamente declara, sin perjuicio, claro está, de las facultades que el Ayuntamiento tiene, conforme a lo dispuesto en el RAM, para adecuar la actividad autorizada a las condiciones en que se autorizó. [STS 28 junio 1994, Sala 3.ª, Secc. 4.ª]

- La sentencia de instancia desestima el recurso aplicando el artículo 184.1 TRLS, pero obviamente no se trata de unas obras realizadas sin licencia, sino de una industria molesta que había trasladado su taller con pleno conocimiento de la Administración, pero sin solicitar licencia de apertura para sus nuevas instalaciones. *Y tratándose de una situación que se había producido hacía casi 20 años, la orden de clausura —de plano y sin audiencia previa—, sin duda, constituye una medida de intervención excesiva.* Lo procedente hubiera sido, ya que se trataba de una actividad molesta y había habido además quejas, requerir a la empresa para que se ajustara al RAM. [STS 3 septiembre 1994, Sala 3.ª, Secc. 5.ª]

- *La existencia de ruidos, fuera de los límites permitidos, es situación o circunstancia que autoriza la decisión de la clausura o cierre hasta que se adopten las oportunas medidas correctoras.* [ATS 18 octubre 1994, Sala 3.ª, Secc. 4.ª]

- *El hecho de no haber obtenido licencia alguna para las actividades clasificadas de muy peligrosas que consistían en el almacenamiento de determinados gases tóxicos, legitiman y obligan a adoptar de plano y con efectividad inmediata la clausura del establecimiento o paralización de la actividad previa audiencia del interesado, salvo que represente peligro para las personas o cosas que impidan la demora que dimane del trámite de audiencia.* [STS 6 febrero 1996, Sala 3.ª, Secc. 4.ª]

- El apelante estaba realizando una actividad para la que no tenía la oportuna licencia, consistente en actuaciones en directo en un local de un centro comercial, y por tanto la actuación de la Administración suspendiendo tal actividad hay que estimarla, al menos en principio, ajustada y proporcionada a la realidad que se le ofrecía, pues suspende la actividad para la que no existe licencia y apercibe de clausura de toda la otra actividad autorizada si no se cumple esa orden de suspensión, y conforme con lo dispuesto en las normas que regulan las licencias y con las potestades de los órganos que han de vigilar su cumplimiento, *pues una cosa es el derecho a la obtención de una licencia y otra cosa el derecho al ejercicio de la actividad que la misma posibilita, y si bien es cierto que la Administración cuando concede una licencia se limita a reconocer la existencia de un derecho, sin potestad de alterarlo, el ejercicio de una concreta actividad ha de adecuarse a los términos de la licencia y no puede ejercerse válidamente hasta que la licencia está concedida, teniendo por tanto la Corporación Local competencia y potestad para ordenar la clausura de una actividad que se ejercita sin licencia,* conforme a lo dispuesto en los artículos 5 y 6 RSCL y artículos 6, 28 y 38. [STS 27 febrero 1996, Sala 3.ª, Secc. 4.ª]

- Cuando se ejerce, como en el caso, una actividad calificada como molesta, es obligado adecuar su ejercicio a los términos de la licencia, y a los niveles de ruidos autorizados, cada instante o momento, minuto o segundo, de esa actividad, y para lograr ello la Corporación Local tiene las potestades y facultades que, entre otros, el RAM le concede, y que pueden ir dirigidas, bien a corregir las dificultades advertidas, bien a sancionar la actuación realizada, siendo ambos compatibles, y en el caso, en el expediente al efecto abierto coexisten ambas actuaciones, una dirigida a corregir las deficiencias y otra encaminada a dar respuesta a las denuncias de los vecinos sobre infracción del nivel de ruidos, y a la vista de todo ello, y dado el número de denuncias y actividad acontecida, no es ciertamente desproporcionada la sanción de un mes de cierre de la actividad, como la sentencia apelada razona. [STS 5 marzo 1996, Sala 3.ª, Secc. 4.ª]

5.2. Por incumplimiento de medidas correctoras

• Al no discutirse la legalidad de las licencias, sino una serie de medidas correctoras que se establecían como condicionamientos para la plena efectividad de las licencias, medidas que no han sido realizadas y cuyo incumplimiento ocasiona indudables molestias a los ocupantes del inmueble donde está ubicada la actividad de un gimnasio-sauna, y habiendo decretado la autoridad municipal, la suspensión y clausura de dicha actividad la alteración de dicha suspensión acordada por el Ayuntamiento sin ningún fundamento para ello es contraria a derecho al seguir subsistentes las irregularidades de aquella actividad. [STS 10 diciembre 1980]

• Concedida licencia para la apertura y funcionamiento de una granja de cría y engorde de ganado vacuno, posteriormente, el propio Ayuntamiento dictó Decreto acordando la retirada temporal de la licencia provisional, que había sido concedida anteriormente para ejercer la mencionada industria, al no haberse construido la depuradora e implantado las demás medidas correctoras impuestas para la debida y correcta evacuación de deyecciones, por lo que procede confirmar dicho Decreto. [STS 21 septiembre 1981]

• *Si, incluso con las medidas correctoras implantadas, puede decretarse después el cierre de la industria, por la posibilidad de inspecciones posteriores, que delaten su insuficiencia o ineficacia, con mayor motivo la clausura de la actividad podrá decretarse, denegando o revocando la licencia, si tales medidas ni siquiera fueron adoptadas en momento alguno.* [STS 2 diciembre 1981]

• La decisión de la Alcaldía, consistente en la suspensión temporal de la licencia, con cese de la actividad mientras subsista la sanción [art. 38 b) RAM], es una medida enteramente ajustada a Derecho, dado que no se adoptaron las medidas correctoras adicionales, entre ellas, una que ya venía impuesta en la licencia de apertura y cuyo incumplimiento debió impedir el comienzo de la actividad (art. 34). [STS 20 septiembre 1983]

• La medida sancionatoria consistente en la clausura o cese de una actividad autorizada, mediante la retirada temporal o definitiva de la licencia concedida, cuando se trata de una actividad calificada de molesta, insalubre, nociva o peligrosa y se ha comprobado la existencia de deficiencias en su funcionamiento, sólo puede acordarse cuando, transcurrido el plazo concedido para la subsanación de aquéllas —no superior a 6 meses ni inferior a 1— y girada la correspondiente visita de inspección, se compruebe que tales deficiencias no han sido subsanadas y aún es necesario en tal supuesto, antes de imponer la correspondiente sanción, la previa audiencia del interesado. [STS 12 julio 1985]

• *Estando prevista una salida de emergencia en la solicitud de licencia de apertura, y no cumplida tal previsión normativa y del propio proyecto, resulta claro que, una vez requerida la parte actora sucesivas veces para subsanar tal deficiencia, la Autoridad administrativa pudo, como lo hizo, en virtud de las atribuciones conferidas en el artículo 38 RAM, suspender la actividad e incluso retirar la licencia de forma definitiva, y ello,* no sólo en los casos en que, a pesar de haberse obtenido la licencia, aún no puede, en puridad de doctrina, comenzarse el ejercicio de la actividad, por no haberse constatado la efectividad de las medidas correctoras en la necesaria visita de comprobación (art. 34 RAM), sino, incluso, cuando la licencia de apertura ha sido ya hecha efectiva a través de la debida comprobación (de los Considerandos de la sentencia apelada, aceptados). [STS 5 noviembre 1986]

• La decisión municipal de clausurar la actividad de taller de transformación de la madera hasta que se corrijan las deficiencias señaladas y se esté en posesión del acta de funcionamiento de la licencia de apertura, fue acordada tras la prosecución del correspondiente expediente previsto en el RAM y ante el reiterado incumplimiento de los requerimientos efectuados a fin de que adoptase las medidas correctoras impuestas ya en la licencia concedida, 4 años antes de la adopción de la resolución ahora recurrida, por lo que tal medida es enteramente ajustada a derecho. [STS 26 julio 1989, Sala 3.ª, Secc. 1.ª]

• La exigencia contenida en la licencia otorgada por el Ayuntamiento para el funcionamiento de la discoteca objeto del proceso respecto a la insonorización del local, no se cumplió por su propietario, a pesar de los requerimientos reiteradamente efectuados y denuncias formuladas por los recurrentes, que dieron lugar a diversas mediciones sobre niveles de emisión sonoros producidos por la discoteca en las viviendas contiguas al local en que se halla aquélla situada; de los que se infiere la obligación de proceder a la sanción de esta conducta, que comporta la pérdida definitiva de la licencia, dadas las circunstancias concurrentes en el funcionamiento de aquélla, *cesación de la actividad que, atendiendo a la imperativa proporcionalidad de la intervención administrativa, según lo dispuesto en el artículo 40.2 LP, en relación con los fines que la justifiquen y el principio de eficacia que debe presidir en la actuación de la Administración —art. 103.1 CE—, debe tener el carácter de definitiva, para evitar que siga funcionando una instalación en la que no se adoptaron las medidas correctoras impuestas, al conceder la licencia y en acuerdos posteriores, con grave daño a la vecindad del establecimiento.* [STS 22 septiembre 1989, Sala 3.ª, Secc. 1.ª]

• Si bien el actor tiene licencia de apertura de discoteca desde siempre, al ser clasificada la actividad, le es aplicable el régimen especial del RAM. *Por ello, si el local no cumple los requisitos básicos sobre acceso, salida de emergencia, sanitarios, etc., ello justifica la adopción de la medida de clausura del local con alcance temporal limitado: al de realización de las obras, dado que una vez realizadas la reanudación de la actividad se impone porque la licencia disponible el caso de ser así) no ha sido revocada, sino sólo suspendida, ya que así hay que entenderlo como medida menos gravosa para el interesado* (arts. 2, 4, 8 y concordantes RSCL). [STS 29 septiembre 1989, Sala 3.ª, Secc. 1.ª]

• La autoridad municipal, al comprobar que no se había dado el debido cumplimiento a las medidas correctoras impuestas y con ello que se había infringido el artículo 34 RAM, pudo y debió tramitar el correspondiente expediente sancionador con arreglo a las prescripciones del Reglamento, para lo que estaba autorizado por los artículos 6 y 34 del mismo, llegando incluso, si fuere necesario a la clausura o cese de la actividad, pero no prescindir de él y acudir al procedimiento sancionador en materia de infracciones urbanísticas, sin otra finalidad que la de poder imponer una multa de cuantía superior a la establecida en aquel Reglamento. [STS 18 octubre 1989, Sala 3.ª, Secc. 2.ª]

• Si bien es cierto que el acto ordenando la clausura de actividad de venta de automóviles habla de falta de licencia y esto se interpreta por el recurrente como motivo puesto que una licencia sí hay para anular y revocar el acto que ordena la clausura; pero es lo cierto que la licencia obtenida no ampara las actividades que en el local se realizaban y, por eso, en esa orden de clausura se dice que la misma se acuerda hasta que se acredite haber subsanado todas y cada una de las deficiencias existentes en el local y sus instalaciones, debiendo estimarse conforme a derecho tal acuerdo de clausura. [STS 8 junio 1990, Sala 3.ª, Secc. 1.ª]

• *El hecho de haberse otorgado la licencia municipal no constituye una especie de pase para justificar todas las actividades posibles, pues, aun partiendo de la legalidad de la licencia otorgada y de que tal otorgamiento contemplara todas las circunstancias de la actividad, el RAM otorga a la Autoridad municipal unas facultades inspectoras destinadas a comprobar la eficacia de las medidas correctoras, permitiéndole, caso de comprobar la insuficiencia de las mismas, exigir la adopción de otras que permitan hacer inocua la actividad, pudiendo, en el caso de no obtenerse tal resultado, proceder a la retirada definitiva de la licencia.* [STS 15 octubre 1990, Sala 3.ª, Secc. 1.ª]

• Si, como resulta de los antecedentes, la clausura de las instalaciones litigiosas, ordenada con base en el artículo 38 RAM, ha sido ordenada hasta tanto no se corrijan la totalidad de las deficiencias observadas en aquéllas, y si una de estas deficiencias afecta a la sala de máquinas en la que están instalados los equipos en cuestión, no puede pretenderse por la entidad recurrente que no se precinte la maquinaria de su propiedad, hasta que no se subsanen las molestias que motivaron la orden de clausura, aparte de que no se ha justificado en las actuaciones que sean suficientes las medidas adoptadas en su día por la entidad interesada con relación a la maquinaria de su propiedad. [STS 4 enero 1991, Sala 3.ª]

• *La sentencia apelada razonó que, ante la carencia de licencia por parte de los actores para la actividad de disco-bar, la medida de clausura acordada por la Administración es conforme con el principio de proporcionalidad —arts. 84.2 Ley 7/1985, de 2 abril (Reguladora de las Bases del Régimen Local) y 6 RSCL—; y ello debe confirmarse, pues los actos impugnados se dictaron en función de la seguridad de los ciudadanos y de los bienes, y por la razón de los claros incumplimientos por parte de los titulares del local sobre las necesarias medidas de seguridad exigibles.* El expediente administrativo refleja que, pese a haberse producido un cambio esencial en la actividad por parte de los titulares del local referido —de actividades propias de un partido político y un bar a las de un disco-bar con pista de baile—, no consta la solicitud de licencia de apertura para la nueva actividad con los requisitos que se señalan en los artículos 40 a 42 RD 2816/1982, de 27 agosto (Reglamento General de Policía de Espectáculos Públicos y Actividades Recreativas) y 29 RAM; tampoco consta que los titulares del local cumplieran el requerimiento de la Administración sobre la omisión de medidas correctoras que el Ayuntamiento observó —art. 81, aps. 1, 2, 4, 6 y 7 RD 2816/1982—. Así pues, el incumplimiento de las exigibles medidas de seguridad para las personas y los bienes lleva como consecuencia, ante la falta de la licencia, la clausura o cierre del local a la luz de lo establecido en los artículos 15, 16 y 22 RSCL, 29 y 38 D 2414/1961 y 81 y 82 RD 2816/1982. [STS 22 junio 1993, Sala 3.ª, Secc. 4.ª]

5.3. Por ampliación de la actividad

• *El cambio de ampliación de actividades, eludiendo el trámite calificatorio e impidiendo que se cumplan los requisitos que para su legalización exige la Reglamentación de Actividades Molestas, Insalubres, Nocivas y Peligrosas, presupone el que caigan en clandestinidad con la obligada consecuencia de declarar correcto y pertinente el acuerdo de clausura.* [STS 2 noviembre 1983]

• Si se estudia detenidamente todo el proyecto presentado en el caso, lo que realmente se hace es proceder a una ampliación y reestructuración de la actividad ganadera aprovechando lo ya instalado en los edificios construidos con otra finalidad, sin proceder al traslado de toda la actividad a la zona no urbanizable de la finca, lo cual habría sido pasable y legalizable, pero, al no haberse actuado de ese modo y envolver en la licencia, de una manera implícita, la antigua explotación, no es posible estimar totalmente legal el acuerdo, debiéndose estimar el recurso de apelación para, revocando parcialmente la sentencia de instancia, estimar también parcialmente el recurso, a fin de anular la licencia en cuanto ella, de una forma indirecta, ampara la antigua actividad, es decir, la situada en zona urbana, la cual deberá ser clausurada, conservándose la licencia respecto de la instalación existente en zona no urbanizable y sin que a ello sea obstáculo la existencia de otras explotaciones pertenecientes a terceros, entre ellas uno de los recurrentes, por cuanto de la situación de ilegalidad existente no se pueden derivar derechos. [STS 28 enero 1991, Sala 3.ª, Secc. 1]

5.4. Por realización de actividades clandestinas

• Al faltar las dos notas exigidas —anterioridad en el tiempo y autorización concedida— según la disposición transitoria 2 del Reglamento de Actividades Molestas, Insalubres, Nocivas y Peligrosas, es imposible acogerse a los plazos de acomodación de las disposiciones transitorias 1.ª del RAM y 2.ª de la Instrucción 15 marzo 1963, por lo que el funcionamiento de la granja es de clandestinidad y entra, en el ámbito de la competencia municipal, el clausurarla. [STS 19 noviembre 1980]

• Cuando es expresiva la falta de licencia municipal para la continuación del funcionamiento de la industria, con infracción evidente del RAM y el peligro consiguiente, por razón de las materias que se producen en la industria, circunstancias todas ellas que obligaron a la Alcaldía del Ayuntamiento al precintaje de la industria, esto es, constitutivo de un acertado actuar, por los riesgos que comporta la industria recurrente que funcionaba sin la debida seguridad y al margen de la legalidad vigente en materia de sustancias inflamables. [STS 28 noviembre 1980]

• La Instrucción de 15 marzo 1963, dictada para la aplicación del Reglamento de Actividades Molestas, Insalubres, Nocivas, y Peligrosas, en su disposición transitoria 2 además de ampliar hasta el 1 de junio de 1963 el plazo para que quienes vinieran ejercitando actividades molestas, a la publicación de dicho Reglamento, pudieran solicitar la licencia definitiva de la autoridad municipal, establece, en el apartado 3 del propio precepto, que no solicitada la licencia municipal en el nuevo plazo fijado, «serán consideradas clandestinas, pudiendo procederse a su clausura todo el tiempo que demoren formular la correspondiente petición», norma, que viene a colocar en situación de «clandestinidad» a las actividades calificadas como molestas desde junio de 1963, hasta que quienes las ejercitan formulen la petición de legalización. [STS 20 marzo 1981]

• *Siendo patente que el motivo de la resolución administrativa de cierre y precintado de industria fue el de que dicha actividad era clandestina por falta de licencia municipal, cuando consta que tal licencia existía, el acto erróneo de la Administración queda subsumido en las previsiones de la disposición transitoria 2 del Reglamento 30 noviembre 1961, de Actividades Molestas, Insalubres, Nocivas y Peligrosas, haciendo surgir la facultad del propietario de la industria suspendida a ser indemnizado, con arreglo a lo dispuesto en la LEF.* [STS 6 mayo 1981]

• La inexistencia de licencia municipal que autorice el funcionamiento de la actividad de reparación de automóviles conduce a que el funcionamiento de la misma deba reputarse clandestino con lo que queda legitimada la orden de clausura acordada por el Alcalde de acuerdo con los artículos 116 LRL; 6 y 36 RAM y 3 OM 15 marzo 1963. [STS 28 abril 1982]

• *Las actividades sujetas al RAM, ejercidas sin licencia, se conceptúan clandestinas y como una situación irregular de duración indefinida, que no legitima el transcurso del tiempo, pudiendo ser acordado su cese por la autoridad en cualquier momento, correspondiendo tal atribución a la Alcaldía.* [STS 31 diciembre 1983]

• *Ordenar la clausura de un establecimiento (edificio de ampliación de un colegio) por carecer de licencia de apertura no es una medida sancionadora, sino una medida de restauración de la legalidad urbanística, violada por incumplimiento del artículo 22 RSCL o de la legalidad sectorial de las actividades calificadas, para cuya restauración es claro que no es procedente el expediente sancionador* (de los Considerandos de la sentencia apelada, aceptados). [STS 19 noviembre 1984]

• Cuando el artículo 116 LPA *establece la posibilidad de que las autoridades administrativas suspendan la ejecutividad de sus propios acuerdos, lo hace para resolver las situaciones de dependencia derivadas de la interposición de recursos contra tales acuerdos, para evitar los perjuicios de imposible o difícil reparación que pudieran producirse por su inmediata ejecución, si la resolución de aquéllos fuere favorable al recurrente;* situación que nada tiene que ver con la antijurídica actuación de quien, sin haber obtenido la preceptiva licencia, despreciando las oportunidades que, incluso irregularmente, se le concedieron para subsanar la anormal actuación, persiste en el ejercicio ilegal de una actividad calificada de molesta y en la que, además, no se ha interpuesto recurso alguno que legitime la posibilidad de suspensión (de los Considerandos de la sentencia apelada, aceptados). [STS 11 diciembre 1984]

• La legalidad de la resolución municipal combatida, orden de no utilización del almacén de madera hasta tanto no se disponga de la preceptiva licencia municipal, deriva del hecho no controvertido de que la actividad de almacenaje de madera cuestionada se realiza sin licencia, en clara contravención de lo establecido al efecto en el artículo 42 de las Normas Urbanísticas del Plan General Metropolitano de Barcelona, y de que, basándose las resoluciones municipales en la peligrosidad del almacén, tal apreciación no ha sido desvirtuada eficazmente por el actor mediante las adecuadas probanzas (de los Considerandos de la sentencia apelada, aceptados). [STS 16 febrero 1985]

• La actividad de depósito de chatarra, cuando además también se realiza manipulado y corte de la misma, está sujeta a previa licencia de apertura, por tratarse de establecimiento industrial conforme al artículo 22 RSCL y según el artículo 3 de la Orden del Ministerio de la Gobernación de 15 marzo 1963 (instrucciones para aplicación del

RAM), ya que se trata de una actividad que aunque no incluida en el Nomenclátor puede, en principio, ser calificada de molesta por originar ruidos y polvo, y por ello la decisión municipal de clausurar la actividad que funcionaba clandestinamente fue correcta, así como la negativa a conceder, la licencia, tanto porque no se solicitó en forma, como porque las mismas son contrarias al planeamiento urbanístico (de los Considerandos de la sentencia apelada, aceptados). [STS 26 septiembre 1985]

• *No puede considerarse bastante, a efectos de probar la existencia de la licencia de apertura de un establecimiento sede de una actividad peligrosa y en relación con la clausura del mismo, la nueva inscripción en la Matrícula del Impuesto Industrial, inscripción que todo lo más demostraría la realidad del ejercicio de la actividad pero en ningún caso que esa actividad se ejerza de conformidad con el ordenamiento jurídico,* tanto en lo que hace a condiciones técnicas y de seguridad como a emplazamiento urbanístico, que es lo que constituye el objeto de la licencia de apertura, acto de intervención municipal cuyo contenido complejo resulta con toda evidencia del artículo 22 RSCL, conforme al que la intervención municipal ejercida con ocasión de la apertura de establecimientos industriales y mercantiles, a través de la correspondiente licencia tiene por objeto verificar, de una parte, si los locales e instalaciones reúnen las condiciones de tranquilidad, seguridad y salubridad, y, de otra, las que, en su caso, estuvieren dispuestas en los planes de urbanismo debidamente aprobados. [STS 24 diciembre 1985]

• *La falta de licencia no faculta a la autoridad municipal para adoptar la medida de clausura, al margen del procedimiento que el RAM establece en sus artículos 30 y ss., sino que debe adoptarla cuando, dentro de ese procedimiento, se aporten los datos técnicos e informe preceptivo previstos en el mismo que acrediten como jurídicamente inviable la legalización de la industria.* [STS 27 enero 1986]

• Si bien el establecimiento médico del caso de autos, por las instalaciones con que cuenta, necesita del control establecido en el RAM, no es motivo para exonerarle de la licencia previa de apertura, y ya que el titular del centro médico en vez de solicitar la pertinente licencia municipal, lo que ha hecho es seguir una oposición a cumplir ese trámite, es evidente que con su conducta ha legitimado la actuación del Ayuntamiento ordenando el cierre del centro. [STS 1 abril 1987, Sala 4.ª]

• La denominada actividad de vídeo comunitario requiere unas limitaciones y supone el ejercicio de una actividad que, además, en su caso, de la oportuna licencia de obras, hace necesaria la de apertura prevista en el artículo 22 RSCL, sin perjuicio de la posible aplicación del RAM e Instrucciones para su aplicación (Orden del Ministerio de la Gobernación de 15 marzo 1963), si por la utilización de materiales combustibles o el peligro que pudiera derivarse del tendido de cables hubieran de catalogarse como peligrosas, puesto que la relación de las incluidas en el Nomenclátor anexo al Reglamento tiene carácter meramente indicativo y la actividad de vídeo comunitario guarda estrecha relación con las de elaboración, almacenamiento y proyección cinematográfica, que en dicho Nomenclátor tienen la clasificación decimal 831-2 a 7, *por lo que, desarrollándose dicha actividad sin la necesaria licencia, no se ha infringido derecho constitucional alguno por el Ayuntamiento al adoptar las medidas cautelares apropiadas, no sancionadoras, para impedir la continuidad de una actividad clandestina, que se ejerce sin la preceptiva licencia, sin garantía, por tanto, para el superior principio de respeto a la seguridad de los ciudadanos.* [STS 24 abril 1987, Sala 5.ª]

• La denominada actividad de vídeo comunitario requiere unas instalaciones y suponen el ejercicio de una actividad que, además de la oportuna licencia de obras, hace necesaria la de apertura, prevista en el artículo 22 RSCL, sin perjuicio de la posible aplicación del RAM, por lo que, desarrollándose dicha actividad sin la necesaria licencia, no se ha infringido derecho constitucional alguno por el Ayuntamiento al adoptar las medidas cautelares apropiadas, no sancionadoras, para impedir la continuación de una actividad clandestina, que se ejerce sin la preceptiva licencia, por tanto sin garantía para el superior principio de respeto a la seguridad de los ciudadanos, sin perjuicio de la intervención que pueda corresponder a su titular en el procedimiento de concesión de licencia o, en su caso, en el de demolición de las instalaciones. [STS 10 junio 1987, Sala 5.ª]

• *El Ayuntamiento tiene no sólo la facultad, sino también la obligación de ordenar el cese de una actividad molesta que funcione sin licencia, en aplicación del RAM*, toda vez que si la actividad que se ejercita y consiguientemente el uso del edificio que la alberga, carecen de licencia y se procede a su suspensión mediante la clausura, la orden de clausura se encuentra en cabal concordancia con lo dispuesto en el artículo 184.1 TRLS, siendo de aplicación esta doctrina al caso de autos, pues con arreglo a lo dispuesto en los artículos 6 y 31.1 RAM, el Alcalde está facultado para imponer la clausura de la actividad taller-garaje ejercitada sin licencia. [STS 14 julio 1987, Sala 4.ª]

• Las alegaciones formuladas en la apelación no han podido desvirtuar las apreciaciones que contiene la sentencia de instancia —que declaró ajustados a Derecho los actos de la Administración que ordenaron al actor el desmontaje de las instalaciones del picadero y el precintaje de las instalaciones en caso de incumplimiento—, porque resulta evidente, a tenor de las pruebas practicadas, que la actividad que ha dado lugar a las actuaciones figura incluida en el Nomenclátor anejo al RAM y le es de aplicación la terminante disposición contenida en el artículo 13.2; además, resulta igualmente acreditada la carencia de la oportuna licencia municipal, que deviene imprescindible para la aplicación de la disposición transitoria 2.ª referida a los derechos adquiridos; y no resulta posible, tampoco, imputar a la Administración el quebranto de la eficacia vinculante de los actos propios que atentase al principio de coordinación administrativa, cuando falta una decisión o actividad expresa de la Administración para fundamentarla, porque la situación mantenida es de mera pasividad, rota al momento de producirse la resolución que se impugna, *y para que un acto administrativo pueda reputarse como acto propio, hay necesidad de que encarne este sentido positivo de hecho o acción, emane de un órgano competente y contenga una determinación de voluntad clara y precisa, circunstancias que no se han producido en el caso.* [STS 10 noviembre 1987, Sala 4.ª]

• Las actuaciones documentadas en el expediente administrativo, especialmente los informes periciales obrantes en el mismo, demuestran de manera concluyente que el actor viene desarrollando, sin licencia, desde hace años una actividad industrial que debe ser incluida en los supuestos regulados en el RAM, a tenor de lo dispuesto en los artículos 1, 2 y 3 del mismo, puesto que la desecación de frutas y los vertidos que se producen entrañan cualificadas incomodidades en forma de malos olores y aun notoria insalubridad, a más de contaminación de aguas públicas; en consecuencia, debe concluirse que el Ayuntamiento demandado, al tomar el acuerdo que es objeto de impugnación, y en el que disponía la clausura de la actividad industrial aludida, actuó dentro del ámbito de sus competencias y conforme a Derecho (de los Considerandos de la sentencia apelada, aceptados). [STS 1 febrero 1988, Sala 4.ª]

• Impugnándose en el caso la resolución administrativa que ordenó el precinto de los aparatos reproductores de sonido instalados en el local, por haberse acreditado en la inspección técnica efectuada el no cumplimiento de las medidas impuestas sobre emisión de ruidos, al sobrepasarse notoriamente el límite máximo permitido y observarse la probable manipulación del limitado sonoro instalado, *debe destacarse que la medida impuesta no deja de ser prudente por racional y proporcionada, ya que la actividad en el local con música se inicia sin que conste la práctica obligada de la visita técnica de comprobación —art. 34 RAM— por lo que tal uso o actividad era de mero hecho o simplemente ilegal,* sirviendo también de soporte las prescripciones contenidas en la Ordenanza Municipal aplicable sobre protección del medio ambiente, en cuanto que la actividad no podía legalmente empezar a ejercerse hasta que técnicamente se comprobase la eficacia de las medidas correctoras impuestas. [STS 27 enero 1989, Sala 4.ª]

• Careciendo el actor de licencia para la actividad de trapería-chatarrería a que se contrajo la clausura y siendo indiferente que pudiera abonar algunos tributos, la posible compatibilidad con el planteamiento carece de relevancia, ya que dicha situación se refiere sin duda alguna al ejercicio de una actividad clasificada sin haber obtenido las correspondientes autorizaciones conforme al RAM, frente a la que la reacción municipal de proceder a su clausura está en un todo atemperada a las prescripciones de dicha disposición. [STS 27 diciembre 1989, Sala 3.ª, Secc. 1.ª]

• *La apertura clandestina de establecimientos comerciales e industriales, o el ejercicio sin la necesaria licencia de actividades incluidas en el RAM obligan a adoptar de plano y con efectividad inmediata, la medida cautelar de clausurar el establecimiento o paralizar la actividad, con el fin de evitar que se prolongue en el tiempo la posible transgresión de los límites impuestos por exigencias de la convivencia social, hasta la obtención de la oportuna licencia que garantice la inexistencia de infracciones.* [STS 27 marzo 1990, Sala 3.ª, Secc. 1.ª]

• No resulta admisible la alegación exculpatoria recurrente de que la actividad de guardería de perros, cuya retirada se ordena, ya se venía ejerciendo con anterioridad a la ocupación de las viviendas próximas al lugar donde se desarrollaba y que, por consiguiente, sus propietarios u ocupantes ya conocían las molestias que ello les podría originar, porque hay que afirmar que *nadie puede hacer uso de su derecho de propiedad ni del de libertad de empresa sin someterse estrictamente a las condiciones y limitaciones específicas que establezca el ordenamiento jurídico, pues así se advierte expresamente, como formando parte del contenido conceptual del primero de ellos, por el artículo 348 CC, y, en cuanto al segundo, porque ningún derecho resulta legítimamente adquirido cuando requiriendo uno expresa autorización administrativa, desde un principio no había sido debidamente autorizado, siendo por ello por lo que quienes ejercitando, como terceros, su derecho de propiedad, construyen u ocupan sus viviendas donde urbanísticamente pueden hacerlo, no tienen por qué soportar los efectos, de algún modo lesivos, derivados de una actividad no autorizada.* [STS 1 octubre 1990, Sala 3.ª, Secc. 6.ª]

• La legalidad de la medida de cierre del establecimiento dedicado a la actividad de sauna-bar se acomoda a la normativa vigente —RD 2816/1982, de 27 agosto (Reglamento General de Policía de Espectáculos y Actividades Recreativas)—, dado que la licencia municipal de apertura era preceptiva para ejercer la actividad en el local y ésta fue desarrollada sin la previa obtención, ni de forma expresa ni presunta, ausencia de autorización administrativa que habilita a las autoridades para adoptar la medida de cierre del local, dirigida a impedir la actividad surgida sin licencia. [STS 25 abril 1991, Sala 3.ª, Secc. 6.ª]

• El acto recurrido no niega la legalidad de la explotación ganadera —ya que admite la zona dedicada a actividades avícolas— sino que se refiere únicamente a la parte de la explotación dedicada al cebado de ganado vacuno, y lo cierto es que la licencia solicitada en su día no se refería a una actividad de esta naturaleza, sino a la cría de cerdas de vientre; por tanto, *la situación a la que se ha llegado de admisión de una actividad no amparada en licencia no puede legalizar una actividad distinta de la solicitada y que por ello hay que considerar como clandestina.* [STS 20 septiembre 1991, Sala 3.ª, Secc. 4.ª]

• Aunque ya preexistiera el funcionamiento de la industria cuya orden de cierre se recurre en autos, respecto del RAM, obligación tenía el recurrente de cumplir con su disposición transitoria 1.ª de solicitar la autorización de que hasta entonces careciera, porque en la esfera en que se actúa el cumplimiento de imperativos legales no puede supeditarse a la opinión que particularmente puedan tener los administrados respecto de la nocividad o de la inocuidad del ejercicio de una actividad ajena o su falta de oposición o reparos para que la misma se ejerza; *por lo que al hecho de actuar sin licencia y de desatender el requerimiento para conseguirla no corresponde otra medida que la que fue adoptada sin que por ello quede definitivamente indefenso aquel que la experimenta, toda vez que, en definitiva, de su exclusiva voluntad depende solicitar en cualquier momento posterior la repetida autorización, la que, por supuesto, había de serle concedida si es que cumplía con la normativa de aplicación al caso.* [STS 18 noviembre 1992, Sala 3.ª, Secc. 4.ª]

• En los supuestos de actividades sometidas al RAM, si aquéllas se desarrollan sin la correspondiente licencia, para que pueda ordenarse la clausura, aparte de acreditarse la inexistencia de licencia, *debe oírse al interesado, salvo en situaciones que presentan peligro para las personas o cosas, y debe igualmente considerarse la proporcionalidad de la medida.* [STS 19 julio 1993, Sala 3.ª, Secc. 5.ª]

• Ordenándose en el caso la clausura del establecimiento, tras comprobarse, y acreditarse que se sigue ejerciendo la actividad en la planta-fábrica de hormigón en el emplazamiento señalado sin licencia municipal alguna, medidas aquellas adoptadas con base en el artículo 132 de las Ordenanzas de Policía y Buen Gobierno, que son las procedentes en virtud de lo dispuesto en los artículos 51.1.1 y 52 RD 2187/1978, de 23 junio (Reglamento de Disciplina Urbanística), en cuanto trata de restaurar el orden jurídico infringido; pero no en cuanto signifiquen imposición de una sanción, para lo que habría de seguirse el correspondiente procedimiento sancionador, a tenor de lo que disponen los artículos 226.3 TRLS y 51.1.3) RD 2187/1978, de 23 junio (Reglamento de Disciplina Urbanística), sin que sean de aplicación el artículo 21.1 K) Ley 7/1985 de 2 abril (Reguladora de las Bases del Régimen Local), que se refiere a sanción por desobediencia a la autoridad del Alcalde; ni el artículo 212.9 LRL, que hace referencia a la exigencia de tasas por licencia de apertura de establecimiento; ni el artículo 22 RSCL que ordena la sujeción a licencia de apertura de establecimientos industriales y mercantiles. Por ello es procedente un pronunciamiento de estimación parcial del recurso de apelación entablado por el Ayuntamiento recurrente, en el sentido de declarar ajustado a derecho el Decreto impugnado en cuanto ordena el cese de la actividad con clausura de la planta-fábrica de hormigón a que se refiere. [STS 13 mayo 1995, Sala 3.ª, Secc. 5.ª]

• *La inexistencia de autorización administrativa conlleva la ilegalidad de la actividad sometida a la intervención de la Administración y el deber de ésta de impedir que se prosiga en el ejercicio de un derecho condicionado a esa intervención, que debe ser suspendida de plano, previa audiencia del interesado* (STS 17 julio 1989); sin que el tiempo en que, en el caso, venía ilegalmente funcionando el taller de pintura de vehículos sin la preceptiva licencia —ya que se trata de una actividad insalubre— implique un acto tácito de autorización, que no puede entenderse tampoco por el pago de unos impuestos, arbitrios y tasas, ya que no viene condicionado por la licencia de apertura, ni por la autorización de otros órganos de la Administración con competencia concurrente. [STS 12 marzo 1996, Sala 3.ª, Secc. 4.ª]

• *Una instalación que no tiene el correspondiente permiso municipal debe calificarse de clandestina a efectos del derecho y deber de la Administración de ordenar su clausura,* con la finalidad de atender a intereses que justifican la intervención administrativa en el orden urbanístico y de la tranquilidad, sanidad y salubridad de los administrados a que se refiere la legislación del suelo, del medio ambiente y el RAM. [STS 22 mayo 1996, Sala 3.ª, Secc. 4.ª]

5.5. *Por modificación de las condiciones de la licencia*

• Almacenar producto distinto y sobrepasar el límite de cantidad de mercancía autorizados por la licencia concedida, implica un aumento del riesgo previsto en las correspondientes medidas de seguridad, al estar declarados en el expediente como peligrosos dichos productos, y al propio tiempo, representa una modificación sustancial de las condiciones con que fue concedida la licencia de instalación, precisando para su legitimación de otra licencia, imponiéndose, mientras tanto, la paralización de la actividad de ese modo incorrecto realizada. [STS 15 abril 1983]

• El actor sólo dispone de la titularidad surgida de la autorización de cambio de nombre (adquisición por renuncia) otorgada el 15 julio 1982 y con el contenido —mera ratificación— de la licencia de apertura concedida a su padre el 2 agosto 1955 para un establecimiento de salón de billares y recreos, esto es, licencia municipal para «un salón de billares y recreos con 10 meses por traspaso», sin que quepa dentro del ámbito objetivo de la licencia otorgada el año 1955 la actividad instada y desarrollada en el local con 30 máquinas recreativas tipo B, porque, *con independencia de las licencias o autorizaciones gubernativas, existe una competencia municipal referida a las condiciones o aptitud del local que no puede ser desconocida (arts. 2, 4, 8, 22 y concordantes RSCL), y sin que la antigua licencia pueda suponer apoyo a la nueva actividad, en cuanto que existe una alteración esencial en la misma,* unilateralmente introducida por el particular y de entidad suficiente para entender producida una modificación importante, al menos por su carácter diferente, del objeto, que exige un nuevo estudio del tema para que, en su caso, se conceda una nueva licencia municipal. [STS 11 octubre 1986]

• En supuestos como el que es objeto de debate, hay que distinguir la licencia de instalación de una actividad y la de apertura y funcionamiento de la misma, esta última otorgada, lo que llevó al Tribunal de instancia a anular la primera de ellas, con base en que no se habían cumplido las condiciones establecidas en la misma, lo que, independientemente de que pudiera constituir motivo para su revocación, no suponía que fuera nula al concederse, porque esto es bien distinto de que su condicionamiento no se cumpliera y que, por tanto, la posterior licencia de apertura no debiera haberse concedido, y, por lo que más afecta al RAM, que las medidas correctoras impuestas no se hubieran adoptado o que, aun adoptadas, no se hubiera adverado debidamente su plena idoneidad y eficacia, como el propio Tribunal *a quo* razonaba. [STS 25 enero 1991, Sala 3.ª, Secc. 4.ª]

• En el caso, se denunció que la actividad desarrollada por la empresa apelante producía evidentes y ostensibles molestias, durante determinados días, desde las 23.30 h hasta la 5 h del día siguiente, a todos los vecinos del lugar en el que se ubicó; en el expediente administrativo, además de la realidad de esas palpables y no tolerables molestias, se expresa que la mencionada empresa o discoteca está próxima a una residencia sanitaria y que el número de personas que a dicha discoteca acudían produjo, además, perturbación en el tráfico normal de vehículos. La licencia que el Ayuntamiento otorgó para el ejercicio de una actividad molesta lo fue con una obligación a cargo del titular de la empresa de observar cuantas disposiciones legales, reglamentarias y de policía afectaran al ejercicio de la actividad que se denominó, en principio, de club socio-deportivo, y bajo condición de que, además de contar con instalaciones técnicas y maquinaria apropiada, el aforo máximo permitido fuera de 830 personas. Producida la denuncia por los habitantes de la zona, el Ayuntamiento inició y tramitó el oportuno expediente a fin de comprobar si las instalaciones del local y el funcionamiento de la actividad se mantenían conforme a la licencia otorgada, o si las condiciones a que estaba subordinada la licencia se cumplían o no —arts. 15 y 16 RSCL en relación con el RAM—, pudiéndose comprobar que el número de personas que en el momento de la inspección se encontraban en el local superaba con creces el número máximo permitido —había unas 1.200 personas— y que además, con posterioridad al otorgamiento de la licencia, se produjeron esenciales modificaciones en las instalaciones y en el ejercicio de la actividad, aspectos ambos no amparados por la licencia otorgada; así, pues, procede confirmar íntegramente la sentencia apelada, que mantiene la clausura de la actividad desarrollada, mientras no se lleven a cabo las correcciones necesarias para adaptar sus instalaciones a la licencia municipal concedida. [STS 19 enero 1993, Sala 3.ª, Secc. 4.ª]

• En el caso, entre los 100 kg de nitrocelulosa y las demás sustancias que sus fabricantes presentaban como inflamables *se superaba la cantidad permitida de almacenamiento, por lo que se incumplían las condiciones establecidas en la licencia, de lo que se deduce que fue ajustada a Derecho la orden de cierre del establecimiento.* [STS 29 marzo 1995, Sala 3.ª, Secc. 4.ª]

5.6. Indemnización

• La disposición transitoria 2 del RAM exige, para que pueda indemnizarse por una clausura, que se hubiera obtenido la debida autorización municipal para el ejercicio de la actividad. [STS 7 octubre 1981, Sala 4.ª]

• *Al tratarse de actividades que venían funcionando sin autorización, los acuerdos de traslado, o de cierre de la actividad, no pueden traer consigo indemnización de clase alguna*, puesto que no se encuentran en ninguno de los supuestos del artículo 16, ni en el supuesto a que se contraen los artículos 186 y 187 TRLS (de los Considerandos de la sentencia apelada, aceptados). [STS 16 noviembre 1983]

• Si bien es cierto que la actividad que desarrollaba la actora en «Villa L»., en la que encontraban refugio más de 1.500 perros, merecía ser calificada como molesta, la persistencia, casi 40 años, del ejercicio de dicha actividad, sin ninguna reacción municipal, necesariamente tuvo que consolidar, de un modo táctico, una situación jurídica en favor de la Sociedad Protectora de Animales y Plantas que la ejercitaba, *por lo que los Decretos recurridos, que decidieron la clausura del establecimiento sin aludir a ningún tipo de indemnización en correspondencia al valor de los derechos que la recurrente tenía consolidados, han de ser considerados contrarios a los principios de equidad y seguridad jurídica que informa la disposición transitoria 2 RAM* (de los Considerandos de la sentencia apelada, aceptados). [STS 22 enero 1985]

• Para la indemnización de los perjuicios determinados por una clausura de establecimiento es necesario que las actividades se hayan venido desarrollando contando con la preceptiva licencia, como ha puesto de relieve el TS Sala 4.ª sobre la base de la disposición transitoria 2 RAM. [STS 5 mayo 1987, Sala 4.ª]

• En el caso, se está ante un supuesto en el que han variado las circunstancias que motivaron la licencia en su día otorgada —para el desarrollo de la actividad propia de un partido político y de bar—, con la particularidad de que el interesado, al solicitar autorización de obras para la reforma del local, ocultó a la Administración su verdadera intención de dar a éste un uso esencialmente distinto del que tenía; por ello, las nuevas circunstancias surgidas con posterioridad al otorgamiento de la primera licencia son determinantes de que esa primera licencia carezca ya de efecto, de conformidad con lo establecido en el artículo 16.1 RSCL —se transformó en un local de los denominados disco-bar—; y, además, *la alegación de petición de indemnización por daños debe ser desestimada, puesto que la situación consignada no es generadora de indemnización de daños y perjuicios a cargo de la Administración, pues: a) en toda licencia de apertura de actividad va implícita la condición de que la actividad sea desarrollada conforme a las circunstancias que motivaron su otorgamiento, las cuales fueron alteradas por el titular del local y ocultadas a la Administración, y b) porque el supuesto no está comprendido en aquellos que se contemplan en el artículo 16, apartados 2 y 3 RSCL*; en definitiva, es ajustado a derecho el decreto del alcalde que resuelve clausurar el local. [STS 22 junio 1993, Sala 3.ª, Secc. 4.ª]

• Lo dispuesto en el RAM obliga a desestimar el recurso planteado por el Ayuntamiento y confirmar la sentencia apelada, que anula el acuerdo de cese de la actividad y reconoce el derecho del titular de la actividad a ser indemnizado por los daños y perjuicios ocasionados durante el tiempo de inactividad de su empresa impuesto por el acuerdo municipal recurrido, pues si bien es cierto, que conforme a lo dispuesto en el Reglamento de Actividades Molestas, el Alcalde, aun existiendo licencia de actividad, podía iniciar el expediente y adoptar las medidas correctoras que adoptó, que por otro lado no fueron cuestionadas ni discutidas por el afectado, sin embargo, cuando las actuaciones muestran que estaban prácticamente cumplidas, realizadas, las medidas correctoras, como muestra el informe del ingeniero municipal, no es dable que el Alcalde, acuerde días después el cese de la actividad, ni menos cuando se hace, entre otros valorando que unas obras aparecen realizadas en contra de la licencia otorgada, pues de una parte, *no hay proporcionalidad entre la situación existente en el momento y la medida adoptada, ya que el interesado había aceptado la realización de las mejoras y unas las había realizado y otras las estaba terminando cuando el propio Reglamento de Actividades Molestas, autoriza como primera sanción, la de multa, y que al notificarse se concede un nuevo plazo para la corrección de las deficiencias, y además la retirada de la licencia la autoriza tras la imposición de la multa, hasta tres.* [STS 6 junio 1995, Sala 3.ª, Secc. 4.ª]

5.7. Vaquerías

• Estando acreditado plenamente que la actividad de vaquería de autos viene ejerciéndose con anterioridad a la entrada en vigor del RAM, en núcleo rural esencialmente agropecuario que carece de Plan de Ordenación Urbana, resulta incuestionable que no le es de aplicación el artículo 13 del mencionado Reglamento por no concurrir el supuesto de establecimiento en núcleo urbano y que el régimen legal aplicable es el contenido en la disposición transitoria 2 del mismo, en virtud del cual la legalidad de la orden municipal de clausura y traslado requiere, además, de la correspondiente indemnización, acreditar debidamente la circunstancia de extrema gravedad o imposibilidad técnica que en dicho precepto se contiene. [STS 21 septiembre 1981]

• Para que pueda aplicarse la normativa especial y transitoria del artículo 13 RAM, es preciso que la ubicación de la vaquería en casco urbano se diera a la entrada en vigor del Reglamento si el suelo en que la vaquería está situada no tenía carácter urbano en aquella fecha, sino que lo adquiere como consecuencia de la ampliación de los núcleos urbanos. *La clausura de la actividad y su traslado a lugar idóneo proceden, igualmente, puesto que no cabe en estas industrias el establecimiento de medidas correctoras, pero con la obligada indemnización al propietario por daños y perjuicios.* [STS 7 diciembre 1981]

• Es ajustado a Derecho el acuerdo municipal que ordena la clausura de una actividad, de vaquería, subsumible en el artículo 13 RAM, encuadrada en casco urbano de una ciudad de más de 10.000 habitantes, no siendo la población eminentemente agrícola o ganadera y habiendo transcurrido en exceso el plazo de 10 años que la norma señala para la tolerancia de la situación existente a la entrada en vigor del nuevo Ordenamiento. [STS 26 noviembre 1982]

• Los acuerdos del Ayuntamiento por los que se denegaba el cierre de la explotación o granja de ganado vacuno en cuestión son contrarios a derecho por lo establecido en el artículo 4 RAM, en el que se prohíbe el establecimiento de cuadras, corrales y establos de ganado, con fines industriales o comerciales, dentro de los núcleos urbanos, *a no ser que aquéllos estén conectados con actividades destinadas al consumo familiar o al trabajo agrícola de sus titulares*, circunstancias no concurrentes en este supuesto por estar situadas dichas instalaciones dentro de la zona urbana. [STS 6 diciembre 1986]

5.8. Explotaciones de ganado porcino

• *Procede acceder a la clausura de una granja porcina, ya que no cabe la concesión de la licencia para la construcción sin el otorgamiento de la apertura cuando la edificación por sus características haya de tener determinado destino, todo lo cual no permite sostener la tesis de que el permiso de obras habilite para la práctica de la actividad.* [STS 25 junio 1981]

• *La carencia de licencia para la explotación de ganado porcino, no solicitada e insubsanable por el transcurso del tiempo,* no sólo excluye los derechos adquiridos y la posibilidad de una indemnización, sino que *determina el carácter clandestino de la industria y la consiguiente facultad de la Administración para acordar su clausura en cualquier momento.* [STS 30 junio 1983]

• Comprobado administrativamente que se trataba de una granja porcina, es lógica y consecuente la resolución municipal, ordenando la clausura del establecimiento, porque, no obstante cualquier posible autorización de organismos ajenos a la competencia municipal, es evidente que se ha omitido la reglamentación establecida en el RAM. [STS 3 noviembre 1983]

• En el caso, resultó probado que el alcalde del Ayuntamiento recurrente cumplió con la potestad de la Administración Local —arts. 29 y 30— ordenando la clausura de una granja porcina carente de licencia, previo requerimiento dirigido a su titular, y por ello no omitiéndose el trámite de audiencia, sin que se infringiera el artículo 91 LPA, ya que el decreto ordenando el cierre de la granja no trae causa del informe técnico obrante en el expediente sino por carecer su titular de licencia, y sin que las circunstancias de su emplazamiento en relación con su entorno urbano o de otra naturaleza fueran determinantes de la adecuada resolución de clausura, ya que sin la solicitud de licencia y tramitación del expediente no puede autorizarse la actividad objeto de la suspensión decretada por no poseer el permiso de la autoridad municipal. [STS 27 febrero 1996, Sala 3.ª, Secc. 4.ª]

6. Retirada definitiva de licencia

6.1. Doctrina general

• *En los supuestos de peligro inminente cabe que la retirada de la licencia se produzca sin previo requerimiento, pues las circunstancias excepcionales acarrean una atenuación o incluso desviación de las reglas generales, especialmente en materia procedimental;* ahora bien, y dado que en estos casos de peligro el cese se produce sin haber formulado los requerimientos que ofrecen la oportunidad de ajustar la actividad molesta, insalubre, nociva o peligrosa a las exigencias del interés público, habrá que entender que lo procedente será, en principio, no una retirada definitiva de la licencia, sino una retirada temporal, con señalamiento de plazo para la adopción de las medidas correctoras adecuadas.

En lo referente a la fabricación de alcohol, el técnico municipal advertía que la edificación, en su mayor parte realizada y cubierta en madera, presenta un grave peligro de incendio, habida cuenta de las temperaturas a las que se realiza el proceso y el deficiente estado de las canalizaciones eléctricas accesorias; en el mismo sentido, el dictamen encargado por el Alcalde aprecia un grado de riesgo acusado por terceras personas, subrayando que la existencia de conducciones eléctricas a lo largo de elementos de madera no es admisible, como tampoco lo es la existencia de numerosos elementos constructivos de este material en zonas de fabricación o almacenamiento de alcoholes, riesgos, los mencionados, que se intensifican si se atiende a la colindancia de una Iglesia, que da lugar a una acumulación de personas en momentos puntuales; este panorama resulta, además, ensombrecido por el dictamen del Gabinete de Seguridad e Higiene de la Dirección Provincial de Trabajo, que pone de relieve que el sistema de protección y extinción de incendios no es apropiado al centro de trabajo; *la situación de peligro descrita justifica, en consecuencia, el cese de la actividad, ahora bien, producido aquél sin las oportunidades de adecuación que los requerimientos previos implican —arts. 36 y*

37 RAM—, ha de concluirse que lo procedente era, no una retirada definitiva de la licencia, sino la retirada temporal del artículo 38 b) del Reglamento. [STS 19 febrero 1988, Sala 4.ª]

6.2. Por incumplimiento de medidas correctoras

• Dado que el taller sigue sin subsanar las deficiencias, de ello se desprende la competencia de la Administración para revocar la licencia, en caso de que su titular no adopte las medidas correctoras que le han sido notificadas, mas ello sólo será posible siguiendo el procedimiento establecido en el artículo 4 Decreto 840/1966, de 24 marzo, previa imposición de 3 multas consecutivas (de los Considerandos de la sentencia apelada, aceptados). [STS 10 noviembre 1981]

• La decisión de dejar sin efecto la licencia concedida por la Alcaldía, se motiva exclusivamente en no haberse dado cumplimiento a los condicionantes que se imponían en el otorgamiento de la referida licencia, y efectuado el análisis de la situación no puede deducirse un verdadero incumplimiento apto para generar la radical resolución de la Alcaldía pues a lo sumo lo precedente será la concesión del plazo o plazos que se alude en los artículos 36 y 37 RAM y sólo agotados los plazos, sancionar del modo determinado en el artículo 38 dando audiencia al interesado. [STS 18 junio 1984]

• No puede sostenerse la doctrina de la sentencia apelada y de la Corporación Municipal de que para la retirada definitiva de la licencia de la actividad molesta en el caso es necesaria la previa imposición de 3 multas consecutivas, según el artículo 40 RAM, pues *el régimen que establece el artículo 40.2 del señalado Reglamento no rige cuando se hubiese optado por la retirada temporal de la licencia,* cual en el presente caso ya hizo el incumplido decreto del Alcalde, no pudiendo quedar al arbitrio libre del Alcalde el poner o no multas e impedir con ese arbitrio la retirada definitiva de la licencia, cuando la situación de incumpliendo y de molestia la hace inevitable. [STS 9 octubre 1990, Sala 3.ª, Secc. 5.ª]

6.3. Por incumplimiento de las condiciones de la licencia

• Si se concedió licencia de actividad no calificada para fábrica de curtidos de pieles bajo un condicionado que posteriormente no ha sido cumplimentado por parte del solicitante, es claro que la actividad municipal plasmada en los acuerdos recurridos no han tenido otro cauce que el cumplimiento exacto de lo contenido en dicha licencia, por lo que a tenor del artículo 16 RSCL, la licencia otorgada quedará sin efectos al incumplirse las condiciones a que estuviere subordinada. [STS 28 octubre 1983]

• No puede autorizarse el funcionamiento de una actividad —en el caso, sala múltiple de espectáculos y actividades de ocio— sin que se cumplimenten las condiciones establecidas en la licencia. [STS 23 septiembre 1991, Sala 3.ª, Secc. 1.ª]

7. Sanciones ilegales

• Con motivo de molestias con perjuicio del vecindario de la industria por el funcionamiento de ésta, no es posible, a tenor de la normativa del RAM, imponer la sanción de derribo del edificio y menos sin seguir el procedimiento adecuado para las sanciones. [STS 13 abril 1982, Sala 4.ª]

• Habiéndose concedido licencia al recurrido para hacer una instalación de aire acondicionado en su local, es claro que los sucesivos acuerdos de la Alcaldía —suspensión del funcionamiento de la instalación y desestimación del recurso de reposición interpuesto contra la misma— fueron adoptados en uso de las facultades que se confieren a la Administración, por los artículos 35 y 36 RAM, para corregir las deficiencias comprobadas después de la puesta en funcionamiento de la actividad de que se trate, e independientemente de que se conceda para ello un plazo de 15 días, cuando en el inciso final del citado artículo 36 se señala que, salvo en casos especiales, el plazo no podrá exceder de 6 meses ni ser inferior a 1, que, por otra parte, el artículo 37 del mismo Reglamento prevé la posibilidad de otorgar un segundo plazo para que el propietario dé cumplimiento a lo ordenado, es lo cierto que la medida tomada constituye una de las sanciones previstas en el artículo 38 del Reglamento, para el supuesto de que se hubieran agotado los plazos a que se refieren los artículos anteriores sin que por los requeridos se adoptaran las medidas ordenadas para la desaparición de las causas de molestia, y como *la sanción de cese o paralización de la actividad, según se infiere del artículo 40.2 del Reglamento, sólo debe imponerse después de tres multas consecutivas, a no ser que las circunstancias, especialmente el grado de peligro que represente el funcionamiento de la actividad, aconsejen su clausura con carácter provisional, procede, al no concurrir en el caso esas circunstancias excepcionales, estimar el recurso, al no ser los actos impugnados ajustados a derecho* (de los Considerandos de la sentencia apelada, aceptados). [STS 15 abril 1986, Sala 4.ª]

IV.   MODELO DE EXPEDIENTE SANCIONADOR

(Disponible a texto íntegro en smarteca.es)

1) **Inicio de expediente mediante denuncia de particular**

2) **Providencia ordenando información previa sobre los hechos denunciados**

3) **Informe de secretaría sobre comprobación de los hechos denunciados**

4) **Informe técnico sobre comprobación de hechos denunciados**

5) **Resolución de incoación de procedimiento sancionador**

6) **Comunicación al instructor del expediente sancionador**

7) **Notificación de la resolución de incoación a los interesados**

8) **Notificación de la resolución de incoación al denunciante, en su caso**

9) **Acuerdo de apertura de período de prueba**

10) **Notificación del acuerdo de apertura de período de prueba**

11) **Acta para hacer constar el resultado de la práctica de prueba testifical**

12) **Informe técnico sobre las alegaciones presentadas, en su caso**

13) **Trámite de audiencia**

14) **Propuesta de resolución**

15) **Remisión de actuaciones al órgano competente para resolver**

16) **Resolución expresa del procedimiento**

17) **Notificación de la resolución de terminación del procedimiento**

APÉNDICE DE JURISPRUDENCIA

ACTIVIDADES EN GENERAL

I.   ACTIVIDADES SIN LICENCIA

1.   Actividad clandestina

• Igualmente ni el transcurso del tiempo, ni el pago de las tasas a tributos, ni la mera tolerancia municipal, pueden implicar acto tácito de otorgamiento de licencia o de reconocimiento de la misma (STS de 20 de diciembre de 1985 y 20 de enero de 1989); manteniéndose en las sentencias del TS de 20 de diciembre de 1985 y 20 de enero de 1989, que **la actividad ejercida sin licencia se conceptúa como clandestina y como una situación irregular de duración más o menos larga que no legitima en ningún caso el transcurso del tiempo**, pudiendo por tanto ser incluso acordado su cese por la autoridad municipal en cualquier momento, ya que los fines asignados a la Administración a través de la licencia dentro de las presiones generales del Reglamento de Servicios de las Corporaciones Locales (art. 22) justifica que la intervención de control se ejerza no solo en la fase previa al inicio de la actividad, sino en cualquier momento posterior. [STSJ Canarias (Las Palmas de Gran Canaria) 2 noviembre 2011.- LA LEY 285796/2011]

• La actividad ejercida **sin licencia se conceptúa clandestina y como una situación irregular de duración indefinida** que no legitima el transcurso del tiempo, y que su cese puede ser acordado por la autoridad municipal en cualquier momento STSJ Andalucía (Sevilla) 19 enero 2012.- LA LEY 30681/2012]

• Consiguientemente, como señala la sentencia, el acuerdo municipal impugnado ha de considerarse ajustado a derecho **al estar ejerciendo una actividad de pensión y carecer de la preceptiva licencia de funcionamiento**, pues, como recuerda la sentencia del Tribunal Supremo de 7 de mayo de 2002, «no es posible la apertura y ejercicio de una actividad clasificada sin contar con la pertinente licencia».

Afirmándose en la de 2 de octubre de 2000, con cita de otras anteriores, que «**la actividad ejercida sin licencia se conceptúa clandestina y como una situación irregular de duración indefinida que no legitima el transcurso del tiempo, pudiendo su cese ser acordado por la autoridad municipal en cualquier momento**»; y en la de 6 de febrero de 1996 que «**la ausencia de autorización para el ejercicio de una actividad que requiera la tenencia de una licencia administrativa genera la ilegalidad de la misma y** la consiguiente prohibición, que no constituye una sanción, sino la exigencia que dimana de la propia naturaleza de la licencia administrativa, sin la cual no se puede proceder a la apertura de un establecimiento comercial o industrial, ni ejercer la actividad que le son propias». [STSJ Aragón 17 febrero 2010.- LA LEY 185699/2010 y STSJ Aragón 9 febrero 2012.- LA LEY 10310/2012]

• Por ello, aunque en anteriores ocasiones hayamos sostenido que ante actividades que se vienen ejerciendo hace largo tiempo, es **desproporcionada la clausura inmediata** sin resolver sobre la posibilidad de legalización de las mismas, tratándose de un caso en el que **es patente que no puede ser legalizada**, pues no se alega siquiera el interés general de la actividad que pudiera justificar la aprobación de un proyecto de actuación territorial para legalizar la actividad industrial en suelo rústico, **el cierre decretado es conforme a derecho**. [STSJ Canarias (Santa Cruz de Tenerife) 18 abril 2012.- LA LEY 263643/2012]

• Para resolver la cuestión planteada debe partirse de la base de que la consecuencia jurídica de la falta de licencia de actividad y/o funcionamiento no puede ser otra que la clausura de la actividad pues como manifiestan las Sentencias de la sala Tercera del Tribunal Supremo de 10 de Junio y 24 de Abril de 1.987 **la apertura clandestina de establecimientos comerciales e industriales o el ejercicio sin la necesaria licencia de actividades** incluidas en el Reglamento de 30 noviembre 1961, (hoy la Ley 2/2002, de 19 de junio (LA LEY 1162/2002), de Evaluación Ambiental de la Comunidad de Madrid) **obligan a adoptar, de plano y con efectividad inmediata, la medida cautelar de suspender la continuación de las obras, clausurar el establecimiento o paralizar la actividad**, con el fin de evitar que se prolongue en el tiempo la posible trasgresión de los límites impuestos por exigencias de la convivencia social, hasta la obtención de la oportuna licencia que garantice la inexistencia de infracciones o la adopción de las medidas necesarias para corregirlas, la decisión de precinto y clausura adoptada constituye la medida de carácter cautelar y no sancionadora, más apropiada para impedir la continuidad de una actividad clandestina, que se ejerce sin la preceptiva licencia, por tanto sin garantía para el superior principio de respeto a la seguridad de los ciudadanos. [STSJ Madrid 12 junio 2013.- LA LEY 131130/2013]

• Este Tribunal viene reiteradamente declarando que una actividad ejercida **sin licencia se conceptúa como clandestina, y que como situación irregular** puede en cualquier momento ser acordado su cese. [STSJ Andalucia (Granada) 26 mayo 2014.- LA LEY 95525/2014]

• Es de destacar que jurisprudencia constante recuerda que la actividad ejercida **sin licencia se conceptúa como clandestina** y como una situación irregular de **duración más o menos larga que no legitima en ningún caso el transcurso del tiempo**, pudiendo por tanto ser incluso acordado su cese por la autoridad municipal en cualquier momento, ya que los fines asignados a la Administración a través de la licencia dentro de las presiones generales del Reglamento de Servicios de las Corporaciones Locales (LA LEY 18/1955) (art. 22) justifica que la intervención de control se ejerza no solo en la fase previa al inicio de la actividad, sino en cualquier momento posterior. **No cabe pues hablar de derecho adquirido alguno ni de tolerancia o precariedad en el ejercicio de la actividad fuere o no conocida, a los efectos de legitimación de una actividad ejercida desde su iniciación sin licencia.** [STSJ Castilla y León (Burgos) 11 septiembre 2015.- LA LEY 134406/2015]

• El funcionamiento a lo largo del tiempo de una actividad **consentida y permitida** por la autoridad municipal **no basta para la obtención de las correspondientes licencias o permisos** ni para regularizar la situación legal de dicha actividad y su funcionamiento. [STSJ Castilla y León (Burgos) 11 septiembre 2015.- LA LEY 134406/2015]

II.   CAMBIO DE TITULARIDAD

1.   Abandono de local por resolución del contrato

• En segundo lugar, **tampoco corresponde a la juzgadora entrar en la causa del negocio jurídico civil por el que las partes ponen fin a una relación arrendaticia**. El acuerdo de resolución de contrato firmado por los recurrentes el 31/3/2006 incluye la resolución, entrega de llaves, disponibilidad del local y reconocimiento de ausencia de cualquier reclamación derivada de la relación arrendaticia. **Una vez que la jueza verifica este negocio, huelga cualquier pronunciamiento sobre las circunstancias civiles que lo motivan, que podrán fundar con éxito una acción civil, pero son irrelevantes en la vía administrativa**. A partir del momento en que se produce **el abandono del local por resolución del contrato y la puesta a disposición del mismo a la propiedad, con pérdida del derecho de uso y aprovechamiento, deja de existir en la esfera patrimonial del antiguo arrendatario derecho de licencia de actividad alguno, pues no tiene dónde proyectarse**. Es más, el título por el que los recurrentes acceden al proceso, sólo puede haber sido la defensa del interés público, y nunca la titularidad de la licencia, que forzosamente han perdido con la pérdida de disposición del local, pues **carece de objeto sobre el que proyectarse el permiso de actividad**. [STSJ PAIS VASCO 10 octubre 2011.- LA LEY 300763/2011]

2.   Doctrina general

• Expuestos los anteriores antecedentes y entrando en el análisis de la legalidad del primero de los actos impugnados, **hay que decir que existe una constante jurisprudencia sobre la transmisión de las licencias de apertura que interpreta el alcance que debe de otorgarse al artículo 13 del Reglamento de Servicios de las Corporaciones Locales**, aprobado por Decreto de 17 de junio de 1955.

Dicha jurisprudencia viene a decir que **en la medida en que la licencia de la que estamos hablando es de carácter objetivo, la transmisión opera de manera automática, en tanto en cuanto subsistan y no se hayan alterado, las condiciones que determinaron el otorgamiento de la misma**, sin perjuicio de las potestades de la Administración para verificar que ello es así y sin que las mismas puedan servir para denegar la transmisión de la licencia, en tanto en cuanto no se haya tramitado el oportuno expediente al efecto.

Concretamente, dice la Sentencia de la Sala de lo Contencioso Administrativo del Tribunal Superior de Justicia de Andalucía, Sala de Sevilla de fecha 27 de marzo del año 2000, dictada en el recurso 939 / 1998. Pte: Alejandre Durán, Mª Luisa que «El artículo 13 del RSCL dispone que "las licencias relativas a condiciones de una obra, instalación o servicio serán transmisibles, pero el antiguo y el nuevo constructor o empresario deberán comunicarlo por escrito a la Corporación...". Se trata por tanto de una intervención administrativa mínima que se justifica en que el interés público se satisface y atiende simplemente con el hecho objetivo que la actividad de que se trate se realice conforme a la legalidad a que el objeto de la licencia tenga que ajustarse, y cuya adecuación a la legalidad ya ha sido controlada mediante el acto de licencia otorgada antes, aunque la actividad pueda realizarse por otra persona distinta del titular originario.

Este efecto automático sólo encuentra un límite en el artículo 15 RSCL "las licencias relativas a las condiciones de una obra instalación tendrán vigencia mientras subsistan aquéllas", de forma que toda variación de las características del local o instalación que en él se desarrolla, generará la correspondiente inspección municipal, actividad administrativa que daría lugar a la expedición de nueva licencia».

Y añade en su Fundamento de Derecho Cuarto «En el presente supuesto la **existencia de la licencia es algo indiscutible y el expediente tiene la única misión del cambio de titularidad subjetiva, no debiendo plantearse problema alguno ajeno a la mencionada titularidad pues la intervención municipal en caso de transmisión de licencias no es de previa o expresa autorización para que aquélla opere, sino de mera constatación o toma de razón de lo extraadministrativamente producido por el acuerdo entre el antiguo y nuevo titular.**

En cuanto a los nuevos motivos legales en contestación a la demanda sobre nuevas exigencias por encontrarse en zona saturada no cabe duda que la Administración tiene competencia para intervenir en el modo y en la forma en que se ejercita la actividad autorizada, estando legitimada para adoptar las medidas que aseguren la protección de los intereses públicos que puedan verse afectados. Pero ello **no permite desde luego, sin expediente específico a tal finalidad instruido, realizar una denegación de la licencia (por cambio de titularidad) que en realidad constituye revocación de la ya otorgada».**

Esta interpretación de las exigencias a las que debe someterse la transmisión de un licencia de apertura es coincidente con la que mantienen otras Salas de lo Contencioso Administrativo, como es el caso de Madrid.

Así la Sentencia de fecha 7 de febrero de 2003, dictada por ese Tribunal en el recurso 1603/1998 Pte: López Candela, Javier Eugenio dice «Y a este respecto ha de recordarse que la Jurisprudencia ha venido entendiendo que **el cambio de titularidad de la actividad constituye un supuesto de acto, comunicado amparado en el carácter objetivo de las licencias, que no son por ello intuitu personae, es decir de carácter personalísimo**, conforme a los art. 13 y 15 del Reglamento de Servicios de las Corporaciones locales de 17 de junio de 1955 (STS 12 de julio de 2.000, 13 de febrero y 23 de diciembre de 2.000) y es así que dado el carácter revisor de esta jurisdicción es evidente, y así lo ha declarado esta Sala que **la existencia de un acto comunicado no constituye una facultad conferida a los entes locales para revisar una licencia concedida**, so pena de incurrir en desviación de poder prohibida por el art. 63.1 de la Ley 30/92 de 26 de noviembre del PAC, y ello en la medida en que la Administración debe **limitarse a resolver en dicho procedimiento iniciado por el particular si procede o no dicho cambio de titularidad**, sin perjuicio de iniciar con posterioridad los trámites oportunos para el restablecimiento de la legalidad urbanística o medioambiental».

Igualmente el Tribunal Supremo en Sentencia de 19 de diciembre de 2001, dictada en el recurso de casación 5877/1996. Pte: Soto Vázquez, Rodolfo ha dicho que «Una vez más ha de recordarse que el artículo 13 del Decreto mencionado distingue a efectos de la transmisión de la titularidad entre **licencias concernientes a las cualidades del sujeto, o ejercicio de actividades relacionadas con bienes de dominio público, y aquellas otras que se refieren a las condiciones de una obra, instalación o servicio, resul-**

tando las primeras transmisibles sin otro requisito que la conjunta comunicación al Ayuntamiento por parte de cedente y cesionario, cuya omisión determina que ambos quedarán sujetos solidariamente a las responsabilidades que fueren procedentes frente a dicha Corporación...

Ello no significa desconocer que si al socaire de un mero cambio de titularidad se pretendiese la obtención de una nueva licencia, o bien se pusiese de manifiesto un cambio de actividad o de las condiciones en que ésta se venía desarrollando, pudiese dispensarse el cesionario de solicitar y obtener en la debida forma una nueva autorización, **ni tampoco que el cambio de titularidad implique que deje de estar sometido a la necesidad de adoptar todas aquellas medidas correctoras que la autoridad local pueda exigir para evitar las posibles consecuencias que afecten al sosiego y salubridad de los ciudadanos**, según dispone el Decreto sobre Actividades Molestas, Insalubres, Nocivas o Peligrosas de 1.961 EDL1961/63». [STSJ Castilla y León (Burgos) 28 noviembre 2011.- LA LEY 232204/2011]

3. Efectos

• Recordemos que la comunicación al Ayuntamiento de **la transmisión de la licencia no es constitutiva**, y sus **efectos se contraen a limitar la responsabilidad al actual titular de la misma, extendiéndolos también al transmitente en caso contrario**, y ello por el interés público en saber a quién imputar las posibles responsabilidades por el ejercicio de la actividad autorizada. Es correcto así verificar que ha existido adquisición de licencia, sin que este análisis pueda extenderse a la legalidad del acto de toma de conocimiento de la administración verificado en otro acto administrativo. [STSJ PAIS VASCO 10 octubre 2011.- LA LEY 300763/2011]

4. Modificaciones sustanciales en local

• No puede entenderse el cambio de titularidad concedido por **silencio administrativo positivo**, ya que la actividad no se ajusta a la licencia de apertura concedida, **habiéndose realizado modificaciones sustanciales en el local que implicarían las necesidad de obtener una nueva licencia de actividad, lo que impide la autorización del cambio de titularidad solicitado**. [STSJ Comunidad Valenciana 6 mayo 2012.- LA LEY 139771/2010]

5. Naturaleza jurídica

• A. Régimen legal vigente en materia de intervención administrativa municipal en la actividad privada. Naturaleza jurídica de las licencias de actividad. Transmisibilidad.

La normativa anterior nos lleva a considerar, **a diferencia de lo que sostiene la sentencia de instancia y defienden los apelados, este tipo de licencias como reales u objetivas, cuyo régimen y términos de transmisibilidad** ya hemos descrito con anterioridad en otra resolución de esta Sección, la STSJPV n.º 849/2001, recaída en el Rec. n.º 862/1998, en la que decíamos que:

«SEGUNDO. A la hora de resolver la cuestión planteada debe tenerse presente que el art. 13.1 del Reglamento de Servicios de las Corporaciones Locales, aprobado por Decreto de 17 de junio de 1955, **reconoce la libre transmisibilidad de las licencias** relativas a las condiciones de una obra, instalación o servicio, denominadas reales, sin otro requisito que el de comunicarlo por escrito al Ayuntamiento; y de conformidad con lo dispuesto por el art. 15.1 del propio Reglamento de Servicios de las Corporaciones Locales, tales licencias tienen vigencia mientras subsistan las condiciones exigidas para su otorgamiento, que, como se sabe, constituyen actos reglados.

La clase de licencias reales u objetivas, a cuyo género corresponden las de ejercicio de actividades, en modo alguno se conceden en atención a las peculiares cualidades personales del titular, y es precisamente su naturaleza objetiva lo que las hace transmisibles. En orden a esa transmisibilidad, debe notarse que las consecuencias que previene el artículo 13.1 del Reglamento de Servicios de las Corporaciones Locales, consisten en la sumisión conjunta de transmitente y adquirente a las responsabilidades derivadas de la explotación de la licencia en tanto no se comunique, por escrito, el cambio efectuado, o dicho en otras palabras, la falta de comunicación lo que hace es impedir que el titular de la licencia quede desligado de sus responsabilidades ante la Administración y pasen éstas automáticamente al nuevo titular. Pero al mismo tiempo, ni la falta de comunicación, o la defectuosa realización de la misma, provocan la caducidad de la licencia, ni se erigen en supuestos revocatorios, ni las licencias pueden dejarse sin efecto por la falta de comunicación de la transmisión (tampoco por la baja en el Tributo Local cuyo hecho imponible lo constituye el ejercicio de la actividad), y, en todo caso, para dejar sin efecto una licencia ha de seguirse procedimiento contradictorio.

En el caso examinado, el cambio de titular por sí solo resultaba jurídicamente irrelevante en cuanto afectaría a los posibles derechos de los particulares (STS de 23-12-1998), porque la licencia mantenía su vigencia mientras subsistieran las condiciones de la actividad, de modo que el Ayuntamiento, de no advertir otras modificaciones que las subjetivas, que son inoperantes a estos efectos, debió otorgar la transmisión de la titularidad de la licencia cuando le fue comunicado por escrito por el dueño del establecimiento, toda vez que no ofrecía duda el título legítimo de la transmisión ya que la subrogación en la explotación se producía por los dueños del local a favor del nuevo titular, una vez que el anterior arrendamiento había sido declarado extinguido por resolución judicial». [STSJ PAIS VASCO 10 octubre 2011.- LA LEY 300763/2011]

6.   No transmisión de la titularidad

• Pero en el concreto ámbito que debe ocuparnos de la licencia de apertura sujeta a comprobación periódica debe indicarse que el titular de la licencia que no ha transmitido la misma y que simplemente tolera que se ejercite una actividad para la que sólo él es el titular de la licencia es, desde luego, persona interesada, responsable en la forma indicada, y a la que puede dirigirse el procedimiento no sancionador que nos ocupa y sin tacha alguna. [STSJ Cataluña 9 noviembre 2010.- LA LEY 301732/2010]

7.   Transmisión improcedente

• Es decir, que lo que se autorizó mediante las correspondientes licencias de obras y de apertura fueron dos apartahoteles, esto es, edificaciones compuestas de unidades pero con un uso colectivo residencial turístico. Sin embargo, con la transmisión de esas unidades de forma individualizada se ha alterado el uso, convirtiéndose en residencial

privado y, ciertamente, como alega la demandante, no existe norma que impida que una persona resida en una unidad por el tiempo que quiera, pero lo que no puede es tener la titularidad privada de esa unidad. Las propias licencias de apertura de establecimientos cuyas copias se aportan con la demanda acreditan que se otorgaron para explotar una actividad en un establecimiento, concretamente la de apartahotel con las plazas previstas, **y difícilmente puede ejercerse tal actividad si se divide el edificio en apartamentos, es decir, si lo que eran plazas hoteleras en apartamentos se transmiten de forma individual**. [STSJ Region de Murcia 6 noviembre 2015.- LA LEY 174688/2015]

• Y ello es así porque tal y como se hace constar en la propia resolución administrativa **ordenando el precinto, tal decisión se adopta en ejecución de tres resoluciones sancionadoras previas impuestas por periodos de nueve meses, un año y dos años**, que aunque impuestas con carácter firme con anterioridad al inicio de la actividad por parte del apelante (contrato de arrendamiento del local de 17 de septiembre de 2014, declaración responsable de inicio de actividad de establecimiento de restauración presentado ante la Comunidad de Madrid el 19 de septiembre de 2014 y comunicación al Ayuntamiento de Madrid de cambio de titularidad de actividades presentada el 19 de septiembre de 2014) y siendo el sujeto sancionado un tercero, sin embargo no podemos acceder a la suspensión instada sin eludir el cumplimiento de tres resoluciones sancionadoras firmes que afectan de forma directa a la licencia del local en el que ejerce su actividad el apelante. Así se desprende del contenido del art. 41.4 de la Ley 17/1997 de Espectáculos Públicos y Actividades Recreativas de la Comunidad de Madrid, según el cual «Las sanciones de clausura de locales..., cuando sean superiores a seis meses, conllevarán la suspensión de las licencias reguladas en esta Ley». Por tanto, la pretendida transmisión de la licencia con que cuenta el local de autos, no pudo operar de forma válida por la sencilla razón de que la misma quedó suspendida una vez impuestas las sanciones con carácter firme, **quedando así pues el local afectado por la sanción de clausura sin posibilidad de transmisión de una licencia suspendida por ministerio de la ley**.

Una vez afirmado lo anterior, resulta que **los perjuicios económicos causados al apelante y derivados del necesario precinto del local no son atribuibles al Ayuntamiento**, que se ha limitado a ejecutar una resoluciones sancionadoras firmes, sino que en su caso serán exigibles a la persona titular de la licencia que procede a su transmisión a sabiendas de la existencia de tales resoluciones, con el consiguiente efecto legal de suspensión de la licencia de su titularidad. [STSJ Madrid 15 abril 2015.- LA LEY 66608/2015]

8. Tasa por traspaso o cambio de titularidad

• Que la liquidación girada por cambio de titularidad, se considere un error formal, en el sentido de que tendría que ser entendida como liquidación tendente a gravar la actividad propia de comprobación de la licencia solicitada, se trata de una conclusión aventurada, ya que la liquidación girada, lo fue por cambio de titularidad, lo que ciertamente se produjo y se respalda en un precepto de la Ordenanza referido al cambio de titularidad, luego no existió tal error.

Que por tanto la conclusión no es otra que **la Tasa que se giró lo fue por el hecho en sí del cambio de titularidad, sin que exista licencia de apertura**, y en aplicación del art. 2.2.d) de la Ordenanza Fiscal Reguladora de la Tasa por Licencia de Apertura, que a efectos de gravamen asimila el cambio de titularidad a una licencia de apertura susceptible de Tasa tributaria; y dicha cuestión ya ha sido resuelta por el propio Juez *a quo* mediante sentencia de 9 de noviembre de 2001 consideró nulo un precepto idéntico de la Ordenanza de licencia de apertura de Santa Cruz de La Palma, que fue ratificado por esta Sala en su sentencia de 4 de febrero de 2002 (LA LEY 7212/2002) (Rec. 41/2002) **donde siguiendo la doctrina del TS, se anuló dicho precepto al considerar el cambio de establecimiento como hecho imponible subjetivo y personal, fuera del alcance de la Tasa que grava un hecho objetivo o real como el desempeño del servicio que es distinto de quien sea su titular.**

Así las cosas, no existiendo licencia de apertura no podemos hablar de Tasa de licencia de apertura; y por el contrario, existiendo cambio de titularidad, no es lícito aceptar como válida la Tasa girada bajo este concepto como liquidación por licencia de apertura, ya que ni ésta se había concedió, ni este precepto debe ser considerado válido de conformidad con la interpretación jurisprudencial del art. 26.1 a) de la LGT. [STSJ Canarias (Santa Cruz de Tenerife) 31 octubre 2011.- LA LEY 286480/2011]

• Entrando en el examen de la primera de las alegaciones formuladas por la recurrente relativa a la **Tasa por traspasos o cambio de titularidad** de las licencias ha de tenerse en cuenta que además de concretarse en el art.2 apartado c) de la Ordenanza el hecho imponible tal como se ha expuesto en el Fundamento de Derecho primero de esta resolución, el art. 6 de aquella en su apartado III «traspasos o cambio de titularidad» dispone textualmente:

«Los traspasos o cambios de titularidad de las licencias referidas, cualquiera que sea su denominación, se determinará por aplicación del 30 por 100 de la cuota que le correspondiera satisfacer en concepto de tasa por concesión de la licencia de actividades e instalaciones y apertura o funcionamiento (con un mínimo de 250 euros)».

La problemática que plantea la actora relativa en definitiva a la exigencia en Ordenanza Fiscal de una Tasa por un servicio que constata un cambio de titularidad ha sido ya objeto de reiterada jurisprudencia del TS y de los TSJ.

Así cabe citar entre otras la Sentencia del TSJ de Cataluña, Sección 1ª de la Sala de lo Contencioso-Administrativo de 20-9-07 que resumiendo la Jurisprudencia del TS concreta:

«A este respecto es conocida la jurisprudencia del Tribunal Supremo sobre la posibilidad de imponer una tasa por el mero cambio de titularidad. La Sentencia de la Sala 3ª, sec.2ª,17-7-1998, gráficamente expone **"es claro que repugna a la misma equidad que el acto de anotar en un libro municipal el cambio en el nombre del titular de un local de negocio, actividad que sólo presupone la comprobación formal de ello con el examen de un simple documento, pueda comportar la misma obligación contributiva que la debida por la actividad de sustanciación del expediente que lógicamente exige la apertura inicial de ese mismo local y que constará de todos los trámites imaginables para el caso"**.

De ahí que sea **doctrina consolidada**, tratándose de licencia de apertura de establecimientos, **la exigencia de dos requisitos**. Conforme a la Sentencia TS, 3.ª, sec. 2.ª, 7-6-1997, rec 12610/1991, dos son pues, los presupuestos que condicionan la exigibilidad de una tasa por licencia de apertura de establecimiento: **que se precise la obtención de licencia por parte del Ayuntamiento y que éste haya desarrollado una actividad técnica y jurídica tendente a verificar la concurrencia de las condiciones necesarias**

para el ejercicio de la actividad que pretende realizarse en dicho establecimiento. Y como en aquél supuesto, si **no se acredita actividad alguna más allá de la mera anotación del cambio de titularidad, no procede considerar procedente la imposición de la tasa, sólo admisible en supuestos excepcionales, cuando el cambio de titularidad puede comporta la tramitación de un nuevo expediente por cambio en la disposición física del local, por ejemplo** (ver Sentencia citada de 17 de julio de 1998).

En resumen, y como indica la Sentencia Sala 3ª, sec. 2.ª, 19-3-1997, rec. 13452/1991, se considera doctrina general "**que el simple cambio de titularidad de un local no constituye el supuesto de hecho determinante del devengo de una nueva tasa por licencia de apertura**, teniendo en cuenta que para que pueda exigirse tasa por licencia de apertura es preciso que el titular haya de proveerse de una licencia de aquella clase y que de los artículos 13 y 14 del Reglamento de Servicio de las Corporaciones Locales, aprobado por Decreto de 17 de junio de 1955, se desprende una radical diferencia entre las licencias personales, en cuya concesión se tienen en cuenta primordialmente las cualidades personales del sujeto autorizado y las reales, en que dichas cualidades no tiene relevancia frente a las condiciones objetivas de la obra, instalación o servicio autorizado, que es el aspecto realmente trascendente, con la consecuencia de que así como las primeras no son transmisibles, sí lo son las licencias reales (excepto aquéllas cuyo número sea limitado, artículo 13,3) cuya validez no deriva de quién sea el sujeto autorizado, sino de las condiciones en que la actividad se desarrolle, hasta el punto de que si el artículo 13 del citado Reglamento impone la obligación de comunicar la transmisión a la Corporación autorizante, la sanción por el incumplimiento de dicha obligación no es la caducidad de la licencia, sino la responsabilidad del antiguo titular conjuntamente con el nuevo por las obligaciones que derivan del ejercicio de la industria por este último, y así el artículo 15.1) del mismo Reglamento, determina que las licencias relativas a las condiciones de una instalación tendrán vigencia mientras subsistan aquéllas, de donde se deduce que las alteraciones subjetivas no determinan el fin de la licencia concedida si las condiciones objetivas del establecimientos permanecen inalteradas".

Esta doctrina, como es lógico, no se opone a que las solicitudes de ampliación de la actividad desarrollada en un local, en cuanto requieren la previa verificación administrativa acerca de si las condiciones en que la actividad va a desarrollarse se ajustan a las normas de policía que resulten aplicables, determinen el devengo de la correspondiente tasa, pero si es contraria a una tasa girada en base a un precepto de una Ordenanza que considera que el simple cambio de titularidad, independientemente de cualquier otra consideración origina el devengo de una tasa por licencia de apertura». [STSJ Madrid 16 diciembre 2012.- LA LEY 290571/2010]

III. COMPROBACIÓN DE ACTIVIDADES

• Como recuerda el Tribunal Supremo en su Sentencia de 15 de Marzo de 2002 «esta Sala (v. gr., sentencia de 19 de febrero de 1988) **tiene establecida la doctrina de que las licencias para actividades clasificadas** —bajo el régimen del Reglamento de Actividades Molestas, Insalubres, Nocivas y Peligrosas de 30 de Noviembre de 1961— **están sometidas siempre a la condición implícita de tener que ajustarse a las exigencias del interés público. Esta condición implícita habilita a la Administración para requerir al titular de la actividad en cuestión para que corrija las deficiencias que se observen señalando plazo para ello».** [STSJ Cantabria 1 abril 2009.- LA LEY 55612/2009]

• No es preciso realizar una inspección de **comprobación de la obra** cuando los defectos respecto de la licencia de obra son tan grandes que se aprecian **a simple vista**. [STSJ Castilla y León (Burgos) 28 enero 2011.- LA LEY 1711/2011]

• Hay que recordar que una vez obtenida la licencia de instalación de una actividad clasificada, **no puede tener lugar su efectiva puesta en funcionamiento sin que previamente se gire la visita de comprobación** a que alude el artículo 23 de la Ley territorial 1/1998, de 8 de enero, de Régimen Jurídico de los Espectáculos Públicos y Actividades Clasificadas en Canarias, artículo 34 del Reglamento de Actividades Molestas, Insalubres, Nocivas y Peligrosas de 1961. Nueva fase del procedimiento, como indica la sentencia del Tribunal Supremo de 8 de octubre de 1988 (pte. señor Delgado Barrio), **un acto que condiciona la eficacia de la licencia de instalación** (sentencia de 24 de diciembre de 1967), **hasta el punto que el funcionamiento de la actividad sin pasar por este trámite es ilegal y puede la Administración ordenar su paralización** (sentencia de 23 de octubre de 1975). [STSJ Canarias (Santa Cruz de Tenerife) 4 marzo 2011.- LA LEY 258603/2011]

• La licencia de instalación es un acto administrativo de autorización, y que la de apertura es un **acto administrativo de comprobación**, con lo que la de apertura está lejos de ser una consecuencia final de la de instalación. [STSJ Madrid 20 febrero 2013.- LA LEY 27666/2013]

• La **mera solicitud de la licencia no facultaría para el ejercicio de la actividad**, ya que se precisa para ello no sólo la concesión de la licencia de instalación, sino **la comprobación una vez realizada la instalación, que ésta se corresponde con el proyecto licenciado** y que se han adoptado las medidas correctoras oportunas, lo que se realiza mediante el otorgamiento tras la oportuna visita de inspección de la licencia de funcionamiento correspondiente.

Es evidente que no se puede iniciar una actividad antes de obtener licencia para su ejercicio. El ejercicio legítimo de las actividades sujetas a licencia de funcionamiento queda **condicionado, por ello, a las verificaciones y comprobaciones** a que, en adecuada garantía del interés público, sirve la licencia, resultando prohibido el ejercicio de la actividad con anterioridad a su obtención. [STSJ Madrid 3 marzo 2011.- LA LEY 67768/2011 y STSJ Madrid 28 enero 2015.- LA LEY 4936/2015]

IV. INTERVENCIÓN ADMINISTRATIVA

1. Actuación reglada

• Una reiterada y constante jurisprudencia ha venido proclamando, insistentemente que **las licencias municipales no son actos discrecionales, sino reglados; que no sólo es reglado el acto de la concesión, sino también el contenido de los mismos**; y que la licencia, como técnica de control de una determinada normativa no puede desnaturalizarse y convertirse en medio de conseguir, fuera de los cauces legítimos, un objetivo distinto; que, en definitiva, la licencia debe ser concedida o denegada en función de la legalidad vigente, sin que puedan exigirse otros requisitos ni condicionamientos distintos. [STSJ Andalucía (Granada) 17 julio 2009.- LA LEY 242177/2009]

• **La intervención de las Corporaciones locales en la actividad** de los ciudadanos a través del sometimiento a licencia previa o a otros actos de control preventivo (artículo

84.1 .b) de la Ley 7/1985, de 2 de abril, reguladora de las Bases del Régimen Local) **es rigurosamente reglada**, no pudiendo exigirse o establecerse fuera y más allá de los supuestos específicos en que tal intervención resulta normativamente autorizada, **y sin que pueda extenderse por analogía a supuestos que la ley no prevea**, porque se trata de limitaciones a derechos de los ciudadanos, en las que, además, ha de actuarse con sujeción, en todo caso, a los principios de igualdad de trato, congruencia con los motivos y fines justificativos y respeto a la libertad individual.

Por ello **su otorgamiento no tiene un carácter discrecional** sino que constituye un acto debido en cuanto que necesariamente deben otorgarse o denegarse según que la actuación pretendida se adapte o no al ordenamiento aplicable, es decir la Administración ha de actuar vinculada a los dictados de las normas y de los planes operantes en cada caso. [STSJ Madrid 25 marzo 2010.- LA LEY 69821/2010]

• La licencia, como la examinada, tiene una **naturaleza rigurosamente reglada**, constituye un acto debido en cuanto que necesariamente «debe» otorgarse o denegarse según que la actuación pretendida se adapte o no a la ordenación aplicable.- STSJ Región de Murcia 20 diciembre 2012.- LA LEY 222955/2012]

• Así, aun **cuando la concesión de la licencia de apertura de un gran centro comercial no sea un acto absolutamente reglado, tampoco es completamente discrecional**, pues a tenor de los preceptos citados habrán de ponderarse una serie de factores entre los que son especialmente importantes la existencia previa de una dotación comercial en la zona afectada por el nueva emplazamiento, así como el análisis de los efectos que la apertura pueda producir en la estructura comercial de la zona. [STSJ Andalucía (Málaga) 18 septiembre 2015.- LA LEY 175337/2015]

2. Licencia

• Se trata sin duda de actividad industrial o mercantil sujeta a licencia conforme previene el artículo 22 del Reglamento de Servicios de las Corporaciones Locales, aprobado por Decreto de 17 de junio de 1955. Como recoge la sentencia del Tribunal Supremo de 11 de octubre de 1991, **«La licencia administrativa es expresión típica de intervención de la Administración en la esfera de la actividad privada y constituye requisito necesario para el ejercicio de dicha actividad.** Dentro del término licencia se comprenden figuras afines (**autorizaciones, permisos, habilitaciones, dispensas, inscripciones**, etc.) que son conceptos que definen la intervención administrativa atendiendo a situaciones diversas. **En el ámbito local, el término dominante** en el que se designa la intervención administrativa a fin de controlar la actividad de los administrados en defensa del interés público, **es la licencia. El término licencia es genérico que hay que especificar (a veces con otros términos como ha quedado expresado) a tenor de las normas positivas**. Tal especificación, de cara a la exigencia de **licencia en la esfera municipal, aparece contenida, entre otras, de las siguientes normas**: 1. Art. 84 . l,b), de la Ley 7/1985, de 2 de abril, reguladora de las Bases del Régimen Local, que establece que las Corporaciones locales podrán intervenir la actividad de los ciudadanos, sometiéndola a previa licencia. Se trata de una norma legal general que encuentra en otras normas positivas la concreción de la exigencia de la licencia previa. 2. Art. 8.º del Reglamento de Servicios de las Corporaciones locales, aprobado por Decreto de 17 de junio de 1955, que limita la actividad interventora a través de la licencia a los casos previstos «por la Ley, el presente Reglamento y otras disposiciones de carácter general» y 3. En el art.22 reglamento de Servicios de las Corporaciones Locales, contiene otra concreción en orden a la exigencia de licencia de apertura: Que la refiere a establecimientos industriales y mercantiles, es decir a actividades presididas por el ánimo de lucro». La actividad que nos ocupa está ligada a la explotación mercantil de los camiones, en cuanto tiene por objeto su aparcamiento, abastecimiento y lavado de los mismos, está sujeta a licencia de apertura. [STSJ Andalucía (Granada) 3 junio 2013.- LA LEY 134574/2013]

3. Límites

• La autonomía municipal atribuye a los Ayuntamientos **potestades de intervención en la actividad de los ciudadanos** (arts. 84.1 de la Ley de Bases de Régimen Local y 1.º y 5.º del Reglamento de Servicios) que pueden llegar al sometimiento a previa licencia y otros actos de control preventivo. Pero **dicha actividad de intervención debe** —máxime al tratarse del ejercicio de un derecho como el que aquí se examina— **ajustarse cuidadosamente a los principios de igualdad** (art. 14 CE), **proporcionalidad y favor libertatis** que explicita el art. 84.2 de la referida Ley de Bases del Régimen Local... Por lo que, en relación con dichos locales religiosos, **la única intervención municipal exigible es la dirigida a comprobar si el uso proyectado se ajusta al destino urbanístico previsto en el planeamiento** (LA LEY 847/1985). [STSJ Madrid 11 marzo 2015.- LA LEY 35347/2015]

4. Pasividad

• **El que la actividad se pueda ejercitar al margen de las condiciones de la licencia debe llevar a la reacción de la la Administración pues estamos ante una licencia de funcionamiento respecto a la cual el Ayuntamiento**, de oficio, o a la instancia de parte, **está obligado a ejercitar esas potestades** de control que le confiere la Ley de Espectáculos Públicos y Actividades Clasificadas, **de forma que la pasividad municipal podrá dar lugar a la denuncia de la inactividad y a cuantas acciones considere oportunas el perjudicado**, pero sin que pueda modificarse lo que fue el objeto de este proceso, limitado a la legalidad de la autorización de funcionamiento de la actividad. [STSJ Canarias (Las Palmas de Gran Canaria) 12 marzo 2010.- LA LEY 220379/2010]

5. Protección intereses de afectados

• Quiere ello decir que **los intereses de los vecinos y el público o común y de terceros** afectados por el ruido y los malos olores que supuestamente se producen y emanan de dicho local **ya están protegidos por la actividad municipal que la propia licencia de actividad y de apertura debe generar sin resquicio de duda**; mientras el ayuntamiento se mantenga en la postura de defender la ejecutividad de la licencia concedida no puede dar lugar a su suspensión la serie de protestas y denuncias que, de momento, son conjeturas sobre el funcionamiento del local, por lo que **el interés preferente radica en la efectividad de la licencia concedida** mientras el ayuntamiento no lo clausure por razones de ineficacia de las medidas correctoras exigidas, situación que no deben descartar los vecinos acudiendo al ayuntamiento cuando así suceda. [STSJ Cantabria 5 noviembre 2010.- LA LEY 326150/2010]

V.   LICENCIA DE APERTURA EN GENERAL

1.   Adaptación

• La revisión procede para adaptar la denominación de la actividad a las definiciones del Catálogo, **en caso de identidad de actividad y denominación distinta pero no para adaptarlo en caso de una actividad distinta**, tal y como se ha pronunciado ya esta Sala, Sección Tercera, en la sentencia citada por la Administración demandada de 7 de noviembre de 2000, recurso 2422/97, habiendo manifestado también la Sala, Sección Tercera, en la sentencia de 14 de junio de 2002, recurso de apelación 54/2002, que **no puede equipararse ni siquiera la actividad de bar con ambiente musical a la de pub**. [STSJ Comunidad Valenciana 26 mayo 2015.- LA LEY 108098/2015]

2.   Ampliación de la actividad

• Cuando el titular de una licencia, concedida para determinada actividad, **comienza el ejercicio de otra distinta para la que no tiene cobertura en la que ostenta, debe pedir otra licencia acomodada a las nuevas condiciones exigidas para la actividad de que se trate**, porque la que ostenta deviene, en consecuencia, ineficaz, esto y no otra cosa habremos de analizar si concurre o no en el presente supuesto, en definitiva, si ha existido, de facto, modificación de actividad por el titular de la licencia revocada. [STSJ Aragón 7 marzo 2014 .- LA LEY 27308/2014]

3.   Anulación

• En definitiva, se pone de relieve que si la sentencia de primera instancia concluyó que no existió calificación por parte del técnico municipal, debió anular la licencia. **La anulación de la licencia de actividad conlleva necesariamente la de funcionamiento**. [STSJ Comunidad Valenciana 19 septiembre 2012.- LA LEY 192532/2012]

• La anulación por aquella sentencia de la licencia de apertura o funcionamiento de dicho establecimiento lleva aparejada necesariamente el cierre y clausura del mismo. **A la declaración jurídica de anulación de una licencia de apertura le sigue, como consecuencia necesaria, el cierre del establecimiento a que esa licencia se contrae**, al ser tal orden de cierre el efecto impuesto legalmente en el caso de funcionamiento de la actividad sin estar en posesión de la correspondiente licencia. [STSJ Comunidad Valenciana 28 mayo 2013.- LA LEY 109348/2013]

• **La anulación de la mencionada licencia de apertura o funcionamiento de dicho establecimiento lleva aparejada el cierre y clausura del mismo**. A la declaración jurídica de anulación de una licencia de apertura le sigue, como consecuencia necesaria, el cierre del establecimiento a que esa licencia se contrae, al ser ese cierre el efecto impuesto legalmente en el caso de funcionamiento de la actividad sin estar en posesión de la correspondiente licencia. [STSJ Comunidad Valenciana 20 junio 2013.- LA LEY 126348/2013]

• Por otra parte, la recurrente manifestó su voluntad de extender el recurso contencioso administrativo a los decretos de aprobación de licencia de apertura y de obra, en el escrito de demanda, no causando indefensión al resto de las partes procesales un pronunciamiento judicial sobre los mismos. **No entender que un pronunciamiento favo-**

rable a las tesis de la apelante supone la anulación no solo del decreto por el que se acuerda la calificación ambiental favorable sino también la de los decretos por los que se concede la licencia de apertura y de obra, en las circunstancias descritas, nos llevaría al absurdo de anular una acto de trámite que debe integrarse en el expediente, vinculante para los actos que ponen fin al mismo, pero no poder anular estos. [STSJ Andalucía (Granada) 28 octubre 2013.- LA LEY 193270/2013]

• De todo ello se desprende las medidas previstas para evitar la contaminación acústica no son suficientes ni adecuadas, por lo que la actora ha acreditado el fundamento de su pretensión y **además de anular el acto recurrido, consistente en la licencia de apertura y funcionamiento, deberá la administración ante tal falta de cobertura, proceder al inmediato cierre de la actividad**, en protección de los derechos fundamentales de los vecinos de las comunidades demandadas y por incumplimiento de los requisitos necesarios para su puesta en funcionamiento. [STSJ Comunidad Valenciana 12 mayo 2015.- LA LEY 79380/2015]

4. Caducidad

• En definitiva, el otorgamiento de licencia de actividad requiere el cumplimiento de los requisitos y condiciones técnicas que se exijan, debiendo constar en la licencia los mismos, así como la actividad para la que se otorgó. **El ejercicio de una actividad distinta a la amparada por la licencia la inutiliza, deviniendo ineficaz y obligando a la obtención de otra acorde a la diferente naturaleza de la actividad que se ejerce, y la ausencia de ejercicio de la actividad autorizada por un determinado plazo da lugar a su caducidad**. [STSJ Aragón 7 marzo 2014.- LA LEY 27308/2014 y STSJ Aragón 25 septiembre 2015.- LA LEY 162603/2015]

5. Condicionada

• Los motivos del recurso han de ser estimados. En efecto, nos hallamos ante una **licencia de instalación** para el ejercicio de la actividad de taller de cerrajería que se concedió en fecha 3-Septiembre-2008 **condicionada al cumplimiento de una serie de requisitos y corrección de deficiencias** que debían cumplimentarse en el plazo de 3 meses . Si dicho plazo no se cumple, la ineludible consecuencia jurídica es simplemente la inexistencia e ineficacia de la citada licencia, y por tanto, la imposibilidad de obtener la posterior licencia de funcionamiento; con la imposibilidad de ejercer la citada actividad. Por tanto, **no puede quedar suspendida sine die la eficacia de la licencia concedida de forma condicionada**, porque no existirá hasta que se cumplan los requisitos exigidos. [STSJ Madrid 27 octubre 2011.- LA LEY 247950/2011]

• No se deja de estar ante una licencia de apertura condicionada que **no crea derecho alguno a favor del administrado hasta tanto no se cumple dicha condición**, en este caso los requisitos que describe, y que no podría crear derechos subjetivos definitivos que exijan para su desaparición el ejercicio de la potestad anulatoria de oficio. El art. 15 del Decreto 297/95 prevé el otorgamiento de licencia condicionada, **sin que sea posible comenzar la actividad hasta que se compruebe el cumplimiento de las condiciones**, en el presente caso concretadas en los requisitos que constan igualmente en la resolución impugnada. [STSJ Andalucía (Granada) 21 abril 2014.- LA LEY 86159/2014]

• Por tanto, en aplicación del artículo 19 de la Ley 1/98 (LA LEY 424/1998), la conclusión no puede ser otra que entender que **la licencia de apertura queda condicionada al cumplimiento de las condiciones** establecidas en el informe favorable condicionado del Cabildo, y que **el Ayuntamiento deberá dar una respuesta expresa a si se cumplen dicha condiciones técnicas** para el ejercicio de la actividad peligrosas, así como si la distribución de plazas de garaje, trasteros se corresponden con el proyecto que obtuvo licencia de primera ocupación. [STSJ Canarias (Las Palmas de Gran Canaria) 31 marzo 2016.-LA LEY 90918/2016]

6. Condiciones

• Como recuerda el Tribunal Supremo en su Sentencia de 15 de Marzo de 2002 «esta Sala (v. gr., sentencia de 19 de febrero de 1988) **tiene establecida la doctrina de que las licencias para actividades clasificadas** —bajo el régimen del Reglamento de Actividades Molestas, Insalubres, Nocivas y Peligrosas de 30 de Noviembre de 1961— **están sometidas siempre a la condición implícita de tener que ajustarse a las exigencias del interés público**. Esta condición implícita habilita a la Administración para requerir al titular de la actividad en cuestión para que corrija las deficiencias que se observen señalando plazo para ello». [STSJ Cantabria 1 abril 2009.- LA LEY 55612/2009.

• Como certeramente indica el Juzgador de instancia el procedimiento establecido por la Administración demandada es correcto y excluye la aplicación del indicado en el Reglamento de Actividades Molestas y ello sin entrar a valorar si hay en realidad una diferencia sustancial entre ambos procedimientos. Para ello respetando el principio de contradicción y de audiencia, lo que ha hecho el Ayuntamiento es garantizar que **si no se cumple con todas las condiciones de la licencia el establecimiento no puede estar en funcionamiento y ha de subsanar estos defectos**. [STSJ Aragón 1 febrero 2013.- LA LEY 22390/2013]

7. Denegación

• **Debe señalarse que para proceder a la denegación de una licencia de actividad clasificada, por la existencia de unos supuestos efectos aditivos** se precisa según reiterada Jurisprudencia del Tribunal Supremo: **En primer lugar.- La necesaria Constancia en el expediente de la motivación que ha llevado a la administración a denegar una licencia por los efectos aditivos que puede conllevar la actividad**. En este sentido la sentencia de la sala Tercera del Tribunal Supremo de 11 de Mayo de 1.992 señala que la intervención de la Administración en este supuesto relativo a la apertura de un bar no puede dar lugar a la denegación de la licencia en base a unos previsibles efectos aditivos no acreditados en el expediente administrativo, que en función de la seguridad y tranquilidad del vecindario se estiman como obstativos para su legalización, y en igual sentido la sentencias de la sala Tercera del Tribunal Supremo de 31 de enero de 1986, 3 de octubre de 1.989, 4 de marzo de 1992, 11 de Mayo de 1.992, 12 de Mayo de 1.994 o 26 de febrero de 1.996. **Y en segundo lugar es igualmente necesario que en el expediente administrativo se acredite la imposibilidad de impedir dichos efectos o neutralizarlos adoptando las medidas correctoras exigidas por la normativa aplicable**. [STSJ Madrid 4 octubre 2012.- LA LEY 176299/2012]

• Hay que tener en cuenta que **la denegación de una licencia basada en cuestiones de Derecho de propiedad, introduce cuestiones de naturaleza prejudicial privada en el ámbito de relaciones jurídico públicas cual son las referidas a las licencias para el ejercicio de la actividad, cuestiones estas que son ajenas a la función naturaleza y efectos de una licencia que tiene por finalidad comprobar si la actuación proyectada es conforme con el ordenamiento jurídico urbanístico.** Esta facultad no tiene una naturaleza urbanística, sino que como señalaba el artículo 243 del Real Decreto Legislativo 1/1992, de 26 de junio se inscribe en las potestades de defensa del dominio público . **En consecuencia hemos de reiterar la doctrina que ya aplicamos** en la Sentencia n.º 1.570/2008 de fecha 4-Septiembre-2008, dictada en el Rec. n.º 717/2008, en la que dijimos que «el artículo 97 de la Ley 33/2003, de Patrimonio de las Administraciones Públicas dispone: «1. El titular de una concesión dispone de un derecho real sobre las obras, construcciones e instalaciones fijas que haya construido para el ejercicio de la actividad autorizada por el título de la concesión. 2. Este título otorga a su titular, durante el plazo de validez de la concesión y dentro de los límites establecidos en la presente sección de esta ley, los derechos y obligaciones del propietario». De la aplicación de este precepto la conclusión que se obtiene en la resolución objeto del presente recurso de apelación es que puede admitirse que, **adjudicada la concesión, el Ayuntamiento ha perdido la posesión directa o inmediata de los bienes objeto de la misma, perdiendo con ello la facultad de recuperación de oficio directa y sin necesidad de previa audiencia.** Y si no es posible el ejercicio de las potestades de recuperación dado que la posesión la ejerce el concesionario **tampoco es posible el ejercicio de la facultad exorbitante de denegar una licencia de instalación como la solicitada. Sólo rescatando la concesión y expulsando al concesionario podrá el Ayuntamiento ejercitar las facultades tendentes a la recuperación del pleno dominio sobre el lugar donde se encuentra instalada la instalación cuya licencia de funcionamiento se ha denegado».** [STSJ Madrid 24 julio 2015.- LA LEY 136563/2015]

8. Finalidad

• La licencia de actividad o de apertura de un establecimiento o construcción, es de **naturaleza y finalidad diferente a la de la licencia de obras**, ya que mediante ésta, en esencia, se tiende a comprobar la adecuación del proyecto de dicha obra, en su entidad material, al planeamiento urbanístico, mientras que **la licencia de apertura o actividad se dirige a comprobar si los edificios o instalaciones, en el desarrollo de su actividad propia, reúnen las condiciones de tranquilidad, seguridad, salubridad e higiene normativamente exigibles y las que en su caso estuvieren dispuestas en los planes de urbanismo, debidamente aprobados y publicados del edificio apto para tal actividad.** [STSJ Pais Vasco 15 julio 2010.- LA LEY 203891/2010]

• La licencia de apertura se debe de **limitar a comprobar** si la actividad se acomoda a la licencia de actividad o ambiental previamente concedida. [STSJ Castilla y León (Burgos) 28 enero 2011.- LA LEY 1711/2011]

• las licencias de apertura tiene como **finalidad acreditar que la instalación** a la que previamente le fue concedida licencia de actividad **se ajusta al proyecto aprobado y a las medidas correctoras impuestas** por el órgano ambiental competente, para lo cual los técnicos municipales girarán vista de inspección y expedirán un acta de comprobación favorable. [STSJ Pais Valenciano 6 noviembre 2014.- LA LEY 203182/2014]

9. Función

• ...**la función de la licencia de apertura es comprobar la adecuación de las obras a la licencia de actividad**, por lo que habiéndose concedido la licencia de actividad bajo la vigencia del RAMINP dicho reglamento resulta igualmente aplicable a la licencia de apertura. [STSJ Pais Vasco 14 noviembre 2012.- LA LEY 253039/2012]

10. Inactividad de la Administración

• Y es que **no solo existe la inactividad de la Administracion**, acreditada en la Sentencia sino que concurre asimismo, la probanza de y demostración palpable de la efectiva contaminación acústica denunciada como lo constata y razona la Sentencia apelada que añade que es una realidad que no ha sido negada por ninguna de las partes recurridas, por tanto, **el Ayuntamiento no puede escudarse siendo consciente y teniendo el conocimiento de ello, en que no esta acreditado el que los ruidos superen en estos dos locales las inmisiones permitidas y de que las molestias del ruido (terrazas, altavoces y demás) no se conoce solo con el informe del perito de parte** que procede de esos dos locales solo o de los otros ya que en la misma zona están abiertos siete, **ya que es al Ayuntamiento no a los vecinos a quien compete esa averiguación y el deber de investigar** lo cual ya pudo efectuar y así hizo en el año 2005 respecto al Pub «El Padrino» y una vez llevada a cabo esta actividad frente a los dos establecimientos y/u otros si así lo estimare pertinente, mediante la apertura de expediente administrativo como así se le pidió haber decidido sobre la procedencia o no de la revocación de las licencias que se le solicitaba o bien las medidas correctoras pertinentes, **pero no ha llevado a cabo nada de ello, sino una inacción que ha mantenido**. [STSJ Cantabria 1 abril 2009.- LA LEY 55612/2009]

11. Incumplimiento de condiciones

• Ciertamente, la parte apelante pone de relieve mediante escrito 13.10.2011 que la administración ha abierto expediente **poniendo de relieve el incumplimiento de las condiciones de la licencia en materia de contaminación acústica**. Pues bien, no se trataría de una licencia concedida con infracción del ordenamiento jurídico sino el incumplimiento de las condiciones de la misma. Lo que debe hacer el Ayuntamiento, **caso de que la empresa no cumpla con las condiciones de la licencia, es revocarla y sin más trámites proceder a la clausura de la actividad**. [STSJ Comunidad Valenciana 9 marzo 2012.- LA LEY 80492/2012]

12. Ineficacia

• En efecto, nos hallamos ante una licencia de instalación para el ejercicio de la actividad de taller de cerrajería que se concedió en fecha 3-septiembre-2008 condicionada al cumplimiento de una serie de requisitos y corrección de deficiencias que debían cumplimentarse en el plazo de 3 meses . Si dicho plazo no se cumple, **la ineludible consecuencia jurídica es simplemente la inexistencia e ineficacia de la citada licencia, y por tanto, la imposibilidad de obtener la posterior licencia de funcionamiento**; con la imposibilidad de ejercer la citada actividad. Por tanto, no puede quedar suspendida sine die la eficacia de la licencia concedida de forma condicionada, porque no existirá hasta que se cumplan los requisitos exigidos. [STSJ Madrid 27 octubre 2011.- LA LEY 247950/2011]

• En definitiva, el otorgamiento de licencia de actividad requiere el cumplimiento de los requisitos y condiciones técnicas que se exijan, debiendo constar en la licencia los mismos, así como la actividad para la que se otorgó. **El ejercicio de una actividad distinta a la amparada por la licencia la inutiliza, deviniendo ineficaz y obligando a la obtención de otra acorde a la diferente naturaleza de la actividad que se ejerce, y la ausencia de ejercicio de la actividad autorizada por un determinado plazo da lugar a su caducidad**. En otras palabras, el artículo 19 regula supuestos de extinción de licencias otorgadas, y el 18 supuestos de modificación.

Atendido lo anterior, si lo que el régimen jurídico analizado nos dice es que, cuando el titular de una licencia, concedida para determinada actividad, **comienza el ejercicio de otra distinta para la que no tiene cobertura en la que ostenta, debe pedir otra licencia acomodada a las nuevas condiciones exigidas para la actividad de que se trate, porque la que ostenta deviene, en consecuencia, ineficaz**, esto y no otra cosa habremos de analizar si concurre o no en el presente supuesto, en definitiva, si ha existido, de facto, modificación de actividad por el titular de la licencia revocada. [STSJ Aragón 25 septiembre 2015.- LA LEY 162603/2015]

• La ausencia de licencia de funcionamiento, o declaración responsable, o en este caso **la declaración de ineficacia de la misma es causa suficiente y necesaria para acordar la clausura de una actividad** que se desarrolla sin licencia, pues debe partirse de la base de que la consecuencia jurídica de la falta de licencia de actividad y/o funcionamiento no puede ser otra que la clausura de la actividad. [STSJ Madrid 16 noviembre 2016.-LA LEY 194531/2016]

• La ausencia de licencia de funcionamiento, o declaración responsable, o en este caso la declaración de ineficacia de la misma es causa suficiente y necesaria para acordar la clausura de una actividad que se desarrolla sin licencia, pues debe partirse de la base de que la consecuencia jurídica de la falta de licencia de actividad y/o funcionamiento no puede ser otra que la clausura de la actividad. [STSJ Madrid, 1 febrero 2017.- LA LEY 15604/2017]

• Sin embargo, en el caso de autos, no estamos ante la denuncia o alegación de la falta de la visita de comprobación por funcionario técnico competente que en el caso de las actividades clasificadas el viejo Reglamento de Actividades molestas, nocivas o insalubres alzaba como condición para la licencia de apertura tras la licencia de instalación, sino ante un escenario muy diferente, en que el técnico municipal sí efectuó la comprobación y si no se fue más allá fue por la negativa de la denunciante, de manera que se cumplían las condiciones objetivas para el otorgamiento de la licencia. En particular, consta el informe claro y tajante del arquitecto municipal, que previas las mediciones oportunas informa favorablemente la licencia de apertura del local y establece condiciones (folio 166 expte.), que por definición afectan a la eficacia y no a la validez de la eventual licencia.

Otra cosa distinta es que siempre podrá promoverse por el interesado un procedimiento encaminado a la revocación o suspensión de tal licencia válida, por considerarla ineficaz si concurren supuestos tales como el incumplimiento de las condiciones impuestas en la licencia o si se acredita la ocultación o manipulación maliciosa o falseamiento de datos en el procedimiento de otorgamiento, en línea con lo previsto en el viejo art.16 del Reglamento de Servicios de las Corporaciones Locales (LA LEY 18/1955) que afirmaba: «Las licencias quedarán sin efecto si se incumplieren las condiciones a que estuvieren subordinadas, y deberán ser revocadas cuando desaparecieran las circunstancias que motivaron su otorgamiento o sobrevinieran otras que, de haber existido a la sazón, habrían justificado la denegación y podrán serlo cuando se adoptaren nuevos criterios de apreciación». [STSJ Principado de Asturias, 17 abril 2017.- LA LEY 46135/2017]

13. Inicio de la actividad

• Evidentemente a raíz de este régimen **la obtención de la autorización de inicio de la actividad resulta evidente**, pues comprobada por la administración que se habían subsanado todas las deficiencias el 21 de octubre de 2008, ello implicaba que, esta comprobación favorable, determinaba el día de inicio del computo para dictar la resolución correspondiente; de manera que la administración municipal, disponía de un mes para hacerlo, al no haberla dictado en ese termino, de acuerdo con lo dispuesto en el Art. 64, arriba mencionado, se entiende dicha licencia obtenida por silencio positivo, de manera que la administración municipal, por esta circunstancia, no podía dictar posterior resolución expresa, que no fuere confirmatoria del silencio. [STSJ Comunidad Valenciana 4 abril 2014.- LA LEY 65303/2014]

14. Legalización

• En la jurisprudencia, pues, se contempla sólo como regla general «**la necesidad de conceder un plazo de legalización**, pues se admite incluso que existe una excepción en los supuestos de peligro inminente, en los que cabe que la "retirada" de la licencia se produzca sin previo requerimiento. **El principio de proporcionalidad**, que inspira este precepto, aconseja asimismo entender que las **posibilidades de subsanación o no de los defectos que se pongan de manifiesto en el ejercicio de la actividad dependen también de las manifestaciones que se hagan en el trámite de audiencia** concedido al interesado como paso previo para la aplicación de las correspondientes medidas o sanciones y del carácter más o menos grave y prolongado, en este caso, de la actividad productora del exceso de ruido». Añadiendo en dicha sentencia que «**la gravedad de los incumplimientos y del riesgo o molestias generados por la actividad son las que deben determinar la graduación de la reacción de la Administración con el fin de preservar el interés general de los ciudadanos en relación con los intereses particulares del afectado, al que no pueden aplicarse medidas que vayan más allá, en la restricción de sus derechos, de las estrictamente necesarias para garantizar el fin perseguido por la norma.** Este no es otro que el de garantizar la protección y seguridad evitando que las instalaciones, establecimientos y actividades en general produzcan incomodidades o riesgos a las personas y bienes que se encuentran próximos, alteren las condiciones normales de salubridad e higiene, alteren el medio ambiente u ocasionen daños a las riquezas pública o privada». [STSJ Cantabria 1 abril 2009.- LA LEY 55612/2009]

• En primer lugar, no cabe la acción del art. 29.2 LJCA (LA LEY 2689/1998) porque no se trata, en este caso, de la ejecución de un acto firme administrativo producido por silencio positivo dado que **la legalización de las obras pretendida** en una superficie de 150 m² de sala de baile a requerimiento de la administración municipal en cumplimiento del art. 208 LOTRUS **no puede producirse pues no cabe adquirir esa legalización en contra de lo que establece la licencia de apertura de dicho local** que expresamente contiene la condición de que ese almacén de 150 m^2 situado en la parte superior del local no constituya ni se destine a sala de baile para lo cual, primeramente, habrá de modificarse dicha licencia de apertura tal como se desprende del documento n.º 2 de los aportados con la demanda del recurso contencioso administrativo, lo que no ha tenido lugar hasta la fecha.

En segundo lugar **difícilmente puede adquirirse por silencio positivo la legalización de unas obras que exceden de la licencia de obras** menores concedida con arreglo a la normativa del RAMINP (LA LEY 60/1961) que se refiere a las licencias de actividad y apertura pero en ningún caso a la legalización de unas obras que exceden de la licencia. [STSJ Cantabria 26 diciembre 2011.- LA LEY 313405/2011]

• Que lo que resulta incuestionable, como señala el propio Ayuntamiento es que existen varios procedimiento solapados sin resolver, aunque se haya producido una cierta actividad en todos ellos. En consecuencia **la actividad continua realizándose sin licencia de apertura, la cual no es posible otorgar por falta de legalización de las obras realizadas sin licencia**, que a su vez se encuentran condicionadas por la pendencia de la comunidad en la presentación de un proyecto de rehabilitación exigido por el ayuntamiento, pero que no ejecuta subsidiariamente ninguna actuación. [STSJ Canarias (Santa Cruz de Tenerife) 5 julio 2012.- LA LEY 263450/2012]

15. Modificación de la autorización

• Sobre esta base y a propósito de las licencias de apertura y funcionamiento antes citadas, la jurisprudencia ha reconocido que «la posibilidad de actuación en esta materia de los Ayuntamientos, como titulares de policía de seguridad, no se agota con la concesión y la revocación de las licencias de apertura, sino que, más bien disponen de unos **poderes de intervención de oficio y de manera constante** con la finalidad de salvaguardar la protección de personas y bienes pudiendo imponer, en consecuencia, cualesquiera correcciones y adaptaciones que estimen necesarias sin que ello suponga una ilícita vuelta contra los propios actos. Por consiguiente, **hay que admitir respecto de estas licencias de funcionamiento la posibilidad, e, incluso, el deber de la Administración de modificar el contenido de la autorización inicialmente otorgada para mantenerlo correctamente adaptado, a lo largo de su vigencia, a las exigencias del interés público**». [STSJ Madrid 16 septiembre 2015.- LA LEY 149849/2015]

16. Naturaleza jurídica

• La licencia, como se ha señalado reiteradamente por la Jurisprudencia, **es un acto administrativo de autorización** por cuya virtud se lleva a cabo un control previo de la actuación proyectada por el administrado verificando si se ajusta o no a las exigencias del interés público tal como han quedado plasmadas en la ordenación vigente. **La licencia, como la examinada, tiene una naturaleza rigurosamente reglada, constituye un acto debido en cuanto que necesariamente «debe» otorgarse o denegarse según que la actuación pretendida se adapte o no a la ordenación aplicable.**

El otorgamiento de licencias es, como se ha señalado reiteradamente, **un acto administrativo que no confiere derechos**, de forma que el Ayuntamiento tendrá que controlar si se cumple o no las condiciones requeridas, si la actividad se ejerce dentro de los límites de la licencia concedida. Y el Art. 29 de la ley 1/95, de 8 de marzo, al ser el uso solicitado no compatible con los usos globales establecidos en el PGOU, para ese sector, lo que llevó al Ayuntamiento de Murcia a que se le denegara la solicitud de licencia al no estar totalmente tramitado el expediente. [STSJ Región de Murcia 16 noviembre 2012.- LA LEY 195656/2012]

• Debe añadirse que las licencias de actividad **tienen una naturaleza objetiva y que se caracterizan no por la denominación sino por los elementos industriales instalados, los productos fabricados o almacenados, y las características del local**. Por tanto, no basta para clausurar una actividad acudir a meras definiciones nominales distinguiendo entre la actividad de venta de cafés y sucedáneos y venta de cafés y cafetería, que no figuren debidamente delimitadas en el catalogo de Espectáculos públicos, actividades recreativas, establecimientos, locales e instalaciones de la Comunidad de Madrid, aprobado por Decreto de 22 de octubre de 1998, en su anexo II, dado que las actividades se distinguen por sus elementos industriales, y efectivamente existe un deber por parte del Ayuntamiento de no permitir el funcionamiento de elementos industriales no licenciados. [STSJ Madrid 27 febrero 2013.- LA LEY 41205/2013 y STSJ Madrid 9 abril 2014.- LA LEY 45600/2014]

17. No adquisición tácita

• Con respecto a que el **pago de las tasas no determina que se pueda considerar obtenida la licencia:** «Que del escrito obrante al folio 23 vuelto del expediente no resulta que el anterior titular de la explotación, D Alvaro, hubiera obtenido la correspondiente licencia urbanística, pues ese escrito se refiere al pago de la "tasa" sobre licencia urbanística, lo que no supone su concesión, como expresamente se indica en el mismo.

La simple actividad derivada de un determinado uso, durante un periodo de tiempo, más o menos prolongado, sin licencia para ello, **por simple tolerancia de la Administración, incluso cuando tuviese conocimiento de ello**, o hubiere debido tenerlo en virtud de las circunstancias concurrentes, en absoluto supone ni equivale a la concesión de la correspondiente licencia municipal, **aunque se hubiesen venido devengando las tasas e impuestos estatales o locales**, correspondientes a esa actividad, sin que la carencia de licencia para ello, pueda ser suplida por el transcurso del tiempo, sino por la previa solicitud de la misma, con los requisitos formales y materiales exigibles al efecto». [STSJ Castilla y León (Burgos) 28 enero 2011.- LA LEY 1711/2011]

• Ni el **transcurso del tiempo, ni el pago** de los correspondientes tributos, ni la tolerancia municipal pueden implicar acto tácito de otorgamiento de licencia. [STSJ Andalucía (Sevilla) 19 enero 2012.- LA LEY 30681/2012+

18. Objeto

• La licencia para el funcionamiento de una determinada actividad clasificada como molesta, insalubre, nociva o peligrosa **tiene por objeto el evitar que cualquiera de esas actividades clasificadas a realizar en un determinado edificio o conjunto de ellos, produzca incomodidades o altere las condiciones normales de salubridad e higiene del Medio Ambiente u ocasione daños o impliquen riesgos graves para las personas y los bienes**. [STSJ PAIS VASCO 15 julio 2010.- LA LEY 203891/2010]

• La licencia de apertura y funcionamiento de establecimientos o actividades poten-cialmente nocivas o peligrosas, a diferencia de las que suponen un control de un acto u operación determinada, **tiene por objeto el control de una actividad llamada a prolon-garse indefinidamente en el tiempo, denominándose por ello, doctrinalmente, licencias de funcionamiento**, lo que acarrea, como consecuencia, que la autorización y sus con-diciones prolonguen su vigencia tanto como dure la actividad autorizada, de conformi-dad con lo dispuesto en el artículo 15 del Reglamento de Servicios de las Corporaciones Locales. [STSJ Madrid 13 octubre 2011.- LA LEY 226196/2011.- STSJ Madrid 12 febrero 2014.- LA LEY 19239/2014 y STSJ Madrid 18 marzo 2015.- LA LEY 35354/2015]

• La llamada licencia de actividad y/o instalación tiene por **objeto comprobar que la actividad y/o la instalación proyectadas se adecuan a la legislación, al planeamiento urbanístico y a las Ordenanzas Municipales**. [STSJ Madrid 19 abril 2012.- LA LEY 86006/2012]

19. Paralización

• Hay que recordar que una vez obtenida la licencia de instalación de una actividad clasificada, no puede tener lugar su efectiva puesta en funcionamiento sin que previa-mente se gire la visita de comprobación a que alude el artículo 23 de la Ley territorial 1/1998, de 8 de enero, de Régimen Jurídico de los Espectáculos Públicos y Actividades Clasificadas en Canarias, artículo 34 del Reglamento de Actividades Molestas, Insalu-bres, Nocivas y Peligrosas de 1961. Nueva fase del procedimiento, como indica la sen-tencia del Tribunal Supremo de 8 de octubre de 1988 (pte. senor Delgado Barrio), un acto que condiciona la eficacia de la licencia de instalación (sentencia de 24 de diciem-bre de 1967), **hasta el punto que el funcionamiento de la actividad sin pasar por este trámite es ilegal y puede la Administración ordenar su paralización (sentencia de 23 de octubre de 1975).**

Paralización a la que no se opone la existencia de la licencia para cafetería, porque en el local y sus instalaciones se había operado una modificación de las condiciones objetivas de la explotación de la industria, que ya no se correspondía con la que obtuvo la primera licencia, motivo que justificaba el acuerdo administrativo. [STSJ Canarias (Santa Cruz de Tenerife) 4 marzo 2011.- LA LEY 258603/2011]

• Y, en el caso, la firmeza de la sentencia que deniega la licencia de apertura en otro proceso es, como explica el Juzgado, una **modificación de las circunstancias que se tuvieron en cuenta cuando se adoptó la medida de suspensión de la orden de parali-zación de la actividad,** y ello por cuanto existe una nueva situación jurídica que conlleva una nueva situación fáctica, que deriva de la firmeza del acto denegatorio de la licencia de apertura que traslada sus consecuencias a la **orden de paralización voluntaria de la actividad, que queda rodeada de una apariencia de buen derecho que no es posible desconocer**, a lo que hay que añadir que, desde el punto de vista del *periculum in mora* se introducen nuevos parámetros de examen pues ahora no es posible desconocer que por sentencia firme ha sido denegada la licencia de apertura y que, por tanto, no existe ese peligro de pérdida de la finalidad legítima del recurso del artículo 130.1 de la LJCA (LA LEY 2689/1998) cuando se ejerce una actividad sin cobertura legal que haga nece-saria la adopción de la medida de suspensión de la orden de cese pues se refiere a una actividad sin licencia, siendo posible, en esta nueva situación, hacer aplicación de la conocida doctrina jurisprudenciaL de improcedencia de medidas cautelares que suspenden el cese en actividades que se ejercen sin autorización alguna para su funcionamiento. [STSJ Canarias (Las Palmas de Gran Canaria) 25 febrero 2015.- LA LEY 150733/2015]

• En consecuencia el dictado del **acto de paralización** y clausura por inexistencia de licencia de actividad y de licencia de apertura y funcionamiento es plenamente ajustado a derecho conforme a la normativa examinada. [STSJ Islas Baleares 27 mayo 2015.- LA LEY 87642/2015]

20. Responsabilidad municipal

• Por otro lado, la STS de 19 Jul. 1999 (LA LEY 11215/1999), recurso 4592/1993, en su FJ 3º concluyó que la previa concesión de una licencia de obras, aunque fuera con infracción del art. 22.3 del RSCL de 17 Jun. 1955, no vincula a la Administración a conceder una licencia de apertura en contra de las prescripciones del planeamiento.

Añadiremos que además de **la finalidad de evitar perjuicios al titular de la licencia** en relación con la materialización de unas obras amparadas en licencia con destino a una concreta actividad que posteriormente no se puede desarrollar, la jurisprudencia ha venido **condicionando la justificación de que la licencia de apertura fuera previa a la de obra, para evitar en lo posible situaciones generadoras de responsabilidad patrimonial de la Administración local**. [STSJ PAIS VASCO 6 abril 2011.- LA LEY 140784/2011+

• En nuestro caso resulta evidente que en la denegación de la licencia de obras y actividad no ha existido «... dolo, culpa o negligencia graves imputables al perjudicado...» por parte de Biodiesel S.L., de seguir la literalidad del precepto desembocaría necesariamente en la imputación de responsabilidad patrimonial de la Administración. Ahora bien, la Sala no ignora la corriente jurisprudencial (Sala Tercera del Tribunal supremo-Sección Quinta 30.06.2003) que pone de relieve que **una interpretación perfectamente asumible y exenta de toda arbitrariedad «rompe el nexo de causalidad» a efectos de imputar responsabilidad patrimonial a la Administración** aunque posteriormente sea anulada por los Tribunales. Con independencia de centrar el problema jurídico en el nexo de causalidad o antijuridicidad del daño o lesión, lo cierto es que **dicha doctrina no es aplicable al presente caso** por dos razones. Primera, porque no se trata de un simple problema de interpretación, la legislación expuesta pone de relieve que el Ayuntamiento no podía denegar la licencia. Segundo, **porque como hemos reiterado a lo largo de la presente sentencia, el Ayuntamiento había dado informe favorable (preceptivo y vinculante) en el procedimiento de «autorización ambiental integrada» y contaba con informes favorables de los técnicos municipales dentro del procedimiento de solicitud de licencia de obras y actividad. La conclusión que obtiene la Sala es que los daños causados a la empresa son antijurídicos y debe resarcirlos el Ayuntamiento** en aplicación del art. 142.5 de la Ley 30/1992. [STSJ Comunidad Valenciana 19 abril 2012.- LA LEY 128034/2012]

• Acotando más el planteamiento que el Ayuntamiento hace en esta segunda instancia hay que decir que **no cuestiona que la clausura del local pueda, desde un punto de vista teórico, dar lugar a responsabilidad patrimonial, sino que el daño, por la razón expuesta, no se habría producido.**

En este sentido, hay que destacar que la Fundamentación de la Sentencia recurrida en relación a la responsabilidad derivada de la anulación de los actos administrativos que se contiene en el Fundamento de Derecho Cuarto no es cuestionada por el apelante, limitándose a recoger en al apartado I de su recurso la teoría general de la responsabilidad patrimonial de la Administración Pública, sin hacer aplicación de la misma al específico caso en el que nos encontramos (responsabilidad por anulación de actos dictados por una Administración en los términos previstos en el artículo 142.4 de la Ley 30/1992 de 26 de noviembre (LA LEY 3279/1992).

La ilegalidad del actuar administrativo que da lugar a la responsabilidad patrimonial de la Administración no viene porque no fuese precisa la licencia y por lo tanto porque la clausura del día 22 de enero fue ilegal, sino porque, solicitada, la misma fue denegada indebidamente.

A diferencia pues, de la Sentencia de 18 de diciembre de 2000 del Tribunal Supremo (recurso de casación 8669/1996), que parcialmente se transcribe en el recurso de apelación, no nos encontramos ante un supuesto en el que se haya dictado primero una medida cautelar y luego una decisión definitiva, de modo y manera que siendo contraria a derecho esta última, no hay fundamento legal para la primera, sino que en este caso, primero se acuerda una medida cautelar (porque no se tiene la preceptiva licencia, lo que era contrario a derecho) y, luego se pide la licencia y se deniega la misma por determinadas razones que son declaradas contrarias a derecho por los Tribunales, pero manteniéndose la exigencia de que sin licencia la actividad no puede desarrollarse. [STSJ Castilla y León (Burgos) 9 octubre 2012.- LA LEY 162299/2012]

• Pero ello **no implica que la licencia de obras para una determinada actividad, concedida con anterioridad a la licencia de apertura correspondiente, no pueda ser legalizada o convalidada** cuando la meritada licencia de apertura es autorizada después, porque tal como ya tiene establecido esta Sala en sentencias de 3 de abril de 1.990 y 18 de junio de 1.990 la interdependencia y orden de prelación de ambas licencias, están proyectadas sobre el **principio de una hipotética responsabilidad patrimonial**, por el posible funcionamiento anormal de la Administración en la inobservancia de la precedencia temporal señalada en el Reglamento de Servicios de las Corporaciones Locales (LA LEY 18/1955), al estar establecida tal procedencia, como hemos dicho, primariamente en intereses del particular afectado.

En el presente caso hay que apreciar una «**estrecha interdependencia**» **entre la construcción y el muy específico uso al que se va a destinar la obra cuya licencia** se ha solicitado pues no podemos olvidar que se trata de una reforma de una cafetería que, como hemos visto antes, se trata de una actividad específica sujeta a licencia de actividad y funcionamiento aunque se encuentre dentro de un centro de mayores. Por ello, resulta de aplicación la previsión del artículo 22.3 del Reglamento de Servicios y, en consecuencia, la denegación de la licencia de obras está ajustada a derecho. [STSJ Madrid 4 mayo 2016.- LA LEY 85921/2016]

21. Suspensión de la actividad

• Es indudable que **antes de obtener las licencias preceptivas no debe comenzar a ejercer la actividad máxime si esta sometida a control ambiental. Caso de que se inicie el Ayuntamiento debe proceder de inmediato a suspenderla.** Es evidente que en estos casos confrontados los distintos intereses en conflicto, priman públicos consistentes en la protección del medio ambiente, sobre los meramente económicos de los particulares. [STSJ Región de Murcia 31 marzo 2011.- LA LEY 42621/2011]

• La cuestión no es otra sino la procedencia **o improcedencia de suspender la ejecutividad del acto** que se impugna en los cauces del proceso principal, consistente en la **orden de clausura y precinto de una actividad** que funciona sin licencia de apertura y que había sido requerida para que cesara en tal actividad, circunstancia esta que en principio descarta la aplicación de la teoría de apariencia de buen derecho a que alude la demandante, pues ya conocía la necesidad de contar con las preceptivas licencias administrativas antes de comenzar la actividad.

Lo mismo puede decirse de los posibles dañoos económicos que invoca y que solo serían consecuencia de su decisión de proceder a la apertura de la actividad, sin licencia.

Por otra parte como afirma el Ayuntamiento demandado **de acceder a la suspensión solicitada se estaría concediendo siquiera sea de forma provisional una licencia de actividad**, sin que simultáneamente podamos afirmar que la misma reúne los requerimientos técnicos exigidos para preservar el bien público y los intereses de terceros que justifican el sometimiento a licencia administrativa de determinadas actividades, sin que el hecho de haberse solicitado la licencia, excuse la posibilidad de ejercer la actividad antes de su obtención, habida cuenta de los instrumentos legales con que cuenta el interesado para asegurarse que en la concesión de tal licencia no se exceda de los plazos en que preceptivamente ha de resolverse. [STSJ Canarias (Las Palmas de Gran Canaria) 2 junio 2011.- LA LEY 185044/2011]

• En consecuencia **si se ejercita la actividad sin licencia el Ayuntamiento competente para tramitar el expediente de calificación ambiental puede y debe adoptar como medida cautelar la suspensión de la actividad** de acuerdo con lo establecido en el art. 70. 1 a) de la Ley Regional 1/95 . Esta Sala por otro lado ha señalado que **esta medida cautelar no necesita ser confirmada o ratificada mediante un procedimiento sancionador al tener sustantividad propia**. La suspensión cautelar puede ser adoptada por el órgano medio ambiental cuando la actividad se ejerce sin licencia de acuerdo con lo establecido en el art. 70. 1 a) de la Ley 1/95 . También puede acordarla el Ayuntamiento o la Consejería de Medio Ambiente cuando exista riesgo grave o inminente para el medio ambiente, sin perjuicio de la iniciación del expediente sancionador que en su caso proceda según el art. 71 de la misma Ley por el órgano competente de acuerdo con lo dispuesto en el art. 77. 6 y 7 de la Ley y ello sin perjuicio de que la Ley también prevea la clausura de la actividad definitiva o temporal como sanción (art. 74).

En este sentido se pronunciaba la Sala en la sentencia 240/03, 31.3 que decía : «**Debe distinguirse entre la suspensión que se adopta con motivo de un procedimiento sancionador**, y que tendría carácter cautelar, para evitar la persistencia de la agresión ambiental mientras se sustancia el procedimiento (su duración no puede exceder de seis meses), **de la suspensión adoptada en el caso en que se carezca de la autorización correspondiente**. En este supuesto **la suspensión de la actividad no es accesoria de un procedimiento sancionador, sino que es resolución definitiva con sustantividad propia**, consecuencia necesaria de que para el otorgamiento de licencias de apertura, obra y cesión de suministro, es presupuesto ineludible la obtención de calificación ambiental favorable (arts. 10, 11, 12 y 32 de la Ley 1/95). Consiguientemente, en ausencia de calificación ambiental favorable no puede existir ninguna de las licencias citadas, lo que conduce irremisiblemente al cese de la actividad». [STSJ Region de Murcia 20 diciembre 2012.- LA LEY 222955/2012]

• En el supuesto de autos, **la no suspensión sería la pauta a seguir, toda vez que se trata de una actividad clasificada y la suspensión provocaría la apertura**, vía judicial, una actividad sin licencia de actividad, lo que supondría convertir en positivo el acto previamente denegatorio recurrido.

Además, precisamente, al tratarse de una actividad clasificada, en la ponderación de los intereses en conflicto pesa más, el publico defendido por la administración, en la medida en que el control de la actividad se configura como un elemento indispensable para el ejercicio de una actividad, a través del cual se articulan las medidas correctoras necesarias, precisamente para proteger a estos terceros que pueden resultar afectados.

El *fumus* ya hemos dicho que no tiene ningún valor, porque las alegaciones no tienen ese carácter determinante que señala el TS.

No existe ningún peligro en la no suspensión pues, de estimarse el recurso, el actor podrá desarrollar su actividad y el tiempo de paralización puede ser indemnizado. [STSJ Comunidad Valenciana 15 febrero 2013.- LA LEY 90964/2013]

• En cuanto a la apelación planteada frente a la desestimación del recurso contra la resolución, de 15 de septiembre de 2010, desestimatoria de reposición frente a resolución de 26 de abril de 2010 que ordena **la suspensión y el cese inmediato de la actividad, por no ajustarse a la licencia concedida, de bar, siendo la ejercida la de bar especial**, que era la actividad llevada a cabo, debe hacerse constar que el único motivo de apelación planteado, de caducidad del procedimiento de restablecimiento de la legalidad urbanística, y del plazo de caducidad de 4 años, al llevar más de 20 años de ejercicio de la actividad, debe ser rechazado como tal, en cuanto que lo que se acuerda es una medida cautelar de suspensión y cese de una actividad calificada, de carácter permanente, en aplicación el art. 193 de la Ley del Suelo de la CAM ; debe hacerse constar que esta Sala, en diversas sentencias al respecto, tiene establecido, en cuanto a la aplicación del art. 193 y ss. de la Ley 9/2001, **que dicho precepto es inaplicable a dichos supuestos de restablecimiento de la legalidad urbanística, pues aunque haga referencia el precepto a actos de uso del suelo ejercitado sin ajustarse a la licencia concedida, se refiere a la licencia urbanística y a las condiciones urbanísticas de la licencia y no a las condiciones de ejercicio de la actividad, además de señalarse que los arts. 193 a 195 no se refieren a la licencia de funcionamiento, confundiéndose por la autoridad municipal el uso urbanístico del suelo y actividad que se ejerce**, siendo que los usos urbanísticos afectan a la calificación del suelo, generalmente suelo urbano, conforme al planeamiento y su división en diversos usos, y sobre alguno de dichos usos, industrial o y comercial, se ejercen actividades, con lo que **la aplicación de los mencionados preceptos se restringe a los supuestos en que la actividad es contraria al uso pero no a los supuestos en que siendo el uso admisible se realiza una actividad no licenciada o no permitida por la licencia correspondiente**. [STSJ Madrid 25 septiembre 2013.- LA LEY 145881/2013]

22. Traslado

• Así pues, **no es lo mismo la autorización de apertura y funcionamiento** que se concede ex novo, a quien ha obtenido a su favor la autorización de instalación de un casino, y que después solicita la autorización de apertura y funcionamiento que lo ha de hacer en el plazo indicado en la autorización de instalación, o como mínimo, treinta días antes de la apertura prevista del casino, de la Autorización de Apertura y Funcionamiento solicitada en el marco de un expediente de autorización **de traslado del Casino ya en funcionamiento**. [STSJ Illes Balears 27 enero 2015.- LA LEY 971/2015]

VI. LICENCIA DE APERTURA Y LICENCIA DE PRIMERA OCUPACIÓN O UTILIZACIÓN

• La intervención por razón urbanística deriva directamente de la legislación urbanística y se concreta en los planes. Por tanto, **tratándose de una actividad que supone uso del suelo, ha de entenderse que aun para el supuesto de establecimiento de un despacho profesional sea precisa licencia. Concluye el Tribunal Supremo que el despacho profesional no es un establecimiento mercantil o industrial a los efectos de la aplicación de las previsiones contenidas en el artículo 22 del Reglamento de Servicios de las Corporaciones Locales, ni, como regla general, constituye una actividad sujeta a controles especiales**. Ahora bien, erigido el urbanismo en función pública, reconocida la competencia municipal y dada la vinculación de los Planes urbanísticos, ha de entenderse que el Municipio está habilitado para actuar en un **control previo**, mediante licencia de naturaleza rigurosamente reglada, con la finalidad de comprobar que el uso del suelo no se aparta del destino previsto. **De esta manera, en el momento de la apertura de un despacho profesional pueden darse alguna de las siguientes situaciones: que la apertura de dicho despacho implique una primera utilización del edificio o de parte del mismo, y en este caso sería necesaria una licencia de primera utilización**; que el despacho se abra en edificio o parte del mismo que ya fuera objeto de un uso anterior, en cuyo supuesto sería precisa licencia de modificación del uso; o que concurran otras circunstancias especiales que hagan precisa la intervención municipal. [STSJ Galicia 24 noviembre 2011.- LA LEY 242618/2011]

• **Sería inconcebible que un establecimiento comenzara a funcionar sin licencia de primera ocupación, con la licencia de obras en revisión de oficio por causa de nulidad y en un emplazamiento que prohibe el uso al que haya de destinarse**. Cosa distinta es que en la actualidad el Centro Plaza del Mar haya podido quizás sumarse al proceso de normalización propiciado por la Junta de Andalucía y el Ayuntamiento de Marbella en relación con los actuaciones ilegales de edificación realizadas en ese municipio, si bien ningún dato al respecto se ha ofrecido por las partes a esta Sala. [STSJ Andalucía (Málaga) 31 octubre 2014.- LA LEY 229374/2014]

• **La preeminencia temporal de la licencia de apertura sobre la de obra, tiene su fundamento y razón de ser en evitar que puedan acometerse obras que, sin embargo, no resulten autorizables en cuanto a su uso, por lo que, autorizada determinada actividad mediante licencia de apertura**, la Administración está obligada a respetar los derechos de su titular por la doctrina de los propios actos, que impide que aquello que por una vía es reconocido —la apertura de actividad— pueda quedar denegado de forma indirecta impidiendo la realización de las obras necesarias para que el ejercicio de la actividad pueda desenvolverse en sus condiciones esenciales, **de forma que si la licencia de apertura de actividad resulta de imposible concesión, carece de sentido la autorización de unas obras de instalación que iban a quedar afectadas al desarrollo de dicha actividad**.

Ahora bien, el control de la licencia de apertura se despliega sobre las obras ejecutadas y dicho control, sin perjuicio de que se efectúe a través de la autorización de funcionamiento también lo puede ser mediante la inclusión como condición de la licencia de apertura de la efectiva ejecución de las obras con acomodación al proyecto autorizado, y eso es lo que sucede en el caso, en el que la parte aceptó el condicionante y, sin embargo, nunca solicitó autorización de primera ocupación; dicho en otras palabras, no cumplió la condición de la licencia de apertura, no pidió a la Administración licencia de primera ocupación (en cuanto instrumento para el control del acomodo de las obras a la licencia concedida en su día), ni emitió declaración responsable.

En definitiva, **en tanto en cuanto la licencia de primera ocupación supone, como es sabido, el examen de que las obras autorizadas se ejecutaron conforme al proyecto, es posible incluir dicha obligación de obtener autorización de primera ocupación en la propia licencia de apertura**, en cuanto condición urbanística necesaria para el funcionamiento de la actividad. [STSJ Canarias (Las Palmas de Gran Canaria 13 marzo 2015.- LA LEY 152016/2015]

VII. LICENCIA DE FUNCIONAMIENTO

• En definitiva la licencia de actividad es requisito necesario pero no suficiente para el ejercicio de la actividad pues se precisa además estar en posesión de la licencia de funcionamiento, para comprobar que lo instalado coincide con el proyecto.

La licencia de funcionamiento tiene por objeto constatar que las obras e instalaciones han sido ejecutadas de conformidad a las condiciones de las licencias de instalación de actividades, licencia única u otras actuaciones urbanísticas en su caso y que se encuentren debidamente terminados y aptos, según las condiciones urbanísticas, ambientales y de seguridad de su destino específico. [STSJ Madrid 20 octubre 2011.- LA LEY 247949/2011]

• **La licencia de apertura y funcionamiento** de establecimientos o actividades potencialmente nocivas o peligrosas, **tiene por objeto el control de una actividad llamada a prolongarse indefinidamente en el tiempo, denominándose por ello, doctrinalmente, licencias de funcionamiento, lo que acarrea, como consecuencia, que la autorización y sus condiciones prolonguen su vigencia tanto como dure la actividad autorizada**, de conformidad con lo dispuesto en el artículo 15 del Reglamento de Servicios de las Corporaciones Locales, según el cual las Licencias relativas a las condiciones de una instalación tendrán vigencia mientras subsista aquélla y ello hace surgir una relación permanente entre la Administración y el sujeto autorizado con el fin de proteger el interés público en todo caso frente a las vicisitudes y circunstancias que puedan surgir a lo largo del tiempo de funcionamiento de la actividad autorizada. [STSJ Madrid 27 septiembre 2012.- LA LEY 176307/2012]

• Sobre esta base y a propósito de las licencias de apertura y funcionamiento antes citadas, la jurisprudencia ha reconocido que «la posibilidad de actuación en esta materia de los Ayuntamientos, como titulares de policía de seguridad, no se agota con la concesión y la revocación de las licencias de apertura, sino que, más bien disponen de unos poderes de intervención de oficio y de manera constante con la finalidad de salvaguardar la protección de personas y bienes pudiendo imponer, en consecuencia, cualesquiera correcciones y adaptaciones que estimen necesarias sin que ello suponga una ilícita vuelta contra los propios actos. **Por consiguiente, hay que admitir respecto de estas** licencias de funcionamiento la posibilidad, e, incluso, el deber de la Administración de modificar el contenido de la autorización inicialmente otorgada para mantenerlo correctamente adaptado, a lo largo de su vigencia, a las exigencias del interés público». [STSJ Madrid 6 marzo 2013.- LA LEY 41225/2013]

• Por tanto teniendo en cuenta que **la consecuencia jurídica de la falta de licencia de actividad y/o funcionamiento no puede ser otra que la clausura de la actividad** pues como manifiestan las Sentencias de la sala Tercera del Tribunal Supremo de 10 de Junio y 24 de Abril de 1.987 la apertura clandestina de establecimientos comerciales e industriales o el ejercicio sin la necesaria licencia de actividades incluidas en el Reglamento de 30 noviembre 1961 (hoy la Ley 2/2002, de 19 de junio, de Evaluación Ambiental de la Comunidad de Madrid), **obligan a adoptar, de plano y con efectividad inmediata, la medida cautelar de suspender la continuación de las obras, clausurar el establecimiento o paralizar la actividad**, con el fin de evitar que se prolongue en el tiempo la posible trasgresión de los límites impuestos por exigencias de la convivencia social, hasta la obtención de la oportuna licencia que garantice la inexistencia de infracciones o la adopción de las medidas necesarias para corregirlas, la decisión de precinto y clausura adoptada constituye la medida de carácter cautelar y no sancionadora, más apropiada para impedir la continuidad de una actividad clandestina, que se ejerce sin la preceptiva licencia, por tanto sin garantía para el superior principio de respeto a la seguridad de los ciudadanos. [STSJ Madrid 5 noviembre 2014.- LA LEY 183620/2014]

• Ha señalado el TS, en S. 13/Junio/2006, con relación a la licencia de apertura, que «Dicha licencia se otorga a la vista de un proyecto, y lo que tiene que decidirse al concederla es si lo proyectado se ajusta a la legalidad. Una vez realizada la correspondiente instalación es preciso comprobar si lo llevado a cabo se ajusta a lo proyectado y las medidas correctoras, en el caso de actividades clasificadas, son eficaces. **Sólo tras esa comprobación puede autorizarse la puesta en funcionamiento o el ejercicio con carácter definitivo de la actividad. Ambas licencias son en algunos aspectos independientes, pues la concesión de la primera puede ser correcta y, pese a ello, improcedente otorgar la segunda, como ocurriría de no haberse respetado el proyecto o de no funcionar adecuadamente las medidas correctoras previstas**; pero es obvio que si la concesión de la primera es nula porque la actividad no era autorizable tal nulidad acarrea necesariamente la de la segunda». De tal modo que debe girarse una visita de comprobación por parte del Ayuntamiento con la subsiguiente «**posibilidad de requerir al interesado para que establezca medidas correctoras que, en caso de haber sido acordadas, requerirán una ulterior comprobación de su adopción y de su eficacia, otorgándose la denominada licencia de apertura y/o funcionamiento en caso de adecuación de las medidas correctoras impuestas**; por tanto, la función de la autorización o licencia de apertura y/o funcionamiento es la comprobación de que la actividad a realizar se ajusta a los términos de la licencia de actividad y/o instalación concedida. Y todo ello sin perjuicio de la posibilidad de control posterior, porque la licencia de apertura y/o funcionamiento crea una relación permanente con la Administración, ya que las exigencias del interés público demandan un funcionamiento correcto de la actividad y de sus medidas correctoras, lo cual implicará que la actividad desarrollada quede, durante la vigencia de la licencia, sujeta a inspecciones administrativas para la comprobación del cumplimiento de las condiciones expresadas en la misma, conforme declaran, entre otras, las SSTS de 4/octubre/86 y 30/junio/87» (Fundamento de Derecho Segundo, párrafos quinto y ss.). [STSJ Comunidad Valenciana 30 diciembre 2014.- LA LEY 234464/2014]

VIII. RÉGIMEN JURÍDICO

• Una reiterada y constante jurisprudencia ha venido proclamando, insistentemente que **las licencias municipales no son actos discrecionales, sino reglados; que no sólo es reglado el acto de la concesión, sino también el contenido de los mismos**; y que la licencia, como técnica de control de una determinada normativa no puede desnaturalizarse y convertirse en medio de conseguir, fuera de los cauces legítimos, un objetivo distinto; que, en definitiva, la licencia debe ser concedida o denegada en función de la legalidad vigente, sin que puedan exigirse otros requisitos ni condicionamientos distintos. [STSJ Andalucía (Granada) 17 julio 2009.- LA LEY 242177/2009]

• **El otorgamiento de licencias para el ejercicio de actividades clasificadas, se enmarca dentro de la actividad de policía o limitativa de la Administración.** Como toda actividad administrativa está sometida al principio de interés público. La Constitución Española consagra principios básicos de nuestra convivencia cuales son entre otros la libertad de empresa, la economía de mercado o el incremento de la riqueza nacional; consecuencia del principio de buena administración y de libertad de empresa es que la Administración no deba entorpecer, sino cuando sea necesario el funcionamiento de los operadores económicos, toda vez que los mismos a la vez que consiguen intereses particulares, revierten en una mejora pública. **La licencia de apertura para el ejercicio de actividades es de las denominadas por operación, es decir que no solo se otorgan y los poderes públicos se desentienden de las mismas sino que los poderes públicos mantienen una vigilancia constante para el cumplimiento de la legalidad.** La falta de las licencias específicas como la que nos ocupa convierte la actividad en clandestina con independencia de otros tipos de autorizaciones. [STSJ Extremadura 14 marzo 2013.- LA LEY 34689/2013]

• La obtención de licencia de actividad supone la intervención de la Administración en la esfera de la actividad privada y constituye requisito necesario para el ejercicio de dicha actividad. **Dentro del término licencia se comprenden figuras afines (autorizaciones, permisos, habilitaciones, dispensas, inscripciones, etc), que son conceptos que definen la intervención administrativa atendiendo a situaciones diversas. En el ámbito local, el término dominante en el que se designa la intervención administrativa a fin de controlar la actividad de los administrados en defensa del interés público, es la licencia. El término licencia es genérico que hay que especificar (a veces con otros términos como ha quedado expresado) a tenor de las normas positivas.** Tal especificación, de cara a la exigencia de licencia en la esfera municipal, aparece contenida, entre otras, en las siguientes normas: 1. Art. 84.l,b), de la Ley 7/1985, de 2 de abril, reguladora de las Bases del Régimen Local, que establece que las Corporaciones locales podrán intervenir la actividad de los ciudadanos, sometiéndola a previa licencia. Se trata de una norma legal general que encuentra en otras normas positivas la concreción de la exigencia de la licencia previa. 2. Art. 8.º del Reglamento de Servicios de las Corporaciones locales, aprobado por Decreto de 17 de junio de 1955, que limita la actividad interventora a través de la licencia a los casos previstos «por la Ley, el presente Reglamento y otras disposiciones de carácter general» y 3. En el art. 22 del Reglamento de Servicios de las Corporaciones Locales, contiene otra concreción en orden a la exigencia de licencia de apertura: que la refiere a establecimientos industriales y mercantiles, es decir a actividades presididas por el ánimo de lucro. A estas normas de carácter general se han de incorporar en su caso, integrándose con ellas, las disposiciones contenidas en otras normas que resulten de aplicación en razón de la actividad de que se trate. [STSJ Andalucía (Granada) 24 junio 2013.- LA LEY 134569/2013]

IX. REVOCACIÓN DE LA LICENCIA

1. Error en la calificación de la actividad

• **No existe** ni en la Ley de Prevención de la Contaminación y Calidad Ambiental ni en el Decreto de desarrollo **normas relativas a la revocación parcial o modificación de la licencia** y siendo cierto que esta Sala ha mantenido los criterios que se invocan en torno a la revocabilidad de las licencias, como lo es la estimación reiterada de reclamaciones por contaminación acústica y condenas municipales por inactividad vulneradora de derechos fundamentales pero todo ello no constituye un título genérico que unido a una genérica competencia legitime cualquier comportamiento, como ha parecido entender el Ayuntamiento apelante. **Las licencias no son inmutables pero su modificación tiene que tener una causa y si, como el propio Ayuntamiento reconoce, es su propio error al estimarla inocua, el que ha determinado el mismo, deberá proceder en consecuencia y proceder a la exigencia de otro instrumento de intervención distinto de la mera comunicación.** En los casos invocados, nos hallábamos ante vulneraciones de la licencia demostradas por medios técnicos, constatadas debidamente y directamente derivadas del ejercicio de la actividad y vulneración de sus condicionantes. [STSJ Comunidad Valenciana 11 mayo 2011.- LA LEY 212728/2011]

2. Improcedencia

• **El acto objeto del recurso está constituido por una resolución que revoca la licencia de actividad y funcionamiento para salón de bodas.** Debe señalarse que en los supuestos de la clausura de una actividad existentes perjuicios que si bien pudieran ser reparados a través de la oportuna indemnización, varios son los elementos que provocan una dificultad de reparación, en primer lugar por la difícil valoración de las perdidas comerciales, no solo presentes sino también futuras por la pérdida de expectativas y del correspondiente fondo de comercio y de la clientela. Pero además en tanto en cuanto se resuelve el proceso es patente que se producen perjuicios derivados de la pérdida de ingresos y por lo tanto de la necesidad de búsqueda de una fuente alternativa que permita la subsistencia.

Si bien es cierto que en el caso presente se ha seguido el procedimiento establecido en el artículo 8 de la Ley Territorial de Madrid 17/1997, de 4 de julio, de Espectáculos Públicos y Actividades Recreativas al establecer que **el incumplimiento de los requisitos y condiciones en que fue concedida la licencia de funcionamiento determinará la revocación de la misma previa tramitación de un expediente sumario con audiencia del interesado.** La justificación de la decisión se encuentra en los siguientes incumplimientos de la licencia:...**No se hace referencia a la existencia de peligro inmediato para las personas y bienes**, por tanto y teniendo en cuenta que este tribunal ha indicado que en el procedimiento establecido en el artículo 34 del Reglamento de Actividades Molestas, Insalubres, Nocivas y Peligrosas aprobado por Decreto 2414/1961, de 30 de diciembre, que es aplicable **cuando se ejerce una actividad en las condiciones de la licencia concedida pero con un defectuoso funcionamiento de los elementos industriales licencia-**

dos, en cuyo caso, con carácter previo a la clausura de la actividad es necesario dictar una orden de «corrección de deficiencias» concediendo plazo... Por tanto el Tribunal entiende que procede suspender la ejecución del acto de revocación de la licencia que supone el mantenimiento del status quo previo a dicha resolución sin perjuicio de que en ejecución de este auto el Ayuntamiento de Madrid adopte las medidas correspondientes respecto de las salidas de emergencia, extintores de incendios y adecuación de la actividad a la concedida con precinto incluso de los elementos no licenciados. [STSJ Madrid 10 mayo 2012.- LA LEY 108566/2012]

3. Principios generales

• **En el caso de no ser posible, por razones jurídicas o técnicas, la instalación de las medidas precisas o adecuadas, los reglamentos, con apoyo legal, permiten la revocación de la licencia o imposición de traslado de industrias, con indemnización**. Ello quiere decir que ha de respetarse el contenido económico de lo autorizado pero el uso o ejercicio industrial etc. ha de acomodarse a las exigencias del interés público (p.e., razones de seguridad, salubridad, etc.) que puede justificar la clausura de la industria o de la actividad o del traslado forzoso a un emplazamiento más idóneo... de tal modo que **el incumplimiento de los requisitos o condiciones en virtud de los cuales se concedió la licencia**, en especial en lo relativo a inspecciones periódicas o la falta de adaptación a las introducidas por normas posteriores que prevean dicha adaptación en los plazos que en las mismas se establezcan, una vez requeridos los titulares, **determina la inmediata revocación de la licencia**. [STSJ Comunidad Valenciana 6 mayo 2012.- LA LEY 139771/2010.

• A la vista de tales antecedentes fácticos, hemos de convenir con el Ayuntamiento y en contra de la tesis sostenida en la sentencia recurrida en apelación, que **el acuerdo de revocación de la licencia es ajustado a Derecho**, pues el mismo, previa constatación del ejercicio de una actividad distinta a la autorizada y por tanto, no licenciada, **supone el incumplimiento de las condiciones en que fue concedida, siendo la revocación una consecuencia legal** prevista en la normativa en que se basó el Ayuntamiento. [STSJ Madrid 28 enero 2015.- LA LEY 25911/2015]

• La parte apelante, ni siquiera cuestiona que no dispusiese de licencia de primera ocupación, sino que **centra toda su argumentación en que se trata de una condición ilegal, en cuanto impone una exigencia urbanística y no de funcionamiento, y en que la revocación debió seguir los procedimientos de revisión** de la LRJAPyPAC.

Sin embargo, **el régimen jurídico de las licencias de apertura contempla la revocación** «cuando desaparecieran las circunstancias que motivaron su otorgamiento o sobrevinieran otras que, de haber existido a la sazón, habrían justificado la denegación, o resultado incompatibles con el interés general».

Y, en el caso, **otorgada licencia de apertura condicionada a la licencia de primera ocupación de las obras de acondicionamiento temporal, no consta que se hubiese obtenido dicha autorización**, ni que se hubiese presentado la declaración responsable que el actual artículo 166 bis del TRLOTCyENC exige para la primera ocupación, ni siquiera que se hayan ejecutado las obras del local conforme a lo autorizado en su día. [STSJ Canarias (Las Palmas de Gran Canaria) 13 marzo 2015.- LA LEY 152016/2015]

4. Revocación sanción

•Recuerda también aquella sentencia la del Tribunal Constitucional 181/1990, de 15 de noviembre, que a su vez cita la STC 61/1990, que **la revocación de una licencia se basa en el incumplimiento de los requisitos establecidos por el ordenamiento para el desarrollo de la actividad pretendida, tarea en la que el margen de apreciación es escaso.** Sin embargo subraya que, en otros casos, **la revocación de la licencia responde a un más amplio margen de apreciación en manos de la administración, que se ve posibilitada para valorar determinadas conductas como contrarias al ordenamiento, en cuyo supuesto se trata de los típicos casos denominados por la doctrina «revocación-sanción».** Añade que «trazar una línea divisoria entre ambas medidas, con pretensión de validez general, resulta poco menos que imposible y, en consecuencia, calificar unas medidas concretas como sanción o simple aplicación de las normas administrativas habilitantes para la gestión de una actividad requiere tener en cuenta las circunstancias de cada caso» (FJ4).

Subraya la mencionada STS de 21 de diciembre de 2006 que «**La sanción está sujeta al principio de legalidad** en la descripción de las acciones y omisiones reprochables, seguimiento de un cauce específico para la imposición de las sanciones (procedimiento sancionador), carácter subjetivo de la responsabilidad, en la medida en que se exige dolo o culpa, y aplicación de un régimen concreto de prescripción». Pero adiciona «**que en el caso de la revocación, por incumplimiento de obligaciones esenciales del título administrativo, basta el acto declarativo que aprecie adecuadamente dicho incumplimiento** después de un procedimiento que permita la defensa del titular a través del correspondiente trámite de audiencia». [STSJ Madrid 28 enero 2015.- LA LEY 25911/2015]

X. SILENCIO ADMINISTRATIVO

1. Adquisición

• Respecto de la obtención de la licencia por silencio, **este Tribunal ha venido manteniendo en supuestos como los de autos que es obvio que puede ganarse la licencia por silencio positivo** mas no con base en los artículos 9.5.º y 7.º c) del Reglamentos de servicios de las corporaciones locales aprobado por Decreto de 17 de junio de 1955 ni en el artículo 29.1,b) de la Ordenanza Especial de Tramitación de Licencias y Control Urbanístico del Ayuntamiento de Madrid. Dichos preceptos no son de aplicación al supuesto presente sino que resulta de aplicación lo dispuesto en el artículo 33. 4 del Reglamento de Actividades molestas, insalubres, nocivas y peligrosas, por tratarse la actividad pretendida de una actividad clasificada, dicho precepto establece que transcurridos cuatro meses desde la fecha de la solicitud sin que hubiese recaído solución, ni se hubiese notificado la misma al interesado, **podrá éste denunciar la mora simultáneamente ante el Ayuntamiento y la Comisión Provincial de Servicios Técnicos, y transcurridos dos meses desde la denuncia, podrá considerar otorgada la licencia por silencio administrativo**, salvo en aquellos casos en que la Comisión hubiere notificado su acuerdo desfavorable y se hallase éste pendiente de ejecución por parte del Ayuntamiento …, **una vez que se solicita la licencia de funcionamiento con toda la documentación completa, si la Administración no requiere de subsanación de deficiencias ni realiza la visita de inspección y comprobación oportuna para constatar que las insta-**

laciones realizadas son acordes con el proyecto aprobado por la licencia de instalación, el solicitante debe proceder a la doble denuncia de la mora si pretende adquirir la licencia solicitada en virtud de silencio administrativo positivo. [STSJ Madrid 24 julio 2015.- LA LEY 136563/2015.]

2. No adquisición

• Insistiendo la recurrente en esta alzada que se había obtenido por silencio administrativo la licencia de apertura o funcionamiento que le posibilitaba el ejercicio de la actividad, y que la Administración, caso de considerarla contraria al ordenamiento, debía acudir a los procedimientos de revisión de oficio, **se ha de comenzar reiterando que, como señala el Juzgador, no cabe entender adquiridas por silencio administrativo licencias en contra de la legislación o el planeamiento urbanístico.** Al respecto, como se ha dicho en otras ocasiones, es **especialmente significativa la sentencia del Tribunal Supremo de 10 de julio de 2001: «La legislación y la jurisprudencia son terminantes al respecto. En ningún caso se entenderán adquiridas por silencio administrativo licencias en contra de la legislación o del planeamiento urbanístico.** En este sentido el Reglamento de Disciplina Urbanística precisa en su artículo quinto que en ningún caso se entenderán adquiridas por silencio administrativo facultades en contra de las prescripciones de la ley del Suelo, de los Planes de Ordenación, Programas, Proyectos y, en su caso, de las Normas Complementarias y Subsidiarias del Planeamiento o de las Normas y Ordenanzas reguladoras del uso del suelo y edificación. Por su parte, la jurisprudencia de modo reiteradísimo, viene afirmando que el mero cumplimiento de las prescripciones formales y de actividad relativas al silencio positivo no permite entender adquirida por silencio administrativo la licencia pretendida. Además de tales requisitos ha de cumplirse el elemento sustantivo, es decir, que la licencia solicitada se ajuste a la ordenación urbanística aplicable». «En consecuencia —añade tal sentencia—, han de cumplirse, de modo simultáneo, los requisitos de orden formal y los de naturaleza sustantiva para que las licencias se puedan atender adquiridas en virtud del silencio. Por eso, si, como es el caso, la licencia solicitada es contraria a la normativa urbanística aplicable (...) es evidente que no se ha adquirido la licencia por silencio positivo, pues no se ha cumplido el elemento sustantivo de adecuación al planeamiento que dicha adquisición requiere. Del mismo modo, el ulterior acto denegatorio de la licencia no es revocatorio de derechos subjetivos del peticionario, pues resulta que tales derechos no han llegado a ser adquiridos». En definitiva, tratándose de licencias, éstas en ningún caso se pueden entender adquiridas por silencio administrativo si las mismas contravienen la legislación o el planeamiento urbanístico, por estar expresa y terminantemente vedado por la legislación. [STSJ Aragón 17 febrero 2010.- LA LEY 185699/2010]

• **No cabe hablar de silencio positivo si no se ha solicitado la licencia**, por quienes, a pesar de todo ello, continúan ejerciendo indebidamente la referida actividad. [STSJ Cantabria 28 octubre 2010.- LA LEY 326166/2010]

• El tema que nos atañe es el relativo al ajuste o no a la legalidad del acuerdo de la Alcaldía del Ayuntamiento de Fontellas ordenando la clausura de la empresa hoy codemandada. En este punto asiste razón a la entidad mercantil de referencia, mas no puede olvidar ni marginar el hecho y dato no menos importante de que tal orden de clausura de la actividad viene dada, basada y condicionada en razón a que el ente municipal mantiene el ajuste a la legalidad de esta clausura decretada en tanto en cuanto dice que esta empresa carece de licencia de actividad. **Y como se mantenga que la misma ha sido ganada (entre otras motivaciones) por silencio administrativo,** no cabe sino oponer la dicción literal del art. 192.4 de la Ley Foral 35/2002 de 20 de diciembre, de Ordenación del Territorio y Urbanismo, por cuya virtud «En ningún caso entenderán otorgadas por silencio administrativo.- licencias en contra de la legislación o el planeamiento urbanístico». **Así bien las dudas jurisprudenciales existentes en la materia respecto del silencio administrativo positivo versus planeamiento en vigor, han quedado zanjadas por la rotunda y tajante sentencia del Tribunal Supremo de 28 de enero de 2009 al determinar en esta materia que este precepto (si bien se refiere al homónimo y concordantes de la legislación estatal) tiene un carácter básico en todo el Ordenamiento estatal no pudiendo aceptarse postura contraria a la dicción del precepto.** [STSJ Navarra 30 noviembre 2010.- LA LEY 303601/2010]

• **Es imposible jurídicamente obtener por silencio positivo una licencia de actividad clasificada,** sin haber obtenido previamente el informe favorable preceptivo y vinculante, de Evaluación Ambiental de la Actividad de que se trate.; es claro, por tanto, que **no cabe otorgar la pretendida licencia por silencio administrativo, por cuanto no se ha cumplido con el requerimiento efectuado, y la Administración ha practicado los requerimientos y notificaciones procedentes,** y tampoco consta que se denunciara la mora ante el órgano competente de la Comunidad Autónoma ni ante el Ayuntamiento, ni puede comenzar el computo para el silencio si no se ha cumplido con lo requerido, para poder aplicar el art 43 de la Ley 30/92, siendo conforme a derecho la resolución impugnada. [STSJ Madrid 27 septiembre 2012.- LA LEY 176307/2012]

• Para concluir ha que indicar que **el régimen de silencio contemplado** en el artículo 43 de la Ley 30/1992 de 26 de noviembre de Régimen jurídico de las Administraciones Públicas y del Procedimiento Administrativo Común **no es aplicable a las actividades comprendidas en el Reglamento de Actividades Molestas, Insalubres, Nocivas y Peligrosas** aprobado por Decreto 2414/1961, de 30 de diciembre, **al contener este un régimen específico, en lo referido a los efectos del silencio que siendo de carácter positivo exige otros requisitos para que dichos efectos se produzcan.**- STS Canarias (Las Palmas de Gran Canaria) 28 septiembre 2012.- LA LEY 255541/2012]

• Es obvio que la resolución impugnada se limita a acordar la clausura de la actividad no licenciada, y aunque no es menos cierto que la industria en cuestión era sobradamente conocida y por ello no era ni es formalmente clandestina, sin embargo carece y ha carecido de la procedente licencia de apertura e incluso de la de funcionamiento, sin que pueda trasladarse a la Administración demandada infracción alguna del art 35 de la Ley 30/92, dado que el Ayuntamiento ha certificado que no consta en sus archivos ni solicitud de licencia ni la concesión de la misma, **licencia que por otra parte no podría obtenerse por silencio, dado que no se acredita una previa solicitud, cuestión primordial que se deduce de la mera lectura del art. 9 del RSCL, además de no justificarse la denuncia de la mora,** exigida por el RAMINP, ni ser posible aplicando la ley 2/2002 ; tampoco se acredita una licencia tacita de una actividad iniciada en 1964, y si ha existido pasividad o tolerancia por parte municipal, lo que resulta evidente, por el largo tiempo transcurrido, ello no lleva consigo estar en posesión de la licencia no aportada, no existiendo por ende y al respecto derechos adquiridos en cuanto que se carece de dicha licencia, como reitera la jurisprudencia del T.S., sin perjuicio de que puedan ejercitarse otras acciones. [STSJ Madrid 20 febrero 2013.- LA LEY 27666/2013.] • En efecto respecto al silencio administrativo esta Sala ha reiterado que:

1.- El punto de partida una vez transcurridos los plazos del art. 43 de la Ley 30/1992 es entender que la licencia ha sido adquirida por silencio administrativo positivo.

Y que:

2.- De acuerdo con la doctrina del Tribunal Supremo que se acaba de exponer será **la Administración la que tenga la carga de la prueba de acreditar que la licencia contiene infracción del ordenamiento jurídico que impide la obtención de la licencia por silencio administrativo**.

Por lo que acreditado por la administración que la licencia de obra concedida a la constructora no contemplaba local comercial y que fue concedida la licencia de obras para la adecuación de la planta baja a local comercial (n.º 6 y no n.º 4) supeditada a la obtención de licencia de apertura, resulta que la licencia de obras y apertura en cuanto al n.º 4 de la C/ Horts, contendrían **una infracción del ordenamiento jurídico lo que impide la obtención de la segunda por silencio administrativo**, sin perjuicio de que aun, no declarada la nulidad de la de obras mediante la revisión de oficio, esta carece de virtualidad alguna por referirse al n.º 6, sin que conste que dicho error ha sido rectificado al amparo del articulo 105 .2 de la ley 30/92 y por estar condicionada a la obtención de la licencia de apertura. [STSJ Comunidad Valenciana 18 octubre 2013.- LA LEY 206995/2013.

• Hay que recordar que en la tramitación de las solicitudes de licencia ambiental se **exigen algunos trámites fundamentales que no se observaron en el caso, en particular los de información pública, notificación personal a los vecinos inmediatos y remisión a informe de la Comisión de Prevención Ambiental competente** (artículo 27 de la Ley 11/2003), trámites que no se siguieron en el supuesto de que se trata dado que el Ayuntamiento de Valdefresno nada hizo después de pedir el informe que decidió solicitar por acuerdo de 16 de febrero de 2007, **circunstancias todas que impiden considerar otorgada por silencio la licencia ambiental que en este proceso interesa**, o para ser más exactos la segunda de las licencias ambientales que aquí importan. [STSJ Castilla y León (Valladolid) 26 junio 2014.- LA LEY 84334/2014]

3. Silencio positivo

• En este estado de cosas, y **visto que el silencio es positivo** (artículo 36 de la Ley 11/2003, de 8 de abril, de Prevención Ambiental de Castilla y León), se estima, lo que se dice a los efectos de este incidente y sin prejuzgar obviamente el fondo, que **la posición de la apelante cuenta con una apariencia de buen derecho** que no ha sido además contestada de forma suficiente por el Ayuntamiento de La Cistérniga, conclusión a la que no es ajena el dato de que en el acto administrativo recurrido solo se hiciera referencia a que no constaba la concesión de licencia, sin decirse nada sobre la solicitud de la misma realizada casi nueve meses antes. Dicho con otras palabras, **no es lo mismo no tener licencia porque no se ha pedido o porque se ha denegado la interesada que no tenerla de forma expresa porque la Administración, incumpliendo su obligación legal de resolver, no haya decidido sobre la solicitud hecha en tal sentido**. [STSJ Castilla y León (Valladolid) 30 noviembre 2010.- LA LEY 254502/2010]

2.ª PARTE

ESPECTÁCULOS PÚBLICOS Y ACTIVIDADES RECREATIVAS

CAPÍTULO I

INTRODUCCIÓN

No es fácil abordar de una manera integral una materia tan amplia y compleja como es la de los **«espectáculos públicos y las actividades recreativas»**, por la **dispersión legislativa existente**, y porque sobre la misma inciden tanto normas sustantivas como procesales, de ámbito **estatal, autonómico y local**, pretendiendo hacer un compacto núcleo legislativo sobre el que se proyectará finalmente la autorización para celebrarlos con carácter permanente o eventual.

Razones de orden público, de seguridad ciudadana, y medioambientales han de coordinarse de forma tal que buscando un equilibrio se dé respuesta a los intereses de los promotores sin menoscabar los derechos de los ciudadanos ajenos a los mismos, pero sujetos pasivos de su funcionamiento, pese, y eh aquí la paradoja, de que son a su vez en su gran mayoría los sujetos activos en cuanto asistentes a los espectáculos públicos actividades recreativas.

Poner en **orden el mapa legislativo existente**, con una sistemática que nos permita conocer el desarrollo de los diferentes componentes, agentes intervinientes, competencias, procedimiento, régimen sancionador, etc. es el objetivo que se persigue con este libro, desde una perspectiva eminentemente práctica, huyendo en la manera de lo posible del doctrinalismo, buscando respuestas a las preguntas más frecuentes que suscita esta materia.

CONCEPTOS BÁSICOS

- Espectáculos públicos

- Actividades recreativas

- Establecimientos públicos

- Establecimientos públicos o actividades recreativas

    — Permanentes

    — De temporada

    — Ocasionales

    — Extraordinarios

— Fijos

— Eventuales

— Independientes

— Agrupados

El vigente RD 2816/1982, de 27 de agosto, por el que se aprueba el Reglamento de Policía de Espectáculos Públicos y Actividades Recreativas (RPEPAR) **no define** qué se entiende por **espectáculos públicos y actividades recreativas**, limitándose a remitirse en su artículo 1, el ámbito de aplicación del mismo, enumerando en su anexo los espectáculos, deportes, juegos, recreos y establecimientos destinados al público, a los que es de aplicación junto a las demás actividades de análogas características, con independencia de que sean de titularidad pública o privada y de que se propongan o no finalidades lucrativas.

Tendremos que acudir a la **normativa autonómica** para encontrar la definición de lo que consideramos como conceptos básicos dentro de los espectáculos públicos y actividades recreativas y que nos servirá para centrar el objeto del ámbito de actuación administrativa. Para tal fin y ampliando el concepto de espectáculo público y actividad recreativa, nos referiremos a los distintos tipos o clases de espectáculos y actividades que comúnmente son objeto de intervención o control administrativa.

1.   ANDALUCÍA

El Decreto 155/2018, de 31 de julio, por el que se aprueba el catálogo de espectáculos públicos, actividades recreativas y establecimientos públicos de Andalucía y se regulan sus modalidades, régimen de apertura o instalación y horarios de apertura y cierre, en su anexo define a:

• **Espectáculo público:** toda función o distracción que se ofrezca públicamente por una persona física o jurídica organizadora, para la diversión o contemplación intelectual y que se dirija a atraer la atención de las personas espectadoras o público asistente.

• **Actividad recreativa:** conjunto de operaciones desarrolladas por personas físicas o jurídicas, tendente a ofrecer y procurar al público, aislada o simultáneamente con otra actividad económica distinta a las reguladas en la Ley 13/1999, de 15 de diciembre, situaciones de ocio, diversión, esparcimiento o consumición de bebidas y alimentos.

• **Establecimientos públicos:** aquellos locales, recintos o instalaciones de pública concurrencia, sujetos a los medios de intervención administrativa que correspondan, en los que se celebren o practiquen los espectáculos públicos o las actividades recreativas recogidas en el Catálogo, de conformidad con los condicionamientos y reglas esenciales contenidos en el mismo y en la normativa de general de aplicación a esta materia.

• **Otras definiciones** (Decreto 247/2011, de 19 de julio, por el que se modifican diversos Decretos en materia de espectáculos públicos y actividades recreativas, para su adaptación a la Ley 17/2009, de 23 de noviembre, sobre el libre acceso a las actividades de servicios y su ejercicio):

— **Espectáculos públicos y actividades recreativas:**

a) **Permanentes:** Son aquellos que se celebren o desarrollen de forma habitual e ininterrumpida en establecimientos públicos fijos, **sometidos a declaración responsable de apertura ante el Ayuntamiento**.

b) **De temporada:** Son aquellos que se celebren o desarrollen en establecimientos públicos fijos sometidos a **declaración responsable** de apertura ante el Ayuntamiento o en establecimientos eventuales **sometidos a autorización de instalación municipal**, durante períodos de tiempo superiores a seis meses e inferiores a un año.

c) **Ocasionales:** Son aquellos que, previa autorización en los términos previstos en su normativa reglamentaria, se celebren o desarrollen durante períodos de tiempo **iguales o inferiores a seis meses**, tanto en establecimientos públicos fijos o eventuales, como directamente en espacios abiertos de vías públicas y de otras zonas de dominio público sin establecimiento público que los albergue.

d) **Extraordinarios:** Son aquellos que, previa autorización municipal en los términos previstos en su normativa reglamentaria, se celebren o desarrollen específica y excepcionalmente en establecimientos o instalaciones, sean o no de espectáculos públicos y actividades recreativas, destinados y legalmente habilitados para desarrollar **otras actividades diferentes** a las que se pretendan organizar y celebrar y que, por tanto, no están previstos en sus condiciones de apertura y funcionamiento, con el **límite máximo de 12 espectáculos públicos o actividades recreativas extraordinarias al año** en un mismo establecimiento o instalación.

— **Establecimientos públicos:**

a) **Fijos:** Cuando se trate de edificaciones y recintos que sean inseparables del suelo sobre el que se construyan.

b) **Eventuales:** Entendiéndose por tales aquellos establecimientos públicos no permanentes, conformados por estructuras desmontables o portátiles constituidas por módulos o elementos metálicos, de madera o de cualquier otro material que permita operaciones de montaje y desmontaje sin necesidad de construir o demoler fábrica de obra alguna, sin perjuicio de los sistemas de fijación o anclaje que sean precisos para garantizar la estabilidad y seguridad.

Los establecimientos públicos, fijos o eventuales, podrán ser a su vez:

1. **Cerrados o abiertos:** Serán cerrados cuando su perímetro se encuentre limitado físicamente por paramentos o cerramientos. Y se considerarán abiertos cuando no existan total o parcialmente paramentos perimetrales.

2. **Cubiertos o al aire libre o descubiertos:** Serán cubiertos cuando tengan cerramientos o estructuras de cierre superior. Y se considerarán al

aire libre o descubiertos cuando no existan total o parcialmente dichas estructuras.

Cuando se establezca que los establecimientos públicos sean cerrados y cubiertos, se entenderá que deben serlo en todos sus paramentos o cerramientos.

c) **Independientes:** Cuando se pueda acceder a ellos directamente desde la vía pública.

d) **Agrupados**: En caso de que formen parte de un conjunto de establecimientos a los que se acceda por espacios comunes a todos ellos, siempre que la entrada a cada establecimiento individualizado desde esos espacios comunes sea diferenciada.

2. ARAGÓN

La **Ley 11/2005**, de 28 de diciembre, reguladora de los espectáculos públicos, actividades recreativas y establecimientos públicos de la Comunidad Autónoma de Aragón en su art. 2 los define, para en el art. 2 **Decreto 220/2006,** de 7 de noviembre, del Gobierno de Aragón, por el que se aprueba el catálogo de espectáculos públicos, actividades recreativas y establecimientos públicos de la Comunidad Autónoma de Aragón, establecer la tipología de los mismos.

- Para la Ley 11/2005, son:

a) **Espectáculos públicos**: aquellos acontecimientos que congregan a un público que acude con el objeto de presenciar una representación, actuación, exhibición o proyección, que le es ofrecida por un empresario, actores, artistas o cualesquiera ejecutantes, bien en un local cerrado o abierto o en recintos al aire libre o en la vía pública, en instalaciones fijas, portátiles o desmontables.

b) **Actividades recreativas**: aquellas que congregan a un público o a espectadores que acuden con el objeto principal de participar en la actividad o recibir los servicios que les son ofrecidos por el empresario con fines de ocio, entretenimiento y diversión.

c) **Establecimientos públicos**: locales cerrados o abiertos, de pública concurrencia, en los que se consumen productos o reciben servicios por los clientes con fines de ocio, entretenimiento y diversión, se realicen o no en ellos los espectáculos públicos y las actividades recreativas.

- Por su parte para el Decreto 220/2006, los **espectáculos públicos y las actividades recreativas** podrán ser:

a) **Habituales**, entendiéndose por tales aquellos que, debidamente autorizados, se celebren o desarrollen de forma habitual en establecimientos fijos.

b) **Ocasionales**, entendiéndose por tales aquellos que, debidamente autorizados, se desarrollen en instalaciones o estructuras eventuales, desmontables o portátiles, así como en vías o zonas de dominio público, durante un tiempo determinado. En tales casos las autorizaciones o licencias se otorgarán de forma específica para cada período de ejercicio de la actividad o programación de los espectáculos.

c) **Extraordinarios**, entendiéndose por tales aquellos que, debidamente autorizados, sean distintos a los que se desarrollen habitualmente en los establecimientos públicos y no figuren expresamente autorizados en la correspondiente licencia de funcionamiento.

Y **los establecimientos públicos** podrán ser:

a) **Fijos,** entendiéndose por tales aquellas edificaciones y recintos independientes que, debidamente autorizados, sean inseparables del suelo sobre el que se construyan.

b) **Eventuales,** entendiéndose por tales aquellos cuyo conjunto se encuentre conformado por estructuras desmontables o portátiles constituidas por módulos o elementos metálicos, de madera o de cualquier otro material que permita operaciones de montaje y desmontaje sin necesidad de realizar obra alguna y estén debidamente autorizados.

3.   CANARIAS

La **Ley 7/2011**, de 5 de abril, de actividades clasificadas y espectáculos públicos y otras medidas administrativas complementarias, en su art. 1.2 c) define a los **espectáculos públicos** como las actividades recreativas, de ocio y esparcimiento, incluidos los deportes, que se desarrollen esporádicamente y en lugares distintos a los establecimientos destinados al ejercicio habitual de dicha actividad y, en todo caso, las celebradas en instalaciones desmontables o a cielo abierto, independientemente de que su organización sea hecha por una entidad privada o pública y de su carácter lucrativo o no.

Por su parte el nomenclátor del **Decreto 52/2012**, de 7 de junio, por el que se establece la relación de actividades clasificadas y se determinan aquellas a las que resulta de aplicación el régimen de autorización administrativa previa, en su punto 12 define genéricamente los **espectáculos y actividades recreativas** a las actividades de ocio y esparcimiento, incluidos los deportes, que se desarrollen en los establecimientos destinados al ejercicio habitual de dicha actividad independientemente de que su organización sea hecha por una entidad privada o pública y de su carácter lucrativo o no; para en el punto 12.4 conceptuar los **espectáculos públicos** como las representaciones, las actuaciones, las exhibiciones, las proyecciones, las competiciones o las actividades de otro tipo dirigidas al entretenimiento o al ocio, realizadas ante público, en establecimientos destinados al ejercicio habitual de las citadas actividades y llevadas a cabo por artistas, intérpretes o actuantes que intervienen por cuenta de una empresa o por cuenta propia.

4. CASTILLA-LA MANCHA

El art. 1.2 de la **Ley 7/2011,** de 21 de marzo, de Espectáculos Públicos, Actividades Recreativas y Establecimientos Públicos de Castilla-La Mancha establece las siguientes definiciones:

a) **Espectáculo público**: todo acontecimiento organizado con el fin de congregar a quienes acuden para presenciar una actuación, representación, exhibición o proyección de naturaleza artística, cultural o deportiva ofrecida por un empresario, por actores, por artistas o cualesquiera otros ejecutantes.

b) **Actividad recreativa**: toda actividad realizada por una persona natural o jurídica que tenga como fin congregar público en general, con objeto principal de implicarle a participar en ella o de ofrecerle servicios con finalidad de ocio, entretenimiento y diversión, aislada o simultáneamente con otras actividades.

c) **Establecimiento público**: cualquier local, recinto o instalación de concurrencia pública fija, portátil o desmontable, en el que se celebren espectáculos públicos, se realicen actividades recreativas o se ofrezcan servicios con fines de ocio, entretenimiento o diversión.

5. CASTILLA Y LEÓN

El art. 2 de la **Ley 7/2006**, de 2 de octubre, de espectáculos públicos y actividades recreativas de la Comunidad de Castilla y León define a:

a) **Espectáculos públicos**: aquellos actos de pública concurrencia que tienen por objeto el desarrollo de actividades, representaciones, exhibiciones, proyecciones o audiciones de carácter artístico, cultural, deportivo o análogo.

b) **Actividades recreativas**: aquellas que se ofrecen a un público, como espectadores o participantes con fines de ocio, entretenimiento o diversión.

c) **Establecimientos públicos**: aquellos edificios, locales o recintos accesibles a la concurrencia pública, en los que se ofrecen espectáculos o actividades con fines de ocio, entretenimiento, esparcimiento, recreo, evasión o diversión.

6. CATALUÑA

• La **Ley 11/2009**, de 6 de julio, de regulación administrativa de los espectáculos públicos y las actividades recreativas, en su art. 3 define a:

a) **Espectáculos públicos**: las representaciones, actuaciones, exhibiciones, proyecciones, competiciones u otras actividades similares orientadas al entretenimiento o al tiempo libre, que se llevan a cabo ante público en establecimientos o espacios abiertos al público.

b) **Actividades recreativas**: las actividades que ofrecen al público la utilización de juegos, máquinas o aparatos o el consumo de productos o de servicios de ocio, entretenimiento o diversión, así como las actividades que congregan a personas con el objeto principal de implicarlas a participar en ellas o de ofrecerles servicios con finalidad de ocio, entretenimiento o diversión.

c) **Establecimientos abiertos al público**: los locales, instalaciones o recintos dedicados a llevar a cabo en ellos espectáculos públicos o actividades recreativas. Pueden ser de los siguientes tipos:

Primero. Locales cerrados, permanentes no desmontables, cubiertos total o parcialmente.

Segundo. Locales no permanentes desmontables, cubiertos total o parcialmente, o instalaciones fijas portátiles o desmontables cerradas.

Tercero. Recintos que unen varios locales o instalaciones, constituidos en complejos o infraestructuras de ocio. Pueden ser de gran magnitud o no, y sus locales o instalaciones pueden ser permanentes no desmontables o no permanentes desmontables.

d) **Espacios abiertos al público**: los lugares de dominio público, incluida la vía pública, o de propiedad privada donde ocasionalmente se llevan a cabo espectáculos públicos o actividades recreativas, y que no disponen de infraestructuras ni instalaciones fijas para hacerlo.

• El **Decreto 112/2010**, de 31 de agosto, por el que se aprueba el Reglamento de espectáculos públicos y actividades recreativas, en su anexo I establece las siguientes definiciones:

a) **Espectáculos públicos**: son las representaciones, las actuaciones, las exhibiciones, las proyecciones, las competiciones o las actividades de otro tipo dirigidas al entretenimiento o al ocio, realizadas ante público, y llevadas a cabo por artistas, intérpretes o actuantes que intervienen por cuenta de una empresa o por cuenta propia.

b) **Actividades recreativas**: Son aquéllas que ofrecen al público la utilización de juegos, de máquinas o de aparatos o el consumo de productos o servicios, así como también aquéllas que congregan a personas con el objeto principal de participar en la actividad o de recibir servicios con fines de ocio, entretenimiento o diversión.

c) **Espectáculos públicos o actividades recreativas de carácter ordinario** son aquellos que se realizan de manera habitual en establecimientos fijos o eventuales, que pueden ser permanentes, o de temporada.

d) **Espectáculos o actividades recreativas de carácter extraordinario** son aquellos que se realizan en establecimientos abiertos al público que disponen de licencia, autorización o comunicación previa ante la Administración para una actividad diferente de la que se pretende realizar, o en un espacio abierto al público o en otros establecimientos que no tienen la consideración de locales de concurrencia pública, siempre que cumplan las condiciones exigibles para la realización del espectáculo público o de la actividad recreativa. Se podrán realizar un número máximo de 12 espectáculos o actividades recreativas de carácter extraordinario al año.

e) **Establecimientos abiertos al público:** son los locales, las instalaciones o los recintos dedicados a realizar espectáculos públicos o actividades recreativas. Pueden ser de los siguientes tipos:

f) **Establecimientos abiertos al público fijos:** son los locales cerrados, permanentes no desmontables, cubiertos total o parcialmente, que están establecidos en edificaciones independientes o agrupadas con otras que sean inseparables del suelo sobre el cual se construyen.

g) **Establecimientos abiertos al público no permanentes desmontables:** son los locales o las construcciones conformados por estructuras desmontables o por instalaciones fijas portátiles, constituidas por módulos o elementos metálicos, de madera o cualquier otro material que permita operaciones de montaje, desmontaje o traslado, con carácter itinerante o sin él. Pueden ser cubiertos total o parcialmente, y abiertos o cerrados.

h) **Establecimientos independientes:** son los establecimientos abiertos al público fijos y los establecimientos abiertos al público no permanentes desmontables que tienen un acceso propio directo desde la vía pública.

i) **Establecimientos abiertos al público agrupados:** son los recintos constituidos en complejos o infraestructuras de ocio, de gran magnitud o no, que unen varios locales o instalaciones, de carácter fijo o de carácter no permanente desmontable, a los que se accede a través de espacios edificados comunes a todos ellos.

7. COMUNIDAD DE MADRID

Ley 17/1997, de 4 de julio, de Espectáculos Públicos y Actividades Recreativas, no realiza una definición de los conceptos básicos que integran los espectáculos públicos y actividades recreativas, encontrándonos en el art. 3 del **Decreto 184/1998**, de 22 de octubre, por el que se aprueba el Catálogo de Espectáculos Públicos, Actividades Recreativas, Establecimientos, Locales e Instalaciones, las siguientes:

Se considerarán **espectáculos y actividades de carácter permanente** aquéllos que tengan lugar con carácter habitual en locales, recintos o establecimientos de carácter fijo y estable, y que estén expresamente autorizados en la correspondiente licencia de funcionamiento.

Se considerarán **espectáculos y actividades de carácter eventual**, aquéllos que se desarrollen en instalaciones o estructuras eventuales, desmontables o portátiles y que se realicen durante un período determinado de tiempo. La celebración de espectáculos o actividades de carácter eventual requerirá la oportuna licencia municipal de funcionamiento.

Se considerarán **espectáculos y actividades de carácter extraordinario** aquéllos que sean distintos de los que se realicen habitualmente en los locales o establecimientos y no figuren expresamente autorizados en la correspondiente licencia de funcionamiento. La celebración de los espectáculos y actividades de carácter extraordinario requerirá autorización administrativa expresa del órgano competente de la Comunidad de Madrid.

8. COMUNIDAD VALENCIANA

De acuerdo con el art. 1 de la **Ley 14/2010**, de 3 de diciembre, de la Generalitat, de Espectáculos Públicos, Actividades Recreativas y Establecimientos Públicos, se entiende por:

a) **Espectáculos Públicos**: aquellos acontecimientos que congregan a un público que acude con el objeto de presenciar una representación, actuación, exhibición o proyección que le es ofrecida por una empresa, artistas o ejecutantes que intervengan por cuenta de ésta.

b) **Actividades recreativas**: aquellas que congregan a un público que acude con el objeto principal de participar en la actividad o recibir los servicios que les son ofrecidos por la empresa con fines de ocio, entretenimiento y diversión.

c) **Establecimientos públicos**: locales en los que se realizan los espectáculos públicos y las actividades recreativas, sin perjuicio de que dichos espectáculos y actividades puedan ser desarrollados en instalaciones portátiles, desmontables o en la vía pública.

Por su parte el Decreto 52/2010, de 26 de marzo, del Consell, por el que se aprueba el Reglamento de desarrollo de la Ley 4/2003, de 26 de febrero, de la Generalitat, de Espectáculos Públicos, Actividades Recreativas y Establecimientos Públicos, en su art. 61 y 72 define los espectáculos y actividades extraordinarios y los singulares o excepcionales respectivamente:

a) Son **espectáculos o actividades extraordinarios** aquellos que, estando comprendidos en el Catálogo Anexo de la 4/2003, de 26 de febrero, se pretendan realizar con carácter ocasional o particular en un local o recinto cuya licencia de funcionamiento contemple otro u otros incluidos en aquél y supongan, asimismo, la modificación de las condiciones o elementos de seguridad que motivaron su otorgamiento.

b) Se entiende por **espectáculos y actividades singulares o excepcionales** aquellos que no estén reglamentados o que por sus características no pudieran a las normas urbanísticas y de protección contra la contaminación y calidad ambiental.

9. GALICIA

El **Decreto 292/2004**, de 18 de noviembre, por el que se aprueba el Catálogo de espectáculos públicos y actividades recreativas de la Comunidad Autónoma de Galicia, define los siguientes tipos de espectáculos públicos y actividades recreativas (art. 3 y 4):

• Los **espectáculos públicos y las actividades recreativas**

a) **Permanentes**: aquellos que, debidamente autorizados, se celebren o desarrollen de forma habitual e ininterrumpidamente en establecimientos fijos.

b) **De temporada**: aquellos que, debidamente autorizados, se celebren o desarrollen en establecimientos fijos o eventuales durante períodos de tiempo superiores a tres meses e inferiores a un año.

c) **Ocasionales**: aquellos que, debidamente autorizados, se celebren o se desarrollen en establecimientos fijos o eventuales, así como en vías y zonas de dominio público, durante períodos de tiempo inferiores a tres meses. En estos casos las autorizaciones o licencias se otorgarán de forma específica para cada período de ejercicio de la actividad o programación de los espectáculos.

d) **Extraordinarios**: aquellos que, debidamente autorizados, se celebren o desarrollen específica y excepcionalmente en establecimientos autorizados para otros espectáculos o actividades recreativas diferentes a los que se pretende celebrar o desarrollar de forma extraordinaria.

e) **Conmemorativos y de efemérides**: aquellos que, debidamente autorizados, se celebren o se desarrollen en establecimientos fijos o eventuales, así como en vías y zonas de dominio público. La autorización se hará por el período de tiempo necesario para el desarrollo de la conmemoración o efemérides. En estos casos las autorizaciones o licencias se otorgarán de forma específica para la conmemoración o efemérides de que se trate.

• Asimismo los **establecimientos públicos** podrán ser:

a) **Fijos**: los que cuenten con edificaciones y recintos independientes o agrupados con otros que, debidamente autorizados, sean inseparables del suelo sobre el que se construya. Son independientes aquellos a los que se accede directamente desde la vía pública y agrupados los que, formando parte de un conjunto de locales, se accede a ellos por espacios edificados comunes a todos ellos.

b) **Eventuales**: aquellos conformados por estructuras desmontables o portátiles en su conjunto, constituidas por módulos o elementos metálicos, de madera o de cualquier material que permita operaciones de montaje y desmontaje sin necesidad de construir o demoler obra de fábrica ninguna.

10. ISLAS BALEARES

El art. 72 del **Decreto 18/1996**, de 8 de febrero, por el que se aprueba el Reglamento de las actividades clasificadas, define a las **actividades temporales como** aquellas instalaciones, aparatos, atracciones, casetas de feria, barracas provisionales, circos e instalaciones similares, de carácter eventual, sean o no desmontables. Se incluyen las instalaciones de pública concurrencia, las sujetas al RD 2816/1982, de 27 de agosto, y, en general, todas las que tengan un carácter de provisionalidad, exceptuando las que se excluyan del ámbito de aplicación, esto es, aquellas cuya provisionalidad sea superior a dos meses en el mismo emplazamiento. En este caso deberán considerarse sujetas o excluidas de calificación, con la aplicación de los procedimientos correspondientes.

11. LA RIOJA

Para la **Ley 4/2000**, de 25 de octubre, de Espectáculos Públicos y Actividades Recreativas de la Comunidad Autónoma de La Rioja, en su art. 1:

a) **Espectáculos públicos**, son los actos organizados con el fin de congregar al público en general, para presenciar actividades, representaciones o exhibiciones de naturaleza artística, cultural o deportiva.

b) **Actividades recreativas,** son aquellas dirigidas al público en general para su participación con fines de ocio, entretenimiento y diversión.

12. NAVARRA

El **Decreto Foral 202/2002**, de 23 de septiembre, por el que se aprueba el Catálogo de establecimientos, espectáculos públicos y actividades recreativas y se regulan los Registros de Empresas y Locales, en sus arts. 3 y 27 define los establecimientos públicos y los espectáculos públicos diciendo:

a) Se consideran **establecimientos públicos** todos aquellos edificios, locales e instalaciones destinados a la celebración de espectáculos y actividades recreativas dirigidos al público en general.

b) Se en entenderán comprendidos bajo la denominación de **espectáculos públicos** todos aquellos actos organizados con el fin de congregar al público en general para presenciar actividades, representaciones o exhibiciones de naturaleza artística, deportiva o cultural.

13. PAÍS VASCO

Para el art. 2 de la Ley **4/1995**, de 10 de noviembre, de espectáculos públicos y actividades recreativas,

a) Se consideran **espectáculos públicos**, aquellos capaces de congregar a un público para presenciar una representación, exhibición, actividad o proyección que le es ofrecida por los organizadores o por artistas, deportistas o ejecutantes que intervengan por cuenta de aquéllos.

b) Se consideran **actividades recreativas**, aquellas capaces de congregar a un público en que una entidad organizadora ofrece el uso de sus locales y servicios o la participación en actos organizados por ella con fines de esparcimiento o diversión.

14. PRINCIPADO DE ASTURIAS

Ley del Principado de Asturias **8/2002**, de 21 de octubre, de Espectáculos Públicos y Actividades Recreativas, en su Art. 1 define:

a) **Espectáculos públicos**: son los organizados con el fin de congregar público para presenciar actividades, representaciones o exhibiciones de naturaleza artística, cultural, deportiva o análoga; y se entenderá por **actividades recreativas** aquellas dirigidas al público en general cuyo fin sea el esparcimiento, ocio, recreo o diversión del mismo.

b) **Espectáculos públicos o actividades recreativas de carácter extraordinario:** son aquellos que no se ajusten a las condiciones de la licencia del establecimiento, local o instalación en el que se desarrolle la actividad.

15. REGIÓN DE MURCIA

Ley 2/2011, de 2 de marzo, de admisión en espectáculos públicos, actividades recreativas y establecimientos públicos de la Región de Murcia, en su art. 2.3 define:

a) **Espectáculos públicos:** los actos organizados con la finalidad de congregar al público en general para presenciar una representación, actuación, exhibición, proyección, competición de naturaleza artística, cultural, deportiva u otra de carácter análogo, orientados al entretenimiento o al tiempo libre, tengan o no finalidad lucrativa.

b) **Actividades recreativas:** las actividades que congregan al público con el objeto principal de participar en la actividad o recibir servicios con finalidad de ocio, entretenimiento o diversión.

c) **Establecimientos públicos:** los locales, instalaciones o recintos dedicados a llevar a cabo en ellos espectáculos públicos y actividades recreativas.

CAPÍTULO II

ACTIVIDADES EXCLUIDAS

En el ámbito de la **legislación estatal** el RD 2816/1982, de 27 de agosto, no hace mención alguna a las actividades que quedaban excluidas del régimen de control al que se sujetan los espectáculos públicos y actividades recreativas, diciendo su art. 1.1. que el mismo será de aplicación a los espectáculos, deportes, juegos, recreos y establecimientos destinados al público, enumerados en el Anexo y a las demás actividades de análogas características, con independencia de que sean de titularidad pública o privada y de que se propongan o no finalidades lucrativas.

Hay que recurrir a la **normativa autonómica** para encontrar las actividades que quedan al margen de la intervención administrativa, enumerándose toda una serie de actos o celebraciones que podemos agrupar en:

- Celebraciones privadas o familiares.

- Celebraciones en ejercicio de derechos fundamentales.

Junto a las anteriores actividades, se excluyen asimismo otras que se rigen en cuanto a su celebración y organización por normas sectoriales especiales, quedando la intervención municipal al margen de éstas. Nos referimos en especial a los espectáculos taurinos, juegos y apuestas, debiéndose distinguir entre el acto de construcción o instalación que si es de competencia municipal del acto propiamente dicho de celebración del espectáculo o actividad que excede de dicho ámbito.

Es importante destacar, y así se recoge en las diversas normas autonómicas que los locales o recintos en los que se lleven a cabo los actos o las actividades excluidas han de reunir condiciones de seguridad necesarias para su celebración.

1.   ANDALUCÍA

La **Ley 13/1999**, de 15 de diciembre, en su art. 1.4, excluye de su ámbito de aplicación a las celebraciones de carácter estrictamente privado o familiar, así como las que supongan el ejercicio de derechos fundamentales en el ámbito laboral, político, religioso, sindical o docente.

Dicha exclusión no tiene carácter absoluto en el sentido de que tales actividades quedan sujetas:

a) Al cumplimiento de las normas aplicables en materia de orden público y de seguridad ciudadana.

b) Al cumplimiento de los recintos, locales, establecimientos o instalaciones donde se realicen de las condiciones de seguridad legalmente previstas.

Se rigen por su legislación específica, el juego y apuestas (Ley 2/1986, de 19 de abril) y actividades taurinas (Decreto 68/2006, de 21 de marzo, por el que se aprueba el Reglamento Taur8ino de Andalucía).

2.   ARAGÓN

La **Ley 11/2005**, de 28 de diciembre, en su art. 4.1 excluye de su ámbito de aplicación a los actos o celebraciones privadas, de carácter familiar o social, que no estén abiertos a pública concurrencia y los que supongan el ejercicio de los derechos fundamentales consagrados en la Constitución.

Dichas actividades deberán cumplir con lo establecido en la legislación de protección de la seguridad ciudadana y, en todo caso, los recintos, locales y establecimientos donde se realicen dichas actividades deberán reunir las condiciones de seguridad y de tipo técnico exigidas en dicha Ley, en sus reglamentos de desarrollo y aplicación y en la normativa técnica específica.

Se rigen por su **legislación específica** los espectáculos, actividades y establecimientos taurinos, deportivos, turísticos y de juego (art. 3.1 de la Ley 11/2005).

3.   CANARIAS

La **Ley 7/2011**, de 5 de abril, en su art. 2.3 excluye:

a) Las celebraciones de carácter estrictamente familiar, privado o docente, que no estén abiertos a la pública concurrencia, así como las que supongan el ejercicio de derechos fundamentales en el ámbito laboral, religioso, político o docente.

b) Las actividades en las que por concurrir circunstancias asimilables a las del apartado a) anterior el Gobierno de Canarias mediante decreto justificadamente declarase exentas.

c) Las actividades no clasificadas o inocuas.

Tales exclusiones no exoneran de la aplicación de la ley y de la normativa sectorial y urbanística, en su caso, con respecto al cumplimiento de los requisitos de seguridad y salud exigidos para los locales donde se ejerzan dichas actividades; ni al ejercicio de las potestades de policía administrativa cuando procedan.

4. CANTABRIA

La **Ley 3/2017**, de 5 de abril, de Espectáculos Públicos y Actividades Recreativas de Cantabria, en un extenso art. 2 relaciona las siguientes actividades, actos, instalaciones que quedan excluidas de su ámbito de aplicación:

a) Las actividades que supongan el ejercicio de derechos fundamentales en el ámbito laboral, político, religioso, sindical, empresarial o docente, así como los establecimientos que estén dedicados a dicho fin.

b) Los actos de naturaleza privada y carácter familiar que, por su contenido, no impliquen la organización o celebración de espectáculos públicos o actividades recreativas previstas en la normativa de espectáculos.

c) Las instalaciones y actividades previstas en el catálogo del anexo de esta ley, que, por su ubicación, formen parte de la dotación de los elementos comunes de las comunidades de propietarios sujetas a la legislación de propiedad horizontal y estén dotadas de normas de uso interno, siempre que no estén abiertas a la pública concurrencia.

d) Los espectáculos públicos y las actividades recreativas que se realicen en el marco de actuaciones formativas, educativas o escolares, sean o no regladas, realizadas en centros de carácter académico o similar.

e) Actividades de turismo, excepto cuando afecte a un espectáculo o actividad recreativa.

f) Los espectáculos públicos y actividades recreativas que se desarrollen y discurran en aguas de dominio público, excepto los que tengan lugar en la zona marítimo terrestre o portuaria.

g) Los espectáculos públicos y actividades recreativas relacionadas con la navegación aérea.

h) Las actividades cinegéticas.

i) Los espectáculos públicos y actividades recreativas cuyo desarrollo discurra por más de una comunidad autónoma o por varios estados aunque en ambos casos, parte de su recorrido transcurra por la Comunidad Autónoma de Cantabria.

5. CASTILLA-LA MANCHA

El art. 2.3 de la **Ley 7/2011**, de 21 de marzo, excluye de su ámbito de aplicación las celebraciones privadas, de carácter familiar o social que no estén abiertas a la concurrencia pública, así como las que se realicen en el ejercicio de los derechos de reunión y manifestación consagrados en la Constitución Española.

[Obsérvese que no se hace mención alguna a las actividades en ejercicio de derechos fundamentales en el ámbito laboral, religioso, político o docente.

Esta omisión puede provocar una duda interpretativa sobre el alcance del art. 2.3 que entendemos que queda superada por cuanto el ejercicio de derechos fundamentales tiene el respaldo constitucional necesario que impide que mediante leyes ordinarias pueda quedar en entredicho tal ejercicio.]]

No obstante, dicha exclusión, dichas celebraciones deberán cumplir con lo previsto en las normas aplicables en materia de orden público, seguridad ciudadana, forestal y de conservación de la naturaleza.

Asimismo se precisa en el art. 2.4 que las celebraciones recreativas, culturales, sociales o de ocio de carácter privado o de acceso restringido que, de forma ocasional o continuada en el tiempo, se lleven a cabo en cualquier establecimiento que no cumpla las condiciones del artículo 1.2 c) someterán su régimen de funcionamiento a la regulación establecida por la correspondiente ordenanza municipal.

En todo caso los recintos, locales y establecimientos donde se realicen las referidas actividades deberán cumplir con lo establecido en la legislación de protección de la seguridad ciudadana y reunir las condiciones técnicas exigidas en la Ley 7/2011, en sus reglamentos de desarrollo y en la normativa específica que resulte aplicable.

6. CASTILLA Y LEÓN

En el art. 4.2 de la **Ley 7/2006**, de 2 de octubre, se excluyen las actividades restringidas al ámbito estrictamente familiar o privado, las actividades que no se hallen abiertas a la pública concurrencia, los actos privados de carácter educativo que no estén abiertos a la concurrencia, así como los actos y celebraciones que se realicen en el ejercicio de los derechos fundamentales consagrados en la Constitución, aunque las mismas están sujetas al cumplimiento de las normas aplicables en materia de orden público y de seguridad ciudadana y de las normas técnicas y de seguridad que deben cumplir los establecimientos en que se realicen y sus instalaciones.

Al margen de tales actividad o actos se entenderán excluidos del ámbito de aplicación de esta Ley, asimismo y sin perjuicio del cumplimiento de las normas aplicables en materia de orden público y seguridad ciudadana, los lanzamientos de cohetes, la realización de salvas con bombas, así como cualesquiera otras actividades que impliquen el uso de artificios pirotécnicos cuando por su pequeña entidad no constituyan espectáculos públicos por sí mismos ni estén sujetos a autorización administrativa alguna de conformidad con la legislación sectorial aplicable.

También se entenderán excluidos los espectáculos taurinos, así como las actividades relacionadas con los juegos de suerte, envite y azar y las actividades deportivas de caza y pesca, que se regularán de acuerdo con lo establecido en su normativa sectorial.

7. CATALUÑA

La **Ley 11/2009**, de 6 de julio, en su art. 4.5 excluye:

a) Los actos y celebraciones privados o de carácter familiar que no efectúan en establecimientos abiertos al público y que, por sus características, no conllevan riesgo alguno para la integridad de los espacios públicos, para la convivencia entre los ciudadanos o para los derechos de terceros.

b) Las actividades efectuadas en ejercicio de los derechos fundamentales de reunión y de manifestación.

[Obsérvese que no se hace mención alguna a las actividades en ejercicio de derechos fundamentales en el ámbito laboral, religioso, político o docente.

Esta omisión puede provocar una duda interpretativa sobre el alcance del art. 4.5 que entendemos que queda superada por cuanto el ejercicio de derechos fundamentales tiene el respaldo constitucional necesario que impide que mediante leyes ordinarias pueda quedar en entredicho tal ejercicio.]

El **Decreto 112/2010**, de 31 de agosto, en su art. 2.3 apartado a) matiza el ámbito de exclusión del art. 4.5.a) de la Ley 11/2009, dando una redacción algo más extensa, diciendo que quedan excluidos, «Los actos y las celebraciones privados o de carácter familiar que no se realicen en establecimientos y espacios abiertos al público, siempre que por sus características no comporten un riesgo para la convivencia ciudadana, para los derechos de terceras personas o para la integridad y seguridad de las personas y de los lugares donde se realicen».

Asimismo amplía el ámbito de exclusión (art. 2.3.c) a las actuaciones con uso de fuego y material pirotécnico.

8. COMUNIDAD DE MADRID

Ley 17/1997, de 4 de julio, en su art. 3 **excluye** las actividades privadas, de carácter familiar o educativo que no estén abiertas a la pública concurrencia, así como las que se realicen en el ejercicio de los derechos fundamentales consagrados en la Constitución.

Sobre el alcance de actividades privadas, la STSJ Madrid de 2 octubre 2013, LA LEY 173742/2013, analiza el alcance del art. 3 de la Ley 17/1997, diciendo que «la Sala comparte por ello los acertados fundamentos de la sentencia de instancia, en relación a la prueba de la celebración de banquetes de boda y análogos en las citadas fincas, prueba por cierto abrumadora, y sin que se trate de un mero arrendamiento de las fincas sino cuando menos de la propia organización de los eventos, y **aunque es obvio que un banquete de bodas no es un acto público, en el sentido de abierto al público en general, si lo es en el sentido exigido en el citado catálogo,** no tratándose de una actividad meramente familiar o educativa, y por ende no está excluida de licencia de funcionamiento de actividad hostelera, que es la que se lleva a cabo sin dichas preceptivas licencias, de lo que se desprende que el Ayuntamiento demandado viene obligado, en aplicación del art. 8 de la Ley 17/1997 a requerir de licencia o actuar en consecuencia, dado que no son actividades excluidas del art 3 de la Ley, por cuanto **la presencia de invitados, aunque se tratara de un cumpleaños o de una comunión, supone pública concurrencia**, y la inactividad municipal al respecto carece de sentido, y menos aun la concesión de innecesarias licencias para el alquiler de las fincas».

La STSJ Madrid 29 junio 2007, LA LEY 228160/2007, dice en relación con la interpretación del art. 3, que, «en efecto, el propio título de la Ley 17/97, que trata sobre espectáculos públicos y actividades recreativas, nos da **la clave de la interpretación de la norma en cuanto a que, siendo en última instancia el orden público, el bien jurídico protegido, cualquier actividad que tienda a alterarlo necesita, como es el caso previsto**

por la normativa, de la correspondiente autorización; y a partir de ahí, la exclusión legal respecto de las actividades privadas, matizadas por el carácter familiar o educativo de las mismas, debe **examinarse desde la perspectiva de la citada alteración del orden público junto a ciertos elementos que puedan revelar el carácter distintivo de cada una de ellas,** como es en el caso de autos el hecho de no concurrir las características de las familiares o educativas y sí por el contrario, el hecho de que en tal fiesta **no hubiese control de entrada,** de forma que pudiese asistir todo el mundo libremente, que abunda en la conclusión de **no poder calificarse el acto como de reunión o fiesta privada.**

Parecidas argumentaciones deben hacerse respecto de la consideración de los sancionados como promotores u organizadores de la fiesta por el hecho de ser los propietarios de la mesa de mezclas de música, o de los altavoces utilizados para aquella, por ser indicativos de una especial participación particularmente activa en dicha organización, lo cual no quiere decir que no hubiera otros como los encargados del suministro de bebidas etc., sino que estos últimos no han podido ser identificados o individualizados».

También hay que reseñar la STSJ Madrid de 7 junio 2007, LA LEY 115659/2007 (**fiestas en nochevieja**) y la STSJ Madrid 9 julio 2003, LA LEY 120383/2003 (**acceso a local clausurado en el que se realiza fiesta familiar**)

Al margen de las actividades anteriores, las singularidades de la materia regulada en la Ley 17/1997 determinan la imposibilidad material de regular la totalidad de las cuestiones que plantean los espectáculos públicos y las actividades recreativas. Esta imposibilidad se traduce en una genérica remisión a la normativa especial reguladora de ciertos establecimientos (establecimientos de juegos y apuestas y establecimientos turísticos definidos y disciplinados en la Ley de Ordenación del Turismo) y de ciertas actividades y espectáculos (actividades deportivas y los espectáculos taurinos) que, no obstante, quedan sometidos a la Ley 17/1997 en cuantas disposiciones no aparezcan reguladas en aquélla (arts. 5 y 19.)

9. COMUNIDAD VALENCIANA

De acuerdo con el art. 2 de la **Ley 14/2010**, de 3 de diciembre, se excluyen los **actos privados** que no estén abiertos a la pública concurrencia, sin perjuicio de cumplir con la normativa en materia de seguridad ciudadana.

Por su parte, el vigente **Decreto 52/2010**, de 26 de marzo, en su art. 5 contiene de forma más exhaustiva y detallada los actos y actividades, que sin perjuicio del cumplimiento de las normas de aplicación y en particular las relativas a la seguridad ciudadana, se excluyen de su ámbito, así quedan **excluidos:**

1. Los actos que sean manifestación de la libertad religiosa o de culto.

2. Los actos políticos, sindicales y empresariales.

3. Los actos de naturaleza privada y carácter familiar que, por su contenido, no impliquen la organización o celebración de espectáculos o actividades previstas en la normativa de espectáculos públicos, actividades recreativas y establecimientos públicos.

4. Las actividades educativas o escolares que no estén abiertas a la pública concurrencia siempre que no supongan la realización habitual de espectáculos o actividades recreativas sujetas al ámbito material de la Ley.

5. Las instalaciones y actividades previstas en el Catálogo Anexo de la Ley 4/2003, de 26 de febrero, que por su ubicación formen parte de la dotación de los elementos comunes de las comunidades de propietarios sujetas a la legislación de propiedad horizontal y estén dotadas de normas de uso interno.

6. Las actividades recreativas y espectáculos públicos que se celebren en el recinto de establecimientos de alojamiento incluidos en la normativa de turismo, para uso exclusivo de sus clientes, siempre que estén amparadas por la licencia o autorización concedida de acuerdo con esta última normativa.

7. Las actividades recreativas que se realicen en el marco de actuaciones formativas, sean o no regladas, realizadas en centros de carácter académico o similar.

8. Los establecimientos que presten exclusivamente servicios de comunicación telefónica o conexión a internet cuando ello no suponga, en este último caso, la prestación de la actividad recreativa de juegos para los usuarios.

9. Las actividades a las que se refiere el Catálogo Anexo de la Ley 4/2003, de 26 de febrero, cuando se hallen ubicadas en instalaciones o recintos no considerados establecimientos públicos a los efectos de dicha Ley, constituyan servicios anexos o accesorios sin diferenciación propia como tales y no estén abiertos a la pública concurrencia.

10. EXTREMADURA

No existe norma con rango de ley sobre espectáculos públicos y actividades recreativas en la que se establezcan las actividades excluidas.

La Ley 4/2016, de 6 de mayo, para el establecimiento de un régimen sancionador en materia de espectáculos públicos y actividades recreativas en la Comunidad Autónoma de Extremadura, por su parte declara la aplicación supletoria del RD 2816/1982, de 27 de agosto, por el que se aprueba el Reglamento General de Policía de Espectáculos Públicos y Actividades Recreativas.

11. GALICIA

La Ley 10/2017, de 27 de diciembre, de espectáculos públicos y actividades recreativas de Galicia, en su art. 2, relativo al ámbito de aplicación, excluye de la misma a:

a) Los actos y celebraciones de carácter privado o familiar que no se efectúen en establecimientos abiertos al público y que, por sus características, no supongan ningún riesgo para la integridad de los espacios públicos, para la convivencia entre la ciudadanía o para los derechos de terceros.

b) Las actividades efectuadas en ejercicio de los derechos fundamentales de reunión y manifestación.

12. ISLAS BALEARES

La Ley 7/2013, de 26 de noviembre, en su art. 2. 5) y 6), excluye de su ámbito de aplicación, en lo concerniente a actividades de pública concurrencia, y sin perjuicio del cumplimiento de la normativa en materia de orden público y de seguridad ciudadana a los siguientes actos:

• Los actos **esporádicos o eventuales, de carácter privado o familiar**, siempre que no estén abiertos a pública concurrencia y que no tengan lugar en establecimientos físicos o espacios públicos. También se excluyen los actos esporádicos o eventuales de **carácter educativo que** se celebren en centros vinculados a la enseñanza.

• Los actos que supongan el ejercicio de los **derechos fundamentales** consagrados en la Constitución Española, que se regularán por su normativa específica.

13. LA RIOJA

Para la **Ley 4/2000**, de 25 de octubre (art. 1.3) sin perjuicio del cumplimiento de las normas aplicables en materia de orden público y de seguridad ciudadana, se excluyen de la aplicación las actividades restringidas al ámbito **estrictamente familiar o privado**, que no se hallen abiertas a la pública concurrencia, así como los actos y celebraciones que se realicen en el ejercicio de los **derechos fundamentales** consagrados en la Constitución.

14. NAVARRA

La **Ley Foral 2/1989**, de 13 de marzo en su art. 1.2 excluye de su aplicación las actividades restringidas al ámbito puramente **privado o de carácter familiar** que no se hallen abiertas a la pública concurrencia, así como las que se realicen en el ejercicio de los **derechos fundamentales** reconocidos por la Constitución. No obstante, los locales donde se realicen estas actividades con fines de diversión o esparcimiento, deberán reunir las **condiciones técnicas** necesarias para evitar molestias a terceros y garantizar la seguridad de personas y bienes, particularmente en cuanto a las condiciones de solidez de las estructuras y de funcionamiento de las instalaciones, las medidas de prevención y protección contra incendios y las condiciones de salubridad e higiene, debiendo contar a estos efectos con la correspondiente licencia municipal.

El TSJ Navarra, en sentencia de 18 abril 2005 (LA LEY 84974/2005) se pronuncia sobre las actividades de carácter familiar, diciendo que «El artículo 2 de la Ley Foral 16/1989, enumera *ad exemplum* las actividades que se denominarán clasificadas; pues cabe incluir otras con efectos análogos sobre la salud y el medio ambiente».

Ese precepto ha sido desarrollado por el artículo 2 del Decreto Foral 32/1990 que incluye en su ámbito de aplicación, entre otras, las actividades hosteleras (hoteles y camping) y las de espectáculos públicos y recreativos (teatros, cines, salas de fiesta, bares, restaurantes, discotecas, juegos de azar y similares).

Por su parte el artículo 1-2 de la Ley Foral 2/1989 de regulación de espectáculos públicos y actividades recreativas **excluye de su ámbito de aplicación las actividades restringidas al ámbito puramente privado, de carácter familiar o social, que no se hallen abiertas a la pública concurrencia.**

Con esa exclusión es congruente la definición y enumeración de actividades recreativas que nos da el apartado 2 del Decreto Foral 131/1989 que aprobó el Catálogo de Espectáculos Públicos y actividades de esa clase: «se consideran actividades recreativas todas aquellas en que la empresa ofrece al público el uso de sus locales o instalaciones, la utilización de sus servicios o la participación en los actos organizados por ella con fines de esparcimiento o diversión».

No se ha probado que la actividad realizada por la apelada sea una actividad dirigida al público en general o con capacidad de congregarlo (artículo 1-1-L.F. 2/1989) y no una actividad recreativa restringida a un grupo de personas, más o menos numeroso, pero no abierta a la pública concurrencia.

En consecuencia, **la actividad en cuestión no está sujeta al control previsto** para las denominadas clasificadas, **sino a las potestades de policía** que puedan ejercerse (y ya se han ejercido) sobre cualquier actividad de sus características o que pueda causar molestias por la emisión de ruidos (Decreto Foral 155/1989 modificado por Decreto Foral 193/1991), etc.

El pretendido control de las actividades privadas o de carácter familiar también ha sido objeto de análisis por el Tribunal Administrativo de Navarra, en Resolución de 11 abril de 2011, LA LEY 128131/2011, al decir:

> …Sin embargo, este Tribunal no puede encontrar norma legal alguna, que ampare el establecimiento de un horario, por parte de un Ente Local, para actividades puramente privadas. Así, el artículo 1.º.2 de la Ley Foral 2/1989, de 13 de marzo, de Espectáculos Públicos y Actividades Recreativas, en la redacción dada por Ley Foral 26/2001, de 10 de diciembre establece que «las actividades restringidas al ámbito puramente privado (…) con fines de diversión o esparcimiento, deberán reunir las condiciones técnicas necesarias para evitar molestias a terceros y garantizar la seguridad de personas y bienes, particularmente en cuanto a las condiciones de solidez de las estructuras y de funcionamiento de las instalaciones, las medidas de prevención y protección contra incendios y las condiciones de salubridad e higiene, debiendo contar a estos efectos con la correspondiente licencia municipal». Es decir, esta norma sólo permite exigir requisitos técnicos a los locales donde se desarrollan estas actividades privadas, para tratar de evitar molestias de cualquier tipo al resto de vecinos y cerciorarse de que cumplen con las medidas de seguridad, pero **desde luego no se puede tratar de imponer un horario a una actividad puramente privada**, ello excedería con mucho las competencias que posee cualquier Administración Pública. Y, es que, con semejante razonamiento, el Ayuntamiento de Tudela podría tratar de imponer un horario a los pisos de estudiantes, que puedan acaparar numerosas denuncias por los niveles de ruido que generan.

> …De nuevo el Ayuntamiento de Tudela sobrepasa en este artículo las competencias que posee como Entidad Local. **¿En qué norma puede basarse un Ayuntamiento para clausurar *ipso facto*, según el criterio de la «autoridad municipal» un local privado?** Previendo además la ordenanza impugnada un procedimiento sumarísimo para la revocación de la licencia en el que no se contempla la audiencia al interesado. No, desde luego, en el Decreto Foral 135/1989, que regula las condiciones técnicas que deberán cumplir las actividades emisoras de ruidos o vibraciones, ya que el mismo exige haber acreditado mediante mediciones sonoras, que se hubieran rebasado los límites máximos establecidos, para poder proceder a la clausura de un local. En cuanto a la existencia de riesgo para las personas, no cabe ningún tipo de duda sobre que la autoridad municipal puede ordenar el cierre y desalojo de cualquier local, ó, vivienda, si las condiciones del mismo implican un peligro inminente para las personas, pero ese cierre sólo puede ser provisional, debiéndose incoar el procedimiento oportuno en el que se garantice la audiencia a los interesados para proceder a su clausura definitiva. Que los sujetos a los que va dirigida la ordenanza

reguladora de «Cuartos de Cuadrilla» sean jóvenes no es óbice para privarles de sus legítimos derechos.

15. PAÍS VASCO

Para el art. 2 de la Ley 4/1995, de 10 de noviembre, en su art. 3 se excluyen del ámbito de aplicación las celebraciones de **carácter estrictamente familiar o privado**, así como las que supongan el ejercicio de **derechos fundamentales** en el ámbito laboral, religioso, político, sindical o docente. No obstante, los locales donde se realicen estas actividades deberán reunir las condiciones de seguridad exigidas.

16. PRINCIPADO DE ASTURIAS

La **Ley del Principado de Asturias 8/2002**, de 21 de octubre, en su art. 2 excluye de su aplicación las actividades restringidas al **ámbito puramente privado, de carácter familiar o social,** que no se hallen abiertas a la pública concurrencia, así como las que se realicen en el ejercicio de los **derechos fundamentales** consagrados en la Constitución.

No obstante, los establecimientos, locales o instalaciones donde se realicen estas actividades excluidas deberán reunir en todo caso las condiciones de seguridad exigidas por dicha Ley.

17. REGIÓN DE MURCIA

La **Ley 2/2011**, de 2 de marzo, en su art. 3 excluye de su ámbito de las celebraciones de espectáculos, el desarrollo de actividades recreativas o de actividades de **carácter estrictamente privado o familiar,** así como las que supongan el ejercicio de **derechos fundamentales** en el ámbito laboral, político, religioso, sindical o docente.

No obstante lo anterior, los establecimientos públicos donde se desarrollan las anteriores celebraciones o actividades, deberán reunir las correspondientes medidas de seguridad exigidas por la normativa aplicable y, en cualquier caso, deberá cumplirse la norma vigente en materia de contaminación ambiental y acústica.

CAPÍTULO III

ACTIVIDADES INCLUIDAS

Desde el RD 2816/1982, de 27 de agosto hasta las últimas normas autonómicas reguladoras de los espectáculos públicos y actividades recreativas, el número y clase de actos y actividades sujetas a control municipal, al margen del autonómico y estatal que se realiza en función de las competencias que cada Administración tiene atribuida se ha ido incrementando de forma considerable, de forma tal que los anexos y nomenclátor que se han ido aprobando recogen a título enunciativo y con carácter no exhaustivo todas aquellas que son objeto de dicha intervención administrativa.

En el ámbito del **derecho estatal** el art. 1.1 del **RD 2816/1982**, de 27 de agosto se remite a los espectáculos, deportes, juegos, recreos y establecimientos destinados al público, enumerados en el **Anexo** y a las demás **actividades de análogas características**, con independencia de que sean de titularidad pública o privada y de que se propongan o no finalidades lucrativas.

En relación con el ámbito de aplicación del RD 2816/1982, la STSJ CANARIAS (Santa Cruz de Tenerife) de 5 abril 1999, LA LEY 67371/1999, dice tras excluir a las instalaciones desmontables con motivo de ferias y fiestas locales del procedimiento previsto para las actividades clasificadas, que «Sentada la anterior premisa y aisladamente examinado el acto objeto de recurso, no puede tampoco éste ser reputado de ilegal, ya que establecido en el art. 1.1 RD 2816/1982, de 27 Ago., que **serán aplicables los preceptos del mismo a los espectáculos, deportes, juegos, recreos y establecimientos destinados al público, enumerados en el Anexo incorporado a dicha normativa**, que en su apartado III (Actividades Recreativas) incluye las atracciones y casetas de feria y parques de atracciones, disponiendo, por su parte, el art. 35 de igual normativa reglamentaria que los elementos integrantes de una feria, como son las barracas provisionales, caballitos giratorios, carruseles, columpios, tiros al blanco e instalaciones similares, deben reunir las condiciones de seguridad, higiene y comodidad necesarias para espectadores o usuarios y para los ejecutantes del espectáculo o actividad recreativa, adaptándose, en consecuencia, las instalaciones a las normas particulares que en su caso contengan los Reglamentos especiales y cumpliéndose, además, los requisitos y condiciones que determinen las Autoridades competentes, teniendo en cuenta los dictámenes de los facultativos que designen para inspeccionar su montaje y comprobar su funcionamiento, todo ello lleva a afirmar, en su traslación al supuesto enjuiciado, que nada se ha probado en orden a que dichas normas fueran contravenidas, ni tampoco en lo referente a que los elementos de la feria careciesen de la licencia municipal y demás condiciones previstas en el art. 48 del citado RD 2816/1982, de 27 Ago., reflejando precisamente todo lo contrario el contenido del expediente administrativo, que asimismo incorpora al folio 42 el dictamen de facultativo idóneo significando el reconocimiento de las instalaciones y su acomodo a las normas reglamentarias y de seguridad, por lo que en atención a todas las reflexiones apuntadas, **procede declarar**, no obstante el mero valor testimonial de esta resolución judicial por referirse a un hecho agotado en el tiempo, **la conformidad a Derecho del acto impugnado, toda vez que, como caso similar, en S 13 Dic. 1996, el conflicto del interés particular de la recurrente con el interés público, teniendo en cuenta que los perjuicios y molestias que ha de soportar aquélla por razón de la instalación de la feria de atracciones, son menores que el privar a las fiestas de su peculiar ambiente, ha de dirimirse dando primacía al interés público, cuya intensidad se antepone sobre la conveniencia o comodidad de un grupo de ciudadanos».**

1. ANDALUCÍA

El art. 1.3 de la **Ley 13/1999**, de 15 de diciembre, dice que la misma será de aplicación a los espectáculos o actividades recreativas que se celebren o practiquen, independientemente de su titularidad, en establecimientos públicos, aun cuando éstos se encuentren situados en espacios abiertos, en la vía pública, en zonas marítimo-terrestres o portuarias, o en cualesquiera otras zonas de dominio público.

En dicha Ley no se recogen los espectáculos o actividades recreativas sujetas a la misma, siendo éstas concretadas en el **Decreto 78/2002**, de 26 de febrero, modificado por el **Decreto 316/2003**, de 18 de noviembre y **Decreto 247/2011**, de 19 de julio, y con posterioridad a éstos en el reciente Decreto 155/2018, de 31 de julio, por el que se aprueba el catálogo de espectáculos públicos, actividades recreativas y establecimientos públicos de Andalucía y se regulan sus modalidades, régimen de apertura o instalación y horarios de apertura y cierre.

2. ARAGÓN

El art. 2.2 de la **Ley 11/2005**, de 28 de diciembre se remite a la aprobación de un **catálogo** de los espectáculos públicos, actividades recreativas y establecimientos públicos, sin carácter exhaustivo, incluyendo la definición de los mismos, que darán cobertura al objeto de la misma contemplado en su art. 1, que es el de regular los espectáculos públicos, actividades recreativas y establecimientos públicos que se desarrollen o ubiquen en el territorio de la Comunidad Autónoma de Aragón, con independencia de que sus titulares u organizadores sean entidades públicas o privadas, personas físicas o jurídicas, tengan o no finalidad lucrativa, se realicen en instalaciones fijas, portátiles o desmontables, de modo habitual u ocasional.

Decreto 220/2006, de 7 de noviembre aprueba el Catálogo, de **carácter no exhaustivo**, que se inserta como Anexo al mismo, de espectáculos públicos, actividades recreativas y establecimientos públicos de Aragón incluidos en el ámbito de aplicación de la Ley 11/2005, distinguiendo entre:

- Espectáculos públicos.

- Actividades recreativas.
- Establecimientos públicos.

3. CANARIAS

El **Decreto 52/2012**, de 7 de junio, modificado por el Decreto 86/2012, de 1 de agosto, en desarrollo del art. 2 de la Ley 7/2011, de 5 de abril en su art. 1 dice que el objeto del mismo es establecer la relación de actividades clasificadas atendiendo a la concurrencia en las mismas de las características referenciadas en el art. 2.1.a) de la Ley 7/2011, así como la determinación de cuáles de ellas se encuentran sujetas al régimen de autorización administrativa previa.

Consecuencia de lo anterior es la distinción que se hace entre **actividades clasificadas** (art. 2) y actividades clasificadas sujetas al régimen de **autorización administrativa previa** (art. 3), relacionando en su **anexo** las actividades sujetas a uno u otro régimen.

4. CANTABRIA

No existe norma autonómica por la que se establezca catálogo de espectáculos públicos y actividades recreativas. Se aplica supletoriamente el RD 2816/1982, de 27 de agosto (art. 1.3).

5. CASTILLA-LA MANCHA

La **Ley 7/2011**, de 21 de marzo, en su art. 2 remite al **catálogo**, que sin carácter exhaustivo, figura como anexo a la misma, recogiendo los espectáculos públicos y actividades creativas a los que le es de aplicación, incluidos los establecimientos públicos que se encuentren situados en espacios abiertos, en la vía pública o en zonas del dominio público que no formen parte del medio natural.

El catálogo distingue entre:

- Espectáculos Públicos.
- Actividades recreativas.
- Establecimientos públicos:
  — De espectáculos públicos.
  — De actividades recreativas.

6. CASTILLA Y LEÓN

La **Ley 7/2006**, de 2 de octubre, en su art. 3 se remite al anexo de la misma en el que figura el **catálogo** de los espectáculos públicos y actividades recreativas que se desarrollan en establecimientos públicos, instalaciones y espacios abiertos de la Comunidad de Castilla y León sometidos a dicha Ley. Este Catálogo **no tiene carácter exhaustivo**, y, por lo tanto, la Ley 7/2006 se aplicará a todos los espectáculos públicos y actividades recreativas que se desarrollen en establecimientos públicos, instalaciones y espacios abiertos de la Comunidad Autónoma de Castilla y León de acuerdo con lo dispuesto en el art. 4, aunque no aparezcan expresamente recogidos en el Catálogo, distinguiendo entre:

- Espectáculos públicos, y
- Actividades recreativas

7. CATALUÑA

La **Ley 11/2009**, de 6 de julio, en su art. 4 somete en su ámbito de aplicación a **todo tipo** de espectáculos públicos, actividades recreativas y establecimientos abiertos al público, con independencia del carácter público o privado de sus organizadores, de la titularidad pública o privada del establecimiento o el espacio abierto al público en que se desarrollan, de su finalidad lucrativa o no lucrativa y de su carácter esporádico o habitual.

A tal fin y como en el art. 3.2 se dice, se remite a un catálogo que debe definir los varios tipos de espectáculos, actividades, establecimientos abiertos al público y espacios regulados por dicha ley, teniendo en cuenta las características que han de tener, su aforo, su carácter abierto o cerrado, fijo o desmontable, la titularidad pública o privada de los espacios utilizados y otros factores que, si procede, se decida aplicar.

Mediante **Decreto 112/2010**, de 31 de agosto, se aprueba el **catálogo,** distinguiendo entre:

- Espectáculos Públicos.
- Actividades Recreativas.
- Establecimientos o espacios abiertos al público.

8. COMUNIDAD DE MADRID

El art. 1.1 de la **Ley 17/1997**, de 4 de julio, dice que la misma será de aplicación a los espectáculos públicos y actividades recreativas que se desarrollen en el territorio de la Comunidad de Madrid, tengan o no finalidad lucrativa, se realicen de forma habitual o esporádica y con independencia de que sus titulares u organizadores sean entidades públicas, o personas físicas o jurídicas privadas. Consecuencia de ello, en el art. 4 se remite al **catálogo** que figura como anexo en la misma Ley, que **sin carácter exhaustivo**, recoge los espectáculos públicos, actividades recreativas y establecimientos, locales e instalaciones regulados en la misma.

Este catálogo ha sido sustituido por **Decreto 184/1998**, de 22 de octubre (anexo I y II).

El TSJ Madrid en sentencia de 9 febrero 2005 (LA LEY 31224/2005), en relación con el contenido de las actividades incluidas dentro del Catálogo, se ha pronunciado en la forma siguiente:

> TERCERO.- Pues bien analizando la cuestión el Juzgado llega a la conclusión de que el acto impugnado es acorde a Derecho por cuanto el Catálogo que regula la citada normativa **no tiene carácter exhaustivo** y, como señala su Exposición de Motivos —tiene por

objetivo, en primer lugar, la plena adecuación de la clasificación normativa a la realidad de los diferentes tipos de establecimientos existentes en la actualidad, al tiempo que pretende **completar la clasificación con una definición** de cada uno de los diferentes tipos de espectáculos, actividades recreativas, establecimientos, locales e instalaciones a fin de clarificar el panorama actual y facilitar la actuación de los Ayuntamientos a la hora de conceder las licencias de funcionamiento—. En esta definición, **se ha tratado de establecer no sólo sus elementos más característicos o específicos, sino también las actividades que no deben ser toleradas dentro de cada tipo a fin de evitar la desnaturalización de los mismos, y afirma que la denominación de «Mesón»** al no venir incluida dentro del catálogo es por lo que su encuadre en las nuevas denominaciones deben de efectuarse atendiendo a los servicios y actuaciones realmente prestadas dentro del concepto de Mesón. El Tribunal comparte esta afirmación. **Que el Catálogo no sea exhaustivo, no quiere decir que el solicitante pueda optar por incluir su establecimiento en la categoría de su preferencia o «inventar» una nueva categoría que satisfaga sus pretensiones. Lo que ha de hacerse es evaluar los elementos licenciados, entre los que no se encuentra equipo musical alguno,** según se afirma en el informe técnico obrante al folio 10 del Expediente administrativo y no se ha desvirtuado en forma alguna. Evidentemente para que pueda realizarse la actividad de «Bar con actuación musical» se precisa tener licenciado un equipo musical o de sonido, y además los elementos correctores que eviten la emisión de la música al exterior, lo que no es el caso, de forma que no puede pretenderse la incorporación en una categoría sin tener licenciados los elementos propios de la misma. Por el contrario la sentencia de instancia analiza los elementos industriales afirmando que se encontraban licenciados una freidora, una cocina a gas con cinco fuegos, un ventilador de 1/10 CV, tres extractores y 5 ventiladores de 1/20 CV. Afirma la Sentencia de instancia que dicha licencia autorizaba para el suministro de bebidas y comida servidas en mesas, lo que, por otra parte, es notorio y típico de la villa de Madrid la existencia de dichos locales en los que bajo la denominación de «mesones» se prestaban los citados servicios. Y frente a la petición de se le expida la correspondiente documentación bajo la denominación de «bar con actuación musical», que no viene expresamente incluido dentro del catálogo, por lo que la Administración lo entendió como «bar especial» (epígrafe 9.1) que desarrolla su actividad de suministro de bebidas con o sin actuación musical, afirmando que resulta incompatible con el servicio de comidas propio de los mesones y que tampoco era susceptible de inclusión, por igual motivo, dentro de la categoría de «bares» a que se refiere el epígrafe 10.2 por cuanto que en estos solo se permite servir, además de bebidas, tapas, bocadillos, raciones siempre que no implique actividad de restauración. Esta conclusión es acertada, en un doble sentido, el primero que **no puede pretenderse la creación de una categoría singular cuando puede incluirse en una de las catalogadas, y fundamentalmente porque lo que determina su inclusión en una u otra categoría son sus elementos industriales.**

CUARTO.- Por ello entendemos acertada la conclusión del Juzgador de instancia de que su inclusión más adecuada lo fue por el epígrafe 10.4 por cuanto que éste recoge bajo el concepto de «Restaurantes» aquellos establecimientos que sirven al público, de manera profesional y permanente, mediante precio comidas y bebidas para ser consumidas en servicio de mesas en el mismo local. En este epígrafe se comprende, cualquiera que sea su denominación (asadores, pizzerías, hamburgueserías y similares) todos los locales que realicen la actividad descrita. Los establecimientos comprendidos en este apartado podrán amenizar el servicio de comidas con música en directo, a cargo de uno o varios intérpretes sin exceder el máximo de cuatro distintos por día. No está permitida la existencia de escenario ni actuaciones que impliquen la actividad de teatro o variedades en cualquiera de sus formas. Y concluye que **se trata de una inclusión más adecuada por cuanto que hay dos diferencia importantes: la primera de ellas es que en los bares se permite servir en «barra o mesa» mientras que en los restaurantes, al igual que en lo mesones, solo en «mesas», y la segunda, que en los bares no se permite (salvo en bares especiales) amenizar el servicio con música, mientras que en los restaurantes sí que está permitido en las condiciones señaladas.**

También la STSJ Madrid de 28 febrero 2002 (LA LEY 46/018/2002), al decir que:

> Por tanto, **las características de la actividad de bar-restaurante**, aunque tenga autorizado un equipo de música, es notablemente **distinta de la de bar especial** a que se ha hecho referencia. Y aunque la recurrente niega que ésta fuera la actividad efectivamente desarrollada, es lo cierto que el ejercicio de tal actividad se afirma en el acta de inspección de la que dimana el expediente administrativo, cuyo valor probatorio debe ser atribuido conforme a la regla prevista en el art. 137.3 de la Ley de Régimen Jurídico de las Administraciones Públicas y del Procedimiento Administrativo Común y con el criterio jurisprudencial acerca de la **presunción *iuris tantum* de veracidad de las actas dimanantes de las actuaciones que los agentes de la autoridad** lleven a cabo en el ejercicio de sus funciones, a las que no es que haya de otorgárseles una fuerza de convicción privilegiada que las haga prevalecer a todo trance, pero sí debe atribuírseles relevancia probatoria en el procedimiento administrativo en relación a la apreciación racional de los hechos. La circunstancia de que el acta de inspección provenga de agentes de la autoridad en el ejercicio de sus funciones, dotan a su contenido de un carácter directo y de imparcialidad que habría de ser destruido mediante prueba en contrario.

9. COMUNIDAD VALENCIANA

La **Ley 14/2010**, de 3 de diciembre, en su art. 1.3, se remite al **catálogo** que como anexo figura en la misma, clasificando, sin carácter exhaustivo, los espectáculos públicos y actividades recreativas, así como los establecimientos públicos en los que aquéllos se celebren y realicen.

10. EXTREMADURA

No existe norma autonómica por la que se establezca catálogo de espectáculos públicos y actividades recreativas. Se aplica supletoriamente el RD 2816/1982, de 27 de agosto (art. 1.3).

11. GALICIA

La **Ley 10/2017**, de 27 de diciembre, de espectáculos públicos y actividades recreativas de Galicia, constituye la norma básica aplicable a los espectáculos públicos en la Comunidad Autónoma de Galicia.

Anterior en el tiempo, continúa vigente el RD 2816/1982, de 27 de agosto.

En relación con este Reglamento general de policía de espectáculos, el paso del tiempo y la evolución de la sociedad en lo que se refiere a las formas de disfrutar el ocio, han dado lugar la aparición de nuevos locales y actividades recreativas que no fueron contempladas, por inexistentes, en la normativa del año 1982.

Por ello en el **Decreto 292/2004**, de 18 de noviembre, modificado por **Decreto 160/2005**, de 2 de junio, recoge en su anexo el **catálogo** de espectáculos públicos, actividades recreativas y establecimientos públicos.

12. ISLAS BALEARES

La **Ley 7/2013**, de 26 de noviembre, en su art. 2.1 recoge de forma amplia las actividades sujetas a la misma, diciendo que «quedan sometidas a la presente ley todas las actividades y las infraestructuras comunes, de titularidad pública o privada, susceptibles de ocasionar molestias, alterar las condiciones de salubridad, causar daños al medio ambiente o producir riesgos para las personas o los bienes que se desarrollen o se ubiquen en las Illes Balears, independientemente de que las personas titulares o promotoras sean entidades públicas, personas físicas o jurídicas, y tengan o no finalidad lucrativa, se realicen en instalaciones fijas, portátiles, desmontables, de manera habitual o esporádica y en espacios abiertos o cerrados».

No contiene la Ley 7/2013 un anexo de espectáculos públicos y actividades recreativas, por lo que de acuerdo con su disposición transitoria primera se entiende, a los efectos de establecer una catálogo de actividades, que es de aplicación el **anexo** del **RD 2816/1982**, de 27 de agosto.

13. LA RIOJA

El art. 2 de la **Ley 4/2000,** de 25 de octubre, remite a un futuro catálogo de espectáculos, actividades recreativas y establecimientos e instalaciones sometidas a la misma, en el que se definirán el contenido de las actividades a desarrollar en los mismos, así como las características funcionales y técnicas.

Dicha desarrollo reglamentario no se ha producido, por lo que en aplicación de la disposición transitoria segunda de la citada Ley 4/2000 se tendrá en cuenta para determinar las actividades sujetas el **anexo** del **RD 2816/1982**.

14. NAVARRA

La **Ley Foral 2/1989**, de 13 de marzo, en su art. 1.1 dice que será de aplicación a todos aquellos espectáculos y actividades recreativas que, realizados íntegramente en el territorio de la Comunidad Foral, vayan dirigidos al público en general o sean capaces de congregarlo, con independencia de que su titularidad sea pública o privada, tengan o no fines lucrativos y se realicen de modo habitual o esporádico, para en el art. 2 remitirse al reglamento que establezca el catálogo de los espectáculos públicos y actividades recreativas sometidos a la misma, el cual deberá definir las diversas actividades en razón a sus características propias.

Decreto Foral 202/2002, de 23 de septiembre aprueba el **Catálogo** de establecimientos, espectáculos públicos y actividades recreativas y la regulación de los Registros de Empresas y Locales, en el marco de lo establecido en la Ley Foral 2/1989, de 13 de marzo, modificada por la Ley Foral 26/2001.

Dicho Decreto Foral será de aplicación a los espectáculos y actividades recreativas de pública concurrencia, así como a los establecimientos en los que aquéllos se celebren, siempre que se lleven a cabo íntegramente en el territorio de la Comunidad Foral de Navarra, con independencia de que su titularidad sea pública o privada, tengan o no finalidad lucrativa y se realicen de modo habitual o esporádico.

15. PAÍS VASCO

La **Ley 4/1995**, de 10 de noviembre en su art. 4 contempla la redacción de un catálogo de locales, instalaciones, espectáculos públicos y actividades recreativas sujetes a la misma, clasificándose conforme a sus peculiaridades. Provisionalmente y en el **anexo** de la misma se incluye un **catálogo** con carácter provisional el que permanece vigente al no haberse aprobado el previsto en el mencionado artículo.

16.   PRINCIPADO DE ASTURIAS

La **Ley 8/2002**, de 21 de octubre en su art. 4 se refiere al **catálogo** de los espectáculos públicos, las actividades recreativas y los establecimientos y locales e instalaciones públicas sometidos a la misma, en el que se ha de definir claramente las peculiaridades de cada uno, y clasificándolos en función de las mismas

Dicha artículo ha sido objeto de desarrollo reglamentario a través del **Decreto 91/2004**, de 11 de noviembre, recogiéndose en su **anexo** los espectáculos públicos, las actividades recreativas y los establecimientos, locales e instalaciones públicas afectados por la aplicación de la Ley 8/2002.

17.   REGIÓN DE MURCIA

La **Ley 2/2011,** de 2 de marzo en su art. 2.1 hace una remisión genérica a los efectos de **admisión** a los espectáculos públicos, actividades recreativas y establecimientos públicos en los que se realicen éstos, que se desarrollen o ubiquen en el territorio de la Región de Murcia, con independencia de que sus titulares u organizaciones sean entidades públicas o privadas, personas físicas o jurídicas, tengan o no finalidad lucrativa, se realicen en instalaciones fijas, portátiles, desmontables, de modo habitual o esporádico.

No existe otra norma autonómica por la que se establezca **catálogo** de espectáculos públicos y actividades recreativas, por lo que aplica supletoriamente el RD 2816/1982, de 27 de agosto (art. 1.3).

CAPÍTULO IV

COMPETENCIAS

I.   COMPETENCIAS DEL ESTADO Y DE LAS CC.AA.

En materia de espectáculos públicos y actividades recreativas el régimen competencial que sobre éstos recae se reparte entre el Estado, la Comunidad Autónoma y el Municipio.

El Estado mediante la LO 4/2015, de 30 de marzo, de protección de la seguridad ciudadana, ostenta las siguientes competencias, recogidas en el art. 27.

> «Artículo 27. *Espectáculos y actividades recreativas*
>
> 1. El Estado podrá dictar normas de seguridad pública para los edificios e instalaciones en los que se celebren espectáculos y actividades recreativas.
>
> 2. Las autoridades a las que se refiere esta Ley adoptarán las medidas necesarias para preservar la pacífica celebración de espectáculos públicos. En particular, podrán prohibir y, en caso de estar celebrándose, suspender los espectáculos y actividades recreativas cuando exista un peligro cierto para personas y bienes, o acaecieran o se previeran graves alteraciones de la seguridad ciudadana.
>
> 3. La normativa específica determinará los supuestos en los que los delegados de la autoridad deban estar presentes en la celebración de los espectáculos y actividades recreativas, los cuales podrán proceder, previo aviso a los organizadores, a la suspensión de los mismos por razones de máxima urgencia en los supuestos previstos en el apartado anterior.
>
> 4. Los espectáculos deportivos quedarán, en todo caso, sujetos a las medidas de prevención de la violencia dispuestas en la legislación específica contra la violencia, el racismo, la xenofobia y la intolerancia en el deporte».

Por su parte las competencias de las CC.AA. le vienen atribuidas por sus propios estatutos de autonomía, reflejados posteriormente en atribuciones o competencias específicas recogidas en las diversas normas sobre espectáculos públicos o actividades recreativas.

Así resultan las siguientes competencias estatutarias y legislativas:

II. COMPETENCIAS DE LAS CC.AA. NACIDAS DE SUS ESTATUTOS DE AUTONOMÍA

COMUNIDAD AUTÓ-NOMA	NORMA Y ARTÍCULO
ANDALUCÍA	— LO 2/2007, de 19 de marzo, de reforma del Estatuto de Autonomía para Andalucía — Art. 72
ARAGÓN	— LO 5/2007, de 20 de abril, de reforma del Estatuto de Autonomía de Aragón — Art. 71. 54.ª
CANARIAS	— LO 10/1982, de 10 de agosto, de Estatuto de Autonomía de Canarias — Art. 30.20
CANTABRIA	— LO 8/1981, de 30 de diciembre, de Estatuto de Autonomía para Cantabria — Art. 24.27
CASTILLA-LA MANCHA	— LO 9/1982, de 10 de agosto, de Estatuto de Autonomía de Castilla-La Mancha — Art. 31. 23.ª
CASTILLA Y LEÓN	— LO 14/2007, de 30 de noviembre, de reforma del Estatuto de Autonomía de Castilla y León — Art. 70.32.º
CATALUÑA	— LO 6/2006, de 19 de julio, de reforma del Estatuto de Autonomía de Cataluña — Art. 141.3
COMUNIDAD DE MADRID	— LO 3/1983, de 25 de febrero, de Estatuto de Autonomía de la Comunidad de Madrid — Art. 26.1.30
COMUNIDAD VALEN-CIANA	— LO 1/2006, de 10 de abril, Estatuto de Autonomía de la Comunidad Valenciana — Art. 49.1.30.ª
EXTREMADURA	— LO 1/2011, de 28 de enero, de reforma del Estatuto de Autonomía de la Comunidad Autónoma de Extremadura — Art. 9.43
GALICIA	— LO 1/1981, de 6 de abril, del Estatuto de Autonomía de Galicia — Art. 27.32 (Transferida por Art. 2.b) de la LO 16/1995, de 27 de diciembre

COMUNIDAD AUTÓ-NOMA	NORMA Y ARTÍCULO
ISLAS BALEARES	— LO 2/1983, de 25 de febrero, de Estatuto de Autonomía para las Illes Balears — Art. 10.27
LA RIOJA	— LO 3/1982, de 9 de junio, de Estatuto de Autonomía de La Rioja — Art. 8.29
NAVARRA	— LO 13/1982, de 10 de agosto, de reintegración y amejora-miento del Régimen Foral de Navarra — Art. 15
PAÍS VASCO	— LO 3/1979, de 18 de diciembre, de Estatuto de Autonomía para el País Vasco — Art. 10. 36 y 38
PRINCIPADO DE ASTURIAS	— LO 7/1981, de 30 de diciembre, de Estatuto de Autonomía para Asturias — Art. 10.28
REGIÓN DE MURCIA	— LO 4/1982, de 9 de junio, de Estatuto de Autonomía para la Región de Murcia — Art. 10.24
CIUDAD AUTÓNOMA DE CEUTA	— LO 1/1995, 13 marzo, de Estatuto de Autonomía de Ceuta — Art. 22.1. 5.ª
CIUDAD AUTÓNOMA DE MELILLA	— LO 2/1995, de 13 de marzo, de Estatuto de Autonomía de Melilla — Art. 21.1. 5.ª

ESTATAL
RD 2816/1982, de 27 de agosto, por el que se aprueba el Reglamento de Policía de Espectáculos Públicos y Actividades Recreativas. LO 4/2015, de 30 de marzo, de protección de la seguridad ciudadana. RD 563/2010, de 7 de mayo, por el que se aprueba el Reglamento de artículos pirotécnicos y cartuchería.

Asimismo ha de tenerse en cuenta las competencias propias que le atribuyen a los municipios el art. 25.2 de la **Ley 7/1985**, de 2 de abril, Reguladora de las Bases del Régimen Local (LRBRL) modificada por 27/2013, 27 diciembre, de racionalización y sostenibilidad de la Administración Local, en la que se otorgan a las siguientes:

- **Medio ambiente urbano**: en particular, parques y jardines públicos, gestión de los residuos sólidos urbanos y protección contra la contaminación acústica, lumínica y atmos-férica en las zonas urbanas.

Para en el art. 27.3. decir que *con el objeto de evitar duplicidades administrativas, mejorar la transparencia de los servicios públicos y el servicio a la ciudadanía y, en general, contribuir a los procesos de racionalización administrativa, generando un ahorro neto de recursos,* **la Administración del Estado y las de las Comunidades Autónomas podrán delegar,** *siguiendo criterios homogéneos, entre otras, las siguientes competencias:*

*... **i) Inspección y sanción de establecimientos** y actividades comerciales.*

Dentro de este marco competencial, y aunque parezca desgajado de las competencias propias del art. 25.2 citado, el art. 84.1 LRBRL atribuye a las Entidades locales la intervención de la actividad de los ciudadanos a través del:

— **Sometimiento previo a licencia.**

— **Sometimiento a comunicación previa o a declaración responsable,** de conformidad con lo establecido en el artículo 69 de la LPACAP.

— **Sometimiento a control posterior al inicio de la actividad**, a efectos de verificar el cumplimiento de la normativa reguladora de la misma.

III.   COMUNIDADES AUTÓNOMAS

1.   Andalucía

En los arts. 5 y 6 de la **Ley 13/1999**, de 15 de diciembre, se recogen las competencias que corresponden tanto a la Administración autonómica como a los municipios:

• **Competencias de la Administración autonómica (art. 5 Ley 13/1999)**

Corresponderá a los órganos de la Administración de la Comunidad Autónoma:

1. Aprobar mediante Decreto el catálogo de espectáculos, actividades recreativas y tipos de establecimientos públicos de la Comunidad Autónoma de Andalucía, especificando las diferentes denominaciones y modalidades y los procedimientos de intervención administrativa que, en su caso, procedan de conformidad con la norma habilitante.

2. La definición de las diversas actividades y diferentes establecimientos públicos en función de sus reglas esenciales, condicionamientos y prohibiciones que se considere conveniente imponer para la celebración o práctica de los espectáculos públicos y actividades recreativas.

3. Dictar las disposiciones necesarias para el desarrollo y ejecución de las normas reguladoras de las materias objeto de la presente ley.

4. Establecer los horarios de apertura y cierre de los establecimientos públicos sujetos a la Ley, o incluidos en el ámbito de aplicación de la misma.

5. Establecer los requisitos y condiciones reglamentarias de admisión de las personas en los mencionados establecimientos públicos.

6. Sin perjuicio de las facultades que corresponden a los municipios para la concesión de licencias urbanísticas, medioambientales y de intervención administrativa para la apertura de los establecimientos públicos, conceder las autorizaciones de funcionamiento preceptivas y necesarias para el desarrollo y explotación de aquellas actividades recreativas o espectáculos públicos en cuya normativa específica se exija la concesión previa de las mismas por la Administración autonómica.

7. Sin perjuicio de las facultades que corresponden a los municipios, someter la celebración de espectáculos públicos o actividades recreativas cuya normativa específica lo exija, a los medios de intervención por parte de la Administración autonómica que sean necesarios y, en particular, autorizar previamente los espectáculos taurinos en sus diferentes modalidades, las actividades y establecimientos destinados al juego y apuestas, las actividades recreativas cuyo desarrollo discurra por más de un término municipal, así como aquéllos singulares o excepcionales que no estén reglamentados o que por sus características no pudieran acogerse a los reglamentos dictados o no estén catalogados.

8. Controlar, en coordinación con los municipios, los aspectos administrativos y técnicos de los espectáculos públicos y actividades recreativas, así como los de las empresas que los gestionen.

9. Las funciones de policía de espectáculos públicos y actividades recreativas, sin perjuicio de las que correspondan a los municipios, así como la inspección y control de los establecimientos públicos destinados a la celebración de espectáculos y actividades recreativas sujetas a la intervención de la Administración autonómica.

No obstante lo anterior, y sin perjuicio de lo dispuesto en el artículo 6.8, le corresponderá a la Administración autonómica la inspección y control de los espectáculos o actividades recreativas que se desarrollen en establecimientos públicos de aforo superior a setecientas personas.

[El art. 6 del D 155/2018, de 31 de julio, en relación con el aforo de los establecimientos públicos dispone:

1. En los establecimientos públicos se deberá respetar el aforo máximo de público para celebrar o desarrollar los espectáculos públicos o actividades recreativas que alberguen.

2. A estos efectos se entenderá por aforo el número máximo de público, personas espectadoras o asistentes, calculado de conformidad con lo establecido en el Código Técnico de la Edificación o norma básica que lo sustituya, respecto a la evacuación de ocupantes y seguridad en caso de incendio y sin perjuicio de lo dispuesto en la normativa específica que pudiera ser de aplicación.]

10. La prohibición o suspensión de espectáculos públicos y actividades recreativas, sujetos a la intervención de la Administración autonómica, en los supuestos previstos en el artículo 3.

11. El ejercicio, de forma subsidiaria y de conformidad con lo dispuesto en el 60 de la Ley 7/1985, de 2 de abril, Reguladora de las Bases del Régimen Local, de las competencias de policía y la actividad inspectora que en esta materia correspondan a los municipios cuando tras haber sido instados para ello por los órganos competentes de la Administración autonómica, no se hayan ejecutado.

12. Sin perjuicio de los medios de intervención municipal a los que esté sometida la apertura de establecimientos públicos destinados a desarrollar actividades que requieran la ulterior obtención de las correspondientes autorizaciones autonómicas,

emitir informe con carácter vinculante sobre la adecuación de las instalaciones a la naturaleza de la actividad que se pretende desarrollar en los mismos, cuando así se exija en su normativa específica.

13. Informar preceptivamente los proyectos de disposiciones municipales que incidan en los horarios de apertura y cierre de los establecimientos públicos sometidos al ámbito de la presente ley, en los casos en que el Ayuntamiento sea competente para regular los mismos.

14. Cualquier otra que le otorguen los específicos reglamentos de los espectáculos públicos o de las actividades recreativas, de conformidad con la presente ley.

1.1. Jurisprudencia

• **STSJ Andalucía (Sevilla) 6 marzo 2008.- LA LEY 26955/2008 (FJ 4.º)**

Motivado el cambio de criterio, debemos hacer nuestros los razonamientos contenidos en la Sentencia de 19 de diciembre de 2005 sobre la competencia de la Comunidad Autónoma conforme al art. 13.32 del Estatuto de Autonomía en materia de espectáculos públicos y actividades recreativas, competencia plena tanto legislativa como reglamentaria. Por ello se dictó la ley 13/99 de 15 de diciembre y en su desarrollo el Decreto impugnado. Competencia que abarca las disposiciones relativas a medidas de policía administrativa de espectáculos y actividades recreativas como sería la dispuesta en el art. 7 de la Ley 13/99, ya que el art. 8 Ley 1/1992 sólo es de aplicación en defecto de las dictadas por la Comunidad Autónoma con competencia normativa en esta materia.

Especial referencia merece al respecto, el dictamen del Consejo Consultivo, sobre **«que no toda medida encaminada a preservar la seguridad de personas y bienes, puede englobarse en el título competencial de seguridad pública»**, encontrándose cubiertas asimismo por la competencia de defensa del consumidor y usuario, además de la prioritaria en materia de espectáculos públicos y actividades recreativas.

Competencias de los municipios (art. 6 Ley 13/1999)

Corresponde a los municipios:

1. La concesión de las licencias urbanísticas y medioambientales de cualquier establecimiento público que haya de destinarse a la celebración de espectáculos o a la práctica de actividades recreativas sometidas a la presente ley, de conformidad con la normativa aplicable, así como la intervención administrativa de la apertura de los establecimientos públicos.

2. Autorizar, conforme a lo dispuesto en el artículo 10.2, la instalación de estructuras no permanentes o desmontables destinadas a la celebración de espectáculos públicos o al desarrollo de actividades recreativas.

3. La concesión de las autorizaciones de instalación de atracciones de feria en espacios abiertos, previa comprobación de que las mismas reúnen las condiciones técnicas de seguridad para las personas, a tenor de la normativa específica aplicable.

4. El establecimiento de limitaciones o restricciones en zonas urbanas respecto de la instalación y apertura de los establecimientos públicos sometidos al ámbito de

la presente ley, de acuerdo con lo establecido en la misma y en el resto del ordenamiento jurídico aplicable.

5. La autorización de la celebración de espectáculos públicos o el desarrollo de actividades recreativas extraordinarias u ocasionales no sujetas a intervención autonómica, en establecimientos no destinados o previstos para albergar dichos eventos o cuando se pretenda su celebración y desarrollo en vías públicas o zonas de dominio público del término municipal.

6. La prohibición o suspensión de espectáculos públicos o actividades recreativas, no sujetos a la intervención de la Administración autonómica, en los supuestos previstos en el artículo 3.

7. Establecer con carácter excepcional u ocasional horarios especiales de apertura y cierre de establecimientos dedicados a espectáculos públicos o a actividades recreativas dentro del término municipal y de acuerdo con los requisitos y bajo las condiciones que reglamentariamente se determinen.

8. Las funciones ordinarias de policía de espectáculos públicos y actividades recreativas que competan a los municipios, sin perjuicio de las que correspondan a la Administración autonómica, así como la inspección y control de los establecimientos públicos destinados a la celebración de espectáculos y actividades recreativas sujetos a los medios de intervención municipal que correspondan.

No obstante lo anterior, los órganos de la Administración de la Junta de Andalucía podrán suplir la actividad inspectora de los municipios cuando estos se inhibiesen.

9. Cualquier otra que le otorguen los específicos reglamentos de los espectáculos públicos o de las actividades recreativas, de conformidad con la presente ley.

• **STSJ Andalucía (Granada) 13 octubre 2009.- LA LEY 242105/2009**

Debemos recordar que los municipios, de conformidad con el artículo 6 de la Ley 13/1999, de 15 de diciembre, de Espectáculos Públicos y Actividades Recreativas de Andalucía, tienen competencia para la concesión de las autorizaciones de obras o urbanísticas y de apertura de cualquier establecimiento público que haya de destinarse a la celebración de espectáculos o a la práctica de actividades recreativas (apdo. 1), y en **el ejercicio de esa competencia podrán prohibir o suspender tales actividades en los supuestos previstos en el artículo 3 de la citada Ley,** es decir, cuando se celebren en locales que no reúnan las condiciones de seguridad exigibles y carezcan de las licencias o autorizaciones preceptivas, o se alteren las condiciones y requisitos contenidos en aquéllas, y cuando con su celebración se derive un riesgo grave para las personas que asisten a ellos, y caso de apreciarse un peligro inminente la medida de suspensión podrá adoptarse incluso sin necesidad de previo aviso, lo que no ha sucedido en el caso aquí analizado, en el que se le ha concedido al actor la oportunidad de alegar durante los plazos conferidos y de ejecutar las obras de adaptación durante el plazo de dos meses, siendo negativa la respuestas a tales requerimientos, al considerar dicha parte que no existían defectos y que una licencia de apertura concedida en el año 1983 le amparaba indefinidamente, con **desconocimiento de la naturaleza de esta clase de licencias,** que exigen una constante comprobación por los agentes de la Administración de sus condiciones a lo largo de toda la actividad.

Ley 5/2010, de 11 de junio, de Autonomía Local de Andalucía, en su art. 9.14, atribuye al municipio las siguientes competencias:

14. Ordenación de las condiciones de seguridad en las **actividades organizadas en espacios públicos y en los lugares de concurrencia pública**, que incluye:

a) El control, vigilancia, inspección y régimen sancionador de los establecimientos de pública concurrencia.

b) La gestión y disciplina en materia de animales de compañía y animales potencialmente peligrosos, y la gestión de su registro municipal.

c) La autorización de ampliación de horario y de horarios de apertura permanente de establecimientos públicos, en el marco de la legislación autonómica.

d) La autorización de condiciones específicas de admisión de personas en los establecimientos de espectáculos públicos y actividades recreativas.

e) La creación de Cuerpos de Policía Local, siempre que lo consideren necesario en función de las necesidades de dicho municipio, de acuerdo con lo previsto en la LO 2/1986, de 13 de marzo (LA LEY 619/1986), de Fuerzas y Cuerpos de Seguridad[1], y en la legislación básica del Estado.

f) La elaboración, aprobación, implantación y ejecución del Plan de Emergencia Municipal, así como la adopción, con los medios a disposición de la corporación, de medidas de urgencia en caso de catástrofe o calamidad pública en el término municipal.

g) La ordenación, planificación y gestión del servicio de prevención y extinción de incendios y otros siniestros, así como la asistencia y salvamento de personas y protección de bienes.

h) La creación, mantenimiento y dirección de la estructura municipal de protección civil.

i) La promoción de la vinculación ciudadana a través del voluntariado de protección civil.

j) La elaboración de programas de prevención de riesgos y campañas de información.

k) La ordenación de las relaciones de convivencia ciudadana y del uso de sus servicios, equipamientos, infraestructuras, instalaciones y espacios públicos municipales.

2. Aragón

La **Ley 11/2005**, de 28 de diciembre, en los arts. 9 y 10 regula las competencias que le corresponde a la Comunidad autónoma y a los municipios, para en el art. 11 contemplar la acción de subrogación en caso de inactividad municipal.

• Competencias autonómicas (art. 9 Ley 11/2005)

Corresponde a la Administración de la Comunidad Autónoma:

a) **Aprobar** mediante decreto el catálogo de espectáculos, actividades recreativas y tipos de establecimientos públicos de la Comunidad Autónoma, especificando las diferentes denominaciones y modalidades, preceptivas licencias y autorizaciones, reglas esenciales, condicionamientos y prohibiciones que se considere conveniente imponer.

---

(1)   Ha de entenderse LO 4/2015, de 30 de marzo, de protección de la seguridad ciudadana.

b) **Establecer** los requisitos y condiciones reglamentarias de admisión de las personas en los mencionados espectáculos públicos, actividades recreativas y establecimientos públicos.

c) **Autorizar** la celebración de los espectáculos públicos y el desarrollo de las actividades recreativas en los casos previstos en el artículo 23 de la Ley.

d) **Controlar,** en coordinación con los Municipios y Comarcas, los aspectos administrativos y técnicos de los espectáculos públicos y actividades recreativas, así como los de las empresas que los gestionen.

e) Las **funciones de policía** de espectáculos públicos y actividades recreativas, sin perjuicio de las que corresponden a municipios y comarcas, así como la inspección y control de los establecimientos públicos destinados a la celebración de espectáculos y actividades recreativas cuando el otorgamiento de las autorizaciones sea competencia de la Administración de la Comunidad Autónoma, auxiliada por las Fuerzas y Cuerpos de Seguridad.

f) El ejercicio, de forma **subsidiaria** y de conformidad con lo dispuesto en la legislación de régimen local, de las competencias de policía y la actividad inspectora que en esta materia corresponda a los municipios y, en su caso, a las comarcas.

g) **Emitir** informe con carácter vinculante sobre la adecuación de las instalaciones a la naturaleza de la actividad que se pretende desarrollar en los mismos, en el procedimiento administrativo correspondiente para el otorgamiento de la licencia de funcionamiento de establecimientos destinados a desarrollar actividades sometidas a la ulterior obtención de las correspondientes autorizaciones autonómicas.

h) **Conceder** las autorizaciones y emitir informes preceptivos previos en materia de patrimonio cultural y medioambiental, cuando el espectáculo, actividad recreativa o establecimiento público afecte a un bien incluido en alguna de las categorías de protección previstas en la Ley de Patrimonio Cultural Aragonés o tenga lugar en un espacio natural protegido.

i) Cualquier otra competencia prevista en la legislación vigente.

• Competencias municipales (art. 10 Ley 11/2005)

Corresponde a los Municipios:

a) La **concesión** de las autorizaciones y licencias municipales previstas en el Capítulo II, de conformidad con la normativa aplicable.

b) **Autorizar** la instalación de estructuras no permanentes o desmontables destinadas a establecimientos, a la celebración de espectáculos o al desarrollo de actividades recreativas.

c) La **concesión** de las autorizaciones de instalación de atracciones de feria en espacios abiertos, previa comprobación por los servicios municipales, o en su caso de la Comarca o de la Comunidad Autónoma, de que las mismas reúnen las condiciones técnicas de seguridad y de emisiones sonoras para las personas, a tenor de la normativa específica aplicable.

d) El **establecimiento** de prohibiciones, limitaciones o restricciones en zonas urbanas mediante el planeamiento urbanístico o las ordenanzas y reglamentos municipales respecto de la instalación, apertura y ampliación de licencia de los establecimientos públicos sometidos al ámbito de la presente Ley, de acuerdo con lo establecido en la misma y en el resto del ordenamiento jurídico aplicable.

e) La **autorización** de los establecimientos públicos destinados ocasional y esporádicamente a la celebración de espectáculos públicos o al desarrollo de actividades recreativas no sujetas a autorización autonómica, cuando no dispongan de la licencia correspondiente adecuada a dichos eventos o se pretenda su celebración y desarrollo en vías públicas o zonas de dominio público, de conformidad con las ordenanzas municipales.

f) **Establecer** los horarios de apertura y cierre de los establecimientos públicos dentro de los límites establecidos en la ley 11/2005.

g) **Establecer,** con carácter excepcional u ocasional, horarios especiales de apertura y cierre de los establecimientos dedicados a espectáculos públicos o a actividades recreativas dentro del término municipal, con motivo de fiestas locales y navideñas.

h) **Limitar** la autorización y horario de terrazas o veladores en espacios públicos con arreglo a los criterios y mediante los instrumentos establecidos en la legislación sobre ruido.

i) Las funciones ordinarias de policía de espectáculos públicos y actividades recreativas, sin perjuicio de las que correspondan a la Comunidad Autónoma, así como la inspección y control de los establecimientos públicos destinados a la celebración de espectáculos y actividades recreativas cuando el otorgamiento de las autorizaciones sea competencia municipal.

j) Cualquier otra competencia prevista en la legislación vigente.

• **Subrogación (art. 11 Ley 11/2005)**

En caso de **inactividad** del Municipio, el Departamento competente de la Comunidad Autónoma podrá subrogarse en el ejercicio de las competencias municipales reguladas en la Le 11/2005 y, previo requerimiento para su ejercicio por plazo de un mes y sin perjuicio de la adopción de las medidas provisionales que procedan.

Ley 7/1999, de 9 de abril, de Administración Local de Aragón, en su art. 44 a) establece que «Los municipios, por sí mismos o asociados a otras entidades locales y, en su caso, con la colaboración que puedan recabar de otras administraciones públicas, prestarán, como mínimo, los siguientes servicios:

a) En todos los municipios: Abastecimiento domiciliario de agua potable, alcantarillado y tratamiento adecuado de las aguas residuales; alumbrado público; cementerio y policía sanitaria mortuoria; recogida, transporte y eliminación de residuos urbanos; pavimentación y conservación de las vías públicas, limpieza viaria, acceso a los núcleos de población; gestión de los servicios sociales de base; **control** sanitario de alimentos, bebidas y productos destinados al uso o consumo humano, así como de edificios y lugares de vivienda y convivencia humana **y de industrias, actividades y servicios, transportes, ruidos y vibraciones, y garantizar la tranquilidad y pacífica convivencia en los lugares de ocio y esparcimiento colectivo**».

3. Canarias

La **Ley 7/2011**, de 5 de abril, en los arts. 10 11 y 12 regula el régimen de competencias entre ayuntamientos y cabildos, en la forma siguiente:

- **Competencias de los municipios (art. 10 Ley 7/2011)**

Corresponde a los ayuntamientos:

1. La **aprobación de ordenanzas y reglamentos** sobre actividades y espectáculos públicos, sin perjuicio de la competencia normativa atribuida al Gobierno de Canarias para el desarrollo de la presente ley, y a los cabildos insulares.

2. La **tramitación y resolución**, en su caso, de los instrumentos de intervención previa previstos en ley 7/2011.

3. La **emisión de informe** de calificación en los procedimientos de licencias de actividades clasificadas, en aquellos supuestos que le atribuye la ley 7/2011 o, en el caso de delegación del cabildo insular correspondiente.

4. El **ejercicio de las potestades** de comprobación, inspección, sanción, revisión y demás **medidas de control** que afecten a las actividades clasificadas y espectáculos públicos, en los supuestos previstos en el apartado anterior.

- **Competencias de las islas (art. 11 Ley 7/2011)**

Corresponde a los cabildos insulares:

1. La **aprobación de ordenanzas insulares** en desarrollo de los reglamentos de la ley 7/2011, y la emisión de informe con carácter preceptivo y vinculante de la adecuación a las mismas, de las ordenanzas y reglamentos municipales relativos a las actividades clasificadas y espectáculos públicos.

2. La **tramitación y resolución** de los instrumentos de intervención previa en materia de actividades clasificadas y espectáculos públicos cuando se proyecten sobre dos o más términos municipales.

3. El **ejercicio de las potestades** de comprobación, inspección, sanción, revisión y demás **medidas de control** que afectan a las actividades clasificadas y espectáculos públicos en los mismos supuestos previstos en el apartado anterior.

4. El ejercicio de la **alta vigilancia y de la facultad inspectora** en relación a las actividades clasificadas y espectáculos públicos de carácter municipal, proponiendo al ayuntamiento respectivo las medidas correctoras que se consideren pertinentes, incoando y resolviendo un procedimiento sancionador en caso de inactividad municipal.

5. Emisión del **informe de calificación** en los procedimientos de licencias de actividades clasificadas, en los supuestos previstos en la ley 7/2011.

6. **Subrogación en las competencias** municipales previstas en esta ley, en caso de inactividad de la Administración y a las que no les sea de aplicación el silencio positivo.

7. En caso de denuncia de infracción, el cabildo se podrá subrogar cuando haya inactividad del ayuntamiento en la competencia sancionadora municipal.

• **De la cooperación interadministrativa (art. 12 Ley 7/2011)**

1. Si la Administración actuante **no dispusiese de personal o medios** técnicos suficientes para el correcto ejercicio de las competencias previstas en la ley 7/2011, podrá recabar de las otras administraciones públicas la colaboración necesaria para llevar a efecto sus cometidos.

2. **La cooperación técnica** se solicitará de:

a) El **cabildo insular** correspondiente, cuando la administración actuante fuese la municipal.

b) Las **consejerías del Gobierno** de Canarias, competentes por razón de la materia, en los supuestos en que el cabildo insular, como Administración actuante o cooperadora, no dispusiese del personal técnico competente para llevar a cabo la actuación concreta que el caso específico requiera.

Procedimiento:

3. La cooperación se instrumentará **preferentemente**, mediante **convenio de colaboración** suscrito voluntariamente entre las administraciones concernidas. De no ser así, se solicitará mediante escrito dirigido a la Administración que proceda, acompañado del expediente y concretando, con claridad y precisión, la actuación específica que se requiere. Dentro de los **tres días** siguientes a la recepción de la petición, el órgano competente de la Administración requerida, ordenará la práctica en un plazo no superior a diez días, de la actuación pertinente, designando a tal efecto al personal técnico competente o en el caso previsto en el apartado b) del párrafo anterior, el cabildo lo remitirá a la Comunidad Autónoma a los efectos procedentes. Una vez practicada la actuación requerida, la Administración actuante en un plazo no superior a tres días comunicará el resultado de la misma a la administración solicitante.

4) Los cabildos insulares que, en el ejercicio de las competencias que la ley7/2011 les atribuye, precisen la **colaboración de la policía local**, la solicitarán del alcalde respectivo, quien la prestará de acuerdo con lo previsto en la legislación aplicable.

5) La utilización de los mecanismos de cooperación no constituirá, en ningún caso, **causa de suspensión** del plazo para resolver los expedientes administrativos en curso, sin perjuicio de la posibilidad de su ampliación, en los términos previstos en la legislación sobre procedimiento administrativo común.

4. Cantabria

La Ley 3/2017, de 5 de abril, de Espectáculos Públicos y Actividades Recreativas de Cantabria distribuye las competencias en materia de espectáculos públicos y actividades recreativas entre la Administración de la Comunidad Autónoma y los Municipios, en sus arts. 7 y 8 respectivamente.

• **Corresponde a la Administración de la Comunidad Autónoma de Cantabria** las siguientes competencias en materia de espectáculos públicos y actividades recreativas:

a) **Modificar** mediante Decreto del Gobierno **el catálogo de espectáculos públicos y actividades recreativas** de la Comunidad Autónoma de Cantabria, especificando las diferentes denominaciones, modalidades y los lugares donde se puedan realizar.

b) **Establecer los horarios generales de apertura y cierre** de los espectáculos públicos y actividades recreativas, y de los establecimientos públicos e instalaciones portátiles o desmontables incluidos en el ámbito de aplicación de esta ley, así como el ejercicio de la potestad sancionadora en esta materia.

c) **Establecer los requisitos y condiciones reglamentarias de admisión de las personas** en los espectáculos públicos y en las actividades recreativas y establecimientos públicos e instalaciones portátiles o desmontables incluidos en el ámbito de aplicación de esta ley.

d) **Ejercer las funciones de inspección, control y sancionadora** de espectáculos públicos, actividades recreativas y establecimientos públicos e instalaciones portátiles y desmontables, mediante funcionarios públicos habilitados para tales funciones, sujetos a autorización de la Administración de la Comunidad Autónoma de Cantabria.

e) **El ejercicio de forma subsidiaria** y de conformidad con lo dispuesto en la legislación de régimen local, **de las competencias de inspección, control y sancionadora** que en esta materia corresponda a los municipios, cuando no lo hayan ejecutado en tiempo y forma, tras haber sido instados para ello por el órgano de la Consejería competente por razón de la materia.

f) La concesión **de autorización para la celebración de los espectáculos públicos y actividades recreativ**as, incluido los conmemorativos y deportivos cuya celebración se desarrolle o discurra por **más de un término municipal**, sin perjuicio de la competencia exclusiva del Estado en materia de tráfico y seguridad vial, y comunicación previa de los municipios afectados.

g) La **prohibición o suspensión de espectáculos públicos y actividades recreativas,** sujetos a la autorización de la Administración de la Comunidad Autónoma de Cantabria, que se desarrollen sin sujeción a los requisitos establecidos en esta ley y normas de desarrollo de la misma.

h) **Informar preceptivamente los proyectos de disposiciones o resoluciones municipales** que incidan en los horarios de apertura y cierre de los espectáculos públicos y actividades recreativas, y de los establecimientos públicos e instalaciones portátiles o desmontables, sometidas al ámbito de la presente ley, en los casos en que el Municipio sea competente para regular los mismos.

i) **Emitir informe previo preceptivo y vinculante** por el órgano competente en materia de patrimonio cultural y medioambiental, cuando el espectáculo público o la actividad recreativa afecte a un bien incluido en alguna de las categorías de protección previstas en las normativas sectoriales vigentes.

j) Cualquier otra que le otorguen las disposiciones sobre espectáculos públicos y actividades recreativas, de conformidad con la presente ley.

• **Corresponden a los Municipios** las siguientes competencias en materia de espectáculos públicos y actividades recreativas:

a) **La concesión de las licencias urbanísticas, medioambientales y de apertura** de cualquier establecimiento público dentro de su ámbito territorial que haya de destinarse a la celebración de espectáculos públicos o a la práctica de actividades recreativas sometidas a la presente ley, de conformidad con la normativa aplicable.

b) **La concesión de autorizaciones**, conforme a lo dispuesto en la presente ley, a las instalaciones portátiles o desmontables, destinadas a la celebración de espectáculos públicos o al desarrollo de actividades recreativas que se celebren íntegramente en su término municipal.

c) **La concesión de autorizaciones** para la celebración de espectáculos públicos o de actividades recreativas extraordinarias dentro de su ámbito territorial, en establecimientos públicos no destinados o previstos para albergar dichos eventos.

d) **La concesión de autorizaciones** para la celebración de espectáculos públicos, de actividades recreativas incluidos los de carácter conmemorativo, cuando se pretenda su celebración y desarrollo en establecimientos públicos, instalaciones portátiles o desmontables, o en vías públicas o zonas de dominio público del término municipal.

e) **La autorización de las actividades deportivas** que discurran exclusivamente por vías de su término municipal, sin perjuicio de la competencia exclusiva del Estado en materia de tráfico y seguridad vial.

f) Los Municipios mediante sus correspondientes ordenanzas municipales podrán, dentro de sus competencias, y sin perjuicio de las que corresponden a la Administración de la Comunidad Autónoma de Cantabria, **añadir requisitos, condiciones o límites** para la apertura de establecimientos públicos e instalaciones portátiles o desmontables y a la celebración de espectáculos públicos y actividades recreativas.

g) La **prohibición o suspensión de espectáculos públicos o actividades recreativas**, no sujetos a la intervención de la Administración autonómica, que se desarrollen sin sujeción a los requisitos establecidos en esta ley, sus normas de desarrollo y los requisitos establecidos por la normativa local.

h) La **inspección y control de los horarios de apertura y cierre** de establecimientos públicos e instalaciones portátiles y desmontables, y de los espectáculos públicos y de las actividades recreativas dentro del término municipal.

i) Las **funciones de inspección, control y sancionadora** de los establecimientos públicos, e instalaciones portátiles o desmontables, de los espectáculos públicos y de las actividades recreativas sujetos a licencia o autorización municipal. No obstante lo anterior, la Administración de la Comunidad Autónoma de Cantabria podrá sustituir de forma subsidiaria la actividad de inspección, control y sancionadora de los municipios cuando estos se inhibiesen, en los términos previstos por la legislación local.

j) Cualquier otra que le otorguen las disposiciones sobre establecimientos públicos e instalaciones portátiles o desmontables, espectáculos públicos y actividades recreativas, de conformidad con la presente ley.

5. Castilla-La Mancha

Mediante la **Ley 7/2011**, de 21 de marzo, se fijan las competencias de la Comunidad autónoma y los municipios, en los arts. 4, 5 y 6.

• Competencias autonómicas (art. 4 Ley 7/2011)

Corresponde a la Administración de la Comunidad Autónoma:

a) **Modificar el catálogo** de espectáculos públicos, actividades recreativas y establecimientos públicos de la Comunidad Autónoma de Castilla-La Mancha a que se refiere el artículo 2.2 de la Ley 7/2011.

b) **Establecer el horario general** de los establecimientos públicos y actividades recreativas sujetos a la Ley 7/2011.

c) **Establecer** los requisitos y condiciones reglamentarias de admisión de las personas en los mencionados espectáculos públicos, actividades recreativas y establecimientos públicos.

d) **Recibir y comprobar** las declaraciones responsables y en su caso, autorizar la celebración de los espectáculos públicos y el desarrollo de las actividades recreativas en los supuestos señalados por la Ley 7/2011 como competencia de la Comunidad Autónoma.

e) **Ejercer** las funciones de policía, inspección y de control de espectáculos públicos, establecimientos públicos y actividades recreativas, mediante el personal habilitado para tales funciones.

f) El ejercicio, de forma **subsidiaria** y de conformidad con lo dispuesto en la legislación de régimen local, de las competencias de policía y la actividad inspectora que en esta materia corresponda a los municipios, cuando no lo hayan ejecutado en tiempo y forma, tras haber sido instados para ello por el órgano de la Consejería competente por razón de la materia.

g) La **prohibición y suspensión** de espectáculos y actividades de competencia autonómica que se desarrollen sin sujeción a lo establecido en la Ley 7/2011.

h) **Emitir informes** preceptivos previos y vinculantes en materia de patrimonio cultural y medioambiental, cuando el espectáculo, actividad recreativa o establecimiento público afecte a un bien incluido en alguna de las categorías de protección previstas en la normativas sectoriales vigentes, o, en su caso, recepcionar y comprobar las declaraciones responsables y conceder las autorizaciones que correspondan con arreglo a dichas normas.

i) **Autorizar** actividades recreativas o deportivas cuyo desarrollo discurra por más de un término municipal de la Comunidad Autónoma, las que se desarrollen en las travesías y otras vías públicas de carácter supramunicipal o afecten a los recursos de su competencia.

j) **Autorizar** los espectáculos y festejos taurinos.

k) **Autorizar** todos los demás espectáculos públicos o actividades recreativas cuya normativa específica exija la concesión de la autorización por la Comunidad Autónoma.

l) **Cualquier otra** que le otorguen los reglamentos de los espectáculos públicos y de las actividades recreativas.

- **Competencias municipales (art. 5 Ley 7/2011)**

1. Corresponde a los Ayuntamientos:

a) La **prohibición o suspensión** de espectáculos y actividades de competencia municipal cuando se desarrollen sin ajustarse a lo establecido en la Ley 7/2011.

b) El **establecimiento** de prohibiciones, limitaciones o restricciones en zonas urbanas mediante el planeamiento urbanístico o las ordenanzas y reglamentos municipales respecto de la instalación, apertura y ampliación de los establecimientos públicos sometidos al ámbito de la Ley 7/2011, de acuerdo con lo establecido en la misma y en el resto del ordenamiento jurídico aplicable.

c) **Establecer horarios especiales** de apertura y cierre de los establecimientos dedicados a espectáculos públicos o a actividades recreativas dentro del término municipal, con motivo de fiestas patronales u otras fiestas de las declaradas oficialmente de ámbito local, en el marco del artículo 4.b de la Ley 7/2011, sin perjuicio de ser comunicado previamente a la Comunidad Autónoma.

d) **Limitar**, en su caso, el horario de terrazas o veladores ubicados en espacios públicos, con arreglo a lo establecido en la normativa vigente.

e) Las **funciones de policía**, inspección y de control de los espectáculos públicos, actividades recreativas y establecimientos públicos, sin perjuicio de las que ejerza la Comunidad Autónoma. No obstante, los órganos de la Administración de la Junta de Comunidades de Castilla-La Mancha podrán complementar la actividad inspectora de los municipios de la región en los supuestos en que se determine reglamentariamente.

2. Sin perjuicio de las licencias y autorizaciones que corresponda otorgar a otras Administraciones Públicas, corresponde a los Ayuntamientos **recibir y comprobar las declaraciones responsables** así como otorgar las licencias o autorizaciones que correspondan, según lo establecido en la Ley 7/2011, en relación con:

a) **La apertura** de los establecimientos públicos según lo establecido en la Ley 7/2011.

b) **El desarrollo o celebración** de espectáculos públicos y actividades recreativas en establecimientos públicos, en vías públicas y zonas de dominio público de su titularidad, de conformidad con las ordenanzas municipales.

c) La **instalación de estructuras** no permanentes o desmontables destinadas a establecimientos públicos, así como la celebración de los espectáculos o las actividades recreativas a desarrollar en ellas.

d) La **instalación de atracciones** de feria en espacios abiertos, previa comprobación de que las mismas reúnen las condiciones técnicas de seguridad y de emisiones sonoras, a tenor de la normativa específica aplicable.

e) Aquellos espectáculos y actividades en que se utilice **fuego o sustancias susceptibles** de provocarlo, celebrados en cualquier época del año, ya sea en recinto cerrado o abierto, sin perjuicio del cumplimiento de los requisitos que exija la normativa específica vigente en la materia.

f) Los espectáculos públicos y actividades recreativas que sean **distintos de los que se realizan habitualmente** en los establecimientos en que se desarrollen y que no figuren expresamente autorizados en la correspondiente licencia, o no hayan sido declarados previamente.

g) Los espectáculos públicos y actividades recreativas de **carácter extraordinario** llevado a cabo en espacios abiertos al público u otros locales que, a pesar de no tener la condición de establecimientos abiertos al público con licencia o autorización, cumplen las condiciones exigibles para llevar a cabo los espectáculos o actividades.

h) Aquellos espectáculos y actividades que por su naturaleza sean susceptibles de un **riesgo intrínseco** y/o necesiten de un plan de autoprotección de conformidad con la normativa vigente. En lo referido a fuegos artificiales, se estará a lo establecido por su normativa específica.

i) Aquellos espectáculos y actividades cuya aprobación no esté atribuida por la legislación a otra Administración.

• Relaciones de cooperación y colaboración (art. 6 Ley 7/2011)

1. En el ejercicio de sus competencias propias, la Junta de Comunidades de Castilla-La Mancha y los Ayuntamientos de la región se **facilitarán la información** que precisen en materia de espectáculos públicos, actividades recreativas y establecimientos públicos y se prestarán recíprocamente la cooperación y asistencia activa que pudieran recabarse entre sí para el eficaz ejercicio de aquellas.

2. En el marco de sus respectivas competencias y de acuerdo con los principios de eficacia, coordinación, colaboración y lealtad institucional, los órganos competentes de la Administración de la Comunidad Autónoma y los Ayuntamientos **velarán por la observancia** de la legislación de espectáculos públicos, actividades recreativas y establecimientos públicos, a través de las siguientes **funciones**:

a) **Control** de la celebración de los espectáculos y actividades recreativas y, en su caso, prohibición y suspensión de los mismos.

b) **Inspección** de los establecimientos públicos.

c) **Sanción** de las infracciones tipificadas en la Ley 7/2011.

3. La Administración Regional, en función de sus recursos, podrá prestar a los municipios, previa solicitud de los mismos, la **colaboración y el apoyo técnico** que precisen para el ejercicio de las funciones de inspección y control referidas en el apartado anterior, en especial a los de menor población, así como facilitar los elementos técnicos necesarios, en los términos que se determine reglamentariamente.

6. Castilla y León

La **Ley 7/2006**, de 2 de octubre en no establece el régimen competencial de la Comunidad autónoma y los municipios específico y diferenciado, sino que de forma confusa a lo largo de su articulado hace referencias sobre las competencias en esta materia (arts. 1, 8, 12, 14, 16, 17, 19, 24, 25, 27, 29, 30, 31, 32, 33, 34, 40, 41, 42, 43 y 44) La propia exposición de motivos se dice que «en ejercicio de la referida competencia exclusiva, la Comunidad Autónoma de Castilla y León pretende, a través de esta Ley, fijar el marco jurídico de la intervención administrativa en relación con los espectáculos públicos y las actividades recreativas que se desarrollen en el territorio de la Comunidad. Esta intervención se realiza determinando, de un lado, el ámbito de actuación de la administración autonómica y complementando, por otro lado, la esfera de actuación propia de los Ayuntamientos en esta área, de tal forma que, respetando su ámbito de intervención tradicional, se amplía su protagonismo en relación con determinados espectáculos y actividades que se desarrollen íntegramente en el término municipal».

Sobre la **intervención municipal**, el art. 8.1 dispone los Ayuntamientos podrán, en el marco de sus competencias, fijar condiciones o límites referidos a la ubicación y apertura de los establecimientos públicos e instalaciones permanentes en los que se desarrollen los espectáculos públicos o las actividades recreativas.

La Ley 1/1998, de 4 de junio, de Régimen Local de Castilla y León (LA LEY 3223/1998) atribuye a los municipios entre otras la competencia sobre actividades clasificadas (art. 20.1.i).

7. Cataluña

La **Ley 11/2009**, de 6 de julio distribuye en sus arts. 10, 11 y 12 las competencias de los espectáculos públicos y actividades recreativas, en la forma siguiente:

- **Competencias de la Generalidad (art. 11 Ley 11/2009)**

La Generalidad tiene atribuidas las siguientes competencias administrativas en materia de establecimientos abiertos al público, de espectáculos públicos y de actividades recreativas:

a) **Dictar** las normas que sean necesarias para el desarrollo reglamentario de la ley.

b) **Planificar** territorialmente los establecimientos abiertos al público, en los términos establecidos por la ley 11/2009 y por la legislación urbanística y la de política territorial.

c) **Autorizar** los establecimientos de régimen especial y los espectáculos y actividades recreativas de carácter extraordinario que no sean de competencia municipal.

d) **Inspeccionar y sancionar** los establecimientos abiertos al público, espectáculos públicos y actividades recreativas que haya autorizado.

e) Inspeccionar y sancionar los establecimientos abiertos al público, espectáculos públicos y actividades recreativas autorizados por los ayuntamientos cuando estos no hayan acordado asumir el ejercicio de dicha competencia, de acuerdo con lo establecido por el art. 13.1. d).

Las competencias establecidas por las letras c, d y e del apartado anterior deben ser ejercidas por los **órganos centrales y territoriales** dependientes del departamento competente en materia de espectáculos públicos y actividades recreativas, en los términos que se establezcan por reglamento.

• **Delegación de competencias de la Generalidad a los ayuntamientos (art. 12 Ley 11/2009)**

La Generalidad puede delegar a los ayuntamientos que lo soliciten las competencias de autorizar los establecimientos abiertos al público de régimen especial y las sancionadoras, que le son atribuidas, respectivamente, por las c) y d) del art. 11.1 de la Ley 11/2009.

Pueden **solicitar la delegación** de las competencias de la Generalidad los ayuntamientos que cumplen los siguientes **requisitos**:

a) **Acreditar**, en los términos que la Generalidad debe establecer por reglamento, que tienen capacidad de gestión técnica suficiente para ejercer las competencias que solicitan que se les delegue.

b) **Haber asumido** el ejercicio de las competencias que les atribuye el art. 13.1 d), de acuerdo con el procedimiento establecido por el mismo precepto, y acreditar que las ejercen efectivamente.

El **régimen y el procedimiento** aplicables a la delegación de competencias son los establecidos por el Texto Refundido de la Ley municipal y de régimen local de Cataluña, aprobado por el Decreto legislativo **2/2003**, de 28 de abril.

• **Competencias municipales (art. 13 Ley 11/2009)**

Los ayuntamientos tienen atribuidas las siguientes competencias en materia de establecimientos abiertos al público, de espectáculos públicos y de actividades recreativas:

a) **Aprobar ordenanzas**, en el marco establecido por la ley 11/2009.

b) **Adoptar** medidas de planificación urbanística, que, si lo establecen los correspondientes instrumentos de planeamiento, deben ser vinculantes para la ubicación de los establecimientos abiertos al público regulados por la ley 7/2009.

c) **Otorgar las licencias** de establecimientos abiertos al público de espectáculos públicos y de actividades recreativas de carácter permanente, las licencias de establecimientos abiertos al público de espectáculos públicos y de actividades recreativas no permanentes desmontables, las licencias de espectáculos públicos y actividades recreativas extraordinarias, en los términos establecidos por el art. 42.2 y, en cualquier caso, con motivo de verbenas y fiestas populares o locales y las licencias de espectáculos públicos y de actividades recreativas en espacios abiertos al público.

d) **Inspeccionar y sancionar** los establecimientos abiertos al público, espectáculos públicos y actividades recreativas sometidos a licencia municipal, en los supuestos de que, mediante un acuerdo del pleno municipal, se haya acordado asumir conjuntamente el ejercicio de estas competencias, lo cual debe comunicarse a los órganos correspondientes del departamento competente en materia de espectáculos públicos y actividades recreativas.

e) **Ser titulares** de establecimientos abiertos al público u organizadores de espectáculos públicos o de actividades recreativas.

f) **Ejercer,** en su ámbito territorial, todas las potestades y facultades de naturaleza administrativa relativas a los establecimientos abiertos al público, a los espectáculos públicos y a las actividades recreativas que esta u otras leyes no atribuyen expresamente a otras administraciones públicas.

Los ayuntamientos **pueden delegar** en la Generalidad el ejercicio de las competencias que les atribuye la ley 11/2009, o encargarle su gestión. Dichas delegaciones y encargos de gestión deben basarse en el mutuo acuerdo de las administraciones implicadas y tienen que formalizarse mediante un convenio, de acuerdo con lo establecido por la legislación administrativa y la de régimen local.

8.   Comunidad de Madrid

La **Ley 17/1997**, de 4 de julio, no se detiene en asignar las competencias que en materia de espectáculos públicos y actividades recreativas recaen en la comunidad autónoma y en los ayuntamientos, diciendo de forma cuando menos ambigua, que «La Comunidad de Madrid o los Ayuntamientos, en el ámbito de sus respectivas competencias, podrán…» (arts. 26, 27, 30); remitiéndose asimismo de forma genérica a las competencias de la Administración del Estado (arts. 21 y 29).

Por lo se refiere al régimen sancionador si se atribuyen las mismas a los ayuntamientos (art. 43.1).

9.   Comunidad Valenciana

La **Ley 14/2010**, de 3 de diciembre, distribuye en los arts. 7 y 8 las competencias que corresponden a la administración autonómica y a la local.

• **Autorizaciones competencia de la administración autonómica (art. 7 Ley 14/2010)**

Corresponde a la Generalitat, por medio de sus órganos con atribuciones en materia de espectáculos públicos, actividades recreativas y establecimientos públicos, la competencia sobre los siguientes espectáculos y actividades:

a) Las actividades recreativas o deportivas cuyo desarrollo discurra por **más de un término municipal** de la Comunitat Valenciana.

b) Los **espectáculos con animales**, entendiendo por tales aquellos en los que los mismos sean parte esencial o indispensable para su realización, salvo que para su celebración se requiera la utilización de vía pública.

c) Los espectáculos y festejos **taurinos tradicionales**, que se regirán por su normativa específica.

d) Los espectáculos públicos y actividades recreativas de **carácter extraordinario**, entendiendo por tales aquellos que sean distintos de los indicados en la licencia referida a un establecimiento público, de acuerdo con lo regulado en el Catálogo del anexo de la ley 14/2010 para cada tipo de actividad.

e) Los espectáculos y actividades singulares o excepcionales que no estén previstos en el Catálogo del anexo de la ley 14/2010, o que por sus características no pudieran acogerse a los reglamentos dictados.

[Se entenderá incluido en el concepto de vía pública todo lugar abierto por donde pueda transitar, circular o desplazarse el público, siempre y cuando dicho lugar no tenga la consideración de bien de carácter privado o patrimonial (art. 7.2 Ley 14/2010).]

• Autorizaciones competencia de los ayuntamientos (art. 8 Ley 14/2010)

Corresponde a los ayuntamientos, por medio de sus órganos con atribuciones en materia de espectáculos públicos, actividades recreativas y establecimientos públicos, la competencia sobre los siguientes espectáculos y actividades:

1. Las actividades recreativas o deportivas cuyo desarrollo discurra dentro de **su término municipal**.

2. Los espectáculos públicos y actividades recreativas que se realicen en el municipio con motivo de la celebración de las **fiestas locales y/o patronales,** requieran o no la utilización de vía pública.

[Téngase en cuenta el Decreto 28/2011, 18 marzo, por el que se aprueba el Reglamento por el que se regulan las condiciones y tipología de las sedes festeras tradicionales ubicadas en los municipios de la Comunitat Valenciana (LA LEY 5068/2011).]

3. Los espectáculos públicos y actividades recreativas, **con o sin animales,** que para su celebración requieran la **utilización de vía pública.**

4. Otorgamiento de la licencia de apertura, de acuerdo con los procedimientos previstos en la ley 14/2010.

10. Extremadura

Ley 4/2016, de 6 de mayo, para el establecimiento de un régimen sancionador en materia de espectáculos públicos y actividades recreativas en la Comunidad Autónoma de Extremadura es la única norma que existe en dicha Comunidad en la que se tratan los espectáculos públicos y las actividades recreativas desde una perspectiva sancionadora, estando pendiente de elaborar una norma con rango legal que aborde, desde una perspectiva integral, el régimen de desarrollo de los espectáculos públicos y las actividades recreativas en la Comunidad Autónoma de Extremadura.

Por lo que al régimen sancionador se refiere la competencia el art. 12.1 dispone que la incoación, instrucción y resolución de los expedientes sancionadores por infracciones leves o graves tipificadas en los artículos 5 y 6 corresponderá, indistintamente, a los respectivos Ayuntamientos y a los órganos competentes en materia de espectáculos públicos de la Comunidad Autónoma de Extremadura, y los expedientes por infracciones muy graves corresponderá a la Comunidad Autónoma (art. 7).

11. Galicia

Ley 9/2013, de 19 de diciembre, del emprendimiento y de la competitividad económica de Galicia, suprime con carácter general la licencia municipal de actividad (art. 23) apertura o funcionamiento para la instalación, implantación o ejercicio de cualquier actividad económica, empresarial, profesional, industrial o comercial, correspondiendo a los ayuntamientos velar por el cumplimiento de los requisitos aplicables según la legislación correspondiente, para lo cual comprobarán, controlarán e inspeccionarán las actividades.

12. Islas Baleares

La Ley 7/1999, de 8 de abril, de Atribución de Competencias a los Consejos Insulares de Menorca y de Eivissa i Formentera en materia de Espectáculos Públicos y Actividades Recreativas, en su art. 3 establece las que corresponden al Gobierno de las Illes Baleares.

• **Potestades genéricas y específicas que corresponden al Gobierno de las Illes Balears (art. 3 Ley 7/1999)**

Corresponden al Gobierno de las Illes Balears las potestades, los servicios, las funciones y las actuaciones genéricas siguientes:

1. Casinos, juegos y apuestas.

2. Espectáculos taurinos.

3. La gestión y ejecución de espectáculos públicos o actividades recreativas, cuando afecten a más de un ente insular.

4. Los espectáculos o actividades recreativas organizados por el Gobierno de las Illes Balears.

5. Representar les Illes Balears en cualquier manifestación extracomunitaria o supracomunitaria.

6. La coordinación con la Administración, general o periférica, del Estado en aquellos aspectos de su actividad reglamentaria normativa que afecten a la seguridad pública.

7. La coordinación de los consejos insulares en el ejercicio de las competencias transferidas, de acuerdo con lo dispuesto en el capítulo VI de la Ley 5/1989, de 13 de abril, de consejos insulares.

8. La gestión de las estadísticas autonómicas.

9. La gestión y custodia del Registro de las Islas Baleares de empresas y locales en materia de espectáculos públicos y actividades recreativas.

Por su parte el art. 4 de la Ley 7/1999, establece el régimen de funcionamiento de los Consejos Insulares de Menorca y de Eivissa y Formentera, correspondiendo (art. 5.2) a la conselleria competente en materia del Gobierno de las Illes Balears en la isla de Mallorca, la competencia para incoar los expedientes sancionadores y para imponer las sanciones por infracciones leves y graves, y para imponer las sanciones por infracciones muy graves es el Consejo de Gobierno de las Illes Balears.

13. La Rioja

La exposición de motivos de la **Ley 4/2000**, de 25 de octubre, dice en relación con la materia competencial que la misma se plantea, con **carácter global**, respecto de todos los espectáculos públicos y actividades recreativas que se celebren en el ámbito territorial de la Comunidad Autónoma, sin perjuicio de las competencias reservadas a la Administración General del Estado en materia de seguridad pública y espectáculos taurinos.

El art. 6 de la citada norma se refiere a la **regulación local**, y así resulta:

• Que las **Entidades Locales** mediante sus Ordenanzas o las disposiciones normativas oportunas, podrán, dentro de sus competencias, y sin perjuicio de las que corresponden a la Administración de la Comunidad Autónoma de La Rioja, **fijar condiciones o límites de establecimiento y apertura de los establecimientos e instalaciones de espectáculos públicos o actividades recreativas**.

• Que las distintas Administraciones Públicas, en el ejercicio de sus propias competencias y de conformidad con lo previsto en la legislación vigente, se **facilitarán la información** que precisen en materia de espectáculos públicos y actividades recreativas y se **prestarán recíprocamente la cooperación y asistencia** activas que pudieran recabarse entre sí para el eficaz ejercicio de aquéllas sobre tales materias.

• Que en el marco de sus respectivas competencias y de acuerdo con los principios de eficacia, coordinación y participación, los órganos competentes de **la Administración Autonómica y de las Entidades Locales velarán** por la observancia de la normativa de espectáculos públicos y actividades recreativas a través de las siguientes funciones:

a) Inspección de los establecimientos públicos.

b) Control de la celebración de los espectáculos y actividades recreativas y, en su caso, prohibición y suspensión de los mismos.

c) Sanción de las infracciones tipificadas en la presente Ley.

De forma expresa se atribuyen competencias a la Comunidad Autónoma en los arts. 33, 48 y 50 de la citada Ley 4/2000.

De otro lado ha de ponerse de relieve el contenido del art. 32, relativo a las facultades administrativas de los órganos competentes de las **Administraciones Autonómica y Local** en el ámbito de sus respectivas competencias que velarán por la observancia de la legislación reguladora de espectáculos públicos y actividades recreativas, para lo cual dispondrán de las **siguientes facultades**:

a) Inspección de establecimientos e instalaciones.

b) Control de la celebración de espectáculos y actividades recreativas.

c) Prohibición, suspensión, clausura y adopción de las medidas de seguridad que se consideren necesarias.

d) La adopción de las oportunas medidas cautelares y la sanción de las infracciones tipificadas en Ley 4/2000.

14. Navarra

La **Ley Foral 2/1989**, de 13 de marzo, distingue en el art. 7 las competencias que corresponden al Gobierno de Navarra, al Ayuntamiento o al Concejo en la forma siguiente:

- **Competencias del Gobierno de Navarra**:

a) Los espectáculos taurinos.

b) Los que se celebren sobre un itinerario que discurra por más de un municipio de la Comunidad Foral.

c) Los juegos de azar, según su normativa propia.

d) Los que tengan carácter extraordinario por apartarse de los autorizados en la correspondiente licencia de actividad del local donde se vayan a celebrar, en los términos establecidos en el artículo 4.º.4.

- **Competencias del Ayuntamiento o Concejo**:

a) Los espectáculos o actividades recreativas que se celebren en las vías públicas u ocupen espacios de uso público.

b) Los espectáculos o actividades recreativas que tengan carácter extraordinario por apartarse de los autorizados en la correspondiente licencia de actividad del local donde se vayan a celebrar, en los términos establecidos en el artículo 4.º.4 (La celebración de un espectáculo o actividad de carácter extraordinario, distintos de los que se realicen habitualmente en un local y figuren autorizados en la correspondiente licencia de actividad exigirá de una autorización especial, que se otorgará una vez se hayan comprobado las condiciones de seguridad del mismo.)

- **Competencias en materia sancionadora**

De acuerdo con el art. 27.1 de la Ley Foral 2/1989, será órgano competente para imponer las sanciones:

a) El que tuviere la competencia para conceder la autorización en las infracciones leves.

b) El Gobierno de Navarra en las infracciones graves y muy graves.

15. País Vasco

En la **Ley 4/1995**, de 10 de noviembre, nos encontramos en sus arts. 24, 26, y 38 diversos títulos competencias.

Así sobre **competencia inspectora y de control**, el art. 24.1 dice que la inspección de los locales e instalaciones, así como el control de la celebración de los espectáculos y actividades recreativas, se efectuará por la **administración competente** para el otorgamiento de las licencias o autorizaciones.

Por su parte el art. 26.1, relativo a la **vigilancia policial** dice que la celebración de espectáculos, y en su caso de actividades recreativas, será objeto de especial atención por los servicios ordinarios de vigilancia de los **Cuerpos de la Policía del País Vasco**, conforme a las competencias que les atribuye la Ley 4/1992, de 17 de julio (LA LEY 3041/1992), de Policía del País Vasco.

Finalmente el art. 38, al referirse a los **órganos competentes en materia sancionadora** dice que serán órganos competentes para la incoación, instrucción y resolución de los expedientes sancionadores por infracciones muy graves los correspondientes del Gobierno Vasco.

Para la **incoación, instrucción y resolución** de expedientes sancionadores por **infracciones leves y graves** serán competentes los órganos correspondientes de los ayuntamientos o del Gobierno Vasco, según la administración que tenga atribuida la facultad de otorgar las licencias y autorizaciones preceptivas. En todo caso, los órganos correspondientes del Gobierno Vasco serán igualmente competentes para la tramitación de expedientes sancionadores por infracciones graves sobre locales con aforo superior a 700 personas.

Los órganos competentes del Gobierno Vasco asumirán la competencia de incoación, instrucción y resolución de los expedientes sancionadores cuya competencia corresponda a los municipios en el supuesto de que se constate una **inhibición** de éstos en la persecución de esas infracciones, previo requerimiento a los mismos.

15.1. Jurisprudencia

• **STSJ País Vasco 29 mayo 2009.- LA LEY 131581/2009**

El segundo de los motivos alegados, se refiere a la nulidad del acto administrativo por incompetencia del órgano sancionador, en aplicación de la LO 1/92. Dicho motivo también debe ser desestimado, pues en el presente procedimiento es aplicable la ley autonómica 4/95 de Espectáculos Públicos y Actividades Recreativas, así como el Decreto 296/97 que desarrolla la ley. Esta legislación habilita al Ayuntamiento para la inspección y la imposición de sanciones. De conformidad con lo dispuesto en el artículo 38.2 de la Ley del Parlamento Vasco 4/1995, de Espectáculos públicos y actividades recreativas, **la competencia para la incoación del procedimiento sancionador viene atribuida al Ayuntamiento**, para su ejercicio a través del órgano de gobierno correspondiente (la Alcaldía-Presidencia en razón de lo dispuesto en los artículos 21 de la Ley 7/1985, reguladora de las Bases del Régimen Local); toda vez que corresponde a la Corporación Municipal la competencia para otorgar la licencia para el desempeño de la **actividad de hostelería** en la que se produce la infracción en materia de sujeción a horario de cierre (También la STSJ País Vasco de 26 diciembre 2003.- LA LEY 218892/2003).

16.   Principado de Asturias

La **Ley 8/2002**, de 21 de octubre, en su art. 18.2 recoge las competencias propias del Principado y de los Ayuntamientos, para los espectáculos públicos y actividades recreativas no contemplados en el apartado 1 (Los espectáculos públicos y actividades recreativas que se desarrollen en establecimientos, locales o instalaciones que cuenten con las respectivas licencias a tal fin no necesitarán de ningún otro trámite para su celebración), y a tal fin dice que:

- La autorización corresponderá a la **Administración local** en el caso de:

— Los espectáculos públicos y actividades recreativas que se celebren íntegramente dentro de un término municipal.

— Las carreras o pruebas deportivas que se celebren en las vías públicas y cuyo desarrollo no sobrepase los términos del concejo.

— Los espectáculos públicos y actividades recreativas de carácter extraordinario.

- La autorización corresponderá a la **Administración del Principado de Asturias** en el caso de:

— Los espectáculos públicos y actividades recreativas cuya celebración afecte a más de un término municipal.

— Las carreras o pruebas deportivas que se celebren en las vías públicas y cuyo desarrollo sobrepase los términos de un concejo.

— Los espectáculos taurinos.

Por su parte el art. 23 atribuye la competencia de inspección y control dentro de sus respectivos ámbitos de competencia, a la Administración del Principado de Asturias y a los ayuntamientos, limitándose a señalar en su art. 41 las competencias en materia sancionadora.

17. Región de Murcia

Ley 2/2017, de 13 de febrero, de medidas urgentes para la reactivación de la actividad empresarial y del empleo a través de la liberalización y de la supresión de cargas burocráticas, en su disposición adicional octava se refiere a la competencia de la Comunidad Autónoma en el caso de espectáculos públicos y actividades recreativas ocasionales o extraordinarias que tengan un aforo de hasta 150 personas, deberán ser objeto de declaración responsable ante el órgano autonómico competente.

El otorgamiento de esta autorización extraordinaria es competencia de la Consejería competente en materia de espectáculos públicos aunque será necesario informe de viabilidad del espectáculo o actividad a celebrar, emitido por el Ayuntamiento del municipio en el que se celebre el espectáculo o la actividad recreativa, que no será vinculante para el órgano competente.

CAPÍTULO V

PROCEDIMIENTOS PARA LA REALIZACIÓN DE ESPECTÁCULOS PÚBLICOS Y ACTIVIDADES RECREATIVAS

Aunque en muchos de sus aspectos y contenido el REPAR sigue vigente, el CTE derogó los artículos 2 al 9, y 20 a 23, ambos inclusive, excepto el apartado 2 del artículo 20 y el apartado 3 del artículo 22, con carácter supletorio se sigue aplicando, viniendo a completar las determinaciones de las normas que sobre espectáculos públicos y actividades recreativas existen en las distintas CC.AA, al afirmar en su introducción:

> «En relación con ello, la disposición derogatoria detalla la normativa básica de la edificación que se deroga, así como algunas otras disposiciones reglamentarias que afectan a los edificios, como es el caso de las Normas Básicas para las instalaciones interiores de suministro de agua y determinados preceptos del vigente Reglamento General de Policía de Espectáculos y Actividades Recreativas, aprobado por RD 2816/1982, de 27 de agosto, **relativos a la protección contra incendios en estos edificios, ya superados, y que se contemplan en el Código Técnico de la Edificación**».

La **supletoriedad** del REPAR permite la **coexistencia** de las normas autonómicas con la estatal, como por ejemplo proclama disposición final primera de la Ley 11/2005, de 28 de diciembre, reguladora de los espectáculos públicos, actividades recreativas y establecimientos públicos de la Comunidad Autónoma de Aragón, o la disposición adicional sexta de la Ley de Cantabria 3/2017, de 5 de abril, de Espectáculos Públicos y Actividades Recreativas de Cantabria; calificado como **inadecuado** por Ley 7/2006, de 2 de octubre, de espectáculos públicos y actividades recreativas de la Comunidad de Castilla y León, al decir que «el referido Reglamento estatal se manifiesta en no pocos extremos como anticuado. No regula determinados aspectos de los espectáculos y de las actividades lúdicas que actualmente se desarrollan, por lo que es patente su inadecuación a la estructura y particularidades de la Administración Autonómica. Un apropiado marco normativo es condición necesaria para asegurar el desarrollo ordenado de un sector económico que alberga en nuestra tierra un potencial de generación de inversiones, empleo y riqueza».

Los procedimientos para la realización de espectáculos públicos y actividades recreativas están ligados a los procedimientos ambientales, con la peculiaridad de que se han de tener en cuenta aspectos propios de aquellos como es el aforo, horarios, o la contratación de un seguro de responsabilidad civil.

Se puede afirmar que no estamos ante procedimientos singulares para la realización de espectáculos públicos y actividades recreativas, sino que se los mismos son una especialidad de los procedimientos ambientales, salvo los concernientes a espectáculos públicos o actividades recreativas con carácter ocasional, eventual o extraordinario que son tratados por las distintas normas de forma diferenciada.

1. ANDALUCÍA

I. Expediente de calificación ambiental para espectáculo público o actividad recreativa

1. Claves del Expediente

Uno de los aspectos más importante de los espectáculos públicos y de las actividades recreativas es el que se refiere a las condiciones técnicas de los recintos, locales, establecimientos o instalaciones destinados a albergar la realización y desarrollo de estas actividades.

Los principios básicos que han de presidir el ejercicio de estas actividades están relacionados con la primacía, en todo caso, de la exigencia de condiciones técnicas idóneas de seguridad y salubridad de los establecimientos, así como la evitación de ruidos y molestias que puedan originar su desarrollo.

La calificación ambiental, es el instrumento a través del cual se autoriza el ejercicio de espectáculos públicos y actividades recreativas, concurriendo para su emisión de un lado la Ley 7/2007, de 9 de julio, de Gestión Integrada de la Calidad Ambiental (arts. 41 a 45) y de otro la Ley 13/1999, de 15 de diciembre, de Espectáculos Públicos y Actividades Recreativas de Andalucía.

El procedimiento de calificación ambiental que afecta a las actividades del anexo I de la Ley 7/2007, relacionadas con los espectáculos públicos y las actividades recreativas así como a sus modificaciones sustanciales, en concordancia con el art. 1 de la Ley 13/1999 citada. Dichas actividades están sujetas bien a calificación ambiental.

Ha de tenerse en cuenta que la calificación ambiental exigida por la Ley 7/2007 es independiente de la presentación de la declaración responsable a la que hace mención el art. 7.1.b) del D 155/2018, de 31 de julio. Está declaración responsable se presentará ante el Ayuntamiento una vez se haya obtenido la citada calificación ambiental.

En la tramitación del expediente para la concesión de la calificación ambiental ha de tener en cuenta lo siguiente:

1.- El procedimiento para los expedientes de calificación ambiental está pendiente de desarrollo reglamentario, por lo que supletoriamente se aplicará el Decreto 297/1995. Esta situación jurídica supone en la práctica que no exista un protocolo de actuación claro y uniforme.

2.- Termina el procedimiento con la puesta en marcha de la actividad, si bien para las actividades sujetas calificación ambiental mediante declaración responsable, han de entenderse que no es necesario.

Asimismo como consecuencia de la entrada en vigor del Decreto 155/2018 de 31 de julio, se produce un significativo cambio en el régimen de apertura o instalación de establecimientos públicos.

El régimen de apertura o instalación de establecimientos públicos (art. 7), puede dar lugar a cierta confusión al decir que la apertura de establecimientos públicos fijos y actividades recreativas permanentes y de temporada se someterá con carácter general a la presentación de **declaración responsable** ante el Ayuntamiento.

Esta declaración responsable, apostillamos, no supone que no tenga que tramitarse la correspondiente calificación ambiental de la actividad cuando la misma se encuentre dentro de las del anexo I de la Ley 7/2007, de 9 de julio, de Gestión Integrada de la Calidad Ambiental (GICA) (categorías 13.31 a 13.35). La trascendencia del art. 7.1.a) es que la declaración responsable, una vez obtenida calificación ambiental no sería necesaria la obtención de la puesta en marcha (art. 45 GICA) ¿Es esto lo que realmente se ha querido decir?

La Ley 3/2014, de 1 de octubre, de medidas normativas para reducir trabas administrativas para las empresas modifica el art. 6 de la Ley 13/1999, de 15 de diciembre de Espectáculos Públicos y Actividades Recreativas de Andalucía, atribuyendo a los ayuntamientos la concesión de las licencias urbanísticas y medioambientales. Este artículo continua vigente, y no puede ser modificado por el Decreto 155/2018 en virtud de principio de jerarquía normativa (art. 9.3. Constitución española), luego cómo a los efectos de la simplificación y reducción de las trabas administrativas proclamados tanto en el citado Decreto 155/2018, como en normas anteriores, recogidas en su parte dispositiva (Ley 17/2009, de 23 de noviembre, sobre el libre acceso a las actividades de servicios y su ejercicio, la Ley 25/2009, de 22 de diciembre, de modificación de diversas leyes para su adaptación a la Ley sobre el libre acceso a las actividades de servicios y su ejercicio, la Ley 2/2011, de 4 de marzo, de Economía Sostenible, la Ley 20/2013, de 9 de diciembre, de garantía de la unidad de mercado, y la Ley 3/2014, de 1 de octubre, de medidas normativas para reducir las trabas administrativas para las empresas), **la novedad será eliminar la puesta en marcha por la declaración responsable en los casos de las actividades incluidas en las categorías 13.31 a 13.35 anexo GICA)** por aplicación del art. 2.7 de la Ley 13/1999 «*Reglamentariamente, se establecerán los tipos de espectáculos públicos, actividades recreativas y establecimientos públicos cuya celebración y apertura podrán estar sujetas a la presentación de declaración responsable o comunicación previa como medios de intervención por parte de la Administración competente*».

La declaración responsable ha de reunir los requisitos del art. 9, recogiendo como mínimo el contenido del art. 8.

La nueva regulación en el caso de **inactividad o cierre** durante más de seis meses de un establecimiento fijo dedicado a la celebración y desarrollo de espectáculos públicos y actividades recreativas fijas y de temporada, se remite a la presentación de una nueva declaración responsable ante el Ayuntamiento para su reapertura, así como en el caso de establecimiento público eventual (art. 7.3).

El contenido mínimo de las autorizaciones se recoge en el art. 8.1. y se ha de hacer constar en éstas, tiene como consecuencia inmediata que desaparece el documento de titularidad, aforo y horario emitido por las Delegaciones del Gobierno de la Junta de Andalucía (parte dispositiva V, último párrafo).

La celebración de más de un tipo de espectáculo público o actividad recreativa (art. 10)

Se regula el ejercicio de más de un tipo de espectáculo público o actividad recreativa compatibles así como otras actividades económicas que se encuentren fuera del ámbito de aplicación de la Ley 13/1999, debiéndose tener en cuenta:

- Se ha de hacer constar expresamente en la autorización municipal o en la declaración responsable de apertura.

- Si en el establecimiento se dispusiera de varios espacios de usos diferenciados entre sí, se deberá expresar para cada uno de ellos.

- No se podrán celebrar ni desarrollar dentro de un mismo establecimiento público aquellos espectáculos o actividades recreativas que resulten incompatibles, salvo que cuenten con soluciones arquitectónicas que permitan delimitar y separar físicamente los distintos espacios.

Terrazas y veladores para el consumo de bebidas y comidas en establecimientos de hostelería y de ocio y esparcimiento (arts. 11 y 12)

De singular importancia, este artículo novedoso amplia la posibilidad de instalación de terrazas y veladores para el consumo de vidas y comidas, en vías públicas y otras zonas de dominio público y en superficies privadas abiertas o al aire libre o descubiertas de los establecimientos de hostelería y ocio y esparcimiento en general, establecimiento su ubicación preferente en zonas no residenciales, al objeto de compatibilizar su instalación con el derecho al descanso de la ciudadanía, tal como se dice en la parte expositiva del Decreto 155/2018.

El problema que se puede plantear, pese a que ha de aplaudirse solucionar una situación sostenida por el derogado Decreto 78/2002 que podemos considerar como anacrónica, es que gran parte de estas terrazas y veladores se instalaran en zonas residenciales, por lo que será complejo compatibilizar el derecho al descanso de la ciudadanía al incrementarse el número de terrazas y veladores que se instalarán, con el del ejercicio de actividades. La solución pasa por establecer un régimen de horarios que haga posible conciliar ambos derechos.

Ha de tenerse en cuenta que:

- Los Ayuntamientos regularán su instalación mediante ordenanza municipal.

- Se ubicarán preferentemente en áreas no declaradas zonas acústicas especiales.

- La instalación está sujeta a licencia municipal.

PREGUNTAS CLAVE

1. ¿Ha de someterse a información pública, mediante anuncio en el Boletín Oficial de la Provincia, el expediente de calificación ambiental para ejercicio de espectáculos públicos o actividades recreativas?

Aunque sigue siendo frecuente la publicación del anuncio de tramitación de expediente de calificación ambiental en el Boletín Oficial de la Provincia por parte de los ayuntamientos, este trámite es innecesario al no exigirse en el art. 13 del

Decreto 297/1995, de 19 de diciembre, por el que se aprueba el Reglamento de Calificación Ambiental, aparte de generar un injustificado retraso en la tramitación de la calificación ambiental. Tampoco la Ley 13/1999, de 15 de diciembre de Espectáculos Públicas y Actividades Recreativas hace alusión al procedimiento a seguir.

2. ¿Es necesaria siempre la puesta en marcha para el ejercicio de una actividad sujeta a calificación ambiental?

La puesta en marcha para el ejercicio de una actividad sujeta a calificación ambiental es previa para el ejercicio del espectáculo público o de la actividad recreativa y tiene como fundamento legal el art. 45 de la Ley 7/2007, de 9 de julio, de Gestión Integrada de la Calidad Ambiental, que dispone que «En todo caso, la puesta en marcha de las actividades con calificación ambiental se realizará una vez que se traslade al Ayuntamiento la certificación acreditativa del técnico director de la actuación de que ésta se ha llevado a cabo conforme al proyecto presentado y al condicionado de la calificación ambiental».

En el caso de actividades incluidas dentro del anexo I de la citada Ley 7/2009 (categoría 13.32. a 13.35) de acuerdo con lo dispuesto en el art. 7.1 a) del D 155/2018,de 31 de julio, la apertura se someterá, con carácter general, a la presentación de la declaración responsable.

3. ¿Cómo ha de actuarse en el caso de que se produzcan modificaciones sustanciales en una actividad recreativa?

En el supuesto de que se produzcan modificaciones sustanciales en la actividad recreativa, las mismas se tramitarán como si se tratase de un nuevo procedimiento, sometiéndolas al trámite de calificación ambiental. Así el art. 41.1 de la Ley 7/2007, de 9 de julio, de Gestión Integrada de la Calidad Ambiental, dice que »Están sometidas a calificación ambiental y a declaración responsable de los efectos ambientales las actuaciones, tanto públicas como privadas, así señaladas en el Anexo I y sus modificaciones sustanciales».

4. ¿Cuándo existen modificaciones sustanciales en una actividad recreativa?

De conformidad con lo dispuesto en el art. 19.11 de la Ley 7/2007, de 9 de julio, de Gestión Integrada de la Calidad Ambiental, que define la modificación sustancial como cualquier cambio o ampliación de actuaciones ya autorizadas que pueda tener efectos adversos significativos sobre la seguridad, la salud de las personas o el medio ambiente, a efectos de la autorización ambiental unificada y calificación ambiental, se entenderá que existe una modificación sustancial cuando en opinión del órgano ambiental competente se produzca, de forma significativa, alguno de los supuestos siguientes:

1.º Incremento de las emisiones a la atmósfera.

2.º Incremento de los vertidos a cauces públicos o al litoral.

3.º Incremento en la generación de residuos.

4.º Incremento en la utilización de recursos naturales.

5.º Afección al suelo no urbanizable o urbanizable no sectorizado.

6.º Afección a un espacio natural protegido o áreas de especial protección designadas en aplicación de normativas europeas o convenios internacionales.

5. ¿Qué ocurre en el caso de inactividad o cierre de un establecimiento público fija durante más de seis meses?

La inactividad o cierre durante más de seis meses de un establecimiento público fijo dedicado a la celebración y desarrollo de espectáculos públicos y actividades recreativas permanentes y de temporada, requerirá de la presentación de una nueva declaración responsable ante el Ayuntamiento para su reapertura (art. 7.3 del D 155/2018).

6. ¿Puede desarrollarse más de un tipo de espectáculo público o actividad recreativa en un establecimiento público?

De acuerdo con el art. 10.1 del D 155/2018, si puede celebrarse o desarrollarse más de un tipo de espectáculo público o actividad recreativa compatibles en el mismo establecimiento público, haciéndose constar expresamente en la autorización municipal o en la declaración responsable de apertura, de acuerdo con las denominaciones y definiciones que correspondan a cada espectáculo público, actividad recreativa y establecimiento público, establecidas en el Catálogo.

7. ¿Puede autorizarse la instalación de terrazas o veladores para el consumo de bebidas y comidas en establecimientos de hostelería, ocio y esparcimiento?

Una de las novedades del D 155/2018, de 31 de julio es precisamente la de permitir tal instalación, correspondiendo al Ayuntamiento regular la misma. (arts. 11.1 y 12.1).

8. ¿En qué zonas se ubicarán las terrazas y veladores?

Preferentemente en áreas no declaradas zonas acústicas especiales y que además sean sectores con predominio de suelo de uso recreativo, de espectáculos, característico turístico o de otro uso terciario no previsto en el anterior, e industrial (arts. 11.2 y 12.2 D 155/2018).

9. ¿Dónde han de instalarse los equipos de reproducción o amplificación sonora o audiovisuales?

Sólo se podrán instalar y utilizar equipos de reproducción o amplificación sonora o audiovisuales en el interior de los espacios fijos, cerrados y cubiertos de los establecimientos de hostelería que se determinen en el Catálogo y en el interior de los espacios fijos, cerrados y cubiertos de los establecimientos de ocio y esparcimiento, sin perjuicio de las disposiciones en materia de horarios del capítulo III (art. 13 D 155/2018).

10. ¿Pueden autorizarse actuaciones en directo?

El art. 14 del D 155/2018 regula las actuaciones en directo y actuaciones de pequeño formato en el interior de establecimientos de hostelería y de ocio y esparcimiento, permitiendo su desarrollo con carácter habitual.

11. Las actuaciones en directo de pequeño formato están implícitas en la actividad de hostelería?

Según establece el art. 14.4 par. tercero, las actuaciones en directo de pequeño formato no estarán implícitas en la actividad de hostelería, por lo que sólo podrán desarrollarse cuando esas actividades complementarias estén previstas y consten en la declaración responsable de apertura del establecimiento público o se hayan autorizado por el Ayuntamiento en los supuestos que proceda. En caso contrario, requerirán de las autorizaciones de carácter extraordinario que los Ayuntamientos puedan otorgar, en los términos previstos en el Decreto 195/2007, de 26 de junio.

12. ¿Puede instalarse equipos de reproducción o amplificación sonora o audiovisuales, celebrarse actuaciones en directo y actuaciones en directo de pequeño formato en terrazas y veladores de establecimientos de hostelería y de ocio y esparcimiento?

Con carácter general se prohíbe la instalación y utilización de equipos de reproducción o amplificación sonora o audiovisuales, las actuaciones en directo y las actuaciones en directo de pequeño formato, tanto en terrazas y veladores situados en la vía pública y en otras zonas de dominio público, anexos o accesorios a los establecimientos de hostelería y de ocio y esparcimiento, como en los instalados en superficies privadas abiertas o al aire libre o descubiertas que formen parte de los establecimientos de hostelería y de ocio y esparcimiento, destinados exclusivamente a la consumición de comidas y bebidas, sin perjuicio de las excepciones previstas en las disposiciones adicionales tercera y cuarta y de las autorizaciones de carácter extraordinario que los Ayuntamientos puedan otorgar, en los términos previstos en el Decreto 195/2007, de 26 de junio.

13. ¿Qué información ha de exponerse al público en los establecimientos sujetos a la Ley 13/1999, de 15 de diciembre?

En todos los establecimientos públicos sujetos a la Ley 13/1999, de 15 de diciembre, se deberá exponer en lugar visible desde el exterior, una copia clara y legible de la autorización administrativa concedida o de la declaración responsable en modelo aprobado, publicado y sellado por el Ayuntamiento, según proceda, en los que consten los datos e información mínima exigidos en los artículos 8 y 9 (art. 16 D 155/2018).

14. ¿Es necesario la expedición del documento de titularidad, aforo y horario que se emite por las Delegaciones del Gobierno de la Junta de Andalucía?

No es necesario, siendo sustituido por la copia de la autorización administrativa o declaración responsable expedida por el Ayuntamiento (parte expositiva V último párrafo, art. 16 y DT quinta del D 155/2018).

2. Legislación aplicable

— Estatal

RD 2816/1982, de 27 de agosto, por el que se aprueba el Reglamento General de Policía de Espectáculos Públicos y Actividades Recreativas.

— Autonómica

Arts. 41 a 45 de la Ley 7/2007, de 9 de julio, de Gestión Integrada de la Calidad Ambiental.

Decreto 297/1995, de 19 de diciembre, por el que se aprueba el Reglamento de Calificación Ambiental.

Ley 13/1999, de 15 de diciembre de Espectáculos Públicas y Actividades Recreativas.

Decreto 155/2018, de 31 de julio, por el que se aprueba el catálogo de espectáculos públicos, actividades recreativas y establecimientos públicos de Andalucía y se regulan sus modalidades, régimen de apertura o instalación y horarios de apertura y cierre.

Decreto 247/2011, de 19 de julio, por el que se modifican diversos Decretos en materia de espectáculos públicos y actividades recreativas para su adaptación a la Ley 17/2009, de 23 de noviembre, sobre el libre acceso a las actividades de servicios y su ejercicio.

Decreto-Ley 5/2014, de 22 de abril, de medidas normativas para reducir las trabas administrativas para las empresas.

Decreto Ley 3/2015 de 3 de marzo, por el que se modifica la Ley 7/2007, de 9 de julio, de gestión integrada de la calidad ambiental.

Arts. 7, 8, 9.12; 9.13 f) e i); 9.14 a) de la Ley 5/2010, de 11 de junio, de Autonomía Local de Andalucía.

3. Documentos de interés

— Doctrina

CALANCHA MARTÍN, Antonio. «Intervención administrativa en espectáculos públicos y actividades recreativas y de ocio. Breve referencia a la incidencia de la Directiva de Servicios. Normativa de desarrollo». *El Consultor de los Ayuntamientos y de los Juzgados*, n.º 9, Sección Colaboraciones, Quincena del 15 al 29 May. 2011, Ref. 1125/2011, pág. 1125, tomo 2, LA LEY.

CANO MURCIA, ANTONIO. «Calificación ambiental y la declaración responsable en la Ley 7/2007, de gestión integrada de la calidad ambiental de Andalucía. Análisis crítico al Decreto-Ley 3/2015». *El Consultor de los Ayuntamientos y de los Juzgados*, n.º 9/2015.

—. *El Nuevo Régimen de las Licencias de Apertura*. El Consultor de los Ayuntamientos y de los Juzgados. Madrid 2010.

— Jurisprudencia

• Planteada la apelación en los precedentes términos, procede examinar en primer lugar lo alegado por el recurrente sobre la incidencia de la Instrucción de 12 de marzo de 1999 en la normativa de espectáculos públicos y actividades recreativas en las licencias de actividad y funcionamiento, debiendo señalar a este respecto que la Ley 17/97 de Espectáculos Públicos y Actividades Recreativas de la Comunidad de Madrid fue desarrollada por el Decreto 184/98, de 22 de octubre —citado en la sentencia apelada— que reguló el catálogo de espectáculos públicos y actividades recreativas, y este, a su vez, fue desarrollado por la Orden 1562/98, de 23 de diciembre del Consejo de la Presidencia sobre horarios. Conviene precisar, a su vez, que la Disposición Transitoria 1.ª del citado Decreto 184/98, que, contrariamente a lo señalado por la recurrente no es ajena a la cuestión controvertida, establece que los Ayuntamientos en el plazo de 3 años deberán revisar todas las licencias de funcionamiento, con el **único fin de adaptar la denominación de la actividad y la tipología del local a las definiciones contenidas en el catálogo**, de lo que se desprende que **la adaptación de la denominación no implicará el reconocimiento de una actividad diferente a la autorizada a través de la correspondiente licencia,** siendo éste, por tanto, el contexto en que se produce la citada Instrucción, que invoca la parte apelante, tal y como se establece expresamente el Art. 3.3.1 de la citada Instrucción [STSJ Madrid 2 octubre 2014.- LA LEY 168769/2014]

• Por otro lado debe indicarse **la gran diferencia entre el aforo autorizado al Local (450 personas) y la asistencia estimada (una mil), por lo que aún no siendo el realizado un cómputo matemáticamente preciso si resulta fácilmente apreciable que aquél se rebasó en exceso,** sobre todo ante la contundencia de apreciaciones que aunque subjetivas resultan apreciables con cierta objetividad como las condiciones de masificación de la discoteca en el momento de la presencia de los agentes o la imposibilidad de acceder a determinadas zonas de la misma. Ante tales argumentos y siguiendo pronunciamientos jurisprudenciales como la Sentencia de 14 septiembre 1990 del Tribunal Supremo (Sala de lo Contencioso-Administrativo, Sección 8) y *a sensu contrario* la sentencia de esta misma Sala (Sección Segunda) 2509/03 de 22 de septiembre de 2003 (LA LEY 145835/2003) dictada en el recurso 2886/97, tal motivo de impugnación debe resultar desestimado.

Aún cabe indicar que la **existencia de la indicada masificación resulta corroborada por la existencia del cartel en la puerta del local que autorizaba un aforo de 945 personas el cual resulta un indicio probatorio que en conjunción con la percepción de los agentes intervinientes obliga a concluir en la existencia del exceso de aforo efectivamente producido.** [STSJ Andalucía (Granada) 5 noviembre 2012.- LA LEY 233660/2012)]

• Las **medidas correctoras pueden ser exigidas en cualquier tiempo**, ya que, como se indica en la sentencia del Tribunal Supremo de 6 de noviembre de 1996, «**como el peligro no prescribe**», la Administración puede exigir su puesta en práctica, para la seguridad de personas y cosas (STS de 6 de noviembre de 1996). [STSJ Andalucía (Granada) 23 noviembre 2015.- LA LEY 210029/2015]

MODELO DE EXPEDIENTE *(Disponible a texto íntegro en smarteca.es)*

1)   Inicio expediente para concesión de la calificación ambiental de actividad recreativa

2)   Admisión a trámite del expediente

3)   Requerimiento vecinos a policía local

4)   Edicto de información pública

5)   Informe técnico

6)   Notificación a vecinos colindantes

7)   Certificado de reclamaciones

8)   Trámite de audiencia

9)   Notificación trámite de audiencia

10)   Escrito de alegaciones en trámite de audiencia

11)   Requerimiento informe técnico y jurídico para propuesta de califica-
        ción ambiental

12)   Informe técnico para propuesta de calificación ambiental

13)   Informe jurídico para propuesta de calificación ambiental

14)   Calificación ambiental

15)   Notificación calificación ambiental

16)   Comunicación de la calificación ambiental a la comunidad autónoma

II.   Expediente de puesta en marcha de actividad recreativa

1.   Claves del Expediente

Una vez otorgada la calificación ambiental de la actividad recreativa procede continuar la tramitación del procedimiento. A tal fin del interesado deberá solicitar la puesta
en marcha de la actividad, que también puede denominarse licencia de apertura en su
concepción clásica.

Para que el Ayuntamiento concede la puesta en marcha de la actividad, junto con la
solicitud se acompañará la documentación a la que se hizo referencia en el acto de
calificación ambiental, junto con los certificados técnicos acreditativos de la terminación
de las obras e instalaciones y del cumplimiento de las medidas correctoras.

El art. 45 de la Ley 7/2007, de 9 de julio, de Gestión Integrada de la Calidad Ambiental
determina que «en todo caso, la puesta en marcha de las actividades con calificación
ambiental se realizará una vez que se traslade al Ayuntamiento la certificación acreditativa del técnico director de la actuación de que ésta se ha llevado a cabo conforme al
proyecto presentado y al condicionado de la calificación ambiental».

Ha de tenerse en cuenta asimismo que el art. 7.1 a) del D 155/2018, de 31 de julio,
dispone que con carácter general la apertura de los establecimientos fijos destinados a
la celebración y desarrollo de espectáculos públicos y actividades recreativas permanentes y de temporada se someten a la presentación de declaración responsable ante el
Ayuntamiento.

Entendemos que la puesta en marcha de la actividad recreativa no queda suprimida
con esta disposición, sino que tiene en cualquier caso un carácter especial.

PREGUNTAS CLAVE

**1. ¿Es necesaria siempre la puesta en marcha para el ejercicio de una actividad
sujeta a calificación ambiental?**

La puesta en marcha para el ejercicio de una actividad sujeta a calificación ambiental es previa para el ejercicio del espectáculo público o de la actividad recreativa y tiene como fundamento legal el art. 45 de la Ley 7/2007, de 9 de julio, de Gestión Integrada de la Calidad Ambiental,

2. ¿Puede concederse licencia o puesta en marcha de una actividad recreativa sin la calificación ambiental favorable?

De conformidad con lo dispuesto en el art. 41.2 de la Ley 7/2007, de 9 de julio, de Gestión Integrada de la Calidad Ambiental, la calificación ambiental favorable constituye requisito indispensable para el otorgamiento de la licencia municipal correspondiente. Por lo tanto, sin la calificación ambiental favorable no podrá concederse licencia municipal o puesta en marcha de la actividad.

2. Legislación aplicable

— Estatal

RD 2816/1982, de 27 de agosto, por el que se aprueba el Reglamento General de Policía de Espectáculos Públicos y Actividades Recreativas.

— Autonómica

Arts. 41 a 45 de la Ley 7/2007, de 9 de julio, de Gestión Integrada de la Calidad Ambiental.

Decreto 297/1995, de 19 de diciembre, por el que se aprueba el Reglamento de Calificación Ambiental.

Ley 13/1999, de 15 de diciembre de Espectáculos Públicas y Actividades Recreativas.

Decreto 155/2018, de 31 de julio, por el que se aprueba el catálogo de espectáculos públicos, actividades recreativas y establecimientos públicos de Andalucía y se regulan sus modalidades, régimen de apertura o instalación y horarios de apertura y cierre.

Decreto 247/2011, de 19 de julio, por el que se modifican diversos Decretos en materia de espectáculos públicos y actividades recreativas para su adaptación a la Ley 17/2009, de 23 de noviembre, sobre el libre acceso a las actividades de servicios y su ejercicio.

Decreto-Ley 5/2014, de 22 de abril, de medidas normativas para reducir las trabas administrativas para las empresas.

Decreto Ley 3/2015 de 3 de marzo, por el que se modifica la Ley 7/2007, de 9 de julio, de gestión integrada de la calidad ambiental.

Arts. 7, 8, 9.12; 9.13 f) e i); 9.14 a) de la Ley 5/2010, de 11 de junio, de Autonomía Local de Andalucía.

3. Documentos de interés

— Doctrina

CALANCHA MARTÍN, Antonio. «Intervención administrativa en espectáculos públicos y actividades recreativas y de ocio. Breve referencia a la incidencia de la Directiva de Servicios. Normativa de desarrollo». *El Consultor de los Ayuntamientos y de los Juzgados,* n.º 9, Sección Colaboraciones, Quincena del 15 al 29 May. 2011, Ref. 1125/2011, pág. 1125, tomo 2, LA LEY.

CANO MURCIA, ANTONIO. «Calificación ambiental y la declaración responsable en la Ley 7/2007, de gestión integrada de la calidad ambiental de Andalucía. Análisis crítico al Decreto-Ley 3/2015». *El Consultor de los Ayuntamientos y de los Juzgados*, n.º 9/2015.

—. *El Nuevo Régimen de las Licencias de Apertura*. El Consultor de los Ayuntamientos y de los Juzgados. Madrid 2010.

— Jurisprudencia

• Consecuentemente, a raíz de la reforma operada, **no es preciso que con carácter previo al inicio de la actividad sujeta a licencia ambiental** y con relación a las actividades sujetas a tal licencia, **el Ayuntamiento otorgue previamente lo que se venía denominando licencia de apertura**, pues basta con que con carácter previo al inicio de actividad el titular comunique **su puesta en marcha en los términos dichos.** [STSJ Castilla y León (Burgos) 22 diciembre 2014.- LA LEY 195827/2014]

• La Sala comparte plenamente el argumento ofrecido por el Juez *a quo* para repeler una pretendida aplicación retroactiva de la Ley 7/2007, de 9 de julio (LA LEY 7871/2007), de Gestión Integrada de la Calidad Ambiental, ya que, efectivamente, pese a la dicción de su Disposición Transitoria Segunda, que se refiere a los procedimientos iniciados con anterioridad a su entrada en vigor para la aprobación, autorización o actualización ambiental, y aunque el procedimiento hubiera concluido en 2003 cuando se otorgó la licencia de apertura, **es lo cierto que la autorización de puesta en marcha e inicio de la actividad** por la resolución impugnada de 2010 **ha de atemperarse a las exigencias normativas del momento de su otorgamiento**, ya que, como muy bien expone el Juez *a quo*, ello comporta una revisión de los condicionantes ambientales que se tuvieron en cuenta tiempo atrás. [STSJ Andalucía (Granada) 26 enero 2015.- LA LEY 54911/2015]

Sin que lo que aquí se afirme suponga prejuzgar en modo alguno el fondo del asunto, **hemos de partir de una situación jurídica no negada por el apelado y es que carece de licencia de funcionamiento que le permita iniciar la actividad en el local de autos, pues incluso en la resolución de concesión de licencia provisional** tenida en cuenta por el juzgador *a quo*, se hace expresa referencia a que mientras no se obtenga la licencia de funcionamiento «**no podrá iniciarse el ejercicio de la actividad ni la puesta en marcha de las instalaciones**». Por lo demás y pese a lo genérico de las alegaciones del apelante, le asiste la razón cuando afirma que no se puede acceder a la suspensión cautelar pues el acto impugnado pretende dar cumplimiento a la legalidad urbanística y más en concreto se dicta en ejecución de una sentencia de 29 de julio de 2013 del Juzgado de lo Contencioso-Administrativo n.º 27 de Madrid, confirmada en apelación por sentencia de esta Sección de 11 de febrero de 2015 por la que se declaró ajustada a Derecho la orden de cese de la actividad, indicándose por esta Sección, entre otras afirmaciones, que «Las eventuales dificultades para la obtención, primero, de la licencia de instalaciones generales del edificio y, luego, de la licencia de funcionamiento (dificultades que, por otra parte, no se aclaran ni especifican) no eximen ni al Ayuntamiento de Madrid para la exigencia de su obtención, ni a ADIF ni a la mercantil recurrente de la pertinente solicitud. En caso contrario, se estaría en presencia de una dispensación contraria al ordenamiento jurídico. [STSJ Madrid 15 febrero 2017.- LA LEY 22717/2017]

MODELO DE EXPEDIENTE: Puesta en marcha de actividad recreativa *(Disponible a texto íntegro en smarteca.es)*

1)   *Inicio expediente de puesta en marcha*

2)   *Admisión a trámite del expediente*

3)   *Informe técnico*

4)   *Informe jurídico para la puesta en marcha de la actividad recreativa*

5)   *Puesta en marcha de la actividad recreativa*

6)   *Notificación calificación ambiental*

III.   Expediente de control de actividad recreativa

1.   Claves del Expediente

El control que se ejerce una vez que está en funcionamiento una actividad recreativa está recogido en el art. 11 de la Ley 13/1999, de 15 de diciembre de Espectáculos Públicas y Actividades Recreativas.

Dicho control, se ejercerá por la Administración competente dentro de su ámbito de actuación, llevándose a efecto, según los casos, por los miembros de la Policía Local, por los de la unidad adscrita de la Policía Nacional a la Junta de Andalucía y por los miembros de la Inspección del Juego y de Espectáculos Públicos.

PREGUNTAS CLAVE

1. ¿Quién tiene la competencia de vigilancia, control, inspección de los espectáculos públicos o actividades recreativas?

La competencia recae en el Ayuntamiento y corresponde ejercerla al alcalde y por delegación de éste a la Junta de Gobierno Local, o concejal delegado.

2. ¿A quién corresponde la función inspectora de la licencia ambiental?

El art. 21 del Decreto 297/1997, en el ámbito de las competencias municipales encomienda la inspección a los servicios técnicos del ayuntamiento.

3. ¿Cuándo se realiza el control de una actividad sujeta a calificación ambiental?

Una vez que se ha concedido la licencia de apertura o puesta en marcha, y con posterioridad a la misma el ayuntamiento podrá en cualquier momento inspeccionar el establecimiento para comprobar el funcionamiento de las medidas correctoras impuestas con la calificación ambiental (art. 21 del Decreto 297/1995)

4. ¿Puede incoarse procedimiento sancionador como consecuencia del acta de comprobación que se levante?

Una de las consecuencias de la inspección que se realice y posterior levantamiento del acta de comprobación es la incoación de procedimiento sancionador, ya que según dispone el art. 130.2 de la Ley 7/2007, en toda visita de inspección se levantará acta descriptiva de los hechos y en especial de los que pudieran ser constitutivos de infracción administrativa.

5. ¿Quién tiene la condición de agentes de la autoridad en la inspección de actividades?

De conformidad con el art. 130.1 de la Ley 7/2007, en el ejercicio de sus funciones, tendrán la consideración de agentes de la autoridad todas aquellas personas que realicen las tareas de vigilancia, inspección y control que tengan una relación estatutaria con la Administración de la Junta de Andalucía u otras Administraciones.

6. ¿Ha de levantarse acta de inspección?

El art. 11.3 de la Ley 13/1999 dispone que el resultado de la inspección deberá consignarse en acta, de la que se entregará copia al interesado. En ella, el interesado podrá hacer constar su disconformidad con los datos y circunstancias contenidas en la misma. Dicha acta se remitirá al órgano administrativo competente a los efectos que procedan.

2.   Legislación aplicable

— Estatal

RD 2816/1982, de 27 de agosto, por el que se aprueba el Reglamento General de Policía de Espectáculos Públicos y Actividades Recreativas.

— Autonómica

Decreto 297/1995, de 19 diciembre. Reglamento de Calificación Ambiental.

Arts. 127 a 130 de la Ley 7/2007, de 9 de julio. De Gestión Integrada de la Calidad Ambiental.

Art. 11 de la Ley 13/1999, de 15 diciembre. Normas reguladoras de espectáculos públicos y actividades recreativas de Andalucía.

Arts. 7, 8, 9.12; 9.13 f) e i); 9.14 a) Ley 5/2010, de 11 de junio, de Autonomía Local de Andalucía.

3.   Documentos de interés

— Doctrina

BARRANCO VELA, Rafael; BULLEJOS CALVO, Carlos; y CAMPOS SÁNCHEZ, Miguel Ángel. *Espectáculos Públicos, Actividades Recreativas y Establecimientos Públicos*. El Consultor de los Ayuntamientos y Juzgados. 2011.

CANO MURCIA, Antonio. «Calificación ambiental y la declaración responsable en la Ley 7/2007, de gestión integrada de la calidad ambiental de Andalucía. Análisis crítico al Decreto-Ley 3/2015». *El Consultor de los Ayuntamientos y de los Juzgados*, n.º 9/2015.

—. *El Nuevo Régimen de las Licencias de Apertura*. El Consultor de los Ayuntamientos y de los Juzgados. Madrid 2010.

CHOLBÍ CACHÁ, Francisco Antonio. *El régimen de la comunicación previa, las licencias de urbanismo y su procedimiento y otorgamiento*. El Consultor de los Ayuntamientos y Juzgados. 2010.

— **Jurisprudencia**

• La licencia de apertura y/o funcionamiento **crea una relación permanente con la Administración,** ya que las exigencias del interés público demandan un funcionamiento correcto de la actividad y de sus medidas correctoras, **lo cual implicará que la actividad desarrollada quede, durante la vigencia de la licencia, sujeta a inspecciones administrativas para la comprobación** del cumplimiento de las condiciones expresadas en la misma, conforme declaran, entre otras, las SSTS de 4 octubre 1986 30 junio 1987. [STSJ Madrid 13 noviembre 2001]

• **La licencia de apertura** y funcionamiento de establecimientos o actividades potencialmente nocivas o peligrosas, **a diferencia de las que suponen un control de un acto u operación determinada, tiene por objeto el control de una actividad llamada a prolongarse indefinidamente en el tiempo**, denominándose por ello, doctrinalmente, **licencias de funcionamiento**, lo que acarrea, como consecuencia, que la autorización y sus condiciones prolonguen su vigencia tanto como dure la actividad autorizada… Sobre esta base y a propósito de las licencias de apertura y funcionamiento antes citadas, la jurisprudencia ha reconocido que «la posibilidad de actuación en esta materia de los Ayuntamientos, como titulares de policía de seguridad, **no se agota con la concesión y la revocación de las licencias de apertura, sino que, más bien disponen de unos poderes de intervención de oficio y de manera constante con la finalidad de salvaguardar la protección de personas y bienes pudiendo imponer, en consecuencia, cualesquiera correcciones y adaptaciones que estimen necesarias sin que ello suponga una ilícita vuelta contra los propios actos».** Por consiguiente, hay que admitir respecto de estas licencias de funcionamiento la posibilidad, e, incluso, el deber de la Administración de modificar el contenido de la autorización inicialmente otorgada para mantenerlo correctamente adaptado, a lo largo de su vigencia, a las exigencias del interés público. [STSJ Madrid 12 febrero 2014.- LA LEY 19239/2014]

• **La actividad está sometida al control permanente que sobre ella debe ejercer la administración y que no puede quedar limitado al plazo de cuatro años**, cuestión ya establecida por esta Sala en anteriores sentencias de 4 de diciembre de 1998 y 6 de mayo de 1999. [STSJ Madrid 27 junio 2014.- LA LEY 108979/2014]

• En la presente *litis*, no es necesario acudir a la revisión de oficio de actos firmes, dado que en cualquier caso, nos encontramos ante una actividad (BAR RESTAURANTE), que requiere licencia de apertura, en el que la actividad de control por las administraciones, no culmina con la licencia de apertura, sino que se realiza una función constante y permanente, **en el que la actividad de control por la administración es continua, y el sujeto sometido a la intervención administrativa debe cumplir las previsiones legales que se vayan produciendo en la actividad sometida al control de la administración.** [STSJ Castilla y León (Burgos) 11 septiembre 2015.- LA LEY 134406/2015]

MODELO DE EXPEDIENTE *(Disponible a texto íntegro en smarteca.es)*

1)   *Acta de control de actividad recreativa*

2)   *Resolución ordenando apertura de expediente*

3)   *Notificación de acta de comprobación en trámite de audiencia*

4)   *Escrito de alegaciones en trámite de audiencia*

5)   *Resolución del expediente de comprobación*

6)   *Notificación de la resolución*

IV. Expediente de cambio de titularidad de espectáculo público o actividad recreativa

1. Claves del Expediente

A tenor del artículo 13.1 del Reglamento de Servicios de las Corporaciones Locales, aprobado por Decreto de 17 de junio de 1955, las licencias relativas a las condiciones de una obra, instalación o servicio serán transmisibles, pero el antiguo y el nuevo constructor o empresario deberán comunicarlo por escrito a la Corporación, sin lo cual quedarán ambos sujetos a todas las responsabilidades que se derivaren para el titular.

A tenor de lo dispuesto en el art. 2.4 de la Ley 13/1999, de 15 diciembre. Normas reguladoras de espectáculos públicos y actividades recreativas de Andalucía, las autorizaciones administrativas concedidas para la celebración de espectáculos o realización de actividades recreativas serán transmisibles, previa comunicación al órgano competente y siempre que se mantenga el cumplimiento de los demás requisitos exigibles.

No obstante, cuando el medio de intervención administrativa sea la presentación de declaración responsable y comunicación previa, las mismas no podrán ser objeto de transmisión.

PREGUNTAS CLAVE

1. ¿Qué requisitos han de cumplirse para realizar el cambio de titularidad un espectáculo público o actividad recreativa?

Para que el nuevo titular de una actividad pueda realizar el cambio de titularidad, deberá ser comunicado al Ayuntamiento a efectos informativos (art. 2.4 de la Ley 13/1999).

2. ¿Es necesario que el anterior titular comunique la transmisión de la actividad a un tercero?

No es un requisito necesario. El art. 3.2 de la Ley 12/2012 no exige esta comunicación.

3. ¿Qué ocurre si no se comunica la transmisión de la actividad?

La no comunicación del cambio de titularidad de la actividad por el anterior o el nuevo titular supone que el anterior y nuevo titular queda sujetos, de forma solidaria, a todas las responsabilidades y obligaciones derivadas de dicho incumplimiento.

4. ¿Ha de resolverse expresamente por el Ayuntamiento la comunicación de cambio de titularidad?

No. El art. 3.2 de la Ley 12/2012 habla de comunicación previa a la administración competente, sin que sea necesario posteriormente dictar resolución alguna. A efectos prácticos bastaría en cualquier caso tomar conocimiento de la transmisión, dejando constancia en el expediente.

5. ¿Qué ocurre si el Ayuntamiento no dicta resolución de cambio de titularidad?

Si el Ayuntamiento, recibida la comunicación de cambio de titularidad de la actividad, no resuelve expresamente el mismo, ha de entenderse que por silencio administrativo positivo se da por cumplido el trámite a todos los efectos, teniendo en cuenta que la resolución del órgano sustantivo no es generadora de derechos para el nuevo titular de la actividad, sino que tiene los efectos de una simple comunicación, que el Ayuntamiento constata mediante la toma de conocimiento del nuevo titular. En este sentido para la STS 15 octubre 1981 «La intervención municipal en caso de transmisión de licencias no es de previa y expresa autorización para que aquélla opere, sino de mera constatación o toma de razón de la extra-administrativamente producida por el simple acuerdo del antiguo y nuevo propietario, cuyo incumplimiento determina que ambos queden sujetos a todas las responsabilidades que se deriven para el titular».

2. Legislación aplicable

— Estatal

Art. 13 del Decreto de 17 de junio de 1955, por el que se aprueba el Reglamento de Servicios de las Corporaciones Locales.

Arts. 21.1. q) y s), 124.4.ñ), 70.bis y 84, 84 bis y 84 ter. de la Ley 7/1985, de 2 de abril, Reguladora de las Bases de Régimen Local.

Art. 3 de la Ley 12/2012, de 26 de diciembre, de medidas urgentes de liberalización del comercio y de determinados servicios.

— Autonómica

Decreto Ley 3/2009, de 22 de diciembre, por el que se modifican diversas Leyes para la transposición en Andalucía de la Directiva 2006/123/CE, de 12 de diciembre de 2006, del Parlamento Europeo y del Consejo, relativa a los servicios en el mercado interior.

Art. 13 del Decreto Ley 5/2014, de 22 de abril, de medidas normativas para reducir las trabas administrativas para las empresas.

Arts. 7, 8, 9.12; 9.13 f) e i); 9.14 a) de la Ley 5/2010, de 11 de junio, de Autonomía Local de Andalucía.

Art. 2.4. de la Ley 13/1999, de 15 diciembre, de espectáculos públicos y actividades recreativas de Andalucía.

3. Documentos de interés

— Doctrina

CANO MURCIA, Antonio. «Apunte legislativo sobre transmisión o cambio de titularidad».- LA LEY 19118/2011.

—. «Los Tribunales dicen… sobre transmisión o cambio de titularidad».- LA LEY 19117/2011.

—. «Efectos de la Ley 17/2009, de 23 de noviembre, sobre el libre acceso a las actividades de servicios».- LA LEY 19116/2011.

—. «Requisitos generales para la transmisión de la licencia de apertura».- LA LEY 19115/2011.

CHOLBÍ CACHÁ, Francisco Antonio. «El contenido supletorio del Reglamento de Servicios sobre interrelación de licencias».- LA LEY 24314/2011.

MORA GONZÁLEZ, María Jesús. «La transmisión de las licencias urbanísticas». *El Consultor de los Ayuntamientos y de los Juzgados*, n.º 23, Quincena del 15 al 29 Dic. 2007, Ref. 3889/2007, pág. 3889, tomo 3, LA LEY.- LA LEY 6927/2007.

— Jurisprudencia

• El cambio de titular por sí solo resultaba jurídicamente irrelevante en cuanto afectaría a los posibles derechos de los particulares (STS de 23 diciembre 1998), porque la licencia mantenía su vigencia mientras subsistieran las condiciones de la actividad, de modo que el Ayuntamiento, **de no advertir otras modificaciones que las subjetivas, que son inoperantes a estos efectos, debió otorgar la transmisión de la titularidad de la licencia cuando le fue comunicado por escrito por el dueño del establecimiento,** toda vez que no ofrecía duda el título legítimo de la transmisión ya que la subrogación en la explotación se producía por los dueños del local a favor del nuevo titular, una vez que el anterior arrendamiento había sido declarado extinguido por resolución judicial. [STSJ País Vasco 13 julio 2001]

• La Administración está obligada a reconocer el cambio de la titularidad de la licencia sin perjuicio de las distintas actuaciones que le conciernen ejercer contra la misma del mismo modo que si no se hubiese transmitido. [STSJ Madrid 18 septiembre 2001]

• No constando que la licencia de apertura en su día concedida al demandante lo fuese en atención a su persona, esto es, a especiales circunstancias personales del mismo que impidiesen su transmisión a los efectos prevenidos en el art. 13 del Reglamento de Servicios de las Corporaciones Locales, tal y como se sostiene, entre otras, en la STS de 12 Jul. 2000, **el cambio de titular no requiere la solicitud de una nueva licencia, la cual solo sería exigible si hubiese existido una modificación de la actividad para la cual aquélla se concedió, lo que no se da en este caso.** Por tanto, el único efecto o consecuencia jurídica de la falta de notificación por escrito de tal circunstancia es la **sumisión conjunta de transmitente y adquirente a las responsabilidades** de la explotación de la licencia, sin que lleve consigo la imposición de la sanción debatida en estos autos. [STSJ Extremadura 27 septiembre 2001.- LA LEY 170424/2001]

• Para proceder al cambio de titularidad el Ayuntamiento ha de tener constancia de que efectivamente dicho cambio se ha producido, y ello por dos mecanismos alternativos, uno bilateral, que no es otro que la conformidad del anterior titular, y otro, que no precisa dicha conformidad, más complejo, que consiste en la acreditación de que se ha adquirido por cualquier medio, *inter vivos* o *mortis causa*, la propiedad o posesión del inmueble en cuestión. [STSJ Madrid 15 enero 2004]

• La transmisión de la licencia constituye en definitiva la realización de un **negocio jurídico del transmitente en cuanto titular originario de la autorización administrativa pero sin que tal operación traslativa tenga relevancia a efectos de alterar las condiciones de la propia autorización,** de tal modo que permanece idéntica su eficacia y viabilidad jurídica del acto proyectado y en consecuencia del incumplimiento del deber administrativo impuesto por el artículo 13.1 del R. S. C. L., de comunicar la transferencia al Ayuntamiento, circunstancia no realizada en el supuesto de autos, **no repercute sobre la validez y existencia de la licencia y sí en cambio, únicamente en el régimen de responsabilidades derivado de la titularidad de la licencia** quedando también el transmitente sujeto junto con el adquirente a dichas responsabilidades máxime cuando el deber de comunicación de la transmisión de la licencia ha de operar a efectos de información del Ayuntamiento de los titulares en cada momento de licencias. [STSJ Extremadura 15 diciembre 2006.- LA LEY 214993/2006]

• A juicio de la Sala la sentencia apelada lleva a cabo una interpretación correcta del régimen de transmisión de la licencia de apertura de autos de acuerdo con el Reglamento de Servicios de las Corporaciones Locales, **transmisión que no se halla sujeta a un régimen de autorización administrativa sino a uno de mera comunicación, de forma que la transmisión es libre de acuerdo con los modos y formas admitidos en derecho para transmitir o adquirir la propiedad o la posesión, y no queda condicionada a una autorización administrativa**, ya que lo único que le corresponde a la Administración es tomar razón del cambio si se produce la comunicación, o no hacerlo si no se produce en la forma exigible, «pero en modo alguno autorizarlo o denegarlo, de forma que, a partir de dicho acto de comunicación la Administración habrá necesariamente de considerar a la cesionaria como titular de la licencia a todos los efectos legales derivados del ejercicio de la actividad, si se ha cumplido el requisito de la comunicación».

La introducción por el art. 23.2 de la Ordenanza municipal de licencias del requisito de que la nueva titular de la licencia garantice expresamente y por escrito, que debe acompañarse a la comunicación de cambio de titularidad, que asume todas las cargas inherentes a la licencia en cuestión, infringe claramente el art. 13 del Reglamento de Servicios de las. Corporaciones Locales, lo que determina su nulidad ex art. 62.2 LRJAPyPAC, puesto que **transforma el régimen de mera comunicación previsto en el mismo, en uno de autorización**, en el que la transmisión no se perfecciona sino con la decisión administrativa que la autoriza, puesto que, tal y como postula el Ayuntamiento en el acto recurrido y argumenta en el recurso de apelación, el incumplimiento de dicho requisito comporta «no acceder» al cambio de titularidad, esto es, denegar el cambio de titularidad por incumplimiento de dicho precepto». [STSJ País Vasco 10 octubre 2011.- LA LEY 300763/2011]

• Tampoco cabe oponer el artículo 42 de la Ley 11/2003 de 8 de abril, de Prevención Ambiental de Castilla y León puesto que, de su lectura e interpretación literal, llegamos a una conclusión distinta de la que se contiene en la Sentencia recurrida, ya que claramente se refiere **solo al deber de comunicación a las Administraciones y a las consecuencias del incumplimiento de tal deber**, que se ventilan no en la denegación de la transmisión de la licencia, sino en el de las responsabilidades de cedente y cesionario del incumplimiento de las obligaciones que impone la ley. [STSJ Castilla y León (Burgos) 28 noviembre 2011.- LA LEY 232204/2011]

• De todo lo expuesto se concluye que el **cambio de titularidad de licencia solicitado no era una cuestión discutible** y por ello la Resolución de 3 de junio de 2005, no puede incardinarse dentro del margen de razonabilidad del que disponía la administración local para resolver, pues solicitado un cambio de titularidad de licencia, se entiende por el ayuntamiento que procede la solicitud de nueva licencia por cambio de actividad y ello a pesar de que los informes, ponían en evidencia de que se trataba de un cambio de titularidad, con el resultado ya conocido de anulación de estas resolución, y la pertinente declaración de responsabilidad patrimonial, **pues el ayuntamiento de Gandía** venia obligado a otorgar el cambio de titularidad de licencia solicitado al cumplirse todos los requisitos necesarios para ello y estar acreditadas dichas circunstancias en el expediente instruido al efecto, sin margen de interpretación y sin que en la resolución inicialmente anulada se cite un solo informe que avale lo resuelto por el Ayuntamiento que lo fue al margen de toda apreciación razonable. [STS Comunidad Valenciana 17 abril 2013.- LA LEY 90145/2013]

- ...De acuerdo con este precepto es evidente que **el cambio de titularidad no precisa de la obtención de una nueva licencia**. Solo precisa de una autorización municipal de que las obras e instalaciones, se ajustan a la licencia de actividad. Esta exigencia, incluso desaparecerá en la Ley 2/2006, de calidad ambiental, en cuyo art. 62, la transmisión sin alteración, solo es objeto de comunicación. [STSJ Comunidad Valenciana 28 noviembre 2014.- LA LEY 232360/2014]

- La conclusión de que, **para autorizar el cambio de titularidad del establecimiento, basta la mera comunicación al Ayuntamiento es conforme a derecho**, sin perjuicio, insistimos, en que ora de oficio por la propia Administración ora a instancia de algún interesado pueda controlarse la actividad y, en su caso, imponerse medidas correctoras de la concreta actividad, incluso la incoación de procedimiento sancionador si hubiere méritos para ello. [STSJ Andalucía (Granada) 15 noviembre 2016.- LA LEY 202226/2016]

- Podemos aplicar la doctrina expresada en la Sentencia dictada por esta Sala y Sección 15 de abril de 2015, dictada en el recurso de apelación número 138/2015 dimanante de la Pieza Separada de Suspensión n.º 522/2014 del Juzgado de lo Contencioso-Administrativo número 14 de Madrid, en la que hemos indicado «En el supuesto de autos, sin que la decisión que aquí se adopte ni la fundamentación jurídica de la presente resolución suponga en modo alguno prejuzgar el fondo del asunto, a los meros efectos cautelares que nos ocupan, el recurso de apelación debe ser desestimado por no concurrir la apariencia de buen derecho alegada por el apelante. Y ello es así porque tal y como se hace constar en la propia resolución administrativa ordenando el precinto, tal decisión se adopta en ejecución de tres resoluciones sancionadoras previas impuestas por periodos de nueve meses, un año y dos años, que aunque impuestas con carácter firme con anterioridad al inicio de la actividad por parte del apelante (contrato de arrendamiento del local de 17 de septiembre de 2014, declaración responsable de inicio de actividad de establecimiento de restauración presentado ante la Comunidad de Madrid el 19 de septiembre de 2014 y comunicación al Ayuntamiento de Madrid de cambio de titularidad de actividades presentada el 19 de septiembre de 2014) y siendo el sujeto sancionado un tercero, sin embargo no podemos acceder a la suspensión instada sin eludir el cumplimiento de tres resoluciones sancionadoras firmes que afectan de forma directa a la licencia del local en el que ejerce su actividad el apelante. Así se desprende del contenido del art. 41.4 de la Ley 17/1997 de Espectáculos Públicos y Actividades Recreativas de la Comunidad de Madrid, según el cual "Las sanciones de clausura de locales..., cuando sean superiores a seis meses, conllevarán la suspensión de las licencias reguladas en esta Ley". Por tanto, **la pretendida transmisión de la licencia con que cuenta el local de autos, no pudo operar de forma válida por la sencilla razón de que la misma quedó suspendida una vez impuestas las sanciones con carácter firme, quedando así pues el local afectado por la sanción de clausura sin posibilidad de transmisión de una licencia suspendida por ministerio de la ley**». [STSJ Madrid 7 junio 2017.- LA LEY 105935/2017]

• Es cierto que el Reglamento de las corporaciones locales, cuando regula la trasmisión de licencias, **sólo pretende establecer el requisito de la comunicación puesto que la licencia de actividad continua vigente,** en tanto subsistan las condiciones exigidas para su otorgamiento, **sin que afecte a la licencia de actividad el sujeto que ostenta su titularidad** y ello con el fin de que, si no se produjera la citada comunicación, serían responsables tanto el transmitente de la licencia, como el adquirente de la licencia, por lo que la aplicación del art. 13.1 del citado reglamento, pero ello en nada afecta al actor, ni menos aun determina la nulidad de la resolución impugnada. [STSJ Comunidad Valenciana 15 noviembre 2017.- LA LEY 217823/2017]

MODELO DE EXPEDIENTE *(Disponible a texto íntegro en smarteca.es)*

1) *Comunicación de cambio de titularidad de espectáculo público o actividad recreativa*

2) *Resolución de cambio de titularidad de espectáculo público o actividad recreativa*

3) *Notificación de cambio de titularidad de licencia ambiental*

V. Expediente para reanudar ejercicio de actividad recreativa

1. Claves del Expediente

El cierre de una actividad recreativa durante un determinado período de tiempo impide *per se* que pueda reanudarse la misma sin que antes se haya efectuado una visita de inspección del establecimiento previa comunicación del titular de la actividad.

Para la comunicación de reinicio bastará con que se presente escrito solicitando la comprobación administrativa. Se indicará asimismo se el titular es el que tenía la autorización original o si por el contrario es nuevo titular como consecuencia de una transmisión de la licencia.

PREGUNTA CLAVE

1. ¿Una actividad recreativa que ha estado cerrada durante más de seis meses puede nuevamente abrirse al público?

Dispone el art. 10.4 de la Ley 13/1999, de 15 de diciembre de Espectáculos Públicas y Actividades Recreativas, que la inactividad o cierre, por cualquier causa, de un establecimiento público durante más de seis meses determinará la suspensión de la vigencia de la licencia de apertura, hasta la comprobación administrativa de que el local cumple las condiciones exigibles.

La nueva regulación en el caso de inactividad o cierre durante más de seis meses de un establecimiento fijo dedicado a la celebración y desarrollo de espectáculos públicos y actividades recreativas fijas y de temporada, se remite a la presentación de una nueva declaración responsable ante el Ayuntamiento para su reapertura, así como en el caso de establecimiento público eventual (art. 7.3 D 155/2018).

2. Legislación aplicable

— Estatal

RD 2816/1982, de 27 de agosto, por el que se aprueba el Reglamento General de Policía de Espectáculos Públicos y Actividades Recreativas.

— Autonómica

Decreto 297/1995, de 19 de diciembre, por el que se aprueba el Reglamento de Calificación Ambiental.

Ley 13/1999, de 15 de diciembre de Espectáculos Públicas y Actividades Recreativas.

Decreto 155/2018, de 31 de julio, por el que se aprueba el catálogo de espectáculos públicos, actividades recreativas y establecimientos públicos de Andalucía y se regulan sus modalidades, régimen de apertura o instalación y horarios de apertura y cierre.

Decreto 247/2011, de 19 de julio, por el que se modifican diversos Decretos en materia de espectáculos públicos y actividades recreativas para su adaptación a la Ley 17/2009, de 23 de noviembre, sobre el libre acceso a las actividades de servicios y su ejercicio.

Decreto-Ley 5/2014, de 22 de abril, de medidas normativas para reducir las trabas administrativas para las empresas.

Decreto Ley 3/2015 de 3 de marzo, por el que se modifica la Ley 7/2007, de 9 de julio, de gestión integrada de la calidad ambiental.

Arts. 7, 8, 9.12; 9.13 f) e i); 9.14 a) de la Ley 5/2010, de 11 de junio, de Autonomía Local de Andalucía.

3. Documentos de interés

— Doctrina

CALANCHA MARTÍN, Antonio. «Intervención administrativa en espectáculos públicos y actividades recreativas y de ocio. Breve referencia a la incidencia de la Directiva de Servicios. Normativa de desarrollo». *El Consultor de los Ayuntamientos y de los Juzgados,* n.º 9, Sección Colaboraciones, Quincena del 15 al 29 May. 2011, Ref. 1125/2011, pág. 1125, tomo 2, LA LEY.

CANO MURCIA, ANTONIO. «Calificación ambiental y la declaración responsable en la Ley 7/2007, de gestión integrada de la calidad ambiental de Andalucía. Análisis crítico al Decreto-Ley 3/2015». *El Consultor de los Ayuntamientos y de los Juzgados,* n.º 9/2015.

—. *El Nuevo Régimen de las Licencias de Apertura.* El Consultor de los Ayuntamientos y de los Juzgados. Madrid 2010.

— Jurisprudencia

• ...de ahí que la **inactividad total** en el período semestral contemplado en la norma **lleve anudada la consecuencia de caducidad de la licencia** como regla general, la cual admite **excepciones de pura lógica** como la del supuesto que nos ocupa en que **la dejación no es objetiva, sino tan solo subjetiva de quien tenía la titularidad formal de la licencia**, como lo pone de manifiesto la decisión de los propietarios del local que, liberados por decisión judicial del vínculo que les atenazaba con la mercantil aquí demandante, optaron por continuar por sí mismos la actividad de discoteca en el local de su propiedad y que consistorialmente fueran autorizados para ello. [SJCA Bilbao 11 junio 2013.- LA LEY 120537/2013]

• Por consecuencia, «**el instituto de la caducidad de las licencias municipales ha de acogerse con cautela**» —sentencia de 20 de mayo de 1985—, **aplicándolo «con una moderación acorde con su naturaleza y sus fines**» —sentencia de 10 de mayo de 1985—, **y con un «sentido estricto**» —sentencia de 2 de enero de 1985—, **e incluso con «un riguroso criterio restrictivo**» —sentencia de 10 de abril de 1985—. En definitiva, **ha de operar con criterios «de flexibilidad, de moderación y restricción**» —sentencia de 10 de mayo de 1985—.

También hemos dicho en el fundamento de derecho anterior, que **la caducidad de una licencia no es tácita sino que ha de ser expresa y acordada dentro de un procedimiento con audiencia del interesado**. [STSJ Madrid 30 septiembre 2015.- LA LEY 149857/2015]

• Es cierto que si dicha clausura se prolonga por un período superior a seis meses resultará de aplicación el apartado 4.º del artículo 8 de la citada de la Ley Territorial de la Comunidad de Madrid 17/1997, de 4 de julio (LA LEY 1660/1998), de Espectáculos Públicos y Actividades Recreativas que establece que la inactividad o cierre, por cualquier causa, de un local o establecimiento durante más de seis meses determinará la suspensión de la vigencia de la licencia de funcionamiento, hasta la comprobación administrativa de que el local cumple las condiciones exigibles.

Desde luego **la clausura por más de seis meses provocará la necesidad de una nueva visita de comprobación para poder dejar sin efecto la suspensión de la licencia de funcionamiento que se prolongara por dicho tiempo**, sin embargo la sentencia no explica porque puede solicitarse el alzamiento de la suspensión de la licencia aunque no se hubiera cumplido el plazo de cierre; toda vez que la interpretación del apartado 4.º del artículo 41 de la de la Ley Territorial de la Comunidad de Madrid 17/1997, de 4 de julio (LA LEY 1660/1998), de Espectáculos Públicos y Actividades Recreativas debe llevar al entendimiento que **la suspensión de la licencia ha de tener la misma duración que la sanción de clausura de la que deriva**, de forma que la sanción afecta al autor de la infracción pero la consecuencia accesoria, la suspensión de la licencia afecta directamente a la propia licencia. Obsérvese que la Ley establece como efecto «la suspensión de la licencia» y no la «extinción de la licencia». [STSJ Madrid 1 marzo 2017.- LA LEY 22692/2017]

MODELO DE EXPEDIENTE *(Disponible a texto íntegro en smarteca.es)*

1)   *Inicio comunicación de reapertura de actividad por cierre*

2)   *Admisión a trámite del expediente*

3)   *Informe técnico*

4)   *Informe jurídico para la reapertura de la actividad recreativa*

5)   *Reapertura de la actividad recreativa*

6)   *Notificación de la reapertura de la actividad*

2. ARAGÓN

I.   **Expediente de licencia ambiental de actividades clasificadas con concesión de licencia**

1.   Claves del Expediente

Para desarrollar actividades en establecimientos públicos serán necesarias las correspondientes licencias urbanísticas, ambientales y cualesquiera otras que procedan de acuerdo con la legislación vigente (Art. 16.1 de la Ley 11/2005, de 28 de diciembre, reguladora de los espectáculos públicos, actividades recreativas y establecimientos públicos de la Comunidad Autónoma de Aragón)

El procedimiento se regula en los arts. 71 y ss. de la Ley 11/2014, de 4 de diciembre, de Prevención y Protección Ambiental de Aragón, debiéndose tener en cuenta las siguientes determinaciones del art. 16 de la Ley 11/2005, de 28 de diciembre, reguladora de los espectáculos públicos, actividades recreativas y establecimientos públicos de la Comunidad Autónoma de Aragón:

a) El procedimiento se someterá a trámite de audiencia por plazo mínimo de un mes a los vecinos de las viviendas, locales y establecimientos ubicados en el inmueble donde haya de emplazarse la actividad y en los inmuebles colindantes, mediante notificación de la incoación del procedimiento individualmente, para que formulen las observaciones que estimen convenientes.

b) El procedimiento se someterá, además, a trámite de información pública, por el plazo de un mes, anunciándose en el diario oficial correspondiente y en uno de los periódicos de mayor difusión en la localidad.

Además ha de tenerse en cuenta en este expediente:

• Se denegará la licencia si la actividad es contraria al ordenamiento jurídico o incompatible con el planeamiento o las ordenanzas municipales, sin necesidad de informe del órgano comarcal.

• Corresponde a las comarcas la calificación de actividades, salvo delegación de éstas en el Ayuntamiento.

• La licencia ambiental de actividades clasificadas ha de resolverse en el plazo máximo de cuatro meses contados desde la fecha de entrada de la solicitud en el registro municipal.

• La licencia indicará el plazo de comienzo de la actividad.

• Previamente al comienzo de la actividad, deberá obtenerse la licencia municipal de funcionamiento.

PREGUNTAS CLAVE

1. ¿El seguro de responsabilidad civil, cuando ha de suscribirse?

Con carácter previo al inicio del espectáculo o actividad o a la apertura del establecimiento, debiendo cubrir la responsabilidad civil por daños al público asistente y a terceros por la actividad desarrollada (art. 8.1 de la Ley 11/2005).

2. ¿Cuándo puede iniciarse el ejercicio de la actividad recreativa?

Una vez se obtenga la licencia de funcionamiento (art. 17 de la Ley 11/2005), no siendo título habilitante la licencia ambiental.

3. ¿Necesita los espectáculos públicos y actividades recreativas que tengan lugar de modo habitual en establecimientos o locales que cuenten con las preceptivas licencias, alguna autorización adicional?

No es necesaria a tenor de lo dispuesto en el art. 7.2 de la Ley 11/2005).

2. Legislación aplicable

— Europea

Directiva 2006/123/CE del Parlamento y del Consejo, de 12 de diciembre de 2006, relativa a los servicios en el mercado interior.

— Estatal

RD 2816/1982, de 27 de agosto, por el que se aprueba el Reglamento General de Policía de Espectáculos Públicos y Actividades Recreativas.

— Autonómica

Arts. 71 y ss. de la Ley 11/2014, de 4 de diciembre, de Prevención y Protección Ambiental de Aragón.

Art. 231 del Decreto-Legislativo 1/2014, de 8 de julio, del Gobierno de Aragón, por el que se aprueba el Texto Refundido de la Ley de Urbanismo de Aragón.

Ley 11/2005, de 28 de diciembre, reguladora de los espectáculos públicos, actividades recreativas y establecimientos públicos de la Comunidad Autónoma de Aragón.

Decreto 13/2009, de 10 de febrero, del Gobierno de Aragón, por el que se aprueba el Reglamento que regula los seguros de responsabilidad civil en materia de espectáculos públicos, actividades recreativas y establecimientos públicos en la Comunidad Autónoma de Aragón.

Decreto 220/2006, de 7 de noviembre, del Gobierno de Aragón, por el que se aprueba el catálogo de espectáculos públicos, actividades recreativas y establecimientos públicos de la Comunidad Autónoma de Aragón.

Decreto 23/2010, de 23 de febrero, del Gobierno de Aragón, por el que se aprueba el Reglamento de admisión en espectáculos públicos, actividades recreativas y establecimientos públicos.

3.   Jurisprudencia

• **Tampoco puede estar justificado en una práctica ordinaria administrativa que el informe se solicitase de forma telefónica**, como consta en la resolución impugnada para concluir que no se trata de una actividad en la que fuera precisa algún tipo de licencia ambiental. En primer lugar porque **de esta forma es imposible que pueda certificarse que efectivamente el órgano de control ambiental se ha pronunciado sobre la falta de afección ambiental del proyecto y actividad.** Y desde luego sin que pueda ser admisible el razonamiento efectuado en la Sentencia, según el cual dada la naturaleza de la actividad (espectáculo musical de un día) no ha sido acreditada afección al medio ambiente. En primer lugar porque la magnitud del evento y la zona o superficie ocupada, la cantidad de público que acude además del tiempo de montaje y desmontaje, **no permiten concluir tan precipitadamente que sea inocuo para el medio ambiente** y en segundo lugar porque el razonamiento no puede ser que no habiendo sido acreditado perjuicio al medio ambiente ha de autorizarse, sino que **debe de acreditarse que se ha seguido el procedimiento adecuado**. Procedimiento en el que debe de constar informe técnico del que se deduzca que no precisa ningún género de autorización ambiental. [STSJ Aragón 1 septiembre 2015.- LA LEY 126539/2015]

• Tales alegaciones carecen de toda consistencia y, en consecuencia el recurso ha de ser desestimado. Y es que, en efecto, sin cuestionar que la concreta actividad de bar que se pretende desarrollar en el mismo local para el que ya disponía de las referidas licencias urbanística y de apertura exclusivamente para la actividad servicios informáticos y telefónicos, por sus características no estuviera sujeta a la aludida licencia de actividad clasificada con arreglo a la Ley, y aun cuando no fuera precisa la realización de nuevas de las ya realizadas para la obtención de las licencias para aquella actividad, ello **no le eximía de la previa obtención de licencia urbanística para el ejercicio de la nueva actividad de bar que pretendía desarrollar en el mismo local, ampliando la anterior. Licencia que resultaba de obtención obligada, con independencia de la que ya tenía concedida para otra actividad,** en virtud de lo dispuesto en los artículos 7 y 16 de la referida Ley 11/2005, así como del artículo 155 del citado Decreto 347/2002 —conforme al cual están sujetos a licencia previa los actos de edificación y los usos del suelo y del subsuelo definidos en la legislación urbanística de Aragón, las cuales se otorgarán de acuerdo con lo establecido en la legislación y el planeamiento urbanístico vigentes en el momento de la resolución—. Siendo cierto —lo que no se cuestiona— que dicha Ley posibilita la compatibilidad de dos actividades en el mismo establecimiento, no puede desconocerse que, conforme a su artículo 10.d), corresponde a los Municipios «el establecimiento de prohibiciones, limitaciones o restricciones en zonas urbanas mediante el planeamiento urbanístico o las ordenanzas y reglamentos municipales respecto de la instalación, apertura y ampliación de licencia de los establecimientos públicos sometidos al ámbito de la presente Ley, de acuerdo con lo establecido en la misma y en el resto del ordenamiento jurídico aplicable». De modo que, **tanto para la obtención de nuevas licencias, como para la ampliación a otras actividades de las otorgadas, será preciso que el establecimiento en donde se pretenda ejercerlas no se encuentre en una zona en la que por el Ayuntamiento se haya ejercitado la referida facultad y que cumpla la demás la normativa que, para la nueva actividad, le sea de aplicación;** lo que exigirá —aun cuando, como se alega, no sea precisas nuevas obras— la oportuna comprobación de la adecuación del proyecto presentado. Yendo, además, ligada —como recuerda la Administración— **la obtención de esta nueva licencia al proceso de información pública** previsto en al artículo 16 de la misma Ley. Determinando la falta de obtención de la preceptiva licencia urbanística la denegación de la licencia de apertura o funcionamiento solicitada, pues ésta sólo puede otorgarse o denegarse, tras la concesión de aquélla y previa la inspección oportuna. [STSJ Aragón 1 marzo 2013.- LA LEY 22419/2013]

4. Documentos de interés

— Doctrina

ALONSO RIESGO, María Dora; FERNÁNDEZ GANCEDO, Inmaculada. «Licencias municipales de actividad y de apertura en el marco de la libre prestación de servicios». *El Consultor de los Ayuntamientos y de los Juzgados*, n.º 21, Quincena del 15 al 29 Nov. 2011, Ref. 2506/2011, pág. 2506, tomo 2, LA LEY.

CANO MURCIA, Antonio. *El nuevo régimen jurídico de las licencias de apertura*. El Consultor de los Ayuntamientos y Juzgados. 2010.

MODELO DE EXPEDIENTE: licencia ambiental de actividad recreativa *(Disponible a texto íntegro en smarteca.es)*

1)   Inicio expediente de licencia ambiental de actividad recreativa

2)   Admisión a trámite del expediente de licencia ambiental de actividad recreativa

3)   Requerimiento vecinos a policía local

4)   Edicto de información pública

5)   Notificación a vecinos colindantes

6)   Certificado de reclamaciones

7)   Remisión del expediente al órgano competente para la calificación de la actividad

8)   Informe de calificación de actividad clasificada

9)   Resolución concediendo licencia ambiental de actividad clasificada

10)   Notificación de la resolución de concesión de la licencia ambiental de actividad recreativa

II.   Expediente de licencia municipal de funcionamiento

1.   Claves del Expediente

Se solicitará por el titular de la licencia a que se refiere el art. 16 Ley 11/2005, de 28 de diciembre, reguladora de los espectáculos públicos, actividades recreativas y establecimientos públicos de la Comunidad Autónoma de Aragón, cuando considere que ha cumplido con todos los requisitos establecidos en la misma (art. 17.1)

Presentará con la solicitud una certificación del técnico director de las instalaciones u obras en la que se especifique la conformidad de las mismas a las licencias que las amparen, así como la eficacia de las medidas correctoras que se hubieran establecido (art. 17.1).

En el plazo de un mes desde la presentación de la solicitud, el Ayuntamiento, girará visita de inspección, otorgando o denegando la licencia de funcionamiento (art. 17.2).

Se aplica el silencio positivo si no se resuelve en el plazo indicado de un mes (Art. 17.2).

La resolución por la que se conceda la licencia de funcionamiento, deberá contener: el nombre o razón social de los titulares, el emplazamiento y la denominación, aforo máximo permitido, la posesión, en su caso, de autorización para la instalación de terrazas y veladores, horario del establecimiento y la actividad o espectáculo a que se vaya a dedicar el local, sin perjuicio de la inclusión de cualquier otro dato que se considere oportuno (art. 17.3).

La licencia podrá ser revocada en el caso de incumplimiento de los requisitos y condiciones por la que se concedió (art. 17.4).

PREGUNTAS CLAVE

1. ¿Qué trámite de información pública tiene la licencia de actividad?

De acuerdo con el art. 16.1 y 2 de la Ley 11/2005, se ha de proceder:

a) A trámite de audiencia, por plazo mínimo de un mes, a los vecinos de las viviendas, locales y establecimientos ubicados en el inmueble donde haya de emplazarse la actividad y en los inmuebles colindantes.

b) Trámite de información pública, por el plazo de un mes, anunciándose en el diario oficial correspondiente y en uno de los periódicos de mayor difusión en la localidad.

2. ¿Puede equipararse el pago del tributo por la tramitación de la licencia de actividad a la obtención de la misma?

No, así lo dispone expresamente el art. 16.4 de la Ley 11/2005.

3. Cuándo puede solicitarse la licencia municipal de funcionamiento?

Cuando el titular de las licencias urbanísticas, medioambientales y cualquiera otra considere que ha cumplido con todos los requisitos establecidos en las mismas (art. 17.1 Ley 11/2005).

4. ¿De qué plazo dispone el Ayuntamiento para otorgar la licencia municipal de funcionamiento? ¿Qué ocurre si no se resuelve de forma expresa la solicitud de licencia?

En el plazo de un mes desde la presentación de la solicitud a que se refiere el número anterior, el Ayuntamiento, tras girar visita de inspección, otorgará o denegará, en su caso, la licencia de funcionamiento.

Una vez transcurrido el señalado plazo sin que se haya resuelto lo pertinente de forma expresa, los solicitantes de la licencia podrán iniciar la actividad, pudiendo en todo caso el municipio proceder al cierre del local cuando el establecimiento no se ajuste a los requisitos establecidos en las licencias o difiera del proyecto presentado (art. 17.2 Ley 11/2005).

5. Qué consecuencias tiene el incumplimiento y requisitos de las condiciones en que se concede la licencia de funcionamiento?

El incumplimiento de los requisitos y condiciones en que fueron concedidas las licencias de funcionamiento determinará la suspensión cautelar de la actividad, que devendrá en revocación definitiva de las mismas si en el plazo máximo de tres meses, y a través del procedimiento correspondiente, el interesado no justifica el restablecimiento de los condicionamientos que justificaron su concesión. (art. 17.4 Ley 11/2005).

6. ¿Cuándo es necesaria una nueva licencia de funcionamiento?

Cuando haya que modificar la clase de actividad de los establecimientos públicos, proceder a un cambio de emplazamiento de los mismos o realizar una reforma sustancial de los locales o instalaciones (art. 18.1 Ley 11/2005).

7. ¿Cuándo se produce la caducidad de la licencia de funcionamiento?

La inactividad durante un período ininterrumpido de seis meses podrá determinar la caducidad de la licencia, que será declarada previa audiencia del interesado. No obstante, cuando el desarrollo normal del espectáculo o actividad suponga períodos de interrupción iguales o superiores a los seis meses, el plazo de inactividad determinante de la caducidad se fijará en la resolución de concesión de la licencia.

2. Legislación aplicable

— Europea

Directiva 2006/123/CE del Parlamento y del Consejo, de 12 de diciembre de 2006, relativa a los servicios en el mercado interior.

— Estatal

RD 2816/1982, de 27 de agosto, por el que se aprueba el Reglamento General de Policía de Espectáculos Públicos y Actividades Recreativas.

— Autonómica

Arts. 71 y ss. de la Ley 11/2014, de 4 de diciembre, de Prevención y Protección Ambiental de Aragón.

Art. 231 del Decreto-Legislativo 1/2014, de 8 de julio, del Gobierno de Aragón, por el que se aprueba el Texto Refundido de la Ley de Urbanismo de Aragón.

Ley 11/2005, de 28 de diciembre, reguladora de los espectáculos públicos, actividades recreativas y establecimientos públicos de la Comunidad Autónoma de Aragón.

Decreto 13/2009, de 10 de febrero, del Gobierno de Aragón, por el que se aprueba el Reglamento que regula los seguros de responsabilidad civil en materia de espectáculos públicos, actividades recreativas y establecimientos públicos en la Comunidad Autónoma de Aragón.

Decreto 220/2006, de 7 de noviembre, del Gobierno de Aragón, por el que se aprueba el catálogo de espectáculos públicos, actividades recreativas y establecimientos públicos de la Comunidad Autónoma de Aragón

Decreto 23/2010, de 23 de febrero, del Gobierno de Aragón, por el que se aprueba el Reglamento de admisión en espectáculos públicos, actividades recreativas y establecimientos públicos.

3. Jurisprudencia

• **Tampoco puede estar justificado en una práctica ordinaria administrativa que el informe se solicitase de forma telefónica**, como consta en la resolución impugnada para concluir que no se trata de una actividad en la que fuera precisa algún tipo de licencia ambiental. En primer lugar porque **de esta forma es imposible que pueda certificarse que efectivamente el órgano de control ambiental se ha pronunciado sobre la falta de afección ambiental del proyecto y actividad**. Y desde luego sin que pueda ser admisible el razonamiento efectuado en la Sentencia, según el cual dada la naturaleza de la actividad (espectáculo musical de un día) no ha sido acreditada afección al medio ambiente. En primer lugar porque la magnitud del evento y la zona o superficie ocupada, la cantidad de público que acude además del tiempo de montaje y desmontaje, **no permiten concluir tan precipitadamente que sea inocuo para el medio ambiente** y en segundo lugar porque el razonamiento no puede ser que no habiendo sido acreditado perjuicio al medio ambiente ha de autorizarse, sino que **debe de acreditarse que se ha seguido el procedimiento adecuado**. Procedimiento en el que debe de constar informe técnico del que se deduzca que no precisa ningún género de autorización ambiental. [STSJ Aragón 1 septiembre 2015.- LA LEY 126539/2015]

• El otorgamiento de licencia de actividad requiere el cumplimiento de los requisitos y condiciones técnicas que se exijan, debiendo constar en la licencia los mismos, así como la actividad para la que se otorgó. **El ejercicio de una actividad distinta a la amparada por la licencia la inutiliza, deviniendo inefic**az y obligando a la obtención de otra acorde a la diferente naturaleza de la actividad que se ejerce, y la ausencia de ejercicio de la actividad autorizada por un determinado plazo da lugar a su caducidad. En otras palabras, el artículo 19 regula supuestos de extinción de licencias otorgadas, y el 18, supuestos de modificación (STSJ Aragón 7 marzo 2014.- LA LEY 27308/2014]

• Si, como razonamos en la anterior sentencia, lo que el régimen jurídico analizado nos dice es que, **cuando el titular de una licencia, concedida para determinada actividad, comienza el ejercicio de otra distinta para la que no tiene cobertura en la que ostenta, debe pedir otra licencia acomodada a las nuevas condiciones** exigidas para la actividad de que se trate, porque la que ostenta deviene, en consecuencia, ineficaz, esto y no otra cosa habremos de analizar si concurre o no en el presente supuesto, y en definitiva, si ha existido, de facto, modificación de actividad por el titular de la licencia revocada.

Y, en efecto, el examen del expediente y lo actuado en el presente recurso permite constatar claramente, como así concluyó el Juzgador, que **la actividad desarrollada por la recurrente en el local en cuestión no se ajusta en absoluto a la licencia de que disponía**, de cafetería con equipo de música; siendo al respecto especialmente significativo el haberse levantado en dicho local —sin licencia— un escenario y realizarse habitualmente conciertos y actuaciones musicales en directo —y ello sin contar con la innumerables denuncias a que hace referencia el Juzgador que constan en el expediente, por incumplimientos de horarios, ruidos y realización de obras sin licencia— [STSJ Aragón 19 septiembre 2014.- LA LEY 146286/2014]

• Tales alegaciones carecen de toda consistencia y, en consecuencia el recurso ha de ser desestimado. Y es que, en efecto, sin cuestionar que la concreta actividad de bar que se pretende desarrollar en el mismo local para el que ya disponía de las referidas licencias urbanística y de apertura exclusivamente para la actividad servicios informáticos y telefónicos, por sus características no estuviera sujeta a la aludida licencia de actividad clasificada con arreglo a la Ley, y aun cuando no fuera precisa la realización de nuevas de las ya realizadas para la obtención de las licencias para aquella actividad, ello **no le eximía de la previa obtención de licencia urbanística para el ejercicio de la nueva actividad de bar que pretendía desarrollar en el mismo local, ampliando la anterior. Licencia que resultaba de obtención obligada, con independencia de la que ya tenía concedida para otra actividad,** en virtud de lo dispuesto en los artículos 7 y 16 de la referida Ley 11/2005, así como del artículo 155 del citado Decreto 347/2002 —conforme al cual están sujetos a licencia previa los actos de edificación y los usos del suelo y del subsuelo definidos en la legislación urbanística de Aragón, las cuales se otorgarán de acuerdo con lo establecido en la legislación y el planeamiento urbanístico vigentes en el momento de la resolución—. Siendo cierto —lo que no se cuestiona— que dicha Ley posibilita la compatibilidad de dos actividades en el mismo establecimiento, no puede desconocerse que, conforme a su artículo 10.d), corresponde a los Municipios «el establecimiento de prohibiciones, limitaciones o restricciones en zonas urbanas mediante el planeamiento urbanístico o las ordenanzas y reglamentos municipales respecto de la instalación, apertura y ampliación de licencia de los establecimientos públicos sometidos al ámbito de la presente Ley, de acuerdo con lo establecido en la misma y en el resto del ordenamiento jurídico aplicable». De modo que, **tanto para la obtención de nuevas licencias, como para la ampliación a otras actividades de las otorgadas, será preciso que el establecimiento en donde se pretenda ejercerlas no se encuentre en una zona en la que por el Ayuntamiento se haya ejercitado la referida facultad y que cumpla la demás la normativa que, para la nueva actividad, le sea de aplicación;** lo que exigirá —aun cuando, como se alega, no sea precisas nuevas obras— la oportuna comprobación de la adecuación del proyecto presentado. Yendo, además, ligada —como recuerda la Administración— **la obtención de esta nueva licencia al proceso de información pública** previsto en al artículo 16 de la misma Ley. Determinando la falta de obtención de la preceptiva licencia urbanística la denegación de la licencia de apertura o funcionamiento solicitada, pues ésta sólo puede otorgarse o denegarse, tras la concesión de aquélla y previa la inspección oportuna. [STSJ Aragón 1 marzo 2013.- LA LEY 22419/2013]

4. Documentos de interés

— Doctrina

ALONSO RIESGO, María Dora; FERNÁNDEZ GANCEDO, Inmaculada. «Licencias municipales de actividad y de apertura en el marco de la libre prestación de servicios». *El Consultor de los Ayuntamientos y de los Juzgados*, n.º 21, Quincena del 15 al 29 Nov. 2011, Ref. 2506/2011, pág. 2506, tomo 2, LA LEY.

CANO MURCIA, Antonio. *El nuevo régimen jurídico de las licencias de apertura*. El Consultor de los Ayuntamientos y Juzgados. 2010.

MODELO DE EXPEDIENTE: Licencia municipal de funcionamiento *(Disponible a texto íntegro en smarteca.es)*

1)   Solicitud de licencia municipal de funcionamiento

2)   Admisión a trámite de la solicitud de licencia municipal de funcionamiento

3)   Acta de comprobación de las instalaciones

4)   Resolución de la licencia municipal de funcionamiento

5)   Notificación de la licencia de inicio de actividad

6)   Comunicación de inicio de la actividad (art. 85.2 Ley 11/2014)

III. Expediente de inspección y control de espectáculo público o actividad recreativa sujeta a licencia ambiental de actividad clasificada

1. Claves del Expediente

La inspección y control de las actividades sujetas a licencia ambiental de actividades clasificadas es tiene como objetivo garantizar y verificar el cumplimiento de las condiciones establecidas en la licencia.

La inspección y control de la actividad podrá producirse como consecuencia de denuncia efectuada por particulares, o de oficio como consecuencia de la inspección que el Ayuntamiento realice en el marco de sus atribuciones de inspección y vigilancia.

La importancia de este expediente y por ende de la actuación municipal radica en que el hecho de que se podrá detectar anomalías o deficiencias en el funcionamiento de las medidas correctoras, y por lo tanto sirve para exigir el cumplimiento al titular de la actividad del correcto funcionamiento de la misma, lo que evitará daños al medio ambiente y a la seguridad de las personas.

La inspección, es una facultad que se reserva el Ayuntamiento que en cualquier momento, sin perjuicio de la delegación de funciones en otras administraciones.

Como consecuencia del resultado del expediente, podrá abrirse procedimiento sancionador.

Los titulares de los establecimientos e instalaciones y los organizadores de espectáculos públicos y actividades recreativas, o sus representantes y encargados, estarán obligados a permitir, en cualquier momento, el libre acceso a los establecimientos e instalaciones a los funcionarios debidamente acreditados al efecto para efectuar inspecciones, así como a prestar la colaboración necesaria que les sea solicitada en relación con las inspecciones de que sean objeto.

Ha de tenerse en cuenta en el expediente de inspección y control los arts. 39 a 45 de la Ley 11/2005, de 28 de diciembre, reguladora de los espectáculos públicos, actividades recreativas y establecimientos públicos de la Comunidad Autónoma de Aragón,

PREGUNTAS CLAVE

1. ¿Quién efectúa las actividades inspectoras y de control de los establecimientos?

Las actividades inspectoras y de control serán efectuadas por funcionarios debidamente acreditados de la Comunidad Autónoma, de los Municipios y, en su caso, de las Comarcas (art. 39.1 Ley 11/2005).

2. ¿Qué obligaciones tienen los titulares de los establecimientos e instalaciones y organizadores de espectáculos públicos y actividades recreativas en relación con la actividad inspectora?

Los titulares de los establecimientos e instalaciones y los organizadores de espectáculos públicos y actividades recreativas, o sus representantes y encargados, estarán obligados a permitir, en cualquier momento, el libre acceso a los establecimientos e instalaciones a los funcionarios debidamente acreditados al efecto para efectuar inspecciones, así como a prestar la colaboración necesaria que les sea solicitada en relación con las inspecciones de que sean objeto (art. 39.2 Ley 11/2005).

3. ¿Tienen alguna recomendación especial los funcionarios encargados de la inspección y control de los establecimientos?

Sí. Los funcionarios actuantes procurarán en el ejercicio de sus funciones no alterar el normal funcionamiento del espectáculo público, la actividad recreativa o el establecimiento público (art. 39.3 Ley 11/2005).

4. ¿Tiene el denunciante la condición de interesado?

Sí. En el caso de que la actuación inspectora sea producto de denuncia vecinal, se considerará a dicho denunciante parte interesada, siéndole remitida copia del acta de inspección y de la resolución final del procedimiento en su caso (art. 40 Ley 11/2005).

El art. 62.5 LPACAP dice que la presentación de una denuncia no confiere por si misma la condición de interesado; y el art. 4.1 de la misma dice que se consideran interesados en el procedimiento administrativo:

a) Quienes lo promuevan como titulares de derechos o intereses legítimos individuales o colectivos.

b) Los que, sin haber iniciado el procedimiento, tengan derechos que puedan resultar afectados por la decisión que en el mismo se adopte.

c) Aquellos cuyos intereses legítimos, individuales o colectivos, puedan resultar afectados por la resolución y se personen en el procedimiento en tanto no haya recaído resolución definitiva.

5. ¿Qué ocurre en el caso de que se detecten irregularidades por la actuación inspectora?

Verificada por la actuación inspectora la existencia de irregularidades, si las mismas no afectan a la seguridad de personas o bienes o a las condiciones de insonorización que garanticen el derecho al descanso de los vecinos, se podrá conceder al interesado un plazo adecuado suficiente para su subsanación.

En caso de que no proceda la subsanación o no se hubiera cumplido la misma en el plazo concedido, se elevará el acta al órgano competente para la incoación del oportuno expediente sancionador (art. 41 Ley 11/2005).

2. Jurisprudencia

• Es que, como es sabido, las licencias de actividad y de funcionamiento son licencias que por su naturaleza no se agotan en el acto de su concesión, sino que la **Administración competente ha de continuar con el control de la actividad durante el desenvolvimiento de la misma en orden al cumplimiento de las condiciones de la licencia,** así como a impedir y garantizar el mantenimiento de su inocuidad y, caso contrario, adoptar las medidas correctoras necesarias, incluido, si llegare el caso, el cese de la actividad. [STSJ Aragón 17 marzo 2011.- LA LEY 95229/2011]

• Sobre esta base y a propósito de las licencias de apertura y funcionamiento antes citadas, la jurisprudencia ha reconocido que «la posibilidad de actuación en esta materia de **los Ayuntamientos,** como titulares de policía de seguridad, no se agota con la concesión y la revocación de las licencias de apertura, sino que, más bien **disponen de unos poderes de intervención de oficio y de manera constante con la finalidad de salvaguardar la protección de personas y bienes pudiendo imponer, en consecuencia, cualesquiera correcciones y adaptaciones que estimen necesarias sin que ello suponga una ilícita vuelta contra los propios actos».** [STSJ Madrid 6 marzo 2013.- LA LEY 41225/2013]

• En consecuencia, **a los tribunales del orden penal no les corresponde el control de la actividad de las distintas Administraciones Públicas**, que se atribuye a los del orden Contencioso-Administrativo. Como hemos dicho en otras ocasiones, no se trata de sustituir a la Jurisdicción Administrativa, en su labor de control de la legalidad de la actuación de la Administración Pública, por la Jurisdicción Penal a través del delito de prevaricación, sino de sancionar supuestos límite, en los que la actuación administrativa no sólo es ilegal, sino además injusta y arbitraria. [STS Sala Segunda, 11 octubre 2016.- LA LEY 141690/2016]

3.   Legislación aplicable

— Estatal

Art. 84.1 b) y d); 84 bis) LRBRL

RD 2816/1982, de 27 de agosto, por el que se aprueba el Reglamento General de Policía de Espectáculos Públicos y Actividades Recreativas

— Autonómica

Arts. 89 a 102 de la Ley 11/2014, de 4 de diciembre, de Prevención y Protección Ambiental de Aragón.

Arts. 39 a 45 de la Ley 11/2005, de 28 de diciembre, reguladora de los espectáculos públicos, actividades recreativas y establecimientos públicos de la Comunidad Autónoma de Aragón.

Decreto 13/2009, de 10 de febrero, del Gobierno de Aragón, por el que se aprueba el Reglamento que regula los seguros de responsabilidad civil en materia de espectáculos públicos, actividades recreativas y establecimientos públicos en la Comunidad Autónoma de Aragón.

Decreto 220/2006, de 7 de noviembre, del Gobierno de Aragón, por el que se aprueba el catálogo de espectáculos públicos, actividades recreativas y establecimientos públicos de la Comunidad Autónoma de Aragón.

Decreto 23/2010, de 23 de febrero, del Gobierno de Aragón, por el que se aprueba el Reglamento de admisión en espectáculos públicos, actividades recreativas y establecimientos públicos.

4.   Documentos de interés

— Doctrina

BARRANCO VELA, Rafael; BULLEJOS CALVO, Carlos; y CAMPOS SÁNCHEZ, Miguel Ángel. *Espectáculos Públicos, Actividades Recreativas y Establecimientos Públicos*. El Consultor de los Ayuntamientos y Juzgados. 2011.

CANO MURCIA, Antonio. «Calificación ambiental y la declaración responsable en la Ley 7/2007, de gestión integrada de la calidad ambiental de Andalucía. Análisis crítico al Decreto-Ley 3/2015». *El Consultor de los Ayuntamientos y de los Juzgados*, n.º 9/2015.

—. *El Nuevo Régimen de las Licencias de Apertura*. El Consultor de los Ayuntamientos y de los Juzgados. Madrid 2010.

CHOLBÍ CACHÁ, Francisco Antonio. *El régimen de la comunicación previa, las licencias de urbanismo y su procedimiento y otorgamiento*. El Consultor de los Ayuntamientos y Juzgados. 2010.

MODELO DE EXPEDIENTE: Inspección y control de actividad recreativa sujeta a licencia ambiental de actividad clasificada *(Disponible a texto íntegro en smarteca.es)*

1)   Acta de comprobación

2)   Resolución ordenando apertura de expediente

3) *Notificación de acta de comprobación en trámite de audiencia*

4) *Escrito de alegaciones en trámite de audiencia*

5) *Resolución del expediente de comprobación*

6) *Notificación de la resolución*

IV. Expediente de transmisión de la licencia municipal de funcionamiento de actividad recreativa

1. Claves del Expediente

Aunque es una cuestión que puede considerarse pacífica, el cambio de titularidad en general de los establecimientos, negocios y actividades en general y en particular de la licencia ambiental se sujeta al cumplimiento de unos requisitos mínimos, que tienen como objetivo fundamental el poner en conocimiento de la Administración (órgano sustantivo ambiental) el nuevo titular de la actividad.

A tenor del artículo 13.1 del Reglamento de Servicios de las Corporaciones Locales, aprobado por Decreto de 17 de junio de 1955, las licencias relativas a las condiciones de una obra, instalación o servicio serán transmisibles, pero el antiguo y el nuevo constructor o empresario deberán comunicarlo por escrito a la Corporación, sin lo cual quedarán ambos sujetos a todas las responsabilidades que se derivaren para el titular.

Esta posición legal ha quedado superada mediante el art. 3.2 de la Ley 12/2012, de 26 de diciembre, de medidas urgentes de liberalización del comercio y de determinados servicios, al decir que no están sujetos a licencia los cambios de titularidad de las actividades comerciales y de servicios, siendo exigible en estos casos una comunicación previa a la administración competente a los solos efectos informativos.

Ha de tenerse en cuenta:

• La comunicación ha de ser expresa.

• No es necesario que vaya acompañada de título o documento que acredite la transmisión (contrato de compraventa, de arrendamiento, de cesión etc.)

• Si la transmisión se produce sin realizar la correspondiente comunicación, el anterior y el nuevo titular quedan sujetos, de forma solidaria, a todas las responsabilidades y obligaciones derivadas del incumplimiento de dicha obligación.

El art. 82 de la Ley 11/2014 de 4 de diciembre, de Prevención y Protección Ambiental de Aragón recoge los requisitos que han de cumplirse para llevar a cabo la transmisión de la licencia ambiental, aunque no es afortunada al exigir que la misma sea realizada por los sujetos que intervienen en la transmisión, por los problemas que suscita cuando el anterior titular está ausente, se desconoce (en el caso de sucesión hereditaria) o se niega a hacerlo.

Para art. 18.2 de la 11/2005, de 28 de diciembre, reguladora de los espectáculos públicos, actividades recreativas y establecimientos públicos de la Comunidad Autónoma de Aragón, los simples cambios de titularidad del establecimiento no precisarán obtener nuevas licencias, pero sí la comunicación al Ayuntamiento, que deberá ser efectuada conjuntamente por transmitente y adquirente en el plazo de un mes desde que se hubiera formalizado el cambio de titularidad.

PREGUNTAS CLAVE

1. ¿Qué requisitos han de cumplirse para realizar el cambio de titularidad una actividad?

Para que el nuevo titular de una actividad pueda realizar el cambio de titularidad, deberá ser comunicado al Ayuntamiento a efectos informativos (art. 3.2 de la Ley 12/2012 y art. 18.2 de la 11/2005, de 28 de diciembre, reguladora de los espectáculos públicos, actividades recreativas y establecimientos públicos de la Comunidad Autónoma de Aragón).

2. ¿Es necesario que el anterior titular comunique la transmisión de la actividad a un tercero?

Sí. Así le exige expresamente el art.18.2 de la Ley 11/2005, de 28 de diciembre, reguladora de los espectáculos públicos, actividades recreativas y establecimientos públicos de la Comunidad Autónoma de Aragón.

3. ¿Qué ocurre si no se comunica la transmisión de la actividad?

La no comunicación del cambio de titularidad de la actividad por el anterior o el nuevo titular supone que el anterior y nuevo titular queda sujetos, de forma solidaria, a todas las responsabilidades y obligaciones derivadas de dicho incumplimiento.

4. ¿Puede transmitir la licencia de actividad el que no es propietario del local en el que se ejerce la misma?

Sí. El ejercicio de una actividad tanto mediante la concesión expresa de licencia de apertura o actividad o mediante la comunicación previa o declaración responsable tiene carácter real, al margen de la titularidad del inmueble y de las relaciones subjetivas que existan entre el titular del mismo y el que ocupe el local mediante contrato de arrendamiento, u cualquier otro título. En este sentido es de aplicación lo dispuesto en el art. 12. 1 RSCL «Las autorizaciones y licencias se entenderán otorgadas salvo el derecho de propiedad y sin perjuicio del de tercero».

5. ¿Está sujeto al pago de tasa la comunicación de cambio de titularidad o transmisión de una actividad?

Como afirma la STSJ Andalucía, Málaga, 21 marzo 1997 en los supuestos de cambio de titularidad, con carácter general, no cabe exigir el pago de tasa alguna, puesto que no se produce actividad administrativa relevante, sino que ésta se limita a un mero cambio en los registros municipales y, a lo sumo, a una comprobación rutinaria de la continuación de la misma por el nuevo titular; pero en este caso sí puede hablarse de actividad administrativa relevante, derivada de la comprobación por parte del municipio del cambio en las condiciones de ejercicio de la actividad, ya que con ocasión del cambio de titularidad se pusieron de manifiesto ciertas alteraciones en el local y en lo que venía siendo el desarrollo de su actividad (deficiencias higiénico-sanitarias, de seguridad, etc.), por lo que la tasa está justificada.

6. ¿Ha de resolverse expresamente por el Ayuntamiento la comunicación de cambio de titularidad?

No. El art. 18.2 de la Ley 11/2005, de 28 de diciembre, reguladora de los espectáculos públicos, actividades recreativas y establecimientos públicos de la Comunidad Autónoma de Aragón habla de comunicación al Ayuntamiento, sin que sea necesario posteriormente dictar resolución alguna. A efectos prácticos bastaría en cualquier caso tomar conocimiento de la transmisión, dejando constancia en el expediente.

7. ¿Qué ocurre si no se comunica la transmisión de la actividad?

La no comunicación del cambio de titularidad de la actividad por el anterior o el nuevo titular supone que el anterior y nuevo titular queda sujetos, de forma solidaria, a todas las responsabilidades y obligaciones derivadas de dicho incumplimiento (art. 82.2 Ley 11/2014).

8. ¿Qué plazo existe para comunicar la transmisión de la licencia?

Un mes (art. 82.1 Ley 11/2014 y 18.2 de la Ley 11/2005, de 28 de diciembre, reguladora de los espectáculos públicos, actividades recreativas y establecimientos públicos de la Comunidad Autónoma de Aragón).

9. ¿Ha de comunicarse por el anterior y nuevo titular la transmisión de la licencia?

Sí. Así lo exige el art. 82.1 de la Ley 11/2014 y art. 18.2 de la Ley 11/2005, de 28 de diciembre, reguladora de los espectáculos públicos, actividades recreativas y establecimientos públicos de la Comunidad Autónoma de Aragón.

10. ¿Qué documentación se ha de presentar con la comunicación de transmisión de la licencia?

Título o documento que acredite la transmisión (art. 82.1 Ley 11/2014), aunque el art. 18.2 de la Ley 11/2005, de 28 de diciembre, reguladora de los espectáculos públicos, actividades recreativas y establecimientos públicos de la Comunidad Autónoma de Aragón no exige la presentación de documento alguno.

2. Jurisprudencia

• El cambio de titular por sí solo resultaba jurídicamente irrelevante en cuanto afectaría a los posibles derechos de los particulares (STS de 23 diciembre 1998), porque la licencia mantenía su vigencia mientras subsistieran las condiciones de la actividad, de modo que el Ayuntamiento, **de no advertir otras modificaciones que las subjetivas, que son inoperantes a estos efectos, debió otorgar la transmisión de la titularidad de la licencia cuando le fue comunicado por escrito por el dueño del establecimiento,** toda vez que no ofrecía duda el título legítimo de la transmisión ya que la subrogación en la explotación se producía por los dueños del local a favor del nuevo titular, una vez que el anterior arrendamiento había sido declarado extinguido por resolución judicial. [STSJ País Vasco 13 julio 2001]

• La Administración está obligada a reconocer el cambio de la titularidad de la licencia sin perjuicio de las distintas actuaciones que le conciernen ejercer contra la misma del mismo modo que si no se hubiese transmitido. [STSJ Madrid 18 septiembre 2001]

• No constando que la licencia de apertura en su día concedida al demandante lo fuese en atención a su persona, esto es, a especiales circunstancias personales del mismo que impidiesen su transmisión a los efectos prevenidos en el art. 13 del Reglamento de Servicios de las Corporaciones Locales, tal y como se sostiene, entre otras, en la STS de 12 Jul. 2000, **el cambio de titular no requiere la solicitud de una nueva licencia, la cual solo sería exigible si hubiese existido una modificación de la actividad para la cual aquélla se concedió, lo que no se da en este caso.** Por tanto, el único efecto o consecuencia jurídica de la falta de notificación por escrito de tal circunstancia es la **sumisión conjunta de transmitente y adquirente a las responsabilidades** de la explotación de la licencia, sin que lleve consigo la imposición de la sanción debatida en estos autos. [STSJ Extremadura 27 septiembre 2001.- LA LEY 170424/2001]

• Para proceder al cambio de titularidad el Ayuntamiento ha de tener constancia de que efectivamente dicho cambio se ha producido, y ello por dos mecanismos alternativos, uno bilateral, que no es otro que la conformidad del anterior titular, y otro, que no precisa dicha conformidad, más complejo, que consiste en la acreditación de que se ha adquirido por cualquier medio, *inter vivos* o *mortis causa*, la propiedad o posesión del inmueble en cuestión. [STSJ Madrid 15 enero 2004]

• La transmisión de la licencia constituye en definitiva la realización de un **negocio jurídico del transmitente en cuanto titular originario de la autorización administrativa pero sin que tal operación traslativa tenga relevancia a efectos de alterar las condiciones de la propia autorización,** de tal modo que permanece idéntica su eficacia y viabilidad jurídica del acto proyectado y en consecuencia del incumplimiento del deber administrativo impuesto por el artículo 13.1 del R. S. C. L., de comunicar la transferencia al Ayuntamiento, circunstancia no realizada en el supuesto de autos, **no repercute sobre la validez y existencia de la licencia y sí en cambio, únicamente en el régimen de responsabilidades derivado de la titularidad de la licencia** quedando también el transmitente sujeto junto con el adquirente a dichas responsabilidades máxime cuando el deber de comunicación de la transmisión de la licencia ha de operar a efectos de información del Ayuntamiento de los titulares en cada momento de licencias. [STSJ Extremadura 15 diciembre 2006.- LA LEY 214993/2006]

• A juicio de la Sala la sentencia apelada lleva a cabo una interpretación correcta del régimen de transmisión de la licencia de apertura de autos de acuerdo con el Reglamento de Servicios de las Corporaciones Locales, **transmisión que no se halla sujeta a un régimen de autorización administrativa sino a uno de mera comunicación, de forma que la transmisión es libre de acuerdo con los modos y formas admitidos en derecho para transmitir o adquirir la propiedad o la posesión, y no queda condicionada a una autorización administrativa,** ya que lo único que le corresponde a la Administración es tomar razón del cambio si se produce la comunicación, o no hacerlo si no se produce en la forma exigible, «pero en modo alguno autorizarlo o denegarlo, de forma que, a partir de dicho acto de comunicación la Administración habrá necesariamente de considerar a la cesionaria como titular de la licencia a todos los efectos legales derivados del ejercicio de la actividad, si se ha cumplido el requisito de la comunicación».

La introducción por el art. 23.2 de la Ordenanza municipal de licencias del requisito de que la nueva titular de la licencia garantice expresamente y por escrito, que debe acompañarse a la comunicación de cambio de titularidad, que asume todas las cargas inherentes a la licencia en cuestión, infringe claramente el art. 13 del Reglamento de Servicios de las. Corporaciones Locales, lo que determina su nulidad ex art. 62.2 LRJAPy-

PAC, puesto que **transforma el régimen de mera comunicación previsto en el mismo, en uno de autorización**, en el que la transmisión no se perfecciona sino con la decisión administrativa que la autoriza, puesto que, tal y como postula el Ayuntamiento en el acto recurrido y argumenta en el recurso de apelación, el incumplimiento de dicho requisito comporta «no acceder» al cambio de titularidad, esto es, denegar el cambio de titularidad por incumplimiento de dicho precepto. [STSJ PAÍS VASCO 10 octubre 2011.- LA LEY 300763/2011]

• Tampoco cabe oponer el artículo 42 de la Ley 11/2003 de 8 de abril, de Prevención Ambiental de Castilla y León puesto que, de su lectura e interpretación literal, llegamos a una conclusión distinta de la que se contiene en la Sentencia recurrida, ya que claramente se refiere **solo al deber de comunicación a las Administraciones y a las consecuencias del incumplimiento de tal deber**, que se ventilan no en la denegación de la transmisión de la licencia, sino en el de las responsabilidades de cedente y cesionario del incumplimiento de las obligaciones que impone la ley. [STSJ CASTILLA Y LEÓN (Burgos) 28 noviembre 2011.- LA LEY 232204/2011]

• De todo lo expuesto se concluye que el **cambio de titularidad de licencia solicitado no era una cuestión discutible** y por ello la Resolución de 3 de junio de 2005, no puede incardinarse dentro del margen de razonabilidad del que disponía la administración local para resolver, pues solicitado un cambio de titularidad de licencia, se entiende por el ayuntamiento que procede la solicitud de nueva licencia por cambio de actividad y ello a pesar de que los informes, ponían en evidencia de que se trataba de un cambio de titularidad, con el resultado ya conocido de anulación de estas resolución, y la pertinente declaración de responsabilidad patrimonial, **pues el ayuntamiento de Gandía venia obligado a otorgar el cambio de titularidad de licencia solicitado al cumplirse todos los requisitos necesarios para ello y estar acreditadas dichas circunstancias en el expediente instruido al efecto,** sin margen de interpretación y sin que en la resolución inicialmente anulada se cite un solo informe que avale lo resuelto por el Ayuntamiento que lo fue al margen de toda apreciación razonable. [STS Comunidad Valenciana 17 abril 2013.- LA LEY 90145/2013]

• …De acuerdo con este precepto es evidente que **el cambio de titularidad no precisa de la obtención de una nueva licencia**. Solo precisa de una autorización municipal de que las obras e instalaciones, se ajustan a la licencia de actividad. Esta exigencia, incluso desaparecerá en la Ley 2/2006, de calidad ambiental, en cuyo art. 62, la transmisión sin alteración, solo es objeto de comunicación. [STSJ Comunidad Valenciana 28 noviembre 2014.- LA LEY 232360/2014]

• La conclusión de que, **para autorizar el cambio de titularidad del establecimiento, basta la mera comunicación al Ayuntamiento es conforme a derecho**, sin perjuicio, insistimos, en que ora de oficio por la propia Administración ora a instancia de algún interesado pueda controlarse la actividad y, en su caso, imponerse medidas correctoras de la concreta actividad, incluso la incoación de procedimiento sancionador si hubiere méritos para ello. [STSJ Andalucía (Granada) 15 noviembre 2016.- LA LEY 202226/2016]

• Podemos aplicar la doctrina expresada en la Sentencia dictada por esta Sala y Sección 15 de abril de 2015, dictada en el recurso de apelación número 138/2015 dimanante de la Pieza Separada de Suspensión n.º 522/2014 del Juzgado de lo Contencioso-Administrativo número 14 de Madrid, en la que hemos indicado «En el supuesto de autos, sin que la decisión que aquí se adopte ni la fundamentación jurídica de la presente resolución suponga en modo alguno prejuzgar el fondo del asunto, a los meros efectos cautelares que nos ocupan, el recurso de apelación debe ser desestimado por no concurrir la apariencia de buen derecho alegada por el apelante. Y ello es así porque tal y como se hace constar en la propia resolución administrativa ordenando el precinto, tal decisión se adopta en ejecución de tres resoluciones sancionadoras previas impuestas por periodos de nueve meses, un año y dos años, que aunque impuestas con carácter firme con anterioridad al inicio de la actividad por parte del apelante (contrato de arrendamiento del local de 17 de septiembre de 2014, declaración responsable de inicio de actividad de establecimiento de restauración presentado ante la Comunidad de Madrid el 19 de septiembre de 2014 y comunicación al Ayuntamiento de Madrid de cambio de titularidad de actividades presentada el 19 de septiembre de 2014) y siendo el sujeto sancionado un tercero, sin embargo no podemos acceder a la suspensión instada sin eludir el cumplimiento de tres resoluciones sancionadoras firmes que afectan de forma directa a la licencia del local en el que ejerce su actividad el apelante. Así se desprende del contenido del art. 41.4 de la Ley 17/1997 de Espectáculos Públicos y Actividades Recreativas de la Comunidad de Madrid, según el cual "Las sanciones de clausura de locales…, cuando sean superiores a seis meses, conllevarán la suspensión de las licencias reguladas en esta Ley". Por tanto, **la pretendida transmisión de la licencia con que cuenta el local de autos, no pudo operar de forma válida por la sencilla razón de que la misma quedó suspendida una vez impuestas las sanciones con carácter firme, quedando así pues el local afectado por la sanción de clausura sin posibilidad de transmisión de una licencia suspendida por ministerio de la ley**». [STSJ Madrid 7 junio 2017.- LA LEY 105935/2017]

• Es cierto que el Reglamento de las corporaciones locales, cuando regula la trasmisión de licencias, **sólo pretende establecer el requisito de la comunicación puesto que la licencia de actividad continua vigente,** en tanto subsistan las condiciones exigidas para su otorgamiento, **sin que afecte a la licencia de actividad el sujeto que ostenta su titularidad** y ello con el fin de que, si no se produjera la citada comunicación, serían responsables tanto el transmitente de la licencia, como el adquirente de la licencia, por lo que la aplicación del art. 13.1 del citado reglamento, pero ello en nada afecta al actor, ni menos aun determina la nulidad de la resolución impugnada. [STSJ Comunidad Valenciana 15 noviembre 2017.- LA LEY 217823/2017]

3. Legislación aplicable

— Estatal

Art. 13 del Decreto de 17 de junio de 1955, por el que se aprueba el Reglamento de Servicios de las Corporaciones Locales

Art. 3 de la Ley 12/2012, de 26 de diciembre, de medidas urgentes de liberalización del comercio y de determinados servicios

— **Autonómica**

Art. 82 de la Ley 11/2014 de 4 de diciembre, de Prevención y Protección Ambiental de Aragón.

Art. 18.2 de la Ley 11/2005, de 28 de diciembre, reguladora de los espectáculos públicos, actividades recreativas y establecimientos públicos de la Comunidad Autónoma de Aragón.

4. Documentos de interés

— **Doctrina**

CANO MURCIA, Antonio. «Apunte legislativo sobre transmisión o cambio de titularidad».- LA LEY 19118/2011.

—. «Los Tribunales dicen... sobre transmisión o cambio de titularidad».- LA LEY 19117/2011.

—. «Efectos de la Ley 17/2009, de 23 de noviembre, sobre el libre acceso a las actividades de servicios».- LA LEY 19116/2011.

—. «Requisitos generales para la transmisión de la licencia de apertura».- LA LEY 19115/2011.

CHOLBÍ CACHÁ, Francisco Antonio. «El contenido supletorio del Reglamento de Servicios sobre interrelación de licencias».- LA LEY 24314/2011.

MORA GONZÁLEZ, María Jesús. «La transmisión de las licencias urbanísticas». *El Consultor de los Ayuntamientos y de los Juzgados*, n.º 23, Quincena del 15 al 29 Dic. 2007, Ref. 3889/2007, pág. 3889, tomo 3, LA LEY.- LA LEY 6927/2007.

MODELO DE EXPEDIENTE de transmisión de la licencia municipal de funcionamiento de actividad recreativa *(Disponible a texto íntegro en smarteca.es)*

1)   Comunicación de cambio de transmisión de la licencia de funcionamiento de actividad recreativa

2)   Resolución de cambio de titularidad de licencia municipal de funcionamiento de actividad recreativa

3)   Notificación de cambio de la transmisión de la titularidad de licencia municipal de funcionamiento de actividad recreativa

V. Expediente para reanudar ejercicio de actividad recreativa

1. Claves del Expediente

El cierre de una actividad recreativa durante un determinado período de tiempo impide *per se* que pueda reanudarse la misma sin que antes se haya efectuado una visita de inspección del establecimiento previa comunicación del titular de la actividad.

Para la comunicación de reinicio bastará con que se presente escrito solicitando la comprobación administrativa. Se indicará asimismo se el titular es el que tenía la autorización original o si por el contrario es nuevo titular como consecuencia de una transmisión de la licencia.

Dispone el art. 19.3 de la Ley 11/2005, de 28 de diciembre, reguladora de los espectáculos públicos, actividades recreativas y establecimientos públicos de la Comunidad Autónoma de Aragón, que la inactividad durante un período ininterrumpido de seis meses podrá determinar la caducidad de la licencia, que será declarada previa audiencia del interesado. No obstante, cuando el desarrollo normal del espectáculo o actividad suponga períodos de interrupción iguales o superiores a los seis meses, el plazo de inactividad determinante de la caducidad se fijará en la resolución de concesión de la licencia.

2. Legislación aplicable

— Estatal

RD 2816/1982, de 27 de agosto, por el que se aprueba el Reglamento General de Policía de Espectáculos Públicos y Actividades Recreativas

— Autonómica

Ley 11/2005, de 28 de diciembre, reguladora de los espectáculos públicos, actividades recreativas y establecimientos públicos de la Comunidad Autónoma de Aragón.

3. Documentos de interés

— Doctrina

CALANCHA MARTÍN, Antonio. «Intervención administrativa en espectáculos públicos y actividades recreativas y de ocio. Breve referencia a la incidencia de la Directiva de Servicios. Normativa de desarrollo». *El Consultor de los Ayuntamientos y de los Juzgados,* n.º 9, Sección Colaboraciones, Quincena del 15 al 29 May. 2011, Ref. 1125/2011, pág. 1125, tomo 2, LA LEY.

CANO MURCIA, ANTONIO. «Calificación ambiental y la declaración responsable en la Ley 7/2007, de gestión integrada de la calidad ambiental de Andalucía. Análisis crítico al Decreto-Ley 3/2015». *El Consultor de los Ayuntamientos y de los Juzgados,* n.º 9/2015.

—. *El Nuevo Régimen de las Licencias de Apertura.* El Consultor de los Ayuntamientos y de los Juzgados. Madrid 2010.

4. Jurisprudencia

• ...de ahí que la **inactividad total** en el período semestral contemplado en la norma **lleve anudada la consecuencia de caducidad de la licencia** como regla general, la cual admite **excepciones de pura lógica** como la del supuesto que nos ocupa en que **la dejación no es objetiva, sino tan solo subjetiva de quien tenía la titularidad formal de la licencia**, como lo pone de manifiesto la decisión de los propietarios del local que, liberados por decisión judicial del vínculo que les atenazaba con la mercantil aquí demandante, optaron por continuar por sí mismos la actividad de discoteca en el local de su propiedad y que consistorialmente fueran autorizados para ello. [SJCA Bilbao 11 junio 2013.- LA LEY 120537/2013]

• En cualquier caso y de forma resumida cabe decir en cuanto al fondo del asunto, que no es otro que determinar si es o no conforme a derecho la declaración de caducidad de la licencia.

Que en este caso no se niega por el apelante la situación de hecho que da lugar a la caducidad de la licencia, **la inactividad por espacio superior a seis meses.**

Que el término de la norma autonómica «**podrá», no implica un término potestativo y libérrimo, sino la posibilidad de aplicación de la caducidad cuando se da el supuesto de hecho**. Por ello no es contrario a derecho el término literal de la Ordenanza de Huesca que se «considerarán caducadas las licencias si después de abierto un local, se cerrase nuevamente por un período superior a seis meses».

Que en cualquier caso en el recurso de apelación, no se atienden circunstancias que justifiquen la inactividad y que permitan una aplicación moderada de la misma —si esta fuera posible—.

El fin de la caducidad de la licencia no tiene «sólo» un fin recaudatorio, no siendo éste *per se* **contrario a derecho, sino de efectivo control de la actividad, el mismo control que se ejerce cuando se concede la misma**. [STSJ Aragón 17 febrero 2014.- LA LEY *14936/2014*]

• Por consecuencia, «**el instituto de la caducidad de las licencias municipales ha de acogerse con cautela**» —sentencia de 20 de mayo de 1985—, **aplicándolo «con una moderación acorde con su naturaleza y sus fines**» —sentencia de 10 de mayo de 1985—, **y con un «sentido estricto**» —sentencia de 2 de enero de 1985—, **e incluso con «un riguroso criterio restrictivo**» —sentencia de 10 de abril de 1985—. En definitiva, **ha de operar con criterios «de flexibilidad, de moderación y restricción**» —sentencia de 10 de mayo de 1985—.

También hemos dicho en el fundamento de derecho anterior, que **la caducidad de una licencia no es tácita sino que ha de ser expresa y acordada dentro de un procedimiento con audiencia del interesado**. [STSJ Madrid 30 septiembre 2015.- LA LEY 149857/2015]

• Es cierto que si dicha clausura se prolonga por un período superior a seis meses resultará de aplicación el apartado 4.º del artículo 8 de la citada de la Ley Territorial de la Comunidad de Madrid 17/1997, de 4 de julio (LA LEY 1660/1998), de Espectáculos Públicos y Actividades Recreativas que establece que la inactividad o cierre, por cualquier causa, de un local o establecimiento durante más de seis meses determinará la suspensión de la vigencia de la licencia de funcionamiento, hasta la comprobación administrativa de que el local cumple las condiciones exigibles.

Desde luego **la clausura por más de seis meses provocará la necesidad de una nueva visita de comprobación para poder dejar sin efecto la suspensión de la licencia de funcionamiento que se prolongara por dicho tiempo**, sin embargo la sentencia no explica porque puede solicitarse el alzamiento de la suspensión de la licencia aunque no se hubiera cumplido el plazo de cierre; toda vez que la interpretación del apartado 4.º del artículo 41 de la de la Ley Territorial de la Comunidad de Madrid 17/1997, de 4 de julio (LA LEY 1660/1998), de Espectáculos Públicos y Actividades Recreativas debe llevar al entendimiento que **la suspensión de la licencia ha de tener la misma duración que la sanción de clausura de la que deriva**, de forma que la sanción afecta al autor de la infracción pero la consecuencia accesoria, la suspensión de la licencia afecta directamente a la propia licencia. Obsérvese que la Ley establece como efecto «la suspensión de la licencia» y no la «extinción de la licencia». [STSJ Madrid 1 marzo 2017.- LA LEY 22692/2017]

MODELO DE EXPEDIENTE *(Disponible a texto íntegro en smarteca.es)*

1)   *Inicio comunicación de reapertura de actividad por cierre*

2)   *Admisión a trámite del expediente*

3)   *Informe técnico*

4)   *Informe jurídico para la reapertura de la actividad recreativa*

5)   *Reapertura de la actividad recreativa*

6)   *Notificación de la reapertura de la actividad*

3. CANARIAS

I.   Expediente de licencia de espectáculo público o actividad recreativa

1.   Claves del Expediente

La obtención de la licencia de actividad clasificada para espectáculo público o actividad recreativa se sujeta a régimen excepcional de intervención administrativa, frente al ordinario de la comunicación previa.

La Ley 7/2011, de 5 de abril, de actividades clasificadas y espectáculos públicos y otras medidas administrativas complementarias, regula en sus arts. 17 a 24 el procedimiento general, recogiéndose dentro del mismo el informe previo de calificación, antes de dictar la resolución del procedimiento, y con posterioridad a éste y antes del inicio de la actividad la presentación de declaración responsable (art. 28).

A tener en cuenta la innecesariedad de practicar notificación del expediente a vecinos colindantes con la actividad.

Las actividades sujetas a licencia previa son las que figuran en el anexo.2 del Decreto 52/2012, de 7 de junio, por el que se establece la relación de actividades clasificadas y se determinan aquellas a las que resulta de aplicación el régimen de autorización administrativa previa:

Actividades clasificadas sujetas al régimen de autorización administrativa previa.

Por concurrir en ellas las circunstancias previstas en el artículo 5.1 de la Ley 7/2011, de 5 de abril, de actividades clasificadas y espectáculos públicos y otras medidas administrativas complementarias, se requerirá la obtención de licencia previa para la instalación, traslado y modificación sustancial de los establecimientos que sirven de base al ejercicio de las actividades clasificadas que seguidamente se relacionan:

- 12.1. Actividades musicales: siempre que su aforo sea superior a 150 personas.

- 12.2. Actividades de restauración, en los siguientes casos:

— Cuando dispongan de terraza o cualquier otro espacio complementario al aire libre, con una capacidad superior a 20 personas.

— En el resto de los casos, siempre que su aforo sea superior a 300 personas.

• 12.4. Espectáculos públicos: siempre que su aforo sea superior a 300 personas, salvo los establecimientos abiertos al público destinados a espectáculos cinematográficos.

— La licencia se condicionará a la concertación de un seguro de responsabilidad civil (D.A. segunda Ley 7/2011)

— La solicitud de licencia tendrá el contenido exigido por el art. 84 del 86/2013, de 1 de agosto, por el que se aprueba el Reglamento de actividades clasificadas y espectáculos públicos, debiendo acompañarse de la documentación requerida por el art. 85 del mismo Decreto.

PREGUNTAS CLAVE

1. ¿Qué documentación es necesario presentar para el otorgamiento de licencia de actividad clasificada?

De conformidad con el art. 17 de la Ley 7/2011, de 5 de abril, de actividades clasificadas y espectáculos públicos y otras medidas administrativas complementarias, al menos se presentará junto con la solicitud de licencia proyecto técnico realizado y firmado por técnico competente y visado por el colegio profesional correspondiente si este fuere exigible, en el que se explicitará la descripción de la actividad, su incidencia ambiental y las medidas correctoras propuestas, debiendo justificarse expresamente que el proyecto técnico cumple la normativa sectorial así como la urbanística sobre usos aplicables.

También es necesario la concertación de un seguro de responsabilidad civil (DA segunda Ley 7/2011) que responda de las indemnizaciones que proceda frente a terceros, así como a la prestación de garantía para responder de los eventuales daños que puedan causarse al dominio público.

2. ¿Qué plazo hay para resolver la admisión a trámite de la solicitud de licencia de instalación de actividad clasificada?

Cinco días hábiles (Art. 18.1 de la Ley 7/2011, de 5 de abril, de actividades clasificadas y espectáculos públicos y otras medidas administrativas complementarias).

3. ¿Qué importancia tiene el informe de los servicios municipales, una vez que se ha admitido a trámite la solicitud de licencia de instalación de actividad clasificada?

El art. 19 de la Ley 7/2011, de 5 de abril, de actividades clasificadas y espectáculos públicos y otras medidas administrativas complementarias concede especial importancia al informe del proyecto, ya que del contenido del mismo dependerá la denegación motivada de la solicitud, o, la apertura de la fase de información pública y solicitud de informes preceptivos.

4. ¿Qué tiempo ha de exponerse al público el anuncio de la solicitud de licencia de instalación de actividad clasificada?

20 días, mediante anuncio que se publicará en el Boletín Oficial de la Provincia (art. 20.1 de la Ley 7/2011, de 5 de abril, de actividades clasificadas y espectáculos públicos y otras medidas administrativas complementarias).

5. ¿Ha de notificarse la tramitación del procedimiento a los vecinos colindantes con la actividad?

El trámite de información pública se limita a la publicación de anuncio en el Boletín Oficial de la Provincia, sin que sea necesario ni preceptivo dar cuenta del expediente a los colindantes con la actividad (art. 20.1 de la Ley 7/2011, de 5 de abril, de actividades clasificadas y espectáculos públicos y otras medidas administrativas complementarias).

6. ¿Qué plazo hay para emitir los informes sectoriales de la licencia de instalación de actividad clasificada?

15 días, salvo que la normativa sectorial establezca uno distinto (art. 20.2 de la Ley 7/2011, de 5 de abril, de actividades clasificadas y espectáculos públicos y otras medidas administrativas complementarias.

7. ¿Qué ocurre si no se emite en plazo los informes sectoriales?

Transcurrido el plazo de 15 días sin haberse emitido los informes sectoriales solicitados, podrán seguirse las actuaciones (art. 20.2 de la Ley 7/2011, de 5 de abril, de actividades clasificadas y espectáculos públicos y otras medidas administrativas complementarias.

8. ¿Qué plazo hay para emitir y notificar el informe de calificación?

Un mes desde la recepción de la solicitud por el órgano competente (art. 21.5 de la Ley 7/2011, de 5 de abril, de actividades clasificadas y espectáculos públicos y otras medidas administrativas complementarias).

9. ¿Qué sentido tiene el informe de calificación si el mismo no se emite en plazo?

De acuerdo con el art. 21.5 de la Ley 7/2011, de 5 de abril, de actividades clasificadas y espectáculos públicos y otras medidas administrativas complementarias, transcurrido el plazo de un mes sin que por el órgano competente para resolver sobre la autorización se hubiere recibido el informe, este se **entenderá favorable a la solicitud**. En todo caso, si el mencionado informe **fuera negativo o condicionado** y se recibiera por el órgano competente antes de dictar la resolución y dentro siempre del plazo para resolver el procedimiento, tendrá la eficacia vinculante del apartado anterior.

10. ¿Quién es competente para emitir el informe de calificación?

Dependiendo de los supuestos contemplados en el art. 21.6 de la Ley 7/2011, de 5 de abril, de actividades clasificadas y espectáculos públicos y otras medidas administrativas complementarias, corresponde al cabildo insular correspondiente o al ayuntamiento.

11. ¿En qué casos ha de darse trámite de audiencia del expediente de calificación?

Cuando el informe de calificación fuera desfavorable o condicionado (art. 22 de la Ley 7/2011, de 5 de abril, de actividades clasificadas y espectáculos públicos y otras medidas administrativas complementarias).

12. ¿Cómo se resuelve la discrepancia sobre el contenido del informe de calificación desfavorable o condicionado?

En el supuesto de que el órgano competente para otorgar la licencia de instalación de la actividad clasificada discrepara del contenido del informe de calificación desfavorable o condicionado, y no se hubieran operado los efectos del silencio positivo en la obtención de la licencia, podrá elevar en el plazo de diez días la correspondiente discrepancia al órgano competente para ello, cuyo acuerdo, de carácter vinculante, se notificará al órgano que haya elevado la discrepancia, al órgano que hubiera emitido el informe de calificación, y al interesado (art. 23.2 de la Ley 7/2011, de 5 de abril, de actividades clasificadas y espectáculos públicos y otras medidas administrativas complementarias).

13. ¿Quién tiene la competencia para resolver los supuestos de discrepancia?

Corresponde:

a) **Al pleno del cabildo insular**, en los supuestos en que el informe de calificación hubiera sido emitido por el cabildo insular en los casos previstos en el artículo 21.6.a) de la presente ley.

b) En los demás supuestos no previstos en el apartado anterior:

• La **junta de gobierno de la corporación local** a la que corresponda autorizar la actividad, cuando dicha corporación sea el cabildo insular o esté sujeta al régimen jurídico de los municipios de gran población.

• **El pleno del ayuntamiento** al que corresponda autorizar la actividad, cuando se trate de municipios no sujetos al régimen jurídico de los municipios de gran población (art. 23.3 de la Ley 7/2011, de 5 de abril, de actividades clasificadas y espectáculos públicos y otras medidas administrativas complementarias).

14. ¿Qué plazo hay para resolver y notificar el procedimiento de otorgamiento de licencia de actividad clasificada

Tres meses con carácter general y cinco meses, en los supuestos previstos en el art. 21.6 a) párrafo primero (art. 24.1 de la Ley 7/2011, de 5 de abril, de actividades clasificadas y espectáculos públicos y otras medidas administrativas complementarias).

15. ¿Se obtiene la licencia por silencio positivo?

Podrá entenderse estimada la solicitud y obtenida la licencia por silencio positivo, cuando concurra cualquiera de los dos siguientes supuestos:

a) que el informe de calificación hubiese sido favorable, o condicionado al cumplimiento de determinadas medidas correctoras, operando, en este último caso, la estimación, por silencio, de la solicitud condicionada al cumplimiento de las medidas impuestas en el informe;

b) que el informe de calificación, en el caso de actividades molestas, no hubiere sido emitido ni notificado al interesado dentro del plazo de resolución del procedimiento previsto en el apartado 1 (art. 24.2 de la Ley 7/2011, de 5 de abril, de actividades clasificadas y espectáculos públicos y otras medidas administrativas complementarias).

16. ¿Qué procedimiento se aplica cuando la licencia de instalación de actividad clasificada necesite de evaluación de impacto ambiental?

(art. 24.1 de la Ley 7/2011, de 5 de abril, de actividades clasificadas y espectáculos públicos y otras medidas administrativas complementarias).

17. ¿Qué procedimiento se aplica cuando la licencia de instalación de actividad clasificada necesite de evaluación de impacto ambiental?

El procedimiento a seguir será el general con las variaciones que se establecen en el art. 26 de la Ley 7/2011, de 5 de abril, de actividades clasificadas y espectáculos públicos y otras medidas administrativas complementarias.

18. ¿Qué plazo hay para resolver y notificar el procedimiento de evaluación de impacto ambiental?

Diez meses (art. 27.1 de la Ley 7/2011, de 5 de abril, de actividades clasificadas y espectáculos públicos y otras medidas administrativas complementarias).

19. ¿Se produce silencio positivo si no se resuelve el plazo el procedimiento de evaluación de impacto ambiental?

Transcurrido el plazo de diez meses, sin que se hubiere producido la resolución y su notificación al interesado, este podrá entender estimada la solicitud y obtenida la autorización por silencio positivo, cuando concurra cualquiera de los dos siguientes supuestos:

a) que la declaración de impacto hubiese sido favorable o condicionada al cumplimiento de determinadas medidas correctoras, operando, en este último caso la estimación, por silencio, de la solicitud condicionada al cumplimiento de las medidas impuestas en la declaración;

b) que la declaración de impacto no hubiere sido emitida ni notificada al interesado dentro del plazo establecido para ello por la legislación ambiental y siempre que por ley o norma comunitaria no se anude a la falta de emisión o notificación en plazo de dicha declaración un efecto desfavorable u obstativo a la autorización de la actividad sometida a evaluación (art. 27.2 de la Ley 7/2011, de 5 de abril, de actividades clasificadas y espectáculos públicos y otras medidas administrativas complementarias).

2. Legislación aplicable

— Europea

Directiva 2006/123/CE del Parlamento y del Consejo, de 12 de diciembre de 2006, relativa a los servicios en el mercado interior.

— Estatal

Ley 17/2009, de 23 de noviembre, sobre el Libre Acceso a las Actividades de Servicios.

Arts. 21.1. q) y s), 124.4.ñ), 70.bis y 84, 84 bis y 84 ter. de la Ley 7/1985, de 2 de abril, Reguladora de las Bases de Régimen Local.

Ley 39/2015, de 1 de octubre, del Procedimiento Administrativo Común de las Administraciones Públicas.

— Autonómica

Ley 7/2011, de 5 de abril, de actividades clasificadas y espectáculos públicos y otras medidas administrativas complementarias.

Decreto 86/2013, de 1 de agosto, por el que se aprueba el Reglamento de actividades clasificadas y espectáculos públicos.

Decreto Legislativo 1/2012, de 21 de abril, por el que se aprueba el Texto Refundido de las Leyes de Ordenación de la Actividad Comercial de Canarias y reguladora de la licencia comercial.

Decreto 52/2012, de 7 de junio, por el que se establece la relación de actividades clasificadas y se determinan aquellas a las que resulta de aplicación el régimen de autorización administrativa previa.

3. Documentos de interés

— Doctrina

CHOLBÍ CACHÁ, Francisco Antonio.- «El contenido de la normativa autonómica en los supuestos de interrelación de las autorizaciones urbanísticas con las de actividades».- LA LEY 23007/2011.

—. «Apunte legislativo sobre las relaciones en la tramitación administrativa de las autorizaciones urbanísticas y de actividades.- LA LEY 23011/2011.

—. «Los distintos tipos de autorizaciones ambientales para el ejercicio de actividades».- LA LEY 23002/2011.

—. «Los Tribunales dicen... sobre las relaciones en la tramitación administrativa de las autorizaciones urbanísticas y de actividades».- LA LEY 23010/2011.

—. «Especial consideración a las actividades sujetas a licencias de uso cuando llevan aparejadas la ejecución de obras».- LA LEY 23009/2011.

—. «Los principales problemas en la tramitación conjunta de las autorizaciones urbanísticas cuando el destino de las obras es el ejercicio de actividades».- LA LEY 23008/2011.

—. «El contenido supletorio del Reglamento de Servicios sobre interrelación de licencias.- LA LEY 23005/2011

«La interrelación existente entre las autorizaciones en materia urbanística y las autorizaciones en materia ambiental».- LA LEY 23004/2011

—. El régimen jurídico de las autorizaciones en materia urbanística para el ejercicio de actividades: introducción».- LA LEY 23001/2011

CANO MURCIA, Antonio «Cuestiones prácticas sobre transmisión o cambio de titularidad».- LA LEY 18292/2011.

—. «Apunte legislativo sobre transmisión o cambio de titularidad».- LA LEY 18291/2011.

—. «Los Tribunales dicen... sobre transmisión o cambio de titularidad».- LA LEY 18290/2011.

—. «Requisitos generales de la transmisión o cambio de titularidad de la licencia de apertura».- LA LEY 18288/2011.

—. «Apunte legislativo sobre actividades no sujetas a comunicación previa o declaración responsable».- LA LEY 18269/2011.

—. «Apunte legislativo sobre actividades sin licencia».- LA LEY 18319/2011.

—. «Procedimiento licencia instalación actividades clasificadas».- LA LEY 18285/2011.

MODELO DE EXPEDIENTE: Licencia de espectáculo público o actividad recreativa *(Disponible a texto íntegro en smarteca.es)*

1) *Inicio expediente de espectáculo público o actividad recreativa*

2) *Admisión a trámite de la solicitud*

3) *Enjuiciamiento previo del proyecto con informe técnico*

4) *Enjuiciamiento previo del proyecto con informe jurídico*

5) *Providencia ordenando apertura información pública y emisión informes preceptivos*

6) *Anuncio de información pública*

7) *Solicitud informes*

8) *Certificado de reclamaciones*

9) *Remisión del expediente para informe de calificación*

10) *Informe de calificación*

11) *Trámite de audiencia*

12) *Notificación trámite de audiencia*

13) *Escrito de alegaciones al trámite de audiencia*

14) *Resolución licencia actividad clasificada*

15) *Notificación la resolución de licencia de actividad clasificada*

II.   Expediente de inicio de actividad recreativa

1.   Claves del Expediente

Este expediente es una continuación del procedimiento para el otorgamiento de la licencia de instalación de actividad clasificada regulado en los arts. 17 a 27 de la Ley 7/2011, de 5 de abril, de actividades clasificadas y espectáculos públicos y otras medidas administrativas complementarias.

Para iniciar el ejercicio de una actividad clasificada es necesario la puesta en marcha, previa presentación de una comunicación previa. Aquí el legislador mezcla en el art. 28 de la Ley 7/2011 comunicación previa, con puesta en marcha y declaración responsable, lo que provoca confusión a la hora de resolver el expediente de inicio de la actividad, ya que si bien basta con la presentación de la declaración responsable para la puesta en marcha, también podría finalizar el procedimiento concediendo de forma expresa licencia de apertura o puesta en marcha de la actividad.

El procedimiento a seguir es el previsto para la comunicación previa, y se desarrolla en los arts. 101 y 102 del Decreto 86/2013, de 1 de agosto, por el que se aprueba el Reglamento de actividades clasificadas y espectáculos públicos.

PREGUNTAS CLAVE

1. ¿Qué requisito ha de cumplirse para la puesta en marcha de la actividad clasificada?

La puesta en marcha de actividades clasificadas requerirá la presentación de declaración responsable por el promotor ante la Administración competente adjuntando la certificación técnica, visada por el colegio profesional correspondiente en caso de actividades calificadas como insalubres o peligrosas, acreditativa de la conclusión de las obras y de su adecuación a las condiciones establecidas en la licencia de instalación (art. 28 de la Ley 7/2011, de 5 de abril, de actividades clasificadas y espectáculos públicos y otras medidas administrativas complementarias).

2. ¿Existe un procedimiento específico para la puesta en marcha de actividades clasificadas?

La apertura, el inicio, puesta en marcha o funcionamiento de establecimientos que sirven de soporte al ejercicio de actividades clasificadas no sujetas a autorización ambiental integrada o a evaluación de impacto ambiental, se someterá siempre al régimen de comunicación previa (art. 68.3 del Decreto 86/2013, de 1 de agosto, por el que se aprueba el Reglamento de actividades clasificadas y espectáculos públicos).

3. ¿Cuándo puede iniciarse el ejercicio de una actividad clasificada?

La presentación de la comunicación previa y de la documentación que la ha de acompañar habilitará a la persona interesada, a partir de ese momento, para el ejercicio material de la actividad si bien no prejuzgará la situación y efectivo cumplimiento de las condiciones previstas para su desarrollo o de los requisitos del local o establecimiento, ni limitará el ejercicio de las potestades administrativas de comprobación, inspección, sanción y, en general, de control que el ordenamiento jurídico prevé (art. 35.3 de la Ley 7/2011, de 5 de abril, de actividades clasificadas y espectáculos públicos y otras medidas administrativas complementarias y art. 101.5 del

Decreto 86/2013, de 1 de agosto, por el que se aprueba el Reglamento de actividades clasificadas y espectáculos públicos).

4. En el caso de que la actividad esté sujeta a la obtención de título habilitante previo que lleve implícita la licencia de actividad clasificada, ¿existe plazo para resolver y notificar el inicio de la actividad?

En dicho supuesto, el plazo de resolución y notificación de la resolución, cuando rija el régimen autorizatorio, será el establecido en la normativa específica, y, en su defecto, el de 2 meses, transcurridos los cuales se entenderá obtenida por silencio administrativo positivo, salvo que la normativa específica disponga otro régimen distinto (art. 29 de la Ley 7/2011, de 5 de abril, de actividades clasificadas y espectáculos públicos y otras medidas administrativas complementarias).

2.   Jurisprudencia

• Consecuentemente, a raíz de la reforma operada, **no es preciso que con carácter previo al inicio de la actividad sujeta a licencia ambiental** y con relación a las actividades sujetas a tal licencia, **el Ayuntamiento otorgue previamente lo que se venía denominando licencia de apertura**, pues basta con que con carácter previo al inicio de actividad el titular comunique **su puesta en marcha en los términos dichos.** [STSJ Castilla y León (Burgos) 22 diciembre 2014.- LA LEY 195827/2014]

• La Sala comparte plenamente el argumento ofrecido por el Juez *a quo* para repeler una pretendida aplicación retroactiva de la Ley 7/2007, de 9 de julio (LA LEY 7871/2007), de Gestión Integrada de la Calidad Ambiental, ya que, efectivamente, pese a la dicción de su Disposición Transitoria Segunda, que se refiere a los procedimientos iniciados con anterioridad a su entrada en vigor para la aprobación, autorización o actualización ambiental, y aunque el procedimiento hubiera concluido en 2003 cuando se otorgó la licencia de apertura, **es lo cierto que la autorización de puesta en marcha e inicio de la actividad** por la resolución impugnada de 2010 **ha de atemperarse a las exigencias normativas del momento de su otorgamiento**, ya que, como muy bien expone el Juez *a quo*, ello comporta una revisión de los condicionantes ambientales que se tuvieron en cuenta tiempo atrás. [STSJ Andalucía (Granada) 26 enero 2015.- LA LEY 54911/2015]

Sin que lo que aquí se afirme suponga prejuzgar en modo alguno el fondo del asunto, **hemos de partir de una situación jurídica no negada por el apelado y es que carece de licencia de funcionamiento que le permita iniciar la actividad en el local de autos, pues incluso en la resolución de concesión de licencia provisional** tenida en cuenta por el juzgador *a quo*, se hace expresa referencia a que mientras no se obtenga la licencia de funcionamiento «**no podrá iniciarse el ejercicio de la actividad ni la puesta en marcha de las instalaciones**». Por lo demás y pese a lo genérico de las alegaciones del apelante, le asiste la razón cuando afirma que no se puede acceder a la suspensión cautelar pues el acto impugnado pretende dar cumplimiento a la legalidad urbanística y más en concreto se dicta en ejecución de una sentencia de 29 de julio de 2013 del Juzgado de lo Contencioso-Administrativo n.º 27 de Madrid, confirmada en apelación por sentencia de esta Sección de 11 de febrero de 2015 por la que se declaró ajustada a Derecho la orden de cese de la actividad, indicándose por esta Sección, entre otras afirmaciones, que «Las eventuales dificultades para la obtención, primero, de la licencia de instalaciones generales del edificio y, luego, de la licencia de funcionamiento (dificultades que, por otra parte, no se aclaran ni especifican) no eximen ni al Ayuntamiento de Madrid para la exigencia de su obtención, ni a ADIF ni a la mercantil recurrente de la pertinente solicitud. En caso contrario, se estaría en presencia de una dispensación contraria al ordenamiento jurídico». [STSJ Madrid 15 febrero 2017.- LA LEY 22717/2017]

3. Legislación autonómica

Ley 7/2011, de 5 de abril, de actividades clasificadas y espectáculos públicos y otras medidas administrativas complementarias.

Decreto 86/2013, de 1 de agosto, por el que se aprueba el Reglamento de actividades clasificadas y espectáculos públicos.

Decreto Legislativo 1/2012, de 21 de abril, por el que se aprueba el Texto Refundido de las Leyes de Ordenación de la Actividad Comercial de Canarias y reguladora de la licencia comercial.

Decreto 52/2012, de 7 de junio, por el que se establece la relación de actividades clasificadas y se determinan aquellas a las que resulta de aplicación el régimen de autorización administrativa previa.

4. Documentos de interés

— Doctrina

CHOLBÍ CACHÁ, Francisco Antonio.- «El contenido de la normativa autonómica en los supuestos de interrelación de las autorizaciones urbanísticas con las de actividades».- LA LEY 23007/2011.

—. «Apunte legislativo sobre las relaciones en la tramitación administrativa de las autorizaciones urbanísticas y de actividades.- LA LEY 23011/2011.

—. «Los distintos tipos de autorizaciones ambientales para el ejercicio de actividades».- LA LEY 23002/2011.

—. «Los Tribunales dicen… sobre las relaciones en la tramitación administrativa de las autorizaciones urbanísticas y de actividades».- LA LEY 23010/2011.

—. «Especial consideración a las actividades sujetas a licencias de uso cuando llevan aparejadas la ejecución de obras».- LA LEY 23009/2011.

—. «Los principales problemas en la tramitación conjunta de las autorizaciones urbanísticas cuando el destino de las obras es el ejercicio de actividades».- LA LEY 23008/2011.

—. «El contenido supletorio del Reglamento de Servicios sobre interrelación de licencias.- LA LEY 23005/2011

—. «La interrelación existente entre las autorizaciones en materia urbanística y las autorizaciones en materia ambiental».- LA LEY 23004/2011

—. El régimen jurídico de las autorizaciones en materia urbanística para el ejercicio de actividades: introducción».- LA LEY 23001/2011

CANO MURCIA, Antonio «Cuestiones prácticas sobre transmisión o cambio de titularidad».- LA LEY 18292/2011.

—. «Apunte legislativo sobre transmisión o cambio de titularidad».- LA LEY 18291/2011.

—. «Los Tribunales dicen… sobre transmisión o cambio de titularidad».- LA LEY 18290/2011.

—. «Requisitos generales de la transmisión o cambio de titularidad de la licencia de apertura».- LA LEY 18288/2011.

—. «Apunte legislativo sobre actividades no sujetas a comunicación previa o declaración responsable».- LA LEY 18269/2011.

—. «Apunte legislativo sobre actividades sin licencia».- LA LEY 18319/2011.

—. «Procedimiento licencia instalación actividades clasificadas».- LA LEY 18285/2011.

MODELO DE EXPEDIENTE: Inicio de actividad clasificada *(Disponible a texto íntegro en smarteca.es)*

1)   *Presentación de declaración responsable para inicio de la actividad recreativa*

2)   *Providencia de la Alcaldía*

3)   *Informe técnico sobre comprobación*

4)   *Decreto dando por efectuada comprobación para el ejercicio de actividad recreativa*

5)   *Notificación de la resolución de comprobación para el ejercicio de la actividad recreativa*

III.   Expediente de cambio de titularidad de actividad recreativa

1.   Claves del Expediente

Aunque es una cuestión que puede considerarse pacífica, el cambio de titularidad en general de los establecimientos, negocios y actividades en general y en particular de la licencia ambiental se sujeta al cumplimiento de unos requisitos mínimos, que tienen como objetivo fundamental el poner en conocimiento de la Administración (órgano sustantivo ambiental) el nuevo titular de la actividad.

A tenor del artículo 13.1 del Reglamento de Servicios de las Corporaciones Locales, aprobado por Decreto de 17 de junio de 1955, las licencias relativas a las condiciones de una obra, instalación o servicio serán transmisibles, pero el antiguo y el nuevo constructor o empresario deberán comunicarlo por escrito a la Corporación, sin lo cual quedarán ambos sujetos a todas las responsabilidades que se derivaren para el titular.

Esta posición legal ha quedado superada mediante el art. 3.2 de la Ley 12/2012, de 26 de diciembre, de medidas urgentes de liberalización del comercio y de determinados servicios, al decir que no están sujetos a licencia los cambios de titularidad de las actividades comerciales y de servicios, siendo exigible en estos casos una comunicación previa a la administración competente a los solos efectos informativos.

Ha de tenerse en cuenta:

• La comunicación ha de ser expresa.

• Se exige que se acredite que la comunicación de la transmisión vaya acompañada de título o documento que acredite la transmisión (contrato de compraventa, de arrendamiento, de cesión etc.)

• Si la transmisión se produce sin realizar la correspondiente comunicación, el anterior y el nuevo titular quedan sujetos, de forma solidaria, a todas las responsabilidades y obligaciones derivadas del incumplimiento de dicha obligación.

La Ley 7/2011, de 5 de abril, de actividades clasificadas y espectáculos públicos y otras medidas administrativas, en su art. 33 complementarias, regula las condiciones en las que se ha de llevar a cabo la transmisión de la actividad.

PREGUNTAS CLAVE

1. ¿Quién está obligado a comunicar la transmisión de la licencia de instalación o actividad?

El anterior o el nuevo titular (art. 33.1 de la Ley 7/2011, de 5 de abril, de actividades clasificadas y espectáculos públicos y otras medidas administrativas complementarias).

2. ¿Cómo ha de efectuarse la comunicación de la transmisión de la instalación o actividad?

Mediante escrito que se presentará en el Ayuntamiento en el plazo de un mes desde que se hubiera formalizado el cambio de titularidad, acompañado de una copia del título o documento que ampare la transmisión anterior y el nuevo titular (art. 33.2 de la Ley 7/2011, de 5 de abril, de actividades clasificadas y espectáculos públicos y otras medidas administrativas complementarias).

La exigencia de la acreditación de la transmisión, ha de entenderse que carece de toda lógica, contraria al alcance y contenido que se le da por el art. 3 de la Ley 12/2012, de 26 de diciembre, de medidas urgentes de liberalización del comercio y de determinados servicios, en consonancia con una consolidada jurisprudencia.

3. ¿Qué ocurre si no se cumple el deber de comunicarla transmisión de la instalación o actividad?

El incumplimiento del deber de comunicación determina que el antiguo y el nuevo titular serán responsables, de forma solidaria, de cualquier obligación y responsabilidad dimanante de la licencia de actividad clasificada entre la fecha de su transmisión y de la comunicación de esta (art. 33.2 de la Ley 7/2011, de 5 de abril, de actividades clasificadas y espectáculos públicos y otras medidas administrativas complementarias).

4. ¿Qué requisitos han de cumplirse para realizar el cambio de titularidad una actividad recreativa?

Para que el nuevo titular de una actividad pueda realizar el cambio de titularidad, deberá ser comunicado al Ayuntamiento a efectos informativos, acompañándose a la misma una copia del título o documento en cuya virtud se haya producido la transmisión (art. 33.2 de la Ley 7/2011, de 5 de abril, de actividades clasificadas y espectáculos públicos y otras medidas administrativas complementarias).

5. ¿Es necesario que el anterior titular comunique la transmisión de la actividad a un tercero?

Si, así lo dispone el art. 83.1 del Decreto 86/2013, de 1 de agosto, por el que se aprueba el Reglamento de actividades clasificadas y espectáculos públicos: «La transmisión de la instalación o actividad no exigirá nueva solicitud de licencia de actividad clasificada, si bien el anterior o el nuevo titular **estarán obligados a comunicar** al órgano que otorgó la licencia la transmisión producida».

6. ¿Qué ocurre si no se comunica la transmisión de la actividad?

La no comunicación del cambio de titularidad de la actividad por el anterior o el nuevo titular supone que el anterior y nuevo titular queda sujetos, de forma solidaria, a todas las responsabilidades y obligaciones derivadas de dicho incumplimiento (art. 83.3 del Decreto 86/2013, de 1 de agosto, por el que se aprueba el Reglamento de actividades clasificadas y espectáculos públicos).

7. ¿Puede transmitir la licencia de actividad el que no es propietario del local en el que se ejerce la misma?

Sí. El ejercicio de una actividad tanto mediante la concesión expresa de licencia de apertura o actividad o mediante la comunicación previa o declaración responsable tiene carácter real, al margen de la titularidad del inmueble y de las relaciones subjetivas que existan entre el titular del mismo y el que ocupe el local mediante contrato de arrendamiento, u cualquier otro título. En este sentido es de aplicación lo dispuesto en el art. 12. 1 RSCL «Las autorizaciones y licencias se entenderán otorgadas salvo el derecho de propiedad y sin perjuicio del de tercero».

8. ¿Ha de resolverse expresamente por el Ayuntamiento la comunicación de cambio de titularidad?

No. El art. 3.2 de la Ley 12/2012 habla de comunicación previa a la administración competente, sin que sea necesario posteriormente dictar resolución alguna. A efectos prácticos bastaría en cualquier caso tomar conocimiento de la transmisión, dejando constancia en el expediente.

9. ¿Qué ocurre si el Ayuntamiento no dicta resolución de cambio de titularidad?

Si el Ayuntamiento, recibida la comunicación de cambio de titularidad de la actividad, no resuelve expresamente el mismo, ha de entenderse que por silencio administrativo positivo se da por cumplido el trámite a todos los efectos, teniendo en cuenta que la resolución del órgano sustantivo no es generadora de derechos para el nuevo titular de la actividad, sino que tiene los efectos de una simple comunicación, que el Ayuntamiento constata mediante la toma de conocimiento del nuevo titular. En este sentido para la STS 15 octubre 1981 «La intervención municipal en caso de transmisión de licencias no es de previa y expresa autorización para que aquélla opere, sino de mera constatación o toma de razón de la extra-administrativamente producida por el simple acuerdo del antiguo y nuevo propietario, cuyo incumplimiento determina que ambos queden sujetos a todas las responsabilidades que se deriven para el titular».

2.   Jurisprudencia

• El cambio de titular por sí solo resultaba jurídicamente irrelevante en cuanto afectaría a los posibles derechos de los particulares (STS de 23 diciembre 1998), porque la licencia mantenía su vigencia mientras subsistieran las condiciones de la actividad, de modo que el Ayuntamiento, **de no advertir otras modificaciones que las subjetivas, que son inoperantes a estos efectos, debió otorgar la transmisión de la titularidad de la licencia cuando le fue comunicado por escrito por el dueño del establecimiento,** toda vez que no ofrecía duda el título legítimo de la transmisión ya que la subrogación en la explotación se producía por los dueños del local a favor del nuevo titular, una vez que el anterior arrendamiento había sido declarado extinguido por resolución judicial. [STSJ País Vasco 13 julio 2001]

• La Administración está obligada a reconocer el cambio de la titularidad de la licencia sin perjuicio de las distintas actuaciones que le conciernen ejercer contra la misma del mismo modo que si no se hubiese transmitido. [STSJ Madrid 18 septiembre 2001]

• No constando que la licencia de apertura en su día concedida al demandante lo fuese en atención a su persona, esto es, a especiales circunstancias personales del mismo que impidiesen su transmisión a los efectos prevenidos en el art. 13 del Reglamento de Servicios de las Corporaciones Locales, tal y como se sostiene, entre otras, en la STS de 12 Jul. 2000, **el cambio de titular no requiere la solicitud de una nueva licencia, la cual solo sería exigible si hubiese existido una modificación de la actividad para la cual aquélla se concedió, lo que no se da en este caso.** Por tanto, el único efecto o consecuencia jurídica de la falta de notificación por escrito de tal circunstancia es la **sumisión conjunta de transmitente y adquirente a las responsabilidades** de la explotación de la licencia, sin que lleve consigo la imposición de la sanción debatida en estos autos. [STSJ Extremadura 27 septiembre 2001.- LA LEY 170424/2001]

• Para proceder al cambio de titularidad el Ayuntamiento ha de tener constancia de que efectivamente dicho cambio se ha producido, y ello por dos mecanismos alternativos, uno bilateral, que no es otro que la conformidad del anterior titular, y otro, que no precisa dicha conformidad, más complejo, que consiste en la acreditación de que se ha adquirido por cualquier medio, *inter vivos* o *mortis causa*, la propiedad o posesión del inmueble en cuestión. [STSJ Madrid 15 enero 2004]

• La transmisión de la licencia constituye en definitiva la realización de un **negocio jurídico del transmitente en cuanto titular originario de la autorización administrativa pero sin que tal operación traslativa tenga relevancia a efectos de alterar las condiciones de la propia autorización,** de tal modo que permanece idéntica su eficacia y viabilidad jurídica del acto proyectado y en consecuencia del incumplimiento del deber administrativo impuesto por el artículo 13.1 del R. S. C. L., de comunicar la transferencia al Ayuntamiento, circunstancia no realizada en el supuesto de autos, **no repercute sobre la validez y existencia de la licencia y sí en cambio, únicamente en el régimen de responsabilidades derivado de la titularidad de la licencia** quedando también el transmitente sujeto junto con el adquirente a dichas responsabilidades máxime cuando el deber de comunicación de la transmisión de la licencia ha de operar a efectos de información del Ayuntamiento de los titulares en cada momento de licencias. [STSJ Extremadura 15 diciembre 2006.- LA LEY 214993/2006]

• A juicio de la Sala la sentencia apelada lleva a cabo una interpretación correcta del régimen de transmisión de la licencia de apertura de autos de acuerdo con el Regla-

mento de Servicios de las Corporaciones Locales, **transmisión que no se halla sujeta a un régimen de autorización administrativa sino a uno de mera comunicación, de forma que la transmisión es libre de acuerdo con los modos y formas admitidos en derecho para transmitir o adquirir la propiedad o la posesión, y no queda condicionada a una autorización administrativa**, ya que lo único que le corresponde a la Administración es tomar razón del cambio si se produce la comunicación, o no hacerlo si no se produce en la forma exigible, «pero en modo alguno autorizarlo o denegarlo, de forma que, a partir de dicho acto de comunicación la Administración habrá necesariamente de considerar a la cesionaria como titular de la licencia a todos los efectos legales derivados del ejercicio de la actividad, si se ha cumplido el requisito de la comunicación».

La introducción por el art. 23.2 de la Ordenanza municipal de licencias del requisito de que la nueva titular de la licencia garantice expresamente y por escrito, que debe acompañarse a la comunicación de cambio de titularidad, que asume todas las cargas inherentes a la licencia en cuestión, infringe claramente el art. 13 del Reglamento de Servicios de las. Corporaciones Locales, lo que determina su nulidad ex art. 62.2 LRJAPy-PAC, puesto que **transforma el régimen de mera comunicación previsto en el mismo, en uno de autorización**, en el que la transmisión no se perfecciona sino con la decisión administrativa que la autoriza, puesto que, tal y como postula el Ayuntamiento en el acto recurrido y argumenta en el recurso de apelación, el incumplimiento de dicho requisito comporta «no acceder» al cambio de titularidad, esto es, denegar el cambio de titularidad por incumplimiento de dicho precepto. [STSJ PAÍS VASCO 10 octubre 2011.- LA LEY 300763/2011]

• Tampoco cabe oponer el artículo 42 de la Ley 11/2003 de 8 de abril, de Prevención Ambiental de Castilla y León puesto que, de su lectura e interpretación literal, llegamos a una conclusión distinta de la que se contiene en la Sentencia recurrida, ya que claramente se refiere **solo al deber de comunicación a las Administraciones y a las consecuencias del incumplimiento de tal deber**, que se ventilan no en la denegación de la transmisión de la licencia, sino en el de las responsabilidades de cedente y cesionario del incumplimiento de las obligaciones que impone la ley. [STSJ CASTILLA Y LEÓN (Burgos) 28 noviembre 2011.- LA LEY 232204/2011]

• De todo lo expuesto se concluye que el **cambio de titularidad de licencia solicitado no era una cuestión discutible** y por ello la Resolución de 3 de junio de 2005, no puede incardinarse dentro del margen de razonabilidad del que disponía la administración local para resolver, pues solicitado un cambio de titularidad de licencia, se entiende por el ayuntamiento que procede la solicitud de nueva licencia por cambio de actividad y ello a pesar de que los informes, ponían en evidencia de que se trataba de un cambio de titularidad, con el resultado ya conocido de anulación de estas resolución, y la pertinente declaración de responsabilidad patrimonial, **pues el ayuntamiento de Gandía venia obligado a otorgar el cambio de titularidad de licencia solicitado al cumplirse todos los requisitos necesarios para ello y estar acreditadas dichas circunstancias en el expediente instruido al efecto,** sin margen de interpretación y sin que en la resolución inicialmente anulada se cite un solo informe que avale lo resuelto por el Ayuntamiento que lo fue al margen de toda apreciación razonable. [STS Comunidad Valenciana 17 abril 2013.- LA LEY 90145/2013]

• …De acuerdo con este precepto es evidente que **el cambio de titularidad no precisa de la obtención de una nueva licencia**. Solo precisa de una autorización municipal de que las obras e instalaciones, se ajustan a la licencia de actividad. Esta exigencia, incluso

desaparecerá en la Ley 2/2006, de calidad ambiental, en cuyo art. 62, la transmisión sin alteración, solo es objeto de comunicación. [STSJ Comunidad Valenciana 28 noviembre 2014.- LA LEY 232360/2014]

- La conclusión de que, **para autorizar el cambio de titularidad del establecimiento, basta la mera comunicación al Ayuntamiento es conforme a derecho**, sin perjuicio, insistimos, en que ora de oficio por la propia Administración ora a instancia de algún interesado pueda controlarse la actividad y, en su caso, imponerse medidas correctoras de la concreta actividad, incluso la incoación de procedimiento sancionador si hubiere méritos para ello. [STSJ Andalucía (Granada) 15 noviembre 2016.- LA LEY 202226/2016]

- Podemos aplicar la doctrina expresada en la Sentencia dictada por esta Sala y Sección 15 de abril de 2015, dictada en el recurso de apelación número 138/2015 dimanante de la Pieza Separada de Suspensión n.º 522/2014 del Juzgado de lo Contencioso-Administrativo número 14 de Madrid, en la que hemos indicado «En el supuesto de autos, sin que la decisión que aquí se adopte ni la fundamentación jurídica de la presente resolución suponga en modo alguno prejuzgar el fondo del asunto, a los meros efectos cautelares que nos ocupan, el recurso de apelación debe ser desestimado por no concurrir la apariencia de buen derecho alegada por el apelante. Y ello es así porque tal y como se hace constar en la propia resolución administrativa ordenando el precinto, tal decisión se adopta en ejecución de tres resoluciones sancionadoras previas impuestas por periodos de nueve meses, un año y dos años, que aunque impuestas con carácter firme con anterioridad al inicio de la actividad por parte del apelante (contrato de arrendamiento del local de 17 de septiembre de 2014, declaración responsable de inicio de actividad de establecimiento de restauración presentado ante la Comunidad de Madrid el 19 de septiembre de 2014 y comunicación al Ayuntamiento de Madrid de cambio de titularidad de actividades presentada el 19 de septiembre de 2014) y siendo el sujeto sancionado un tercero, sin embargo no podemos acceder a la suspensión instada sin eludir el cumplimiento de tres resoluciones sancionadoras firmes que afectan de forma directa a la licencia del local en el que ejerce su actividad el apelante. Así se desprende del contenido del art. 41.4 de la Ley 17/1997 de Espectáculos Públicos y Actividades Recreativas de la Comunidad de Madrid, según el cual "Las sanciones de clausura de locales…, cuando sean superiores a seis meses, conllevarán la suspensión de las licencias reguladas en esta Ley". Por tanto, **la pretendida transmisión de la licencia con que cuenta el local de autos, no pudo operar de forma válida por la sencilla razón de que la misma quedó suspendida una vez impuestas las sanciones con carácter firme, quedando así pues el local afectado por la sanción de clausura sin posibilidad de transmisión de una licencia suspendida por ministerio de la ley**». [STSJ Madrid 7 junio 2017.- LA LEY 105935/2017]

- Es cierto que el Reglamento de las corporaciones locales, cuando regula la trasmisión de licencias, **sólo pretende establecer el requisito de la comunicación puesto que la licencia de actividad continua vigente,** en tanto subsista las condiciones exigidas para su otorgamiento, **sin que afecte a la licencia de actividad el sujeto que ostenta su titularidad** y ello con el fin de que, si no se produjera la citada comunicación, serían responsables tanto el transmitente de la licencia, como el adquirente de la licencia, por lo que la aplicación del art. 13.1 del citado reglamento, pero ello en nada afecta al actor, ni menos aun determina la nulidad de la resolución impugnada. [STSJ Comunidad Valenciana 15 noviembre 2017.- LA LEY 217823/2017]

3. Legislación aplicable

— Estatal

Art. 13 del Decreto de 17 de junio de 1955, por el que se aprueba el Reglamento de Servicios de las Corporaciones Locales.

Art. 3 de la Ley 12/2012, de 26 de diciembre, de medidas urgentes de liberalización del comercio y de determinados servicios.

— Autonómica

Art. 33 y 34 de la Ley 7/2011, de 5 de abril, de actividades clasificadas y espectáculos públicos y otras medidas administrativas complementarias.- LA LEY 7493/2011.

Art. 83 y 103 del Decreto 86/2013, de 1 de agosto, por el que se aprueba el Reglamento de actividades clasificadas y espectáculos públicos.- LA LEY 13360/2013.

Decreto Legislativo 1/2012, de 21 de abril, por el que se aprueba el Texto Refundido de las Leyes de Ordenación de la Actividad Comercial de Canarias y reguladora de la licencia comercial.- LA LEY 7477/2012.

Decreto 52/2012, de 7 de junio, por el que se establece la relación de actividades clasificadas y se determinan aquellas a las que resulta de aplicación el régimen de autorización administrativa previa.- LA LEY 10669/2012.

4. Documentos de interés

— Doctrina

CANO MURCIA, Antonio. «Apunte legislativo sobre transmisión o cambio de titularidad».- LA LEY 19118/2011.

—. «Los Tribunales dicen… sobre transmisión o cambio de titularidad».- LA LEY 19117/2011.

—. «Efectos de la Ley 17/2009, de 23 de noviembre, sobre el libre acceso a las actividades de servicios».- LA LEY 19116/2011.

—. «Requisitos generales para la transmisión de la licencia de apertura».- LA LEY 19115/2011.

CHOLBÍ CACHÁ, Francisco Antonio. «El contenido supletorio del Reglamento de Servicios sobre interrelación de licencias».- LA LEY 24314/2011.

MORA GONZÁLEZ, María Jesús. «La transmisión de las licencias urbanísticas». *El Consultor de los Ayuntamientos y de los Juzgados*, n.º 23, Quincena del 15 al 29 Dic. 2007, Ref. 3889/2007, pág. 3889, tomo 3, LA LEY.- LA LEY 6927/2007.

MODELO DE EXPEDIENTE de cambio de titularidad de actividad clasificada *(Disponible a texto íntegro en smarteca.es)*

1) *Comunicación de cambio de titularidad de actividad recreativa*

2) *Resolución de toma de conocimiento del cambio de titularidad de actividad clasificada*

3)   *Notificación de la toma de conocimiento del cambio de titularidad de actividad clasificada*

IV. Expediente de autorización previa para la celebración de espectáculo público

1. Claves del Expediente

La comunicación previa se formulará, ante el ayuntamiento o cabildo insular en cuyo municipio o isla pretenda implantarse la actividad.

La autorización llevará implícita la habilitación para el uso temporal de bienes públicos si el espectáculo se proyecta sobre bienes de titularidad de la Administración competente para resolver el procedimiento.

El plazo para dictar y notificar la resolución que ponga fin al procedimiento será de 15 días desde la presentación de la correspondiente solicitud.

El transcurso de dicho plazo sin que se dicte y notifique resolución expresa determinará la obtención de la autorización por silencio administrativo positivo, salvo que la solicitud implique la utilización del suelo de dominio público de la Administración competente para resolver el procedimiento.

2. Legislación autonómica

Arts, 37 a 40 de la Ley 7/2011, de 5 de abril, de actividades clasificadas y espectáculos públicos y otras medidas administrativas complementarias.

Arts. 104 a 108 del Decreto 86/2013, de 1 de agosto, por el que se aprueba el Reglamento de actividades clasificadas y espectáculos públicos.

Decreto Legislativo 1/2012, de 21 de abril, por el que se aprueba el Texto Refundido de las Leyes de Ordenación de la Actividad Comercial de Canarias y reguladora de la licencia comercial.

Decreto 52/2012, de 7 de junio, por el que se establece la relación de actividades clasificadas y se determinan aquellas a las que resulta de aplicación el régimen de autorización administrativa previa.

3. Documentos de interés

— Doctrina

CHOLBÍ CACHÁ, Francisco Antonio.- «El contenido de la normativa autonómica en los supuestos de interrelación de las autorizaciones urbanísticas con las de actividades».- LA LEY 23007/2011.

—. «Apunte legislativo sobre las relaciones en la tramitación administrativa de las autorizaciones urbanísticas y de actividades.- LA LEY 23011/2011.

—. «Los distintos tipos de autorizaciones ambientales para el ejercicio de actividades».- LA LEY 23002/2011.

—. «Los Tribunales dicen… sobre las relaciones en la tramitación administrativa de las autorizaciones urbanísticas y de actividades».- LA LEY 23010/2011.

—. «Especial consideración a las actividades sujetas a licencias de uso cuando llevan aparejadas la ejecución de obras».- LA LEY 23009/2011.

—. «Los principales problemas en la tramitación conjunta de las autorizaciones urbanísticas cuando el destino de las obras es el ejercicio de actividades».- LA LEY 23008/2011.

—. «El contenido supletorio del Reglamento de Servicios sobre interrelación de licencias.- LA LEY 23005/2011

—. «La interrelación existente entre las autorizaciones en materia urbanística y las autorizaciones en materia ambiental».- LA LEY 23004/2011

—. El régimen jurídico de las autorizaciones en materia urbanística para el ejercicio de actividades: introducción».- LA LEY 23001/2011

CANO MURCIA, Antonio «Cuestiones prácticas sobre transmisión o cambio de titularidad».- LA LEY 18292/2011.

—. «Apunte legislativo sobre transmisión o cambio de titularidad».- LA LEY 18291/2011.

—. «Los Tribunales dicen… sobre transmisión o cambio de titularidad».- LA LEY 18290/2011.

—. «Requisitos generales de la transmisión o cambio de titularidad de la licencia de apertura».- LA LEY 18288/2011.

—. «Apunte legislativo sobre actividades no sujetas a comunicación previa o declaración responsable».- LA LEY 18269/2011.

—. «Apunte legislativo sobre actividades sin licencia».- LA LEY 18319/2011.

—. «Procedimiento licencia instalación actividades clasificadas».- LA LEY 18285/2011.

MODELO DE EXPEDIENTE: Autorización previa para la celebración de espectáculo público *(Disponible a texto íntegro en smarteca.es)*

1)   Presentación de solicitud de autorización para la celebración de espectáculo público

2)   Providencia de la Alcaldía

3)   Informe técnico sobre comprobación

4)   Decreto autorizando la celebración de espectáculo público

5)   Notificación de la resolución de comprobación para el ejercicio de la actividad recreativa

V. Expediente de comunicación previa para la celebración de espectáculo público

1. Claves del Expediente

Solo se requerirá la presentación de una comunicación previa para la celebración de los siguientes espectáculos públicos:

a) Cinematográficos y teatrales.

b) Cualquier otro que tengan un aforo máximo de 50 personas.

En el supuesto de que la comunicación previa se presente a través de medios electrónicos, será necesario adjuntar la documentación correspondiente en formato electrónico. En caso de que se formalice de manera presencial, dicha documentación se aportará en soporte electrónico y una copia en soporte papel.

Una vez presentada la comunicación previa y la documentación que acompaña a la misma, se procederá al examen de aquella.

Si del examen realizado o, como consecuencia de la comprobación de las instalaciones, se apreciare la inexactitud, falsedad u omisión, de carácter esencial, en cualquier dato, manifestación o documento que se acompañe o que figure incorporado a la comunicación previa o a una declaración responsable, por el órgano competente de la administración municipal o insular según sea el caso, previa audiencia de la persona o entidad interesada en los términos establecidos en la legislación básica sobre procedimiento administrativo común, se dictará resolución por la que se declare la circunstancia que corresponda, la cual determinará la imposibilidad de continuar con el ejercicio de la actividad afectada, sin perjuicio de las responsabilidades penales, civiles o administrativas a que hubiera lugar.

La resolución que declare tales circunstancias podrá determinar, además de la obligación del interesado de restituir la situación jurídica al momento previo al reconocimiento o al ejercicio del derecho o al inicio de la actividad correspondiente, la imposibilidad de instar un nuevo procedimiento con el mismo objeto durante un período de seis meses.

2.   Legislación autonómica

Arts. 37 a 40 de la Ley 7/2011, de 5 de abril, de actividades clasificadas y espectáculos públicos y otras medidas administrativas complementarias.

Arts. 109 a 111 del Decreto 86/2013, de 1 de agosto, por el que se aprueba el Reglamento de actividades clasificadas y espectáculos públicos.

Decreto Legislativo 1/2012, de 21 de abril, por el que se aprueba el Texto Refundido de las Leyes de Ordenación de la Actividad Comercial de Canarias y reguladora de la licencia comercial.

Decreto 52/2012, de 7 de junio, por el que se establece la relación de actividades clasificadas y se determinan aquellas a las que resulta de aplicación el régimen de autorización administrativa previa.

3.   Documentos de interés

— Doctrina

CHOLBÍ CACHÁ, Francisco Antonio.- «El contenido de la normativa autonómica en los supuestos de interrelación de las autorizaciones urbanísticas con las de actividades».- LA LEY 23007/2011.

—. «Apunte legislativo sobre las relaciones en la tramitación administrativa de las autorizaciones urbanísticas y de actividades.- LA LEY 23011/2011.

—. «Los distintos tipos de autorizaciones ambientales para el ejercicio de actividades».- LA LEY 23002/2011.

—. «Los Tribunales dicen... sobre las relaciones en la tramitación administrativa de las autorizaciones urbanísticas y de actividades».- LA LEY 23010/2011.

—. «Especial consideración a las actividades sujetas a licencias de uso cuando llevan aparejadas la ejecución de obras».- LA LEY 23009/2011.

—. «Los principales problemas en la tramitación conjunta de las autorizaciones urbanísticas cuando el destino de las obras es el ejercicio de actividades».- LA LEY 23008/2011.

—. «El contenido supletorio del Reglamento de Servicios sobre interrelación de licencias.- LA LEY 23005/2011

—. «La interrelación existente entre las autorizaciones en materia urbanística y las autorizaciones en materia ambiental».- LA LEY 23004/2011

—. El régimen jurídico de las autorizaciones en materia urbanística para el ejercicio de actividades: introducción».- LA LEY 23001/2011

CANO MURCIA, Antonio «Cuestiones prácticas sobre transmisión o cambio de titularidad».- LA LEY 18292/2011.

—. «Apunte legislativo sobre transmisión o cambio de titularidad».- LA LEY 18291/2011.

—. «Los Tribunales dicen... sobre transmisión o cambio de titularidad».- LA LEY 18290/2011.

—. «Requisitos generales de la transmisión o cambio de titularidad de la licencia de apertura».- LA LEY 18288/2011.

—. «Apunte legislativo sobre actividades no sujetas a comunicación previa o declaración responsable».- LA LEY 18269/2011.

—. «Apunte legislativo sobre actividades sin licencia».- LA LEY 18319/2011.

—. «Procedimiento licencia instalación actividades clasificadas».- LA LEY 18285/2011.

MODELO DE EXPEDIENTE: Comunicación previa para la celebración de espectáculo público *(Disponible a texto íntegro en smarteca.es)*

1) Presentación de solicitud de comunicación previa para la celebración de espectáculo público

2) Providencia de la Alcaldía

3) Informe técnico sobre comunicación previa para la celebración de espectáculo público

4) Decreto tomando conocimiento de la celebración de espectáculo público mediante comunicación previa

5) Notificación de la resolución de tomade conocimiento de la celebración de espectáculo público mediante comunicación previa

VI.   Expediente de comprobación e inspección de actividad recreativa

1.   Claves del Expediente

La comprobación e inspección de una actividad recreativa se ejerce una vez que está en funcionamiento está recogido en los arts. 51 a 57 de la 7/2011, de 5 de abril, de actividades clasificadas y espectáculos públicos y otras medidas administrativas complementarias.

Dicha función, se ejercerá por las autoridades competentes que lo sean para autorizar la instalación y puesta en marcha de la actividad o establecimiento objeto de las mismas o fueren receptoras de la comunicación previa a su instalación o apertura.

De cada actuación inspectora se levantará acta, de cuya copia se dará traslado a la autoridad competente en cada caso y a la persona interesada o a la persona ante quien se actúe. El interesado podrá hacer constar en el acta su conformidad o sus observaciones respecto de su contenido.

Las funciones de comprobación e inspección serán efectuadas por personal funcionario debidamente acreditado y técnicamente cualificado, que tendrá, en el ejercicio de sus funciones, el carácter de agente de la autoridad, y sus declaraciones, formalizadas en documento público, sobre hechos directamente constatados por los mismos gozarán de presunción de veracidad salvo prueba en contrario.

2.   Legislación aplicable

— Estatal

RD 2816/1982, de 27 de agosto, por el que se aprueba el Reglamento General de Policía de Espectáculos Públicos y Actividades Recreativas.

Ley 39/2015, de 1 de octubre, del Procedimiento Administrativo Común de las Administraciones Públicas.

— Autonómica

Ley 7/2011, de 5 de abril, de actividades clasificadas y espectáculos públicos y otras medidas administrativas complementarias.

Decreto 86/2013, de 1 de agosto, por el que se aprueba el Reglamento de actividades clasificadas y espectáculos públicos.

Decreto Legislativo 1/2012, de 21 de abril, por el que se aprueba el Texto Refundido de las Leyes de Ordenación de la Actividad Comercial de Canarias y reguladora de la licencia comercial.

Decreto 52/2012, de 7 de junio, por el que se establece la relación de actividades clasificadas y se determinan aquellas a las que resulta de aplicación el régimen de autorización administrativa previa.

3.   Documentos de interés

— Doctrina

BARRANCO VELA, Rafael; Carlos BULLEJOS CALVO, Carlos; CAMPOS SÁNCHEZ Miguel Ángel. *Espectáculos Públicos, Actividades Recreativas y Establecimientos Públicos*. El Consultor de los Ayuntamientos y Juzgados. 2011.

CANO MURCIA, Antonio. *El Nuevo Régimen de las Licencias de Apertura*. El Consultor de los Ayuntamientos y de los Juzgados. Madrid 2010.

CHOLBI CACHÁ, Francisco Antonio. *El régimen de la comunicación previa, las licencias de urbanismo y su procedimiento y otorgamiento*. El Consultor de los Ayuntamientos y Juzgados. 2010.

— Jurisprudencia

• La licencia de apertura y/o funcionamiento **crea una relación permanente con la Administración,** ya que las exigencias del interés público demandan un funcionamiento correcto de la actividad y de sus medidas correctoras, **lo cual implicará que la actividad desarrollada quede, durante la vigencia de la licencia, sujeta a inspecciones administrativas para la comprobación** del cumplimiento de las condiciones expresadas en la misma, conforme declaran, entre otras, las SSTS de 4 octubre 1986 y 30 junio 1987. [STSJ Madrid 13 noviembre 2001]

• **La licencia de apertura** y funcionamiento de establecimientos o actividades potencialmente nocivas o peligrosas, **a diferencia de las que suponen un control de un acto u operación determinada, tiene por objeto el control de una actividad llamada a prolongarse indefinidamente en el tiempo,** denominándose por ello, doctrinalmente, **licencias de funcionamiento**, lo que acarrea, como consecuencia, que la autorización y sus condiciones prolonguen su vigencia tanto como dure la actividad autorizada… Sobre esta base y a propósito de las licencias de apertura y funcionamiento antes citadas, la jurisprudencia ha reconocido que «la posibilidad de actuación en esta materia de los Ayuntamientos, como titulares de policía de seguridad, **no se agota con la concesión y la revocación de las licencias de apertura, sino que, más bien disponen de unos poderes de intervención de oficio y de manera constante con la finalidad de salvaguardar la protección de personas y bienes pudiendo imponer, en consecuencia, cualesquiera correcciones y adaptaciones que estimen necesarias sin que ello suponga una ilícita vuelta contra los propios actos».** Por consiguiente, hay que admitir respecto de estas licencias de funcionamiento la posibilidad, e, incluso, el deber de la Administración de modificar el contenido de la autorización inicialmente otorgada para mantenerlo correctamente adaptado, a lo largo de su vigencia, a las exigencias del interés público. [STSJ Madrid 12 febrero 2014.- LA LEY 19239/2014]

• **La actividad está sometida al control permanente que sobre ella debe ejercer la administración y que no puede quedar limitado al plazo de cuatro años**, cuestión ya establecida por esta Sala en anteriores sentencias de 4 de diciembre de 1998 y 6 de mayo de 1999. [STSJ Madrid 27 junio 2014.- LA LEY 108979/2014]

• En la presente *litis*, no es necesario acudir a la revisión de oficio de actos firmes, dado que en cualquier caso, nos encontramos ante una actividad (BAR RESTAURANTE), que requiere licencia de apertura, en el que la actividad de control por las administraciones, no culmina con la licencia de apertura, sino que se realiza una función constante y permanente, **en el que la actividad de control por la administración es continua, y el sujeto sometido a la intervención administrativa debe cumplir las previsiones legales que se vayan produciendo en la actividad sometida al control de la administración.** [STSJ CASTILLA Y LEÓN (Burgos) 11 septiembre 2015.- LA LEY 134406/2015]

MODELO DE EXPEDIENTE *(Disponible a texto íntegro en smarteca.es)*

1)   *Acta de control de actividad recreativa*

2)   *Resolución ordenando apertura de expediente*

3)   *Notificación de acta de comprobación en trámite de audiencia*

4)   *Escrito de alegaciones en trámite de audiencia*

5)   *Resolución del expediente de comprobación e inspección de actividad recreativa*

6)   *Notificación de la resolución*

4. CANTABRIA

I. Expediente de licencia de actividad recreativa mediante comprobación ambiental

1. Claves del Expediente

La tramitación del procedimiento de comprobación ambiental, es previo a la concesión de la licencia de apertura, recogida en el art. 17 de la Ley 3/2017, de 5 de abril, de Espectáculos Públicos y Actividades Recreativas de Cantabria.

La Ley de Cantabria 17/2006, de 11 de diciembre, de Control Ambiental Integrado, y el Decreto 19/2010 de 18 de marzo, por el que se aprueba el reglamento de la Ley 17/2006 de 11 de diciembre de Control Ambiental Integrado, regulan el procedimiento de comprobación ambiental, junto con las determinaciones de los arts. 17 a 22 de la Ley 3/2017, de 5 de abril, de Espectáculos Públicos y Actividades Recreativas de Cantabria

Los municipios, a través de sus ordenanzas, podrán sustituir el régimen de licencia o autorización por el de comunicación previa, siempre que las normativas específicas que resulten de aplicación expresamente lo permitan (art. 17.3 de la Ley 3/2017, de 5 de abril, de Espectáculos Públicos y Actividades Recreativas de Cantabria)

PREGUNTAS CLAVE

1. ¿Qué es la comprobación ambiental?

Es un trámite que forma parte del procedimiento para el otorgamiento de las licencias de actividad y apertura, entre cuyas determinaciones se incluirán las condiciones de prevención y protección ambiental exigibles (art. 31.4 de la Ley 17/2006, de 11 de diciembre, de Control Ambiental Integrado).

2. ¿Qué requisito ha de cumplirse para la concesión de licencia de actividad sujeta a la Ley 17/2006, de 11 de diciembre, de Control Ambiental Integrado?

De acuerdo con el art. 31 de la citada Ley, las licencias se otorgarán previa comprobación y evaluación de su incidencia ambiental.

3. ¿Cuándo se considera, con carácter general, que una actividad sujeta a la Ley 17/2006, de 11 de diciembre, de Control Ambiental Integrado, tiene modificación sustancial?

Se considerarán de carácter sustancial las modificaciones de una actividad o instalación cuando concurra alguna de las siguientes circunstancias:

a) Un incremento del volumen de la actividad o instalación superior al veinticinco por ciento.

b) Un incremento de la producción que supere el cincuenta por ciento.

c) Una incidencia significativa en la calidad y capacidad regenerativa de los recursos naturales de las áreas geográficas que puedan verse afectados.

4. ¿Qué finalidad tiene la comprobación ambiental?

La comprobación ambiental tiene como finalidad la de prevenir o reducir en origen la producción de residuos y la emisión de sustancias contaminantes al aire, al agua o al suelo, así como la generación de molestias o de riesgos que produzcan las correspondientes actividades e instalaciones y que sean susceptibles de afectar a las personas, bienes o al medio ambiente (art. 31.4 de la Ley 17/2006, de 11 de diciembre, de Control Ambiental Integrado).

5. ¿Puede exigirse por la comprobación ambiental la constitución de fianza y seguros?

Si, ya que entre las condiciones de la comprobación ambiental podrá incluirse la constitución de fianzas y seguros adecuados para cubrir los posibles daños que pueda producir el espectáculo público o la actividad recreativa (art. 32.3 de la Ley 17/2006, de 11 de diciembre, de Control Ambiental Integrado y art. 15 y disposición adicional quinta de la Ley 3/2017, de 5 de abril, de Espectáculos Públicos y Actividades Recreativas de Cantabria).

6. ¿Cuándo puede comenzar a funcionar una actividad o instalación objeto de licencia por la Ley 17/2006, de 11 de diciembre, de Control Ambiental Integrado?

La actividad puede funcionar una vez se haya comprobado que el establecimiento se ajusta al proyecto presentado y que las medidas correctoras adoptadas funcionan con eficacia (Art. 34.1 de la Ley 17/2006, de 11 de diciembre, de Control Ambiental Integrado y art. 21.2 de la Ley 3/2017, de 5 de abril, de Espectáculos Públicos y Actividades Recreativas de Cantabria).

7. ¿Está viciada de nulidad la autorización de apertura o funcionamiento que se otorgue sin la comprobación ambiental?

Sí. Así lo establece el art. 35 de la Ley 17/2006, de 11 de diciembre, de Control Ambiental Integrado.

8. ¿Qué ocurre si se produce inactividad o cierre de un establecimiento público durante más de seis meses?

La inactividad o cierre, por cualquier causa, de un establecimiento público, instalación portátil o desmontable durante más de seis meses determinará la suspensión de la vigencia de la licencia o autorización otorgada, hasta la comprobación y emisión de informe por los servicios técnicos municipales o autonómicos respectivamente, sobre el cumplimiento por el establecimiento o instalación de las condiciones técnicas exigibles. El procedimiento de declaración de la suspensión será el que determine la administración responsable de la concesión de la autorización o licencia (Art. 19 de la Ley 3/2017, de 5 de abril, de Espectáculos Públicos y Actividades Recreativas de Cantabria).

9. ¿Ha de comunicarse la licencia a la Comunidad Autónoma de Cantabria?

Las autorizaciones y licencias concedidas por los Municipios al amparo de la presente ley deberán ser comunicadas al órgano competente de la Comunidad Autónoma de Cantabria en el plazo de diez días desde su concesión. Igualmente estos deberán también comunicar cualesquiera variaciones y modificaciones de las mismas (art. 20 de la Ley 3/2017, de 5 de abril, de Espectáculos Públicos y Actividades Recreativas de Cantabria).

2. Jurisprudencia

• La Ley 16/2002 es una **normativa unitaria y específica que faculta «a los solos efectos de la protección del medio ambiente y de la salud de las personas» para autorizar la explotación de una de las actividades que constituyen su objeto**. Prevalece, por tanto, frente al RAMINP, que en lo referente a distancias ex art. 4, queda desplazado. Esta interpretación es, además, acorde con la ulterior evolución legislativa (Ley de Cantabria 17/2006 y Ley 34/2007) del RAMINP, derogado sin sustitución de una regla concreta de distancias. [STSJ Cantabria, 31 julio 2009. LA LEY 176258/2009]

• En materia de actividades calificadas, **lo que importa es la actividad que como tal se realiza, y sus consecuencias medio-ambientales**, siendo intrascendente el beneficio económico que genere dicha actividad, y al margen de su carácter lucrativo o no. [STSJ Cantabria 13 febrero 2012. LA LEY 206183/2012]

• Cierto es que **la autonomía municipal atribuye a los Ayuntamientos potestades de intervención en la actividad de los ciudadanos** que pueden llegar al sometimiento a previa licencia y otros actos de control preventivo. Pero **dicha actividad de intervención debe ajustarse en la actualidad cuidadosamente a los principios de igualdad, proporcionalidad y *favor libertatis*** que recogen los artículos 84 y ss. de la Ley 7/1985, de 2 de abril, reguladora de las Bases del Régimen Local tras la entrada en vigor de la Directiva de Servicios, Directiva 2006/123/CE del Parlamento Europeo y del Consejo, de 12 de diciembre de 2006, relativa a los servicios en el mercado interior, también conocida como «Directiva Bolkestein». Esta Directiva ha dado lugar a la importante reforma en materia de intervención, entre ellas y a los efectos de resolución del presente procedimiento, la Ley 17/2009, de 23 de noviembre, sobre el libre acceso a las actividades de servicios y su ejercicio.

Esta normativa abre paso a **modalidades de control menos agresivas que la licencia o autorización, tales como la comunicación previa o la declaración responsable.** [STSJ Cantabria 13 abril 2012. LA LEY 180450/2012]

3. Legislación aplicable

— Estatal

Ley 17/2009, de 23 de noviembre, sobre el Libre Acceso a las Actividades de Servicios.

Artículos 21.1. q) y s), 124.4.ñ), 70.bis y 84, 84 bis y 84 ter. de la Ley 7/1985, de 2 de abril, Reguladora de las Bases de Régimen Local.

Ley 39/2015, de 1 de octubre, del Procedimiento Administrativo Común de las Administraciones Públicas.

— Autonómica

Ley de Cantabria 17/2006, de 11 de diciembre, de Control Ambiental Integrado.

Decreto 19/2010 de 18 de marzo, por el que se aprueba el reglamento de la Ley 17/2006 de 11 de diciembre de Control Ambiental Integrado.

Art. 186 y 187 de la Ley de Cantabria 2/2001, de 25 de junio, de Ordenación Territorial y Régimen Urbanístico del Suelo de Cantabria.

Decreto 72/1997, de 7 de julio, por el que se establece el régimen general de horarios de establecimientos y espectáculos públicos y actividades recreativas.

Ley 3/2017, de 5 de abril, de Espectáculos Públicos y Actividades Recreativas de Cantabria.

4. Documentos de interés

— Doctrina

CHOLBÍ CACHÁ, Francisco Antonio. «Especial consideración a las actividades sujetas a licencias de uso cuando llevan aparejadas la ejecución de obras».- LA LEY 23194/2011.

—. «Apunte legislativo sobre las relaciones en la tramitación administrativa de las autorizaciones urbanísticas y de actividades».- LA LEY 23196/2011.

—. «El contenido supletorio del Reglamento de Servicios sobre interrelación de licencias.- Cholbí Cachá, Francisco Antonio.- LA LEY 23190/2011.

—. «Los distintos tipos de autorizaciones ambientales para el ejercicio de actividades».- LA LEY 23187/2011.

MARTÍN HERNÁNDEZ, Paulino. «Las licencias para actividades clasificadas». Esta doctrina forma parte del libro *Administración Local. Estudios en Homenaje a Ángel Ballesteros*, 1.ª ed., *El Consultor de los Ayuntamientos y de los Juzgados*, Madrid, enero 2011.- LA LEY 21893/2011.

MODELO DE EXPEDIENTE *(Disponible a texto íntegro en smarteca.es)*

1) *Inicio expediente*

2) *Providencia requiriendo la emisión de informe de compatibilidad urbanística*

3) *Informe de compatibilidad urbanística*

4)   Certificación de compatibilidad urbanística

5)   Resolución denegando la admisión a trámite de la solicitud de licencia

6)   Notificación de la resolución

7)   Admisión a trámite del expediente

8)   Edicto de información pública

9)   Certificado de reclamaciones

10)   Informe técnico a las alegaciones presentadas

11)   Contestación municipal a las alegaciones presentadas

12)   Remisión del expediente a la Comisión para la comprobación ambiental

13)   Emisión de informe de comprobación ambiental

14)   Informe técnico

15)   Resolución concediendo licencia de actividad recreativa

16)   Notificación de la resolución concediendo licencia de actividad recreativa

II.   Expediente de licencia de actividad recreativa mediante comprobación ambiental por modificación de la actividad o reforma del establecimiento

1.   Claves del Expediente

En el caso de modificación del espectáculo o actividad será necesaria la obtención de una nueva licencia municipal, así como para la reforma sustancial del establecimiento (art. 21.3 de la Ley 3/2017, de 5 de abril, de Espectáculos Públicos y Actividades Recreativas de Cantabria)

La modificación sustancial implica una reforma que afecte a la seguridad, salubridad o peligrosidad del establecimiento (art. 21.3 de la Ley 3/2017, de 5 de abril, de Espectáculos Públicos y Actividades Recreativas de Cantabria)

La tramitación del procedimiento de modificación sustancial del espectáculo o actividad o por reforma del establecimiento se sujetará a los mismos trámites de comprobación ambiental, y es previa a la concesión de la licencia de apertura, recogida en el art. 17 de la Ley 3/2017, de 5 de abril, de Espectáculos Públicos y Actividades Recreativas de Cantabria.

La Ley de Cantabria 17/2006, de 11 de diciembre, de Control Ambiental Integrado, y el Decreto 19/2010 de 18 de marzo, por el que se aprueba el reglamento de la Ley 17/2006 de 11 de diciembre de Control Ambiental Integrado, regulan el procedimiento de comprobación ambiental, junto con las determinaciones de los arts. 17 a 22 de la Ley 3/2017, de 5 de abril, de Espectáculos Públicos y Actividades Recreativas de Cantabria

Ha de exigirse la constitución de un seguro de responsabilidad civil, ya que entre las condiciones de la comprobación ambiental podrá incluirse la constitución de fianzas y seguros adecuados para cubrir los posibles daños que pueda producir el espectáculo público o la actividad recreativa (art. 32.3 de la Ley 17/2006, de 11 de diciembre, de Control Ambiental Integrado y art. 15 y disposición adicional quinta de la Ley 3/2017, de 5 de abril, de Espectáculos Públicos y Actividades Recreativas de Cantabria)

La actividad puede funcionar una vez se haya comprobado que el establecimiento se ajusta al proyecto presentado y que las medidas correctoras adoptadas funcionan con eficacia (Art. 34.1 de la Ley 17/2006, de 11 de diciembre, de Control Ambiental Integrado y art. 21.2 de la Ley 3/2017, de 5 de abril, de Espectáculos Públicos y Actividades Recreativas de Cantabria).

PREGUNTAS CLAVE

1. ¿Qué procedimiento ha de seguirse en el caso de que se produzca una modificación de la clase de espectáculo o actividad?

La modificación de la clase de espectáculo o actividad necesita de la obtención de una nueva licencia municipal, y por lo tanto ha de tramitarse de acuerdo con lo dispuesto en Ley 17/2006, de 11 de diciembre, de Control Ambiental Integrado y Ley 3/2017, de 5 de abril, de Espectáculos Públicos y Actividades Recreativas de Cantabria.

2. ¿En el caso de reforma sustancial del establecimiento, también es necesaria una nueva licencia municipal?

Si, así lo exige el art. 21.3 de la Ley 3/2017, de 5 de abril, de Espectáculos Públicos y Actividades Recreativas de Cantabria.

2.   Jurisprudencia

• … que en el caso de que se produzca una modificación sustancial de la actividad ha de solicitarse ampliación de licencia o tramitación de un procedimiento, al necesitarse una nueva licencia. [STSJ Comunidad Valenciana 6 mayo 2012.- LA LEY 139771/2010]

• Siendo bastante lo anterior para concluir la improcedencia de la licencia de apertura, y por ende la confirmación de la resolución judicial apelada, añadíamos que en ésta se considera y valora otra premisa o circunstancia igualmente relevante para su solución anulatoria, como es la atinente a que **nos encontramos ante una nueva licencia de apertura distinta a aquélla con la que inicialmente contaba la actividad, de tal suerte que para la concesión de esa nueva licencia de apertura se han obviado una serie de comprobaciones necesarias por parte del municipio teniendo en cuenta la sustancial modificación** en la configuración del local según Proyecto de adaptación, para las que no sirven las que fueron realizadas con ocasión de la primitiva licencia. [STSJ Andalucía (Sevilla) 25 abril 2013.- LA LEY 105368/2013]

• Por consiguiente, no nos encontramos ante un expediente sancionador, sino frente a un procedimiento administrativo por carecer el gerente del establecimiento de licencia de actividad.

De acuerdo con el artículo 27.6 de la Ley 16/2006, los cambios sustanciales en las actividades autorizadas imponen la obligación de obtener una nueva licencia.

Como se colige del informe técnico elaborado el 9 de agosto de 2010 **se produjeron estas alteraciones esenciales, precisando el demandante de una nueva licencia**, ya que la anterior carecía de virtualidad práctica alguna, a partir del citado precepto legal.

No se trata de un supuesto de invalidez de la licencia de actividad otorgada a un tercero en el año 1989, sino de ineficacia de la misma, por razones sobrevenidas, al haberse producido cambios que afectaban, entre otras circunstancias, a la seguridad contra incendios. [STSJ Illes Balears 13 mayo 2013.- LA LEY 75510/2013]

• Efectivamente, bastará con la lectura del expediente, que no precisa ser minuciosa en exceso, para comprobar y concluir en que, **de facto, se ha procedido a la modificación de la actividad para la que fue otorgada la licencia cuya revocación es objeto de controversia en esta *litis* …Y debe recordarse, una vez más y al hilo de lo anterior, que no estamos ante una actuación administrativa sancionatoria propiamente dicha, sino ante el supuesto de pérdida de vigencia y efectividad de una licencia por modificación de actividad o por ejercicio de actividad de distinta naturaleza, necesitada de autorización o licencia diferente**. [STSJ Aragón 7 marzo 2014.- LA LEY 27308/2014]

• No hay tal elemento de inseguridad jurídica, por cuanto **el concepto jurídico indeterminado que aquí preocupa —«modificaciones sustanciales del establecimiento»— debe interpretarse con arreglo a los criterios hermenéuticos legales, y entre ellos el sistemático y de finalidad de la norma**, y en cuanto al primero, es de advertir que el contexto normativo en el que se produce el Decreto 112/2010, por razones de jerarquía normativa, es el de la Ley 11/2009, de 6 de julio, de espectáculos públicos y las actividades recreativas de Cataluña, cuyo artículo 29.5 dispone que «cualquier modificación del establecimiento abierto al público, ya sea por motivos de transformación, adaptación, reforma, cambio de emplazamiento, ampliación o reducción, está sometida a licencia o autorización», a cuyo efecto, «**no se entiende como modificación el cambio de distribución o de mobiliario del establecimiento, siempre que se haga en condiciones técnicas adecuadas para garantizar la seguridad del público, la convivencia entre los ciudadanos y la calidad de los establecimientos**», último párrafo en el que se incluyen como criterio de interpretación finalista, las finalidades y principios generales que deben regir el desarrollo y aplicación de la Ley y por consiguiente su desarrollo reglamentario, explicitados en el artículo 2.2 de la citada Ley 11/2009, no apreciándose vulneración alguna de la Ley por parte del precepto impugnado, ni la alegada inseguridad jurídica, por cuanto, por aplicación del citado artículo 29.5 quedan claramente **establecidos los supuestos en los que no será precisa la licencia o autorización en caso de modificación**

del establecimiento, y aquéllos en los que la modificación deberá someterse a ellas. [STSJ Cataluña 29 diciembre 2014.- LA LEY 238851/2014]

3. Legislación aplicable

— Estatal

Ley 17/2009, de 23 de noviembre, sobre el Libre Acceso a las Actividades de Servicios.

Arts. 21.1. q) y s), 124.4.ñ), 70.bis y 84, 84 bis y 84 ter. de la Ley 7/1985, de 2 de abril, Reguladora de las Bases de Régimen Local.

Ley 39/2015, de 1 de octubre, del Procedimiento Administrativo Común de las Administraciones Públicas.

— Autonómica

Ley de Cantabria 17/2006, de 11 de diciembre, de Control Ambiental Integrado

Decreto 19/2010 de 18 de marzo, por el que se aprueba el reglamento de la Ley 17/2006 de 11 de diciembre de Control Ambiental Integrado.

Art. 186 y 187 de la Ley de Cantabria 2/2001, de 25 de junio, de Ordenación Territorial y Régimen Urbanístico del Suelo de Cantabria.

Decreto 72/1997, de 7 de julio, por el que se establece el régimen general de horarios de establecimientos y espectáculos públicos y actividades recreativas.

Ley 3/2017, de 5 de abril, de Espectáculos Públicos y Actividades Recreativas de Cantabria.

4. Documentos de interés

— Doctrina

CHOLBÍ CACHÁ, Francisco Antonio. «Especial consideración a las actividades sujetas a licencias de uso cuando llevan aparejadas la ejecución de obras».- LA LEY 23194/2011.

—. «Apunte legislativo sobre las relaciones en la tramitación administrativa de las autorizaciones urbanísticas y de actividades».- LA LEY 23196/2011.

—. «El contenido supletorio del Reglamento de Servicios sobre interrelación de licencias.- Cholbí Cachá, Francisco Antonio.- LA LEY 23190/2011.

—. «Los distintos tipos de autorizaciones ambientales para el ejercicio de actividades».- LA LEY 23187/2011.

MARTÍN HERNÁNDEZ, Paulino. «Las licencias para actividades clasificadas». Esta doctrina forma parte del libro *Administración Local. Estudios en Homenaje a Ángel Ballesteros*, 1.ª ed., *El Consultor de los Ayuntamientos y de los Juzgados,* Madrid, enero 2011.- LA LEY 21893/2011.

MODELO DE EXPEDIENTE *(Disponible a texto íntegro en smarteca.es)*

*1)	Inicio expediente*

2) *Providencia requiriendo la emisión de informe de compatibilidad urbanística*

3) *Informe de compatibilidad urbanística*

4) *Certificación de compatibilidad urbanística*

5) *Resolución denegando la admisión a trámite de la solicitud de licencia*

6) *Notificación de la resolución*

7) *Admisión a trámite del expediente*

8) *Edicto de información pública*

9) *Certificado de reclamaciones*

10) *Informe técnico a las alegaciones presentadas*

11) *Contestación municipal a las alegaciones presentadas*

12) *Remisión del expediente a la Comisión para la comprobación ambiental*

13) *Emisión de informe de comprobación ambiental*

14) *Informe técnico*

15) *Resolución concediendo licencia de actividad recreativa*

16) *Notificación de la resolución concediendo licencia de actividad recreativa*

III.   Expediente de control de actividad recreativa

1.   Claves del Expediente

El control que se ejerce una vez que está en funcionamiento una actividad recreativa está recogido en el art. 41 de la Ley 3/2017, de 5 de abril, de Espectáculos Públicos y Actividades Recreativas de Cantabria

Dicho control, se ejercerá por la Administración competente dentro de su ámbito de actuación, llevándose a efecto por funcionarios públicos debidamente acreditados, por las Fuerzas y Cuerpos de Seguridad del Estado y por las Policías Locales.

Una de las consecuencias de la inspección que se realice y posterior levantamiento del acta de inspección, de la que se dará copia al titular u organizador o su representante (art. 42 de la Ley 3/2017, de 5 de abril, de Espectáculos Públicos y Actividades Recreativas de Cantabria).

De conformidad con el art. 41.3 de la Ley 3/2017, de 5 de abril, de Espectáculos Públicos y Actividades Recreativas de Cantabria, los funcionarios públicos debidamente acreditados en el ejercicio de sus funciones, tendrán la consideración de agentes de la autoridad y podrán acceder en todo momento a los establecimientos públicos e instalaciones, adoptando cuantas medidas sean precisas para el adecuado desarrollo de sus funciones.

PREGUNTAS CLAVE

1. ¿Qué medidas provisionales previas a la apertura del expediente sancionador pueden adoptarse como consecuencia de la inspección o control de espectáculo público o actividad recreativa?

Las contempladas en el art. 44 de la Ley 3/2017, de 5 de abril, de Espectáculos Públicos y Actividades Recreativas de Cantabria, esto es:

a) La suspensión de la licencia o autorización del espectáculo público, actividad recreativa, establecimiento público o instalación portátil o desmontable.

b) Suspensión o prohibición del espectáculo público o actividad recreativa.

c) Clausura temporal del establecimiento público o instalación portátil o desmontable.

d) Retirada de las entradas de la reventa o venta ambulante.

2. ¿Es necesario dar trámite de audiencia en los supuestos de adopción de medidas provisionales previas?

Las medidas provisionales previas serán acordadas mediante resolución motivada, previa audiencia del interesado por plazo de diez días. En caso de urgencia, debidamente justificada, el plazo quedará reducido a dos días (art. 45.5 de la Ley 3/2017, de 5 de abril, de Espectáculos Públicos y Actividades Recreativas de Cantabria).

3. ¿Cuándo no es necesario dar trámite de audiencia por adopción de medidas provisionales previas?

Cuando se aprecie peligro inminente para la seguridad de las personas o grave riesgo para la salud pública (art. 45.5. de la Ley 3/2017, de 5 de abril, de Espectáculos Públicos y Actividades Recreativas de Cantabria).

2. Legislación aplicable

— Estatal

RD 2816/1982, de 27 de agosto, por el que se aprueba el Reglamento General de Policía de Espectáculos Públicos y Actividades Recreativas.

Ley 39/2015, de 1 de octubre, del Procedimiento Administrativo Común de las Administraciones Públicas.

— Autonómica

Ley de Cantabria 17/2006, de 11 de diciembre, de Control Ambiental Integrado.

Decreto 19/2010 de 18 de marzo, por el que se aprueba el reglamento de la Ley 17/2006 de 11 de diciembre de Control Ambiental Integrado.

Decreto 72/1997, de 7 de julio, por el que se establece el régimen general de horarios de establecimientos y espectáculos públicos y actividades recreativas.

Ley 3/2017, de 5 de abril, de Espectáculos Públicos y Actividades Recreativas de Cantabria.

3. Documentos de interés

— Doctrina

BARRANCO VELA, Rafael; BULLEJOS CALVO, Carlos; y CAMPOS SÁNCHEZ, Miguel Ángel. *Espectáculos Públicos, Actividades Recreativas y Establecimientos Públicos.* El Consultor de los Ayuntamientos y Juzgados. 2011.

CANO MURCIA, Antonio. «Calificación ambiental y la declaración responsable en la Ley 7/2007, de gestión integrada de la calidad ambiental de Andalucía. Análisis crítico al Decreto-Ley 3/2015». *El Consultor de los Ayuntamientos y de los Juzgados,* n.º 9/2015.

—. El Nuevo Régimen de las Licencias de Apertura. *El Consultor de los Ayuntamientos y de los Juzgados.* Madrid 2010.

CHOLBÍ CACHÁ, Francisco Antonio. *El régimen de la comunicación previa, las licencias de urbanismo y su procedimiento y otorgamiento.* El Consultor de los Ayuntamientos y Juzgados. 2010.

— Jurisprudencia

• La licencia de apertura y/o funcionamiento **crea una relación permanente con la Administración,** ya que las exigencias del interés público demandan un funcionamiento correcto de la actividad y de sus medidas correctoras, **lo cual implicará que la actividad desarrollada quede, durante la vigencia de la licencia, sujeta a inspecciones administrativas para la comprobación** del cumplimiento de las condiciones expresadas en la misma, conforme declaran, entre otras, las SSTS de 4 octubre 1986 y 30 junio 1987. [STSJ Madrid 13 noviembre 2001]

• **La licencia de apertura** y funcionamiento de establecimientos o actividades potencialmente nocivas o peligrosas, **a diferencia de las que suponen un control de un acto u operación determinada, tiene por objeto el control de una actividad llamada a prolongarse indefinidamente en el tiempo,** denominándose por ello, doctrinalmente, **licencias de funcionamiento**, lo que acarrea, como consecuencia, que la autorización y sus condiciones prolonguen su vigencia tanto como dure la actividad autorizada... Sobre esta base y a propósito de las licencias de apertura y funcionamiento antes citadas, la jurisprudencia ha reconocido que «la posibilidad de actuación en esta materia de los Ayuntamientos, como titulares de policía de seguridad, **no se agota con la concesión y la revocación de las licencias de apertura, sino que, más bien disponen de unos poderes de intervención de oficio y de manera constante con la finalidad de salvaguardar la protección de personas y bienes pudiendo imponer, en consecuencia, cualesquiera correcciones y adaptaciones que estimen necesarias sin que ello suponga una ilícita vuelta contra los propios actos».** Por consiguiente, hay que admitir respecto de estas licencias de funcionamiento la posibilidad, e, incluso, el deber de la Administración de modificar el contenido de la autorización inicialmente otorgada para mantenerlo correctamente adaptado, a lo largo de su vigencia, a las exigencias del interés público. [STSJ Madrid 12 febrero 2014.- LA LEY 19239/2014]

• **La actividad está sometida al control permanente que sobre ella debe ejercer la administración y que no puede quedar limitado al plazo de cuatro años**, cuestión ya establecida por esta Sala en anteriores sentencias de 4 de diciembre de 1998 y 6 de mayo de 1999. [STSJ Madrid 27 junio 2014.- LA LEY 108979/2014]

• En la presente *litis*, no es necesario acudir a la revisión de oficio de actos firmes, dado que en cualquier caso, nos encontramos ante una actividad (BAR RESTAURANTE), que requiere licencia de apertura, en el que la actividad de control por las administraciones, no culmina con la licencia de apertura, sino que se realiza una función constante y permanente, **en el que la actividad de control por la administración es continua, y el sujeto sometido a la intervención administrativa debe cumplir las previsiones legales que se vayan produciendo en la actividad sometida al control de la administración.** [STSJ CASTILLA Y LEÓN (Burgos) 11 septiembre 2015.- LA LEY 134406/2015]

MODELO DE EXPEDIENTE *(Disponible a texto íntegro en smarteca.es)*

1)   *Acta de control de actividad recreativa*

2)   *Resolución ordenando apertura de expediente*

3)   *Notificación de acta de comprobación en trámite de audiencia*

4)   *Escrito de alegaciones en trámite de audiencia*

5)   *Resolución del expediente de control de actividad recreativa*

6)   *Notificación de la resolución*

IV. Expediente de cambio de titularidad de licencia de actividad recreativa

1. Claves del Expediente

El art. 21.3 de la Ley 17/2006, de 11 de diciembre, de Control Ambiental Integrado y art. 21.2 de la Ley 3/2017, de 5 de abril, de Espectáculos Públicos y Actividades Recreativas de Cantabria sujeta a comunicación los cambios de titularidad de las licencias de establecimientos públicos.

Aunque es una cuestión que puede considerarse pacífica, el cambio de titularidad en general de los establecimientos, negocios y actividades en general y en particular de la licencia ambiental se sujeta al cumplimiento de unos requisitos mínimos, que tienen como objetivo fundamental el poner en conocimiento de la Administración (órgano sustantivo ambiental) el nuevo titular de la actividad.

Ha de tenerse en cuenta:

- La comunicación ha de ser expresa.

- No es necesario que vaya acompañada de título o documento que acredite la transmisión (contrato de compraventa, de arrendamiento, de cesión etc.).

- Si la transmisión se produce si realizar la correspondiente comunicación, el anterior y el nuevo titular quedan sujetos, de forma solidaria, a todas las responsabilidades y obligaciones derivadas del incumplimiento de dicha obligación.

PREGUNTAS CLAVE

1. ¿Existe una regulación específica para el cambio de la titularidad de actividades sujetas la Ley 3/2017, de 5 de abril, de Espectáculos Públicos y Actividades Recreativas de Cantabria?

No. La Ley 3/2017, de 5 de abril, de Espectáculos Públicos y Actividades Recreativas de Cantabria en su art. 21.3 último párrafo se limita a decir que los cambios de titularidad deberán ser comunicados a los municipios, si bien el art. 49.4 determina que en caso de que no se haya formalizado el preceptivo cambio en la licencia o autorización, se considerara titular del mismo al que figure en alguno de los Registros regulados en dicha ley en el momento de la comisión de la infracción, sin perjuicio de la responsabilidad solidaria del titular real que actúe como tal en la práctica.

2. ¿Qué régimen jurídico ha de aplicarse al cambio de la titularidad de actividades recreativas?

Supletoriamente se aplicará el previsto en el art. 13 del Decreto de 17 de junio de 1955, por el que se aprueba el Reglamento de Servicios de las Corporaciones Locales, y art. 3 de la Ley 12/2012, de 26 de diciembre, de medidas urgentes de liberalización del comercio y de determinados servicios.

3. ¿Qué requisitos han de cumplirse para realizar el cambio de titularidad una actividad?

Para que el nuevo titular de una actividad pueda realizar el cambio de titularidad, deberá ser comunicado al Ayuntamiento a efectos informativos (art. 3.2 de la Ley 12/2012).

4. ¿Es necesario que el anterior titular comunique la transmisión de la actividad a un tercero?

Si es un requisito necesario al decir el art. 21.3 de la Ley 3/2017, de 5 de abril, de Espectáculos Públicos y Actividades Recreativas de Cantabria, que los cambios de titularidad deberán ser comunicados a los municipios.

5. ¿Qué ocurre si no se comunica la transmisión de la actividad?

La no comunicación del cambio de titularidad de la actividad por el anterior o el nuevo titular supone que el anterior y nuevo titular queda sujetos, de forma solidaria, a todas las responsabilidades y obligaciones derivadas de dicho incumplimiento (art. 49.4 de la Ley 3/2017, de 5 de abril, de Espectáculos Públicos y Actividades Recreativas de Cantabria), cometiendo una infracción leve (art. 52 a).

2. Jurisprudencia

• El cambio de titular por sí solo resultaba jurídicamente irrelevante en cuanto afectaría a los posibles derechos de los particulares (STS de 23 diciembre 1998), porque la licencia mantenía su vigencia mientras subsistieran las condiciones de la actividad, de modo que el Ayuntamiento, **de no advertir otras modificaciones que las subjetivas, que son inoperantes a estos efectos, debió otorgar la transmisión de la titularidad de la licencia cuando le fue comunicado por escrito por el dueño del establecimiento,** toda vez que no ofrecía duda el título legítimo de la transmisión ya que la subrogación en la explotación se producía por los dueños del local a favor del nuevo titular, una vez que el anterior arrendamiento había sido declarado extinguido por resolución judicial. [STSJ País Vasco 13 julio 2001]

• La Administración está obligada a reconocer el cambio de la titularidad de la licencia sin perjuicio de las distintas actuaciones que le conciernen ejercer contra la misma del mismo modo que si no se hubiese transmitido. [STSJ Madrid 18 septiembre 2001]

• No constando que la licencia de apertura en su día concedida al demandante lo fuese en atención a su persona, esto es, a especiales circunstancias personales del mismo que impidiesen su transmisión a los efectos prevenidos en el art. 13 del Reglamento de Servicios de las Corporaciones Locales, tal y como se sostiene, entre otras, en la STS de 12 Jul. 2000, **el cambio de titular no requiere la solicitud de una nueva licencia, la cual solo sería exigible si hubiese existido una modificación de la actividad para la cual aquélla se concedió, lo que no se da en este caso.** Por tanto, el único efecto o consecuencia jurídica de la falta de notificación por escrito de tal circunstancia es la **sumisión conjunta de transmitente y adquirente a las responsabilidades** de la explotación de la licencia, sin que lleve consigo la imposición de la sanción debatida en estos autos. [STSJ Extremadura 27 septiembre 2001.- LA LEY 170424/2001]

• Para proceder al cambio de titularidad el Ayuntamiento ha de tener constancia de que efectivamente dicho cambio se ha producido, y ello por dos mecanismos alternativos, uno bilateral, que no es otro que la conformidad del anterior titular, y otro, que no precisa dicha conformidad, más complejo, que consiste en la acreditación de que se ha adquirido por cualquier medio, *inter vivos* o *mortis causa*, la propiedad o posesión del inmueble en cuestión. [STSJ Madrid 15 enero 2004]

• La transmisión de la licencia constituye en definitiva la realización de un **negocio jurídico del transmitente en cuanto titular originario de la autorización administrativa pero sin que tal operación traslativa tenga relevancia a efectos de alterar las condiciones de la propia autorización,** de tal modo que permanece idéntica su eficacia y viabilidad jurídica del acto proyectado y en consecuencia del incumplimiento del deber administrativo impuesto por el artículo 13.1 del R. S. C. L., de comunicar la transferencia al Ayuntamiento, circunstancia no realizada en el supuesto de autos, **no repercute sobre la validez y existencia de la licencia y sí en cambio, únicamente en el régimen de responsabilidades derivado de la titularidad de la licencia** quedando también el transmitente sujeto junto con el adquirente a dichas responsabilidades máxime cuando el deber de comunicación de la transmisión de la licencia ha de operar a efectos de información del Ayuntamiento de los titulares en cada momento de licencias. [STSJ Extremadura 15 diciembre 2006.- LA LEY 214993/2006]

• A juicio de la Sala la sentencia apelada lleva a cabo una interpretación correcta del régimen de transmisión de la licencia de apertura de autos de acuerdo con el Reglamento de Servicios de las Corporaciones Locales, **transmisión que no se halla sujeta a un régimen de autorización administrativa sino a uno de mera comunicación, de forma que la transmisión es libre de acuerdo con los modos y formas admitidos en derecho para transmitir o adquirir la propiedad o la posesión, y no queda condicionada a una autorización administrativa**, ya que lo único que le corresponde a la Administración es tomar razón del cambio si se produce la comunicación, o no hacerlo si no se produce en la forma exigible, «pero en modo alguno autorizarlo o denegarlo, de forma que, a partir de dicho acto de comunicación la Administración habrá necesariamente de considerar a la cesionaria como titular de la licencia a todos los efectos legales derivados del ejercicio de la actividad, si se ha cumplido el requisito de la comunicación».

La introducción por el art. 23.2 de la Ordenanza municipal de licencias del requisito de que la nueva titular de la licencia garantice expresamente y por escrito, que debe acompañarse a la comunicación de cambio de titularidad, que asume todas las cargas inherentes a la licencia en cuestión, infringe claramente el art. 13 del Reglamento de Servicios de las. Corporaciones Locales, lo que determina su nulidad ex art. 62.2 LRJAPyPAC, puesto que **transforma el régimen de mera comunicación previsto en el mismo, en uno de autorización**, en el que la transmisión no se perfecciona sino con la decisión administrativa que la autoriza, puesto que, tal y como postula el Ayuntamiento en el acto recurrido y argumenta en el recurso de apelación, el incumplimiento de dicho requisito comporta «no acceder» al cambio de titularidad, esto es, denegar el cambio de titularidad por incumplimiento de dicho precepto. [STSJ PAÍS VASCO 10 octubre 2011.- LA LEY 300763/2011]

• Tampoco cabe oponer el artículo 42 de la Ley 11/2003 de 8 de abril, de Prevención Ambiental de Castilla y León puesto que, de su lectura e interpretación literal, llegamos a una conclusión distinta de la que se contiene en la Sentencia recurrida, ya que claramente se refiere **solo al deber de comunicación a las Administraciones y a las consecuencias del incumplimiento de tal deber**, que se ventilan no en la denegación de la transmisión de la licencia, sino en el de las responsabilidades de cedente y cesionario del incumplimiento de las obligaciones que impone la ley. [STSJ CASTILLA Y LEÓN (Burgos) 28 noviembre 2011.- LA LEY 232204/2011]

• De todo lo expuesto se concluye que el **cambio de titularidad de licencia solicitado no era una cuestión discutible** y por ello la Resolución de 3 de junio de 2005, no puede incardinarse dentro del margen de razonabilidad del que disponía la administración local para resolver, pues solicitado un cambio de titularidad de licencia, se entiende por el ayuntamiento que procede la solicitud de nueva licencia por cambio de actividad y ello a pesar de que los informes, ponían en evidencia de que se trataba de un cambio de titularidad, con el resultado ya conocido de anulación de estas resolución, y la pertinente declaración de responsabilidad patrimonial, **pues el ayuntamiento de Gandía venia obligado a otorgar el cambio de titularidad de licencia solicitado al cumplirse todos los requisitos necesarios para ello y estar acreditadas dichas circunstancias en el expediente instruido al efecto,** sin margen de interpretación y sin que en la resolución inicialmente anulada se cite un solo informe que avale lo resuelto por el Ayuntamiento que lo fue al margen de toda apreciación razonable. [STS Comunidad Valenciana 17 abril 2013.- LA LEY 90145/2013]

• …De acuerdo con este precepto es evidente que **el cambio de titularidad no precisa de la obtención de una nueva licencia**. Solo precisa de una autorización municipal de que las obras e instalaciones, se ajustan a la licencia de actividad. Esta exigencia, incluso desaparecerá en la Ley 2/2006, de calidad ambiental, en cuyo art. 62, la transmisión sin alteración, solo es objeto de comunicación. [STSJ Comunidad Valenciana 28 noviembre 2014.- LA LEY 232360/2014]

• La conclusión de que, **para autorizar el cambio de titularidad del establecimiento, basta la mera comunicación al Ayuntamiento es conforme a derecho**, sin perjuicio, insistimos, en que ora de oficio por la propia Administración ora a instancia de algún interesado pueda controlarse la actividad y, en su caso, imponerse medidas correctoras de la concreta actividad, incluso la incoación de procedimiento sancionador si hubiere méritos para ello. [STSJ Andalucía (Granada) 15 noviembre 2016.- LA LEY 202226/2016]

• Podemos aplicar la doctrina expresada en la Sentencia dictada por esta Sala y Sección 15 de abril de 2015, dictada en el recurso de apelación número 138/2015 dimanante de la Pieza Separada de Suspensión n.º 522/2014 del Juzgado de lo Contencioso-Administrativo número 14 de Madrid, en la que hemos indicado «En el supuesto de autos, sin que la decisión que aquí se adopte ni la fundamentación jurídica de la presente resolución suponga en modo alguno prejuzgar el fondo del asunto, a los meros efectos cautelares que nos ocupan, el recurso de apelación debe ser desestimado por no concurrir la apariencia de buen derecho alegada por el apelante. Y ello es así porque tal y como se hace constar en la propia resolución administrativa ordenando el precinto, tal decisión se adopta en ejecución de tres resoluciones sancionadoras previas impuestas por periodos de nueve meses, un año y dos años, que aunque impuestas con carácter firme con anterioridad al inicio de la actividad por parte del apelante (contrato de arrendamiento del local de 17 de septiembre de 2014, declaración responsable de inicio de actividad de establecimiento de restauración presentado ante la Comunidad de Madrid el 19 de septiembre de 2014 y comunicación al Ayuntamiento de Madrid de cambio de titularidad de actividades presentada el 19 de septiembre de 2014) y siendo el sujeto sancionado un tercero, sin embargo no podemos acceder a la suspensión instada sin eludir el cumplimiento de tres resoluciones sancionadoras firmes que afectan de forma directa a la licencia del local en el que ejerce su actividad el apelante. Así se desprende del contenido del art. 41.4 de la Ley 17/1997 de Espectáculos Públicos y Actividades Recreativas de la Comunidad de Madrid, según el cual "Las sanciones de clausura de locales…, cuando sean superiores a seis meses, conllevarán la suspensión de las licencias reguladas en esta Ley". Por tanto, **la pretendida transmisión de la licencia con que cuenta el local de autos, no pudo operar de forma válida por la sencilla razón de que la misma quedó suspendida una vez impuestas las sanciones con carácter firme, quedando así pues el local afectado por la sanción de clausura sin posibilidad de transmisión de una licencia suspendida por ministerio de la ley**». [STSJ Madrid 7 junio 2017.- LA LEY 105935/2017]

• Es cierto que el Reglamento de las corporaciones locales, cuando regula la trasmisión de licencias, **sólo pretende establecer el requisito de la comunicación puesto que la licencia de actividad continua vigente,** en tanto subsistan las condiciones exigidas para su otorgamiento, **sin que afecte a la licencia de actividad el sujeto que ostenta su titularidad** y ello con el fin de que, si no se produjera la citada comunicación, serían responsables tanto el transmitente de la licencia, como el adquirente de la licencia, por lo que la aplicación del art. 13.1 del citado reglamento, pero ello en nada afecta al actor, ni menos aun determina la nulidad de la resolución impugnada. [STSJ Comunidad Valenciana 15 noviembre 2017.- LA LEY 217823/2017]

3. Legislación aplicable

— Estatal

Art. 13 del Decreto de 17 de junio de 1955, por el que se aprueba el Reglamento de Servicios de las Corporaciones Locales.

Art. 3 de la Ley 12/2012, de 26 de diciembre, de medidas urgentes de liberalización del comercio y de determinados servicios.

— Autonómica

Arts. 21.3, 49.4 y 52 a) de la Ley 3/2017, de 5 de abril, de Espectáculos Públicos y Actividades Recreativas de Cantabria.

4. Documentos de interés

— Doctrina

CHOLBÍ CACHÁ, Francisco Antonio. «Especial consideración a las actividades sujetas a licencias de uso cuando llevan aparejadas la ejecución de obras».- LA LEY 23194/2011.

—. «Apunte legislativo sobre las relaciones en la tramitación administrativa de las autorizaciones urbanísticas y de actividades».- LA LEY 23196/2011.

—. «El contenido supletorio del Reglamento de Servicios sobre interrelación de licencias.- Cholbí Cachá, Francisco Antonio.- LA LEY 23190/2011.

—. «Los distintos tipos de autorizaciones ambientales para el ejercicio de actividades».- LA LEY 23187/2011.

MARTÍN HERNÁNDEZ, Paulino. «Las licencias para actividades clasificadas». Esta doctrina forma parte del libro *Administración Local. Estudios en Homenaje a Ángel Ballesteros,* 1.ª ed., *El Consultor de los Ayuntamientos y de los Juzgados,* Madrid, enero 2011.- LA LEY 21893/2011.

MODELO DE EXPEDIENTE *(Disponible a texto íntegro en smarteca.es)*

1)   *Comunicación de cambio de titularidad de licencia de actividad recreativa*

2)   *Resolución de cambio de titularidad de licencia de actividad recreativa*

3)   *Notificación de cambio de titularidad de licencia de actividad recreativa*

V.   Expediente para reanudar ejercicio de actividad recreativa

1.   Claves del Expediente

El cierre de una actividad recreativa durante un determinado período de tiempo impide *per se* que pueda reanudarse la misma sin que antes se haya efectuado una visita de inspección del establecimiento previa comunicación del titular de la actividad.

Dispone el art. 19 de la Ley 3/2017, de 5 de abril, de Espectáculos Públicos y Actividades Recreativas de Cantabria, que la inactividad o cierre, por cualquier causa, de un establecimiento público, instalación portátil o desmontable durante más de seis meses determinará la suspensión de la vigencia de la licencia o autorización otorgada, hasta la comprobación y emisión de informe por los servicios técnicos municipales o autonómicos respectivamente, sobre el cumplimiento por el establecimiento o instalación de las condiciones técnicas exigibles.

El procedimiento de declaración de la suspensión será el que determine la administración responsable de la concesión de la autorización o licencia.

2.   Legislación aplicable

— Estatal

RD 2816/1982, de 27 de agosto, por el que se aprueba el Reglamento General de Policía de Espectáculos Públicos y Actividades Recreativas.

— Autonómica

Ley de Cantabria 17/2006, de 11 de diciembre, de Control Ambiental Integrado.

Decreto 19/2010 de 18 de marzo, por el que se aprueba el reglamento de la Ley 17/2006 de 11 de diciembre de Control Ambiental Integrado.

Decreto 72/1997, de 7 de julio, por el que se establece el régimen general de horarios de establecimientos y espectáculos públicos y actividades recreativas.

Ley 3/2017, de 5 de abril, de Espectáculos Públicos y Actividades Recreativas de Cantabria.

3. Documentos de interés

— Doctrina

CALANCHA MARTÍN, Antonio. «Intervención administrativa en espectáculos públicos y actividades recreativas y de ocio. Breve referencia a la incidencia de la Directiva de Servicios. Normativa de desarrollo». *El Consultor de los Ayuntamientos y de los Juzgados,* n.º 9, Sección Colaboraciones, Quincena del 15 al 29 May. 2011, Ref. 1125/2011, pág. 1125, tomo 2, LA LEY.

CANO MURCIA, ANTONIO. «Calificación ambiental y la declaración responsable en la Ley 7/2007, de gestión integrada de la calidad ambiental de Andalucía. Análisis crítico al Decreto-Ley 3/2015». *El Consultor de los Ayuntamientos y de los Juzgados,* n.º 9/2015.

—. *El Nuevo Régimen de las Licencias de Apertura.* El Consultor de los Ayuntamientos y de los Juzgados. Madrid 2010.

— Jurisprudencia

• …de ahí que la **inactividad total** en el período semestral contemplado en la norma **lleve anudada la consecuencia de caducidad de la licencia** como regla general, la cual admite **excepciones de pura lógica** como la del supuesto que nos ocupa en que **la dejación no es objetiva, sino tan solo subjetiva de quien tenía la titularidad formal de la licencia,** como lo pone de manifiesto la decisión de los propietarios del local que, liberados por decisión judicial del vínculo que les atenazaba con la mercantil aquí demandante, optaron por continuar por sí mismos la actividad de discoteca en el local de su propiedad y que consistorialmente fueran autorizados para ello. [SJCA Bilbao 11 junio 2013.- LA LEY 120537/2013]

• Por consecuencia, «**el instituto de la caducidad de las licencias municipales ha de acogerse con cautela**» —sentencia de 20 de mayo de 1985—, **aplicándolo «con una moderación acorde con su naturaleza y sus fines** » —sentencia de 10 de mayo de 1985—, **y con un «sentido estricto**» —sentencia de 2 de enero de 1985—, **e incluso con «un riguroso criterio restrictivo**» —sentencia de 10 de abril de 1985— En definitiva, **ha de operar con criterios «de flexibilidad, de moderación y restricción**» —sentencia de 10 de mayo de 1985—.

También hemos dicho en el fundamento de derecho anterior, que **la caducidad de una licencia no es tácita sino que ha de ser expresa y acordada dentro de un procedimiento con audiencia del interesado**. [STSJ Madrid 30 septiembre 2015.- LA LEY 149857/2015]

• Es cierto que si dicha clausura se prolonga por un período superior a seis meses resultará de aplicación el apartado 4.º del artículo 8 de la citada de la Ley Territorial de la Comunidad de Madrid 17/1997, de 4 de julio (LA LEY 1660/1998), de Espectáculos Públicos y Actividades Recreativas que establece que la inactividad o cierre, por cualquier causa, de un local o establecimiento durante más de seis meses determinará la suspensión de la vigencia de la licencia de funcionamiento, hasta la comprobación administrativa de que el local cumple las condiciones exigibles.

Desde luego **la clausura por más de seis meses provocará la necesidad de una nueva visita de comprobación para poder dejar sin efecto la suspensión de la licencia de funcionamiento que se prolongara por dicho tiempo**, sin embargo la sentencia no explica porque puede solicitarse el alzamiento de la suspensión de la licencia aunque no se hubiera cumplido el plazo de cierre; toda vez que la interpretación del apartado 4.º del artículo 41 de la de la Ley Territorial de la Comunidad de Madrid 17/1997, de 4 de julio (LA LEY 1660/1998), de Espectáculos Públicos y Actividades Recreativas debe llevar al entendimiento que **la suspensión de la licencia ha de tener la misma duración que la sanción de clausura de la que deriva**, de forma que la sanción afecta al autor de la infracción pero la consecuencia accesoria, la suspensión de la licencia afecta directamente a la propia licencia. Obsérvese que la Ley establece como efecto «la suspensión de la licencia» y no la «extinción de la licencia». [STSJ Madrid 1 marzo 2017.- LA LEY 22692/2017]

MODELO DE EXPEDIENTE *(Disponible a texto íntegro en smarteca.es)*

1)   Inicio comunicación de reapertura de actividad por cierre

2)   Admisión a trámite del expediente

3)   Informe técnico

4)   Informe jurídico para la reapertura de la actividad recreativa

5)   Reapertura de la actividad recreativa

6)   Notificación de la reapertura de la actividad

5. CASTILLA-LA MANCHA

I.   Expediente para la celebración o desarrollo de espectáculos públicos o actividades recreativas sujetas a declaración responsable

1.   Claves del Expediente

El art. 7 Ley 7/2011 de 21 de marzo, de Espectáculos Públicos, Actividades Recreativas y Establecimientos Públicos de Castilla-La Mancha, es determinante para conocer qué espectáculos públicos o actividades recreativas están sujetas a declaración responsable.

Para la celebración o desarrollo de los espectáculos públicos o actividades recreativas y la apertura de los establecimientos públicos previstos en el catálogo que figura como anexo Ley 7/2011, será necesaria la presentación de una declaración responsable.

Por participar las actividades a desarrollarse de una común naturaleza cultural y artística carente del riesgo que motiva la exigencia de licencia, quedan sujetos a declaración responsable con independencia del aforo: cines, teatros, auditorios, pabellones de congresos, salas de conciertos, salas de conferencia, salas multiuso, casas de cultura, museos, bibliotecas, ludotecas, videotecas, hemerotecas, salas de exposiciones, salas de conferencias, palacios de exposiciones y congresos y ferias del libro.

Es importante tener en cuenta que en el caso de que el aforo del local sea elemento determinante para el ejercicio de la actividad, si éste excede de 150 personas la actividad queda sujeta a licencia municipal de apertura, por razón de seguridad pública y protección civil.

Cuando en el establecimiento público exista una especial situación de riesgo, por disponer de algún recinto catalogado de riesgo alto o de una carga térmica global elevada, necesitará la autorización o licencia municipal correspondiente.

PREGUNTAS CLAVE

1. ¿Cuándo ha de presentarse la declaración responsable?

La declaración responsable deberá presentarse antes del inicio del espectáculo público o de la actividad recreativa y/o de la apertura del establecimiento público (art. 8.2 de la Ley 7/2011).

2. ¿Qué contenido han de tener las declaraciones responsables?

Las declaraciones responsables deberán identificar a sus titulares; los espectáculos públicos, actividades recreativas o servicios que prestan en su caso, el tiempo por el que se realizarán; los establecimientos públicos en que dichos espectáculos o actividades pueden celebrarse y el aforo de los mismos (art. 8.4 de la Ley 7/2011).

3. ¿Qué duración tienen las declaraciones responsables de acto único?

Las declaraciones responsables para celebración de espectáculos o el desarrollo de actividades recreativas a realizar en acto único se extinguirán con la celebración del espectáculo o actividad (art. 8.8. de la Ley 7/2011).

4. ¿Está sujeta a publicidad la declaración responsable?

En el acceso a los locales, y en lugar visible y legible desde el exterior, deberá exhibirse una placa normalizada en la que se harán constar, los datos esenciales de la declaración responsable presentada o de la licencia o autorización concedida, según proceda, incluyendo el horario de apertura y cierre del local, así como el aforo máximo permitido (art. 13 de la Ley 7/2011).

2.   Jurisprudencia

• Como señala la sentencia apelada, el TRLHL (LA LEY 362/2004) permite que el Ayuntamiento establezca una **Tasa en los casos de presentación de declaración responsable o comunicación previa,** pero ello no quiere decir que con base en este artículo se tenga que interpretar de manera extensiva la Ordenanza aquí aplicada. El artículo 20.4.i) TRLHL (LA LEY 362/2004) es una norma competencial, que **habilita a las entidades locales para establecer una tasa en el caso de declaración responsable o comunicación previa, pero no equipara en modo alguno estas modalidades de control con la licencia**. Es más, el precepto apoya la tesis de la nulidad por cuanto pudiendo haber gravado estas presentaciones, no se ha hecho, por lo que el cobro de la Tasa no es admisible. [STSJ Castilla y León (Burgos) 22 diciembre 2014.- LA LEY 195827/2014]

• La declaración responsable presentada ante el Ayuntamiento de Madrid el 1 de julio de 2015 para la apertura de la actividad, la misma **no puede servir de cobertura para dotar de apariencia de buen derecho a la pretensión de la actora hoy apelada,**

dado que el local se encuentra clausurado, todo ello sin perjuicio de lo que resulte y se decida en el procedimiento principal. [STSJ Madrid 9 mayo 2016.- LA LEY 85923/2016]

• **La ausencia de licencia de funcionamiento, o declaración responsable, o en este caso la declaración de ineficacia de la misma es causa suficiente y necesaria para acordar la clausura de una actividad que se desarrolla sin licencia**, pues debe partirse de la base de que **la consecuencia jurídica de la falta de licencia de actividad y/o funcionamiento no puede ser otra que la clausura de la actividad** pues como manifiestan las Sentencias de la sala Tercera del Tribunal Supremo de 10 de junio y 24 de abril de 1.987 la apertura clandestina de establecimientos comerciales e industriales o el ejercicio sin la necesaria licencia de actividades incluidas en el Reglamento de 30 noviembre 1961 (hoy la Ley 2/2002, de 19 de junio —LA LEY 1162/2002—, de Evaluación Ambiental de la Comunidad de Madrid) obligan a adoptar, de plano y con efectividad inmediata, la medida cautelar de suspender la continuación de las obras, clausurar el establecimiento o paralizar la actividad, con el fin de evitar que se prolongue en el tiempo la posible trasgresión de los límites impuestos por exigencias de la convivencia social, hasta la obtención de la oportuna licencia que garantice la inexistencia de infracciones o la adopción de las medidas necesarias para corregirlas, **la decisión de precinto y clausura adoptada constituye la medida de carácter cautelar y no sancionadora, más apropiada para impedir la continuidad de una actividad clandestina,** que se ejerce sin la preceptiva licencia, por tanto sin garantía para el superior principio de respeto a la seguridad de los ciudadanos». [STSJ Madrid 26 octubre 2016.- LA LEY 184193/2016]

3. Legislación aplicable

— Europea

Directiva 2006/123/CE del Parlamento y del Consejo, de 12 de diciembre de 2006, relativa a los servicios en el mercado interior.

— Estatal

Ley 17/2009, de 23 de noviembre, sobre el Libre Acceso a las Actividades de Servicios.

Arts. 21.1. q) y s), 124.4.ñ), 70.bis y 84, 84 bis y 84 ter. de la Ley 7/1985, de 2 de abril, Reguladora de las Bases de Régimen Local.

Ley 39/2015, de 1 de octubre, del Procedimiento Administrativo Común de las Administraciones Públicas.

— Autonómica

Ley 7/2011, de 21 de marzo, de Espectáculos Públicos, Actividades Recreativas y Establecimientos Públicos de Castilla-La Mancha.- LA LEY 5970/2011.

Decreto Legislativo 1/2010, de 18/05/2010, por el que se aprueba el Texto Refundido de la Ley de Ordenación del Territorio y de la Actividad Urbanística.- LA LEY 10441/2010.

4. Documentos de interés

— Doctrina

CANO MURCIA, Antonio. «Legislación de las Comunidades Autónomas». Esta doctrina forma parte del libro *Manual de licencias de ocupación y primera utilización*, edición n.º 1, *El Consultor de los Ayuntamientos y de los Juzgados,* Madrid, abril 2012.- LA LEY 5933/2012.

HORCAJADA, María Ángeles. «El control preventivo de los usos y actividades en la legislación castellano-manchega». *Práctica Urbanística*, n.º 113, Sección Estudios, marzo 2012.- LA LEY 2076/2012.

MARTÍN HERNÁNDEZ, Paulino. «Las licencias para actividades clasificadas». Esta doctrina forma parte del libro *Administración Local. Estudios en Homenaje a Ángel Ballesteros*, edición n.º 1, *El Consultor de los Ayuntamientos y de los Juzgados,* Madrid, enero 2011.- LA LEY 21893/2011.

OLMOS GONZÁLEZ, José M.ª. «Contenido temporal de las licencias urbanísticas: plazo, ampliación, caducidad y rehabilitación». *El Consultor de los Ayuntamientos y de los Juzgados,* n.º 20, Sección Opinión / Colaboraciones, Quincena del 30 Oct. al 14 Nov. 2015, Ref. 2445/2015, pág. 2445, Wolters Kluwer-LA LEY 6207/2015.

PENSADO SEIJAS, Alberto. «Evolución exprés de las licencias de actividad inocuas». *El Consultor de los Ayuntamientos y de los Juzgados,* n.º 17, Sección Colaboraciones, Quincena del 15 al 29 Sep. 2013, Ref. 1623/2013, pág. 1623, tomo 2.- LA LEY 5239/2013.

MARINERO PERAL, Ángel M.ª. «Novedades del Derecho Urbanístico en 2014». *Práctica Urbanística*, n.º 133, Sección Estudios.- LA LEY 1384/2015.

MODELO DE EXPEDIENTE *(Disponible a texto íntegro en smarteca.es)*

1)   *Declaración responsable para ejercicio de espectáculo público o actividad recreativa*

2)   *Toma de conocimiento por el Ayuntamiento del inicio de la actividad*

3)   *Notificación de la toma de conocimiento de declaración responsable*

II.   Expediente de control de espectáculo público o actividad recreativa

1.   Claves del Expediente

El control que se realiza por parte del ayuntamiento, una vez se ha presentado la declaración responsable para el ejercicio de espectáculo público o actividad recreativa contempladas en el anexo de la Ley 7/2011 de 21 de marzo, de Espectáculos Públicos, Actividades Recreativas y Establecimientos Públicos de Castilla-La Mancha puede hacerse en cualquier momento.

El expediente ha de contemplar dos actuaciones. De un lado la comprobación de que la documentación presentada y los datos facilitados en la declaración responsable son ciertos. La segunda consiste en la comprobación *in situ* del establecimiento mediante inspección de los servicios técnicos municipales.

PREGUNTAS CLAVE

1. ¿Cuándo puede iniciarse el control de un espectáculo público o actividad recreativa?

A partir de la presentación de la declaración responsable.

2. ¿Cuándo se comprueba por el Ayuntamiento la veracidad de los datos y documentos de la comunicación de actividad?

La administración podrá comprobar, en cualquier momento, la veracidad de todos los datos y documentos aportados, así como el cumplimiento de los requisitos que la normativa aplicable exija para el ejercicio de la actividad.

3. ¿Cuáles son las consecuencias en el caso de que realizado el control de la actividad, resulta que la misma no cumple con todos los requisitos exigidos para su ejercicio?

Si como consecuencia del control posterior que se realice a la comunicación de inicio de la actividad resulta que la misma incumple alguno de los requisitos no esenciales para su ejercicio, se requerirá al titular de la actividad para que los subsane, en los términos del art. 71.1 de la Ley 30/1992, de 26 de noviembre.

4. ¿Qué ocurre si la actividad incumple para su ejercicio un requisito esencial, como es que su uso sea incompatible con el planeamiento?

El incumplimiento de los requisitos y condiciones establecidos en la declaración responsable podrá determinar la clausura o suspensión temporal del establecimiento, previa tramitación del oportuno expediente en el que se dará audiencia al interesado (art. 15.2 de la Ley 7/2011).

2. Jurisprudencia

• **El otorgamiento de licencias es**, como se ha señalado reiteradamente, **un acto administrativo que no confiere derechos,** de forma que **el Ayuntamiento tendrá que controlar si se cumple o no las condiciones requeridas, si la actividad se ejerce dentro de los límites de la licencia concedida.** Y el Art. 29 de la ley 1/95, de 8 de marzo, al ser el uso solicitado no compatible con los usos globales establecidos en el PGOU, para ese sector, lo que llevó al Ayuntamiento de Murcia a que se le denegara la solicitud de licencia al no estar totalmente tramitado el expediente. [STSJ REGIÓN DE MURCIA 16 noviembre 2012.- LA LEY 195656/2012]

• En todo caso, debe tenerse presente que, como es bien sabido, **la licencia de apertura y funcionamiento de establecimientos o actividades potencialmente nocivas o peligrosas, a diferencia de las que suponen un control de un acto u operación determinada, tiene por objeto el control de una actividad llamada a prolongarse indefinidamente en el tiempo, denominándose por ello, doctrinalmente, licencias de funcionamiento, lo que acarrea, como consecuencia, que la autorización y sus condiciones prolonguen su vigencia tanto como dure la actividad autorizada**, de conformidad con lo dispuesto en el artículo 15 del Reglamento de Servicios de las Corporaciones Locales, aprobado por Decreto de 17 de junio de 1955, según el cual las Licencias relativas a las condiciones de una obra o instalación tendrán vigencia mientras subsistan aquélla y ello hace surgir una relación permanente entre la Administración y el sujeto autorizado con el fin de proteger el interés público en todo caso frente a las vicisitudes y circunstancias que puedan surgir a lo largo del tiempo de funcionamiento de la actividad autorizada.

Sobre esta base y a propósito de las licencias de apertura y funcionamiento antes citadas, **la jurisprudencia ha reconocido que la posibilidad de actuación en esta materia de los Ayuntamientos, como titulares de policía de seguridad, no se agota con la concesión y la revocación de las licencias de apertura, sino que, más bien disponen de unos poderes de intervención de oficio y de manera constante con la finalidad de salvaguardar la protección de personas y bienes,** pudiendo imponer, en consecuencia, cualesquiera correcciones y adaptaciones que estimen necesarias sin que ello suponga una ilícita actuación contra los propios actos. [STSJ Madrid 12 noviembre 2014.- LA LEY 190924/2014]

3. Legislación aplicable

— Europea

Directiva 2006/123/CE del Parlamento y del Consejo, de 12 de diciembre de 2006, relativa a los servicios en el mercado interior.

— Estatal

Art. 21.1. q) y s), 124.4.ñ), 70.bis y 84, 84 bis y 84 ter. de la Ley 7/1985, de 2 de abril, Reguladora de las Bases de Régimen Local.

Ley 39/2015, de 1 de octubre, del Procedimiento Administrativo Común de las Administraciones Públicas.

Arts. 4 y 5 de la Ley 12/2012, de 26 de diciembre, de medidas urgentes de liberalización del comercio y de determinados servicios.

— Autonómica

Ley 7/2011, de 21 de marzo, de Espectáculos Públicos, Actividades Recreativas y Establecimientos Públicos de Castilla-La Mancha.- LA LEY 5970/2011.

4. Documentos de interés

— Doctrina

ALONSO RIESGO, Dora; FERNÁNDEZ GANCEDO, Inmaculada. *Las licencias municipales de actividad y de apertura en el marco de la libre prestación de servicios.*- LA LEY 18042/2011.

CHOLBI CACHÁ, Francisco Antonio; MERINO MOLINS, Vicente. *Comentario crítico sobre la directiva de Servicios y de las leyes 17 y 25/2009 en aplicación de la misma: especial incidencia en el ámbito de las licencias urbanísticas y de actividad.*- LA LEY 2381/2010.

HORCAJADA, María Ángeles. *El control preventivo de los usos y actividades en la legislación castellano-manchega.*- LA LEY 2076/2012.

MODELO DE EXPEDIENTE *(Disponible a texto íntegro en smarteca.es)*

1)   *Control posterior del Ayuntamiento de la actividad*

2)   *Notificación de inicio de expediente de control*

3)   *Escrito dando cumplimiento a las medidas de control impuestas por el Ayuntamiento*

4)   *Informe técnico sobre cumplimiento de la actividad a la normativa de aplicación*

5)   *Resolución dando por finalizado el expediente de control posterior de la actividad*

6)   *Notificación de la resolución*

III.   Expediente para la celebración o desarrollo de espectáculos públicos o actividades recreativas sujetas a licencia

1.   Claves del Expediente

El art. 7 Ley 7/2011 de 21 de marzo, de Espectáculos Públicos, Actividades Recreativas y Establecimientos Públicos de Castilla-La Mancha, es determinante para conocer qué espectáculos públicos o actividades recreativas están sujetas a autorización o licencia.

Para la celebración o desarrollo de los espectáculos públicos o actividades recreativas y la apertura de los establecimientos públicos previstos en el catálogo que figura como anexo Ley 7/2011, será necesaria la obtención de autorización o licencia de acuerdo con lo dispuesto en el art. 7.2.

El orden público, la seguridad pública, la protección civil, la salud pública, la protección de los consumidores, de los destinatarios de los servicios y de los trabajadores, la protección del medio ambiente y del entorno urbano y la conservación del patrimonio histórico y artístico son razones imperiosas de interés general que motivan la necesidad de obtener la autorización o licencia de la Administración que corresponda de conformidad con la distribución de competencias establecida en los artículos 4 y 5 de esta Ley, para:

a) La apertura de establecimientos públicos con un aforo superior a 150 personas y la celebración o desarrollo de los espectáculos públicos o las actividades recreativas que se realicen en los mismos, motivado esencialmente por razón de seguridad pública y protección civil.

b) La celebración o desarrollo de los espectáculos públicos o las actividades recreativas y los establecimientos públicos que requieran la utilización de instalaciones o estructuras eventuales, portátiles o desmontables con carácter no permanente, así como todos aquellos que de forma temporal vayan a desarrollarse en este tipo de instalaciones, motivado esencialmente por razón de seguridad pública, protección civil, protección del medio ambiente y del entorno urbano.

c) La apertura de establecimientos públicos, la celebración o desarrollo de espectáculos públicos o actividades recreativas en edificios de valor cultural cuyas características arquitectónicas no permitan el pleno cumplimiento de las condiciones técnicas establecidas con carácter general, motivado esencialmente por razón de seguridad pública, protección del medio ambiente y del entorno urbano y la conservación del patrimonio histórico y artístico.

d) Las terrazas y/o cualquier instalación complementaria al aire libre en establecimientos públicos, motivado esencialmente por razón de seguridad pública, orden público, protección del medio ambiente y del entorno urbano y la conservación del patrimonio histórico y artístico.

e) Actividades recreativas o deportivas que se desarrollen por vías públicas o en zonas del dominio público que no formen parte del medio natural dentro del territorio de la Comunidad Autónoma, motivado esencialmente por razón de orden público, seguridad pública, protección civil, protección del medio ambiente y del entorno urbano y conservación del patrimonio histórico y artístico.

f) Los espectáculos y festejos taurinos, motivado esencialmente por razón de orden público, seguridad pública, protección civil, protección del medio ambiente y del entorno urbano.

g) Todos los demás espectáculos públicos o actividades recreativas cuya ley específica exija la concesión de la autorización.

PREGUNTAS CLAVE

1. ¿Qué espectáculos públicos o actividades recreativas están sujetas a previa licencia?

Aquellas en las que por razones imperiosas de interés general relativas al orden público, la seguridad pública, la protección civil, la salud pública, la protección de los consumidores, de los destinatarios de los servicios y de los trabajadores, la protección del medio ambiente y del entorno urbano y la conservación del patrimonio histórico y artístico (art. 7.2 de la Ley 7/2011).

2. ¿Existe un procedimiento específico para la concesión de licencia o autorización para realizar un espectáculo público o actividad recreativa?

Está pendiente de desarrollo reglamentario el procedimiento administrativo para la obtención, suspensión o revocación de las autorizaciones y licencias (art. 9.7 de la Ley 7/2011).

3. ¿Qué contenido mínimo ha de tener la autorización o licencia para la celebración o desarrollo de los espectáculos públicos o actividades recreativas y la apertura de los establecimientos públicos?

Las autorizaciones y licencias deberán señalar a sus titulares; en su caso, el tiempo por el que se conceden; los espectáculos públicos, actividades recreativas o servicios que prestan; los establecimientos públicos en que dichos espectáculos o actividades pueden celebrarse y el aforo de los mismos (art. 9.2 de la Ley 7/2011).

4. ¿Está sujeta a publicidad la declaración responsable?

En el acceso a los locales, y en lugar visible y legible desde el exterior, deberá exhibirse una placa normalizada en la que se harán constar, los datos esenciales de la declaración responsable presentada o de la licencia o autorización concedida, según proceda, incluyendo el horario de apertura y cierre del local, así como el aforo máximo permitido (art. 13 de la Ley 7/2011).

5. ¿Qué plazo hay para resolver el expediente de licencia?

El plazo para resolver y notificar la resolución será de seis meses a contar desde la fecha en que la solicitud haya tenido entrada en el órgano competente para su tramitación. En el caso de pruebas deportivas el plazo para resolver y notificar será de un mes (art. 10.2 de la Ley 7/2011).

6. ¿Qué alcance tiene el silencio administrativo en los expediente de autorización o licencia?

Transcurrido el plazo sin que se haya producido la notificación de la resolución, el interesado podrá entender otorgada la autorización o licencia solicitada. Todo ello, sin perjuicio de la obligación por parte de la Administración de dictar resolución expresa (art. 10.3 de la Ley 7/2011).

2.　Jurisprudencia

• En la actividad reglada de concesión de licencia el Ayuntamiento debe velar por la garantía de seguridad de las personas en caso de evacuación por siniestro de un local abierto al público, ostentando, a tal efecto, potestad para establecer las medidas técnicas correctoras en la licencia que sean necesarias (artículos 36 y 37 del Reglamento General de Espectáculos de 27 de agosto de 1982), pero en el caso que se examina **tales garantías quedan proporcionadamente atendidas con una limitación del aforo** y con la garantía ofrecida por el titular (folio 14 del expediente) de una segunda salida por un pasaje debidamente iluminado y señalizado a otra vía pública (calle Espronceda) que tiene seis metros y medio de ancho. [STS 27 noviembre 1992.- LA LEY 15177-R/1993]

• Por otro lado, las normas de seguridad que se consideran infringidas consistentes en la debida dotación del local de los medios materiales y personales necesarios para poder prestar una asistencia urgente a las personas **no pueden depender del aforo concreto de cada día y cada momento en que el local se abre al público. Lo contrario supondría dejar en manos del titular del local el cumplimiento de la normativa** de espectáculos, con grave quebranto de la seguridad jurídica. [STSJ Cataluña 29 septiembre 1998.- LA LEY 4621/1999]

• Una vez obtenida la licencia de la actividad y/o instalación proyectadas, debe **girarse una visita de comprobación por parte del Ayuntamiento con la subsiguiente posibilidad de requerir al interesado para que establezca medidas correctoras**, que, en caso de haber sido acordadas, requerirán una **ulterior comprobación de su adopción y de su eficacia**, otorgándose la denominada licencia de apertura y/o funcionamiento en caso de adecuación de las medidas correctoras impuestas; por tanto, **la función de la autorización o licencia de apertura y/o funcionamiento es la comprobación de que la actividad a realizar se ajusta a los términos de la licencia de actividad y/o instalación concedida**. [STSJ Madrid 19 abril 2012.- LA LEY 86006/2012]

• Partiendo de lo anterior alcanza la razonable conclusión de que **no encontrándose legalizado el local desde el punto de vista urbanístico no cabe pretender, sin la previa legalización, que se conceda licencia de actividad** alguna en relación con él. [STSJ Castilla-La Mancha 6 octubre 2014.- LA LEY 168180/2014]

3.　Legislación aplicable

— Europea

Directiva 2006/123/CE del Parlamento y del Consejo, de 12 de diciembre de 2006, relativa a los servicios en el mercado interior.

— Estatal

Ley 17/2009, de 23 de noviembre, sobre el Libre Acceso a las Actividades de Servicios.

Arts. 21.1. q) y s), 124.4.ñ), 70.bis y 84, 84 bis y 84 ter. de la Ley 7/1985, de 2 de abril, Reguladora de las Bases de Régimen Local.

Ley 39/2015, de 1 de octubre, del Procedimiento Administrativo Común de las Administraciones Públicas.

— Autonómica

Ley 7/2011, de 21 de marzo, de Espectáculos Públicos, Actividades Recreativas y Establecimientos Públicos de Castilla-La Mancha.- LA LEY 5970/2011.

Decreto Legislativo 1/2010, de 18/05/2010, por el que se aprueba el Texto Refundido de la Ley de Ordenación del Territorio y de la Actividad Urbanística.- LA LEY 10441/2010.

4. Documentos de interés

— Doctrina

CANO MURCIA, Antonio. «Legislación de las Comunidades Autónomas». Esta doctrina forma parte del libro *Manual de licencias de ocupación y primera utilización*, edición n.º 1, *El Consultor de los Ayuntamientos y de los Juzgados*, Madrid, abril 2012.- LA LEY 5933/2012.

HORCAJADA, María Ángeles. «El control preventivo de los usos y actividades en la legislación castellano-manchega». *Práctica Urbanística*, n.º 113, Sección Estudios, marzo 2012.- LA LEY 2076/2012.

MARINERO PERAL, Ángel M.ª. «Novedades del Derecho Urbanístico en 2014». *Práctica Urbanística*, n.º 133, Sección Estudios.- LA LEY 1384/2015.

MARTÍN HERNÁNDEZ, Paulino. «Las licencias para actividades clasificadas». Esta doctrina forma parte del libro *Administración Local. Estudios en Homenaje a Ángel Ballesteros*, edición n.º 1, *El Consultor de los Ayuntamientos y de los Juzgados*, Madrid, enero 2011.- LA LEY 21893/2011.

OLMOS GONZÁLEZ, José M.ª. «Contenido temporal de las licencias urbanísticas: plazo, ampliación, caducidad y rehabilitación». *El Consultor de los Ayuntamientos y de los Juzgados*, n.º 20, Sección Opinión / Colaboraciones, Quincena del 30 Oct. al 14 Nov. 2015, Ref. 2445/2015, pág. 2445, Wolters Kluwer-LA LEY 6207/2015.

PENSADO SEIJAS, Alberto. «Evolución exprés de las licencias de actividad inocuas». *El Consultor de los Ayuntamientos y de los Juzgados*, n.º 17, Sección Colaboraciones, Quincena del 15 al 29 Sep. 2013, Ref. 1623/2013, pág. 1623, tomo 2.- LA LEY 5239/2013.

MODELO DE EXPEDIENTE *(Disponible a texto íntegro en smarteca.es)*

1) *Solicitud de licencia para ejercicio de espectáculo público o actividad recreativa*

2) *Admisión a trámite del expediente*

3) *Requerimiento vecinos a policía local*

4)   *Edicto de información pública*

5)   *Informe técnico*

6)   *Notificación a vecinos colindantes*

7)   *Certificado de reclamaciones*

8)   *Licencia de actividad*

9)   *Notificación de la resolución*

IV. Expediente de licencia municipal de funcionamiento de espectáculos públicos o actividades recreativas sujetas a licencia

1. Claves del Expediente

Antes del funcionamiento de la actividad los establecimientos necesitarán la oportuna licencia municipal de funcionamiento o el cambio correspondiente en la ya concedida.

Es obligatorio la contratación del seguro de responsabilidad civil.

La inactividad durante un período ininterrumpido de seis meses podrá determinar la caducidad de la licencia de funcionamiento, que será declarada, previa audiencia del interesado, por el Ayuntamiento que la concedió.

Los Ayuntamientos, previamente a la emisión de las licencias de funcionamiento, deberán comprobar que las instalaciones se ajustan al proyecto presentado para la obtención de la oportuna licencia y que, en su caso, las medidas correctoras adoptadas funcionan con eficacia.

PREGUNTAS CLAVE

1. ¿Qué consecuencia tiene el incumplimiento de los requisitos y condiciones establecidos en la licencia de funcionamiento?

El incumplimiento de los requisitos y condiciones establecidos con ocasión del otorgamiento de la licencia de funcionamiento podrá determinar su suspensión o revocación, previa tramitación del oportuno expediente en el que se dará audiencia al interesado (art. 16.3 de la Ley 7/2011).

2. ¿Cuándo es necesario adaptar o ampliar la licencia municipal?

Será necesario adaptar o ampliar la licencia municipal concedida cuando se pretenda realizar una reforma sustancial del establecimiento o de sus instalaciones o bien, darle destino distinto al autorizado de manera definitiva y permanente (art. 16.4 de la Ley 7/2011).

3. ¿Cuándo se puede producir la caducidad de la licencia municipal?

La inactividad durante un período ininterrumpido de seis meses podrá determinar la caducidad de la licencia de funcionamiento, que será declarada, previa audiencia del interesado, por el Ayuntamiento que la concedió. No obstante, cuando el desarrollo normal del espectáculo o la actividad suponga períodos de interrupción iguales o superiores a los seis meses, el plazo de inactividad que pueda originar la declaración de caducidad de la licencia de funcionamiento se fijará en la resolución de concesión, sin que pueda ser inferior a doce meses ni superior a dieciocho (art. 16.5 de la Ley 7/2011).

2. Jurisprudencia

• En la actividad reglada de concesión de licencia el Ayuntamiento debe velar por la garantía de seguridad de las personas en caso de evacuación por siniestro de un local abierto al público, ostentando, a tal efecto, potestad para establecer las medidas técnicas correctoras en la licencia que sean necesarias (artículos 36 y 37 del Reglamento General de Espectáculos de 27 de agosto de 1982), pero en el caso que se examina **tales garantías quedan proporcionadamente atendidas con una limitación del aforo** y con la garantía ofrecida por el titular (folio 14 del expediente) de una segunda salida por un pasaje debidamente iluminado y señalizado a otra vía pública (calle Espronceda) que tiene seis metros y medio de ancho. [STS 27 noviembre 1992.- LA LEY 15177-R/1993]

• Por otro lado, las normas de seguridad que se consideran infringidas consistentes en la debida dotación del local de los medios materiales y personales necesarios para poder prestar una asistencia urgente a las personas **no pueden depender del aforo concreto de cada día y cada momento en que el local se abre al público. Lo contrario supondría dejar en manos del titular del local el cumplimiento de la normativa** de espectáculos, con grave quebranto de la seguridad jurídica. [STSJ Cataluña 29 septiembre 1998.- LA LEY 4621/1999]

• Una vez obtenida la licencia de la actividad y/o instalación proyectadas, debe **girarse una visita de comprobación por parte del Ayuntamiento con la subsiguiente posibilidad de requerir al interesado para que establezca medidas correctoras**, que, en caso de haber sido acordadas, requerirán una **ulterior comprobación de su adopción y de su eficacia**, otorgándose la denominada licencia de apertura y/o funcionamiento en caso de adecuación de las medidas correctoras impuestas; por tanto, **la función de la autorización o licencia de apertura y/o funcionamiento es la comprobación de que la actividad a realizar se ajusta a los términos de la licencia de actividad y/o instalación concedida**. [STSJ Madrid 19 abril 2012.- LA LEY 86006/201]

• Partiendo de lo anterior alcanza la razonable conclusión de que **no encontrándose legalizado el local desde el punto de vista urbanístico no cabe pretender, sin la previa legalización, que se conceda licencia de actividad** alguna en relación con él. [STSJ Castilla-La Mancha 6 octubre 2014.- LA LEY 168180/2014]

3. Legislación aplicable

— Europea

Directiva 2006/123/CE del Parlamento y del Consejo, de 12 de diciembre de 2006, relativa a los servicios en el mercado interior.

— Estatal

Ley 17/2009, de 23 de noviembre, sobre el Libre Acceso a las Actividades de Servicios.

Artículos 21.1. q) y s), 124.4.ñ), 70.bis y 84, 84 bis y 84 ter. de la Ley 7/1985, de 2 de abril, Reguladora de las Bases de Régimen Local.

Ley 39/2015, de 1 de octubre, del Procedimiento Administrativo Común de las Administraciones Públicas.

— Autonómica

Ley 7/2011, de 21 de marzo, de Espectáculos Públicos, Actividades Recreativas y Establecimientos Públicos de Castilla-La Mancha.- LA LEY 5970/2011.

Decreto Legislativo 1/2010, de 18/05/2010, por el que se aprueba el Texto Refundido de la Ley de Ordenación del Territorio y de la Actividad Urbanística.- LA LEY 10441/2010.

4. Documentos de interés

— Doctrina

CANO MURCIA, Antonio. «Legislación de las Comunidades Autónomas». Esta doctrina forma parte del libro *Manual de licencias de ocupación y primera utilización*, edición n.º 1, *El Consultor de los Ayuntamientos y de los Juzgados,* Madrid, abril 2012.- LA LEY 5933/2012.

HORCAJADA, María Ángeles. «El control preventivo de los usos y actividades en la legislación castellano-manchega». *Práctica Urbanística*, n.º 113, Sección Estudios, marzo 2012.- LA LEY 2076/2012.

MARINERO PERAL, Ángel M.ª. «Novedades del Derecho Urbanístico en 2014». *Práctica Urbanística*, n.º 133, Sección Estudios.- LA LEY 1384/2015.

MARTÍN HERNÁNDEZ, Paulino. «Las licencias para actividades clasificadas». Esta doctrina forma parte del libro *Administración Local. Estudios en Homenaje a Ángel Ballesteros*, edición n.º 1, *El Consultor de los Ayuntamientos y de los Juzgados,* Madrid, enero 2011.- LA LEY 21893/2011.

OLMOS GONZÁLEZ, José M.ª. «Contenido temporal de las licencias urbanísticas: plazo, ampliación, caducidad y rehabilitación». *El Consultor de los Ayuntamientos y de los Juzgados,* n.º 20, Sección Opinión / Colaboraciones, Quincena del 30 Oct. al 14 Nov. 2015, Ref. 2445/2015, pág. 2445, Wolters Kluwer-LA LEY 6207/2015.

PENSADO SEIJAS, Alberto. Evolución exprés de las licencias de actividad inocuas. *El Consultor de los Ayuntamientos y de los Juzgados*, n.º 17, Sección Colaboraciones, Quincena del 15 al 29 Sep. 2013, Ref. 1623/2013, pág. 1623, tomo 2.- LA LEY 5239/2013.

MODELO DE EXPEDIENTE *(Disponible a texto íntegro en smarteca.es)*

1)   Inicio expediente de licencia municipal de funcionamiento

2)   Admisión a trámite del expediente

3)   Informe técnico

4)   *Informe jurídico para la licencia de funcionamiento de la actividad recreativa*

5)   *Licencia de funcionamiento de actividad recreativa*

6)   *Notificación de la licencia de funcionamiento*

V.   Expediente de cambio de titularidad de espectáculo público o actividad recreativa

1.   Claves del Expediente

El cambio de titularidad ha de ser comunicado al Ayuntamiento.

Ha de acreditarse la subrogación de los nuevos titulares en los derechos y obligaciones que en anterior titular tenía respecto de la licencia concedida.

También son transmisibles los derechos y obligaciones asumidos en la declaración responsable.

El cambio de titularidad no requiera de nueva autorización ni licencia.

PREGUNTAS CLAVE

1. ¿Es necesario que el anterior titular comunique la transmisión de la actividad a un tercero?

No es un requisito necesario. El art. 3.2 de la Ley 12/2012 no exige esta comunicación.

2. ¿Qué ocurre si no se comunica la transmisión de la actividad?

La no comunicación del cambio de titularidad de la actividad por el anterior o el nuevo titular supone que el anterior y nuevo titular queda sujetos, de forma solidaria, a todas las responsabilidades y obligaciones derivadas de dicho incumplimiento.

3. ¿Ha de resolverse expresamente por el Ayuntamiento la comunicación de cambio de titularidad?

No. El art. 3.2 de la Ley 12/2012 habla de comunicación previa a la administración competente, sin que sea necesario posteriormente dictar resolución alguna. A efectos prácticos bastaría en cualquier caso tomar conocimiento de la transmisión, dejando constancia en el expediente. El art. 8.7 de la Ley 7/2011 de 21 de marzo, de Espectáculos Públicos, Actividades Recreativas y Establecimientos Públicos de Castilla-La Mancha exige que el cambio de titularidad se lleve a cabo mediante una notificación por escrito al órgano competente, que acredite la subrogación de los nuevos titulares en los derechos y obligaciones.

4. ¿Qué ocurre si el Ayuntamiento no dicta resolución de cambio de titularidad?

Si el Ayuntamiento, recibida la comunicación de cambio de titularidad de la actividad, no resuelve expresamente el mismo, ha de entenderse que por silencio administrativo positivo se da por cumplido el trámite a todos los efectos, teniendo en cuenta que la resolución del órgano sustantivo no es generadora de derechos para el nuevo titular de la actividad, sino que tiene los efectos de una simple comunicación, que el Ayuntamiento constata mediante la toma de conocimiento del nuevo titular. En este sentido para la STS 15 octubre 1981 «La intervención municipal en caso de transmisión de licencias no es de previa y expresa autorización para que aquélla opere, sino de mera constatación o toma de razón de la extra-administrativamente producida por el simple acuerdo del antiguo y nuevo propietario, cuyo incumplimiento determina que ambos queden sujetos a todas las responsabilidades que se deriven para el titular».

2. Jurisprudencia

• El cambio de titular por sí solo resultaba jurídicamente irrelevante en cuanto afectaría a los posibles derechos de los particulares (STS de 23 diciembre 1998), porque la licencia mantenía su vigencia mientras subsistieran las condiciones de la actividad, de modo que el Ayuntamiento, **de no advertir otras modificaciones que las subjetivas, que son inoperantes a estos efectos, debió otorgar la transmisión de la titularidad de la licencia cuando le fue comunicado por escrito por el dueño del establecimiento,** toda vez que no ofrecía duda el título legítimo de la transmisión ya que la subrogación en la explotación se producía por los dueños del local a favor del nuevo titular, una vez que el anterior arrendamiento había sido declarado extinguido por resolución judicial. [STSJ País Vasco 13 julio 2001]

• La Administración está obligada a reconocer el cambio de la titularidad de la licencia sin perjuicio de las distintas actuaciones que le conciernen ejercer contra la misma del mismo modo que si no se hubiese transmitido. [STSJ Madrid 18 septiembre 2001]

• No constando que la licencia de apertura en su día concedida al demandante lo fuese en atención a su persona, esto es, a especiales circunstancias personales del mismo que impidiesen su transmisión a los efectos prevenidos en el art. 13 del Reglamento de Servicios de las Corporaciones Locales, tal y como se sostiene, entre otras, en la STS de 12 Jul. 2000, **el cambio de titular no requiere la solicitud de una nueva licencia, la cual solo sería exigible si hubiese existido una modificación de la actividad para la cual aquélla se concedió, lo que no se da en este caso.** Por tanto, el único efecto o consecuencia jurídica de la falta de notificación por escrito de tal circunstancia es la **sumisión conjunta de transmitente y adquirente a las responsabilidades** de la explotación de la licencia, sin que lleve consigo la imposición de la sanción debatida en estos autos. [STSJ Extremadura 27 septiembre 2001.- LA LEY 170424/2001]

• Para proceder al cambio de titularidad el Ayuntamiento ha de tener constancia de que efectivamente dicho cambio se ha producido, y ello por dos mecanismos alternativos, uno bilateral, que no es otro que la conformidad del anterior titular, y otro, que no precisa dicha conformidad, más complejo, que consiste en la acreditación de que se ha adquirido por cualquier medio, *inter vivos* o *mortis causa*, la propiedad o posesión del inmueble en cuestión. [STSJ Madrid 15 enero 2004]

• La transmisión de la licencia constituye en definitiva la realización de un **negocio jurídico del transmitente en cuanto titular originario de la autorización administrativa pero sin que tal operación traslativa tenga relevancia a efectos de alterar las condiciones de la propia autorización,** de tal modo que permanece idéntica su eficacia y viabilidad jurídica del acto proyectado y en consecuencia del incumplimiento del deber administrativo impuesto por el artículo 13.1 del RSCL, de comunicar la transferencia al Ayuntamiento, circunstancia no realizada en el supuesto de autos, **no repercute sobre la validez y existencia de la licencia y sí en cambio, únicamente en el régimen de responsabilidades derivado de la titularidad de la licencia** quedando también el transmitente sujeto junto con el adquirente a dichas responsabilidades máxime cuando el deber de comunicación de la transmisión de la licencia ha de operar a efectos de información del Ayuntamiento de los titulares en cada momento de licencias. [STSJ Extremadura 15 diciembre 2006.- LA LEY 214993/2006]

• A juicio de la Sala la sentencia apelada lleva a cabo una interpretación correcta del régimen de transmisión de la licencia de apertura de autos de acuerdo con el Reglamento de Servicios de las Corporaciones Locales, **transmisión que no se halla sujeta a un régimen de autorización administrativa sino a uno de mera comunicación, de forma que la transmisión es libre de acuerdo con los modos y formas admitidos en derecho para transmitir o adquirir la propiedad o la posesión, y no queda condicionada a una autorización administrativa**, ya que lo único que le corresponde a la Administración es tomar razón del cambio si se produce la comunicación, o no hacerlo si no se produce en la forma exigible, «pero en modo alguno autorizarlo o denegarlo, de forma que, a partir de dicho acto de comunicación la Administración habrá necesariamente de considerar a la cesionaria como titular de la licencia a todos los efectos legales derivados del ejercicio de la actividad, si se ha cumplido el requisito de la comunicación».

La introducción por el art. 23.2 de la Ordenanza municipal de licencias del requisito de que la nueva titular de la licencia garantice expresamente y por escrito, que debe acompañarse a la comunicación de cambio de titularidad, que asume todas las cargas inherentes a la licencia en cuestión, infringe claramente el art. 13 del Reglamento de Servicios de las. Corporaciones Locales, lo que determina su nulidad ex art. 62.2 LRJAPy-PAC, puesto que **transforma el régimen de mera comunicación previsto en el mismo, en uno de autorización**, en el que la transmisión no se perfecciona sino con la decisión administrativa que la autoriza, puesto que, tal y como postula el Ayuntamiento en el acto recurrido y argumenta en el recurso de apelación, el incumplimiento de dicho requisito comporta «no acceder» al cambio de titularidad, esto es, denegar el cambio de titularidad por incumplimiento de dicho precepto. [STSJ País Vasco 10 octubre 2011.- LA LEY 300763/2011]

• Tampoco cabe oponer el artículo 42 de la Ley 11/2003 de 8 de abril, de Prevención Ambiental de Castilla y León puesto que, de su lectura e interpretación literal, llegamos a una conclusión distinta de la que se contiene en la Sentencia recurrida, ya que claramente se refiere **solo al deber de comunicación a las Administraciones y a las consecuencias del incumplimiento de tal deber**, que se ventilan no en la denegación de la transmisión de la licencia, sino en el de las responsabilidades de cedente y cesionario del incumplimiento de las obligaciones que impone la ley. [STSJ Castilla y León (Burgos) 28 noviembre 2011.- LA LEY 232204/2011]

• De todo lo expuesto se concluye que el **cambio de titularidad de licencia solicitado no era una cuestión discutible** y por ello la Resolución de 3 de junio de 2005, no puede incardinarse dentro del margen de razonabilidad del que disponía la administración local para resolver, pues solicitado un cambio de titularidad de licencia, se entiende por el ayuntamiento que procede la solicitud de nueva licencia por cambio de actividad y ello a pesar de que los informes, ponían en evidencia de que se trataba de un cambio de titularidad, con el resultado ya conocido de anulación de estas resolución, y la pertinente declaración de responsabilidad patrimonial, **pues el ayuntamiento de Gandía venia obligado a otorgar el cambio de titularidad de licencia solicitado al cumplirse todos los requisitos necesarios para ello y estar acreditadas dichas circunstancias en el expediente instruido al efecto,** sin margen de interpretación y sin que en la resolución inicialmente anulada se cite un solo informe que avale lo resuelto por el Ayuntamiento que lo fue al margen de toda apreciación razonable. [STS Comunidad Valenciana 17 abril 2013.- LA LEY 90145/2013]

• …De acuerdo con este precepto es evidente que **el cambio de titularidad no precisa de la obtención de una nueva licencia.** Solo precisa de una autorización municipal de que las obras e instalaciones, se ajustan a la licencia de actividad. Esta exigencia, incluso desaparecerá en la Ley 2/2006, de calidad ambiental, en cuyo art. 62, la transmisión sin alteración, solo es objeto de comunicación. [STSJ Comunidad Valenciana 28 noviembre 2014.- LA LEY 232360/2014]

• La conclusión de que, **para autorizar el cambio de titularidad del establecimiento, basta la mera comunicación al Ayuntamiento es conforme a derecho,** sin perjuicio, insistimos, en que ora de oficio por la propia Administración ora a instancia de algún interesado pueda controlarse la actividad y, en su caso, imponerse medidas correctoras de la concreta actividad, incluso la incoación de procedimiento sancionador si hubiere méritos para ello. [STSJ Andalucía (Granada) 15 noviembre 2016.- LA LEY 202226/2016]

• Podemos aplicar la doctrina expresada en la Sentencia dictada por esta Sala y Sección 15 de abril de 2015, dictada en el recurso de apelación número 138/2015 dimanante de la Pieza Separada de Suspensión n.º 522/2014 del Juzgado de lo Contencioso-Administrativo número 14 de Madrid, en la que hemos indicado «En el supuesto de autos, sin que la decisión que aquí se adopte ni la fundamentación jurídica de la presente resolución suponga en modo alguno prejuzgar el fondo del asunto, a los meros efectos cautelares que nos ocupan, el recurso de apelación debe ser desestimado por no concurrir la apariencia de buen derecho alegada por el apelante. Y ello es así porque tal y como se hace constar en la propia resolución administrativa ordenando el precinto, tal decisión se adopta en ejecución de tres resoluciones sancionadoras previas impuestas por periodos de nueve meses, un año y dos años, que aunque impuestas con carácter firme con anterioridad al inicio de la actividad por parte del apelante (contrato de arrendamiento del local de 17 de septiembre de 2014, declaración responsable de inicio de actividad de establecimiento de restauración presentado ante la Comunidad de Madrid el 19 de septiembre de 2014 y comunicación al Ayuntamiento de Madrid de cambio de titularidad de actividades presentada el 19 de septiembre de 2014) y siendo el sujeto sancionado un tercero, sin embargo no podemos acceder a la suspensión instada sin eludir el cumplimiento de tres resoluciones sancionadoras firmes que afectan de forma directa a la licencia del local en el que ejerce su actividad el apelante. Así se desprende del contenido del art. 41.4 de la Ley 17/1997 de Espectáculos Públicos y Actividades Recreativas de la Comunidad de Madrid, según el cual "Las sanciones de clausura de locales…, cuando sean superiores a seis meses, conllevarán la suspensión de las licencias reguladas en esta Ley". Por tanto, **la pretendida transmisión de la licencia con que cuenta el local de autos, no pudo operar de forma válida por la sencilla razón de que la misma quedó suspendida una vez impuestas las sanciones con carácter firme, quedando así pues el local afectado por la sanción de clausura sin posibilidad de transmisión de una licencia suspendida por ministerio de la ley».** [STSJ Madrid 7 junio 2017.- LA LEY 105935/2017]

• Es cierto que el Reglamento de las corporaciones locales, cuando regula la trasmisión de licencias, **sólo pretende establecer el requisito de la comunicación puesto que la licencia de actividad continua vigente,** en tanto subsistan las condiciones exigidas para su otorgamiento, **sin que afecte a la licencia de actividad el sujeto que ostenta su titularidad** y ello con el fin de que, si no se produjera la citada comunicación, serían responsables tanto el transmitente de la licencia, como el adquirente de la licencia, por lo que la aplicación del art. 13.1 del citado reglamento, pero ello en nada afecta al actor, ni menos aun determina la nulidad de la resolución impugnada. [STSJ Comunidad Valenciana 15 noviembre 2017.- LA LEY 217823/2017]

3. Legislación aplicable

— Estatal

Art. 13 del Decreto de 17 de junio de 1955, por el que se aprueba el Reglamento de Servicios de las Corporaciones Locales.

Arts. 21.1. q) y s), 124.4.ñ), 70.bis y 84, 84 bis y 84 ter. de la Ley 7/1985, de 2 de abril, Reguladora de las Bases de Régimen Local.

Art. 3 de la Ley 12/2012, de 26 de diciembre, de medidas urgentes de liberalización del comercio y de determinados servicios.

— Autonómica

Ley 7/2011, de 21 de marzo, de Espectáculos Públicos, Actividades Recreativas y Establecimientos Públicos de Castilla-La Mancha.- LA LEY 5970/2011.

4. Documentos de interés

— Doctrina

CANO MURCIA, Antonio. «Apunte legislativo sobre transmisión o cambio de titularidad».- LA LEY 19118/2011.

—. «Los Tribunales dicen… sobre transmisión o cambio de titularidad».- LA LEY 19117/2011.

—. «Efectos de la Ley 17/2009, de 23 de noviembre, sobre el libre acceso a las actividades de servicios».- LA LEY 19116/2011.

—. «Requisitos generales para la transmisión de la licencia de apertura».- LA LEY 19115/2011.

CHOLBÍ CACHÁ, Francisco Antonio. «El contenido supletorio del Reglamento de Servicios sobre interrelación de licencias».- LA LEY 24314/2011.

MORA GONZÁLEZ, María Jesús. «La transmisión de las licencias urbanísticas». *El Consultor de los Ayuntamientos y de los Juzgados*, n.º 23, Quincena del 15 al 29 Dic. 2007, Ref. 3889/2007, pág. 3889, tomo 3, LA LEY.- LA LEY 6927/2007.

MODELO DE EXPEDIENTE *(Disponible a texto íntegro en smarteca.es)*

1) *Comunicación de cambio de titularidad de espectáculo público o actividad recreativa*

2) *Resolución de cambio de titularidad de espectáculo público o actividad recreativa*

3)   Notificación de cambio de titularidad de licencia ambiental

6. CASTILLA Y LEÓN

I.   Expediente de licencia ambiental para espectáculo público o actividad recreativa

1.   Claves del Expediente

La licencia ambiental es el procedimiento de control de competencia municipal para las actividades e instalaciones susceptibles de ocasionar molestias considerables, alterar las condiciones de salubridad, causar daños al medio ambiente o producir riesgos para las personas o bienes.

Se excluyen de esta intervención las actividades o instalaciones sujetas al régimen de la autorización ambiental, que se regirán por su régimen propio.

Ha de tenerse en cuenta que el Decreto Legislativo 1/2015, de 12 de noviembre, por el que se aprueba el texto Refundido de la Ley de Prevención Ambiental de Castilla y León (DL 1/2015 TRLPACL), no establece un listado de actividades sujetas a este trámite, remitiéndose de forma genérica al art. 25.2 «Quedan sometidas al régimen de licencia ambiental las actividades o instalaciones **susceptibles de ocasionar molestias considerables,** de acuerdo con lo establecido reglamentariamente y en la normativa sectorial, de **alterar las condiciones de salubridad, de causar daños al medio ambiente o de producir riesgos** para las personas o bienes que no estén sometidas al trámite de evaluación de impacto ambiental ordinaria por no estar incluidas en los supuestos previstos en la normativa básica estatal, así como aquellas que estén sujetas, de acuerdo con lo dispuesto en la citada normativa y en esta Ley, a evaluación de impacto ambiental simplificada y en el informe de impacto ambiental se haya determinado que el proyecto no debe someterse a evaluación de impacto ambiental ordinaria».

El plazo la resolver el procedimiento es de dos meses, con aplicación del silencio administrativo positivo en no resolverse dentro de dicho período.

Una vez otorgada la licencia ambiental, se comunicará la iniciación o puesta en marcha de la actividad o instalación mediante la presentación de una declaración responsable. Asimismo ha de comunicarse el cese definitivo o temporal de la actividad.

PREGUNTAS CLAVE

1. ¿Ha de indicarse el aforo en la licencia ambiental o en la comunicación ambiental?

En la licencia ambiental o en la comunicación ambiental, según disponga la normativa en materia de protección del medio ambiente, se especificará el aforo máximo permitido del establecimiento o instalación que corresponda y el número máximo de personas que pueden actuar en él, de conformidad con la normativa de aplicación, así como el tipo de establecimiento público o instalación que corresponda, atendiendo a la clasificación realizada en el catálogo que se acompaña como anexo a la presente Ley y la naturaleza de los espectáculos públicos o actividades recreativas que se van a ofrecer (art. 8.3 de la Ley 7/2006, de 2 de octubre, de espectáculos públicos y actividades recreativas).

2. ¿Qué son actividades incompatibles?

Se consideran actividades incompatibles física, técnica o legalmente aquellas que difieren en cuanto al horario, dotaciones o público al que se autoriza el acceso (art. 16.2 de la Ley 7/2006, de 2 de octubre, de espectáculos públicos y actividades recreativas).

3. ¿Ha de someterse el expediente a información pública?

De acuerdo con el art. 28.1 del DL 1/2015 TRLPACL el expediente se somete a información pública mediante inserción de anuncio en el Boletín Oficial de la Provincia.

Ahora bien, si existen otros procedimientos administrativos de autorización que requieran que la información pública se publique en el Boletín Oficial de Castilla y León, la información pública podrá hacerse únicamente en éste a todos los efectos, y en el tablón de edictos del Ayuntamiento.

4. ¿En caso de modificación sustancial de la actividad, ha se realizarse una nueva información pública?

Si se produce revisión de oficio que suponga una modificación sustancial de la actividad en el procedimiento que se instruya se abrirá trámite de información pública por un plazo mínimo de quince días y se dará audiencia al titular (art. 36.4 DL 1/2015 TRLPACL).

5. ¿A quién se notifica el expediente?

El expediente, se notifica, en trámite de audiencia, una vez haya finalizado el trámite de información pública, y emitido el informe del Servicio Territorial, tanto al solicitante de la licencia ambiental, como a los vecinos colindantes con la actividad o instalación (art. 31 DL 1/2015 TRLPACL).

6. ¿Qué plazo tiene el Ayuntamiento para dictar y notificar la resolución?

El plazo de que dispone el Ayuntamiento para dictar y notificar la resolución del procedimiento de licencia ambiental es de dos meses (art. 33.4 DL 1/2015 TRLPACL).

7. ¿Existe silencio positivo?

Si transcurre el plazo de dos meses sin que se haya notificado la resolución de licencia ambiental se entiende estimada la solicitud de licencia ambiental, quedando otorgada la licencia por silencio administrativo, sin que la misma genere facultades o derechos contrarios al ordenamiento jurídico y, particularmente, sobre el dominio público (art. 33.4 DL 1/2015 TRLPACL).

8. ¿Ha de comunicarse el inicio o puesta en marcha de la actividad?

Con carácter previo al inicio de la actividad, el titular deberá comunicar su inicio o puesta en marcha al Ayuntamiento (art. 38 DL 1/2015 TRLPACL).

9. ¿Ha de colocarse copia de la licencia o comunicación ambiental en lugar visible?

Se exhibirá en un lugar visible del establecimiento público o instalación permanente copia de licencia ambiental o de la comunicación ambiental (art. 10 de la Ley 7/2006, de 2 de octubre, de espectáculos públicos y actividades recreativas).

2. Jurisprudencia

• Examinado el expediente se comprueba que la presente solicitud de licencia ambiental no solo fue sometida a información pública mediante la colación de edictos en el tablón del Ayuntamiento y mediante anuncio en el BOP de Burgos de fecha 15.5.2012 como así resulta de los folios 24 a 26, sino que además también han recibido notificación personal al menos algunos vecinos del emplazamiento, y si a ello unimos que la actora ha formulado alegaciones durante dicho trámite de información público y que ninguno otro vecino o persona supuestamente afectada ha formulado denuncia o alegaciones por esa presunta falta de audiencia, es por lo que hemos de concluir que en el presente caso no se ha infringido ni vulnerado el trámite regulado en el art. 27.1 y 2 de la citada Ley, amén de que **la parte actora carece de legitimación para arrogarse la supuesta indefensión que por esa presunta falta de notificación han podido sufrir eventuales vecinos inmediatos** al lugar de emplazamiento de dicho colmenar. [STSJ Castilla y León (Burgos) 27 abril 2015.- LA LEY 50569/2015]

• Centrados en los motivos de la apelación, hay que empezar señalando que tiene razón el Ayuntamiento de Valladolid cuando pone de manifiesto que, en contra de lo que se dice por el juez *a quo*, no se produjo la vulneración del artículo 27.2 de la Ley 11/2003, de 8 de abril (LA LEY 795/2003), de Prevención Ambiental de Castilla y León, precepto que en la tramitación de una licencia ambiental impone que se haga la **notificación personal a los vecinos inmediatos al lugar del emplazamiento propuesto, así como también a aquellos que por su proximidad a éste pudieran verse afectados.** En efecto, hay que recordar que al articular este motivo del recurso la parte ahora apelada señaló, y esto es literal —apartado c) del fundamento de derecho tercero de su demanda—, que «por vecinos inmediatos no cabe entender exclusivamente a los ocupantes del edificio n.º NUM002 de la CALLE000, únicos a los que fue comunicada, sino también a todos los que puedan verse afectados por el funcionamiento de la Discoteca, que habrán de ser —por los menos— todos los habitantes del edificio n.º NUM001 de la CALLE000, en cuyo sótano también se encuentra ubicada la Discoteca, y los de los edificios n.º NUM003 de esta misma calle, con el que linda materialmente la Discoteca, y n.º NUM004 de la CALLE001, respecto de quienes no se respetan las previsiones del Reglamento Municipal para la Protección del Medio Ambiente Atmosférico». En estas condiciones, **resulta plenamente aplicable la doctrina jurisprudencial según la cual no es posible invocar en beneficio propio una indefensión sufrida por un tercero,** tesis que resulta de la regulación contenida en el artículo 63.2 de la Ley 30/1992, de 26 de noviembre, que es el que contempla los defectos de forma y que dispone que estos solo determinarán la anulabilidad cuando den lugar a la indefensión de los «interesados», no por tanto a la que eventualmente hayan podido sufrir terceros. [STSJ Castilla y León (Valladolid), 18 noviembre 2011.- LA LEY 238695/2011]

• Llegados a este punto y una vez sentado que al haberse producido una modificación sustancial de la actividad —de acuerdo con los criterios del artículo 4.g) de la Ley Autonómica 11/2003 **parece claro que pasar en una discoteca de un aforo de poco más de trescientas personas a uno de casi setecientas puede tener repercusiones perjudiciales o importantes en la seguridad, la salud de las personas o el medio ambiente— era necesario obtener una nueva licencia ambiental, puede concluirse que en verdad se vulneraron los artículos 27.1 y 30.2 de la Ley de Prevención Ambiental** y que por consiguiente es conforme a derecho la sentencia del Juzgado *a quo* que así lo entendió. En efecto y por lo que atañe al primero de los preceptos citados, que contempla la denegación expresa de la licencia ambiental por razones de competencia municipal basadas en el planeamiento urbanístico, hay que decir que éste, que es ya el vigente al tiempo de formularse la solicitud, no admite discotecas en edificios con viviendas (artículo 298.1 de la Normativa del PGOU de Valladolid), previsión frente a la que no cabe oponer que el de autos fuera un uso existente, pues lo era pero con unas características concretas diferentes a las que en la realidad presentaba el local litigioso. Como con acierto dice la parte apelada, la licencia de actividad otorgada en su día no constituye una autorización genérica y abstracta para instalar cualquier discoteca, sino que se refiere al desarrollo de tal actividad de una determinada forma y en unas concretas circunstancias, que son las expuestas en el proyecto para el que aquella fue concedida. [STSJ Castilla y León (Valladolid) 18 noviembre 2011.- LA LEY 235483/2011]

• El hecho de que se hubieran otorgado para la instalación del Disco-Bar de que se trata licencias municipales en virtud de los Decretos de la Alcaldía de 28 de septiembre y 3 de octubre, ambos de 1982, como se admite en el Acuerdo de la Junta de Gobierno Local de 31 de agosto de 2005, no supone que sea ilegal el Acuerdo municipal de 19 de septiembre de 2006 que denegó la licencia ambiental que había solicitado el recurrente, como antes se ha dicho. **Ese Acuerdo no puede considerarse ilegal pues, como se señala por la representación del Ayuntamiento, no podía concederse esa licencia teniendo en cuenta el carácter «vinculante» que tiene el informe «desfavorable»** emitido por la CPA, como resulta del núm. 3 del citado art. 27 de la Ley 11/2003, y que lo señalado en ese informe no ha sido desvirtuado.

No está de más indicar que la actividad de Disco-Bar desarrollada por el recurrente no podía ampararse únicamente e las citadas licencias municipales de 1982, pues emitía al exterior un nivel de ruidos superior al permitido, como resulta de la sentencia núm. 61, del Juzgado de Primera Instancia de Carrión de los Condes de 30 de junio de 2005, cuya copia consta acompañada con la demanda, en la que fue condenado el aquí apelante —como se admite en el hecho primero de la demanda— «a cesar en la perturbación, debiendo adoptar las medidas de aislamiento necesarias para evitar que se transmitan ruidos desde dicho local a la propiedad de los actores por encima de los niveles permitidos en el decreto 3/95 de la Junta de Castilla y León...». **Va el recurrente contra sus propios actos al alegar sobre la improcedencia de la licencia ambiental denegada, pues, como se ha reiterado, fue solicitada por él.** La alegación que también se formula por el apelante de que esa solicitud se efectuó atendiendo un requerimiento municipal en tal sentido no puede llevar a la revocación de la sentencia apelada y a la anulación de los actos administrativos impugnados, pues si consideraba que era improcedente pudo impugnarlo, lo que no hizo. [STSJ Castilla y León (Valladolid) 24 septiembre 2010.- LA LEY 181163/2010]

3. Legislación aplicable

— Europea

Directiva 2006/123/CE del Parlamento y del Consejo, de 12 de diciembre de 2006, relativa a los servicios en el mercado interior.

— Estatal

Arts. 1, 2, 4, 5 y 6 Ley 17/2009, de 23 de noviembre, sobre el Libre Acceso a las Actividades de Servicios.

Artículos 21.1. q) y s), 124.4.ñ), 70.bis y 84, 84 bis y 84 ter. de la Ley 7/1985, de 2 de abril, Reguladora de las Bases de Régimen Local.

Ley 39/2015, de 1 de octubre, del Procedimiento Administrativo Común de las Administraciones Públicas.

— Autonómica

Ley 7/2006, de 2 de octubre, de espectáculos públicos y actividades recreativas.

Orden IYJ/689/2010, de 12 de mayo, por la que se determina el horario de los espectáculos públicos y actividades recreativas que se desarrollen en los establecimientos públicos, instalaciones y espacios abiertos de la Comunidad de Castilla y León.

Decreto Legislativo 1/2015, de 12 de noviembre, por el que se aprueba el Texto Refundido de la Ley de Protección Ambiental de Castilla y León.

4.   Documentos de interés

— Doctrina

MARTÍN HERNÁNDEZ, Paulino. «Las licencias para actividades clasificadas». Esta doctrina forma parte del libro *Administración Local. Estudios en Homenaje a Ángel Ballesteros*, 1.ª ed., *El Consultor de los Ayuntamientos y de los Juzgados,* Madrid, enero 2011.- LA LEY 21893/2011.

PASTOR GARCÍA, José María. «La comunicación de inicio de actividades, como forma de intervención municipal sustitutiva de la licencia de apertura de establecimientos. Especial incidencia en Castilla y León». *El Consultor de los Ayuntamientos y de los Juzgados*, n.º 2, Sección Colaboraciones, Quincena del 30 Ene. al 14 Feb. 2013, Ref. 147/2013, pág. 147, tomo 1.- LA LEY.- LA LEY 216/2013.

—. «La aplicación práctica del RD-Ley 19/2012, de 25 de mayo, en la liberalización del comercio y determinados servicios para las entidades locales: especial incidencia en la Comunidad de Castilla y León». *El Consultor de los Ayuntamientos y de los Juzgados*, n.º 19, Sección Colaboraciones, Quincena del 15 al 29 Oct. 2012, Ref. 2164/2012, pág. 2164, tomo 2.- LA LEY.- LA LEY 17167/2012.

MODELO DE EXPEDIENTE *(Disponible a texto íntegro en smarteca.es)*

1)   Solicitud de licencia ambiental para ejercicio actividad recreativa

2)   Subsanación de la solicitud

3)   Escrito presentando documentación requerida para la subsanación de la solicitud

4)   Resolución para archivo del expediente por no completar o subsanar el expediente

5)   Notificación del archivo del expediente

6)   Admisión a trámite del expediente

7)   *Edicto de información pública*

8)   *Certificado de reclamaciones*

9)   *Solicitud de informes*

10)   *Informe técnico para licencia ambiental*

11)   *Informe jurídico para licencia ambiental*

12)   *Informe del Servicio Territorial de medio ambiente*

13)   *Requerimiento vecinos a policía local*

14)   *Notificación a vecinos colindantes*

15)   *Informe propuesta*

16)   *Notificación trámite de audiencia*

17)   *Escrito de alegaciones en trámite de audiencia*

18)   *Licencia ambiental*

19)   *Notificación de la licencia ambiental*

II.   Expediente de comunicación de inicio de espectáculo público o actividad recreativa permanente

1.   Claves del Expediente

La comunicación de inicio o puesta en marcha de un actividad recreativa se articula mediante la presentación de una declaración responsable **se articula la comunicación de inicio o puesta en marcha de la actividad o instalación**, indicando la fecha de inicio de la actividad o instalación así como que dispone de la documentación exigida (art. 39 DL 1/2015 TRLPACL).

La licencia ambiental se concede por un período de vigencia indefinido (art. 33.1 DL 1/2015 TRLPACL.

De acuerdo con el art. 36 DL 1/2015 TRLPACL, la licencia ambiental puede revisarse de oficio cuando concurran alguno de los supuestos contemplados en el mismo, sin que por tal causa haya derecho a indemnización.

Concedida la licencia ambiental, el titular de la misma dispondrá de un plazo de cuatro años, a partir de la fecha de su otorgamiento para iniciar la actividad, siempre que en aquélla no se fije un plazo superior (art. 37.2 DL 1/2015 TRLPACL).

La licencia ambiental pierde su vigencia una vez transcurran los plazos para iniciar la actividad o los de cese temporal (art. 37.2 DL 1/2015 TRLPACL).

2. Jurisprudencia

• Consecuentemente, a raíz de la reforma operada, **no es preciso que con carácter previo al inicio de la actividad sujeta a licencia ambiental** y con relación a las actividades sujetas a tal licencia, **el Ayuntamiento otorgue previamente lo que se venía denominando licencia de apertura**, pues basta con que con carácter previo al inicio de actividad el titular comunique su puesta en marcha en los términos dichos. [STSJ Castilla y León (Burgos) 22 diciembre 2014.- LA LEY 195827/2014]

• La Sala comparte plenamente el argumento ofrecido por el Juez *a quo* para repeler una pretendida aplicación retroactiva de la Ley 7/2007, de 9 de julio (LA LEY 7871/2007), de Gestión Integrada de la Calidad Ambiental, ya que, efectivamente, pese a la dicción de su Disposición Transitoria Segunda, que se refiere a los procedimientos iniciados con anterioridad a su entrada en vigor para la aprobación, autorización o actualización ambiental, y aunque el procedimiento hubiera concluido en 2003 cuando se otorgó la licencia de apertura, **es lo cierto que la autorización de puesta en marcha e inicio de la actividad** por la resolución impugnada de 2010 **ha de atemperarse a las exigencias normativas del momento de su otorgamiento**, ya que, como muy bien expone el Juez *a quo*, ello comporta una revisión de los condicionantes ambientales que se tuvieron en cuenta tiempo atrás. [STSJ Andalucía (Granada) 26 enero 2015.- LA LEY 54911/2015]

3. Legislación aplicable

3.1. Europea

Directiva 2006/123/CE del Parlamento y del Consejo, de 12 de diciembre de 2006, relativa a los servicios en el mercado interior.

— Estatal

Arts. 1, 2, 4, 5 y 6 Ley 17/2009, de 23 de noviembre, sobre el Libre Acceso a las Actividades de Servicios.

Arts. 21.1.q) y s), 124.4.ñ), 70.bis y 84, 84 bis y 84 ter. de la Ley 7/1985, de 2 de abril, Reguladora de las Bases de Régimen Local.

Ley 39/2015, de 1 de octubre, del Procedimiento Administrativo Común de las Administraciones Públicas.

— Autonómica

Ley 7/2006, de 2 de octubre, de espectáculos públicos y actividades recreativas.

Orden IYJ/689/2010, de 12 de mayo, por la que se determina el horario de los espectáculos públicos y actividades recreativas que se desarrollen en los establecimientos públicos, instalaciones y espacios abiertos de la Comunidad de Castilla y León.

Decreto Legislativo 1/2015, de 12 de noviembre, por el que se aprueba el Texto Refundido de la Ley de Protección Ambiental de Castilla y León.

4. Documentos de interés

— Doctrina

MARTÍN HERNÁNDEZ, Paulino. «Las licencias para actividades clasificadas». Esta doctrina forma parte del libro *Administración Local. Estudios en Homenaje a Ángel Ballesteros*, 1.ª ed., *El Consultor de los Ayuntamientos y de los Juzgados,* Madrid, enero 2011.- LA LEY 21893/2011.

PASTOR GARCÍA, José María. «La comunicación de inicio de actividades, como forma de intervención municipal sustitutiva de la licencia de apertura de establecimientos. Especial incidencia en Castilla y León». *El Consultor de los Ayuntamientos y de los Juzgados*, n.º 2, Sección Colaboraciones, Quincena del 30 Ene. al 14 Feb. 2013, Ref. 147/2013, pág. 147, tomo 1.- LA LEY.- LA LEY 216/2013.

—. «La aplicación práctica del RD-Ley 19/2012, de 25 de mayo, en la liberalización del comercio y determinados servicios para las entidades locales: especial incidencia en la Comunidad de Castilla y León». *El Consultor de los Ayuntamientos y de los Juzgados*, n.º 19, Sección Colaboraciones, Quincena del 15 al 29 Oct. 2012, Ref. 2164/2012, pág. 2164, tomo 2.- LA LEY.- LA LEY 17167/2012.

MODELO DE EXPEDIENTE *(Disponible a texto íntegro en smarteca.es)*

1)   *Comunicación de puesta en funcionamiento para el inicio de espectáculo público o actividad recreativa*

2)   *Actuación de comprobación por el Ayuntamiento*

3)   *Informe de verificación y comprobación e informe de conformidad*

4)   *Resolución comunicando inicio de la actividad*

5)   *Notificación de la comunicación de inicio de la actividad*

III.   Expediente de control e inspección de actividad recreativa

1.   Claves del Expediente

El régimen de control e inspección de las licencias ambientales se regula en los arts. 64 a 72 del DL 1/2015, de 12 de noviembre, por el que se aprueba el Texto Refundido de la Ley de Protección Ambiental de Castilla y León, y arts. 27 a 29 de la Ley 7/2006, de 2 de octubre, de espectáculos públicos y actividades recreativas.

El control e inspección ambiental de las actividades o instalaciones sujetas a licencia ambiental corresponde al Ayuntamiento.

La Comunidad Autónoma podrá intervenir en caso de que el Ayuntamiento no ejerza el control e inspección ambiental.

Como consecuencia de la inspección que se realice podrá dictarse, de forma cautelar, la paralización total o parcial de la actividad.

Asimismo y por lo que se re refiere a la vigilancia e inspección de los espectáculos públicos y actividades recreativas y régimen sancionador, en los arts. 27 a 29 de la Ley 7/2006, de 2 de octubre, de espectáculos públicos y actividades recreativas se regula específicamente tal intervención por parte de la Administración.

PREGUNTAS CLAVE

1. ¿A quién corresponde el control e inspección de los espectáculos públicos y actividades recreativas sujetos a licencia ambiental?

Al Ayuntamiento (art. 66.1 DL 1/2015 TRLPACL) y arts. 27 a 29 de la Ley 7/2006, de 2 de octubre, de espectáculos públicos y actividades recreativas.

2. ¿Puede subrogarse en las competencias de control e inspección la Comunidad Autónoma?

La inactividad de los ayuntamientos, una vez requeridos para que actúen y transcurrido el plazo de un mes, supondrá que la Consejería competente en materia de medio ambiente ejerza las competencias que le corresponde a aquéllos (art. 66.2 DL 1/2015 TRLPACL).

3. ¿Están sujetos a publicidad los resultados de las actuaciones de control e inspección?

Sí (art. 68 DL 1/2015 TRLPACL).

4. ¿Qué ocurre si se detectan deficiencias en el funcionamiento de la actividad?

El Ayuntamiento requerirá al titular de la licencia para que la corrija en el plazo máximo de seis meses, salvo que en casos especiales debidamente justificados pueda excederse del mismo (art. 69.1 DL 1/2015 TRLPACL), o bien adoptar alguna de las medidas provisionales contempladas en el art. 31 de la Ley 7/2006, de 2 de octubre, de espectáculos públicos y actividades recreativas.

5. ¿El requerimiento para corregir las deficiencias puede llevar aparejado la suspensión de la actividad?

Sí. Una consecuencia del requerimiento es que puede producir la suspensión cautelar de la actividad (art.69.1 DL 1/2015 TRLPACL) y art. 31 1 a) y b) de la Ley 7/2006, de 2 de octubre, de espectáculos públicos y actividades recreativas.

6. ¿Qué circunstancias ha de darse para que se produzca la suspensión de la actividad?

Para que el Ayuntamiento proceda a la paralización cautelar de la actividad, total o parcialmente han de producirse alguna de las siguientes circunstancias: (art.70 DL 1/2015 TRLPACL):

a) Incumplimiento o trasgresión de las condiciones impuestas para la ejecución del proyecto.

b) Existencia de razones fundadas de daños graves o irreversibles al medio ambiente o peligro inmediato para las personas o bienes en tanto no desaparezcan las circunstancias determinantes, pudiendo adoptar las medidas necesarias para evitar los daños y eliminar los riesgos.

O bien, algunas de las circunstancias recogidas en el art. 30 de la Ley 7/2006, de 2 de octubre, de espectáculos públicos y actividades recreativas

a) Cuando se celebren espectáculos públicos y actividades recreativas prohibidas de acuerdo con lo dispuesto en el artículo 5 (LA LEY 9679/2006) de la presente Ley. En el caso de que pudieran ser constitutivos de delito, se pondrán en conocimiento del órgano jurisdiccional competente o del Ministerio Fiscal.

b) Cuando se celebren espectáculos públicos y actividades recreativas en establecimientos públicos, instalaciones, permanentes o no, o en espacios abiertos sin contar con las preceptivas licencias o autorizaciones previstas de acuerdo con lo dispuesto en esta Ley.

c) Cuando se produzca una reventa de localidades no autorizada de conformidad con lo dispuesto en el artículo 18.4 (LA LEY 9679/2006) de la presente Ley.

d) Cuando se carezca de los seguros exigidos de acuerdo con lo dispuesto en la presente Ley.

e) Cuando en el desarrollo de los espectáculos públicos o actividades recreativas se produzcan alteraciones del orden público con peligro para las personas y bienes.

f) Cuando exista riesgo grave o peligro inminente para la seguridad de las personas, la integridad física de los animales o la seguridad de los bienes o cuando se incumplan gravemente las condiciones sanitarias, de salubridad y de higiene.

g) Cuando se incumplan los horarios de apertura o cierre.

7. ¿Puede el Ayuntamiento ejecutar sustitutoriamente la adopción de medidas correctoras impuestas al titular de la actividad?

Sí. Así lo dispone el art. 72 DL 1/2015 TRLPACL, al decir que cuando el titular de una actividad, tanto en funcionamiento como en situación de suspensión temporal o clausura definitiva, no adopte alguna medida correctora que le haya sido impuesta, la autoridad que haya requerido la acción, previo apercibimiento, podrá ejecutarla con carácter sustitutorio por la Administración competente en primera instancia, siendo a cargo del titular los costes derivados, que serán exigibles por vía de apremio, con independencia de la sanción que proceda imponerle.

2. Jurisprudencia

• **La clausura**, por tanto, **de una actividad sujeta a licencia ambiental** puede adoptarse por el órgano municipal **al comprobar deficiencias en su funcionamiento en el propio acto en que se requiera a su titular para que corrija esas deficiencias**. Por ello, con mayor razón puede adoptarse esa clausura una vez vencidos los plazos concedidos en el respectivo requerimiento para la corrección de las deficiencias indicadas sin que las mismas se hayan llevado a efecto. [STSJ Castilla y León 20 noviembre 2008.- LA LEY 273716/2008]

• La licencia de apertura y/o funcionamiento **crea una relación permanente con la Administración,** ya que las exigencias del interés público demandan un funcionamiento correcto de la actividad y de sus medidas correctoras, **lo cual implicará que la actividad desarrollada quede, durante la vigencia de la licencia, sujeta a inspecciones administrativas para la comprobación** del cumplimiento de las condiciones expresadas en la misma, conforme declaran, entre otras, las SSTS de 4 octubre 1986 y 30 junio 1987. [STSJ Madrid 13 noviembre 2001]

• **La licencia de apertura** y funcionamiento de establecimientos o actividades potencialmente nocivas o peligrosas, **a diferencia de las que suponen un control de un acto u operación determinada, tiene por objeto el control de una actividad llamada a prolongarse indefinidamente en el tiempo,** denominándose por ello, doctrinalmente, **licencias de funcionamiento,** lo que acarrea, como consecuencia, que la autorización y sus condiciones prolonguen su vigencia tanto como dure la actividad autorizada... Sobre esta base y a propósito de las licencias de apertura y funcionamiento antes citadas, la jurisprudencia ha reconocido que «la posibilidad de actuación en esta materia de los Ayuntamientos, como titulares de policía de seguridad, **no se agota con la concesión y la revocación de las licencias de apertura, sino que, más bien disponen de unos poderes de intervención de oficio y de manera constante con la finalidad de salvaguardar la protección de personas y bienes pudiendo imponer, en consecuencia, cualesquiera correcciones y adaptaciones que estimen necesarias sin que ello suponga una ilícita vuelta contra los propios actos».** Por consiguiente, hay que admitir respecto de estas licencias de funcionamiento la posibilidad, e, incluso, el deber de la Administración de modificar el contenido de la autorización inicialmente otorgada para mantenerlo correctamente adaptado, a lo largo de su vigencia, a las exigencias del interés público. [STSJ Madrid 12 febrero 2014.- LA LEY 19239/2014]

• **La actividad está sometida al control permanente que sobre ella debe ejercer la administración y que no puede quedar limitado al plazo de cuatro años,** cuestión ya establecida por esta Sala en anteriores sentencias de 4 de diciembre de 1998 y 6 de mayo de 1999. [STSJ Madrid 27 junio 2014.- LA LEY 108979/2014]

• En la presente *litis*, no es necesario acudir a la revisión de oficio de actos firmes, dado que en cualquier caso, nos encontramos ante una actividad (BAR RESTAURANTE), que requiere licencia de apertura, en el que la actividad de control por las administraciones, no culmina con la licencia de apertura, sino que se realiza una función constante y permanente, **en el que la actividad de control por la administración es continua, y el sujeto sometido a la intervención administrativa debe cumplir las previsiones legales que se vayan produciendo en la actividad sometida al control de la administración.** [STSJ Castilla y León (Burgos) 11 septiembre 2015.- LA LEY 134406/2015]

3. Legislación aplicable

— Europea

Directiva 2006/123/CE del Parlamento y del Consejo, de 12 de diciembre de 2006, relativa a los servicios en el mercado interior.

— Estatal

Artículos 21.1. q) y s), 124.4.ñ), 70.bis y 84, 84 bis y 84 ter. de la Ley 7/1985, de 2 de abril, Reguladora de las Bases de Régimen Local.

Ley 39/2015, de 1 de octubre, de Procedimiento Administrativo Común de las Administraciones Públicas.

— **Autonómica**

Ley 7/2006, de 2 de octubre, de espectáculos públicos y actividades recreativas.

Arts. 64 a 72 del DL 1/2015, de 12 de noviembre, por el que se aprueba el Texto Refundido de la Ley de Protección Ambiental de Castilla y León.

4. Documentos de interés

— Doctrina

ALONSO RIESGO, María Dora; FERNÁNDEZ GANCEDO, Inmaculada. «Licencias municipales de actividad y de apertura en el marco de la libre prestación de servicios». *El Consultor de los Ayuntamientos y de los Juzgados*, n.º 21, Quincena del 15 al 29 Nov. 2011, Ref. 2506/2011, pág. 2506, tomo 2, LA LEY.

CANO MURCIA, Antonio. *El Nuevo Régimen de las Licencias de Apertura*. El Consultor de los Ayuntamientos y de los Juzgados. Madrid 2010.

CHOLBÍ CACHÁ, Francisco Antonio; Merino Molins, Vicente. «Comentario crítico sobre la directiva de Servicios y de las leyes 17 y 25/2009 en aplicación de la misma: especial incidencia en el ámbito de las licencias urbanísticas y de actividad». *El Consultor de los Ayuntamientos y de los Juzgados*, n.º 7, Quincena del 15 al 29 Abr. 2010, Ref. 1035/2010, pág. 1035, tomo 1.- LA LEY.

PASTOR GARCÍA, José María. «La comunicación de inicio de actividades, como forma de intervención municipal sustitutiva de la licencia de apertura de establecimientos. Especial incidencia en Castilla y León». *El Consultor de los Ayuntamientos y de los Juzgados*, n.º 2, Sección Colaboraciones, Quincena del 30 Ene. al 14 Feb. 2013, Ref. 147/2013, pág. 147, tomo 1.- LA LEY.- LA LEY 216/2013.

PENSADO SEIJAS, Alberto. «Evolución exprés de las licencias de actividad inocuas». *El Consultor de los Ayuntamientos y de los Juzgados*, n.º 17, Sección Colaboraciones, Quincena del 15 al 29 Sep. 2013, Ref. 1623/2013, pág. 1623, tomo 2.- LA LEY 5239/2013.

MODELO DE EXPEDIENTE *(Disponible a texto íntegro en smarteca.es)*

1) Acta de inspección

2) Alegaciones del/la interesado/a al acta de inspección

3) Informe técnico a las alegaciones al acta de inspección

4) Trámite de audiencia

5) Resolución del expediente con cierre o clausura de la actividad, previo requerimiento de regularización

6) Notificación de la resolución

IV. Expediente de cambio transmisiónde licencia de actividad recreativa

1. Claves del Expediente

Aunque es una cuestión que puede considerarse pacífica, el cambio de titularidad en general de los establecimientos, negocios y actividades en general y en particular de la licencia ambiental se sujeta al cumplimiento de unos requisitos mínimos, que tienen como objetivo fundamental el poner en conocimiento de la Administración (órgano sustantivo ambiental) el nuevo titular de la actividad.

Ha de tenerse en cuenta:

- La comunicación ha de ser expresa.

- No es necesario que vaya acompañada de título o documento que acredite la transmisión (contrato de compraventa, de arrendamiento, de cesión etc.)

- Si la transmisión se produce si realizar la correspondiente comunicación, el anterior y el nuevo titular quedan sujetos, de forma solidaria, a todas las responsabilidades y obligaciones derivadas del incumplimiento de dicha obligación.

La Ley 7/2006, de 2 de octubre, de espectáculos públicos y actividades recreativas, no contiene mención expresa al cambio de titularidad de las actividades recreativas, por lo que rigen las determinaciones del art. 46 del DL 1/2015, de 12 de noviembre, por el que se aprueba el Texto Refundido de la Ley de Protección Ambiental de Castilla y León.

PREGUNTAS CLAVE

1. ¿Qué requisitos han de cumplirse para realizar el cambio de titularidad una actividad sujeta a licencia ambiental?

Para que el nuevo titular de una actividad que cuente con licencia ambiental o comunicación ambiental pueda realizar el cambio de titularidad, deberá ser comunicado al Ayuntamiento (art. 46.1 DL 1/2015 TRLPACL).

2. ¿Es necesario que el anterior titular comunique la transmisión de la actividad a un tercero?

No. El art. 46 DL 1/2015 TRLPACL, no exige esta comunicación.

3. ¿Qué ocurre si no se comunica la transmisión de la actividad?

La no comunicación del cambio de titularidad de la actividad por el anterior o el nuevo titular supone que el anterior y nuevo titular queda sujetos, de forma solidaria, a todas las responsabilidades y obligaciones derivadas de dicho incumplimiento (art. 46.2 DL 1/2015 TRLPACL).

4. ¿Puede transmitir la licencia de actividad el que no es propietario del local en el que se ejerce la misma?

Sí. El ejercicio de una actividad tanto mediante la concesión expresa de licencia de apertura o actividad o mediante la comunicación previa o declaración responsable tiene carácter real, al margen de la titularidad del inmueble y de las relaciones subjetivas que existan entre el titular del mismo y el que ocupe el local mediante contrato de arrendamiento, u cualquier otro título. En este sentido es de aplicación lo dispuesto en el art. 12. 1 RSCL «Las autorizaciones y licencias se entenderán otorgadas salvo el derecho de propiedad y sin perjuicio del de tercero».

5. ¿Ha de resolverse expresamente por el Ayuntamiento la comunicación de cambio de titularidad?

No. El art. 46.1 DL 1/2015 TRLPACL habla de comunicación de la transmisión de la actividad o instalaciones, sin que sea necesario posteriormente dictar resolución alguna. A efectos prácticos bastaría en cualquier caso tomar conocimiento de la transmisión, dejando constancia en el expediente.

6. ¿Qué ocurre si el Ayuntamiento no dicta resolución de cambio de titularidad?

Si el Ayuntamiento, recibida la comunicación de cambio de titularidad de la actividad, no resuelve expresamente el mismo, ha de entenderse que por silencio administrativo positivo se da por cumplido el trámite a todos los efectos, teniendo en cuenta que la resolución del órgano sustantivo no es generadora de derechos para el nuevo titular de la actividad, sino que tiene los efectos de una simple comunicación, que el Ayuntamiento constata mediante la toma de conocimiento del nuevo titular. En este sentido para la STS 15 octubre 1981 «La intervención municipal en caso de transmisión de licencias no es de previa y expresa autorización para que aquélla opere, sino de mera constatación o toma de razón de la extra-administrativamente producida por el simple acuerdo del antiguo y nuevo propietario, cuyo incumplimiento determina que ambos queden sujetos a todas las responsabilidades que se deriven para el titular».

2. Jurisprudencia

• El cambio de titular por sí solo resultaba jurídicamente irrelevante en cuanto afectaría a los posibles derechos de los particulares (STS de 23 diciembre 1998), porque la licencia mantenía su vigencia mientras subsistieran las condiciones de la actividad, de modo que el Ayuntamiento, **de no advertir otras modificaciones que las subjetivas, que son inoperantes a estos efectos, debió otorgar la transmisión de la titularidad de la licencia cuando le fue comunicado por escrito por el dueño del establecimiento,** toda vez que no ofrecía duda el título legítimo de la transmisión ya que la subrogación en la explotación se producía por los dueños del local a favor del nuevo titular, una vez que el anterior arrendamiento había sido declarado extinguido por resolución judicial. [STSJ País Vasco 13 julio 2001]

• La Administración está obligada a reconocer el cambio de la titularidad de la licencia sin perjuicio de las distintas actuaciones que le conciernen ejercer contra la misma del mismo modo que si no se hubiese transmitido. [STSJ Madrid 18 septiembre 2001]

• No constando que la licencia de apertura en su día concedida al demandante lo fuese en atención a su persona, esto es, a especiales circunstancias personales del mismo que impidiesen su transmisión a los efectos prevenidos en el art. 13 del Reglamento de Servicios de las Corporaciones Locales, tal y como se sostiene, entre otras, en la STS de 12 Jul. 2000, **el cambio de titular no requiere la solicitud de una nueva licencia, la cual solo sería exigible si hubiese existido una modificación de la actividad para la cual aquélla se concedió, lo que no se da en este caso.** Por tanto, el único efecto o consecuencia jurídica de la falta de notificación por escrito de tal circunstancia es la **sumisión conjunta de transmitente y adquirente a las responsabilidades** de la explotación de la licencia, sin que lleve consigo la imposición de la sanción debatida en estos autos. [STSJ Extremadura 27 septiembre 2001.- LA LEY 170424/2001]

• Para proceder al cambio de titularidad el Ayuntamiento ha de tener constancia de que efectivamente dicho cambio se ha producido, y ello por dos mecanismos alternativos, uno bilateral, que no es otro que la conformidad del anterior titular, y otro, que no precisa dicha conformidad, más complejo, que consiste en la acreditación de que se ha adquirido por cualquier medio, *inter vivos* o *mortis causa*, la propiedad o posesión del inmueble en cuestión. [STSJ Madrid 15 enero 2004]

• La transmisión de la licencia constituye en definitiva la realización de un **negocio jurídico del transmitente en cuanto titular originario de la autorización administrativa pero sin que tal operación traslativa tenga relevancia a efectos de alterar las condiciones de la propia autorización,** de tal modo que permanece idéntica su eficacia y viabilidad jurídica del acto proyectado y en consecuencia del incumplimiento del deber administrativo impuesto por el artículo 13.1 del RSCL, de comunicar la transferencia al Ayuntamiento, circunstancia no realizada en el supuesto de autos, **no repercute sobre la validez y existencia de la licencia y sí en cambio, únicamente en el régimen de responsabilidades derivado de la titularidad de la licencia** quedando también el transmitente sujeto junto con el adquirente a dichas responsabilidades máxime cuando el deber de comunicación de la transmisión de la licencia ha de operar a efectos de información del Ayuntamiento de los titulares en cada momento de licencias. [STSJ Extremadura 15 diciembre 2006.- LA LEY 214993/2006]

• A juicio de la Sala la sentencia apelada lleva a cabo una interpretación correcta del régimen de transmisión de la licencia de apertura de autos de acuerdo con el Reglamento de Servicios de las Corporaciones Locales, **transmisión que no se halla sujeta a un régimen de autorización administrativa sino a uno de mera comunicación, de forma que la transmisión es libre de acuerdo con los modos y formas admitidos en derecho para transmitir o adquirir la propiedad o la posesión, y no queda condicionada a una autorización administrativa,** ya que lo único que le corresponde a la Administración es tomar razón del cambio si se produce la comunicación, o no hacerlo si no se produce en la forma exigible, «pero en modo alguno autorizarlo o denegarlo, de forma que, a partir de dicho acto de comunicación la Administración habrá necesariamente de considerar a la cesionaria como titular de la licencia a todos los efectos legales derivados del ejercicio de la actividad, si se ha cumplido el requisito de la comunicación».

La introducción por el art. 23.2 de la Ordenanza municipal de licencias del requisito de que la nueva titular de la licencia garantice expresamente y por escrito, que debe acompañarse a la comunicación de cambio de titularidad, que asume todas las cargas inherentes a la licencia en cuestión, infringe claramente el art. 13 del Reglamento de Servicios de las. Corporaciones Locales, lo que determina su nulidad *ex* art. 62.2 LRJAPy-PAC, puesto que **transforma el régimen de mera comunicación previsto en el mismo, en uno de autorización**, en el que la transmisión no se perfecciona sino con la decisión administrativa que la autoriza, puesto que, tal y como postula el Ayuntamiento en el acto recurrido y argumenta en el recurso de apelación, el incumplimiento de dicho requisito comporta «no acceder» al cambio de titularidad, esto es, denegar el cambio de titularidad por incumplimiento de dicho precepto. [STSJ País Vasco 10 octubre 2011.- LA LEY 300763/2011]

• Tampoco cabe oponer el artículo 42 de la Ley 11/2003 de 8 de abril, de Prevención Ambiental de Castilla y León puesto que, de su lectura e interpretación literal, llegamos a una conclusión distinta de la que se contiene en la Sentencia recurrida, ya que claramente se refiere **solo al deber de comunicación a las Administraciones y a las consecuencias del incumplimiento de tal deber**, que se ventilan no en la denegación de la transmisión de la licencia, sino en el de las responsabilidades de cedente y cesionario del incumplimiento de las obligaciones que impone la ley. [STSJ Castilla y León (Burgos) 28 noviembre 2011.- LA LEY 232204/2011]

• De todo lo expuesto se concluye que el **cambio de titularidad de licencia solicitado no era una cuestión discutible** y por ello la Resolución de 3 de junio de 2005, no puede incardinarse dentro del margen de razonabilidad del que disponía la administración local para resolver, pues solicitado un cambio de titularidad de licencia, se entiende por el ayuntamiento que procede la solicitud de nueva licencia por cambio de actividad y ello a pesar de que los informes, ponían en evidencia de que se trataba de un cambio de titularidad, con el resultado ya conocido de anulación de estas resolución, y la pertinente declaración de responsabilidad patrimonial, **pues el ayuntamiento de Gandía venia obligado a otorgar el cambio de titularidad de licencia solicitado al cumplirse todos los requisitos necesarios para ello y estar acreditadas dichas circunstancias en el expediente instruido al efecto,** sin margen de interpretación y sin que en la resolución inicialmente anulada se cite un solo informe que avale lo resuelto por el Ayuntamiento que lo fue al margen de toda apreciación razonable. [STS Comunidad Valenciana 17 abril 2013.- LA LEY 90145/2013]

• ...De acuerdo con este precepto es evidente que **el cambio de titularidad no precisa de la obtención de una nueva licencia.** Solo precisa de una autorización municipal de que las obras e instalaciones, se ajustan a la licencia de actividad. Esta exigencia, incluso desaparecerá en la Ley 2/2006, de calidad ambiental, en cuyo art. 62, la transmisión sin alteración, solo es objeto de comunicación. [STSJ Comunidad Valenciana 28 noviembre 2014.- LA LEY 232360/2014]

• La conclusión de que, **para autorizar el cambio de titularidad del establecimiento, basta la mera comunicación al Ayuntamiento es conforme a derecho**, sin perjuicio, insistimos, en que ora de oficio por la propia Administración ora a instancia de algún interesado pueda controlarse la actividad y, en su caso, imponerse medidas correctoras de la concreta actividad, incluso la incoación de procedimiento sancionador si hubiere méritos para ello. [TSJ Andalucía (Granada) 15 noviembre 2016.- LA LEY 202226/2016]

• Podemos aplicar la doctrina expresada en la Sentencia dictada por esta Sala y Sección 15 de abril de 2015, dictada en el recurso de apelación número 138/2015 dimanante de la Pieza Separada de Suspensión n.º 522/2014 del Juzgado de lo Contencioso-Administrativo número 14 de Madrid, en la que hemos indicado «En el supuesto de autos, sin que la decisión que aquí se adopte ni la fundamentación jurídica de la presente resolución suponga en modo alguno prejuzgar el fondo del asunto, a los meros efectos cautelares que nos ocupan, el recurso de apelación debe ser desestimado por no concurrir la apariencia de buen derecho alegada por el apelante. Y ello es así porque tal y como se hace constar en la propia resolución administrativa ordenando el precinto, tal decisión se adopta en ejecución de tres resoluciones sancionadoras previas impuestas por periodos de nueve meses, un año y dos años, que aunque impuestas con carácter firme con anterioridad al inicio de la actividad por parte del apelante (contrato de arrendamiento del local de 17 de septiembre de 2014, declaración responsable de inicio de actividad de establecimiento de restauración presentado ante la Comunidad de Madrid el 19 de septiembre de 2014 y comunicación al Ayuntamiento de Madrid de cambio de titularidad de actividades presentada el 19 de septiembre de 2014) y siendo el sujeto sancionado un tercero, sin embargo no podemos acceder a la suspensión instada sin eludir el cumplimiento de tres resoluciones sancionadoras firmes que afectan de forma directa a la licencia del local en el que ejerce su actividad el apelante. Así se desprende del contenido del art. 41.4 de la Ley 17/1997 de Espectáculos Públicos y Actividades Recreativas de la Comunidad de Madrid, según el cual "Las sanciones de clausura de locales..., cuando sean superiores a seis meses, conllevarán la suspensión de las licencias reguladas en esta Ley". Por tanto, **la pretendida transmisión de la licencia con que cuenta el local de autos, no pudo operar de forma válida por la sencilla razón de que la misma quedó suspendida una vez impuestas las sanciones con carácter firme, quedando así pues el local afectado por la sanción de clausura sin posibilidad de transmisión de una licencia suspendida por ministerio de la ley**». [STSJ Madrid 7 junio 2017.- LA LEY 105935/2017]

• Es cierto que el Reglamento de las corporaciones locales, cuando regula la trasmisión de licencias, **sólo pretende establecer el requisito de la comunicación puesto que la licencia de actividad continua vigente,** en tanto subsistan las condiciones exigidas para su otorgamiento, **sin que afecte a la licencia de actividad el sujeto que ostenta su titularidad** y ello con el fin de que, si no se produjera la citada comunicación, serían responsables tanto el transmitente de la licencia, como el adquirente de la licencia, por lo que la aplicación del art. 13.1 del citado reglamento, pero ello en nada afecta al actor, ni menos aun determina la nulidad de la resolución impugnada. [STSJ Comunidad Valenciana 15 noviembre 2017.- LA LEY 217823/2017]

3. Legislación aplicable

— Autonómica

Art. 46 Decreto Legislativo 1/2015, de 12 de noviembre, por el que se aprueba el Texto Refundido de la Ley de Protección Ambiental de Castilla y León.

— Estatal

Art. 13 del Decreto de 17 de junio de 1955, por el que se aprueba el Reglamento de Servicios de las Corporaciones Locales.

Art. 3 de la Ley 12/2012, de 26 de diciembre, de medidas urgentes de liberalización del comercio y de determinados servicios.

4. Documentos de interés

— Doctrina

CANO MURCIA, Antonio. *El Nuevo Régimen de las Licencias de Apertura*. El Consultor de los Ayuntamientos y de los Juzgados. Madrid 2010.

MORA GONZÁLEZ, María Jesús. «La transmisión de las licencias urbanísticas». *El Consultor de los Ayuntamientos y de los Juzgados*, n.º 23, Quincena del 15 al 29 Dic. 2007, Ref. 3889/2007, pág. 3889, tomo 3, LA LEY.- LA LEY 6927/2007.

MODELO DE EXPEDIENTE de cambio de titularidad de actividad recreativa *(Disponible a texto íntegro en smarteca.es)*

1) *Comunicación de transmisión de la titularidad de actividad recreativa*

2) *Resolución de cambio de titularidad de actividad recreativa*

3) *Notificación de cambio de titularidad de actividad recreativa*

7. CATALUÑA

I. Expediente de licencia municipal de establecimiento abierto al público

1. Claves del Expediente

El art. 29.1 de la Ley 11/2009, de 6 de julio, de regulación administrativa de los espectáculos públicos y las actividades recreativas establece que la apertura de establecimientos abiertos al público para llevar a cabo espectáculos públicos y actividades recreativas, así como la organización de tales espectáculos y actividades, requieren la obtención previa de las licencias o autorizaciones, para en su apartado 6 disponer que en los casos en que la legislación sobre el control ambiental preventivo no requiere autorización ni licencia, los reglamentos de la Generalidad o las ordenanzas municipales pueden sustituir el régimen de autorización por el de comunicación previa a la Administración, si consideran que no existe una razón imperiosa de interés general.

El Decreto 112/2010, de 31 de agosto, por el que se aprueba el Reglamento de espectáculos públicos y actividades recreativas, en su arts. 100 y ss. regulan el procedimiento para la tramitación de la licencia una vez que se haya obtenido el control ambiental previo (art. 104.3: La licencia otorgada lleva implícito el informe de intervención administrativa de control preventivo exigido por la legislación reguladora de prevención y control ambiental, y debe contener las declaraciones, prescripciones, determinaciones y consideraciones que esta legislación requiere a las licencias ambientales, especialmente las relativas la prevención de los ruidos y vibraciones).

PREGUNTAS CLAVE

1. ¿Cuántas licencias necesita un establecimiento?

Cada establecimiento abierto al público debe tener una única licencia o autorización, que puede dar cobertura a varios espectáculos públicos o actividades recreativas (art. 29.4 Ley 11/2009).

2. ¿La modificación del establecimiento está sometida a licencia?

Cualquier modificación del establecimiento abierto al público, ya sea por motivos de transformación, adaptación, reforma, cambio de emplazamiento, ampliación o reducción, está sometida a licencia o autorización (art. 29.5 Ley 11/2009).

3. ¿Qué se entiende por modificación?

A sensu contrario, no se entiende como modificación el cambio de distribución o de mobiliario del establecimiento, siempre que se haga en las condiciones técnicas adecuadas para garantizar la seguridad del público, la convivencia entre los ciudadanos y la calidad de los establecimientos (art. 29.5 Ley 11/2009).

4. ¿Qué actividades quedan exentas de licencia?

Determinar el art. 29.7 dela Ley 11/2009, que quedan exentos de la necesidad de licencia municipal, salvo que las ordenanzas o reglamentos municipales, en supuestos expresamente justificados y de carácter excepcional, establezcan lo contrario:

a) Los establecimientos abiertos al público que son de titularidad del propio ayuntamiento.

b) Los espectáculos públicos y actividades recreativas de carácter extraordinario organizados por los municipios con motivo de fiestas y verbenas populares, con independencia de la titularidad del establecimiento o espacio abierto al público donde se llevan a cabo.

c) Los espectáculos públicos y actividades recreativas de interés artístico o cultural con un aforo reducido, en el caso de que se lleven a cabo ocasionalmente en espacios abiertos al público o en cualquier tipo de establecimientos de concurrencia pública. En tal caso, puede establecerse la obligatoriedad de comunicación previa.

d) Los espectáculos y las actividades deportivas de carácter esporádico.

5. ¿Qué contenido tiene que tener la licencia?

Las licencias y autorizaciones deben hacer constar con exactitud el nombre, la razón social, los titulares, su domicilio, la fecha de otorgamiento, el tipo de establecimientos abiertos al público, de actividades recreativas o de espectáculos públicos autorizados, el aforo máximo permitido, el resto de datos que se establezcan por reglamento y, si procede, las condiciones singulares a que están sometidas (art. 30.1 Ley 11/2009).

6. ¿Puede concederse licencias o autorizaciones provisionales?

Pueden otorgarse licencias o autorizaciones provisionales de establecimientos abiertos al público, de espectáculos públicos y de actividades recreativas en los casos en que el informe del órgano competente para otorgar la correspondiente licencia o autorización, a pesar de que sea desfavorable, indique expresamente que las deficiencias detectadas no comportan riesgo alguno para la seguridad de las personas ni de los bienes y así se acredite en el expediente. Las licencias o autorizaciones provisionales tienen una vigencia máxima de nueve meses. Los reglamentos de la Generalidad y las ordenanzas municipales pueden someter a fianza el otorgamiento de licencias o autorizaciones provisionales (art. 30.3 Ley 11/2009).

2.   Legislación aplicable

— Europea

Directiva 2006/123/CE del Parlamento y del Consejo, de 12 de diciembre de 2006, relativa a los servicios en el mercado interior.

— Estatal

RD 2816/1982, de 27 de agosto, por el que se aprueba el Reglamento General de Policía de Espectáculos Públicos y Actividades Recreativas.

Ley 17/2009, de 23 de noviembre, sobre el Libre Acceso a las Actividades de Servicios.

Arts. 21.1. q) y s), 124.4.ñ), 70.bis y 84, 84 bis y 84 ter. de la Ley 7/1985, de 2 de abril, Reguladora de las Bases de Régimen Local.

Ley 39/2015, de 1 de octubre, del Procedimiento Administrativo Común de las Administraciones Públicas.

— Autonómica

Ley 11/2009, de 6 de julio, de regulación administrativa de los espectáculos públicos y las actividades recreativas.

Decreto 112/2010, de 31 de agosto, por el que se aprueba el Reglamento de espectáculos públicos y actividades recreativas.

Orden INT/358/2011, de 19 de diciembre, por la que se regulan los horarios de los establecimientos abiertos al público, de los espectáculos públicos y de las actividades recreativas sometidos a la Ley 11/2009, de 6 de julio, de regulación administrativa de los espectáculos públicos y de las actividades recreativas, y a su Reglamento.

Arts. 12 a 14 Ley 16/2015, de 21 de julio, de simplificación de la actividad administrativa de la Administración de la Generalidad y de los gobiernos locales de Cataluña y de impulso de la actividad económica.

Decreto Legislativo 2/2003, de 28 de abril, por el que se aprueba el Texto refundido de la Ley municipal y de régimen local de Cataluña.

3. Documentos de interés

— Doctrina

CARPIO CARRO, Montserrat. *Análisis de la Ley 16/2015, de 21 de julio, de simplificación de la actividad administrativa de la Administración de la Generalitat y de los gobiernos locales de Cataluña y de impulso de la actividad económica.*- LA LEY 5106/2015.

GONZÁLEZ I BALLESTEROS, Óscar. «Inactividad formal de la administración: obligación de resolver y notificar, y silencio administrativo». Esta doctrina forma parte del libro *Procedimiento Administrativo Local*, edición n.º 1, *El Consultor de los Ayuntamientos y de los Juzgados*, Madrid, octubre 2010.- LA LEY 19172/2011.

MARAÑA SÁNCHEZ, José Q. «En clave constitucional: La exigencia municipal de distancias mínimas entre determinadas actividades. STS de 22 de febrero de 2010». *El Consultor de los Ayuntamientos y de los Juzgados*, n.º 19, Sección Comentarios de jurisprudencia, Quincena del 15 al 29 Oct. 2010, Ref. 2867/2010, pág. 2867, tomo 3.- LA LEY 13340/2010.

— Reseña jurisprudencial

STSJ Cataluña, Sala de lo Contencioso-administrativo, Sección 3.ª, 379/2015 de 2 Jun. 2015, Rec. 326/2014.- LA LEY 131700/2015.

STSJ Cataluña, Sala de lo Contencioso-administrativo, Sección 3.ª, 719/2013 de 11 Oct. 2013, Rec. 202/2013.- LA LEY 233612/2013.

STSJ Cataluña, Sala de lo Contencioso-administrativo, Sección 3.ª, de 26 Ene. 2012, rec. 340/2009.- LA LEY 48841/2012.

STSJ Cataluña, Sala de lo Contencioso-administrativo, Sección 3.ª, de 29 Nov. 2011, rec. 87/2010.- LA LEY 293811/2011.

STSJ Cataluña, Sala de lo Contencioso-administrativo, Sección 3.ª, de 8 May. 2014, rec. 337/2011.- LA LEY 80080/2014.

STSJ Cataluña, Sala de lo Contencioso-administrativo, Sección 3.ª, de 17 Feb. 2014, rec. 174/2013.- LA LEY 24136/2014.

STSJ Cataluña, Sala de lo Contencioso-administrativo, Sección 3.ª, de 28 Sep. 2012, rec. 155/2012.- LA LEY 232393/2012.

STSJ Cataluña, Sala de lo Contencioso-administrativo, Sección 3.ª, 83/2015 de 16 Feb. 2015, Rec. 196/2014.- LA LEY 31581/2015.

STSJ Cataluña, Sala de lo Contencioso-administrativo, Sección 3.ª, de 20 Abr. 2012, rec. 108/2011.- LA LEY 83536/2012.

STSJ Cataluña, Sala de lo Contencioso-administrativo, Sección 3.ª, 296/2015 de 27 Abr. 2015, Rec. 262/2014.- LA LEY 92806/2015.

MODELO DE EXPEDIENTE: Licencia municipal de establecimiento abierto al público *(Disponible a texto íntegro en smarteca.es)*

1)   Solicitud de licencia municipal de establecimiento abierto al público

2)   Verificación formal de la documentación presentada con análisis con insuficiencia o deficiencias del proyecto

3)   Información pública y vecinal

4)   Edicto de información pública

5)   Notificación a vecinos colindantes

6)   Certificado de reclamaciones

7)   Resolución concediendo licencia municipal de establecimiento abierto al público

8)   Notificación de la licencia municipal de establecimiento abierto al público

II.   Expediente de cambio de titularidad de licencia municipal de establecimiento abierto al público

1.   Claves del Expediente

Aunque es una cuestión que puede considerarse pacífica, el cambio de titularidad en general de los establecimientos, negocios y actividades en general y en particular de la licencia ambiental se sujeta al cumplimiento de unos requisitos mínimos, que tienen como objetivo fundamental el poner en conocimiento de la Administración (órgano sustantivo ambiental) el nuevo titular de la actividad.

A tenor del artículo 13.1 del Reglamento de Servicios de las Corporaciones Locales, aprobado por Decreto de 17 de junio de 1955, las licencias relativas a las condiciones de una obra, instalación o servicio serán transmisibles, pero el antiguo y el nuevo constructor o empresario deberán comunicarlo por escrito a la Corporación, sin lo cual quedarán ambos sujetos a todas las responsabilidades que se derivaren para el titular.

Esta posición legal ha quedado superada mediante el art. 3.2 de la Ley 12/2012, de 26 de diciembre, de medidas urgentes de liberalización del comercio y de determinados servicios, al decir que no están sujetos a licencia los cambios de titularidad de las actividades comerciales y de servicios, siendo exigible en estos casos una comunicación previa a la administración competente a los solos efectos informativos.

Los efectos del cambio de titularidad se produce desde la comunicación al Ayuntamiento, y se presentará en modelo normalizado, de acuerdo con el art. 14 de la Ley 16/2015, de 21 de julio, de simplificación de la actividad administrativa de la Administración de la Generalidad y de los gobiernos locales de Cataluña y de impulso de la actividad económica.

El art. 126 del Decreto 112/2010, de 31 de agosto, por el que se aprueba el Reglamento de espectáculos públicos y actividades recreativas, se refiere a la transmisión de espectáculos públicos y actividades recreativas en el siguiente sentido:

1. Las personas titulares de los establecimientos y las organizadoras de los espectáculos públicos o actividades recreativas pueden transmitir las licencias y autorizaciones, de conformidad con el artículo 36 de la Ley 11/2009, de 6 de julio.

2. El cambio de titularidad de los establecimientos abiertos al público debe ser comunicado por el transmitente y el adquirente en el plazo de un mes desde la formalización del cambio al órgano administrativo competente, que debe inscribirlo en el Registro de establecimientos abiertos al público y de personas organizadoras. Esta comunicación debe incluir el nombre y los datos de la persona responsable adquirente del establecimiento, espectáculo o actividad.

2. Jurisprudencia

• El cambio de titular por sí solo resultaba jurídicamente irrelevante en cuanto afectaría a los posibles derechos de los particulares (STS de 23 diciembre 1998), porque la licencia mantenía su vigencia mientras subsistieran las condiciones de la actividad, de modo que el Ayuntamiento, **de no advertir otras modificaciones que las subjetivas, que son inoperantes a estos efectos, debió otorgar la transmisión de la titularidad de la licencia cuando le fue comunicado por escrito por el dueño del establecimiento,** toda vez que no ofrecía duda el título legítimo de la transmisión ya que la subrogación en la explotación se producía por los dueños del local a favor del nuevo titular, una vez que el anterior arrendamiento había sido declarado extinguido por resolución judicial. [STSJ País Vasco 13 julio 2001]

• La Administración está obligada a reconocer el cambio de la titularidad de la licencia sin perjuicio de las distintas actuaciones que le conciernen ejercer contra la misma del mismo modo que si no se hubiese transmitido. [STSJ Madrid 18 septiembre 2001]

• No constando que la licencia de apertura en su día concedida al demandante lo fuese en atención a su persona, esto es, a especiales circunstancias personales del mismo que impidiesen su transmisión a los efectos prevenidos en el art. 13 del Reglamento de Servicios de las Corporaciones Locales, tal y como se sostiene, entre otras, en la STS de 12 Jul. 2000, **el cambio de titular no requiere la solicitud de una nueva licencia, la cual solo sería exigible si hubiese existido una modificación de la actividad para la cual aquélla se concedió, lo que no se da en este caso.** Por tanto, el único efecto o consecuencia jurídica de la falta de notificación por escrito de tal circunstancia es la **sumisión conjunta de transmitente y adquirente a las responsabilidades** de la explotación de la licencia, sin que lleve consigo la imposición de la sanción debatida en estos autos. [STSJ Extremadura 27 septiembre 2001.- LA LEY 170424/2001]

• Para proceder al cambio de titularidad el Ayuntamiento ha de tener constancia de que efectivamente dicho cambio se ha producido, y ello por dos mecanismos alternativos, uno bilateral, que no es otro que la conformidad del anterior titular, y otro, que no precisa dicha conformidad, más complejo, que consiste en la acreditación de que se ha adquirido por cualquier medio, *inter vivos* o *mortis causa*, la propiedad o posesión del inmueble en cuestión. [STSJ Madrid 15 enero 2004]

• La transmisión de la licencia constituye en definitiva la realización de un **negocio jurídico del transmitente en cuanto titular originario de la autorización administrativa pero sin que tal operación traslativa tenga relevancia a efectos de alterar las condiciones de la propia autorización,** de tal modo que permanece idéntica su eficacia y viabilidad jurídica del acto proyectado y en consecuencia del incumplimiento del deber administrativo impuesto por el artículo 13.1 del RSCL, de comunicar la transferencia al Ayuntamiento, circunstancia no realizada en el supuesto de autos, **no repercute sobre la validez y existencia de la licencia y sí en cambio, únicamente en el régimen de responsabilidades derivado de la titularidad de la licencia** quedando también el transmitente sujeto junto con el adquirente a dichas responsabilidades máxime cuando el deber de comunicación de la transmisión de la licencia ha de operar a efectos de información del Ayuntamiento de los titulares en cada momento de licencias. [STSJ Extremadura 15 diciembre 2006.- LA LEY 214993/2006]

• A juicio de la Sala la sentencia apelada lleva a cabo una interpretación correcta del régimen de transmisión de la licencia de apertura de autos de acuerdo con el Reglamento de Servicios de las Corporaciones Locales, **transmisión que no se halla sujeta a un régimen de autorización administrativa sino a uno de mera comunicación, de forma que la transmisión es libre de acuerdo con los modos y formas admitidos en derecho para transmitir o adquirir la propiedad o la posesión, y no queda condicionada a una autorización administrativa**, ya que lo único que le corresponde a la Administración es tomar razón del cambio si se produce la comunicación, o no hacerlo si no se produce en la forma exigible, «pero en modo alguno autorizarlo o denegarlo, de forma que, a partir de dicho acto de comunicación la Administración habrá necesariamente de considerar a la cesionaria como titular de la licencia a todos los efectos legales derivados del ejercicio de la actividad, si se ha cumplido el requisito de la comunicación».

La introducción por el art. 23.2 de la Ordenanza municipal de licencias del requisito de que la nueva titular de la licencia garantice expresamente y por escrito, que debe acompañarse a la comunicación de cambio de titularidad, que asume todas las cargas inherentes a la licencia en cuestión, infringe claramente el art. 13 del Reglamento de Servicios de las. Corporaciones Locales, lo que determina su nulidad *ex* art. 62.2 LRJAPy-

PAC, puesto que **transforma el régimen de mera comunicación previsto en el mismo, en uno de autorización**, en el que la transmisión no se perfecciona sino con la decisión administrativa que la autoriza, puesto que, tal y como postula el Ayuntamiento en el acto recurrido y argumenta en el recurso de apelación, el incumplimiento de dicho requisito comporta «no acceder» al cambio de titularidad, esto es, denegar el cambio de titularidad por incumplimiento de dicho precepto. [STSJ País Vasco 10 octubre 2011.- LA LEY 300763/2011]

• Tampoco cabe oponer el artículo 42 de la Ley 11/2003 de 8 de abril, de Prevención Ambiental de Castilla y León puesto que, de su lectura e interpretación literal, llegamos a una conclusión distinta de la que se contiene en la Sentencia recurrida, ya que claramente se refiere **solo al deber de comunicación a las Administraciones y a las consecuencias del incumplimiento de tal deber**, que se ventilan no en la denegación de la transmisión de la licencia, sino en el de las responsabilidades de cedente y cesionario del incumplimiento de las obligaciones que impone la ley. [STSJ Castilla y León (Burgos) 28 noviembre 2011.- LA LEY 232204/2011]

• De todo lo expuesto se concluye que el **cambio de titularidad de licencia solicitado no era una cuestión discutible** y por ello la Resolución de 3 de junio de 2005, no puede incardinarse dentro del margen de razonabilidad del que disponía la administración local para resolver, pues solicitado un cambio de titularidad de licencia, se entiende por el ayuntamiento que procede la solicitud de nueva licencia por cambio de actividad y ello a pesar de que los informes, ponían en evidencia de que se trataba de un cambio de titularidad, con el resultado ya conocido de anulación de estas resolución, y la pertinente declaración de responsabilidad patrimonial, **pues el ayuntamiento de Gandía venia obligado a otorgar el cambio de titularidad de licencia solicitado al cumplirse todos los requisitos necesarios para ello y estar acreditadas dichas circunstancias en el expediente instruido al efecto,** sin margen de interpretación y sin que en la resolución inicialmente anulada se cite un solo informe que avale lo resuelto por el Ayuntamiento que lo fue al margen de toda apreciación razonable. [STS Comunidad Valenciana 17 abril 2013.- LA LEY 90145/2013]

• ...De acuerdo con este precepto es evidente que **el cambio de titularidad no precisa de la obtención de una nueva licencia**. Solo precisa de una autorización municipal de que las obras e instalaciones, se ajustan a la licencia de actividad. Esta exigencia, incluso desaparecerá en la Ley 2/2006, de calidad ambiental, en cuyo art. 62, la transmisión sin alteración, solo es objeto de comunicación. [STSJ Comunidad Valenciana 28 noviembre 2014.- LA LEY 232360/2014]

• La conclusión de que, **para autorizar el cambio de titularidad del establecimiento, basta la mera comunicación al Ayuntamiento es conforme a derecho**, sin perjuicio, insistimos, en que ora de oficio por la propia Administración ora a instancia de algún interesado pueda controlarse la actividad y, en su caso, imponerse medidas correctoras de la concreta actividad, incluso la incoación de procedimiento sancionador si hubiere méritos para ello. [STSJ Andalucía (Granada) 15 noviembre 2016.- LA LEY 202226/2016]

• Podemos aplicar la doctrina expresada en la Sentencia dictada por esta Sala y Sección 15 de abril de 2015, dictada en el recurso de apelación número 138/2015 dimanante de la Pieza Separada de Suspensión n.º 522/2014 del Juzgado de lo Contencioso-Administrativo número 14 de Madrid, en la que hemos indicado «En el supuesto de autos, sin que la decisión que aquí se adopte ni la fundamentación jurídica de la presente resolución suponga en modo alguno prejuzgar el fondo del asunto, a los meros efectos cautelares que nos ocupan, el recurso de apelación debe ser desestimado por no concurrir la apariencia de buen derecho alegada por el apelante. Y ello es así porque tal y como se hace constar en la propia resolución administrativa ordenando el precinto, tal decisión se adopta en ejecución de tres resoluciones sancionadoras previas impuestas por periodos de nueve meses, un año y dos años, que aunque impuestas con carácter firme con anterioridad al inicio de la actividad por parte del apelante (contrato de arrendamiento del local de 17 de septiembre de 2014, declaración responsable de inicio de actividad de establecimiento de restauración presentado ante la Comunidad de Madrid el 19 de septiembre de 2014 y comunicación al Ayuntamiento de Madrid de cambio de titularidad de actividades presentada el 19 de septiembre de 2014) y siendo el sujeto sancionado un tercero, sin embargo no podemos acceder a la suspensión instada sin eludir el cumplimiento de tres resoluciones sancionadoras firmes que afectan de forma directa a la licencia del local en el que ejerce su actividad el apelante. Así se desprende del contenido del art. 41.4 de la Ley 17/1997 de Espectáculos Públicos y Actividades Recreativas de la Comunidad de Madrid, según el cual "Las sanciones de clausura de locales..., cuando sean superiores a seis meses, conllevarán la suspensión de las licencias reguladas en esta Ley". Por tanto, **la pretendida transmisión de la licencia con que cuenta el local de autos, no pudo operar de forma válida por la sencilla razón de que la misma quedó suspendida una vez impuestas las sanciones con carácter firme, quedando así pues el local afectado por la sanción de clausura sin posibilidad de transmisión de una licencia suspendida por ministerio de la ley**». [STSJ Madrid 7 junio 2017.- LA LEY 105935/2017]

• Es cierto que el Reglamento de las corporaciones locales, cuando regula la trasmisión de licencias, **sólo pretende establecer el requisito de la comunicación puesto que la licencia de actividad continua vigente,** en tanto subsistan las condiciones exigidas para su otorgamiento, **sin que afecte a la licencia de actividad el sujeto que ostenta su titularidad** y ello con el fin de que, si no se produjera la citada comunicación, serían responsables tanto el transmitente de la licencia, como el adquirente de la licencia, por lo que la aplicación del art. 13.1 del citado reglamento, pero ello en nada afecta al actor, ni menos aun determina la nulidad de la resolución impugnada. [STSJ Comunidad Valenciana 15 noviembre 2017.- LA LEY 217823/2017]

3.   Legislación aplicable

— Estatal

Art. 13 del Decreto de 17 de junio de 1955, por el que se aprueba el Reglamento de Servicios de las Corporaciones Locales.

Art. 3 de la Ley 12/2012, de 26 de diciembre, de medidas urgentes de liberalización del comercio y de determinados servicios.

— Autonómica

Art. 36 de la Ley 11/2009, de 6 de julio, de regulación administrativa de los espectáculos públicos y las actividades recreativas.

Art. 136 del Decreto 112/2010, de 31 de agosto, por el que se aprueba el Reglamento de espectáculos públicos y actividades recreativas.

Orden INT/358/2011, de 19 de diciembre, por la que se regulan los horarios de los establecimientos abiertos al público, de los espectáculos públicos y de las actividades recreativas sometidos a la Ley 11/2009, de 6 de julio, de regulación administrativa de los espectáculos públicos y de las actividades recreativas, y a su Reglamento.

Arts. 12 a 14 Ley 16/2015, de 21 de julio, de simplificación de la actividad administrativa de la Administración de la Generalidad y de los gobiernos locales de Cataluña y de impulso de la actividad económica.

4. Documentos de interés

— Doctrina

CANO MURCIA, Antonio. *El Nuevo Régimen de las Licencias de Apertura*. El Consultor de los Ayuntamientos y de los Juzgados. Madrid 2010.

—. *Apunte legislativo sobre transmisión o cambio de titularidad*.- LA LEY 18525/2011.

—. *Requisitos generales de la transmisión o cambio de titularidad de la licencia de apertura*.- LA LEY 18522/2011.

—. «Efectos de Ley 17/2009, de 23 de noviembre, sobre el Libre Acceso a las Actividades de Servicios.- Cano Murcia, Antonio.- LA LEY 18523/2011.

MORA GONZÁLEZ, María Jesús. «La transmisión de las licencias urbanísticas». *El Consultor de los Ayuntamientos y de los Juzgados*, n.º 23, Quincena del 15 al 29 Dic. 2007, Ref. 3889/2007, pág. 3889, tomo 3, LA LEY.- LA LEY 6927/2007.

MODELO DE EXPEDIENTE *(Disponible a texto íntegro en smarteca.es)*

1)   *Cambio de titularidad de licencia municipal de establecimiento abierto al público*

2)   *Informe de los servicios técnicos municipales*

3)   *Providencia de la Alcaldía ordenando la comunicación del informe de los servicios técnicos municipales*

4)   *Notificación del informe técnico*

5)   *Escrito de titular de la actividad contestando el requerimiento de la Alcaldía*

6)   *Resolución de la comunicación de cambio de titularidad de licencia ambiental*

7)   *Notificación de la comunicación de cambio de titularidad*

III. Expediente de control e inspección de actividad recreativa

1. Claves del Expediente

El expediente de control e inspección de actividad sujeta a licencia de actividad clasificada tiene lugar una vez que la actividad está funcionando, luego es un control posterior a su ejercicio.

La inspección de la actividad podrá producirse como consecuencia de denuncia efectuada por particulares, o fruto de la inspección que el Ayuntamiento realice en el marco de sus atribuciones de inspección y vigilancia.

La importancia de este expediente y por ende de la actuación municipal radica en que el hecho de que se podrá detectar anomalías o deficiencias en el funcionamiento de las medidas correctoras, y por lo tanto sirve para exigir el cumplimiento al titular de la actividad del correcto funcionamiento de la misma, lo que evitará daños al medio ambiente y a la seguridad de las personas.

La inspección, es una facultad que se reserva el Ayuntamiento que en cualquier momento, y con posterioridad a la puesta en marcha, puede comprobar el grado de eficacia y funcionamiento de las medidas correctoras, verificar el estado de las instalaciones, etc. Es decir, se pretende con esta medida el velar por el buen estado de la actividad, requiriendo la subsanación de las deficiencias que se detecten.

Ley 11/2009, de 6 de julio, de regulación administrativa de los espectáculos públicos y las actividades recreativas, en su art. 31 se refiere a los controles y revisiones de los establecimientos abiertos al público, y a tal efecto dispone:

1. Los establecimientos abiertos al público deben ser objeto de controles de funcionamiento y de revisiones, con la periodicidad, el procedimiento y el contenido que se establezcan por reglamento, de acuerdo con los criterios y las finalidades establecidos por el artículo 30 y en coherencia con lo establecido por la legislación de control ambiental preventivo.

2. Si las actas de verificación o control de funcionamiento y de revisión lo proponen, el órgano competente para otorgarlas puede modificar sus condiciones específicas o añadir condiciones nuevas. Estas modificaciones no generan derecho a indemnización para los titulares si las nuevas condiciones tienen por objeto el cumplimiento del artículo 35.3, o bien si son necesarias por razón del impacto que la actividad pueda tener en el medio ambiente, la seguridad de los bienes y las personas o la convivencia entre los ciudadanos. Las actas de control de funcionamiento deben incorporarse a la documentación de la licencia o de la autorización.

De otro lado el Decreto 112/2010 de 31 de agosto, por el que se aprueba el Reglamento de espectáculos públicos y actividades recreativas, distingue en su art. 130.1 dos clases de controles:

a) Control inicial, que se lleva a cabo en el período de puesta en marcha de las instalaciones al inicio de la actividad de los establecimientos sujetos a autorización o licencia.

b) Controles periódicos de los establecimientos sujetos a autorización, licencia o comunicación previa.

2.   Jurisprudencia

• La licencia de apertura y/o funcionamiento crea una relación permanente con la Administración, ya que las exigencias del interés público demandan un funcionamiento correcto de la actividad y de sus medidas correctoras, lo cual implicará que la actividad desarrollada quede, durante la vigencia de la licencia, sujeta a inspecciones administrativas para la comprobación del cumplimiento de las condiciones expresadas en la misma, conforme declaran, entre otras, las SSTS de 4 octubre 1986 y 30 junio 1987. [STSJ Madrid 13 noviembre 2001]

• Otorgada una licencia de funcionamiento de una actividad la Administración no queda desposeída de potestades, sino que puede y debe ejercer la actividad administrativa de policía a fin de defender y garantizar los intereses generales; y esa actividad de policía ha de tener concreción en actos de intervención congruentes con los motivos y fines que la justifiquen —arts. 84.2 Ley 7/1985, de 2 abril (Reguladora de las Bases del Régimen Local) y 5.1 RSCL— [STS 22 junio 1993]

3.   Legislación aplicable

— Estatal

Art. 84.1 b) y d); 84 bis) LRBRL.

— Autonómica

Ley 11/2009, de 6 de julio, de regulación administrativa de los espectáculos públicos y las actividades recreativas.

Decreto 112/2010, de 31 de agosto, por el que se aprueba el Reglamento de espectáculos públicos y actividades recreativas.

Orden INT/358/2011, de 19 de diciembre, por la que se regulan los horarios de los establecimientos abiertos al público, de los espectáculos públicos y de las actividades recreativas sometidos a la Ley 11/2009, de 6 de julio, de regulación administrativa de los espectáculos públicos y de las actividades recreativas, y a su Reglamento.

4.   Documentos de interés

— Doctrina

BARRANCO VELA, Rafael; BULLEJOS CALVO, Carlos; y CAMPOS SÁNCHEZ, Miguel Ángel. *Espectáculos Públicos, Actividades Recreativas y Establecimientos Públicos*. El Consultor de los Ayuntamientos y Juzgados. 2011.

CANO MURCIA, Antonio. *El Nuevo Régimen de las Licencias de Apertura*. El Consultor de los Ayuntamientos y de los Juzgados. Madrid 2010.

—. *Manual de Licencias de Apertura de Establecimientos*. Aranzadi.

CHOLBÍ CACHÁ, Francisco Antonio. *El régimen de la comunicación previa, las licencias de urbanismo y su procedimiento y otorgamiento*. El Consultor de los Ayuntamientos y Juzgados. 2010.

MODELO DE EXPEDIENTE de control de Espectáculos Públicos y Actividades Recreativas *(Disponible a texto íntegro en smarteca.es)*

1)   Acta de comprobación

2)   Resolución ordenando apertura de expediente

3)   Notificación de acta de inspección en trámite de audiencia

4)   Escrito de alegaciones en trámite de audiencia

5)   Resolución del expediente de inspección y control

6)   Notificación de la resolución del expediente de inspección y control

IV.   Expediente para reanudar ejercicio de actividad recreativa

1.   Claves del Expediente

El art. 37 de la Ley 11/2009, de 6 de julio, de regulación administrativa de los espectáculos públicos y las actividades recreativas, regula el régimen de caducidad de las licencias en caso de inactividad.

La Administración puede declarar la caducidad de las licencias y autorizaciones en el caso de que, al cabo de un año de haberlas otorgado, el establecimiento abierto al público, sin causa justificada, no haya iniciado las actividades o en el caso de que, en cualquier momento de su vigencia, pare la actividad durante más de dos años ininterrumpidos.

La revocación y la declaración de caducidad deben tramitarse de oficio, dando audiencia a los interesados y, si se adopta el acuerdo, debe efectuarse dentro del plazo de seis meses de haberles notificado la apertura del expediente.

Ha de entenderse que si no se ha producido la declaración de caducidad de la licencia, pese a que la actividad lleva más de dos años sin realizarse, puede solicitarse la reapertura de la misma antes de que se incoe expediente por el Ayuntamiento para efectuar tal declaración.

2.   Jurisprudencia

• ...de ahí que la **inactividad total** en el período semestral contemplado en la norma **lleve anudada la consecuencia de caducidad de la licencia** como regla general, la cual admite **excepciones de pura lógica** como la del supuesto que nos ocupa en que **la dejación no es objetiva, sino tan solo subjetiva de quien tenía la titularidad formal de la licencia,** como lo pone de manifiesto la decisión de los propietarios del local que, liberados por decisión judicial del vínculo que les atenazaba con la mercantil aquí demandante, optaron por continuar por sí mismos la actividad de discoteca en el local de su propiedad y que consistorialmente fueran autorizados para ello. [SJCA Bilbao 11 junio 2013.- LA LEY 120537/2013]

• Por consecuencia, «**el instituto de la caducidad de las licencias municipales ha de acogerse con cautela**» —sentencia de 20 de mayo de 1985—, **aplicándolo «con una moderación acorde con su naturaleza y sus fines**» —sentencia de 10 de mayo de 1985—, **y con un «sentido estricto**» —sentencia de 2 de enero de 1985—, **e incluso con «un riguroso criterio restrictivo**» —sentencia de 10 de abril de 1985—. En definitiva, **ha de operar con criterios «de flexibilidad, de moderación y restricción**» —sentencia de 10 de mayo de 1985—.

También hemos dicho en el fundamento de derecho anterior, que **la caducidad de una licencia no es tácita sino que ha de ser expresa y acordada dentro de un procedimiento con audiencia del interesado**. [STSJ Madrid 30 septiembre 2015.- LA LEY 149857/2015]

• Es cierto que si dicha clausura se prolonga por un período superior a seis meses resultará de aplicación el apartado 4.º del artículo 8 de la citada de la Ley Territorial de la Comunidad de Madrid 17/1997, de 4 de julio (LA LEY 1660/1998), de Espectáculos Públicos y Actividades Recreativas que establece que la inactividad o cierre, por cualquier causa, de un local o establecimiento durante más de seis meses determinará la suspensión de la vigencia de la licencia de funcionamiento, hasta la comprobación administrativa de que el local cumple las condiciones exigibles.

Desde luego **la clausura por más de seis meses provocará la necesidad de una nueva visita de comprobación para poder dejar sin efecto la suspensión de la licencia de funcionamiento que se prolongara por dicho tiempo**, sin embargo la sentencia no explica porque puede solicitarse el alzamiento de la suspensión de la licencia aunque no se hubiera cumplido el plazo de cierre; toda vez que la interpretación del apartado 4.º del artículo 41 de la de la Ley Territorial de la Comunidad de Madrid 17/1997, de 4 de julio (LA LEY 1660/1998), de Espectáculos Públicos y Actividades Recreativas debe llevar al entendimiento que **la suspensión de la licencia ha de tener la misma duración que la sanción de clausura de la que deriva**, de forma que la sanción afecta al autor de la infracción pero la consecuencia accesoria, la suspensión de la licencia afecta directamente a la propia licencia. Obsérvese que la Ley establece como efecto «la suspensión de la licencia» y no la «extinción de la licencia». [STSJ Madrid 1 marzo 2017.- LA LEY 22692/2017]

3. Legislación aplicable

— Estatal

RD 2816/1982, de 27 de agosto, por el que se aprueba el Reglamento General de Policía de Espectáculos Públicos y Actividades Recreativas.

— Autonómica

Ley 11/2009, de 6 de julio, de regulación administrativa de los espectáculos públicos y las actividades recreativas.

Decreto 112/2010, de 31 de agosto, por el que se aprueba el Reglamento de espectáculos públicos y actividades recreativas.

4. Documentos de interés

— Doctrina

CALANCHA MARTÍN, Antonio. «Intervención administrativa en espectáculos públicos y actividades recreativas y de ocio. Breve referencia a la incidencia de la Directiva de Servicios. Normativa de desarrollo». *El Consultor de los Ayuntamientos y de los Juzgados,* n.º 9, Sección Colaboraciones, Quincena del 15 al 29 May. 2011, Ref. 1125/2011, pág. 1125, tomo 2, LA LEY.

CANO MURCIA, Antonio. «Calificación ambiental y la declaración responsable en la Ley 7/2007, de gestión integrada de la calidad ambiental de Andalucía. Análisis crítico al Decreto-Ley 3/2015». *El Consultor de los Ayuntamientos y de los Juzgados,* n.º 9/2015.

—. *El Nuevo Régimen de las Licencias de Apertura.* El Consultor de los Ayuntamientos y de los Juzgados. Madrid 2010.

MODELO DE EXPEDIENTE *(Disponible a texto íntegro en smarteca.es)*

1)   *Inicio comunicación de reapertura de actividad por cierre*

2)   *Admisión a trámite del expediente*

3)   *Informe técnico*

4)   *Informe jurídico para la reapertura de la actividad recreativa*

5)   *Reapertura de la actividad recreativa*

6)   *Notificación de la reapertura de la actividad*

8. COMUNIDAD DE MADRID

I. Expediente para reapertura de actividad recreativa

1. Claves del Expediente

El cierre de una actividad recreativa durante un determinado período de tiempo —más de seis meses— impide *per se* que pueda reanudarse la misma sin que antes se haya efectuado una visita de inspección del establecimiento previa comunicación del titular de la actividad.

Para la comunicación de reinicio bastará con que se presente escrito solicitando la comprobación administrativa. Se indicará asimismo se el titular es el que tenía la autorización original o si por el contrario es nuevo titular como consecuencia de una transmisión de la licencia.

Dispone el art. 8.7. de la Ley 17/1997, de 4 de julio, de Espectáculos Públicos y Actividades Recreativas, que la inactividad o cierre, por cualquier causa, de un local o establecimiento durante más de seis meses determinada la suspensión de la vigencia de la licencia de funcionamiento, hasta la comprobación administrativa de que el local cumple las condiciones exigibles.

2. Jurisprudencia

• ...de ahí que la **inactividad total** en el período semestral contemplado en la norma **lleve anudada la consecuencia de caducidad de la licencia** como regla general, la cual admite **excepciones de pura lógica** como la del supuesto que nos ocupa en que **la dejación no es objetiva, sino tan solo subjetiva de quien tenía la titularidad formal de la licencia**, como lo pone de manifiesto la decisión de los propietarios del local que, liberados por decisión judicial del vínculo que les atenazaba con la mercantil aquí demandante, optaron por continuar por sí mismos la actividad de discoteca en el local de su propiedad y que consistorialmente fueran autorizados para ello. [SJCA Bilbao 11 junio 2013.- LA LEY 120537/2013]

• Por consecuencia, «**el instituto de la caducidad de las licencias municipales ha de acogerse con cautela**» —sentencia de 20 de mayo de 1985—, **aplicándolo «con una moderación acorde con su naturaleza y sus fines** » —sentencia de 10 de mayo de 1985—, **y con un «sentido estricto**» —sentencia de 2 de enero de 1985—, **e incluso con «un riguroso criterio restrictivo**» —sentencia de 10 de abril de 1985— En definitiva, **ha de operar con criterios «de flexibilidad, de moderación y restricción»** —sentencia de 10 de mayo de 1985—.

También hemos dicho en el fundamento de derecho anterior, que **la caducidad de una licencia no es tácita sino que ha de ser expresa y acordada dentro de un procedimiento con audiencia del interesado**. [STSJ Madrid 30 septiembre 2015.- LA LEY 149857/2015]

• Es cierto que si dicha clausura se prolonga por un período superior a seis meses resultará de aplicación el apartado 4.º del artículo 8 de la citada de la Ley Territorial de la Comunidad de Madrid 17/1997, de 4 de julio (LA LEY 1660/1998), de Espectáculos Públicos y Actividades Recreativas que establece que la inactividad o cierre, por cualquier causa, de un local o establecimiento durante más de seis meses determinará la suspensión de la vigencia de la licencia de funcionamiento, hasta la comprobación administrativa de que el local cumple las condiciones exigibles.

Desde luego **la clausura por más de seis meses provocará la necesidad de una nueva visita de comprobación para poder dejar sin efecto la suspensión de la licencia de funcionamiento que se prolongara por dicho tiempo**, sin embargo la sentencia no explica porque puede solicitarse el alzamiento de la suspensión de la licencia aunque no se hubiera cumplido el plazo de cierre; toda vez que la interpretación del apartado 4.º del artículo 41 de la de la Ley Territorial de la Comunidad de Madrid 17/1997, de 4 de julio (LA LEY 1660/1998), de Espectáculos Públicos y Actividades Recreativas debe llevar al entendimiento que **la suspensión de la licencia ha de tener la misma duración que la sanción de clausura de la que deriva**, de forma que la sanción afecta al autor de la infracción pero la consecuencia accesoria, la suspensión de la licencia afecta directamente a la propia licencia. Obsérvese que la Ley establece como efecto «la suspensión de la licencia» y no la «extinción de la licencia». [STSJ Madrid 1 marzo 2017.- LA LEY 22692/2017]

3. Legislación aplicable

— Estatal

RD 2816/1982, de 27 de agosto, por el que se aprueba el Reglamento General de Policía de Espectáculos Públicos y Actividades Recreativas.

— Autonómica

Art. 8.7. Ley 17/1997, de 4 de julio, de Espectáculos Públicos y Actividades Recreativas.

4. Documentos de interés

— Doctrina

CALANCHA MARTÍN, Antonio. «Intervención administrativa en espectáculos públicos y actividades recreativas y de ocio. Breve referencia a la incidencia de la Directiva de Servicios. Normativa de desarrollo». *El Consultor de los Ayuntamientos y de los Juzgados,* n.º 9, Sección Colaboraciones, Quincena del 15 al 29 May. 2011, Ref. 1125/2011, pág. 1125, tomo 2, LA LEY.

CANO MURCIA, Antonio. «Calificación ambiental y la declaración responsable en la Ley 7/2007, de gestión integrada de la calidad ambiental de Andalucía. Análisis crítico al Decreto-Ley 3/2015». *El Consultor de los Ayuntamientos y de los Juzgados*, n.º 9/2015.

—. *El Nuevo Régimen de las Licencias de Apertura*. El Consultor de los Ayuntamientos y de los Juzgados. Madrid 2010.

MODELO DE EXPEDIENTE *(Disponible a texto íntegro en smarteca.es)*

1) Inicio comunicación de reapertura de actividad por cierre

2) Admisión a trámite del expediente

3) Informe técnico

4) Informe jurídico para la reapertura de la actividad recreativa

5) Resolución de reapertura de la actividad recreativa

6) Notificación de la reapertura de la actividad recreativa

II. Expediente de control e inspección de actividad recreativa sujeta a licencia municipal de funcionamiento

1. Claves del Expediente

El expediente de control e inspección de actividad sujeta a licencia municipal de funcionamiento tiene lugar una vez que la actividad está funcionando, luego es un control posterior a su ejercicio y se encuadra dentro de la potestad municipal, del art. 30 de la Ley 17/1997, de 4 de julio, de Espectáculos Públicos y Actividades Recreativas

La inspección de la actividad podrá producirse como consecuencia de denuncia efectuada por particulares, o fruto de la inspección que el Ayuntamiento realice en el marco de sus atribuciones de inspección y vigilancia.

La importancia de este expediente y por ende de la actuación municipal radica en que el hecho de que se podrá detectar anomalías o deficiencias en el funcionamiento de las medidas correctoras, y por lo tanto sirve para exigir el cumplimiento al titular de la actividad del correcto funcionamiento de la misma, lo que evitará daños al medio ambiente y a la seguridad de las personas.

La inspección, es una facultad que se reserva el Ayuntamiento que en cualquier momento, y con posterioridad a la puesta en marcha, puede comprobar el grado de eficacia y funcionamiento de las medidas correctoras, verificar el estado de las instalaciones, etc. Es decir, se pretende con esta medida el velar por el buen estado de la actividad, requiriendo la subsanación de las deficiencias que se detecten.

Como consecuencia del resultado del expediente, podrá abrirse procedimiento sancionador.

2.   Jurisprudencia

• Como consecuencia de lo expuesto, no cabe en modo alguno concluir que la actuación municipal desplegada en este caso haya incurrido en la desproporción y arbitrariedad que se denuncia por la parte apelante; antes al contrario, se trata de intervenciones que vinieron propiciadas por la contumaz resistencia de la interesada a cumplir las condiciones que le imponía la licencia de explotación de la que era titular; de modo que también venía obligada a soportar el daño que, en su caso, le hubieran podido ocasionar las intervenciones controvertidas; sin que, finalmente, se aprecie irregularidad alguna, tanto en la duración como en la forma en que se verificaron las repetidas inspecciones. [STSJ Madrid 23 febrero 2015.- LA LEY 16902/2015]

• Examinados los razonamientos jurídicos de la Sentencia apelada, así como las alegaciones y pretensiones formuladas por las partes en ambas instancias, con la finalidad de centrar jurídicamente la controversia que aquí nos ocupa estimamos conveniente poner de relieve que, como es bien sabido, la licencia de apertura y funcionamiento de establecimientos o actividades potencialmente nocivas o peligrosas, a diferencia de las que suponen un control de un acto u operación determinada, **tiene por objeto el control de una actividad llamada a prolongarse indefinidamente en el tiempo, denominándose por ello, doctrinalmente, licencias de funcionamiento, lo que acarrea, como consecuencia, que la autorización y sus condiciones prolonguen su vigencia tanto como dure la actividad autorizada**, de conformidad con lo dispuesto en el artículo 15 del Reglamento de Servicios de las Corporaciones Locales, aprobado por Decreto de 17 de junio de 1955, según el cual las Licencias relativas a las condiciones de una obra o instalación tendrán vigencia mientras subsistan aquéllas y ello hace surgir una relación permanente entre la Administración y el sujeto autorizado con el fin de proteger el interés público en todo caso frente a las vicisitudes y circunstancias que puedan surgir a lo largo del tiempo de funcionamiento de la actividad autorizada. [STSJ Madrid 25 enero 2017.- LA LEY 15592/2017]

• La licencia de apertura y/o funcionamiento crea una relación permanente con la Administración, ya que las exigencias del interés público demandan un funcionamiento correcto de la actividad y de sus medidas correctoras, lo cual implicará que la actividad desarrollada quede, durante la vigencia de la licencia, sujeta a inspecciones administrativas para la comprobación del cumplimiento de las condiciones expresadas en la misma, conforme declaran, entre otras, las SSTS de 4 octubre 1986 y 30 junio 1987. [STSJ Madrid 13 noviembre 2001]

• Otorgada una licencia de funcionamiento de una actividad la Administración no queda desposeída de potestades, sino que puede y debe ejercer la actividad administrativa de policía a fin de defender y garantizar los intereses generales; y esa actividad de policía ha de tener concreción en actos de intervención congruentes con los motivos y fines que la justifiquen —arts. 84.2 Ley 7/1985, de 2 abril (Reguladora de las Bases del Régimen Local) y 5.1 RSCL—. [STS 22 junio 1993]

3. Legislación aplicable

— Estatal

RD 2816/1982, de 27 de agosto, por el que se aprueba el Reglamento General de Policía de Espectáculos Públicos y Actividades Recreativas.

Ley 17/2009, de 23 de noviembre, sobre el Libre Acceso a las Actividades de Servicios.

Arts. 21.1. q) y s), 124.4.ñ), 70.bis y 84, 84 bis y 84 ter. de la Ley 7/1985, de 2 de abril, Reguladora de las Bases de Régimen Local.

Ley 39/2015, de 1 de octubre, del Procedimiento Administrativo Común de las Administraciones Públicas.

— Autonómica

Ley 17/1997, de 4 de julio, de Espectáculos Públicos y Actividades Recreativas.

Ley 4/2013, de 18 de diciembre, de modificación de la Ley 17/1997, de 4 de julio, de Espectáculos Públicos y Actividades Recreativas.

Decreto 163/2008, de 29 de diciembre, del Consejo de Gobierno, por el que se regula la actividad de control de acceso a espectáculos públicos y actividades recreativas.

Decreto 184/1998, de 22 de octubre, por el que se aprueba el Catálogo de Espectáculos Públicos, Actividades Recreativas, Establecimientos, Locales e Instalaciones.

Ley 4/2014, de 22 de diciembre, de Medidas Fiscales y Administrativas.

Arts. 41 a 51, 72 y disposición adicional séptima y anexo quinto de la Ley 2/2002, de 19 de junio, de Evaluación Ambiental de la Comunidad de Madrid.

4. Documentos de interés

— Doctrina

CANO MURCIA, Antonio. *El Nuevo Régimen de las Licencias de Apertura*. El Consultor de los Ayuntamientos y de los Juzgados. Madrid 2010.

GÓMEZ PUERTO, Ángel. «Consideraciones constitucionales y administrativas sobre el medio ambiente. El papel de los Ayuntamientos». *Actualidad Administrativa*, n.º 9, Sección A Fondo, septiembre 2013, pág. 1100, tomo 2.- LA LEY 4868/2013.

HERNÁNDEZ LÓPEZ, Juan. «La Directiva de Servicios y su incidencia en el ámbito municipal. Apuntes de urgencia», *El Consultor de los Ayuntamientos y de los Juzgados*, n.º 19, Quincena del 15 al 29 de octubre de 2009, Ref. 2772/2009, La Ley 15863/2009.

MARTÍN HERNÁNDEZ, Paulino. «Las licencias para actividades clasificadas». Esta doctrina forma parte del libro *Administración Local. Estudios en Homenaje a Ángel Ballesteros*, edición n.º 1, *El Consultor de los Ayuntamientos y de los Juzgados*, Madrid, enero 2011.- LA LEY 21893/2011.

MODELO DE EXPEDIENTE *(Disponible a texto íntegro en smarteca.es)*

1)   Acta de inspección

2)   Resolución ordenando apertura de expediente

3)   Notificación de acta de inspección en trámite de audiencia

4)   Escrito de alegaciones en trámite de audiencia

5)   Resolución del expediente de control e inspección de actividad recreativa

6)   Notificación de la resolución de control e inspección

III.   Expediente de cambio de titularidad de licencia municipal de apertura

1.   Claves del Expediente

Aunque es una cuestión que puede considerarse pacífica, el cambio de titularidad en general de los establecimientos, negocios y actividades en general y en particular de la licencia ambiental se sujeta al cumplimiento de unos requisitos mínimos, que tienen como objetivo fundamental el poner en conocimiento de la Administración (órgano sustantivo ambiental) el nuevo titular de la actividad.

A tenor del artículo 13.1 del Reglamento de Servicios de las Corporaciones Locales, aprobado por Decreto de 17 de junio de 1955, las licencias relativas a las condiciones de una obra, instalación o servicio serán transmisibles, pero el antiguo y el nuevo constructor o empresario deberán comunicarlo por escrito a la Corporación, sin lo cual quedarán ambos sujetos a todas las responsabilidades que se derivaren para el titular.

Esta posición legal ha quedado superada mediante el art. 3.2 de la Ley 12/2012, de 26 de diciembre, de medidas urgentes de liberalización del comercio y de determinados servicios, al decir que no están sujetos a licencia los cambios de titularidad de las actividades comerciales y de servicios, siendo exigible en estos casos una comunicación previa a la administración competente a los solos efectos informativos.

Ha de tenerse en cuenta:

• La comunicación ha de ser expresa.

• No es necesario que vaya acompañada de título o documento que acredite la transmisión (contrato de compraventa, de arrendamiento, de cesión etc.).

• Si la transmisión se produce sin realizar la correspondiente comunicación, el anterior y el nuevo titular quedan sujetos, de forma solidaria, a todas las responsabilidades y obligaciones derivadas del incumplimiento de dicha obligación.

La exigencia de medidas correctoras es consecuencia de la obligación del titular de la actividad en mantener constantemente la actividad en perfectas condiciones de funcionamiento.

El art. 8. 6. de la Ley 17/1997, de 4 de julio, de Espectáculos Públicos y Actividades Recreativas dispone que cualquier otra modificación y los cambios de titularidad deberán ser comunicados a los Ayuntamientos.

2. Jurisprudencia

• El cambio de titular por sí solo resultaba jurídicamente irrelevante en cuanto afectaría a los posibles derechos de los particulares (STS de 23 diciembre 1998), porque la licencia mantenía su vigencia mientras subsistieran las condiciones de la actividad, de modo que el Ayuntamiento, **de no advertir otras modificaciones que las subjetivas, que son inoperantes a estos efectos, debió otorgar la transmisión de la titularidad de la licencia cuando le fue comunicado por escrito por el dueño del establecimiento,** toda vez que no ofrecía duda el título legítimo de la transmisión ya que la subrogación en la explotación se producía por los dueños del local a favor del nuevo titular, una vez que el anterior arrendamiento había sido declarado extinguido por resolución judicial. [STSJ País Vasco 13 julio 2001]

• La Administración está obligada a reconocer el cambio de la titularidad de la licencia sin perjuicio de las distintas actuaciones que le conciernen ejercer contra la misma del mismo modo que si no se hubiese transmitido. [STSJ Madrid 18 septiembre 2001]

• No constando que la licencia de apertura en su día concedida al demandante lo fuese en atención a su persona, esto es, a especiales circunstancias personales del mismo que impidiesen su transmisión a los efectos prevenidos en el art. 13 del Reglamento de Servicios de las Corporaciones Locales, tal y como se sostiene, entre otras, en la STS de 12 Jul. 2000, **el cambio de titular no requiere la solicitud de una nueva licencia, la cual solo sería exigible si hubiese existido una modificación de la actividad para la cual aquélla se concedió, lo que no se da en este caso.** Por tanto, el único efecto o consecuencia jurídica de la falta de notificación por escrito de tal circunstancia es la **sumisión conjunta de transmitente y adquirente a las responsabilidades** de la explotación de la licencia, sin que lleve consigo la imposición de la sanción debatida en estos autos. [STSJ Extremadura 27 septiembre 2001.- LA LEY 170424/2001]

• Para proceder al cambio de titularidad el Ayuntamiento ha de tener constancia de que efectivamente dicho cambio se ha producido, y ello por dos mecanismos alternativos, uno bilateral, que no es otro que la conformidad del anterior titular, y otro, que no precisa dicha conformidad, más complejo, que consiste en la acreditación de que se ha adquirido por cualquier medio, *inter vivos* o *mortis causa*, la propiedad o posesión del inmueble en cuestión. [STSJ Madrid 15 enero 2004]

• La transmisión de la licencia constituye en definitiva la realización de un **negocio jurídico del transmitente en cuanto titular originario de la autorización administrativa pero sin que tal operación traslativa tenga relevancia a efectos de alterar las condiciones de la propia autorización,** de tal modo que permanece idéntica su eficacia y viabilidad jurídica del acto proyectado y en consecuencia del incumplimiento del deber administrativo impuesto por el artículo 13.1 del RSCL, de comunicar la transferencia al Ayuntamiento, circunstancia no realizada en el supuesto de autos, **no repercute sobre**

la validez y existencia de la licencia y sí en cambio, únicamente en el régimen de responsabilidades derivado de la titularidad de la licencia quedando también el transmitente sujeto junto con el adquirente a dichas responsabilidades máxime cuando el deber de comunicación de la transmisión de la licencia ha de operar a efectos de información del Ayuntamiento de los titulares en cada momento de licencias. [STSJ Extremadura 15 diciembre 2006.- LA LEY 214993/2006]

• A juicio de la Sala la sentencia apelada lleva a cabo una interpretación correcta del régimen de transmisión de la licencia de apertura de autos de acuerdo con el Reglamento de Servicios de las Corporaciones Locales, **transmisión que no se halla sujeta a un régimen de autorización administrativa sino a uno de mera comunicación, de forma que la transmisión es libre de acuerdo con los modos y formas admitidos en derecho para transmitir o adquirir la propiedad o la posesión, y no queda condicionada a una autorización administrativa**, ya que lo único que le corresponde a la Administración es tomar razón del cambio si se produce la comunicación, o no hacerlo si no se produce en la forma exigible, «pero en modo alguno autorizarlo o denegarlo, de forma que, a partir de dicho acto de comunicación la Administración habrá necesariamente de considerar a la cesionaria como titular de la licencia a todos los efectos legales derivados del ejercicio de la actividad, si se ha cumplido el requisito de la comunicación».

La introducción por el art. 23.2 de la Ordenanza municipal de licencias del requisito de que la nueva titular de la licencia garantice expresamente y por escrito, que debe acompañarse a la comunicación de cambio de titularidad, que asume todas las cargas inherentes a la licencia en cuestión, infringe claramente el art. 13 del Reglamento de Servicios de las. Corporaciones Locales, lo que determina su nulidad ex art. 62.2 LRJAPy-PAC, puesto que **transforma el régimen de mera comunicación previsto en el mismo, en uno de autorización**, en el que la transmisión no se perfecciona sino con la decisión administrativa que la autoriza, puesto que, tal y como postula el Ayuntamiento en el acto recurrido y argumenta en el recurso de apelación, el incumplimiento de dicho requisito comporta «no acceder» al cambio de titularidad, esto es, denegar el cambio de titularidad por incumplimiento de dicho precepto. [STSJ País Vasco 10 octubre 2011.- LA LEY 300763/2011]

• Tampoco cabe oponer el artículo 42 de la Ley 11/2003 de 8 de abril, de Prevención Ambiental de Castilla y León puesto que, de su lectura e interpretación literal, llegamos a una conclusión distinta de la que se contiene en la Sentencia recurrida, ya que claramente se refiere **solo al deber de comunicación a las Administraciones y a las consecuencias del incumplimiento de tal deber**, que se ventilan no en la denegación de la transmisión de la licencia, sino en el de las responsabilidades de cedente y cesionario del incumplimiento de las obligaciones que impone la ley. [STSJ Castilla y León (Burgos) 28 noviembre 2011.- LA LEY 232204/2011]

• De todo lo expuesto se concluye que el **cambio de titularidad de licencia solicitado no era una cuestión discutible** y por ello la Resolución de 3 de junio de 2005, no puede incardinarse dentro del margen de razonabilidad del que disponía la administración local para resolver, pues solicitado un cambio de titularidad de licencia, se entiende por el ayuntamiento que procede la solicitud de nueva licencia por cambio de actividad y ello a pesar de que los informes, ponían en evidencia de que se trataba de un cambio de titularidad, con el resultado ya conocido de anulación de estas resolución, y la pertinente declaración de responsabilidad patrimonial, **pues el ayuntamiento de Gandía venia obligado a otorgar el cambio de titularidad de licencia solicitado al cumplirse**

todos los requisitos necesarios para ello y estar acreditadas dichas circunstancias en el expediente instruido al efecto, sin margen de interpretación y sin que en la resolución inicialmente anulada se cite un solo informe que avale lo resuelto por el Ayuntamiento que lo fue al margen de toda apreciación razonable. [STS Comunidad Valenciana 17 abril 2013.- LA LEY 90145/2013]

• …De acuerdo con este precepto es evidente que **el cambio de titularidad no precisa de la obtención de una nueva licencia.** Solo precisa de una autorización municipal de que las obras e instalaciones, se ajustan a la licencia de actividad. Esta exigencia, incluso desaparecerá en la Ley 2/2006, de calidad ambiental, en cuyo art. 62, la transmisión sin alteración, solo es objeto de comunicación. [STSJ Comunidad Valenciana 28 noviembre 2014.- LA LEY 232360/2014]

• La conclusión de que, **para autorizar el cambio de titularidad del establecimiento, basta la mera comunicación al Ayuntamiento es conforme a derecho,** sin perjuicio, insistimos, en que ora de oficio por la propia Administración ora a instancia de algún interesado pueda controlarse la actividad y, en su caso, imponerse medidas correctoras de la concreta actividad, incluso la incoación de procedimiento sancionador si hubiere méritos para ello. [STSJ Andalucía (Granada) 15 noviembre 2016.- LA LEY 202226/2016]

• Podemos aplicar la doctrina expresada en la Sentencia dictada por esta Sala y Sección 15 de abril de 2015, dictada en el recurso de apelación número 138/2015 dimanante de la Pieza Separada de Suspensión n.º 522/2014 del Juzgado de lo Contencioso-Administrativo número 14 de Madrid, en la que hemos indicado «En el supuesto de autos, sin que la decisión que aquí se adopte ni la fundamentación jurídica de la presente resolución suponga en modo alguno prejuzgar el fondo del asunto, a los meros efectos cautelares que nos ocupan, el recurso de apelación debe ser desestimado por no concurrir la apariencia de buen derecho alegada por el apelante. Y ello es así porque tal y como se hace constar en la propia resolución administrativa ordenando el precinto, tal decisión se adopta en ejecución de tres resoluciones sancionadoras previas impuestas por periodos de nueve meses, un año y dos años, que aunque impuestas con carácter firme con anterioridad al inicio de la actividad por parte del apelante (contrato de arrendamiento del local de 17 de septiembre de 2014, declaración responsable de inicio de actividad de establecimiento de restauración presentado ante la Comunidad de Madrid el 19 de septiembre de 2014 y comunicación al Ayuntamiento de Madrid de cambio de titularidad de actividades presentada el 19 de septiembre de 2014) y siendo el sujeto sancionado un tercero, sin embargo no podemos acceder a la suspensión instada sin eludir el cumplimiento de tres resoluciones sancionadoras firmes que afectan de forma directa a la licencia del local en el que ejerce su actividad el apelante. Así se desprende del contenido del art. 41.4 de la Ley 17/1997 de Espectáculos Públicos y Actividades Recreativas de la Comunidad de Madrid, según el cual "Las sanciones de clausura de locales…, cuando sean superiores a seis meses, conllevarán la suspensión de las licencias reguladas en esta Ley". Por tanto, **la pretendida transmisión de la licencia con que cuenta el local de autos, no pudo operar de forma válida por la sencilla razón de que la misma quedó suspendida una vez impuestas las sanciones con carácter firme, quedando así pues el local afectado por la sanción de clausura sin posibilidad de transmisión de una licencia suspendida por ministerio de la ley**». [STSJ Madrid 7 junio 2017.- LA LEY 105935/2017]

• Es cierto que el Reglamento de las corporaciones locales, cuando regula la trasmisión de licencias, **sólo pretende establecer el requisito de la comunicación puesto que**

la licencia de actividad continua vigente, en tanto subsistan las condiciones exigidas para su otorgamiento, **sin que afecte a la licencia de actividad el sujeto que ostenta su titularidad** y ello con el fin de que, si no se produjera la citada comunicación, serían responsables tanto el transmitente de la licencia, como el adquirente de la licencia, por lo que la aplicación del art. 13.1 del citado reglamento, pero ello en nada afecta al actor, ni menos aun determina la nulidad de la resolución impugnada. [STSJ Comunidad Valenciana 15 noviembre 2017.- LA LEY 217823/2017]

3.   Legislación aplicable

— Estatal

Art. 13 del Decreto de 17 de junio de 1955, por el que se aprueba el Reglamento de Servicios de las Corporaciones Locales.

Art. 3 de la Ley 12/2012, de 26 de diciembre, de medidas urgentes de liberalización del comercio y de determinados servicios.

— Autonómica

Art. 8.6. Ley 17/1997, de 4 de julio, de Espectáculos Públicos y Actividades Recreativas.

4.   Documentos de interés

— Doctrina

CANO MURCIA, Antonio. *El Nuevo Régimen de las Licencias de Apertura.* El Consultor de los Ayuntamientos y de los Juzgados. Madrid 2010.

MORA GONZÁLEZ, María Jesús. «La transmisión de las licencias urbanísticas». *El Consultor de los Ayuntamientos y de los Juzgados,* n.º 23, Quincena del 15 al 29 Dic. 2007, Ref. 3889/2007, pág. 3889, tomo 3, LA LEY.- LA LEY 6927/2007.

— Reseña jurisprudencial

STSJ Madrid, Sala de lo Contencioso-administrativo, Sección 2.ª, n.º 375/2015 de 13 May. 2015, Rec. 106/2014.- LA LEY 71872/2015.

STSJ Madrid, Sala de lo Contencioso-administrativo, Sección 2.ª, n.º 377/2015 de 11 May. 2015, Rec. 126/2014.- LA LEY 71871/2015.

STSJ Madrid, Sala de lo Contencioso-administrativo, Sección 2.ª, n.º 300/2015 de 22 Abr. 2015, Rec. 116/2014.- LA LEY 69397/2015.

STSJ Madrid, Sala de lo Contencioso-administrativo, Sección 2.ª, n.º 697/2015 de 23 Sep. 2015, Rec. 446/2014.- LA LEY 149851/2015.

MODELO DE EXPEDIENTE de cambio de titularidad de licencia de actividad recreativa *(Disponible a texto íntegro en smarteca.es)*

1)   Comunicación de cambio de titularidad de licencia de actividad recreativa

2)   Informe de los servicios técnicos municipales

3)   *Providencia de la Alcaldía ordenando la comunicación del informe de los servicios técnicos municipales*

4)   *Notificación del informe técnico*

5)   *Escrito de titular de la actividad contestando el requerimiento de la Alcaldía*

6)   *Resolución de cambio de titularidad de licencia de actividad recreativa*

7)   *Notificación de cambio de titularidad de licencia de actividad recreativa*

9. COMUNIDAD VALENCIANA

I.   Expediente de declaración responsable para la celebración de espectáculos públicos y actividades recreativas y la apertura de establecimientos públicos, sin licencia municipal de apertura

1.   Claves del Expediente

La declaración responsable indicará al menos la identidad del titular o prestador, la ubicación física del establecimiento público, la actividad recreativa, la actividad sociocultural o el espectáculo público ofertado y manifieste, bajo su exclusiva responsabilidad, que se cumple con todos los requisitos técnicos y administrativos previstos en la normativa vigente para proceder a la apertura del local.

La documentación mínima que ha de adjuntarse a la declaración responsable es:

a) Proyecto de obra y actividad conforme a la normativa vigente firmado por técnico competente y visado, si así procediere, por colegio profesional.

b) En su caso, copia de la declaración de impacto ambiental o de la resolución sobre la innecesariedad de sometimiento del proyecto a evaluación de impacto ambiental, si la actividad se corresponde con alguno de los proyectos sometidos a evaluación ambiental.

c) Asimismo, en el supuesto de la ejecución de obras, se presentará certificado final de obras e instalaciones ejecutadas, firmado por técnico competente y visados, en su caso, por el colegio oficial correspondiente, acreditativo de la realización de las mismas conforme a la licencia. En el supuesto de que la implantación de la actividad no requiera la ejecución de ningún tipo de obras, se acompañará el proyecto o, en su caso, la memoria técnica de la actividad correspondiente.

d) Certificado expedido por una entidad que disponga de la calificación de organismo de certificación administrativa (OCA) por el que se acredite el cumplimiento de todos y cada uno de los requisitos técnicos y administrativos exigidos por la normativa en vigor para la apertura del establecimiento público.

e) Certificado que acredite la suscripción de un contrato de seguro.

f) Copia del resguardo por el que se certifica el abono de las tasas municipales correspondientes.

El ayuntamiento, una vez recibida la declaración responsable y la documentación anexa indicada, procederá a registrar de entrada dicha recepción en el mismo día en que ello se produzca, entregando copia al interesado. Asimismo, dispondrá la publicación de la información básica relativa a ubicación, destino y características del establecimiento, así como la identificación del solicitante, conforme a los principios de publicidad activa.

Si la documentación incluyera el certificado de un organismo de certificación administrativa (OCA), la apertura del establecimiento podrá realizarse de manera inmediata.

En el caso de que no se presente un certificado emitido por un organismo de certificación administrativa (OCA), el ayuntamiento inspeccionará el establecimiento para acreditar la adecuación de este y de la actividad al proyecto presentado por el titular o prestador, en el término máximo de un mes desde la fecha de registro de entrada de la declaración responsable.

2. Legislación aplicable

— Estatal

Arts. 1, 2, 4, 5 y 6 de la Ley 17/2009, de 23 de noviembre, sobre el Libre Acceso a las Actividades de Servicios.

Arts. 9, 10, 11, 12, 13, 14, 16 y 22 del Reglamento de Servicios de las Corporaciones Locales Reglamento de Servicios de las Corporaciones Locales, aprobado por Decreto de 17 de junio de junio de 1955.

Arts. 21.1. q) y s), 124.4.ñ), 70.bis y 84, 84 bis y 84 ter. de la Ley 7/1985, de 2 de abril, Reguladora de las Bases de Régimen Local.

Ley 39/2015, de 1 de octubre, del Procedimiento Administrativo Común de las Administraciones Públicas.

— Autonómica

Ley 14/2010, de 3 de diciembre, de la Generalitat, de Espectáculos Públicos, Actividades Recreativas y Establecimientos Públicos.

Ley 6/2018, de 12 de marzo, de la Generalitat, de modificación de la Ley 14/2010, de 2 de diciembre, de la Generalitat, de espectáculos públicos, actividades recreativas y establecimientos públicos.

Decreto 120/2012, de 20 de julio, del Consell, por el que se modifica el artículo 146.4 del Reglamento de Desarrollo de la Ley 4/2003, de 26 de febrero, de la Generalitat, de Espectáculos Públicos, Actividades Recreativas y Establecimientos Públicos, aprobado por el Decreto 52/2010, de 26 de marzo, del Consell.

Decreto 143/2015, de 11 de septiembre, del Consell, por el que aprueba el Reglamento de desarrollo de la Ley 14/2010, de 3 de diciembre, de la Generalitat, de Espectáculos Públicos, Actividades Recreativas y Establecimientos Públicos.

MODELO DE EXPEDIENTE: Declaración responsable para la celebración de espectáculos públicos y actividades recreativas y la apertura de establecimientos públicos sin licencia de apertura *(Disponible a texto íntegro en smarteca.es)*

1)   Declaración responsable

2)   Subsanación de la solicitud

3)   Escrito presentando documentación requerida para la subsanación de la solicitud

4)   Visita de comprobación por el Ayuntamiento

5)   Informe técnico de comprobación

6)   Informe técnico de comprobación con deficiencias no sustanciales

7)   Resolución tomando conocimiento de la apertura de establecimiento sin necesidad de concesión de licencia municipal

8)   Notificación de la toma de conocimiento del expediente de declaración responsable

II.   Expediente de declaración responsable para la celebración de espectáculos públicos y actividades recreativas y la apertura de establecimientos públicos, con licencia municipal de apertura

1.   Claves del Expediente

Para proceder a la apertura de un establecimiento público, el titular o prestador presentará una declaración responsable junto con la documentación referida en el artículo 9.2 de la Ley 14/2010, de 3 de diciembre.

Con anterioridad a la presentación de la declaración responsable ante el ayuntamiento, los interesados en abrir un establecimiento público deberán haber efectuado, las obras que correspondan así como, de igual modo, la instalación de los elementos eléctricos, acústicos y de seguridad industrial y demás que resulten procedentes, de acuerdo con lo previsto en la normativa vigente.

El Ayuntamiento, en virtud de su potestad de inspección, podrá efectuar visita de comprobación al local o establecimiento abierto por declaración responsable y certificado de OCA.

Con carácter previo a la visita de comprobación, el ayuntamiento verificará la correcta presentación de la documentación.

Los técnicos municipales, en el plazo de un mes desde la presentación de la declaración responsable y documentación anexa en el ayuntamiento, efectuarán visita de comprobación al establecimiento.

El acta de comprobación favorable posibilitará la apertura del establecimiento con carácter provisional hasta el otorgamiento de la licencia de apertura.

El ayuntamiento, una vez efectuada la visita de comprobación y, en su caso, extendida el acta de comprobación favorable, procederá a la expedición y otorgamiento de la licencia de apertura.

El otorgamiento de la licencia de apertura tendrá como consecuencia la puesta en funcionamiento del establecimiento con carácter definitivo.

En el supuesto de que transcurra el plazo de un mes sin que el ayuntamiento efectúe la visita de comprobación, el titular o prestador podrá abrir el establecimiento bajo su responsabilidad previa comunicación al órgano municipal correspondiente.

2. Legislación aplicable

— Estatal

Arts. 1, 2, 4, 5 y 6 de la Ley 17/2009, de 23 de noviembre, sobre el Libre Acceso a las Actividades de Servicios.

Arts. 9, 10, 11, 12, 13, 14, 16 y 22 del Reglamento de Servicios de las Corporaciones Locales Reglamento de Servicios de las Corporaciones Locales, aprobado por Decreto de 17 de junio de junio de 1955.

Artículos 21.1. q) y s), 124.4.ñ), 70.bis y 84, 84 bis y 84 ter. de la Ley 7/1985, de 2 de abril, Reguladora de las Bases de Régimen Local.

Ley 39/2015, de 1 de octubre, del Procedimiento Administrativo Común de las Administraciones Públicas.

— Autonómica

Ley 14/2010, de 3 de diciembre, de la Generalitat, de Espectáculos Públicos, Actividades Recreativas y Establecimientos Públicos.

Ley 6/2018, de 12 de marzo, de la Generalitat, de modificación de la Ley 14/2010, de 2 de diciembre, de la Generalitat, de espectáculos públicos, actividades recreativas y establecimientos públicos.

Decreto 120/2012, de 20 de julio, del Consell, por el que se modifica el artículo 146.4 del Reglamento de Desarrollo de la Ley 4/2003, de 26 de febrero, de la Generalitat, de Espectáculos Públicos, Actividades Recreativas y Establecimientos Públicos, aprobado por el Decreto 52/2010, de 26 de marzo, del Consell.

Decreto 143/2015, de 11 de septiembre, del Consell, por el que aprueba el Reglamento de desarrollo de la Ley 14/2010, de 3 de diciembre, de la Generalitat, de Espectáculos Públicos, Actividades Recreativas y Establecimientos Públicos.

MODELO DE EXPEDIENTE: Declaración responsable para la celebración de espectáculos públicos y actividades recreativas y la apertura de establecimientos públicos con licencia de apertura *(Disponible a texto íntegro en smarteca.es)*

1)   Declaración responsable

2)   Subsanación de la solicitud

3)   Escrito presentando documentación requerida para la subsanación de la solicitud

4)   Visita de comprobación por el Ayuntamiento

5)   Acta de inspección y comprobación

6)   Informe técnico de comprobación con deficiencias no sustanciales

7)   Resolución concediendo de licencia municipal de apertura

8)   Notificación de la toma de conocimiento del expediente de declaración responsable

III.   Expediente de cambio de titularidad

1.   Claves del Expediente

De conformidad con lo dispuesto en el art. 12 de la Ley 14/2010, de 3 de diciembre, de la Generalitat, de Espectáculos Públicos, Actividades Recreativas y Establecimientos Públicos, para la tramitación de un expediente de cambio de titularidad de un espectáculo público, ha de tenerse en cuenta:

1.º.- Que cualquier cambio en la titularidad de un establecimiento público precisará de declaración formal ante el ayuntamiento de la localidad en el que aquél se ubique, sin que sea necesario el otorgamiento de nueva licencia municipal. Dicho cambio de titularidad deberá comunicarse en el plazo de un mes desde que se hubiera formalizado por cualquier medio de los admitidos en derecho.

2.º.- Que la notificación del cambio de titularidad deberá estar suscrita por el transmitente y por el adquirente del establecimiento. Caso contrario, dicha comunicación no tendrá validez para el ayuntamiento, respondiendo ambos solidariamente por el incumplimiento de esta obligación.

3.º.- Que una vez declarado el cambio de titularidad, la administración municipal lo comunicará al órgano autonómico competente en la materia para su conocimiento y efectos.

De otro lado el Decreto 143/2015 en su art. 57 determina que:

1.º.- El cambio de titularidad en la licencia de apertura requerirá de comunicación al ayuntamiento suscrita por las personas interesadas en el plazo de un mes desde que aquel tuvo lugar

2.º.- Si no se realiza la comunicación del cambio de titularidad o se realiza sin la debida atención a las obligaciones formales indicadas en el artículo 12 de la Ley 14/2010, de 3 de diciembre (LA LEY 24543/2010), el transmitente y el adquirente responderán solidariamente del incumplimiento de estas obligaciones.

2. Jurisprudencia

• El cambio de titular por sí solo resultaba jurídicamente irrelevante en cuanto afectaría a los posibles derechos de los particulares (STS de 23 diciembre 1998), porque la licencia mantenía su vigencia mientras subsistieran las condiciones de la actividad, de modo que el Ayuntamiento, **de no advertir otras modificaciones que las subjetivas, que son inoperantes a estos efectos, debió otorgar la transmisión de la titularidad de la licencia cuando le fue comunicado por escrito por el dueño del establecimiento,** toda vez que no ofrecía duda el título legítimo de la transmisión ya que la subrogación en la explotación se producía por los dueños del local a favor del nuevo titular, una vez que el anterior arrendamiento había sido declarado extinguido por resolución judicial. [STSJ País Vasco 13 julio 2001]

• La Administración está obligada a reconocer el cambio de la titularidad de la licencia sin perjuicio de las distintas actuaciones que le conciernen ejercer contra la misma del mismo modo que si no se hubiese transmitido. [STSJ Madrid 18 septiembre 2001]

• No constando que la licencia de apertura en su día concedida al demandante lo fuese en atención a su persona, esto es, a especiales circunstancias personales del mismo que impidiesen su transmisión a los efectos prevenidos en el art. 13 del Reglamento de Servicios de las Corporaciones Locales, tal y como se sostiene, entre otras, en la STS de 12 Jul. 2000, **el cambio de titular no requiere la solicitud de una nueva licencia, la cual solo sería exigible si hubiese existido una modificación de la actividad para la cual aquélla se concedió, lo que no se da en este caso.** Por tanto, el único efecto o consecuencia jurídica de la falta de notificación por escrito de tal circunstancia es la **sumisión conjunta de transmitente y adquirente a las responsabilidades** de la explotación de la licencia, sin que lleve consigo la imposición de la sanción debatida en estos autos. [STSJ Extremadura 27 septiembre 2001.- LA LEY 170424/2001]

• Para proceder al cambio de titularidad el Ayuntamiento ha de tener constancia de que efectivamente dicho cambio se ha producido, y ello por dos mecanismos alternativos, uno bilateral, que no es otro que la conformidad del anterior titular, y otro, que no precisa dicha conformidad, más complejo, que consiste en la acreditación de que se ha adquirido por cualquier medio, *inter vivos* o *mortis causa,* la propiedad o posesión del inmueble en cuestión. [STSJ Madrid 15 enero 2004]

• La transmisión de la licencia constituye en definitiva la realización de un **negocio jurídico del transmitente en cuanto titular originario de la autorización administrativa pero sin que tal operación traslativa tenga relevancia a efectos de alterar las condiciones de la propia autorización,** de tal modo que permanece idéntica su eficacia y viabilidad jurídica del acto proyectado y en consecuencia del incumplimiento del deber administrativo impuesto por el artículo 13.1 del RSCL, de comunicar la transferencia al Ayuntamiento, circunstancia no realizada en el supuesto de autos, **no repercute sobre la validez y existencia de la licencia y sí en cambio, únicamente en el régimen de responsabilidades derivado de la titularidad de la licencia** quedando también el transmitente sujeto junto con el adquirente a dichas responsabilidades máxime cuando el deber de comunicación de la transmisión de la licencia ha de operar a efectos de información del Ayuntamiento de los titulares en cada momento de licencias. [STSJ Extremadura 15 diciembre 2006.- LA LEY 214993/2006]

• A juicio de la Sala la sentencia apelada lleva a cabo una interpretación correcta del régimen de transmisión de la licencia de apertura de autos de acuerdo con el Reglamento de Servicios de las Corporaciones Locales, **transmisión que no se halla sujeta a un régimen de autorización administrativa sino a uno de mera comunicación, de forma que la transmisión es libre de acuerdo con los modos y formas admitidos en derecho para transmitir o adquirir la propiedad o la posesión, y no queda condicionada a una autorización administrativa**, ya que lo único que le corresponde a la Administración es tomar razón del cambio si se produce la comunicación, o no hacerlo si no se produce en la forma exigible, «pero en modo alguno autorizarlo o denegarlo, de forma que, a partir de dicho acto de comunicación la Administración habrá necesariamente de considerar a la cesionaria como titular de la licencia a todos los efectos legales derivados del ejercicio de la actividad, si se ha cumplido el requisito de la comunicación».

La introducción por el art. 23.2 de la Ordenanza municipal de licencias del requisito de que la nueva titular de la licencia garantice expresamente y por escrito, que debe acompañarse a la comunicación de cambio de titularidad, que asume todas las cargas inherentes a la licencia en cuestión, infringe claramente el art. 13 del Reglamento de Servicios de las. Corporaciones Locales, lo que determina su nulidad ex art. 62.2 LRJAPy-PAC, puesto que **transforma el régimen de mera comunicación previsto en el mismo, en uno de autorización**, en el que la transmisión no se perfecciona sino con la decisión administrativa que la autoriza, puesto que, tal y como postula el Ayuntamiento en el acto recurrido y argumenta en el recurso de apelación, el incumplimiento de dicho requisito comporta «no acceder» al cambio de titularidad, esto es, denegar el cambio de titularidad por incumplimiento de dicho precepto. [STSJ País Vasco 10 octubre 2011.- LA LEY 300763/2011]

• Tampoco cabe oponer el artículo 42 de la Ley 11/2003 de 8 de abril, de Prevención Ambiental de Castilla y León puesto que, de su lectura e interpretación literal, llegamos a una conclusión distinta de la que se contiene en la Sentencia recurrida, ya que claramente se refiere **solo al deber de comunicación a las Administraciones y a las consecuencias del incumplimiento de tal deber**, que se ventilan no en la denegación de la transmisión de la licencia, sino en el de las responsabilidades de cedente y cesionario del incumplimiento de las obligaciones que impone la ley. [STSJ Castilla y León (Burgos) 28 noviembre 2011.- LA LEY 232204/2011]

• De todo lo expuesto se concluye que el **cambio de titularidad de licencia solicitado no era una cuestión discutible** y por ello la Resolución de 3 de junio de 2005, no puede incardinarse dentro del margen de razonabilidad del que disponía la administración local para resolver, pues solicitado un cambio de titularidad de licencia, se entiende por el ayuntamiento que procede la solicitud de nueva licencia por cambio de actividad y ello a pesar de que los informes, ponían en evidencia de que se trataba de un cambio de titularidad, con el resultado ya conocido de anulación de estas resolución, y la pertinente declaración de responsabilidad patrimonial, **pues el ayuntamiento de Gandía venia obligado a otorgar el cambio de titularidad de licencia solicitado al cumplirse todos los requisitos necesarios para ello y estar acreditadas dichas circunstancias en el expediente instruido al efecto,** sin margen de interpretación y sin que en la resolución inicialmente anulada se cite un solo informe que avale lo resuelto por el Ayuntamiento que lo fue al margen de toda apreciación razonable. [STS Comunidad Valenciana 17 abril 2013.- LA LEY 90145/2013]

• ...De acuerdo con este precepto es evidente que **el cambio de titularidad no precisa de la obtención de una nueva licencia.** Solo precisa de una autorización municipal de que las obras e instalaciones, se ajustan a la licencia de actividad. Esta exigencia, incluso desaparecerá en la Ley 2/2006, de calidad ambiental, en cuyo art. 62, la transmisión sin alteración, solo es objeto de comunicación. [STSJ Comunidad Valenciana 28 noviembre 2014.- LA LEY 232360/2014]

• La conclusión de que, **para autorizar el cambio de titularidad del establecimiento, basta la mera comunicación al Ayuntamiento es conforme a derecho**, sin perjuicio, insistimos, en que ora de oficio por la propia Administración ora a instancia de algún interesado pueda controlarse la actividad y, en su caso, imponerse medidas correctoras de la concreta actividad, incluso la incoación de procedimiento sancionador si hubiere méritos para ello. [STSJ Andalucía (Granada) 15 noviembre 2016.- LA LEY 202226/2016]

• Podemos aplicar la doctrina expresada en la Sentencia dictada por esta Sala y Sección 15 de abril de 2015, dictada en el recurso de apelación número 138/2015 dimanante de la Pieza Separada de Suspensión n.º 522/2014 del Juzgado de lo Contencioso-Administrativo número 14 de Madrid, en la que hemos indicado «En el supuesto de autos, sin que la decisión que aquí se adopte ni la fundamentación jurídica de la presente resolución suponga en modo alguno prejuzgar el fondo del asunto, a los meros efectos cautelares que nos ocupan, el recurso de apelación debe ser desestimado por no concurrir la apariencia de buen derecho alegada por el apelante. Y ello es así porque tal y como se hace constar en la propia resolución administrativa ordenando el precinto, tal decisión se adopta en ejecución de tres resoluciones sancionadoras previas impuestas por periodos de nueve meses, un año y dos años, que aunque impuestas con carácter firme con anterioridad al inicio de la actividad por parte del apelante (contrato de arrendamiento del local de 17 de septiembre de 2014, declaración responsable de inicio de actividad de establecimiento de restauración presentado ante la Comunidad de Madrid el 19 de septiembre de 2014 y comunicación al Ayuntamiento de Madrid de cambio de titularidad de actividades presentada el 19 de septiembre de 2014) y siendo el sujeto sancionado un tercero, sin embargo no podemos acceder a la suspensión instada sin eludir el cumplimiento de tres resoluciones sancionadoras firmes que afectan de forma directa a la licencia del local en el que ejerce su actividad el apelante. Así se desprende del contenido del art. 41.4 de la Ley 17/1997 de Espectáculos Públicos y Actividades Recreativas de la Comunidad de Madrid, según el cual "Las sanciones de clausura de locales..., cuando sean superiores a seis meses, conllevarán la suspensión de las licencias reguladas en esta Ley". Por tanto, **la pretendida transmisión de la licencia con que cuenta el local de autos, no pudo operar de forma válida por la sencilla razón de que la misma quedó suspendida una vez impuestas las sanciones con carácter firme, quedando así pues el local afectado por la sanción de clausura sin posibilidad de transmisión de una licencia suspendida por ministerio de la ley**». [STSJ Madrid 7 junio 2017.- LA LEY 105935/2017]

• Es cierto que el Reglamento de las corporaciones locales, cuando regula la trasmisión de licencias, **sólo pretende establecer el requisito de la comunicación puesto que la licencia de actividad continua vigente,** en tanto subsistan las condiciones exigidas para su otorgamiento, **sin que afecte a la licencia de actividad el sujeto que ostenta su titularidad** y ello con el fin de que, si no se produjera la citada comunicación, serían responsables tanto el transmitente de la licencia, como el adquirente de la licencia, por lo que la aplicación del art. 13.1 del citado reglamento, pero ello en nada afecta al actor, ni menos aun determina la nulidad de la resolución impugnada. [STSJ Comunidad Valenciana 15 noviembre 2017.- LA LEY 217823/2017]

3. Legislación aplicable

— Estatal

Arts. 1, 2, 4, 5 y 6 de la Ley 17/2009, de 23 de noviembre, sobre el Libre Acceso a las Actividades de Servicios.

Arts. 9, 10, 11, 12, 13, 14, 16 y 22 del Reglamento de Servicios de las Corporaciones Locales Reglamento de Servicios de las Corporaciones Locales, aprobado por Decreto de 17 de junio de junio de 1955.

Artículos 21.1. q) y s), 124.4.ñ), 70.bis y 84, 84 bis y 84 ter. de la Ley 7/1985, de 2 de abril, Reguladora de las Bases de Régimen Local.

Ley 39/2015, de 1 de octubre, del Procedimiento Administrativo Común de las Administraciones Públicas.

— Autonómica

Ley 14/2010, de 3 de diciembre, de la Generalitat, de Espectáculos Públicos, Actividades Recreativas y Establecimientos Públicos.

Decreto 120/2012, de 20 de julio, del Consell, por el que se modifica el artículo 146.4 del Reglamento de Desarrollo de la Ley 4/2003, de 26 de febrero, de la Generalitat, de Espectáculos Públicos, Actividades Recreativas y Establecimientos Públicos, aprobado por el Decreto 52/2010, de 26 de marzo, del Consell.

Decreto 143/2015, de 11 de septiembre, del Consell, por el que aprueba el Reglamento de desarrollo de la Ley 14/2010, de 3 de diciembre, de la Generalitat, de Espectáculos Públicos, Actividades Recreativas y Establecimientos Públicos.

MODELO DE EXPEDIENTE *(Disponible a texto íntegro en smarteca.es)*

1) *Comunicación de cambio de titularidad de licencia de actividad recreativa*

2) *Resolución de toma de conocimiento del cambio de titularidad de actividad recreativa*

3) *Notificación de la toma de conocimiento del cambio de titularidad de actividad recreativa*

10. EXTREMADURA

I. Expediente de comunicación ambiental municipal de actividad recreativa

1. Claves del Expediente

La Ley 16/2015, de 23 de abril, de protección ambiental de la Comunidad Autónoma de Extremadura se inspira en dos principios básicos: la reducción de cargas administrativas para los promotores, dotando de celeridad a la tramitación de los procedimientos administrativos que la misma regula, y la reducción de los plazos de tramitación de los procedimientos administrativos.

La comunicación ambiental municipal es el documento mediante el cual el titular de una instalación en la que pretenda desarrollarse una actividad, pone en conocimiento de las Administraciones Públicas competentes sus datos identificativos y demás requisitos exigibles para el inicio de la misma.

El procedimiento para el inicio de una actividad sujeta a calificación ambiental municipal no existe como tal, ya que basta con la presentación de la comunicación ambiental para el inicio de la actividad.

En el caso de que sea necesario realizar obras en el local o instalaciones, deberán finalizarse éstas antes de la presentación de la comunicación ambiental municipal.

Las actividades recreativas, tales como restaurantes, cafeterías, pubs, bares, discotecas, salas de fiesta y bares musicales, se encuentran sujetas a trámite de la comunicación ambiental municipal, figurando incluidas dentro del anexo III, grupo 4 de la mencionada Ley 16/2015.

PREGUNTAS CLAVE

1. ¿Es necesario disponer de licencia municipal previo al ejercicio de una actividad sujeta a calificación ambiental municipal?

No. La presentación de la comunicación ambiental municipal habilita para el ejercicio de la actividad (art. 35.4 de la Ley 16/2015).

2. ¿Ha de someterse a información pública, mediante anuncio en el Boletín Oficial de la Provincia, la comunicación ambiental municipal?

No. El procedimiento de la comunicación ambiental municipal no exige la tramitación de información pública alguno, ni la notificación a los vecinos colindantes, a tenor del art. 35 de la Ley 16/2015.

3. ¿Cuándo se presenta la comunicación ambiental municipal?

Una vez finalizadas las obras e instalaciones necesarias para el ejercicio de la actividad (art. 35.1 Ley 16/2015).

4. ¿Quién responde del ejercicio de la actividad sujeta a comunicación ambiental municipal?

Existe una responsabilidad compartida entre el titular de la actividad y el personal técnico que haya aportado y suscrito las certificaciones, mediciones análisis y comprobaciones ambientales correspondientes (art. 35.4 Ley 16/2015).

5. ¿Está sujeta a comunicación el traslado y modificación sustancial de la actividad sometida a comunicación ambiental municipal?

Sí. Así lo exige expresamente el art. 36 de la Ley 16/2015, salvo que el traslado o la modificación a implique un cambio en el régimen de intervención administrativa ambiental aplicable a la actividad, en cuyo caso se estará a lo dispuesto en la citada ley para dicho régimen.

2. Legislación aplicable

— Europea

Directiva 2006/123/CE del Parlamento y del Consejo, de 12 de diciembre de 2006, relativa a los servicios en el mercado interior.

— Estatal

RD 2816/1982, de 27 de agosto, por el que se aprueba el Reglamento General de Policía de Espectáculos Públicos y Actividades Recreativas.

Ley 17/2009, de 23 de noviembre, sobre el Libre Acceso a las Actividades de Servicios.

Arts. 21.1. q) y s), 124.4.ñ), 70.bis y 84, 84 bis y 84 ter. de la Ley 7/1985, de 2 de abril, Reguladora de las Bases de Régimen Local.

— Autonómica

Arts. 32 a 36 de la Ley 16/2015, de 23 de abril, de protección ambiental de Extremadura.

Ley 4/2016, de 6 de mayo, para el establecimiento de un régimen sancionador en materia de espectáculos públicos y actividades recreativas en la Comunidad Autónoma de Extremadura.

3. Documentos de interés

— Doctrina

CANO MURCIA, Antonio. «Apunte legislativo sobre actividades sujetas a licencia-comunicación previa o declaración responsable».- LA LEY 18578/2011.

—. «Apunte legislativo sobre actividades no sujetas a comunicación previa o declaración responsable».- LA LEY 18570/2011.

—. «Apunte legislativo sobre procedimiento de actividades inocuas».- LA LEY 18583/2011.

CHOLBÍ CACHÁ, Francisco Antonio. «El contenido de la normativa autonómica en los supuestos de interrelación de las autorizaciones urbanísticas con las de actividades».- LA LEY 23007/2011.

—. «La regulación legal sobre informes o autorizaciones sectoriales».- LA LEY 21133/2011.

MODELO DE EXPEDIENTE *(Disponible a texto íntegro en smarteca.es)*

1)   Inicio expediente de comunicación ambiental municipal de actividad recreativa

2)   Admisión a trámite del expediente

3)   Informe técnico

4)   Resolución de toma de conocimiento de la comunicación ambiental municipal de actividad recreativa

5)   Notificación toma de conocimiento de la comunicación ambiental municipal de actividad recreativa

II.   Expediente de inspeccion y control de actividad recreativa sujeta comunicación ambiental municipal

1.   Claves del Expediente

El ejercicio de actividades de carácter recreativo está sujeta al control que el Ayuntamiento pueda realizar una vez que las mismas estén en funcionamiento, ya que de acuerdo con el art. 32 de la Ley 16/2015, de 23 de abril, de protección ambiental de Extremadura la comunicación ambiental municipal tiene por objeto prevenir y controlar, en el marco de las competencias municipales, los efectos sobre la salud humana y el medio ambiente de las instalaciones y actividades sujetas a la misma.

La inspección y control de la actividad puede hacerse en cualquier momento.

PREGUNTAS CLAVE

1. ¿Cuál es la finalidad de la inspección ambiental?

La finalidad de la inspección ambiental según el art. 124.2 de la Ley 16/2015, de 23 de abril, de protección ambiental de Extremadura es:

a) Comprobar que las actividades o actuaciones se desarrollan en la forma y condiciones fijados en los instrumentos de intervención administrativa ambiental previstos en esta ley.

b) Analizar, determinar y asegurar la eficacia de las medidas de prevención y corrección de la contaminación establecidas en los instrumentos de intervención administrativa ambiental a los que se encuentre sometida la instalación, actuación o actividad.

2. ¿A quién corresponde realizar la inspección ambiental?

Le corresponde al personal del órgano ambienta que desempeñe las funciones de inspección, será considerado Agente de la Autoridad en el ejercicio de esta función (art. 126.1 de la Ley 16/2015, de 23 de abril, de protección ambiental de Extremadura).

3. ¿El personal inspector qué condición ha de tener?

El personal inspector deberá ostentar la condición de funcionario (art. 126.2 de la Ley 16/2015, de 23 de abril, de protección ambiental de Extremadura).

2. Jurisprudencia

• La licencia de apertura y/o funcionamiento **crea una relación permanente con la Administración,** ya que las exigencias del interés público demandan un funcionamiento correcto de la actividad y de sus medidas correctoras, **lo cual implicará que la actividad desarrollada quede, durante la vigencia de la licencia, sujeta a inspecciones administrativas para la comprobación** del cumplimiento de las condiciones expresadas en la misma, conforme declaran, entre otras, las SSTS de 4 octubre 1986 y 30 junio 1987. [STSJ Madrid 13 noviembre 2001]

• **La licencia de apertura** y funcionamiento de establecimientos o actividades potencialmente nocivas o peligrosas, **a diferencia de las que suponen un control de un acto u operación determinada, tiene por objeto el control de una actividad llamada a prolongarse indefinidamente en el tiempo**, denominándose por ello, doctrinalmente, **licencias de funcionamiento**, lo que acarrea, como consecuencia, que la autorización y sus condiciones prolonguen su vigencia tanto como dure la actividad autorizada… Sobre esta base y a propósito de las licencias de apertura y funcionamiento antes citadas, la jurisprudencia ha reconocido que la posibilidad de actuación en esta materia de los Ayuntamientos, como titulares de policía de seguridad, **no se agota con la concesión y la revocación de las licencias de apertura, sino que, más bien disponen de unos poderes de intervención de oficio y de manera constante con la finalidad de salvaguardar la protección de personas y bienes pudiendo imponer, en consecuencia, cualesquiera correcciones y adaptaciones que estimen necesarias sin que ello suponga una ilícita vuelta contra los propios actos».** Por consiguiente, hay que admitir respecto de estas licencias de funcionamiento la posibilidad, e, incluso, el deber de la Administración de modificar el contenido de la autorización inicialmente otorgada para mantenerlo correctamente adaptado, a lo largo de su vigencia, a las exigencias del interés público. [STSJ Madrid 12 febrero 2014.- LA LEY 19239/2014]

• **La actividad está sometida al control permanente que sobre ella debe ejercer la administración y que no puede quedar limitado al plazo de cuatro años,** cuestión ya establecida por esta Sala en anteriores sentencias de 4 de diciembre de 1998 y 6 de mayo de 1999. [STSJ Madrid 27 junio 2014.- LA LEY 108979/2014]

• En la presente *litis*, no es necesario acudir a la revisión de oficio de actos firmes, dado que en cualquier caso, nos encontramos ante una actividad (BAR RESTAURANTE), que requiere licencia de apertura, en el que la actividad de control por las administraciones, no culmina con la licencia de apertura, sino que se realiza una función constante y permanente, **en el que la actividad de control por la administración es continua, y el sujeto sometido a la intervención administrativa debe cumplir las previsiones legales que se vayan produciendo en la actividad sometida al control de la administración.** [STSJ Castilla y León (Burgos) 11 septiembre 2015.- LA LEY 134406/2015]

3.   Legislación aplicable

— Europea

Directiva 2006/123/CE del Parlamento y del Consejo, de 12 de diciembre de 2006, relativa a los servicios en el mercado interior.

— Estatal

Ley 17/2009, de 23 de noviembre, sobre el Libre Acceso a las Actividades de Servicios.

Arts. 21.1. q) y s), 124.4.ñ), 70.bis y 84, 84 bis y 84 ter. de la Ley 7/1985, de 2 de abril, Reguladora de las Bases de Régimen Local.

— Autonómica

Arts. 124 a 127 de la Ley 16/2015, de 23 de abril, de protección ambiental de Extremadura.

4.   Documentos de interés

— Doctrina

CANO MURCIA, Antonio. *El nuevo régimen jurídico de las licencias de apertura.* El Consultor de los Ayuntamientos y Juzgados. 2010.

—. «Apunte legislativo sobre actividades sujetas a licencia-comunicación previa o declaración responsable».- LA LEY 18578/2011.

—. «Apunte legislativo sobre actividades no sujetas a comunicación previa o declaración responsable».- LA LEY 18570/2011.

—. «Apunte legislativo sobre procedimiento de actividades inocuas».- LA LEY 18583/2011.

CHOLBÍ CACHÁ, Francisco Antonio. «El contenido de la normativa autonómica en los supuestos de interrelación de las autorizaciones urbanísticas con las de actividades».- LA LEY 23007/2011.

—. «La regulación legal sobre informes o autorizaciones sectoriales».- LA LEY 21133/2011.

—. «El contenido de la normativa autonómica en los supuestos de interrelación de las autorizaciones urbanísticas con las de actividades».- LA LEY 23007/2011.

—. «La regulación legal sobre informes o autorizaciones sectoriales».- LA LEY 21133/2011.

MODELO DE EXPEDIENTE *(Disponible a texto íntegro en smarteca.es)*

1)   *Acta de control de actividad recreativa*

2)   *Resolución ordenando apertura de expediente*

3)   *Notificación de acta de comprobación en trámite de audiencia*

4)   *Escrito de alegaciones en trámite de audiencia*

5)   *Resolución del expediente de comprobación*

6)   Notificación de la resolución

III.   Expediente de cambio de titularidad de espectáculo público o actividad recreativa

1.   Claves del Expediente

El cambio de titularidad de la comunicación ambiental ha de ser comunicado al Ayuntamiento.

Ha de acreditarse la subrogación de los nuevos titulares en los derechos y obligaciones que en anterior titular tenía respecto de la licencia concedida.

El cambio de titularidad no requiera de nueva autorización ni licencia.

PREGUNTAS CLAVE

1. ¿Qué plazo hay para comunicar la transmisión de la titularidad de la comunicación ambiental municipal?

Un mes desde que la transmisión se haya producido (art. 37.1 de la Ley 16/2015).

2. ¿Es necesario que el anterior titular comunique la transmisión comunicación ambiental de la actividad a un tercero?

Sí. Así lo dispone expresamente el art. 37.1. de la Ley 16/2015, al decir que «Los titulares de instalaciones en las que se desarrollen actividades que cuenten con comunicación ambiental municipal deberán poner en conocimiento del Ayuntamiento la transmisión de la titularidad de la instalación».

3. ¿Ha de presentar alguna documentación con la comunicación de la transmisión de la comunicación ambiental de la actividad?

Deberá aportarse copia del acuerdo suscrito entre las partes, en el que deberá identificarse la persona o personas que pretendan subrogarse, total o parcialmente, en la actividad, expresando todas y cada una de las condiciones en que se verificará la subrogación (art. 37.2 de la Ley 16/2015).

4. ¿Qué ocurre si no se comunica la transmisión de la actividad?

La no comunicación del cambio de titularidad de la actividad por el anterior o el nuevo titular supone que el anterior y nuevo titular queda sujetos, de forma solidaria, a todas las responsabilidades y obligaciones derivadas de dicho incumplimiento (art. 37.3 de la Ley 16/2015).

5. ¿Qué ocurre si el Ayuntamiento no dicta resolución tomando conocimiento del cambio de titularidad?

Si el Ayuntamiento, recibida la comunicación de cambio de titularidad de la actividad, no resuelve expresamente el mismo, ha de entenderse que por silencio administrativo positivo se da por cumplido el trámite a todos los efectos, teniendo en cuenta que la resolución del órgano sustantivo no es generadora de derechos para el nuevo titular de la actividad, sino que tiene los efectos de una simple comunicación, que el Ayuntamiento constata mediante la toma de conocimiento del nuevo titular. En este sentido para la STS 15 octubre 1981 «La intervención municipal en caso de transmisión de licencias no es de previa y expresa autorización para que aquélla opere, sino de mera constatación o toma de razón de la extra-administrativamente producida por el simple acuerdo del antiguo y nuevo propietario, cuyo incumplimiento determina que ambos queden sujetos a todas las responsabilidades que se deriven para el titular».

2. Jurisprudencia

• El cambio de titular por sí solo resultaba jurídicamente irrelevante en cuanto afectaría a los posibles derechos de los particulares (STS de 23 diciembre 1998), porque la licencia mantenía su vigencia mientras subsistieran las condiciones de la actividad, de modo que el Ayuntamiento, **de no advertir otras modificaciones que las subjetivas, que son inoperantes a estos efectos, debió otorgar la transmisión de la titularidad de la licencia cuando le fue comunicado por escrito por el dueño del establecimiento,** toda vez que no ofrecía duda el título legítimo de la transmisión ya que la subrogación en la explotación se producía por los dueños del local a favor del nuevo titular, una vez que el anterior arrendamiento había sido declarado extinguido por resolución judicial. [STSJ País Vasco 13 julio 2001]

• La Administración está obligada a reconocer el cambio de la titularidad de la licencia sin perjuicio de las distintas actuaciones que le conciernen ejercer contra la misma del mismo modo que si no se hubiese transmitido. [STSJ Madrid 18 septiembre 2001]

• No constando que la licencia de apertura en su día concedida al demandante lo fuese en atención a su persona, esto es, a especiales circunstancias personales del mismo que impidiesen su transmisión a los efectos prevenidos en el art. 13 del Reglamento de Servicios de las Corporaciones Locales, tal y como se sostiene, entre otras, en la STS de 12 Jul. 2000, **el cambio de titular no requiere la solicitud de una nueva licencia, la cual solo sería exigible si hubiese existido una modificación de la actividad para la cual aquélla se concedió, lo que no se da en este caso.** Por tanto, el único efecto o consecuencia jurídica de la falta de notificación por escrito de tal circunstancia es la **sumisión conjunta de transmitente y adquirente a las responsabilidades** de la explotación de la licencia, sin que lleve consigo la imposición de la sanción debatida en estos autos. [STSJ Extremadura 27 septiembre 2001.- LA LEY 170424/2001]

• Para proceder al cambio de titularidad el Ayuntamiento ha de tener constancia de que efectivamente dicho cambio se ha producido, y ello por dos mecanismos alternativos, uno bilateral, que no es otro que la conformidad del anterior titular, y otro, que no precisa dicha conformidad, más complejo, que consiste en la acreditación de que se ha adquirido por cualquier medio, *inter vivos* o *mortis causa*, la propiedad o posesión del inmueble en cuestión. [STSJ Madrid 15 enero 2004]

• La transmisión de la licencia constituye en definitiva la realización de un **negocio jurídico del transmitente en cuanto titular originario de la autorización administrativa pero sin que tal operación traslativa tenga relevancia a efectos de alterar las condiciones de la propia autorización,** de tal modo que permanece idéntica su eficacia y viabilidad jurídica del acto proyectado y en consecuencia del incumplimiento del deber administrativo impuesto por el artículo 13.1 del RSCL, de comunicar la transferencia al Ayuntamiento, circunstancia no realizada en el supuesto de autos, **no repercute sobre la validez y existencia de la licencia y sí en cambio, únicamente en el régimen de res-**

ponsabilidades derivado de la titularidad de la licencia quedando también el transmitente sujeto junto con el adquirente a dichas responsabilidades máxime cuando el deber de comunicación de la transmisión de la licencia ha de operar a efectos de información del Ayuntamiento de los titulares en cada momento de licencias. [STSJ Extremadura 15 diciembre 2006.- LA LEY 214993/2006]

• A juicio de la Sala la sentencia apelada lleva a cabo una interpretación correcta del régimen de transmisión de la licencia de apertura de autos de acuerdo con el Reglamento de Servicios de las Corporaciones Locales, **transmisión que no se halla sujeta a un régimen de autorización administrativa sino a uno de mera comunicación, de forma que la transmisión es libre de acuerdo con los modos y formas admitidos en derecho para transmitir o adquirir la propiedad o la posesión, y no queda condicionada a una autorización administrativa**, ya que lo único que le corresponde a la Administración es tomar razón del cambio si se produce la comunicación, o no hacerlo si no se produce en la forma exigible, «pero en modo alguno autorizarlo o denegarlo, de forma que, a partir de dicho acto de comunicación la Administración habrá necesariamente de considerar a la cesionaria como titular de la licencia a todos los efectos legales derivados del ejercicio de la actividad, si se ha cumplido el requisito de la comunicación».

La introducción por el art. 23.2 de la Ordenanza municipal de licencias del requisito de que la nueva titular de la licencia garantice expresamente y por escrito, que debe acompañarse a la comunicación de cambio de titularidad, que asume todas las cargas inherentes a la licencia en cuestión, infringe claramente el art. 13 del Reglamento de Servicios de las. Corporaciones Locales, lo que determina su nulidad ex art. 62.2 LRJAPyPAC, puesto que **transforma el régimen de mera comunicación previsto en el mismo, en uno de autorización**, en el que la transmisión no se perfecciona sino con la decisión administrativa que la autoriza, puesto que, tal y como postula el Ayuntamiento en el acto recurrido y argumenta en el recurso de apelación, el incumplimiento de dicho requisito comporta «no acceder» al cambio de titularidad, esto es, denegar el cambio de titularidad por incumplimiento de dicho precepto. [STSJ País Vasco 10 octubre 2011.- LA LEY 300763/2011]

• Tampoco cabe oponer el artículo 42 de la Ley 11/2003 de 8 de abril, de Prevención Ambiental de Castilla y León puesto que, de su lectura e interpretación literal, llegamos a una conclusión distinta de la que se contiene en la Sentencia recurrida, ya que claramente se refiere **solo al deber de comunicación a las Administraciones y a las consecuencias del incumplimiento de tal deber**, que se ventilan no en la denegación de la transmisión de la licencia, sino en el de las responsabilidades de cedente y cesionario del incumplimiento de las obligaciones que impone la ley. [STSJ Castilla y León (Burgos) 28 noviembre 2011.- LA LEY 232204/2011]

• De todo lo expuesto se concluye que el **cambio de titularidad de licencia solicitado no era una cuestión discutible** y por ello la Resolución de 3 de junio de 2005, no puede incardinarse dentro del margen de razonabilidad del que disponía la administración local para resolver, pues solicitado un cambio de titularidad de licencia, se entiende por el ayuntamiento que procede la solicitud de nueva licencia por cambio de actividad y ello a pesar de que los informes, ponían en evidencia de que se trataba de un cambio de titularidad, con el resultado ya conocido de anulación de estas resolución, y la pertinente declaración de responsabilidad patrimonial, **pues el ayuntamiento de Gandía venia obligado a otorgar el cambio de titularidad de licencia solicitado al cumplirse todos los requisitos necesarios para ello y estar acreditadas dichas circunstancias en el**

expediente instruido al efecto, sin margen de interpretación y sin que en la resolución inicialmente anulada se cite un solo informe que avale lo resuelto por el Ayuntamiento que lo fue al margen de toda apreciación razonable. [STS Comunidad Valenciana 17 abril 2013.- LA LEY 90145/2013]

• ...De acuerdo con este precepto es evidente que **el cambio de titularidad no precisa de la obtención de una nueva licencia.** Solo precisa de una autorización municipal de que las obras e instalaciones, se ajustan a la licencia de actividad. Esta exigencia, incluso desaparecerá en la Ley 2/2006, de calidad ambiental, en cuyo art. 62, la transmisión sin alteración, solo es objeto de comunicación. [STSJ Comunidad Valenciana 28 noviembre 2014.- LA LEY 232360/2014]

• La conclusión de que, **para autorizar el cambio de titularidad del establecimiento, basta la mera comunicación al Ayuntamiento es conforme a derecho**, sin perjuicio, insistimos, en que ora de oficio por la propia Administración ora a instancia de algún interesado pueda controlarse la actividad y, en su caso, imponerse medidas correctoras de la concreta actividad, incluso la incoación de procedimiento sancionador si hubiere méritos para ello. [STSJ Andalucía (Granada) 15 noviembre 2016.- **LA LEY** 202226/2016]

• Podemos aplicar la doctrina expresada en la Sentencia dictada por esta Sala y Sección 15 de abril de 2015, dictada en el recurso de apelación número 138/2015 dimanante de la Pieza Separada de Suspensión n.º 522/2014 del Juzgado de lo Contencioso-Administrativo número 14 de Madrid, en la que hemos indicado «En el supuesto de autos, sin que la decisión que aquí se adopte ni la fundamentación jurídica de la presente resolución suponga en modo alguno prejuzgar el fondo del asunto, a los meros efectos cautelares que nos ocupan, el recurso de apelación debe ser desestimado por no concurrir la apariencia de buen derecho alegada por el apelante. Y ello es así porque tal y como se hace constar en la propia resolución administrativa ordenando el precinto, tal decisión se adopta en ejecución de tres resoluciones sancionadoras previas impuestas por periodos de nueve meses, un año y dos años, que aunque impuestas con carácter firme con anterioridad al inicio de la actividad por parte del apelante (contrato de arrendamiento del local de 17 de septiembre de 2014, declaración responsable de inicio de actividad de establecimiento de restauración presentado ante la Comunidad de Madrid el 19 de septiembre de 2014 y comunicación al Ayuntamiento de Madrid de cambio de titularidad de actividades presentada el 19 de septiembre de 2014) y siendo el sujeto sancionado un tercero, sin embargo no podemos acceder a la suspensión instada sin eludir el cumplimiento de tres resoluciones sancionadoras firmes que afectan de forma directa a la licencia del local en el que ejerce su actividad el apelante. Así se desprende del contenido del art. 41.4 de la Ley 17/1997 de Espectáculos Públicos y Actividades Recreativas de la Comunidad de Madrid, según el cual "Las sanciones de clausura de locales..., cuando sean superiores a seis meses, conllevarán la suspensión de las licencias reguladas en esta Ley". Por tanto, **la pretendida transmisión de la licencia con que cuenta el local de autos, no pudo operar de forma válida por la sencilla razón de que la misma quedó suspendida una vez impuestas las sanciones con carácter firme, quedando así pues el local afectado por la sanción de clausura sin posibilidad de transmisión de una licencia suspendida por ministerio de la ley**». [STSJ Madrid 7 junio 2017.- LA LEY 105935/2017]

• Es cierto que el Reglamento de las corporaciones locales, cuando regula la trasmisión de licencias, **sólo pretende establecer el requisito de la comunicación puesto que la licencia de actividad continua vigente,** en tanto subsistan las condiciones exigidas para su otorgamiento, **sin que afecte a la licencia de actividad el sujeto que ostenta su titularidad** y ello con el fin de que, si no se produjera la citada comunicación, serían responsables tanto el transmitente de la licencia, como el adquirente de la licencia, por lo que la aplicación del art. 13.1 del citado reglamento, pero ello en nada afecta al actor, ni menos aun determina la nulidad de la resolución impugnada. [STSJ Comunidad Valenciana 15 noviembre 2017.- LA LEY 217823/2017]

3.   Legislación aplicable

— Estatal

Art. 13 del Decreto de 17 de junio de 1955, por el que se aprueba el Reglamento de Servicios de las Corporaciones Locales.

Arts. 21.1. q) y s), 124.4.ñ), 70.bis y 84, 84 bis y 84 ter. de la Ley 7/1985, de 2 de abril, Reguladora de las Bases de Régimen Local.

Art. 3 de la Ley 12/2012, de 26 de diciembre, de medidas urgentes de liberalización del comercio y de determinados servicios.

— Autonómica

Art. 37 de la Ley 16/2015, de 23 de abril, de protección ambiental de Extremadura.

4.   Documentos de interés

— Doctrina

CANO MURCIA, Antonio. «Apunte legislativo sobre transmisión o cambio de titularidad».- LA LEY 19118/2011.

—. «Los Tribunales dicen… sobre transmisión o cambio de titularidad.- LA LEY 19117/2011.

—. «Efectos de la Ley 17/2009, de 23 de noviembre, sobre el libre acceso a las actividades de servicios.- LA LEY 19116/2011.

—. «Requisitos generales para la transmisión de la licencia de apertura.- LA LEY 19115/2011.

CHOLBÍ CACHÁ, Francisco Antonio. « El contenido supletorio del Reglamento de Servicios sobre interrelación de licencias.- LA LEY 24314/2011.

MORA GONZÁLEZ, María Jesús. «La transmisión de las licencias urbanísticas». *El Consultor de los Ayuntamientos y de los Juzgados*, n.º 23, Quincena del 15 al 29 Dic. 2007, Ref. 3889/2007, pág. 3889, tomo 3, LA LEY.- LA LEY 6927/2007.

MODELO DE EXPEDIENTE *(Disponible a texto íntegro en smarteca.es)*

1)   Comunicación de transmisión de actividad recreativa

2)   Resolución de transmisión de la titularidad de comunicación ambiental municipal

3)   Notificación de la transmisión de la titularidad de comunicación ambiental municipal

11. GALICIA

De conformidad con el art. 12 de la Ley 10/2017, de 27 de diciembre, de espectáculos públicos y actividades recreativas de Galicia, el régimen de intervención administrativa en materia de espectáculos públicos y actividades recreativas es el previsto en la Ley 9/2013, de 19 de diciembre, del emprendimiento y de la competitividad económica de Galicia.

I. Expediente licencia de apertura de espectáculo público y actividad recreativa (art. 41 Ley 9/2013)

1. Claves del Expediente

La licencia municipal de apertura tiene carácter excepcional, motivada por la concurrencia de razones de interés general derivadas de la necesaria protección de la seguridad y salud pública para la actividades incluidas dentro del art. 41 de la Ley 9/2013.

En este caso se tramitará procedimiento de licencia municipal, previo a la apertura del establecimiento público o al inicio del espectáculo público o actividad recreativa, tal como exige el art. 42 Ley 9/2013, sin que sea necesario someter el expediente al trámite de información pública.

PREGUNTAS CLAVE

1. ¿Existe un procedimiento específico para los espectáculos públicos y actividades recreativas?

No existe procedimiento alguno contemplado en la Ley 10/2017, de 27 de diciembre, de espectáculos públicos y actividades recreativas de Galicia, ya que el art 12 de la misma remite a la Ley 9/2013, de 19 de diciembre, del emprendimiento y de la competitividad económica de Galicia.

2. ¿En la resolución del procedimiento de espectáculos públicos y actividades recreativas ha de tenerse algún dato especial?

Aunque el procedimiento es el de la Ley 9/2013, de 19 de diciembre, del emprendimiento y de la competitividad económica de Galicia, sin embargo debe recogerse en la resolución por la que se termine el expediente las siguientes determinaciones:

- Aforo del establecimiento.
- Obligatoriedad de disponer de seguro de responsabilidad civil.
- Horario de apertura y cierre.

3. ¿Existe algún supuesto en el que sea exigible la licencia municipal?

Sí. Tal como disponen los arts. 40 y 41 de la Ley 9/2013, Atendiendo a la concurrencia de razones de interés general derivadas de la necesaria protección de la seguridad y salud pública, de los derechos de las personas consumidoras y usuarias, del mantenimiento del orden público, así como de la adecuada conservación del medio ambiente y el patrimonio histórico artístico, será precisa la obtención de licencia o autorización para:

a) La apertura de establecimientos y la celebración de espectáculos públicos o actividades recreativas que se desarrollen en establecimientos públicos con un aforo superior a 500 personas, o que presenten una especial situación de riesgo, de conformidad con lo dispuesto en la normativa técnica en vigor.

b) La instalación de terrazas al aire libre o en la vía pública, anexas al establecimiento.

c) La celebración de espectáculos y actividades extraordinarias y, en todo caso, los que requieran la instalación de escenarios y estructuras móviles.

d) La celebración de los espectáculos públicos y actividades recreativas o deportivas que se desarrollen en más de un término municipal de la comunidad autónoma, conforme al procedimiento que reglamentariamente se establezca.

e) La celebración de los espectáculos y festejos taurinos.

f) La apertura de establecimientos y la celebración de espectáculos públicos o actividades recreativas cuya normativa específica exija la concesión de autorización.

4. ¿Qué plazo hay para emitir los informes en el expediente de licencia municipal?

Un mes, desde la recepción del expediente (art. 42.4 Ley 9/2013).

5. ¿De qué plazo dispone el Ayuntamiento para tramitar la solicitud de licencia municipal?

De tres meses, a contar desde la presentación de la solicitud y de la documentación anexa (art. 42.6 Ley 9/2013).

6. ¿Ha de someterse el expediente de licencia municipal de apertura a trámite de información pública?

No. El procedimiento de licencia municipal de apertura del art. 42 de la Ley 9/2013, no contempla ni la exposición pública a través de edicto, ni la notificación a los vecinos colindantes con la actividad.

7. ¿Qué efectos tiene no resolver la solicitud dentro del plazo de tres meses?

Transcurridos tres meses sin que el ayuntamiento comunique la resolución al interesado, se entenderá que el proyecto presentado es correcto y válido a todos los efectos y podrá entender estimada por silencio administrativo su solicitud (art. 42.6 Ley 9/2013).

8. ¿Ha de colocarse la licencia municipal en lugar visible?

Sí. La licencia otorgada ha de exponerse en un lugar visible y de fácil acceso (art. 43.2 Ley 9/2013) con el siguiente contenido (art. 19 Ley 10/2017 de 27 de diciembre, de espectáculos públicos y actividades recreativas de Galicia):

a) El número de teléfono, número de fax, dirección postal o correo electrónico a efectos de reclamaciones o peticiones de información.

b) El horario de apertura y cierre.

c) La copia de la licencia municipal de apertura, en caso de que esta fuese exigible.

d) El aforo máximo.

e) La existencia de hojas de reclamación.

f) Las limitaciones de entrada y la prohibición de consumo de alcohol y tabaco a personas menores de edad, de conformidad con la legislación vigente.

g) Las condiciones de admisión determinadas de acuerdo con lo previsto en el artículo 13, en caso de que existan.

h) Las normas particulares o instrucciones elaboradas por el/la titular del establecimiento para el normal desarrollo del espectáculo o actividad.

9. ¿Qué vigencia tiene la licencia municipal?

Las licencias de los establecimientos abiertos al público se conceden por tiempo indefinido, salvo que un reglamento o las propias licencias establezcan expresamente lo contrario. Todo ello sin perjuicio de los efectos de los controles y de las revisiones periódicas a que fueran sometidas (art. 44.1 Ley 9/2013).

10. ¿Cuánto tiempo ha de transcurrir para declarar la caducidad de la licencia municipal?

La no realización de la actividad para la que fue concedida la licencia durante un período ininterrumpido de un año facultará a la Administración para declarar la caducidad de las licencias. Este período podrá ser ampliado hasta un máximo de dos años, en el caso de espectáculos o actividades que para su normal desarrollo precisen de periodos de interrupción o inactividad, debiendo fijar el plazo a aplicar en la resolución por la que se otorgó la licencia (art. 46.2 Ley 9/2013).

11. ¿Qué plazo hay para tramitar la revocación o declaración de caducidad de la licencia municipal?

La revocación y la declaración de caducidad se tramitarán de oficio dando audiencia a las personas interesadas, y deberán realizarse dentro del plazo de seis meses de haberles notificado la apertura del expediente (art. 46.3 Ley 9/2013).

12. ¿Es indemnizable la revocación o la declaración de caducidad de la licencia municipal?

No. El art. 46.3 Ley 9/2013, dice que tanto la revocación como la declaración de caducidad no generarán derecho a indemnización.

13. ¿Qué efectos tiene la comunicación previa?

La comunicación previa presentada cumpliendo con todos los requisitos constituye un acto jurídico del particular que, de acuerdo con la ley, habilita para el inicio de la actividad o la apertura del establecimiento y, en su caso, para el inicio de la obra o instalación, y faculta a la Administración pública para verificar la conformidad de los datos que en ella se contienen (art. 25.1 Ley 9/2013).

14. ¿Es una potestad o una obligación realizar por los ayuntamientos procedimientos de control posterior al inicio de la actividad?

El art. 25.2 de la Ley 9/2013 obliga a los ayuntamientos a establecer y planificar los procedimientos de comunicación necesarios, así como los de verificación posterior del cumplimiento de los requisitos precisos para el ejercicio de la actividad y su control posterior.

15. ¿Qué consecuencias tiene para el titular de la actividad el incumplimiento de las condiciones de la comunicación previa?

El incumplimiento sobrevenido de las condiciones de la comunicación previa o de los requisitos legales de la actividad será causa de la ineficacia de la comunicación previa y habilitarán al ayuntamiento respectivo a su declaración previa audiencia del/la interesado/a (art. 25.3 Ley 9/2013).

16. ¿Qué consecuencias y efectos produce la inexactitud, falsedad u omisión en los datos aportados en la comunicación previa?

La inexactitud, falsedad u omisión, de carácter esencial, en cualquier dato, manifestación o documento que se aporta o incorpora a la comunicación previa conlleva, previa audiencia de la persona interesada, la declaración de ineficacia de la comunicación efectuada e impide el ejercicio del derecho o de la actividad afectada desde el momento en que se conoce, sin perjuicio de las sanciones que procediera imponer por tales hechos (art. 26.1 Ley 9/2013).

17. ¿Está obligado el titular de una actividad sujeta a comunicación previa a mantener las condiciones y adaptar las instalaciones?

Quien ostente la titularidad de las actividades debe garantizar que sus establecimientos mantendrán las mismas condiciones que tenían cuando estas fueron iniciadas, así como también adaptar las instalaciones a las nuevas condiciones que posteriores normativas establezcan (art. 27.1 Ley 9/2013).

18. ¿En qué circunstancias procede la presentación de una nueva comunicación previa?

Será necesaria una nueva comunicación previa, cumpliendo los requisitos del art. 24, en los casos de modificación de la clase de actividad, cambio de emplazamiento, reforma sustancial de los locales, instalaciones o cualquier cambio que implique una variación que afecte a la seguridad, salubridad o peligrosidad del establecimiento (art. 27.3 Ley 9/2013).

19. ¿Están sujetas a control las actividades promovidas por las administraciones públicas?

Sí. Para el art. 30.1 de la Ley 9/2013, las actividades y las obras necesarias para su ejercicio que promuevan órganos de las administraciones públicas o entidades de derecho público estarán **sujetas a control municipal por medio de la obtención de licencia municipal o, en su caso, comunicación previa,** salvo los supuestos exceptuados por la legislación aplicable y en los términos establecidos reglamentariamente.

20. ¿Están sujetas a control las actividades promovidas por los ayuntamientos?

De conformidad con el art. 30.2 de la Ley 9/2013, Las actividades municipales y las obras necesarias para su ejercicio se entenderán autorizadas por el acuerdo de aprobación del órgano competente del ayuntamiento, previa acreditación en el expediente del cumplimiento de la normativa.

21. ¿Están excluidas de la comunicación previa los espectáculos públicos y actividades recreativas?

La apertura de los establecimientos públicos y la organización de espectáculos públicos y actividades recreativas están sometidas al régimen de comunicación previa, salvo en los casos que por razones de interés general fuera necesario la obtención de licencia municipal (art. 40 Ley 9/2013).

22. ¿Cuándo es necesaria la obtención de licencia municipal?

El art. 41 de la Ley 9/2013 dice que en atención a la concurrencia de razones de interés general derivadas de la necesaria protección de la seguridad y salud pública, de los derechos de las personas consumidoras y usuarias, del mantenimiento del orden público, así como de la adecuada conservación del medio ambiente y el patrimonio histórico artístico, será precisa la obtención de licencia o autorización para:

a) La apertura de establecimientos y la celebración de espectáculos públicos o actividades recreativas que se desarrollen en establecimientos públicos con un aforo superior a 500 personas, o que presenten una especial situación de riesgo, de conformidad con lo dispuesto en la normativa técnica en vigor.

b) La instalación de terrazas al aire libre o en la vía pública, anexas al establecimiento.

c) La celebración de espectáculos y actividades extraordinarias y, en todo caso, los que requieran la instalación de escenarios y estructuras móviles.

d) La celebración de los espectáculos públicos y actividades recreativas o deportivas que se desarrollen en más de un término municipal de la comunidad autónoma, conforme al procedimiento que reglamentariamente se establezca.

e) La celebración de los espectáculos y festejos taurinos.

f) La apertura de establecimientos y la celebración de espectáculos públicos o actividades recreativas cuya normativa específica exija la concesión de autorización.

2. Legislación aplicable

— Europea

Directiva 2006/123/CE del Parlamento y del Consejo, de 12 de diciembre de 2006, relativa a los servicios en el mercado interior.

— Estatal

Art. 41.9 Reglamento de Organización, Funcionamiento y Régimen Jurídico de las Entidades Locales de 28 de noviembre de 1986.

Arts. 1 a 5 de la Ley 12/2012, de 26 de diciembre, de medidas urgentes de liberalización del comercio y de determinados servicios.

Arts. 1, 2, 4, 5 y 6 de la Ley 17/2009, de 23 de noviembre, sobre el Libre Acceso a las Actividades de Servicios.

Arts. 9, 10, 11, 12, 13, 14, 16 y 22 del Reglamento de Servicios de las Corporaciones Locales Reglamento de Servicios de las Corporaciones Locales, aprobado por Decreto de 17 de junio de junio de 1955.

Arts. 21.1. q) y s), 124.4.ñ), 70.bis y 84, 84 bis y 84 ter. de la Ley 7/1985, de 2 de abril, Reguladora de las Bases de Régimen Local.

— Autonómica

Ley 10/2017, de 27 de diciembre, de espectáculos públicos y actividades recreativas de Galicia.

Ley 9/2013, de 19 de diciembre, del emprendimiento y de la competitividad económica de Galicia.

3. Documentos de interés

— Doctrina

CANO MURCIA, Antonio. «Apunte legislativo sobre actividades sujetas a licencia-comunicación previa o declaración responsable».- LA LEY 18636/2011.

—. «Apunte legislativo sobre procedimiento de actividades inocuas».- LA LEY 18641/2011.

CHOLBI CACHÁ, Francisco Antonio. «El contenido de la normativa autonómica en los supuestos de interrelación de las autorizaciones urbanísticas con las de actividades».- LA LEY 21335/2011.

—. «Apunte legislativo sobre las relaciones en la tramitación administrativa de las autorizaciones urbanísticas y de actividades».- LA LEY 21339/2011.

—. «Actos promovidos por Administraciones Públicas. Necesidad de licencia».-LA LEY 21256/2011.

PENSADO SEIJAS, Alberto. «Unificación normativa de la tramitación integral de las actividades en Galicia». *El Consultor de los Ayuntamientos y de los Juzgados*, n.º 18, Sección Colaboraciones, Quincena del 30 Sep. al 14 Oct. 2014, Ref. 1909/2014, pág. 1909, tomo 2.- LA LEY 6277/2014.

—. «Adaptación de las Ordenanzas de los Ayuntamientos Gallegos a la Ley 9/2013, del emprendimiento y de la competitividad económica de Galicia. Notas a la Propuesta de Reglamento de la FEGAMP». *El Consultor de los Ayuntamientos y de los Juzgados*, n.º 15, Sección Opinión / Colaboraciones, agosto 2015, Ref. 1803/2015, pág. 1803, Wolters Kluwer.- LA LEY 4972/2015.

—. «Comentario de urgencia sobre el RDL 8-2014, de 4 de julio, de aprobación de medidas urgentes para el crecimiento, la competitividad y la eficiencia, respecto a las actividades comerciales». *El Consultor de los Ayuntamientos y de los Juzgados*, n.º 15/16, Sección Actualidad, agosto 2014, Ref. 1665/2014, pág. 1665, tomo 2.- LA LEY 5016/2014.

MODELO DE EXPEDIENTE *(Disponible a texto íntegro en smarteca.es)*

1) *Solicitud de licencia municipal de espectáculo público o actividad recreativa*

2) *Admisión a trámite del expediente*

3) *Informe técnico*

4) *Trámite de audiencia*

5)   *Notificación trámite de audiencia*

6)   *Escrito de alegaciones en trámite de audiencia*

7)   *Informe jurídico para licencia municipal*

8)   *Licencia municipal de apertura*

9)   *Notificación de la licencia municipal de apertura*

II.   Expediente de cambio de titularidad (art. 24.3 Ley 9/2013)

1.   Claves del Expediente

Aunque es una cuestión que puede considerarse pacífica, el cambio de titularidad en general de los establecimientos, negocios y actividades en general y en particular de la licencia ambiental se sujeta al cumplimiento de unos requisitos mínimos, que tienen como objetivo fundamental el poner en conocimiento de la Administración (órgano sustantivo ambiental) el nuevo titular de la actividad.

A tenor del artículo 13.1 del Reglamento de Servicios de las Corporaciones Locales, aprobado por Decreto de 17 de junio de 1955, las licencias relativas a las condiciones de una obra, instalación o servicio serán transmisibles, pero el antiguo y el nuevo constructor o empresario deberán comunicarlo por escrito a la Corporación, sin lo cual quedarán ambos sujetos a todas las responsabilidades que se derivaren para el titular.

Esta posición legal ha quedado superada mediante el art. 3.2 de la Ley 12/2012, de 26 de diciembre, de medidas urgentes de liberalización del comercio y de determinados servicios, al decir que no están sujetos a licencia los cambios de titularidad de las actividades comerciales y de servicios, siendo exigible en estos casos una comunicación previa a la administración competente a los solos efectos informativos.

Ha de tenerse en cuenta:

• La comunicación ha de ser expresa.

• No es necesario que vaya acompañada de título o documento que acredite la transmisión (contrato de compraventa, de arrendamiento, de cesión etc.).

• Si la transmisión se produce sin realizar la correspondiente comunicación, el anterior y el nuevo titular quedan sujetos, de forma solidaria, a todas las responsabilidades y obligaciones derivadas del incumplimiento de dicha obligación.

La Ley 9/2013, de 19 de diciembre, del emprendimiento y de la competitividad económica de Galicia, en su art. 24.3 se refiere al cambio de titularidad de la comunicación previa, entendiendo que el mismo también es aplicación a la licencia municipal de apertura de las actividades del art. 41.

PREGUNTAS CLAVE

1. ¿Qué requisitos han de cumplirse para realizar el cambio de titularidad una actividad sujeta a licencia ambiental?

Para que el nuevo titular de una actividad pueda realizar el cambio de titularidad, deberá ser comunicado al Ayuntamiento a efectos informativos (art. 3.2 de la Ley 12/2012).

2. ¿Es necesario que el anterior titular comunique la transmisión de la actividad a un tercero?

No es un requisito necesario. El art. 3.2 de la Ley 12/2012 no exige esta comunicación.

3. ¿Qué ocurre si no se comunica la transmisión de la actividad?

La no comunicación del cambio de titularidad de la actividad por el anterior o el nuevo titular supone que el anterior y nuevo titular queda sujetos, de forma solidaria, a todas las responsabilidades y obligaciones derivadas de dicho incumplimiento.

4. ¿Puede transmitir la licencia de actividad el que no es propietario del local en el que se ejerce la misma?

Sí. El ejercicio de una actividad tanto mediante la concesión expresa de licencia de apertura o actividad o mediante la comunicación previa o declaración responsable tiene carácter real, al margen de la titularidad del inmueble y de las relaciones subjetivas que existan entre el titular del mismo y el que ocupe el local mediante contrato de arrendamiento, u cualquier otro título. En este sentido es de aplicación lo dispuesto en el art. 12. 1 RSCL «Las autorizaciones y licencias se entenderán otorgadas salvo el derecho de propiedad y sin perjuicio del de tercero».

5. ¿Ha de resolverse expresamente por el Ayuntamiento la comunicación de cambio de titularidad?

No. El art. 3.2 de la Ley 12/2012 habla de comunicación previa a la administración competente, sin que sea necesario posteriormente dictar resolución alguna. A efectos prácticos bastaría en cualquier caso tomar conocimiento de la transmisión, dejando constancia en el expediente.

6. ¿Qué ocurre si el Ayuntamiento no dicta resolución de cambio de titularidad?

Si el Ayuntamiento, recibida la comunicación de cambio de titularidad de la actividad, no resuelve expresamente el mismo, ha de entenderse que por silencio administrativo positivo se da por cumplido el trámite a todos los efectos, teniendo en cuenta que la resolución del órgano sustantivo no es generadora de derechos para el nuevo titular de la actividad, sino que tiene los efectos de una simple comunicación, que el Ayuntamiento constata mediante la toma de conocimiento del nuevo titular. En este sentido para la STS 15 octubre 1981 «La intervención municipal en caso de transmisión de licencias no es de previa y expresa autorización para que aquélla opere, sino de mera constatación o toma de razón de la extra-administrativamente producida por el simple acuerdo del antiguo y nuevo propietario, cuyo incumplimiento determina

que ambos queden sujetos a todas las responsabilidades que se deriven para el titular».

7. ¿Está sujeta a comunicación previa el cambio de titularidad de las actividades e instalaciones?

Sí. Así lo exige expresamente el art. 24.3 de la Ley 9/2013).

8. ¿Cómo ha de procederse a comunicar el cambio de titularidad?

Se deberá proceder a comunicarlo por escrito por parte del nuevo titular de la actividad (art. 24.3 Ley 9/2013).

9. ¿Ha de firmar el cambio de titularidad el anterior titular?

No es un requisito necesario, ni exigible, al basta la simple comunicación del nuevo titular (art. 24.3 Ley 9/2013).

10. ¿Cómo puede presentarse la comunicación del cambio de titularidad?

Toda la documentación requerida en el presente artículo podrá presentarse telemáticamente, y todos los ayuntamientos de Galicia deberán tener en su página *web* un portal telemático de comunicaciones previas y autorizaciones administrativas (art. 24.4 Ley 9/2013).

10. ¿Está sujeta a licencia el cambio de titularidad la licencia municipal?

No. Es aplicable a estos efectos lo dispuesto en el art. 24.3 de la Ley 9/2013, así como el art. 28 de la Ley 13/2010, de 17 de diciembre, del comercio interior de Galicia, modificado por la disposición final quinta de la Ley 9/2013, que dispone que no será exigible licencia para el inicio y desarrollo de las actividades comerciales objeto de la presente ley ni para el cambio de titularidad. En estos casos bastará la comunicación previa prevista en la Ley del emprendimiento de Galicia y en la normativa urbanística, si procede.

2. Jurisprudencia

• El cambio de titular por sí solo resultaba jurídicamente irrelevante en cuanto afectaría a los posibles derechos de los particulares (STS de 23 diciembre 1998), porque la licencia mantenía su vigencia mientras subsistieran las condiciones de la actividad, de modo que el Ayuntamiento, **de no advertir otras modificaciones que las subjetivas, que son inoperantes a estos efectos, debió otorgar la transmisión de la titularidad de la licencia cuando le fue comunicado por escrito por el dueño del establecimiento,** toda vez que no ofrecía duda el título legítimo de la transmisión ya que la subrogación en la explotación se producía por los dueños del local a favor del nuevo titular, una vez que el anterior arrendamiento había sido declarado extinguido por resolución judicial. [STSJ País Vasco 13 julio 2001]

• La Administración está obligada a reconocer el cambio de la titularidad de la licencia sin perjuicio de las distintas actuaciones que le conciernen ejercer contra la misma del mismo modo que si no se hubiese transmitido. [STSJ Madrid 18 septiembre 2001]

• No constando que la licencia de apertura en su día concedida al demandante lo fuese en atención a su persona, esto es, a especiales circunstancias personales del mismo que impidiesen su transmisión a los efectos prevenidos en el art. 13 del Reglamento de Servicios de las Corporaciones Locales, tal y como se sostiene, entre otras, en la STS de

12 Jul. 2000, **el cambio de titular no requiere la solicitud de una nueva licencia, la cual solo sería exigible si hubiese existido una modificación de la actividad para la cual aquélla se concedió, lo que no se da en este caso.** Por tanto, el único efecto o consecuencia jurídica de la falta de notificación por escrito de tal circunstancia es la **sumisión conjunta de transmitente y adquirente a las responsabilidades** de la explotación de la licencia, sin que lleve consigo la imposición de la sanción debatida en estos autos. [STSJ Extremadura 27 septiembre 2001.- LA LEY 170424/2001]

• Para proceder al cambio de titularidad el Ayuntamiento ha de tener constancia de que efectivamente dicho cambio se ha producido, y ello por dos mecanismos alternativos, uno bilateral, que no es otro que la conformidad del anterior titular, y otro, que no precisa dicha conformidad, más complejo, que consiste en la acreditación de que se ha adquirido por cualquier medio, *inter vivos* o *mortis causa*, la propiedad o posesión del inmueble en cuestión. [STSJ Madrid 15 enero 2004]

• La transmisión de la licencia constituye en definitiva la realización de un **negocio jurídico del transmitente en cuanto titular originario de la autorización administrativa pero sin que tal operación traslativa tenga relevancia a efectos de alterar las condiciones de la propia autorización,** de tal modo que permanece idéntica su eficacia y viabilidad jurídica del acto proyectado y en consecuencia del incumplimiento del deber administrativo impuesto por el artículo 13.1 del RSCL, de comunicar la transferencia al Ayuntamiento, circunstancia no realizada en el supuesto de autos, **no repercute sobre la validez y existencia de la licencia y sí en cambio, únicamente en el régimen de responsabilidades derivado de la titularidad de la licencia** quedando también el transmitente sujeto junto con el adquirente a dichas responsabilidades máxime cuando el deber de comunicación de la transmisión de la licencia ha de operar a efectos de información del Ayuntamiento de los titulares en cada momento de licencias. [STSJ Extremadura 15 diciembre 2006.- LA LEY 214993/2006]

• A juicio de la Sala la sentencia apelada lleva a cabo una interpretación correcta del régimen de transmisión de la licencia de apertura de autos de acuerdo con el Reglamento de Servicios de las Corporaciones Locales, **transmisión que no se halla sujeta a un régimen de autorización administrativa sino a uno de mera comunicación, de forma que la transmisión es libre de acuerdo con los modos y formas admitidos en derecho para transmitir o adquirir la propiedad o la posesión, y no queda condicionada a una autorización administrativa**, ya que lo único que le corresponde a la Administración es tomar razón del cambio si se produce la comunicación, o no hacerlo si no se produce en la forma exigible, «pero en modo alguno autorizarlo o denegarlo, de forma que, a partir de dicho acto de comunicación la Administración habrá necesariamente de considerar a la cesionaria como titular de la licencia a todos los efectos legales derivados del ejercicio de la actividad, si se ha cumplido el requisito de la comunicación».

La introducción por el art. 23.2 de la Ordenanza municipal de licencias del requisito de que la nueva titular de la licencia garantice expresamente y por escrito, que debe acompañarse a la comunicación de cambio de titularidad, que asume todas las cargas inherentes a la licencia en cuestión, infringe claramente el art. 13 del Reglamento de Servicios de las. Corporaciones Locales, lo que determina su nulidad ex art. 62.2 LRJAPy-PAC, puesto que **transforma el régimen de mera comunicación previsto en el mismo, en uno de autorización**, en el que la transmisión no se perfecciona sino con la decisión administrativa que la autoriza, puesto que, tal y como postula el Ayuntamiento en el acto recurrido y argumenta en el recurso de apelación, el incumplimiento de dicho requisito comporta «no acceder» al cambio de titularidad, esto es, denegar el cambio de titularidad por incumplimiento de dicho precepto». [STSJ País Vasco 10 octubre 2011.- LA LEY 300763/2011]

• Tampoco cabe oponer el artículo 42 de la Ley 11/2003 de 8 de abril, de Prevención Ambiental de Castilla y León puesto que, de su lectura e interpretación literal, llegamos a una conclusión distinta de la que se contiene en la Sentencia recurrida, ya que claramente se refiere **solo al deber de comunicación a las Administraciones y a las consecuencias del incumplimiento de tal deber**, que se ventilan no en la denegación de la transmisión de la licencia, sino en el de las responsabilidades de cedente y cesionario del incumplimiento de las obligaciones que impone la ley. [STSJ Castilla y León (Burgos) 28 noviembre 2011.- LA LEY 232204/2011]

• De todo lo expuesto se concluye que el **cambio de titularidad de licencia solicitado no era una cuestión discutible** y por ello la Resolución de 3 de junio de 2005, no puede incardinarse dentro del margen de razonabilidad del que disponía la administración local para resolver, pues solicitado un cambio de titularidad de licencia, se entiende por el ayuntamiento que procede la solicitud de nueva licencia por cambio de actividad y ello a pesar de que los informes, ponían en evidencia de que se trataba de un cambio de titularidad, con el resultado ya conocido de anulación de estas resolución, y la pertinente declaración de responsabilidad patrimonial, **pues el ayuntamiento de Gandía venia obligado a otorgar el cambio de titularidad de licencia solicitado al cumplirse todos los requisitos necesarios para ello y estar acreditadas dichas circunstancias en el expediente instruido al efecto,** sin margen de interpretación y sin que en la resolución inicialmente anulada se cite un solo informe que avale lo resuelto por el Ayuntamiento que lo fue al margen de toda apreciación razonable. [STS Comunidad Valenciana 17 abril 2013.- LA LEY 90145/2013]

• ...De acuerdo con este precepto es evidente que **el cambio de titularidad no precisa de la obtención de una nueva licencia**. Solo precisa de una autorización municipal de que las obras e instalaciones, se ajustan a la licencia de actividad. Esta exigencia, incluso desaparecerá en la Ley 2/2006, de calidad ambiental, en cuyo art. 62, la transmisión sin alteración, solo es objeto de comunicación. [STSJ Comunidad Valenciana 28 noviembre 2014.- LA LEY 232360/2014]

• La conclusión de que, **para autorizar el cambio de titularidad del establecimiento, basta la mera comunicación al Ayuntamiento es conforme a derecho**, sin perjuicio, insistimos, en que ora de oficio por la propia Administración ora a instancia de algún interesado pueda controlarse la actividad y, en su caso, imponerse medidas correctoras de la concreta actividad, incluso la incoación de procedimiento sancionador si hubiere méritos para ello. [STSJ Andalucía (Granada) 15 noviembre 2016.- LA LEY 202226/2016]

• Podemos aplicar la doctrina expresada en la Sentencia dictada por esta Sala y Sección 15 de abril de 2015, dictada en el recurso de apelación número 138/2015 dimanante de la Pieza Separada de Suspensión n.º 522/2014 del Juzgado de lo Contencioso-Administrativo número 14 de Madrid, en la que hemos indicado «En el supuesto de autos, sin que la decisión que aquí se adopte ni la fundamentación jurídica de la presente resolución suponga en modo alguno prejuzgar el fondo del asunto, a los meros efectos cautelares que nos ocupan, el recurso de apelación debe ser desestimado por no concurrir la apariencia de buen derecho alegada por el apelante. Y ello es así porque tal y como se hace constar en la propia resolución administrativa ordenando el precinto, tal decisión se adopta en ejecución de tres resoluciones sancionadoras previas impuestas por periodos de nueve meses, un año y dos años, que aunque impuestas con carácter firme con anterioridad al inicio de la actividad por parte del apelante (contrato de arrendamiento del local de 17 de septiembre de 2014, declaración responsable de inicio de actividad de establecimiento de restauración presentado ante la Comunidad de Madrid el 19 de septiembre de 2014 y comunicación al Ayuntamiento de Madrid de cambio de titularidad de actividades presentada el 19 de septiembre de 2014) y siendo el sujeto sancionado un tercero, sin embargo no podemos acceder a la suspensión instada sin eludir el cumplimiento de tres resoluciones sancionadoras firmes que afectan de forma directa a la licencia del local en el que ejerce su actividad el apelante. Así se desprende del contenido del art. 41.4 de la Ley 17/1997 de Espectáculos Públicos y Actividades Recreativas de la Comunidad de Madrid, según el cual "Las sanciones de clausura de locales…, cuando sean superiores a seis meses, conllevarán la suspensión de las licencias reguladas en esta Ley". Por tanto, **la pretendida transmisión de la licencia con que cuenta el local de autos, no pudo operar de forma válida por la sencilla razón de que la misma quedó suspendida una vez impuestas las sanciones con carácter firme, quedando así pues el local afectado por la sanción de clausura sin posibilidad de transmisión de una licencia suspendida por ministerio de la ley**». [STSJ Madrid 7 junio 2017.- LA LEY 105935/2017]

• Es cierto que el Reglamento de las corporaciones locales, cuando regula la trasmisión de licencias, **sólo pretende establecer el requisito de la comunicación puesto que la licencia de actividad continua vigente,** en tanto subsistan las condiciones exigidas para su otorgamiento, **sin que afecte a la licencia de actividad el sujeto que ostenta su titularidad** y ello con el fin de que, si no se produjera la citada comunicación, serían responsables tanto el transmitente de la licencia, como el adquirente de la licencia, por lo que la aplicación del art. 13.1 del citado reglamento, pero ello en nada afecta al actor, ni menos aun determina la nulidad de la resolución impugnada. [STSJ Comunidad Valenciana 15 noviembre 2017.- LA LEY 217823/2017]

3. Legislación aplicable

— Europea

Directiva 2006/123/CE del Parlamento y del Consejo, de 12 de diciembre de 2006, relativa a los servicios en el mercado interior.

— Estatal

Ley 17/2009, de 23 de noviembre, sobre el Libre Acceso a las Actividades de Servicios.

Arts. 21.1. q) y s), 124.4.ñ), 70.bis y 84, 84 bis y 84 ter. de la Ley 7/1985, de 2 de abril, Reguladora de las Bases de Régimen Local.

Reglamento de Organización, Funcionamiento y Régimen Jurídico de las Entidades Locales de 28 de noviembre de 1986.

Arts. 1 a 5 de la Ley 12/2012, de 26 de diciembre, de medidas urgentes de liberalización del comercio y de determinados servicios.

Arts. 12 a 16 del Reglamento de Servicios de las Corporaciones Locales de 17 junio 1955.

— Autonómica

Art. 24.3 de la Ley 9/2013, de 19 de diciembre, del emprendimiento y de la competitividad económica de Galicia.

4. Documentos de interés

— Doctrina

CANO MURCIA, Antonio. «Apunte legislativo sobre actividades sujetas a licencia-comunicación previa o declaración responsable».- LA LEY 18636/2011.

—. «Apunte legislativo sobre procedimiento de actividades inocuas».- LA LEY 18641/2011.

—. «Apunte legislativo sobre transmisión o cambio de titularidad».- LA LEY 18652/2011.

CHOLBI CACHÁ, Francisco Antonio. «El contenido de la normativa autonómica en los supuestos de interrelación de las autorizaciones urbanísticas con las de actividades».- LA LEY 21335/2011.

—. «Apunte legislativo sobre las relaciones en la tramitación administrativa de las autorizaciones urbanísticas y de actividades».- LA LEY 21339/2011.

—. «Actos promovidos por Administraciones Públicas. Necesidad de licencia».-LA LEY 21256/2011.

—. «Cuestiones prácticas sobre transmisión o cambio de titularidad».- LA LEY 18653/2011.

PENSADO SEIJAS, Alberto. «Unificación normativa de la tramitación integral de las actividades en Galicia». *El Consultor de los Ayuntamientos y de los Juzgados*, n.º 18, Sección Colaboraciones, Quincena del 30 Sep. al 14 Oct. 2014, Ref. 1909/2014, pág. 1909, tomo 2.- LA LEY 6277/2014.

—. «Adaptación de las Ordenanzas de los Ayuntamientos Gallegos a la Ley 9/2013, del emprendimiento y de la competitividad económica de Galicia. Notas a la Propuesta de Reglamento de la FEGAMP». *El Consultor de los Ayuntamientos y de los Juzgados,* n.º 15, Sección Opinión / Colaboraciones, agosto 2015, Ref. 1803/2015, pág. 1803, Wolters Kluwer.- LA LEY 4972/2015.

—. «Comentario de urgencia sobre el RDL 8-2014, de 4 de julio, de aprobación de medidas urgentes para el crecimiento, la competitividad y la eficiencia, respecto a las actividades comerciales». *El Consultor de los Ayuntamientos y de los Juzgados*, n.º 15/16, Sección Actualidad, agosto 2014, Ref. 1665/2014, pág. 1665, tomo 2.- LA LEY 5016/2014.

MODELO DE EXPEDIENTE *(Disponible a texto íntegro en smarteca.es)*

1)   Comunicación de cambio de titularidad de comunicación previa

2)   Resolución de cambio de titularidad de licencia ambiental

3)   Notificación de cambio de titularidad de licencia ambiental

12. ISLAS BALEARES

I. Expediente de espectáculo público o actividad recreativa permanente mayor

1. Claves del Expediente

La simplificación de trámites y evitar duplicidad de competencias es consecuencia de no sujetar al régimen de autorización ambiental integrada a actividades permanentes, con independencia de su clasificación en permanentes mayores, menores, inocuas o de infraestructuras comunes.

Las actividades mayores están sujetas a la obtención de permiso de instalación.

Se ha de tener en cuenta sin son necesarias ejecutar obras de instalación.

PREGUNTAS CLAVE

1. ¿Es necesario disponer de autorización sectorial para iniciar y ejercer una actividad?

En el caso de que sea preceptiva la emisión de autorización sectorial, no se podrá iniciar y ejercer una actividad si no se dispone de la misma (art. 8.3 de la Ley 7/2013 de 26 de noviembre, de régimen jurídico de instalación, acceso y ejercicio de actividades).

2. ¿Tiene obligación el titular de una actividad de contratar un seguro de responsabilidad civil?

Dispone el art. 10 de la Ley 7/2013 de 26 de noviembre, de régimen jurídico de instalación, acceso y ejercicio de actividades, que el titular deberá contratar y mantener en vigor un seguro durante el ejercicio de la actividad en el establecimiento físico o en el lugar donde se desarrolle, que cubra la responsabilidad civil por los daños corporales, materiales y consecuenciales derivados de ella, ocasionados a terceras personas.

3. ¿Existe alguna excepción para no contratar seguro de responsabilidad civil?

En el caso de actividades no permanentes menores, el órgano competente, motivadamente, podrá eximir del seguro, sin perjuicio de la responsabilidad que se pueda derivas de ellas (art. 10.1 par. Tercero de la Ley 7/2013 de 26 de noviembre, de régimen jurídico de instalación, acceso y ejercicio de actividades).

4. ¿Qué duración ha de tener el seguro de responsabilidad civil de los técnicos titulados profesionales?

Los técnicos titulados profesionales, deberán cubrir, mediante un seguro, y por un período mínimo de dos años desde su última actuación, los riesgos de responsabilidad civil en que puedan incurrir a consecuencia de su ejercicio profesional en materia de actividades, sin perjuicio de la responsabilidad que se pueda derivar de ello.

Esta obligación no será exigible cuando los derechos a terceros estén garantizados en virtud de otra legislación aplicable a la actividad de que se trate, o en virtud de acuerdo de aplicación general con la misma finalidad (art. 10.2 de la Ley 7/2013 de

26 de noviembre, de régimen jurídico de instalación, acceso y ejercicio de actividades).

5. Cuándo ha de someterse a información pública, el expediente para ejercicio de una actividad permanente mayor?

Una vez que se compruebe que el uso es compatible con la normativa urbanística (art. 40 de la Ley 7/2013 de 26 de noviembre, de régimen jurídico de instalación, acceso y ejercicio de actividades).

6. ¿Necesita seguro de responsabilidad civil las actividades de titularidad pública?

El art. 10.3 de la Ley 7/2013 de 26 de noviembre, de régimen jurídico de instalación, acceso y ejercicio de actividades, excluye de la obligatoriedad de este seguro a las actividades de titularidad pública.

7. ¿En qué medios ha de practicarse la información pública de una actividad permanente mayor?

El art. 40 de la Ley 7/2013 de 26 de noviembre, de régimen jurídico de instalación, acceso y ejercicio de actividades, no se específica los medios de difusión (tradicionales Boletín oficial, tablón de edictos) en los que se ha de practicar la información pública, limitándose a decir que la apertura del período de información pública se anunciará en la página *web* de la administración competente.

8. ¿Cuándo ha de solicitarse informe vinculante para el ejercicio de actividad permanente?

En el caso de edificios catalogados o protegidos por un instrumento de planeamiento general, cuando las características arquitectónicas no permitan el pleno cumplimiento de las condiciones técnicas exigida por la normativa vigente (art. 41 de la Ley 7/2013 de 26 de noviembre, de régimen jurídico de instalación, acceso y ejercicio de actividades).

9. ¿Cuándo caduca el título habilitante de una actividad permanente?

Cuando la actividad no se haya ejercido en el plazo de dos años o cuando, aunque tenga permiso de instalación o comunicación previa de inicio de instalación y obras, no se haya presentado la declaración responsable de inicio y ejercicio de la actividad (art. 13 de la Ley 7/2013 de 26 de noviembre, de régimen jurídico de instalación, acceso y ejercicio de actividades).

10. ¿Dónde han de exhibirse los títulos habilitantes del ejercicio de la actividad?

En el lugar donde se ejerce la actividad, salvo que la misma esté escrita en los registros de actividades y la documentación sea accesible por medios telemáticos (art. 14 de la Ley 7/2013 de 26 de noviembre, de régimen jurídico de instalación, acceso y ejercicio de actividades).

11. ¿Están admitidos los usos indeterminados de obras o establecimientos?

Como norma general, no se admiten los usos indeterminados de obras o establecimientos, por lo que, cuando la edificación de un inmueble se destine específicamente a una actividad con unas determinadas características y un uso específico, la obra y la actividad se tramitarán en un único procedimiento para adecuarlas a los niveles de seguridad, salubridad y medio ambiente adecuados, y para garantizar el cumplimiento de la normativa urbanística (art. 15.1 de la Ley 7/2013 de 26 de noviembre, de régimen jurídico de instalación, acceso y ejercicio de actividades).

12. ¿Cómo se tramitará el expediente de obra y actividad de un centro colectivo?

Cuando se trate de un centro colectivo, la obra y el permiso de instalación de las infraestructuras comunes se tramitarán en un único procedimiento (art. 15.2 de la Ley 7/2013 de 26 de noviembre, de régimen jurídico de instalación, acceso y ejercicio de actividades).

13. ¿Cómo se tramitará el expediente de edificios con diferentes actividades por determinar?

De acuerdo con el art. 15.3 de la Ley 7/2013 de 26 de noviembre, de régimen jurídico de instalación, acceso y ejercicio de actividades, cuando se trate de edificios con diferentes actividades o establecimientos físicos susceptibles de actividades por determinar, no podrá otorgarse la licencia de obras del edificio sin el permiso de inicio de instalación de las infraestructuras comunes, excepto en los siguientes casos, que no precisarán este permiso de inicio de instalación:

a) Cuando se trate de edificios de una sola planta donde cada uno de los establecimientos físicos susceptibles de actividades por determinar sólo compartan la medianera y siempre y cuando el proyecto de obra cumpla las condiciones del artículo 16 de esta ley.

b) Cuando se trate de un edificio exclusivamente de viviendas donde en la planta baja haya establecimientos físicos susceptibles de actividades por determinar, y siempre que el proyecto de obra cumpla las condiciones del artículo 16 de esta ley.

c) Cuando se trate de edificios en los cuales no les sea de aplicación la Ley de propiedad horizontal, siempre que el proyecto de obra cumpla las condiciones del artículo 16 de esta ley.

d) En el caso de división o segregación de los establecimientos indicados, no se otorgará licencia de obras si no se mantienen estas condiciones en cada uno de los establecimientos físicos resultantes.

14. ¿Está vinculada la licencia de obras para el mantenimiento de un inmueble sin uso específico al permiso de inicio de instalación y obras?

La licencia de obras para el mantenimiento de un inmueble sin un uso específico predeterminado no estará vinculada al permiso de inicio de instalación y obras o a la comunicación previa de inicio de instalación y obras. En caso de que en un inmueble se desarrolle una actividad determinada, la licencia de obras para la modernización y el mantenimiento del establecimiento físico no requerirá un nuevo permiso de instalación o comunicación previa si se realiza conforme a su título habilitante (art. 15.3 de la Ley 7/2013 de 26 de noviembre, de régimen jurídico de instalación, acceso y ejercicio de actividades).

2. Jurisprudencia

• La primera exigencia en el procedimiento previsto legalmente para otorgar licencia de actividad es la conformidad de la actividad pretendida con el planeamiento municipal, requisito de ineludible cumplimiento por tratarse dicha autorización de un acto municipal de carácter reglado, es decir, sujeto en su concesión a un estricto juicio administrativo sobre la conformidad del proyecto con la normativa aplicable (urbanística y medioambiental), sin que el Ayuntamiento afectado tenga algún margen discrecional al respecto para conceder o denegar la licencia, so pena de incurrir en arbitrariedad o en manifiesta ilegalidad. [STSJ Comunidad Valenciana 22 junio 2005]

• La licencia de apertura supone la autorización para el inicio del funcionamiento de la actividad previa la realización de los informes y medidas de inspección necesarias para comprobar que la actividad a realizar se ajusta a los términos de la licencia concedida. Partiendo de esta diferenciación, resulta patente que el Ayuntamiento ha prescindido abiertamente de dicho trámite procedimental pues, de una parte, ha tolerado el funcionamiento irregular de la actividad, meses antes, incluso, del requerimiento a la titular para la subsanación del proyecto técnico presentado y, de otra, la resolución que se recurre prescinde del previo examen y resolución acerca del contenido autorizatorio propio de la licencia de instalación que, como hemos visto, no autoriza, por sí sola, la apertura del establecimiento. [STSJ Cantabria 29 octubre 1998]

• El otorgamiento de licencia perteneciente a la facultad reglada de la Administración, es obligada, según la doctrina jurisprudencial, cuando exista conformidad del ejercicio de la actividad pretendida, con la legislación vigente como derecho preexistente del particular cuyo desenvolvimiento es compatible con la Ley. [STS 30 enero 1985]

• No es obstáculo para otorgar una licencia de apertura la circunstancia de que el edificio o local en los que la actividad haya de establecerse se halle fuera de ordenación y sujeto, por ello, a las limitaciones que impone el artículo 60 TRLS, pues una cosa es que el edificio se encuentre en tal situación y otra muy diferente que el inmueble no pueda utilizarse. [SSTS 17 diciembre 1974, 13 junio 1980 y 2 febrero y 8 julio 1983]

3. Legislación aplicable

— Europea

Directiva 2006/123/CE del Parlamento y del Consejo, de 12 de diciembre de 2006, relativa a los servicios en el mercado interior.

— Estatal

Ley 17/2009, de 23 de noviembre, sobre el Libre Acceso a las Actividades de Servicios.

Artículos 21.1. q) y s), 124.4.ñ), 70.bis y 84, 84 bis y 84 ter. de la Ley 7/1985, de 2 de abril, Reguladora de las Bases de Régimen Local.

Ley 39/2015, de 1 de octubre, del Procedimiento Administrativo Común de las Administraciones Públicas.

— Autonómica

Ley 7/1999, de 8 de abril, de Atribución de Competencias a los Consejos Insulares de Menorca y de Eivissa i Formentera en materia de Espectáculos Públicos y Actividades Recreativas.

Decreto 41/2011, de 29 de abril, regulador de los servicios de admisión y control de ambiente interno en las actividades de espectáculos públicos y recreativas.

Decreto 3/1999, de 5 de febrero, de distribución de competencias en materia sancionadora de espectáculos públicos y actividades recreativas.

Ley 7/2013, de 26 de noviembre, de régimen jurídico de instalación, acceso y ejercicio de actividades en las Illes Balears.

Decreto 18/1996, de 8 de febrero, por el que se aprueba el Reglamento de las actividades clasificadas.

4. Documentos de interés

— Doctrina

CANO MURCIA, Antonio. «Apunte legislativo sobre control e inspección».- LA LEY 18718/2011.

—. «Apunte legislativo sobre régimen sancionador».- LA LEY 18742/2011.

—. «Apunte legislativo sobre actividades sujetas a licencia-comunicación previa o declaración responsable».- LA LEY 18696/2011.

—. «Apunte legislativo sobre actividades no sujetas a comunicación previa o declaración responsable».- LA LEY 18688/2011.

—. «Procedimiento de licencia ambiental».- LA LEY 18704/2011.

—. «Apunte legislativo sobre transmisión o cambio de titularidad».- LA LEY 18710/2011.

CHOLBÍ CACHÁ, Francisco Antonio. «El contenido de la normativa autonómica en los supuestos de interrelación de las autorizaciones urbanísticas con las de actividades».- LA LEY 20567/2011.

—. «Apunte legislativo sobre la comunicación previa y declaración responsable en actos y usos de naturaleza urbanística».- LA LEY 20483/2011.

—. «Apunte legislativo sobre las relaciones en la tramitación administrativa de las autorizaciones urbanísticas y de actividades».- LA LEY 20571/2011.

— Reseña jurisprudencial

STSJ Les Illes Balears, Sala de lo Contencioso-administrativo, n.º 401/2015, de 15 Jun. 2015, Rec. 89/2015.- LA LEY 87698/2015.

SSTSJ Les Illes Balears, Sala de lo Contencioso-administrativo, n.º 13/2015, de 27 Ene. 2015, Rec. 202/2012.- LA LEY 971/2015.

STSJ Les Illes Balears, Sala de lo Contencioso-administrativo, de 29 Abr. 2010, rec. 193/2008.- LA LEY 77091/2010.

STSJ Les Illes Balears, Sala de lo Contencioso-administrativo, de 19 May. 2010, rec. 17/2010.- LA LEY 77125/2010.

STSJ Les Illes Balears, Sala de lo Contencioso-administrativo, de 27 Jun. 2011, rec. 727/2009.- LA LEY 120915/2011.

STSJ Les Illes Balears, Sala de lo Contencioso-administrativo, de 23 Abr. 2010, rec. 700/2005.- LA LEY 60588/2010.

MODELO DE EXPEDIENTE de espectáculo público o actividad recreativa permanente mayor *(Disponible a texto íntegro en smarteca.es)*

1) *Inicio expediente*

2) *Admisión a trámite del expediente*

3) *Informe técnico sobre compatibilidad urbanística de la actividad*

4) *Edicto de información pública*

5) *Certificado de reclamaciones*

6) *Requerimiento informe técnico integrado*

7) *Informe técnico integrado*

8) *Resolución otorgando permiso de inicio de instalación y obras*

9) *Notificación de la resolución otorgando permiso de inicio de instalación y obras*

10) *Procedimiento de inicio y ejercicio de actividad que ha requerido instalación sin obras*

A) Declaración responsable de inicio y ejercicio de actividad

B) Toma de conocimiento del Ayuntamiento del inicio de la actividad

C) Notificación de la toma de conocimiento de inicio de actividad

11) *Procedimiento de inicio y ejercicio de actividad que ha requerido instalación y obras*

A) Declaración responsable de inicio y ejercicio de actividad

B) Toma de conocimiento del Ayuntamiento del inicio de la actividad

C) Notificación de la toma de conocimiento de inicio de actividad

II. Expediente de cambio de titularidad de actividad permanente (Ley 7/2013)

1. Claves del Expediente

Aunque es una cuestión que puede considerarse pacífica, el cambio de titularidad en general de los establecimientos, negocios y actividades en general y en particular de la licencia ambiental se sujeta al cumplimiento de unos requisitos mínimos, que tienen como objetivo fundamental el poner en conocimiento de la Administración (órgano sustantivo ambiental) el nuevo titular de la actividad.

A tenor del artículo 13.1 del Reglamento de Servicios de las Corporaciones Locales, aprobado por Decreto de 17 de junio de 1955, las licencias relativas a las condiciones de una obra, instalación o servicio serán transmisibles, pero el antiguo y el nuevo constructor o empresario deberán comunicarlo por escrito a la Corporación, sin lo cual quedarán ambos sujetos a todas las responsabilidades que se derivaren para el titular.

Esta posición legal ha quedado superada mediante el art. 3.2 de la Ley 12/2012, de 26 de diciembre, de medidas urgentes de liberalización del comercio y de determinados servicios, al decir que no están sujetos a licencia los cambios de titularidad de las actividades comerciales y de servicios, siendo exigible en estos casos una comunicación previa a la administración competente a los solos efectos informativos.

Ha de tenerse en cuenta:

- La comunicación ha de ser expresa.

- No es necesario que vaya acompañada de título o documento que acredite la transmisión (contrato de compraventa, de arrendamiento, de cesión etc.)

- Si la transmisión se produce sin realizar la correspondiente comunicación, el anterior y el nuevo titular quedan sujetos, de forma solidaria, a todas las responsabilidades y obligaciones derivadas del incumplimiento de dicha obligación.

Junto con la régimen jurídico de la legislación estatal, la exposición de motivos de la ley 7/2013, se refiere a la transmisión y cambio de titular, al decir que por su situación socio-económica, la transmisión de las actividades ha sido y es unos de los **puntos más conflictivos** que ha motivado que se produjeran **estancamientos o sobrecostes** para iniciar la actividad en establecimientos que disponían de instalaciones y condiciones favorables. Para solucionarlo, se ha optado por indicar, de forma clara, que el permiso de instalación o comunicación previa tiene un **carácter real y objetivo** y, por lo tanto, se otorga en atención a las condiciones del local, sin perjuicio que para el inicio y el ejercicio de la actividad se puedan realizar tanto transmisiones como cambios de titular.

PREGUNTAS CLAVE

1. ¿Se considera infracción no comunicar la transmisión de la actividad?

El art. 102.1 e) de la Ley 7/2013, de 26 de noviembre, de régimen jurídico de instalación, acceso y ejercicio de actividades, tipifica como infracción leve la falta de comunicación de la transmisión o del cambio de titularidad o de la baja de la actividad.

2. Resuelve el art. 12 de la Ley 7/2013, el problema del cambio de titularidad sin consentimiento del anterior titular?

Entendemos que el art. 12.2 de la Ley 7/2013 de 26 de noviembre, de régimen jurídico de instalación, acceso y ejercicio de actividades, viene a contradecir la voluntad expresada en la propia exposición de motivos, al exigir que la comunicación de la transmisión de la actividad sea firmada por el nuevo y el anterior titular. Considerando que el nuevo titular se subroga en los derechos, obligaciones y en las responsabilidades que de la transmisión se deriva, nada obsta a que el Ayuntamiento tome conocimiento de la transmisión que se realice sin el cumplimiento, no siempre posible de tal requisito.

3. ¿Es sancionable la comunicación al Ayuntamiento de la transmisión?

El art. 102.1.e) de la Ley 7/2013 de 26 de noviembre, de régimen jurídico de instalación, acceso y ejercicio de actividades, tipifica como infracción leve, sancionable con multa de 300 a 1.000 euros la falta de comunicación de la transmisión o del cambio de titularidad (art. 107.1 a).

2. Jurisprudencia

• El cambio de titular por sí solo resultaba jurídicamente irrelevante en cuanto afectaría a los posibles derechos de los particulares (STS de 23 diciembre 1998), porque la licencia mantenía su vigencia mientras subsistieran las condiciones de la actividad, de modo que el Ayuntamiento, **de no advertir otras modificaciones que las subjetivas, que son inoperantes a estos efectos, debió otorgar la transmisión de la titularidad de la licencia cuando le fue comunicado por escrito por el dueño del establecimiento,** toda vez que no ofrecía duda el título legítimo de la transmisión ya que la subrogación en la explotación se producía por los dueños del local a favor del nuevo titular, una vez que el anterior arrendamiento había sido declarado extinguido por resolución judicial. [STSJ País Vasco 13 julio 2001]

• La Administración está obligada a reconocer el cambio de la titularidad de la licencia sin perjuicio de las distintas actuaciones que le conciernen ejercer contra la misma del mismo modo que si no se hubiese transmitido. [STSJ Madrid 18 septiembre 2001]

• No constando que la licencia de apertura en su día concedida al demandante lo fuese en atención a su persona, esto es, a especiales circunstancias personales del mismo que impidiesen su transmisión a los efectos prevenidos en el art. 13 del Reglamento de Servicios de las Corporaciones Locales, tal y como se sostiene, entre otras, en la STS de 12 Jul. 2000, **el cambio de titular no requiere la solicitud de una nueva licencia, la cual solo sería exigible si hubiese existido una modificación de la actividad para la cual aquélla se concedió, lo que no se da en este caso.** Por tanto, el único efecto o consecuencia jurídica de la falta de notificación por escrito de tal circunstancia es la **sumisión conjunta de transmitente y adquirente a las responsabilidades** de la explotación de la licencia, sin que lleve consigo la imposición de la sanción debatida en estos autos. [STSJ Extremadura 27 septiembre 2001.- LA LEY 170424/2001]

• Para proceder al cambio de titularidad el Ayuntamiento ha de tener constancia de que efectivamente dicho cambio se ha producido, y ello por dos mecanismos alternativos, uno bilateral, que no es otro que la conformidad del anterior titular, y otro, que no precisa dicha conformidad, más complejo, que consiste en la acreditación de que se ha adquirido por cualquier medio, *inter vivos* o *mortis causa*, la propiedad o posesión del inmueble en cuestión. [STSJ Madrid 15 enero 2004]

• La transmisión de la licencia constituye en definitiva la realización de un **negocio jurídico del transmitente en cuanto titular originario de la autorización administrativa pero sin que tal operación traslativa tenga relevancia a efectos de alterar las condiciones de la propia autorización,** de tal modo que permanece idéntica su eficacia y viabilidad jurídica del acto proyectado y en consecuencia del incumplimiento del deber administrativo impuesto por el artículo 13.1 del RSCL, de comunicar la transferencia al Ayuntamiento, circunstancia no realizada en el supuesto de autos, **no repercute sobre la validez y existencia de la licencia y sí en cambio, únicamente en el régimen de responsabilidades derivado de la titularidad de la licencia** quedando también el transmitente sujeto junto con el adquirente a dichas responsabilidades máxime cuando el deber de comunicación de la transmisión de la licencia ha de operar a efectos de información del Ayuntamiento de los titulares en cada momento de licencias. [STSJ Extremadura 15 diciembre 2006.- LA LEY 214993/2006]

• A juicio de la Sala la sentencia apelada lleva a cabo una interpretación correcta del régimen de transmisión de la licencia de apertura de autos de acuerdo con el Reglamento de Servicios de las Corporaciones Locales, **transmisión que no se halla sujeta a un régimen de autorización administrativa sino a uno de mera comunicación, de forma que la transmisión es libre de acuerdo con los modos y formas admitidos en derecho para transmitir o adquirir la propiedad o la posesión, y no queda condicionada a una autorización administrativa**, ya que lo único que le corresponde a la Administración es tomar razón del cambio si se produce la comunicación, o no hacerlo si no se produce en la forma exigible, «pero en modo alguno autorizarlo o denegarlo, de forma que, a partir de dicho acto de comunicación la Administración habrá necesariamente de considerar a la cesionaria como titular de la licencia a todos los efectos legales derivados del ejercicio de la actividad, si se ha cumplido el requisito de la comunicación».

La introducción por el art. 23.2 de la Ordenanza municipal de licencias del requisito de que la nueva titular de la licencia garantice expresamente y por escrito, que debe acompañarse a la comunicación de cambio de titularidad, que asume todas las cargas inherentes a la licencia en cuestión, infringe claramente el art. 13 del Reglamento de Servicios de las. Corporaciones Locales, lo que determina su nulidad ex art. 62.2 LRJAPyPAC, puesto que **transforma el régimen de mera comunicación previsto en el mismo, en uno de autorización**, en el que la transmisión no se perfecciona sino con la decisión administrativa que la autoriza, puesto que, tal y como postula el Ayuntamiento en el acto recurrido y argumenta en el recurso de apelación, el incumplimiento de dicho requisito comporta «no acceder» al cambio de titularidad, esto es, denegar el cambio de titularidad por incumplimiento de dicho precepto. [STSJ País Vasco 10 octubre 2011.- LA LEY 300763/2011]

• Tampoco cabe oponer el artículo 42 de la Ley 11/2003 de 8 de abril, de Prevención Ambiental de Castilla y León puesto que, de su lectura e interpretación literal, llegamos a una conclusión distinta de la que se contiene en la Sentencia recurrida, ya que claramente se refiere **solo al deber de comunicación a las Administraciones y a las consecuencias del incumplimiento de tal deber,** que se ventilan no en la denegación de la transmisión de la licencia, sino en el de las responsabilidades de cedente y cesionario del incumplimiento de las obligaciones que impone la ley. [STSJ Castilla y León (Burgos) 28 noviembre 2011.- LA LEY 232204/2011]

- De todo lo expuesto se concluye que el **cambio de titularidad de licencia solicitado no era una cuestión discutible** y por ello la Resolución de 3 de junio de 2005, no puede incardinarse dentro del margen de razonabilidad del que disponía la administración local para resolver, pues solicitado un cambio de titularidad de licencia, se entiende por el ayuntamiento que procede la solicitud de nueva licencia por cambio de actividad y ello a pesar de que los informes, ponían en evidencia de que se trataba de un cambio de titularidad, con el resultado ya conocido de anulación de estas resolución, y la pertinente declaración de responsabilidad patrimonial, **pues el ayuntamiento de Gandía venia obligado a otorgar el cambio de titularidad de licencia solicitado al cumplirse todos los requisitos necesarios para ello y estar acreditadas dichas circunstancias en el expediente instruido al efecto,** sin margen de interpretación y sin que en la resolución inicialmente anulada se cite un solo informe que avale lo resuelto por el Ayuntamiento que lo fue al margen de toda apreciación razonable. [STS Comunidad Valenciana 17 abril 2013.- LA LEY 90145/2013]

- ...De acuerdo con este precepto es evidente que **el cambio de titularidad no precisa de la obtención de una nueva licencia**. Solo precisa de una autorización municipal de que las obras e instalaciones, se ajustan a la licencia de actividad. Esta exigencia, incluso desaparecerá en la Ley 2/2006, de calidad ambiental, en cuyo art. 62, la transmisión sin alteración, solo es objeto de comunicación. [STSJ Comunidad Valenciana 28 noviembre 2014.- LA LEY 232360/2014]

- La conclusión de que, **para autorizar el cambio de titularidad del establecimiento, basta la mera comunicación al Ayuntamiento es conforme a derecho**, sin perjuicio, insistimos, en que ora de oficio por la propia Administración ora a instancia de algún interesado pueda controlarse la actividad y, en su caso, imponerse medidas correctoras de la concreta actividad, incluso la incoación de procedimiento sancionador si hubiere méritos para ello. [STSJ Andalucía (Granada) 15 noviembre 2016.- LA LEY 202226/2016]

- Podemos aplicar la doctrina expresada en la Sentencia dictada por esta Sala y Sección 15 de abril de 2015, dictada en el recurso de apelación número 138/2015 dimanante de la Pieza Separada de Suspensión n.º 522/2014 del Juzgado de lo Contencioso-Administrativo número 14 de Madrid, en la que hemos indicado «En el supuesto de autos, sin que la decisión que aquí se adopte ni la fundamentación jurídica de la presente resolución suponga en modo alguno prejuzgar el fondo del asunto, a los meros efectos cautelares que nos ocupan, el recurso de apelación debe ser desestimado por no concurrir la apariencia de buen derecho alegada por el apelante. Y ello es así porque tal y como se hace constar en la propia resolución administrativa ordenando el precinto, tal decisión se adopta en ejecución de tres resoluciones sancionadoras previas impuestas por periodos de nueve meses, un año y dos años, que aunque impuestas con carácter firme con anterioridad al inicio de la actividad por parte del apelante (contrato de arrendamiento del local de 17 de septiembre de 2014, declaración responsable de inicio de actividad de establecimiento de restauración presentado ante la Comunidad de Madrid el 19 de septiembre de 2014 y comunicación al Ayuntamiento de Madrid de cambio de titularidad de actividades presentada el 19 de septiembre de 2014) y siendo el sujeto sancionado un tercero, sin embargo no podemos acceder a la suspensión instada sin eludir el cumplimiento de tres resoluciones sancionadoras firmes que afectan de forma directa a la licencia del local en el que ejerce su actividad el apelante. Así se desprende del contenido del art. 41.4 de la Ley 17/1997 de Espectáculos Públicos y Actividades Recreativas de la Comunidad de Madrid, según el cual "Las sanciones de clausura de locales…, cuando sean superiores a seis meses, conllevarán la suspensión de las licencias reguladas en esta Ley". Por tanto, **la pretendida transmisión de la licencia con que cuenta el local de autos, no pudo operar de forma válida por la sencilla razón de que la misma quedó suspendida una vez impuestas las sanciones con carácter firme, quedando así pues el local afectado por la sanción de clausura sin posibilidad de transmisión de una licencia suspendida por ministerio de la ley**». [STSJ Madrid 7 junio 2017.- LA LEY 105935/2017]

• Es cierto que el Reglamento de las corporaciones locales, cuando regula la trasmisión de licencias, **sólo pretende establecer el requisito de la comunicación puesto que la licencia de actividad continua vigente,** en tanto subsistan las condiciones exigidas para su otorgamiento, **sin que afecte a la licencia de actividad el sujeto que ostenta su titularidad** y ello con el fin de que, si no se produjera la citada comunicación, serían responsables tanto el transmitente de la licencia, como el adquirente de la licencia, por lo que la aplicación del art. 13.1 del citado reglamento, pero ello en nada afecta al actor, ni menos aun determina la nulidad de la resolución impugnada. [STSJ Comunidad Valenciana 15 noviembre 2017.- LA LEY 217823/2017]

3. Legislación aplicable

— Estatal

Art. 13 del Decreto de 17 de junio de 1955, por el que se aprueba el Reglamento de Servicios de las Corporaciones Locales.

Art. 3 de la Ley 12/2012, de 26 de diciembre, de medidas urgentes de liberalización del comercio y de determinados servicios.

— Autonómica

Art. 12, 102.1 e) y 107.1 a) de la Ley 7/2013 de 26 de noviembre, de régimen jurídico de instalación, acceso y ejercicio de actividades.

4. Documentos de interés

— Doctrina

CANO MURCIA, Antonio. *El Nuevo Régimen de las Licencias de Apertura*. El Consultor de los Ayuntamientos y de los Juzgados. Madrid 2010.

—. *Apunte legislativo sobre transmisión o cambio de titularidad*.- LA LEY 18710/2011.

MORA GONZÁLEZ, María Jesús. «La transmisión de las licencias urbanísticas». *El Consultor de los Ayuntamientos y de los Juzgados*, n.º 23, Quincena del 15 al 29 Dic. 2007, Ref. 3889/2007, pág. 3889, tomo 3, LA LEY.- LA LEY 6927/2007.

— Reseña jurisprudencial

STSJ Les Illes Balears, Sala de lo Contencioso-administrativo, n.º 401/2015, de 15 Jun. 2015, Rec. 89/2015.- LA LEY 87698/2015.

STSJ Les Illes Balears, Sala de lo Contencioso-administrativo, n.º 13/2015, de 27 Ene. 2015, Rec. 202/2012.- LA LEY 971/2015.

STSJ Les Illes Balears, Sala de lo Contencioso-administrativo, de 29 Abr. 2010, rec. 193/2008.- LA LEY 77091/2010.

STSJ Les Illes Balears, Sala de lo Contencioso-administrativo, de 19 May. 2010, rec. 17/2010.- LA LEY 77125/2010.

STSJ Les Illes Balears, Sala de lo Contencioso-administrativo, de 27 Jun. 2011, rec. 727/2009.- LA LEY 120915/2011.

STSJ Les Illes Balears, Sala de lo Contencioso-administrativo, de 23 Abr. 2010, rec. 700/2005.- LA LEY 60588/2010.

MODELO DE EXPEDIENTE: Cambio de titularidad *(Disponible a texto íntegro en smar-teca.es)*

1)   Comunicación de cambio de titularidad de actividad permanente

2)   Resolución de toma de conocimiento del cambio de titularidad de actividad inocua

3)   Notificación de la toma de conocimiento del cambio de titularidad de actividad inocua

III.   Expediente de control de actividad recreativa

1.   Claves del Expediente

El control que se ejerce una vez que está en funcionamiento una actividad recreativa está recogido en los arts. 83 y ss. de la 7/2013, de 26 de noviembre, de régimen jurídico de instalación, acceso y ejercicio de actividades en las Illes Balear.

Dicho control, se ejercerá por la Administración competente dentro de su ámbito de actuación, llevándose a efecto por funcionarios que ocupen puestos de trabajo que tengan atribuidas funciones en materia de inspección de actividades clasificadas y/o espectáculos públicos. Los inspectores tienen carácter de agente de la autoridad, pudiendo ser auxiliados por personal funcionario (art. 86.1 y 2 de la Ley 7/2013, de 26 de noviembre, de régimen jurídico de instalación, acceso y ejercicio de actividades en las Illes Balear).

Una de las consecuencias de la inspección que se realice y posterior levantamiento del acta de inspección, de la que se dará copia al titular u organizador o su representante (art. 88 de la Ley 7/2013, de 26 de noviembre, de régimen jurídico de instalación, acceso y ejercicio de actividades en las Illes Balear).

También puede realizar tareas de inspección y control el personal inspector de las ECAC, que no tiene carácter de agente de la autoridad, cuyas declaraciones no disfrutan de presunción de veracidad (art. 8.3 de la Ley 7/2013, de 26 de noviembre, de régimen jurídico de instalación, acceso y ejercicio de actividades en las Illes Balear).

PREGUNTAS CLAVE

1. ¿Quién tiene la competencia de vigilancia, control, inspección de las licencias ambientales?

La competencia recae en el Ayuntamiento y corresponde ejercerla al alcalde y por delegación de éste a la Junta de Gobierno Local, o concejal delegado.

2. ¿Cuándo se realiza el control de una actividad permanente?

Sin perjuicio de las inspecciones a que estén sometidas las actividades en cualquier momento por parte de las administraciones competentes, los titulares de las actividades nuevas y las actividades anteriores a la entrada en vigor de la ley 7/2013, que dispongan de la revisión técnica de actualización favorable prevista en la disposición transitoria décima, tendrán que hacer una revisión técnica periódica **cada 15 años en las actividades menores e inocuas; cada 10 años en las de infraestructuras comunes**; y en las actividades mayores, desde la fecha de inicio de la actividad o desde la fecha de presentación ante la administración competente de la revisión técnica de actualización o periódica favorable (art. 49 de la Ley 7/2013 de 26 de noviembre, de régimen jurídico de instalación, acceso y ejercicio de actividades).

3. ¿Puede incoarse procedimiento sancionador como consecuencia del acta de comprobación que se levante?

Sí. Es un consecuencia directa del resulta de presunta infracción que se derive del acta que al efecto se levante con el contenido del art. 88 de la Ley 7/2013 de 26 de noviembre, de régimen jurídico de instalación, acceso y ejercicio de actividades.

4. ¿Qué consecuencias tiene para el titular de la actividad la entrega del acta de inspección?

La entrega del acta de inspección al titular o al encargado de la actividad implica la notificación de las anomalías observadas y determina la apertura del trámite de audiencia para que en un plazo improrrogable de quince días pueda manifestar lo que considere adecuado y acreditar la legalidad de la actividad. Transcurrido este plazo, la administración competente adoptará, si procede, el acuerdo de medida cautelar de suspensión de la actividad (art. 90.1 de la Ley 7/2013 de 26 de noviembre, de régimen jurídico de instalación, acceso y ejercicio de actividades).

5. ¿Qué son las medidas provisionalísimas?

Las medidas provisionalísimas son las que podrán adoptar los inspectores con carácter previo al inicio del procedimiento sancionador, únicamente cuando a consecuencia de la infracción que se detecte se haya creado una situación concreta de peligro perfectamente objetivada conforme al punto 4 del art. 91 de la Ley 7/2013 de 26 de noviembre, de régimen jurídico de instalación, acceso y ejercicio de actividades.

2. Jurisprudencia

• La licencia de apertura y/o funcionamiento **crea una relación permanente con la Administración,** ya que las exigencias del interés público demandan un funcionamiento correcto de la actividad y de sus medidas correctoras, **lo cual implicará que la actividad desarrollada quede, durante la vigencia de la licencia, sujeta a inspecciones administrativas para la comprobación** del cumplimiento de las condiciones expresadas en la misma, conforme declaran, entre otras, las SSTS de 4 octubre 1986 y 30 junio 1987. [STSJ Madrid 13 noviembre 2001]

• **La licencia de apertura** y funcionamiento de establecimientos o actividades potencialmente nocivas o peligrosas, **a diferencia de las que suponen un control de un acto
u operación determinada, tiene por objeto el control de una actividad llamada a prolongarse indefinidamente en el tiempo**, denominándose por ello, doctrinalmente, **licencias de funcionamiento**, lo que acarrea, como consecuencia, que la autorización y sus
condiciones prolonguen su vigencia tanto como dure la actividad autorizada… Sobre
esta base y a propósito de las licencias de apertura y funcionamiento antes citadas, la
jurisprudencia ha reconocido que «la posibilidad de actuación en esta materia de los
Ayuntamientos, como titulares de policía de seguridad, **no se agota con la concesión y
la revocación de las licencias de apertura, sino que, más bien disponen de unos poderes
de intervención de oficio y de manera constante con la finalidad de salvaguardar la
protección de personas y bienes pudiendo imponer, en consecuencia, cualesquiera
correcciones y adaptaciones que estimen necesarias sin que ello suponga una ilícita
vuelta contra los propios actos**». Por consiguiente, hay que admitir respecto de estas
licencias de funcionamiento la posibilidad, e, incluso, el deber de la Administración de
modificar el contenido de la autorización inicialmente otorgada para mantenerlo correctamente adaptado, a lo largo de su vigencia, a las exigencias del interés público. [STSJ
Madrid 12 febrero 2014.- LA LEY 19239/2014]

• **La actividad está sometida al control permanente que sobre ella debe ejercer la
administración y que no puede quedar limitado al plazo de cuatro años**, cuestión ya
establecida por esta Sala en anteriores sentencias de 4 de diciembre de 1998 y 6 de mayo
de 1999. [STSJ Madrid 27 junio 2014.- LA LEY 108979/2014]

• En la presente *litis*, no es necesario acudir a la revisión de oficio de actos firmes,
dado que en cualquier caso, nos encontramos ante una actividad (BAR RESTAURANTE),
que requiere licencia de apertura, en el que la actividad de control por las administraciones, no culmina con la licencia de apertura, sino que se realiza una función constante
y permanente, **en el que la actividad de control por la administración es continua, y el
sujeto sometido a la intervención administrativa debe cumplir las previsiones legales
que se vayan produciendo en la actividad sometida al control de la administración.**
[STSJ Castilla y León (Burgos) 11 septiembre 2015.- LA LEY 134406/2015]

3.   Legislación aplicable

— Estatal

RD 2816/1982, de 27 de agosto, por el que se aprueba el Reglamento General de
Policía de Espectáculos Públicos y Actividades Recreativas.

Ley 39/2015, de 1 de octubre, del Procedimiento Administrativo Común de las
Administraciones Públicas.

— Autonómica

Ley 7/1999, de 8 de abril, de Atribución de Competencias a los Consejos Insulares
de Menorca y de Eivissa i Formentera en materia de Espectáculos Públicos y Actividades
Recreativas.

Decreto 41/2011, de 29 de abril, regulador de los servicios de admisión y control de
ambiente interno en las actividades de espectáculos públicos y recreativas.

Decreto 3/1999, de 5 de febrero, de distribución de competencias en materia sancionadora de espectáculos públicos y actividades recreativas.

Ley 7/2013, de 26 de noviembre, de régimen jurídico de instalación, acceso y ejercicio de actividades en las Illes Balears.

Decreto 18/1996, de 8 de febrero, por el que se aprueba el Reglamento de las actividades clasificadas.

4. Documentos de interés

— Doctrina

BARRANCO VELA, Rafael; BULLEJOS CALVO, Carlos; y CAMPOS SÁNCHEZ, Miguel Ángel. *Espectáculos Públicos, Actividades Recreativas y Establecimientos Públicos*. El Consultor de los Ayuntamientos y Juzgados. 2011.

CANO MURCIA, Antonio. «Calificación ambiental y la declaración responsable en la Ley 7/2007, de gestión integrada de la calidad ambiental de Andalucía. Análisis crítico al Decreto-Ley 3/2015». *El Consultor de los Ayuntamientos y de los Juzgados*, n.º 9/2015.

—. *El Nuevo Régimen de las Licencias de Apertura*. El Consultor de los Ayuntamientos y de los Juzgados. Madrid 2010.

CHOLBÍ CACHÁ, Francisco Antonio. *El régimen de la comunicación previa, las licencias de urbanismo y su procedimiento y otorgamiento*. El Consultor de los Ayuntamientos y Juzgados. 2010.

MODELO DE EXPEDIENTE de control de actividad recreativa *(Disponible a texto íntegro en smarteca.es)*

1) Acta de inspección

2) Resolución confirmado las medidas provisionalísimas

3) Notificación de la resolución confirmando las medidas provisionalísimas

4) Resolución ordenando apertura de expediente

5) Notificación de acta de comprobación en trámite de audiencia

6) Escrito de alegaciones en trámite de audiencia

7) Resolución del expediente de comprobación

8) Notificación de la resolución

IV. Expediente de actividad temporal

1. Claves del Expediente

Se regulan en los arts. 72 a 77 del Decreto 18/1996, de 8 de febrero, por el que se aprueba el Reglamento de las actividades clasificadas.

A tenor de lo dispuesto en el art. 72.1 del Decreto 18/1996, de 8 de febrero, por el que se aprueba el Reglamento de las actividades clasificadas, son actividades temporales todas aquellas instalaciones, aparatos, atracciones, casetas de feria, barracas provisionales, circos e instalaciones similares, de carácter eventual, sean o no desmontables.

Para la obtención de la licencia municipal de instalación, apertura y funcionamiento, deberá presentarse en el ayuntamiento la solicitud correspondiente, acompañada de la documentación siguiente:

- Un ejemplar del proyecto tipo convalidado por la Consejería de Gobernación, el cual podrá ser devuelto al titular una vez finalizada la actividad.

- Acreditación de su inscripción en el Registro autonómico de actividades temporales.

- Plano de emplazamiento de la actividad temporal a escala adecuada.

La tramitación de estos expedientes tendrá carácter preferente a los efectos de ser resueltos en el plazo más breve posible.

El alcalde, o en su caso, el órgano municipal competente, otorgará o denegará la licencia municipal de instalación, apertura y funcionamiento, previos los informes correspondientes.

2. Jurisprudencia

- Y en este caso está acreditado por la documental aportada con la demanda que el titular del pub Camelot no es la demandante sino D Juan Pablo, como se indica en la sentencia de instancia, y **es el titular del establecimiento abierto al público el que ha de suscribir el contrato de seguro al que se refiere el art. 6 de la citada Ley Autonómica 7/2006**, y cuyo incumplimiento por ese titular determina la comisión de la infracción muy grave prevista en el art. 36.6 de esa Ley. El hecho de que la demandante en vía administrativa no cuestionara la titularidad de ese pub Camelot en sus alegaciones —lo que ha explicado al señalar que era la titular de otro pub, el denominado pub Iris, que también figura en el expediente— **no determina que ha de soportar la sanción impuesta cuando ha acreditado que no es la titular** del citado pub Camelot, debiendo recordarse que en el procedimiento sancionador rige el principio de presunción de inocencia, como establece el art. 137 LRJAP, lo que comporta, sin necesidad ahora de mayores precisiones, que corresponde a la Administración la acreditación de los hechos que determinan la imposición de la correspondiente sanción. [STSJ Castilla y León (Valladolid) 30 septiembre 2016.- LA LEY 153959/2016]

- Conduciendo la cuestión por tanto al análisis respecto de la existencia de base fáctica de la infracción debemos ratificar la decisión del Juzgado de instancia. Así tal y como señala la Administración apelante **es cierto que la póliza de seguro no aparece firmada por el recurrente como tomador del seguro.** Del mismo modo el justificante de pago obrante al folio 45 del expediente administrativo no consigna la fecha en el pretendido pago tuvo lugar y finalmente, el documento bancario que consta en el folio 46 del citado expediente, es un simple aviso de adeudo provisional por domiciliación subordinado al adeudo definitivo. Ahora bien se estima por la Sala que ello no permite inferir la inexistencia del seguro. **En una valoración conjunta del seguro cabe determinar sobre la base de tales documentos la existencia del mismo pues de una parte la voluntad de la aseguradora se infiere de su firma y del adeudo de pago. Del mismo modo cabe entender producida la voluntad del asegurado** pues siendo el seguro del año 2004 el aviso de adeudo emitido confirma la vigencia del seguro razón por la que resulta razonable atribuir al pago efectivamente realizado al año 2004 (fecha de la denuncia y de la póliza del seguro firmada por la aseguradora que consta en autos). Tal conclusión resulta además reforzada por la actuación misma de la Administración que considero tal documentación suficiente para proceder al archivo del expediente NUM001. Del mismo modo se considera por el funcionario informante del recurso de alzada interpuesto por el recurrente frente a la resolución sancionadora. [STSJ Andalucía (Granada) 19 noviembre 2012.- LA LEY 233655/2012]

3. Legislación aplicable

— Estatal

RD 2816/1982, de 27 de agosto, por el que se aprueba el Reglamento de Policía de Espectáculos Públicos y Actividades Recreativas.

RD 989/2015, de 30 de octubre, por el que se aprueba el Reglamento de artículos pirotécnicos y cartuchería.

— Autonómica

Ley 7/1999, de 8 de abril, de Atribución de Competencias a los Consejos Insulares de Menorca y de Eivissa i Formentera en materia de Espectáculos Públicos y Actividades Recreativas.

Decreto 41/2011, de 29 de abril, regulador de los servicios de admisión y control de ambiente interno en las actividades de espectáculos públicos y recreativas.

Decreto 3/1999, de 5 de febrero, de distribución de competencias en materia sancionadora de espectáculos públicos y actividades recreativas.

Ley 7/2013, de 26 de noviembre, de régimen jurídico de instalación, acceso y ejercicio de actividades en las Illes Balears.

Decreto 18/1996, de 8 de febrero, por el que se aprueba el Reglamento de las actividades clasificadas.

4. Documentos de interés

— Doctrina

CANO MURCIA, Antonio. «Efectos de la Ley 17/2009, de 23 de noviembre, sobre el libre acceso a las actividades de servicios».- LA LEY 19116/2011.

—. «Requisitos generales para la transmisión de la licencia de apertura».- LA LEY 19115/2011.

CHOLBÍ CACHÁ, Francisco Antonio. «El contenido supletorio del Reglamento de Servicios sobre interrelación de licencias».- LA LEY 24314/2011.

MODELO DE EXPEDIENTE *(Disponible a texto íntegro en smarteca.es)*

1)   *Comunicación de realización de actividad temporal*

2)   *Resolución admitiendo a trámite el expediente*

3)   *Informe técnico*

4)   *Informe jurídico*

5)   *Resolución de la Alcaldía*

6)   *Notificación de la resolución*

13. LA RIOJA

I. Expediente de concesion de licencia ambiental para espectáculo público o actividad recreativa

1. Claves del Expediente

Los establecimientos o instalaciones en los que hayan de realizarse espectáculos públicos o actividades recreativas, deberán contar previamente con licencia de funcionamiento expedida por la Administración Municipal correspondiente, sin perjuicio de otras autorizaciones que les sean exigibles en virtud de normativa específica (art. 7.1 de la Ley 4/2000, de 25 de octubre, de Espectáculos Públicos y Actividades Recreativas de la Comunidad Autónoma de La Rioja)

Dentro de la normativa específica nos encontramos con la licencia ambiental, se enmarca dentro de la protección del medio ambiente como la resolución preceptiva y previa para la puesta en funcionamiento de actividad o instalaciones susceptibles de causar molestias o daños a las personas, bienes o al medio ambiente (art. 9.2. c) de la Ley 6/2017, de 8 de mayo, de Protección del Medio Ambiente de la Comunidad Autónoma de La Rioja

El procedimiento se regula en el art. 21 de la Ley 6/2017, de 8 de mayo, de Protección del Medio Ambiente de la Comunidad Autónoma de La Rioja.

Ha de tenerse en cuenta la contradicción existente entre la Ley 4/2000, de 25 de octubre, de Espectáculos Públicos y Actividades Recreativas de la Comunidad Autónoma de La Rioja, que exige licencia municipal de funcionamiento y la Ley 6/2017, de 8 de mayo, de Protección del Medio Ambiente de la Comunidad Autónoma de La Rioja, que para actividades que puedan afectar a la seguridad o a la salud pública, con la finalidad de prevenir o reducir la contaminación acústica, propias de los espectáculos públicos y las actividades recreativas exige licencia ambiental y declaración responsable de apertura, por lo que nos encontramos ante tres procedimientos que pueden solaparse.

2. Legislación aplicable

— Europea

Directiva 2006/123/CE del Parlamento y del Consejo, de 12 de diciembre de 2006, relativa a los servicios en el mercado interior.

— Estatal

RD 2816/1982, de 27 de agosto, por el que se aprueba el Reglamento General de Policía de Espectáculos Públicos y Actividades Recreativas.

Ley 17/2009, de 23 de noviembre, sobre el Libre Acceso a las Actividades de Servicios.

Arts. 21.1. q) y s), 124.4.ñ), 70.bis y 84, 84 bis y 84 ter. de la Ley 7/1985, de 2 de abril, Reguladora de las Bases de Régimen Local.

Ley 39/2015, de 1 de octubre, del Procedimiento Administrativo Común de las Administraciones Públicas.

— Autonómica

Ley 6/2017, de 8 de mayo, de Protección del Medio Ambiente de la Comunidad Autónoma de La Rioja.

Ley 4/2000, de 25 de octubre, de Espectáculos Públicos y Actividades Recreativas de la Comunidad Autónoma de La Rioja.

Decreto 32/2010, de 21 de mayo, por el que se regula la actividad de control de acceso a discotecas, salas de baile y salas de fiesta de la Comunidad Autónoma de La Rioja.

Decreto 62/2006, de 10 de noviembre, por el que se aprueba el Reglamento de Desarrollo del Título I, «Intervención Administrativa», de la Ley 5/2002, de 8 de octubre, de Protección del Medio Ambiente de La Rioja.

3. Documentos de interés

— Doctrina

CANO MURCIA, Antonio. El Nuevo Régimen de las Licencias de Apertura. *El Consultor de los Ayuntamientos y de los Juzgados*. Madrid 2010.

GOMEZ PUERTO Ángel B. «Consideraciones constitucionales y administrativas sobre el medio ambiente. El papel de los Ayuntamientos». *Actualidad Administrativa*, n.º 9, Sección A Fondo, septiembre 2013, pág. 1100, tomo 2.- LA LEY 4868/2013.

HERNÁNDEZ LÓPEZ, Juan. «La Directiva de Servicios y su incidencia en el ámbito municipal. Apuntes de urgencia», *El Consultor de los Ayuntamientos y de los Juzgados*, n.º 19, Quincena del 15 al 29 de octubre de 2009, Ref. 2772/2009, La Ley 15863/2009.

MARTÍN HERNÁNDEZ, Paulino.- «Las licencias para actividades clasificadas». Esta doctrina forma parte del libro *Administración Local. Estudios en Homenaje a Ángel Ballesteros*, edición n.º 1, *El Consultor de los Ayuntamientos y de los Juzgados,* Madrid, enero 2011.- LA LEY 21893/2011.

— Reseña jurisprudencial

STSJ La Rioja, Sala de lo Contencioso-administrativo, de 14 Mar. 2012, rec. 6/2012.- LA LEY 32475/2012.

STSJ La Rioja, Sala de lo Contencioso-administrativo, de 14 Jun. 2012, rec. 73/2012.- LA LEY 101248/2012.

STSJ La Rioja, Sala de lo Contencioso-administrativo, de 23 May. 2007, rec. 133/2006.- LA LEY 153788/2007.

MODELO DE EXPEDIENTE *(Disponible a texto íntegro en smarteca.es)*

1)   Inicio expediente para concesión de licencia ambiental

2)   Admisión a trámite del expediente

3)   Edicto de información pública

4)   Trámite de audiencia

5)   Notificación trámite de audiencia

6)   Escrito de alegaciones en trámite de audiencia

7)   Informe sobre cuestiones medioambientales

8)   Certificado de reclamaciones

9)   Licencia ambiental

10)   Notificación calificación ambiental

11)   Comunicación de la licencia ambiental a la comunidad autónoma

II.   Expediente de licencia municipal de funcionamiento de actividad recreativa

1.   Claves del Expediente

Una vez otorgada la licencia ambiental de la actividad recreativa procede continuar la tramitación del procedimiento. A tal fin del interesado deberá solicitar la licencia municipal de funcionamiento prevista en el art. 7 de la Ley 4/2000, de 25 de octubre, de Espectáculos Públicos y Actividades Recreativas de la Comunidad Autónoma de La Rioja

Los titulares de locales y establecimientos deberán tener suscrito un contrato de seguro que cubra el riesgo de responsabilidad civil por daños a los participantes, asistentes y a terceros, derivado de las condiciones del establecimiento, de sus instalaciones y servicios, así corno de la actividad desarrollada y del personal que preste sus servicios en el mismo (art. 5.3 de la Ley 4/2000, de 25 de octubre, de Espectáculos Públicos y Actividades Recreativas de la Comunidad Autónoma de La Rioja)

La resolución de concesión de licencia deberá identificar con suficiente precisión al titular de la misma, incluyendo su nombre o razón social, documento nacional dé identidad o Código de Identificación Fiscal y domicilio, denominación, situación y aforo del establecimiento o instalaciones, clase de actividad según catálogo y, en su caso, las medidas o condiciones especiales que se consideren necesarias, al margen de las generales que implique la licencia.

Los espectáculos públicos y actividades recreativas comprendidas en el ámbito de aplicación de la Ley 4/2000, no podrán iniciarse mientras no se disponga del informe favorable de comprobación y del cumplimiento de las condiciones y requisitos exigidos por la concesión de la licencia.

2. Jurisprudencia

• Consecuentemente, a raíz de la reforma operada, **no es preciso que con carácter previo al inicio de la actividad sujeta a licencia ambiental** y con relación a las actividades sujetas a tal licencia, **el Ayuntamiento otorgue previamente lo que se venía denominando licencia de apertura**, pues basta con que con carácter previo al inicio de actividad el titular comunique **su puesta en marcha en los términos dichos**. [**ST**SJ Castilla y León (Burgos) 22 diciembre 2014.- LA LEY 195827/2014]

• La Sala comparte plenamente el argumento ofrecido por el Juez a quo para repeler una pretendida aplicación retroactiva de la Ley 7/2007, de 9 de julio (LA LEY 7871/2007), de Gestión Integrada de la Calidad Ambiental, ya que, efectivamente, pese a la dicción de su Disposición Transitoria Segunda, que se refiere a los procedimientos iniciados con anterioridad a su entrada en vigor para la aprobación, autorización o actualización ambiental, y aunque el procedimiento hubiera concluido en 2003 cuando se otorgó la licencia de apertura, **es lo cierto que la autorización de puesta en marcha e inicio de la actividad** por la resolución impugnada de 2010 **ha de atemperarse a las exigencias normativas del momento de su otorgamiento**, ya que, como muy bien expone el Juez a quo, ello comporta una revisión de los condicionantes ambientales que se tuvieron en cuenta tiempo atrás. [STSJ Andalucía (Granada) 26 enero 2015.- LA LEY 54911/2015]

Sin que lo que aquí se afirme suponga prejuzgar en modo alguno el fondo del asunto, **hemos de partir de una situación jurídica no negada por el apelado y es que carece de licencia de funcionamiento que le permita iniciar la actividad en el local de autos, pues incluso en la resolución de concesión de licencia provisional** tenida en cuenta por el juzgador a quo, se hace expresa referencia a que mientras no se obtenga la licencia de funcionamiento «**no podrá iniciarse el ejercicio de la actividad ni la puesta en marcha de las instalaciones**». Por lo demás y pese a lo genérico de las alegaciones del apelante, le asiste la razón cuando afirma que no se puede acceder a la suspensión cautelar pues el acto impugnado pretende dar cumplimiento a la legalidad urbanística y más en concreto se dicta en ejecución de una sentencia de 29 de julio de 2013 del Juzgado de lo Contencioso-Administrativo n.º 27 de Madrid, confirmada en apelación por sentencia de esta Sección de 11 de febrero de 2015 por la que se declaró ajustada a Derecho la orden de cese de la actividad, indicándose por esta Sección, entre otras afirmaciones, que «Las eventuales dificultades para la obtención, primero, de la licencia de instalaciones generales del edificio y, luego, de la licencia de funcionamiento (dificultades que, por otra parte, no se aclaran ni especifican) no eximen ni al Ayuntamiento de Madrid para la exigencia de su obtención, ni a ADIF ni a la mercantil recurrente de la pertinente solicitud. En caso contrario, se estaría en presencia de una dispensación contraria al ordenamiento jurídico. [STSJ Madrid 15 febrero 2017.- (LA LEY 22717/2017]

3. Legislación aplicable

— Estatal

RD 2816/1982, de 27 de agosto, por el que se aprueba el Reglamento General de Policía de Espectáculos Públicos y Actividades Recreativas.

— Autonómica

Ley 4/2000, de 25 de octubre, de Espectáculos Públicos y Actividades Recreativas de la Comunidad Autónoma de La Rioja.

Decreto 62/2006, de 10 de noviembre, por el que se aprueba el Reglamento de Desarrollo del Título I, «Intervención Administrativa», de la Ley 5/2002, de 8 de octubre, de Protección del Medio Ambiente de La Rioja.

4. Documentos de interés

— Doctrina

CALANCHA MARTÍN, Antonio. «Intervención administrativa en espectáculos públicos y actividades recreativas y de ocio. Breve referencia a la incidencia de la Directiva de Servicios. Normativa de desarrollo». *El Consultor de los Ayuntamientos y de los Juzgados,* n.º 9, Sección Colaboraciones, Quincena del 15 al 29 May. 2011, Ref. 1125/2011, pág. 1125, tomo 2, LA LEY.

CANO MURCIA, Antonio. «Calificación ambiental y la declaración responsable en la Ley 7/2007, de gestión integrada de la calidad ambiental de Andalucía. Análisis crítico al Decreto-Ley 3/2015». *El Consultor de los Ayuntamientos y de los Juzgados*, n.º 9/2015.

—. *El Nuevo Régimen de las Licencias de Apertura*. El Consultor de los Ayuntamientos y de los Juzgados. Madrid 2010.

MODELO DE EXPEDIENTE *(Disponible a texto íntegro en smarteca.es)*

1)   *Inicio expediente de licencia municipal de funcionamiento de actividad recreativa*

2)   *Admisión a trámite del expediente*

3)   *Informe técnico*

4)   *Informe jurídico para la licencia municipal de funcionamiento de la actividad recreativa*

5)   *Licencia municipal de funcionamiento de actividad recreativa*

6)   Notificación licencia municipal de funcionamiento

III.   Expediente de cambio de titularidad de actividad recreativa

1.   Claves del Expediente

Aunque es una cuestión que puede considerarse pacífica, el cambio de titularidad en general de los establecimientos, negocios y actividades en general y en particular de la licencia ambiental se sujeta al cumplimiento de unos requisitos mínimos, que tienen como objetivo fundamental el poner en conocimiento de la Administración (órgano sustantivo ambiental) el nuevo titular de la actividad.

A tenor del artículo 13.1 del Reglamento de Servicios de las Corporaciones Locales, aprobado por Decreto de 17 de junio de 1955, las licencias relativas a las condiciones de una obra, instalación o servicio serán transmisibles, pero el antiguo y el nuevo constructor o empresario deberán comunicarlo por escrito a la Corporación, sin lo cual quedarán ambos sujetos a todas las responsabilidades que se derivaren para el titular.

Esta posición legal ha quedado superada mediante el art. 3.2 de la Ley 12/2012, de 26 de diciembre, de medidas urgentes de liberalización del comercio y de determinados servicios, al decir que no están sujetos a licencia los cambios de titularidad de las actividades comerciales y de servicios, siendo exigible en estos casos una comunicación previa a la administración competente a los solos efectos informativos.

Ha de tenerse en cuenta:

• La comunicación ha de ser expresa.

• No es necesario que vaya acompañada de título o documento que acredite la transmisión (contrato de compraventa, de arrendamiento, de cesión etc.)

• Si la transmisión se produce sin realizar la correspondiente comunicación, el anterior y el nuevo titular quedan sujetos, de forma solidaria, a todas las responsabilidades y obligaciones derivadas del incumplimiento de dicha obligación.

Ha de tenerse en cuenta, considerando las características de estas actividades, por la repercusión que al medio ambiente tienen, y a la salud y seguridad de las personas, que ha de controlarse especialmente el correcto funcionamiento de las medidas correctoras que se impusieron en su día a la actividad, y que han de ser de especial vigilancia e inspección al presentarse la comunicación de cambio de titularidad de la actividad.

El cambio de titularidad no requerirá nueva licencia, pero sí su comunicación a la Consejería y Ayuntamiento competentes y la obtención del informe favorable a que se refiere el artículo 13 de la Ley 4/2000, de 25 de octubre, de Espectáculos Públicos y Actividades Recreativas de la Comunidad Autónoma de La Rioja.

Por otro lado ha de tenerse en cuenta que los cambios de titularidad y los ceses de actividades sometidas a los regímenes de intervención ambiental regulados en la Ley 6/2017, de 8 de mayo, de Protección del Medio Ambiente de la Comunidad Autónoma de La Rioja habrán de ser comunicados en el plazo de un mes al órgano ambiental competente.

2.   Jurisprudencia

• El cambio de titular por sí solo resultaba jurídicamente irrelevante en cuanto afectaría a los posibles derechos de los particulares (STS de 23 diciembre 1998), porque la licencia mantenía su vigencia mientras subsistieran las condiciones de la actividad, de modo que el Ayuntamiento, **de no advertir otras modificaciones que las subjetivas, que son inoperantes a estos efectos, debió otorgar la transmisión de la titularidad de la licencia cuando le fue comunicado por escrito por el dueño del establecimiento,** toda vez que no ofrecía duda el título legítimo de la transmisión ya que la subrogación en la explotación se producía por los dueños del local a favor del nuevo titular, una vez que el anterior arrendamiento había sido declarado extinguido por resolución judicial. [STSJ País Vasco 13 julio 2001]

• La Administración está obligada a reconocer el cambio de la titularidad de la licencia sin perjuicio de las distintas actuaciones que le conciernen ejercer contra la misma del mismo modo que si no se hubiese transmitido. [STSJ Madrid 18 septiembre 2001]

• No constando que la licencia de apertura en su día concedida al demandante lo fuese en atención a su persona, esto es, a especiales circunstancias personales del mismo que impidiesen su transmisión a los efectos prevenidos en el art. 13 del Reglamento de Servicios de las Corporaciones Locales, tal y como se sostiene, entre otras, en la STS de 12 Jul. 2000, **el cambio de titular no requiere la solicitud de una nueva licencia, la cual solo sería exigible si hubiese existido una modificación de la actividad para la cual aquélla se concedió, lo que no se da en este caso.** Por tanto, el único efecto o consecuencia jurídica de la falta de notificación por escrito de tal circunstancia es la **sumisión conjunta de transmitente y adquirente a las responsabilidades** de la explotación de la licencia, sin que lleve consigo la imposición de la sanción debatida en estos autos. [STSJ Extremadura 27 septiembre 2001.- LA LEY 170424/2001]

• Para proceder al cambio de titularidad el Ayuntamiento ha de tener constancia de que efectivamente dicho cambio se ha producido, y ello por dos mecanismos alternativos, uno bilateral, que no es otro que la conformidad del anterior titular, y otro, que no precisa dicha conformidad, más complejo, que consiste en la acreditación de que se ha adquirido por cualquier medio, *inter vivos* o *mortis causa*, la propiedad o posesión del inmueble en cuestión. [STSJ Madrid 15 enero 2004]

• La transmisión de la licencia constituye en definitiva la realización de un **negocio jurídico del transmitente en cuanto titular originario de la autorización administrativa pero sin que tal operación traslativa tenga relevancia a efectos de alterar las condiciones de la propia autorización,** de tal modo que permanece idéntica su eficacia y viabilidad jurídica del acto proyectado y en consecuencia del incumplimiento del deber administrativo impuesto por el artículo 13.1 del RSCL, de comunicar la transferencia al Ayuntamiento, circunstancia no realizada en el supuesto de autos, **no repercute sobre la validez y existencia de la licencia y sí en cambio, únicamente en el régimen de responsabilidades derivado de la titularidad de la licencia** quedando también el transmitente sujeto junto con el adquirente a dichas responsabilidades máxime cuando el deber de comunicación de la transmisión de la licencia ha de operar a efectos de información del Ayuntamiento de los titulares en cada momento de licencias. [STSJ Extremadura 15 diciembre 2006.- LA LEY 214993/2006]

• A juicio de la Sala la sentencia apelada lleva a cabo una interpretación correcta del régimen de transmisión de la licencia de apertura de autos de acuerdo con el Regla-

mento de Servicios de las Corporaciones Locales, **transmisión que no se halla sujeta a un régimen de autorización administrativa sino a uno de mera comunicación, de forma que la transmisión es libre de acuerdo con los modos y formas admitidos en derecho para transmitir o adquirir la propiedad o la posesión, y no queda condicionada a una autorización administrativa**, ya que lo único que le corresponde a la Administración es tomar razón del cambio si se produce la comunicación, o no hacerlo si no se produce en la forma exigible, «pero en modo alguno autorizarlo o denegarlo, de forma que, a partir de dicho acto de comunicación la Administración habrá necesariamente de considerar a la cesionaria como titular de la licencia a todos los efectos legales derivados del ejercicio de la actividad, si se ha cumplido el requisito de la comunicación»

La introducción por el art. 23.2 de la Ordenanza municipal de licencias del requisito de que la nueva titular de la licencia garantice expresamente y por escrito, que debe acompañarse a la comunicación de cambio de titularidad, que asume todas las cargas inherentes a la licencia en cuestión, infringe claramente el art. 13 del Reglamento de Servicios de las. Corporaciones Locales, lo que determina su nulidad ex art. 62.2 LRJAPy-PAC, puesto que **transforma el régimen de mera comunicación previsto en el mismo, en uno de autorización**, en el que la transmisión no se perfecciona sino con la decisión administrativa que la autoriza, puesto que, tal y como postula el Ayuntamiento en el acto recurrido y argumenta en el recurso de apelación, el incumplimiento de dicho requisito comporta «no acceder» al cambio de titularidad, esto es, denegar el cambio de titularidad por incumplimiento de dicho precepto. [STSJ País Vasco 10 octubre 2011.- LA LEY 300763/2011]

• Tampoco cabe oponer el artículo 42 de la Ley 11/2003 de 8 de abril, de Prevención Ambiental de Castilla y León puesto que, de su lectura e interpretación literal, llegamos a una conclusión distinta de la que se contiene en la Sentencia recurrida, ya que claramente se refiere **solo al deber de comunicación a las Administraciones y a las consecuencias del incumplimiento de tal deber**, que se ventilan no en la denegación de la transmisión de la licencia, sino en el de las responsabilidades de cedente y cesionario del incumplimiento de las obligaciones que impone la ley. [STSJ Castilla y León (Burgos) 28 noviembre 2011.- LA LEY 232204/2011]

• De todo lo expuesto se concluye que el **cambio de titularidad de licencia solicitado no era una cuestión discutible** y por ello la Resolución de 3 de junio de 2005, no puede incardinarse dentro del margen de razonabilidad del que disponía la administración local para resolver, pues solicitado un cambio de titularidad de licencia, se entiende por el ayuntamiento que procede la solicitud de nueva licencia por cambio de actividad y ello a pesar de que los informes, ponían en evidencia de que se trataba de un cambio de titularidad, con el resultado ya conocido de anulación de estas resolución, y la pertinente declaración de responsabilidad patrimonial, **pues el ayuntamiento de Gandía venia obligado a otorgar el cambio de titularidad de licencia solicitado al cumplirse todos los requisitos necesarios para ello y estar acreditadas dichas circunstancias en el expediente instruido al efecto,** sin margen de interpretación y sin que en la resolución inicialmente anulada se cite un solo informe que avale lo resuelto por el Ayuntamiento que lo fue al margen de toda apreciación razonable. [STS Comunidad Valenciana 17 abril 2013.- LA LEY 90145/2013]

• …De acuerdo con este precepto es evidente que **el cambio de titularidad no precisa de la obtención de una nueva licencia**. Solo precisa de una autorización municipal de que las obras e instalaciones, se ajustan a la licencia de actividad. Esta exigencia, incluso

desaparecerá en la Ley 2/2006, de calidad ambiental, en cuyo art. 62, la transmisión sin alteración, solo es objeto de comunicación. [STSJ Comunidad Valenciana 28 noviembre 2014.- LA LEY 232360/2014]

• La conclusión de que, **para autorizar el cambio de titularidad del establecimiento, basta la mera comunicación al Ayuntamiento es conforme a derecho**, sin perjuicio, insistimos, en que ora de oficio por la propia Administración ora a instancia de algún interesado pueda controlarse la actividad y, en su caso, imponerse medidas correctoras de la concreta actividad, incluso la incoación de procedimiento sancionador si hubiere méritos para ello. [STSJ Andalucía (Granada) 15 noviembre 2016.- LA LEY 202226/2016]

• Podemos aplicar la doctrina expresada en la Sentencia dictada por esta Sala y Sección 15 de abril de 2015, dictada en el recurso de apelación número 138/2015 dimanante de la Pieza Separada de Suspensión n.º 522/2014 del Juzgado de lo Contencioso-Administrativo número 14 de Madrid, en la que hemos indicado «En el supuesto de autos, sin que la decisión que aquí se adopte ni la fundamentación jurídica de la presente resolución suponga en modo alguno prejuzgar el fondo del asunto, a los meros efectos cautelares que nos ocupan, el recurso de apelación debe ser desestimado por no concurrir la apariencia de buen derecho alegada por el apelante. Y ello es así porque tal y como se hace constar en la propia resolución administrativa ordenando el precinto, tal decisión se adopta en ejecución de tres resoluciones sancionadoras previas impuestas por periodos de nueve meses, un año y dos años, que aunque impuestas con carácter firme con anterioridad al inicio de la actividad por parte del apelante (contrato de arrendamiento del local de 17 de septiembre de 2014, declaración responsable de inicio de actividad de establecimiento de restauración presentado ante la Comunidad de Madrid el 19 de septiembre de 2014 y comunicación al Ayuntamiento de Madrid de cambio de titularidad de actividades presentada el 19 de septiembre de 2014) y siendo el sujeto sancionado un tercero, sin embargo no podemos acceder a la suspensión instada sin eludir el cumplimiento de tres resoluciones sancionadoras firmes que afectan de forma directa a la licencia del local en el que ejerce su actividad el apelante. Así se desprende del contenido del art. 41.4 de la Ley 17/1997 de Espectáculos Públicos y Actividades Recreativas de la Comunidad de Madrid, según el cual "Las sanciones de clausura de locales..., cuando sean superiores a seis meses, conllevarán la suspensión de las licencias reguladas en esta Ley". Por tanto, **la pretendida transmisión de la licencia con que cuenta el local de autos, no pudo operar de forma válida por la sencilla razón de que la misma quedó suspendida una vez impuestas las sanciones con carácter firme, quedando así pues el local afectado por la sanción de clausura sin posibilidad de transmisión de una licencia suspendida por ministerio de la ley**». [STSJ Madrid 7 junio 2017.- LA LEY 105935/2017]

• Es cierto que el Reglamento de las corporaciones locales, cuando regula la trasmisión de licencias, **sólo pretende establecer el requisito de la comunicación puesto que la licencia de actividad continua vigente,** en tanto subsista las condiciones exigidas para su otorgamiento, **sin que afecte a la licencia de actividad el sujeto que ostenta su titularidad** y ello con el fin de que, si no se produjera la citada comunicación, serían responsables tanto el transmitente de la licencia, como el adquirente de la licencia, por lo que la aplicación del art. 13.1 del citado reglamento, pero ello en nada afecta al actor, ni menos aun determina la nulidad de la resolución impugnada. [STSJ Comunidad Valenciana 15 noviembre 2017.- LA LEY 217823/2017]

3.   Legislación aplicable

— Estatal

Art. 13 del Decreto de 17 de junio de 1955, por el que se aprueba el Reglamento de Servicios de las Corporaciones Locales.

Art. 3 de la Ley 12/2012, de 26 de diciembre, de medidas urgentes de liberalización del comercio y de determinados servicios.

— Autonómica

Ley 4/2000, de 25 de octubre, de Espectáculos Públicos y Actividades Recreativas de la Comunidad Autónoma de La Rioja.

4.   Documentos de interés

— Doctrina

CANO MURCIA, Antonio. *El Nuevo Régimen de las Licencias de Apertura*. El Consultor de los Ayuntamientos y de los Juzgados. Madrid 2010.

MORA GONZÁLEZ, María Jesús. «La transmisión de las licencias urbanísticas». *El Consultor de los Ayuntamientos y de los Juzgados*, n.º 23, Quincena del 15 al 29 Dic. 2007, Ref. 3889/2007, pág. 3889, tomo 3, LA LEY.- LA LEY 6927/2007.

— Reseña jurisprudencial

STSJ La Rioja, Sala de lo Contencioso-administrativo, de 31 Ene. 2000, rec. 175/1998.- LA LEY 26493/2000.

STSJ Cantabria, Sala de lo Contencioso-administrativo, de 5 Nov. 1999, rec. 2051/1997.- LA LEY 154605/1999.

STSJ Cantabria, Sala de lo Contencioso-administrativo, de 3 Ene. 2005, rec. 171/2004.- LA LEY 2360/2005.

STSJ Cantabria, Sala de lo Contencioso-administrativo, de 17 Jun. 2004, rec. 73/2004.- LA LEY 143319/2004.

STSJ Cantabria, Sala de lo Contencioso-administrativo, de 27 Jun. 2002, rec. 73/2002.- LA LEY 121551/2002.

MODELO DE EXPEDIENTE *(Disponible a texto íntegro en smarteca.es)*

1)   Comunicación de cambio de titularidad de licencia municipal de funcionamiento de actividad recreativa

2)   Resolución de cambio de titularidad de licencia municipal de funcionamiento de actividad recreativa

3)   Notificación de cambio de titularidad de licencia municipal de funcionamiento de la actividad recreativa

IV. Expediente de control e inspeccion de actividad recreativa sujeta a licencia municipal de funcionamiento

1. Claves del Expediente

El expediente de control e inspección de actividad sujeta a licencia municipal de funcionamiento tiene lugar una vez que la actividad está funcionando, luego es un control posterior a su ejercicio y se encuadra dentro de la potestad municipal, de los arts. 43 a 46 de la Ley 6/2017, de 8 de mayo, de Protección del Medio Ambiente de la Comunidad Autónoma de La Rioja y 32 a 37 de la 4/2000, de 25 de octubre, de Espectáculos Públicos y Actividades Recreativas de la Comunidad Autónoma de La Rioja.

La inspección de la actividad podrá producirse como consecuencia de denuncia efectuada por particulares, o fruto de la inspección que el Ayuntamiento realice en el marco de sus atribuciones de inspección y vigilancia.

La importancia de este expediente y por ende de la actuación municipal radica en que el hecho de que se podrá detectar anomalías o deficiencias en el funcionamiento de las medidas correctoras, y por lo tanto sirve para exigir el cumplimiento al titular de la actividad del correcto funcionamiento de la misma, lo que evitará daños al medio ambiente y a la seguridad de las personas.

La inspección, es una facultad que se reserva el Ayuntamiento que en cualquier momento, y con posterioridad a la puesta en marcha, puede comprobar el grado de eficacia y funcionamiento de las medidas correctoras, verificar el estado de las instalaciones, etc. Es decir, se pretende con esta medida el velar por el buen estado de la actividad, requiriendo la subsanación de las deficiencias que se detecten.

Como consecuencia del resultado del expediente, podrá abrirse procedimiento sancionador.

2. Jurisprudencia

• La licencia de apertura y/o funcionamiento crea una relación permanente con la Administración, ya que las exigencias del interés público demandan un funcionamiento correcto de la actividad y de sus medidas correctoras, lo cual implicará que la actividad desarrollada quede, durante la vigencia de la licencia, sujeta a inspecciones administrativas para la comprobación del cumplimiento de las condiciones expresadas en la misma, conforme declaran, entre otras, las SSTS de 4 octubre 1986 y 30 junio 1987. [STSJ Madrid 13 noviembre 2001]

• Otorgada una licencia de funcionamiento de una actividad la Administración no queda desposeída de potestades, sino que puede y debe ejercer la actividad administrativa de policía a fin de defender y garantizar los intereses generales; y esa actividad de policía ha de tener concreción en actos de intervención congruentes con los motivos y fines que la justifiquen —arts. 84.2 Ley 7/1985, de 2 abril (Reguladora de las Bases del Régimen Local) y 5.1 RSCL—. [STS 22 junio 1993]

3. Legislación aplicable

— Estatal

RD 2816/1982, de 27 de agosto, por el que se aprueba el Reglamento General de Policía de Espectáculos Públicos y Actividades Recreativas.

Ley 17/2009, de 23 de noviembre, sobre el Libre Acceso a las Actividades de Servicios.

Arts. 21.1. q) y s), 124.4.ñ), 70.bis y 84, 84 bis y 84 ter. de la Ley 7/1985, de 2 de abril, Reguladora de las Bases de Régimen Local.

Ley 39/2015, de 1 de octubre, del Procedimiento Administrativo Común de las Administraciones Públicas.

— Autonómica

Ley 6/2017, de 8 de mayo, de Protección del Medio Ambiente de la Comunidad Autónoma de La Rioja.

Ley 4/2000, de 25 de octubre, de Espectáculos Públicos y Actividades Recreativas de la Comunidad Autónoma de La Rioja.

Decreto 32/2010, de 21 de mayo, por el que se regula la actividad de control de acceso a discotecas, salas de baile y salas de fiesta de la Comunidad Autónoma de La Rioja.

Decreto 62/2006, de 10 de noviembre, por el que se aprueba el Reglamento de Desarrollo del Título I, «Intervención Administrativa», de la Ley 5/2002, de 8 de octubre, de Protección del Medio Ambiente de La Rioja.

4. Documentos de interés

— Doctrina

CANO MURCIA, Antonio. *El Nuevo Régimen de las Licencias de Apertura*. El Consultor de los Ayuntamientos y de los Juzgados. Madrid 2010.

GÓMEZ PUERTO Ángel B. «Consideraciones constitucionales y administrativas sobre el medio ambiente. El papel de los Ayuntamientos». *Actualidad Administrativa*, n.º 9, Sección A Fondo, septiembre 2013, pág. 1100, tomo 2.- LA LEY 4868/2013.

HERNÁNDEZ LÓPEZ, Juan. «La Directiva de Servicios y su incidencia en el ámbito municipal. Apuntes de urgencia», *El Consultor de los Ayuntamientos y de los Juzgados*, n.º 19, Quincena del 15 al 29 de octubre de 2009, Ref. 2772/2009, LA LEY 15863/2009.

MARTÍN HERNÁNDEZ, Paulino. Las licencias para actividades clasificadas.- Esta doctrina forma parte del libro «Administración Local. Estudios en Homenaje a Ángel Ballesteros», edición n.º 1, *El Consultor de los Ayuntamientos y de los Juzgados,* Madrid, enero 2011.- LA LEY 21893/2011.

— Reseña jurisprudencial

STSJ La Rioja, Sala de lo Contencioso-administrativo, de 14 Mar. 2012, rec. 6/2012.- LA LEY 32475/2012.

STSJ La Rioja, Sala de lo Contencioso-administrativo, de 14 Jun. 2012, rec. 73/2012.- LA LEY 101248/2012.

STSJ La Rioja, Sala de lo Contencioso-administrativo, de 23 May. 2007, rec. 133/2006.- LA LEY 153788/2007.

MODELO DE EXPEDIENTE *(Disponible a texto íntegro en smarteca.es)*

1)   Acta de inspección

2)   Resolución ordenando apertura de expediente

3)   Notificación de acta de inspección en trámite de audiencia

4)   Escrito de alegaciones en trámite de audiencia

5)   Resolución del expediente de control e inspección de actividad recreativa

6)   Notificación de la resolución de control e inspección

14. NAVARRA

I.   Expediente de licencia municipal de actividad recreativa

1.   Claves del Expediente

La Ley Foral 4/2005, de 22 de marzo, de intervención para la protección ambiental, sujeta municipal de actividad clasificada a las actividades e instalaciones enumeradas en su anejo 4-D) F), a los espectáculos públicos y actividades recreativas (bares, sociedades culturales o gastronómicas, cafeterías, restaurantes, teatros, cines, salas de fiesta, discotecas, salas de juegos recreativos y análogas).

El procedimiento tipo para la obtención de la licencia municipal de actividad clasificada, es el de los arts. 54 a 57 de la Ley Foral 4/2005 para actividades clasificadas no sometidas a evaluación de impacto ambiental, al que se remite los arts. 52 y 53 de la misma.

Ha de tenerse en cuenta asimismo lo dispuesto en la Ley Foral 2/1989, de 13 de marzo, reguladora de espectáculos públicos y actividades recreativas y normativa de desarrollo.

La licencia de actividad o actividades deberá reflejar con exactitud la actividad a que se vaya a dedicar el local, según las definiciones que se contengan en el catálogo de espectáculos públicos y actividades recreativas.

Para otorgar la correspondiente licencia de actividad deberá acreditarse por el solicitante que el local cumple las condiciones técnicas exigidas en las normas básicas de edificación y en los reglamentos específicos que se dicten para cada tipo de espectáculo o actividad recreativa.

PREGUNTAS CLAVE

1. ¿Ha de comunicarse la modificación de la actividad por su titular?

De acuerdo con el art. 47.1 de la Ley Foral 4/2005, de 22 de marzo, de intervención para la protección ambiental, el titular de la actividad tiene el deber de notificar al Ayuntamiento cualquier modificación en el proceso productivo que se proyecte en la actividad sometida a la licencia municipal de actividad clasificada.

2. ¿Ha de obtenerse autorización previa para realizar la modificación no sustancial de la actividad o instalación?

Dispone el art. 47.2 de la Ley Foral 4/2005, de 22 de marzo, de intervención para la protección ambiental que cuando el titular de la instalación considere que la modificación no es sustancial podrá llevarla a cabo siempre y cuando no se hubiese pronunciado en contrario el Ayuntamiento en el plazo de un mes.

3. ¿En el caso de modificación sustancial de la actividad, es necesario la obtención previa de nueva licencia municipal?

Dispone el art. 47.3 de la Ley Foral 4/2005, de 22 de marzo, de intervención para la protección ambiental que cuando la modificación sea considerada sustancial por el titular o por el Ayuntamiento será necesaria una nueva licencia municipal de actividad clasificada no pudiendo llevarse a cabo tal modificación hasta que no sea otorgada la licencia.

4. ¿Puede modificarse de oficio la licencia de actividad clasificada?

El art. 79 del Decreto Foral 93/2006, de 28 de diciembre, por el que se aprueba el Reglamento de desarrollo de la Ley Foral 4/2005, de 22 de marzo, de Intervención para la Protección Ambiental, contempla la posibilidad de modificar de oficio y sin derecho a indemnización del contenido de la licencia de actividad clasificada cuando se den alguna de las siguientes circunstancias:

a) Los impactos o afecciones ambientales de la actividad o bien circunstancias sobrevenidas, hagan necesario revisar las condiciones establecidas en la licencia.

b) Como consecuencia de importantes cambios en las mejores técnicas disponibles, resulte posible reducir, significativamente, las emisiones u otras afecciones ambientales, sin imponer costes excesivos.

c) La seguridad del funcionamiento del proceso o actividad haga necesario emplear otras técnicas.

d) Se estime que existen circunstancias sobrevenidas que exigen la revisión de las condiciones de la licencia. Cuando la modificación se refiera a las condiciones del vertido a dominio público hidráulico deberá solicitarse al organismo de cuenca un nuevo informe vinculante sobre las condiciones del vertido.

e) Así lo exija la legislación vigente que sea aplicable a la instalación.

5. ¿Tiene plazo de caducidad la licencia de actividad?

De conformidad con el Art. 49.2 de la Ley Foral 4/2005, de 22 de marzo, de intervención para la protección ambiental, la licencia de actividad caducará por falta de ejercicio en la actividad correspondiente en el plazo de dos años a contar desde la fecha de su otorgamiento.

6. ¿La licencia obras puede concederse antes de la obtención de la licencia de actividad?

De conformidad con el Art. 49.3 de la Ley Foral 4/2005, de 22 de marzo, de intervención para la protección ambiental, no se podrán conceder licencias de obras para actividades clasificadas en tanto no se haya otorgado la licencia de actividad correspondiente. No obstante lo anterior, para determinadas actividades de baja incidencia medioambiental y en los términos y condiciones que reglamentariamente se prevean, se podrá conceder licencia de obras mientras se tramita la licencia de actividad. En dichos casos, la ejecución de las obras quedará bajo la exclusiva responsabilidad de su promotor, sin que la misma condicione el otorgamiento o denegación de la licencia de actividad, ni la necesaria y obligada adaptación a las condiciones que se señalen por el organismo medioambiental.

7. ¿La modificación de la licencia municipal de actividad clasificada, es indemnizable?

De conformidad con el Art. 50 de la Ley Foral 4/2005, de 22 de marzo, de intervención para la protección ambiental, la licencia municipal de actividad clasificada podrá ser modificada, sin derecho a indemnización, cuando concurran las siguientes causas (art. 14.1 de la Ley Foral 4/2005):

a) La contaminación producida por la instalación haga conveniente la revisión de los valores límite de emisión o de otras condiciones de la autorización.

b) Como consecuencia de importantes cambios en las mejores técnicas disponibles, resulte posible reducir significativamente las emisiones, sin imponer costes excesivos.

c) La seguridad de funcionamiento del proceso o actividad haga necesario emplear otras técnicas.

d) Se estime que existen circunstancias sobrevenidas que exigen la revisión de las condiciones de la autorización. Cuando la modificación se refiera a las condiciones del vertido a dominio público hidráulico deberá solicitarse al organismo de cuenca un nuevo informe vinculante sobre las condiciones del vertido.

e) Así lo exija la legislación vigente que sea de aplicación a la instalación.

8. ¿Qué plazo hay para resolver y notificar la concesión o denegación de la licencia de actividad municipal?

Cuatro meses desde la presentación de la solicitud con la documentación completa (art. 56.1 de la Ley Foral 4/2005, de 22 de marzo, de intervención para la protección ambiental).

9. ¿Ha de notificarse el otorgamiento de la licencia a los que hubieren presentado alegaciones?

Sí. Así lo establece el Art. 56.2 de la Ley Foral 4/2005, de 22 de marzo, de intervención para la protección ambiental.

10. ¿Ha de publicarse el otorgamiento de la licencia?

Sí. Así lo establece el Art. 56.2 de la Ley Foral 4/2005, de 22 de marzo, de intervención para la protección ambiental.

11. ¿Si no se resuelve en plazo la licencia de actividad solicitada, se adquiere la misma por silencio administrativo?

No. Transcurrido el plazo de cuatro meses sin que se haya dictado y notificado la resolución, podrá entenderse desestimada la solicitud de licencia de actividad (art. 56.3 de la Ley Foral 4/2005, de 22 de marzo, de intervención para la protección ambiental).

12. ¿Obtenida la licencia municipal de actividad clasificada, puede iniciarse la actividad?

Con carácter previo al inicio de una actividad clasificada, deberá obtenerse del Alcalde la autorización de puesta en marcha correspondiente, que se denominará licencia de apertura, con el objeto de comprobar que la actividad o instalación se ajusta al proyecto aprobado (art. 58.1 de la Ley Foral 4/2005, de 22 de marzo, de intervención para la protección ambiental).

13. ¿Qué plazo hay para resolver la licencia municipal de apertura? ¿Qué alcance tiene el silencio administrativo si no se resuelve en plazo?

La resolución y notificación de la concesión o denegación de licencia municipal de apertura deberá realizarse en el plazo de un mes desde la presentación de la solicitud. En caso contrario la licencia se entenderá otorgada por silencio positivo, excepto en aquellas actividades para las que la legislación vigente disponga otra cosa (art. 58.3 de la Ley Foral 4/2005, de 22 de marzo, de intervención para la protección ambiental).

14. ¿Puede realizarse el enganche de suministros antes de obtener la licencia municipal de apertura?

De acuerdo con el art. 58.4 de la Ley Foral 4/2005, de 22 de marzo, de intervención para la protección ambiental, se podrán obtener, con carácter previo a la obtención de la licencia de apertura, las autorizaciones de enganche o ampliación de suministro de energía eléctrica, de utilización de combustibles líquidos o gaseosos, de abastecimiento de agua potable y demás autorizaciones preceptivas para el ejercicio de la actividad, salvo en los casos en los que se determine reglamentariamente lo contrario. Estas autorizaciones estarán condicionadas a la obtención de la licencia de apertura, que de ser denegatoria conllevarán la automática denegación de las mismas y la obligación de proceder inmediatamente al corte de los suministros.

2.   Legislación aplicable

— Europea

Directiva 2006/123/CE del Parlamento y del Consejo, de 12 de diciembre de 2006, relativa a los servicios en el mercado interior.

— Estatal

RD 2816/1982, de 27 de agosto, por el que se aprueba el Reglamento General de Policía de Espectáculos Públicos y Actividades Recreativas.

Ley 17/2009, de 23 de noviembre, sobre el Libre Acceso a las Actividades de Servicios.

Arts. 21.1. q) y s), 124.4.ñ), 70.bis y 84, 84 bis y 84 ter. de la Ley 7/1985, de 2 de abril, Reguladora de las Bases de Régimen Local.

Ley 39/2015, de 1 de octubre, del Procedimiento Administrativo Común de las Administraciones Públicas.

— **Autonómica**

Ley Foral 2/1989, de 13 de marzo, reguladora de espectáculos públicos y actividades recreativas.

Ley Foral 26/2001, de 10 de diciembre, de modificación de la Ley Foral 2/1989, de 13 de marzo, reguladora de espectáculos públicos y actividades recreativas.

Decreto Foral 37/2013, de 5 de junio, por el que se adoptan diversas medidas en materia de espectáculos públicos y actividades recreativas para transponer la Directiva 2006/123/CE, del Parlamento Europeo y del Consejo, de 12 de diciembre de 2006, relativa a los servicios en el mercado interior.

Decreto Foral 201/2002, de 23 de septiembre, por el que se regula el horario general de espectáculos públicos y actividades recreativas.

Decreto Foral 202/2002, de 23 de septiembre, por el que se aprueba el Catálogo de establecimientos, espectáculos públicos y actividades recreativas y se regulan los Registros de Empresas y Locales.

Decreto Foral 44/1990, de 8 de marzo, por el que se regulan las condiciones de autorización de espectáculos públicos y actividades recreativas en espacios públicos.

Ley Foral 4/2005, de 22 de marzo, de intervención para la protección ambiental.

Decreto Foral 93/2006, de 28 de diciembre, por el que se aprueba el Reglamento de desarrollo de la Ley Foral 4/2005, de 22 de marzo, de Intervención para la Protección Ambiental.

3. Documentos de interés

— **Doctrina**

CANO MURCIA, Antonio. «Cuestiones prácticas sobre transmisión o cambio de titularidad».- LA LEY 18910/2011.

—. «Apunte legislativo sobre transmisión o cambio de titularidad».- LA LEY 18909/2011.

—. «Los Tribunales dicen… sobre transmisión o cambio de titularidad».- LA LEY 18908/2011.

—. «Requisitos generales para la transmisión de la licencia de apertura».- LA LEY 18906/2011.

—. «Cuestiones prácticas sobre control e inspección».- LA LEY 18918/2011.

—. «Apunte legislativo sobre control e inspección».- LA LEY 18917/2011.

—. «Los Tribunales dicen… sobre control e inspección».- LA LEY 18916/2011.

—. «El régimen jurídico de control e inspección de los establecimientos públicos».- LA LEY 18915/2011.

CHOLBÍ CACHÁ, Francisco Antonio. «Apunte legislativo sobre las relaciones en la tramitación administrativa de las autorizaciones urbanísticas y de actividades».- LA LEY 23585/2011.

—. «Los Tribunales dicen… sobre las relaciones en la tramitación administrativa de las autorizaciones urbanísticas y de actividades.- LA LEY 23584/2011.

—. «Especial consideración a las actividades sujetas a licencias de uso cuando llevan aparejadas la ejecución de obras.- LA LEY 23583/2011.

—. «Los principales problemas en la tramitación conjunta de las autorizaciones urbanísticas cuando el destino de las obras es el ejercicio de actividades.- LA LEY 23582/2011.

— Reseña jurisprudencial

STSJ Navarra, Sala de lo Contencioso-administrativo, Sentencia 41/2015 de 4 Feb. 2015, Rec. 5/2014.- LEY 106096/2015.

Tribunal Administrativo de Navarra, Sección 3.ª, Resolución de 12 Dic. 2013, rec. 13-03548/2013.- LEY 219703/2013.

Tribunal Administrativo de Navarra, Sección 3.ª, Resolución de 15 Mar. 2013, rec. 12-05504/2012.- LEY 23463/2013.

Tribunal Administrativo de Navarra, Sección 3.ª, Resolución de 18 Dic. 2012, rec. 12-01145/2012.- LEY 204035/2012.

Tribunal Administrativo de Navarra, Sección 3.ª, Resolución de 17 Abr. 2012, rec. 12-00320/2012.- LEY 51065/2012.

Tribunal Administrativo de Navarra, Sección 3.ª, Resolución de 16 Abr. 2012, rec. 11-05384/2011.- LEY 51066/2012.

Tribunal Administrativo de Navarra, Sección 3.ª, Resolución de 16 Mar. 2012, rec. 11-06638/2011.- LEY 35981/2012.

Tribunal Administrativo de Navarra, Sección 3.ª, Resolución de 23 Feb. 2012, rec. 11-05104/2011.- LEY 35968/2012.

Tribunal Administrativo de Navarra, Sección 3.ª, Resolución de 21 Sep. 2011, rec. 11-02602/2011.- LEY 172693/2011.

Tribunal Administrativo de Navarra, Sección 3.ª, Resolución de 17 Ago. 2011, rec. 11-02748/2011.- LEY 185136/2011.

Tribunal Administrativo de Navarra, Sección 3.ª, Resolución de 11 Ago. 2011, rec. 11-01859/2011.- LEY 165492/2011.

— Cabecera

Tribunal Administrativo de Navarra, Sección 3.ª, Resolución de 26 Jul. 2011, rec. 10-07280/2010.- LEY 159726/2011.

Tribunal Administrativo de Navarra, Sección 3.ª, Resolución de 26 Jul. 2011, rec. 10-07280/2010.- LEY 159726/2011.

Tribunal Administrativo de Navarra, Sección 3.ª, Resolución de 15 Abr. 2011, rec. 10-08772/2010.- LEY 127962/2011.

Tribunal Administrativo de Navarra, Sección 3.ª, Resolución de 12 Ene. 2011, rec. 09-05388/2009.- LEY 127893/2011.

MODELO DE EXPEDIENTE *(Disponible a texto íntegro en smarteca.es)*

1)   *Inicio expediente de licencia municipal de actividad recreativa*

2)   *Admisión a trámite del expediente*

3)   *Requerimiento vecinos a policía local*

4)   *Edicto de información pública*

5)   *Informe técnico*

6) *Notificación a vecinos inmediatos al lugar de emplazamiento de la actividad*

7) *Certificado de reclamaciones*

8) *Informe razonado del Alcalde/sa sobre el establecimiento.*

9) *Remisión del expediente al Departamento de Medio Ambiente, Ordenación del Territorio y Vivienda*

10) *Resolución de licencia municipal de actividad clasificada*

11) *Notificación de la resolución de modificación sustancial de la licencia municipal de actividad clasificada*

II. Expediente de puesta en marcha para la apertura de actividad recreativa

1. Claves del Expediente

La obtención de la licencia municipal de apertura, también denominada autorización de puesta en marcha por el art. 58.1 de la Ley Foral 4/2005, de 22 de marzo, de intervención para la protección ambiental, es requisito para el ejercicio de una actividad.

La solicitud ha de resolverse en el plazo de un mes, caducando la licencia en caso de cese o paralización durante más de dos años.

Con carácter previo al inicio de una actividad clasificada, deberá obtenerse del Alcalde la autorización de puesta en marcha correspondiente, que se denominará licencia de apertura, con el objeto de comprobar que la actividad o instalación se ajusta al proyecto aprobado.

PREGUNTAS CLAVE

1. ¿Obtenida la licencia municipal de actividad clasificada, puede iniciarse la actividad?

Con carácter previo al inicio de una actividad clasificada, deberá obtenerse del Alcalde la autorización de puesta en marcha correspondiente, que se denominará licencia de apertura, con el objeto de comprobar que la actividad o instalación se ajusta al proyecto aprobado (art. 58.1 de la Ley Foral 4/2005, de 22 de marzo, de intervención para la protección ambiental).

2. ¿Qué plazo hay para resolver la licencia municipal de apertura? ¿Qué alcance tiene el silencio administrativo si no se resuelve en plazo?

La resolución y notificación de la concesión o denegación de licencia municipal de apertura deberá realizarse en el plazo de un mes desde la presentación de la solicitud. En caso contrario la licencia se entenderá otorgada por silencio positivo, excepto en aquellas actividades para las que la legislación vigente disponga otra cosa (art. 58.3 de la Ley Foral 4/2005, de 22 de marzo, de intervención para la protección ambiental y art. 84.1 del Decreto Foral 93/2006).

3. ¿Puede realizarse el enganche de suministros antes de obtener la licencia municipal de apertura?

De acuerdo con el art. 58.4 de la Ley Foral 4/2005, de 22 de marzo, de intervención para la protección ambiental, se podrán obtener, con carácter previo a la obtención de la licencia de apertura, las autorizaciones de enganche o ampliación de suministro de energía eléctrica, de utilización de combustibles líquidos o gaseosos, de abastecimiento de agua potable y demás autorizaciones preceptivas para el ejercicio de la actividad, salvo en los casos en los que se determine reglamentariamente lo contrario. Estas autorizaciones estarán condicionadas a la obtención de la licencia de apertura, que de ser denegatoria conllevarán la automática denegación de las mismas y la obligación de proceder inmediatamente al corte de los suministros.

4. ¿En qué supuestos será requerida la licencia municipal de apertura?

El art. 82 del Decreto Foral 93/2006, de 28 de diciembre, por el que se aprueba el Reglamento de desarrollo de la Ley Foral 4/2005, de 22 de marzo, de Intervención para la Protección Ambiental, establece que será requerida la obtención de la licencia de apertura:

a) Como consecuencia de la obtención de una licencia de actividad clasificada cuando ésta sea la primera que obtiene la actividad.

b) Cuando se obtengan nuevas licencias de actividad clasificada como consecuencia de la realización de una modificación sustancial.

5. ¿Qué documentación ha de presentarse con la solicitud de licencia municipal de apertura?

El art. 83 del Decreto Foral 93/2006, de 28 de diciembre, por el que se aprueba el Reglamento de desarrollo de la Ley Foral 4/2005, de 22 de marzo, de Intervención para la Protección Ambiental dispone que el titular de la actividad deberá presentar en el municipio el certificado final de obra, que garantice que la instalación se ajusta al proyecto aprobado, así como a las medidas correctoras adicionales impuestas, en su caso, en la licencia de actividad.

A tal efecto, el titular deberá presentar en el Ayuntamiento, conjuntamente con la solicitud correspondiente los certificados firmados por técnico competente y visados por los colegios correspondientes, en los que se justifique:

a) Que la instalación se ajusta al proyecto aprobado.

b) La implementación de medidas correctoras adicionales impuestas, en su caso, en la licencia de actividad.

c) Las mediciones y comprobaciones prácticas efectuadas y su adecuación a la normativa.

Asimismo, se acompañarán los planos definitivos de la instalación.

6. ¿Puede concederse una licencia municipal de apertura parcial?

Aquellos proyectos autorizados que no se ejecuten en su totalidad podrán obtener una licencia de apertura parcial, siempre que cuente con las medidas correctoras y demás condiciones relativas a la parte del proyecto ejecutada (art. 84.7 del Decreto Foral 93/2006, de 28 de diciembre, por el que se aprueba el Reglamento de desarrollo de la Ley Foral 4/2005, de 22 de marzo, de Intervención para la Protección Ambiental).

7. ¿Cuál es el plazo de caducidad de la licencia municipal de apertura?

La licencia municipal de apertura caducará en el caso de cese o paralización de la actividad durante más de dos años desde la concesión (art. 85.1 del Decreto Foral 93/2006, de 28 de diciembre, por el que se aprueba el Reglamento de desarrollo de la Ley Foral 4/2005, de 22 de marzo, de Intervención para la Protección Ambiental).

8. ¿La caducidad de la licencia municipal de apertura es automática?

La caducidad de la licencia municipal de apertura requerirá de declaración expresa del Ayuntamiento previo expediente administrativo en el que deberá darse audiencia de su titular (art. 85.2 del Decreto Foral 93/2006, de 28 de diciembre, por el que se aprueba el Reglamento de desarrollo de la Ley Foral 4/2005, de 22 de marzo, de Intervención para la Protección Ambiental).

2. Jurisprudencia

• Consecuentemente, a raíz de la reforma operada, **no es preciso que con carácter previo al inicio de la actividad sujeta a licencia ambiental** y con relación a las actividades sujetas a tal licencia, **el Ayuntamiento otorgue previamente lo que se venía denominando licencia de apertura**, pues basta con que con carácter previo al inicio de actividad el titular comunique **su puesta en marcha en los términos dichos.** [STSJ Castilla y León (Burgos) 22 diciembre 2014.- LA LEY 195827/2014]

• La Sala comparte plenamente el argumento ofrecido por el Juez a quo para repeler una pretendida aplicación retroactiva de la Ley 7/2007, de 9 de julio (LA LEY 7871/2007), de Gestión Integrada de la Calidad Ambiental, ya que, efectivamente, pese a la dicción de su Disposición Transitoria Segunda, que se refiere a los procedimientos iniciados con anterioridad a su entrada en vigor para la aprobación, autorización o actualización ambiental, y aunque el procedimiento hubiera concluido en 2003 cuando se otorgó la licencia de apertura, **es lo cierto que la autorización de puesta en marcha e inicio de la actividad** por la resolución impugnada de 2010 **ha de atemperarse a las exigencias normativas del momento de su otorgamiento**, ya que, como muy bien expone el Juez a quo, ello comporta una revisión de los condicionantes ambientales que se tuvieron en cuenta tiempo atrás. [STSJ Andalucía (Granada) 26 enero 2015.- LA LEY 54911/2015]

Sin que lo que aquí se afirme suponga prejuzgar en modo alguno el fondo del asunto, **hemos de partir de una situación jurídica no negada por el apelado y es que carece de licencia de funcionamiento que le permita iniciar la actividad en el local de autos, pues incluso en la resolución de concesión de licencia provisional** tenida en cuenta por el juzgador a quo, se hace expresa referencia a que mientras no se obtenga la licencia de funcionamiento «**no podrá iniciarse el ejercicio de la actividad ni la puesta en marcha de las instalaciones**». Por lo demás y pese a lo genérico de las alegaciones del apelante, le asiste la razón cuando afirma que no se puede acceder a la suspensión cautelar pues el acto impugnado pretende dar cumplimiento a la legalidad urbanística y más en concreto se dicta en ejecución de una sentencia de 29 de julio de 2013 del Juzgado de lo Contencioso-Administrativo n.º 27 de Madrid, confirmada en apelación por sentencia de esta Sección de 11 de febrero de 2015 por la que se declaró ajustada a Derecho la orden de cese de la actividad, indicándose por esta Sección, entre otras afirmaciones, que «Las eventuales dificultades para la obtención, primero, de la licencia de instalaciones generales del edificio y, luego, de la licencia de funcionamiento (dificultades que, por otra parte, no se aclaran ni especifican) no eximen ni al Ayuntamiento de Madrid para la exigencia de su obtención, ni a ADIF ni a la mercantil recurrente de la pertinente solicitud. En caso contrario, se estaría en presencia de una dispensación contraria al ordenamiento jurídico». [STSJ Madrid 15 febrero 2017.- (LA LEY 22717/2017]

3. Legislación aplicable

— Europea

Directiva 2006/123/CE del Parlamento y del Consejo, de 12 de diciembre de 2006, relativa a los servicios en el mercado interior.

— Estatal

Ley 17/2009, de 23 de noviembre, sobre el Libre Acceso a las Actividades de Servicios.

Arts. 21.1. q) y s), 124.4.ñ), 70.bis y 84, 84 bis y 84 ter. de la Ley 7/1985, de 2 de abril, Reguladora de las Bases de Régimen Local.

Ley 39/2015, de 1 de octubre, del Procedimiento Administrativo Común de las Administraciones Públicas.

— Autonómica

Art. 58 de la Ley Foral 4/2005, de 22 de marzo, de intervención para la protección ambiental.

Arts. 82 a 85 del Decreto Foral 93/2006, de 28 de diciembre, por el que se aprueba el Reglamento de desarrollo de la Ley Foral 4/2005, de 22 de marzo, de Intervención para la Protección Ambiental.

Ley Foral 2/1989, de 13 de marzo, reguladora de espectáculos públicos y actividades recreativas.

Ley Foral 26/2001, de 10 de diciembre, de modificación de la Ley Foral 2/1989, de 13 de marzo, reguladora de espectáculos públicos y actividades recreativas.

Decreto Foral 37/2013, de 5 de junio, por el que se adoptan diversas medidas en materia de espectáculos públicos y actividades recreativas para transponer la Directiva 2006/123/CE, del Parlamento Europeo y del Consejo, de 12 de diciembre de 2006, relativa a los servicios en el mercado interior.

Decreto Foral 201/2002, de 23 de septiembre, por el que se regula el horario general de espectáculos públicos y actividades recreativas.

Decreto Foral 202/2002, de 23 de septiembre, por el que se aprueba el Catálogo de establecimientos, espectáculos públicos y actividades recreativas y se regulan los Registros de Empresas y Locales.

Decreto Foral 44/1990, de 8 de marzo, por el que se regulan las condiciones de autorización de espectáculos públicos y actividades recreativas en espacios públicos.

4. Documentos de interés

— Doctrina

CANO MURCIA, Antonio. «Cuestiones prácticas sobre transmisión o cambio de titularidad».- LA LEY 18910/2011.

—. «Apunte legislativo sobre transmisión o cambio de titularidad».- LA LEY 18909/2011.

—. «Los Tribunales dicen… sobre transmisión o cambio de titularidad».- LA LEY 18908/2011.

—. «Requisitos generales para la transmisión de la licencia de apertura».- LA LEY 18906/2011.

—. «Cuestiones prácticas sobre control e inspección».- LA LEY 18918/2011.

—. «Apunte legislativo sobre control e inspección».- LA LEY 18917/2011.

—. «Los Tribunales dicen… sobre control e inspección».- LA LEY 18916/2011.

—. «El régimen jurídico de control e inspección de los establecimientos públicos».- LA LEY 18915/2011.

CHOLBÍ CACHÁ, Francisco Antonio. «Apunte legislativo sobre las relaciones en la tramitación administrativa de las autorizaciones urbanísticas y de actividades».- LA LEY 23585/2011.

—. «Los Tribunales dicen… sobre las relaciones en la tramitación administrativa de las autorizaciones urbanísticas y de actividades.- LA LEY 23584/2011.

—. «Especial consideración a las actividades sujetas a licencias de uso cuando llevan aparejadas la ejecución de obras.- LA LEY 23583/2011.

—. «Los principales problemas en la tramitación conjunta de las autorizaciones urbanísticas cuando el destino de las obras es el ejercicio de actividades.- LA LEY 23582/2011.

MODELO DE EXPEDIENTE *(Disponible a texto íntegro en smarteca.es)*

1) *Solicitud de puesta en marcha para la apertura de actividad recreativa*

2) *Admisión a trámite del expediente*

3) *Informe técnico de comprobación*

4) *Resolución de licencia municipal de apertura de actividad clasificada*

5) *Notificación de la concesión de la licencia municipal apertura de actividad clasificada*

6) *Edicto de información pública*

III. Expediente de cambio de titularidad de licencia municipal de actividad recreativa

1. Claves del Expediente

Aunque es una cuestión que puede considerarse pacífica, el cambio de titularidad en general de los establecimientos, negocios y actividades en general y en particular de la licencia ambiental se sujeta al cumplimiento de unos requisitos mínimos, que tienen como objetivo fundamental el poner en conocimiento de la Administración (órgano sustantivo ambiental) el nuevo titular de la actividad.

A tenor del artículo 13.1 del Reglamento de Servicios de las Corporaciones Locales, aprobado por Decreto de 17 de junio de 1955, las licencias relativas a las condiciones de una obra, instalación o servicio serán transmisibles, pero el antiguo y el nuevo constructor o empresario deberán comunicarlo por escrito a la Corporación, sin lo cual quedarán ambos sujetos a todas las responsabilidades que se derivaren para el titular.

Esta posición legal ha quedado superada mediante el art. 3.2 de la Ley 12/2012, de 26 de diciembre, de medidas urgentes de liberalización del comercio y de determinados servicios, al decir que no están sujetos a licencia los cambios de titularidad de las actividades comerciales y de servicios, siendo exigible en estos casos una comunicación previa a la administración competente a los solos efectos informativos.

Ha de tenerse en cuenta:

- La comunicación ha de ser expresa.

- No es necesario que vaya acompañada de título o documento que acredite la transmisión (contrato de compraventa, de arrendamiento, de cesión etc.).

- Si la transmisión se produce sin realizar la correspondiente comunicación, el anterior y el nuevo titular quedan sujetos, de forma solidaria, a todas las responsabilidades y obligaciones derivadas del incumplimiento de dicha obligación.

La comunicación de la transmisión tanto de la licencia municipal de actividad clasificada, como de la licencia municipal de apertura es un deber del titular de la actividad.

Es una infracción grave el cambio de titularidad de la actividad sin comunicarlo a la Autoridad competente.

PREGUNTAS CLAVE

1. ¿Qué requisitos han de cumplirse para realizar el cambio de titularidad una actividad?

Para que el nuevo titular de una actividad pueda realizar el cambio de titularidad, deberá ser comunicado al Ayuntamiento a efectos informativos (art. 3.2 de la Ley 12/2012).

2. ¿Es necesario que el anterior titular comunique la transmisión de la actividad a un tercero?

No es un requisito necesario. El art. 3.2 de la Ley 12/2012 no exige esta comunicación.

En el caso de actividades sujetas a la Ley Foral 4/2005, de 22 de marzo, de intervención para la protección ambiental, sin embargo si existe el deber de comunicación (art. 104.1 d) del Decreto Foral 93/2006, de 28 de diciembre, por el que se aprueba el Reglamento de desarrollo de la Ley Foral 4/2005, de 22 de marzo, de Intervención para la Protección Ambiental, cuya omisión esta tipificada como infracción leve en el art. 118.3 g) del citado Decreto Foral.

3. ¿Qué ocurre si no se comunica la transmisión de la actividad?

La no comunicación del cambio de titularidad de la actividad por el anterior o el nuevo titular supone que el anterior y nuevo titular queda sujetos, de forma solidaria, a todas las responsabilidades y obligaciones derivadas de dicho incumplimiento.

El art. 23.5 de la Ley Foral 2/1989, de 13 de marzo, reguladora de espectáculos públicos y actividades recreativas, tipifica como infracción grave el cambio de titularidad en los locales o Empresa sin comunicarlo a la Autoridad competente.

4. ¿Puede transmitir la licencia de actividad el que no es propietario del local en el que se ejerce la misma?

Sí. El ejercicio de una actividad tanto mediante la concesión expresa de licencia de apertura o actividad o mediante la comunicación previa o declaración responsable tiene carácter real, al margen de la titularidad del inmueble y de las relaciones subjetivas que existan entre el titular del mismo y el que ocupe el local mediante contrato de arrendamiento, u cualquier otro título. En este sentido es de aplicación lo dispuesto en el art. 12. 1 RSCL «Las autorizaciones y licencias se entenderán otorgadas salvo el derecho de propiedad y sin perjuicio del de tercero».

5. ¿Ha de resolverse expresamente por el Ayuntamiento la comunicación de cambio de titularidad?

No. El art. 3.2 de la Ley 12/2012 habla de comunicación previa a la administración competente, sin que sea necesario posteriormente dictar resolución alguna. A efectos prácticos bastaría en cualquier caso tomar conocimiento de la transmisión, dejando constancia en el expediente.

6. ¿Qué ocurre si el Ayuntamiento no dicta resolución de cambio de titularidad?

Si el Ayuntamiento, recibida la comunicación de cambio de titularidad de la actividad, no resuelve expresamente el mismo, ha de entenderse que por silencio administrativo positivo se da por cumplido el trámite a todos los efectos, teniendo en cuenta que la resolución del órgano sustantivo no es generadora de derechos para el nuevo titular de la actividad, sino que tiene los efectos de una simple comunicación, que el Ayuntamiento constata mediante la toma de conocimiento del nuevo titular. En este sentido para la STS 15 octubre 1981 «La intervención municipal en caso de transmisión de licencias no es de previa y expresa autorización para que aquélla opere, sino de mera constatación o toma de razón de la extra-administrativamente producida por el simple acuerdo del antiguo y nuevo propietario, cuyo incumplimiento determina que ambos queden sujetos a todas las responsabilidades que se deriven para el titular».

2. Jurisprudencia

• El cambio de titular por sí solo resultaba jurídicamente irrelevante en cuanto afectaría a los posibles derechos de los particulares (STS de 23 diciembre 1998), porque la licencia mantenía su vigencia mientras subsistieran las condiciones de la actividad, de modo que el Ayuntamiento, **de no advertir otras modificaciones que las subjetivas, que son inoperantes a estos efectos, debió otorgar la transmisión de la titularidad de la licencia cuando le fue comunicado por escrito por el dueño del establecimiento,** toda vez que no ofrecía duda el título legítimo de la transmisión ya que la subrogación en la explotación se producía por los dueños del local a favor del nuevo titular, una vez que

el anterior arrendamiento había sido declarado extinguido por resolución judicial. [STSJ País Vasco 13 julio 2001]

• La Administración está obligada a reconocer el cambio de la titularidad de la licencia sin perjuicio de las distintas actuaciones que le conciernen ejercer contra la misma del mismo modo que si no se hubiese transmitido. [STSJ Madrid 18 septiembre 2001]

• No constando que la licencia de apertura en su día concedida al demandante lo fuese en atención a su persona, esto es, a especiales circunstancias personales del mismo que impidiesen su transmisión a los efectos prevenidos en el art. 13 del Reglamento de Servicios de las Corporaciones Locales, tal y como se sostiene, entre otras, en la STS de 12 Jul. 2000, **el cambio de titular no requiere la solicitud de una nueva licencia, la cual solo sería exigible si hubiese existido una modificación de la actividad para la cual aquélla se concedió, lo que no se da en este caso.** Por tanto, el único efecto o consecuencia jurídica de la falta de notificación por escrito de tal circunstancia es la **sumisión conjunta de transmitente y adquirente a las responsabilidades** de la explotación de la licencia, sin que lleve consigo la imposición de la sanción debatida en estos autos. [STSJ Extremadura 27 septiembre 2001.- LA LEY 170424/2001]

• Para proceder al cambio de titularidad el Ayuntamiento ha de tener constancia de que efectivamente dicho cambio se ha producido, y ello por dos mecanismos alternativos, uno bilateral, que no es otro que la conformidad del anterior titular, y otro, que no precisa dicha conformidad, más complejo, que consiste en la acreditación de que se ha adquirido por cualquier medio, *inter vivos* o *mortis causa*, la propiedad o posesión del inmueble en cuestión. [STSJ Madrid 15 enero 2004]

• La transmisión de la licencia constituye en definitiva la realización de un **negocio jurídico del transmitente en cuanto titular originario de la autorización administrativa pero sin que tal operación traslativa tenga relevancia a efectos de alterar las condiciones de la propia autorización,** de tal modo que permanece idéntica su eficacia y viabilidad jurídica del acto proyectado y en consecuencia del incumplimiento del deber administrativo impuesto por el artículo 13.1 del RSCL, de comunicar la transferencia al Ayuntamiento, circunstancia no realizada en el supuesto de autos, **no repercute sobre la validez y existencia de la licencia y sí en cambio, únicamente en el régimen de responsabilidades derivado de la titularidad de la licencia** quedando también el transmitente sujeto junto con el adquirente a dichas responsabilidades máxime cuando el deber de comunicación de la transmisión de la licencia ha de operar a efectos de información del Ayuntamiento de los titulares en cada momento de licencias. [STSJ Extremadura 15 diciembre 2006.- LA LEY 214993/2006]

• A juicio de la Sala la sentencia apelada lleva a cabo una interpretación correcta del régimen de transmisión de la licencia de apertura de autos de acuerdo con el Reglamento de Servicios de las Corporaciones Locales, **transmisión que no se halla sujeta a un régimen de autorización administrativa sino a uno de mera comunicación, de forma que la transmisión es libre de acuerdo con los modos y formas admitidos en derecho para transmitir o adquirir la propiedad o la posesión, y no queda condicionada a una autorización administrativa,** ya que lo único que le corresponde a la Administración es tomar razón del cambio si se produce la comunicación, o no hacerlo si no se produce en la forma exigible, «pero en modo alguno autorizarlo o denegarlo, de forma que, a partir de dicho acto de comunicación la Administración habrá necesariamente de considerar a la cesionaria como titular de la licencia a todos los efectos legales derivados del ejercicio de la actividad, si se ha cumplido el requisito de la comunicación».

La introducción por el art. 23.2 de la Ordenanza municipal de licencias del requisito de que la nueva titular de la licencia garantice expresamente y por escrito, que debe acompañarse a la comunicación de cambio de titularidad, que asume todas las cargas inherentes a la licencia en cuestión, infringe claramente el art. 13 del Reglamento de Servicios de las. Corporaciones Locales, lo que determina su nulidad *ex* art. 62.2 LRJAPy-PAC, puesto que **transforma el régimen de mera comunicación previsto en el mismo, en uno de autorización**, en el que la transmisión no se perfecciona sino con la decisión administrativa que la autoriza, puesto que, tal y como postula el Ayuntamiento en el acto recurrido y argumenta en el recurso de apelación, el incumplimiento de dicho requisito comporta «no acceder» al cambio de titularidad, esto es, denegar el cambio de titularidad por incumplimiento de dicho precepto. [STSJ País Vasco 10 octubre 2011.- LA LEY 300763/2011]

• Tampoco cabe oponer el artículo 42 de la Ley 11/2003 de 8 de abril, de Prevención Ambiental de Castilla y León puesto que, de su lectura e interpretación literal, llegamos a una conclusión distinta de la que se contiene en la Sentencia recurrida, ya que claramente se refiere **solo al deber de comunicación a las Administraciones y a las consecuencias del incumplimiento de tal deber**, que se ventilan no en la denegación de la transmisión de la licencia, sino en el de las responsabilidades de cedente y cesionario del incumplimiento de las obligaciones que impone la ley. [STSJ Castilla y León (Burgos) 28 noviembre 2011.- LA LEY 232204/2011]

• De todo lo expuesto se concluye que el **cambio de titularidad de licencia solicitado no era una cuestión discutible** y por ello la Resolución de 3 de junio de 2005, no puede incardinarse dentro del margen de razonabilidad del que disponía la administración local para resolver, pues solicitado un cambio de titularidad de licencia, se entiende por el ayuntamiento que procede la solicitud de nueva licencia por cambio de actividad y ello a pesar de que los informes, ponían en evidencia de que se trataba de un cambio de titularidad, con el resultado ya conocido de anulación de estas resolución, y la pertinente declaración de responsabilidad patrimonial, **pues el ayuntamiento de Gandía venia obligado a otorgar el cambio de titularidad de licencia solicitado al cumplirse todos los requisitos necesarios para ello y estar acreditadas dichas circunstancias en el expediente instruido al efecto,** sin margen de interpretación y sin que en la resolución inicialmente anulada se cite un solo informe que avale lo resuelto por el Ayuntamiento que lo fue al margen de toda apreciación razonable. [STS Comunidad Valenciana 17 abril 2013.- LA LEY 90145/2013]

• ...De acuerdo con este precepto es evidente que **el cambio de titularidad no precisa de la obtención de una nueva licencia**. Solo precisa de una autorización municipal de que las obras e instalaciones, se ajustan a la licencia de actividad. Esta exigencia, incluso desaparecerá en la Ley 2/2006, de calidad ambiental, en cuyo art. 62, la transmisión sin alteración, solo es objeto de comunicación. [STSJ Comunidad Valenciana 28 noviembre 2014.- LA LEY 232360/2014]

• La conclusión de que, **para autorizar el cambio de titularidad del establecimiento, basta la mera comunicación al Ayuntamiento es conforme a derecho**, sin perjuicio, insistimos, en que ora de oficio por la propia Administración ora a instancia de algún interesado pueda controlarse la actividad y, en su caso, imponerse medidas correctoras de la concreta actividad, incluso la incoación de procedimiento sancionador si hubiere méritos para ello. [STSJ Andalucía (Granada) 15 noviembre 2016.- LA LEY 202226/2016]

• Podemos aplicar la doctrina expresada en la Sentencia dictada por esta Sala y Sección 15 de abril de 2015, dictada en el recurso de apelación número 138/2015 dimanante de la Pieza Separada de Suspensión n.º 522/2014 del Juzgado de lo Contencioso-Administrativo número 14 de Madrid, en la que hemos indicado «En el supuesto de autos, sin que la decisión que aquí se adopte ni la fundamentación jurídica de la presente resolución suponga en modo alguno prejuzgar el fondo del asunto, a los meros efectos cautelares que nos ocupan, el recurso de apelación debe ser desestimado por no concurrir la apariencia de buen derecho alegada por el apelante. Y ello es así porque tal y como se hace constar en la propia resolución administrativa ordenando el precinto, tal decisión se adopta en ejecución de tres resoluciones sancionadoras previas impuestas por periodos de nueve meses, un año y dos años, que aunque impuestas con carácter firme con anterioridad al inicio de la actividad por parte del apelante (contrato de arrendamiento del local de 17 de septiembre de 2014, declaración responsable de inicio de actividad de establecimiento de restauración presentado ante la Comunidad de Madrid el 19 de septiembre de 2014 y comunicación al Ayuntamiento de Madrid de cambio de titularidad de actividades presentada el 19 de septiembre de 2014) y siendo el sujeto sancionado un tercero, sin embargo no podemos acceder a la suspensión instada sin eludir el cumplimiento de tres resoluciones sancionadoras firmes que afectan de forma directa a la licencia del local en el que ejerce su actividad el apelante. Así se desprende del contenido del art. 41.4 de la Ley 17/1997 de Espectáculos Públicos y Actividades Recreativas de la Comunidad de Madrid, según el cual "Las sanciones de clausura de locales…, cuando sean superiores a seis meses, conllevarán la suspensión de las licencias reguladas en esta Ley". Por tanto, **la pretendida transmisión de la licencia con que cuenta el local de autos, no pudo operar de forma válida por la sencilla razón de que la misma quedó suspendida una vez impuestas las sanciones con carácter firme, quedando así pues el local afectado por la sanción de clausura sin posibilidad de transmisión de una licencia suspendida por ministerio de la ley**». [STSJ Madrid 7 junio 2017.- LA LEY 105935/2017]

• Es cierto que el Reglamento de las corporaciones locales, cuando regula la trasmisión de licencias, **sólo pretende establecer el requisito de la comunicación puesto que la licencia de actividad continua vigente,** en tanto subsistan las condiciones exigidas para su otorgamiento, **sin que afecte a la licencia de actividad el sujeto que ostenta su titularidad** y ello con el fin de que, si no se produjera la citada comunicación, serían responsables tanto el transmitente de la licencia, como el adquirente de la licencia, por lo que la aplicación del art. 13.1 del citado reglamento, pero ello en nada afecta al actor, ni menos aun determina la nulidad de la resolución impugnada. [STSJ Comunidad Valenciana 15 noviembre 2017.- LA LEY 217823/2017]

3.   Legislación aplicable

— Europea

Directiva 2006/123/CE del Parlamento y del Consejo, de 12 de diciembre de 2006, relativa a los servicios en el mercado interior.

— Estatal

Ley 17/2009, de 23 de noviembre, sobre el Libre Acceso a las Actividades de Servicios.

Arts. 21.1. q) y s), 124.4.ñ), 70.bis y 84, 84 bis y 84 ter. de la Ley 7/1985, de 2 de abril, Reguladora de las Bases de Régimen Local.

Ley 39/2015, de 1 de octubre, del Procedimiento Administrativo Común de las Administraciones Públicas.

— Autonómica

Arts. 49.4, 65. d) de la Ley Foral 4/2005, de 22 de marzo, de intervención para la protección ambiental.

Arts. 75.3, 84.9, 104.1 d) y 118,3 g) del Decreto Foral 93/2006, de 28 de diciembre, por el que se aprueba el Reglamento de desarrollo de la Ley Foral 4/2005, de 22 de marzo, de Intervención para la Protección Ambiental.

Art. 23.5 de la Ley Foral 2/1989, de 13 de marzo, reguladora de espectáculos públicos y actividades recreativas.

Ley Foral 26/2001, de 10 de diciembre, de modificación de la Ley Foral 2/1989, de 13 de marzo, reguladora de espectáculos públicos y actividades recreativas.

Decreto Foral 37/2013, de 5 de junio, por el que se adoptan diversas medidas en materia de espectáculos públicos y actividades recreativas para transponer la Directiva 2006/123/CE, del Parlamento Europeo y del Consejo, de 12 de diciembre de 2006, relativa a los servicios en el mercado interior.

Decreto Foral 201/2002, de 23 de septiembre, por el que se regula el horario general de espectáculos públicos y actividades recreativas.

Decreto Foral 202/2002, de 23 de septiembre, por el que se aprueba el Catálogo de establecimientos, espectáculos públicos y actividades recreativas y se regulan los Registros de Empresas y Locales.

Decreto Foral 44/1990, de 8 de marzo, por el que se regulan las condiciones de autorización de espectáculos públicos y actividades recreativas en espacios públicos.

4. Documentos de interés

— Doctrina

CANO MURCIA, Antonio. «Cuestiones prácticas sobre transmisión o cambio de titularidad».- LA LEY 18910/2011.

—. *El nuevo régimen jurídico de las licencias de apertura.* El Consultor de los Ayuntamientos y Juzgados. 2010.

—. «Apunte legislativo sobre transmisión o cambio de titularidad».- LA LEY 18909/2011.

—. «Los Tribunales dicen… sobre transmisión o cambio de titularidad».- LA LEY 18908/2011.

—. «Requisitos generales para la transmisión de la licencia de apertura».- LA LEY 18906/2011.

—. «Cuestiones prácticas sobre control e inspección».- LA LEY 18918/2011.

—. «Apunte legislativo sobre control e inspección».- LA LEY 18917/2011.

—. «Los Tribunales dicen… sobre control e inspección».- LA LEY 18916/2011.

—. «El régimen jurídico de control e inspección de los establecimientos públicos».- LA LEY 18915/2011.

CHOLBÍ CACHÁ, Francisco Antonio. «Apunte legislativo sobre las relaciones en la tramitación administrativa de las autorizaciones urbanísticas y de actividades».- LA LEY 23585/2011.

—. «Los Tribunales dicen… sobre las relaciones en la tramitación administrativa de las autorizaciones urbanísticas y de actividades.- LA LEY 23584/2011.

—. «Especial consideración a las actividades sujetas a licencias de uso cuando llevan aparejadas la ejecución de obras.- LA LEY 23583/2011.

—. «Los principales problemas en la tramitación conjunta de las autorizaciones urbanísticas cuando el destino de las obras es el ejercicio de actividades.- LA LEY 23582/2011.

MORA GONZÁLEZ, María Jesús. «La transmisión de las licencias urbanísticas». *El Consultor de los Ayuntamientos y de los Juzgados*, n.º 23, Quincena del 15 al 29 Dic. 2007, Ref. 3889/2007, pág. 3889, tomo 3, LA LEY.- LA LEY 6927/2007.

MODELO DE EXPEDIENTE *(Disponible a texto íntegro en smarteca.es)*

1) *Comunicación de cambio de titularidad de licencia municipal de actividad recreativa*

2) *Resolución de cambio de titularidad de licencia municipal de actividad recreativa*

3) *Notificación de cambio de titularidad de licencia de actividad recreativa*

IV. Expediente de modificación de licencia municipal de actividad recreativa

1. Claves del Expediente

La Ley Foral 4/2005, de 22 de marzo, de intervención para la protección ambiental, sujeta municipal de actividad clasificada a las actividades e instalaciones enumeradas en su anejo 4-D-7 entre las que se encuentran los espectáculos públicos y actividades recreativas (bares, sociedades culturales o gastronómicas, cafeterías, restaurantes, teatros, cines, salas de fiesta, discotecas, salas de juegos recreativos y análogas).

El procedimiento tipo para la obtención de la licencia municipal de actividad clasificada, es el de los arts. 54 a 57 de la Ley Foral 4/2005 para actividades clasificadas no sometidas a evaluación de impacto ambiental, al que se remite los arts. 52 y 53 de la misma.

La modificación de la licencia municipal de actividad clasificada por las causas del art. 14.1 de la Ley Foral 4/2005, citada, no da lugar a derecho a indemnización.

Las modificaciones pueden ser sustanciales o no sustanciales. Para su determinación se estará a los criterios del art. 77.1 y art. 78 del Decreto Foral 93/2006, de 28 de diciembre, por el que se aprueba el Reglamento de desarrollo de la Ley Foral 4/2005, de 22 de marzo, de Intervención para la Protección Ambiental.

PREGUNTAS CLAVE

1. ¿Ha de comunicarse la modificación de la actividad por su titular?

De acuerdo con el art. 47.1 de la Ley Foral 4/2005, de 22 de marzo, de intervención para la protección ambiental, el titular de la actividad tiene el deber de notificar al Ayuntamiento cualquier modificación en el proceso productivo que se proyecte en la actividad sometida a la licencia municipal de actividad clasificada.

2. ¿Ha de obtenerse autorización previa para realizar la modificación no sustancial de la actividad o instalación?

Dispone el art. 47.2 de la Ley Foral 4/2005, de 22 de marzo, de intervención para la protección ambiental que cuando el titular de la instalación considere que la modificación no es sustancial podrá llevarla a cabo siempre y cuando no se hubiese pronunciado en contrario el Ayuntamiento en el plazo de un mes.

3. ¿En el caso de modificación sustancial de la actividad, es necesario la obtención previa de nueva licencia municipal?

Dispone el art. 47.3 de la Ley Foral 4/2005, de 22 de marzo, de intervención para la protección ambiental que cuando la modificación sea considerada sustancial por el titular o por el Ayuntamiento será necesaria una nueva licencia municipal de actividad clasificada no pudiendo llevarse a cabo tal modificación hasta que no sea otorgada la licencia.

4. ¿Puede modificarse de oficio la licencia de actividad clasificada?

El art. 79 del Decreto Foral 93/2006, de 28 de diciembre, por el que se aprueba el Reglamento de desarrollo de la Ley Foral 4/2005, de 22 de marzo, de Intervención para la Protección Ambiental, contempla la posibilidad de modificar de oficio y sin derecho a indemnización del contenido de la licencia de actividad clasificada cuando se den alguna de las siguientes circunstancias:

a) Los impactos o afecciones ambientales de la actividad o bien circunstancias sobrevenidas, hagan necesario revisar las condiciones establecidas en la licencia.

b) Como consecuencia de importantes cambios en las mejores técnicas disponibles, resulte posible reducir, significativamente, las emisiones u otras afecciones ambientales, sin imponer costes excesivos.

c) La seguridad del funcionamiento del proceso o actividad haga necesario emplear otras técnicas.

d) Se estime que existen circunstancias sobrevenidas que exigen la revisión de las condiciones de la licencia. Cuando la modificación se refiera a las condiciones del vertido a dominio público hidráulico deberá solicitarse al organismo de cuenca un nuevo informe vinculante sobre las condiciones del vertido.

e) Así lo exija la legislación vigente que sea aplicable a la instalación.

5. ¿Tiene plazo de caducidad la licencia de actividad?

De conformidad con el Art. 49.2 de la Ley Foral 4/2005, de 22 de marzo, de intervención para la protección ambiental, la licencia de actividad caducará por falta de ejercicio en la actividad correspondiente en el plazo de dos años a contar desde la fecha de su otorgamiento.

6. ¿La licencia obras puede concederse antes de la obtención de la licencia de actividad?

De conformidad con el Art. 49.3 de la Ley Foral 4/2005, de 22 de marzo, de intervención para la protección ambiental, no se podrán conceder licencias de obras para actividades clasificadas en tanto no se haya otorgado la licencia de actividad correspondiente. No obstante lo anterior, para determinadas actividades de baja incidencia medioambiental y en los términos y condiciones que reglamentariamente se prevean, se podrá conceder licencia de obras mientras se tramita la licencia de actividad. En dichos casos, la ejecución de las obras quedará bajo la exclusiva responsabilidad de su promotor, sin que la misma condicione el otorgamiento o denegación de la licencia de actividad, ni la necesaria y obligada adaptación a las condiciones que se señalen por el organismo medioambiental.

7. ¿La modificación de la licencia municipal de actividad clasificada, es indemnizable?

De conformidad con el Art. 50 de la Ley Foral 4/2005, de 22 de marzo, de intervención para la protección ambiental, la licencia municipal de actividad clasificada podrá ser modificada, sin derecho a indemnización, cuando concurran las siguientes causas (art. 14.1 de la Ley Foral 4/2005):

a) La contaminación producida por la instalación haga conveniente la revisión de los valores límite de emisión o de otras condiciones de la autorización.

b) Como consecuencia de importantes cambios en las mejores técnicas disponibles, resulte posible reducir significativamente las emisiones, sin imponer costes excesivos.

c) La seguridad de funcionamiento del proceso o actividad haga necesario emplear otras técnicas.

d) Se estime que existen circunstancias sobrevenidas que exigen la revisión de las condiciones de la autorización. Cuando la modificación se refiera a las condiciones del vertido a dominio público hidráulico deberá solicitarse al organismo de cuenca un nuevo informe vinculante sobre las condiciones del vertido.

e) Así lo exija la legislación vigente que sea de aplicación a la instalación.

8. ¿Qué plazo hay para resolver y notificar la concesión o denegación de la licencia de actividad municipal?

Cuatro meses desde la presentación de la solicitud con la documentación completa (art. 56.1 de la Ley Foral 4/2005, de 22 de marzo, de intervención para la protección ambiental).

9. ¿Ha de notificarse el otorgamiento de la licencia a los que hubieren presentado alegaciones?

Sí. Así lo establece el Art. 56.2 de la Ley Foral 4/2005, de 22 de marzo, de intervención para la protección ambiental.

10. ¿Ha de publicarse el otorgamiento de la licencia?

Sí. Así lo establece el Art. 56.2 de la Ley Foral 4/2005, de 22 de marzo, de intervención para la protección ambiental.

11. ¿Si no se resuelve en plazo la licencia de actividad solicitada, se adquiere la misma por silencio administrativo?

No. Transcurrido el plazo de cuatro meses sin que se haya dictado y notificado la resolución, podrá entenderse desestimada la solicitud de licencia de actividad (art. 56.3 de la Ley Foral 4/2005, de 22 de marzo, de intervención para la protección ambiental).

12. ¿Obtenida la licencia municipal de actividad clasificada, puede iniciarse la actividad?

Con carácter previo al inicio de una actividad clasificada, deberá obtenerse del Alcalde la autorización de puesta en marcha correspondiente, que se denominará licencia de apertura, con el objeto de comprobar que la actividad o instalación se ajusta al proyecto aprobado (art. 58.1 de la Ley Foral 4/2005, de 22 de marzo, de intervención para la protección ambiental).

13. ¿Qué plazo hay para resolver la licencia municipal de apertura? ¿Qué alcance tiene el silencio administrativo si no se resuelve en plazo?

La resolución y notificación de la concesión o denegación de licencia municipal de apertura deberá realizarse en el plazo de un mes desde la presentación de la solicitud. En caso contrario la licencia se entenderá otorgada por silencio positivo, excepto en aquellas actividades para las que la legislación vigente disponga otra cosa (art. 58.3 de la Ley Foral 4/2005, de 22 de marzo, de intervención para la protección ambiental).

14. ¿Puede realizarse el enganche de suministros antes de obtener la licencia municipal de apertura?

De acuerdo con el art. 58.4 de la Ley Foral 4/2005, de 22 de marzo, de intervención para la protección ambiental, se podrán obtener, con carácter previo a la obtención de la licencia de apertura, las autorizaciones de enganche o ampliación de suministro de energía eléctrica, de utilización de combustibles líquidos o gaseosos, de abastecimiento de agua potable y demás autorizaciones preceptivas para el ejercicio de la actividad, salvo en los casos en los que se determine reglamentariamente lo contrario. Estas autorizaciones estarán condicionadas a la obtención de la licencia de apertura, que de ser denegatoria conllevarán la automática denegación de las mismas y la obligación de proceder inmediatamente al corte de los suministros.

2. Legislación aplicable

— Europea

Directiva 2006/123/CE del Parlamento y del Consejo, de 12 de diciembre de 2006, relativa a los servicios en el mercado interior.

— Estatal

Ley 17/2009, de 23 de noviembre, sobre el Libre Acceso a las Actividades de Servicios.

Arts. 21.1. q) y s), 124.4.ñ), 70.bis y 84, 84 bis y 84 ter. de la Ley 7/1985, de 2 de abril, Reguladora de las Bases de Régimen Local.

Ley 39/2015, de 1 de octubre, del Procedimiento Administrativo Común de las Administraciones Públicas.

— Autonómica

Ley Foral 4/2005, de 22 de marzo, de intervención para la protección ambiental.

Decreto Foral 93/2006, de 28 de diciembre, por el que se aprueba el Reglamento de desarrollo de la Ley Foral 4/2005, de 22 de marzo, de Intervención para la Protección Ambiental.

Ley Foral 2/1989, de 13 de marzo, reguladora de espectáculos públicos y actividades recreativas.

Ley Foral 26/2001, de 10 de diciembre, de modificación de la Ley Foral 2/1989, de 13 de marzo, reguladora de espectáculos públicos y actividades recreativas.

Decreto Foral 37/2013, de 5 de junio, por el que se adoptan diversas medidas en materia de espectáculos públicos y actividades recreativas para transponer la Directiva 2006/123/CE, del Parlamento Europeo y del Consejo, de 12 de diciembre de 2006, relativa a los servicios en el mercado interior.

Decreto Foral 202/2002, de 23 de septiembre, por el que se aprueba el Catálogo de establecimientos, espectáculos públicos y actividades recreativas y se regulan los Registros de Empresas y Locales.

Decreto Foral 44/1990, de 8 de marzo, por el que se regulan las condiciones de autorización de espectáculos públicos y actividades recreativas en espacios públicos.

3.   Documentos de interés

— Doctrina

CANO MURCIA, Antonio. «Cuestiones prácticas sobre transmisión o cambio de titularidad».- LA LEY 18910/2011.

—. «Apunte legislativo sobre transmisión o cambio de titularidad».- LA LEY 18909/2011.

—. «Los Tribunales dicen… sobre transmisión o cambio de titularidad».- LA LEY 18908/2011.

—. «Requisitos generales para la transmisión de la licencia de apertura».- LA LEY 18906/2011.

—. «Cuestiones prácticas sobre control e inspección».- LA LEY 18918/2011.

—. «Apunte legislativo sobre control e inspección».- LA LEY 18917/2011.

—. «Los Tribunales dicen… sobre control e inspección».- LA LEY 18916/2011.

—. «El régimen jurídico de control e inspección de los establecimientos públicos».- LA LEY 18915/2011.

CHOLBÍ CACHÁ, Francisco Antonio. «Apunte legislativo sobre las relaciones en la tramitación administrativa de las autorizaciones urbanísticas y de actividades».- LA LEY 23585/2011.

—. «Los Tribunales dicen… sobre las relaciones en la tramitación administrativa de las autorizaciones urbanísticas y de actividades.- LA LEY 23584/2011.

—. «Especial consideración a las actividades sujetas a licencias de uso cuando llevan aparejadas la ejecución de obras.- LA LEY 23583/2011.

—. «Los principales problemas en la tramitación conjunta de las autorizaciones urbanísticas cuando el destino de las obras es el ejercicio de actividades.- LA LEY 23582/2011.

— Reseña jurisprudencial

STSJ Navarra, Sala de lo Contencioso-administrativo, n.º 41/2015 de 4 Feb. 2015, Rec. 5/2014.- LEY 106096/2015.

Tribunal Administrativo de Navarra, Sección 3.ª, Resolución de 12 Dic. 2013, rec. 13-03548/2013.- LEY 219703/2013.

Tribunal Administrativo de Navarra, Sección 3.ª, Resolución de 15 Mar. 2013, rec. 12-05504/2012.- LEY 23463/2013.

Tribunal Administrativo de Navarra, Sección 3.ª, Resolución de 18 Dic. 2012, rec. 12-01145/2012.- LEY 204035/2012.

Tribunal Administrativo de Navarra, Sección 3.ª, Resolución de 17 Abr. 2012, rec. 12-00320/2012.- LEY 51065/2012.

Tribunal Administrativo de Navarra, Sección 3.ª, Resolución de 16 Abr. 2012, rec. 11-05384/2011.- LEY 51066/2012.

Tribunal Administrativo de Navarra, Sección 3.ª, Resolución de 16 Mar. 2012, rec. 11-06638/2011.- LEY 35981/2012.

Tribunal Administrativo de Navarra, Sección 3.ª, Resolución de 23 Feb. 2012, rec. 11-05104/2011.- LEY 35968/2012.

Tribunal Administrativo de Navarra, Sección 3.ª, Resolución de 21 Sep. 2011, rec. 11-02602/2011.- LEY 172693/2011.

Tribunal Administrativo de Navarra, Sección 3.ª, Resolución de 17 Ago. 2011, rec. 11-02748/2011.- LEY 185136/2011.

Tribunal Administrativo de Navarra, Sección 3.ª, Resolución de 11 Ago. 2011, rec. 11-01859/2011.- LEY 165492/2011.

— Cabecera

Tribunal Administrativo de Navarra, Sección 3.ª, Resolución de 26 Jul. 2011, rec. 10-07280/2010.- LEY 159726/2011.

Tribunal Administrativo de Navarra, Sección 3.ª, Resolución de 26 Jul. 2011, rec. 10-07280/2010.- LEY 159726/2011.

Tribunal Administrativo de Navarra, Sección 3.ª, Resolución de 15 Abr. 2011, rec. 10-08772/2010.- LEY 127962/2011.

Tribunal Administrativo de Navarra, Sección 3.ª, Resolución de 12 Ene. 2011, rec. 09-05388/2009.- LEY 127893/2011.

STSJ Navarra, Sala de lo Contencioso-administrativo, de 30 May. 2008, rec. 190/2007.- LEY 115366/2008.

STSJ Navarra, Sala de lo Contencioso-administrativo, de 2 Oct. 2008, rec. 94/2007.- LEY 279978/2008.

MODELO DE EXPEDIENTE *(Disponible a texto íntegro en smarteca.es)*

1)   *Inicio expediente modificación sustancial de licencia municipal de actividad recreativa*

2)   *Admisión a trámite del expediente*

3)   *Requerimiento vecinos a policía local*

4)   *Edicto de información pública*

5)   *Informe técnico*

6)   *Notificación a vecinos inmediatos al lugar de emplazamiento de la actividad*

7)   *Certificado de reclamaciones*

8)   *Informe razonado del Alcalde/sa sobre el establecimiento*

9)   *Remisión del expediente al Departamento de Medio Ambiente, Ordenación del Territorio y Vivienda*

10)   *Resolución de modificación sustancial de licencia municipal de actividad clasificada*

11)   *Notificación de la resolución de modificación sustancial de la licencia municipal de actividad recreativa*

V.   Expediente de control e inspeccion de actividad sujeta a licencia municipal de actividad recreativa

1.   Claves del Expediente

El expediente de control e inspección de actividad es un control posterior a su ejercicio y se encuadra dentro de la potestad municipal.

La inspección de la actividad podrá producirse como consecuencia de denuncia efectuada por particulares, o fruto de la inspección que el Ayuntamiento realice en el marco de sus atribuciones de inspección y vigilancia.

La importancia de este expediente y por ende de la actuación municipal radica en que el hecho de que se podrá detectar anomalías o deficiencias en el funcionamiento de las instalaciones o de las medidas correctoras, y por lo tanto sirve para exigir el cumplimiento al titular de la actividad del correcto funcionamiento de la misma, lo que evitará daños al medio ambiente y a la seguridad de las personas.

La inspección, es una facultad que se reserva el Ayuntamiento que en cualquier momento, y con posterioridad a la concesión de la licencia de apertura, puede comprobar el grado de eficacia y funcionamiento de las medidas correctoras, verificar el estado de las instalaciones, etc. Es decir, se pretende con esta medida el velar por el buen estado de la actividad, requiriendo la subsanación de las deficiencias que se detecten.

Como consecuencia del resultado del expediente, podrá abrirse procedimiento sancionador.

Ha de tenerse en cuenta que la Ley Foral 2/1989, de 13 de marzo, reguladora de espectáculos públicos y actividades recreativas, no se refiere propiamente al control de la actividad, al decir en su preámbulo que tiene como objetivo principal el de fijar el marco general del control que debe ejercer la Administración Pública sobre los espectáculos públicos y las actividades recreativas, control que no debe ir referido al contenido u objeto propio de tales actividades, que la propia dinámica social debe impulsar, sino a aquellos otros aspectos que, por afectar a derechos fundamentales reconocidos en nuestro ordenamiento, exigen una intervención pública. Principalmente, esta intervención debe ir dirigida a garantizar los derechos a la vida e integridad física y a la seguridad de las personas, que puede ponerse en peligro con motivo de la celebración de las citadas actividades, bien a causa de aglomeraciones humanas, bien por las condiciones de los locales e instalaciones donde se realicen, o bien por las propias características de algunos espectáculos. Adicionalmente, deberá atenderse a la protección en este ámbito de los consumidores y usuarios y de los terceros afectados. Es decir, se trata al fin y únicamente de asegurar que determinados derechos van a ser respetados, dentro de un marco genérico de libertad.

PREGUNTAS CLAVE

1. ¿Quién tiene la competencia de vigilancia, control, inspección de las licencias ambientales?

La competencia recae en el Ayuntamiento y corresponde ejercerla al alcalde y por delegación de éste a la Junta de Gobierno Local, o concejal delegado.

2. ¿Cuándo se realiza el control de una actividad sujeta a licencia municipal de apertura?

Una vez que se ha concedido la licencia municipal de apertura, y con posterioridad a la misma el ayuntamiento podrá en cualquier momento inspeccionar el establecimiento para comprobar el funcionamiento de las instalaciones.

3. ¿Puede incoarse procedimiento sancionador como consecuencia del acta de inspección que se levante?

Una de las consecuencias de la inspección que se realice y posterior levantamiento del acta de inspección es posibilidad de incoar de procedimiento sancionador, ya que según dispone el art. 101.1 del Decreto Foral 93/2006, de 28 de diciembre, por el que se aprueba el Reglamento de desarrollo de la Ley Foral 4/2005, de 22 de marzo, de Intervención para la Protección Ambiental, en toda visita de inspección se levantará acta, en la que se incluirán las siguientes determinaciones:

a) Personal inspector que realiza la visita.

b) Actividad o instalación inspeccionada, titular de la misma y la identificación de las personas que presencian la visita, haciendo mención expresa de la representación o carácter con el que comparecen.

c) Lugar, fecha y hora de la inspección.

d) Hechos y circunstancias constatados durante la visita y, en su caso, métodos de toma de muestras y análisis empleados.

e) En su caso, las observaciones formuladas por los comparecientes.

f) Firma del acta por los comparecientes o, en su caso, las razones de su negativa a firmar si las manifestaran.

2. Jurisprudencia

• La licencia de apertura y/o funcionamiento **crea una relación permanente con la Administración,** ya que las exigencias del interés público demandan un funcionamiento correcto de la actividad y de sus medidas correctoras, **lo cual implicará que la actividad desarrollada quede, durante la vigencia de la licencia, sujeta a inspecciones administrativas para la comprobación** del cumplimiento de las condiciones expresadas en la misma, conforme declaran, entre otras, las SSTS de 4 octubre 1986 y 30 junio 1987. [STSJ Madrid 13 noviembre 2001]

• **La licencia de apertura** y funcionamiento de establecimientos o actividades potencialmente nocivas o peligrosas, **a diferencia de las que suponen un control de un acto u operación determinada, tiene por objeto el control de una actividad llamada a prolongarse indefinidamente en el tiempo,** denominándose por ello, doctrinalmente, **licencias de funcionamiento**, lo que acarrea, como consecuencia, que la autorización y sus condiciones prolonguen su vigencia tanto como dure la actividad autorizada... Sobre esta base y a propósito de las licencias de apertura y funcionamiento antes citadas, la jurisprudencia ha reconocido que «la posibilidad de actuación en esta materia de los Ayuntamientos, como titulares de policía de seguridad, **no se agota con la concesión y la revocación de las licencias de apertura, sino que, más bien disponen de unos poderes de intervención de oficio y de manera constante con la finalidad de salvaguardar la protección de personas y bienes pudiendo imponer, en consecuencia, cualesquiera correcciones y adaptaciones que estimen necesarias sin que ello suponga una ilícita vuelta contra los propios actos».** Por consiguiente, hay que admitir respecto de estas licencias de funcionamiento la posibilidad, e, incluso, el deber de la Administración de modificar el contenido de la autorización inicialmente otorgada para mantenerlo correctamente adaptado, a lo largo de su vigencia, a las exigencias del interés público. [STSJ Madrid 12 febrero 2014.- LA LEY 19239/2014]

• **La actividad está sometida al control permanente que sobre ella debe ejercer la administración y que no puede quedar limitado al plazo de cuatro años,** cuestión ya establecida por esta Sala en anteriores sentencias de 4 de diciembre de 1998 y 6 de mayo de 1999. [STSJ Madrid 27 junio 2014.- LA LEY 108979/2014]

• En la presente *litis*, no es necesario acudir a la revisión de oficio de actos firmes, dado que en cualquier caso, nos encontramos ante una actividad (BAR RESTAURANTE), que requiere licencia de apertura, en el que la actividad de control por las administraciones, no culmina con la licencia de apertura, sino que se realiza una función constante y permanente**, en el que la actividad de control por la administración es continua, y el sujeto sometido a la intervención administrativa debe cumplir las previsiones legales que se vayan produciendo en la actividad sometida al control de la administración.** [STSJ Castilla y León (Burgos) 11 septiembre 2015.- LA LEY 134406/2015]

3. Legislación aplicable

— Europea

Directiva 2006/123/CE del Parlamento y del Consejo, de 12 de diciembre de 2006, relativa a los servicios en el mercado interior.

— Estatal

Ley 17/2009, de 23 de noviembre, sobre el Libre Acceso a las Actividades de Servicios.

Arts. 21.1. q) y s), 124.4.ñ), 70.bis y 84, 84 bis y 84 ter. de la Ley 7/1985, de 2 de abril, Reguladora de las Bases de Régimen Local.

Ley 39/2015, de 1 de octubre, del Procedimiento Administrativo Común de las Administraciones Públicas.

— Autonómica

Ley Foral 2/1989, de 13 de marzo, reguladora de espectáculos públicos y actividades recreativas.

Ley Foral 26/2001, de 10 de diciembre, de modificación de la Ley Foral 2/1989, de 13 de marzo, reguladora de espectáculos públicos y actividades recreativas.

Decreto Foral 37/2013, de 5 de junio, por el que se adoptan diversas medidas en materia de espectáculos públicos y actividades recreativas para transponer la Directiva 2006/123/CE, del Parlamento Europeo y del Consejo, de 12 de diciembre de 2006, relativa a los servicios en el mercado interior.

Decreto Foral 201/2002, de 23 de septiembre, por el que se regula el horario general de espectáculos públicos y actividades recreativas.

Decreto Foral 202/2002, de 23 de septiembre, por el que se aprueba el Catálogo de establecimientos, espectáculos públicos y actividades recreativas y se regulan los Registros de Empresas y Locales.

Decreto Foral 44/1990, de 8 de marzo, por el que se regulan las condiciones de autorización de espectáculos públicos y actividades recreativas en espacios públicos.

Ley Foral 4/2005, de 22 de marzo, de intervención para la protección ambiental.

Decreto Foral 93/2006, de 28 de diciembre, por el que se aprueba el Reglamento de desarrollo de la Ley Foral 4/2005, de 22 de marzo, de Intervención para la Protección Ambiental.

4. Documentos de interés

— Doctrina

CANO MURCIA, Antonio. «Cuestiones prácticas sobre transmisión o cambio de titularidad».- LA LEY 18910/2011.

—. «Apunte legislativo sobre transmisión o cambio de titularidad».- LA LEY 18909/2011.

—. «Los Tribunales dicen… sobre transmisión o cambio de titularidad».- LA LEY 18908/2011.

—. «Requisitos generales para la transmisión de la licencia de apertura».- LA LEY 18906/2011.

—. «Cuestiones prácticas sobre control e inspección».- LA LEY 18918/2011.

—. «Apunte legislativo sobre control e inspección».- LA LEY 18917/2011.

—. «Los Tribunales dicen... sobre control e inspección».- LA LEY 18916/2011.

—. «El régimen jurídico de control e inspección de los establecimientos públicos».- LA LEY 18915/2011.

CHOLBÍ CACHÁ, Francisco Antonio. «Apunte legislativo sobre las relaciones en la tramitación administrativa de las autorizaciones urbanísticas y de actividades».- LA LEY 23585/2011.

—. «Los Tribunales dicen... sobre las relaciones en la tramitación administrativa de las autorizaciones urbanísticas y de actividades.- LA LEY 23584/2011.

—. «Especial consideración a las actividades sujetas a licencias de uso cuando llevan aparejadas la ejecución de obras.- LA LEY 23583/2011.

—. «Los principales problemas en la tramitación conjunta de las autorizaciones urbanísticas cuando el destino de las obras es el ejercicio de actividades.- LA LEY 23582/2011.

MODELO DE EXPEDIENTE *(Disponible a texto íntegro en smarteca.es)*

1)   Acta de inspección

2)   Resolución ordenando apertura de expediente

3)   Notificación de acta de inspección e informe en trámite de audiencia

4)   Escrito de alegaciones en trámite de audiencia

5)   Resolución del expediente de comprobación

6)   Notificación de la resolución

15. PAÍS VASCO

I.   Expediente de concesion de licencia de actividad clasificada para espectáculos públicos, actividades recreativas y establecimientos públicos

1.   Claves del Expediente

La licencia de actividad clasificada, junto con la comunicación previa de actividad clasificada se configura como el modo de intervención municipal para el ejercicio de actividades del anexo II A) de la Ley 3/1998, de 27 de febrero de protección general del medio ambiente en el País Vasco.

El expediente para la concesión de la licencia de actividad clasificada, de competencia municipal para su concesión, ha de tener en cuenta para su tramitación lo siguiente:

• La solicitud irá acompaña de proyecto técnico y memoria.

• Podrá denegarse la licencia de actividad clasificada antes de su tramitación, por ir contra el planeamiento o las ordenanzas municipales.

• Se someterá a información pública y notificará a vecinos inmediatos.

• Se solicitará informe al órgano ambiental de la Comunidad Autónoma u órgano foral.

• Se aplicará el silencio administrativo positivo

• La licencia de actividad es previa a la concesión de la licencia de obras

• Antes de iniciar la actividad será necesario comunicarlo al ayuntamiento, presentando certificación técnica

En el caso de espectáculos públicos y actividades recreativas de acuerdo con la Ley 10/2015, de 23 de diciembre, de Espectáculos Públicos y Actividades Recreativas, la licencia o comunicación previa de actividad clasificada de un establecimiento público habilita para el desarrollo de los espectáculos y actividades inherentes al tipo de establecimiento de que se trate o que se contemplen en dicho título habilitante.

El título habilitante del establecimiento ampara igualmente la celebración de actividades culturales o sociales o espectáculos de teatro o música complementarios y accesorios a la actividad principal, siempre que su desarrollo no suponga alteraciones del resto de condiciones previstas en el título habilitante, y particularmente no se altere el aforo, el régimen horario, las instalaciones o la configuración del local o afecte al plan de autoprotección, en caso de que lo precise. En todo caso, debe presentarse comunicación al ayuntamiento con carácter previo al inicio de tal actividad accesoria.

Las personas titulares de establecimientos públicos y organizadoras de espectáculos y actividades recreativas deben suscribir un contrato de seguro que cubra la responsabilidad civil por daños al público asistente y a terceros.

PREGUNTAS CLAVE

1. ¿A quién corresponde la concesión, así como la ampliación o reforma de una actividad clasificada?

Al ayuntamiento en cuyo territorio fuera a ubicarse (art. 56.1 Ley 3/1998).

2. ¿Qué actuación puede realizar el promotor antes de solicitar la licencia de actividad?

De conformidad con el art. 57.1 de la Ley 3/1998, el promotor de la actividad pública o privada podrá realizar una consulta al Ayuntamiento, dirigida a que se le proporcione información de los requisitos jurídicos y técnicos de la licencia y de las medidas correctoras previsibles, así como sobre la viabilidad formal de la actividad.

3. ¿Puede denegarse la licencia de actividad antes de que la misma se tramite?

Es una de las consecuencias de que la actividad vaya en contra del planeamiento o de las ordenanzas municipales (art. 58.1 Ley 3/1998). En cualquier caso será necesario la previa audiencia al interesado antes de resolver la denegación de la licencia solicitada.

4. ¿Qué medios de publicidad tiene la licencia de actividad?

El expediente se somete a información pública por plazo de quince días en el Boletín Oficial del Territorio Histórico y la notificará personalmente a los vecinos inmediatos al lugar donde haya de emplazarse. (art. 58.1 Ley 3/1998)

5. ¿Es preceptivo la emisión de informe sanitario?

Si, así lo exige el art. 58.2 Ley 3/1998, que a su vez le otorga el carácter de vinculante.

6. ¿Qué plazo hay para emitir el informe sanitario y técnico?

Se ha de emitir en el plazo de quince días, una vez agotado el período de exposición pública (art. 58.3 Ley 3/1998)

7. ¿Qué ocurre si no se emiten los informes sanitario y técnicos en plazo?

Sobre esta cuestión el art. 58 de la Ley 3/1998 silencia al alcance de la no emisión. Lo procedente será reiterar su emisión, ya que de lo contrario y transcurrido el plazo de seis meses desde la presentación de la solicitud de licencia, sin haberse emitido resolución expresa, se entenderá otorgada la misma en los términos del art. 43 de la Ley 30/1992 (art. 60 Ley 3/1998).

8. ¿Es vinculante el informe del órgano ambiental de la Comunidad Autónoma u órgano foral competente?

Será vinculante para la autoridad municipal cuando sea contrario a la concesión de la licencia de actividad, así como cuando determine la necesidad de imposición de medidas correctoras. (art. 59.2 Ley 3/1998).

9. ¿Qué plazo tiene el ayuntamiento para conceder la licencia de actividad clasificada?

Seis meses desde la solicitud inicial (art. 59 bis.1 Ley 3/1998).

10. ¿En qué supuesto queda sin efecto la licencia de actividad clasificada?

En el caso de que se incumplieran las condiciones a que estuvieran subordinadas (art. 59 bis 2 Ley 3/1998).

11. ¿Cuándo puede revocarse una licencia de actividad clasificada?

Cuando se conozcan circunstancias que hubieran justificado su denegación de acuerdo con los procedimientos de revisión de los actos administrativos (art. 59 bis 4 Ley 3/1998).

12. ¿Es aplicable el silencio administrativo positivo en caso de paralización del procedimiento de licencia de actividad clasificada?

Transcurridos seis meses desde que se presentó formalmente la solicitud de licencia ante el Ayuntamiento sin haberse emitido resolución expresa por el órgano decisorio, y no mediando paralización del procedimiento imputable al solicitante, se entenderá otorgada la licencia, salvo en aquellos casos en que el órgano ambiental de la Comunidad Autónoma u órgano foral competente hubiere notificado su informe desfavorable y se hallase éste pendiente de ejecución por parte del respectivo Ayuntamiento (art. 60 Ley 3/1998).

13. ¿Puede concederse licencia de obras sin que se haya concedido la licencia actividad clasificada?

El art. 61.1 de la Ley 3/1998 prohíbe la concesión de licencias de obras para actividades sujetas a licencia de actividad clasificada en tanto no se haya concedido la licencia de actividad.

4. ¿Puede iniciarse sin más una actividad una vez que se ha concedido la licencia de actividad clasificada?

No. Antes de Una vez implantadas las medidas correctoras impuestas en la licencia de actividad clasificada y habilitadas las instalaciones, el inicio de la actividad se sujetará a un régimen de comunicación previa. (art. 61.2 Ley 3/1998).

15. ¿Cuándo podrá iniciarse el ejercicio de la actividad clasificada?

Una vez se efectúe la comunicación y desde el día de su presentación (art. 61.4 Ley 3/1998).

2. Jurisprudencia

• **Una vez concedida la licencia de actividad, puede ser concedida la licencia de obras** (art. 61.1), y una vez ejecutadas y emitida la correspondiente certificación por el técnico competente que las dirige, la empresa ha de comunicar la terminación de las obras y el cumplimiento de las medidas correctoras, debiendo girar visita de inspección los técnicos municipales expidiendo un acta de comprobación, y si es favorable por ajustarse la obras al proyecto y haber sido implementadas las medidas correctoras, el Ayuntamiento ha de otorgar la licencia de apertura.

No se trata de procedimientos distintos los de concesión de la licencia de actividad y de apertura, sino de **dos actos de intervención de la Administración íntimamente ligados en un procedimiento bifásico,** en el que los interesados personados tras el período de información pública y los **vecinos personados tras la notificación personal, adquieren la condición de interesados** necesarios *ex* art. 31.1.c) LRJAP y PAC, condición que ostentan también en la fase de comprobación de la ejecución de las obras conforme al proyecto y de comprobación de la implementación de las medidas correctoras impuestas, sin que resulte exigible una segunda personación en el expediente como postula la apelante.

Si la Ley 3/1998 articula un **trámite de información pública y otro de notificación personal a los vecinos es porque considera esencial su participación en el procedimiento en defensa de sus legítimos intereses frente a la potencial afección de la actividad clasificada** (art.105-c) CE), y la *ratio* y finalidad de dicho trámite se verían defraudados, si su personación no alcanzara al trámite esencial de comprobación de que la obra se ha ejecutado conforme al proyecto que obtuvo la licencia y que se han implementado las medidas correctoras impuestas por la Administración ambiental. [STSJ País Vasco, Sala de lo Contencioso-administrativo, Sección 2.ª, n.º 191/2012 de 16 Mar. 2012, Rec. 261/2010.- LA LEY 273812/2012]

3. Legislación aplicable

— Europea

Directiva 2006/123/CE del Parlamento y del Consejo, de 12 de diciembre de 2006, relativa a los servicios en el mercado interior.

— **Estatal**

Ley 17/2009, de 23 de noviembre, sobre el Libre Acceso a las Actividades de Servicios.

Arts. 21.1. q) y s), 124.4.ñ), 70.bis y 84, 84 bis y 84 ter. de la Ley 7/1985, de 2 de abril, Reguladora de las Bases de Régimen Local.

Ley 39/2015, de 1 de octubre, del Procedimiento Administrativo Común de las Administraciones Públicas.

Arts. 4 y 5 de la Ley 12/2012, de 26 de diciembre, de medidas urgentes de liberalización del comercio y de determinados servicios.

— **Autonómica**

Ley 10/2015, de 23 de diciembre, de Espectáculos Públicos y Actividades Recreativas.

Decreto 44/2014, de 25 de marzo, por el que se regulan los seguros de responsabilidad civil exigibles para la celebración de espectáculos públicos y actividades recreativas.

Decreto 14/2014, de 11 de febrero, de tercera modificación del Decreto por el que se establecen los horarios de los espectáculos públicos y actividades recreativas y otros aspectos relativos a estas actividades en el ámbito de la Comunidad Autónoma del País Vasco.

Decreto 400/2013, de 30 de julio, de espectáculos con artificios pirotécnicos en la Comunidad Autónoma de Euskadi.

Ley 7/2012, de 23 de abril, de modificación de diversas leyes para su adaptación a la Directiva 2006/123/CE, de 12 de diciembre, del Parlamento Europeo y del Consejo, relativa a los servicios en el mercado interior.

Arts. 55 y ss. Ley 3/1998, de 27 de febrero, de Protección general del Medio Ambiente. País Vasco.

4. Documentos de interés

— **Doctrina**

ALONSO RIESGO, María Dora; FERNÁNDEZ GANCEDO, Inmaculada. «Licencias municipales de actividad y de apertura en el marco de la libre prestación de servicios». *El Consultor de los Ayuntamientos y de los Juzgados*, n.º 21, Quincena del 15 al 29 Nov. 2011, Ref. 2506/2011, pág. 2506, tomo 2.- LA LEY.

CANO MURCIA, Antonio. *El Nuevo Régimen de las Licencias de Apertura*. El Consultor de los Ayuntamientos y de los Juzgados. Madrid 2010.

CASTELAO RODRÍGUEZ, Julio. «Las licencias urbanísticas en el País Vasco». Esta doctrina forma parte del libro *Derecho urbanístico del País Vasco. El Consultor de los Ayuntamientos y de los Juzgados*, Madrid, enero 2008.- LA LEY 15640/2010.

CHOLBÍ CACHÁ, Francisco Antonio. «Apunte legislativo sobre las relaciones en la tramitación administrativa de las autorizaciones urbanísticas y de actividades».- LA LEY 23768/2011.

CHOLBÍ CACHÁ, Francisco Antonio; MERINO MOLINS, Vicente. «Comentario crítico sobre la directiva de Servicios y de las leyes 17 y 25/2009 en aplicación de la misma: especial incidencia en el ámbito de las licencias urbanísticas y de actividad». *El Consultor de los Ayuntamientos y de los Juzgados,* n.º 7, Quincena del 15 al 29 Abr. 2010, Ref. 1035/2010, pág. 1035, tomo 1.- LA LEY.

GAVIEIRO GONZÁLEZ, Sonia. «¿El fin de las licencias de apertura? Breve análisis de la situación de las licencias de actividad, obras y apertura en la Comunidad Autónoma Vasca». *Práctica Urbanística,* n.º 121, Sección Estudios.- LA LEY 1351/2013.

MARTÍN HERNÁNDEZ, Paulino. «Las licencias para actividades clasificadas». Esta doctrina forma parte del libro *Administración Local. Estudios en Homenaje a Ángel Ballesteros,* 1.ª ed., *El Consultor de los Ayuntamientos y de los Juzgados,* Madrid, enero 2011.- LA LEY 21893/2011.

PENSADO SEIJAS, Alberto. «Evolución exprés de las licencias de actividad inocuas». *El Consultor de los Ayuntamientos y de los Juzgados,* n.º 17, Sección Colaboraciones, Quincena del 15 al 29 Sep. 2013, Ref. 1623/2013, pág. 1623, tomo 2.- LA LEY 5239/2013.

— Reseña jurisprudencial

STSJ País Vasco, Sala de lo Contencioso-administrativo, Sección 2.ª, n.º 117/2015, de 11 Mar. 2015, Rec. 118/2014.- LA LEY 40567/2015.

STSJ País Vasco, Sala de lo Contencioso-administrativo, Sección 1.ª, de 31 Oct. 2013, rec. 429/2012.- LA LEY 194083/2013.

STSJ País Vasco, Sala de lo Contencioso-administrativo, Sección 2.ª, de 18 Sep. 2013, rec. 825/2012.- LA LEY 257064/2013.

STSJ País Vasco, Sala de lo Contencioso-administrativo, Sección 2.ª, de 2 Jul. 2013, rec. 71/2012.- LA LEY 256478/2013.

STSJ País Vasco, Sala de lo Contencioso-administrativo, Sección 2.ª, de 5 Jun. 2013, rec. 915/2011.- LA LEY 121025/2013.

STSJ País Vasco, Sala de lo Contencioso-administrativo, Sección 2.ª, 191/2012 de 16 Mar. 2012, Rec. 261/2010.- LA LEY 273812/2012.

STSJ País Vasco, Sala de lo Contencioso-administrativo, Sección 2.ª, de 11 Ene. 2012, rec. 690/2010.- LA LEY 183058/2012.

STSJ País Vasco, Sala de lo Contencioso-administrativo, Sección 2.ª, de 29 Nov. 2011, rec. 688/2010.- LA LEY 300725/2011.

STSJ País Vasco, Sala de lo Contencioso-administrativo, Sección 2.ª, de 22 Feb. 2011, rec. 1225/2008.- LA LEY 140622/2011.

STSJ País Vasco, Sala de lo Contencioso-administrativo, Sección 2.ª, de 18 Dic. 2009, rec. 217/2008.- LA LEY 317167/2009.

MODELO DE EXPEDIENTE de espectáculos públicos, actividades recreativas y establecimientos públicos *(Disponible a texto íntegro en smarteca.es)*

1)   *Solicitud de licencia de actividad de espectáculo público, actividad recreativa y establecimiento público*

2)   *Admisión a trámite del expediente*

3)   *Requerimiento de relación de vecinos inmediatos*

4)   *Edicto*

5)   *Notificación a vecinos colindantes*

6)   *Certificado de reclamaciones al trámite de información pública*

7)   *Informe razonado sobre el establecimiento (art. 58.3)*

A)   Informe técnico a la licencia de actividad

B)   Informe jurídico a la licencia de actividad

C)   Informe de sanitario

8)   *Informe ambiental (art. 59-62 (delegación competencial)*

9)   *Resolución del expediente de licencia ambiental*

10) *Notificación del expediente de licencia ambiental*

II. Expediente de inicio de actividad clasificada para espectáculos públicos, actividades recreativas y establecimientos públicos

1.   Claves del Expediente

La licencia de actividad clasificada, junto con la comunicación previa de actividad clasificada se configura como el modo de intervención municipal para el ejercicio de actividades del anexo II A) de la Ley 3/1998, de 27 de febrero de protección general del medio ambiente en el País Vasco.

Antes de iniciar la actividad será necesario comunicarlo al ayuntamiento, presentando certificación técnica.

Las personas titulares de establecimientos públicos y organizadoras de espectáculos y actividades recreativas deben suscribir un contrato de seguro que cubra la responsabilidad civil por daños al público asistente y a terceros.

2.   Jurisprudencia

• **Una vez concedida la licencia de actividad, puede ser concedida la licencia de obras** (art. 61.1), y una vez ejecutadas y emitida la correspondiente certificación por el técnico competente que las dirige, la empresa ha de comunicar la terminación de las obras y el cumplimiento de las medidas correctoras, debiendo girar visita de inspección los técnicos municipales expidiendo un acta de comprobación, y si es favorable por ajustarse la obras al proyecto y haber sido implementadas las medidas correctoras, el Ayuntamiento ha de otorgar la licencia de apertura.

No se trata de procedimientos distintos los de concesión de la licencia de actividad y de apertura, sino de **dos actos de intervención de la Administración íntimamente liga-**

dos en un procedimiento bifásico, en el que los interesados personados tras el período de información pública y los **vecinos personados tras la notificación personal, adquieren la condición de interesados** necesarios *ex* art. 31.1.c) LRJAP y PAC, condición que ostentan también en la fase de comprobación de la ejecución de las obras conforme al proyecto y de comprobación de la implementación de las medidas correctoras impuestas, sin que resulte exigible una segunda personación en el expediente como postula la apelante.

Si la Ley 3/1998 articula un **trámite de información pública y otro de notificación personal a los vecinos es porque considera esencial su participación en el procedimiento en defensa de sus legítimos intereses frente a la potencial afección de la actividad clasificada** (art.105-c) CE), y la *ratio* y finalidad de dicho trámite se verían defraudados, si su personación no alcanzara al trámite esencial de comprobación de que la obra se ha ejecutado conforme al proyecto que obtuvo la licencia y que se han implementado las medidas correctoras impuestas por la Administración ambiental. [STSJ País Vasco, Sala de lo Contencioso-administrativo, Sección 2.ª, n.º 191/2012 de 16 Mar. 2012, Rec. 261/2010.- LA LEY 273812/2012]

3. Legislación aplicable

— Europea

Directiva 2006/123/CE del Parlamento y del Consejo, de 12 de diciembre de 2006, relativa a los servicios en el mercado interior.

— Estatal

Ley 17/2009, de 23 de noviembre, sobre el Libre Acceso a las Actividades de Servicios.

Artículos 21.1. q) y s), 124.4.ñ), 70.bis y 84, 84 bis y 84 ter. de la Ley 7/1985, de 2 de abril, Reguladora de las Bases de Régimen Local.

Ley 39/2015, de 1 de octubre, del Procedimiento Administrativo Común de las Administraciones Públicas.

Arts. 4 y 5 de la Ley 12/2012, de 26 de diciembre, de medidas urgentes de liberalización del comercio y de determinados servicios.

— Autonómica

Ley 10/2015, de 23 de diciembre, de Espectáculos Públicos y Actividades Recreativas.

Decreto 44/2014, de 25 de marzo, por el que se regulan los seguros de responsabilidad civil exigibles para la celebración de espectáculos públicos y actividades recreativas.

Decreto 14/2014, de 11 de febrero, de tercera modificación del Decreto por el que se establecen los horarios de los espectáculos públicos y actividades recreativas y otros aspectos relativos a estas actividades en el ámbito de la Comunidad Autónoma del País Vasco.

Decreto 400/2013, de 30 de julio, de espectáculos con artificios pirotécnicos en la Comunidad Autónoma de Euskadi.

Ley 7/2012, de 23 de abril, de modificación de diversas leyes para su adaptación a la Directiva 2006/123/CE, de 12 de diciembre, del Parlamento Europeo y del Consejo, relativa a los servicios en el mercado interior.

Arts. 55 y ss. Ley 3/1998, de 27 de febrero, de Protección general del Medio Ambiente. País Vasco.

4. Documentos de interés

— Doctrina

ALONSO RIESGO, María Dora; FERNÁNDEZ GANCEDO, Inmaculada. «Licencias municipales de actividad y de apertura en el marco de la libre prestación de servicios». *El Consultor de los Ayuntamientos y de los Juzgados*, n.º 21, Quincena del 15 al 29 Nov. 2011, Ref. 2506/2011, pág. 2506, tomo 2.- LA LEY.

CANO MURCIA, Antonio. *El Nuevo Régimen de las Licencias de Apertura*. El Consultor de los Ayuntamientos y de los Juzgados. Madrid 2010.

CASTELAO RODRÍGUEZ, Julio. «Las licencias urbanísticas en el País Vasco». Esta doctrina forma parte del libro *Derecho urbanístico del País Vasco. El Consultor de los Ayuntamientos y de los Juzgados*, Madrid, enero 2008.- LA LEY 15640/2010.

CHOLBÍ CACHÁ, Francisco Antonio. «Apunte legislativo sobre las relaciones en la tramitación administrativa de las autorizaciones urbanísticas y de actividades».- LA LEY 23768/2011.

CHOLBÍ CACHÁ, Francisco Antonio; MERINO MOLINS, Vicente. «Comentario crítico sobre la directiva de Servicios y de las leyes 17 y 25/2009 en aplicación de la misma: especial incidencia en el ámbito de las licencias urbanísticas y de actividad». *El Consultor de los Ayuntamientos y de los Juzgados,* n.º 7, Quincena del 15 al 29 Abr. 2010, Ref. 1035/2010, pág. 1035, tomo 1.- LA LEY.

GAVIEIRO GONZÁLEZ, Sonia. «¿El fin de las licencias de apertura? Breve análisis de la situación de las licencias de actividad, obras y apertura en la Comunidad Autónoma Vasca». *Práctica Urbanística*, n.º 121, Sección Estudios.- LA LEY 1351/2013.

MARTÍN HERNÁNDEZ, Paulino. «Las licencias para actividades clasificadas». Esta doctrina forma parte del libro *Administración Local. Estudios en Homenaje a Ángel Ballesteros*, edición n.º 1, *El Consultor de los Ayuntamientos y de los Juzgados,* Madrid, enero 2011.- LA LEY 21893/2011.

PENSADO SEIJAS, Alberto. «Evolución exprés de las licencias de actividad inocuas». *El Consultor de los Ayuntamientos y de los Juzgados*, n.º 17, Sección Colaboraciones, Quincena del 15 al 29 Sep. 2013, Ref. 1623/2013, pág. 1623, tomo 2.- LA LEY 5239/2013.

— Reseña jurisprudencial

STSJ País Vasco, Sala de lo Contencioso-administrativo, Sección 2.ª, n.º 117/2015 de 11 Mar. 2015, Rec. 118/2014.- LA LEY 40567/2015.

STSJ País Vasco, Sala de lo Contencioso-administrativo, Sección 1.ª, de 31 Oct. 2013, rec. 429/2012.- LA LEY 194083/2013.

STSJ País Vasco, Sala de lo Contencioso-administrativo, Sección 2.ª, de 18 Sep. 2013, rec. 825/2012.- LA LEY 257064/2013.

STSJ País Vasco, Sala de lo Contencioso-administrativo, Sección 2.ª, de 2 Jul. 2013, rec. 71/2012.- LA LEY 256478/2013.

STSJ País Vasco, Sala de lo Contencioso-administrativo, Sección 2.ª, de 5 Jun. 2013, rec. 915/2011.- LA LEY 121025/2013.

STSJ País Vasco, Sala de lo Contencioso-administrativo, Sección 2.ª, n.º 191/2012 de 16 Mar. 2012, Rec. 261/2010.- LA LEY 273812/2012.

STSJ País Vasco, Sala de lo Contencioso-administrativo, Sección 2.ª, de 11 Ene. 2012, rec. 690/2010.- LA LEY 183058/2012.

STSJ País Vasco, Sala de lo Contencioso-administrativo, Sección 2.ª, de 29 Nov. 2011, rec. 688/2010.- LA LEY 300725/2011.

STSJ País Vasco, Sala de lo Contencioso-administrativo, Sección 2.ª, de 22 Feb. 2011, rec. 1225/2008.- LA LEY 140622/2011.

STSJ País Vasco, Sala de lo Contencioso-administrativo, Sección 2.ª, de 18 Dic. 2009, rec. 217/2008.- LA LEY 317167/2009.

MODELO DE EXPEDIENTE de inicio de actividad *(Disponible a texto íntegro en smarteca.es)*

1)   Solicitud de inicio de actividad

2)   Toma de conocimiento del inicio de la actividad

3)   Notificación toma de conocimiento de la comunicación ambiental municipal

III.   Expediente de comunicación previa para espectáculos públicos, actividades recreativas y establecimientos públicos

1.   Claves del Expediente

La licencia de actividad clasificada, junto con la comunicación previa de actividad clasificada se configura como el modo de intervención municipal para el ejercicio de actividades del anexo II A) de la Ley 3/1998, de 27 de febrero de protección general del medio ambiente en el País Vasco.

En el caso de espectáculos públicos y actividades recreativas de acuerdo con la Ley 10/2015, de 23 de diciembre, de Espectáculos Públicos y Actividades Recreativas, la licencia o comunicación previa de actividad clasificada de un establecimiento público habilita para el desarrollo de los espectáculos y actividades inherentes al tipo de establecimiento de que se trate o que se contemplen en dicho título habilitante.

En las comunicaciones previas de actividad clasificada, además de la documentación obligada conforme a la Ley 3/1998, de 27 de febrero, General de Protección del Medio Ambiente del País Vasco, el titular del establecimiento o de la actividad deberá aportar:

a) Certificado que acredite la suscripción de un contrato de seguro, en los términos indicados en la presente ley.

b) La documentación pertinente en atención a la normativa de autoprotección.

2.   Jurisprudencia

• **Una vez concedida la licencia de actividad, puede ser concedida la licencia de obras** (art. 61.1), y una vez ejecutadas y emitida la correspondiente certificación por el técnico competente que las dirige, la empresa ha de comunicar la terminación de las obras y el cumplimiento de las medidas correctoras, debiendo girar visita de inspección los técnicos municipales expidiendo un acta de comprobación, y si es favorable por ajustarse la obras al proyecto y haber sido implementadas las medidas correctoras, el Ayuntamiento ha de otorgar la licencia de apertura.

No se trata de procedimientos distintos los de concesión de la licencia de actividad y de apertura, sino de **dos actos de intervención de la Administración íntimamente ligados en un procedimiento bifásico**, en el que los interesados personados tras el período de información pública y los **vecinos personados tras la notificación personal, adquieren la condición de interesados** necesarios *ex art.* 31.1.c) LRJAP y PAC, condición que ostentan también en la fase de comprobación de la ejecución de las obras conforme al proyecto y de comprobación de la implementación de las medidas correctoras impuestas, sin que resulte exigible una segunda personación en el expediente como postula la apelante.

Si la Ley 3/1998 articula un **trámite de información pública y otro de notificación personal a los vecinos es porque considera esencial su participación en el procedimiento en defensa de sus legítimos intereses frente a la potencial afección de la actividad clasificada** (art.105-c) CE), y la *ratio* y finalidad de dicho trámite se verían defraudados, si su personación no alcanzara al trámite esencial de comprobación de que la obra se ha ejecutado conforme al proyecto que obtuvo la licencia y que se han implementado las medidas correctoras impuestas por la Administración ambiental. [STSJ País Vasco, Sala de lo Contencioso-administrativo, Sección 2.ª, n.º 191/2012 de 16 Mar. 2012, Rec. 261/2010.- LA LEY 273812/2012]

3.   Legislación aplicable

— Europea

Directiva 2006/123/CE del Parlamento y del Consejo, de 12 de diciembre de 2006, relativa a los servicios en el mercado interior.

— Estatal

Ley 17/2009, de 23 de noviembre, sobre el Libre Acceso a las Actividades de Servicios.

Arts. 21.1. q) y s), 124.4.ñ), 70.bis y 84, 84 bis y 84 ter. de la Ley 7/1985, de 2 de abril, Reguladora de las Bases de Régimen Local.

Ley 39/2015, de 1 de octubre, del Procedimiento Administrativo Común de las Administraciones Públicas.

Arts. 4 y 5 de la Ley 12/2012, de 26 de diciembre, de medidas urgentes de liberalización del comercio y de determinados servicios.

— Autonómica

Ley 10/2015, de 23 de diciembre, de Espectáculos Públicos y Actividades Recreativas.

Decreto 44/2014, de 25 de marzo, por el que se regulan los seguros de responsabilidad civil exigibles para la celebración de espectáculos públicos y actividades recreativas.

Decreto 14/2014, de 11 de febrero, de tercera modificación del Decreto por el que se establecen los horarios de los espectáculos públicos y actividades recreativas y otros aspectos relativos a estas actividades en el ámbito de la Comunidad Autónoma del País Vasco.

Decreto 400/2013, de 30 de julio, de espectáculos con artificios pirotécnicos en la Comunidad Autónoma de Euskadi.

Ley 7/2012, de 23 de abril, de modificación de diversas leyes para su adaptación a la Directiva 2006/123/CE, de 12 de diciembre, del Parlamento Europeo y del Consejo, relativa a los servicios en el mercado interior.

Arts. 55 y ss. Ley 3/1998, de 27 de febrero, de Protección general del Medio Ambiente. País Vasco.

4. Documentos de interés

— Doctrina

ALONSO RIESGO, María Dora; FERNÁNDEZ GANCEDO, Inmaculada. «Licencias municipales de actividad y de apertura en el marco de la libre prestación de servicios». *El Consultor de los Ayuntamientos y de los Juzgados*, n.º 21, Quincena del 15 al 29 Nov. 2011, Ref. 2506/2011, pág. 2506, tomo 2.- LA LEY.

CANO MURCIA, Antonio. *El Nuevo Régimen de las Licencias de Apertura*. El Consultor de los Ayuntamientos y de los Juzgados. Madrid 2010.

CASTELAO RODRÍGUEZ, Julio. «Las licencias urbanísticas en el País Vasco». Esta doctrina forma parte del libro *Derecho urbanístico del País Vasco. El Consultor de los Ayuntamientos y de los Juzgados*, Madrid, enero 2008.- LA LEY 15640/2010.

CHOLBÍ CACHÁ, Francisco Antonio. «Apunte legislativo sobre las relaciones en la tramitación administrativa de las autorizaciones urbanísticas y de actividades».- LA LEY 23768/2011.

CHOLBÍ CACHÁ, Francisco Antonio; MERINO MOLINS, Vicente. «Comentario crítico sobre la directiva de Servicios y de las leyes 17 y 25/2009 en aplicación de la misma: especial incidencia en el ámbito de las licencias urbanísticas y de actividad». *El Consultor de los Ayuntamientos y de los Juzgados*, n.º 7, Quincena del 15 al 29 Abr. 2010, Ref. 1035/2010, pág. 1035, tomo 1.- LA LEY.

GAVIEIRO GONZÁLEZ, Sonia. «¿El fin de las licencias de apertura? Breve análisis de la situación de las licencias de actividad, obras y apertura en la Comunidad Autónoma Vasca». *Práctica Urbanística*, n.º 121, Sección Estudios.- LA LEY 1351/2013.

MARTÍN HERNÁNDEZ, Paulino. «Las licencias para actividades clasificadas». Esta doctrina forma parte del libro *Administración Local. Estudios en Homenaje a Ángel Ballesteros*, edición n.º 1, *El Consultor de los Ayuntamientos y de los Juzgados*, Madrid, enero 2011.- LA LEY 21893/2011.

PENSADO SEIJAS, Alberto. «Evolución exprés de las licencias de actividad inocuas». *El Consultor de los Ayuntamientos y de los Juzgados*, n.º 17, Sección Colaboraciones, Quincena del 15 al 29 Sep. 2013, Ref. 1623/2013, pág. 1623, tomo 2.- LA LEY 5239/2013.

— Reseña jurisprudencial

STSJ País Vasco, Sala de lo Contencioso-administrativo, Sección 2.ª, n.º 117/2015 de 11 Mar. 2015, Rec. 118/2014.- LA LEY 40567/2015.

STSJ País Vasco, Sala de lo Contencioso-administrativo, Sección 1.ª, de 31 Oct. 2013, rec. 429/2012.- LA LEY 194083/2013.

STSJ País Vasco, Sala de lo Contencioso-administrativo, Sección 2.ª, de 18 Sep. 2013, rec. 825/2012.- LA LEY 257064/2013.

STSJ País Vasco, Sala de lo Contencioso-administrativo, Sección 2.ª, de 2 Jul. 2013, rec. 71/2012.- LA LEY 256478/2013.

STSJ País Vasco, Sala de lo Contencioso-administrativo, Sección 2.ª, de 5 Jun. 2013, rec. 915/2011.- LA LEY 121025/2013.

STSJ País Vasco, Sala de lo Contencioso-administrativo, Sección 2.ª, 191/2012 de 16 Mar. 2012, Rec. 261/2010.- LA LEY 273812/2012.

STSJ País Vasco, Sala de lo Contencioso-administrativo, Sección 2.ª, de 11 Ene. 2012, rec. 690/2010.- LA LEY 183058/2012.

STSJ País Vasco, Sala de lo Contencioso-administrativo, Sección 2.ª, de 29 Nov. 2011, rec. 688/2010.- LA LEY 300725/2011.

STSJ País Vasco, Sala de lo Contencioso-administrativo, Sección 2.ª, de 22 Feb. 2011, rec. 1225/2008.- LA LEY 140622/2011.

STSJ País Vasco, Sala de lo Contencioso-administrativo, Sección 2.ª, de 18 Dic. 2009, rec. 217/2008.- LA LEY 317167/2009.

MODELO DE EXPEDIENTE de comunicación previa de espectáculos públicos, activi-dades recreativas y establecimientos públicos *(Disponible a texto íntegro en smar-teca.es)*

1)   *Solicitud de comunicación previa de actividad de espectáculo público, actividad recreativa y establecimiento público*

2)   *Toma de conocimiento de comunicación previa*

3)   *Notificación toma de conocimiento comunicación previa*

IV.   Expediente de cambio de titularidad de licencia de espectáculos públicos y actividades recreativas

1.   Claves del Expediente

Aunque es una cuestión que puede considerarse pacífica, el cambio de titularidad en general de los establecimientos, negocios y actividades en general y en particular de la licencia ambiental se sujeta al cumplimiento de unos requisitos mínimos, que tienen como objetivo fundamental el poner en conocimiento de la Administración (órgano sustantivo ambiental) el nuevo titular de la actividad.

A tenor del artículo 13.1 del Reglamento de Servicios de las Corporaciones Locales, aprobado por Decreto de 17 de junio de 1955, las licencias relativas a las condiciones de una obra, instalación o servicio serán transmisibles, pero el antiguo y el nuevo constructor o empresario deberán comunicarlo por escrito a la Corporación, sin lo cual quedarán ambos sujetos a todas las responsabilidades que se derivaren para el titular.

Esta posición legal ha quedado superada mediante el art. 3.2 de la Ley 12/2012, de 26 de diciembre, de medidas urgentes de liberalización del comercio y de determinados servicios, al decir que no están sujetos a licencia los cambios de titularidad de las actividades comerciales y de servicios, siendo exigible en estos casos una comunicación previa a la administración competente a los solos efectos informativos.

Las autorizaciones concedidas serán transmisibles, salvo que se hayan concedido teniendo en cuenta las características particulares de los sujetos autorizados. Excepcionalmente y de forma motivada, se podrá suspender temporalmente la transmisión o prohibir la realización de nuevas transmisiones para los supuestos que reglamentariamente se determinen (art. 38.2 Ley 10/2015)

A los efectos de la transmisión de la licencia de actividad clasificada, se tendrá en cuenta la citada Ley, ante la falta de regulación en la Ley 3/1998, de 27 de febrero de Protección General del Medio Ambiental.

Ha de tenerse en cuenta:

• La comunicación ha de ser expresa.

• No es necesario que vaya acompañada de título o documento que acredite la transmisión (contrato de compraventa, de arrendamiento, de cesión etc.).

• Si la transmisión se produce sin realizar la correspondiente comunicación, el anterior y el nuevo titular quedan sujetos, de forma solidaria, a todas las responsabilidades y obligaciones derivadas del incumplimiento de dicha obligación.

• Es una infracción leve (art. 53.2 Ley 10/2015) el no notificar el cambio de titularidad.

PREGUNTAS CLAVE

1. ¿Qué requisitos han de cumplirse para realizar el cambio de titularidad una actividad?

Para que el nuevo titular de una actividad pueda realizar el cambio de titularidad, deberá ser comunicado al Ayuntamiento a efectos informativos (art. 3.2 de la Ley 12/2012).

2. ¿Es necesario que el anterior titular comunique la transmisión de la actividad a un tercero?

No es un requisito necesario. El art. 3.2 de la Ley 12/2012 no exige esta comunicación.

3. ¿Qué ocurre si no se comunica la transmisión de la actividad?

La no comunicación del cambio de titularidad de la actividad por el anterior o el nuevo titular supone que el anterior y nuevo titular queda sujetos, de forma solidaria, a todas las responsabilidades y obligaciones derivadas de dicho incumplimiento.

4. ¿Puede transmitir la licencia de actividad el que no es propietario del local en el que se ejerce la misma?

Sí. El ejercicio de una actividad tanto mediante la concesión expresa de licencia de apertura o actividad o mediante la comunicación previa o declaración responsable tiene carácter real, al margen de la titularidad del inmueble y de las relaciones sub-jetivas que existan entre el titular del mismo y el que ocupe el local mediante contrato de arrendamiento, u cualquier otro título. En este sentido es de aplicación lo dispuesto en el art. 12. 1 RSCL «Las autorizaciones y licencias se entenderán otorgadas salvo el derecho de propiedad y sin perjuicio del de tercero».

5. ¿Ha de resolverse expresamente por el Ayuntamiento la comunicación de cambio de titularidad?

No. El art. 3.2 de la Ley 12/2012 habla de comunicación previa a la administración competente, sin que sea necesario posteriormente dictar resolución alguna. A efectos prácticos bastaría en cualquier caso tomar conocimiento de la transmisión, dejando constancia en el expediente.

6. ¿Qué ocurre si el Ayuntamiento no dicta resolución de cambio de titularidad?

Si el Ayuntamiento, recibida la comunicación de cambio de titularidad de la acti-vidad, no resuelve expresamente el mismo, ha de entenderse que por silencio admi-nistrativo positivo se da por cumplido el trámite a todos los efectos, teniendo en cuenta que la resolución del órgano sustantivo no es generadora de derechos para el nuevo titular de la actividad, sino que tiene los efectos de una simple comunicación, que el Ayuntamiento constata mediante la toma de conocimiento del nuevo titular. En este sentido para la STS 15 octubre 1981 «La intervención municipal en caso de transmi-sión de licencias no es de previa y expresa autorización para que aquélla opere, sino de mera constatación o toma de razón de la extra-administrativamente producida por el simple acuerdo del antiguo y nuevo propietario, cuyo incumplimiento determina que ambos queden sujetos a todas las responsabilidades que se deriven para el titu-lar».

2. Jurisprudencia

• El cambio de titular por sí solo resultaba jurídicamente irrelevante en cuanto afec-taría a los posibles derechos de los particulares (STS de 23 diciembre 1998), porque la licencia mantenía su vigencia mientras subsistieran las condiciones de la actividad, de modo que el Ayuntamiento, **de no advertir otras modificaciones que las subjetivas, que son inoperantes a estos efectos, debió otorgar la transmisión de la titularidad de la licencia cuando le fue comunicado por escrito por el dueño del establecimiento,** toda vez que no ofrecía duda el título legítimo de la transmisión ya que la subrogación en la explotación se producía por los dueños del local a favor del nuevo titular, una vez que el anterior arrendamiento había sido declarado extinguido por resolución judicial. [STSJ País Vasco 13 julio 2001]

• La Administración está obligada a reconocer el cambio de la titularidad de la licen-cia sin perjuicio de las distintas actuaciones que le conciernen ejercer contra la misma del mismo modo que si no se hubiese transmitido. [STSJ Madrid 18 septiembre 2001]

• No constando que la licencia de apertura en su día concedida al demandante lo fuese en atención a su persona, esto es, a especiales circunstancias personales del mismo que impidiesen su transmisión a los efectos prevenidos en el art. 13 del Reglamento de Servicios de las Corporaciones Locales, tal y como se sostiene, entre otras, en la STS de 12 Jul. 2000, **el cambio de titular no requiere la solicitud de una nueva licencia, la cual solo sería exigible si hubiese existido una modificación de la actividad para la cual**

aquélla se concedió, lo que no se da en este caso. Por tanto, el único efecto o consecuencia jurídica de la falta de notificación por escrito de tal circunstancia es la **sumisión conjunta de transmitente y adquirente a las responsabilidades** de la explotación de la licencia, sin que lleve consigo la imposición de la sanción debatida en estos autos. [STSJ Extremadura 27 septiembre 2001.- LA LEY 170424/2001]

• Para proceder al cambio de titularidad el Ayuntamiento ha de tener constancia de que efectivamente dicho cambio se ha producido, y ello por dos mecanismos alternativos, uno bilateral, que no es otro que la conformidad del anterior titular, y otro, que no precisa dicha conformidad, más complejo, que consiste en la acreditación de que se ha adquirido por cualquier medio, *inter vivos* o *mortis causa*, la propiedad o posesión del inmueble en cuestión. [STSJ Madrid 15 enero 2004]

• La transmisión de la licencia constituye en definitiva la realización de un **negocio jurídico del transmitente en cuanto titular originario de la autorización administrativa pero sin que tal operación traslativa tenga relevancia a efectos de alterar las condiciones de la propia autorización,** de tal modo que permanece idéntica su eficacia y viabilidad jurídica del acto proyectado y en consecuencia del incumplimiento del deber administrativo impuesto por el artículo 13.1 del RSCL, de comunicar la transferencia al Ayuntamiento, circunstancia no realizada en el supuesto de autos, **no repercute sobre la validez y existencia de la licencia y sí en cambio, únicamente en el régimen de responsabilidades derivado de la titularidad de la licencia** quedando también el transmitente sujeto junto con el adquirente a dichas responsabilidades máxime cuando el deber de comunicación de la transmisión de la licencia ha de operar a efectos de información del Ayuntamiento de los titulares en cada momento de licencias. [STSJ Extremadura 15 diciembre 2006.- LA LEY 214993/2006]

• A juicio de la Sala la sentencia apelada lleva a cabo una interpretación correcta del régimen de transmisión de la licencia de apertura de autos de acuerdo con el Reglamento de Servicios de las Corporaciones Locales, **transmisión que no se halla sujeta a un régimen de autorización administrativa sino a uno de mera comunicación, de forma que la transmisión es libre de acuerdo con los modos y formas admitidos en derecho para transmitir o adquirir la propiedad o la posesión, y no queda condicionada a una autorización administrativa,** ya que lo único que le corresponde a la Administración es tomar razón del cambio si se produce la comunicación, o no hacerlo si no se produce en la forma exigible, «pero en modo alguno autorizarlo o denegarlo, de forma que, a partir de dicho acto de comunicación la Administración habrá necesariamente de considerar a la cesionaria como titular de la licencia a todos los efectos legales derivados del ejercicio de la actividad, si se ha cumplido el requisito de la comunicación».

La introducción por el art. 23.2 de la Ordenanza municipal de licencias del requisito de que la nueva titular de la licencia garantice expresamente y por escrito, que debe acompañarse a la comunicación de cambio de titularidad, que asume todas las cargas inherentes a la licencia en cuestión, infringe claramente el art. 13 del Reglamento de Servicios de las. Corporaciones Locales, lo que determina su nulidad *ex art.* 62.2 LRJAPyPAC, puesto que **transforma el régimen de mera comunicación previsto en el mismo, en uno de autorización**, en el que la transmisión no se perfecciona sino con la decisión administrativa que la autoriza, puesto que, tal y como postula el Ayuntamiento en el acto recurrido y argumenta en el recurso de apelación, el incumplimiento de dicho requisito comporta «no acceder» al cambio de titularidad, esto es, denegar el cambio de titularidad por incumplimiento de dicho precepto. [STSJ País Vasco 10 octubre 2011.- LA LEY 300763/2011]

• Tampoco cabe oponer el artículo 42 de la Ley 11/2003 de 8 de abril, de Prevención Ambiental de Castilla y León puesto que, de su lectura e interpretación literal, llegamos a una conclusión distinta de la que se contiene en la Sentencia recurrida, ya que claramente se refiere **solo al deber de comunicación a las Administraciones y a las consecuencias del incumplimiento de tal deber,** que se ventilan no en la denegación de la transmisión de la licencia, sino en el de las responsabilidades de cedente y cesionario del incumplimiento de las obligaciones que impone la ley. [STSJ Castilla y León (Burgos) 28 noviembre 2011.- LA LEY 232204/2011]

• De todo lo expuesto se concluye que el **cambio de titularidad de licencia solicitado no era una cuestión discutible** y por ello la Resolución de 3 de junio de 2005, no puede incardinarse dentro del margen de razonabilidad del que disponía la administración local para resolver, pues solicitado un cambio de titularidad de licencia, se entiende por el ayuntamiento que procede la solicitud de nueva licencia por cambio de actividad y ello a pesar de que los informes, ponían en evidencia de que se trataba de un cambio de titularidad, con el resultado ya conocido de anulación de estas resolución, y la pertinente declaración de responsabilidad patrimonial, **pues el ayuntamiento de Gandía venia obligado a otorgar el cambio de titularidad de licencia solicitado al cumplirse todos los requisitos necesarios para ello y estar acreditadas dichas circunstancias en el expediente instruido al efecto,** sin margen de interpretación y sin que en la resolución inicialmente anulada se cite un solo informe que avale lo resuelto por el Ayuntamiento que lo fue al margen de toda apreciación razonable. [STS Comunidad Valenciana 17 abril 2013.- LA LEY 90145/2013]

• …De acuerdo con este precepto es evidente que **el cambio de titularidad no precisa de la obtención de una nueva licencia.** Solo precisa de una autorización municipal de que las obras e instalaciones, se ajustan a la licencia de actividad. Esta exigencia, incluso desaparecerá en la Ley 2/2006, de calidad ambiental, en cuyo art. 62, la transmisión sin alteración, solo es objeto de comunicación. [STSJ Comunidad Valenciana 28 noviembre 2014.- LA LEY 232360/2014]

• La conclusión de que, **para autorizar el cambio de titularidad del establecimiento, basta la mera comunicación al Ayuntamiento es conforme a derecho,** sin perjuicio, insistimos, en que ora de oficio por la propia Administración ora a instancia de algún interesado pueda controlarse la actividad y, en su caso, imponerse medidas correctoras de la concreta actividad, incluso la incoación de procedimiento sancionador si hubiere méritos para ello. [STSJ Andalucía (Granada) 15 noviembre 2016.- LA LEY 202226/2016]

• Podemos aplicar la doctrina expresada en la Sentencia dictada por esta Sala y Sección 15 de abril de 2015, dictada en el recurso de apelación número 138/2015 dimanante de la Pieza Separada de Suspensión n.º 522/2014 del Juzgado de lo Contencioso-Administrativo número 14 de Madrid, en la que hemos indicado «En el supuesto de autos, sin que la decisión que aquí se adopte ni la fundamentación jurídica de la presente resolución suponga en modo alguno prejuzgar el fondo del asunto, a los meros efectos cautelares que nos ocupan, el recurso de apelación debe ser desestimado por no concurrir la apariencia de buen derecho alegada por el apelante. Y ello es así porque tal y como se hace constar en la propia resolución administrativa ordenando el precinto, tal decisión se adopta en ejecución de tres resoluciones sancionadoras previas impuestas por periodos de nueve meses, un año y dos años, que aunque impuestas con carácter firme con anterioridad al inicio de la actividad por parte del apelante (contrato de arrendamiento del local de 17 de septiembre de 2014, declaración responsable de inicio de actividad de establecimiento de restauración presentado ante la Comunidad de Madrid el 19 de septiembre de 2014 y comunicación al Ayuntamiento de Madrid de cambio de titularidad de actividades presentada el 19 de septiembre de 2014) y siendo el sujeto sancionado un tercero, sin embargo no podemos acceder a la suspensión instada sin eludir el cumplimiento de tres resoluciones sancionadoras firmes que afectan de forma directa a la licencia del local en el que ejerce su actividad el apelante. Así se desprende del contenido del art. 41.4 de la Ley 17/1997 de Espectáculos Públicos y Actividades Recreativas de la Comunidad de Madrid, según el cual "Las sanciones de clausura de locales…, cuando sean superiores a seis meses, conllevarán la suspensión de las licencias reguladas en esta Ley". Por tanto, **la pretendida transmisión de la licencia con que cuenta el local de autos, no pudo operar de forma válida por la sencilla razón de que la misma quedó suspendida una vez impuestas las sanciones con carácter firme, quedando así pues el local afectado por la sanción de clausura sin posibilidad de transmisión de una licencia suspendida por ministerio de la ley**». [STSJ Madrid 7 junio 2017.- LA LEY 105935/2017]

• Es cierto que el Reglamento de las corporaciones locales, cuando regula la trasmisión de licencias, **sólo pretende establecer el requisito de la comunicación puesto que la licencia de actividad continua vigente,** en tanto subsista las condiciones exigidas para su otorgamiento, **sin que afecte a la licencia de actividad el sujeto que ostenta su titularidad** y ello con el fin de que, si no se produjera la citada comunicación, serían responsables tanto el transmitente de la licencia, como el adquirente de la licencia, por lo que la aplicación del art. 13.1 del citado reglamento, pero ello en nada afecta al actor, ni menos aun determina la nulidad de la resolución impugnada. [STSJ Comunidad Valenciana 15 noviembre 2017.- LA LEY 217823/2017]

3. Legislación aplicable

— Estatal

Art. 13 del Decreto de 17 de junio de 1955, por el que se aprueba el Reglamento de Servicios de las Corporaciones Locales.

Art. 3 de la Ley 12/2012, de 26 de diciembre, de medidas urgentes de liberalización del comercio y de determinados servicios.

— Autonómica

Ley 10/2015, de 23 de diciembre, de Espectáculos Públicos y Actividades Recreativas.

Decreto 44/2014, de 25 de marzo, por el que se regulan los seguros de responsabilidad civil exigibles para la celebración de espectáculos públicos y actividades recreativas.

Decreto 14/2014, de 11 de febrero, de tercera modificación del Decreto por el que se establecen los horarios de los espectáculos públicos y actividades recreativas y otros aspectos relativos a estas actividades en el ámbito de la Comunidad Autónoma del País Vasco.

Decreto 400/2013, de 30 de julio, de espectáculos con artificios pirotécnicos en la Comunidad Autónoma de Euskadi.

Ley 7/2012, de 23 de abril, de modificación de diversas leyes para su adaptación a la Directiva 2006/123/CE, de 12 de diciembre, del Parlamento Europeo y del Consejo, relativa a los servicios en el mercado interior.

Arts. 55 y ss. Ley 3/1998, de 27 de febrero, de Protección general del Medio Ambiente. País Vasco.

4. Documentos de interés

— Doctrina

ALONSO RIESGO, María Dora; FERNÁNDEZ GANCEDO, Inmaculada. «Licencias municipales de actividad y de apertura en el marco de la libre prestación de servicios». *El Consultor de los Ayuntamientos y de los Juzgados*, n.º 21, Quincena del 15 al 29 Nov. 2011, Ref. 2506/2011, pág. 2506, tomo 2.- LA LEY.

CANO MURCIA, Antonio. *El Nuevo Régimen de las Licencias de Apertura*. El Consultor de los Ayuntamientos y de los Juzgados. Madrid 2010.

CASTELAO RODRÍGUEZ, Julio. «Las licencias urbanísticas en el País Vasco». Esta doctrina forma parte del libro *Derecho urbanístico del País Vasco*. *El Consultor de los Ayuntamientos y de los Juzgados*, Madrid, enero 2008.- LA LEY 15640/2010.

CHOLBÍ CACHÁ, Francisco Antonio; MERINO MOLINS, Vicente. «Comentario crítico sobre la directiva de Servicios y de las leyes 17 y 25/2009 en aplicación de la misma: especial incidencia en el ámbito de las licencias urbanísticas y de actividad». *El Consultor de los Ayuntamientos y de los Juzgados,* n.º 7, Quincena del 15 al 29 Abr. 2010, Ref. 1035/2010, pág. 1035, tomo 1.- LA LEY.

GAVIEIRO GONZÁLEZ, Sonia. «¿El fin de las licencias de apertura? Breve análisis de la situación de las licencias de actividad, obras y apertura en la Comunidad Autónoma Vasca». *Práctica Urbanística*, n.º 121, Sección Estudios.- LA LEY 1351/2013.

MARTÍN HERNÁNDEZ, Paulino. «Las licencias para actividades clasificadas». Esta doctrina forma parte del libro *Administración Local. Estudios en Homenaje a Ángel Ballesteros*, edición n.º 1, *El Consultor de los Ayuntamientos y de los Juzgados,* Madrid, enero 2011.- LA LEY 21893/2011.

MORA GONZÁLEZ, María Jesús. «La transmisión de las licencias urbanísticas». *El Consultor de los Ayuntamientos y de los Juzgados*, n.º 23, Quincena del 15 al 29 Dic. 2007, Ref. 3889/2007, pág. 3889, tomo 3, LA LEY.- LA LEY 6927/2007.

PENSADO SEIJAS, Alberto. «Evolución exprés de las licencias de actividad inocuas». *El Consultor de los Ayuntamientos y de los Juzgados*, n.º 17, Sección Colaboraciones, Quincena del 15 al 29 Sep. 2013, Ref. 1623/2013, pág. 1623, tomo 2.- LA LEY 5239/2013.

— Reseña jurisprudencial

STSJ Castilla y León (Burgos) de 28 noviembre 2011. LA LEY 232204/2011.

STSJ País Vasco, Sala de lo Contencioso-administrativo, Sección 2.ª, de 13 Ene. 2011, rec. 875/2008.- LA LEY 5462/2011.

STSJ País Vasco, Sala de lo Contencioso-administrativo, Sección 2.ª, de 10 Oct. 2011, rec. 1698/2009.- LA LEY 300763/2011.

STSJ País Vasco, Sala de lo Contencioso-administrativo, Sección 2.ª, de 7 Nov. 2011, rec. 398/2010.- LA LEY 300831/2011.

STSJ País Vasco, Sala de lo Contencioso-administrativo, Sección 2.ª, n.º 50/2014 de 29 Ene. 2014, Rec. 849/2012.- LA LEY 78251/2014.

MODELO DE EXPEDIENTE *(Disponible a texto íntegro en smarteca.es)*

1)   *Comunicación de cambio de titularidad de licencia de actividad recreativa*

2)   *Resolución de cambio de titularidad de licencia actividad clasificada*

3)   *Notificación de cambio de titularidad de licencia actividad clasificada*

V.   Expediente de control e inspeccion de actividad sujeta a licencia de actividad clasificada

1.   Claves del Expediente

El expediente de control e inspección de actividad sujeta a licencia de actividad clasificada tiene lugar una vez que la actividad está funcionando, luego es un control posterior a su ejercicio.

La inspección de la actividad podrá producirse como consecuencia de denuncia efectuada por particulares, o fruto de la inspección que el Ayuntamiento realice en el marco de sus atribuciones de inspección y vigilancia.

La importancia de este expediente y por ende de la actuación municipal radica en que el hecho de que se podrá detectar anomalías o deficiencias en el funcionamiento de las medidas correctoras, y por lo tanto sirve para exigir el cumplimiento al titular de la actividad del correcto funcionamiento de la misma, lo que evitará daños al medio ambiente y a la seguridad de las personas.

La inspección, es una facultad que se reserva el Ayuntamiento que en cualquier momento, y con posterioridad a la puesta en marcha, puede comprobar el grado de eficacia y funcionamiento de las medidas correctoras, verificar el estado de las instalaciones, etc. Es decir, se pretende con esta medida el velar por el buen estado de la actividad, requiriendo la subsanación de las deficiencias que se detecten.

Junto a la obligación de las personas titulares y organizadoras de mantener en todo momento los establecimientos e instalaciones en perfecto estado de funcionamiento (art. 40 de la Ley 10/2015), los órganos de las administraciones públicas, en el ámbito de sus respectivas competencias, han de velar por la observancia de la legislación reguladora de espectáculos públicos, actividades recreativas y establecimientos públicos (art. 41 de la Ley 10/2015).

Como consecuencia del resultado del expediente, podrá abrirse procedimiento sancionador.

PREGUNTAS CLAVE

1. ¿Quién tiene la competencia de inspección y control, de las instalaciones de los espectáculos públicos y actividades recreativas?

La competencia recae en el Ayuntamiento y corresponde ejercerla al alcalde y por delegación de éste a la Junta de Gobierno Local, o concejal delegado (art. 42.1 de la Ley 10/2015, de 23 de diciembre, de Espectáculos Públicos y Actividades Recreativas).

2. ¿A quién corresponde la función inspectora

La inspección de los establecimientos públicos e instalaciones, así como el control de los espectáculos y actividades recreativas, se llevará a cabo por miembros de la Unidad de Juego y Espectáculos de la Ertzaintza o miembros de la Policía local (art. 44.1 de la Ley 10/2015, de 23 de diciembre, de Espectáculos Públicos y Actividades Recreativas).

3. ¿Qué facultades tienen los órganos de las administraciones públicas en su función de control de los espectáculos públicos, actividades recreativas y establecimientos públicos?

De conformidad con el art. 41 de la Ley 10/2015, de 23 de diciembre, de Espectáculos Públicos y Actividades Recreativas gozan de las siguientes facultades:

a) Inspección de establecimientos e instalaciones.

b) Control de la celebración de espectáculos y actividades recreativas.

c) Prohibición, suspensión, clausura y adopción de las medidas de seguridad que se consideren necesarias.

d) Adopción de las oportunas medidas provisionales y la sanción de las infracciones tipificadas en la presente ley.

2. Jurisprudencia

• La licencia de apertura y/o funcionamiento crea una relación permanente con la Administración, ya que las exigencias del interés público demandan un funcionamiento correcto de la actividad y de sus medidas correctoras, lo cual implicará que la actividad desarrollada quede, durante la vigencia de la licencia, sujeta a inspecciones administrativas para la comprobación del cumplimiento de las condiciones expresadas en la misma, conforme declaran, entre otras, las SSTS de 4 octubre 1986 y 30 junio 1987. [STSJ Madrid 13 noviembre 2001]

• Otorgada una licencia de funcionamiento de una actividad la Administración no queda desposeída de potestades, sino que puede y debe ejercer la actividad administrativa de policía a fin de defender y garantizar los intereses generales; y esa actividad de policía ha de tener concreción en actos de intervención congruentes con los motivos y fines que la justifiquen —arts. 84.2 Ley 7/1985, de 2 abril (Reguladora de las Bases del Régimen Local) y 5.1 RSCL—. [STS 22 junio 1993]

3. Legislación aplicable

— Estatal

Art. 84.1 b) y d); 84 bis) LRBRL.

— Autonómica

Arts. 64, 106 y 107 de la Ley 3/1998, de 27 de enero, de Protección General del Medio Ambiente.

Arts. 40 a 49 de la Ley 10/2015, de 23 de diciembre, de Espectáculos Públicos y Actividades Recreativas.

4. Documentos de interés

— Doctrina

BARRANCO VELA, Rafael; BULLEJOS CALVO, Carlos; y CAMPOS SÁNCHEZ, Miguel Ángel. *Espectáculos Públicos, Actividades Recreativas y Establecimientos Públicos*. El Consultor de los Ayuntamientos y Juzgados. 2011.

CANO MURCIA, Antonio. *El Nuevo Régimen de las Licencias de Apertura*. El Consultor de los Ayuntamientos y de los Juzgados. Madrid 2010.

—. *Manual de Licencias de Apertura de Establecimientos*. Aranzadi.

CHOLBÍ CACHÁ, Francisco Antonio. *El régimen de la comunicación previa, las licencias de urbanismo y su procedimiento y otorgamiento*. El Consultor de los Ayuntamientos y Juzgados. 2010.

— Reseña jurisprudencial

STSJ País Vasco, Sala de lo Contencioso-administrativo, Sección 2.ª, de 26 Sep. 2007, rec. 1364/2006.- LA LEY 231593/2007.

STSJ País Vasco, Sala de lo Contencioso-administrativo, Sección 2.ª, de 9 Feb. 2006, rec. 625/2005.- LA LEY 53109/2006.

STSJ País Vasco, Sala de lo Contencioso-administrativo, Sección 2.ª, de 18 Feb. 2005, rec. 243/2004.- LA LEY 40302/2005.

STSJ País Vasco, Sala de lo Contencioso-administrativo, Sección 2.ª, de 16 Jul. 2004, rec. 144/2004.- LA LEY 168968/2004.

STSJ País Vasco, Sala de lo Contencioso-administrativo, Sección 2.ª, de 8 Jul. 2004, rec. 162/2003.- LA LEY 161828/2004.

MODELO DE EXPEDIENTE: Control de Espectáculos Públicos y Actividades Recreativas *(Disponible a texto íntegro en smarteca.es)*

1)   Acta de comprobación

2)   Resolución ordenando apertura de expediente

3)   Notificación de acta de inspección en trámite de audiencia

4)   Escrito de alegaciones en trámite de audiencia

5)   Resolución del expediente de inspección y control

6)   Notificación de la resolución del expediente de inspección y control

16. PRINCIPADO DE ASTURIAS

I.   Expediente de licencia municipal de espectáculo público o actividad recreativa

1.   Claves del Expediente

La Ley del Principado de Asturias 8/2002, de 21 de octubre, de Espectáculos Públicos y Actividades Recreativas, al referirse al procedimiento para la obtención de licencia determina en su art. 9 que el mismo se regulará reglamentariamente, inspirándose en el principio de tramitación conjunta de las mismas, y, en el caso de ser de aplicación la normativa correspondiente a actividades clasificadas, dará lugar a una única licencia.

El plazo máximo de tramitación del procedimiento será de tres meses, entendiendo que la licencia ha sido desestimada por el transcurso de dicho plazo sin haber sido notificada la oportuna resolución.

En su art. 10 dispone que la instalación de establecimientos y locales podrá ser objeto de limitación, que habrá de ser establecida por los concejos en planes urbanísticos o en ordenanzas municipales, de conformidad con la legislación urbanística, cuando se produzca una excesiva acumulación en determinadas zonas de establecimientos o locales de similar naturaleza.

Asimismo, los concejos podrán acordar la suspensión temporal de la concesión de licencias para una clase determinada de actividad en zonas o calles previamente delimitadas.

Por lo que al contenido de la licencia de apertura, deberá recoger, al menos, los siguientes extremos, tal como señala el art. 11:

a) Nombre y DNI o NIF del titular de la actividad.

b) Actividad para la que se autoriza el uso del establecimiento o local, de acuerdo con las definiciones que se contengan en el catálogo.

c) Denominación del establecimiento.

d) Emplazamiento.

e) Aforo máximo.

f) Condiciones o medidas correctoras de obligado cumplimiento, en su caso.

La Administración local podrá ampliar el contenido de la licencia de apertura mediante la correspondiente ordenanza.

El documento en el que se formalice la licencia de apertura deberá figurar en el establecimiento o local en un lugar visible al público y a disposición de los servicios de inspección competentes.

Asimismo ha de tenerse en cuenta el Reglamento de Actividades Molestas, Insalubres, nocivas y Peligrosas de 30 de noviembre de 1961 (RAMINP) establece el procedimiento para el ejercicio de las actividades calificadas, que figuran en su anexo, sin carácter limitativo, y al que se remite el art. 9 de la Ley 8/2002.

Importa asimismo tener en cuenta lo dispuesto en el art. 84 bis de la Ley 7/1985, de 2 de abril, Reguladora de las Bases del Régimen Local, que permite ampliar la intervención o control municipal preventivo para determinadas actividades.

PREGUNTAS CLAVE

1. ¿El plazo de información pública de la licencia de actividad, es de diez o de veinte días?

La vigencia del RAMINP en el Principado de Asturias, provoca entre otras muchas cuestiones contradictorias la de fijar el plazo de información pública del expediente. *Strictu sensu*, el plazo es de diez días (art. 30.2 a) del RAMINP. Ahora bien, dicho plazo de exposición pública de diez días ha de entenderse derogado por art. 86.2 LRJPA, que lo fija en veinte días mínimo.

2. ¿Han de estar visados los proyectos técnicos?

De acuerdo con lo dispuesto en el art. 2 del RD 1000/2010, de 5 de agosto, sobre visado colegial obligatorio los proyectos técnicos deberán estar visados por remisión que dicho precepto hace al art. 2.1 de la Ley 38/1999, de 5 de noviembre, de ordenación de la edificación.

3. ¿Han de estar visados los documentos complementario que al proyecto técnico visado se presenten en sustitución o complemento de aquél?

Considerando el alcance fundamental del visado colegial, esto es comprobar la identidad y habilitación profesional del autor del trabajo (art. 13.2 a) de la Ley 2/1974, de 13 de febrero, sobre Colegios Profesionales, modificado por Ley 25/2009, de 22 de diciembre, siendo uno de los objetivos de ésta la de simplificar los procedimientos, evitando dilaciones innecesarias y reduciendo las cargas administrativas a los prestadores de servicios, tal como asimismo se recoge en la Ley 17/2009, de 23 de diciembre, leyes ambas que traen su causa en la Directiva 2006/123/CE relativa a los servicios en el mercando interior, se considerará que no es necesario el visado adicional de documentos complementarios al proyecto técnico original, bastando con que en los mismo se haga referencia al visado de éste.

4. ¿Es necesaria la puesta en marcha para el ejercicio de la actividad clasificada?

No. Como consecuencia de la entrada en vigor de la LAS, y en aplicación de lo dispuesto en DA octava de la Ley 1/2010, de 1 de marzo, de reforma de la Ley 7/1996, de 15 de enero, de Ordenación del Comercio Minorista, una vez obtenida la calificación o clasificación ambiental podrá presentarse la declaración responsable o la comunicación previa, debiendo no obstante disponer el prestador de la actividad o servicio la documentación que acredite haber realizado el trámite ambiental.

No obstante, ha de tenerse en cuenta que el RAMINP no permite la interpretación anterior, por lo que nos podemos encontrar en la práctica, con situaciones diferentes en los municipios, dependiendo el criterio de interpretación que se haya del mismo a la vista de la normativa comunitaria y estatal vigente.

2. Jurisprudencia

• El Tribunal Supremo no exige que se trate de vecinos colindantes ni de viviendas adosadas, sino una **situación de proximidad** respecto de la actividad molesta «si bien no existe un material adosamiento del edificio, lo cierto es que la situación de proximidad entre éste y los números correlativos, así como respecto a las viviendas situadas en otras calles inmediatas entre las que figura la morada de la demandante y recurrente, es de tal naturaleza que apenas median cuatro metros de distancia entre unas y otras» (sentencia de 21 de octubre de 1998). Entre los vecinos inmediatos, cabe incluir a aquellos que, **sin ser materialmente colindantes, están próximos o cercanos al punto de que se trate**. Ahora bien, no se admite una interpretación extensiva del concepto de vecindad inmediata, porque la norma añade al concepto de vecindad el de inmediación, puesto que el resto de los vecinos se prevé tomen conocimiento por medio de la información pública. [STS 3.ª secc. 5.ª, S. 26 marzo 1999]

• Se pondera por las partes que no se trataba de realizar de nuevo una actividad, ya que anteriormente el sótano se destinaba a aparcamiento abierto al público y ahora se pretende instalar un garaje; que compareció en el procedimiento administrativo la comunidad de propietarios del inmueble, aunque es cierto que no se hizo notificación personal a todos y cada uno de los vecinos; y que se siguió en debida forma el procedimiento que establece el Reglamento, **notificándose de forma personal a los vecinos de las plantas del edificio inmediatamente superiores al garaje, aunque como acaba de decirse esta notificación se omitió por lo que se refiere a los habitantes o vecinos de las plantas más altas del edificio destinado a viviendas**. A la vista de ello se razona en el sentido de que a lo sumo en la tramitación del procedimiento **se incurrió en una irregularidad, pero ésta no era invalidante,** por lo que resulta **excesivo anular la licencia** y ordenar la retroacción de actuaciones.

Es consciente esta Sala de que en el proceso casacional no es posible entrar en una nueva valoración de los hechos que considera acreditados la sentencia del Tribunal *a quo*, pero ha de tenerse en cuenta que los datos fácticos anteriores no aparecen contradichos por la sentencia del TSJ, la cual los acepta ateniéndose a la argumentación de las partes. En consecuencia, lo que es preciso realizar ahora es el enjuiciamiento de si se estaba en definitiva ante una irregularidad suficiente para declarar la nulidad del acto como entendió la sentencia recurrida, o por el contrario la irregularidad no es de naturaleza tan grave como para acordar la anulación del acto del Ayuntamiento.

Al respecto es de tener en cuenta que no puede estarse a la invocación de una sentencia de este TS singular y aislada, como hace el Tribunal *a quo* al referirse a la que fue dictada en 12 Mar. 1991. La previsión del art. 30.2 a) del Reglamento aplicable ha de ser interpretada en un sentido tal que se atienda al cumplimiento de los fines del mandato realizando en su día por el titular de la potestad reglamentaria. Entiende esta Sala que dicha **finalidad no es otra que la protección de los vecinos inmediatos,** por lo que, ponderando las circunstancias del caso enjuiciado, se llega a la conclusión de que los vecinos inmediatos, es decir, los que habitan o utilizan las plantas inmediatamente superiores al garaje, fueron notificados de modo personal. Sin duda esto supuso una interpretación minimalista por parte del Ayuntamiento del precepto aplicable, pues de algún modo los vecinos de las plantas superiores del inmueble podían verse afectados asimismo por la existencia del garaje.

Por ello hay que apreciar desde luego la existencia de una irregularidad procedimental, pero debe concluirse que **esta irregularidad, como afirman los recurrentes en casación, no es bastante para invalidar el acto administrativo**. Este juicio resulta abonado porque de existir efectivamente molestias los más afectados por ellas fueron efectivamente notificados, lo que no supone un incumplimiento radical y completo del precepto reglamentario. [STS 12 mayo 1999.- LA LEY 6972/1999]

3. Legislación aplicable

— Europea

Directiva 2006/123/CE del Parlamento y del Consejo, de 12 de diciembre de 2006, relativa a los servicios en el mercado interior.

— Estatal

Ley 17/2009, de 23 de noviembre, sobre el Libre Acceso a las Actividades de Servicios.

Arts. 21.1. q) y s), 124.4.ñ), 70.bis y 84, 84 bis y 84 ter. de la Ley 7/1985, de 2 de abril, Reguladora de las Bases de Régimen Local.

Ley 39/2015, de 1 de octubre, del Procedimiento Administrativo Común de las Administraciones Públicas.

— Autonómica

Ley del Principado de Asturias 8/2002, de 21 de octubre, de Espectáculos Públicos y Actividades Recreativas.

Decreto 91/2004, de 11 de noviembre, por el que se establece el catálogo de los espectáculos públicos, las actividades recreativas y los establecimientos, locales e instalaciones públicas en el Principado de Asturias.

Decreto 100/2006, de 6 de septiembre, por el que se regulan los servicios de vigilancia y seguridad en los espectáculos públicos y actividades recreativas y el ejercicio del derecho de admisión.

Decreto 38/2007, de 12 de abril, por el que se regulan las condiciones de los seguros obligatorios de responsabilidad civil exigibles para la celebración de espectáculos públicos y actividades recreativas.

Decreto 63/2007, de 30 de mayo, por el que se regulan las hojas de reclamaciones en espectáculos públicos y actividades recreativas.

— Ordenanzas municipales

4. Documentos de interés

— Doctrina

ALONSO RIESGO, Dora; FERNÁNDEZ GANCEDO, Inmaculada. «Las licencias municipales de actividad y de apertura en el marco de la libre prestación de servicios». *El Consultor de los Ayuntamientos y de los Juzgados*, n.º 21, Sección Colaboraciones, Quincena del 15 al 29 Nov. 2011, Ref. 2506/2011, pág. 2506, tomo 2.- LA LEY 18042/2011.

BALLINA DÍAZ, Diego. «La apertura de establecimientos mercantiles e industriales en el Principado de Asturias». *Práctica Urbanística*, n.º 121, Sección Perspectivas sectoriales.- LA LEY 1359/2013.

CULLÍA DE LA MAZA, José Antonio. «La problemática de la obtención y expedición de la licencia de obras en asturias. Regulación. Jurisprudencia del tribunal superior de justicia de Asturias». *Práctica Urbanística*, n.º 108, Sección Estudios, octubre 2011.- LA LEY 17182/2011.

MARTÍN HERNÁNDEZ, Paulino. «Las licencias para actividades clasificadas». Esta doctrina forma parte del libro *Administración Local. Estudios en Homenaje a Ángel Ballesteros*, 1.ª edic., El Consultor de los Ayuntamientos y de los Juzgados, Madrid, enero 2011.- LA LEY 21893/2011.

OTONÍN BARRERA, Fernando. «Principado de Asturias». Esta doctrina forma parte del libro *La ordenación de establecimientos comerciales*, 1.ª edic. LA LEY, Madrid, junio 2005.- LA LEY 5263/2007.

— Reseña jurisprudencial

STSJ Principado de Asturias, Sala de lo Contencioso-administrativo, Sección 1.ª, 141/2015 de 27 Feb. 2015, Rec. 258/2014.- LA LEY 11363/2015.

STSJ Principado de Asturias, Sala de lo Contencioso-administrativo, Sección 1.ª, de 20 May. 2013, rec. 1827/2011.- LA LEY 73733/2013.

STSJ Principado de Asturias, Sala de lo Contencioso-administrativo, Sección 1.ª, de 31 Jul. 2012, rec. 1308/2010.- LA LEY 115909/2012.

STSJ Principado de Asturias, Sala de lo Contencioso-administrativo, Sección 1.ª, de 7 Dic. 2010, rec. 1521/2008.- LA LEY 253578/2010.

STSJ Principado de Asturias, Sala de lo Contencioso-administrativo, Sección 1.ª, de 17 Sep. 2010, rec. 88/2010.- LA LEY 168544/2010.

STSJ Principado de Asturias, Sala de lo Contencioso-administrativo, Sección 1.ª, de 7 Jun. 2010, rec. 276/2009.- LA LEY 116759/2010.

STSJ Principado de Asturias, Sala de lo Contencioso-administrativo, Sección 1.ª, de 25 Ene. 2010, rec. 297/2009.- LA LEY 25469/2010.

STSJ Principado de Asturias, Sala de lo Contencioso-administrativo, Sección 1.ª, de 25 Jun. 2008, rec. 260/2006.- LA LEY 332246/2008.

STSJ Principado de Asturias, Sala de lo Contencioso-administrativo, Sección 1.ª, de 12 Mar. 2007, rec. 68/2006.- LA LEY 86284/2007.

MODELO DE EXPEDIENTE *(Disponible a texto íntegro en smarteca.es)*

1) *Inicio expediente para concesión de licencia municipal espectáculo público o actividad recreativa*

2) *Admisión a trámite del expediente*

3) *Requerimiento vecinos a policía local*

4) *Edicto de información pública*

5) *Informe técnico*

6) *Notificación a vecinos colindantes*

7)   Certificado de reclamaciones

8)   Informe de la Corporación Municipal

9)   Remisión expediente al Servicio de Gestión Medioambiental

10)   Informe del Servicio de Gestión Medioambiental

11)   Licencia municipal de espectáculo público/actividad recreativa

12)   Notificación licencia de instalación

13)   Visita de comprobación

14)   Licencia de apertura

15)   Notificación

II.   Expediente para reanudar ejercicio de actividad recreativa

1.   Claves del Expediente

El cierre de una actividad recreativa durante un determinado período de tiempo impide *per se* que pueda reanudarse la misma sin que antes se haya efectuado una visita de inspección del establecimiento previa comunicación del titular de la actividad, produciéndose la caducidad de la licencia de apertura.

Para la comunicación de reinicio bastará con que se presente escrito solicitando la comprobación administrativa. Se indicará asimismo se el titular es el que tenía la autorización original o si por el contrario es nuevo titular como consecuencia de una transmisión de la licencia.

Dispone el art. 13 de la Ley Principado de Asturias 8/2002, de 21 de octubre, de Espectáculos Públicos y Actividades Recreativas:

1.º. Las licencias de apertura caducarán en los siguientes supuestos:

a) Cuando la actividad no comience a ejercerse en el plazo señalado en la licencia o, en su defecto, en el plazo de un año a contar desde su concesión.

b) Cuando el ejercicio de la actividad autorizada en la licencia se paralice por un plazo superior a un año, salvo supuestos de fuerza mayor o caso fortuito.

2.º. Producida la caducidad en los supuestos previstos en el apartado anterior, podrá reanudarse nuevamente la actividad a solicitud del interesado y previo el preceptivo reconocimiento del local por la autoridad municipal al efecto de comprobar si subsisten las medidas que fueron tenidas en cuenta para la concesión de la licencia.

2. Jurisprudencia

• ...de ahí que la **inactividad total** en el período semestral contemplado en la norma **lleve anudada la consecuencia de caducidad de la licencia** como regla general, la cual admite **excepciones de pura lógica** como la del supuesto que nos ocupa en que **la dejación no es objetiva, sino tan solo subjetiva de quien tenía la titularidad formal de la licencia**, como lo pone de manifiesto la decisión de los propietarios del local que, liberados por decisión judicial del vínculo que les atenazaba con la mercantil aquí demandante, optaron por continuar por sí mismos la actividad de discoteca en el local de su propiedad y que consistorialmente fueran autorizados para ello. [SJCA Bilbao 11 junio 2013.- LA LEY 120537/2013]

• Por consecuencia, «**el instituto de la caducidad de las licencias municipales ha de acogerse con cautela**» —sentencia de 20 de mayo de 1985—, **aplicándolo «con una moderación acorde con su naturaleza y sus fines**» —sentencia de 10 de mayo de 1985—, **y con un «sentido estricto**» —sentencia de 2 de enero de 1985—, **e incluso con «un riguroso criterio restrictivo**» —sentencia de 10 de abril de 1985— En definitiva, **ha de operar con criterios «de flexibilidad, de moderación y restricción**» —sentencia de 10 de mayo de 1985—.

También hemos dicho en el fundamento de derecho anterior, que **la caducidad de una licencia no es tácita sino que ha de ser expresa y acordada dentro de un procedimiento con audiencia del interesado**. [STSJ Madrid 30 septiembre 2015.- LA LEY 149857/2015]

• Es cierto que si dicha clausura se prolonga por un período superior a seis meses resultará de aplicación el apartado 4.º del artículo 8 de la citada de la Ley Territorial de la Comunidad de Madrid 17/1997, de 4 de julio (LA LEY 1660/1998), de Espectáculos Públicos y Actividades Recreativas que establece que la inactividad o cierre, por cualquier causa, de un local o establecimiento durante más de seis meses determinará la suspensión de la vigencia de la licencia de funcionamiento, hasta la comprobación administrativa de que el local cumple las condiciones exigibles.

Desde luego **la clausura por más de seis meses provocará la necesidad de una nueva visita de comprobación para poder dejar sin efecto la suspensión de la licencia de funcionamiento que se prolongara por dicho tiempo**, sin embargo la sentencia no explica porque puede solicitarse el alzamiento de la suspensión de la licencia aunque no se hubiera cumplido el plazo de cierre; toda vez que la interpretación del apartado 4.º del artículo 41 de la de la Ley Territorial de la Comunidad de Madrid 17/1997, de 4 de julio (LA LEY 1660/1998), de Espectáculos Públicos y Actividades Recreativas debe llevar al entendimiento que **la suspensión de la licencia ha de tener la misma duración que la sanción de clausura de la que deriva**, de forma que la sanción afecta al autor de la infracción pero la consecuencia accesoria, la suspensión de la licencia afecta directamente a la propia licencia. Obsérvese que la Ley establece como efecto «la suspensión de la licencia» y no la «extinción de la licencia». [STSJ Madrid 1 marzo 2017.- LA LEY 22692/2017]

3. Legislación aplicable

— Estatal

RD 2816/1982, de 27 de agosto, por el que se aprueba el Reglamento General de Policía de Espectáculos Públicos y Actividades Recreativas.

— Autonómica

Ley del Principado de Asturias 8/2002, de 21 de octubre, de Espectáculos Públicos y Actividades Recreativas.

Decreto 63/2007, de 30 de mayo, por el que se regulan las hojas de reclamaciones en espectáculos públicos y actividades recreativas.

Decreto 38/2007, de 12 de abril, por el que se regulan las condiciones de los seguros obligatorios de responsabilidad civil exigibles para la celebración de espectáculos públicos y actividades recreativas.

Decreto 91/2004, de 11 de noviembre, por el que se establece el catálogo de los espectáculos públicos, las actividades recreativas y los establecimientos, locales e instalaciones públicas en el Principado de Asturias.

Decreto 100/2006, de 6 de septiembre, por el que se regulan los servicios de vigilancia y seguridad en los espectáculos públicos y actividades recreativas y el ejercicio del derecho de admisión.

4.   Documentos de interés

— Doctrina

CALANCHA MARTÍN, Antonio. «Intervención administrativa en espectáculos públicos y actividades recreativas y de ocio. Breve referencia a la incidencia de la Directiva de Servicios. Normativa de desarrollo». *El Consultor de los Ayuntamientos y de los Juzgados,* n.º 9, Sección Colaboraciones, Quincena del 15 al 29 May. 2011, Ref. 1125/2011, pág. 1125, tomo 2, LA LEY.

CANO MURCIA, Antonio. «Calificación ambiental y la declaración responsable en la Ley 7/2007, de gestión integrada de la calidad ambiental de Andalucía. Análisis crítico al Decreto-Ley 3/2015». *El Consultor de los Ayuntamientos y de los Juzgados*, n.º 9/2015.

—. *El Nuevo Régimen de las Licencias de Apertura*. El Consultor de los Ayuntamientos y de los Juzgados. Madrid 2010.

MODELO DE EXPEDIENTE *(Disponible a texto íntegro en smarteca.es)*

1)   Inicio comunicación de reanudación de actividad por cierre

2)   Admisión a trámite del expediente

3)   Informe técnico

4)   Informe jurídico para la reanudación de la actividad recreativa

5)   Reanudación de la actividad recreativa

6)   Notificación de la reanudación de la actividad

III. Expediente de cambio de titularidad de actividad recreativa

1. Claves del Expediente

Aunque es una cuestión que puede considerarse pacífica, el cambio de titularidad en general de los establecimientos, negocios y actividades en general y en particular de la licencia de actividad se sujeta al cumplimiento de unos requisitos mínimos, que tienen como objetivo fundamental el poner en conocimiento de la Administración el nuevo titular de la actividad.

A tenor del artículo 13.1 del Reglamento de Servicios de las Corporaciones Locales, aprobado por Decreto de 17 de junio de 1955, las licencias relativas a las condiciones de una obra, instalación o servicio serán transmisibles, pero el antiguo y el nuevo constructor o empresario deberán comunicarlo por escrito a la Corporación, sin lo cual quedarán ambos sujetos a todas las responsabilidades que se derivaren para el titular.

Esta posición legal ha quedado superada mediante el art. 3.2 de la Ley 12/2012, de 26 de diciembre, de medidas urgentes de liberalización del comercio y de determinados servicios, al decir que no están sujetos a licencia los cambios de titularidad de las actividades comerciales y de servicios, siendo exigible en estos casos una comunicación previa a la administración competente a los solos efectos informativos.

El art. 8. 4. de la Ley del Principado de Asturias 8/2002, de 21 de octubre, de Espectáculos Públicos y Actividades Recreativas, dispone que el cambio de titularidad de un establecimiento o local deberá ser comunicado a la autoridad municipal competente para la concesión de licencias.

Ha de tenerse en cuenta:

- La comunicación ha de ser expresa.

- No es necesario que vaya acompañada de título o documento que acredite la transmisión (contrato de compraventa, de arrendamiento, de cesión etc.)

- Si la transmisión se produce sin realizar la correspondiente comunicación, el anterior y el nuevo titular quedan sujetos, de forma solidaria, a todas las responsabilidades y obligaciones derivadas del incumplimiento de dicha obligación.

PREGUNTAS CLAVE

1. ¿Puede realizar la comunicación de la transmisión de la actividad el transmitente?

Si el nuevo titular de la actividad no comunica la transmisión al Ayuntamiento, el transmitente o anterior titular puede poner en conocimiento del municipio la transmisión, descargando así la responsabilidad que pudiera recaerle.

2. ¿Cuándo surte efectos el cambio de titularidad de la licencia de actividad?

El cambio de titularidad de la licencia surtirá efectos ante la Administración desde la comunicación completa, quedando subrogado el nuevo titular en los derechos, obligaciones y responsabilidades del titular anterior.

3. ¿Qué consecuencia tiene la no presentación de la comunicación del cambio de titularidad de la licencia de actividad?

Si el órgano competente tiene noticia de la transmisión del negocio o actividad sin que medie comunicación, requerirá al adquirente para que acredite el título de transmisión y asuma las obligaciones correspondientes.

4. ¿Qué requisitos han de cumplirse para realizar el cambio de titularidad una actividad?

Para que el nuevo titular de una actividad pueda realizar el cambio de titularidad, deberá ser comunicado al Ayuntamiento a efectos informativos (art. 3.2 de la Ley 12/2012)

5. ¿Es necesario que el anterior titular comunique la transmisión de la actividad a un tercero?

No es un requisito necesario. El art. 3.2 de la Ley 12/2012 no exige esta comunicación.

6. ¿Qué ocurre si no se comunica la transmisión de la actividad?

La no comunicación del cambio de titularidad de la actividad por el anterior o el nuevo titular supone que el anterior y nuevo titular queda sujetos, de forma solidaria, a todas las responsabilidades y obligaciones derivadas de dicho incumplimiento.

7. ¿Puede transmitir la licencia de actividad el que no es propietario del local en el que se ejerce la misma?

Sí. El ejercicio de una actividad tanto mediante la concesión expresa de licencia de apertura o actividad o mediante la comunicación previa o declaración responsable tiene carácter real, al margen de la titularidad del inmueble y de las relaciones subjetivas que existan entre el titular del mismo y el que ocupe el local mediante contrato de arrendamiento, u cualquier otro título. En este sentido es de aplicación lo dispuesto en el art. 12. 1 RSCL «Las autorizaciones y licencias se entenderán otorgadas salvo el derecho de propiedad y sin perjuicio del de tercero».

8. ¿Ha de resolverse expresamente por el Ayuntamiento la comunicación de cambio de titularidad?

No. El art. 3.2 de la Ley 12/2012 habla de comunicación previa a la administración competente, sin que sea necesario posteriormente dictar resolución alguna. A efectos prácticos bastaría en cualquier caso tomar conocimiento de la transmisión, dejando constancia en el expediente.

9. ¿Qué ocurre si el Ayuntamiento no dicta resolución de cambio de titularidad?

Si el Ayuntamiento, recibida la comunicación de cambio de titularidad de la actividad, no resuelve expresamente el mismo, ha de entenderse que por silencio administrativo positivo se da por cumplido el trámite a todos los efectos, teniendo en cuenta que la resolución del órgano sustantivo no es generadora de derechos para el nuevo titular de la actividad, sino que tiene los efectos de una simple comunicación, que el Ayuntamiento constata mediante la toma de conocimiento del nuevo titular. En este sentido para la STS 15 octubre 1981 «La intervención municipal en caso de transmisión de licencias no es de previa y expresa autorización para que aquélla opere, sino de mera constatación o toma de razón de la extra-administrativamente producida por el simple acuerdo del antiguo y nuevo propietario, cuyo incumplimiento determina que ambos queden sujetos a todas las responsabilidades que se deriven para el titular».

2. Jurisprudencia

• El cambio de titular por sí solo resultaba jurídicamente irrelevante en cuanto afectaría a los posibles derechos de los particulares (STS de 23 diciembre 1998), porque la licencia mantenía su vigencia mientras subsistieran las condiciones de la actividad, de modo que el Ayuntamiento, **de no advertir otras modificaciones que las subjetivas, que son inoperantes a estos efectos, debió otorgar la transmisión de la titularidad de la licencia cuando le fue comunicado por escrito por el dueño del establecimiento,** toda vez que no ofrecía duda el título legítimo de la transmisión ya que la subrogación en la explotación se producía por los dueños del local a favor del nuevo titular, una vez que el anterior arrendamiento había sido declarado extinguido por resolución judicial. [STSJ País Vasco 13 julio 2001]

• La Administración está obligada a reconocer el cambio de la titularidad de la licencia sin perjuicio de las distintas actuaciones que le conciernen ejercer contra la misma del mismo modo que si no se hubiese transmitido. [STSJ Madrid 18 septiembre 2001]

• No constando que la licencia de apertura en su día concedida al demandante lo fuese en atención a su persona, esto es, a especiales circunstancias personales del mismo que impidiesen su transmisión a los efectos prevenidos en el art. 13 del Reglamento de Servicios de las Corporaciones Locales, tal y como se sostiene, entre otras, en la STS de 12 Jul. 2000, **el cambio de titular no requiere la solicitud de una nueva licencia, la cual solo sería exigible si hubiese existido una modificación de la actividad para la cual aquélla se concedió, lo que no se da en este caso.** Por tanto, el único efecto o consecuencia jurídica de la falta de notificación por escrito de tal circunstancia es la **sumisión conjunta de transmitente y adquirente a las responsabilidades** de la explotación de la licencia, sin que lleve consigo la imposición de la sanción debatida en estos autos. [STSJ Extremadura 27 septiembre 2001.- LA LEY 170424/2001]

• Para proceder al cambio de titularidad el Ayuntamiento ha de tener constancia de que efectivamente dicho cambio se ha producido, y ello por dos mecanismos alternativos, uno bilateral, que no es otro que la conformidad del anterior titular, y otro, que no precisa dicha conformidad, más complejo, que consiste en la acreditación de que se ha adquirido por cualquier medio, *inter vivos* o *mortis causa*, la propiedad o posesión del inmueble en cuestión. [STSJ Madrid 15 enero 2004]

• La transmisión de la licencia constituye en definitiva la realización de un **negocio jurídico del transmitente en cuanto titular originario de la autorización administrativa pero sin que tal operación traslativa tenga relevancia a efectos de alterar las condiciones de la propia autorización,** de tal modo que permanece idéntica su eficacia y viabilidad jurídica del acto proyectado y en consecuencia del incumplimiento del deber administrativo impuesto por el artículo 13.1 del RSCL, de comunicar la transferencia al Ayuntamiento, circunstancia no realizada en el supuesto de autos, **no repercute sobre la validez y existencia de la licencia y sí en cambio, únicamente en el régimen de responsabilidades derivado de la titularidad de la licencia** quedando también el transmitente sujeto junto con el adquirente a dichas responsabilidades máxime cuando el deber de comunicación de la transmisión de la licencia ha de operar a efectos de información del Ayuntamiento de los titulares en cada momento de licencias. [STSJ Extremadura 15 diciembre 2006.- LA LEY 214993/2006]

• A juicio de la Sala la sentencia apelada lleva a cabo una interpretación correcta del régimen de transmisión de la licencia de apertura de autos de acuerdo con el Regla-

mento de Servicios de las Corporaciones Locales, **transmisión que no se halla sujeta a un régimen de autorización administrativa sino a uno de mera comunicación, de forma que la transmisión es libre de acuerdo con los modos y formas admitidos en derecho para transmitir o adquirir la propiedad o la posesión, y no queda condicionada a una autorización administrativa**, ya que lo único que le corresponde a la Administración es tomar razón del cambio si se produce la comunicación, o no hacerlo si no se produce en la forma exigible, «pero en modo alguno autorizarlo o denegarlo, de forma que, a partir de dicho acto de comunicación la Administración habrá necesariamente de considerar a la cesionaria como titular de la licencia a todos los efectos legales derivados del ejercicio de la actividad, si se ha cumplido el requisito de la comunicación».

La introducción por el art. 23.2 de la Ordenanza municipal de licencias del requisito de que la nueva titular de la licencia garantice expresamente y por escrito, que debe acompañarse a la comunicación de cambio de titularidad, que asume todas las cargas inherentes a la licencia en cuestión, infringe claramente el art. 13 del Reglamento de Servicios de las. Corporaciones Locales, lo que determina su nulidad ex art. 62.2 LRJAPy-PAC, puesto que **transforma el régimen de mera comunicación previsto en el mismo, en uno de autorización**, en el que la transmisión no se perfecciona sino con la decisión administrativa que la autoriza, puesto que, tal y como postula el Ayuntamiento en el acto recurrido y argumenta en el recurso de apelación, el incumplimiento de dicho requisito comporta «no acceder» al cambio de titularidad, esto es, denegar el cambio de titularidad por incumplimiento de dicho precepto. [STSJ País Vasco 10 octubre 2011.- LA LEY 300763/2011]

• Tampoco cabe oponer el artículo 42 de la Ley 11/2003 de 8 de abril, de Prevención Ambiental de Castilla y León puesto que, de su lectura e interpretación literal, llegamos a una conclusión distinta de la que se contiene en la Sentencia recurrida, ya que claramente se refiere **solo al deber de comunicación a las Administraciones y a las consecuencias del incumplimiento de tal deber**, que se ventilan no en la denegación de la transmisión de la licencia, sino en el de las responsabilidades de cedente y cesionario del incumplimiento de las obligaciones que impone la ley. [STSJ Castilla y León (Burgos) 28 noviembre 2011.- LA LEY 232204/2011]

• De todo lo expuesto se concluye que el **cambio de titularidad de licencia solicitado no era una cuestión discutible** y por ello la Resolución de 3 de junio de 2005, no puede incardinarse dentro del margen de razonabilidad del que disponía la administración local para resolver, pues solicitado un cambio de titularidad de licencia, se entiende por el ayuntamiento que procede la solicitud de nueva licencia por cambio de actividad y ello a pesar de que los informes, ponían en evidencia de que se trataba de un cambio de titularidad, con el resultado ya conocido de anulación de estas resolución, y la pertinente declaración de responsabilidad patrimonial, **pues el ayuntamiento de Gandía venia obligado a otorgar el cambio de titularidad de licencia solicitado al cumplirse todos los requisitos necesarios para ello y estar acreditadas dichas circunstancias en el expediente instruido al efecto,** sin margen de interpretación y sin que en la resolución inicialmente anulada se cite un solo informe que avale lo resuelto por el Ayuntamiento que lo fue al margen de toda apreciación razonable. [STS Comunidad Valenciana 17 abril 2013.- LA LEY 90145/2013]

• …De acuerdo con este precepto es evidente que **el cambio de titularidad no precisa de la obtención de una nueva licencia**. Solo precisa de una autorización municipal de que las obras e instalaciones, se ajustan a la licencia de actividad. Esta exigencia, incluso

desaparecerá en la Ley 2/2006, de calidad ambiental, en cuyo art. 62, la transmisión sin alteración, solo es objeto de comunicación. [STSJ Comunidad Valenciana 28 noviembre 2014.- LA LEY 232360/2014]

• La conclusión de que, **para autorizar el cambio de titularidad del establecimiento, basta la mera comunicación al Ayuntamiento es conforme a derecho**, sin perjuicio, insistimos, en que ora de oficio por la propia Administración ora a instancia de algún interesado pueda controlarse la actividad y, en su caso, imponerse medidas correctoras de la concreta actividad, incluso la incoación de procedimiento sancionador si hubiere méritos para ello. [STSJ Andalucía (Granada) 15 noviembre 2016.- LA LEY 202226/2016]

• Podemos aplicar la doctrina expresada en la Sentencia dictada por esta Sala y Sección 15 de abril de 2015, dictada en el recurso de apelación número 138/2015 dimanante de la Pieza Separada de Suspensión n.º 522/2014 del Juzgado de lo Contencioso-Administrativo número 14 de Madrid, en la que hemos indicado «En el supuesto de autos, sin que la decisión que aquí se adopte ni la fundamentación jurídica de la presente resolución suponga en modo alguno prejuzgar el fondo del asunto, a los meros efectos cautelares que nos ocupan, el recurso de apelación debe ser desestimado por no concurrir la apariencia de buen derecho alegada por el apelante. Y ello es así porque tal y como se hace constar en la propia resolución administrativa ordenando el precinto, tal decisión se adopta en ejecución de tres resoluciones sancionadoras previas impuestas por periodos de nueve meses, un año y dos años, que aunque impuestas con carácter firme con anterioridad al inicio de la actividad por parte del apelante (contrato de arrendamiento del local de 17 de septiembre de 2014, declaración responsable de inicio de actividad de establecimiento de restauración presentado ante la Comunidad de Madrid el 19 de septiembre de 2014 y comunicación al Ayuntamiento de Madrid de cambio de titularidad de actividades presentada el 19 de septiembre de 2014) y siendo el sujeto sancionado un tercero, sin embargo no podemos acceder a la suspensión instada sin eludir el cumplimiento de tres resoluciones sancionadoras firmes que afectan de forma directa a la licencia del local en el que ejerce su actividad el apelante. Así se desprende del contenido del art. 41.4 de la Ley 17/1997 de Espectáculos Públicos y Actividades Recreativas de la Comunidad de Madrid, según el cual "Las sanciones de clausura de locales..., cuando sean superiores a seis meses, conllevarán la suspensión de las licencias reguladas en esta Ley". Por tanto, **la pretendida transmisión de la licencia con que cuenta el local de autos, no pudo operar de forma válida por la sencilla razón de que la misma quedó suspendida una vez impuestas las sanciones con carácter firme, quedando así pues el local afectado por la sanción de clausura sin posibilidad de transmisión de una licencia suspendida por ministerio de la ley**». [STSJ Madrid 7 junio 2017.- LA LEY 105935/2017]

• Es cierto que el Reglamento de las corporaciones locales, cuando regula la trasmisión de licencias, **sólo pretende establecer el requisito de la comunicación puesto que la licencia de actividad continua vigente,** en tanto subsista las condiciones exigidas para su otorgamiento, **sin que afecte a la licencia de actividad el sujeto que ostenta su titularidad** y ello con el fin de que, si no se produjera la citada comunicación, serían responsables tanto el transmitente de la licencia, como el adquirente de la licencia, por lo que la aplicación del art. 13.1 del citado reglamento, pero ello en nada afecta al actor, ni menos aun determina la nulidad de la resolución impugnada. [STSJ Comunidad Valenciana 15 noviembre 2017.- LA LEY 217823/2017]

3. Legislación aplicable

— Estatal

Art. 13 del Decreto de 17 de junio de 1955, por el que se aprueba el Reglamento de Servicios de las Corporaciones Locales.

Art. 3 de la Ley 12/2012, de 26 de diciembre, de medidas urgentes de liberalización del comercio y de determinados servicios.

— Autonómica

Ley del Principado de Asturias 8/2002, de 21 de octubre, de Espectáculos Públicos y Actividades Recreativas.

4. Documentos de interés

— Doctrina

CANO MURCIA, Antonio. *El nuevo régimen jurídico de las licencias de apertura*. El Consultor de los Ayuntamientos y Juzgados. 2010.

— «Cuestiones prácticas sobre transmisión o cambio de titularidad».- LA LEY 19044/2011.

—. «Apunte legislativo sobre transmisión o cambio de titularidad».- LA LEY 19043/2011.

—. «Los Tribunales dicen… sobre transmisión o cambio de titularidad».- LA LEY 19042/2011.

—. «Requisitos generales para la transmisión de la licencia de apertura» .- LA LEY 19040/2011.

MORA GONZÁLEZ, María Jesús. «La transmisión de las licencias urbanísticas». *El Consultor de los Ayuntamientos y de los Juzgados*, n.º 23, Quincena del 15 al 29 Dic. 2007, Ref. 3889/2007, pág. 3889, tomo 3.- LA LEY.- LA LEY 6927/2007.

— Reseña jurisprudencial

STSJ Principado de Asturias, Sala de lo Contencioso-administrativo, Sección 1.ª, n.º 141/2015 de 27 Feb. 2015, Rec. 258/2014.- LA LEY 11363/2015.

STSJ Principado de Asturias, Sala de lo Contencioso-administrativo, Sección 1.ª, de 20 May. 2013, rec. 1827/2011.- LA LEY 73733/2013.

STSJ Principado de Asturias, Sala de lo Contencioso-administrativo, Sección 1.ª, de 31 Jul. 2012, rec. 1308/2010.- LA LEY 115909/2012.

STSJ Principado de Asturias, Sala de lo Contencioso-administrativo, Sección 1.ª, de 7 Dic. 2010, rec. 1521/2008.- LA LEY 253578/2010.

STSJ Principado de Asturias, Sala de lo Contencioso-administrativo, Sección 1.ª, de 17 Sep. 2010, rec. 88/2010.- LA LEY 168544/2010.

STSJ Principado de Asturias, Sala de lo Contencioso-administrativo, Sección 1.ª, de 7 Jun. 2010, rec. 276/2009.- LA LEY 116759/2010.

STSJ Principado de Asturias, Sala de lo Contencioso-administrativo, Sección 1.ª, de 25 Ene. 2010, rec. 297/2009.- LA LEY 25469/2010.

STSJ Principado de Asturias, Sala de lo Contencioso-administrativo, Sección 1.ª, de 25 Jun. 2008, rec. 260/2006.- LA LEY 332246/2008.

STSJ Principado de Asturias, Sala de lo Contencioso-administrativo, Sección 1.ª, de 12 Mar. 2007, rec. 68/2006.- LA LEY 86284/2007.

MODELO DE EXPEDIENTE *(Disponible a texto íntegro en smarteca.es)*

1)   *Comunicación de cambio de titularidad de licencia de actividad recreativa*

2)   *Resolución de toma de conocimiento del cambio de titularidad de actividad recreativa*

3)   *Notificación de la toma de conocimiento del cambio de titularidad de actividad inocua*

IV.   Expediente de control e inspección de actividad recreativa

1.   Claves del Expediente

El expediente de control e inspección de actividad sujeta a licencia de actividad clasificada tiene lugar una vez que la actividad está funcionando, luego es un control posterior a su ejercicio.

La inspección de la actividad podrá producirse como consecuencia de denuncia efectuada por particulares, o fruto de la inspección que el Ayuntamiento realice en el marco de sus atribuciones de inspección y vigilancia.

La importancia de este expediente y por ende de la actuación municipal radica en que el hecho de que se podrá detectar anomalías o deficiencias en el funcionamiento de las medidas correctoras, y por lo tanto sirve para exigir el cumplimiento al titular de la actividad del correcto funcionamiento de la misma, lo que evitará daños al medio ambiente y a la seguridad de las personas.

La inspección, es una facultad que se reserva el Ayuntamiento que en cualquier momento, y con posterioridad a la puesta en marcha, puede comprobar el grado de eficacia y funcionamiento de las medidas correctoras, verificar el estado de las instalaciones, etc. Es decir, se pretende con esta medida el velar por el buen estado de la actividad, requiriendo la subsanación de las deficiencias que se detecten.

A tenor del art. 23 de la Ley del Principado de Asturias 8/2002, de 21 de octubre, de Espectáculos Públicos y Actividades Recreativas:

    • La inspección de los establecimientos, locales e instalaciones destinados a la celebración de espectáculos públicos y actividades recreativas, así como el control del desarrollo de tales espectáculos y actividades serán ejercidos, dentro de sus respectivos ámbitos de competencia, por la Administración del Principado de Asturias y los ayuntamientos.

    • El personal de las administraciones públicas competentes debidamente acreditado, que tendrá la condición de agente de la autoridad, podrá acceder en todo momento a los establecimientos y locales e instalaciones sujetos al ámbito de aplicación de la presente Ley, adoptando cuantas medidas sean precisas para el adecuado desarrollo de sus funciones.

• El acceso se limitará a las zonas de uso y estancia pública, excluyéndose las zonas privadas, salvo autorización expresa del propietario o encargado del local.

• El resultado de la inspección deberá consignarse en acta, que se remitirá al órgano administrativo competente a los efectos que procedan.

• Las labores de inspección y control, también podrán ser realizadas por las Fuerzas y Cuerpos de Seguridad del Estado, debiendo solicitarse, en su caso, la colaboración de éstas a través de la Delegación del Gobierno en Asturias.

2. Jurisprudencia

• La licencia de apertura y/o funcionamiento crea una relación permanente con la Administración, ya que las exigencias del interés público demandan un funcionamiento correcto de la actividad y de sus medidas correctoras, lo cual implicará que la actividad desarrollada quede, durante la vigencia de la licencia, sujeta a inspecciones administrativas para la comprobación del cumplimiento de las condiciones expresadas en la misma, conforme declaran, entre otras, las SSTS de 4 octubre 1986 y 30 junio 1987. [STSJ Madrid 13 noviembre 2001]

• Otorgada una licencia de funcionamiento de una actividad la Administración no queda desposeída de potestades, sino que puede y debe ejercer la actividad administrativa de policía a fin de defender y garantizar los intereses generales; y esa actividad de policía ha de tener concreción en actos de intervención congruentes con los motivos y fines que la justifiquen —arts. 84.2 Ley 7/1985, de 2 abril (Reguladora de las Bases del Régimen Local) y 5.1 RSCL—. [STS 22 junio 1993]

3. Legislación aplicable

— Estatal

Art. 84.1 b) y d); 84 bis) LRBRL.

— Autonómica

Ley del Principado de Asturias 8/2002, de 21 de octubre, de Espectáculos Públicos y Actividades Recreativas.

Decreto 63/2007, de 30 de mayo, por el que se regulan las hojas de reclamaciones en espectáculos públicos y actividades recreativas.

Decreto 38/2007, de 12 de abril, por el que se regulan las condiciones de los seguros obligatorios de responsabilidad civil exigibles para la celebración de espectáculos públicos y actividades recreativas.

Decreto 91/2004, de 11 de noviembre, por el que se establece el catálogo de los espectáculos públicos, las actividades recreativas y los establecimientos, locales e instalaciones públicas en el Principado de Asturias.

Decreto 100/2006, de 6 de septiembre, por el que se regulan los servicios de vigilancia y seguridad en los espectáculos públicos y actividades recreativas y el ejercicio del derecho de admisión.

4. Documentos de interés

— Doctrina

BARRANCO VELA, Rafael; BULLEJOS CALVO, Carlos; y CAMPOS SÁNCHEZ, Miguel Ángel. *Espectáculos Públicos, Actividades Recreativas y Establecimientos Públicos*. El Consultor de los Ayuntamientos y Juzgados. 2011.

CANO MURCIA, Antonio. *El Nuevo Régimen de las Licencias de Apertura*. El Consultor de los Ayuntamientos y de los Juzgados. Madrid 2010.

—. *Manual de Licencias de Apertura de Establecimientos*. Aranzadi.

CHOLBÍ CACHÁ, Francisco Antonio. *El régimen de la comunicación previa, las licencias de urbanismo y su procedimiento y otorgamiento*. El Consultor de los Ayuntamientos y Juzgados. 2010.

MODELO DE EXPEDIENTE de control de Espectáculos Públicos y Actividades Recreativas *(Disponible a texto íntegro en smarteca.es)*

1)   *Acta de comprobación*

2)   *Resolución ordenando apertura de expediente*

3)   *Notificación de acta de inspección en trámite de audiencia*

4)   *Escrito de alegaciones en trámite de audiencia*

5)   *Resolución del expediente de inspección y control*

6)   *Notificación de la resolución del expediente de inspección y control*

17. REGIÓN DE MURCIA

I. Expediente de licencia de actividad sujeta a informe de calificación ambiental para actividad recreativa

1. Claves del Expediente

Las actividades no sujetas a autorizaciones autonómicas se someten sólo a licencia municipal de actividad. Aquí el procedimiento de control preventivo será el de la licencia de actividad, cuya regulación se recoge ahora con más claridad que en la legislación hasta ahora vigente. La intervención de la Comunidad Autónoma se reduce al máximo en este ámbito, aunque se prevé que aquellos ayuntamientos que no dispongan de medios materiales o personales puedan solicitar de la Comunidad Autónoma, que realice el informe de calificación ambiental de la actividad.

Las actividades recreativas sometidas a informe de calificación ambiental se delimitan por exclusión (son aquéllas no sometidas a autorización autonómica, pero tampoco exentas). En este ámbito se sigue el procedimiento ya conocido de solicitud con proyecto técnico y memoria, posible denegación previa basada en el incumplimiento del planeamiento urbanístico o de las ordenanzas, información edictal y consulta vecinal, califi-cación ambiental y resolución.

Ha de tenerse en cuenta lo dispuesto en la DA octava y novena de la Ley 2/2017, de 13 de febrero, de medidas urgentes para la reactivación de la actividad empresarial y del empleo a través de la liberalización y de la supresión de cargas burocráticas, se refieren al régimen de control previo de los espectáculos públicos y actividades recrea-tivas ocasionales o extraordinarias y a los requisitos generales exigibles a los espectácu-los públicos, actividades recreativas y establecimientos públicos.

La licencia de actividad se regula en los arts. 63 a 68 de la Ley 4/2009, de 14 de mayo, de Protección Ambiental Integrada, la que en en el art. 59.6 y en en Anexo I.5 se remite a *los espectáculos públicos y actividades recreativas, como actividades sujetas a licencia de actividad cuando lo establezca su normativa específica.*

2. Jurisprudencia

• Resulta **indiferente que los recurrentes ostenten o no la titularidad** de los caballos o de los terrenos sobre los que se asienta la explotación equina, pues la responsabilidad no recae en las personas que ostenten la titularidad, sino en aquellos que promuevan y exploten las instalaciones o promuevan la actividad sancionada. [STSJ Región de Murcia de 30 julio 2014.- LA LEY 161113/2014]

• Por lo tanto en todos los aspectos no regulados por la legislación Regional continua vigente la normativa estatal (STC 15/1989 (LA LEY 239/1989), lo que supone que el RAMIN es **aplicable supletoriamente en todo lo no previsto por el ordenamiento auto-nómico y en cuanto incremente la protección medioambiental existente**. A ello no se opone la Ley 4/2009 de Protección Ambiental Integrada, ya que no era de aplicación en el momento en que se otorgó la ampliación de la licencia. Tampoco es de aplicación como es lógico el R. D 100/2001, de 28 de enero, por el que se actualiza el catálogo de actividades potencialmente contaminadoras de la atmósfera y se establecen las dispo-siciones básicas para su aplicación. Sigue diciendo la sentencia que si bien es cierto que existen sentencias que entiende desplazada la regulación de las distancias reguladas en el RAMINP por el sistema de autorización ambiental integrada establecido en la Ley 16/2002, de 1 de julio, de prevención y control integrados de la contaminación a través de la cual se traspone a la legislación española la directiva 1996/61 de la Comunidad Europea, en el presente caso no se ha otorgado ese tipo de autorización ambiental que hubiera hecho innecesarios acudir al RAMINP. [STSJ Región de Murcia de 18 noviembre 2011.- LA LEY 233486/2011]

3. Legislación aplicable

— Europea

Directiva 2006/123/CE del Parlamento y del Consejo, de 12 de diciembre de 2006, relativa a los servicios en el mercado interior.

— Estatal

RD 2816/1982, de 27 de agosto, por el que se aprueba el Reglamento General de Policía de Espectáculos Públicos y Actividades Recreativas.

Ley 17/2009, de 23 de noviembre, sobre el Libre Acceso a las Actividades de Servicios.

Arts. 21.1. q) y s), 124.4.ñ), 70.bis y 84, 84 bis y 84 ter. de la Ley 7/1985, de 2 de abril, Reguladora de las Bases de Régimen Local.

Ley 39/2015, de 1 de octubre, del Procedimiento Administrativo Común de las Administraciones Públicas.

— Autonómica

Ley 4/2009, de 14 de mayo, de Protección Ambiental Integrada.

Ley 2/2011, de 2 de marzo, de admisión en espectáculos públicos, actividades recreativas y establecimientos públicos de la Región de Murcia.

Ley 9/2016, de 2 de junio, de medidas urgentes en materia de espectáculos públicos en la Comunidad Autónoma de la Región de Murcia.

Orden de 10 de febrero de 2017, de la Consejería de Presidencia, por la que se prorroga temporalmente el horario de cierre de determinados establecimientos públicos en la Región de Murcia.

DA octava y novena de la Ley 2/2017, de 13 de febrero, de medidas urgentes para la reactivación de la actividad empresarial y del empleo a través de la liberalización y de la supresión de cargas burocráticas.

4. Documentos de interés

— Doctrina

CANO MURCIA, Antonio. «Cuestiones prácticas sobre transmisión o cambio de titularidad».- LA LEY 19044/2011.

—. «Apunte legislativo sobre transmisión o cambio de titularidad».- LA LEY 19043/2011.

—. «Los Tribunales dicen… sobre transmisión o cambio de titularidad».- LA LEY 19042/2011.

—. «Efectos de la Ley 17/2009, de 23 de noviembre, sobre el libre acceso a las actividades de servicios Cano Murcia, Antonio.- LA LEY 19041/2011.

—. «Requisitos generales para la transmisión de la licencia de apertura».- LA LEY 19040/2011.

CHOLBÍ CACHÁ, Francisco Antonio. Apunte legislativo sobre las relaciones en la tramitación administrativa de las autorizaciones urbanísticas y de actividades».- LA LEY 24136/2011.

—. «Los Tribunales dicen….sobre las relaciones en la tramitación administrativa de las autorizaciones urbanísticas y de actividades».- LA LEY 24135/2011.

—. «Especial consideración a las actividades sujetas a licencias de uso cuando llevan aparejadas la ejecución de obras».- LA LEY 24134/2011.

—. «Los principales problemas en la tramitación conjunta de las autorizaciones urbanísticas cuando el destino de las obras es el ejercicio de actividades».- LA LEY 24133/2011.

—. «El contenido de la normativa autonómica en los supuestos de interrelación de las autorizaciones urbanísticas con las de actividades».- LA LEY 24132/2011.

MARTÍN HERNÁNDEZ, Paulino.- «Las licencias para actividades clasificadas». Esta doctrina forma parte del libro *Administración Local. Estudios en Homenaje a Ángel Ballesteros*, edición n.º 1, *El Consultor de los Ayuntamientos y de los Juzgados,* Madrid, enero 2011.- LA LEY 21893/2011.

— Reseña jurisprudencial

STSJ la Región de Murcia, Sala de lo Contencioso-administrativo, Sección 2.ª, de 20 Dic. 2012, rec. 317/2012.- LA LEY 222955/2012.

STSJ la Región de Murcia, Sala de lo Contencioso-administrativo, Sección 1.ª, 1059/2014 de 26 Dic. 2014, Rec. 74/2013.- LA LEY 206193/2014.

STSJ la Región de Murcia, Sala de lo Contencioso-administrativo, Sección 2.ª, 602/2014 de 30 Jul. 2014, Rec. 202/2013.- LA LEY 161113/2014.

STSJ la Región de Murcia, Sala de lo Contencioso-administrativo, Sección 2.ª, 428/2014 de 10 Jun. 2014, Rec. 204/2013.- LA LEY 161118/2014.

STSJ la Región de Murcia, Sala de lo Contencioso-administrativo, Sección 1.ª, de 11 Abr. 2014, rec. 26/2014.- LA LEY 47210/2014.

STSJ la Región de Murcia, Sala de lo Contencioso-administrativo, Sección 2.ª, de 15 Jul. 2013, rec. 75/2013.- LA LEY 143803/2013.

STSJ la Región de Murcia, Sala de lo Contencioso-administrativo, Sección 2.ª, de 10 May. 2013, rec. 63/2013.- LA LEY 80483/2013.

STSJ la Región de Murcia, Sala de lo Contencioso-administrativo, Sección 2.ª, de 18 Nov. 2011, rec. 195/2011.- LA LEY 233486/2011.

STSJ la Región de Murcia, Sala de lo Contencioso-administrativo, Sección 2.ª, de 28 Mar. 2011, rec. 485/2010.- LA LEY 58742/2011.

MODELO DE EXPEDIENTE *(Disponible a texto íntegro en smarteca.es)*

*1)	Inicio expediente solicitud de licencia municipal de actividad recreativa*

*2)	Admisión a trámite del expediente*

*3)	Requerimiento vecinos a policía local*

*4)	Edicto de información pública*

*5)	Notificación a vecinos inmediatos al lugar del emplazamiento*

*6)	Certificado de reclamaciones*

*7)	Informe de calificación ambiental*

*8)	Licencia de actividad recreativa sujeta a calificación ambiental*

*9)	Notificación licencia de actividad sujeta a calificación ambiental*

## II.	Expediente de comunicación previa al inicio de la actividad

### 1.	Claves del Expediente

Las actividades no sujetas a autorizaciones autonómicas se someten sólo a licencia municipal de actividad. Aquí el procedimiento de control preventivo será el de la licencia de actividad, cuya regulación se recoge ahora con más claridad que en la legislación hasta ahora vigente. La intervención de la Comunidad Autónoma se reduce al máximo en este ámbito, aunque se prevé que aquellos ayuntamientos que no dispongan de medios materiales o personales puedan solicitar de la Comunidad Autónoma, que realice el informe de calificación ambiental de la actividad.

La comunicación previa es requisito necesario para el inicio de la actividad, y se solicitará una vez se haya obtenido la licencia municipal de actividad. De acuerdo con el art. 67 de la Ley 4/2009, de 14 de mayo, de Protección Ambiental Integrada, ha de tenerse en cuenta:

1. Obtenida la licencia de actividad y concluida la instalación o montaje, y antes de iniciar la explotación, el titular de la instalación deberá presentar una comunicación indicando la fecha prevista para el inicio de la fase de explotación y acompañando las justificaciones establecidas en la licencia de actividad.

2. Esta comunicación no procederá en los casos de legalización de actividades, debiendo el órgano competente exigir al solicitante, durante la tramitación del procedimiento de legalización, las justificaciones necesarias para acreditar que la instalación o actividad existente se ajustan a la solicitud y documentación presentada.

3. La comunicación de inicio de la actividad deberá realizarse en el plazo que se fije en la propia licencia de actividad, o, en su defecto, en el de dos años a contar desde la notificación de la licencia, transcurrido el cual la licencia de actividad perderá su vigencia de no haberse realizado la comunicación.

2. Jurisprudencia

• Resulta **indiferente que los recurrentes ostenten o no la titularidad**, pues la responsabilidad no recae en las personas que ostenten la titularidad, sino en aquellos que promuevan y exploten las instalaciones o promuevan la actividad sancionada. [STSJ Región de Murcia de 30 julio 2014.- LA LEY 161113/2014]

• Por lo tanto en todos los aspectos no regulados por la legislación Regional continua vigente la normativa estatal (STC 15/1989 (LA LEY 239/1989), lo que supone que el RAMIN es **aplicable supletoriamente en todo lo no previsto por el ordenamiento autonómico y en cuanto incremente la protección medioambiental existente**. A ello no se opone la Ley 4/2009 de Protección Ambiental Integrada, ya que no era de aplicación en el momento en que se otorgó la ampliación de la licencia. Tampoco es de aplicación como es lógico el R. D 100/2001, de 28 de enero, por el que se actualiza el catálogo de actividades potencialmente contaminadoras de la atmosfera y se establecen las disposiciones básicas para su aplicación. Sigue diciendo la sentencia que si bien es cierto que existen sentencias que entiende desplazada la regulación de las distancias reguladas en el RAMIN por el sistema de autorización ambiental integrada establecido en la Ley 16/2002, de 1 de julio, de prevención y control integrados de la contaminación a través de la cual se traspone a la legislación española la directiva 1996/61 de la Comunidad Europea, en el presente caso no se ha otorgado ese tipo de autorización ambiental que hubiera hecho innecesarios acudir al RAMIN. [STSJ Región de Murcia de 18 noviembre 2011.- LA LEY 233486/2011]

3.   Legislación aplicable

— Europea

Directiva 2006/123/CE del Parlamento y del Consejo, de 12 de diciembre de 2006, relativa a los servicios en el mercado interior.

— Estatal

Ley 17/2009, de 23 de noviembre, sobre el Libre Acceso a las Actividades de Servicios.

Arts. 21.1. q) y s), 124.4.ñ), 70.bis y 84, 84 bis y 84 ter. de la Ley 7/1985, de 2 de abril, Reguladora de las Bases de Régimen Local.

Ley 39/2015, de 1 de octubre, del Procedimiento Administrativo Común de las Administraciones Públicas.

— Autonómica

Ley 4/2009, de 14 de mayo, de Protección Ambiental Integrada.

Ley 2/2011, de 2 de marzo, de admisión en espectáculos públicos, actividades recreativas y establecimientos públicos de la Región de Murcia.

Ley 9/2016, de 2 de junio, de medidas urgentes en materia de espectáculos públicos en la Comunidad Autónoma de la Región de Murcia.

Orden de 10 de febrero de 2017, de la Consejería de Presidencia, por la que se prorroga temporalmente el horario de cierre de determinados establecimientos públicos en la Región de Murcia.

DA octava y novena de la Ley 2/2017, de 13 de febrero, de medidas urgentes para la reactivación de la actividad empresarial y del empleo a través de la liberalización y de la supresión de cargas burocráticas.

4.   Documentos de interés

— Doctrina

CANO MURCIA, Antonio. «Cuestiones prácticas sobre transmisión o cambio de titularidad».- LA LEY 19044/2011.

—. «Apunte legislativo sobre transmisión o cambio de titularidad».- LA LEY 19043/2011.

—. «Los Tribunales dicen… sobre transmisión o cambio de titularidad».- LA LEY 19042/2011.

—. «Efectos de la Ley 17/2009, de 23 de noviembre, sobre el libre acceso a las actividades de servicios Cano Murcia, Antonio.- LA LEY 19041/2011.

—. «Requisitos generales para la transmisión de la licencia de apertura».- LA LEY 19040/2011.

CHOLBÍ CACHÁ, Francisco Antonio. Apunte legislativo sobre las relaciones en la tramitación administrativa de las autorizaciones urbanísticas y de actividades».- LA LEY 24136/2011.

—. «Los Tribunales dicen….sobre las relaciones en la tramitación administrativa de las autorizaciones urbanísticas y de actividades».- LA LEY 24135/2011.

—. «Especial consideración a las actividades sujetas a licencias de uso cuando llevan aparejadas la ejecución de obras».- LA LEY 24134/2011.

—. «Los principales problemas en la tramitación conjunta de las autorizaciones urbanísticas cuando el destino de las obras es el ejercicio de actividades».- LA LEY 24133/2011.

—. «El contenido de la normativa autonómica en los supuestos de interrelación de las autorizaciones urbanísticas con las de actividades».- LA LEY 24132/2011.

MARTÍN HERNÁNDEZ, Paulino.- «Las licencias para actividades clasificadas». Esta doctrina forma parte del libro *Administración Local. Estudios en Homenaje a Ángel Ballesteros*, edición n.º 1, *El Consultor de los Ayuntamientos y de los Juzgados*, Madrid, enero 2011.- LA LEY 21893/2011.

— Reseña jurisprudencial

STSJ la Región de Murcia, Sala de lo Contencioso-administrativo, Sección 2.ª, de 20 Dic. 2012, rec. 317/2012.- LA LEY 222955/2012.

STSJ la Región de Murcia, Sala de lo Contencioso-administrativo, Sección 1.ª, 1059/2014 de 26 Dic. 2014, Rec. 74/2013.- LA LEY 206193/2014.

STSJ la Región de Murcia, Sala de lo Contencioso-administrativo, Sección 2.ª, 602/2014 de 30 Jul. 2014, Rec. 202/2013.- LA LEY 161113/2014.

STSJ la Región de Murcia, Sala de lo Contencioso-administrativo, Sección 2.ª, 428/2014 de 10 Jun. 2014, Rec. 204/2013.- LA LEY 161118/2014.

STSJ la Región de Murcia, Sala de lo Contencioso-administrativo, Sección 1.ª, de 11 Abr. 2014, rec. 26/2014.- LA LEY 47210/2014.

STSJ la Región de Murcia, Sala de lo Contencioso-administrativo, Sección 2.ª, de 15 Jul. 2013, rec. 75/2013.- LA LEY 143803/2013.

STSJ la Región de Murcia, Sala de lo Contencioso-administrativo, Sección 2.ª, de 10 May. 2013, rec. 63/2013.- LA LEY 80483/2013.

STSJ la Región de Murcia, Sala de lo Contencioso-administrativo, Sección 2.ª, de 18 Nov. 2011, rec. 195/2011.- LA LEY 233486/2011.

STSJ la Región de Murcia, Sala de lo Contencioso-administrativo, Sección 2.ª, de 28 Mar. 2011, rec. 485/2010.- LA LEY 58742/2011.

MODELO DE EXPEDIENTE *(Disponible a texto íntegro en smarteca.es)*

1)   *Inicio expediente de comunicación de inicio de actividad recreativa*

2)   *Providencia de la Alcaldía*

3)   *Informe técnico sobre comunicación de inicio de la actividad recreativa*

4)   *Informe jurídico sobre comunicación de inicio de la actividad*

5)   *Toma de conocimiento del Ayuntamiento del inicio de la actividad recreativa*

6)   *Notificación de la toma de conocimiento de comunicación de actividad recreativa*

III. Expediente de cambio de titularidad de licencia de actividad recreativa

1. Claves del Expediente

Aunque es una cuestión que puede considerarse pacífica, el cambio de titularidad en general de los establecimientos, negocios y actividades en general y en particular de la licencia de actividad se sujeta al cumplimiento de unos requisitos mínimos, que tienen como objetivo fundamental el poner en conocimiento de la Administración el nuevo titular de la actividad.

A tenor del artículo 13.1 del Reglamento de Servicios de las Corporaciones Locales, aprobado por Decreto de 17 de junio de 1955, las licencias relativas a las condiciones de una obra, instalación o servicio serán transmisibles, pero el antiguo y el nuevo constructor o empresario deberán comunicarlo por escrito a la Corporación, sin lo cual quedarán ambos sujetos a todas las responsabilidades que se derivaren para el titular.

Esta posición legal ha quedado superada mediante el art. 3.2 de la Ley 12/2012, de 26 de diciembre, de medidas urgentes de liberalización del comercio y de determinados servicios, al decir que no están sujetos a licencia los cambios de titularidad de las actividades comerciales y de servicios, siendo exigible en estos casos una comunicación previa a la administración competente a los solos efectos informativos.

Ha de tenerse en cuenta:

• La comunicación ha de ser expresa.

• No es necesario que vaya acompañada de título o documento que acredite la transmisión (contrato de compraventa, de arrendamiento, de cesión etc.).

• Si la transmisión se produce sin realizar la correspondiente comunicación, el anterior y el nuevo titular quedan sujetos, de forma solidaria, a todas las responsabilidades y obligaciones derivadas del incumplimiento de dicha obligación.

Para el art. 78 de la Ley 4/2009, de 14 de mayo, de Protección Ambiental Integrada, el cambio de titularidad de la actividad exigirá la presentación por el nuevo titular de una comunicación en el plazo máximo de diez días desde que se hubiera formalizado la transmisión, sin perjuicio de la comunicación que pueda realizar el transmitente.

No será necesaria la presentación de la documentación técnica que hubiera aportado el anterior titular si se mantienen las condiciones de la actividad. El nuevo titular podrá continuar el ejercicio de la actividad desarrollada por el anterior titular tan pronto efectúe la comunicación.

PREGUNTAS CLAVE

1. ¿De qué plazo dispone el nuevo titular de la actividad para comunicar el cambio de titularidad de la licencia?

El cambio de titularidad de la licencia de actividad que no implique traslado o cambio de las condiciones de ejercicio de la actividad, cuando no se trate de actividades sujetas a autorización ambiental autonómica, deberá comunicarse al ayuntamiento por el adquirente en el plazo de diez días desde que se hubiera formalizado la transmisión, de conformidad con lo dispuesto en el art. 78 de la Ley 4/2009, de 14 de mayo, de Protección Ambiental Integrada.

2. ¿Ha de acreditarse mediante título la transmisión del negocio o actividad?

El art. 78 de la Ley 4/2009, de 14 de mayo, de Protección Ambiental Integrada, no exige la presentación de título alguno acreditativo de la titularidad del negocio o actividad.

3. ¿Puede realizar la comunicación de la transmisión de la actividad el transmitente?

Sí. El art. 78 de la Ley 4/2009, de 14 de mayo, de Protección Ambiental Integrada, dice que comunicación podrá realizarla el propio transmitente.

4. ¿Cuándo surte efectos el cambio de titularidad de la licencia de actividad?

El cambio de titularidad de la licencia surtirá efectos ante la Administración desde la comunicación de la transmisión, y el nuevo titular podrá continuar el ejercicio de la actividad desarrollada por el anterior titular tan pronto efectúe la comunicación (art. 78 de la Ley 4/2009, de 14 de mayo, de Protección Ambiental Integrada).

5. ¿Qué ocurre si no se comunica la transmisión de la actividad?

La no comunicación del cambio de titularidad de la actividad por el anterior o el nuevo titular supone que el anterior y nuevo titular queda sujetos, de forma solidaria, a todas las responsabilidades y obligaciones derivadas de dicho incumplimiento.

6. ¿Puede transmitir la licencia de actividad el que no es propietario del local en el que se ejerce la misma?

Sí. El ejercicio de una actividad tanto mediante la concesión expresa de licencia de apertura o actividad o mediante la comunicación previa o declaración responsable tiene carácter real, al margen de la titularidad del inmueble y de las relaciones subjetivas que existan entre el titular del mismo y el que ocupe el local mediante contrato de arrendamiento, u cualquier otro título. En este sentido es de aplicación lo dispuesto en el art. 12. 1 RSCL «Las autorizaciones y licencias se entenderán otorgadas salvo el derecho de propiedad y sin perjuicio del de tercero».

7. ¿Ha de resolverse expresamente por el Ayuntamiento la comunicación de cambio de titularidad?

No. El art. 3.2 de la Ley 12/2012 habla de comunicación previa a la administración competente, sin que sea necesario posteriormente dictar resolución alguna. A efectos prácticos bastaría en cualquier caso tomar conocimiento de la transmisión, dejando constancia en el expediente.

2. Jurisprudencia

• El cambio de titular por sí solo resultaba jurídicamente irrelevante en cuanto afectaría a los posibles derechos de los particulares (STS de 23 diciembre 1998), porque la licencia mantenía su vigencia mientras subsistieran las condiciones de la actividad, de modo que el Ayuntamiento, **de no advertir otras modificaciones que las subjetivas, que son inoperantes a estos efectos, debió otorgar la transmisión de la titularidad de la licencia cuando le fue comunicado por escrito por el dueño del establecimiento,** toda vez que no ofrecía duda el título legítimo de la transmisión ya que la subrogación en la explotación se producía por los dueños del local a favor del nuevo titular, una vez que el anterior arrendamiento había sido declarado extinguido por resolución judicial. [STSJ País Vasco 13 julio 2001]

• La Administración está obligada a reconocer el cambio de la titularidad de la licencia sin perjuicio de las distintas actuaciones que le conciernen ejercer contra la misma del mismo modo que si no se hubiese transmitido. [STSJ Madrid 18 septiembre 2001]

• No constando que la licencia de apertura en su día concedida al demandante lo fuese en atención a su persona, esto es, a especiales circunstancias personales del mismo que impidiesen su transmisión a los efectos prevenidos en el art. 13 del Reglamento de Servicios de las Corporaciones Locales, tal y como se sostiene, entre otras, en la STS de 12 Jul. 2000, **el cambio de titular no requiere la solicitud de una nueva licencia, la cual solo sería exigible si hubiese existido una modificación de la actividad para la cual aquélla se concedió, lo que no se da en este caso.** Por tanto, el único efecto o consecuencia jurídica de la falta de notificación por escrito de tal circunstancia es la **sumisión conjunta de transmitente y adquirente a las responsabilidades** de la explotación de la licencia, sin que lleve consigo la imposición de la sanción debatida en estos autos. [STSJ Extremadura 27 septiembre 2001.- LA LEY 170424/2001]

• Para proceder al cambio de titularidad el Ayuntamiento ha de tener constancia de que efectivamente dicho cambio se ha producido, y ello por dos mecanismos alternativos, uno bilateral, que no es otro que la conformidad del anterior titular, y otro, que no precisa dicha conformidad, más complejo, que consiste en la acreditación de que se ha adquirido por cualquier medio, *inter vivos* o *mortis causa*, la propiedad o posesión del inmueble en cuestión. [STSJ Madrid 15 enero 2004]

• La transmisión de la licencia constituye en definitiva la realización de un **negocio jurídico del transmitente en cuanto titular originario de la autorización administrativa pero sin que tal operación traslativa tenga relevancia a efectos de alterar las condiciones de la propia autorización,** de tal modo que permanece idéntica su eficacia y viabilidad jurídica del acto proyectado y en consecuencia del incumplimiento del deber administrativo impuesto por el artículo 13.1 del RSCL, de comunicar la transferencia al Ayuntamiento, circunstancia no realizada en el supuesto de autos, **no repercute sobre la validez y existencia de la licencia y sí en cambio, únicamente en el régimen de responsabilidades derivado de la titularidad de la licencia** quedando también el transmitente sujeto junto con el adquirente a dichas responsabilidades máxime cuando el deber de comunicación de la transmisión de la licencia ha de operar a efectos de información del Ayuntamiento de los titulares en cada momento de licencias. [STSJ Extremadura 15 diciembre 2006.- LA LEY 214993/2006]

• A juicio de la Sala la sentencia apelada lleva a cabo una interpretación correcta del régimen de transmisión de la licencia de apertura de autos de acuerdo con el Reglamento de Servicios de las Corporaciones Locales, **transmisión que no se halla sujeta a un régimen de autorización administrativa sino a uno de mera comunicación, de forma que la transmisión es libre de acuerdo con los modos y formas admitidos en derecho para transmitir o adquirir la propiedad o la posesión, y no queda condicionada a una autorización administrativa**, ya que lo único que le corresponde a la Administración es tomar razón del cambio si se produce la comunicación, o no hacerlo si no se produce en la forma exigible, «pero en modo alguno autorizarlo o denegarlo, de forma que, a partir de dicho acto de comunicación la Administración habrá necesariamente de considerar a la cesionaria como titular de la licencia a todos los efectos legales derivados del ejercicio de la actividad, si se ha cumplido el requisito de la comunicación».

La introducción por el art. 23.2 de la Ordenanza municipal de licencias del requisito de que la nueva titular de la licencia garantice expresamente y por escrito, que debe acompañarse a la comunicación de cambio de titularidad, que asume todas las cargas inherentes a la licencia en cuestión, infringe claramente el art. 13 del Reglamento de Servicios de las. Corporaciones Locales, lo que determina su nulidad ex art. 62.2 LRJAPy-PAC, puesto que **transforma el régimen de mera comunicación previsto en el mismo, en uno de autorización**, en el que la transmisión no se perfecciona sino con la decisión administrativa que la autoriza, puesto que, tal y como postula el Ayuntamiento en el acto recurrido y argumenta en el recurso de apelación, el incumplimiento de dicho requisito comporta «no acceder» al cambio de titularidad, esto es, denegar el cambio de titularidad por incumplimiento de dicho precepto». [STSJ País Vasco 10 octubre 2011.- LA LEY 300763/2011]

• Tampoco cabe oponer el artículo 42 de la Ley 11/2003 de 8 de abril, de Prevención Ambiental de Castilla y León puesto que, de su lectura e interpretación literal, llegamos a una conclusión distinta de la que se contiene en la Sentencia recurrida, ya que claramente se refiere **solo al deber de comunicación a las Administraciones y a las consecuencias del incumplimiento de tal deber**, que se ventilan no en la denegación de la transmisión de la licencia, sino en el de las responsabilidades de cedente y cesionario del incumplimiento de las obligaciones que impone la ley. [STSJ Castilla y León (Burgos) 28 noviembre 2011.- LA LEY 232204/2011]

• De todo lo expuesto se concluye que el **cambio de titularidad de licencia solicitado no era una cuestión discutible** y por ello la Resolución de 3 de junio de 2005, no puede incardinarse dentro del margen de razonabilidad del que disponía la administración local para resolver, pues solicitado un cambio de titularidad de licencia, se entiende por el ayuntamiento que procede la solicitud de nueva licencia por cambio de actividad y ello a pesar de que los informes, ponían en evidencia de que se trataba de un cambio de titularidad, con el resultado ya conocido de anulación de estas resolución, y la pertinente declaración de responsabilidad patrimonial, **pues el ayuntamiento de Gandía venia obligado a otorgar el cambio de titularidad de licencia solicitado al cumplirse todos los requisitos necesarios para ello y estar acreditadas dichas circunstancias en el expediente instruido al efecto,** sin margen de interpretación y sin que en la resolución inicialmente anulada se cite un solo informe que avale lo resuelto por el Ayuntamiento que lo fue al margen de toda apreciación razonable. [STS Comunidad Valenciana 17 abril 2013.- LA LEY 90145/2013]

• …De acuerdo con este precepto es evidente que **el cambio de titularidad no precisa de la obtención de una nueva licencia**. Solo precisa de una autorización municipal de que las obras e instalaciones, se ajustan a la licencia de actividad. Esta exigencia, incluso desaparecerá en la Ley 2/2006, de calidad ambiental, en cuyo art. 62, la transmisión sin alteración, solo es objeto de comunicación. [STSJ Comunidad Valenciana 28 noviembre 2014.- LA LEY 232360/2014]

• La conclusión de que, **para autorizar el cambio de titularidad del establecimiento, basta la mera comunicación al Ayuntamiento es conforme a derecho**, sin perjuicio, insistimos, en que ora de oficio por la propia Administración ora a instancia de algún interesado pueda controlarse la actividad y, en su caso, imponerse medidas correctoras de la concreta actividad, incluso la incoación de procedimiento sancionador si hubiere méritos para ello. [STSJ Andalucía (Granada) 15 noviembre 2016.- LA LEY 202226/2016]

• Podemos aplicar la doctrina expresada en la Sentencia dictada por esta Sala y Sección 15 de abril de 2015, dictada en el recurso de apelación número 138/2015 dimanante de la Pieza Separada de Suspensión n.º 522/2014 del Juzgado de lo Contencioso-Administrativo número 14 de Madrid, en la que hemos indicado «En el supuesto de autos, sin que la decisión que aquí se adopte ni la fundamentación jurídica de la presente resolución suponga en modo alguno prejuzgar el fondo del asunto, a los meros efectos cautelares que nos ocupan, el recurso de apelación debe ser desestimado por no concurrir la apariencia de buen derecho alegada por el apelante. Y ello es así porque tal y como se hace constar en la propia resolución administrativa ordenando el precinto, tal decisión se adopta en ejecución de tres resoluciones sancionadoras previas impuestas por periodos de nueve meses, un año y dos años, que aunque impuestas con carácter firme con anterioridad al inicio de la actividad por parte del apelante (contrato de arrendamiento del local de 17 de septiembre de 2014, declaración responsable de inicio de actividad de establecimiento de restauración presentado ante la Comunidad de Madrid el 19 de septiembre de 2014 y comunicación al Ayuntamiento de Madrid de cambio de titularidad de actividades presentada el 19 de septiembre de 2014) y siendo el sujeto sancionado un tercero, sin embargo no podemos acceder a la suspensión instada sin eludir el cumplimiento de tres resoluciones sancionadoras firmes que afectan de forma directa a la licencia del local en el que ejerce su actividad el apelante. Así se desprende del contenido del art. 41.4 de la Ley 17/1997 de Espectáculos Públicos y Actividades Recreativas de la Comunidad de Madrid, según el cual "Las sanciones de clausura de locales…, cuando sean superiores a seis meses, conllevarán la suspensión de las licencias reguladas en esta Ley". Por tanto, **la pretendida transmisión de la licencia con que cuenta el local de autos, no pudo operar de forma válida por la sencilla razón de que la misma quedó suspendida una vez impuestas las sanciones con carácter firme, quedando así pues el local afectado por la sanción de clausura sin posibilidad de transmisión de una licencia suspendida por ministerio de la ley**». [STSJ Madrid 7 junio 2017.- LA LEY 105935/2017]

• Es cierto que el Reglamento de las corporaciones locales, cuando regula la trasmisión de licencias, **sólo pretende establecer el requisito de la comunicación puesto que la licencia de actividad continua vigente,** en tanto subsistan las condiciones exigidas para su otorgamiento, **sin que afecte a la licencia de actividad el sujeto que ostenta su titularidad** y ello con el fin de que, si no se produjera la citada comunicación, serían responsables tanto el transmitente de la licencia, como el adquirente de la licencia, por lo que la aplicación del art. 13.1 del citado reglamento, pero ello en nada afecta al actor, ni menos aun determina la nulidad de la resolución impugnada. [STSJ COMUNIDAD VALENCIANA 15 noviembre 2017.- LA LEY 217823/2017]

3. Legislación aplicable

— Estatal

Art. 13 del Decreto de 17 de junio de 1955, por el que se aprueba el Reglamento de Servicios de las Corporaciones Locales.

Art. 3 de la Ley 12/2012, de 26 de diciembre, de medidas urgentes de liberalización del comercio y de determinados servicios.

— Autonómica

Arts. 78 de la Ley 4/2009, de 14 de mayo, de Protección Ambiental Integrada.

Ley 2/2011, de 2 de marzo, de admisión en espectáculos públicos, actividades recreativas y establecimientos públicos de la Región de Murcia.

Ley 9/2016, de 2 de junio, de medidas urgentes en materia de espectáculos públicos en la Comunidad Autónoma de la Región de Murcia.

Orden de 10 de febrero de 2017, de la Consejería de Presidencia, por la que se prorroga temporalmente el horario de cierre de determinados establecimientos públicos en la Región de Murcia.

DA octava y novena de la Ley 2/2017, de 13 de febrero, de medidas urgentes para la reactivación de la actividad empresarial y del empleo a través de la liberalización y de la supresión de cargas burocráticas.

4.   Documentos de interés

— Doctrina

CANO MURCIA, Antonio. *El nuevo régimen jurídico de las licencias de apertura*. El Consultor de los Ayuntamientos y Juzgados. 2010.

—. «Cuestiones prácticas sobre transmisión o cambio de titularidad».- LA LEY 19044/2011.

—. «Apunte legislativo sobre transmisión o cambio de titularidad».- LA LEY 19043/2011.

—. «Los Tribunales dicen… sobre transmisión o cambio de titularidad».- LA LEY 19042/2011.

—. «Requisitos generales para la transmisión de la licencia de apertura».- LA LEY 19040/2011.

MORA GONZÁLEZ, María Jesús. «La transmisión de las licencias urbanísticas». *El Consultor de los Ayuntamientos y de los Juzgados*, n.º 23, Quincena del 15 al 29 Dic. 2007, Ref. 3889/2007, pág. 3889, tomo 3, LA LEY.- LA LEY 6927/2007.

— Reseña jurisprudencial

STSJ la Región de Murcia, Sala de lo Contencioso-administrativo, Sección 2.ª, de 15 Jul. 2013, rec. 75/2013.- LA LEY 143803/2013.

STSJ la Región de Murcia, Sala de lo Contencioso-administrativo, Sección 2.ª, de 30 Jul. 2013, rec. 64/2013.- LA LEY 143804/2013.

STSJ la Región de Murcia, Sala de lo Contencioso-administrativo, Sección 2.ª, de 31 Mar. 2011, rec. 535/2010.- LA LEY 69947/2011.

STSJ la Región de Murcia, Sala de lo Contencioso-administrativo, Sección 2.ª, de 31 May. 2003, rec. 405/2002.- LA LEY 97734/2003.

MODELO DE EXPEDIENTE *(Disponible a texto íntegro en smarteca.es)*

1)   *Comunicación de cambio de titularidad de licencia de actividad recreativa*

2)   *Resolución de toma de conocimiento del cambio de titularidad de actividad recreativa*

3)   *Notificación de la toma de conocimiento del cambio de titularidad de actividad recreativa*

IV.   Expediente para reanudar ejercicio de actividad recreativa

1.   Claves del Expediente

El cierre de una actividad recreativa durante un determinado período de tiempo impide *per se* que pueda reanudarse la misma sin que antes se haya efectuado una visita de inspección del establecimiento previa comunicación del titular de la actividad.

Para la comunicación de reinicio bastará con que se presente escrito solicitando la comprobación administrativa. Se indicará asimismo se el titular es el que tenía la autorización original o si por el contrario es nuevo titular como consecuencia de una transmisión de la licencia.

Dispone el art. 63.3 de la Ley 4/2009, de 14 de mayo, de Protección Ambiental Integrada que la licencia de actividad perderá su vigencia si, una vez iniciada, se interrumpiera durante un plazo igual o superior a un año. No obstante, el promotor podrá solicitar la prórroga de la vigencia antes de que transcurra dicho plazo. El órgano municipal podrá acordar la prórroga en caso de que no se hayan producido cambios sustanciales en los elementos esenciales que sirvieron de base para otorgar la licencia de actividad.

Junto con la solicitud de prórroga se acompañará certificado suscrito por técnico competente, debidamente identificado, colegiado, en su caso, y habilitado profesionalmente, que tenga acreditada la suscripción de una póliza de seguro de responsabilidad civil por daños causados en el ejercicio de su profesión, en la cuantía que se fije reglamentariamente, visado por el correspondiente colegio profesional cuando sea legalmente exigible, en el que se certifique el mantenimiento de los elementos esenciales que sirvieron para el otorgamiento de licencia.

Salvo prueba en contrario, se presumirá que la actividad ha cesado o ha sido interrumpida por su titular cuando conste la baja de la actividad comunicada ante otras administraciones públicas, o ante las compañías suministradoras de agua y energía, así como cuando existan signos externos de cese de la actividad, debidamente justificados en el expediente.

Constatadas por el ayuntamiento las circunstancias anteriores, dictará resolución declarando la pérdida de la vigencia de la licencia concedida, previa audiencia al interesado. La resolución así adoptada podrá ser objeto de los recursos que procedan.

2.   Jurisprudencia

• ...de ahí que la **inactividad total** en el período semestral contemplado en la norma **lleve anudada la consecuencia de caducidad de la licencia** como regla general, la cual admite **excepciones de pura lógica** como la del supuesto que nos ocupa en que **la dejación no es objetiva, sino tan solo subjetiva de quien tenía la titularidad formal de la licencia**, como lo pone de manifiesto la decisión de los propietarios del local que, liberados por decisión judicial del vínculo que les atenazaba con la mercantil aquí demandante, optaron por continuar por sí mismos la actividad de discoteca en el local de su propiedad y que consistorialmente fueran autorizados para ello. [SJCA Bilbao 11 junio 2013.- LA LEY 120537/2013]

• Por consecuencia, «**el instituto de la caducidad de las licencias municipales ha de acogerse con cautela**» —sentencia de 20 de mayo de 1985—, **aplicándolo «con una moderación acorde con su naturaleza y sus fines** » —sentencia de 10 de mayo de 1985—, **y con un «sentido estricto**» —sentencia de 2 de enero de 1985—, **e incluso con «un riguroso criterio restrictivo**» —sentencia de 10 de abril de 1985— En definitiva, **ha de operar con criterios «de flexibilidad, de moderación y restricción**» —sentencia de 10 de mayo de 1985—.

También hemos dicho en el fundamento de derecho anterior, que **la caducidad de una licencia no es tácita sino que ha de ser expresa y acordada dentro de un procedimiento con audiencia del interesado**. [STSJ Madrid 30 septiembre 2015.- LA LEY 149857/2015]

• Es cierto que si dicha clausura se prolonga por un período superior a seis meses resultará de aplicación el apartado 4.º del artículo 8 de la citada de la Ley Territorial de la Comunidad de Madrid 17/1997, de 4 de julio (LA LEY 1660/1998), de Espectáculos Públicos y Actividades Recreativas que establece que la inactividad o cierre, por cualquier causa, de un local o establecimiento durante más de seis meses determinará la suspensión de la vigencia de la licencia de funcionamiento, hasta la comprobación administrativa de que el local cumple las condiciones exigibles.

Desde luego **la clausura por más de seis meses provocará la necesidad de una nueva visita de comprobación para poder dejar sin efecto la suspensión de la licencia de funcionamiento que se prolongara por dicho tiempo**, sin embargo la sentencia no explica porque puede solicitarse el alzamiento de la suspensión de la licencia aunque no se hubiera cumplido el plazo de cierre; toda vez que la interpretación del apartado 4.º del artículo 41 de la de la Ley Territorial de la Comunidad de Madrid 17/1997, de 4 de julio (LA LEY 1660/1998), de Espectáculos Públicos y Actividades Recreativas debe llevar al entendimiento que **la suspensión de la licencia ha de tener la misma duración que la sanción de clausura de la que deriva**, de forma que la sanción afecta al autor de la infracción pero la consecuencia accesoria, la suspensión de la licencia afecta directamente a la propia licencia. Obsérvese que la Ley establece como efecto «la suspensión de la licencia» y no la «extinción de la licencia». [STSJ Madrid 1 marzo 2017.- LA LEY 22692/2017]

3. Legislación aplicable

— Estatal

RD 2816/1982, de 27 de agosto, por el que se aprueba el Reglamento General de Policía de Espectáculos Públicos y Actividades Recreativas.

— Autonómica

Ley 4/2009, de 14 de mayo, de Protección Ambiental Integrada.

Ley 2/2011, de 2 de marzo, de admisión en espectáculos públicos, actividades recreativas y establecimientos públicos de la Región de Murcia.

Ley 9/2016, de 2 de junio, de medidas urgentes en materia de espectáculos públicos en la Comunidad Autónoma de la Región de Murcia.

Orden de 10 de febrero de 2017, de la Consejería de Presidencia, por la que se prorroga temporalmente el horario de cierre de determinados establecimientos públicos en la Región de Murcia.

DA octava y novena de la Ley 2/2017, de 13 de febrero, de medidas urgentes para la reactivación de la actividad empresarial y del empleo a través de la liberalización y de la supresión de cargas burocráticas.

4. Documentos de interés

— Doctrina

CALANCHA MARTÍN, Antonio. «Intervención administrativa en espectáculos públicos y actividades recreativas y de ocio. Breve referencia a la incidencia de la Directiva de Servicios. Normativa de desarrollo». *El Consultor de los Ayuntamientos y de los Juzgados,* n.º 9, Sección Colaboraciones, Quincena del 15 al 29 May. 2011, Ref. 1125/2011, pág. 1125, tomo 2, LA LEY.

CANO MURCIA, Antonio. «Calificación ambiental y la declaración responsable en la Ley 7/2007, de gestión integrada de la calidad ambiental de Andalucía. Análisis crítico al Decreto-Ley 3/2015». *El Consultor de los Ayuntamientos y de los Juzgados*, n.º 9/2015.

—. *El Nuevo Régimen de las Licencias de Apertura*. El Consultor de los Ayuntamientos y de los Juzgados. Madrid 2010.

MODELO DE EXPEDIENTE *(Disponible a texto íntegro en smarteca.es)*

1)   Inicio comunicación de reapertura de actividad recreativa por cierre

2)   Admisión a trámite del expediente

3)   Informe técnico

4)   Informe jurídico para la reapertura de la actividad recreativa

5)   Reapertura de la actividad recreativa

6)   Notificación de la reapertura de la actividad

V. Expediente de control e inspección de actividad recreativa

1. Claves del Expediente

El expediente de control e inspección de actividad sujeta a licencia de actividad clasificada tiene lugar una vez que la actividad está funcionando, luego es un control posterior a su ejercicio.

La inspección de la actividad podrá producirse como consecuencia de denuncia efectuada por particulares, o fruto de la inspección que el Ayuntamiento realice en el marco de sus atribuciones de inspección y vigilancia.

La importancia de este expediente y por ende de la actuación municipal radica en que el hecho de que se podrá detectar anomalías o deficiencias en el funcionamiento de las medidas correctoras, y por lo tanto sirve para exigir el cumplimiento al titular de la actividad del correcto funcionamiento de la misma, lo que evitará daños al medio ambiente y a la seguridad de las personas.

La inspección, es una facultad que se reserva el Ayuntamiento que en cualquier momento, y con posterioridad a la puesta en marcha, puede comprobar el grado de eficacia y funcionamiento de las medidas correctoras, verificar el estado de las instalaciones, etc. Es decir, se pretende con esta medida el velar por el buen estado de la actividad, requiriendo la subsanación de las deficiencias que se detecten.

La inspección que realiza el Ayuntamiento, tiene como objeto (art. 126.3 de la Ley 4/2009, de 14 de mayo, de Protección Ambiental Integrada):

a) Vigilar las instalaciones o actividades realizadas en el término municipal, para el descubrimiento de las no autorizadas.

b) Comprobar el cumplimiento de las condiciones ambientales de su competencia impuestas por las autorizaciones ambientales autonómicas y la licencia de actividad.

c) Vigilar el cumplimiento de las ordenanzas ambientales municipales y demás normativa ambiental en el ámbito de su competencia.

2. Jurisprudencia

• La licencia de apertura y/o funcionamiento crea una relación permanente con la Administración, ya que las exigencias del interés público demandan un funcionamiento correcto de la actividad y de sus medidas correctoras, lo cual implicará que la actividad desarrollada quede, durante la vigencia de la licencia, sujeta a inspecciones administrativas para la comprobación del cumplimiento de las condiciones expresadas en la misma, conforme declaran, entre otras, las SSTS de 4 octubre 1986 y 30 junio 1987. [STSJ Madrid 13 noviembre 2001]

• Otorgada una licencia de funcionamiento de una actividad la Administración no queda desposeída de potestades, sino que puede y debe ejercer la actividad administrativa de policía a fin de defender y garantizar los intereses generales; y esa actividad de policía ha de tener concreción en actos de intervención congruentes con los motivos y fines que la justifiquen —arts. 84.2 Ley 7/1985, de 2 abril (Reguladora de las Bases del Régimen Local) y 5.1 RSCL— [STS 22 junio 1993]

3. Legislación aplicable

— Estatal

Art. 84.1 b) y d); 84 bis) LRBRL.

— Autonómica

Ley 4/2009, de 14 de mayo, de Protección Ambiental Integrada.

Ley 2/2011, de 2 de marzo, de admisión en espectáculos públicos, actividades recreativas y establecimientos públicos de la Región de Murcia.

Ley 9/2016, de 2 de junio, de medidas urgentes en materia de espectáculos públicos en la Comunidad Autónoma de la Región de Murcia.

Orden de 10 de febrero de 2017, de la Consejería de Presidencia, por la que se prorroga temporalmente el horario de cierre de determinados establecimientos públicos en la Región de Murcia.

DA octava y novena de la Ley 2/2017, de 13 de febrero, de medidas urgentes para la reactivación de la actividad empresarial y del empleo a través de la liberalización y de la supresión de cargas burocráticas.

4. Documentos de interés

— Doctrina

BARRANCO VELA, Rafael; BULLEJOS CALVO, Carlos; y CAMPOS SÁNCHEZ, Miguel Ángel. *Espectáculos Públicos, Actividades Recreativas y Establecimientos Públicos*. El Consultor de los Ayuntamientos y Juzgados. 2011.

CANO MURCIA, Antonio. *El Nuevo Régimen de las Licencias de Apertura*. El Consultor de los Ayuntamientos y de los Juzgados. Madrid 2010.

—. *Manual de Licencias de Apertura de Establecimientos*. Aranzadi.

CHOLBÍ CACHÁ, Francisco Antonio. *El régimen de la comunicación previa, las licencias de urbanismo y su procedimiento y otorgamiento*. El Consultor de los Ayuntamientos y Juzgados. 2010.

MODELO DE EXPEDIENTE de control de actividad recreativa (*Disponible a texto íntegro en smarteca.es*)

1)   Acta de comprobación

2)   Resolución ordenando apertura de expediente

3)   Notificación de acta de inspección en trámite de audiencia

4)   Escrito de alegaciones en trámite de audiencia

5)   Resolución del expediente de inspección y control

6)   Notificación de la resolución del expediente de inspección y control

CAPÍTULO VI

LOS SEGUROS DE RESPONSABILIDAD CIVIL

I.   COMENTARIOS

Mediante la constitución de un **seguro de responsabilidad civil** por parte del prestador del servicio se pretender dar cobertura a los daños y perjuicios tanto personales como materiales que puedan sufrir los usuarios del establecimientos público.

El seguro de responsabilidad civil es **obligatorio** en la esfera de los espectáculos públicos y actividades recreativas, siendo la legislación que regula estas actividades la que exige su constitución.

Como consecuencia de la preocupación existente en los poderes públicos de garantizar la responsabilidad en la que pueden incurrir los titulares de los establecimientos públicos, derivada de accidentes, daños o lesiones que puedan ocasionarse a las personas o cosas, la legislación autonómica, poco a poco a ido incorporando entre sus normas la necesidad de suscribir un seguro de responsabilidad civil.

Estos seguros que en un principio tuvieron poco predicamento entre las normas ambientales y de espectáculos públicos y actividades recreativas, se están imponiendo, consciente el legislador de la importancia que tiene el garantizar los daños y perjuicios que el ejercicio de la actividad pueda producir, siendo ya una constante la necesidad de contar con un seguro de responsabilidad civil.

El principal **problema** que se plantea es el del **control** permanente que ha de seguir el Ayuntamiento sobre los establecimientos obligados a tener vigente el seguro de responsabilidad civil, lo que conducirá a una **inspección constante**. De lo contrario de poco servirá exigir dicho seguro si al vencimiento del primer recibo no se continúa con la contratación del mismo.

Del análisis de las distintas normas de las CC.AA.[1], se extraen las siguientes conclusiones.

1. No existe una criterio homogéneo para establecer los aforos objeto de cobertura.

---

(1)   Véase cuadro resumen que se inserta al final de este capitulo

2. No existe un criterio homogéneo para fijar las cantidades mínimas objeto de indemnización.

3. No existe un listado mínimo de actividades que han de ser cubierta mediante el seguro de responsabilidad civil.

4. Los Ayuntamientos se convierte en responsables civiles subsidiarios en caso de que no cumplan el control a los establecimientos de exigirles en cada momento tener vigente la póliza de responsabilidad civil.

5. Carecer del oportuno seguro de responsabilidad civil supone la comisión de una infracción administrativa.

II. LOS SEGUROS DE RESPONSABILIDAD CIVIL EN LA LEGISLACION DE LAS COMUNIDADES AUTÓNOMAS

1. Andalucía

La **Ley 13/1999**, de 15 de diciembre, de Espectáculos Públicos y Actividades Recreativas, en su art. 14 c) exige la concertación de un seguro colectivo de accidentes.

Mediante **Decreto 109/2005**, de 26 de abril, se regulan los requisitos de los contratos de seguro obligatorio de responsabilidad civil en materia de Espectáculos Públicos y Actividades Recreativas

— CUANTÍA DEL SEGURO

• **Aforo determinado**

Se distinguen **dos supuestos:**

1.º Cuando las empresas organizadoras de espectáculos públicos y actividades recreativas o las personas titulares de los establecimientos públicos que los alberguen, **cuando ambas circunstancias coincidan**, celebren o desarrollen los mismos en todo tipo de cines, teatros, auditorios, circos, establecimientos de juego, establecimientos de actividades culturales y sociales, establecimientos de actividades zoológicas, botánicas y geológicas, así como específicamente en salones recreativos, cibersalas, centros de ocio y diversión, boleras, complejos deportivos, gimnasios, restaurantes, autoservicios, cafeterías, bares, y bares-quiosco, del vigente Nomenclátor y Catálogo de Establecimientos Públicos de Andalucía, las sumas aseguradas previstas en los contratos de seguro de responsabilidad civil, para responder por daños personales con **resultado de muerte e invalidez absoluta permanente** serán las siguientes:

a) Establecimientos públicos con aforo autorizado hasta 50 personas: 225.000 euros.

b) Establecimientos públicos con aforo autorizado de 51 a 100 personas: 375.000 euros.

c) Establecimientos públicos con aforo autorizado de 101 hasta 300 personas: 526.000 euros.

d) Establecimientos públicos con aforo autorizado de 301 hasta 700 personas: 901.000 euros.

e) Establecimientos públicos con aforo autorizado superior a 700 personas: 1.201.000 euros.

2.º Cuando las empresas organizadoras de espectáculos públicos y actividades recreativas, celebren o desarrollen los mismos en todo tipo de establecimientos de atracciones recreativas, recinto de ferias y verbenas populares de aforo determinado y establecimientos de esparcimiento, así como específicamente en salones de celebraciones infantiles, parques acuáticos, piscinas públicas, y pubs y bares con música, del vigente Nomenclátor y Catálogo de Establecimientos Públicos de Andalucía, **en atención a las peculiaridades y especial riesgo que el ejercicio de dichas actividades** conlleva, los contratos de seguro de responsabilidad civil que se concierten, deberán prever por daños personales ocasionados a las personas asistentes con resultado de **muerte e invalidez absoluta permanente**, las siguientes sumas:

a) Establecimientos públicos con aforo autorizado hasta 50 personas: 301.000 euros.

b) Establecimientos públicos con aforo autorizado de 51 a 100 personas: 451.000 euros.

c) Establecimientos públicos con aforo autorizado de 101 hasta 300 personas: 601.000 euros.

d) Establecimientos públicos con aforo autorizado de 301 hasta 700 personas: 901.000 euros.

e) Establecimientos públicos con aforo autorizado superior a 700 personas: 1.201.000 euros.

• Aforo indeterminado

Cuando las empresas organizadoras de espectáculos públicos y actividades recreativas, celebren o desarrollen los mismos en espacios abiertos o en vías y zonas de dominio público de aforo indeterminado, deberán concertar un contrato de seguro de responsabilidad civil que prevea por daños personales ocasionados a las personas asistentes con resultado de muerte e invalidez absoluta permanente, **un capital mínimo de 151.000 euros.**

Las sumas aseguradas para responder por el resto de daños personales y por los daños materiales que se ocasionaren a las personas asistentes serán libremente pactadas por las partes contratantes.

En los supuestos de espectáculos públicos y actividades recreativas de carácter lúdico y no competitivo, en los que las personas asistentes participen con vehículos a motor, el seguro de responsabilidad civil obligatorio se entenderá asumido por el de suscripción obligatoria previsto en el RD 7/2001, de 12 de enero, que aprueba el Reglamento sobre Responsabilidad Civil y Seguro en la Circulación de Vehículos a Motor.

• Obligación

Recae en las empresas o en el prestador de la actividad. Se considerarán empresas, las personas físicas o jurídicas promotoras, que de forma habitual u ocasional organicen espectáculos públicos o actividades recreativas asumiendo, frente a la Administración y frente al público las responsabilidades y obligaciones inherentes a la organización y celebración de los mismos, en especial la obligación de suscribir el correspondiente contrato de seguro de responsabilidad civil, sean o no titulares de los establecimientos públicos donde los organicen.

- **Actividades cubiertas**

La obligación de suscribir el contrato de seguro es **independiente de que el espectáculo público o la actividad recreativa** se celebre o desarrolle con carácter permanente, de temporada, ocasional o extraordinario, en establecimientos fijos o eventuales, independientes o agrupados con otros de la misma o distinta actividad económica, en zonas abiertas o en vías y espacios públicos y privados abiertos.

- **Acreditación del contrato de seguro**

La vigencia del contrato de seguro deberá acreditarse por la empresa organizadora del espectáculo o de la actividad, mediante el ejemplar de la póliza y el recibo del pago de las primas correspondientes al período del seguro en curso o de copia debidamente autenticada de los mismos. Ambos documentos podrán ser requeridos en cualquier momento por personal funcionario de los órganos de la Administración competente en la materia que estén investidos de autoridad para realizar actuaciones inspectoras, instructoras o sancionadoras.

- **Renovación del seguro**

Pese a la obligación de tener durante la permanencia del ejercicio de la actividad el seguro de responsabilidad civil, en la práctica nos encontramos con el problema del control por parte del Ayuntamiento de que dicho seguro esté en todo momento vigente.

Exenciones: Estarán exentas de la obligación de concertar el contrato de seguro de responsabilidad civil, aquellas personas o entidades que organicen celebraciones de carácter estrictamente privado o familiar o que supongan el ejercicio de derechos fundamentales en el ámbito laboral, sindical, político, religioso o docente.

- **Supuestos especiales**

Se regirán por lo establecido en su normativa sectorial específica, en cuanto a las condiciones y tipo de seguro obligatorio a suscribir para el ejercicio de la actividad que corresponda:

a) Las competiciones deportivas oficiales, organizadas por las federaciones deportivas y clubes que las integran, y cuantas se establezcan reglamentariamente por la Consejería competente en materia de deporte.

b) Las actividades de turismo activo y ecoturismo organizadas por empresas debidamente inscritas como tales en el Registro de Turismo de Andalucía.

c) Los establecimientos de alojamiento turístico debidamente autorizados e inscritos en el Registro de Turismo de Andalucía, salvo aquellos espectáculos públicos y actividades recreativas del Nomenclátor y Catálogo de Espectáculos Públicos, Actividades Recreativas y Establecimientos Públicos aprobado por el Decreto 78/2002, de 26 de febrero, que se celebren y desarrollen en sus instalaciones, para el público en general, que sí se regirán por la presente Norma.

[Ha de entenderse referido al Decreto 155/2018, de 31 de julio, por el que se aprueba el catálogo de espectáculos públicos, actividades recreativas y establecimientos públicos de Anda-

lucía y se regulan sus modalidades, régimen de apertura o instalación y horarios de apertura y cierre.]

d) Los festejos taurinos populares y demás espectáculos taurinos reglamentados.

• **Elementos personales**

Serán elementos personales en el contrato de seguro obligatorio de responsabilidad civil el asegurador, el tomador, el asegurado y los terceros perjudicados:

a) *Asegurador*

Los órganos de las Administraciones Públicas competentes en la materia solamente admitirán aquellos contratos de seguros de responsabilidad civil en los que figuren como aseguradoras las entidades autorizadas e inscritas en el Registro de Entidades Aseguradoras del Ministerio de Economía y Hacienda, de acuerdo con la normativa aplicable en materia de seguros privados.

b) *Tomador*

Como tomador del seguro de responsabilidad civil, deberá figurar la persona física o jurídica organizadora del espectáculo público o de la actividad recreativa correspondiente. De ser la persona titular del establecimiento donde se realice el espectáculo público o la actividad recreativa el organizador del mismo, será considerado ésta tomador del seguro.

c) *Asegurado*

El asegurado deberá ser el tomador del contrato de seguro obligatorio de responsabilidad civil.

d) *Terceros perjudicados*

Se entienden por terceros perjudicados las personas, ajenas a la empresa organizadora del espectáculo público o actividad recreativa o a la persona titular del establecimiento público cuando ambas circunstancias coincidan, que asistan a la celebración de un espectáculo público o al desarrollo de una actividad recreativa sometidos al ámbito de aplicación de la Ley 13/1999, de 15 de diciembre, y al vigente Nomenclátor y Catálogo de Espectáculos Públicos, Actividades Recreativas y Establecimientos Públicos de la Comunidad Autónoma de Andalucía.

• **Contingencias y sumas aseguradas**

Los contratos de seguro de responsabilidad civil, deberán cubrir en todo caso, los daños materiales y personales ocasionados a las personas **asistentes al espectáculo público o al desarrollo de la actividad recreativa**.

Los contratos deberán tener concertado por daños personales con resultado de muerte e invalidez absoluta permanente.

Las sumas aseguradas para responder por el resto de daños personales no contemplados y por daños materiales serán libremente pactadas por las partes contratantes.

Las sumas aseguradas se **cuantificarán en función del aforo** del establecimiento público en donde se celebre el espectáculo público o desarrolle la actividad recreativa de que se trate, del tipo de espectáculo o actividad recreativa de que se trate y de que los mismos se celebren o desarrollen en espacios abiertos o en vías y zonas de dominio público de aforo indeterminado.

• **Exclusiones**

Se entienden excluidos de la cobertura de estos contratos, los ejecutantes o personal que, directa o indirectamente, dependan empresarialmente de la empresa organizadora del espectáculo público o actividad recreativa, o de la persona titular del establecimiento público donde se desarrollen las mismas.

• **Límites de las sumas aseguradas**

Las sumas aseguradas en los artículos anteriores tendrán a todos los efectos la consideración de límites máximos de la indemnización a pagar por el asegurador por anualidad y siniestro, siendo el límite máximo por víctima en todo caso, 151.000 euros.

• **Infracción**

El incumplimiento de la obligación de tener seguro de responsabilidad civil se tipifica como infracción administrativa en los términos prevenidos en el artículo 19.12 de la Ley 13/1999.

2. Aragón

Ley 11/2005, de 28 de diciembre, reguladora de los espectáculos públicos, actividades recreativas y establecimientos públicos, en sus art. 8 y DT tercera y cuarta regulan la contratación del seguro de responsabilidad civil.

• **Sujetos obligados**: Los titulares de las licencias y autorizaciones.

• **Momento de suscripción**: Antes del inicio del espectáculo o actividad o a la apertura del establecimiento.

• **Daños cubiertos**: Daños al público asistentes y a terceros por la actividad desarrollada.

Cuando la **actividad** autorizada se desarrolle en un establecimiento público o en una instalación o estructura **no permanente**, el seguro deberá cubrir, además, la responsabilidad civil por daños causados al público asistente, al personal que preste sus servicios en los mismos o a los terceros derivados de las condiciones del establecimiento o instalación o del incendio de los mismos.

• **Capital mínimo asegurado**: (DT tercera Ley 11/2005)

Los capitales mínimos que deberán prever las pólizas de seguros para cubrir los riesgos derivados de la explotación tendrán la siguiente cuantía, en **consideración al aforo máximo** autorizado.

a) Aforo de hasta 50 personas, 150.000 euros.

b) Aforo de hasta 100 personas, 300.000 euros.

c) Aforo de hasta 300 personas, 600.000 euros.

d) Aforo de hasta 700 personas, 900.000 euros.

e) Aforo de hasta 1.500 personas, 1.200.000 euros.

f) Aforo de hasta 5.000 personas, 1.500.000 euros.

En los locales, recintos o establecimientos de **aforo superior** a 5.000 personas y hasta 25.000 personas se incrementará la cuantía mínima establecida en las normas anteriores en 120.000 euros por cada 2.500 personas o fracción de aforo.

En los locales, recintos o establecimientos de **aforo superior** a 25.000 personas se incrementará la cuantía resultante de la aplicación de las normas anteriores en 120.000 euros por cada 5.000 personas de aforo o fracción.

• **Franquicia**

En las pólizas de los seguros se permitirá contratar una franquicia máxima de hasta el 5% sobre el capital asegurado, sin superar los 30.000 euros.

• **Acreditación de seguros**

(DT Cuarta, Ley 11/2005) Los actuales titulares de las licencias y autorizaciones para la celebración de espectáculos públicos, actividades recreativas y establecimientos públicos deberán acreditar ante la Administración competente el cumplimiento de las obligaciones de aseguramiento establecidas en la misma Ley.

Si bien el alcance temporal de la DT cuarta era de seis meses a partir de la entrada en vigor de la Ley 11/2005, ha de entenderse que hasta que se desarrolle reglamentariamente la misma, los Ayuntamiento pueden **exigir en cualquier** momento que se acredite estar en posesión del seguro.

3. Canarias

La disposición adicional primera de **La ley 7/2011**, al referirse al seguro de responsabilidad civil establece que el otorgamiento de las licencias y autorizaciones se condicionará, según se establezca **reglamentariamente**, a que el peticionario tenga concertado un seguro de responsabilidad civil que responda de las indemnizaciones que proceda frente a terceros, así como a la prestación de garantía para responder de los eventuales daños que puedan causarse al dominio público.

En caso de espectáculos públicos, se exigirán garantías suficientes, con los mismos fines.

En este sentido el **Decreto 86/2013**, de 1 de agosto, por el que se aprueba el Reglamento de actividades clasificadas y espectáculos públicos (arts. 58 a 63) se refiere a las **garantías y responsabilidades** de las personas organizadoras o promotoras de espectáculos públicos y las titulares de establecimientos en los que se desarrollen actividades clasificadas que quedan obligadas a **suscribir un seguro** que cubra su responsabilidad.

• **Personas obligadas a contratar un seguro (art. 58 Decreto 86/2013)**

En defecto de norma sectorial aplicable, **las personas titulares de establecimientos** que sirven de soporte a la realización de actividades clasificadas u organizadoras o promotoras de espectáculos públicos, están obligadas a contratar una póliza de seguro de responsabilidad civil.

• **Ámbito de cobertura del seguro (art. 59 Decreto 86/2013)**

El seguro de responsabilidad civil regulado en esta norma se rige por las **disposiciones generales de contratos de seguros**, así como por lo previsto en **la póliza de seguro**.

El seguro debe **cubrir la responsabilidad civil** que sea imputable, **directa, solidaria o subsidiariamente**, a las personas titulares de los establecimientos o a las personas organizadoras o promotoras de los espectáculos públicos, de tal manera que pueda responder de los daños personales y materiales y los perjuicios consecutivos ocasionados a las personas usuarias o asistentes y a las terceras personas y a sus bienes, siempre que dichos daños y perjuicios hayan sido producidos como consecuencia de la gestión y explotación del establecimiento o de la realización del espectáculo, así como de la actividad del personal a su servicio o de las empresas subcontratadas.

Se entienden por perjuicios consecutivos las pérdidas económicas que se deriven directamente de los daños personales y materiales sufridos por la persona reclamante y que están amparados por la póliza de seguros.

Exclusiones:

Quedan **excluidas de la cobertura** de los contratos de seguros las **personas ejecutantes o el personal** que, directa o indirectamente, dependan empresarialmente de las personas titulares o de las personas organizadoras o promotoras, que deben disponer de su **seguro específico**. También quedan excluidos **los bienes** destinados al uso del establecimiento o al desarrollo del espectáculo público.

- **Cuantías mínimas (art. 60 Decreto 86/2013)**

Las personas obligadas deberán contratar una póliza de seguro de responsabilidad civil, **en función del aforo máximo** autorizado de los establecimientos o de las instalaciones o espacios abiertos al público en los que se realice o celebre la actividad o el espectáculo y de los demás factores de riesgo concurrente, teniendo en cuenta los **coeficientes correctores** que pueden aplicarse por razón de las características y circunstancias de los establecimientos y de los espectáculos.

La póliza de seguro de responsabilidad civil se debe contratar por las **cuantías mínimas siguientes**:

a) Hasta 100 personas de aforo autorizado: 300.000 euros de capital asegurado.

b) Hasta 150 personas de aforo autorizado: 400.000 euros de capital asegurado.

c) Hasta 300 personas de aforo autorizado: 600.000 euros de capital asegurado.

d) Hasta 500 personas de aforo autorizado: 750.000 euros de capital asegurado.

e) Hasta 1.000 personas de aforo autorizado: 900.000 euros de capital asegurado.

f) Hasta 1.500 personas de aforo autorizado: 1.200.000 euros de capital asegurado.

g) Hasta 2.500 personas de aforo autorizado: 1.600.000 euros de capital asegurado.

h) Hasta 5.000 personas de aforo autorizado: 2.000.000 de euros de capital asegurado.

Cuando el **aforo autorizado sea superior a 5.000 personas**, se incrementará la cantidad mínima de capital asegurado en 60.000 euros por cada 1.000 personas o fracción de aforo autorizado superior a 5.000, hasta llegar a los 6.000.000 de euros.

El seguro de las administraciones públicas

Las administraciones públicas, sus organismos autónomos, las entidades de derecho público dependientes y vinculadas a aquellas y demás entidades integrantes del sector público que organicen espectáculos públicos los asegurarán rigiéndose por su normativa específica, teniendo en cuenta que en ningún caso la **cuantía mínima** del capital asegurado por este concepto puede ser inferior a 300.000 euros.

El caso de las instalaciones o estructuras eventuales

Cuando se traten de instalaciones o estructuras eventuales portátiles o desmontables que se utilicen con ocasión de ferias o atracciones en espacios abiertos o en la vía pública, donde su aforo sea indeterminado, el **capital mínimo** asegurado será de 150.300 euros por cada **instalación o estructura**, quedando obligada a contratar la póliza de seguro la persona propietaria o arrendadora de la instalación.

Si las instalaciones o estructuras anteriores se utilizan conjuntamente en un espacio delimitado, se debe suscribir una única póliza de seguro conjunta a todas las estructuras o instalaciones, cuyo capital mínimo asegurado debe ser el que corresponda al aforo autorizado para el espacio delimitado, en aplicación de la escala del art. 60.2 Decreto 86/2013.

El caso de espectáculos en la vía pública

La realización de espectáculos públicos en la vía pública o en otros espacios abiertos de uso público no delimitados requiere la contratación de una póliza de seguro de responsabilidad civil por una **cuantía mínima** de 601.000 euros de capital asegurado. Sin embargo, si por las características del lugar y del espectáculo se puede hacer una **valoración aproximada del aforo**, se debe aplicar la escala de garantías mínimas del art. 60.2 Decreto 86/2013).

Póliza de vigencia anual

En las pólizas de vigencia anual, además de **constar el capital** asegurado, se debe indicar la **cuantía del importe máximo** a indemnizar por año.

Seguro en establecimientos de actividades de naturaleza sexual

La póliza de seguro de responsabilidad civil de los establecimientos en los que se ejercen actividades de naturaleza sexual se debe contratar por las cuantías mínimas establecidas en las **ordenanzas municipales**.

• Coeficientes correctores (art. 61 Decreto 86/2013)

Cuando las actividades clasificadas o los espectáculos públicos se realicen parcial o totalmente **bajo rasante**, la cantidad mínima establecida en el art. 60.2 Decreto 86/2013 **se incrementará** en un 25% o 30%, respectivamente.

Cuando un establecimiento abierto al público o el desarrollo de un espectáculo público o actividad clasificada, por sus características o circunstancias, entrañen un **riesgo especial para las personas o los bienes**, que haga necesaria una mayor seguridad del público asistente o participante, la administración competente para otorgar las licencias o autorizaciones correspondientes o ante la que se presenta la comunicación previa, mediante informe motivado, puede determinar la aplicación de un **coeficiente corrector** a las cuantías mínimas del art. 60.2 Decreto 86/2013, hasta un máximo del 50%.

Cuando las características o circunstancias del establecimiento que sirve de soporte físico al ejercicio de la actividad, de la propia actividad o del espectáculo público **no**

comporten un agravamiento del riesgo para las personas o los bienes, la administración competente para otorgar las licencias o autorizaciones correspondientes o ante la que se presenta la comunicación previa, mediante informe motivado, puede determinar la aplicación de un **coeficiente reductor** a las cuantías mínimas del 60.2 Decreto 86/2013, de acuerdo con los **factores y criterios siguientes**:

a) **Por su ubicación**: a los espectáculos realizados en vías públicas o espacios abiertos se les puede aplicar una reducción máxima del 30% del capital asegurado, salvo las actividades del apartado 4 del artículo anterior.

b) **Por el tipo de actividad o espectáculo público**: por los conciertos de música clásica, ópera, teatro, cine, actividades infantiles populares y actividades cívicas populares, se puede aplicar una reducción máxima del 50% del capital asegurado. Esta reducción se debe determinar en el contrato de seguro en función del tipo de actividad y aforo.

c) **Por la duración de la actividad o espectáculo**: si se lleva a cabo durante el día, se puede aplicar una reducción del 30% del capital asegurado; si la duración es de dos o tres días, se puede aplicar una reducción del 20%, y si la duración es de más de tres días, se puede aplicar una reducción máxima del 10% por este concepto.

Cuantía mínima del seguro

En ningún caso la cuantía de los capitales a asegurar que resulte de aplicar el coeficiente reductor del apartado anterior podrá ser inferior a **300.000 euros**.

• **Límites (art. 62 Decreto 86/2013)**

Las garantías y sumas aseguradas, e indicadas en la póliza de seguro de responsabilidad civil, lo serán **por siniestro**, con un sublímite **mínimo por víctima de 150.000 euros**.

A efectos de aplicación del límite asegurado, se entiende como un solo y único siniestro todas las reclamaciones derivadas del mismo hecho generador de la responsabilidad civil.

Acreditación (art. 63 Decreto 86/2013)

La persona titular del establecimiento que sirva de soporte a actividades clasificadas u organizadora o promotora de espectáculo público, debe acreditar la contratación del seguro de responsabilidad civil mediante una **declaración responsable**, en la que se hagan constar las cuantías contratadas, acompañada del recibo vigente.

4. Cantabria

La **Ley 3/2017**, de 5 de abril, de Espectáculos Públicos y Actividades Recreativas de Cantabria, en su art. 15.1 se refiere al seguro de responsabilidad, diciendo que «los titulares de establecimientos públicos, instalaciones portátiles o desmontables o, en su caso, los organizadores de espectáculos y actividades recreativas incluidos en el ámbito de aplicación de esta ley, deberán tener suscrito contrato de seguro por la cuantía mínima prevista en esta ley, para **cubrir su responsabilidad civil por daños a los concurrentes y otros terceros** que puedan ocasionarse como consecuencia de las condiciones de los establecimientos, estructuras o instalaciones portátiles o desmontables y del personal que preste sus servicios en los mismos, así como por consecuencia del espectáculo público o actividad recreativa desarrollados».

Son responsables de la obligación de suscribir el contrato de seguro en el caso de espectáculos públicos o actividades recreativas de carácter extraordinario, los organizadores de los mismos (art. 15.2).

Califica como infracción grave (art. 51 b) el incumplimiento de la obligación de tener suscritos los contratos de seguros o garantía financiera equivalente.

Se considera acreditado el cumplimiento de la obligación de contratar seguro de responsabilidad civil, la presentación de un certificado en el que se acredite fehacientemente la contratación de una póliza de seguro o garantía financiera equivalente, siempre que se cubran de manera suficiente los riesgos (Disposición adicional cuarta).

Por lo que a los capitales mínimos que deberán cubrir las pólizas de seguros o garantías financieras, son los siguientes (disposición adicional quinta).

a) Hasta 50 personas: 300.000 euros.

b) Hasta 100 personas: 400.000 euros.

c) Hasta 300 personas: 600.000 euros.

d) Hasta 700 personas: 900.000 euros.

e) Hasta 1.500 personas: 1.200.000 euros.

f) Hasta 5.000 personas 1.800.000 euros.

En los establecimientos públicos e instalaciones **portátiles o desmontables** con aforo superior a 5.000 personas y hasta 25.000, se incrementará la cuantía mínima establecida en 120.000 euros por cada 2.500 personas o fracción de aforo.

Para los espectáculos públicos consistentes en el lanzamiento o quema de **artificios pirotécnicos**, la cuantía mínima será de 600.000 euros, sin perjuicio de la póliza de seguro o garantía financiera equivalente que corresponda a la compañía pirotécnica.

5.   Castilla-La Mancha

La **Ley 7/2011**, de 21 de marzo, de Espectáculos Públicos, Actividades Recreativas y Establecimientos Públicos en su art. 21 recoge la necesidad de disponer de seguro que cubra la responsabilidad civil a los titulares de licencias y autorizaciones previstas en la misma.

• Objeto

Los titulares de las licencias y autorizaciones previstas en esta Ley, así como quienes realicen las declaraciones responsables deberán tener suscrito un seguro que cubra la responsabilidad civil por daños al personal que preste servicios, a los asistentes y a terceros, por la actividad desarrollada.

• Ampliación del seguro

Cuando la actividad se celebre en un local o establecimiento público o instalación, este seguro deberá incluir el riesgo de incendio, los daños al público asistente o a terceros derivados de las condiciones del local o las instalaciones y los daños al personal que preste en él sus servicios.

- **Importe mínimo del seguro**

Los importes mínimos de los capitales asegurados así como la modalidad de seguro a contratar se determinarán reglamentariamente.

- **Propuesta de seguro**

En el momento de la solicitud de la licencia o de realizar la declaración responsable se presentará una proposición de seguro o se declarará su tramitación, siendo obligatoria la contratación del mismo antes del inicio de la actividad.

6. Castilla y León

Se regula en el art. 6 de la **Ley 7/2006**, de 2 de octubre, de espectáculos públicos y actividades recreativas, siendo de reseñar el modo en el que se regula los supuestos en los que es difícil fijar el aforo, así como la forma de justificar la tenencia del seguro.

- **Sujetos obligados**: Los titulares de los establecimientos públicos e instalaciones, permanentes o no, así como los organizadores de espectáculos públicos y actividades recreativas en espacios abiertos

- **Cobertura del seguro**: El seguro ha de cubrir el riesgo de responsabilidad civil por daños al público asistente y a terceros por la actividad o espectáculo desarrollado.

Asimismo, cuando la actividad o espectáculo autorizado se celebre en un establecimiento público o instalación, este seguro deberá incluir además el riesgo de incendio, daños al público asistente o a terceros derivados de las condiciones del establecimiento público o instalación y los daños al personal que preste sus servicios en éste.

- **Capitales mínimos asegurados**: Los capitales mínimos que deberán cubrir las pólizas de seguro ante los riesgos derivados de los espectáculos públicos y actividades recreativas desarrolladas en establecimientos, instalaciones o espacios abiertos tendrán la siguiente cuantía atendiendo al aforo máximo autorizado:

    a) Hasta cincuenta personas: 50.000 euros.

    b) Hasta cien personas: 80.000 euros.

    c) Hasta trescientas personas: 100.000 euros.

    d) Hasta setecientas personas: 250.000 euros.

    e) Hasta mil quinientas personas: 500.000 euros.

    f) Hasta cinco mil personas: 800.000 euros.

En los restantes casos los capitales mínimos serán incrementados en 60.000 euros por cada cinco mil personas más de aforo o fracción de esta cantidad.

Aquellos establecimientos públicos, instalaciones y espacios abiertos en los que se desarrollen espectáculos públicos o actividades recreativas para los que **no sea técnicamente posible fijar su aforo**, como actividades al aire libre, algunas competiciones o actividades deportivas, casetas de feria, verbenas o manifestaciones folclóricas o análogas, las pólizas de seguro que serán contratadas por los titulares de los establecimientos públicos e instalaciones, permanentes o no, y por los organizadores de espectáculos públicos y actividades recreativas deberán cubrir un capital mínimo de 100.000 euros, sin perjuicio de la normativa sectorial que pudiera resultar de aplicación en la materia.

Para los espectáculos consistentes en el **lanzamiento o quema de artificios pirotécnicos**, la póliza de seguros que ha de contratar el organizador de los mismos, o, en su caso, el titular del establecimiento público o instalación, permanente o no, deberá cubrir un capital mínimo de 250.000 euros, sin perjuicio del seguro que debe tener suscrito la empresa ejecutante en aplicación de la legislación en materia de manipulación y uso de artificios en la realización de espectáculos públicos de fuegos artificiales.

Justificación de la obligación: Se considerará acreditado el cumplimiento de la obligación establecida con la presentación de un justificante expedido por la compañía de seguros correspondiente en el que se hagan constar expresamente los riesgos cubiertos y las cuantías aseguradas por unidad de siniestro.

• **Otras cuestiones**

a) Los titulares de los establecimientos públicos e instalaciones, permanentes o no, y los organizadores de espectáculos públicos y actividades recreativas están **obligados solidariamente** a concertar y mantener vigente el oportuno contrato de seguro (art. 24.1 m).

b) La carencia del seguro justifica la adopción de **medidas provisionales** (art. 30. d).

c) Son **infracciones muy graves** el incumplimiento de la obligación de tener suscritos los contratos de seguros de acuerdo con lo dispuesto en el art. 6 (art. 36.8), siendo **sancionado** (art. 39.3) alternativa o acumulativamente en los términos previstos salvo que resultaran incompatibles con:

1. Multa de 30.001 a 600.000 euros.

2. Suspensión o prohibición de la actividad o espectáculo por un período máximo de tres años.

3. Clausura del establecimiento o instalación por un período máximo de tres años.

4. Imposibilidad de organización de espectáculos públicos y actividades recreativas del mismo tipo por un período máximo de tres años en el territorio de la Comunidad Autónoma.

5. Incautación de los instrumentos, efectos o animales utilizados para la comisión de las infracciones. Los gastos de almacenamiento, transporte, distribución, destrucción o cualesquiera otros derivados de la incautación serán por cuenta del infractor.

6. Cierre definitivo del establecimiento o de la instalación que llevará aparejada para el infractor la prohibición de obtener licencia o autorización en el territorio de la Comunidad Autónoma de Castilla y León para igual actividad durante un tiempo máximo de diez años.

7. Cataluña

Ley 11/2009, de 6 de julio, de regulación administrativa de los espectáculos públicos y las actividades recreativas (LA LEY 12871/2009) y el **Decreto 112/2010**, de 31 de agosto, por el que se aprueba el Reglamento de espectáculos públicos y actividades recreativas (LA LEY 18356/2010), realizan una regulación detallada del seguro que ha de cubrir frente a tercero la responsabilidad civil por el ejercicio de espectáculos públicos o actividades recreativas.

- **Sujetos obligados (art. 23.2 Ley 11/2009 y arts. 75.2.b) y 77 Decreto 112/2010)**

Están obligadas a contratar una póliza de responsabilidad civil, las **personas titulares** de establecimientos abiertos al público u organizadoras de espectáculos públicos o actividades recreativas.

Las **personas organizadoras** de espectáculos públicos o actividades recreativas de carácter extraordinario deben contratar la póliza de responsabilidad civil, independientemente de la que también tengan contratada las personas titulares de los establecimientos o los espacios donde se lleve a cabo el espectáculo público o la actividad recreativa.

- **Condicionante de la licencia (art. 23.3 Ley 11/2009 y Art. 75.2 b) Decreto 112/2010).**

El otorgamiento de las licencias y autorizaciones se condiciona al hecho de que los solicitantes suscriban los contratos de seguro.

- **Vigencia del seguro (art. 23.3 Ley 11/2009).**

La vigencia de dichos seguros debe mantenerse mientras permanezca activo el establecimiento abierto al público o se lleve a cabo el espectáculo público o la actividad recreativa.

- **Clausura de establecimiento (art. 23.3. Ley 11/2009)**

La falta de seguro conlleva la clausura del establecimiento abierto al público o la suspensión inmediata del espectáculo público o la actividad recreativa.

- **Ámbito de cobertura del seguro (art. 78 Decreto 112/2010)**

El seguro de responsabilidad civil se rige por las disposiciones generales de **contratos de seguros**, así como por lo previsto en la póliza de seguro.

El seguro debe cubrir la **responsabilidad civil** que sea imputable, **directa, solidaria o subsidiariamente**, a las personas titulares de los establecimientos abiertos al público o a las personas organizadoras de los espectáculos públicos o de las actividades recreativas, de tal manera que pueda responder de los daños personales y materiales y los perjuicios consecutivos ocasionados a las personas usuarias o asistentes y a las terceras personas y a sus bienes, siempre que dichos daños y perjuicios hayan sido producidos como consecuencia de la gestión y explotación del establecimiento o de la realización del espectáculo o de la actividad recreativa, así como de la actividad del personal a su servicio o de las empresas subcontratadas.

Se entienden por **perjuicios consecutivos** las pérdidas económicas que se deriven directamente de los daños personales y materiales sufridos por la persona reclamante y que están amparados por la póliza de seguros.

Exclusiones: Quedan excluidas de la cobertura de los contratos de seguros **las personas ejecutantes o el personal** que, directa o indirectamente, dependan empresarialmente de las personas titulares o de las personas organizadoras, que deben disponer de su seguro específico.

También quedan excluidos los bienes destinados al uso del establecimiento abierto al público o al desarrollo del espectáculo público o de la actividad recreativa.

Los actos y las celebraciones privados o de carácter **estrictamente familiar** quedan excluidos de contratar la póliza de responsabilidad civil.

- **Elementos del contrato de seguro (art. 79 Decreto 112/2010)**

Los elementos del contrato de seguro de responsabilidad civil son los siguientes:

a) **Aseguradora**: entidad aseguradora autorizada e inscrita en los registros correspondientes, de acuerdo con la normativa aplicable a los seguros privados.

b) **Tomadora**: la persona física o jurídica designada en la póliza que asume las obligaciones del contrato en su condición de persona titular u organizadora, según se indica en el apartado Actividad asegurada de la póliza.

c) **Asegurada**: la persona física o jurídica titular del interés objeto del seguro, que asume las obligaciones del contrato en defecto de la persona tomadora.

d) **Terceras personas perjudicadas**: las personas físicas o jurídicas ajenas a las personas titulares de los establecimientos abiertos al público y a las personas organizadoras de los espectáculos y de las actividades recreativas que hayan sufrido daños personales, materiales y perjuicios durante su asistencia al establecimiento abierto al público, a la realización del espectáculo o al desarrollo de la actividad recreativa, o como consecuencia directa del funcionamiento de éstos, o que los hayan sufrido sin haber asistido a ellos.

- **Cuantías mínimas (art. 80 Decreto 112/2010)**

Las personas obligadas deberán contratar una póliza de seguro de responsabilidad civil, **en función del aforo** autorizado de los establecimientos abiertos al público, instalaciones o espacios abiertos al público, teniendo en cuenta los coeficientes correctores que pueden aplicarse por razón de las características y circunstancias de los establecimientos abiertos al público, los espectáculos y de las actividades recreativas.

Garantías mínimas: La póliza de seguro de responsabilidad civil se debe contratar por las cuantías mínimas siguientes:

a) Hasta 100 personas de aforo autorizado: 300.000 € de capital asegurado.

b) Hasta 150 personas de aforo autorizado: 400.000 € de capital asegurado.

c) Hasta 300 personas de aforo autorizado: 600.000 € de capital asegurado.

d) Hasta 500 personas de aforo autorizado: 750.000 € de capital asegurado.

e) Hasta 1.000 personas de aforo autorizado: 900.000 € de capital asegurado.

f) Hasta 1.500 personas de aforo autorizado: 1.200.000 € de capital asegurado.

g) Hasta 2.500 personas de aforo autorizado: 1.600.000 € de capital asegurado.

h) Hasta 5.000 personas de aforo autorizado: 2.000.000 € de capital asegurado.

i) Cuando el aforo autorizado sea superior al mencionado en el apartado h), se incrementará la cantidad mínima de capital asegurado en 60.000 € por cada 1.000

personas o fracción de aforo autorizado superior a 5.000, hasta llegar a los 6.000.000 €.

Las **administraciones públicas** que organicen espectáculos públicos y actividades recreativas los asegurarán rigiéndose por su normativa específica, teniendo en cuenta que en ningún caso la **cuantía mínima** del capital asegurado por este concepto puede ser inferior a los 300.000 €.

A las **instalaciones o estructuras eventuales portátiles o desmontables** que se utilicen para espectáculos públicos o actividades recreativas que tengan el aforo autorizado les son de aplicación las garantías establecidas anteriormente, quedando obligada a contratar la póliza de seguro la persona propietaria o arrendadora de la instalación.

Cuando las instalaciones o estructuras del apartado anterior se utilizan en ocasión de ferias o atracciones en **espacios abiertos o en la vía pública**, donde su **aforo sea indeterminado**, el capital mínimo asegurado es de 150.300 € por cada instalación o estructura.

Si las instalaciones o estructuras del apartado anterior se utilizan conjuntamente en un **espacio delimitado**, se debe suscribir una única póliza de seguro conjunta a todas las estructuras o instalaciones, cuyo capital mínimo asegurado debe ser el que corresponda al aforo autorizado para el espacio delimitado.

La realización de espectáculos públicos o actividades recreativas en la vía pública o en **otros espacios abiertos de uso público no delimitados** requiere la contratación de una póliza de seguro de responsabilidad civil por una cuantía mínima de 601.000 € de capital asegurado. Sin embargo, si por las características del lugar y del espectáculo o actividad recreativa se puede hacer una valoración aproximada del aforo, se debe aplicar la escala de **garantías mínimas**.

Pólizas de vigencia anual: En las pólizas de vigencia anual, además de constar el capital asegurado, se debe indicar la cuantía del importe máximo a indemnizar por año.

Actividades de naturaleza sexual: La póliza de seguro de responsabilidad civil de los establecimientos en los que se ejercen actividades de naturaleza sexual se debe contratar por las cuantías mínimas establecidas en las ordenanzas municipales o, en su caso, las que determine la ordenanza municipal tipo.

- **Coeficientes correctores (art. 81 Decreto 112/2010)**

Cuando los espectáculos públicos o actividades recreativas se realicen parcial o totalmente **bajo rasante**, la cantidad mínima establecida como garantía mínima (art. 80.1 Decreto 112/2010) se incrementará en un 25% o 30%, respectivamente.

Cuando un establecimiento abierto al público o el desarrollo de un espectáculo público o actividad recreativa, por sus características o circunstancias, entrañen un **riesgo especial para las personas o los bienes**, que haga necesaria una mayor seguridad del público asistente o participante, la administración competente para otorgar las licencias o autorizaciones correspondientes o ante la que se presenta la comunicación previa, mediante informe motivado, puede determinar la aplicación de un coeficiente corrector a las cuantías mínimas (art. 80.1 Decreto 112/2010), hasta un máximo del 50%.

Cuando las características o circunstancias de un establecimiento abierto al público o de un espectáculo o actividad recreativa **no comporten un agravamiento del riesgo para las personas o los bienes**, la administración competente para otorgar las licencias o autorizaciones correspondientes o ante la que se presenta la comunicación previa, mediante informe motivado, puede determinar la aplicación de un coeficiente reductor a las cuantías mínimas del art. 80.1 Decreto 112/2010, de acuerdo con los factores y criterios:

a) **Por su ubicación**: a los espectáculos o actividades recreativas realizados en vías públicas o espacios abiertos se les puede aplicar una reducción máxima del 30% del capital asegurado, salvo las actividades del artículo 80.4.

b) **Por el tipo de espectáculo público o actividad recreativa**: por los conciertos de música clásica, ópera, teatro, cine, actividades infantiles populares y actividades cívicas populares, se puede aplicar una reducción máxima del 50% del capital asegurado. Esta reducción se debe determinar en el contrato de seguro en función del tipo de actividad y aforo.

c) **Por la duración del espectáculo o actividad recreativa**: si se lleva a cabo durante el día, se puede aplicar una reducción del 30% del capital asegurado; si la duración es de dos o tres días, se puede aplicar una reducción del 20%, y si la duración es de más de tres días, se puede aplicar una reducción máxima del 10% por este concepto.

En ningún caso la cuantía de los capitales a asegurar que resulte de aplicar el coeficiente reductor anterior podrá ser inferior a 300.000 €.

- **Límites (art. 82 Decreto 112/2010)**

Las garantías y sumas aseguradas, lo serán **por siniestro**, con un sublímite mínimo por víctima de 150.000 €.

A efectos de aplicación del límite asegurado, se entiende como un solo y único siniestro todas las reclamaciones derivadas del mismo hecho generador de la responsabilidad civil.

- **Acreditación (art. 83 y 125.2 b) Decreto 112/2010)**

La persona titular del establecimiento u organizadora del espectáculo o actividad recreativa, o persona que tenga la representación, debe acreditar la contratación del seguro de responsabilidad civil mediante una **declaración responsable**, en la que se haga constar las cuantías contratadas, acompañada del recibo vigente.

Cuando se presente **comunicación previa** al ejercicio de actividad, aquélla debe ir acompañada de una declaración responsable en la que se manifieste que se dispone de la correspondiente póliza de seguros.

8. Comunidad de Madrid

La **Ley 17/1997**, de 4 julio, de Espectáculos Públicos y Actividades Recreativas de la Comunidad de Madrid regula la necesidad de que los establecimientos públicos y actividades recreativas que al amparo de la misma se celebren necesiten del previo seguro de responsabilidad civil para el ejercicio de las mismas.

Asimismo y en el caso de espectáculos extraordinarios, mediante **Orden 10494/2002**, de 18 de noviembre, se exige a los organizadores de los espectáculos y actividades recreativas la suscripción de un contrato colectivo de incendios sobre las instalaciones fijas en que se realicen los mismos, así como la suscripción de un seguro de responsabilidad civil que cubra los daños a los espectadores, participantes, público asistente, terceras personas y a los bienes que puedan derivar de la celebración del espectáculo o la actividad recreativa.

- **Sujetos obligados** (art. 34, Ley 17/1997)

Aunque el art. 6.3 de la Ley 17/1997, no dice nada al respecto, el art. 34.2 de la misma norma atribuye la responsabilidad de las infracciones administrativas previstas en dicha Ley, entre las que se incluye el incumplimiento de la obligación de tener suscritos los contratos de seguro a los titulares de los establecimientos y locales o de las respectivas licencias, y las organizadores o promotores de espectáculos públicos y actividades recreativas.

- **Elementos asegurados** (art. 6.3 Ley 17/1997)

Los locales y establecimientos deberán tener suscrito contrato de seguro que cubra los riesgos de incendio del local y de responsabilidad civil por daños a los concurrentes y a terceros derivados de las condiciones del local, de sus instalaciones y servicios, así como de la actividad desarrollada y del personal que preste sus servicios en el mismo.

- **Actividades aseguradas** (arts. 10,3. 11, 15, 16 y 17, Ley 17/1997)

Junto con las actividades permanentes, son objeto de la contratación de seguro de responsabilidad civil las siguientes actividades:

— Licencias provisionales de funcionamiento

— Licencias excepcionales

— Instalaciones eventuales, portátiles o desmontables

— Actividades en espacios abiertos y en la vía pública

- **Cuantía del seguro** (DT Tercera, Ley 17/1997)

La cuantía de los capitales mínimos que deberán cubrir los seguros exigidos en los artículos 6.3 y 16.3, **sin franquicia alguna**, será la siguiente:

— Establecimientos con aforo máximo hasta 50 personas: *7.000.000 de pesetas (42.070,85 euros)*

— Establecimientos con aforo máximo hasta 100 personas: *10.000.000 de pesetas (60.101,21 euros)*

— Establecimientos con aforo máximo hasta 300 personas: *20.000.000 de pesetas (120.202,42 euros)*

— Establecimientos con aforo máximo hasta 700 personas: *80.000.000 de pesetas (480.809,68 euros)*

— Establecimientos con aforo máximo hasta 1.500 personas: *120.000.000 de pesetas* (721.214,53 euros)

— Establecimientos con aforo máximo hasta 5.000 personas: *200.000.000 de pesetas (1.202.024,21 euros)*

En los establecimientos de aforo superior a 5.000 personas y hasta 25.000 personas se incrementarán la cuantía mínima establecida en el último guión en *20.000.000 de pesetas (120.202,42 euros)* por cada 2.500 personas de aforo o fracción.

En los establecimientos de aforo superior a 25.000 personas, se incrementarán la cuantía resultante de la aplicación de las normas anteriores en *20.000.000 de pesetas (120.202,42 euros)* por cada 5.000 personas de aforo o fracción.

Para las instalaciones eventuales, portátiles y desmontables la cuantía mínima de los seguros se determinará en la correspondiente licencia, en función del espectáculo o actividad que fuera a desarrollarse, condiciones de la instalación, capacidad y demás circunstancias relevantes a estos efectos.

- **Infracción** (art. 38.1 Ley 17/1997)

Se consideran infracciones graves: El incumplimiento de la obligación de tener suscritos los contratos de seguros exigidos en la Ley 17/1997.

- **Sanción** (art. 41.2 Ley 17/1997)

La infracción por carecer de seguro de responsabilidad civil será sancionada con alguna de las siguientes sanciones:

a) Multa comprendida entre 3.006 y 30.050 euros, salvo las infracciones tipificadas en los artículos 38.8 y 38.18, que serán sancionadas con una multa de hasta 60.101 euros.

b) Clausura del local por un período máximo de seis meses,

c) Suspensión o prohibición de la actividad o espectáculo por un período máximo de seis meses.

d) Inhabilitación para la organización o promoción de los espectáculos y actividades recreativas reguladas en la presente Ley por un período máximo de seis meses.

Las sanciones anteriores se impondrán de manera alternativa salvo en aquellas infracciones que impliquen grave alteración de la seguridad y salud pública, y las que contravengan las disposiciones en materia de protección de la infancia y juventud, en cuyo caso podrán imponerse conjuntamente.

- **Actividades recreativas extraordinarias** (Orden 10494/2002)

En el caso de **actividades recreativas extraordinarias** durante las fiestas de Navidad, Fin de Año y Reyes, así como los espectáculos extraordinarios, la Orden 10494/2002, de 18 de noviembre, en su art. 15 impone a los organizadores de los espectáculos y actividades recreativas la obligación de suscribir un contrato colectivo de incendios sobre las instalaciones fijas en que se realicen los mismos, así como un contrato de seguro de responsabilidad civil que cubra los daños a los espectadores, participantes, público asistente, terceras personas y a los bienes que puedan derivar de la celebración del espectáculo o la actividad recreativa. Estos seguros deberán tener las cuantías mínimas siguientes en cuanto a capital asegurado:

— Aforo de hasta 50 personas	42.070,85 euros
— Aforo de hasta 100 personas	60.101,21 euros

— Aforo de hasta 300 personas	120.202,42 euros
— Aforo de hasta 700 personas	480.809,68 euros
— Aforo de hasta 1.500 personas	721.214,53 euros
— Aforo de hasta 5.000 personas	1.202.024,21 euros

En los establecimientos de aforo igual o superior a 5.000 personas y hasta 25.000 personas, se incrementará la cuantía mínima establecida en el último guión en 120.202,42 euros por cada 2.500 personas o fracción de aforo.

En los establecimientos de aforo igual o superior a 25.000 personas, se incrementará la cuantía resultante de la aplicación de las normas anteriores en 120.202,42 euros por cada 5.000 personas de aforo o fracción.

• **Fianzas** (art. 16, Orden 10494/2002).

Con independencia de seguro anterior, los organizadores de los espectáculos y actividades recreativas extraordinarios deberán constituir fianza a favor de la Comunidad de Madrid, ante la Tesorería General de la Consejería de Hacienda, para responder de las posibles obligaciones económicas que pudieran derivarse de la organización y celebración de los mismos y, en todo caso, del cumplimiento de las sanciones que pudieran imponerse con motivo de la celebración de dichos eventos, por las cantidades siguientes:

— Aforo de hasta 100 personas	3.005,06 euros
— Aforo de hasta 300 personas	6.010,12 euros
— Aforo de hasta 500 personas	12.020,24 euros
— Aforo de hasta 1.000 personas	18.030,36 euros
— Aforo de hasta 2.000 personas	24.040,48 euros
— Aforo de hasta 4.000 personas	30.050.61 euros
— Aforo de más de 4.000 personas	36.060,73 euros

• **Devolución de fianzas** (art. 17, Orden 10494/2002).

Sólo se procederá al inicio del expediente de **devolución de fianza**, constituida y depositada, **previa petición** del interesado.

La devolución efectiva de la fianza por el órgano competente se producirá una vez haya sido **comprobado que** el interesado no ha incurrido en ningún supuesto de exigencia de responsabilidad en relación con el espectáculo o actividad desarrollados, previa acreditación de tal extremo en el Acta de Autoridad gubernativa o Agentes de la Inspección que, en su caso, hubiere sido expedida al efecto.

9. Comunidad Valenciana

El art. 18 de la **Ley 14/2010**, de 3 de diciembre, exige a los titulares o prestadores que realicen espectáculos públicos. Actividades recreativas o establecimientos públicos la contratación de un seguro que cubra la responsabilidad civil. El **Decreto 52/2010**, de 26 de marzo, que desarrolla el art. 18 de la citada Ley 14/2010, regula el contenido y cuantías del seguro de responsabilidad civil en la forma siguiente.

• Acreditación previa al inicio de la actividad (art. 59, D 52/2010)

Previamente al ejercicio de la actividad o espectáculo o a la apertura del establecimiento, el solicitante de la licencia deberá acreditar ante el Ayuntamiento el tener suscrito un contrato de seguro que cubra la responsabilidad civil por los riesgos derivados de la explotación de la actividad. Asimismo, este seguro deberá incluir el riesgo de incendio así como posibles daños al público asistente, a terceros y al personal que preste sus servicios en el establecimiento, espectáculo o actividad.

La acreditación de la existencia de la correspondiente póliza de seguro así como el cumplimiento de las condiciones y requisitos exigibles se hará de acuerdo con el modelo de certificación establecido en este Reglamento.

• Cuantías (art. 60, D 52/2010)

Los capitales mínimos que deberán prever las pólizas de seguros para cubrir los riesgos derivados de la explotación tendrán la siguiente cuantía, en consideración al aforo máximo autorizado:

— Aforo de hasta 25 personas	150.000 euros
— Aforo de hasta 50 personas	300.000 euros
— Aforo de hasta 100 personas	400.000 euros
— Aforo de hasta 200 personas	500.000 euros
— Aforo de hasta 300 personas	600.000 euros
— Aforo de hasta 500 personas	750.000 euros
— Aforo de hasta 700 personas	900.000 euros
— Aforo de hasta 1.000 personas	1.000.000 euros
— Aforo de hasta 1.500 personas	1.200.000 euros
— Aforo de hasta 5.000 personas	1.800.000 euros

En los locales, recintos o establecimientos de aforo superior a 5.000 personas y hasta 25.000 personas se incrementará la cuantía mínima establecida en las normas anteriores, en 120.000 euros por cada 2.500 personas o fracción de aforo.

En los locales, recintos o establecimientos de aforo superior de 25.000 personas se incrementará la cuantía resultante de la aplicación de las normas anteriores en 120.000 euros por cada 5.000 personas de aforo o fracción.

En el supuesto de no existir licencia de actividad emitida por órgano competente o habiéndose obtenido la misma por silencio administrativo positivo, el aforo a tener en cuenta para la determinación de la cuantía exigible será el que se derive del proyecto presentado junto a la solicitud de aquélla.

- **Seguros y fianzas (arts. 103 y 116, D 52/2010)**

La puesta en funcionamiento de las instalaciones eventuales, portátiles o desmontables exigirá la constitución de los seguros y fianzas en las mismas cuantías que las establecidas con carácter general en este Reglamento.

Cumplidos los requerimientos contenidos en este Capítulo, la atracción ferial no podrá iniciar su actividad hasta que se haya constituido la correspondiente fianza y suscrito la póliza de seguro.

Los titulares de actividades feriales podrán constituir la fianza en la forma establecida en este Reglamento, por la Asociación de Feriantes de ámbito autonómico o provincial, según el alcance territorial de su actividad. En tal caso, se acompañará junto con la documentación acreditativa de su constitución, la relación de todos los feriantes a los que se refiere la fianza.

- **Constitución de la fianza (art. 119, D 52/2010)**

La fianza exigible para la puesta en funcionamiento de todas las instalaciones eventuales, portátiles o desmontables contenidas en este Título, podrá constituirse mediante depósito en metálico o en valores públicos o privados, que se depositarán en la caja de la Corporación.

Asimismo, podrá constituirse mediante aval o por contrato de seguro de caución con entidad aseguradora autorizada para operar en el ramo de caución, debiendo entregarse el certificado del contrato al Ayuntamiento. Cuando se opte por su constitución mediante aval o seguro de caución podrán utilizarse los modelos que se recogen en este Reglamento.

- **Fianza anual (art. 120 D 52/2010)**

Los titulares de instalaciones eventuales, portátiles o desmontables que de forma habitual desarrollen su actividad de manera itinerante en el territorio de la Comunitat Valenciana, podrán constituir las fianzas establecidas en la cuantía señalada en este Reglamento, con carácter único y periodicidad anual, a favor de todos los municipios de la Comunitat en los que instalen las mismas en el período que comprenda la fianza.

La fianza constituida de acuerdo con lo dispuesto en el apartado anterior se depositará en las Entidades Financieras colaboradoras de la Generalitat que establezca la Tesorería de la Generalitat, a favor de todos los Ayuntamientos que autoricen las indicadas actividades en el período a que se refiere la fianza.

- **Retención y constitución de fianza (art. 121 D 52/2010)**

La retención de todo o parte de la fianza obligará a su nueva constitución por el importe total, de acuerdo con lo establecido en los artículos precedentes.

- **Devolución de la fianza (art. 122 D 52/2010)**

Supuestos

La cantidad afianzada será devuelta por el Ayuntamiento a los interesados en los siguientes supuestos:

a) En el plazo de seis meses, tras la comprobación de la no existencia de denuncias o reclamaciones fundadas, procedimientos sancionadores en trámite o sanciones pendientes de ejecución derivadas del ejercicio de la actividad.

b) A petición del organizador o promotor, previa comprobación por la administración de la no existencia de procedimientos sancionadores en trámite, de sanciones pendientes de ejecución, de denuncias o reclamaciones fundadas, formuladas como consecuencia de la actividad afianzada.

Fianzas anuales

Cuando se trate de fianzas constituidas con carácter anual, los Ayuntamientos remitirán al órgano competente de la Generalitat en materia de espectáculos, establecimientos públicos y actividades recreativas, una relación de las licencias concedidas. Igualmente, los interesados remitirán al órgano de la administración de la Generalitat indicado, una relación de todos los municipios en los que se hayan ubicado instalaciones eventuales, portátiles o desmontables.

- **Dispensa de la fianza (art. 123, D 52/2010)**

El Ayuntamiento podrá dispensar, mediante resolución motivada, de la constitución de la fianza, por causa de la celebración de actos dentro de fiestas patronales o locales, o cuando se trate de actos puntuales y determinados organizados por entidades sin ánimo de lucro en espacios abiertos en los que no quepa determinar el aforo de acuerdo con lo dispuesto en este Reglamento.

- **Cuantía de las fianzas (art. 124, D 52/2010)**

La cuantía de las fianzas a constituir para el ejercicio de las actividades previstas en este Título será la establecida con carácter general en este Reglamento.

- **Seguro (art. 333, D 52/2010)**

En el caso de inexistencia de la preceptiva póliza de seguro de responsabilidad civil, se hará constar esta circunstancia.

La insuficiencia de las pólizas de seguro para cubrir la responsabilidad civil por los riesgos derivados de la explotación de la actividad deberá acreditarse indicando la cuantía exacta que figura en el documento mostrado por el compareciente.

Aunque se posea póliza contratada, pero no se esté al día en el pago de las primas, se deberá, de igual modo, hacer mención expresa de esta circunstancia en el acta de denuncia.

Asimismo, en el acta denuncia se reflejará la fecha de efectos de la póliza contratada para cubrir la responsabilidad civil del establecimiento, espectáculo o actividad.

10. Extremadura

La **Ley 16/2015**, de 23 de abril, de protección ambiental de Extremadura, no contiene referencia alguna para la constitución de seguro de responsabilidad civil para la actividades incluidas dentro de su ámbito de aplicación, incluyéndose en su anexo III.9, actividades como la de restaurantes, cafeterías, pubs, y bares; discotecas, salas de fiesta y bares musicales; salones recreativos y salas de bingo.

11. Galicia

La **Ley 10/2017**, de 27 de diciembre, de espectáculos públicos y actividades recreativas de Galicia, en su art. 8 se refiere a los seguros de responsabilidad civil, y así dispone:

1. Están **obligadas** a disponer de una póliza de seguro de responsabilidad civil las personas titulares de establecimientos abiertos al público u organizadoras de espectáculos públicos y actividades recreativas, según el caso.

Las personas organizadoras de espectáculos públicos y actividades recreativas de **carácter extraordinario** deben contratar la póliza de responsabilidad civil, independientemente de la que también tengan contratada las personas titulares de los establecimientos o espacios abiertos al público donde se lleven a cabo los espectáculos públicos o actividades recreativas.

2. El seguro habrá de **cubrir la responsabilidad civil que sea imputable, directa, solidaria o subsidiariamente**, a las personas titulares de los establecimientos abiertos al público o a las personas organizadoras de los espectáculos públicos o actividades recreativas, de manera tal que cubra los daños personales y materiales y los perjuicios consecutivos ocasionados a las personas usuarias o asistentes y a terceras personas y sus bienes, siempre que dichos daños y perjuicios sean producidos como consecuencia de la gestión y explotación del establecimiento o de la realización del espectáculo público o actividad recreativa, así como de la actividad del personal a su servicio o de las empresas subcontratadas.

A los efectos de lo establecido en el párrafo anterior, se entiende por **perjuicios consecutivos** las pérdidas económicas que se deriven directamente de los daños personales y materiales sufridos por la persona reclamante y que están amparados por la póliza de seguro.

3. Quedan **excluidos de la cobertura** de los contratos de seguros regulados por la presente ley los daños y perjuicios sufridos por las personas que, directa o indirectamente, dependan empresarialmente de las personas titulares o de las personas organizadoras, que deben disponer de un contrato de seguro específico. También quedan excluidos los daños que sufran los bienes destinados al uso del establecimiento abierto al público o al desarrollo del espectáculo público o actividad recreativa.

4. La **vigencia del seguro** tendrá que mantenerse en tanto permanezca en funcionamiento el establecimiento abierto al público y durante el tiempo en que se desarrolle el espectáculo público o la actividad recreativa. La falta de seguro podrá conllevar el cierre del establecimiento y la suspensión inmediata del espectáculo público o actividad recreativa en los términos establecidos en el título IV.

5. La vigencia de la póliza de seguro deberá **acreditarse mediante un ejemplar de la póliza y del recibo de pago** de las primas correspondientes al período del seguro en curso o de copia de los mismos. Ambos documentos podrán ser requeridos en cualquier momento por el personal funcionario de los órganos de la Administración competente encargados de realizar las actuaciones inspectoras, instructoras o sancionadoras.

El seguro se entiende sin perjuicio de los que puedan exigirse de conformidad con la normativa sectorial que resulte de aplicación.

Asimismo ha de tenerse en cuenta que la carencia del seguro de responsabilidad civil es motivo para la adopción de medidas provisionales previas a la apertura de expediente sancionador (art. 27.1 g), así como que constituye una infracción muy grave incumplir la obligación de tener suscrito y en vigor el contrato de seguro (art. 32 d).

Por lo que se refiere a los capitales mínimos de las pólizas, son (DT tercera):

a) Hasta 100 personas: 300.000 euros de capital asegurado.

b) Hasta 150 personas: 400.000 euros de capital asegurado.

c) Hasta 300 personas: 600.000 euros de capital asegurado.

d) Hasta 500 personas: 750.000 euros de capital asegurado.

e) Hasta 1.000 personas: 900.000 euros de capital asegurado.

f) Hasta 1.500 personas: 1.200.000 euros de capital asegurado.

g) Hasta 2.500 personas: 1.600.000 euros de capital asegurado.

h) Hasta 5.000 personas: 2.000.000 de euros de capital asegurado.

i) Cuando el aforo sea superior al mencionado en el apartado h), la cantidad mínima de capital asegurado se incrementará en 60.000 euros por cada 1.000 personas o fracción de aforo superior a 5.000 personas, hasta llegar a 6.000.000 de euros.

• Las **administraciones públicas**, sus organismos autónomos, las entidades de derecho público dependientes o vinculadas a las mismas y demás entidades integrantes del sector público que organicen espectáculos públicos y actividades recreativas los asegurarán, de conformidad con lo establecido en la normativa específica, teniendo en cuenta que en ningún caso la cuantía mínima de capital asegurado por este concepto puede ser inferior a 300.000 euros.

• La realización de espectáculos públicos o actividades recreativas en **espacios abiertos al público**, no delimitados y de aforo indeterminado, en los cuales se exija licencia, declaración responsable o autorización para su celebración requiere la contratación de una póliza de seguro de responsabilidad civil por una cuantía mínima de 600.000 euros de capital asegurado en los casos en que se exija licencia o autorización, y de 300.000 euros en los casos en que se exija declaración responsable.

• En caso de **instalaciones o estructuras eventuales portátiles o desmontables** que se utilicen con ocasión de ferias o atracciones en espacios abiertos al público donde su aforo sea indeterminado el capital mínimo asegurado será de 150.000 euros por cada instalación o estructura, quedando obligada la persona propietaria o arrendataria de la instalación a contratar la póliza de seguro.

• Si las instalaciones o estructuras anteriores se utilizan conjuntamente en un **espacio delimitado**, debe suscribirse una única póliza de seguro conjunta para todas las estructuras o instalaciones, cuyo capital mínimo asegurado habrá de ser el correspondiente al aforo del espacio delimitado en los términos establecidos en el número 1.

12. Islas Baleares

La **Ley 7/2013**, mantiene la obligación del titular de la actividad de **concertar y mantener** en vigor un seguro de responsabilidad civil (art. 20.1.i) estableciendo en el art. 10, la naturaleza del mismo.

● **Duración y alcance del seguro**

El titular deberá contratar y mantener en vigor un seguro durante el **ejercicio de la actividad** en el establecimiento físico o en el lugar donde se desarrolle, que cubra la responsabilidad civil por daños corporales, materiales y consecuenciales derivados de ella, ocasionados a terceras personas.

Asimismo, cuando se trate de una a**ctividad de espectáculo público o recreativa**, el seguro no podrá excluir de la responsabilidad civil de la actividad la derivada de los daños ocasionados al público asistente o a terceras personas a causa de incendio y/o explosión.

En caso de actividades no permanentes menores, el órgano competente, motivadamente, podrá eximir del seguro, sin perjuicio de la responsabilidad que se pueda derivar de ellas.

● **Responsabilidad civil profesional**

Los técnicos titulados profesionales deberán cubrir, mediante un seguro, y por un **período mínimo de dos años** desde su última actuación, los riesgos de responsabilidad civil en que puedan incurrir a consecuencia de su ejercicio profesional en materia de actividades, sin perjuicio de la responsabilidad que se pueda derivar de ello.

Esta obligación no será exigible cuando los derechos a terceros estén garantizados en virtud de otra legislación aplicable a la actividad de que se trate, o en virtud de un acuerdo de aplicación general con la misma finalidad.

● **Actividades de titularidad pública**

Las actividades de titularidad pública **no necesitarán seguro**.

Ha de tenerse en cuenta que:

1.- El titular que pretenda instalar e iniciar una actividad itinerante presentará ante el correspondiente ayuntamiento una **declaración responsable** de instalación, inicio y ejercicio de actividad en la que declare: Cumplir los requisitos establecidos en la normativa vigente en las actividades itinerantes, especialmente que la actividad no ha sufrido modificación alguna en relación al proyecto tipo, y que también cumple las condiciones impuestas en la resolución de inscripción en el Registro Autonómico de Actividades Itinerantes, la identificación del técnico director de la instalación y de la **póliza de seguro** (art. 56. 1 a).

2.- En el lugar donde esté emplazada la actividad itinerante se dispondrá de los siguientes documentos: La **póliza de seguro** de responsabilidad civil y el **justificante** de estar al corriente de pago (art. 57.2)

3.- La **eficacia de la resolución** de autorización queda condicionada al hecho de que antes del inicio de la actividad deberán de estar suscritos los certificados, los contratos y las autorizaciones sectoriales preceptivos, las exenciones que pueda prever la normativa sectorial de aplicación y la **póliza de seguro en vigor** conforme a los términos previstos en la disposición adicional tercera de esta ley (art. 63)

4.- Es causa de la adopción de la medida cautelar de **suspensión de la actividad**, la inexactitud, la falsedad o la omisión tienen carácter esencial cuando **no se disponga de la póliza de seguro** en vigor o bien que la cuantía asegurada no sea suficiente (art. 89.2 a)

5.- Se considera **infracción leve** (art. 102.1 d) la insuficiencia del seguro de la actividad o del seguro del profesional en vigor en menos de un 50% de cualquiera de las condiciones de la disposición adicional tercera.

Se considera **infracción grave** (art. 102.1 d y e) la falta del seguro de la actividad o del seguro profesional y la insuficiencia del seguro de la actividad o del seguro del profesional en vigor en más de un 50% de las condiciones indicadas en la disposición adicional tercera de esta ley.

• **Características del seguro (disposición adicional tercera Ley 7/2013)**

Capital mínimo

El **capital mínimo** a asegurar es el indicado en la siguiente tabla:

Actividades	Capital mínimo asegurado [€]
Permanentes mayores	600.000
Permanentes menores	300.000
Permanentes inocuas	150.000
Permanentes infraestructuras comunes	300.000
Permanentes de espectáculos públicos y recreativas	Ver tabla, punto 2
Itinerantes mayores	600.000
Itinerantes menores	150.000
No permanentes	Ver tabla, punto 2

Tabla de **capital mínimo por aforo**, capacidad máxima autorizada o número de participantes:

Número de personas	Capitales mínimos (€)
Hasta100	300.000
De 101 a 250	600.000
De 251 a 500	900.000
De 501 a 1.000	1.200.000
De 1.001 a 2.000	1.600.000
De 2.001 a 3.000	2.000.000
De 3.001 a 5.000	3.000.000
Más de 5.000	3.000.000 de euros, más 500.000 euros por cada 1.000 personas o fracción que sobrepase las 5.000 personas hasta un máximo de 10.000.000 €

Todos los seguros deberán garantizar un **capital mínimo por víctima** de al menos 150.000 €.

Franquicia

La franquicia no puede ser superior a **600 € por siniestro**. No obstante, en actividades en las que el capital mínimo a asegurar sea superior a 600.000 € podrá ser del 1 por mil del capital mínimo asegurado.

Seguros colectivos

Se permiten **seguros colectivos**:

a) Entre 5 y 20 actividades afiliadas al seguro, el capital total que ha de asegurar el colectivo será el 50% de la suma del capital de cada una de ellas, y garantizará que se cubre individualmente el capital mínimo exigido en la presente ley.

b) Para más de 20 actividades afiliadas al seguro, el capital total que ha de asegurar el colectivo será el 25% de la suma de capital de cada una de ellas, y garantizará que se cubre individualmente el capital mínimo exigido en la presente ley.

Seguros profesionales

Los **seguros profesionales** deberán garantizar un capital como mínimo de 600.000 €.

13.   La Rioja

La **Ley 4/2000**, de 25 octubre, de Espectáculos Públicos y Actividades Recreativas regula la contratación del **seguro** de responsabilidad civil para establecimientos, instalaciones y servicios.

Las **fianzas** se constituirán en el plazo previsto en las resoluciones por las que se acuerdan medidas correctoras o en las que se acuerda medidas adicionales.

• Sujetos obligados y riesgos cubiertos (art. 5.3 Ley 4/2000)

Los titulares de locales y establecimientos deberán tener suscrito un contrato de seguro que cubra el riesgo de responsabilidad civil por daños a los participantes, asistentes y a terceros, derivado de las condiciones del establecimiento, de sus instalaciones y servicios, así como de la actividad desarrollada y del personal que preste sus servicios en el mismo.

• Capitales asegurados (art. 5.3 y DT Quinta Ley 4/2000)

Los **capitales mínimos** que deberán prever las pólizas de seguros para cubrir los riesgos derivados de la explotación tendrán la siguiente cuantía, en consideración al aforo máximo autorizado, sin ningún tipo de franquicia:

Hasta 100 personas	30.050,605 euros
Hasta 300 personas	60.101,21 euros
Hasta 700 personas	150.253,026 euros
Hasta 1.500 personas	240.404,842 euros
Hasta 5.000 personas	420.708,473 euros

Para el resto de los establecimientos e instalaciones, los capitales mínimos serán incrementados a razón de 60.101,21 euros por cada 5.000 personas de aforo, o fracción de éste.

Para los espectáculos consistentes en el lanzamiento o quema de artificios pirotécnicos, la cuantía mínima será de 150.253,026 euros, sin perjuicio de la póliza de seguro que corresponda a la compañía pirotécnica.

• Justificación (art. 5.3 Ley 4/2000)

Se considerará acreditado el cumplimiento de la obligación mediante la **presentación de cualquier póliza** de aseguramiento que cubra, al menos, los riesgos previstos.

• Licencias excepcionales (art. 12 Ley 4/2000)

Excepcionalmente y por motivos de interés público acreditados en el expediente, las Entidades Locales podrán conceder licencias de funcionamiento, previo informe favorable de órgano autonómico competente en materia de espectáculos públicos y actividades recreativas, en edificios declarados de interés cultural, cuyas características arquitectónicas no permitan el pleno cumplimiento de las condiciones técnicas establecidas con carácter general, siempre que quede garantizada la seguridad y salubridad del edificio y la comodidad de las personas, y se **disponga del seguro** exigido en el artículo 5.3 de la Ley 4/2000.

• Licencias provisionales de funcionamiento (art. 14.2 Ley 4/2000)

Las Entidades Locales podrán conceder licencia provisional de funcionamiento por plazo improrrogable de tres meses, en el supuesto de resultado desfavorable de la comprobación administrativa, siempre que adoptándose las medidas de seguridad reglamentariamente exigidas no exista riesgo para la seguridad de las personas o bienes, lo que deberá acreditarse en el expediente.

La concesión de esta licencia, en estos casos, requerirá la previa cumplimentación del **aseguramiento** previsto en el artículo 5.3 de la Ley 4/2000.

• Instalaciones eventuales (art. 15 Ley 4/2000)

Deberán cumplirse, en términos análogos a los de las instalaciones fijas, las condiciones de seguridad, salubridad y comodidad, así como la disponibilidad de seguro, que deberán comprobarse previamente al inicio de la actividad, de acuerdo con lo dispuesto en el artículo 13 de la Ley 4/2000.

Asimismo, deberán constituir **fianza** ante la Administración local correspondiente en la cuantía que reglamentariamente se determine por el Gobierno de La Rioja, para responder de las posibles responsabilidades administrativas derivadas del ejercicio de la actividad.

• Infracción (art. 43.9 Ley 4/2000)

Se consideran infracciones muy graves: El incumplimiento de la obligación de tener suscritos los contratos de seguros legalmente establecidos.

• Sanción (art. 45.3)

La carencia de tener suscrito contrato de seguro de responsabilidad civil podrá ser sancionada **alternativa o acumulativamente** con:

a) Multa de 30.050,611 a 601.012,104 euros

b) Clausura del local o establecimiento por un período máximo de tres años.

c) La suspensión o prohibición de la actividad hasta tres años.

d) Inhabilitación para la organización o promoción de espectáculos públicos y actividades recreativas, hasta tres años.

14.   Navarra

El art. 8.2.b de la **Ley Foral 2/1989**, de 13 de marzo obliga a las empresas respecto de los espectáculos o actividades recreativas que organicen responder de los daños que, como consecuencia de la celebración del espectáculo o actividad recreativa, puedan producirse, siempre que le sean imputables por negligencia o imprevisión. En los casos que reglamentariamente se determinen, la empresa vendrá obligada a **asegurar los posibles riesgos**, sin que ello excluya su responsabilidad principal y solidaria.

De otro lado la Ley Foral 4/2005, de 22 de marzo, de intervención para la protección ambiental, en su art. 69 determina que sin perjuicio de lo dispuesto en la legislación ambiental de carácter sectorial, el otorgamiento de las autorizaciones ambientales previstas en la presente Ley Foral podrá supeditarse motivadamente por el Departamento de Medio Ambiente, Ordenación del Territorio y Vivienda al depósito de una fianza o a la suscripción por parte del titular de la actividad de un seguro obligatorio de responsabilidad civil que garantice la reparación o minimización de los daños que pudieran ocasionarse por la actividad o instalación autorizada.

El **Decreto Foral 93/2006**, de 28 de diciembre, por el que se aprueba el Reglamento de desarrollo de la Ley Foral 4/2005, de 22 de marzo, de Intervención para la Protección Ambiental, en su art. 74. 1 d) dispone que, la fianza o seguro que deberá prestarse en **cuantía suficiente** para responder de las medidas de restauración, prevención, minimización o eliminación de daños ambientales.

<u>Jurisprudencia:</u>

• Y, finalmente, en lo que se refiere a la fianza, que se dice injustificada en su exigencia, ya que se presta un seguro que abarca la responsabilidad de 300.000 euros, señalaremos que ambas son cosas bien distintas. **El seguro tiene la finalidad de cubrir los daños** que se puedan ocasionar como consecuencia del acto público, responsabilidad, lógica, que nace del dictado del art. 8.2.b) de la citada Ley Foral 2/1989. **La fianza, por el contra, tiene la finalidad de asegurar las posibles responsabilidades** sancionadoras por el incumplimiento de las condiciones impuestas en la resolución municipal que autoriza la celebración del Olentzero. [STSJ Navarra, 29 julio 2005.- LA LEY 168160/2005. FJ Tercero]

• El Ayuntamiento, por tanto, **únicamente puede exigir la presentación de un seguro de responsabilidad civil cuando exista una disposición reglamentaria que así lo disponga** en desarrollo del citado artículo 75; o cuando una **disposición sectorial** de rango legal, sea estatal o autonómica, así **lo prevea expresamente** (por ejemplo, el artículo 8 de la Ley Foral 2/1989, de 13 de marzo, reguladora de espectáculos públicos y actividades recreativas,…pero carecen los ayuntamientos de competencias para regular mediante ordenanza tal exigencia. [Resolución de 17 julio 2013 del Tribunal Administrativo de Navarra.- LA LEY 126841/2013]

15. País Vasco

El **Decreto 44/2014**, de 25 de marzo, por el que se regulan los seguros de responsabilidad civil exigibles para la celebración de espectáculos públicos y actividades recreativas, establece los siguientes capitales mínimos en su art. 3:

Los **capitales mínimos que** deberán contemplar las pólizas de seguros tendrán las siguientes cuantías, en función del aforo máximo autorizado de los locales, recintos o establecimientos:

— Aforo de hasta 100 personas	150.000 euros
— Aforo de 101 hasta 300 personas	200.000 euros
— Aforo de 301 hasta 700 personas	250.000 euros
— Aforo de 701 hasta 1.500 personas	400.000 euros
— Aforo de 1.501 hasta 5.000 personas	700.000 euros
— Aforo de 5.001 hasta 10.000 personas	1.200.000 euros

— En los locales, recintos o establecimientos de aforo superior a 10.000 personas se incrementará la cuantía mínima establecida en las normas anteriores en 120.000 euros por cada 5.000 personas de aforo o fracción.

— En el caso de **espectáculos o actividades ocasionales** en locales o establecimientos que precise de autorización administrativa por no estar amparada por la correspondiente licencia o comunicación previa, la póliza de responsabilidad civil por daños derivados de la celebración de ese espectáculo o actividad deberá cubrir el capital mínimo exigible conforme a las reglas de los párrafos primero y segundo de este artículo en función del aforo del establecimiento donde se celebre o, en su caso, el aforo determinado en la autorización singular, si éste fuera distinto por razón de las características del espectáculo o actividad.

— La póliza a suscribir por los **organizadores del espectáculo o actividad que no sean titulares del local o instalación** donde se celebren deberá cubrir la responsabilidad civil derivada de la celebración, al menos en la misma cuantía mínima que se prevé en los párrafos 1 y 2 de este artículo, en función del aforo del local donde se celebre, salvo que en la autorización se hubiere determinado un aforo distinto por razón de las características del espectáculo o actividad, en cuyo caso, el capital mínimo asegurado exigible será el que corresponda al aforo autorizado.

— En el caso de espectáculos o actividades en instalaciones o estructuras **eventuales, portátiles o desmontab**les la cuantía mínima de la póliza de seguro se determinará de la siguiente forma:

a) Si su **aforo está determinado**, la cuantía mínima de la póliza de seguro se determinará en la forma prevista en el párrafo primero.

b) Si su **aforo fuera indeterminable** y se ubicasen en la vía pública, el capital mínimo asegurado exigible será de 150.000 euros por cada instalación. No obstante, si las instalaciones o estructuras ubican conjuntamente en un determinado espacio público podrá suscribirse una póliza de seguros conjunta para todas ellas cuyo capital mínimo vendrá determinado por las reglas del párrafo primero en función del aforo establecido para tal espacio público.

c) Si las instalaciones o estructuras eventuales, portátiles o desmontables que se ubiquen dentro de **recintos cerrados**, el capital mínimo asegurado será de 150.000 euros por cada instalación.

• Coeficientes correctores (art. 4)

1.- Cuando un establecimiento abierto al público o el desarrollo de un espectáculo público o actividad recreativa, por sus características o circunstancias, **entrañen un riesgo especial** para las personas o los bienes, que haga necesaria una mayor seguridad del público asistente o participante, la administración competente para otorgar las licencias o autorizaciones correspondientes o ante la que se presenta la comunicación previa, mediante informe motivado, puede determinar la aplicación de un coeficiente corrector a las cuantías mínimas, hasta un máximo del 30%.

2.- Cuando las características o circunstancias de un establecimiento abierto al público o de un espectáculo o actividad recreativa **no comporten un agravamiento del riesgo** para las personas o los bienes, la administración competente para otorgar las licencias o autorizaciones correspondientes o ante la que se presenta la comunicación previa, mediante informe motivado, puede determinar la aplicación de un coeficiente reductor a las cuantías mínimas, hasta un máximo del 30%.

• Franquicias (art. 5)

Las pólizas de seguro ser contratadas con una franquicia de hasta el 3% del capital asegurado, sin que en ningún caso dicha franquicia pueda ser superior a 20.000 euros.

• Acreditación del seguro de responsabilidad civil (art. 6)

1.- La acreditación de la contratación de la póliza de seguro de responsabilidad civil se acreditará mediante la exhibición del correspondiente **contrato de seguro** en el que figuren las cláusulas generales y particulares que reflejen la cobertura y capital asegurado, acompañado del **recibo vigente**.

2.- No obstante, podrá acreditarse mediante **certificación de la compañía aseguradora o de agente de seguros**, cuyo contenido mínimo, en función del objeto asegurado, será el siguiente:

— Identificación de la compañía aseguradora o del agente de seguros y de la persona que actúe en su representación.

— Número de la póliza de seguro.

— Mención expresa a la cobertura de responsabilidad civil y a la vigencia temporal del seguro.

— Identificación del espectáculo o actividad a celebrar o establecimiento que se pretende abrir.

— Municipio donde esté prevista la celebración del espectáculo o actividad o la apertura del establecimiento.

— Fecha y hora de la celebración del espectáculo o actividad y, en su caso identificación del local donde vaya a celebrarse, o fecha de apertura del establecimiento.

— Mención expresa al aseguramiento del espectáculo, actividad recreativa o establecimiento.

— Cuantía del capital asegurado y de la franquicia, en su caso.

— Feferencia al articulado del presente Reglamento en el que se basa la póliza.

— Fecha de la expedición del certificado, firmado por el titular o representante legal.

16.   Principado de Asturias

El art. 6 de la **Ley del Principado de Asturias 8/2002**, de 21 de octubre, de Espectáculos Públicos y Actividades Recreativas, **desarrollado por el Decreto 38/2007**, exige a los titulares de los establecimientos, locales e instalaciones o, en su caso, los organizadores de las actividades incluidos en el ámbito de aplicación de la misma tener suscrito un contrato de seguro por cuantía suficiente para cubrir su responsabilidad civil por daños a los concurrentes que puedan ocasionarse como consecuencia de las condiciones de los establecimientos o locales, de sus instalaciones y del personal que preste sus servicios en los mismos, así como consecuencia del espectáculo o actividad desarrollados.

Dicha obligación también alcance a los espectáculos públicos o actividades recreativas de carácter extraordinario, considerándose responsables de la obligación aseguradora a los organizadores de los mismos, de acuerdo con lo previsto en el artículo 28 de la citada Ley.

El **Decreto 38/2007**, de 12 abril, regula las condiciones de los seguros obligatorios de responsabilidad civil exigibles para la celebración de espectáculos públicos y actividades recreativas

• Capitales mínimos asegurados de establecimientos y locales (art. 2, D 38/2007)

Los titulares de las licencias de los establecimientos o locales a los que se refiere el artículo 8 de la Ley del Principado de Asturias 8/2002, de 21 de octubre, **deberán disponer de un contrato de seguro que cubra la responsabilidad civil** por los daños previstos en el artículo 1 de este Decreto, por las siguientes **cuantías mínimas**, en función del aforo de los establecimientos y locales.

a) Hasta 300 personas de aforo: 150.253,03 euros.

b) Entre 301 y 1.500 personas de aforo: 300.507,00 euros.

c) Entre 1.501 y 5.000 personas de aforo: 450.000,00 euros.

Los **organizadores de espectáculos públicos o actividades recreativas** distintos a los amparados por la licencia de los establecimientos o locales a los que se refiere el apartado anterior, independientemente sean o no titulares de los mismos, deberán disponer de un **contrato de seguro que cubra la responsabilidad civil** en las mismas condiciones y cuantías arriba señalas.

Los **capitales mínimos** serán incrementados a razón de 60.000,00 euros por cada 5.000 personas de aforo o fracción de éste.

Los seguros anteriores podrán fijar **franquicias**, que no podrán superar la cantidad de 602,00 euros en el supuesto de establecimientos y locales de hasta 300 personas de aforo y de 1.200,04 euros en el supuesto de establecimientos y locales de más de 300 personas de aforo.

* **Capitales mínimos asegurados de instalaciones eventuales, portátiles o desmontables** (**art. 3, D 38/2007**)

Los organizadores de espectáculos públicos o actividades recreativas desarrollados en las **instalaciones eventuales, portátiles o desmontables** a los que se refiere el artículo 14 de la Ley del Principado de Asturias 8/2002, de 21 de octubre, deberán disponer de un contrato de seguro que cubra la responsabilidad civil por los daños previstos en el artículo 1 de este Decreto, por las siguientes **cuantías mínimas**:

a) A las **instalaciones eventuales, portátiles o desmontables** cuyo **aforo esté determinado**, independientemente de cuál sea su lugar de ubicación y siempre que no se encuentren incluidas en el apartado siguiente de este artículo, les serán de aplicación las cuantías establecidas para el contrato de seguro previstas en el artículo anterior, a excepción de las atracciones de feria a las que refiere el catálogo de los espectáculos públicos, las actividades recreativas y los establecimientos, locales e instalaciones públicas en el Principado de Asturias aprobado por Decreto 91/2004, de 11 de noviembre, en cuyo caso la cuantía mínima será de 300.507,00 euros por cada una de ellas.

b) En las **instalaciones eventuales, portátiles o desmontables** cuyo **aforo no esté determinado**, independientemente de cuál sea su lugar de ubicación, el capital mínimo asegurado exigible será de 150.253,03 euros por cada instalación.

* **Capitales mínimos asegurados de espectáculos públicos o actividades recreativas sujetas a autorización administrativa (art. 4 Decreto 38/2007)**

Los organizadores de los espectáculos públicos o actividades a los que se refiere el artículo 18.2 de la Ley del Principado de Asturias 8/2002, de 21 de octubre, deberán disponer de un contrato de seguro que cubra la responsabilidad civil por los daños previstos en el artículo 1 de este Decreto, por las siguientes cuantías mínimas, en función del **aforo máximo autorizado** o del número de competidores de la prueba deportiva, de acuerdo con la siguiente escala:

a) Hasta 300 personas de aforo o competidores: 150.253,03 euros.

b) Entre 301 y 1.500 personas de aforo o competidores: 300.507,00 euros.

c) Entre 1.501 y 5.000 personas de aforo o competidores: 450.000,00 euros.

Los capitales mínimos serán incrementados a razón de 60.000,00 euros por cada 5.000 personas de aforo o competidores, o fracción de éste.

17. Región de Murcia

La **Ley 2/2017**, de 13 de febrero, de medidas urgentes para la reactivación de la actividad empresarial y del empleo a través de la liberalización y de la supresión de cargas burocráticas, en su disposición adicional octava 2, determina que los espectáculos públicos y actividades recreativas **ocasionales o extraordinarias que** tengan un aforo de hasta 150 personas, deberán ser objeto de declaración responsable ante el órgano autonómico competente, que deberá presentarse al menos 15 días hábiles antes de la celebración del espectáculo o actividad extraordinaria, y a la que se acompañarán los informes técnicos necesarios que justifiquen la seguridad del público asistente, la **contratación de seguros** que establece esta norma y el cumplimiento de las distintas ordenanzas municipales y de la normativa específica que le sean de aplicación.

La póliza de seguro de responsabilidad civil se debe contratar por las **cuantías mínimas** siguientes, en función del aforo:

— Aforo de hasta 50 personas	100.000 euros
— Aforo de hasta 100 personas	250.000 euros
— Aforo de hasta 200 personas	500.000 euros
— Aforo de hasta 300 personas	600.000 euros
— Aforo de hasta 500 personas	750.000 euros
— Aforo de hasta 700 personas	900.000 euros
— Aforo de hasta 1.000 personas	1.000.000 euros
— Aforo de hasta 1.500 personas	1.200.000 euros
— Aforo de hasta 5.000 personas	2.000.000 euros

En los locales, recintos o establecimientos de aforo superior a 5.000 personas y hasta 25.000, la cuantía mínima establecida será de 3.000.000 euros, más 200.000 euros por cada 2.500 personas, o fracción, que supere las 5.000 personas.

En los locales, recintos o establecimientos de aforo superior a 25.000, la cuantía mínima establecida será de 4.600.000 euros, más 100.000 euros por cada 2.500 personas, o fracción, que supere las 25.000 personas.

Las **franquicias que** en su caso se contraten no podrán superar el 1% del capital asegurado.

CUADRO RESUMEN DE LAS CUANTIAS MINIMAS DE SEGUROS DE RESPONSABILIDAD CIVIL POR LA CELEBRACION DE E.P. y A.R. EN CC.AA				
COMUNIDAD AUTÓNOMA	AFORO AUTO-RIZADO	CUANTIA (€)	OTROS	CUANTÍA (€)
ANDALUCÍA[1]	Hasta 50 personas	225.000	Aforo indeterminado	151.000

CUADRO RESUMEN DE LAS CUANTIAS MINIMAS DE SEGUROS DE RESPONSABILIDAD CIVIL POR LA CELEBRACION DE E.P. y A.R. EN CC.AA				
COMUNIDAD AUTÓNOMA	AFORO AUTO-RIZADO	CUANTIA (€)	OTROS	CUANTÍA (€)
	De 51 a 100	375.000		
	De 101 a 300	526.000		
	De 301 a 700	901.000		
	Superior a 700	1.201.000		
	Hasta 50 perso-nas[2]	301.000		
	De 51 a 100	451.000		
	De 101 a 300	601.000		
	De 301 a 700	901.000		
	Superior a 700	1.201.000		
ARAGÓN[3]	Hasta 50 perso-nas	150.000		
	Hasta 100	300.000		
	Hasta 300	600.000		
	Hasta 700	900.000		
	Hasta 1.500	1.200.000		
	Hasta 5.000[4]	1.500.000		
CANARIAS[5]	Hasta 100 perso-nas	300.000	Seguro adminis-traciones públi-cas	- 300.000
	Hasta 150	400.000	Instalaciones o estructuras even-tuales	- 150.300
	Hasta 300	600.000		- 601.000
	Hasta 500	750.00	Espectáculos en vía pública	
	Hasta 1000	900.000		
	Hasta 1.500	1.200.000		
	Hasta 2.500	1.600.000		
	Hasta 5.000[6]	2.000.000		

CUADRO RESUMEN DE LAS CUANTIAS MINIMAS DE SEGUROS DE RESPONSABILIDAD CIVIL POR LA CELEBRACION DE E.P. y A.R. EN CC.AA				
COMUNIDAD AUTÓNOMA	**AFORO AUTO-RIZADO**	**CUANTIA (€)**	**OTROS**	**CUANTÍA (€)**
CANTABRIA[7]	Hasta 50	300.000	Instalaciones portátiles y artificios pirotécnicos[8]	
	Hasta 100	400.000		
	Hasta 300	600.000		
	Hasta 700	900.000		
	Hasta 1.500	1.200.000		
	Hasta 5.000	1.800.000		
CASTILLA-LA MANCHA[9]				
CASTILLA Y LEÓN[10]	Hasta 50 personas	50.000	Aforo indeterminado	- 100.000
	Hasta 100	80.000	Lanzamiento o quema artificios pirotécnicos	- 250.000
	Hasta 300	100.000		
	Hasta 700	250.000		
	Hasta 1.500	500.000		
	Hasta 5.000[11]	800.000		
CATALUÑA[12]	Hasta 100 personas	300.000	Seguro administraciones públicas.	- 300.000
	Hasta 150	400.000	Instalaciones o estructuras en vía pública con aforo indeterminado	- 150.300
	Hasta 300	600.000		- 601.000
	Hasta 500	750.000		
	Hasta 1.000	900.000	Espectáculos o instalaciones en espacios abiertos de uso público no delimitados	
	Hasta 1.500	1.200.000		
	Hasta 2.500	1.600.000		
	Hasta 5.000[13]	2.000.000		
COMUNIDAD DE MADRID[14]	Hasta 50 personas	42.070,85	ACTIVIDADES RECREATIVAS	

933

CUADRO RESUMEN DE LAS CUANTIAS MINIMAS DE SEGUROS DE RESPONSABILIDAD CIVIL POR LA CELEBRACION DE E.P. y A.R. EN CC.AA				
COMUNIDAD AUTÓNOMA	**AFORO AUTO-RIZADO**	**CUANTIA (€)**	**OTROS**	**CUANTÍA (€)**
			EXTRAORDINA-RIAS[15]	
			Hasta 50 perso-nas	42.070,85
	Hasta 100	60.101,21	Hasta 100	60.101,21
	Hasta 300	120.202,42	Hasta 300	120.202,42
	Hasta 700	480.809,68	Hasta 700	480.809,68
	Hasta 1.500	721.214,53	Hasta 1.500	721.214,53
	Hasta 5.000[16]	1.202.024,21	Hasta 5.000[17]	1.202.024,21
COMUNIDAD VALEN-CIANA[18]	Hasta 25 perso-nas	150.000		
	Hasta 50	300.000		
	Hasta 100	400.000		
	Hasta 200	500.000		
	Hasta 300	600.000		
	Hasta 500	750.000		
	Hasta 700	900.000		
	Hasta 1.000	1.000.000		
	Hasta 1.500	1.200.000		
	Hasta 5.000[19]	1.800.000		
EXTREMA-DURA[20]				
GALICIA[21]	Hasta 100	300.000		
	Hasta 150	400.000		
	Hasta 300	600.000		
	Hasta 500	750.000		
	Hasta 1.000	900.000		

CUADRO RESUMEN DE LAS CUANTIAS MINIMAS DE SEGUROS DE RESPONSABILIDAD CIVIL POR LA CELEBRACION DE E.P. y A.R. EN CC.AA				
COMUNIDAD AUTÓNOMA	**AFORO AUTORIZADO**	**CUANTIA (€)**	**OTROS**	**CUANTÍA (€)**
	Hasta 1.500	1.200.000		
	Hasta 2.500	1.600.000		
	Hasta 5.000	2.000.000[22]		
ISLAS BALEARES[23]	Hasta 100 personas	300.000	Seguros profesionales	600.000
	De 101 a 250	600.000		
	De 251 a 500	900.000		
	De 501 a 1.000	1.200.000		
	De 1.001 a 2.000	1.600.000		
	De 2.001. a 3.000	2.000.000		
	De 3.001 a 5.000[24]	3.000.000		
LA RIOJA[25]	Hasta 100 personas	30.050.605	Lanzamiento o quema artificios pirotécnicos	150.253,026
	Hasta 300	60.101,21		
	Hasta 700	150.253,026		
	Hasta 1.500	240.404,842		
	Hasta 5.000	420.708,473		
NAVARRA[26]				
PAÍS VASCO[27]	Hasta 50 personas	150.000		
	De 101 hasta 300	200.000		
	De 301 hasta 700	250.00		
	De 701 hasta 1.500	400.000		

CUADRO RESUMEN DE LAS CUANTIAS MINIMAS DE SEGUROS DE RESPONSABILIDAD CIVIL POR LA CELEBRACION DE E.P. y A.R. EN CC.AA				
COMUNIDAD AUTÓNOMA	**AFORO AUTORIZADO**	**CUANTIA (€)**	**OTROS**	**CUANTÍA (€)**
	De 1.501 hasta 5.000	700.000		
	De 5.001 hasta 10.000[28]	1.200.000		
PRINCIPADO DE ASTURIAS [29]	Hasta 300 personas	150.253,03	- instalaciones eventuales, portátiles o desmontables cuyo aforo esté determinado	- 300.507,00 -150.253,03
	De 301 a 1.500	300.507,00		a) Hasta 300 personas de aforo o competidores: 150.253,03 euros.
	De 1.501 a 5.000[30]	450.000.00	- instalaciones eventuales, portátiles o desmontables cuyo aforo no esté determinado Espectáculos públicos o actividades a los que se refiere el artículo 18.2 Ley 8/2002	b) Entre 301 y 1.500 personas de aforo o competidores: 300.507,00 euros. c) Entre 1.501 y 5.000 personas de aforo o competidores: 450.000,00 euros. Los capitales mínimos serán incrementados a razón de 60.000,00 euros por cada 5.000 personas de aforo o competidores, o fracción de éste.
REGIÓN DE MURCIA[31]	Hasta 50	100.000		
	Hasta 100	250.000		
	Hasta 200	500.000		
	Hasta 300	600.000		
	Hasta 500	750.000		
	Hasta 700	900.000		
	Hasta 1.000	1.000.000		
	Hasta 1.500	1.200.000		
	Hasta 5.000[32]	2.000.000		

(1)   El anexo.4 del Decreto 109/2005 distingue dos tipos de cuantías por responsabilidad civil en atención a las peculiaridades y especial riesgo que el ejercicio de dichas actividades.

(2)   En atención a las peculiaridades y especial riesgo del ejercicio de determinadas actividades.

(3)   DT tercera Ley 11/2005.

(4)   En los locales, recintos o establecimientos de aforo superior a 5.000 personas y hasta 25.000 personas se incrementará la cuantía mínima establecida en las normas anteriores en 120.000 euros por cada 2.500 personas o fracción de aforo.
       En los locales, recintos o establecimientos de aforo superior a 25.000 personas se incrementará la cuantía resultante de la aplicación de las normas anteriores en 120.000 euros por cada 5.000 personas de aforo o fracción.

(5)   Art. 60 del Decreto 86/2013.

(6)   Cuando el aforo autorizado sea superior a 5.000 personas, se incrementará la cantidad mínima de capital asegurado en 60.000 euros por cada 1.000 personas o fracción de aforo autorizado superior a 5.000, hasta llegar a los 6.000.000 de euros.

(7)   DA quinta Ley 3/2017.

(8)   En los establecimientos públicos e instalaciones **portátiles o desmontables** con aforo superior a 5.000 personas y hasta 25.000, se incrementará la cuantía mínima establecida en 120.000 euros por cada 2.500 personas o fracción de aforo.
       Para los espectáculos públicos consistentes en el lanzamiento o quema de **artificios pirotécnicos**, la cuantía mínima será de 600.000 euros, sin

(9)   Pendiente fijar cuantías por reglamento en desarrollo art. 21 Ley 7/2011.

(10)   Art. 6 Ley 7/2006.

(11)   Los capitales mínimos serán incrementados en 60.000 euros por cada cinco mil personas más de aforo o fracción de esta cantidad.

(12)   Art. 80 Decreto 112/2010.

(13)   Cuando el aforo autorizado sea superior al mencionado se incrementará la cantidad mínima de capital asegurado en 60.000 € por cada 1.000 personas o fracción de aforo autorizado superior a 5.000, hasta llegar a los 6.000.000 €.

(14)   DT Tercera Ley 17/1997.

(15)   Orden 10494/2002.

(16)   En los establecimientos de aforo superior a 5.000 personas y hasta 25.000 personas se incrementarán la cuantía mínima establecida en el último guion en *120.202,42 euros* por cada 2.500 personas de aforo o fracción.
       En los establecimientos de aforo superior a 25.000 personas, se incrementarán la cuantía resultante de la aplicación de las normas anteriores en *120.202,42 euros* por cada 5.000 personas de aforo o fracción.

(17)   En los establecimientos de aforo igual o superior a 5.000 personas y hasta 25.000 personas, se incrementará la cuantía mínima establecida en el último guion en 120.202,42 euros por cada 2.500 personas o fracción de aforo.
       En los establecimientos de aforo igual o superior a 25.000 personas, se incrementará la cuantía resultante de la aplicación de las normas anteriores en 120.202,42 euros por cada 5.000 personas de aforo o fracción.

(18)   Art. 60 Decreto 52/2010.

(19)   En los locales, recintos o establecimientos de aforo superior a 5.000 personas y hasta 25.000 personas se incrementará la cuantía mínima establecida en las normas anteriores, en 120.000 euros por cada 2.500 personas o fracción de aforo.
En los locales, recintos o establecimientos de aforo superior de 25.000 personas se incrementará la cuantía resultante de la aplicación de las normas anteriores en 120.000 euros por cada 5.000 personas de aforo o fracción.

(20)   No existe disposición legal que fije cuantías.

(21)   DT tercera Ley 10/2017.

(22)   Cuando el aforo sea superior al mencionado en el apartado h), la cantidad mínima de capital asegurado se incrementará en 60.000 euros por cada 1.000 personas o fracción de aforo superior a 5.000 personas, hasta llegar a 6.000.000 de euros.

(23)   DA tercera Ley 7/2013.

(24)   Más de 5.000 personas, 3.000.000 de euros, más 500.000 euros por cada 1.000 personas o fracción que sobrepase las 5.000 personas hasta un máximo de 10.000.000 €.

(25)   Art. 5.3 y DT Quinta Ley 4/2000.

(26)   El art, 8.2.b de la Ley Foral 2/1989, obliga a la empresas a responder de los daños, sin establecer cuantía alguna.
El Decreto Foral 93/2006, de 28 de diciembre, por el que se aprueba el Reglamento de desarrollo de la Ley Foral 4/2005, de 22 de marzo, de Intervención para la Protección Ambiental, en su art. 74. 1 d) dispone que, la fianza o seguro que deberá prestarse en **cuantía suficiente** para responder de las medidas de restauración, prevención, minimización o eliminación de daños ambientales.

(27)   Art. 3 ,D 44/2014.

(28)   En los locales, recintos o establecimientos de aforo superior a 10.000 personas se incrementará la cuantía mínima establecida en las normas anteriores en 120.000 euros por cada 5.000 personas de aforo o fracción.

(29)   Art. 6 Ley 8/2002 y Art. 2,3 y 4 Decreto 38/2007.

(30)   Los capitales mínimos serán incrementados a razón de 60.000,00 euros por cada 5.000 personas de aforo o fracción de éste.

(31)   DA octava 2 Ley 2/2017.

(32)   En los locales, recintos o establecimientos de aforo superior a 5.000 personas y hasta 25.000, la cuantía mínima establecida será de 3.000.000 euros, más 200.000 euros por cada 2.500 personas, o fracción, que supere las 5.000 personas.
En los locales, recintos o establecimientos de aforo superior a 25.000, la cuantía mínima establecida será de 4.600.000 euros, más 100.000 euros por cada 2.500 personas, o fracción, que supere las 25.000 personas.

CAPÍTULO VII

ACTIVIDADES EVENTUALES, OCASIONES O EXTRAORDINARIAS

I.   COMENTARIOS

Aunque nombrados de forma distinta, podemos agrupar bajo un amplio epígrafe los espectáculos públicos y actividades recreativas que tienen lugar en espacios abiertos, en locales cerrados o en establecimientos autorizados, y que sin embargo se celebran de forma esporádica u ocasional.

La importancia del control de estos espectáculos públicos o actividades recreativas radica precisamente en el hecho de que por su circunstancial temporalidad no siempre es fácil de comprobar antes de su inicio el cumplimiento de los requisitos legales exigibles, lo que provoca que la falta de verificación de las medidas correctoras impuestas, incumplimientos de horarios, excesos de aforo, etc. dan lugar múltiples problemas para la Administración y que con frecuencia acaban de forma trágica.

El RD 2816/1982, de 27 de agosto, por el que se aprueba el Reglamento de Policía de Espectáculos Públicos y Actividades Recreativas regula este tipo de actividades (arts. 26 a 35), a la que le ha seguido toda una serie de normas autonómicas como a continuación se verá.

Por su parte destacamos el RD 989/2015, de 30 de octubre, por el que se aprueba el Reglamento de artículos pirotécnicos y cartuchería, en su INSTRUCCIÓN TÉCNICA COMPLEMENTARIA NÚMERO 18 —*Manifestaciones festivas religiosas, culturales y tradicionales*—, que regula los requisitos que han de cumplirse para el uso de artículos pirotécnicos por Grupos Consumidores Reconocidos como Expertos, en manifestaciones festivas, religiosas, culturales y tradicionales organizadas por colectividades, personas jurídicas, ayuntamientos, asociaciones o entidades jurídicas, etc., dispone que será competencia del Ayuntamiento:

a) Autorizar la celebración de la manifestación festiva, de acuerdo con lo establecido en esta ITC y en la normativa autonómica y local aplicable.

b) Dar difusión de la celebración del acto para conocimiento del público, así como del espacio o recorrido de la actuación y del horario de realización.

c) Informar de las medidas de seguridad aplicables así como, en su caso, de la indumentaria y de las medidas de protección recomendadas para la participación en la manifestación festiva de terceras personas.

d) Velar por el cumplimiento de las medidas de seguridad y requisitos establecidos para cada acto.

II. COMUNIDADES AUTÓNOMAS

1. Andalucía

La **Ley 13/1999**, de 15 de diciembre, en su art. 6.5 atribuye a los **municipios la competencia** para la autorización de la celebración de espectáculos públicos o el desarrollo de actividades recreativas **extraordinarias u ocasionales** no sujetas a intervención autonómica, en establecimientos no destinados o previstos para albergar dichos eventos o cuando se pretenda su celebración y desarrollo en vías públicas o zonas de dominio público del término municipal. Dichos espectáculos o actividades asimismo están sujetos a intervención administrativa (art. 9.5).

En desarrollo del art. 2.7 de la Ley 13/1999 se dicta el **Decreto 195/2007**, de 26 de junio, por el que se establecen las condiciones generales para la celebración de espectáculos públicos y actividades recreativas de carácter ocasional y extraordinario.

El Decreto 155/2018, de 31 de julio, en su art. 7.2, remite asimismo al Decreto 195/2007 cuando los establecimientos públicos fijos o eventuales alberguen espectáculos públicos y actividades recreativas ocasionales u extraordinarias.

Asimismo la Disposición final primera modifica los arts. 2, 7, 9 y 12.2 del Decreto 195/2007.

El art. 2 del Decreto 195/2007, en su nueva redacción define a:

• **Espectáculos públicos y actividades recreativas ocasionales**

Aquellos que se celebren o desarrollen durante períodos de tiempo iguales o inferiores a seis meses, tanto en establecimientos públicos fijos o eventuales, como directamente en espacios abiertos de vías públicas y de otras zonas de dominio público sin establecimiento público que los albergue.

[El art. 4.1. c) del Decreto 155/2018, de 31 de julio, los define como aquellos que, previa autorización en los términos previstos en su normativa reglamentaria, se celebren o desarrollen durante períodos de tiempo iguales o inferiores a seis meses, tanto en establecimientos públicos fijos o eventuales, como directamente en espacios abiertos de vías públicas y de otras zonas de dominio público sin establecimiento público que los albergue.]

• **Espectáculos públicos y actividades recreativas extraordinarios**

El art. 4.1.d) del Decreto 155/2018, de 31 de julio, los define como aquellos que, previa autorización municipal en los términos previstos en su normativa reglamentaria, se celebren o desarrollen específica y excepcionalmente en establecimientos o instalaciones, sean o no de espectáculos públicos y actividades recreativas, destinados y legalmente habilitados para desarrollar otras actividades diferentes a las que se pretendan organizar y celebrar y que, por tanto, no están previstos en sus condiciones de apertura y funcionamiento, en el límite máximo de 12 espectáculos públicos o actividades recreativas extraordinarias al año en un mismo establecimiento o instalación.

[El art. 4.1.d) del Decreto 155/2018, de 31 de julio, los define como aquellos que, previa autorización municipal en los términos previstos en su normativa reglamentaria, se celebren o desarrollen específica y excepcionalmente en establecimientos o instalaciones, sean o no de espectáculos públicos y actividades recreativas, destinados y legalmente habilitados para desarrollar otras actividades diferentes a las que se pretendan organizar y celebrar y que, por tanto, no están previstos en sus condiciones de apertura y funcionamiento, en el límite máximo de 12 espectáculos públicos o actividades recreativas extraordinarias al año en un mismo establecimiento o instalación.]

- **Establecimientos públicos eventuales**

Aquellos establecimientos públicos no permanentes, conformados por estructuras desmontables o portátiles constituidas por módulos o elementos metálicos, de madera o de cualquier otro material que permita operaciones de montaje y desmontaje sin necesidad de construir o demoler fábrica de obra alguna, sin perjuicio de los sistemas de fijación o anclaje que sean precisos para garantizar la estabilidad y seguridad.

[El art.5.1. b) del Decreto 155/2018, define a los establecimientos públicos eventuales como aquellos establecimientos públicos no permanente, conformados por estructuras desmontables o portátiles constituidas por módulos o elementos metálicos, de madrea o de cualquier otro material que permita operaciones de montaje y desmontaje sin necesidad de fijación o anclaje que sean precisos para garantizar la estabilidad y seguridad.]

Actividades excluidas

Pese a revestir el carácter ocasional, extraordinario o eventual quedan excluidas (art. 3 Decreto 195/2007) las siguientes:

1.- Las celebraciones de carácter estrictamente privado o familiar, así como las que supongan el ejercicio de derechos fundamentales en el ámbito laboral, político, religioso, sindical o docente.

2.- Los espectáculos taurinos y festejos taurinos populares.

3.- Las actividades de turismo activo y ecoturismo.

4.- Los espectáculos públicos y actividades recreativas que se desarrollen y discurran en aguas de dominio público, excepto los que tengan lugar en la zona marítimo-terrestre o portuaria.

5.- Los espectáculos públicos y actividades recreativas que estén relacionados con la navegación aérea.

6.- Las actividades cinegéticas.

7.- Los espectáculos públicos y actividades recreativas cuyo desarrollo discurra por más de una Comunidad Autónoma y los de carácter internacional aunque, en ambos casos, parte de su recorrido transcurra por la Comunidad Autónoma de Andalucía.

Competencia

Son órganos competentes para otorgar las autorizaciones de espectáculos o actividades ocasionales, extraordinarios o eventuales, los siguientes (art. 4 Decreto 195/2007).

a) La **Dirección General** competente en materia de espectáculos públicos, cuando se trate de espectáculos públicos y actividades recreativas ocasionales cuyo desarrollo discurra por **más de una provincia** de la Comunidad Autónoma de Andalucía.

b) La **Delegación del Gobierno** de la Junta de Andalucía correspondiente, cuando se trate de espectáculos públicos y actividades recreativas ocasionales cuyo desarrollo discurra por **más de un término municipal** de la respectiva provincia.

c) **El Ayuntamiento** respectivo, cuando se trate de espectáculos públicos y actividades recreativas ocasionales que se desarrollen o discurran exclusivamente en el **término municipal** correspondiente y los de carácter extraordinario en todo caso.

ESPECTÁCULOS PÚBLICOS Y ACTIVIDADES RECREATIVAS OCASIONALES

• Requisitos mínimos (art. 6 Decreto 195/2007)

1. Cuando los espectáculos públicos y actividades recreativas ocasionales **se celebren en establecimientos públicos**, éstos deberán cumplir las condiciones establecidas en el artículo 10 de la Ley 13/1999, de 15 de diciembre, y contar con las licencias municipales de apertura necesarias para albergar las actividades que correspondan.

2. Cuando la celebración de un espectáculo público o el desarrollo de una actividad recreativa de carácter ocasional **se realice en establecimientos públicos eventuales o en establecimientos públicos conformados parcialmente por estructuras desmontables o portátiles**, éstos deberán cumplir la normativa ambiental vigente que les sea de aplicación y reunir las necesarias condiciones técnicas de seguridad, higiene, sanitarias, de accesibilidad y confortabilidad para las personas, y ajustarse a las disposiciones establecidas sobre condiciones de protección contra incendios en los edificios y, en su caso, al Código Técnico de Edificación.

Asimismo, deberán cumplir la normativa de prevención de riesgos laborales en cuanto a las condiciones de los puestos y la formación y vigilancia de la salud del personal trabajador.

Dichas condiciones técnicas habrán de acreditarse ante el Ayuntamiento correspondiente como mínimo con la presentación del **proyecto de instalación y certificado de seguridad y solidez** realizados por personal técnico competente y visados por su Colegio Profesional, acreditativo del cumplimiento de las condiciones técnicas y de seguridad previstas en el párrafo anterior, y sin perjuicio de presentar el justificante de la vigencia del contrato de seguro.

[En relación con la obligatoriedad del visado colegial ha de estarse a lo dispuesto en el art. 2 RD 1000/2010, de 5 de agosto, sobre visado colegial obligatorio.]

- **Inspección municipal: Requisitos y condiciones**

El Ayuntamiento comprobará que el establecimiento público eventual cumple con todas las condiciones técnicas y ambientales exigibles de acuerdo con la normativa vigente, por lo que estas estructuras desmontables o portátiles deberán estar completamente instaladas con una **antelación mínima de dos días hábiles**, con respecto al inicio de la actividad o espectáculo autorizado.

Cuando las citadas estructuras se ubiquen en zonas o parajes naturales, las empresas o entidades organizadoras estarán obligadas a dejarlos, una vez desmontadas, en similares condiciones a las previamente existentes a su montaje, siendo responsables de garantizar la protección ambiental del entorno donde se instalen.

Cuando los espectáculos públicos y actividades recreativas ocasionales se celebren en vías o terrenos objeto de la legislación sobre tráfico, circulación de vehículos a motor y seguridad vial, zonas de dominio público y en espacios abiertos de aforo indeterminado, se estará a lo establecido en los artículos 8 y 9.

- **Atracciones de feria (DA primera, D 195/2007)**

Los Ayuntamientos competentes para autorizar la instalación de atracciones de feria, habrán de ajustarse, en todo caso, a las condiciones establecidas en el artículo 6.2 respecto de los establecimientos eventuales, por lo que habrán de exigir como mínimo la aportación del proyecto de instalación, certificado de seguridad y solidez realizados por personal técnico competente y visado por su Colegio Profesional, y acreditación de la contratación del seguro obligatorio de responsabilidad civil en materia de espectáculos públicos y actividades recreativas.

- **Contenido mínimo de las autorizaciones de espectáculos públicos y actividades recreativas ocasionales (art. 7, D 195/2007)**

En las autorizaciones de espectáculos públicos y actividades recreativas de carácter ocasional se harán constar, como mínimo, los siguientes extremos:

a) Datos de la persona titular u organizadora del espectáculo público o actividad recreativa.

b) Descripción del espectáculo público o actividad recreativa a celebrar o desarrollar y la denominación establecida en el Catálogo.

c) Período de vigencia de la autorización.

d) Tipo de establecimiento público donde se desarrolla y su denominación conforme el Catálogo, salvo que el espectáculo público o actividad recreativa tenga lugar directamente en espacios abiertos de vías públicas y de otras zonas de dominio público, sin establecimiento público que los albergue.

e) Aforo máximo permitido, salvo que no se pueda determinar porque el espectáculo público o actividad recreativa se desarrolle directamente en espacios abiertos de vías públicas y de otras zonas de dominio público, sin establecimiento público que los albergue.

f) Horario de apertura y de cierre aplicable al establecimiento público o de celebración o desarrollo del espectáculo público o actividad recreativa en espacios abiertos de vías públicas y de otras zonas de dominio público.

g) Edad de admisión de las personas usuarias según la normativa vigente, sin perjuicio de la obligatoria publicidad de las condiciones específicas de admisión que en su caso procedan.

Requisito previo de obligatorio cumplimiento

No se otorgará ninguna autorización sin la previa acreditación documental de que su titular o empresa organizadora tiene suscrito y vigente el contrato de seguro de responsabilidad civil obligatorio en materia de espectáculos públicos y actividades recreativas, debiendo disponer la Administración competente de copia de la correspondiente póliza suscrita vigente.

• Pruebas deportivas, marchas ciclistas y otros eventos en vías o terrenos objeto de la legislación sobre tráfico, circulación de vehículos a motor y seguridad vial (art. 8, D 195/2007)

Requerirán autorización administrativa, con el contenido mínimo previsto en el artículo 7 y otorgada conforme al procedimiento y particularidades que se regulan en el artículo 9, los espectáculos públicos y actividades recreativas ocasionales que discurran por vías o terrenos objeto de la legislación sobre tráfico, circulación de vehículos a motor y seguridad vial, y que se relacionan a continuación:

a) Las pruebas deportivas.

b) Las marchas ciclistas organizadas de más de cincuenta participantes, concebidas como un mero ejercicio físico no competitivo, de carácter lúdico.

c) Los eventos en que participen vehículos históricos conceptuados como tales de acuerdo con el RD 1247/1995, de 14 de julio, por el que se aprueba el Reglamento de Vehículos Históricos, en número superior a 10, en los que no se establezca clasificación alguna sobre la base del movimiento de los vehículos, o bien se trate de una clasificación de velocidad o regularidad inferior a 50 km/h de media.

Los eventos distintos a los previstos en el apartado anterior que discurran sobre las vías públicas y terrenos objeto de la legislación sobre tráfico, circulación de vehículos a motor y seguridad vial, no requerirán la autorización prevista en el apartado anterior, y se regirán por las normas generales aprobadas por el RD 1428/2003, de 21 de noviembre, por el que se aprueba el Reglamento General de Circulación para la aplicación y desarrollo del texto articulado de la Ley sobre tráfico, circulación de vehículos a motor y seguridad vial, aprobado por el RD Legislativo 339/1990, de 2 de marzo, y cualesquiera otras que les fueran de aplicación.

• Procedimiento (art. 9, D 195/2007)

Solicitud y documentación

La persona física o jurídica organizadora de un espectáculo público o actividad recreativa ocasional en espacios abiertos de vías públicas y de otras zonas de dominio público, incluidos las vías o terrenos objeto de la legislación sobre tráfico, circulación de vehículos a motor y seguridad vial, deberá solicitar autorización al órgano competente, conforme a lo previsto en el artículo 4, con una antelación mínima de 30 días al previsto para su celebración.

A la solicitud de autorización deberá acompañarse, cuando proceda, la siguiente documentación:

a) En el supuesto de que se trate de pruebas deportivas calificadas como de competición oficial, permiso de organización y reglamento de la prueba expedido y sellado por la Federación Deportiva Andaluza, por la Administración Pública Deportiva o por la Universidad Andaluza que resulte competente según la legislación deportiva. En el caso de que la organización de las competiciones oficiales no federativas se realice por una federación deportiva, la entidad calificadora podrá delegar la emisión de este requisito en la misma.

b) Memoria descriptiva del evento, donde se especifique, en los casos que proceda, lo siguiente:

1.º Nombre de la actividad, fecha de celebración y, en su caso, número cronológico de la edición.

2.º Croquis preciso del recorrido, itinerario, perfil, horario probable de paso por los distintos lugares del recorrido y promedio previsto tanto de la cabeza de la prueba o evento como del cierre de ésta.

3.º Identificación de las personas responsables de la organización, concretamente de la persona que se ocupe de la dirección ejecutiva y, cuando proceda, de la persona responsable de seguridad vial, que dirigirá la actividad del personal auxiliar habilitado.

4.º Número aproximado de personas participantes previstas.

5.º Proposición de medidas de señalización de la prueba o evento y del resto de los dispositivos de seguridad previstos en los posibles lugares peligrosos.

6.º Plan de emergencia y autoprotección, para asegurar, con los medios humanos y materiales de que se dispongan, la prevención de siniestros y la intervención inmediata en el control de los mismos.

En el supuesto de que se trate de pruebas deportivas calificadas como de competición oficial se requerirá además informe técnico emitido por la Federación Deportiva Andaluza, por la Administración Pública Deportiva o por la Universidad Andaluza que resulte competente según la legislación deportiva, sobre la adecuación técnico deportiva de la competición, suficiencia e idoneidad de los medios de seguridad, asistencia médica, evacuación y extinción de incendios para caso de accidente. En el caso de que la organización de las competiciones oficiales no federativas se realice por una federación deportiva, la entidad calificadora podrá delegar la emisión de este informe en la misma.

c) Justificante de la contratación y vigencia del seguro obligatorio de responsabilidad civil en materia de espectáculos públicos y actividades recreativas.

d) Informe favorable de la Administración Pública titular de la vía sobre la viabilidad de la prueba o evento y, en el supuesto de utilizar espacios, vías o terrenos de titularidad privada, autorización de sus titulares.

e) En los casos en que la competencia para autorizar la prueba o evento recaiga en la Administración de la Junta de Andalucía, informe favorable en materia de seguridad vial de los Ayuntamientos de los municipios afectados por el desarrollo de la prueba o evento, a los que previamente la persona física o jurídica organizadora habrá remitido duplicado de la documentación prevista en los párrafos a), b) y c).

f) Informe favorable de la Consejería competente en materia de medio ambiente cuando la prueba o evento se desarrolle, en todo o en parte, en espacios naturales protegidos, terrenos forestales o vías pecuarias.

g) Documento acreditativo del pago de la tasa de tramitación que, en su caso, se establezca.

Verificación de la documentación

Recibida la solicitud y documentación preceptiva por el órgano competente, se comprobará que ha sido presentada en tiempo y forma, reuniendo los requisitos previstos en el apartado anterior.

Subsanación de deficiencias

En el caso de que se apreciaran deficiencias, se requerirá a la persona física o jurídica organizadora para que las subsane en el plazo de diez días hábiles. Transcurrido dicho plazo sin que se haya procedido a la subsanación por parte de la persona física o jurídica organizadora, se le tendrá por desistida de su petición, previa resolución declarativa de dicha circunstancia.

Informe

Una vez obre en poder del órgano competente para autorizar la prueba o evento toda la documentación requerida y se trate de alguna de las actividades previstas en el artículo 8.1, que se celebren o discurran en vías o terrenos objeto de la legislación sobre tráfico, circulación de vehículos a motor y seguridad vial, se remitirá una copia de los documentos previstos en el apartado 2.a), b) y c) a la Jefatura o Jefaturas Provinciales de Tráfico por donde discurra el itinerario de la prueba o evento, que emitirán informe, unificado en su caso, sobre su viabilidad y fijarán los servicios de vigilancia y regulación del tráfico.

El informe anterior no será preceptivo en los supuestos de pruebas o eventos que se desarrollen totalmente dentro del casco urbano de una población y no afecten a la circulación por travesías y vías interurbanas.

Carácter del informe

Los informes tendrán carácter vinculante cuando se opongan a la realización de la prueba o evento, o propongan variaciones en el recorrido, fechas, hora o lugar de celebración o establezcan limitaciones o medidas específicas de protección del medio ambiente.

Resolución

El órgano competente resolverá otorgando o denegando la autorización solicitada y notificará la correspondiente resolución con una antelación mínima de cinco días hábiles a la fecha de celebración de la prueba o evento y comunicará con carácter inmediato, en los casos que proceda, el contenido de la autorización a la Jefatura o Jefaturas Provinciales de Tráfico que correspondan y a los Ayuntamientos afectados.

La resolución de autorización podrá exigir la obligación de establecer un servicio de vigilancia privado, cuando concurran circunstancias de especial riesgo para las personas o la naturaleza de la actividad así lo haga necesario.

ESPECTÁCULOS PÚBLICOS Y ACTIVIDADES RECREATIVAS EXTRAORDINARIOS

• Requisitos mínimos (art. 11, D 195/2007)

Los establecimientos e instalaciones que alberguen espectáculos públicos o actividades recreativas de carácter extraordinario, deberán reunir, de conformidad con lo establecido en el artículo 10 de la Ley 13/1999, de 15 de diciembre:

— Las condiciones técnicas y ambientales adecuadas para la celebración de dichos espectáculos o actividades, que garanticen la seguridad, higiene, condiciones sanitarias, accesibilidad y confortabilidad para las personas, de vibraciones y nivel de ruidos, ajustándose a las disposiciones establecidas sobre condiciones de protección contra incendios en los edificios y, en su caso, al Código Técnico de Edificación y demás normativa aplicable en materia de protección del medio ambiente y de accesibilidad de edificios.

— Asimismo, deberán cumplir la normativa de prevención de riesgos laborales en cuanto a las condiciones de los puestos y la formación y vigilancia de la salud del personal trabajador.

En ningún caso se considerarán extraordinarios, aquellos espectáculos o actividades que respondan a una programación cíclica o se pretendan celebrar y desarrollar con periodicidad.

En estos casos, se entenderá que el establecimiento se pretende destinar ocasional o definitivamente a otra actividad distinta de aquélla para la que originariamente fue autorizado, por lo que se habrán de obtener las autorizaciones necesarias en cada supuesto.

Documentación

Las solicitudes de autorización de espectáculos públicos y actividades recreativas de carácter extraordinario, habrán de acompañarse, como mínimo, del certificado de seguridad y solidez del establecimiento y del proyecto de adecuación del mismo a la actividad que se pretende realizar, acreditativo del cumplimiento de las condiciones técnicas y ambientales, realizados por el personal técnico competente y visados por su Colegio Profesional, y sin perjuicio de lo establecido en el artículo 1.2 respecto al seguro obligatorio en materia de espectáculos públicos y actividades recreativas, en función del espectáculo público o actividad recreativa extraordinarios que hayan sido autorizados.

[En relación con la obligatoriedad del visado colegial ha de estarse a lo dispuesto en el art. 2 RD 1000/2010, de 5 de agosto, sobre visado colegial obligatorio.]

Si se tratara de establecimientos conformados por estructuras desmontables portátiles, se estará a lo establecido en el artículo 6.2 y 3.

• Contenido mínimo de las autorizaciones de espectáculos públicos y actividades recreativas extraordinarios (art. 12, D 195/2007)

En las autorizaciones de espectáculos públicos y actividades recreativas extraordinarios, se hará constar, como mínimo:

— los datos identificativos de la persona titular y persona o entidad organizadora,

— la denominación establecida en el Nomenclátor y el Catálogo de Espectáculos Públicos, Actividades Recreativas y Establecimientos Públicos de la Comunidad Autónoma de Andalucía para la actividad que corresponda,

— el período de vigencia de la autorización,

— el aforo de personas permitido,

— el horario de apertura y cierre aplicable al establecimiento en función del espectáculo público o actividad recreativa extraordinarios autorizados.

No se otorgará ninguna autorización sin la previa acreditación documental de que su titular o entidad organizadora tiene suscrito y vigente el contrato de seguro de responsabilidad civil obligatorio en materia de espectáculos públicos y actividades recreativas, debiendo contar el Ayuntamiento con copia de la póliza suscrita vigente.

Número máximo de espectáculos o actividades a celebrar

Sólo podrán celebrarse en un mismo establecimiento público un máximo de 12 espectáculos públicos o actividades recreativas extraordinarias al año, entendiéndose referido a un máximo de 12 días en el año natural, no considerándose un mismo espectáculo público o actividad recreativa, programaciones o ciclos de más de un día de duración.

ACTIVIDADES EVENTUALES, NO PERMANENTES O EXTRAORDINARIAS

Expediente de actividad eventual o extraordinaria

1.   Claves del Expediente

La Ley 13/1999, de 15 de diciembre, en su art. 6.5 atribuye a los municipios la competencia para la autorización de la celebración de espectáculos públicos o el desarrollo de actividades recreativas extraordinarias u ocasionales no sujetas a intervención autonómica, en establecimientos no destinados o previstos para albergar dichos eventos o cuando se pretenda su celebración y desarrollo en vías públicas o zonas de dominio público del término municipal. Dichos espectáculos o actividades asimismo están sujetos a intervención administrativa (art. 9.5).

En desarrollo del art. 2.7 de la Ley 13/1999 se dicta el Decreto 195/2007, de 26 de junio, por el que se establecen las condiciones generales para la celebración de espectáculos públicos y actividades recreativas de carácter ocasional y extraordinario.

La Disposición final primera del Decreto 155/2018 modifica los arts. 2, 7, 9 y 12.2 del Decreto 195/2007.

PREGUNTAS CLAVE

1. ¿Es obligatorio tener suscrito un seguro de responsabilidad civil para organizar espectáculos públicos o actividades recreativas ocasionales y extraordinarias?

El art. 1.2 del Decreto 195/2007, exige que todas las personas y entidades organizadoras de espectáculos públicos o de actividades recreativas reguladas en este Decreto, ya sean personas físicas o jurídicas, tendrán que tener suscrito el contrato de seguro de responsabilidad civil establecido en el artículo 14.c) de la Ley 13/1999, de 15 de diciembre, de Espectáculos Públicos y Actividades Recreativas de Andalucía, conforme a lo dispuesto en el Decreto 109/2005, de 26 de abril, por el que se regulan los requisitos de los contratos de seguro obligatorio de responsabilidad civil en materia de Espectáculos Públicos y Actividades Recreativas.

2. ¿Cómo ha de entenderse en caso de silencio la no notificación de la petición de realizar una actividad ocasional o extraordinaria?

El vencimiento de los plazos establecidos en el Decreto 195/2007 y, en su caso, en las correspondientes ordenanzas municipales sin haberse notificado resolución expresa, legitima a las personas interesadas para entender desestimadas sus solicitudes de autorización por silencio administrativo, de conformidad con lo establecido en el artículo 2.10 de la Ley 13/1999, de 15 de diciembre, según dispone el art. 1.4 del Decreto 195/2007 citado.

3. ¿Qué actividades o eventos quedan excluidos del ámbito del Decreto 195/2007?

Quedan excluidas del ámbito de aplicación, entre otras, las celebraciones de carácter estrictamente privado o familiar, así como las que supongan el ejercicio de derechos fundamentales en el ámbito laboral, político, religioso, sindical o docente (art. 3.1).

4. ¿Cuándo es competente el Ayuntamiento para autorizar espectáculos públicos o actividades recreativas ocasionales y extraordinarias?

Cuando se trate de espectáculos públicos y actividades recreativas ocasionales que se desarrollen o discurran exclusivamente en el término municipal correspondiente y los de carácter extraordinario en todo caso (art. 4.1.c) Decreto 195/2007).

5. ¿Qué requisito mínimo ha de cumplirse para otorgar la autorización de celebrar espectáculos públicos o actividades recreativas ocasionales y extraordinarias?

No se otorgará ninguna autorización sin la previa acreditación documental de que su titular o empresa organizadora tiene suscrito y vigente el contrato de seguro de responsabilidad civil obligatorio en materia de espectáculos públicos y actividades recreativas, debiendo disponer la Administración competente de copia de la correspondiente póliza suscrita vigente (art. 7.1 par. segundo y 12.1 par. segundo del Decreto 195/2007).

6. ¿Es necesario siempre indicar el aforo para autorizar la celebración espectáculos públicos o actividades recreativas ocasionales y extraordinarias?

No será necesaria la indicación del aforo de personas permitido, cuando éste no pueda estimarse por tratarse de espacios abiertos de aforo indeterminado (art. 7.2 Decreto 195/2007).

7. ¿Cuándo no se considera extraordinarias los espectáculos o actividades?

En ningún caso se considerarán extraordinarios, aquellos espectáculos o actividades que respondan a una programación cíclica o se pretendan celebrar y desarrollar con periodicidad. En estos casos, se entenderá que el establecimiento se pretende destinar ocasional o definitivamente a otra actividad distinta de aquélla para la que originariamente fue autorizado, por lo que se habrán de obtener las autorizaciones necesarias en cada supuesto (art. 12.1, D 195/2007).

8. ¿En el caso de atracciones de feria, qué documentación ha de exigirse?

Los Ayuntamientos competentes para autorizar la instalación de atracciones de feria, habrán de ajustarse, en todo caso, a las condiciones establecidas en el artículo 6.2 respecto de los establecimientos eventuales, por lo que habrán de exigir como mínimo la aportación del proyecto de instalación, certificado de seguridad y solidez realizados por personal técnico competente y visado por su Colegio Profesional, y acreditación de la contratación del seguro obligatorio de responsabilidad civil en materia de espectáculos públicos y actividades recreativas (D.A primera del Decreto 195/2007).

2. Jurisprudencia

• La sentencia apelada, como se ha expuesto, desestimó el recurso contencioso-administrativo al no apreciar vicio de nulidad o anulabilidad del procedimiento sancionador en cuanto a las notificaciones realizadas en el curso del mismo, que se produjeron por edictos, forma esta de notificación que la sentencia consideró legal en las circunstancias que relata, y constatada la ausencia de vicios, confirmó la resolución sancionadora, por cuanto de las actas de denuncia se desprendía la comisión de la infracción, tipificada como muy grave por el artículo 19.12 de la Ley 13/1999, de 15 de diciembre, de Espectáculos Públicos y Actividades Recreativas de Andalucía, consistente en la carencia de seguro obligatorio de responsabilidad civil, y sancionada en el grado mínimo de la escala sancionadora establecida en el artículo 22 de la citada Ley, por lo que no se entiende que en el recurso de apelación se reitere de nuevo la vulneración del principio de proporcionalidad, siendo esta una clara manifestación de lo que se expone a continuación. [STSJ Andalucía (Granada) 18 julio 2011.- LA LEY 199556/2011]

• Conduciendo la cuestión por tanto al análisis respecto de la existencia de base fáctica de la infracción debemos ratificar la decisión del Juzgado de instancia. Así tal y como señala la Administración apelante **es cierto que la póliza de seguro no aparece firmada por el recurrente como tomador del seguro**. Del mismo modo el justificante de pago obrante al folio 45 del expediente administrativo no consigna la fecha en el pretendido pago tuvo lugar y finalmente, el documento bancario que consta en el folio 46 del citado expediente, es un simple aviso de adeudo provisional por domiciliación subordinado al adeudo definitivo. Ahora bien se estima por la Sala que ello no permite inferir la inexistencia del seguro. **En una valoración conjunta del seguro cabe determinar sobre la base de tales documentos la existencia del mismo pues de una parte la voluntad de la aseguradora se infiere de su firma y del adeudo de pago. Del mismo modo cabe entender producida la voluntad del asegurado** pues siendo el seguro del año 2004 el aviso de adeudo emitido confirma la vigencia del seguro razón por la que resulta razonable atribuir al pago efectivamente realizado al año 2004 (fecha de la denuncia y de la póliza del seguro firmada por la aseguradora que consta en autos). Tal conclusión resulta además reforzada por la actuación misma de la Administración que considero tal documentación suficiente para proceder al archivo del expediente NUM001. Del mismo modo se considera por el funcionario informante del recurso de alzada interpuesto por el recurrente frente a la resolución sancionadora. [STSJ Andalucía (Granada) 19 noviembre 2012.- LA LEY 233655/2012]

• La primera disfunción que parece existir entre la parte actora y la parte demandada es si **se puede considerar un cotillón de nochevieja y de Reyes, como una actividad esporádica u ocasional, o de considerarse como una actividad habitual**. En este sentido cabe poner de manifiesto que el diccionario de la Real Academia Española de la Lengua define «cotillón» como «fiesta y baile que se celebra en un día señalado como el de fin de año o Reyes», y la palabra «esporádico», en cuanto a la acepción que es aplicable a este supuesto, es definida de la siguiente forma: «dicho de una cosa: Ocasional, sin ostensible enlace con antecedentes ni consiguientes»; por último, la palabra «ocasional» es definida, en una primera acepción, como «dicho de una cosa: Que ocasiona» y, en una segunda acepción, «que sobreviene por una ocasión o accidentalmente». Por tanto, **el concepto de ocasional o esporádico de la actividad de cotillón habrá que referirla a si esta actividad se realiza por un concreto establecimiento sin que exista una habitualidad, en el sentido de que este establecimiento no viene realizándola con anterioridad, ni piensa venir realizándola con posterioridad, siendo una actividad meramente accidental o ejecutada en una ocasión.** Por tanto, **el cotillón como tal es una actividad habitual**, si bien esta habitualidad solo tiene lugar dos veces al año (nochevieja y Reyes), pero la concreta actividad en unos locales será habitual si se organiza todos los años y será ocasionar o esporádica si normalmente no se organiza y sólo excepcionalmente se organiza algún esporádico año. [STSJ Castilla y León (Burgos) 2 julio 2010.- LA LEY 158162/2010 (También la STS Castilla y León (Burgos) 13 abril 2012.- LA LEY 69653/2012)]

- Recordemos que el art.º 42.1 de la Llei 11/2009 definía los espectáculos públicos y las actividades recreativas de carácter extraordinario como las que «se llevan a cabo esporádicamente en establecimientos abiertos al público que tienen licencia o autorización para una actividad diferente de la que se pretende hacer, o en espacios abiertos al público u otros locales que, todo y no tener la condición de establecimientos abiertos al público con licencia o autorización, cumplen las condiciones exigibles para llevar a cabo los espectáculos o las actividades....».

Y el Festival no tiene nada de esporádico a pesar de que se celebre una vez al año, en medio del verano; ya que esporádico es aquello que puede calificarse «de ocasional, sin un enlace ostensible con antecedentes y consiguientes» (ver RAE) o aquello «que se presenta de una manera aislada, sin obedecer a una ley general» (Diccionario de L'IEC). Y, en nuestro caso, el Festival se viene celebrando de forma regular y continuada, al menos desde el año 2006. Y esta situación repetitiva, ya hacía unos cuantos años que venía produciéndose en la fecha de concesión de la Licencia controvertida.

La consecuencia de todo lo que acabamos de decir no podrá ser de otra forma que la de **excluir el Festival —tal y como había estado concebido—, del régimen de autorizaciones del cual se había venido beneficiándose**. Lo contrario nos llevaría al absurdo de tener que admitir a priori —incluso en zonas con un uso residencial significativo—, la posibilidad de un número repetitivo e indeterminado de eventos musicales de características análogas a las del Festival y, por tanto, a convertir en papel mojado las previsiones legales de la propia OM, la cual (art.º 16.5) habría limitado la suspensión del cumplimiento de los objetivos de calidad acústica a cinco fiestas populares, con el claro designio de reducir a la mínima expresión el sacrificio del derecho de los vecinos a un grado de calidad acústica compatible con el derecho al descanso; compatible asimismo, con el derecho a la salud; y, subordinado —como no podía ser menos— al derecho de los residentes a disfrutar de la intimidad domiciliaria sin inmisiones acústicas perturbadoras. [STSJ Cataluña 14 marzo 2016.- LA LEY 20401/2016]

- Y en este caso está acreditado por la documental aportada con la demanda que el titular del pub Camelot no es la demandante sino D Juan Pablo, como se indica en la sentencia de instancia, y **es el titular del establecimiento abierto al público el que ha de suscribir el contrato de seguro al que se refiere el art. 6 de la citada Ley Autonómica 7/2006**, y cuyo incumplimiento por ese titular determina la comisión de la infracción muy grave prevista en el art. 36.6 de esa Ley. El hecho de que la demandante en vía administrativa no cuestionara la titularidad de ese pub Camelot en sus alegaciones —lo que ha explicado al señalar que era la titular de otro pub, el denominado pub Iris, que también figura en el expediente— **no determina que ha de soportar la sanción impuesta cuando ha acreditado que no es la titular** del citado pub Camelot, debiendo recordarse que en el procedimiento sancionador rige el principio de presunción de inocencia, como establece el art. 137 LRJAP, lo que comporta, sin necesidad ahora de mayores precisiones, que corresponde a la Administración la acreditación de los hechos que determinan la imposición de la correspondiente sanción. [STSJ Castilla y León (Valladolid) 30 septiembre 2016.- LA LEY 153959/2016]

• El vencimiento del plazo máximo sin haberse notificado resolución expresa legitima al interesado que hubiera deducido la solicitud para entenderla **estimada por silencio administrativo, excepto cuando se transfieran facultades relativas al dominio público** o al servicio público, o venga establecido por la normativa sectorial de aplicación, como es el caso de los espectáculos públicos y actividades recreativas de **carácter ocasional y extraordinario, que habrán de entenderse desestimadas**. Asimismo, la resolución presunta del instrumento de prevención y control ambiental correspondiente no podrá amparar el otorgamiento de licencia en contra de la normativa ambiental aplicable». [STSJ Andalucía (Granada) 11 abril 2017.- LA LEY 75735/2017]

3. Legislación aplicable

— Estatal

RD 2816/1982, de 27 de agosto, por el que se aprueba el Reglamento de Policía de Espectáculos Públicos y Actividades Recreativas.

RD 989/2015, de 30 de octubre, por el que se aprueba el Reglamento de artículos pirotécnicos y cartuchería.

— Autonómica

Ley 13/1999, de 15 diciembre, de espectáculos públicos y actividades recreativas de Andalucía.

Decreto 155/2018, de 31 de julio, por el que se aprueba el catálogo de espectáculos públicos, actividades recreativas y establecimientos públicos de Andalucía y se regulan sus modalidades, régimen de apertura o instalación y horarios de apertura y cierre.

Decreto 195/2007, de 26 de junio, por el que se establecen las condiciones generales para la celebración de espectáculos públicos y actividades recreativas de carácter ocasional y extraordinario.

MODELO DE EXPEDIENTE *(Disponible a texto íntegro en smarteca.es)*

1)   Comunicación de realización de actividad ocasional o extraordinaria

2)   Resolución admitiendo a trámite el expediente

3)   *Informe técnico*

4)   *Informe jurídico*

5)   *Resolución de la Alcaldía*

6)   *Notificación de la resolución*

2. Aragón

De acuerdo con el art. 10.e) de la **Ley 11/2005**, de 28 de diciembre, corresponde a los municipios la autorización de los establecimientos públicos destinados ocasional y esporádicamente a la celebración de espectáculos públicos o al desarrollo de actividades recreativas no sujetas a autorización autonómica, cuando no dispongan de la licencia correspondiente adecuada a dichos eventos o se pretenda su celebración y desarrollo en vías públicas o zonas de dominio público, de conformidad con las ordenanzas municipales.

En desarrollo de dicho precepto se dicta el Decreto 16/2014, de 4 de febrero, del Gobierno de Aragón, por el que se regula la celebración de espectáculos públicos y actividades recreativas ocasionales y extraordinarias, que en su art. 1.2 define a los espectáculos públicos y actividades recreativas:

a) **Ocasionales**, aquellas que, debidamente autorizadas, se desarrollen en instalaciones o estructuras eventuales desmontables o portátiles, durante un tiempo determinado. En tales casos las autorizaciones o licencias se otorgarán de forma específica para cada período de ejercicio de la actividad o programación de los espectáculos.

b) **Extraordinarias**, aquellas que, debidamente autorizadas, sean distintas a las que se desarrollan habitualmente en establecimientos públicos, y no figuren expresamente autorizadas en la correspondiente licencia de funcionamiento.

ACTIVIDADES EXCLUIDAS

Pese a revestir el carácter ocasional o extraordinario quedan excluidas (art. 2 Decreto 16/2014) las siguientes:

— Las actividades privadas, de carácter familiar o social, que no estén abiertas a la pública concurrencia en instalaciones, recintos o espacios propios de dichos ámbitos no incluidos en el «Catálogo de espectáculos públicos, actividades recreativas y establecimientos públicos de la Comunidad Autónoma de Aragón», siempre que no precisen de licencia municipal a tal fin, así como las que se realicen en el ejercicio de los derechos fundamentales consagrados en la Constitución.

— Asimismo quedan excluidas y se regirán por su normativa específica, sin perjuicio de la necesaria adopción de las medidas pertinentes que pudieran corresponder, en atención a las características del espectáculo, el riesgo inherente al mismo o a la actividad recreativa o el número de espectadores o público congregado:

a) Los espectáculos taurinos y festejos taurinos populares.

b) Los espectáculos y actividades deportivas.

c) Las mesas de demostración o torneos de juegos exclusivos de casino que se celebren fuera del recinto del casino.

d) Las actividades turísticas.

e) Los espectáculos públicos y actividades recreativas que se desarrollen y discurran en aguas de dominio público o que estén relacionadas con la navegación aérea.

f) Las actividades cinegéticas.

g) Los espectáculos públicos y actividades recreativas que se realicen al aire libre sin vallas, cercas o cualquier otro impedimento físico que acote el espacio en un recinto, con o sin techo.

h) Los espectáculos públicos y actividades recreativas organizadas por los Ayuntamientos o por comisiones habilitadas por éstos a tal efecto.

COMPETENCIA

Son órganos competentes para otorgar las autorizaciones de espectáculos o actividades ocasionales o extraordinarios, los siguientes (art. 3 Decreto 16/2014):

La autorización para la celebración de un espectáculo público o una actividad recreativa ocasional o extraordinaria corresponde al **Ayuntamiento** del municipio donde tenga lugar, de conformidad con el artículo 10 de la Ley 11/2005, de 28 de diciembre, reguladora de los espectáculos públicos, actividades recreativas y establecimientos públicos de la Comunidad Autónoma de Aragón.

No obstante, corresponde a la **Administración autonómica** autorizar la celebración de espectáculos públicos o actividades recreativas ocasionales o extraordinarias:

a) Cuando el espacio en el que se desarrolle la actividad principal esté ubicado en más de un término municipal y no pueda ser objeto de autorización individualizada por cada uno de los ayuntamientos afectados.

b) Cuando la legislación sectorial que regule la actividad o el espectáculo a desarrollar exija la intervención administrativa de ésta.

PROCEDIMIENTO DE AUTORIZACIÓN

• Principios generales (art. 4 Decreto 16/2014)

La **iniciación y tramitación** del procedimiento de autorización de la celebración de espectáculos públicos y actividades recreativas ocasionales y extraordinarias, estarán sujetas a lo previsto en la Ley 30/1992, de 26 de noviembre, de Régimen Jurídico de las Administraciones Públicas y del Procedimiento Administrativo Común, para los procedimientos iniciados a solicitud del interesado, sin perjuicio de los sistemas de tramitación telemática que se pudieran aprobar.

La Administración competente podrá, en cualquier momento del procedimiento, exigir al organizador que aporte **certificaciones técnicas complementarias** sobre las condiciones de higiene y seguridad del espacio en el que se celebre el espectáculo o actividad, de acuerdo con sus características estructurales y funcionales y el número y la peligrosidad de las instalaciones que lleve incorporadas.

• **Solicitud y documentación preceptiva (art. 5 Decreto 16/2014)**

A la solicitud de autorización, que se presentará a la Administración competente con una **antelación mínima de un mes** respecto a la fecha prevista para la celebración del evento, se deberá acompañar, como mínimo, la siguiente documentación:

a) Certificación acreditativa de estar al corriente de sus obligaciones tributarias y de la Seguridad Social, pudiendo el organizador autorizar a la Administración competente para obtenerla en su nombre, y de no tener pendiente ninguna obligación pecuniaria en materia de sanciones graves o muy graves con la Administración autorizante.

b) Justificante de alta en el impuesto correspondiente para la actividad que solicita la autorización.

c) Memoria explicativa del espectáculo público o actividad recreativa que se pretenda realizar, y que comprenderá, en todo caso: clase de espectáculo o actividad, lugar, fecha y horario de las actuaciones, título de las obras o los nombres de los intérpretes, la calificación del espectáculo público o de la actividad recreativa por edad, inclusión de sesiones especiales para menores, precio de las entradas, número de entradas que se vayan a expedir, determinación del número de asistentes que hayan de constituir el aforo máximo del recinto o local, descripción de los sistemas de control de aforos a utilizar, condiciones de admisión y, en su caso, instrucciones particulares para el normal desarrollo del evento.

A dicha memoria se incorporará, descripción del espectáculo público o actividad recreativa, a los efectos de la aplicación de lo dispuesto en el presente Decreto, con respecto a las medidas de protección de menores.

d) Un ejemplar del cartel del espectáculo público o actividad recreativa que deberá contener la siguiente información: clase de espectáculo o actividad, fecha, horario y lugar de las actuaciones, precio de las entradas o lugar donde se pueda consultar, lugares de venta, así como las condiciones de admisión particulares visadas por la Comunidad Autónoma.

e) Certificado suscrito por técnico competente referido a:

— La adecuación del espacio en el que se va a desarrollar el espectáculo o la actividad a la normativa de seguridad y de protección civil, acompañado de un plano actualizado descriptivo del local, con indicación de los accesos a las zonas y salidas de evacuación, las condiciones de salubridad, los servicios higiénicos y las estructuras desmontables o portátiles a instalar, tales como escenarios o barras de expedición de bebidas que resten densidad de ocupación para el acomodo del público asistente y del personal que preste servicios en el evento, y, en su caso, nuevo emplazamiento del mobiliario del local.

— Distribución del aforo por zonas, señalando las zonas de acceso limitado y las plazas de reducción o ampliación, en su caso.

— La solidez de las estructuras y funcionamiento de las instalaciones.

— La instalación eléctrica.

— Prevención y protección de incendios y otros riesgos inherentes a la actividad, facilitando la accesibilidad de los medios de auxilio externos.

— Medidas de aislamiento acústico suficientes para garantizar que no se producirán molestias a las personas que residen en la proximidad del evento.

— Medidas de protección del entorno urbano, medio ambiente y patrimonio natural y cultural.

— Accesibilidad y supresión de barreras arquitectónicas.

— Cumplimiento de la normativa sobre seguridad y salud laboral.

f) Documento acreditativo de la disponibilidad del local, recinto o uso del espacio acotado, así como la conformidad, expresa y favorable, del propietario, público o privado.

g) Relación nominal del personal del servicio de admisión y su número de acreditación otorgado por el Gobierno de Aragón, así como, en su caso, el personal de vigilancia de seguridad habilitado.

h) Certificación de la compañía aseguradora que acredite el seguro de responsabilidad civil en materia de espectáculos, actividades recreativas y establecimientos públicos exigidos en el Decreto 13/2009, de 10 de febrero, del Gobierno de Aragón.

i) Compromiso de disponer de hojas de reclamaciones a disposición del público y de las autoridades de inspección en el espacio en el que se desarrolle el evento.

j) Resguardo de depósito de la fianza exigida en el artículo 8 de este Decreto, según aforo.

k) Justificante del pago de la tasa administrativa de autorización de espectáculos públicos o actividades recreativas ocasionales o extraordinarias.

• Documentación específica por motivos de aforo (art. 6 Decreto 16/2014)

Para la obtención de una autorización de celebración de un espectáculo público o actividad recreativa en recintos cerrados con un aforo igual o superior a 2.000 personas; en instalaciones cerradas desmontables o de temporada con aforo igual o superior a 2.500 personas; y en espacios al aire libre acotados con capacidad igual o superior a 20.000 personas, el organizador deberá acompañar, además, la siguiente documentación:

a) Plan de autoprotección del local o recinto que deberá estar inscrito en el Registro de Protección Civil de la Administración de la Comunidad Autonomía de Aragón.

b) Justificación de disponer de servicios automáticos homologados de control de aforos.

c) Certificado negativo de antecedentes penales relacionados con la organización de espectáculos públicos y actividades recreativas expedido por el Registro Central de Penados y Rebeldes, pudiendo autorizar a la Administración competente a obtenerlo en su nombre.

- **Inspección y contenido de la resolución (art. 7 Decreto 16/2014)**

Órgano competente

El órgano competente para resolver, a la vista del examen de los documentos presentados y del resultado de las inspecciones de los locales, recintos o instalaciones, que en su caso correspondan, otorgará la autorización o la denegará, en el plazo máximo de **veinte días hábiles** desde la presentación de la solicitud, previa audiencia del organizador o, en su caso, de los interesados en el procedimiento.

Contenido de la resolución

La resolución favorable contendrá, como mínimo, los siguientes datos:

a) Identificación de la persona física o jurídica autorizada.

b) Denominación de la clase de espectáculo o actividad, con indicación de la fecha, lugar y horario de celebración.

c) Aforo máximo permitido.

d) Forma de expedición de entradas y precio de las mismas.

e) En su caso, condiciones del abono de localidades para una serie de actuaciones o representaciones previstas.

f) Calificación del espectáculo público o actividad recreativa por edad.

g) Dispositivos sanitarios y medidas higiénicas necesarias para su desarrollo.

h) Personal de admisión y de seguridad necesario para el desarrollo del evento.

i) Indicación de los objetos cuya introducción o tenencia este prohibida según el tipo de espectáculo y actividad recreativa de que se trate.

Comunicación de las autorizaciones

Las autorizaciones se comunicarán inmediatamente al «**Centro de Emergencias 112 SOS Aragón**» y a la Subdelegación del Gobierno de la provincia correspondiente.

Visita de inspección

Con carácter **previo al inicio del espectáculo o actividad**, se girará visita de inspección para la comprobación de los extremos autorizados al organizador, sin perjuicio de las inspecciones que puedan realizarse durante la celebración de los mismos.

- **Fianzas (art. 8 Decreto 16/2014)**

Los organizadores de los espectáculos y actividades recreativas ocasionales o extraordinarias, deberán constituir fianza a favor de la Administración autorizante, con objeto de responder de las posibles obligaciones económicas que pudieran derivarse de su organización y celebración, que no se encuentren en el ámbito de cobertura del seguro de responsabilidad civil a que se refiere el artículo 5.1.h), del Decreto 16/2014 y, en todo caso, del cumplimiento de las sanciones que pudieran imponerse con motivo de su desarrollo, por las cantidades siguientes:

AFORO	IMPORTE €
Hasta 500 personas	1.000
De 501 a 1.000 personas	2.000
Más de 1.000 personas	3.000
Incremento de aforo en más de 1.000 personas	1.000 euros con un límite máximo de 18.000 euros.

La **devolución** se producirá una vez haya sido comprobado que el organizador no debe responder por ningún supuesto por el que se constituyó la misma, acreditado mediante acta de inspección de la Administración autorizante.

REQUISITOS GENERALES PARA LA ORGANIZACIÓN DE ESPECTÁCULOS PÚBLICOS O ACTIVIDADES RECREATIVAS OCASIONALES Y EXTRAORDINARIAS

• Medidas de protección de menores (art. 9 Decreto 16/2014)

Queda **prohibida la entrada y permanencia** de menores de edad en los recintos, en los que se desarrollen espectáculos públicos y actividades recreativas, ocasionales o extraordinarias, especialmente dedicados a la expedición de bebidas alcohólicas, **salvo que vayan acompañados de sus padres**, o de quienes les sustituyan en el ejercicio de las funciones propias de la patria potestad o autoridad familiar, o salvo que los organizadores **habiliten zonas diferenciadas** de forma que quede garantizado que los menores de edad no pueden adquirir ni consumir bebidas alcohólicas.

Se entienden incluidos en este apartado, aquellos espectáculos públicos y actividades recreativas, ocasionales o extraordinarias cuya actividad sea similar con las que se desarrollan en las salas de fiestas, discotecas, salas de baile, pubs, güisquerías y clubes.

Los organizadores de los espectáculos públicos y actividades recreativas comprendidas en el ámbito de aplicación del Decreto 16/2014, podrán organizar **sesiones especiales para menores de edad** en la que quede prohibida la expedición y consumo de alcohol a éstos.

Corresponde al personal del servicio de admisión garantizar la prohibición de acceso a los menores de edad en los supuestos anteriormente señalados.

• Personal de admisión (art. 10 Decreto 16/2014)

La celebración de espectáculos públicos y actividades recreativas ocasionales y extraordinarias exigirá, como mínimo, disponer del siguiente personal de admisión acreditado:

a) De 151 personas a 250 de aforo autorizado o de 101 personas a 200 en establecimientos situados en zonas saturadas, o cuando así se establezca en la autorización o licencia, 1 persona.

b) De 251 a 500 personas de aforo autorizado, 2 personas.

c) De 501 a 1.000 personas de aforo autorizado, 3 personas.

d) A partir de 1.001 personas de aforo autorizado, 1 persona más por cada 500 personas de aforo.

La Administración competente, a la vista de la documentación presentada y previa audiencia al solicitante, podrá exigir el **incremento de las dotaciones mínimas de personal de admisión** cuando se estime que concurren circunstancias de especial riesgo para las personas, o cuando la ubicación o características estructurales o funcionales del local o recinto, el número y peligrosidad de las instalaciones, o la naturaleza de la actividad, así lo aconsejen, para lo cual solicitará informe al órgano competente en materia de seguridad y protección civil.

- **Régimen sancionador (DA única Decreto 16/2014)**

Será de aplicación a las materias reguladas en el Decreto 16/2014 el régimen sancionador establecido en la Ley 11/2005, de 28 de diciembre Reguladora de los Espectáculos Públicos y Actividades Recreativas y Establecimientos Públicos vigente.

Expediente de actividad eventual no permanente

1. Claves del Expediente

A tenor de lo dispuesto en el art. 21 de la Ley 11/2005, de 28 de diciembre, reguladora de los espectáculos públicos, actividades recreativas y establecimientos públicos de la Comunidad Autónoma de Aragón:

— Está sujeta a licencia municipal los espectáculos públicos, las actividades recreativas y los establecimientos públicos que por su naturaleza requieran la utilización de instalaciones o estructuras eventuales, portátiles o desmontables con carácter no permanente.

— Si el espectáculo o actividad está incluido en el ámbito de aplicación de la normativa reguladora de actividades clasificadas u otra legislación sectorial, el Municipio solicitará a los órganos competentes de la Administración de la Comunidad Autónoma los informes que sean preceptivos

— Deberán cumplirse en términos análogos a los de las instalaciones fijas, las condiciones técnicas aplicables, así como la disponibilidad del seguro, debiéndose comprobar tales extremos previamente al inicio de la actividad.

2. Jurisprudencia

- La sentencia apelada, como se ha expuesto, desestimó el recurso contencioso-administrativo al no apreciar vicio de nulidad o anulabilidad del procedimiento sancionador en cuanto a las notificaciones realizadas en el curso del mismo, que se produjeron por edictos, forma esta de notificación que la sentencia consideró legal en las circunstancias que relata, y constatada la ausencia de vicios, confirmó la resolución sancionadora, por cuanto de las actas de denuncia se desprendía la comisión de la infracción, tipificada como muy grave por el artículo 19.12 de la Ley 13/1999, de 15 de diciembre, de Espectáculos Públicos y Actividades Recreativas de Andalucía, consistente en la carencia de seguro obligatorio de responsabilidad civil, y sancionada en el grado mínimo de la escala sancionadora establecida en el artículo 22 de la citada Ley, por lo que no se entiende que en el recurso de apelación se reitere de nuevo la vulneración del principio de proporcionalidad, siendo esta una clara manifestación de lo que se expone a continuación. [STSJ Andalucía (Granada) 18 julio 2011.- LA LEY 199556/2011]

• Conduciendo la cuestión por tanto al análisis respecto de la existencia de base fáctica de la infracción debemos ratificar la decisión del Juzgado de instancia. Así tal y como señala la Administración apelante **es cierto que la póliza de seguro no aparece firmada por el recurrente como tomador del seguro**. Del mismo modo el justificante de pago obrante al folio 45 del expediente administrativo no consigna la fecha en el pretendido pago tuvo lugar y finalmente, el documento bancario que consta en el folio 46 del citado expediente, es un simple aviso de adeudo provisional por domiciliación subordinado al adeudo definitivo. Ahora bien se estima por la Sala que ello no permite inferir la inexistencia del seguro. **En una valoración conjunta del seguro cabe determinar sobre la base de tales documentos la existencia del mismo pues de una parte la voluntad de la aseguradora se infiere de su firma y del adeudo de pago. Del mismo modo cabe entender producida la voluntad del asegurado** pues siendo el seguro del año 2004 el aviso de adeudo emitido confirma la vigencia del seguro razón por la que resulta razonable atribuir al pago efectivamente realizado al año 2004 (fecha de la denuncia y de la póliza del seguro firmada por la aseguradora que consta en autos). Tal conclusión resulta además reforzada por la actuación misma de la Administración que considero tal documentación suficiente para proceder al archivo del expediente NUM001. Del mismo modo se considera por el funcionario informante del recurso de alzada interpuesto por el recurrente frente a la resolución sancionadora. [STSJ Andalucía (Granada) 19 noviembre 2012.- LA LEY 233655/2012]

• La primera disfunción que parece existir entre la parte actora y la parte demandada es si **se puede considerar un cotillón de nochevieja y de Reyes, como una actividad esporádica u ocasional, o de considerarse como una actividad habitual**. En este sentido cabe poner de manifiesto que el diccionario de la Real Academia Española de la Lengua define «cotillón» como «fiesta y baile que se celebra en un día señalado como el de fin de año o Reyes», y la palabra «esporádico», en cuanto a la acepción que es aplicable a este supuesto, es definida de la siguiente forma: «dicho de una cosa: Ocasional, sin ostensible enlace con antecedentes ni consiguientes»; por último, la palabra «ocasional» es definida, en una primera acepción, como «dicho de una cosa: Que ocasiona» y, en una segunda acepción, «que sobreviene por una ocasión o accidentalmente». Por tanto, **el concepto de ocasional o esporádico de la actividad de cotillón habrá que referirla a si esta actividad se realiza por un concreto establecimiento sin que exista una habitualidad, en el sentido de que este establecimiento no viene realizándola con anterioridad, ni piensa venir realizándola con posterioridad, siendo una actividad meramente accidental o ejecutada en una ocasión**. Por tanto, **el cotillón como tal es una actividad habitual**, si bien esta habitualidad solo tiene lugar dos veces al año (nochevieja y Reyes), pero la concreta actividad en unos locales será habitual si se organiza todos los años y será ocasionar o esporádica si normalmente no se organiza y sólo excepcionalmente se organiza algún esporádico año. [STSJ Castilla y León (Burgos) 2 julio 2010.- LA LEY 158162/2010 (También la STS Castilla y León (Burgos) 13 abril 2012.- LA LEY 69653/2012)]

• Recordemos que el art.º 42.1 de la Llei 11/2009 definía los espectáculos públicos y las actividades recreativas de carácter extraordinario como las que «se llevan a cabo esporádicamente en establecimientos abiertos al público que tienen licencia o autorización para una actividad diferente de la que se pretende hacer, o en espacios abiertos al público u otros locales que, todo y no tener la condición de establecimientos abiertos al público con licencia o autorización, cumplen las condiciones exigibles para llevar a cabo los espectáculos o las actividades....».

Y el Festival no tiene nada de esporádico a pesar de que se celebre una vez al año, en medio del verano; ya que esporádico es aquello que puede calificarse «de ocasional, sin un enlace ostensible con antecedentes y consiguientes» (ver RAE) o aquello «que se presenta de una manera aislada, sin obedecer a una ley general» (Diccionario de L'IEC). Y, en nuestro caso, el Festival se viene celebrando de forma regular y continuada, al menos desde el año 2006. Y esta situación repetitiva, ya hacía unos cuantos años que venía produciéndose en la fecha de concesión de la Licencia controvertida.

La consecuencia de todo lo que acabamos de decir no podrá ser de otra forma que la de **excluir el Festival —tal y como había estado concebido—, del régimen de autorizaciones del cual se había venido beneficiándose**. Lo contrario nos llevaría al absurdo de tener que admitir *a priori* —incluso en zonas con un uso residencial significativo—, la posibilidad de un número repetitivo e indeterminado de eventos musicales de características análogas a las del Festival y, por tanto, a convertir en papel mojado las previsiones legales de la propia OM, la cual (art.º 16.5) habría limitado la suspensión del cumplimiento de los objetivos de calidad acústica a cinco fiestas populares, con el claro designio de reducir a la mínima expresión el sacrificio del derecho de los vecinos a un grado de calidad acústica compatible con el derecho al descanso; compatible asimismo, con el derecho a la salud; y, subordinado —como no podía ser menos— al derecho de los residentes a disfrutar de la intimidad domiciliaria sin inmisiones acústicas perturbadoras. [STSJ Cataluña 14 marzo 2016.- LA LEY 20401/2016]

• Y en este caso está acreditado por la documental aportada con la demanda que el titular del pub Camelot no es la demandante sino D Juan Pablo, como se indica en la sentencia de instancia, y **es el titular del establecimiento abierto al público el que ha de suscribir el contrato de seguro al que se refiere el art. 6 de la citada Ley Autonómica 7/2006**, y cuyo incumplimiento por ese titular determina la comisión de la infracción muy grave prevista en el art. 36.6 de esa Ley. El hecho de que la demandante en vía administrativa no cuestionara la titularidad de ese pub Camelot en sus alegaciones —lo que ha explicado al señalar que era la titular de otro pub, el denominado pub Iris, que también figura en el expediente— **no determina que ha de soportar la sanción impuesta cuando ha acreditado que no es la titular** del citado pub Camelot, debiendo recordarse que en el procedimiento sancionador rige el principio de presunción de inocencia, como establece el art. 137 LRJAP, lo que comporta, sin necesidad ahora de mayores precisiones, que corresponde a la Administración la acreditación de los hechos que determinan la imposición de la correspondiente sanción. [STSJ Castilla y León (Valladolid) 30 septiembre 2016.- LA LEY 153959/2016]

• El vencimiento del plazo máximo sin haberse notificado resolución expresa legitima al interesado que hubiera deducido la solicitud para entenderla **estimada por silencio administrativo, excepto cuando se transfieran facultades relativas al dominio público** o al servicio público, o venga establecido por la normativa sectorial de aplicación, como es el caso de los espectáculos públicos y actividades recreativas de **carácter ocasional y extraordinario, que habrán de entenderse desestimadas**. Asimismo, la resolución presunta del instrumento de prevención y control ambiental correspondiente no podrá amparar el otorgamiento de licencia en contra de la normativa ambiental aplicable. [STSJ Andalucía (Granada) 11 abril 2017.- LA LEY 75735/2017]

3.   Legislación aplicable

— Estatal

RD 2816/1982, de 27 de agosto, por el que se aprueba el Reglamento de Policía de Espectáculos Públicos y Actividades Recreativas.

RD 989/2015, de 30 de octubre, por el que se aprueba el Reglamento de artículos pirotécnicos y cartuchería.

— Autonómica

Art. 21 de la Ley 11/2005, de 28 de diciembre, reguladora de los espectáculos públicos, actividades recreativas y establecimientos públicos de la Comunidad Autónoma de Aragón.

Decreto 13/2009, de 10 de febrero, del Gobierno de Aragón, por el que se aprueba el Reglamento que regula los seguros de responsabilidad civil en materia de espectáculos públicos, actividades recreativas y establecimientos públicos en la Comunidad Autónoma de Aragón.

Decreto 220/2006, de 7 de noviembre, del Gobierno de Aragón, por el que se aprueba el catálogo de espectáculos públicos, actividades recreativas y establecimientos públicos de la Comunidad Autónoma de Aragón.

MODELO DE EXPEDIENTE *(Disponible a texto íntegro en smarteca.es)*

1)   Comunicación de realización de actividad eventual no peermanente

2)   Resolución admitiendo a trámite el expediente

3)   Informe técnico

4)   Informe jurídico

5)   Resolución de la Alcaldía

6)   Notificación de la resolución

3.   Canarias

El **Decreto 86/2013**, de 1 de agosto, por el que se aprueba el Reglamento de actividades clasificadas y espectáculos públicos, en su art. 60.4 se refiere a las cuantías mínimas de los **seguros de responsabilidad civil** en el caso de **instalaciones o estructuras portátiles o desmontables**, que se utilicen con ocasión de ferias o atracciones en espacios abiertos o en la vía pública, donde su aforo sea indeterminado, el capital mínimo asegurado será de 150.300 euros por cada instalación o estructura, quedando obligada a contratar la póliza de seguro la persona propietaria o arrendadora de la instalación.

No existe regulación específica sobre las actividades eventuales, ocasiones o extraordinarias, en la Ley 7/2011, de 5 de abril, de actividades clasificadas y espectáculos públicos y otras medidas administrativas complementarias

4. Cantabria

Ley 3/2017, de 5 de abril, de Espectáculos Públicos y Actividades Recreativas de Cantabria, en su art. 8 c) y d) confiere a los municipios competencias para la concesión de autorizaciones para la celebración de espectáculos públicos o de actividades recreativas extraordinarias dentro de su ámbito territorial, en establecimientos públicos no destinados o previstos para albergar dichos eventos, así como para la concesión de autorizaciones para la celebración de espectáculos públicos, de actividades recreativas incluidos los de carácter conmemorativo, cuando se pretenda su celebración y desarrollo en establecimientos públicos, instalaciones portátiles o desmontables, o en vías públicas o zonas de dominio público del término municipal.

Asimismo atribuye a los Municipios mediante sus correspondientes ordenanzas municipales y, dentro de sus competencias, y sin perjuicio de las que corresponden a la Administración de la Comunidad Autónoma de Cantabria, añadir requisitos, condiciones o límites para la apertura de establecimientos públicos e instalaciones portátiles o desmontables y a la celebración de espectáculos públicos y actividades recreativas (art. 8 f)

1. Claves del Expediente

El art. 21.2 de la Ley 3/2017, de 5 de abril, de Espectáculos Públicos y Actividades Recreativas de Cantabria se refiere a los espectáculos públicos y actividades recreativas de carácter extraordinario.

Precisan licencia municipal si su celebración es dentro del ámbito territorial del municipio, o de la Comunidad Autónoma si afecta a más de un término municipal

Los espectáculos públicos y actividades recreativas de carácter extraordinario han de cumplir las condiciones y requisitos establecidos en los arts. 13,14 y 15 de la citada Ley 3/2017.

PREGUNTAS CLAVE

1. ¿Ha de contratarse seguro de responsabilidad civil para celebrar un espectáculo público o actividad recreativa de carácter extraordinario?

El art. 15.1 de la Ley 3/2017, de 5 de abril, de Espectáculos Públicos y Actividades Recreativas de Cantabria exige la contratación de un seguro de responsabilidad civil.

2. ¿Quién ha de contratar el seguro de responsabilidad civil?

Los titulares de establecimientos públicos, instalaciones portátiles o desmontables o, en su caso, los organizadores de espectáculos y actividades recreativas (art. 15.1 de la Ley 3/2017, de 5 de abril, de Espectáculos Públicos y Actividades Recreativas de Cantabria).

2. Jurisprudencia

• La sentencia apelada, como se ha expuesto, desestimó el recurso contencioso-administrativo al no apreciar vicio de nulidad o anulabilidad del procedimiento sancionador en cuanto a las notificaciones realizadas en el curso del mismo, que se produjeron por edictos, forma esta de notificación que la sentencia consideró legal en las circunstancias que relata, y constatada la ausencia de vicios, confirmó la resolución sancionadora, por cuanto de las actas de denuncia se desprendía la comisión de la infracción, tipificada como muy grave por el artículo 19.12 de la Ley 13/1999, de 15 de diciembre, de Espectáculos Públicos y Actividades Recreativas de Andalucía, consistente en la carencia de seguro obligatorio de responsabilidad civil, y sancionada en el grado mínimo de la escala sancionadora establecida en el artículo 22 de la citada Ley, por lo que no se entiende que en el recurso de apelación se reitere de nuevo la vulneración del principio de proporcionalidad, siendo esta una clara manifestación de lo que se expone a continuación. [STSJ Andalucía (Granada) 18 julio 2011.- LA LEY 199556/2011]

• Conduciendo la cuestión por tanto al análisis respecto de la existencia de base fáctica de la infracción debemos ratificar la decisión del Juzgado de instancia. Así tal y como señala la Administración apelante **es cierto que la póliza de seguro no aparece firmada por el recurrente como tomador del seguro.** Del mismo modo el justificante de pago obrante al folio 45 del expediente administrativo no consigna la fecha en el pretendido pago tuvo lugar y finalmente, el documento bancario que consta en el folio 46 del citado expediente, es un simple aviso de adeudo provisional por domiciliación subordinado al adeudo definitivo. Ahora bien se estima por la Sala que ello no permite inferir la inexistencia del seguro. **En una valoración conjunta del seguro cabe determinar sobre la base de tales documentos la existencia del mismo pues de una parte la voluntad de la aseguradora se infiere de su firma y del adeudo de pago. Del mismo modo cabe entender producida la voluntad del asegurado** pues siendo el seguro del año 2004 el aviso de adeudo emitido confirma la vigencia del seguro razón por la que resulta razonable atribuir al pago efectivamente realizado al año 2004 (fecha de la denuncia y de la póliza del seguro firmada por la aseguradora que consta en autos). Tal conclusión resulta además reforzada por la actuación misma de la Administración que considero tal documentación suficiente para proceder al archivo del expediente NUM001. Del mismo modo se considera por el funcionario informante del recurso de alzada interpuesto por el recurrente frente a la resolución sancionadora. [STSJ Andalucía (Granada) 19 noviembre 2012.- LA LEY 233655/2012]

• La primera disfunción que parece existir entre la parte actora y la parte demandada es si **se puede considerar un cotillón de nochevieja y de Reyes, como una actividad esporádica u ocasional, o de considerarse como una actividad habitual.** En este sentido cabe poner de manifiesto que el diccionario de la Real Academia Española de la Lengua define «cotillón» como «fiesta y baile que se celebra en un día señalado como el de fin de año o Reyes», y la palabra «esporádico», en cuanto a la acepción que es aplicable a este supuesto, es definida de la siguiente forma: «dicho de una cosa: Ocasional, sin ostensible enlace con antecedentes ni consiguientes»; por último, la palabra «ocasional» es definida, en una primera acepción, como «dicho de una cosa: Que ocasiona» y, en una segunda acepción, «que sobreviene por una ocasión o accidentalmente». Por tanto, **el concepto de ocasional o esporádico de la actividad de cotillón habrá que referirla a si esta actividad se realiza por un concreto establecimiento sin** que exista una habitualidad, en el sentido de que este establecimiento no viene realizándola con anterioridad, ni piensa venir realizándola con posterioridad, siendo una actividad meramente accidental o ejecutada en una ocasión. Por tanto, **el cotillón como tal es una actividad habitual**, si bien esta habitualidad solo tiene lugar dos veces al año (nochevieja y Reyes), pero la concreta actividad en unos locales será habitual si se organiza todos los años y será ocasionar o esporádica si normalmente no se organiza y sólo excepcionalmente se organiza algún esporádico año. [STSJ Castilla y León (Burgos) 2 julio 2010.- LA LEY 158162/2010 (También la STS Castilla y León (Burgos) 13 abril 2012.- LA LEY 69653/2012)]

• Recordemos que el art.º 42.1 de la Llei 11/2009 definía los espectáculos públicos y las actividades recreativas de carácter extraordinario como las que «se llevan a cabo esporádicamente en establecimientos abiertos al público que tienen licencia o autorización para una actividad diferente de la que se pretende hacer, o en espacios abiertos al público u otros locales que, todo y no tener la condición de establecimientos abiertos al público con licencia o autorización, cumplen las condiciones exigibles para llevar a cabo los espectáculos o las actividades....».

Y el Festival no tiene nada de esporádico a pesar de que se celebre una vez al año, en medio del verano; ya que esporádico es aquello que puede calificarse «de ocasional, sin un enlace ostensible con antecedentes y consiguientes» (ver RAE) o aquello «que se presenta de una manera aislada, sin obedecer a una ley general» (Diccionario de L'IEC). Y, en nuestro caso, el Festival se viene celebrando de forma regular y continuada, al menos desde el año 2006. Y esta situación repetitiva, ya hacía unos cuantos años que venía produciéndose en la fecha de concesión de la Licencia controvertida.

La consecuencia de todo lo que acabamos de decir no podrá ser de otra forma que la de **excluir el Festival —tal y como había estado concebid—, del régimen de autorizaciones del cual se había venido beneficiándose**. Lo contrario nos llevaría al absurdo de tener que admitir *a priori* —incluso en zonas con un uso residencial significativo—, la posibilidad de un número repetitivo e indeterminado de eventos musicales de características análogas a las del Festival y, por tanto, a convertir en papel mojado las previsiones legales de la propia OM, la cual (art.º 16.5) habría limitado la suspensión del cumplimiento de los objetivos de calidad acústica a cinco fiestas populares, con el claro designio de reducir a la mínima expresión el sacrificio del derecho de los vecinos a un grado de calidad acústica compatible con el derecho al descanso; compatible asimismo, con el derecho a la salud; y, subordinado —como no podía ser menos— al derecho de los residentes a disfrutar de la intimidad domiciliaria sin inmisiones acústicas perturbadoras. [STSJ Cataluña 14 marzo 2016.- LA LEY 20401/2016]

• Y en este caso está acreditado por la documental aportada con la demanda que el titular del pub Camelot no es la demandante sino D Juan Pablo, como se indica en la sentencia de instancia, y **es el titular del establecimiento abierto al público el que ha de suscribir el contrato de seguro al que se refiere el art. 6 de la citada Ley Autonómica 7/2006**, y cuyo incumplimiento por ese titular determina la comisión de la infracción muy grave prevista en el art. 36.6 de esa Ley. El hecho de que la demandante en vía administrativa no cuestionara la titularidad de ese pub Camelot en sus alegaciones —lo que ha explicado al señalar que era la titular de otro pub, el denominado pub Iris, que también figura en el expediente— **no determina que ha de soportar la sanción impuesta cuando ha acreditado que no es la titular** del citado pub Camelot, debiendo recordarse que en el procedimiento sancionador rige el principio de presunción de inocencia, como establece el art. 137 LRJAP, lo que comporta, sin necesidad ahora de mayores precisiones, que corresponde a la Administración la acreditación de los hechos que determinan la imposición de la correspondiente sanción. [STSJ Castilla y León (Valladolid) 30 septiembre 2016.- LA LEY 153959/2016]

• El vencimiento del plazo máximo sin haberse notificado resolución expresa legitima al interesado que hubiera deducido la solicitud para entenderla **estimada por silencio administrativo, excepto cuando se transfieran facultades relativas al dominio público** o al servicio público, o venga establecido por la normativa sectorial de aplicación, como es el caso de los espectáculos públicos y actividades recreativas de **carácter ocasional y extraordinario, que habrán de entenderse desestimadas**. Asimismo, la resolución presunta del instrumento de prevención y control ambiental correspondiente no podrá amparar el otorgamiento de licencia en contra de la normativa ambiental aplicable». [STSJ Andalucía (Granada) 11 abril 2017.- LA LEY 75735/2017]

3. Legislación aplicable

— Estatal

Art. 13 del Decreto de 17 de junio de 1955, por el que se aprueba el Reglamento de Servicios de las Corporaciones Locales

Arts. 21.1. q) y s), 124.4.ñ), 70.bis y 84, 84 bis y 84 ter. de la Ley 7/1985, de 2 de abril, Reguladora de las Bases de Régimen Local.

— Autonómica

Arts. 13, 14, 15 y 24 de la Ley 3/2017, de 5 de abril, de Espectáculos Públicos y Actividades Recreativas de Cantabria

MODELO DE EXPEDIENTE *(Disponible a texto íntegro en smarteca.es)*

1) *Comunicación de realización de espectáculo público o actividad recreativa de carácter extraordinario*

2) *Resolución admitiendo a trámite el expediente*

3) *Edicto de información pública*

4) *Certificado de reclamaciones*

5) *Informe técnico*

6) *Informe jurídico*

7) *Resolución de la Alcaldía*

8) *Notificación de la resolución*

5. Castilla-La Mancha

La **Ley 7/2011**, de 21 de marzo, en su art. 5.1 y 2 g) atribuye a los **Ayuntamientos** la competencia de otorgar licencias o autorizaciones en relación con los **espectáculos públicos y actividades recreativas de carácter extraordinario** llevados a cabo en espacios abiertos al público u otros locales que, a pesar de no tener la condición de establecimientos abiertos al público con **licencia o autorización**, cumplen las condiciones exigibles para llevar a cabo los espectáculos o actividades.

Así, el art. 7.2 de la citada Ley 7/2011 dispone que el orden público, la seguridad pública, la protección civil, la salud pública, la protección de los consumidores, de los destinatarios de los servicios y de los trabajadores, la protección del medio ambiente y del entorno urbano y la conservación del patrimonio histórico y artístico son razones imperiosas de interés general que motivan la **necesidad de obtener la autorización o licencia de la Administración** que corresponda de conformidad con la distribución de competencias establecida en los artículos 4 y 5 de esta Ley, para:

b) La celebración o desarrollo de los espectáculos públicos o las actividades recreativas y los establecimientos públicos que requieran la utilización de instalaciones o estructuras eventuales, portátiles o desmontables con carácter no permanente, así como todos aquellos que de forma temporal vayan a desarrollarse en este tipo de instalaciones, motivado esencialmente por razón de seguridad pública, protección civil, protección del medio ambiente y del entorno urbano.

De la necesidad de licencia o declaración responsable queda **exentos** (art. 7.4 a) Ley 7/2011 los espectáculos públicos y actividades recreativas de carácter extraordinario **organizados por el Ayuntamiento** con motivo de fiestas y verbenas populares, con independencia de la titularidad del establecimiento o espacio abierto al público donde se llevan a cabo.

INSTALACIONES EVENTUALES, ESPACIOS ABIERTOS Y VÍA PÚBLICA (ARTS. 18 Y 19 LEY 7/2011)

Requerirán **licencia municipal** de conformidad con el art. 7.2. b) de la Ley 7/2011 los espectáculos públicos, las actividades recreativas y los establecimientos públicos que requieran la utilización de **instalaciones o estructuras eventuales, portátiles o desmontables** con carácter no permanente, así como todos aquellos que de forma temporal vayan a desarrollarse en este tipo de instalaciones.

Para la celebración de dichos espectáculos, actividades y establecimientos han de tenerse en cuenta:

a) Que deberán reunir los requisitos y condiciones de seguridad, higiene y salubridad que establezca la legislación vigente.

b) Que será requisito imprescindible haber contratado el seguro a que se refiere el artículo 21 de la Ley 7/2011.

• Espectáculos públicos o actividades en espacio abierto o en la vía pública (art. 19 Ley 7/2011)

La celebración o desarrollo de los espectáculos públicos o las actividades recreativas que se realicen en espacio abierto y en la vía pública requerirá la presentación de

declaración responsable, salvo que sea necesario utilizar instalaciones o estructuras eventuales, portátiles o desmontables de carácter no permanente que de conformidad con lo establecido en el artículo 7.2.b de la Ley 7/2011 precisan de la oportuna autorización o licencia previa.

En todo caso antes de la celebración de espectáculos públicos y actividades recreativas en espacio abierto y en la vía pública deberán ser **oídos los vecinos afectados**, conforme a lo dispuesto al efecto en la normativa local. En el caso de utilización de la vía pública y antes de su celebración, se recabará además informe de las administraciones titulares afectadas.

[Este trámite de información pública ha de sustanciarse mediante anuncios o edictos y no de forma individual.]

Concepto de espacio abierto

Se entenderá por espacio abierto aquella zona que, sin tener una estructura definida, se habilite para realizar una determinada clase de espectáculos públicos o actividades recreativas, debiendo quedar perfectamente delimitada la zona destinada a los espectadores de aquella otra donde se desarrolle el espectáculo o actividad recreativa de que se trate.

En todo caso, será requisito imprescindible haber contratado el seguro a que se refiere el artículo 21 de la Ley 7/2011.

Expediente de actividad eventual

1. Claves del Expediente

Las instalaciones, eventuales, portátiles o desmontables están sujetas a licencia municipal.

En todo caso antes de la celebración de espectáculos públicos y actividades recreativas en espacio abierto y en la vía pública deberán ser oídos los vecinos afectados.

PREGUNTAS CLAVE

1. ¿Existe un procedimiento especial para realizar actividades eventuales en la vía pública?

De acuerdo con el art. 7.2. b) de la Ley 7/2011, de 21 de marzo, de Espectáculos Públicos, Actividades Recreativas y Establecimientos Públicos de Castilla-La Mancha, están sujetos a licencia, con la particularidad de que han de ser oídos los vecinos afectados (art. 19.2).

2. ¿Es necesario la contratación de seguro de responsabilidad civil?

Es requisito imprescindible haber contratado el seguro a que se refiere el artículo 21 de la Ley 7/2011 para poder celebrar la actividad eventual.

2. Jurisprudencia

• La sentencia apelada, como se ha expuesto, desestimó el recurso contencioso-administrativo al no apreciar vicio de nulidad o anulabilidad del procedimiento sancionador en cuanto a las notificaciones realizadas en el curso del mismo, que se produjeron por edictos, forma esta de notificación que la sentencia consideró legal en las circunstancias que relata, y constatada la ausencia de vicios, confirmó la resolución sancionadora, por cuanto de las actas de denuncia se desprendía la comisión de la infracción, tipificada como muy grave por el artículo 19.12 de la Ley 13/1999, de 15 de diciembre, de Espectáculos Públicos y Actividades Recreativas de Andalucía, consistente en la carencia de seguro obligatorio de responsabilidad civil, y sancionada en el grado mínimo de la escala sancionadora establecida en el artículo 22 de la citada Ley, por lo que no se entiende que en el recurso de apelación se reitere de nuevo la vulneración del principio de proporcionalidad, siendo esta una clara manifestación de lo que se expone a continuación. [STSJ Andalucía (Granada) 18 julio 2011.- LA LEY 199556/2011]

• Conduciendo la cuestión por tanto al análisis respecto de la existencia de base fáctica de la infracción debemos ratificar la decisión del Juzgado de instancia. Así tal y como señala la Administración apelante **es cierto que la póliza de seguro no aparece firmada por el recurrente como tomador del seguro.** Del mismo modo el justificante de pago obrante al folio 45 del expediente administrativo no consigna la fecha en el pretendido pago tuvo lugar y finalmente, el documento bancario que consta en el folio 46 del citado expediente, es un simple aviso de adeudo provisional por domiciliación subordinado al adeudo definitivo. Ahora bien se estima por la Sala que ello no permite inferir la inexistencia del seguro. **En una valoración conjunta del seguro cabe determinar sobre la base de tales documentos la existencia del mismo pues de una parte la voluntad de la aseguradora se infiere de su firma y del adeudo de pago. Del mismo modo cabe entender producida la voluntad del asegurado** pues siendo el seguro del año 2004 el aviso de adeudo emitido confirma la vigencia del seguro razón por la que resulta razonable atribuir al pago efectivamente realizado al año 2004 (fecha de la denuncia y de la póliza del seguro firmada por la aseguradora que consta en autos). Tal conclusión resulta además reforzada por la actuación misma de la Administración que considero tal documentación suficiente para proceder al archivo del expediente NUM001. Del mismo modo se considera por el funcionario informante del recurso de alzada interpuesto por el recurrente frente a la resolución sancionadora. [STSJ Andalucía (Granada) 19 noviembre 2012.- LA LEY 233655/2012]

• La primera disfunción que parece existir entre la parte actora y la parte demandada es si **se puede considerar un cotillón de nochevieja y de Reyes, como una actividad esporádica u ocasional, o de considerarse como una actividad habitual**. En este sentido cabe poner de manifiesto que el diccionario de la Real Academia Española de la Lengua define «cotillón» como «fiesta y baile que se celebra en un día señalado como el de fin de año o Reyes», y la palabra «esporádico», en cuanto a la acepción que es aplicable a este supuesto, es definida de la siguiente forma: «dicho de una cosa: Ocasional, sin ostensible enlace con antecedentes ni consiguientes»; por último, la palabra «ocasional» es definida, en una primera acepción, como «dicho de una cosa: Que ocasiona» y, en una segunda acepción, «que sobreviene por una ocasión o accidentalmente». Por tanto, **el concepto de ocasional o esporádico de la actividad de cotillón habrá que referirla a si esta actividad se realiza por un concreto establecimiento sin que exista una habitualidad, en el sentido de que este establecimiento no viene realizándola con anterioridad, ni piensa venir realizándola con posterioridad, siendo una actividad meramente accidental o ejecutada en una ocasión**. Por tanto, **el cotillón como tal es una actividad habitual**, si bien esta habitualidad solo tiene lugar dos veces al año (nochevieja y Reyes), pero la concreta actividad en unos locales será habitual si se organiza todos los años y será ocasionar o esporádica si normalmente no se organiza y sólo excepcionalmente se organiza algún esporádico año. [STSJ Castilla y León (Burgos) 2 julio 2010.- LA LEY 158162/2010 (También la STS Castilla y León (Burgos) 13 abril 2012.- LA LEY 69653/2012)]

- Recordemos que el art.º 42.1 de la Llei 11/2009 definía los espectáculos públicos y las actividades recreativas de carácter extraordinario como las que «se llevan a cabo esporádicamente en establecimientos abiertos al público que tienen licencia o autorización para una actividad diferente de la que se pretende hacer, o en espacios abiertos al público u otros locales que, todo y no tener la condición de establecimientos abiertos al público con licencia o autorización, cumplen las condiciones exigibles para llevar a cabo los espectáculos o las actividades….».

Y el Festival no tiene nada de esporádico a pesar de que se celebre una vez al año, en medio del verano; ya que esporádico es aquello que puede calificarse «de ocasional, sin un enlace ostensible con antecedentes y consiguientes» (ver RAE) o aquello «que se presenta de una manera aislada, sin obedecer a una ley general» (Diccionario de L'IEC). Y, en nuestro caso, el Festival se viene celebrando de forma regular y continuada, al menos desde el año 2006. Y esta situación repetitiva, ya hacía unos cuantos años que venía produciéndose en la fecha de concesión de la Licencia controvertida.

La consecuencia de todo lo que acabamos de decir no podrá ser de otra forma que la de **excluir el Festival —tal y como había estado concebido—, del régimen de autorizaciones del cual se había venido beneficiándose**. Lo contrario nos llevaría al absurdo de tener que admitir *a priori* —incluso en zonas con un uso residencial significativo—, la posibilidad de un número repetitivo e indeterminado de eventos musicales de características análogas a las del Festival y, por tanto, a convertir en papel mojado las previsiones legales de la propia OM, la cual (art.º 16.5) habría limitado la suspensión del cumplimiento de los objetivos de calidad acústica a cinco fiestas populares, con el claro designio de reducir a la mínima expresión el sacrificio del derecho de los vecinos a un grado de calidad acústica compatible con el derecho al descanso; compatible asimismo, con el derecho a la salud; y, subordinado —como no podía ser menos— al derecho de los residentes a disfrutar de la intimidad domiciliaria sin inmisiones acústicas perturbadoras. [STSJ Cataluña 14 marzo 2016.- LA LEY 20401/2016]

- Y en este caso está acreditado por la documental aportada con la demanda que el titular del pub Camelot no es la demandante sino D Juan Pablo, como se indica en la sentencia de instancia, y **es el titular del establecimiento abierto al público el que ha de suscribir el contrato de seguro al que se refiere el art. 6 de la citada Ley Autonómica 7/2006**, y cuyo incumplimiento por ese titular determina la comisión de la infracción muy grave prevista en el art. 36.6 de esa Ley. El hecho de que la demandante en vía administrativa no cuestionara la titularidad de ese pub Camelot en sus alegaciones —lo que ha explicado al señalar que era la titular de otro pub, el denominado pub Iris, que también figura en el expediente— **no determina que ha de soportar la sanción impuesta cuando ha acreditado que no es la titular** del citado pub Camelot, debiendo recordarse que en el procedimiento sancionador rige el principio de presunción de inocencia, como establece el art. 137 LRJAP, lo que comporta, sin necesidad ahora de mayores precisiones, que corresponde a la Administración la acreditación de los hechos que determinan la imposición de la correspondiente sanción. [STSJ Castilla y León (Valladolid) 30 septiembre 2016.- LA LEY 153959/2016]

• El vencimiento del plazo máximo sin haberse notificado resolución expresa legitima al interesado que hubiera deducido la solicitud para entenderla **estimada por silencio administrativo, excepto cuando se transfieran facultades relativas al dominio público** o al servicio público, o venga establecido por la normativa sectorial de aplicación, como es el caso de los espectáculos públicos y actividades recreativas de **carácter ocasional y extraordinario, que habrán de entenderse desestimadas**. Asimismo, la resolución presunta del instrumento de prevención y control ambiental correspondiente no podrá amparar el otorgamiento de licencia en contra de la normativa ambiental aplicable. [STSJ Andalucía (Granada) 11 abril 2017.- LA LEY 75735/2017]

3. Legislación aplicable

— Estatal

Art. 13 del Decreto de 17 de junio de 1955, por el que se aprueba el Reglamento de Servicios de las Corporaciones Locales.

Arts. 21.1. q) y s), 124.4.ñ), 70.bis y 84, 84 bis y 84 ter. de la Ley 7/1985, de 2 de abril, Reguladora de las Bases de Régimen Local.

Art. 3 de la Ley 12/2012, de 26 de diciembre, de medidas urgentes de liberalización del comercio y de determinados servicios.

— Autonómica

Ley 7/2011, de 21 de marzo, de Espectáculos Públicos, Actividades Recreativas y Establecimientos Públicos de Castilla-La Mancha.

MODELO DE EXPEDIENTE *(Disponible a texto íntegro en smarteca.es)*

1)   Comunicación de realización de actividad eventual

2)   Resolución admitiendo a trámite el expediente

3)   Edicto de información pública

4)   Certificado de reclamaciones

5)   Informe técnico

6)   Informe jurídico

7)   Resolución de la Alcaldía

8)   Notificación de la resolución

6. Castilla y León

La **Ley 7/2006**, de 2 de octubre, en su art. 13 se refiere a los espectáculos públicos y actividades recreativas desarrolladas en establecimientos públicos e instalaciones, permanentes o no, con licencia o autorización, con las siguientes características:

a) Sólo habilitarán a éstos para el desarrollo de los espectáculos públicos o actividades recreativas que en ellas se consigne.

b) Para la realización con carácter esporádico u ocasional de espectáculos públicos o actividades recreativas distintas de las consignadas en las licencias, deberá obtenerse la previa autorización del correspondiente Ayuntamiento. Podrá denegarse su otorgamiento cuando atendiendo al horario de celebración, tipo de establecimiento público o instalación, emisiones acústicas o cualquiera otra circunstancia debidamente justificada, se pudieran menoscabar derechos de terceros.

Expediente de actividad esporádica u ocasional no permanente

1. Claves del Expediente

Para la realización con carácter esporádico u ocasional de espectáculos públicos o actividades recreativas distintas de las consignadas en las comunicaciones ambientales o licencias, deberá obtenerse la previa autorización del correspondiente Ayuntamiento, salvo en el caso en que todas las actividades o espectáculos a realizar estuvieran sometidos al régimen de comunicación ambiental.

Podrá denegarse su realización cuando, atendiendo al horario de celebración, tipo de establecimiento público o instalación, emisiones acústicas o cualquiera otra circunstancia debidamente justificada, se pudieran menoscabar derechos de terceros.

La regulación se contiene en los arts. 11 a 13 de la Ley 7/2006, de 2 de octubre, de espectáculos públicos y actividades recreativas.

PREGUNTAS CLAVE

1. ¿Es necesario la contratación de seguro de responsabilidad civil?

El art. 6.1 de la Ley 7/2006, de 2 de octubre, de espectáculos públicos y actividades recreativas, exige a los titulares de los establecimientos públicos e instalaciones, permanentes o no, así como los organizadores de espectáculos públicos y actividades recreativas en espacios abiertos que tengan suscrito un contrato de seguro que cubra el riesgo de responsabilidad civil por daños al público asistente y a terceros por la actividad o espectáculo desarrollado. Asimismo, cuando la actividad o espectáculo autorizado se celebre en un establecimiento público o instalación, este seguro deberá incluir además el riesgo de incendio, daños al público asistente o a terceros derivados de las condiciones del establecimiento público o instalación y los daños al personal que preste sus servicios en éste.

2. ¿Qué condiciones de seguridad han de reunir?

Las recogidas en el art. 7.1 de la Ley 7/2006, de 2 de octubre, de espectáculos públicos y actividades recreativas, esto es, reunir las condiciones de seguridad, salubridad e higiene exigidas por la normativa sectorial vigente, en especial la normativa relativa a:

a) seguridad para el público asistente, trabajadores, ejecutantes y bienes.

b) solidez de las estructuras y funcionamiento de las instalaciones.

c) prevención y protección de incendios y otros riesgos inherentes a la actividad, facilitando la accesibilidad de los medios de auxilio externo.

d) salubridad, higiene y acústica, determinando expresamente las condiciones de insonorización de los locales necesarias para evitar molestias a terceros.

e) protección del entorno urbano, del medio ambiente y del patrimonio cultural y natural.

f) accesibilidad y supresión de barreras.

2.   Jurisprudencia

• La sentencia apelada, como se ha expuesto, desestimó el recurso contencioso-administrativo al no apreciar vicio de nulidad o anulabilidad del procedimiento sancionador en cuanto a las notificaciones realizadas en el curso del mismo, que se produjeron por edictos, forma esta de notificación que la sentencia consideró legal en las circunstancias que relata, y constatada la ausencia de vicios, confirmó la resolución sancionadora, por cuanto de las actas de denuncia se desprendía la comisión de la infracción, tipificada como muy grave por el artículo 19.12 de la Ley 13/1999, de 15 de diciembre, de Espectáculos Públicos y Actividades Recreativas de Andalucía, consistente en la carencia de seguro obligatorio de responsabilidad civil, y sancionada en el grado mínimo de la escala sancionadora establecida en el artículo 22 de la citada Ley, por lo que no se entiende que en el recurso de apelación se reitere de nuevo la vulneración del principio de proporcionalidad, siendo esta una clara manifestación de lo que se expone a continuación. [STSJ Andalucía (Granada) 18 julio 2011.- LA LEY 199556/2011]

• Conduciendo la cuestión por tanto al análisis respecto de la existencia de base fáctica de la infracción debemos ratificar la decisión del Juzgado de instancia. Así tal y como señala la Administración apelante **es cierto que la póliza de seguro no aparece firmada por el recurrente como tomador del seguro.** Del mismo modo el justificante de pago obrante al folio 45 del expediente administrativo no consigna la fecha en el pretendido pago tuvo lugar y finalmente, el documento bancario que consta en el folio 46 del citado expediente, es un simple aviso de adeudo provisional por domiciliación subordinado al adeudo definitivo. Ahora bien se estima por la Sala que ello no permite inferir la inexistencia del seguro. **En una valoración conjunta del seguro cabe determinar sobre la base de tales documentos la existencia del mismo pues de una parte la voluntad de la aseguradora se infiere de su firma y del adeudo de pago. Del mismo modo cabe entender producida la voluntad del asegurado** pues siendo el seguro del año 2004 el aviso de adeudo emitido confirma la vigencia del seguro razón por la que resulta razonable atribuir al pago efectivamente realizado al año 2004 (fecha de la denuncia y de la póliza del seguro firmada por la aseguradora que consta en autos). Tal conclusión resulta además reforzada por la actuación misma de la Administración que considero tal documentación suficiente para proceder al archivo del expediente NUM001. Del mismo modo se considera por el funcionario informante del recurso de alzada interpuesto por el recurrente frente a la resolución sancionadora. [STSJ Andalucía (Granada) 19 noviembre 2012.- LA LEY 233655/2012]

- La primera disfunción que parece existir entre la parte actora y la parte demandada es si **se puede considerar un cotillón de nochevieja y de Reyes, como una actividad esporádica u ocasional, o de considerarse como una actividad habitual**. En este sentido cabe poner de manifiesto que el diccionario de la Real Academia Española de la Lengua define «cotillón» como «fiesta y baile que se celebra en un día señalado como el de fin de año o Reyes», y la palabra «esporádico», en cuanto a la acepción que es aplicable a este supuesto, es definida de la siguiente forma: «dicho de una cosa: Ocasional, sin ostensible enlace con antecedentes ni consiguientes»; por último, la palabra «ocasional» es definida, en una primera acepción, como «dicho de una cosa: Que ocasiona» y, en una segunda acepción, «que sobreviene por una ocasión o accidentalmente». Por tanto, **el concepto de ocasional o esporádico de la actividad de cotillón habrá que referirla a si esta actividad se realiza por un concreto establecimiento sin que exista una habitualidad, en el sentido de que este establecimiento no viene realizándola con anterioridad, ni piensa venir realizándola con posterioridad, siendo una actividad meramente accidental o ejecutada en una ocasión**. Por tanto, **el cotillón como tal es una actividad habitual**, si bien esta habitualidad solo tiene lugar dos veces al año (nochevieja y Reyes), pero la concreta actividad en unos locales será habitual si se organiza todos los años y será ocasionar o esporádica si normalmente no se organiza y sólo excepcionalmente se organiza algún esporádico año. [STSJ Castilla y León (Burgos) 2 julio 2010.- LA LEY 158162/2010 (También la STS Castilla y León (Burgos) 13 abril 2012.- LA LEY 69653/2012)]

- Recordemos que el art.º 42.1 de la Llei 11/2009 definía los espectáculos públicos y las actividades recreativas de carácter extraordinario como las que «se llevan a cabo esporádicamente en establecimientos abiertos al público que tienen licencia o autorización para una actividad diferente de la que se pretende hacer, o en espacios abiertos al público u otros locales que, todo y no tener la condición de establecimientos abiertos al público con licencia o autorización, cumplen las condiciones exigibles para llevar a cabo los espectáculos o las actividades….».

Y el Festival no tiene nada de esporádico a pesar de que se celebre una vez al año, en medio del verano; ya que esporádico es aquello que puede calificarse «de ocasional, sin un enlace ostensible con antecedentes y consiguientes» (ver RAE) o aquello «que se presenta de una manera aislada, sin obedecer a una ley general» (Diccionario de L'IEC). Y, en nuestro caso, el Festival se viene celebrando de forma regular y continuada, al menos desde el año 2006. Y esta situación repetitiva, ya hacía unos cuantos años que venía produciéndose en la fecha de concesión de la Licencia controvertida.

La consecuencia de todo lo que acabamos de decir no podrá ser de otra forma que la de **excluir el Festival —tal y como había estado concebido—, del régimen de autorizaciones del cual se había venido beneficiándose**. Lo contrario nos llevaría al absurdo de tener que admitir *a priori* —incluso en zonas con un uso residencial significativo—, la posibilidad de un número repetitivo e indeterminado de eventos musicales de características análogas a las del Festival y, por tanto, a convertir en papel mojado las previsiones legales de la propia OM, la cual (art.º 16.5) habría limitado la suspensión del cumplimiento de los objetivos de calidad acústica a cinco fiestas populares, con el claro designio de reducir a la mínima expresión el sacrificio del derecho de los vecinos a un grado de calidad acústica compatible con el derecho al descanso; compatible asimismo, con el derecho a la salud; y, subordinado —como no podía ser menos— al derecho de los residentes a disfrutar de la intimidad domiciliaria sin inmisiones acústicas perturbadoras. [STSJ Cataluña 14 marzo 2016.- LA LEY 20401/2016]

• Y en este caso está acreditado por la documental aportada con la demanda que el titular del pub Camelot no es la demandante sino D Juan Pablo, como se indica en la sentencia de instancia, y **es el titular del establecimiento abierto al público el que ha de suscribir el contrato de seguro al que se refiere el art. 6 de la citada Ley Autonómica 7/2006**, y cuyo incumplimiento por ese titular determina la comisión de la infracción muy grave prevista en el art. 36.6 de esa Ley. El hecho de que la demandante en vía administrativa no cuestionara la titularidad de ese pub Camelot en sus alegaciones —lo que ha explicado al señalar que era la titular de otro pub, el denominado pub Iris, que también figura en el expediente— **no determina que ha de soportar la sanción impuesta cuando ha acreditado que no es la titular** del citado pub Camelot, debiendo recordarse que en el procedimiento sancionador rige el principio de presunción de inocencia, como establece el art. 137 LRJAP, lo que comporta, sin necesidad ahora de mayores precisiones, que corresponde a la Administración la acreditación de los hechos que determinan la imposición de la correspondiente sanción. [STSJ Castilla y León (Valladolid) 30 septiembre 2016.- LA LEY 153959/2016]

• El vencimiento del plazo máximo sin haberse notificado resolución expresa legitima al interesado que hubiera deducido la solicitud para entenderla **estimada por silencio administrativo, excepto cuando se transfieran facultades relativas al dominio público** o al servicio público, o venga establecido por la normativa sectorial de aplicación, como es el caso de los espectáculos públicos y actividades recreativas de **carácter ocasional y extraordinario, que habrán de entenderse desestimadas**. Asimismo, la resolución presunta del instrumento de prevención y control ambiental correspondiente no podrá amparar el otorgamiento de licencia en contra de la normativa ambiental aplicable. [STSJ Andalucía (Granada) 11 abril 2017.- LA LEY 75735/2017]

3. Legislación aplicable

— Estatal

Art. 13 del Decreto de 17 de junio de 1955, por el que se aprueba el Reglamento de Servicios de las Corporaciones Locales.

Arts. 21.1. q) y s), 124.4.ñ), 70.bis y 84, 84 bis y 84 ter. de la Ley 7/1985, de 2 de abril, Reguladora de las Bases de Régimen Local.

Art. 3 de la Ley 12/2012, de 26 de diciembre, de medidas urgentes de liberalización del comercio y de determinados servicios.

— Autonómica

Arts. 11 a 13 de la Ley 7/2006, de 2 de octubre, de espectáculos públicos y actividades recreativas de la Comunidad de Castilla y León

MODELO DE EXPEDIENTE *(Disponible a texto íntegro en smarteca.es)*

1)   Comunicación de realización de actividad esporádica u ocasional no permanente

2)   Resolución admitiendo a trámite el expediente

3)   Edicto de información pública

4)   Certificado de reclamaciones

5)   Informe técnico

6)   Informe jurídico

7)   Resolución de la Alcaldía

8)   Notificación de la resolución

7. Cataluña

La **Ley 11/2009**, de 6 de julio, de regulación administrativa de los espectáculos públicos y las actividades recreativas, en relación con los espectáculos públicos y actividades recreativas de carácter extraordinario dispone:

— Atribuye a los **ayuntamientos** competencia (art. 13.1 c) para otorgar las licencias de establecimientos abiertos al público de espectáculos públicos y de actividades recreativas no permanentes desmontables, las licencias de espectáculos públicos y actividades recreativas extraordinarias, en los términos establecidos por el artículo 42.2) y, en cualquier caso, con motivo de verbenas y fiestas populares o locales y las licencias de espectáculos públicos y de actividades recreativas en espacios abiertos al público.

— Atribuye a la Generalidad **competencias** (art. 11.1 c) para autorizar los establecimientos de régimen especial y los espectáculos y actividades recreativas de carácter extraordinario que no sean de competencia municipal.

— **Protección de menores**. En el supuesto de espectáculos públicos o de actividades recreativas de carácter extraordinario sin reglamentación específica, el órgano competente para autorizarlos puede prohibir la asistencia a los menores (art. 9.3).

— **Quedan exentos** (art. 29.7 b) de la necesidad de licencia municipal, salvo que las ordenanzas o reglamentos municipales, en supuestos expresamente justificados y de carácter excepcional, establezcan lo contrario los espectáculos públicos y actividades recreativas de carácter extraordinario organizados por los municipios con motivo de **fiestas y verbenas populares**, con independencia de la titularidad del establecimiento o espacio abierto al público donde se llevan a cabo.

AUTORIZACIONES PARA LOS ESPECTÁCULOS PÚBLICOS Y ACTIVIDADES RECREATIVAS DE CARÁCTER EXTRAORDINARIO (ART. 42 LEY 11/2009).

Los espectáculos públicos y actividades recreativas de carácter extraordinario son los que se llevan a cabo esporádicamente en establecimientos abiertos al público que tienen licencia o autorización para una actividad distinta a la que se pretende realizar, o en espacios abiertos al público u otros locales que, a pesar de no tener la condición de establecimientos abiertos al público con licencia o autorización, cumplen las condiciones exigibles para llevar a cabo los espectáculos o actividades.

Los espectáculos públicos y actividades recreativas de carácter extraordinario están sometidos a **autorización de la Generalidad**, salvo que se lleven a cabo en municipios de más de 50.000 habitantes o que se realicen con motivo de fiestas y verbenas populares. En tales casos, están sometidos a **licencia municipal**.

Los espectáculos públicos y actividades recreativas que se realizan en un espacio abierto, de carácter público o privado, requieren, además de la **conformidad de los titulares del espacio**, la obtención previa de la correspondiente autorización municipal o, en el caso de las pruebas deportivas que se realizan en más de un término municipal, de la autorización del órgano competente en materia de tráfico de la Generalidad.

Los reglamentos de la Generalidad y las ordenanzas municipales deben regular el **procedimiento**, los requisitos y las condiciones generales que se exigen para otorgar las autorizaciones para los espectáculos públicos y actividades recreativas de carácter extraordinario.

OTRAS CUESTIONES

De acuerdo con el D 112/2010, de 31 de agosto:

• **Concepto**. Los espectáculos públicos y actividades recreativas de carácter extraordinario (art. 92.3) son los que se llevan a cabo esporádicamente en los establecimientos y espacios abiertos al público que tienen licencia, autorización o comunicación previa para una actividad o espectáculo diferente del que se pretende realizar.

• **Licencia municipal** (art. 95 d) y e). De conformidad con los artículos 13.1.c) y 29 de la Ley 11/2009, de 6 de julio, están sujetos a licencia municipal:

— Los espectáculos públicos o actividades recreativas de carácter extraordinario en municipios de más de 50.000 habitantes.

— Los espectáculos públicos y actividades recreativas de carácter extraordinario que se lleven a cabo con motivo de fiestas y verbenas populares.

• **Vigilante de seguridad**. Las actividades recreativas musicales, los espectáculos públicos musicales y las actividades o los espectáculos musicales de carácter extraordinario dispondrán durante todo su horario de funcionamiento (art. 43):

De una persona vigilante de seguridad privada a partir de 501 personas de aforo autorizado.

De dos personas vigilantes de seguridad privada a partir de 1.001 personas de aforo autorizado.

Y, en adelante, de una persona vigilante de seguridad privada por cada 1.000 personas de aforo autorizado.

— Tienen la obligación de disponer de personal de **control de acceso** con las funciones y requisitos regulados en esta sección los establecimientos y espacios abiertos al público, espectáculos y actividades recreativas siguientes (art. 57 d): Espectáculos públicos y actividades recreativas musicales de carácter extraordinario, a partir de 150 personas de aforo autorizado.

— Tienen la obligación a disponer de un **sistema automático de control** de aforo (art. 68 b y c) los espectáculos musicales y las actividades recreativas musicales de carácter extraordinario regulados por el artículo 42 de la Ley 11/2009, de 6 de julio que se celebren en un establecimiento cerrado y cubierto, a partir de 151 personas de aforo autorizado.

Asimismo los espectáculos musicales y las actividades recreativas musicales de carácter extraordinario regulados por el artículo 42 de la Ley 11/2009, de 6 de julio, que se celebren en un recinto al aire libre, a partir de 1.000 personas de aforo autorizado.

— Están obligadas a contratar una **póliza de responsabilidad civil** (art. 77), las personas organizadoras de espectáculos públicos o actividades recreativas de carácter extraordinario, independientemente de la que también tengan contratada las personas titulares de los establecimientos o los espacios donde se lleve a cabo el espectáculo público o la actividad recreativa.

— Los ayuntamientos deben enviar una copia de los expedientes de licencia municipal a los servicios territoriales del departamento competente en materia de espectáculos públicos y actividades recreativas en los siguientes supuestos: Actividades recreativas extraordinarias o espectáculos públicos extraordinarios, en municipios de más de 50.000 habitantes o que por delegación hayan asumido esta competencia (art. 93.2.b).

LICENCIAS Y AUTORIZACIONES PARA ESPECTÁCULOS PÚBLICOS O ACTIVIDADES RECREATIVAS DE CARÁCTER EXTRAORDINARIO

• Aplicación (art. 108, D.112/2010)

Los espectáculos públicos y actividades recreativas de carácter extraordinario son los definidos en el artículo 42.1 de la Ley 11/2009, de 6 de julio, es decir, los que se llevan a cabo esporádicamente en establecimientos abiertos al público que tienen licencia o autorización para una actividad distinta a la que se pretende realizar, o en espacios abiertos al público u otros locales que, a pesar de no tener la condición de establecimientos abiertos al público con licencia o autorización, cumplen las condiciones exigibles para llevar a cabo los espectáculos o actividades.

Se requieren licencia o autorización los espectáculos públicos y actividades recreativas de carácter extraordinario que no están incluidos en la licencia, autorización o comunicación previa de un establecimiento o espacio abierto al público, por incurrir en alguna de las circunstancias siguientes:

a) Tener lugar en un espacio abierto al público.

b) Tener lugar en algún tipo de establecimiento que, a pesar de no tener la condición de establecimientos abiertos al público con licencia o autorización, cumplen las condiciones exigibles para llevar a cabo los espectáculos o las actividades.

c) Tener lugar en algún tipo de establecimiento que disponga de licencia o autorización diferente del espectáculo o la actividad recreativa que se quiera realizar, o diferente a las previstas en el D 112/2010.

• Determinación de los que están sujetos a autorización o licencia (art. 109 D 112/2010)

Los espectáculos públicos y actividades recreativas de carácter extraordinario están sometidos a autorización de la Generalidad, salvo que se lleven a cabo en municipios de más de 50.000 habitantes, o que se lleven a cabo con motivo de fiestas y verbenas populares. En estos casos están sometidos a licencia municipal.

• Espectáculos y actividades organizados por los ayuntamientos (art. 110 D 112/2010)

Los espectáculos públicos y actividades recreativas extraordinarios organizados por los servicios municipales o bajo la responsabilidad directa de éstos deben contar con las medidas necesarias para garantizar la protección de la seguridad, la salud y los derechos de las terceras personas que puedan resultar afectadas por su realización, siendo responsabilidad de los mismos servicios municipales la adopción de estas medidas.

• Requisitos generales (art. 111 D 112/2010)

Los espectáculos públicos y actividades recreativas de carácter extraordinario, incluidos los organizados por los ayuntamientos o bajo su responsabilidad directa, deben cumplir en cualquier caso los requisitos siguientes:

a) Ser convocados, organizados y realizados bajo la responsabilidad de una o de unas personas determinadas, que pueden ser entidades, personas físicas o jurídicas o personas responsables o empleados de servicios de la Administración pública y que, en cualquier caso, deben ser identificadas, con determinación clara de la responsabilidad que les corresponde.

b) Presentar un análisis de la movilidad provocada por el espectáculo público o actividad recreativa, con previsión de medidas especiales para afrontar las necesidades detectadas, en su caso, según determina la normativa sobre regulación de la movilidad generada.

c) Disponer de personal de vigilancia y de personal de control de acceso, respectivamente, si así se prevé en este Reglamento.

d) Disponer de un plan de autoprotección.

e) Disponer de los servicios de higiene y seguridad y los dispositivos de asistencia sanitaria correspondiente.

f) Disponer de servicios automáticos de control de aforos, cuando proceda.

g) Presentar una valoración del impacto acústico del espectáculo público o de la actividad recreativa y, en su caso, adoptar las medidas necesarias para prevenirlo y minimizarlo.

h) Haber contratado la póliza de responsabilidad civil.

i) Acreditar la disponibilidad del establecimiento o del espacio donde se realiza el espectáculo público o actividad recreativa.

Si se realizan en un **establecimiento cerrado**, éste debe cumplir los requisitos constructivos y de prevención de incendios exigidos por este Reglamento a los establecimientos abiertos al público destinados al mismo tipo de espectáculo público o actividad recreativa que se quiera realizar.

Si los espectáculos públicos y actividades recreativas de carácter extraordinario se realizan en un **espacio abierto**, además de los requisitos anteriores deben cumplir con los previstos en el artículo 112.

• **Requisitos para los espectáculos públicos y actividades recreativas realizados en espacios abiertos (art. 112 D 112/2010)**

Únicamente se pueden organizar en espacios abiertos espectáculos públicos o actividades recreativas de carácter extraordinario que, además de cumplir con los requerimientos de esta y otras disposiciones que les afecten, se encuentren en una de las siguientes circunstancias:

a) Se celebren con motivo de fiestas y verbenas populares o de festivales o certámenes que cuenten con una amplia participación de la población directamente afectada.

b) Se celebren en fechas o vísperas festivas, dentro de horarios en los que su impacto sea admisible por los usos sociales mayoritarios.

c) Se celebren en lugares situados a la distancia necesaria de los núcleos habitados, de manera que no causen molestias perceptibles a la gente que vive en ellos.

Las personas organizadoras deben contar con la **conformidad** de la persona titular del espacio abierto. Si el espacio abierto forma parte de un espacio natural o inmueble protegido de acuerdo con la normativa reguladora del patrimonio cultural catalán, es necesario también la conformidad de la **autoridad administrativa** o de la persona responsable de su protección y gestión.

Las personas organizadoras pueden **cerrar el espacio abierto** destinado a la realización del espectáculo público o de la actividad recreativa, si lo autoriza su titular. Las vallas utilizadas deben ser homologadas y en ningún caso pueden acabar en ángulos de corte o en superficies agresivas que puedan causar daño a las personas. Asimismo, por razones de seguridad deberán preverse varios puntos abiertos en la valla para facilitar la evacuación.

La persona organizadora debe instalar los **servicios sanitarios** e higiénicos y asistencia sanitaria que correspondan.

La persona organizadora se hace también responsable de habilitar el espacio que sea necesario para el **aparcamiento de vehículos** y, en su caso, para la acampada de los asistentes, y subsidiariamente de los daños y perjuicios que éstos puedan ocasionar en los bienes públicos y privados situados en las inmediaciones del espacio.

La administración competente para conceder la licencia o autorización de esta actividad puede condicionar su realización a que la persona organizadora deposite una **fianza** suficiente para responder por esos daños y, en general, por el resto que se puedan ocasionar en el espacio abierto como consecuencia de la realización del espectáculo público o de la actividad recreativa.

• **Memoria de espectáculo público o actividad de carácter extraordinario (art. 113 D 112/2010)**

Para solicitar una licencia o autorización de carácter extraordinario se debe redactar una memoria, con el **contenido mínimo** siguiente:

a) Identificación del espectáculo público o actividad recreativa de que se trate.

b) Fecha o fechas y horario previsto para la realización.

c) Nombre, apellidos, dirección y teléfonos de, al menos, dos personas responsables de su organización.

d) Descripción breve del espectáculo o actividad y del número máximo de personas que previsiblemente asistirán o participarán en su realización, con indicación de los servicios o prestaciones que se les ofrecen.

e) Indicación de las medidas adoptadas, incluidas la contratación del personal de seguridad privada y de control de acceso, y de las que convendría adoptar por parte de los servicios municipales afectados, para prevenir riesgos para la salud y la seguridad y para prevenir inconvenientes o molestias para terceros interesados, especialmente en materia de ruidos y de tráfico.

f) Declaración responsable de disponer de la póliza de seguros que da cobertura a la responsabilidad civil que pueda derivarse de la organización y realización del espectáculo o de la actividad recreativa.

g) Identificación de la persona o personas titulares de la disponibilidad del establecimiento, recinto o espacio abierto y, en caso de que no sea la misma persona promotora u organizadora, documento que exprese su conformidad con el espectáculo público o con actividad recreativa proyectados.

Redacción. La memoria anterior debe ser redactada:

a) Por los propios servicios municipales, en el caso de los espectáculos y actividades organizados por los ayuntamientos.

b) En los demás casos, por las personas que organizan el espectáculo o actividad, o por quien ellas mismas designen.

- **Procedimiento de solicitud y tramitación de la licencia municipal (art. 114 D 112/2010)**

La licencia requerida para realizar los espectáculos públicos y actividades recreativas de carácter extraordinario se tramitará de conformidad con los apartados siguientes:

a) La persona responsable del espectáculo público o actividad recreativa debe presentar la correspondiente solicitud al ayuntamiento, acompañada de la memoria regulada en el artículo anterior.

b) El ayuntamiento debe someter la memoria a consulta de los órganos municipales, comarcales o de la Generalidad que sean competentes en materia de seguridad ciudadana, prevención y seguridad en materia de incendios, protección civil y tránsito que disponen de 15 días para emitir el informe correspondiente.

c) Transcurrido dicho plazo sin que se haya remitido el informe se pueden proseguir las actuaciones, sin perjuicio de que el informe emitido fuera de plazo, pero recibido antes de que se dicte la resolución, deba ser considerado por ésta.

d) El ayuntamiento debe resolver sobre el otorgamiento de la licencia y notificarla en el plazo de un mes a contar desde su solicitud. Si no hay resolución expresa dentro de este plazo, la licencia se entiende denegada por silencio administrativo negativo.

- **Autorización del uso de espacios abiertos de titularidad pública (art. 115 D 112/2010)**

Cuando los espectáculos públicos o actividades recreativas deban realizarse en espacios abiertos de titularidad pública, su realización está condicionada a que la persona organizadora obtenga la correspondiente autorización de uso del espacio por parte del administración titular del mismo. Esta autorización debe solicitarse **conjuntamente con la licencia municipal**.

En estos casos, el otorgamiento de la licencia se debe pronunciar expresamente y favorablemente sobre la autorización de uso del **espacio municipal** en el que se debe realizar el espectáculo público o actividad recreativa.

En los casos de uso de **espacio público no municipal**, se debe solicitar simultáneamente la autorización de utilización del espacio público al órgano competente de la administración que es titular, de conformidad con la legislación sobre patrimonio de las administraciones públicas, e incluirla en la documentación que se debe adjuntar a la memoria.

- **Procedimiento de solicitud y tramitación de la autorización de la Generalidad (art. 116 D 112/2010)**

La autorización requerida para realizar los espectáculos públicos y actividades recreativas de carácter extraordinario se tramitará de conformidad con los apartados siguientes:

a) Presentación de la solicitud acompañada de la memoria en los servicios territoriales competentes en materia de espectáculos públicos y actividades recreativas de la Generalidad.

b) El servicio territorial competente en materia de espectáculos públicos y actividades recreativas debe someter la memoria a consulta de los órganos municipales o de la Generalidad que sean competentes en materia de seguridad ciudadana, prevención y seguridad en materia de incendios, protección civil y tráfico, los cuales disponen de 15 días para emitir el informe vinculante correspondiente.

c) Transcurrido dicho plazo sin que se haya remitido el informe se pueden proseguir las actuaciones, sin perjuicio de que el informe emitido fuera de plazo, pero recibido antes de que se dicte la resolución, deba ser considerado por ésta.

d) La dirección de los servicios territoriales competentes en materia de espectáculos públicos y actividades recreativas debe resolver sobre el otorgamiento de la licencia y notificarla en el plazo de un mes de su solicitud. Si no hay resolución expresa dentro de este plazo, la licencia se entiende denegada por silencio administrativo negativo.

• Contenido de licencias y autorizaciones para espectáculos públicos o actividades recreativas de carácter extraordinario (art. 117 D 112/2010)

Las licencias y autorizaciones para espectáculos públicos o para actividades recreativas de carácter extraordinario deben tener el siguiente contenido:

a) Una descripción de los antecedentes, que acredite el cumplimiento de los requisitos y los trámites.

b) La identificación y descripción del espectáculo público o actividad recreativa autorizado, el lugar, fecha o fechas y horario de su realización y el aforo máximo autorizado.

c) Los requerimientos y las condiciones a que queda sometida su realización, incluyendo en cualquier caso los determinados con carácter vinculante por los informes preceptivos.

• Tipología de los espectáculos y de las actividades recreativas (anexo I-V D 112/2010)

Los espectáculos públicos y las actividades recreativas que se describen en este catálogo (D. 112/2010) pueden ser de carácter ordinario o extraordinario.

b) Se consideran espectáculos o actividades recreativas de carácter extraordinario aquellos que se realizan en establecimientos abiertos al público que disponen de licencia, autorización o comunicación previa ante la Administración para una actividad diferente de la que se pretende realizar, o en un espacio abierto al público o en otros establecimientos que no tienen la consideración de locales de concurrencia pública, siempre que cumplan las condiciones exigibles para la realización del espectáculo público o de la actividad recreativa. Se podrán realizar un **número máximo de 12 espectáculos o actividades recreativas** de carácter extraordinario al **año**

Expediente de espectáculo público y actividad recreativa eventual

1. Claves del Expediente

Se regulan en los arts. 108 a 117 del Decreto 112/2010, de 31 de agosto, por el que se aprueba el Reglamento de espectáculos públicos y actividades recreativas, en concordancia con el art. 42 de la Ley 11/2009, de 6 de julio, de regulación administrativa de los espectáculos públicos y las actividades recreativas.

Requieren licencia o autorización los espectáculos públicos y actividades recreativas de carácter extraordinario que no están incluidos en la licencia, autorización o comunicación previa de un establecimiento o espacio abierto al público, por incurrir en alguna de las circunstancias siguientes:

a) Tener lugar en un espacio abierto al público.

b) Tener lugar en algún tipo de establecimiento que, a pesar de no tener la condición de establecimientos abiertos al público con licencia o autorización, cumplen las condiciones exigibles para llevar a cabo los espectáculos o las actividades.

c) Tener lugar en algún tipo de establecimiento que disponga de licencia o autorización diferente del espectáculo o la actividad recreativa que se quiera realizar, o diferente a las previstas en el Decreto 112/2010.

Los espectáculos públicos y actividades recreativas de carácter extraordinario están sometidos a autorización de la Generalidad, salvo que se lleven a cabo en municipios de más de 50.000 habitantes, o que se lleven a cabo con motivo de fiestas y verbenas populares. En estos casos están sometidos a licencia municipal

Los requisitos generales para la celebración de espectáculos públicos y actividades recreativas de carácter extraordinario son:

a) Ser convocados, organizados y realizados bajo la responsabilidad de una o de unas personas determinadas, que pueden ser entidades, personas físicas o jurídicas o personas responsables o empleados de servicios de la Administración pública y que, en cualquier caso, deben ser identificadas, con determinación clara de la responsabilidad que les corresponde.

b) Presentar un análisis de la movilidad provocada por el espectáculo público o actividad recreativa, con previsión de medidas especiales para afrontar las necesidades detectadas, en su caso, según determina la normativa sobre regulación de la movilidad generada.

c) Disponer de personal de vigilancia y de personal de control de acceso, respectivamente, si así se prevé en este Reglamento.

d) Disponer de un plan de autoprotección.

e) Disponer de los servicios de higiene y seguridad y los dispositivos de asistencia sanitaria correspondiente.

f) Disponer de servicios automáticos de control de aforos, cuando proceda.

g) Presentar una valoración del impacto acústico del espectáculo público o de la actividad recreativa y, en su caso, adoptar las medidas necesarias para prevenirlo y minimizarlo.

h) Haber contratado la póliza de responsabilidad civil.

i) Acreditar la disponibilidad del establecimiento o del espacio donde se realiza el espectáculo público o actividad recreativa.

El procedimiento de solicitud y tramitación de la licencia municipal se tramitará de la siguiente forma:

a) La persona responsable del espectáculo público o actividad recreativa debe presentar la correspondiente solicitud al ayuntamiento, acompañada de la memoria regulada en el artículo anterior.

b) El ayuntamiento debe someter la memoria a consulta de los órganos municipales, comarcales o de la Generalidad que sean competentes en materia de seguridad ciudadana, prevención y seguridad en materia de incendios, protección civil y tránsito que disponen de 15 días para emitir el informe correspondiente.

c) Transcurrido dicho plazo sin que se haya remitido el informe se pueden proseguir las actuaciones, sin perjuicio de que el informe emitido fuera de plazo, pero recibido antes de que se dicte la resolución, deba ser considerado por ésta.

d) El ayuntamiento debe resolver sobre el otorgamiento de la licencia y notificarla en el plazo de un mes a contar desde su solicitud. Si no hay resolución expresa dentro de este plazo, la licencia se entiende denegada por silencio administrativo negativo.

2. Jurisprudencia

• La sentencia apelada, como se ha expuesto, desestimó el recurso contencioso-administrativo al no apreciar vicio de nulidad o anulabilidad del procedimiento sancionador en cuanto a las notificaciones realizadas en el curso del mismo, que se produjeron por edictos, forma esta de notificación que la sentencia consideró legal en las circunstancias que relata, y constatada la ausencia de vicios, confirmó la resolución sancionadora, por cuanto de las actas de denuncia se desprendía la comisión de la infracción, tipificada como muy grave por el artículo 19.12 de la Ley 13/1999, de 15 de diciembre, de Espectáculos Públicos y Actividades Recreativas de Andalucía, consistente en la carencia de seguro obligatorio de responsabilidad civil, y sancionada en el grado mínimo de la escala sancionadora establecida en el artículo 22 de la citada Ley, por lo que no se entiende que en el recurso de apelación se reitere de nuevo la vulneración del principio de proporcionalidad, siendo esta una clara manifestación de lo que se expone a continuación. [STSJ Andalucía (Granada) 18 julio 2011.- LA LEY 199556/2011]

• Conduciendo la cuestión por tanto al análisis respecto de la existencia de base fáctica de la infracción debemos ratificar la decisión del Juzgado de instancia. Así tal y como señala la Administración apelante **es cierto que la póliza de seguro no aparece firmada por el recurrente como tomador del seguro.** Del mismo modo el justificante de pago obrante al folio 45 del expediente administrativo no consigna la fecha en el pretendido pago tuvo lugar y finalmente, el documento bancario que consta en el folio 46 del citado expediente, es un simple aviso de adeudo provisional por domiciliación subordinado al adeudo definitivo. Ahora bien se estima por la Sala que ello no permite inferir la inexistencia del seguro. **En una valoración conjunta del seguro cabe determinar sobre la base de tales documentos la existencia del mismo pues de una parte la voluntad de la aseguradora se infiere de su firma y del adeudo de pago. Del mismo modo cabe entender producida la voluntad del asegurado** pues siendo el seguro del año 2004 el aviso de adeudo emitido confirma la vigencia del seguro razón por la que resulta razonable atribuir al pago efectivamente realizado al año 2004 (fecha de la denuncia y de la póliza del seguro firmada por la aseguradora que consta en autos). Tal conclusión resulta además reforzada por la actuación misma de la Administración que considero tal documentación suficiente para proceder al archivo del expediente NUM001. Del mismo modo se considera por el funcionario informante del recurso de alzada interpuesto por el recurrente frente a la resolución sancionadora. [STSJ Andalucía (Granada) 19 noviembre 2012.- LA LEY 233655/2012]

• La primera disfunción que parece existir entre la parte actora y la parte demandada es si **se puede considerar un cotillón de nochevieja y de Reyes, como una actividad esporádica u ocasional, o de considerarse como una actividad habitual**. En este sentido cabe poner de manifiesto que el diccionario de la Real Academia Española de la Lengua define «cotillón» como «fiesta y baile que se celebra en un día señalado como el de fin de año o Reyes», y la palabra «esporádico», en cuanto a la acepción que es aplicable a este supuesto, es definida de la siguiente forma: «dicho de una cosa: Ocasional, sin ostensible enlace con antecedentes ni consiguientes»; por último, la palabra «ocasional» es definida, en una primera acepción, como «dicho de una cosa: Que ocasiona» y, en una segunda acepción, «que sobreviene por una ocasión o accidentalmente». Por tanto, **el concepto de ocasional o esporádico de la actividad de cotillón habrá que referirla a si esta actividad se realiza por un concreto establecimiento sin que exista una habitualidad, en el sentido de que este establecimiento no viene realizándola con anterioridad, ni piensa venir realizándola con posterioridad, siendo una actividad meramente accidental o ejecutada en una ocasión.** Por tanto, **el cotillón como tal es una actividad habitual,** si bien esta habitualidad solo tiene lugar dos veces al año (nochevieja y Reyes), pero la concreta actividad en unos locales será habitual si se organiza todos los años y será ocasionar o esporádica si normalmente no se organiza y sólo excepcionalmente se organiza algún esporádico año. [STSJ Castilla y León (Burgos) 2 julio 2010.- LA LEY 158162/2010 (También la STS Castilla y León (Burgos) 13 abril 2012.- LA LEY 69653/2012)]

• Recordemos que el art.º 42.1 de la Llei 11/2009 definía los espectáculos públicos y las actividades recreativas de carácter extraordinario como las que «se llevan a cabo esporádicamente en establecimientos abiertos al público que tienen licencia o autorización para una actividad diferente de la que se pretende hacer, o en espacios abiertos al público u otros locales que, todo y no tener la condición de establecimientos abiertos al público con licencia o autorización, cumplen las condiciones exigibles para llevar a cabo los espectáculos o las actividades....».

Y el Festival no tiene nada de esporádico a pesar de que se celebre una vez al año, en medio del verano; ya que esporádico es aquello que puede calificarse «de ocasional, sin un enlace ostensible con antecedentes y consiguientes» (ver RAE) o aquello «que se presenta de una manera aislada, sin obedecer a una ley general» (Diccionario de L'IEC). Y, en nuestro caso, el Festival se viene celebrando de forma regular y continuada, al menos desde el año 2006. Y esta situación repetitiva, ya hacía unos cuantos años que venía produciéndose en la fecha de concesión de la Licencia controvertida.

La consecuencia de todo lo que acabamos de decir no podrá ser de otra forma que la de **excluir el Festival —tal y como había estado concebido—, del régimen de autorizaciones del cual se había venido beneficiándose.** Lo contrario nos llevaría al absurdo de tener que admitir *a priori* —incluso en zonas con un uso residencial significativo—, la posibilidad de un número repetitivo e indeterminado de eventos musicales de características análogas a las del Festival y, por tanto, a convertir en papel mojado las previsiones legales de la propia OM, la cual (art.º 16.5) habría limitado la suspensión del cumplimiento de los objetivos de calidad acústica a cinco fiestas populares, con el claro designio de reducir a la mínima expresión el sacrificio del derecho de los vecinos a un grado de calidad acústica compatible con el derecho al descanso; compatible asimismo, con el derecho a la salud; y, subordinado —como no podía ser menos— al derecho de los residentes a disfrutar de la intimidad domiciliaria sin inmisiones acústicas perturbadoras. [STSJ Cataluña 14 marzo 2016.- LA LEY 20401/2016]

• Y en este caso está acreditado por la documental aportada con la demanda que el titular del pub Camelot no es la demandante sino D Juan Pablo, como se indica en la sentencia de instancia, y **es el titular del establecimiento abierto al público el que ha de suscribir el contrato de seguro al que se refiere el art. 6 de la citada Ley Autonómica 7/2006**, y cuyo incumplimiento por ese titular determina la comisión de la infracción muy grave prevista en el art. 36.6 de esa Ley. El hecho de que la demandante en vía administrativa no cuestionara la titularidad de ese pub Camelot en sus alegaciones —lo que ha explicado al señalar que era la titular de otro pub, el denominado pub Iris, que también figura en el expediente— **no determina que ha de soportar la sanción impuesta cuando ha acreditado que no es la titular** del citado pub Camelot, debiendo recordarse que en el procedimiento sancionador rige el principio de presunción de inocencia, como establece el art. 137 LRJAP, lo que comporta, sin necesidad ahora de mayores precisiones, que corresponde a la Administración la acreditación de los hechos que determinan la imposición de la correspondiente sanción. [STSJ Castilla y León (Valladolid) 30 septiembre 2016.- LA LEY 153959/2016]

• El vencimiento del plazo máximo sin haberse notificado resolución expresa legitima al interesado que hubiera deducido la solicitud para entenderla **estimada por silencio administrativo, excepto cuando se transfieran facultades relativas al dominio público** o al servicio público, o venga establecido por la normativa sectorial de aplicación, como es el caso de los espectáculos públicos y actividades recreativas de **carácter ocasional y extraordinario, que habrán de entenderse desestimadas**. Asimismo, la resolución presunta del instrumento de prevención y control ambiental correspondiente no podrá amparar el otorgamiento de licencia en contra de la normativa ambiental aplicable. [STSJ Andalucía (Granada) 11 abril 2017.- LA LEY 75735/2017]

3. Legislación aplicable

— Estatal

Reglamento General de Policía de Espectáculos Públicos y Actividades Recreativas.

Arts. 21.1. q) y s), 124.4.ñ), 70.bis y 84, 84 bis y 84 ter. de la Ley 7/1985, de 2 de abril, Reguladora de las Bases de Régimen Local.

— Autonómica

Ley 11/2009, de 6 de julio, de regulación administrativa de los espectáculos públicos y las actividades recreativas.

Decreto 112/2010, de 31 de agosto, por el que se aprueba el Reglamento de espectáculos públicos y actividades recreativas.

Orden INT/358/2011, de 19 de diciembre, por la que se regulan los horarios de los establecimientos abiertos al público, de los espectáculos públicos y de las actividades recreativas sometidos a la Ley 11/2009, de 6 de julio, de regulación administrativa de los espectáculos públicos y de las actividades recreativas, y a su Reglamento.

MODELO DE EXPEDIENTE *(Disponible a texto íntegro en smarteca.es)*

1) Solicitud de licencia espectáculos públicos y actividades recreativas de carácter extraordinario

2) Resolución admitiendo a trámite el expediente

3) Informe técnico

4) Resolución de la Alcaldía

5) Notificación de la resolución

8. Comunidad de Madrid

La **Ley 17/1997**, de 4 de julio, de Espectáculos Públicos y Actividades Recreativas, recoge en sus arts. 19, 20 y 21 el régimen competencia de atribuciones para este tipo de espectáculos y actividades, así:

• Corresponde a la **Comunidad de Madrid** autorizar:

— los espectáculos y actividades, recreativas de carácter extraordinario, entendiéndose por tales aquellos que sean distintos de los que se realizan habitualmente en los locales o establecimientos y que no figuren expresamente autorizados en la correspondiente licencia. Será requisito indispensable para la concesión de la autorización la previa prestación de fianza en la cuantía y forma reglamentariamente establecidas. La fianza estará afecta a las responsabilidades que reglamentariamente se determinen y, en todo caso, al cumplimiento de las sanciones que pudieran imponerse por razón de la actividad o espectáculo para los que se hubiera constituido.

— Los espectáculos y actividades singulares o excepcionales que no estén reglamentados o que por sus características no pudieran acogerse a los reglamentos dictados.

• Corresponde a los **Ayuntamientos** autorizar:

— Las actividades recreativas o deportivas cuyo desarrollo discurra dentro del propio término municipal.

— Los espectáculos y actividades recreativas que se realicen en el municipio con motivo de la celebración de fiestas y verbenas populares.

• Corresponde al **Estado**:

— Autorizar las actividades recreativas o deportivas cuyo recorrido, discurriendo por uno o varios términos municipales de la Comunidad de Madrid, se extienda a otras Comunidades Autónomas.

El **Decreto 184/1998**, de 22 de octubre, por el que se aprueba el Catálogo de Espectáculos Públicos, Actividades Recreativas, Establecimientos, Locales e Instalaciones, en su art. 3 define los espectáculos y actividades de carácter eventual o extraordinario.

Se considerarán espectáculos y actividades de carácter **eventual**, aquéllos que se desarrollen en instalaciones o estructuras eventuales, desmontables o portátiles y que se realicen durante un período determinado de tiempo. La celebración de espectáculos o actividades de carácter eventual requerirá la oportuna licencia municipal de funcionamiento.

Se considerarán espectáculos y actividades de carácter **extraordinario** aquéllos que sean distintos de los que se realicen habitualmente en los locales o establecimientos y no figuren expresamente autorizados en la correspondiente licencia de funcionamiento. La celebración de los espectáculos y actividades de carácter extraordinario requerirá autorización administrativa expresa del órgano competente de la Comunidad de Madrid.

Asimismo, de conformidad con el art. 6. 4., los titulares de locales, recintos o establecimientos que cuenten con la preceptiva licencia de funcionamiento en la que figure expresamente uno o más espectáculos o actividades autorizados, que con **carácter extraordinario** pretendan realizar otro de los contenidos en el Catálogo, precisarán la correspondiente autorización del órgano competente de la Comunidad de Madrid, conforme a lo establecido en el párrafo tercero del punto 2 del artículo 3.º del Decreto 184/1998.

Por lo que se respecta al **control de acceso** a espectáculos públicos y actividades recreativas, el mismo de conformidad con el Art. 2 d) del **Decreto 163/2008**, de 29 de diciembre, del Consejo de Gobierno, por el que se regula la actividad de control de acceso a espectáculos públicos y actividades recreativas será de aplicación los espectáculos y/o actividades recreativas de carácter extraordinario.

Expediente de espectáculo público y actividad recreativa eventual, portatil o desmontable

1. Claves del Expediente

De conformidad con el art. 15 de la Ley 17/1997, de 4 de julio, de Espectáculos Públicos y Actividades Recreativas, la celebración de espectáculos o actividades recreativas con instalaciones o estructuras eventuales, desmontables o portátiles, se sujeta a las siguientes reglas:

1.- Requerirá la oportuna licencia municipal, condicionada al cumplimiento de las condiciones de seguridad, higiene y comodidad.

2.- Las instalaciones o estructuras eventuales deberán reunir los requisitos y condiciones de seguridad, higiene y comodidad que, en orden a garantizar la seguridad del público asistente y la higiene de las instalaciones establezca la normativa vigente, de manera equivalente a lo establecido por esta Ley para las instalaciones fijas.

3.- Será requisito indispensable para la concesión de la licencia que el organizador del espectáculo o actividad acredite tener concertado un contrato de seguro que cubra los riesgos de incendio de la instalación y de responsabilidad civil por daños a los concurrentes y a terceros derivados de las condiciones y servicios de las instalaciones y estructuras, así como de la actividad desarrollada y del personal que preste sus servicios en la misma.

2. Jurisprudencia

• La sentencia apelada, como se ha expuesto, desestimó el recurso contencioso-administrativo al no apreciar vicio de nulidad o anulabilidad del procedimiento sancionador en cuanto a las notificaciones realizadas en el curso del mismo, que se produjeron por edictos, forma esta de notificación que la sentencia consideró legal en las circunstancias que relata, y constatada la ausencia de vicios, confirmó la resolución sancionadora, por cuanto de las actas de denuncia se desprendía la comisión de la infracción, tipificada como muy grave por el artículo 19.12 de la Ley 13/1999, de 15 de diciembre, de Espectáculos Públicos y Actividades Recreativas de Andalucía, consistente en la carencia de seguro obligatorio de responsabilidad civil, y sancionada en el grado mínimo de la escala sancionadora establecida en el artículo 22 de la citada Ley, por lo que no se entiende que en el recurso de apelación se reitere de nuevo la vulneración del principio de proporcionalidad, siendo esta una clara manifestación de lo que se expone a continuación. [STSJ Andalucía (Granada) 18 julio 2011.- LA LEY 199556/2011]

• Conduciendo la cuestión por tanto al análisis respecto de la existencia de base fáctica de la infracción debemos ratificar la decisión del Juzgado de instancia. Así tal y como señala la Administración apelante **es cierto que la póliza de seguro no aparece firmada por el recurrente como tomador del seguro.** Del mismo modo el justificante de pago obrante al folio 45 del expediente administrativo no consigna la fecha en el pretendido pago tuvo lugar y finalmente, el documento bancario que consta en el folio 46 del citado expediente, es un simple aviso de adeudo provisional por domiciliación subordinado al adeudo definitivo. Ahora bien se estima por la Sala que ello no permite inferir la inexistencia del seguro. **En una valoración conjunta del seguro cabe determinar sobre la base de tales documentos la existencia del mismo pues de una parte la voluntad de la aseguradora se infiere de su firma y del adeudo de pago. Del mismo modo cabe entender producida la voluntad del asegurado** pues siendo el seguro del año 2004 el aviso de adeudo emitido confirma la vigencia del seguro razón por la que resulta razonable atribuir al pago efectivamente realizado al año 2004 (fecha de la denuncia y de la póliza del seguro firmada por la aseguradora que consta en autos). Tal conclusión resulta además reforzada por la actuación misma de la Administración que considero tal documentación suficiente para proceder al archivo del expediente NUM001. Del mismo modo se considera por el funcionario informante del recurso de alzada interpuesto por el recurrente frente a la resolución sancionadora. [STSJ Andalucía (Granada) 19 noviembre 2012.- LA LEY 233655/2012]

• La primera disfunción que parece existir entre la parte actora y la parte demandada es si **se puede considerar un cotillón de nochevieja y de Reyes, como una actividad esporádica u ocasional, o de considerarse como una actividad habitual**. En este sentido cabe poner de manifiesto que el diccionario de la Real Academia Española de la Lengua define «cotillón» como «fiesta y baile que se celebra en un día señalado como el de fin de año o Reyes», y la palabra «esporádico», en cuanto a la acepción que es aplicable a este supuesto, es definida de la siguiente forma: «dicho de una cosa: Ocasional, sin ostensible enlace con antecedentes ni consiguientes»; por último, la palabra «ocasional» es definida, en una primera acepción, como «dicho de una cosa: Que ocasiona» y, en una segunda acepción, «que sobreviene por una ocasión o accidentalmente». Por tanto, **el concepto de ocasional o esporádico de la actividad de cotillón habrá que referirla a si esta actividad se realiza por un concreto establecimiento sin que exista una habitualidad, en el sentido de que este establecimiento no viene realizándola con anterioridad, ni piensa venir realizándola con posterioridad, siendo una actividad meramente accidental o ejecutada en una ocasión**. Por tanto, **el cotillón como tal es una actividad habitual**, si bien esta habitualidad solo tiene lugar dos veces al año (nochevieja y Reyes), pero la concreta actividad en unos locales será habitual si se organiza todos los años y será ocasionar o esporádica si normalmente no se organiza y sólo excepcionalmente se organiza algún esporádico año. [STSJ Castilla y León (Burgos) 2 julio 2010.- LA LEY 158162/2010 (También la STS Castilla y León (Burgos) 13 abril 2012.- LA LEY 69653/2012)]

• Recordemos que el art.º 42.1 de la Llei 11/2009 definía los espectáculos públicos y las actividades recreativas de carácter extraordinario como las que «se llevan a cabo esporádicamente en establecimientos abiertos al público que tienen licencia o autorización para una actividad diferente de la que se pretende hacer, o en espacios abiertos al público u otros locales que, todo y no tener la condición de establecimientos abiertos al público con licencia o autorización, cumplen las condiciones exigibles para llevar a cabo los espectáculos o las actividades….».

Y el Festival no tiene nada de esporádico a pesar de que se celebre una vez al año, en medio del verano; ya que esporádico es aquello que puede calificarse «de ocasional, sin un enlace ostensible con antecedentes y consiguientes» (ver RAE) o aquello «que se presenta de una manera aislada, sin obedecer a una ley general» (Diccionario de L'IEC). Y, en nuestro caso, el Festival se viene celebrando de forma regular y continuada, al menos desde el año 2006. Y esta situación repetitiva, ya hacía unos cuantos años que venía produciéndose en la fecha de concesión de la Licencia controvertida.

La consecuencia de todo lo que acabamos de decir no podrá ser de otra forma que la de **excluir el Festival —tal y como había estado concebido—, del régimen de autorizaciones del cual se había venido beneficiándose**. Lo contrario nos llevaría al absurdo de tener que admitir *a priori* —incluso en zonas con un uso residencial significativo—, la posibilidad de un número repetitivo e indeterminado de eventos musicales de características análogas a las del Festival y, por tanto, a convertir en papel mojado las previsiones legales de la propia OM, la cual (art.º 16.5) habría limitado la suspensión del cumplimiento de los objetivos de calidad acústica a cinco fiestas populares, con el claro designio de reducir a la mínima expresión el sacrificio del derecho de los vecinos a un grado de calidad acústica compatible con el derecho al descanso; compatible asimismo, con el derecho a la salud; y, subordinado —como no podía ser menos— al derecho de los residentes a disfrutar de la intimidad domiciliaria sin inmisiones acústicas perturbadoras. [STSJ Cataluña 14 marzo 2016.- LA LEY 20401/2016]

• Y en este caso está acreditado por la documental aportada con la demanda que el titular del pub Camelot no es la demandante sino D Juan Pablo, como se indica en la sentencia de instancia, y **es el titular del establecimiento abierto al público el que ha de suscribir el contrato de seguro al que se refiere el art. 6 de la citada Ley Autonómica 7/2006**, y cuyo incumplimiento por ese titular determina la comisión de la infracción muy grave prevista en el art. 36.6 de esa Ley. El hecho de que la demandante en vía administrativa no cuestionara la titularidad de ese pub Camelot en sus alegaciones —lo que ha explicado al señalar que era la titular de otro pub, el denominado pub Iris, que también figura en el expediente— **no determina que ha de soportar la sanción impuesta cuando ha acreditado que no es la titular** del citado pub Camelot, debiendo recordarse que en el procedimiento sancionador rige el principio de presunción de inocencia, como establece el art. 137 LRJAP, lo que comporta, sin necesidad ahora de mayores precisiones, que corresponde a la Administración la acreditación de los hechos que determinan la imposición de la correspondiente sanción. [STSJ Castilla y León (Valladolid) 30 septiembre 2016.- LA LEY 153959/2016]

• El vencimiento del plazo máximo sin haberse notificado resolución expresa legitima al interesado que hubiera deducido la solicitud para entenderla **estimada por silencio administrativo, excepto cuando se transfieran facultades relativas al dominio público** o al servicio público, o venga establecido por la normativa sectorial de aplicación, como es el caso de los espectáculos públicos y actividades recreativas de **carácter ocasional y extraordinario, que habrán de entenderse desestimadas**. Asimismo, la resolución presunta del instrumento de prevención y control ambiental correspondiente no podrá amparar el otorgamiento de licencia en contra de la normativa ambiental aplicable. [STSJ Andalucía (Granada) 11 abril 2017.- LA LEY 75735/2017]

3. Legislación aplicable

— Estatal

Arts. 21.1. q) y s), 124.4.ñ), 70.bis y 84, 84 bis y 84 ter. de la Ley 7/1985, de 2 de abril, Reguladora de las Bases de Régimen Local.

RD 2816/1982, de 27 de agosto, por el que se aprueba el Reglamento General de Policía de Espectáculos Públicos y Actividades Recreativas.

— Autonómica

Ley 17/1997, de 4 de julio, de Espectáculos Públicos y Actividades Recreativas.

Ley 4/2013, de 18 de diciembre, de modificación de la Ley 17/1997, de 4 de julio, de Espectáculos Públicos y Actividades Recreativas.

Decreto 163/2008, de 29 de diciembre, del Consejo de Gobierno, por el que se regula la actividad de control de acceso a espectáculos públicos y actividades recreativas.

Decreto 184/1998, de 22 de octubre, por el que se aprueba el Catálogo de Espectáculos Públicos, Actividades Recreativas, Establecimientos, Locales e Instalaciones.

MODELO DE EXPEDIENTE *(Disponible a texto íntegro en smarteca.es)*

1) *Solicitud de licencia municipal para instalación eventual, portátil o desmontable*

2) *Resolución admitiendo a trámite el expediente*

3) *Informe técnico*

4) *Resolución de la Alcaldía*

5)   Notificación de la resolución

9. Comunidad Valenciana

Expediente de espectáculos y actividades extraordinarios, singulares o excepcionales

1.   Claves del Expediente

Corresponde a la **Generalitat** la competencia (art. 7 1. d y e de la **Ley 14/2010**) sobre:

— Los espectáculos públicos y actividades recreativas de carácter extraordinario, entendiendo por tales aquellos que sean distintos de los indicados en la licencia referida a un establecimiento público, de acuerdo con lo regulado en el Catálogo del anexo de esta ley para cada tipo de actividad.

— Los espectáculos y actividades singulares o excepcionales que no estén previstos en el Catálogo del anexo de esta ley, o que por sus características no pudieran acogerse a los reglamentos dictados.

Corresponde a los **ayuntamientos** las competencia (art. 8 Ley 14/2010) sobre los siguientes espectáculos y actividades:

— Las actividades recreativas o deportivas cuyo desarrollo discurra dentro de su término municipal.

— Los espectáculos públicos y actividades recreativas que se realicen en el municipio con motivo de la celebración de las fiestas locales y/o patronales, requieran o no la utilización de vía pública. *Véase Decreto 28/2011, 18 marzo, por el que se aprueba el Reglamento por el que se regulan las condiciones y tipología de las sedes festeras tradicionales ubicadas en los municipios de la Comunitat Valenciana).*

— Los espectáculos públicos y actividades recreativas, con o sin animales, que para su celebración requieran la utilización de vía pública.

— Los espectáculos y actividades extraordinarios que se pretendan realizar con carácter ocasional o particular en un establecimiento público, siempre que no supongan una modificación de las condiciones técnicas generales serán objeto de declaración responsable ante el órgano competente de la Generalitat a efectos informativos (art. 25. 1 Ley 14/2010, de 3 de diciembre, de la Generalitat, de Espectáculos Públicos, Actividades Recreativas y Establecimientos Públicos).

— Los espectáculos y actividades extraordinarios que conlleven una modificación de las condiciones técnicas generales, una alteración de la seguridad, un aumento de aforo sobre el previsto o impliquen la instalación de escenarios o tinglados, serán objeto de solicitud ante el órgano competente de la Generalitat a efectos de pertinente autorización (art. 25. 2 Ley 14/2010, de 3 de diciembre, de la Generalitat, de Espectáculos Públicos, Actividades Recreativas y Establecimientos Públicos).

— Los espectáculos y actividades singulares o excepcionales tendrán un procedimiento de tramitación y la exigencia de unos requisitos y condiciones equivalentes a lo previsto para los de carácter extraordinario (art. 26 Ley 14/2010, de 3 de diciembre, de la Generalitat, de Espectáculos Públicos, Actividades Recreativas y Establecimientos Públicos).

— Se distinguen entre:

* Espectáculos y actividades extraordinarios

* Espectáculos o actividades singulares o excepcionales

* Espectáculos o actividades celebrados en vía pública o al aire libre

* Espectáculos o actividades celebrados en establecimientos con licencia distinta a la regulada por la normativa de espectáculos

• **Espectáculos y actividades extraordinarios** (arts. 66 a 77 del 143/2015, de 11 de septiembre, del Consell, por el que aprueba el Reglamento de desarrollo de la Ley 14/2010, de 3 de diciembre, de la Generalitat, de Espectáculos Públicos, Actividades Recreativas y Establecimientos Públicos)

Son de **competencia autonómica**, y como excepción, de acuerdo con lo dispuesto en el artículo 8.2 de la Ley 14/2010, de 3 de diciembre, los espectáculos o las actividades extraordinarios que se efectúen durante la celebración de las fiestas locales y/o patronales, serán **competencia del ayuntamiento**.

El **procedimiento municipal** se remite al art. 76, disponiendo que los ayuntamientos que, de acuerdo con lo indicado en la normativa en vigor, sean competentes para tramitar y resolver los espectáculos y actividades extraordinarios por motivo de fiestas locales y/o patronales, adecuarán sus procedimientos a lo indicado en el presente capítulo —arts. 66 a 77—. En este sentido, la documentación a exigir a los organizadores será, en todo caso, la prevista en los artículos 72 ó 73.

• **Espectáculos y actividades singulares o excepcionales** (art. 78 a 80 del Decreto 143/2015, de 11 de septiembre)

Se considerarán por tales los espectáculos y actividades que, por su carácter particular, específico o único no estén incluidos de manera expresa en el catálogo del anexo de la Ley 14/2010, constituyan un acontecimiento puntual o no sean susceptibles de reiteración o de realización habitual ni periódica.

La realización de espectáculos o actividades singulares o excepcionales requerirá de previa **autorización administrativa por la conselleria** competente en materia de espectáculos.

Como excepción, los espectáculos o actividades singulares o excepcionales que se efectúen durante la época de **fiestas patronales o locales** en municipios de la Comunitat Valenciana serán autorizados por los **ayuntamientos**.

• **Espectáculos o actividades celebrados en vía pública o al aire libre** (arts. 81 y 82 del Decreto 143/2015, de 11 de septiembre)

Los espectáculos o actividades cuya competencia corresponda a los **ayuntamientos** por celebrarse en vía pública o en espacios abiertos, serán objeto de autorización administrativa cuando, en todo caso, el aforo previsto exceda de 1.000 personas.

Cuando no se exceda de dicho aforo, el espectáculo o actividad atenderá al procedimiento de **declaración responsable** por analogía con los espectáculos o actividades extraordinarios sin incremento de riesgo siempre y cuando aquel no conlleve la utilización de instalaciones eventuales, portátiles o desmontables.

El **procedimiento** de autorización por los ayuntamientos será el fijado en sus ordenanzas municipales.

• **Espectáculos o actividades celebrados en establecimientos con licencia distinta a la regulada por la normativa de espectáculos** (art. 83 del Decreto 143/2015, de 11 de septiembre)

Deberán cumplir todos los **requisitos y condiciones** de seguridad exigidos y, en particular, los de aforo y evacuación.

Estos espectáculos y actividades, exijan o no el montaje de instalaciones eventuales, portátiles o desmontables, serán **autorizados por el ayuntamiento** en cuyo término municipal se ubique el establecimiento.

2. Jurisprudencia

• Conduciendo la cuestión por tanto al análisis respecto de la existencia de base fáctica de la infracción debemos ratificar la decisión del Juzgado de instancia. Así tal y como señala la Administración apelante **es cierto que la póliza de seguro no aparece firmada por el recurrente como tomador del seguro.** Del mismo modo el justificante de pago obrante al folio 45 del expediente administrativo no consigna la fecha en el pretendido pago tuvo lugar y finalmente, el documento bancario que consta en el folio 46 del citado expediente, es un simple aviso de adeudo provisional por domiciliación subordinado al adeudo definitivo. Ahora bien se estima por la Sala que ello no permite inferir la inexistencia del seguro. **En una valoración conjunta del seguro cabe determinar sobre la base de tales documentos la existencia del mismo pues de una parte la voluntad de la aseguradora se infiere de su firma y del adeudo de pago. Del mismo modo cabe entender producida la voluntad del asegurado** pues siendo el seguro del año 2004 el aviso de adeudo emitido confirma la vigencia del seguro razón por la que resulta razonable atribuir al pago efectivamente realizado al año 2004 (fecha de la denuncia y de la póliza del seguro firmada por la aseguradora que consta en autos). Tal conclusión resulta además reforzada por la actuación misma de la Administración que considero tal documentación suficiente para proceder al archivo del expediente NUM001. Del mismo modo se considera por el funcionario informante del recurso de alzada interpuesto por el recurrente frente a la resolución sancionadora. [STSJ Andalucía (Granada) 19 noviembre 2012.- LA LEY 233655/2012]

• La primera disfunción que parece existir entre la parte actora y la parte demandada es si **se puede considerar un cotillón de nochevieja y de Reyes, como una actividad esporádica u ocasional, o de considerarse como una actividad habitual.** En este sentido cabe poner de manifiesto que el diccionario de la Real Academia Española de la Lengua define «cotillón» como «fiesta y baile que se celebra en un día señalado como el de fin de año o Reyes», y la palabra «esporádico», en cuanto a la acepción que es aplicable a este supuesto, es definida de la siguiente forma: «dicho de una cosa: Ocasional, sin ostensible enlace con antecedentes ni consiguientes»; por último, la palabra «ocasional» es definida, en una primera acepción, como «dicho de una cosa: Que ocasiona» y, en una segunda acepción, «que sobreviene por una ocasión o accidentalmente». Por tanto, **el concepto de ocasional o esporádico de la actividad de cotillón** habrá que referirla a si esta actividad se realiza por un concreto establecimiento sin que exista una habitualidad, en el sentido de que este establecimiento no viene realizándola con anterioridad, ni piensa venir realizándola con posterioridad, siendo una actividad meramente accidental o ejecutada en una ocasión. Por tanto, el cotillón como tal es una actividad habitual, si bien esta habitualidad solo tiene lugar dos veces al año (nochevieja y Reyes), pero la concreta actividad en unos locales será habitual si se organiza todos los años y será ocasionar o esporádica si normalmente no se organiza y sólo excepcionalmente se organiza algún esporádico año. [STSJ Castilla y León (Burgos) 2 julio 2010.- LA LEY 158162/2010 (También la STS Castilla y León (Burgos) 13 abril 2012.- LA LEY 69653/2012)]

- Recordemos que el art.º 42.1 de la Llei 11/2009 definía los espectáculos públicos y las actividades recreativas de carácter extraordinario como las que «se llevan a cabo esporádicamente en establecimientos abiertos al público que tienen licencia o autorización para una actividad diferente de la que se pretende hacer, o en espacios abiertos al público u otros locales que, todo y no tener la condición de establecimientos abiertos al público con licencia o autorización, cumplen las condiciones exigibles para llevar a cabo los espectáculos o las actividades….».

Y el Festival no tiene nada de esporádico a pesar de que se celebre una vez al año, en medio del verano; ya que esporádico es aquello que puede calificarse «de ocasional, sin un enlace ostensible con antecedentes y consiguientes» (ver RAE) o aquello «que se presenta de una manera aislada, sin obedecer a una ley general» (Diccionario de L'IEC). Y, en nuestro caso, el Festival se viene celebrando de forma regular y continuada, al menos desde el año 2006. Y esta situación repetitiva, ya hacía unos cuantos años que venía produciéndose en la fecha de concesión de la Licencia controvertida.

La consecuencia de todo lo que acabamos de decir no podrá ser de otra forma que la de excluir el Festival —tal y como había estado concebido—, del régimen de autorizaciones del cual se había venido beneficiándose. Lo contrario nos llevaría al absurdo de tener que admitir a priori —incluso en zonas con un uso residencial significativo—, la posibilidad de un número repetitivo e indeterminado de eventos musicales de características análogas a las del Festival y, por tanto, a convertir en papel mojado las previsiones legales de la propia OM, la cual (art.º 16.5) habría limitado la suspensión del cumplimiento de los objetivos de calidad acústica a cinco fiestas populares, con el claro designio de reducir a la mínima expresión el sacrificio del derecho de los vecinos a un grado de calidad acústica compatible con el derecho al descanso; compatible asimismo, con el derecho a la salud; y, subordinado —como no podía ser menos— al derecho de los residentes a disfrutar de la intimidad domiciliaria sin inmisiones acústicas perturbadoras. [STSJ Cataluña 14 marzo 2016.- LA LEY 20401/2016]

- Y en este caso está acreditado por la documental aportada con la demanda que el titular del pub Camelot no es la demandante sino D Juan Pablo, como se indica en la sentencia de instancia, y es el titular del establecimiento abierto al público el que ha de suscribir el contrato de seguro al que se refiere el art. 6 de la citada Ley Autonómica 7/2006, y cuyo incumplimiento por ese titular determina la comisión de la infracción muy grave prevista en el art. 36.6 de esa Ley. El hecho de que la demandante en vía administrativa no cuestionara la titularidad de ese pub Camelot en sus alegaciones —lo que ha explicado al señalar que era la titular de otro pub, el denominado pub Iris, que también figura en el expediente— no determina que ha de soportar la sanción impuesta cuando ha acreditado que no es la titular del citado pub Camelot, debiendo recordarse que en el procedimiento sancionador rige el principio de presunción de inocencia, como establece el art. 137 LRJAP, lo que comporta, sin necesidad ahora de mayores precisiones, que corresponde a la Administración la acreditación de los hechos que determinan la imposición de la correspondiente sanción. [STSJ Castilla y León (Valladolid) 30 septiembre 2016.- LA LEY 153959/2016]

• El vencimiento del plazo máximo sin haberse notificado resolución expresa legitima al interesado que hubiera deducido la solicitud para entenderla **estimada por silencio administrativo, excepto cuando se transfieran facultades relativas al dominio público** o al servicio público, o venga establecido por la normativa sectorial de aplicación, como es el caso de los espectáculos públicos y actividades recreativas de **carácter ocasional y extraordinario, que habrán de entenderse desestimadas**. Asimismo, la resolución presunta del instrumento de prevención y control ambiental correspondiente no podrá amparar el otorgamiento de licencia en contra de la normativa ambiental aplicable. [STSJ Andalucía (Granada) 11 abril 2017.- LA LEY 75735/2017]

3.　Legislación aplicable

— Estatal

RD 2816/1982, de 27 de agosto, por el que se aprueba el Reglamento de Policía de Espectáculos Públicos y Actividades Recreativas.

Art. 13 del Decreto de 17 de junio de 1955, por el que se aprueba el Reglamento de Servicios de las Corporaciones Locales

Arts. 21.1. q) y s), 124.4.ñ), 70.bis y 84, 84 bis y 84 ter. de la Ley 7/1985, de 2 de abril, Reguladora de las Bases de Régimen Local.

— Autonómica

Arts. 25 y 26 de la Ley 14/2010, de 3 de diciembre, de la Generalitat, de Espectáculos Públicos, Actividades Recreativas y Establecimientos Públicos.

Arts. 66 a 83 del Decreto 143/2015, de 11 de septiembre, del Consell, por el que aprueba el Reglamento de desarrollo de la Ley 14/2010, de 3 de diciembre, de la Generalitat, de Espectáculos Públicos, Actividades Recreativas y Establecimientos Públicos.

MODELO DE EXPEDIENTE *(Disponible a texto íntegro en smarteca.es)*

1)　*Solicitud de celebración de espectáculos y actividades extraordinarios, singulares o excepcionales (según modelo que tenga aprobado el Ayuntamiento)*

2)　*Declaración responsable (según modelo que tenga aprobado el Ayuntamiento), acompañada de la siguiente documentación*

3)　*Informe técnico*

4)　*Informe jurídico*

5) *Resolución concediendo la celebración espectáculo o actividad extraordinaria, singular o excepcional*

6) *Notificación de la resolución*

10. Extremadura

Expediente de actividad eventual

1. Claves del Expediente

Las instalaciones, eventuales, portátiles o desmontables están sujetas a licencia municipal.

No existe una normativa específica que regule las actividades de carácter eventual, por lo que a de acudirse al RD 2816/1982, de 27 de agosto, por el que se aprueba el Reglamento de Policía de Espectáculos Públicos y Actividades Recreativas.

PREGUNTAS CLAVE

1. ¿Existe un procedimiento especial para autorizar actividades eventuales en la vía pública?

No existe tal procedimiento, si bien ha de garantizarse en cualquier caso que la actividad reúna las condiciones de seguridad, higiene y comodidad necesarias para espectadores o usuarios y para los ejecutantes del espectáculo o actividad recreativa (art. 35.1 del RD 2816/1982).

2. ¿Es necesario la contratación de seguro de responsabilidad civil?

Aunque no se recoge de forma expresa en la normativa de aplicación a este tipo de actividades, se aconsejable que antes de la concesión de la licencia para realizar la actividad eventual se acredite por el promotor haber suscrito un seguro de responsabilidad civil que cubra cualquier daño a las personas y bienes durante la fecha de celebración.

2. Jurisprudencia

• Conduciendo la cuestión por tanto al análisis respecto de la existencia de base fáctica de la infracción debemos ratificar la decisión del Juzgado de instancia. Así tal y como señala la Administración apelante **es cierto que la póliza de seguro no aparece firmada por el recurrente como tomador del seguro**. Del mismo modo el justificante de pago obrante al folio 45 del expediente administrativo no consigna la fecha en el pretendido pago tuvo lugar y finalmente, el documento bancario que consta en el folio 46 del citado expediente, es un simple aviso de adeudo provisional por domiciliación subordinado al adeudo definitivo. Ahora bien se estima por la Sala que ello no permite inferir la inexistencia del seguro. **En una valoración conjunta del seguro cabe determinar sobre la base de tales documentos la existencia del mismo pues de una parte la voluntad de la aseguradora se infiere de su firma y del adeudo de pago. Del mismo modo cabe**

entender producida la voluntad del asegurado pues siendo el seguro del año 2004 el aviso de adeudo emitido confirma la vigencia del seguro razón por la que resulta razonable atribuir al pago efectivamente realizado al año 2004 (fecha de la denuncia y de la póliza del seguro firmada por la aseguradora que consta en autos). Tal conclusión resulta además reforzada por la actuación misma de la Administración que considero tal documentación suficiente para proceder al archivo del expediente NUM001. Del mismo modo se considera por el funcionario informante del recurso de alzada interpuesto por el recurrente frente a la resolución sancionadora. [STSJ Andalucía (Granada) 19 noviembre 2012.- LA LEY 233655/2012]

• La primera disfunción que parece existir entre la parte actora y la parte demandada es si **se puede considerar un cotillón de nochevieja y de Reyes, como una actividad esporádica u ocasional, o de considerarse como una actividad habitual**. En este sentido cabe poner de manifiesto que el diccionario de la Real Academia Española de la Lengua define «cotillón» como «fiesta y baile que se celebra en un día señalado como el de fin de año o Reyes», y la palabra «esporádico», en cuanto a la acepción que es aplicable a este supuesto, es definida de la siguiente forma: «dicho de una cosa: Ocasional, sin ostensible enlace con antecedentes ni consiguientes»; por último, la palabra «ocasional» es definida, en una primera acepción, como «dicho de una cosa: Que ocasiona» y, en una segunda acepción, «que sobreviene por una ocasión o accidentalmente». Por tanto, **el concepto de ocasional o esporádico de la actividad de cotillón habrá que referirla a si esta actividad se realiza por un concreto establecimiento sin que exista una habitualidad, en el sentido de que este establecimiento no viene realizándola con anterioridad, ni piensa venir realizándola con posterioridad, siendo una actividad meramente accidental o ejecutada en una ocasión**. Por tanto, **el cotillón como tal es una actividad habitual**, si bien esta habitualidad solo tiene lugar dos veces al año (nochevieja y Reyes), pero la concreta actividad en unos locales será habitual si se organiza todos los años y será ocasionar o esporádica si normalmente no se organiza y sólo excepcionalmente se organiza algún esporádico año. [STSJ Castilla y León (Burgos) 2 julio 2010.- LA LEY 158162/2010 (También la STS Castilla y León (Burgos) 13 abril 2012.- LA LEY 69653/2012)]

• Recordemos que el art.º 42.1 de la Llei 11/2009 definía los espectáculos públicos y las actividades recreativas de carácter extraordinario como las que «se llevan a cabo esporádicamente en establecimientos abiertos al público que tienen licencia o autorización para una actividad diferente de la que se pretende hacer, o en espacios abiertos al público u otros locales que, todo y no tener la condición de establecimientos abiertos al público con licencia o autorización, cumplen las condiciones exigibles para llevar a cabo los espectáculos o las actividades….».

Y el Festival no tiene nada de esporádico a pesar de que se celebre una vez al año, en medio del verano; ya que esporádico es aquello que puede calificarse «de ocasional, sin un enlace ostensible con antecedentes y consiguientes» (ver RAE) o aquello «que se presenta de una manera aislada, sin obedecer a una ley general» (Diccionario de L'IEC). Y, en nuestro caso, el Festival se viene celebrando de forma regular y continuada, al menos desde el año 2006. Y esta situación repetitiva, ya hacía unos cuantos años que venía produciéndose en la fecha de concesión de la Licencia controvertida.

La consecuencia de todo lo que acabamos de decir no podrá ser de otra forma que la de **excluir el Festival —tal y como había estado concebido—, del régimen de autorizaciones del cual se había venido beneficiándose**. Lo contrario nos llevaría al absurdo de tener que admitir *a priori* —incluso en zonas con un uso residencial significativo—, la posibilidad de un número repetitivo e indeterminado de eventos musicales de características análogas a las del Festival y, por tanto, a convertir en papel mojado las previsiones legales de la propia OM, la cual (art.º 16.5) habría limitado la suspensión del cumplimiento de los objetivos de calidad acústica a cinco fiestas populares, con el claro designio de reducir a la mínima expresión el sacrificio del derecho de los vecinos a un grado de calidad acústica compatible con el derecho al descanso; compatible asimismo, con el derecho a la salud; y, subordinado —como no podía ser menos— al derecho de los residentes a disfrutar de la intimidad domiciliaria sin inmisiones acústicas perturbadoras. [STSJ Cataluña 14 marzo 2016.- LA LEY 20401/2016]

• Y en este caso está acreditado por la documental aportada con la demanda que el titular del pub Camelot no es la demandante sino D Juan Pablo, como se indica en la sentencia de instancia, y **es el titular del establecimiento abierto al público el que ha de suscribir el contrato de seguro al que se refiere el art. 6 de la citada Ley Autonómica 7/2006**, y cuyo incumplimiento por ese titular determina la comisión de la infracción muy grave prevista en el art. 36.6 de esa Ley. El hecho de que la demandante en vía administrativa no cuestionara la titularidad de ese pub Camelot en sus alegaciones —lo que ha explicado al señalar que era la titular de otro pub, el denominado pub Iris, que también figura en el expediente— **no determina que ha de soportar la sanción impuesta cuando ha acreditado que no es la titular** del citado pub Camelot, debiendo recordarse que en el procedimiento sancionador rige el principio de presunción de inocencia, como establece el art. 137 LRJAP, lo que comporta, sin necesidad ahora de mayores precisiones, que corresponde a la Administración la acreditación de los hechos que determinan la imposición de la correspondiente sanción. [STSJ Castilla y León (Valladolid) 30 septiembre 2016.- LA LEY 153959/2016]

• El vencimiento del plazo máximo sin haberse notificado resolución expresa legitima al interesado que hubiera deducido la solicitud para entenderla **estimada por silencio administrativo, excepto cuando se transfieran facultades relativas al dominio público** o al servicio público, o venga establecido por la normativa sectorial de aplicación, como es el caso de los espectáculos públicos y actividades recreativas de **carácter ocasional y extraordinario, que habrán de entenderse desestimadas**. Asimismo, la resolución presunta del instrumento de prevención y control ambiental correspondiente no podrá amparar el otorgamiento de licencia en contra de la normativa ambiental aplicable. [STSJ Andalucía (Granada) 11 abril 2017.- LA LEY 75735/2017]

3. Legislación aplicable

— Estatal

RD 2816/1982, de 27 de agosto, por el que se aprueba el Reglamento de Policía de Espectáculos Públicos y Actividades Recreativas.

Art. 13 del Decreto de 17 de junio de 1955, por el que se aprueba el Reglamento de Servicios de las Corporaciones Locales.

Arts. 21.1. q) y s), 124.4.ñ), 70.bis y 84, 84 bis y 84 ter. de la Ley 7/1985, de 2 de abril, Reguladora de las Bases de Régimen Local.

MODELO DE EXPEDIENTE *(Disponible a texto íntegro en smarteca.es)*

1) *Comunicación de realización de actividad eventual*

2) *Resolución admitiendo a trámite el expediente*

3) *Edicto de información pública*

4) *Certificado de reclamaciones*

5) *Informe técnico*

6) *Informe jurídico*

7) *Resolución de la Alcaldía*

8) *Notificación de la resolución*

11. Galicia

Expediente de espectáculos públicos y actividades recreativas

1. Claves del Expediente

El **Decreto 292/2004**, de 18 de noviembre, por el que se aprueba el Catálogo de espectáculos públicos y actividades recreativas de la Comunidad Autónoma de Galicia, distingue en su art. 3 entre espectáculos públicos y actividades recreativas:

• **Ocasionales**: aquellos que, debidamente autorizados, se celebren o se desarrollen en establecimientos fijos o eventuales, así como en vías y zonas de dominio público, durante períodos de tiempo inferiores a tres meses. En estos casos las autorizaciones o licencias se otorgarán de forma específica para cada período de ejercicio de la actividad o programación de los espectáculos.

• **Extraordinarios**: aquellos que, debidamente autorizados, se celebren o desarrollen específica y excepcionalmente en establecimientos autorizados para otros espectáculos o actividades recreativas diferentes a los que se pretende celebrar o desarrollar de forma extraordinaria.

• **Conmemorativos y de efemérides**: aquellos que, debidamente autorizados, se celebren o se desarrollen en establecimientos fijos o eventuales, así como en vías y zonas de dominio público. La autorización se hará por el período de tiempo necesario para el desarrollo de la conmemoración o efemérides. En estos casos las autorizaciones o licencias se otorgarán de forma específica para la conmemoración o efemérides de que se trate.

La **Ley 10/2017**,de 27 de diciembre, de espectáculos públicos y actividades recreativas de Galicia, en su art. 3.c) **define** los espectáculos públicos y actividades recreativas de carácter extraordinario, como aquellos que se desarrollan esporádicamente en establecimientos abiertos al público legalmente habilitados para celebrar un espectáculo público o actividad recreativa distinta de la actividad propia del establecimiento, siendo de **competencia municipal** otorgar la licencia que corresponda (art. 5 a).

Son obligaciones de las personas organizadoras de espectáculos públicos y actividades recreativas de carácter extraordinario deben contratar la **póliza de responsabilidad civil**, independientemente de la que también tengan contratada las personas titulares de los establecimientos o espacios abiertos al público donde se lleven a cabo los espectáculos públicos o actividades recreativas (art. 8.1).

La **tramitación de la licencia municipal** se regula en el art. 42 quater de la **Ley 9/2013**, de 19 de diciembre, del emprendimiento y de la competitividad económica de Galicia, modificada por la disposición final primera de la Ley 10/2017,de 27 de diciembre, de espectáculos públicos y actividades recreativas de Galicia. Dicha tramitación se concreta en:

1.- Con anterioridad a la celebración de espectáculos públicos y actividades recreativas de carácter extraordinario, las personas titulares o encargadas de su organización deberán presentar una **solicitud de licencia** dirigida al ayuntamiento.

La solicitud de licencia tendrá el siguiente **contenido**:

a) Los datos identificativos del/de la titular o de quien organice la actividad y, en su caso, de la persona que actúe en su representación, con indicación de su nombre y dirección.

b) La ubicación del establecimiento abierto al público en que va a desarrollarse el espectáculo público o la actividad recreativa.

2.- Junto con la solicitud de la licencia, quien ostente la titularidad o las personas encargadas de la organización deberán presentar la **documentación** que figura a continuación, salvo que esta ya esté en poder o haya sido elaborada por cualquier administración, supuesto en que se observará lo indicado en el artículo 28 de la Ley 39/2015, de 1 de octubre, del procedimiento administrativo común de las administraciones públicas:

a) La **memoria** que defina las actuaciones a desarrollarse, con el contenido y detalle que permita a la Administración conocer su objeto y determinar su ajuste a la normativa urbanística y sectorial de aplicación. En la misma figurarán, en particular, los siguientes datos: la información sobre el tipo de espectáculo, la previsión aproximada de asistencia de público y el horario de la actuación.

b) **El plan de emergencia**, el plan de autoprotección, el estudio de impacto acústico y el dispositivo de asistencia sanitaria que sean exigibles de acuerdo con la normativa de aplicación y conforme a los requisitos que esta disponga.

c) La **declaración** de la persona titular donde se haga constar el compromiso de contratación del seguro previsto en la normativa en materia de espectáculos públicos y actividades recreativas de Galicia o la documentación acreditativa de la disponibilidad del mismo.

d) Cualquier otra documentación que venga exigida por la normativa de aplicación.

3.- Recibida la solicitud de licencia y la documentación anexa, el ayuntamiento emitirá los **informes necesarios** que determinen el cumplimiento de la normativa de aplicación.

4.- La **tramitación** de la solicitud de licencia no podrá exceder de **un mes**, a contar desde la presentación de la solicitud y de la documentación anexa en el ayuntamiento, salvo que la normativa específica establezca otro plazo mayor. Transcurrido dicho plazo sin que el ayuntamiento comunicase la resolución a la persona interesada, esta podrá entender **estimada por silencio** administrativo su solicitud.

5.- El desarrollo del espectáculo público o actividad recreativa quedará sujeto a las **potestades municipales** de comprobación, control y sanción previstas en el artículo 28.

2. Jurisprudencia

• La sentencia apelada, como se ha expuesto, desestimó el recurso contencioso-administrativo al no apreciar vicio de nulidad o anulabilidad del procedimiento sancionador en cuanto a las notificaciones realizadas en el curso del mismo, que se produjeron por edictos, forma esta de notificación que la sentencia consideró legal en las circunstancias que relata, y constatada la ausencia de vicios, confirmó la resolución sancionadora, por cuanto de las actas de denuncia se desprendía la comisión de la infracción, tipificada como muy grave por el artículo 19.12 de la Ley 13/1999, de 15 de diciembre, de Espectáculos Públicos y Actividades Recreativas de Andalucía, consistente en la carencia de seguro obligatorio de responsabilidad civil, y sancionada en el grado mínimo de la escala sancionadora establecida en el artículo 22 de la citada Ley, por lo que no se entiende que en el recurso de apelación se reitere de nuevo la vulneración del principio de proporcionalidad, siendo esta una clara manifestación de lo que se expone a continuación. [STSJ Andalucía (Granada) 18 julio 2011.- LA LEY 199556/2011]

• Conduciendo la cuestión por tanto al análisis respecto de la existencia de base fáctica de la infracción debemos ratificar la decisión del Juzgado de instancia. Así tal y como señala la Administración apelante **es cierto que la póliza de seguro no aparece firmada por el recurrente como tomador del seguro**. Del mismo modo el justificante de pago obrante al folio 45 del expediente administrativo no consigna la fecha en el pretendido pago tuvo lugar y finalmente, el documento bancario que consta en el folio 46 del citado expediente, es un simple aviso de adeudo provisional por domiciliación subordinado al adeudo definitivo. Ahora bien se estima por la Sala que ello no permite inferir la inexistencia del seguro. **En una valoración conjunta del seguro cabe determinar sobre la base de tales documentos la existencia del mismo pues de una parte la voluntad de la aseguradora se infiere de su firma y del adeudo de pago. Del mismo modo cabe entender producida la voluntad del asegurado** pues siendo el seguro del año 2004 el aviso de adeudo emitido confirma la vigencia del seguro razón por la que resulta razonable atribuir al pago efectivamente realizado al año 2004 (fecha de la denuncia y de la póliza del seguro firmada por la aseguradora que consta en autos). Tal conclusión resulta además reforzada por la actuación misma de la Administración que considero tal documentación suficiente para proceder al archivo del expediente NUM001. Del mismo modo se considera por el funcionario informante del recurso de alzada interpuesto por el recurrente frente a la resolución sancionadora. [STSJ Andalucía (Granada) 19 noviembre 2012.- LA LEY 233655/2012]

• La primera disfunción que parece existir entre la parte actora y la parte demandada es si **se puede considerar un cotillón de nochevieja y de Reyes, como una actividad esporádica u ocasional, o de considerarse como una actividad habitual**. En este sentido cabe poner de manifiesto que el diccionario de la Real Academia Española de la Lengua define «cotillón» como «fiesta y baile que se celebra en un día señalado como el de fin de año o Reyes», y la palabra «esporádico», en cuanto a la acepción que es aplicable a este supuesto, es definida de la siguiente forma: «dicho de una cosa: Ocasional, sin ostensible enlace con antecedentes ni consiguientes»; por último, la palabra «ocasional» es definida, en una primera acepción, como «dicho de una cosa: Que ocasiona» y, en una segunda acepción, «que sobreviene por una ocasión o accidentalmente». Por tanto, **el concepto de ocasional o esporádico de la actividad de cotillón habrá que referirla a si esta actividad se realiza por un concreto establecimiento sin que exista una habitualidad, en el sentido de que este establecimiento no viene realizándola con anterioridad, ni piensa venir realizándola con posterioridad, siendo una actividad meramente accidental o ejecutada en una ocasión**. Por tanto, **el cotillón como tal es una actividad habitual**, si bien esta habitualidad solo tiene lugar dos veces al año (nochevieja y Reyes), pero la concreta actividad en unos locales será habitual si se organiza todos los años y será ocasionar o esporádica si normalmente no se organiza y sólo excepcionalmente se organiza algún esporádico año. [STSJ Castilla y León (Burgos) 2 julio 2010.- LA LEY 158162/2010 (También la STS Castilla y León (Burgos) 13 abril 2012.- LA LEY 69653/2012)]

• Recordemos que el art.º 42.1 de la Llei 11/2009 definía los espectáculos públicos y las actividades recreativas de carácter extraordinario como las que «se llevan a cabo esporádicamente en establecimientos abiertos al público que tienen licencia o autorización para una actividad diferente de la que se pretende hacer, o en espacios abiertos al público u otros locales que, todo y no tener la condición de establecimientos abiertos al público con licencia o autorización, cumplen las condiciones exigibles para llevar a cabo los espectáculos o las actividades....».

Y el Festival no tiene nada de esporádico a pesar de que se celebre una vez al año, en medio del verano; ya que esporádico es aquello que puede calificarse «de ocasional, sin un enlace ostensible con antecedentes y consiguientes» (ver RAE) o aquello «que se presenta de una manera aislada, sin obedecer a una ley general» (Diccionario de L'IEC). Y, en nuestro caso, el Festival se viene celebrando de forma regular y continuada, al menos desde el año 2006. Y esta situación repetitiva, ya hacía unos cuantos años que venía produciéndose en la fecha de concesión de la Licencia controvertida.

La consecuencia de todo lo que acabamos de decir no podrá ser de otra forma que la de **excluir el Festival —tal y como había estado concebido—, del régimen de autorizaciones del cual se había venido beneficiándose**. Lo contrario nos llevaría al absurdo de tener que admitir *a priori* —incluso en zonas con un uso residencial significativo—, la posibilidad de un número repetitivo e indeterminado de eventos musicales de características análogas a las del Festival y, por tanto, a convertir en papel mojado las previsiones legales de la propia OM, la cual (art.º 16.5) habría limitado la suspensión del cumplimiento de los objetivos de calidad acústica a cinco fiestas populares, con el claro designio de reducir a la mínima expresión el sacrificio del derecho de los vecinos a un grado de calidad acústica compatible con el derecho al descanso; compatible asimismo, con el derecho a la salud; y, subordinado —como no podía ser menos— al derecho de los residentes a disfrutar de la intimidad domiciliaria sin inmisiones acústicas perturbadoras. [STSJ Cataluña 14 marzo 2016.- LA LEY 20401/2016]

• Y en este caso está acreditado por la documental aportada con la demanda que el titular del pub Camelot no es la demandante sino D Juan Pablo, como se indica en la sentencia de instancia, y **es el titular del establecimiento abierto al público el que ha de suscribir el contrato de seguro al que se refiere el art. 6 de la citada Ley Autonómica 7/2006**, y cuyo incumplimiento por ese titular determina la comisión de la infracción muy grave prevista en el art. 36.6 de esa Ley. El hecho de que la demandante en vía administrativa no cuestionara la titularidad de ese pub Camelot en sus alegaciones —lo que ha explicado al señalar que era la titular de otro pub, el denominado pub Iris, que también figura en el expediente— **no determina que ha de soportar la sanción impuesta cuando ha acreditado que no es la titular** del citado pub Camelot, debiendo recordarse que en el procedimiento sancionador rige el principio de presunción de inocencia, como establece el art. 137 LRJAP, lo que comporta, sin necesidad ahora de mayores precisiones, que corresponde a la Administración la acreditación de los hechos que determinan la imposición de la correspondiente sanción. [STSJ Castilla y León (Valladolid) 30 septiembre 2016.- LA LEY 153959/2016]

• El vencimiento del plazo máximo sin haberse notificado resolución expresa legitima al interesado que hubiera deducido la solicitud para entenderla **estimada por silencio administrativo, excepto cuando se transfieran facultades relativas al dominio público** o al servicio público, o venga establecido por la normativa sectorial de aplicación, como es el caso de los espectáculos públicos y actividades recreativas de **carácter ocasional y extraordinario, que habrán de entenderse desestimadas**. Asimismo, la resolución presunta del instrumento de prevención y control ambiental correspondiente no podrá amparar el otorgamiento de licencia en contra de la normativa ambiental aplicable. [STSJ Andalucía (Granada) 11 abril 2017.- LA LEY 75735/2017]

MODELO DE EXPEDIENTE *(Disponible a texto íntegro en smarteca.es)*

1) *Comunicación de realización de actividad ocasional o extraordinaria*

2) *Resolución admitiendo a trámite el expediente*

3) *Informe técnico*

4) *Informe jurídico*

5) *Resolución de la Alcaldía*

6) *Notificación de la resolución*

12. Islas Baleares

Expediente de actividad temporal

1.   Claves del Expediente

Se regulan en los arts. 72 a 77 del Decreto 18/1996, de 8 de febrero, por el que se aprueba el Reglamento de las actividades clasificadas.

A tenor de lo dispuesto en el art. 72.1 del Decreto 18/1996, de 8 de febrero, por el que se aprueba el Reglamento de las actividades clasificadas, son actividades temporales todas aquellas instalaciones, aparatos, atracciones, casetas de feria, barracas provisionales, circos e instalaciones similares, de carácter eventual, sean o no desmontables.

Para la obtención de la licencia municipal de instalación, apertura y funcionamiento, deberá presentarse en el ayuntamiento la solicitud correspondiente, acompañada de la documentación siguiente:

• Un ejemplar del proyecto tipo convalidado por la Consejería de Gobernación, el cual podrá ser devuelto al titular una vez finalizada la actividad.

• Acreditación de su inscripción en el Registro autonómico de actividades temporales.

• Plano de emplazamiento de la actividad temporal a escala adecuada.

La tramitación de estos expedientes tendrá carácter preferente a los efectos de ser resueltos en el plazo más breve posible.

El alcalde, o en su caso, el órgano municipal competente, otorgará o denegará la licencia municipal de instalación, apertura y funcionamiento, previos los informes correspondientes.

2.   Jurisprudencia

• La sentencia apelada, como se ha expuesto, desestimó el recurso contencioso-administrativo al no apreciar vicio de nulidad o anulabilidad del procedimiento sancionador en cuanto a las notificaciones realizadas en el curso del mismo, que se produjeron por edictos, forma esta de notificación que la sentencia consideró legal en las circunstancias que relata, y constatada la ausencia de vicios, confirmó la resolución sancionadora, por cuanto de las actas de denuncia se desprendía la comisión de la infracción, tipificada como muy grave por el artículo 19.12 de la Ley 13/1999, de 15 de diciembre, de Espectáculos Públicos y Actividades Recreativas de Andalucía, consistente en la carencia de seguro obligatorio de responsabilidad civil, y sancionada en el grado mínimo de la escala sancionadora establecida en el artículo 22 de la citada Ley, por lo que no se entiende que en el recurso de apelación se reitere de nuevo la vulneración del principio de proporcionalidad, siendo esta una clara manifestación de lo que se expone a continuación. [STSJ Andalucía (Granada) 18 julio 2011.- LA LEY 199556/2011]

• Conduciendo la cuestión por tanto al análisis respecto de la existencia de base fáctica de la infracción debemos ratificar la decisión del Juzgado de instancia. Así tal y como señala la Administración apelante **es cierto que la póliza de seguro no aparece firmada por el recurrente como tomador del seguro**. Del mismo modo el justificante de pago obrante al folio 45 del expediente administrativo no consigna la fecha en el pretendido pago tuvo lugar y finalmente, el documento bancario que consta en el folio 46 del citado expediente, es un simple aviso de adeudo provisional por domiciliación subordinado al adeudo definitivo. Ahora bien se estima por la Sala que ello no permite inferir la inexistencia del seguro. **En una valoración conjunta del seguro cabe determinar sobre la base de tales documentos la existencia del mismo pues de una parte la voluntad de la aseguradora se infiere de su firma y del adeudo de pago. Del mismo modo cabe entender producida la voluntad del asegurado** pues siendo el seguro del año 2004 el aviso de adeudo emitido confirma la vigencia del seguro razón por la que resulta razonable atribuir al pago efectivamente realizado al año 2004 (fecha de la denuncia y de la póliza del seguro firmada por la aseguradora que consta en autos). Tal conclusión resulta además reforzada por la actuación misma de la Administración que considero tal documentación suficiente para proceder al archivo del expediente NUM001. Del mismo modo se considera por el funcionario informante del recurso de alzada interpuesto por el recurrente frente a la resolución sancionadora. [STSJ Andalucía (Granada) 19 noviembre 2012.- LA LEY 233655/2012]

• La primera disfunción que parece existir entre la parte actora y la parte demandada es si **se puede considerar un cotillón de nochevieja y de Reyes, como una actividad esporádica u ocasional, o de considerarse como una actividad habitual**. En este sentido cabe poner de manifiesto que el diccionario de la Real Academia Española de la Lengua define «cotillón» como «fiesta y baile que se celebra en un día señalado como el de fin de año o Reyes», y la palabra «esporádico», en cuanto a la acepción que es aplicable a este supuesto, es definida de la siguiente forma: «dicho de una cosa: Ocasional, sin ostensible enlace con antecedentes ni consiguientes»; por último, la palabra «ocasional» es definida, en una primera acepción, como «dicho de una cosa: Que ocasiona» y, en una segunda acepción, «que sobreviene por una ocasión o accidentalmente». Por tanto, **el concepto de ocasional o esporádico de la actividad de cotillón habrá que referirla a si esta actividad se realiza por un concreto establecimiento sin que exista una habitualidad, en el sentido de que este establecimiento no viene realizándola con anterioridad, ni piensa venir realizándola con posterioridad, siendo una actividad meramente accidental o ejecutada en una ocasión**. Por tanto, **el cotillón como tal es una actividad habitual**, si bien esta habitualidad solo tiene lugar dos veces al año (nochevieja y Reyes), pero la concreta actividad en unos locales será habitual si se organiza todos los años y será ocasionar o esporádica si normalmente no se organiza y sólo excepcionalmente se organiza algún esporádico año. [STSJ Castilla y León (Burgos) 2 julio 2010.- LA LEY 158162/2010 (También la STS Castilla y León (Burgos) 13 abril 2012.- LA LEY 69653/2012)]

• Recordemos que el art.º 42.1 de la Llei 11/2009 definía los espectáculos públicos y las actividades recreativas de carácter extraordinario como las que «se llevan a cabo esporádicamente en establecimientos abiertos al público que tienen licencia o autorización para una actividad diferente de la que se pretende hacer, o en espacios abiertos al público u otros locales que, todo y no tener la condición de establecimientos abiertos al público con licencia o autorización, cumplen las condiciones exigibles para llevar a cabo los espectáculos o las actividades....».

Y el Festival no tiene nada de esporádico a pesar de que se celebre una vez al año, en medio del verano; ya que esporádico es aquello que puede calificarse «de ocasional, sin un enlace ostensible con antecedentes y consiguientes» (ver RAE) o aquello «que se presenta de una manera aislada, sin obedecer a una ley general» (Diccionario de L'IEC). Y, en nuestro caso, el Festival se viene celebrando de forma regular y continuada, al menos desde el año 2006. Y esta situación repetitiva, ya hacía unos cuantos años que venía produciéndose en la fecha de concesión de la Licencia controvertida.

La consecuencia de todo lo que acabamos de decir no podrá ser de otra forma que la de **excluir el Festival —tal y como había estado concebido—, del régimen de autorizaciones del cual se había venido beneficiándose**. Lo contrario nos llevaría al absurdo de tener que admitir *a priori* —incluso en zonas con un uso residencial significativo—, la posibilidad de un número repetitivo e indeterminado de eventos musicales de características análogas a las del Festival y, por tanto, a convertir en papel mojado las previsiones legales de la propia OM, la cual (art.º 16.5) habría limitado la suspensión del cumplimiento de los objetivos de calidad acústica a cinco fiestas populares, con el claro designio de reducir a la mínima expresión el sacrificio del derecho de los vecinos a un grado de calidad acústica compatible con el derecho al descanso; compatible asimismo, con el derecho a la salud; y, subordinado —como no podía ser meno— al derecho de los residentes a disfrutar de la intimidad domiciliaria sin inmisiones acústicas perturbadoras. [STSJ Cataluña 14 marzo 2016.- LA LEY 20401/2016]

• Y en este caso está acreditado por la documental aportada con la demanda que el titular del pub Camelot no es la demandante sino D Juan Pablo, como se indica en la sentencia de instancia, y **es el titular del establecimiento abierto al público el que ha de suscribir el contrato de seguro al que se refiere el art. 6 de la citada Ley Autonómica 7/2006**, y cuyo incumplimiento por ese titular determina la comisión de la infracción muy grave prevista en el art. 36.6 de esa Ley. El hecho de que la demandante en vía administrativa no cuestionara la titularidad de ese pub Camelot en sus alegaciones —lo que ha explicado al señalar que era la titular de otro pub, el denominado pub Iris, que también figura en el expediente— **no determina que ha de soportar la sanción impuesta cuando ha acreditado que no es la titular** del citado pub Camelot, debiendo recordarse que en el procedimiento sancionador rige el principio de presunción de inocencia, como establece el art. 137 LRJAP, lo que comporta, sin necesidad ahora de mayores precisiones, que corresponde a la Administración la acreditación de los hechos que determinan la imposición de la correspondiente sanción. [STSJ Castilla y León (Valladolid) 30 septiembre 2016.- LA LEY 153959/2016]

• El vencimiento del plazo máximo sin haberse notificado resolución expresa legitima al interesado que hubiera deducido la solicitud para entenderla **estimada por silencio administrativo, excepto cuando se transfieran facultades relativas al dominio público** o al servicio público, o venga establecido por la normativa sectorial de aplicación, como es el caso de los espectáculos públicos y actividades recreativas de **carácter ocasional y extraordinario, que habrán de entenderse desestimadas**. Asimismo, la resolución presunta del instrumento de prevención y control ambiental correspondiente no podrá amparar el otorgamiento de licencia en contra de la normativa ambiental aplicable. [STSJ Andalucía (Granada) 11 abril 2017.- LA LEY 75735/2017]

3. Legislación aplicable

— Estatal

RD 2816/1982, de 27 de agosto, por el que se aprueba el Reglamento de Policía de Espectáculos Públicos y Actividades Recreativas.

RD 989/2015, de 30 de octubre, por el que se aprueba el Reglamento de artículos pirotécnicos y cartuchería.

— Autonómica

Ley 7/1999, de 8 de abril, de Atribución de Competencias a los Consejos Insulares de Menorca y de Eivissa i Formentera en materia de Espectáculos Públicos y Actividades Recreativas.

Decreto 41/2011, de 29 de abril, regulador de los servicios de admisión y control de ambiente interno en las actividades de espectáculos públicos y recreativas.

Decreto 3/1999, de 5 de febrero, de distribución de competencias en materia sancionadora de espectáculos públicos y actividades recreativas.

Ley 7/2013, de 26 de noviembre, de régimen jurídico de instalación, acceso y ejercicio de actividades en las Illes Balears.

Decreto 18/1996, de 8 de febrero, por el que se aprueba el Reglamento de las actividades clasificadas.

MODELO DE EXPEDIENTE *(Disponible a texto íntegro en smarteca.es)*

1)   Comunicación de realización de actividad temporal

2)   Resolución admitiendo a trámite el expediente

3)   Informe técnico

4)   Informe jurídico

5)   Resolución de la Alcaldía

6)   Notificación de la resolución

13. La Rioja

Expediente de espectáculo público y actividad recreativa eventual

1.   Claves del Expediente

De conformidad con el art. 15 de la 4/2000, de 25 de octubre, de Espectáculos Públicos y Actividades Recreativas de la Comunidad Autónoma de La Rioja, en el caso de instalaciones eventuales se ha de tener en cuenta:

• Que las actividades recreativas o espectáculos públicos que utilicen instalaciones o estructuras eventuales, portátiles o desmontables con carácter no permanente requerirán licencia municipal.

• Que no será necesario informe de la Administración Autonómica.

• Que deberán cumplirse, no obstante, en términos análogos a los de las instalaciones fijas, las condiciones de seguridad, salubridad y comodidad, así como la disponibilidad de seguro, que deberán comprobarse previamente al inicio de la actividad.

• Que deberán constituir fianza ante la Administración local, para responder de las posibles responsabilidades administrativas derivadas del ejercicio de la actividad.

2. Jurisprudencia

• La sentencia apelada, como se ha expuesto, desestimó el recurso contencioso-administrativo al no apreciar vicio de nulidad o anulabilidad del procedimiento sancionador en cuanto a las notificaciones realizadas en el curso del mismo, que se produjeron por edictos, forma esta de notificación que la sentencia consideró legal en las circunstancias que relata, y constatada la ausencia de vicios, confirmó la resolución sancionadora, por cuanto de las actas de denuncia se desprendía la comisión de la infracción, tipificada como muy grave por el artículo 19.12 de la Ley 13/1999, de 15 de diciembre, de Espectáculos Públicos y Actividades Recreativas de Andalucía, consistente en la carencia de seguro obligatorio de responsabilidad civil, y sancionada en el grado mínimo de la escala sancionadora establecida en el artículo 22 de la citada Ley, por lo que no se entiende que en el recurso de apelación se reitere de nuevo la vulneración del principio de proporcionalidad, siendo esta una clara manifestación de lo que se expone a continuación. [STSJ Andalucía (Granada) 18 julio 2011.- LA LEY 199556/2011]

• Conduciendo la cuestión por tanto al análisis respecto de la existencia de base fáctica de la infracción debemos ratificar la decisión del Juzgado de instancia. Así tal y como señala la Administración apelante **es cierto que la póliza de seguro no aparece firmada por el recurrente como tomador del seguro.** Del mismo modo el justificante de pago obrante al folio 45 del expediente administrativo no consigna la fecha en el pretendido pago tuvo lugar y finalmente, el documento bancario que consta en el folio 46 del citado expediente, es un simple aviso de adeudo provisional por domiciliación subordinado al adeudo definitivo. Ahora bien se estima por la Sala que ello no permite inferir la inexistencia del seguro. **En una valoración conjunta del seguro cabe determinar sobre la base de tales documentos la existencia del mismo pues de una parte la voluntad de la aseguradora se infiere de su firma y del adeudo de pago. Del mismo modo cabe entender producida la voluntad del asegurado** pues siendo el seguro del año 2004 el aviso de adeudo emitido confirma la vigencia del seguro razón por la que resulta razonable atribuir al pago efectivamente realizado al año 2004 (fecha de la denuncia y de la póliza del seguro firmada por la aseguradora que consta en autos). Tal conclusión resulta además reforzada por la actuación misma de la Administración que considero tal documentación suficiente para proceder al archivo del expediente NUM001. Del mismo modo se considera por el funcionario informante del recurso de alzada interpuesto por el recurrente frente a la resolución sancionadora. [STSJ Andalucía (Granada) 19 noviembre 2012.- LA LEY 233655/2012]

• La primera disfunción que parece existir entre la parte actora y la parte demandada es si **se puede considerar un cotillón de nochevieja y de Reyes, como una actividad esporádica u ocasional, o de considerarse como una actividad habitual.** En este sentido cabe poner de manifiesto que el diccionario de la Real Academia Española de la Lengua define «cotillón» como «fiesta y baile que se celebra en un día señalado como el de fin de año o Reyes», y la palabra «esporádico», en cuanto a la acepción que es aplicable a este supuesto, es definida de la siguiente forma: «dicho de una cosa: Ocasional, sin ostensible enlace con antecedentes ni consiguientes»; por último, la palabra «ocasional» es definida, en una primera acepción, como «dicho de una cosa: Que ocasiona» y, en una segunda acepción, «que sobreviene por una ocasión o accidentalmente». Por tanto, **el concepto de ocasional o esporádico de la actividad de cotillón habrá que referirla a si esta actividad se realiza por un concreto establecimiento sin que exista una habitualidad, en el sentido de que este establecimiento no viene realizándola con anterioridad, ni piensa venir realizándola con posterioridad, siendo una actividad meramente accidental o ejecutada en una ocasión.** Por tanto, **el cotillón como tal es una actividad habitual**, si bien esta habitualidad solo tiene lugar dos veces al año (nochevieja y Reyes), pero la concreta actividad en unos locales será habitual si se organiza todos los años y será ocasionar o esporádica si normalmente no se organiza y sólo excepcionalmente se organiza algún esporádico año. [STSJ Castilla y León (Burgos) 2 julio 2010.- LA LEY 158162/2010 (También la STS Castilla y León (Burgos) 13 abril 2012.- LA LEY 69653/2012)]

• Recordemos que el art.º 42.1 de la Llei 11/2009 definía los espectáculos públicos y las actividades recreativas de carácter extraordinario como las que «se llevan a cabo esporádicamente en establecimientos abiertos al público que tienen licencia o autorización para una actividad diferente de la que se pretende hacer, o en espacios abiertos al público u otros locales que, todo y no tener la condición de establecimientos abiertos al público con licencia o autorización, cumplen las condiciones exigibles para llevar a cabo los espectáculos o las actividades….».

Y el Festival no tiene nada de esporádico a pesar de que se celebre una vez al año, en medio del verano; ya que esporádico es aquello que puede calificarse «de ocasional, sin un enlace ostensible con antecedentes y consiguientes» (ver RAE) o aquello «que se presenta de una manera aislada, sin obedecer a una ley general» (Diccionario de L'IEC). Y, en nuestro caso, el Festival se viene celebrando de forma regular y continuada, al menos desde el año 2006. Y esta situación repetitiva, ya hacía unos cuantos años que venía produciéndose en la fecha de concesión de la Licencia controvertida.

La consecuencia de todo lo que acabamos de decir no podrá ser de otra forma que la de **excluir el Festival —tal y como había estado concebido—, del régimen de autorizaciones del cual se había venido beneficiándose**. Lo contrario nos llevaría al absurdo de tener que admitir *a priori* —incluso en zonas con un uso residencial significativo—, la posibilidad de un número repetitivo e indeterminado de eventos musicales de características análogas a las del Festival y, por tanto, a convertir en papel mojado las previsiones legales de la propia OM, la cual (art.º 16.5) habría limitado la suspensión del cumplimiento de los objetivos de calidad acústica a cinco fiestas populares, con el claro designio de reducir a la mínima expresión el sacrificio del derecho de los vecinos a un grado de calidad acústica compatible con el derecho al descanso; compatible asimismo, con el derecho a la salud; y, subordinado —como no podía ser menos— al derecho de los residentes a disfrutar de la intimidad domiciliaria sin inmisiones acústicas perturbadoras. [STSJ Cataluña 14 marzo 2016.- LA LEY 20401/2016]

• Y en este caso está acreditado por la documental aportada con la demanda que el titular del pub Camelot no es la demandante sino D Juan Pablo, como se indica en la sentencia de instancia, y **es el titular del establecimiento abierto al público el que ha**

de suscribir el contrato de seguro al que se refiere el art. 6 de la citada Ley Autonómica 7/2006, y cuyo incumplimiento por ese titular determina la comisión de la infracción muy grave prevista en el art. 36.6 de esa Ley. El hecho de que la demandante en vía administrativa no cuestionara la titularidad de ese pub Camelot en sus alegaciones —lo que ha explicado al señalar que era la titular de otro pub, el denominado pub Iris, que también figura en el expediente— **no determina que ha de soportar la sanción impuesta cuando ha acreditado que no es la titular** del citado pub Camelot, debiendo recordarse que en el procedimiento sancionador rige el principio de presunción de inocencia, como establece el art. 137 LRJAP, lo que comporta, sin necesidad ahora de mayores precisiones, que corresponde a la Administración la acreditación de los hechos que determinan la imposición de la correspondiente sanción. [STSJ Castilla y León (Valladolid) 30 septiembre 2016.- LA LEY 153959/2016]

- El vencimiento del plazo máximo sin haberse notificado resolución expresa legitima al interesado que hubiera deducido la solicitud para entenderla **estimada por silencio administrativo, excepto cuando se transfieran facultades relativas al dominio público** o al servicio público, o venga establecido por la normativa sectorial de aplicación, como es el caso de los espectáculos públicos y actividades recreativas de **carácter ocasional y extraordinario, que habrán de entenderse desestimadas**. Asimismo, la resolución presunta del instrumento de prevención y control ambiental correspondiente no podrá amparar el otorgamiento de licencia en contra de la normativa ambiental aplicable. [STSJ Andalucía (Granada) 11 abril 2017.- LA LEY 75735/2017]

3. Legislación aplicable

— Estatal

Arts. 21.1. q) y s), 124.4.ñ), 70.bis y 84, 84 bis y 84 ter. de la Ley 7/1985, de 2 de abril, Reguladora de las Bases de Régimen Local.

RD 2816/1982, de 27 de agosto, por el que se aprueba el Reglamento General de Policía de Espectáculos Públicos y Actividades Recreativas.

— Autonómica

Ley 4/2000, de 25 de octubre, de Espectáculos Públicos y Actividades Recreativas de la Comunidad Autónoma de La Rioja.

Decreto 62/2006, de 10 de noviembre, por el que se aprueba el Reglamento de Desarrollo del Título I, «Intervención Administrativa», de la Ley 5/2002, de 8 de octubre, de Protección del Medio Ambiente de La Rioja.

MODELO DE EXPEDIENTE *(Disponible a texto íntegro en smarteca.es)*

1)   Solicitud de licencia municipal para instalación eventual

2)   Resolución admitiendo a trámite el expediente

3)   Informe técnico

4)   Informe jurídico

5)   Notificación de la resolución

14. Navarra

Expediente de espectáculo público y actividad recreativa eventual

1.   Claves del Expediente

El art. 6 de la Ley Foral 2/1989, de 13 de marzo, reguladora de espectáculos públicos y actividades recreativas se refiere a los espectáculos o actividades recreativas que pretendan realizarse en instalaciones eventuales, portátiles o desmontables que necesitarán una licencia especial, que se otorgará en un procedimiento administrativo abreviado, previa comprobación del cumplimiento de las condiciones de seguridad adecuadas a cada caso.

No se regula procedimiento específico para la concesión de la licencia especial para realizar espectáculo público o actividad recreativa eventual. Bastará en tal caso la presentación de la documentación acreditativa del cumplimiento de las medidas de seguridad, inspección municipal y concesión de la licencia solicitada.

2.   Jurisprudencia

• La sentencia apelada, como se ha expuesto, desestimó el recurso contencioso-administrativo al no apreciar vicio de nulidad o anulabilidad del procedimiento sancionador en cuanto a las notificaciones realizadas en el curso del mismo, que se produjeron por edictos, forma esta de notificación que la sentencia consideró legal en las circunstancias que relata, y constatada la ausencia de vicios, confirmó la resolución sancionadora, por cuanto de las actas de denuncia se desprendía la comisión de la infracción, tipificada como muy grave por el artículo 19.12 de la Ley 13/1999, de 15 de diciembre, de Espectáculos Públicos y Actividades Recreativas de Andalucía, consistente en la carencia de seguro obligatorio de responsabilidad civil, y sancionada en el grado mínimo de la escala sancionadora establecida en el artículo 22 de la citada Ley, por lo que no se entiende que en el recurso de apelación se reitere de nuevo la vulneración del principio de proporcionalidad, siendo esta una clara manifestación de lo que se expone a continuación. [STSJ Andalucía (Granada) 18 julio 2011.- LA LEY 199556/2011]

• Prohibición de equipo musical en caseta-bar.

El apartado 9 de la resolución dispone en su último inciso que «en la caseta bar no podrá haber ningún equipo que emita música».

A este respecto, hemos de recordar que el artículo 6 de la LFEPAR dispone que «los espectáculos o actividades recreativas que pretendan realizarse en instalaciones eventuales, portátiles o desmontables necesitarán una licencia especial, que se otorgará en un procedimiento administrativo abreviado, previa comprobación del cumplimiento de las condiciones de seguridad adecuadas a cada caso». El artículo 4 del Decreto Foral 202/2002, de 23 de septiembre, que aprueba el catálogo de espectáculos y actividades, al definir los bares (definición que es de aplicación a los establecimientos permanentes, pero que a falta de norma específica por analogía también ha de entenderse extensible a las instalaciones eventuales) señala que comprende los establecimientos especializados en servir bebidas así como tapas, bocadillos y platos fríos o calientes, y añade que «en estos locales podrá existir ambientación musical, con un nivel sonoro interior máximo de 75 dbA».

Es decir, hemos de entender que **contar con un equipo de música para proporcionar esa ambientación musical es algo propio y normal de la actividad de bar a la que se iba a dedicar la caseta autorizada**. El Ayuntamiento puede establecer las condiciones de seguridad adecuadas, entre las que no parece que se hallen la de prohibir la música, y exigir el cumplimiento de los niveles sonoros, tanto con base en el precepto transcrito como en el antedicho Decreto Foral 135/1989, de 8 de junio o en las ordenanzas municipales. Sólo en base a circunstancias no ordinarias debidamente motivadas es posible introducir la excepción de prohibir lo que forma parte normal de la actividad.

En el presente caso **la prohibición de dotar de equipo de música a la caseta-bar no se halla motivada en forma alguna, ni en la resolución impugnada ni en el conjunto del expediente**. Por el contrario, el único informe elaborado al efecto y suscrito con fecha 19 de mayo de 2011 por la Directora del Área de Desarrollo Sostenible señala que «los equipos de música ambiental, de megafonía y actuaciones musicales se regularán de forma que no se superen las inmisiones máximas que autoriza el Decreto Foral 136/89». Es decir, no se opone ninguna razón técnica para impedir la existencia de música ambiental, sólo hay una lógica remisión a la normativa sobre ruidos en cuanto a sus límites sonoros.

Y hemos de considerar también arbitraria esta limitación ya que, como alega la asociación recurrente, en otros casos de fiestas de barrios no se impone habitualmente. Hemos de deducir que ello es así no sólo por la negativa injustificada del Ayuntamiento a remitir la documentación requerida sobre esos casos sino porque este Tribunal ha tenido que examinar otros expedientes de otros recursos de alzada de los que se desprende que se han autorizado instalaciones eventuales con equipos de música. Así, por ejemplo, en los recursos de alzada números 08-8276 contra Resolución de la Concejalía Delegada de Movilidad y Seguridad Ciudadana de fecha 29 de octubre de 2008, 09-2449 contra Resolución de 3 de marzo de 2009 del mismo órgano, 10-01896 contra Resolución de 4 de febrero de 2010 del mismo órgano y 10-7652 contra Resolución de 24 de septiembre de 2010 del mismo órgano que impusieron sanciones por incumplimiento de horarios en las fiestas de los barrios de la Rochapea, Arrosadia, Mendillorri y Azpilagaña, respectivamente. Cierto que el Ayuntamiento, como alega en su informe, puede aplicar criterios distintos para situaciones distintas, o variar de criterio a la vista de la experiencia, pero habrá de justificarlo técnicamente y motivarlo adecuadamente cosa de la que ha prescindido aquí por completo.

En suma, por carecer de motivación y ser una limitación arbitraria procede estimar el recurso en este punto y anular la resolución impugnada en cuanto a dicha condición. [STA Navarra 24 febrero 2012.- LA LEY 17873/2012]

• Conduciendo la cuestión por tanto al análisis respecto de la existencia de base fáctica de la infracción debemos ratificar la decisión del Juzgado de instancia. Así tal y como señala la Administración apelante **es cierto que la póliza de seguro no aparece firmada por el recurrente como tomador del seguro**. Del mismo modo el justificante de pago obrante al folio 45 del expediente administrativo no consigna la fecha en el pretendido pago tuvo lugar y finalmente, el documento bancario que consta en el folio 46 del citado expediente, es un simple aviso de adeudo provisional por domiciliación subordinado al adeudo definitivo. Ahora bien se estima por la Sala que ello no permite inferir la inexistencia del seguro. **En una valoración conjunta del seguro cabe determinar sobre la base de tales documentos la existencia del mismo pues de una parte la voluntad de la aseguradora se infiere de su firma y del adeudo de pago. Del mismo modo cabe entender producida la voluntad del asegurado** pues siendo el seguro del año 2004 el aviso de adeudo emitido confirma la vigencia del seguro razón por la que resulta razonable atribuir al pago efectivamente realizado al año 2004 (fecha de la denuncia y de la póliza del seguro firmada por la aseguradora que consta en autos). Tal conclusión resulta además reforzada por la actuación misma de la Administración que considero tal documentación suficiente para proceder al archivo del expediente NUM001. Del mismo modo se considera por el funcionario informante del recurso de alzada interpuesto por el recurrente frente a la resolución sancionadora. [STSJ Andalucía (Granada) 19 noviembre 2012.- LA LEY 233655/2012]

• La primera disfunción que parece existir entre la parte actora y la parte demandada es si **se puede considerar un cotillón de nochevieja y de Reyes, como una actividad esporádica u ocasional, o de considerarse como una actividad habitual**. En este sentido cabe poner de manifiesto que el diccionario de la Real Academia Española de la Lengua define «cotillón» como «fiesta y baile que se celebra en un día señalado como el de fin de año o Reyes», y la palabra «esporádico», en cuanto a la acepción que es aplicable a este supuesto, es definida de la siguiente forma: «dicho de una cosa: Ocasional, sin ostensible enlace con antecedentes ni consiguientes»; por último, la palabra «ocasional» es definida, en una primera acepción, como «dicho de una cosa: Que ocasiona» y, en una segunda acepción, «que sobreviene por una ocasión o accidentalmente». Por tanto, **el concepto de ocasional o esporádico de la actividad de cotillón habrá que referirla a si esta actividad se realiza por un concreto establecimiento sin que exista una habitualidad, en el sentido de que este establecimiento no viene realizándola con anterioridad, ni piensa venir realizándola con posterioridad, siendo una actividad meramente accidental o ejecutada en una ocasión**. Por tanto, **el cotillón como tal es una actividad habitual**, si bien esta habitualidad solo tiene lugar dos veces al año (nochevieja y Reyes), pero la concreta actividad en unos locales será habitual si se organiza todos los años y será ocasionar o esporádica si normalmente no se organiza y sólo excepcionalmente se organiza algún esporádico año. [STSJ Castilla y León (Burgos) 2 julio 2010.- LA LEY 158162/2010 (También la STS Castilla y León (Burgos) 13 abril 2012.- LA LEY 69653/2012)]

• Recordemos que el art.º 42.1 de la Llei 11/2009 definía los espectáculos públicos y las actividades recreativas de carácter extraordinario como las que «se llevan a cabo esporádicamente en establecimientos abiertos al público que tienen licencia o autorización para una actividad diferente de la que se pretende hacer, o en espacios abiertos al público u otros locales que, todo y no tener la condición de establecimientos abiertos al público con licencia o autorización, cumplen las condiciones exigibles para llevar a cabo los espectáculos o las actividades….».

Y el Festival no tiene nada de esporádico a pesar de que se celebre una vez al año, en medio del verano; ya que esporádico es aquello que puede calificarse «de ocasional, sin un enlace ostensible con antecedentes y consiguientes» (ver RAE) o aquello «que se presenta de una manera aislada, sin obedecer a una ley general» (Diccionario de L'IEC).

Y, en nuestro caso, el Festival se viene celebrando de forma regular y continuada, al menos desde el año 2006. Y esta situación repetitiva, ya hacía unos cuantos años que venía produciéndose en la fecha de concesión de la Licencia controvertida.

La consecuencia de todo lo que acabamos de decir no podrá ser de otra forma que la de **excluir el Festival —tal y como había estado concebido—, del régimen de autorizaciones del cual se había venido beneficiándose**. Lo contrario nos llevaría al absurdo de tener que admitir *a priori* —incluso en zonas con un uso residencial significativo—, la posibilidad de un número repetitivo e indeterminado de eventos musicales de características análogas a las del Festival y, por tanto, a convertir en papel mojado las previsiones legales de la propia OM, la cual (art.º 16.5) habría limitado la suspensión del cumplimiento de los objetivos de calidad acústica a cinco fiestas populares, con el claro designio de reducir a la mínima expresión el sacrificio del derecho de los vecinos a un grado de calidad acústica compatible con el derecho al descanso; compatible asimismo, con el derecho a la salud; y, subordinado —como no podía ser menos— al derecho de los residentes a disfrutar de la intimidad domiciliaria sin inmisiones acústicas perturbadoras. [STSJ Cataluña 14 marzo 2016.- LA LEY 20401/2016]

• Y en este caso está acreditado por la documental aportada con la demanda que el titular del pub Camelot no es la demandante sino D Juan Pablo, como se indica en la sentencia de instancia, y **es el titular del establecimiento abierto al público el que ha de suscribir el contrato de seguro al que se refiere el art. 6 de la citada Ley Autonómica 7/2006**, y cuyo incumplimiento por ese titular determina la comisión de la infracción muy grave prevista en el art. 36.6 de esa Ley. El hecho de que la demandante en vía administrativa no cuestionara la titularidad de ese pub Camelot en sus alegaciones —lo que ha explicado al señalar que era la titular de otro pub, el denominado pub Iris, que también figura en el expediente— **no determina que ha de soportar la sanción impuesta cuando ha acreditado que no es la titular** del citado pub Camelot, debiendo recordarse que en el procedimiento sancionador rige el principio de presunción de inocencia, como establece el art. 137 LRJAP, lo que comporta, sin necesidad ahora de mayores precisiones, que corresponde a la Administración la acreditación de los hechos que determinan la imposición de la correspondiente sanción. [STSJ Castilla y León (Valladolid) 30 septiembre 2016.- LA LEY 153959/2016]

• El vencimiento del plazo máximo sin haberse notificado resolución expresa legitima al interesado que hubiera deducido la solicitud para entenderla **estimada por silencio administrativo, excepto cuando se transfieran facultades relativas al dominio público** o al servicio público, o venga establecido por la normativa sectorial de aplicación, como es el caso de los espectáculos públicos y actividades recreativas de **carácter ocasional y extraordinario, que habrán de entenderse desestimadas**. Asimismo, la resolución presunta del instrumento de prevención y control ambiental correspondiente no podrá amparar el otorgamiento de licencia en contra de la normativa ambiental aplicable. [STSJ Andalucía (Granada) 11 abril 2017.- LA LEY 75735/2017]

3. Legislación aplicable

— Estatal

Arts. 21.1. q) y s), 124.4.ñ), 70.bis y 84, 84 bis y 84 ter. de la Ley 7/1985, de 2 de abril, Reguladora de las Bases de Régimen Local.

— Autonómica

Art. 6 de la Ley Foral 2/1989, de 13 de marzo, reguladora de espectáculos públicos y actividades recreativas.

Ley Foral 26/2001, de 10 de diciembre, de modificación de la Ley Foral 2/1989, de 13 de marzo, reguladora de espectáculos públicos y actividades recreativas.

Decreto Foral 37/2013, de 5 de junio, por el que se adoptan diversas medidas en materia de espectáculos públicos y actividades recreativas para transponer la Directiva 2006/123/CE, del Parlamento Europeo y del Consejo, de 12 de diciembre de 2006, relativa a los servicios en el mercado interior.

Decreto Foral 201/2002, de 23 de septiembre, por el que se regula el horario general de espectáculos públicos y actividades recreativas.

Art. 29 del Decreto Foral 202/2002, de 23 de septiembre, por el que se aprueba el Catálogo de establecimientos, espectáculos públicos y actividades recreativas y se regulan los Registros de Empresas y Locales.

Decreto Foral 44/1990, de 8 de marzo, por el que se regulan las condiciones de autorización de espectáculos públicos y actividades recreativas en espacios públicos.

MODELO DE EXPEDIENTE *(Disponible a texto íntegro en smarteca.es)*

1)   Solicitud de licencia especial municipal de espectáculo público o actividad recreativa eventual

2)   Resolución admitiendo a trámite el expediente

3)   Informe técnico

4)   Resolución de la Alcaldía

5)   Notificación de la resolución

15. País Vasco

Expediente de espectáculo público y actividad recreativa eventual

1.   Claves del Expediente

El art. 28 de la **Ley 10/2015**, de 23 de diciembre, de Espectáculos Públicos y Actividades Recreativas, regula las instalaciones eventuales, y de conformidad con el mismo ha de tenerse en cuenta:

• Que las instalaciones o estructuras eventuales, portátiles o desmontables para la celebración de espectáculos o actividades recreativas deberán obtener la licencia o autorización municipal, previa cumplimentación de los requisitos que a tal efecto se especifiquen.

• Que a las instalaciones o estructuras eventuales les serán exigidas condiciones de seguridad, higiene y comodidad para el público y los ejecutantes análogas a aquellas que lo sean para las instalaciones fijas, suficientemente acreditadas en el expediente mediante certificación del técnico competente.

• Que no se autorizará la instalación sin que el organizador acredite tener concertado seguro de responsabilidad civil en los términos establecidos en el artículo 24 de ley 10/2015 (*Decreto 44/2014, de 25 de marzo, por el que se regulan los seguros de responsabilidad civil exigibles para la celebración de espectáculos públicos y actividades recreativas*) y, en su caso, plan de autoprotección, así como el cumplimiento de las demás obligaciones previstas en la legislación vigente.

2. Jurisprudencia

• La sentencia apelada, como se ha expuesto, desestimó el recurso contencioso-administrativo al no apreciar vicio de nulidad o anulabilidad del procedimiento sancionador en cuanto a las notificaciones realizadas en el curso del mismo, que se produjeron por edictos, forma esta de notificación que la sentencia consideró legal en las circunstancias que relata, y constatada la ausencia de vicios, confirmó la resolución sancionadora, por cuanto de las actas de denuncia se desprendía la comisión de la infracción, tipificada como muy grave por el artículo 19.12 de la Ley 13/1999, de 15 de diciembre, de Espectáculos Públicos y Actividades Recreativas de Andalucía, consistente en la carencia de seguro obligatorio de responsabilidad civil, y sancionada en el grado mínimo de la escala sancionadora establecida en el artículo 22 de la citada Ley, por lo que no se entiende que en el recurso de apelación se reitere de nuevo la vulneración del principio de proporcionalidad, siendo esta una clara manifestación de lo que se expone a continuación. [STSJ Andalucía (Granada) 18 julio 2011.- LA LEY 199556/2011]

• Conduciendo la cuestión por tanto al análisis respecto de la existencia de base fáctica de la infracción debemos ratificar la decisión del Juzgado de instancia. Así tal y como señala la Administración apelante **es cierto que la póliza de seguro no aparece firmada por el recurrente como tomador del seguro**. Del mismo modo el justificante de pago obrante al folio 45 del expediente administrativo no consigna la fecha en el pretendido pago tuvo lugar y finalmente, el documento bancario que consta en el folio 46 del citado expediente, es un simple aviso de adeudo provisional por domiciliación subordinado al adeudo definitivo. Ahora bien se estima por la Sala que ello no permite inferir la inexistencia del seguro. **En una valoración conjunta del seguro cabe determinar sobre la base de tales documentos la existencia del mismo pues de una parte la voluntad de la aseguradora se infiere de su firma y del adeudo de pago. Del mismo modo cabe entender producida la voluntad del asegurado** pues siendo el seguro del año 2004 el aviso de adeudo emitido confirma la vigencia del seguro razón por la que resulta razonable atribuir al pago efectivamente realizado al año 2004 (fecha de la denuncia y de la póliza del seguro firmada por la aseguradora que consta en autos). Tal conclusión resulta además reforzada por la actuación misma de la Administración que considero tal documentación suficiente para proceder al archivo del expediente NUM001. Del mismo modo se considera por el funcionario informante del recurso de alzada interpuesto por el recurrente frente a la resolución sancionadora. [STSJ Andalucía (Granada) 19 noviembre 2012.- LA LEY 233655/2012]

• La primera disfunción que parece existir entre la parte actora y la parte demandada es si **se puede considerar un cotillón de nochevieja y de Reyes, como una actividad esporádica u ocasional, o de considerarse como una actividad habitual**.

En este sentido cabe poner de manifiesto que el diccionario de la Real Academia Española de la Lengua define «cotillón» como «fiesta y baile que se celebra en un día señalado como el de fin de año o Reyes», y la palabra «esporádico», en cuanto a la acepción que es aplicable a este supuesto, es definida de la siguiente forma: «dicho de una cosa: Ocasional, sin ostensible enlace con antecedentes ni consiguientes»; por último, la palabra «ocasional» es definida, en una primera acepción, como «dicho de una cosa: Que ocasiona» y, en una segunda acepción, «que sobreviene por una ocasión o accidentalmente». Por tanto, **el concepto de ocasional o esporádico de la actividad de cotillón habrá que referirla a si esta actividad se realiza por un concreto establecimiento sin que exista una habitualidad, en el sentido de que este establecimiento no viene realizándola con anterioridad, ni piensa venir realizándola con posterioridad, siendo una actividad meramente accidental o ejecutada en una ocasión**. Por tanto, **el cotillón como tal es una actividad habitual**, si bien esta habitualidad solo tiene lugar dos veces al año (nochevieja y Reyes), pero la concreta actividad en unos locales será habitual si se organiza todos los años y será ocasionar o esporádica si normalmente no se organiza y sólo excepcionalmente se organiza algún esporádico año. [STSJ Castilla y León (Burgos) 2 julio 2010.- LA LEY 158162/2010 (También la STS Castilla y León (Burgos) 13 abril 2012.- LA LEY 69653/2012)]

• Recordemos que el art.º 42.1 de la Llei 11/2009 definía los espectáculos públicos y las actividades recreativas de carácter extraordinario como las que «se llevan a cabo esporádicamente en establecimientos abiertos al público que tienen licencia o autorización para una actividad diferente de la que se pretende hacer, o en espacios abiertos al público u otros locales que, todo y no tener la condición de establecimientos abiertos al público con licencia o autorización, cumplen las condiciones exigibles para llevar a cabo los espectáculos o las actividades….».

Y el Festival no tiene nada de esporádico a pesar de que se celebre una vez al año, en medio del verano; ya que esporádico es aquello que puede calificarse «de ocasional, sin un enlace ostensible con antecedentes y consiguientes» (ver RAE) o aquello «que se presenta de una manera aislada, sin obedecer a una ley general» (Diccionario de L'IEC). Y, en nuestro caso, el Festival se viene celebrando de forma regular y continuada, al menos desde el año 2006. Y esta situación repetitiva, ya hacía unos cuantos años que venía produciéndose en la fecha de concesión de la Licencia controvertida.

La consecuencia de todo lo que acabamos de decir no podrá ser de otra forma que la de **excluir el Festival —tal y como había estado concebido—, del régimen de autorizaciones del cual se había venido beneficiándose**. Lo contrario nos llevaría al absurdo de tener que admitir *a priori* —incluso en zonas con un uso residencial significativo—, la posibilidad de un número repetitivo e indeterminado de eventos musicales de características análogas a las del Festival y, por tanto, a convertir en papel mojado las previsiones legales de la propia OM, la cual (art.º 16.5) habría limitado la suspensión del cumplimiento de los objetivos de calidad acústica a cinco fiestas populares, con el claro designio de reducir a la mínima expresión el sacrificio del derecho de los vecinos a un grado de calidad acústica compatible con el derecho al descanso; compatible asimismo, con el derecho a la salud; y, subordinado —como no podía ser menos— al derecho de los residentes a disfrutar de la intimidad domiciliaria sin inmisiones acústicas perturbadoras. [STSJ Cataluña 14 marzo 2016.- LA LEY 20401/2016]

• Y en este caso está acreditado por la documental aportada con la demanda que el titular del pub Camelot no es la demandante sino D Juan Pablo, como se indica en la sentencia de instancia, y **es el titular del establecimiento abierto al público el que ha de suscribir el contrato de seguro al que se refiere el art. 6 de la citada Ley Autonómica 7/2006**, y cuyo incumplimiento por ese titular determina la comisión de la infracción muy grave prevista en el art. 36.6 de esa Ley. El hecho de que la demandante en vía administrativa no cuestionara la titularidad de ese pub Camelot en sus alegaciones —lo que ha explicado al señalar que era la titular de otro pub, el denominado pub Iris, que también figura en el expediente— **no determina que ha de soportar la sanción impuesta cuando ha acreditado que no es la titular** del citado pub Camelot, debiendo recordarse que en el procedimiento sancionador rige el principio de presunción de inocencia, como establece el art. 137 LRJAP, lo que comporta, sin necesidad ahora de mayores precisiones, que corresponde a la Administración la acreditación de los hechos que determinan la imposición de la correspondiente sanción. [STSJ Castilla y León (Valladolid) 30 septiembre 2016.- LA LEY 153959/2016]

• El vencimiento del plazo máximo sin haberse notificado resolución expresa legitima al interesado que hubiera deducido la solicitud para entenderla **estimada por silencio administrativo, excepto cuando se transfieran facultades relativas al dominio público** o al servicio público, o venga establecido por la normativa sectorial de aplicación, como es el caso de los espectáculos públicos y actividades recreativas de **carácter ocasional y extraordinario, que habrán de entenderse desestimadas**. Asimismo, la resolución presunta del instrumento de prevención y control ambiental correspondiente no podrá amparar el otorgamiento de licencia en contra de la normativa ambiental aplicable». [STSJ Andalucía (Granada) 11 abril 2017.- LA LEY 75735/2017]

3. Legislación aplicable

— Estatal

Arts. 21.1. q) y s), 124.4.ñ), 70.bis y 84, 84 bis y 84 ter. de la Ley 7/1985, de 2 de abril, Reguladora de las Bases de Régimen Local.

— Autonómica

Ley 10/2015, de 23 de diciembre, de Espectáculos Públicos y Actividades Recreativas.

Decreto 44/2014, de 25 de marzo, por el que se regulan los seguros de responsabilidad civil exigibles para la celebración de espectáculos públicos y actividades recreativas.

Decreto 14/2014, de 11 de febrero, de tercera modificación del Decreto por el que se establecen los horarios de los espectáculos públicos y actividades recreativas y otros aspectos relativos a estas actividades en el ámbito de la Comunidad Autónoma del País Vasco.

Decreto 400/2013, de 30 de julio, de espectáculos con artificios pirotécnicos en la Comunidad Autónoma de Euskadi.

MODELO DE EXPEDIENTE *(Disponible a texto íntegro en smarteca.es)*

1) *Solicitud de licencia de espectáculo público o actividad recreativa eventual*

2) *Resolución admitiendo a trámite el expediente*

3) *Informe técnico*

4) *Resolución de la Alcaldía*

5) *Notificación de la resolución*

16. Principado de Asturias

Expediente de espectáculo público y actividad recreativa eventual

1. Claves del Expediente

De conformidad con el art. 14 de la Ley del Principado de Asturias 8/2002, de 21 de octubre, de Espectáculos Públicos y Actividades Recreativas:

as instalaciones eventuales, portátiles o desmontables en las que pretendan desarrollarse espectáculos públicos o actividades recreativas necesitarán previamente a su puesta en funcionamiento la preceptiva licencia municipal, sin perjuicio de otras autorizaciones que les fueran exigibles.

La licencia de apertura deberá recoger, al menos, los extremos previstos en las letras a), b), d) y e) del artículo 11.1 de esta Ley y el plazo máximo para la concesión de estas licencias será de 30 días, entendiéndose que la licencia ha sido desestimada por el transcurso de dicho plazo sin haber sido notificada la oportuna resolución, esto es:

a) Nombre y DNI o NIF del titular de la actividad.

b) Actividad para la que se autoriza el uso del establecimiento o local, de acuerdo con las definiciones que se contengan en el catálogo.

c) Denominación del establecimiento.

d) Emplazamiento.

e) Aforo máximo.

f) Condiciones o medidas correctoras de obligado cumplimiento, en su caso.

2. Jurisprudencia

• La sentencia apelada, como se ha expuesto, desestimó el recurso contencioso-administrativo al no apreciar vicio de nulidad o anulabilidad del procedimiento sancionador en cuanto a las notificaciones realizadas en el curso del mismo, que se produjeron por edictos, forma esta de notificación que la sentencia consideró legal en las circunstancias que relata, y constatada la ausencia de vicios, confirmó la resolución sancionadora, por cuanto de las actas de denuncia se desprendía la comisión de la infracción, tipificada como muy grave por el artículo 19.12 de la Ley 13/1999, de 15 de diciembre, de Espectáculos Públicos y Actividades Recreativas de Andalucía, consistente en la carencia de seguro obligatorio de responsabilidad civil, y sancionada en el grado mínimo de la escala sancionadora establecida en el artículo 22 de la citada Ley, por lo que no se entiende que en el recurso de apelación se reitere de nuevo la vulneración del principio de proporcionalidad, siendo esta una clara manifestación de lo que se expone a continuación. [STSJ Andalucía (Granada) 18 julio 2011.- LA LEY 199556/2011]

• Conduciendo la cuestión por tanto al análisis respecto de la existencia de base fáctica de la infracción debemos ratificar la decisión del Juzgado de instancia. Así tal y como señala la Administración apelante **es cierto que la póliza de seguro no aparece firmada por el recurrente como tomador del seguro**. Del mismo modo el justificante de pago obrante al folio 45 del expediente administrativo no consigna la fecha en el pretendido pago tuvo lugar y finalmente, el documento bancario que consta en el folio 46 del citado expediente, es un simple aviso de adeudo provisional por domiciliación subordinado al adeudo definitivo. Ahora bien se estima por la Sala que ello no permite inferir la inexistencia del seguro. **En una valoración conjunta del seguro cabe determinar sobre la base de tales documentos la existencia del mismo pues de una parte la voluntad de la aseguradora se infiere de su firma y del adeudo de pago. Del mismo modo cabe entender producida la voluntad del asegurado** pues siendo el seguro del año 2004 el aviso de adeudo emitido confirma la vigencia del seguro razón por la que resulta razonable atribuir al pago efectivamente realizado al año 2004 (fecha de la denuncia y de la póliza del seguro firmada por la aseguradora que consta en autos). Tal conclusión resulta además reforzada por la actuación misma de la Administración que consideró tal documentación suficiente para proceder al archivo del expediente NUM001. Del mismo modo se considera por el funcionario informante del recurso de alzada interpuesto por el recurrente frente a la resolución sancionadora. [STSJ Andalucía (Granada) 19 noviembre 2012.- LA LEY 233655/2012]

• La primera disfunción que parece existir entre la parte actora y la parte demandada es si **se puede considerar un cotillón de nochevieja y de Reyes, como una actividad esporádica u ocasional, o de considerarse como una actividad habitual**. En este sentido cabe poner de manifiesto que el diccionario de la Real Academia Española de la Lengua define «cotillón» como «fiesta y baile que se celebra en un día señalado como el de fin de año o Reyes», y la palabra «esporádico», en cuanto a la acepción que es aplicable a este supuesto, es definida de la siguiente forma: «dicho de una cosa: Ocasional, sin ostensible enlace con antecedentes ni consiguientes»; por último, la palabra «ocasional» es definida, en una primera acepción, como «dicho de una cosa: Que ocasiona» y, en una segunda acepción, «que sobreviene por una ocasión o accidentalmente». Por tanto, **el concepto de ocasional o esporádico de la actividad de cotillón habrá que referirla a si esta actividad se realiza por un concreto establecimiento sin que exista una habitualidad, en el sentido de que este establecimiento no viene realizándola con anterioridad, ni piensa venir realizándola con posterioridad, siendo una actividad meramente accidental o ejecutada en una ocasión.** Por tanto, **el cotillón como tal es una actividad habitual**, si bien esta habitualidad solo tiene lugar dos veces al año (nochevieja y Reyes), pero la concreta actividad en unos locales será habitual si se organiza todos los años y será ocasionar o esporádica si normalmente no se organiza y sólo excepcionalmente se organiza algún esporádico año. [STSJ Castilla y León (Burgos) 2 julio 2010.- LA LEY 158162/2010 (También la STS Castilla y León (Burgos) 13 abril 2012.- LA LEY 69653/2012)]

• Recordemos que el art.º 42.1 de la Llei 11/2009 definía los espectáculos públicos y las actividades recreativas de carácter extraordinario como las que «se llevan a cabo esporádicamente en establecimientos abiertos al público que tienen licencia o autorización para una actividad diferente de la que se pretende hacer, o en espacios abiertos al público u otros locales que, todo y no tener la condición de establecimientos abiertos al público con licencia o autorización, cumplen las condiciones exigibles para llevar a cabo los espectáculos o las actividades….».

Y el Festival no tiene nada de esporádico a pesar de que se celebre una vez al año, en medio del verano; ya que esporádico es aquello que puede calificarse «de ocasional, sin un enlace ostensible con antecedentes y consiguientes» (ver RAE) o aquello «que se presenta de una manera aislada, sin obedecer a una ley general (Diccionario de L'IEC). Y, en nuestro caso, el Festival se viene celebrando de forma regular y continuada, al menos desde el año 2006. Y esta situación repetitiva, ya hacía unos cuantos años que venía produciéndose en la fecha de concesión de la Licencia controvertida.

La consecuencia de todo lo que acabamos de decir no podrá ser de otra forma que la de **excluir el Festival —tal y como había estado concebido—, del régimen de autorizaciones del cual se había venido beneficiándose**. Lo contrario nos llevaría al absurdo de tener que admitir *a priori* —incluso en zonas con un uso residencial significativo—, la posibilidad de un número repetitivo e indeterminado de eventos musicales de características análogas a las del Festival y, por tanto, a convertir en papel mojado las previsiones legales de la propia OM, la cual (art.º 16.5) habría limitado la suspensión del cumplimiento de los objetivos de calidad acústica a cinco fiestas populares, con el claro designio de reducir a la mínima expresión el sacrificio del derecho de los vecinos a un grado de calidad acústica compatible con el derecho al descanso; compatible asimismo, con el derecho a la salud; y, subordinado —como no podía ser menos— al derecho de los residentes a disfrutar de la intimidad domiciliaria sin inmisiones acústicas perturbadoras. [STSJ Cataluña 14 marzo 2016.- LA LEY 20401/2016]

• Y en este caso está acreditado por la documental aportada con la demanda que el titular del pub Camelot no es la demandante sino D Juan Pablo, como se indica en la sentencia de instancia, y **es el titular del establecimiento abierto al público el que ha de suscribir el contrato de seguro al que se refiere el art. 6 de la citada Ley Autonómica 7/2006**, y cuyo incumplimiento por ese titular determina la comisión de la infracción muy grave prevista en el art. 36.6 de esa Ley. El hecho de que la demandante en vía administrativa no cuestionara la titularidad de ese pub Camelot en sus alegaciones —lo que ha explicado al señalar que era la titular de otro pub, el denominado pub Iris, que también figura en el expediente— **no determina que ha de soportar la sanción impuesta cuando ha acreditado que no es la titular** del citado pub Camelot, debiendo recordarse que en el procedimiento sancionador rige el principio de presunción de inocencia, como establece el art. 137 LRJAP, lo que comporta, sin necesidad ahora de mayores precisiones, que corresponde a la Administración la acreditación de los hechos que determinan la imposición de la correspondiente sanción. [STSJ Castilla y León (Valladolid) 30 septiembre 2016.- LA LEY 153959/2016]

• El vencimiento del plazo máximo sin haberse notificado resolución expresa legitima al interesado que hubiera deducido la solicitud para entenderla **estimada por silencio administrativo, excepto cuando se transfieran facultades relativas al dominio público** o al servicio público, o venga establecido por la normativa sectorial de aplicación, como es el caso de los espectáculos públicos y actividades recreativas de **carácter ocasional y extraordinario, que habrán de entenderse desestimadas**. Asimismo, la resolución presunta del instrumento de prevención y control ambiental correspondiente no podrá amparar el otorgamiento de licencia en contra de la normativa ambiental aplicable. [STSJ Andalucía (Granada) 11 abril 2017.- LA LEY 75735/2017]

3. Legislación

— Estatal

Arts. 21.1. q) y s), 124.4.ñ), 70.bis y 84, 84 bis y 84 ter. de la Ley 7/1985, de 2 de abril, Reguladora de las Bases de Régimen Local.

— Autonómica

Ley del Principado de Asturias 8/2002, de 21 de octubre, de Espectáculos Públicos y Actividades Recreativas.

Decreto 63/2007, de 30 de mayo, por el que se regulan las hojas de reclamaciones en espectáculos públicos y actividades recreativas.

Decreto 38/2007, de 12 de abril, por el que se regulan las condiciones de los seguros obligatorios de responsabilidad civil exigibles para la celebración de espectáculos públicos y actividades recreativas.

Decreto 91/2004, de 11 de noviembre, por el que se establece el catálogo de los espectáculos públicos, las actividades recreativas y los establecimientos, locales e instalaciones públicas en el Principado de Asturias.

Decreto 100/2006, de 6 de septiembre, por el que se regulan los servicios de vigilancia y seguridad en los espectáculos públicos y actividades recreativas y el ejercicio del derecho de admisión.

MODELO DE EXPEDIENTE *(Disponible a texto íntegro en smarteca.es)*

1)   *Solicitud de licencia de espectáculo público o actividad recreativa eventual*

2)   *Resolución admitiendo a trámite el expediente*

3)   *Informe técnico*

4)   *Resolución de la Alcaldía*

5)   *Notificación de la resolución*

17. Región de Murcia

Expediente de espectáculo público y actividad recreativa ocasional o extraordinaria

1. Claves del Expediente

De conformidad con la D.A. octava de la Ley 2/2017, de 13 de febrero, de medidas urgentes para la reactivación de la actividad empresarial y del empleo a través de la liberalización y de la supresión de cargas burocráticas, puede realizarse libremente, sin previa autorización o declaración responsable:

a) Los espectáculos públicos y actividades recreativas ocasionales o extraordinarias, de interés artístico o cultural, que se celebren en establecimientos con un aforo de hasta 50 personas, en el caso en que no generen peligro para la seguridad o salud de las personas y el medio ambiente. No obstante, deberán cumplir la normativa exigible para el ejercicio de la actividad, y en particular la de carácter ambiental, de seguridad y horarios establecidos.

b) Los espectáculos públicos y actividades recreativas ocasionales o extraordinarias promovidos por la Administración de la Comunidad Autónoma de la Región de Murcia y los ayuntamientos. No obstante, el ente público promotor deberá asegurarse de que la actividad se ajusta a la normativa aplicable en materia de seguridad, ambiental, u otra que resulte exigible para el ejercicio de la misma, dejando constancia expresa de ello en el expediente de que se trate. Con este fin, cuando se trate de actividades promovidas por la Administración de la Comunidad Autónoma de la Región de Murcia, el Ayuntamiento competente deberá emitir informe antes del inicio de la actividad, que no tendrá carácter vinculante.

Salvo en los supuestos anteriores, los espectáculos públicos y actividades recreativas **ocasionales o extraordinarias** que tengan un aforo de hasta 150 personas, deberán ser objeto de **declaración responsable** ante el órgano autonómico competente, que deberá presentarse al menos 15 días hábiles antes de la celebración del espectáculo o actividad extraordinaria, y a la que se acompañarán los informes técnicos necesarios que justifiquen la seguridad del público asistente, la contratación de seguros que establece esta norma y el cumplimiento de las distintas ordenanzas municipales y de la normativa específica que le sean de aplicación.

Por razones de interés público, basadas en la seguridad del público asistente, se exige autorización administrativa previa para la celebración de los espectáculos o actividades recreativas **ocasionales o extraordinarias, que tengan un aforo superior a 150 personas, salvo los supuestos d**e exención establecidos, sin perjuicio del régimen específico de los espectáculos taurinos y los deportivos en vía pública.

El otorgamiento de esta autorización extraordinaria es competencia de la Consejería competente en materia de espectáculos públicos aunque será necesario **informe** de viabilidad del espectáculo o actividad a celebrar, emitido **por el Ayuntamiento** del municipio en el que se celebre el espectáculo o la actividad recreativa, que no será vinculante para el órgano competente.

El órgano competente para la autorización informará a la Delegación del Gobierno, a efectos de la **designación de las Fuerzas de Seguridad necesarias** para el mantenimiento del orden público de todos aquellos espectáculos públicos o actividades recreativas extraordinarias autorizadas por el procedimiento establecido en este artículo, con un **aforo a partir de 500 personas**.

La solicitud de autorización se acompañará:

a) Identificación y domicilio de los titulares, promotores, y sus representantes legales, en su caso. Cuando se trate de entidad jurídica deberá facilitar un correo electrónico y teléfono.

b) Dos ejemplares originales del cartel anunciador del espectáculo o actividad, en el que constará la denominación del espectáculo, la razón social y el C.I.F. del promotor, así como el lugar de celebración, fecha y hora de comienzo y lugares de adquisición y precio de las entradas y, en su caso, los artistas o profesionales que actuarán, y los autores y directores. También deberá figurar la calificación por edades, otorgada por el Ministerio de Cultura, si procede.

c) El contrato del artista o artistas, o documento justificativo suficiente de la presencia prevista de profesionales o artistas anunciados en cartel u otro medio de publicidad de celebración del evento.

d) Licencia de actividad y disponibilidad del recinto o local referido en el cartel en donde se celebrará el espectáculo o actividad.

e) Proyecto técnico o memoria descriptiva, según proceda, del espectáculo o actividad, su ubicación, características y condiciones de desarrollo, acompañando documentación gráfica y cálculos técnicos, y documentos de homologación referente a elementos e instalaciones provisionales, suscritos por técnico competente y visados por el colegio profesional, cuando corresponda. En caso de que el desarrollo del acto requiera el uso de bengalas o elementos pirotécnicos o similares, así como cualquier combustión o fuego real, deberá estar justificado su uso así como las medidas especiales de prevención del riesgo que requieran.

f) Certificado de finalización de montaje de instalaciones suscrito por técnico competente y visado por el colegio profesional que corresponda. En el caso de que la instalación o montaje necesario no se haya llevado a cabo al tiempo de presentar la solicitud, dicho certificado se podrá aportar con posterioridad, con una antelación mínima de 48 horas antes del inicio del evento.

g) Memoria y documentación gráfica relativa al cálculo del aforo solicitado y la adecuación de las vías y recorridos de evacuación para dicho aforo, suscrito por técnico competente.

h) Plan de autoprotección, cuando resulte exigible, en función del aforo del establecimiento o recinto.

i) Informe del Ayuntamiento del municipio en el que se celebre, órgano competente en cuanto a viabilidad del espectáculo en relación con el tráfico rodado y vías específicas de acceso y salida del mismo, así como de la compatibilidad urbanística, ordenanzas del ruido o cualquier otro aspecto de competencia municipal.

j) Declaración responsable del promotor del espectáculo de la disponibilidad de botiquín de primeros auxilios y certificación de la empresa que preste el servicio de un dispositivo sanitario según aforo del establecimiento, de las siguientes características:

• Para todo tipo de espectáculos y actividades ocasionales, con aforo de 500 a 1.000 personas, se dispondrá de una ambulancia no asistencial (A1).

• Para espectáculos y actividades ocasionales, con aforo de 1.001 personas a 3.000, se dispondrá de una ambulancia de soporte vital avanzado con médico y A.TS/D.U.E (C) y otra ambulancia no asistencial (A1).

• Para espectáculos y actividades ocasionales, con aforo de 3.001 a 5.000 personas, se dispondrá de dos ambulancias de soporte vital avanzado con médico y A.TS/D.U.E (C) y una no asistenciales (A1).

• Para espectáculos y actividades ocasionales, con aforo superior a 5.000 personas, se establecerá el equipamiento necesario en la propia autorización, previo informe de la consejería competente en materia de emergencias.

La autorización podrá establecer medidas extraordinarias de equipamiento sanitario, para espectáculos que por su naturaleza lo requieran, en razón de su distancia respecto de centros sanitarios, y el especial riesgo o peligrosidad del espectáculo o actividad recreativa.

k) Los establecimientos con aforo de 500 personas en adelante, deberán contar con un servicio de vigilancia atendido por empresa de seguridad, conforme a la legislación en materia de seguridad privada, certificado por la empresa prestadora del servicio con un número mínimo de vigilantes de seguridad de acuerdo con la siguiente escala:

— 1 vigilante para aforo de 501 a 600 personas.

— 2 vigilantes para aforo de 601 a 900 personas.

— 3 vigilantes para aforo de 901 a 1.100 personas.

Un vigilante más por cada fracción adicional de 700 personas.

l) Certificado de seguro que cubra la responsabilidad civil por posibles daños materiales y personales ocasionados al público, usuarios o terceros, como consecuencia de la gestión y explotación del establecimiento y la organización y realización de un espectáculo público o actividad recreativa, o de la actividad del personal a su servicio o de las empresas subcontratadas.

La póliza de seguro de responsabilidad civil se debe contratar por las cuantías mínimas siguientes, en función del aforo:

Aforo de hasta 50 personas	100.000 euros.
Aforo de hasta 100 personas	250.000 euros.
Aforo de hasta 200 personas	500.000 euros.

Aforo de hasta 300 personas	600.000 euros.
Aforo de hasta 500 personas	750.000 euros.
Aforo de hasta 700 personas	900.000 euros.
Aforo de hasta 1.000 personas	1.000.000 euros.
Aforo de hasta 1.500 personas	1.200.000 euros.
Aforo de hasta 5.000 personas	2.000.000 euros.

En los locales, recintos o establecimientos de aforo superior a 5.000 personas y hasta 25.000, la cuantía mínima establecida será de 3.000.000 euros, más 200.000 euros por cada 2.500 personas, o fracción, que supere las 5.000 personas.

En los locales, recintos o establecimientos de aforo superior a 25.000, la cuantía mínima establecida será de 4.600.000 euros, más 100.000 euros por cada 2.500 personas, o fracción, que supere las 25.000 personas.

Las franquicias que en su caso se contraten no podrán superar el 1% del capital asegurado.

Estas cuantías podrán ser actualizadas periódicamente por el órgano competente en espectáculos públicos.

Las solicitudes de autorización a que se refiere esta disposición deberán presentarse **al menos treinta días hábiles antes de la fecha prevista para la celebración del espectáculo o actividad**, junto con la documentación establecida en el artículo anterior, salvo que reglamentaciones específicas dispongan plazos diferentes. La resolución se dictará, una vez completada la documentación, en el plazo máximo de 15 días hábiles desde la presentación de la solicitud. Transcurrido este plazo sin que se haya notificado la resolución, la autorización se entenderá concedida por silencio administrativo.

El promotor deberá **comunicar al órgano competente cualquier modificación** en la fecha, hora o lugar, o cualquier otra alteración sustancial del espectáculo con antelación suficiente. Esta modificación deberá **hacerse pública** por los mismos medios por los que haya sido convocado el espectáculo o actividad y dará derecho al reintegro de la entrada adquirida si el cambio producido no fuera satisfactorio para el comprador de la misma.

2. Jurisprudencia

• La sentencia apelada, como se ha expuesto, desestimó el recurso contencioso-administrativo al no apreciar vicio de nulidad o anulabilidad del procedimiento sancionador en cuanto a las notificaciones realizadas en el curso del mismo, que se produjeron por edictos, forma esta de notificación que la sentencia consideró legal en las circunstancias que relata, y constatada la ausencia de vicios, confirmó la resolución sancionadora, por cuanto de las actas de denuncia se desprendía la comisión de la infracción, tipificada como muy grave por el artículo 19.12 de la Ley 13/1999, de 15 de diciembre, de Espectáculos Públicos y Actividades Recreativas de Andalucía, consistente en la carencia de seguro obligatorio de responsabilidad civil, y sancionada en el grado mínimo de la escala sancionadora establecida en el artículo 22 de la citada Ley, por lo que no se entiende que en el recurso de apelación se reitere de nuevo la vulneración del principio de proporcionalidad, siendo esta una clara manifestación de lo que se expone a continuación. [STSJ Andalucía (Granada) 18 julio 2011.- LA LEY 199556/2011]

• Conduciendo la cuestión por tanto al análisis respecto de la existencia de base fáctica de la infracción debemos ratificar la decisión del Juzgado de instancia. Así tal y como señala la Administración apelante **es cierto que la póliza de seguro no aparece firmada por el recurrente como tomador del seguro**. Del mismo modo el justificante de pago obrante al folio 45 del expediente administrativo no consigna la fecha en el pretendido pago tuvo lugar y finalmente, el documento bancario que consta en el folio 46 del citado expediente, es un simple aviso de adeudo provisional por domiciliación subordinado al adeudo definitivo. Ahora bien se estima por la Sala que ello no permite inferir la inexistencia del seguro. **En una valoración conjunta del seguro cabe determinar sobre la base de tales documentos la existencia del mismo pues de una parte la voluntad de la aseguradora se infiere de su firma y del adeudo de pago. Del mismo modo cabe entender producida la voluntad del asegurado** pues siendo el seguro del año 2004 el aviso de adeudo emitido confirma la vigencia del seguro razón por la que resulta razonable atribuir al pago efectivamente realizado al año 2004 (fecha de la denuncia y de la póliza del seguro firmada por la aseguradora que consta en autos). Tal conclusión resulta además reforzada por la actuación misma de la Administración que considero tal documentación suficiente para proceder al archivo del expediente NUM001. Del mismo modo se considera por el funcionario informante del recurso de alzada interpuesto por el recurrente frente a la resolución sancionadora. [STSJ Andalucía (Granada) 19 noviembre 2012.- LA LEY 233655/2012]

• La primera disfunción que parece existir entre la parte actora y la parte demandada es si **se puede considerar un cotillón de nochevieja y de Reyes, como una actividad esporádica u ocasional, o de considerarse como una actividad habitual**. En este sentido cabe poner de manifiesto que el diccionario de la Real Academia Española de la Lengua define «cotillón» como «fiesta y baile que se celebra en un día señalado como el de fin de año o Reyes», y la palabra «esporádico», en cuanto a la acepción que es aplicable a este supuesto, es definida de la siguiente forma: «dicho de una cosa: Ocasional, sin ostensible enlace con antecedentes ni consiguientes»; por último, la palabra «ocasional» es definida, en una primera acepción, como «dicho de una cosa: Que ocasiona» y, en una segunda acepción, «que sobreviene por una ocasión o accidentalmente». Por tanto, **el concepto de ocasional o esporádico de la actividad de cotillón habrá que referirla a si esta actividad se realiza por un concreto establecimiento sin que exista una habitualidad, en el sentido de que este establecimiento no viene realizándola con anterioridad, ni piensa venir realizándola con posterioridad, siendo una actividad meramente accidental o ejecutada en una ocasión**. Por tanto, **el cotillón como tal es una actividad habitual**, si bien esta habitualidad solo tiene lugar dos veces al año (nochevieja y Reyes), pero la concreta actividad en unos locales será habitual si se organiza todos los años y será ocasionar o esporádica si normalmente no se organiza y sólo excepcionalmente se organiza algún esporádico año. [STSJ Castilla y León (Burgos) 2 julio 2010.- LA LEY 158162/2010 (También la STS Castilla y León (Burgos) 13 abril 2012.- LA LEY 69653/2012)]

• Recordemos que el art.º 42.1 de la Llei 11/2009 definía los espectáculos públicos y las actividades recreativas de carácter extraordinario como las que «se llevan a cabo esporádicamente en establecimientos abiertos al público que tienen licencia o autorización para una actividad diferente de la que se pretende hacer, o en espacios abiertos al público u otros locales que, todo y no tener la condición de establecimientos abiertos al público con licencia o autorización, cumplen las condiciones exigibles para llevar a cabo los espectáculos o las actividades....».

Y el Festival no tiene nada de esporádico a pesar de que se celebre una vez al año, en medio del verano; ya que esporádico es aquello que puede calificarse «de ocasional, sin un enlace ostensible con antecedentes y consiguientes» (ver RAE) o aquello «que se presenta de una manera aislada, sin obedecer a una ley general» (Diccionario de L'IEC). Y, en nuestro caso, el Festival se viene celebrando de forma regular y continuada, al menos desde el año 2006. Y esta situación repetitiva, ya hacía unos cuantos años que venía produciéndose en la fecha de concesión de la Licencia controvertida.

La consecuencia de todo lo que acabamos de decir no podrá ser de otra forma que la de **excluir el Festival —tal y como había estado concebido—, del régimen de autorizaciones del cual se había venido beneficiándose**. Lo contrario nos llevaría al absurdo de tener que admitir *a priori* —incluso en zonas con un uso residencial significativo—, la posibilidad de un número repetitivo e indeterminado de eventos musicales de características análogas a las del Festival y, por tanto, a convertir en papel mojado las previsiones legales de la propia OM, la cual (art.º 16.5) habría limitado la suspensión del cumplimiento de los objetivos de calidad acústica a cinco fiestas populares, con el claro designio de reducir a la mínima expresión el sacrificio del derecho de los vecinos a un grado de calidad acústica compatible con el derecho al descanso; compatible asimismo, con el derecho a la salud; y, subordinado —como no podía ser menos— al derecho de los residentes a disfrutar de la intimidad domiciliaria sin inmisiones acústicas perturbadoras. [STSJ Cataluña 14 marzo 2016.- LA LEY 20401/2016]

• Y en este caso está acreditado por la documental aportada con la demanda que el titular del pub Camelot no es la demandante sino D Juan Pablo, como se indica en la sentencia de instancia, y **es el titular del establecimiento abierto al público el que ha de suscribir el contrato de seguro al que se refiere el art. 6 de la citada Ley Autonómica 7/2006**, y cuyo incumplimiento por ese titular determina la comisión de la infracción muy grave prevista en el art. 36.6 de esa Ley. El hecho de que la demandante en vía administrativa no cuestionara la titularidad de ese pub Camelot en sus alegaciones —lo que ha explicado al señalar que era la titular de otro pub, el denominado pub Iris, que también figura en el expediente— **no determina que ha de soportar la sanción impuesta cuando ha acreditado que no es la titular** del citado pub Camelot, debiendo recordarse que en el procedimiento sancionador rige el principio de presunción de inocencia, como establece el art. 137 LRJAP, lo que comporta, sin necesidad ahora de mayores precisiones, que corresponde a la Administración la acreditación de los hechos que determinan la imposición de la correspondiente sanción. [STSJ Castilla y León (Valladolid) 30 septiembre 2016.- LA LEY 153959/2016]

• El vencimiento del plazo máximo sin haberse notificado resolución expresa legitima al interesado que hubiera deducido la solicitud para entenderla **estimada por silencio administrativo, excepto cuando se transfieran facultades relativas al dominio público** o al servicio público, o venga establecido por la normativa sectorial de aplicación, como es el caso de los espectáculos públicos y actividades recreativas de **carácter ocasional y extraordinario, que habrán de entenderse desestimadas**. Asimismo, la resolución presunta del instrumento de prevención y control ambiental correspondiente no podrá amparar el otorgamiento de licencia en contra de la normativa ambiental aplicable. [STSJ Andalucía (Granada) 11 abril 2017.- LA LEY 75735/2017]

3. Legislación

— Estatal

Arts. 21.1. q) y s), 124.4.ñ), 70.bis y 84, 84 bis y 84 ter. de la Ley 7/1985, de 2 de abril, Reguladora de las Bases de Régimen Local.

— Autonómica

Ley 2/2011, de 2 de marzo, de admisión en espectáculos públicos, actividades recreativas y establecimientos públicos de la Región de Murcia.

Ley 9/2016, de 2 de junio, de medidas urgentes en materia de espectáculos públicos en la Comunidad Autónoma de la Región de Murcia.

Orden de 10 de febrero de 2017, de la Consejería de Presidencia, por la que se prorroga temporalmente el horario de cierre de determinados establecimientos públicos en la Región de Murcia.

DA octava y novena de la Ley 2/2017, de 13 de febrero, de medidas urgentes para la reactivación de la actividad empresarial y del empleo a través de la liberalización y de la supresión de cargas burocráticas.

MODELO DE EXPEDIENTE *(Disponible a texto íntegro en smarteca.es)*

1) Solicitud de licencia de espectáculo público o actividad recreativa ocasional o extraordinaria

2) Resolución admitiendo a trámite el expediente

3) Informe técnico

4) Resolución de la Alcaldía

5) Notificación de la resolución

CAPÍTULO VIII

LICENCIAS PROVISIONALES

I.   COMENTARIO

El uso de la licencia de apertura con carácter provisional se encuentra centrado en el ámbito de las actividades de espectáculos públicos y recreativas, tal como se pone de manifiesto en la normativa vigente, como después veremos.

Este tipo de licencias tiene la finalidad de permitir el ejercicio de la actividad a partir de un momento en el cual, si bien las instalaciones no están totalmente terminadas, no por ello impiden el ejercicio de aquélla, pudiéndose comprobar el grado de eficacia y seguridad de las distintas medidas correctoras que figuran en el proyecto y las que puedan habérsele impuesto por la Administración, de forma tal, que quede garantizada la seguridad de las personas.

El recurso a este tipo de autorizaciones, del que se abusa en numerosas ocasiones, viene impuesto por la presión a la que se ven sometidos los Ayuntamientos para otorgar licencia de apertura a establecimientos ante el largo procedimiento que ha de seguirse para la concesión de ésta. Se trata de un mal menor, siempre mejor que tolerar la apertura sin licencia del establecimiento, mediante una situación transitoria, y que reviste las siguientes notas características:

a) Su concesión se realizará de oficio o a instancia del interesado. En el supuesto primero se plantea la duda de si es necesario la presentación del certificado suscrito por técnico competente, ya que siendo éste necesario difícilmente podrá concederse de oficio, porque su presentación la realizará el interesado junto con la petición de licencia provisional.

b) Su duración será de hasta seis meses, prorrogables por otros seis meses más, por una sola vez, previa justificación, salvo en el caso del País Vasco, en el que la duración máxima es de seis meses improrrogables.

c) Se requiere la presentación de certificado suscrito por técnico competente en el que se garantice que el desarrollo de la actividad no supone riesgo para la seguridad de las personas y bienes. Dicho certificado está visado por el Colegio Profesional correspondiente.

Junto a estas notas características, y que son las que se establecen en las disposiciones legales que regulan la licencia provisional, deberán de establecerse otras dos más, con carácter general, siendo las ordenanzas municipales el medio idóneo de incorporarlas:

a) El horario de apertura o cierre de la actividad deberá de restringirse. Con esto se logran dos objetivos:

1. Que el promotor subsane o modifique las instalaciones, elementos estructurales o servicios en el menor tiempo posible, lo que redundará en la concesión de la licencia «definitiva», objetivo por otro lado de la ley.

2. Que el período de provisionalidad sirva para verificar el correcto funcionamiento de las instalaciones y el grado de eficacia de las medidas correctoras.

b) Que se exija la presentación de un seguro que cubra la responsabilidad civil de sus titulares por daños a terceros.

Finalmente debemos señalar que este tipo de licencia provisional no debe de confundirse con la autorización de usos provisionales que se rigen por la normativa urbanística, por cuanto éstos se circunscriben al terreno urbanístico, y aquéllos son consecuencia del estado de tramitación de un expediente en el que previamente ha de haberse comprobado si el uso es compatible con el lugar en el que se ubica la actividad, independientemente de que el mismo pueda tener carácter provisional o no, dándose la situación de poder concederse licencia provisional para una actividad en terrenos en los que el uso se otorga con carácter provisional. Posteriormente la licencia será definitiva, pero el uso seguirá siendo provisional.

II.   LEGISLACIÓN

RD 2816/1982, de 27 agosto, por el que se aprueba el Reglamento General de Policía de Espectáculos Públicos y Actividades Recreativas

Artículo 44.

1. Cuando se estime que, en orden a la autorización solicitada, es preciso subsanar o modificar alguna o algunas de las características o elementos estructurales, o de instalaciones o servicios, del local o recinto de que se trate, **podrá concederse una licencia provisional para su funcionamiento**, en los términos y con las condiciones que se determinen, y siempre que ello no suponga riesgo para la seguridad personal del público o de los actuantes o personal que preste sus servicios en el mismo, lo que se hará constar en el expediente mediante certificación suscrita por técnico competente y visada por el Colegio Profesional respectivo.

2. **Dicha licencia provisional, que podrá concederse de oficio o a petición del interesado, no podrá tener duración superior a los seis meses, prorrogables**, por una sola vez durante un período igual de tiempo, en caso justificado, y a solicitud del peticionario; transcurrido dicho término, sin que se hayan llevado a cabo las subsanaciones o modificaciones referidas, la licencia provisional quedará sin efecto y se entenderá denegada la solicitud inicialmente formulada.

CATALUÑA

Ley 11/2009, de 6 de julio, de regulación administrativa de los espectáculos públicos y las actividades recreativas

Art. 30. **3.** Pueden **otorgarse licencias o autorizaciones provisionales de establecimientos abiertos al público**, de espectáculos públicos y de actividades recreativas en los casos en que el informe del órgano competente para otorgar la correspondiente licencia o autorización, a pesar de que sea desfavorable, indique expresamente que las deficiencias detectadas no comportan riesgo alguno para la seguridad de las personas ni de los bienes y así se acredite en el expediente. Las licencias o autorizaciones provisionales tienen una vigencia máxima de nueve meses. Los reglamentos de la Generalidad y las ordenanzas municipales pueden someter a fianza el otorgamiento de licencias o autorizaciones provisionales.

COMUNIDAD DE MADRID

Ley 17/1997, de 4 de julio, de Espectáculos Públicos y Actividades Recreativas

Art. 10. 1. Los Ayuntamientos podrán conceder **licencias provisionales para el funcionamiento de los locales o establecimientos** regulados en esta Ley, en los supuestos en que la comprobación administrativa, a que hace referencia el artículo 8.2 de esta Ley, resulte desfavorable siempre que ello no suponga riesgo para la seguridad de las personas lo que se hará constar en el expediente mediante certificación del técnico competente.

2. Estas licencias provisionales no podrán tener una **vigencia superior a seis meses, prorrogables** por causa justificada y a instancia del solicitante por un período igual de tiempo. Transcurrido este plazo, la licencia quedará sin efecto.

3. Los titulares de estas licencias deberán cumplir la obligación de suscribir los contratos de seguro previstos en el artículo 6.3.

PAÍS VASCO

Ley 4/1995, de 10 de noviembre, de espectáculos públicos y actividades recreativas

Art. 14.1. Los Ayuntamientos **podrán otorgar licencias provisionales de apertura por un plazo improrrogable de seis meses**, de oficio o a instancia de parte en los casos en que la comprobación administrativa referida en el artículo anterior resulte desfavorable, siempre que ello no implique riesgo para la seguridad de las personas o bienes, lo que deberá acreditarse en el expediente mediante certificado técnico competente.

2. La concesión de esta licencia provisional requerirá también en todo caso la previa cumplimentación de aseguramiento prevista en el artículo 8.2 de esta ley.

III. JURISPRUDENCIA

• El uso es provisional, porque se mantiene en tanto no se proceda a la transformación del suelo. **Si el suelo no puede ser trasformado**, como ocurre en el suelo no urbanizable de especial protección, no caben licencias provisionales, **porque dicha imposibilidad de transformación convierte de facto la licencia provisional en definitiva**, y dicha técnica supone un fraude de ley en el sentido establecido en el artículo 6 apartado 4 del Código Civil, esto es utilizando una norma de cobertura para obtener un resultado prohibido por el ordenamiento jurídico. [STSJ Madrid 5 octubre 2017.- LA LEY 157448/2017]

• Del examen de la normativa citada y de los datos obrantes la Sala no comparte la fundamentación del juez de instancia: La Sala entiende que los citados preceptos referentes a la licencia provisional se refieren a cuando la comprobación administrativa resulte desfavorable con base en deficiencias fácilmente subsanables y que no alteren el proyecto que sirvió de base para la concesión de la licencia de actividad, lo que no es el caso.

En segundo lugar **la licencia se considera provisional porque se concede temporalmente y de modo previo a la de funcionamiento**, mientras se cumplimentan todos los requisitos para la concesión de ésta. Sin embargo consta que cuando solicitó la licencia provisional, el Ayuntamiento ya había denegado la licencia de funcionamiento para la actividad de discoteca en la calle Juan Bravo 25 el día 24 de mayo de 2010. Esta resolución es firme, por lo que no se puede conceder con posterioridad una licencia provisional de funcionamiento cuando la licencia definitiva ya había sido denegada. [STSJ Madrid 11 marzo 2015.- LA LEY 23511/2015]

• En suma, el hecho de que el Gobernador Civil otorgara la autorización para la actividad de Sala de fiestas, no supone ningún derecho suplementario a los que el propietario o titular de cualquier licencia de actividad puede tener y, por tanto, debe aplicarse el régimen jurídico correspondiente a las licencias provisionales, que, como ya se ha visto, **no generan ningún derecho indemnizatorio**. [STSJ Comunidad Valenciana 30 diciembre 2010.- LA LEY 309455/2010]

IV. REPETORIO HISTÓRICO DE JURISPRUDENCIA

• Tal como bien se indica en la sentencia apelada la licencia concedida en el año 1974, lo era para la actividad de fabricación de hormigón, pero concedida con limitación temporal toda vez que en ella se expresaba que «esta actividad deberá cesar tan pronto finalicen las obras que realiza en Majadahonda».

Esa licencia de actividad fue concedida exclusivamente para un tiempo determinado —el de finalización de la obra que en el momento de esa concesión estaba realizando— por lo que al transcurrir tal plazo, quedaban extinguidos los efectos autorizatorios de la licencia, teniendo desde ese momento el carácter de ilegal en actividad ante la inexistencia de licencia válida para la misma. [STS 21 septiembre 1998]

• Y así, el carácter reglado de la licencia urbanística no es obstáculo para que la Jurisprudencia haya admitido como viable licenciar obras o usos (temporales o en precario) que no se ajusten al plan (supuesto que concurre precisamente en la finca litigiosa, que se halla fuera de ordenación), mediante la posibilidad de introducir en la licencia «condictiones iuris», que sin embargo no aparecían en la petición formulada por el administrado, y así, para evitar su denegación, la procedencia de declarar su derecho al otorgamiento de una licencia provisional (fruto de la actuación de una potestad reglada) aceptando precisamente las condiciones previstas en el art. 136 del TR de la Ley del Suelo de 1992, de aplicación al caso —actualmente art. 17 de la Ley 6/1998, de 13 de abril—. *Se trata aquí de una manifestación del principio de proporcionalidad de un sentido eminente temporal: si a la vista del ritmo de ejecución del planeamiento, una obra o uso provisional no va a dificultar dicha ejecución, no sería proporcionado impedirlo, siempre sin derecho a indemnización cuando ya no sea posible su continuación. Las licencias provisionales tienen por tanto como fundamento el no impedir obras o usos que resultan inocuos para el interés público. Se evitan así limitaciones injustificadas al ejercicio de los derechos.* [STSJ Madrid 14 septiembre 2000]

• Por lo tanto, *las licencias provisionales, como la otorgada en 1976 a la actora, tienen como finalidad la de permitir el ejercicio de la actividad en casos en que las instalaciones puedan no estar totalmente finalizadas, pero siempre que la seguridad de las personas esté garantizada* (así lo prevé el art. 44 del RD 2816/1982, de 27 de agosto, si bien para las actividades a que se refiere). [STSJ Madrid 16 enero 2001]

• Por último, el art. lo de la citada Ley establece que los Ayuntamientos podrán conceder *licencias provisionales* para el funcionamiento de los locales o establecimientos regulados en la misma, en los supuestos en que la comprobación administrativa, a que hace referencia el art. 8.2, resulte desfavorable, *siempre que ello no suponga riesgo para la seguridad de las personas, lo que se hará constar en el expediente mediante certificación del técnico competente, así como que las licencias provisionales no podrán tener una vigencia superior a seis meses,* prorrogables por causa justificada y a instancia del solicitante por un período igual de tiempo, transcurrido el cual la licencia quedará sin efecto. [STSJ Madrid 6 marzo 2001]

• En cuanto al fondo del asunto, aun suponiendo que se diera una tensión o aparente contradicción entre los distintos sectores del ordenamiento jurídico, entiende esta Sala que *debe prevalecer el interés público que protege el Reglamento de Actividades Molestas aprobado por Decreto de 30 de noviembre de 1961 sobre el interés público en un uso accesorio del dominio público portuario a consecuencia de la instalación provisional de terrazas de verano en los terrenos del mismo. Aunque las instalaciones lo sean sólo para los meses de verano y tengan por tanto vocación de provisionalidad, lo cierto es que temporales o no pueden resultar actividades molestas por los ruidos y malos olores que produzcan.* Por ello la Sentencia impugnada no contraviene las normas invocadas ni en general el ordenamiento jurídico al pronunciarse exigiendo la conciliación de intereses públicos de modo que se proteja el interés colectivo en la tranquilidad, salubridad y seguridad que se protege mediante la aplicación del Reglamento de Actividades Molestas. En este sentido es conforme a derecho la razón de decidir de la Sentencia, que consiste en que se omitieron los trámites esenciales del procedimiento aplicable, como son la información pública y la notificación a los vecinos así como la solicitud de informe de la Comisión Calificadora. [STS 13 julio 2001]

• *El otorgamiento de estas licencias provisionales, cuando ello es procedente, viene referido al principio de la proporcionalidad que debe existir entre los medios utilizados o contenido del acto administrativo y la finalidad perseguida, de modo que dichas licencias constituyen una manifestación del principio de proporcionalidad en un sentido eminentemente temporal, al no dificultar ese uso durante un determinado lapso de tiempo,* la ejecución del planeamiento, en vías de ejecución y desarrollo, y claro está que no puede predicarse la vulneración del principio de proporcionalidad, cuando en aplicación de los criterios ante expuestos, la anulación de la licencia aquí cuestionada, no se basa ni se apoya, sino todo lo contrario, en ningún aspecto de temporalidad que es el aspecto esencial del principio de proporcionalidad aplicable a estos supuestos de *licencias provisionales.* [STS 28 noviembre 2001]

CAPÍTULO IX

AFORO

Se define el aforo como la capacidad total de público en un recinto o edificio destinado a espectáculos públicos o actividades recreativas (Anexo III del RD 393/2007, de 23 de marzo, por el que se aprueba la Norma Básica de Autoprotección de los centros, establecimientos y dependencias dedicados a actividades que puedan dar origen a situaciones de emergencia)

O bien, como el número máximo de público autorizado de acuerdo con la licencia o autorización correspondiente (básicamente en espectáculos públicos y actividades recreativas) o capacidad total de público en un recinto o edificio (Anexo VI del Decreto 30/2015, de 3 de marzo, por el que se aprueba el catálogo de actividades y centros obligados a adoptar medidas de autoprotección y se fija el contenido de estas medidas. Cataluña)

La determinación del aforo de los espectáculos públicos y actividades recreativas es un factor determinante para su ejercicio.

Las dificultades del control del aforo es siempre causa de polémica administrativa y jurisdiccional, foco de conflicto entre la Administración y los particulares.

Quizás sea en los espectáculos eventuales, ocasional o extraordinarios donde se encuentran los mayores obstáculos para determinar y controlar el número de asistentes o espectadores, y que con frecuencia son objeto de noticias por los accidentes provocados como consecuencia de las avalanchas de público que se producen, dando lugar a luctuosos sucesos.

La repercusión que tiene tanto el cálculo del aforo como su control una vez iniciada la actividad es importante a la hora de contratar el seguro de responsabilidad civil como para la calificación de la infracción que se cometa por excederse del aforo máximo autorizado.

1. ¿Cómo se calcula el aforo de una actividad que se realiza en espacios abiertos?

La determinación del aforo de los locales e instalaciones en los que se celebran espectáculos públicos y actividades recreativas es fundamental para fijar el importe de la póliza y las sumas a asegurar en caso de accidente, con resulta de muerte o invalidez. De ahí la importancia que requiere tanto fijar en la licencia o autorización el aforo máximo permitido, como el control del mismo.

Con carácter general, se utilizarán como criterios para el cálculo y determinación del aforo, la superficie útil del local, diferenciada por usos y los coeficientes de ocupación que resulten de aplicación del CTE, Documento Básico SI.

En el caso de la Comunidad Valenciana, para la determinación del aforo de terraza de un bar o asimilado, ha de acudirse al art. 179.2 del Decreto 143/2015: «El aforo se establecerá a razón de dos personas por metro lineal de barra o mostrador, más, en su caso, el resultante de aplicar a las zonas delimitadas para mesas y sillas, la densidad de ocupación que establece el Código Técnico de la Edificación, Documento Básico SI».

Para la fijar el aforo de una calle o plaza sobre la que se vaya a celebrar una actividad recreativa o espectáculo público, el art. 177 del Decreto 143/2015, dispone que «En los recintos feriales o en espacios abiertos delimitados o acotados, en que no existan establecimientos con aforo propio individualizado, el área destinada al público se aforará a razón de una persona por cada 10 metros cuadrados. En el caso de que existan instalaciones desmontables susceptibles de determinación de aforo, este se establecerá de forma independiente al de la superficie destinada al público».

Por su parte, el citado CTE, al que se remiten los preceptos antes indicados, en la Sección SI 3 «Evacuación de ocupantes», apartado 2.1 (Cálculo de la ocupación), establece que «Para calcular la ocupación deben tomarse los valores de densidad de ocupación que se indican en la tabla 2.1 en función de la superficie útil de cada zona, salvo cuando sea previsible una ocupación mayor o bien cuando sea exigible una ocupación menor en aplicación de alguna disposición legal de obligado cumplimiento, como puede ser en el caso de establecimientos hoteleros, docentes, hospitales, etc. En aquellos recintos o zonas no incluidos en la tabla se deben aplicar los valores correspondientes a los que sean más asimilables».

La Ley 2/2017, de 13 de febrero, de medidas urgentes para la reactivación de la actividad empresarial y del empleo a través de la liberalización y de la supresión de cargas burocráticas, de la Región de Murcia, en su Disposición adicional octava.1 sobre régimen de control previo de los espectáculos públicos y actividades recreativas ocasionales o extraordinarias, dice que puede **realizarse libremente, sin previa autorización o declaración responsable:**

a) Los espectáculos públicos y actividades recreativas ocasionales o extraordinarias, de interés artístico o cultural, que se celebren en establecimientos **con un aforo de hasta 50 personas, en el caso en que no generen peligro para la seguridad o salud de las personas y el medio ambiente**. No obstante, deberán cumplir la normativa exigible para el ejercicio de la actividad, y en particular la de carácter ambiental, de seguridad y horarios establecidos.

2. ¿Cómo se pronuncia la jurisprudencia sobre las cuestiones relativas al aforo?

• En la actividad reglada de concesión de licencia el Ayuntamiento debe velar por la garantía de seguridad de las personas en caso de evacuación por siniestro de un local abierto al público, ostentando, a tal efecto, potestad para establecer las medidas técnicas correctoras en la licencia que sean necesarias (artículos 36 y 37 del Reglamento General de Espectáculos de 27 de agosto de 1982), pero en el caso que se examina **tales garantías quedan proporcionadamente atendidas con una limitación del aforo** y con la garantía ofrecida por el titular (folio 14 del expediente) de una segunda salida por un pasaje debidamente iluminado y señalizado a otra vía pública (calle Espronceda) que tiene seis metros y medio de ancho. [STS 27 noviembre 1992.- LA LEY 15177-R/1993]

• Por otro lado, las normas de seguridad que se consideran infringidas consistentes en la debida dotación del local de los medios materiales y personales necesarios para poder prestar una asistencia urgente a las personas **no pueden depender del aforo concreto de cada día y cada momento en que el local se abre al público. Lo contrario supondría dejar en manos del titular del local el cumplimiento de la normativa** de espectáculos, con grave quebranto de la seguridad jurídica. [STSJ Cataluña 29 septiembre 1998.- LA LEY 4621/1999]

• La alegación de nulidad del procedimiento por indefensión ha de ser estimada. La denuncia levantada por los agentes de la Guardia Civil a raíz de la visita de comprobación realizada por los mismos a la discoteca Krons el día 30 de octubre de 1994, a las 2,00 horas de la madrugada detecto un supuesto exceso de aforo en los clientes que se encontraban en el establecimiento, que l**os agentes cuantifican de manera aproxima en un 25 % de exceso sobre el permitido** (325 personas) de donde resultaría que habría unas 400 personas en el establecimiento. Es obvio que la única forma en que el imputado puede articular medios de defensa frente a dicha imputación **es que en el momento en que los agentes efectúan la inspección, se le advierta de tal hecho**, a fin de que pueda cuando menos hacer las observaciones pertinentes, recabar el testimonio de terceras personas. **De lo contrario**, actuando los agentes de forma totalmente inadvertida, **según se deduce de la denuncia que hizo la Guardia Civil, la defensa resulta materialmente imposible**, pues los agentes se limitan a personarse y desde la entrada hacen un cálculo del personal que está en el establecimiento, **hecho absolutamente pasajero y del cual resulta imposible toda comprobación ulterior, por lo que es imprescindible que, siempre que las circunstancias lo permitan —y en este caso nada lo impedía— se de la oportunidad al imputado de intervenir en esta diligencia**, que es una auténtica prueba preconstituida. Si se atribuye a la apreciación de los agentes presunción de certeza conforme establece el art. 37 de la Ley de Seguridad Ciudadana, el ciudadano objeto de la actuación de control, que no tiene conocimiento de la misma y de su resultado hasta tiempo después cuando resulta ya absolutamente imposible contrastar por otros medios la certeza de la apreciación de los agentes, este ciudadano, decimos, carece en realidad de todo medio para rebatir lo reflejado en el acta por los agentes. **Y no advirtiéndose ninguna razón para que los agentes no participaran su presencia en visita de inspección, a las personas que regentasen en aquel momento el establecimiento, hemos de concluir que, por una parte, se ha vulnerado el derecho de defensa que constituye garantía fundamental a observar en todos los trámites del procedimiento sancionador, especialmente en los que, como este tipo de prueba preconstituida, no son susceptibles de ser subsanados.** Y por otra parte que al realizarse la diligencia básica para la prueba inculpatoria sin permitir el más mínimo derecho de defensa, no se dan las condiciones para otorgar a la apreciación de los agentes la presunción de veracidad que establece el art. 37, de la LSC, pues no puede gozar de tal condición lo que se realiza quebrantando garantías básicas del procedimiento sancionador. La objeción de que no hay norma que expresamente imponga la obligación de comunicar al inspeccionado el desarrollo de la actuación inspectora no es argumento admisible, **pues el derecho de defensa en el procedimiento** (art. 135 de la LPAC y art. 24,2.º de la Constitución) **es un derecho constitucional de aplicación directa, no subordinado a normas de rango inferior apara su efectividad**. Por otra parte, son numerosas las normas tanto de la Ley de Seguridad Ciudadana como del Reglamento de Policía de Espectáculos que reflejan la necesidad del aviso o apercibimiento (art. 17 de la LSC, art. 80, 2.º del Reglamento de Policía de Espectáculos), que reflejan este mismo principio de proscripción de la indefensión. En consecuencia, procede, de conformidad con el art. 62, 1.º a de la LPAC declarar la nulidad de la resolución impugnada. [STSJ Andalucía (Granada) 7 febrero 2000.- LA LEY 32100/2000]

• Aunque la sentencia recurrida demuestra razonadamente que se ha cumplido este requisito en el proyecto presentado, en el que se hace constar (apartado 2.3 del anejo 3) un aforo máximo de 93 personas, ambos motivos prosperan porque la resolución por la que se concede la licencia incumple claramente el artículo 43.1 del Reglamento invocado, que es de aplicación al caso, y exige taxativamente que en las resoluciones que se dicten se determine, en relación con las características del local y de sus instalaciones y servicios, el aforo máximo permitido. Dicha exigencia, conectada en forma obvia a la seguridad e integridad física de las personas que ocupen la discoteca, no es en modo alguno accesoria: **Una licencia que no hace constar expresamente el aforo máximo de un local dificulta la comprobación municipal posterior de que se cumplan los límites de aforo, dificultando el ejercicio de las competencias municipales en materia de prevención y protección de incendios, seguridad y salubridad pública** (artículo 25 apartados a) c) y h) de la Ley 7/1985, de 2 Abr. a que se alude correctamente en el motivo sexto). [STS 17 julio 2001.- LA LEY 7382/2001]

• Partiendo de las anteriores consideraciones y admitido por la recurrente que el aforo del local se superaba en el momento de la visita de inspección, no cabe duda alguna de que **el tipo infractor quedó consumado en cuanto al exceso de aforo**, quedando, por tanto reducida la cuestión a valorar, si tal exceso (de unas trescientas personas más según la Inspección y de unas cuarenta, según la recurrente) implicaba como se deduce del acta una situación de peligro para su seguridad, al dificultar deambular por la Sala, por encontrarse unas contra otras, y que ha sido la circunstancia tomada en consideración por la resolución sancionadora para calificar la infracción como muy grave.

Si bien es cierto que en el acta no se detalla la forma en que se llega a la contabilización del número exacto de personas, ello no impide, en conjunción con la circunstancia que se expresa sobre la dificultad de deambulación por la misma, llegar a la **conclusión de que el aforo permitido se rebasaba en un número muy superior al que pretende la recurrente**, y que se aproxima sin duda al especificado por los policías actuantes, pues, **en caso contrario no se habría hecho constar la circunstancia relativa al riesgo que existía derivado de la dificultad de circular por el interior del local**, debido al notable exceso de personas, sin que esta conclusión se haya desvirtuado por la prueba aportada (consistente en las matrices de entradas vendidas ese día, en número de 404), pues no se ha probado, como se pretende, que en el momento de la visita de inspección hubiera un número inferior en el interior del local.

Por otra parte, en cuanto a la prueba de la situación de riesgo que la recurrente estima no ha quedado acreditada por la apreciación personal y subjetiva de los policías actuantes, debe decirse que, al margen de tal valoración, es lo cierto que, desde el punto de vista objetivo, **la superación en más del doble del aforo permitido en un local cerrado, implica por sí misma una circunstancia de evidente riesgo y peligro** para los ocupantes del local, en el caso de producirse una situación de alarma, por cuanto que impide poner en marcha de forma adecuada los mecanismos de evacuación previstos para casos en los que el aforo del local se ha calculado en un número concreto, ya que el mismo depende de las circunstancias específicas del local y de los mecanismos de seguridad inherentes a ellas. [STSJA (Granada) 2 julio 2002.- LA LEY 146016/2012]

• Sin embargo, aun enmarcada dentro de estos límites precisos, el acta de denuncia sigue conteniendo elementos de juicio suficientes para fundamentar la sanción impuesta, ya que la apreciación de por qué se hallaban en el interior del local un **número de personas superior al aforo permitido no parece ser el resultado de una operación arbitraria, sino de una contabilización racional, basada en un módulo temporal en principio aplicado correctamente, ya que si el tiempo invertido en el desalojo (una hora) se juzga conforme a la común experiencia, parece lógico pensar que en el interior del local se hallaba más de un centenar de personas**. [STSJ Andalucía (Sevilla) 28 noviembre 2008.- LA LEY 256023/2008]

• **Pero que el aforo deba figurar en el registro no quiere decir que deba fijarse a través de la correspondiente ficha del registro.** El Decreto Foral 202/2002, de 23 de septiembre, que aprueba el Catálogo de establecimientos, espectáculos públicos y actividades recreativas y regula los Registros de Empresas y Locales señala en su artículo 30.1 que «las licencias de actividad y apertura, que otorguen los Ayuntamientos para locales destinados a espectáculos públicos o actividades recreativas, deberán señalar con exactitud la actividad o actividades a que vayan a ser dedicados, siguiendo las definiciones que se establecen en el Catálogo, así como el aforo máximo del local» (la misma disposición figuraba en el artículo 2 del anterior Decreto Foral 131/1989, de 8 de junio, y antes en el artículo 43 del Reglamento General de Policía de Espectáculos públicos y actividades recreativas aprobado por RD 2816/1982, de 27 de agosto, y en su artículo 34.1 que «una vez concedida la licencia de apertura del establecimiento público, el Ayuntamiento competente cumplimentará todos los datos de la ficha de Local». **Es decir, la ficha sirve únicamente para trasladar al registro los datos contenidos en la licencia de apertura, pero es en ésta, así como en la previa licencia de actividad, donde deben fijarse las condiciones y medidas correctoras aplicables a la actividad y, entre ellas, el número máximo de personas admisibles**. Dicho aforo deberá ser fijado con arreglo a la normativa sectorial aplicable, como el RD 314/2006, de 17 de marzo, por el que se aprueba el Código Técnico de la Edificación y en especial su Documento Básico sobre Seguridad en caso de incendio (DB SI) que ofrece las normas de cálculo de la ocupación de los locales.

La ficha, **que tiene un carácter interno e instrumental** y no es un acto administrativo emitido y notificado con las formalidades legales exigibles, **no es documento suficiente para imponer una limitación en la actividad autorizada**.

Por muy anómalo que resulte que un local como el que nos ocupa no tenga determinado el límite máximo de ocupación, **la infracción está descrita como «admisión de público en número superior al determinado como aforo del local», no como una ocupación excesiva o exagerada como parece desprenderse de la denuncia**. Y, en cualquier caso, el que eventualmente esa ocupación estuviera generando una situación de riesgo u infringiera otra normativa sobre seguridad no justificaría la resolución aquí impugnada. [STA Navarra 22 marzo 2012.- LA LEY 35974/2012]

• Partiendo de las anteriores consideraciones y admitido por la recurrente que el aforo del local se superaba en el momento de la visita de inspección, no cabe duda alguna de que **el tipo infractor quedó consumado en cuanto al exceso de aforo, que-**

dando, por tanto reducida la cuestión a valorar, si tal exceso (de unas trescientas personas más según la Inspección y de unas cuarenta, según la recurrente) implicaba como se deduce del acta una situación de peligro para su seguridad, al dificultar deambular por la Sala, por encontrarse unas contra otras, y que ha sido la circunstancia tomada en consideración por la resolución sancionadora para calificar la infracción como muy grave.

Si bien es cierto que en **el acta no se detalla la forma en que se llega a la contabilización del número exacto de personas, ello no impide, en conjunción con la circunstancia que se expresa sobre la dificultad de dembulación por la misma, llegar a la conclusión de que el aforo permitido se rebasaba en un número muy superior al que pretende la recurrente, y que se aproxima sin duda al especificado por los policías actuantes**, pues, en caso contrario no se habría hecho constar la circunstancia relativa al riesgo que existía derivado de la dificultad de circular por el interior del local, debido al notable exceso de personas, sin que esta conclusión se haya desvirtuado por la prueba aportada (consistente en las matrices de entradas vendidas ese día, en número de 404), pues no se ha probado, como se pretende, que en el momento de la visita de inspección hubiera un número inferior en el interior del local.

Por otra parte, en cuanto a la prueba de la situación de riesgo que la recurrente estima no ha quedado acreditada por la apreciación personal y subjetiva de los policías actuantes, debe decirse que, al margen de tal valoración, es lo cierto que, desde el punto de vista objetivo, **la superación en más del doble del aforo permitido en un local cerrado, implica por sí misma una circunstancia de evidente riesgo y peligro para los ocupantes del local, en el caso de producirse una situación de alarma**, por cuanto que impide poner en marcha de forma adecuada los mecanismos de evacuación previstos para casos en los que el aforo del local se ha calculado en un número concreto, ya que el mismo depende de las circunstancias específicas del local y de los mecanismos de seguridad inherentes a ellas.

En definitiva, la Sala entiende que en el caso examinado existe prueba de cargo suficiente para enervar la presunción de inocencia, prueba representada por el contenido del acta de inspección y de denuncia de los agentes de policía que observaron directamente los hechos, sin que, por otra parte, el encargado del local, en aquel momento, formulara objeción alguna. [STSJ Andalucía (Granada) 2 julio 2012).- LA LEY 146016/2012]

• Por otro lado debe indicarse **la gran diferencia entre el aforo autorizado al Local (450 personas) y la asistencia estimada (una mil), por lo que aún no siendo el realizado un cómouto matemáticamente preciso si resulta fácilmente apreciable que aquél se rebasó en exceso**, sobre todo ante la contundencia de apreciaciones que aunque subjetivas resultan apreciables con cierta objetividad como las condiciones de masificación de la discoteca en el momento de la presencia de los agentes o la imposibilidad de acceder a determinadas zonas de la misma. Ante tales argumentos y siguiendo pronunciamientos jurisprudenciales como la Sentencia de 14 septiembre 1990 del Tribunal Supremo (Sala de lo Contencioso-Administrativo, Sección 8) y *a sensu contrario* la sentencia de esta misma Sala (Sección Segunda) 2509/03 de 22 de septiembre de 2003 (LA LEY 145835/2003) dictada en el recurso 2886/97, tal motivo de impugnación debe resultar desestimado.

Aún cabe indicar que la **existencia de la indicada masificación resulta corroborada por la existencia del cartel en la puerta del local que autorizaba un aforo de 945 personas el cual resulta un indicio probatorio que en conjunción con la percepción de los agentes intervinientes obliga a concluir en la existencia del exceso de aforo efectivamente producido**. [STSJ Andalucía (Granada) 5 noviembre 2012.- LA LEY 233660/2012]

• Es cierto que, en la ratificación e informe de los agentes denunciantes tras las alegaciones, se dice que «por parte de los actuantes se comprobó que el interior de la Sala se hallaba totalmente lleno de jóvenes, sin apenas espacio para desenvolverse y sin huecos libres, encontrándose unos pegados a los otros, con limitaciones para moverse libremente».

Pero, de ese hecho constatado, no cabe inferir sin más, valorado en relación con el conteo la superación del aforo permitido. Desconocemos la superficie del local y en qué medida esa apreciación de que los jóvenes estaban «pegados», permite precisar el número de presentes superior al aforo.

Ciertamente, en anteriores ocasiones, nos hemos pronunciado en el sentido de que no se requiere un exacto conteo de los presentes para considerar acreditados los hechos constitutivos del tipo por el que se sanciona; pero el **conjunto de la prueba apuntaba a una superación manifiesta del aforo**, mientras que aquí lo que se reprocha es la **superación del aforo en 28 personas, no más**; y eso, hemos de coincidir con la sentencia apelada, resulta muy difícil concluirlo de los contadores ni de la apreciación conjunta de la prueba. [STSJ Andalucía (Sevilla) 8 marzo 2013 (LA LEY 78497/2013]

• La licencia de funcionamiento del recurrente venía referida al ejercicio de las actividades de bar y de sala de fiestas en espacios diferentes y delimitados y con un aforo diferenciado en cada una de ellas. **Por eso, en la zona destinada a bar se debe ejercer exclusivamente la actividad de bar, no pudiendo ser realizada la actividad recreativa de baile**. [STSJ Madrid 11 marzo 2013.- LA LEY 26668/2013]

• La resolución, tomando en consideración un aforo máximo autorizado de 55 personas y que el aforo denunciado era de 127 personas, constatando **un exceso de aforo de 131 %**, impone una sanción de clausura por seis meses en aplicación de los artículos 39.11 y 41.2 de la ya citada Ley de Espectáculos Públicos y Actividades Recreativas de la Comunidad de Madrid.

Pues bien, teniendo en cuanta que el aforo máximo autorizado es de 98 personas, estaríamos en presencia de un **exceso de aforo de 29,59 %** por lo que, siguiendo los criterios adoptados por el Ayuntamiento de Madrid **para la graduación de las sanciones a imponer**, expuestos por su representación procesal en el escrito de contestación a la demanda, la sanción impuesta debería ser rebajada a la multa de 21.035 euros, por la comisión de la infracción prevista en el artículo 38.11 de la Ley de Espectáculos Públicos y Actividades Recreativas de la Comunidad de Madrid («La superación del aforo máximo permitido cuando no comporte un grave riesgo para la seguridad de personas o bienes »), en relación con el artículo 41.2.a) de la precitada Ley. [STSJ Madrid 28 enero 2015.- LA LEY 12112/2015]

• El Tribunal entiende que dicha pretensión subsidiaria formulada en su momento por la actora era la correcta, por lo que si el aforo autorizado era de 70 personas y se encontraban en el local 116, lo que supone que se superaba el aforo en 60 % por lo que estando sancionada la conducta con una multa de entre 3.006 y 30.050 euros (artículo 41 de la Ley Territorial de la Comunidad de Madrid 17/1997, de 4 de julio, de Espectáculos Públicos y Actividades Recreativas en su redacción vigente al tiempo de cometerse la infracción), procediendo **imponer la sanción en el mismo porcentaje en el que se superó el aforo**, por lo que la cuantía de la multa ascenderá a 18.000 € procediendo la estimación parcial del recurso de apelación y del recurso contencioso»

Aplicados estos razonamientos al caso que nos ocupa, es claro que la **conducta debe sancionarse como infracción grave** prevista en el apartado 11 del artículo 38 de la Ley17/1997, de Espectáculos Públicos y Actividades Recreativas de la Comunidad de Madrid, ya que había en el local 175 personas siendo el aforo máximo permitido de 77 personas**. Ello supone que se superaba el aforo máximo en un 127%, por lo que estando sancionada la conducta con una multa de entre 3.006 y 30.050 euros** (artículo 41 de la Ley 17/1997, de 4 de julio (LA LEY 1660/1998), de Espectáculos Públicos y Actividades Recreativas en su redacción vigente al tiempo de cometerse la infracción), procede imponer la sanción en el mismo porcentaje en el que se superó el aforo, con el límite del máximo permitido por la norma, **por lo que la cuantía de la multa ascenderá a 30.050 euros, máximo legal**, procediendo la estimación parcial del recurso de apelación y del recurso contencioso. [STSJ Madrid 2 marzo 2016.- LA LEY 33317/2016]

• El Tribunal entiende que dicha pretensión subsidiaria formulada en su momento por la actora era la correcta, por lo que si el aforo autorizado era de 51 personas y se encontraban en el local 74 personas, lo que supone que se **superaba el aforo en 45 %** por lo que estando sancionada la conducta con una multa de entre 3.000 y 30.050 euros (artículo 41 de la Ley Territorial de la Comunidad de Madrid 17/1997, de 4 de julio, de Espectáculos Públicos y Actividades Recreativas en su redacción vigente al tiempo de cometerse la infracción), procediendo imponer **la sanción en el mismo porcentaje en el que se superó el aforo**, satisfaciéndose así **el principio de proporcionalidad** alegado por lo que la cuantía de la multa ascenderá a 13.500 € procediendo la estimación parcial del recurso de apelación y del recurso contencioso-administrativo, dado que como la propia parte reconoce no concurre la caducidad del expediente sancionador. [STSJ Madrid 18 marzo 2016.- LA LEY 33341/2016]

• Los motivos del recurso han de ser rechazados, en primer lugar porque la existencia de un informe técnico en el expediente de concesión de licencia fijando el aforo permitido, que luego no ha sido incorporado al documento en el que consiste la propia licencia, carece de efectos jurídicos, ya que dicho documento constituye precisamente la resolución final del expediente, o declaración de voluntad de la Administración, en la que se deben especificar todas las condiciones de la misma, de acuerdo con las prescripciones técnicas formuladas, las cuales solo pueden tener validez y efectos jurídicos, si se incorporan a dicha resolución final. En consecuencia, **no constando en la licencia concedida el aforo máximo permitido, el apelante no podía incurrir en la infracción** tipificada en el art. 37.11 de la Ley de Espectáculos Públicos y Actividades Recreativas, que consiste precisamente en «La superación del aforo máximo permitido cuando comporte un grave riesgo para la seguridad de personas o bienes». [STSJ Madrid 25 mayo 2016.- LA LEY 86620/2016]

• Es evidente que todo exceso de **aforo implica, en mayor o menor medida, un riesgo para la seguridad de las personas o bienes, pero el tipo infractor aplicado requiere que el riesgo apreciado sea «grave », de tal forma que cuando dicha circunstancia no se aprecie será aplicable la infracción prevista en el artículo 38.11 del mismo texto legal: «La superación del aforo máximo permitido cuando no comporte un grave riesgo para la seguridad de las personas o bienes».**

De la sola apreciación de la existencia de falta de movilidad (que tampoco se concreta su intensidad) o del sólo porcentaje de superación del aforo (criterio que parece aludir la resolución impugnada) no puede inferirse, sin más, la circunstancia del grave riesgo para la seguridad que exige el tipo agravado imputado por la Administración municipal. [STSJ Madrid 9 septiembre 2016.- LA LEY *146777/2016]*

• **Conviene recordar que el aforo impuesto lo es, entre otras razones, para salvaguardar y minimizar los inevitables riesgos inherentes a toda actividad hum**ana.- Pues bien, pese a la elementalidad de tales consideraciones, el personal rector de la mercantil recurrente, sin embargo, **con claro menosprecio de la legalidad, posibilitó la entrada de 43 clientes más de los permitidos** o autorizados, con grave riesgo de la seguridad e integridad de, nada menos, que 92 personas, además del personal adscrito al local, circunstancia ésta también recogida en la resolución impugnada. Dicho comportamiento voluntario, que pone en entredicho y supone **un menosprecio de las más elementales normas de seguridad, y que compromete tan gravemente la seguridad de los clientes**, tal como apreciaron los agentes policiales actuantes, implica que, como inevitable consecuencia jurídica, debamos concluir que en el necesario e imprescindible juicio comparativo de los intereses en juicio, debamos reputar preferente el interés general y el de terceros al que tiende a salvaguardar la resolución impugnada, impidiendo situaciones de riesgo, constatadas por los agentes en el caso presente, para la seguridad de las personas, frente al particular de la recurrente. [STSJ Madrid 16 noviembre 2016.- LA LEY 185581/2016]

• **La presunción de veracidad y legalidad de las denuncias formuladas por un agente de la autoridad** encargado del servicio, como acompañamiento a todo obrar de los órganos administrativos y de sus agentes, **es un principio que debe acatarse y defenderse**, ya que constituye esencial garantía de una acción administrativa eficaz, si bien la presunción alcanza solamente a los hechos constatados por el agente, lo que exige no sólo una completa descripción de tales hechos, sino la especificación de la forma en que han llegado a su conocimiento, **no bastando siquiera con consignar el resultado final de la investigación, en tanto que esa atribución legal de certeza que en cualquier caso es de naturaleza *iuris tantum* pierde fuerza cuando los hechos a firmados en la denuncia, no son de apreciación directa**, ni se hace mención en ella a la realización de otras comprobaciones ó aporte de otras pruebas. En el caso presente efectivamente en el acta de inspección se indica que (…) en el momento de la inspección el local se encuentra abierto al público ejerciendo una actividad de bar con 109 personas en su interior contadas de una a una indicándose en el informe ampliatorio que los Agentes actuantes con n.º 10397.4 y 10001.8 **cuentan los clientes uno a uno en presencia encargado del local** filiado en dicho observando que supera **el aforo autorizado en 19 personas, que los agentes reflejan en el acta no consideran qué dicho hecho sea motivo de falta muy grave**. Que se le solicita al encargado que desaloje al numero de personas que exceden de lo autorizado en la mayor brevedad posible para evitar problemas en el caso de emergencia. Según Licencia n.º 101/1999/05518, el aforo máximo permitido es de 90 personas. [STSJ Madrid 25 enero 2017.- LA LEY 8904/2017]

• Ahora bien, en el presente caso **no nos encontramos ante una infracción por exceso de aforo que pusiera en grave riesgo la seguridad de las personas**, sino que se trata de la comisión de una infracción grave del artículo 38.11 de la Ley 17/1997 (LA LEY 1660/1998), de Espectáculos Públicos y Actividades Recreativas, por no comportar el exceso de aforo grave riesgo para la seguridad de personas o bienes, lo que hace que, atendidas las circunstancias del supuesto que nos ocupa, no podamos entender prevalente el interés general ya que no se produjo un grave riesgo en la seguridad de las personas. [STSJ Madrid 8 febrero 2017.- LA LEY 15614/2017]

• Debe señalarse que **en los supuestos de la clausura de una actividad existen perjuicios que si bien pudieran ser reparados a través de la oportuna indemnización, varios son los elementos que provocan una dificultad de reparación**, en primer lugar, por la difícil valoración de las perdidas comerciales, no solo presentes sino también futuras y por la pérdida de expectativas y del correspondiente fondo de comercio y de la clientela. Además, en tanto en cuanto se resuelve el proceso, es patente que se producen perjuicios derivados de la pérdida de ingresos y por lo tanto de la necesidad de búsqueda de una fuente alternativa que permita la subsistencia. Por el contrario, el interés público alegado es el genérico, de presunción de legalidad de los actos administrativos y de ejecutividad, sin embargo siendo la infracción que se sanciona por un exceso de horario en el desarrollo de la actividad, no apareciendo terceros afectados (caso de exceso de ruido transmitido a la calle o las viviendas colindantes) **y no haciéndose referencia en la resolución sancionadora a la posible existencia de riesgo para las personas, como ocurre en los supuestos de exceso de aforo cuando se supera en un alto porcentaje el autorizado por la por ello**, se debe de acceder a la pretensión de suspensión, entendiendo que la reparación económica que en su caso conllevaría la no suspensión y en su caso estimación del recurso puede evitarse y sin que el interés público o general se vea afectado, por suspender unos meses la ejecución de la sanción impuesta, que dictada sentencia se ejecutaría, sin verse afectados, reiteramos, los intereses generales. [STSJ Madrid 22 febrero 2017.- LA LEY 22718/2017]

• Pues bien, como quiera que para la comisión de la infracción prevista en el artículo 38.11 de la Ley 17/1997, de 4 de julio (LA LEY 1660/1998), de Espectáculos Públicos y Actividades Recreativas, se requiere la «**superación del aforo máximo permitido**», inicialmente establecido para el local que nos ocupa en 36 personas, y como quiera que el acto administrativo que lo estableció y del que partió la Administración ha sido anulado por sentencia firme, **no puede afirmarse de forma válida que se ha superado un aforo no establecido conforme a Derecho**. No debe olvidarse que si bien los actos administrativos nulos producen efectos, en virtud del principio de ejecutoriedad, no es menos cierto que ello ocurre mientras dicha nulidad no sea declarada. La Sentencia que declara la nulidad de un acto administrativo, como aquí ocurre con el Decreto de 20 de mayo de 2010, es declarativa en tanto pone de manifiesto que el acto viola una regla de derecho y, por ello, lo anula; y es —a la vez— constitutiva, porque determina la inexistencia jurídica del aquél, su extinción retroactiva. Siendo ello así, **es evidente que el acto administrativo anulado, por el que se determinó el aforo, no puede ser tenido en cuenta por la propia Administración** autora del acto a los efectos de determinar la comisión de una infracción administrativa que contempla la superación del aforo como elemento integrante del tipo. Dicho de otra forma, **sin la preexistencia de un aforo, válidamente determinado, no puede imputarse al interesado la comisión de una infracción por la superación de aquél.** [STSJ Madrid 15 marzo 2017.- LA LEY 27808/2017]

• La Ley no establece un catálogo de circunstancias agravantes o atenuantes de forma que no cabe la división de la sanción en grados o en mitades, sin embargo **el porcentaje de superación del aforo, no sólo puede, sino que debe tenerse en cuenta para graduar la sanción** puesto que a mayor porcentaje de superación de dicho aforo mayor intencionalidad en la infracción puede observarse. [STSJ Madrid 7 febrero 2018.- LA LEY *18136/2018]*

• Por último alega la falta de tipicidad de los hechos ya que en la propia acta de inspección se señala que no hay riego para las personas; y añade la ilegalidad y la desproporción de la sanción.

Para resolver este motivo debemos tener en cuenta que el tipo sancionador de la infracción muy grave requiere que concurran dos circunstancias: el exceso de aforo y que ese exceso haya comportado un grave riesgo para la seguridad de las personas o bienes. Así se desprende inequívocamente de la dicción literal del art. 37.11 de la Ley 17/1997, de 4 de julio, de Espectáculos Públicos y Actividades Recreativas. Además, **el exceso de** aforo **debe calcularse teniendo en cuenta el máximo permitido en la licencia y no del máximo posible según normas técnicas** (como el Código Técnico de Edificación). La redacción del tipo sancionador es claro: constituye el ilícito la superación del aforo máximo «permitido» y lo permitido debe ponerse en relación con lo establecido en la propia licencia de actividades.

Para llegar en el presente caso a la conclusión de si el exceso de aforo constatado comportó o no un grave peligro para personas o bienes, hay que analizar los hechos concurrentes en el momento de la inspección y deducir, con sujeción a las reglas de la lógica, si hubo o no una situación de grave riesgo.

De contenido del acta de inspección no se puede entender como acreditada esa situación de grave riesgo pues los propios agentes que intervinieron valoraron *in situ* que no se produjo situación de grave peligro, apreciación inmediata de los agentes que fue ratificada expresamente por uno de ellos en el informe-ratificación emitido, sin que frente a esta apreciación personal de los agentes pueda estimarse suficiente, para apreciarse producida una situación de grave riesgo, el informe técnico elaborado por los servicios del propio Ayuntamiento, sobre que la capacidad de evacuación del local calculada de conformidad con lo previsto en la Sección 3 del DB SI (aforo de riesgo).

Por todo ello, debemos apreciar que no consta acreditada la producción de una situación de grave riesgo. [STSJ Madrid 14 febrero 2018.- LA LEY *36337/2018]*

• Como expusimos en nuestra sentencia de 5 de diciembre de 2017 (apelación n.º 843/2017).- Es evidente que **todo exceso de** aforo **implica, en mayor o menor medida, un riesgo para la seguridad de las personas o bienes**, pero el tipo infractor contemplado en el artículo 37.11 de la Ley 17/1997 requiere que el riesgo apreciado sea «grave», de tal forma que cuando dicha circunstancia no se aprecie será aplicable la infracción prevista en el artículo 38.11 del mismo texto legal: «La superación del aforo máximo permitido cuando no comporte un grave riesgo para la seguridad de las personas o bienes». [STSJ Madrid 3 abril 2018.- LA LEY *53094/2018]*

CAPÍTULO X

HORARIOS DE ESPECTÁCULOS PÚBLICOS Y ACTIVIDADES RECREATIVAS

Comentarios

En el ámbito de los espectáculos públicos y en particular de las actividades recreativas el régimen de horarios de apertura y cierre de las mismas adquiere singular importancia, y que es objeto de regulación individualizada por las distintas CC.AA.

Dentro de los horarios comerciales hay que distinguir **dos grupos** de horarios, el primero y general es el que se deriva de la normativa de **comercio interior**, y que afecta a la mayoría de establecimientos comerciales; el segundo y específico es el que trae su causa de las actividades de **espectáculos públicos y actividades recreativas** que por sus características peculiares, siendo productoras de ruidos y vibraciones, y en consecuencia afectado a intereses de protección constitucional (salud, derecho a la vivienda, medio ambiente, etc.) tienen un horario especial y limitado a determinadas horas del día.

Por esta razón en la normativa **se distinguen**:

- Horarios comerciales en general
- Horarios de apertura y cierre de establecimientos públicos

Las características fundamentales por las que se rigen los horarios comerciales, al margen de la distinción anterior, son:

1.- Cada comerciante determinará con plena libertad el horario de apertura y cierre de su establecimiento, así como los días festivos de apertura y el número de horas diarias o semanales en los que ejercerá su actividad, sin que en ningún caso se pueda limitar por debajo de diez el número mínimo de domingos y festivos de apertura autorizada

2.- El horario global no podrá restringirse por las Comunidades Autónomas a menos de 90 horas semanales.

3.- La competencia para la regulación de los horarios para la apertura y cierre de los locales comerciales corresponde a las Comunidades Autónomas.

4.- Los horarios de los espectáculos públicos y actividades recreativas están sujetos a límites rígidos, quedando los mismos encuadrados dentro del marco que por cada norma específica se fija.

ANDALUCÍA

I. Normativa

Orden de 25 de marzo de 2002, por la que se regulan los horarios de apertura y cierre de los establecimientos públicos en la Comunidad Autónoma de Andalucía.- LA LEY 5176/2002.

Orden de 21 de junio de 2007.- Modifica la Orden de 25-3-2002, que regula los horarios de apertura y cierre de los establecimientos públicos en la Comunidad Autónoma de Andalucía.

Decreto 6/2012, de 17 de enero, por el que se aprueba el Reglamento de Protección contra la Contaminación Acústica en Andalucía, y se modifica el Decreto 357/2010, de 3 de agosto, por el que se aprueba el Reglamento para la Protección de la Calidad del Cielo Nocturno frente a la contaminación lumínica y el establecimiento de medidas de ahorro y eficiencia energética.

Decreto-Ley 5/2014, de 22 de abril, de medidas normativas para reducir las trabas administrativas para las empresas.

II. Horarios en materia de espectáculos públicos y actividades recreativas

El **Decreto-Ley 5/2014**, de 22 de abril, de medidas normativas para reducir las trabas administrativas para las empresas, por el que se modifica en su art. 9 el art. 5 y 6 de la Ley 13/1999, de 15 de diciembre, de Espectáculos Públicos y Actividades Recreativas de Andalucía, atribuye a la **Administración autonómica** la competencia para establecer horarios de apertura y cierre de los establecimientos públicos sujetos a la Ley, o incluidos en el ámbito de aplicación de la mismas, así como informar preceptivamente los proyectos de disposiciones municipales que incidan en los horarios de apertura y cierre de los establecimientos públicos sometidos al ámbito de la presente ley, en los casos en que el Ayuntamiento sea competente para regular los mismos; y a **los municipios** establecer con carácter excepcional u ocasional horarios especiales de apertura y cierre de establecimientos dedicados a espectáculos públicos o a actividades recreativas dentro del término municipal y de acuerdo con los requisitos y bajo las condiciones que reglamentariamente se determinen.

El D 155/2018, de 31 de julio, deroga la Orden de 25 de marzo de 2002, por la que se regulan los horarios de apertura y cierre de los establecimientos públicos en la Comunidad Autónoma de Andalucía, fijando el siguiente régimen de apertura y cierre de los establecimientos públicos (arts. 17 a 29).

• Régimen general de horarios de cierre (art. 17 del D 155/2018)

1. El horario máximo de cierre de los establecimientos públicos en Andalucía, de acuerdo con las denominaciones y definiciones del Catálogo, será el siguiente:

a) Cines, teatros y auditorios, a la terminación de la última sesión que, como máximo, empezará a las 1:00 horas; en el caso que se ofrezca una única sesión vespertina o nocturna, el horario de cierre será a las 2:00.

b) Circos, plazas de toros y establecimientos de espectáculos deportivos...02:00 horas.

c) Establecimientos recreativos infantiles............:00 horas.

d) Establecimientos de hostelería sin música y con música........02:00 horas.

e) Establecimientos especiales de hostelería con música........ 03:00 horas.

f) Establecimientos de esparcimiento y salones de celebraciones . 06:00 horas.

g) Establecimientos de esparcimiento para menores.............. 0:00 horas

2. Cuando la apertura de los establecimientos públicos relacionados en el apartado anterior se produzca en viernes, sábado y vísperas de festivo, el horario máximo de cierre se ampliará en una hora más.

- **Régimen general de horarios de apertura (art. 18 del D 155/2018)**

1. Los establecimientos públicos no se podrán abrir al público antes de las 06:00 horas, sin perjuicio de lo que se establezca en la normativa sectorial o específica y en el apartado siguiente.

2. Los establecimientos especiales de hostelería con música y los establecimientos de ocio y esparcimiento no se podrán abrir al público antes de las 12:00 horas del día.

- **Otros horarios de apertura y cierre de establecimientos públicos (art. 19 del D 155/2018)**

1. El horario de apertura y cierre de los establecimientos de juego así como el de los servicios complementarios de éstos será el previsto en su normativa específica o en la correspondiente autorización administrativa autonómica, sin perjuicio de lo establecido en la disposición transitoria segunda.

2. El horario de apertura y cierre de los establecimientos recreativos, excepto los infantiles, de los establecimientos de actividades deportivas, culturales y sociales y de los establecimientos de actividades zoológicas, botánicas y geológicas se determinará por el Ayuntamiento correspondiente, con el límite previsto en el artículo 18.1 y sin que el horario de cierre pueda superar las 02:00 horas.

3. El horario de apertura y cierre de los recintos feriales y de verbenas populares de iniciativa municipal será libremente determinado por el Ayuntamiento correspondiente.

El horario de apertura y cierre de los recintos feriales y de verbenas populares de iniciativa privada, se determinará asimismo por el Ayuntamiento correspondiente, con el límite previsto en el artículo 18.1 y sin que su cierre pueda superar las 02:00 horas.

4. El horario de apertura y cierre de los establecimientos especiales para festivales será libremente determinado por el Ayuntamiento correspondiente, en función de los tipos de espectáculos públicos y actividades recreativas que se celebren y desarrollen, así como en su caso, de la tipología, características, ubicación del establecimiento público y edad de acceso del público.

- **Otras especificaciones en materia de horarios (art. 20. del D 155/2018)**

1. No obstante lo dispuesto en el artículo 17.1, con carácter general, cuando los espectáculos públicos y actividades recreativas se celebren o desarrollen en establecimientos públicos abiertos o al aire libre o descubiertos o directamente en espacios abiertos de vías públicas y de otras zonas de dominio público sin establecimiento público

que los albergue, salvo que expresamente se determine lo contrario en este Decreto, no se podrán superar en ningún caso, las 02:00 horas de cierre y no regirá la ampliación prevista en el artículo 17.2.

2. En los establecimientos de hostelería con música no se podrán utilizar equipos de reproducción o amplificación sonora o audiovisuales antes de las 12:00 horas del día.

3. La actividad de hostelería desarrollada como apoyo o complemento a la celebración o desarrollo de un espectáculo público u otra actividad recreativa, cuyos horarios de funcionamiento sean más restrictivos que los que rigen para los establecimientos de hostelería, en ningún caso podrá permanecer abierta al público cuando el establecimiento público que albergue la celebración o desarrollo del espectáculo público o actividad recreativa a la que sirve de apoyo esté cerrado al público, salvo que se cumplan las condiciones establecidas en el artículo 10.3, párrafo segundo.

La actividad de hostelería desarrollada como apoyo o complemento a la celebración o desarrollo de un espectáculo público u otra actividad recreativa, cuyo horarios de funcionamiento sean más amplios que los que rigen para los establecimientos de hostelería, en ningún caso podrá permanecer abierta al público más allá de los límites de los horarios generales de apertura y cierre de los correspondientes establecimientos de hostelería, salvo en los casos expresamente previstos en el Catálogo o en normativa específica.

4. El horario de las actuaciones en directo de pequeño formato desarrolladas en los establecimientos de hostelería será determinado por los Ayuntamientos correspondientes, sin que puedan iniciarse antes de las 15.00 horas ni finalizar después de las 0:00 horas. Las actuaciones en directo y las actuaciones en directo de pequeño formato en los establecimientos de ocio y esparcimiento se podrán celebrar durante todo el horario general de apertura y cierre que rija para el correspondiente establecimiento público, ya que las mismas están implícitas en la actividad de ocio y esparcimiento.

- **Desalojo** (art. 21 del D 155/2018)

A partir de la hora de cierre establecida, la persona responsable del establecimiento público o de la organización del espectáculo público o actividad recreativa o el personal dependiente de éstos procederá al apagado de los equipos de reproducción o amplificación sonora o audiovisuales, así como al cese de todo espectáculo público, actividad recreativa o actuación y no se servirán más consumiciones. Tampoco se permitirá la entrada de más personas y se encenderán todas las luces del establecimiento público para facilitar el desalojo, debiendo quedar totalmente vacío de público media hora después del horario permitido, sin perjuicio de las labores de recogida que sean necesarias acometer por las personas trabajadoras del establecimiento a puerta cerrada, tras el desalojo total del público.

- **Horarios de las terrazas y veladores de los establecimientos de hostelería y de ocio y esparcimiento (art. 22 del D 155/2018)**

Los horarios de terrazas y veladores para exclusivo consumo de comidas y bebidas instalados en la vía pública y otras zonas de dominio público, anexos o accesorios a establecimientos de hostelería y de ocio y esparcimiento, así como en las superficies privadas abiertas o al aire libre o descubiertas que formen parte de los establecimientos de hostelería y de ocio y esparcimiento, se determinarán por los Ayuntamientos correspondientes, compatibilizando su funcionamiento con la aplicación de las normas vigentes en materia de contaminación acústica y medioambiental en general y garantizando el derecho a la salud y al descanso de la ciudadanía, con las siguientes limitaciones:

a) No podrán superar los márgenes de apertura y cierre generales previstos para cada tipo de establecimiento de hostelería o de ocio y esparcimiento.

b) En ningún caso el límite horario para la expedición de bebidas y comidas en dichos espacios podrá exceder de las 2:00 horas, debiendo quedar totalmente desalojados y recogidos, como máximo, en el plazo de media hora a partir de ese horario límite.

- **Ampliación municipal de horarios generales de cierre (art. 23 del D 155/2018)**

1. **Al amparo de lo establecido en el artículo 6.7 de la Ley 13/1999, de 15 de** diciembre, los Ayuntamientos podrán ampliar, con carácter excepcional u ocasional, para todo su término municipal o para zonas concretas del mismo, los horarios generales de cierre de los establecimientos públicos previstos en el artículo 17.1, durante la celebración de actividades festivas populares o tradicionales, Semana Santa y Navidad, haciendo compatible, en todo caso, su desarrollo con la aplicación de las normas vigentes en materia de contaminación acústica. Estas modificaciones de carácter temporal deberán ser comunicadas a la correspondiente Delegación del Gobierno de la Junta de Andalucía y a la Subdelegación del Gobierno en la provincia afectada, al menos con una antelación de siete días hábiles a la fecha en que surtan efectos.

2. Los Ayuntamientos no podrán ampliar durante más de 20 días naturales al año los horarios de cierre de los establecimientos públicos previstos en el artículo 17.1, por motivo de la celebración de actividades festivas populares o tradicionales.

En cualquier caso, los establecimientos públicos que se beneficien de la ampliación horaria en estos supuestos se tendrán que cerrar como mínimo dos horas de cada 24, con el fin de realizar las tareas de limpieza y mantenimiento necesarias.

3. A los efectos de este Decreto se entenderá por Navidad el período comprendido entre el 22 de diciembre y el 6 de enero, ambos inclusive, y por Semana Santa desde el Domingo de Ramos al Domingo de Resurrección, ambos inclusive. En ambos supuestos, la ampliación autorizada no podrá superar en dos horas los horarios generales de cierre de los establecimientos públicos.

- **Restricción municipal de horarios generales de apertura y cierre (art. 24 del D 155/2018)**

Los Ayuntamientos podrán adoptar, de conformidad con lo dispuesto en la normativa de protección contra la contaminación acústica, medidas restrictivas de los márgenes horarios generales de apertura y cierre de los establecimientos públicos previstos en el artículo 17.1, ubicados en zonas acústicas especiales, para alcanzar y mantener los objetivos de calidad acústica para ruidos aplicables a las distintas áreas de sensibilidad acústica.

- **Régimen especial de horarios de cierre de establecimientos de hostelería en municipios turísticos y zonas de gran afluencia turística a efectos de horarios comerciales (art. 25 del D 155/2018)**

1. Los municipios que hayan obtenido la declaración de municipio turístico prevista en la vigente normativa de turismo de Andalucía o que hayan obtenido la declaración de zona de gran afluencia turística a efectos de horarios comerciales de acuerdo con la

vigente normativa de comercio interior de Andalucía, en los términos y límites temporales establecidos en la correspondiente declaración, podrán autorizar, previa petición de las personas titulares de la actividad de hostelería, horarios especiales que supongan una ampliación de los horarios generales de cierre, para establecimientos de hostelería situados preferentemente en áreas no declaradas zonas acústicas especiales y que además sean sectores con predominio de suelo de uso recreativo, de espectáculos, característico turístico o de otro uso terciario no previsto en el anterior, e industrial. La autorización de horarios especiales en zonas acústicas especiales y en sectores del territorio distintos a los anteriores deberá estar motivada en el cumplimiento de los objetivos de calidad acústica en las áreas de sensibilidad habitada.

2. En los procedimientos de autorización que los Ayuntamientos establezcan al efecto, se garantizará el otorgamiento de un trámite de audiencia a las personas vecinas colindantes al establecimiento público para el que se solicita el horario especial y a las asociaciones vecinales y de personas consumidoras y usuarias que representen sus intereses y se recabará informe de la Subdelegación del Gobierno en la provincia correspondiente, a los efectos de la posible incidencia en materia de orden público y, en su caso, seguridad vial, de la modificación del horario general. En cualquier caso, será de aplicación lo establecido en el artículo 2.9 de la Ley 13/1999, de 15 de diciembre, en relación con el artículo 24 de la Ley 39/2015, de 1 de octubre.

3. Los establecimientos públicos autorizados tendrán que cerrar dos horas de cada 24, con el fin de realizar las tareas de limpieza y mantenimiento necesarias.

• Régimen especial de horarios de cierre de las terrazas y veladores de establecimientos de hostelería en municipios turísticos y zonas de gran afluencia turística a efectos de horarios comerciales (art. 26 del D 155/2018)

Los municipios que hayan obtenido la declaración de municipio turístico prevista en la vigente normativa de turismo de Andalucía o que hayan obtenido la declaración de zona de gran afluencia turística a efectos de horarios comerciales de acuerdo con la vigente normativa de comercio interior de Andalucía, en los términos y límites temporales establecidos en la correspondiente declaración, podrán ampliar, de oficio, en media hora el límite horario de cierre previsto en el artículo 22 para las terrazas y veladores instalados en la vía pública y en otras zonas de dominio público, anexos o accesorios a los establecimientos de hostelería, así como en las superficies privadas abiertas o al aire libre o descubiertas que formen parte de los establecimientos de hostelería y situados preferentemente en áreas no declaradas zonas acústicas especiales y que además sean sectores con predominio de suelo de uso recreativo, de espectáculos, característico turístico o de otro uso terciario no previsto en el anterior, e industrial, cuando la apertura del establecimiento público de hostelería del que dependan se produzca en viernes, sábado y vísperas de festivo. La ampliación de horarios de terrazas y veladores en zonas acústicas especiales y en sectores del territorio distintos a los anteriores deberá estar motivada en el cumplimiento de los objetivos de calidad acústica en las áreas de sensibilidad habitada.

• Otros regímenes especiales de horarios de establecimientos de hostelería sin música (art. 27 del D 155/2018)

1. Podrán también acogerse a un régimen especial de horarios, que supongan una ampliación de los previstos en este Decreto o un régimen de apertura permanente, los establecimientos de hostelería sin música situados en los siguientes lugares:

a) Áreas de servicio de carreteras, autovías o autopistas, ubicadas fuera del casco urbano de las poblaciones.

b) En el interior de aeropuertos, puertos, estaciones de ferrocarril y estaciones de autobuses, destinados al servicio de las personas usuarias.

c) En el interior de hospitales, tanatorios y centros sanitarios de urgencia.

d) En el interior de lonjas, puertos pesqueros, mercados centrales o similares, destinados al servicio del personal empleado con horario de noche o madrugada.

2. Sin perjuicio de las prohibiciones de venta y consumo de bebidas alcohólicas previstas en la normativa vigente de prevención y asistencia en materia de drogas, los establecimientos de hostelería sin música situados en los tanatorios y en las instalaciones reseñadas en los párrafos b) y d) del apartado anterior, no podrán expedir bebidas alcohólicas superiores a 20 grados centesimales durante el periodo horario objeto de ampliación.

3. Los citados establecimientos de hostelería en ningún caso podrán permanecer abiertos cuando cierre la instalación en la que se sitúen, aunque se acojan a un régimen de apertura permanente.

4. Para que estos establecimientos puedan aplicar un horario especial o permanente, las personas titulares de la actividad de hostelería deberán presentar declaración responsable ante el Ayuntamiento competente, en la que se comunicará el horario correspondiente. La declaración responsable se ajustará al modelo que se apruebe y publique por éste.

• Normas comunes a los establecimientos de hostelería acogidos a horario especial (art. 28 del D 155/2018)

1. Cuando los establecimientos de hostelería y terrazas y veladores acogidos a los horarios especiales de los artículos 25, 26 y 27 no mantengan o incumplan las condiciones y requisitos legal y reglamentariamente exigibles, se constaten molestias en la vecindad, como contaminación acústica y suciedad, o desórdenes en el entorno, como problemas de orden público o seguridad ciudadana, el Ayuntamiento suspenderá y, en su caso, prohibirá, previa tramitación del procedimiento administrativo correspondiente, la aplicación del horario especial, sin perjuicio de las sanciones que pudieran imponerse.

2. Los establecimientos públicos acogidos a un régimen especial de horarios no podrán aplicar la prolongación horaria de cierre establecida para los viernes, sábados y vísperas de festivo prevista en el artículo 17.2.

3. Los Ayuntamientos comunicarán en el plazo de siete días hábiles, contados desde la fecha de la resolución municipal de autorización o de la presentación de la declaración responsable, según proceda, a las correspondientes Delegaciones del Gobierno de la Junta de Andalucía y a las Subdelegaciones del Gobierno en la provincia afectada, los establecimientos que se hayan acogido a un régimen especial de horarios.

• Información del horario de apertura y cierre del establecimiento público (art. 29 del D 155/2018)

Sin perjuicio de lo establecido en el artículo 16 se prohíbe expresamente publicitar o exponer carteles informativos sobre el horario de apertura y cierre del establecimiento público que sean inexactos o no informen fehacientemente del mismo, en especial se prohíben expresiones como «abierto desde …horas, hasta cierre», o similares.

• Horario de funcionamiento de los equipos de reproducción o amplificación sonora y de las actuaciones en directo de pequeño formato (D.A. tercera.3 D 155/2018)

Se determinará en la resolución emitida por el Ayuntamiento, considerando las características de emisión acústica, ubicación y condiciones técnicas de la terraza o velador y del establecimiento público del que dependan, sin que en ningún caso pueda iniciarse antes de las 15:00 ni superar las 24:00 horas.

III. Jurisprudencia destacada

• Como indicamos la resolución impugnada no sólo no justifica las razones por las que no tiene en cuenta los precedentes administrativos, sino que no toma en consideración la propia instrucción en la que sustenta la decisión pues si **bien la ampliación de horarios puede contemplarse como excepcional, lo es no por razones subjetivas del órgano, sino por las razones objetivas contempladas en la Ley a las peculiaridades de las poblaciones, condiciones de insonorización, afluencia turística o duración del espectáculo**. Y la propia la Resolución de 25 de abril de 2013 del Coordinador General de Gestión Urbanística, Vivienda y Obras por la que se hace pública la Instrucción 02/2013 relativa a los criterios de actuación para la ampliación y reducción de horarios de locales de espectáculos públicos y actividades recreativas, publicada en el boletín oficial del Ayuntamiento de Madrid de 7 de junio de 2013, reconoce como circunstancia que justifica la ampliación del horario y por tanto circunstancia excepcional precisamente la de los recintos y establecimientos estén situados en carreteras y fuera del casco urbano de las poblaciones, y precisamente los que estén en las cercanías de los mercados de mayoristas con trabajadores con horarios nocturnos o de madrugada. [STSJ Madrid 8 mayo 2017.- LA LEY 75500/2017]

• Dada la dificultad de evaluar los beneficios derivados de la comisión de la infracción **superando el horario de cierre, está justificada la opción por la clausura para que la sanción produzca efecto disuasorio** en evitación de futuras infracciones, es decir cumpla el fin de prevención especial es decir provoque el condicionamiento interno del sujeto que ha infringido la norma para que no vuelva a realizar tales infracciones. [STSJ Madrid 4 febrero 2015.- LA LEY 12125/2015]

• Sin embargo examinada la citada normativa, entiende la Sala que la sentencia de instancia no incurre en error alguno en la aplicación de la misma, pues no obstante las distintas alegaciones del apelante, el Anexo forma parte de la Ley 4/2003, estableciendo una regulación específica para el supuesto de terrazas e instalaciones al aire libre, anexas al establecimiento principal o locales, siendo que la citada Ley 4/2003, tal y como sostienen las apeladas, ha dado **un tratamiento distinto al horario de los locales y establecimientos, y al horario de las terrazas a instalaciones al aire libre accesorias de las mismas**, sin que por tanto resulte de aplicación el artículo 30 de la Ley, que se refiere a locales y establecimientos que regula la Ley 3/2004, ni el artículo 5 del Decreto 196/1997 que se refiere a locales concretos o locales concentrados en determinadas zonas, pues como bien reconoce el apelante en su recurso, **la terraza de verano es una instalación al aire libre que no tiene la consideración de local**, y no se puede equiparar, por el propio tenor literal del artículo 1 de la citada Ley, a los establecimientos públicos, considerados como locales, que realicen espectáculos o actividades en instalaciones portátiles, desmontables o vía pública. [STSJ Comunidad Valenciana 21 julio 2015.- LA LEY 196207/2015]

• La conclusión a la que hemos llegado de que la adopción por los Ayuntamientos de cualesquiera medidas tendentes a corregir los incumplimientos de los objetivos de calidad acústica de una determinada zona debe encauzarse a través del procedimiento establecido en los artículos 25 y 26 de la LR, entendiéndose producido el desplazamiento del artículo 6.2 de la Orden n.º 1562/1998, de 23 de octubre, de la Consejería de Presidencia, supone un cambio de la doctrina que en otras ocasiones había mantenido esta Sala y Sección en relación con la impugnación de acuerdos municipales de reducción del horario de cierre de locales y establecimientos públicos, que se amparaban en la habilitación contemplada en el citado artículo 6.2.

Este cambio de doctrina viene motivado al tenerse en consideración la causa motivadora de la medida de reducción de horarios adoptada, explicitada y razonada en la propia resolución administrativa impugnada, lo que llevó a la Sala a tener en consideración el régimen jurídico de protección frente a la contaminación acústica y, particularmente, la Ley 37/2003, de 17 de noviembre, del Ruido, y el carácter de legislación básica de la misma. [STSJ Madrid 10 diciembre 2014.- LA LEY 207468/2014]

• Y finalmente estos mismos argumentos nos lleva a rechazar la denuncia que igualmente formula la parte apelante de que la sentencia de instancia es nula de pleno derecho por vulnerar el principio de igualdad, el principio de seguridad jurídica y el principio de interdicción de la arbitrariedad, al permitir y consentir dicha sentencia de instancia que solo se haya sancionado al establecimiento y no al público asistente, toda vez que no ofrece ninguna duda que la situación jurídica en la que se encuentra **la entidad titular del establecimiento que tiene la obligación de cerrar dicho establecimiento para cumplir el horario de cierre y el público asistente al mismo es distinta y por tanto no comparable**, como para poder afirmar que se ha infringido los citados principios. Y decimos que no es comparable por cuanto que si bien es verdad que uno y otros están obligados a respetar el horario de cierre, también lo es que **la diligencia del deber de conocimiento del horario de cierre en relación con el citado establecimiento es de muy diferente intensidad en el titular del establecimiento que en el público**, que fácilmente puede desconocer tal circunstancia como igualmente es lógico que pueda desconocer la naturaleza y categoría de dicho establecimiento, lo que indudablemente tiene su transcendencia en orden al horario de cierre y por ello también en orden a las consecuencias de su incumplimiento. Cuestión diferente es que los agentes de la Policía Local hubieran acordado desalojar el establecimiento por incumplir dicho horario y los clientes conocedores de tal incumplimiento se hubieran negado a desalojarlo. [STSJ Castilla y León 18 enero 2013.- LA LEY 7808/2013]

aAhora bien, **una cosa es la «ampliación de horario»** que regula el Decreto 296/1997 en los artículos 11 y 12 de dicho texto reglamentario, y que se refiere a unos horarios especiales que pueden establecerse respecto de los que con carácter general se fijan en el artículo 2 de dicho Decreto. **Y otra cosa, muy diferente, es cómo se clasifican los locales de hostelería y espectáculos públicos** según los grupos establecidos en el artículo 2 del Decreto, y las consecuencias de dicha clasificación. [STSJ País Vasco 11 febrero 2011.- LA LEY 141271/2011]

III.1. Otra jurisprudencia

• Por de pronto la actividad de bar agota los horarios de apertura autorizados, en tanto que las actividades recreativas y culturales se limitan a los momentos de ocio, y en segundo lugar, y lo que es más relevante, la incidencia de unas y otras en la vida ciudadana es muy diferente, siendo notoriamente más acusada la de la actividad de bar [STSJ País Vasco 11 febrero 2003]

• De los hechos relatados se evidencia que la actividad autorizada en dicho establecimiento Garloc, era la de Bar Especial, y por falta de insonorización se suspendió la actividad, y se le autorizó como bar o bar-cafetería, sin que sea admisible la postura del Ayuntamiento que manifiesta fue un cambio de horario del nocturno al diurno, pues la característica del bar especial, no es solamente la actividad en sí, sino el horario de cierre permitido [STSJ Castilla y León, Burgos, 16 junio 2003]

• Si la Autoridad municipal puede fijar un horario de apertura más reducido para aquellos locales que no dispongan de una adecuada insonorización, con mayor razón podrá hacerlo respecto de aquellos elementos anexos a los establecimientos, tales como los veladores, que por su instalación en la vía pública carecen, por definición de cualquier tipo de aislamiento sonoro, con la lógica incidencia sobre los residentes en las inmediaciones del lugar. Dicha facultad, concluíamos, se la reserva la Ley al Alcalde Presidente de la Corporación [STSJ Cataluña 12 diciembre 2003]

• **No parece lógico que los establecimientos con horario reducido, por circunstancias excepcionales puedan disponer de una ampliación de horario automática los fines de semana y festivos**. Por ello el citado artículo 8, que regula precisamente la «superposición, acumulaciones de ampliaciones y solapamiento de horarios», establece esta previsión, por lo que habrá que estar al contenido del acto administrativo en el que se establece la limitación de horarios. Además, no se olvide que el horario de bares funciona como un mínimo que no tiene por qué agotarse [STSJ Madrid 18 octubre 2004]

ARAGÓN

Horarios

I. Normativa

Arts. 10, 33, 34, 35, 36, 48 y 53 Ley 11/2005, de 28 de diciembre, reguladora de los espectáculos públicos, actividades recreativas y establecimientos públicos de la Comunidad Autónoma de Aragón.

Arts. 5 y 6 Decreto 220/2006, de 7 de noviembre, del Gobierno de Aragón, por el que se aprueba el catálogo de espectáculos públicos, actividades recreativas y establecimientos públicos de la Comunidad Autónoma de Aragón.

Art. 9 del Decreto 63/2017, de 25 de abril, del Gobierno de Aragón, por el que se regula la celebración de los espectáculos públicos y actividades recreativas ocasionales y extraordinarias y se regulan medidas para la mejora de la convivencia en la celebración de los espectáculos públicos y de las actividades recreativas en establecimientos públicos y en espacios abiertos al público.

II. Horarios de espectáculos públicos y actividades recreativas

Se regula el régimen de los horarios de los espectáculos públicos, actividades recreativas y establecimientos públicos de la Comunidad Autónoma de Aragón se regula a través de la Ley 11/2005, de 28 de diciembre.

- **Competencias municipales (art. 10 Ley 11/2005)**

Corresponde a los Municipios, de conformidad con lo establecido en esta Ley:

Establecer los horarios de apertura y cierre de los establecimientos públicos dentro de los límites establecidos en la Ley 11/2005.

Establecer, con carácter excepcional u ocasional, horarios especiales de apertura y cierre de los establecimientos dedicados a espectáculos públicos o a actividades recreativas dentro del término municipal, con motivo de fiestas locales y navideñas.

Limitar la autorización y horario de terrazas o veladores en espacios públicos con arreglo a los criterios y mediante los instrumentos establecidos en la legislación sobre ruido.

- **Horario de los espectáculos y actividades (art. 33 Ley 11/2005)**

Todos los espectáculos públicos y actividades recreativas comenzarán a la hora anunciada y durarán el tiempo previsto en la correspondiente autorización.

- **Horario de los establecimientos (art. 34 Ley 11/2005)**

Horario de apertura

Los límites horarios de apertura y cierre de establecimientos públicos serán los siguientes:

El límite **horario general de apertura** será el de las seis horas de la mañana, y el del cierre, el de la una hora y treinta minutos de la madrugada.

El **límite horario de apertura** de los cafés-teatro, cafés-cantante, tablaos flamencos, bares con música, güisquerías, clubes, pubs, salas de fiestas y discotecas no podrá ser en ningún caso anterior a las doce horas del mediodía.

Horario de cierre

El **límite horario de cierre** de los establecimientos señalados en el apartado anterior, a excepción de las salas de fiestas, discotecas, cafés-teatro y cafés-cantante, será el de las tres horas y treinta minutos de la madrugada. El de las salas de fiestas, discotecas, cafés-teatro y cafés-cantante será el de las cinco horas y treinta minutos de la madrugada.

Desalojo

Cumplido el horario máximo de cierre, los establecimientos dispondrán de un máximo de media hora más para el **desalojo** de la clientela. En ese tiempo no podrá emitirse música ni servirse nuevas consumiciones.

Ampliación del horario

Con carácter general, los viernes, sábados y vísperas de festivo, el límite horario de cierre se **amplía** en una hora.

La sentencia del TSJ Aragón, Sala de lo Contencioso-administrativo, Sección 2.ª de 30 marzo 2007, fija la siguiente **doctrina legal**: «El artículo 34.1.e) de la Ley 11/2005, de 28 de diciembre, de las Cortes de Aragón, deberá interpretarse en el sentido de que, a efectos de la ampliación en una hora del límite de horario de cierre de los establecimientos correspondientes, la mención a «los viernes, sábados y vísperas de festivos» comprende exclusivamente las noches de viernes a sábado, de sábado a domingo y la noche entre la víspera de festivo y éste último, quedando **excluida la noche de jueves a viernes**, así como la noche que transcurre desde el día anterior al de víspera de festivo al propio día víspera de festivo».

Cierre forzoso

Los horarios de apertura y cierre establecidos en las correspondientes autorizaciones administrativas de los establecimientos públicos se aplicarán dentro de los límites horarios generales fijados en el presente artículo. En cualquier caso, todos los establecimientos a los que se refiere la Ley 11/2005 deberán permanecer cerrados al menos dos horas ininterrumpidas desde el cierre hasta la subsiguiente apertura.

Horarios de actividades especiales

Los límites horarios de casinos de juego, salas de bingo, hipódromos y canódromos, así como sus respectivos complementarios, serán los establecidos en su normativa específica.

Horarios especiales

La Dirección General competente podrá autorizar horarios especiales para los establecimientos de hostelería y restauración situados en áreas de servicio de carreteras, aeropuertos, estaciones de ferrocarril y autobuses, hospitales o destinados al servicio de trabajadores de horario nocturno, prohibiéndose en todo caso fuera de los límites horarios generales el consumo y la expedición de bebidas alcohólicas y la música. Dichas autorizaciones serán notificadas a los vecinos de las zonas, que tendrán derecho a realizar alegaciones.

Celebraciones familiares

No quedarán sometidos a las limitaciones horarias aquellos establecimientos hosteleros donde se lleven a cabo celebraciones de carácter familiar que no sean de pública concurrencia, estableciéndose en estos casos el límite horario de cierre de las cuatro horas y treinta minutos de la madrugada, sin perjuicio de que, en el caso de llevarse a cabo en dichos establecimientos otro tipo de actividades, éstas queden sometidas a la normativa general.

• Competencia municipal sobre horarios (art. 35 Ley 11/2005)

En cada Municipio, dentro de los límites horarios generales establecidos, el horario de apertura y cierre de los establecimientos públicos se establecerá por el Ayuntamiento, previo trámite de información pública.

En los Municipios que no hayan hecho uso de la anterior, se aplicarán supletoriamente los límites horarios generales establecidos en la Ley 11/2005.

Criterios a tener en cuenta para fijar horarios

Los Municipios tendrán en cuenta en la fijación de los horarios, al menos, los siguientes extremos:

- tipo de establecimientos públicos

- estación del año

- distinción entre días laborables y vísperas de festivos o festivos

- niveles acústicos en celebraciones al aire libre y condiciones de insonorización en locales cerrados

- emplazamiento en zonas residenciales y no residenciales urbanas o en las cercanías de hospitales o residencias de ancianos.

Ampliación de horarios

Con carácter excepcional, y atendiendo a las peculiaridades de las poblaciones, condiciones de insonorización, afluencia turística o duración de los espectáculos, los respectivos Municipios pueden autorizar ampliaciones de los límites horarios generales con motivo de fiestas locales y navideñas.

Zonas de ocio

Con carácter excepcional, y atendiendo a las peculiaridades de las poblaciones, condiciones de insonorización, alejamiento de las zonas residenciales y calificación urbanística, los respectivos municipios pueden declarar zonas de ocio donde los horarios de apertura y cierre podrán superar los límites generales previstos en la Ley 11/2005.

Normativa supletoria

La ampliación de horarios se entiende sin perjuicio de la normativa estatal, autonómica o municipal en materia de contaminación ambiental y acústica.

Publicidad (art. 36 Ley 11/2005)

La publicidad de la celebración de espectáculos públicos o actividades recreativas deberá contener la suficiente información de interés para el público y, al menos, la siguiente:

   a) Clase de espectáculo o actividad.

   b) Fecha, horario y lugar de las actuaciones.

• Comisión de Espectáculos Públicos de Aragón (art. 13 Ley 11/2005)

Órgano consultivo

La Comisión de Espectáculos Públicos, Actividades Recreativas y Establecimientos Públicos de Aragón es el órgano consultivo de estudio, coordinación y asesoramiento, tanto de la Administración de la Comunidad Autónoma como de la Administración Local, en las materias reguladas por la Ley 11/2005.

Atribuciones sobre horarios

Corresponde la emisión de informes sobre horarios de espectáculos, actividades recreativas y establecimientos regulado por la Ley 11/2005.

• Régimen sancionador (art. 48 Ley 11/2005)

Se consideran infracciones graves:

   — El incumplimiento del horario de apertura y cierre.

   — El incumplimiento, por parte de los locales o establecimientos destinados a la celebración de sesiones de baile para jóvenes, de la prohibición de dedicarse a actividades distintas o en diferente horario del previsto en la autorización.

   — La falta de la placa o inadecuación de la misma donde conste el horario de apertura y cierre del local o establecimiento y el aforo permitido y las demás menciones legales o reglamentarias

• Competencias (art. 53 Ley 11/2005)

Los Municipios serán competentes para incoar, instruir y resolver los procedimientos sancionadores por infracciones a los horarios establecidos, correspondiendo al Alcalde imponer las sanciones por infracciones leves y graves y al Pleno del Ayuntamiento o la Junta de Gobierno Local por infracciones muy graves.

- **Prolongación del horario de cierre (art. 5 Decreto 220/2006)**

A los efectos de lo establecido en el artículo 34.1.e) de la Ley 11/2005, de 28 de diciembre, la ampliación del horario de cierre de los establecimientos públicos los viernes, sábados y vísperas de festivo se aplicará a las jornadas que comienzan en los citados días viernes, sábado y víspera de festivo, y concluyen durante la madrugada de cada uno de los respectivos días siguientes.

- **Funcionamiento de equipos musicales (art. 6 Decreto 220/2006)**

En los locales, recintos y establecimientos enumerados y definidos en el Catálogo, cuyo horario autorizado de apertura sea el previsto en el artículo 34.1.a) de la Ley 11/2005, de 28 de diciembre, queda prohibido el funcionamiento de equipos de música antes de las 12,00 horas.

Horario de terrazas o veladores

Son los recintos al aire libre, anexos o accesorios a establecimientos de bares, cafeterías, bares con música, pubs, cafés-teatro, cafés-cantante, discotecas, salas de fiesta, restaurantes y similares, donde se llevan a cabo las mismas actividades que en el establecimiento del que dependen. Las terrazas y veladores se regirán en cuanto a horario por las correspondientes ordenanzas municipales.

III. Jurisprudencia destacada

- Como indicamos la resolución impugnada no sólo no justifica las razones por las que no tiene en cuenta los precedentes administrativos, sino que no toma en consideración la propia instrucción en la que sustenta la decisión pues si **bien la ampliación de horarios puede contemplarse como excepcional, lo es no por razones subjetivas del órgano, sino por las razones objetivas contempladas en la Ley a las peculiaridades de las poblaciones, condiciones de insonorización, afluencia turística o duración del espectáculo**. Y la propia la Resolución de 25 de abril de 2013 del Coordinador General de Gestión Urbanística, Vivienda y Obras por la que se hace pública la Instrucción 02/2013 relativa a los criterios de actuación para la ampliación y reducción de horarios de locales de espectáculos públicos y actividades recreativas, publicada en el boletín oficial del Ayuntamiento de Madrid de 7 de junio de 2013, reconoce como circunstancia que justifica la ampliación del horario y por tanto circunstancia excepcional precisamente la de los recintos y establecimientos estén situados en carreteras y fuera del casco urbano de las poblaciones, y precisamente los que estén en las cercanías de los mercados de mayoristas con trabajadores con horarios nocturnos o de madrugada. [STSJ Madrid 8 mayo 2017.- LA LEY 75500/2017]

- Dada la dificultad de evaluar los beneficios derivados de la comisión de la infracción **superando el horario de cierre, está justificada la opción por la clausura para que la sanción produzca efecto disuasorio** en evitación de futuras infracciones, es decir cumpla el fin de prevención especial es decir provoque el condicionamiento interno del sujeto que ha infringido la norma para que no vuelva a realizar tales infracciones. [STSJ Madrid 4 febrero 2015.- LA LEY 12125/2015]

- Sin embargo examinada la citada normativa, entiende la Sala que la sentencia de instancia no incurre en error alguno en la aplicación de la misma, pues no obstante las distintas alegaciones del apelante, el Anexo forma parte de la Ley 4/2003, estableciendo una regulación específica para el supuesto de terrazas e instalaciones al aire libre, anexas al establecimiento principal o locales, siendo que la citada Ley 4/2003, tal y como sostienen las apeladas, ha dado **un tratamiento distinto al horario de los locales y establecimientos, y al horario de las terrazas a instalaciones al aire libre accesorias de las mismas**, sin que por tanto resulte de aplicación el artículo 30 de la Ley, que se refiere a locales y establecimientos que regula la Ley 3/2004, ni el artículo 5 del Decreto 196/1997 que se refiere a locales concretos o locales concentrados en determinadas zonas, pues como bien reconoce el apelante en su recurso, **la terraza de verano es una instalación al aire libre que no tiene la consideración de local**, y no se puede equiparar, por el propio tenor literal del artículo 1 de la citada Ley, a los establecimientos públicos, considerados como locales, que realicen espectáculos o actividades en instalaciones portátiles, desmontables o vía pública. [STSJ Comunidad Valenciana 21 julio 2015.- LA LEY 196207/2015]

• La conclusión a la que hemos llegado de que la adopción por los Ayuntamientos de cualesquiera medidas tendentes a corregir los incumplimientos de los objetivos de calidad acústica de una determinada zona debe encauzarse a través del procedimiento establecido en los artículos 25 y 26 de la LR, entendiéndose producido el desplazamiento del artículo 6.2 de la Orden n.º 1562/1998, de 23 de octubre, de la Consejería de Presidencia, supone un cambio de la doctrina que en otras ocasiones había mantenido esta Sala y Sección en relación con la impugnación de acuerdos municipales de reducción del horario de cierre de locales y establecimientos públicos, que se amparaban en la habilitación contemplada en el citado artículo 6.2.

Este cambio de doctrina viene motivado al tenerse en consideración la causa motivadora de la medida de reducción de horarios adoptada, explicitada y razonada en la propia resolución administrativa impugnada, lo que llevó a la Sala a tener en consideración el régimen jurídico de protección frente a la contaminación acústica y, particularmente, la Ley 37/2003, de 17 de noviembre, del Ruido, y el carácter de legislación básica de la misma. [STSJ Madrid 10 diciembre 2014.- LA LEY 207468/2014]

• Y finalmente estos mismos argumentos nos lleva a rechazar la denuncia que igualmente formula la parte apelante de que la sentencia de instancia es nula de pleno derecho por vulnerar el principio de igualdad, el principio de seguridad jurídica y el principio de interdicción de la arbitrariedad, al permitir y consentir dicha sentencia de instancia que solo se haya sancionado al establecimiento y no al público asistente, toda vez que no ofrece ninguna duda que la situación jurídica en la que se encuentra **la entidad titular del establecimiento que tiene la obligación de cerrar dicho establecimiento para cumplir el horario de cierre y el público asistente al mismo es distinta y por tanto no comparable**, como para poder afirmar que se ha infringido los citados principios. Y decimos que no es comparable por cuanto que si bien es verdad que uno y otros están obligados a respetar el horario de cierre, también lo es que **la diligencia del deber de conocimiento del horario de cierre en relación con el citado establecimiento es de muy diferente intensidad en el titular del establecimiento que en el público**, que fácilmente puede desconocer tal circunstancia como igualmente es lógico que pueda desconocer la naturaleza y categoría de dicho establecimiento, lo que indudablemente tiene su transcendencia en orden al horario de cierre y por ello también en orden a las consecuencias de su incumplimiento. Cuestión diferente es que los agentes de la Policía Local hubieran acordado desalojar el establecimiento por incumplir dicho horario y los clientes conocedores de tal incumplimiento se hubieran negado a desalojarlo. [STSJ Castilla y León 18 enero 2013.- LA LEY 7808/2013]

• Ahora bien, **una cosa es la «ampliación de horario»** que regula el Decreto 296/1997 en los artículos 11 y 12 de dicho texto reglamentario, y que se refiere a unos horarios especiales que pueden establecerse respecto de los que con carácter general se fijan en el artículo 2 de dicho Decreto. **Y otra cosa, muy diferente, es cómo se clasifican los locales de hostelería y espectáculos públicos** según los grupos establecidos en el artículo 2 del Decreto, y las consecuencias de dicha clasificación. [STSJ País Vasco 11 febrero 2011.- LA LEY 141271/2011]

III.1. Otra jurisprudencia

• Por de pronto la actividad de bar agota los horarios de apertura autorizados, en tanto que las actividades recreativas y culturales se limitan a los momentos de ocio, y en segundo lugar, y lo que es más relevante, la incidencia de unas y otras en la vida ciudadana es muy diferente, siendo notoriamente más acusada la de la actividad de bar [STSJ País Vasco 11 febrero 2003]

• De los hechos relatados se evidencia que la actividad autorizada en dicho establecimiento Garloc, era la de Bar Especial, y por falta de insonorización se suspendió la actividad, y se le autorizó como bar o bar-cafetería, sin que sea admisible la postura del Ayuntamiento que manifiesta fue un cambio de horario del nocturno al diurno, pues la característica del bar especial, no es solamente la actividad en sí, sino el horario de cierre permitido [STSJ Castilla y León, Burgos, 16 junio 2003]

• Si la Autoridad municipal puede fijar un horario de apertura más reducido para aquellos locales que no dispongan de una adecuada insonorización, con mayor razón podrá hacerlo respecto de aquellos elementos anexos a los establecimientos, tales como los veladores, que por su instalación en la vía pública carecen, por definición de cualquier tipo de aislamiento sonoro, con la lógica incidencia sobre los residentes en las inmediaciones del lugar. Dicha facultad, concluíamos, se la reserva la Ley al Alcalde Presidente de la Corporación [STSJ Cataluña 12 diciembre 2003]

• **No parece lógico que los establecimientos con horario reducido, por circunstancias excepcionales puedan disponer de una ampliación de horario automática los fines de semana y festivos**. Por ello el citado artículo 8, que regula precisamente la «superposición, acumulaciones de ampliaciones y solapamiento de horarios», establece esta previsión, por lo que habrá que estar al contenido del acto administrativo en el que se establece la limitación de horarios. Además, no se olvide que el horario de bares funciona como un mínimo que no tiene por qué agotarse [STSJ Madrid 18 octubre 2004]

CANARIAS

Horarios

I. Normativa

Ley 7/2011, de 5 de abril, de actividades clasificadas y espectáculos públicos y otras medidas administrativas complementarias.

Decreto 86/2013, de 1 de agosto, por el que se aprueba el Reglamento de actividades clasificadas y espectáculos públicos.

II. Horarios de espectáculos públicos y actividades recreativas

Se regulan en el Decreto 86/2013, de 1 de agosto, por el que se aprueba el Reglamento de actividades clasificadas y espectáculos públicos, bajo las siguientes especialidades:

• Horarios de apertura y cierre de las actividades y espectáculos (art. 41)

1. El horario de apertura y cierre de los **establecimientos que sirven de soporte a la realización de las actividades recreativas y de espectáculo** que se relacionan en el nomenclátor de actividades clasificadas aprobado por Decreto 52/2012, de 7 de junio, así como el horario de los espectáculos públicos, será, con carácter general, el siguiente:

Actividades musicales

a) Café teatro y café concierto, establecimiento turístico de restauración que desarrolle actividad musical y karaoke: apertura a las 18:00 horas y cierre a las 3:30 horas.

b) Sala de conciertos: apertura a las 17:00 horas y cierre a las 5:00 horas.

c) Discotecas, salas de baile y salas de fiesta con espectáculo: apertura a las 18:00 horas y cierre a las 6:00 horas.

d) Discotecas de juventud: apertura a las 17:00 horas y cierre a las 22:00 horas.

e) Salas de fiestas con espectáculos y conciertos de infancia y juventud: apertura a las 11:00 horas y cierre a las 19:00 horas.

Actividades de restauración

a) Establecimientos turísticos de restauración: apertura a las 6:00 horas y cierre a las 2:00 horas.

b) Salones de banquetes: apertura a las 6:00 horas y cierre a las 4:00 horas.

Actividades de juegos y apuestas

a) Salones recreativos: apertura a las 9:00 horas y cierre a las 2:00 horas.

b) Salas de bingo: apertura a las 17:00 horas y cierre a las 4:00 horas.

c) Casinos de juego: apertura a las 18:00 horas y cierre a las 5:00 horas.

Otras actividades

Espectáculos cinematográficos, teatrales, de audición, musicales y de circo, así como cualesquiera otras actividades clasificadas de espectáculo: apertura a las 9:00 horas y cierre a la 1:00 hora.

2. **Los establecimientos turísticos de restauración ubicados dentro de puertos, aeropuertos, intercambiadores de transporte, estaciones de guaguas, hospitales y similares** podrán tener el mismo horario de apertura y cierre que el aplicable a dichas instalaciones.

3. Los horarios de cada establecimiento abierto al público deben figurar en la placa o rótulo identificativo correspondiente, de acuerdo con lo previsto en el anexo II.

4. Los establecimientos que sirven de soporte a varias de las actividades citadas en el apartado 1 de este artículo, podrán desarrollar en cada momento del día las actividades adecuadas a la franja horaria de que se trate según la regulación de horarios que se contiene en el presente Reglamento.

5. La licencia o autorización que habilite la celebración de espectáculos a desarrollar fuera de establecimientos habilitados señalará el horario de comienzo y finalización de aquellos y, en su defecto, deberán desarrollarse entre las 10.00 horas y las 2:00 horas.

6. Las ordenanzas municipales podrán prever un horario más restrictivo en el caso de que las actividades a que se refiere el presente artículo se desarrollen en terrazas, jardines y demás espacios al aire libre.

- **Especialidades horarias en zonas turísticas (art. 42)**

1. En las zonas, municipios o núcleos turísticos que expresamente se determinen conforme al procedimiento establecido en el número 2 de este artículo, se permitirá con carácter general para las actividades relacionadas en el artículo anterior, el siguiente horario de apertura y cierre de locales:

Actividades musicales

Café teatro y café concierto y establecimiento turísticos de restauración en los que se desarrollen actividades musicales: apertura a las 18:00 horas y cierre a las 4:00 horas.

Discotecas, salas de baile y salas de fiesta con espectáculo: apertura a las 18:00 horas y cierre a las 6:30 horas.

Actividades de restauración

— Restaurantes y bares-cafeterías: apertura a las 6:00 horas y cierre a las 2:30 horas.

2. Para la determinación de las zonas, municipios o núcleos en las que se permitirá el horario especial a que se refiere el número anterior, se seguirá el siguiente procedimiento:

— Se iniciará a solicitud del ayuntamiento correspondiente dirigida al cabildo insular respectivo.

— Recibida la solicitud, el cabildo insular interesará informe al departamento de la Administración Pública de la Comunidad Autónoma de Canarias competente en materia de turismo que lo deberá emitir en un plazo no superior a quince días.

— Evacuado el informe o transcurrido el plazo señalado, y previa información pública, el cabildo insular determinará las concretas zonas, municipios o núcleos donde se aplicará el horario especial.

En todo lo no regulado en este apartado será de aplicación lo previsto en la *Ley 30/1992, de 26 de noviembre, de Régimen Jurídico de las Administraciones Públicas y del Procedimiento Administrativo Común*, o norma que la sustituya.

3. Los establecimientos turísticos de restauración radicados en las zonas, municipios o núcleos turísticos determinados conforme al presente artículo, que se hallen ubicados en el interior de los centros comerciales de tipología cerrada así como de tipología abierta situados en suelos no residenciales, podrán ampliar el horario de cierre:

— Si concurren en el centro comercial con locales destinados a la actividad de café teatro y café concierto, o establecimientos de restauración en los que se desarrollen actividades musicales hasta las 4:00 horas.

— Si concurren en el centro comercial con locales destinados a la actividad de discotecas, salas de baile y salas de fiesta con espectáculo, hasta las 6:00 horas.

- **Limitaciones especiales en zonas residenciales urbanas (art. 43)**

Salvo que las normas de planeamiento o las ordenanzas dispongan otra cosa, los establecimientos a que se refiere esta sección, situados en zonas residenciales urbanas tendrán las limitaciones horarias establecidas en los artículos 41 y 42, si bien a partir de las 22:00 horas y hasta la hora de cierre, no podrá emitirse desde los mismos hacia el exterior del local un ruido superior a 65 dbA, ni hacia el interior de viviendas superior a 30 dbA.

- **Ampliación de los horarios por razones excepcionales (art. 44)**

1. Se faculta a los ayuntamientos para que, con carácter excepcional, y en el estricto ámbito territorial en que se celebre, puedan ampliar los horarios autorizados en los siguientes supuestos:

a) Los dos días inhábiles para el trabajo, retribuidos y no recuperables, declarados por la persona titular de la consejería de la Administración autonómica competente en materia laboral, así como sus respectivas vísperas.

b) El día de fiesta que tradicionalmente, y con carácter anual, se celebre en cada uno de los barrios del municipio, así como su respectiva víspera.

c) Aquellos otros días que coincidan con fiestas locales o populares, hasta un total de cinco dentro del año natural.

2. La ampliación de los horarios se acordará motivadamente debiendo darse publicidad de los horarios autorizados y de su fundamentación en el tablón de anuncios de la corporación municipal.

3. Se faculta a la persona titular del departamento competente en materia de actividades clasificadas y espectáculos públicos de la Administración Pública de la Comunidad Autónoma de Canarias para que, de forma excepcional y a petición del ayuntamiento afectado, autorice la ampliación de los horarios en días diferentes a los señalados en el número 1 de este artículo, siempre que se trate del período tradicional en que se celebren fiestas declaradas de interés turístico. El plazo máximo para resolver y notificar la resolución será de tres meses desde que la solicitud tuviera entrada en el registro de dicho órgano. Transcurrido este plazo sin que la resolución haya sido notificada, se entenderá que la misma es favorable.

Véase Res [CANARIAS] 23 diciembre 2013, por la que se aprueba el modelo normalizado de solicitud de autorización para la ampliación de horarios de establecimientos que desarrollen determinadas actividades clasificadas y de espectáculos públicos («B.O.I.C». 13 enero 2014).

- **Reducción de horarios de cierre (art. 45)**

Las ordenanzas municipales podrán establecer la reducción de los horarios de cierre señalados en el presente Reglamento por razones imperiosas de interés general.

- **Aplicación del horario de cierre (art. 46)**

A partir de la hora límite de cierre del establecimiento no se podrá permitir el acceso de personas usuarias o consumidoras, debiendo cesar, de forma inmediata, toda actividad comercial y recreativa o de espectáculo y de la emisión de música que se estuvieran realizando. Asimismo, deberá encender todo el alumbrado interior y se informará a los asistentes o público que ha llegado la hora de cierre y que disponen de un máximo de

30 minutos para salir. Una vez transcurrido este período se procederá al cierre del establecimiento, momento a partir del cual solo podrá permanecer en el mismo, en funciones de vigilancia o limpieza, el personal dependiente o contratado de la empresa explotadora.

III. Jurisprudencia destacada

• Como indicamos la resolución impugnada no sólo no justifica las razones por las que no tiene en cuenta los precedentes administrativos, sino que no toma en consideración la propia instrucción en la que sustenta la decisión pues si **bien la ampliación de horarios puede contemplarse como excepcional, lo es no por razones subjetivas del órgano, sino por las razones objetivas contempladas en la Ley a las peculiaridades de las poblaciones, condiciones de insonorización, afluencia turística o duración del espectáculo**. Y la propia la Resolución de 25 de abril de 2013 del Coordinador General de Gestión Urbanística, Vivienda y Obras por la que se hace pública la Instrucción 02/2013 relativa a los criterios de actuación para la ampliación y reducción de horarios de locales de espectáculos públicos y actividades recreativas, publicada en el boletín oficial del Ayuntamiento de Madrid de 7 de junio de 2013, reconoce como circunstancia que justifica la ampliación del horario y por tanto circunstancia excepcional precisamente la de los recintos y establecimientos estén situados en carreteras y fuera del casco urbano de las poblaciones, y precisamente los que estén en las cercanías de los mercados de mayoristas con trabajadores con horarios nocturnos o de madrugada. [STSJ Madrid 8 mayo 2017.- LA LEY 75500/2017]

• Dada la dificultad de evaluar los beneficios derivados de la comisión de la infracción **superando el horario de cierre, está justificada la opción por la clausura para que la sanción produzca efecto disuasorio** en evitación de futuras infracciones, es decir cumpla el fin de prevención especial es decir provoque el condicionamiento interno del sujeto que ha infringido la norma para que no vuelva a realizar tales infracciones. [STSJ Madrid 4 febrero 2015.- LA LEY 12125/2015]

• Sin embargo examinada la citada normativa, entiende la Sala que la sentencia de instancia no incurre en error alguno en la aplicación de la misma, pues no obstante las distintas alegaciones del apelante, el Anexo forma parte de la Ley 4/2003, estableciendo una regulación específica para el supuesto de terrazas e instalaciones al aire libre, anexas al establecimiento principal o locales, siendo que la citada Ley 4/2003, tal y como sostienen las apeladas, ha dado **un tratamiento distinto al horario de los locales y establecimientos, y al horario de las terrazas a instalaciones al aire libre accesorias de las mismas**, sin que por tanto resulte de aplicación el artículo 30 de la Ley, que se refiere a locales y establecimientos que regula la Ley 3/2004, ni el artículo 5 del Decreto 196/1997 que se refiere a locales concretos o locales concentrados en determinadas zonas, pues como bien reconoce el apelante en su recurso, **la terraza de verano es una instalación al aire libre que no tiene la consideración de local**, y no se puede equiparar, por el propio tenor literal del artículo 1 de la citada Ley, a los establecimientos públicos, considerados como locales, que realicen espectáculos o actividades en instalaciones portátiles, desmontables o vía pública. [STSJ Comunidad Valenciana 21 julio 2015.- LA LEY 196207/2015]

• La conclusión a la que hemos llegado de que la adopción por los Ayuntamientos de cualesquiera medidas tendentes a corregir los incumplimientos de los objetivos de calidad acústica de una determinada zona debe encauzarse a través del procedimiento establecido en los artículos 25 y 26 de la LR, entendiéndose producido el desplazamiento del artículo 6.2 de la Orden n.º 1562/1998, de 23 de octubre, de la Consejería de Presidencia, supone un cambio de la doctrina que en otras ocasiones había mantenido esta Sala y Sección en relación con la impugnación de acuerdos municipales de reducción del horario de cierre de locales y establecimientos públicos, que se amparaban en la habilitación contemplada en el citado artículo 6.2.

Este cambio de doctrina viene motivado al tenerse en consideración la causa motivadora de la medida de reducción de horarios adoptada, explicitada y razonada en la propia resolución administrativa impugnada, lo que llevó a la Sala a tener en consideración el régimen jurídico de protección frente a la contaminación acústica y, particularmente, la Ley 37/2003, de 17 de noviembre, del Ruido, y el carácter de legislación básica de la misma. [STSJ Madrid 10 diciembre 2014.- LA LEY 207468/2014]

• Y finalmente estos mismos argumentos nos lleva a rechazar la denuncia que igualmente formula la parte apelante de que la sentencia de instancia es nula de pleno derecho por vulnerar el principio de igualdad, el principio de seguridad jurídica y el principio de interdicción de la arbitrariedad, al permitir y consentir dicha sentencia de instancia que solo se haya sancionado al establecimiento y no al público asistente, toda vez que no ofrece ninguna duda que la situación jurídica en la que se encuentra **la entidad titular del establecimiento que tiene la obligación de cerrar dicho establecimiento para cumplir el horario de cierre y el público asistente al mismo es distinta y por tanto no comparable**, como para poder afirmar que se ha infringido los citados principios. Y decimos que no es comparable por cuanto que si bien es verdad que uno y otros están obligados a respetar el horario de cierre, también lo es que **la diligencia del deber de conocimiento del horario de cierre en relación con el citado establecimiento es de muy diferente intensidad en el titular del establecimiento que en el público**, que fácilmente puede desconocer tal circunstancia como igualmente es lógico que pueda desconocer la naturaleza y categoría de dicho establecimiento, lo que indudablemente tiene su transcendencia en orden al horario de cierre y por ello también en orden a las consecuencias de su incumplimiento. Cuestión diferente es que los agentes de la Policía Local hubieran acordado desalojar el establecimiento por incumplir dicho horario y los clientes conocedores de tal incumplimiento se hubieran negado a desalojarlo. [STSJ Castilla y León 18 enero 2013.- LA LEY 7808/2013]

• Ahora bien, **una cosa es la «ampliación de horario»** que regula el Decreto 296/1997 en los artículos 11 y 12 de dicho texto reglamentario, y que se refiere a unos horarios especiales que pueden establecerse respecto de los que con carácter general se fijan en el artículo 2 de dicho Decreto. **Y otra cosa, muy diferente, es cómo se clasifican los locales de hostelería y espectáculos públicos** según los grupos establecidos en el artículo 2 del Decreto, y las consecuencias de dicha clasificación. [STSJ País Vasco 11 febrero 2011.- LA LEY 141271/2011]

III.1. Otra jurisprudencia

• Por de pronto la actividad de bar agota los horarios de apertura autorizados, en tanto que las actividades recreativas y culturales se limitan a los momentos de ocio, y en segundo lugar, y lo que es más relevante, la incidencia de unas y otras en la vida ciudadana es muy diferente, siendo notoriamente más acusada la de la actividad de bar [STSJ País Vasco 11 febrero 2003]

• De los hechos relatados se evidencia que la actividad autorizada en dicho establecimiento Garloc, era la de Bar Especial, y por falta de insonorización se suspendió la actividad, y se le autorizó como bar o bar-cafetería, sin que sea admisible la postura del Ayuntamiento que manifiesta fue un cambio de horario del nocturno al diurno, *pues la característica del bar especial, no es solamente la actividad en sí, sino el horario de cierre permitido.* [STSJ Castilla y León, Burgos, 16 junio 2003]

• Si la Autoridad municipal puede fijar un horario de apertura más reducido para aquellos locales que no dispongan de una adecuada insonorización, con mayor razón podrá hacerlo respecto de aquellos elementos anexos a los establecimientos, tales como los veladores, que por su instalación en la vía pública carecen, por definición de cualquier tipo de aislamiento sonoro, con la lógica incidencia sobre los residentes en las inmediaciones del lugar. Dicha facultad, concluíamos, se la reserva la Ley al Alcalde Presidente de la Corporación. [STSJ Cataluña 12 diciembre 2003]

• **No parece lógico que los establecimientos con horario reducido, por circunstancias excepcionales puedan disponer de una ampliación de horario automática los fines de semana y festivos.** Por ello el citado artículo 8, que regula precisamente la «superposición, acumulaciones de ampliaciones y solapamiento de horarios», establece esta previsión, por lo que habrá que estar al contenido del acto administrativo en el que se establece la limitación de horarios. Además, no se olvide que el horario de bares funciona como un mínimo que no tiene por qué agotarse. [STSJ Madrid 18 octubre 2004]

CANTABRIA

Horarios

I. Normativa

Decreto 72/1997, de 7 de julio, por el que se establece el régimen general de horarios de establecimientos y espectáculos públicos y actividades recreativas.

Ley de Cantabria 3/2017, de 5 de abril, de Espectáculos Públicos y Actividades Recreativas de Cantabria.

II. Horarios de establecimientos públicos y actividades recreativas

Se regulan por el Decreto 72/1997, de 7 de julio, por el que se establece el régimen general de horarios de establecimientos y espectáculos públicos y actividades recreativas.

• Clasificación de horarios

Se establecen los siguientes grupos:

A.- Cines, Teatros, Conciertos, Circos, Variedades y Folklore (tanto fijos como ambulantes), Teleclubes, Boleras, Locales deportivos o de ocio cerrados.

B.- Discotecas, Salas de Baile, Cafés-Teatro, Cafés-Concierto, Salas de Fiesta con espectáculo, Tablaos flamencos.

C.- Salas de Fiestas de Juventud.

D.- Restaurantes, Tabernas, Bodegas, Cafés, Bares, Cafeterías.

E.- Bares especiales.

F.- Casinos de Juego.

G.- Salas de Bingo.

H.- Salones Recreativos.

I.- Verbenas y Fiestas populares.

J.- Espectáculos al aire libre.

• Horarios de apertura

Con carácter general, los espectáculos públicos, actividades recreativas y establecimientos también públicos a que se refiere el artículo 1 no podrán ser abiertos sin que haya transcurrido entre el horario oficial máximo de cierre y la apertura, un período mínimo de tiempo de seis horas.

Los establecimientos encuadrados en el Grupo D del artículo 1 no podrán ser abiertos sin haber transcurrido, entre el horario máximo de cierre y la apertura de los mismos, un período mínimo de tiempo de cuatro horas.

• Horarios de cierre

Los horarios de cierre serán los siguientes:

1.- **Horario de invierno**: desde el 1 de octubre al 31 de mayo ambos inclusive:

GRUPO	HORA DE CIERRE
A	2,00
B	5,00
C	22,00
D	2,00
E	3,30
F	5,00
G	3,00
H	24,00
I	3,00
J	3,00

2.- **Horario de verano**: desde el 1 de junio a 30 de septiembre:

GRUPO	HORA DE CIERRE
A	2,30
B	6,00
C	22,30
D	3,00
E	4,30
F	5,00
G	4,00
H	0,30
I	4,00
J	4,00

El horario de verano se aplicará durante las fiestas de Carnaval, en el período comprendido entre el Jueves Santo y el Lunes de Pascua, ambos inclusive, desde el 24 de diciembre al 6 de enero, ambos inclusive, los viernes y sábados de todo el año, y las vísperas de festivos.

• Operaciones materiales de cierre

En todos los locales y recintos, a partir de su hora de cierre se procederá al cierre material, y no se permitirá el acceso de ningún cliente ni se expedirá consumición alguna, quedando fuera de funcionamiento la música ambiental, las máquinas recreativas, vídeos o cualquier aparato similar, y encendiéndose todas las luces para facilitar el desalojo del público.

Llegada la hora establecida para el cierre, los locales y establecimientos deberán estar totalmente desalojados.

Los responsables del local deberán poner en conocimiento de los clientes el cierre con antelación.

En los casinos, salas de bingo y salones recreativos, llegada la hora de cierre, no podrá realizarse ninguna partida ni juego, ni seguir funcionando todas la máquinas, así como, en su caso, expender cualquier artículo de consumo.

• Horarios especiales

Órgano competente

Autonómico

El Secretario General de Presidencia, conforme al artículo 3 del Decreto 60/96, de 28 de junio, podrá autorizar horarios especiales, a petición de los interesados, ya sean organizadores, empresas o asociaciones de éstas, a establecimientos situados en carreteras, aeropuertos, estaciones de ferrocarril o de autobuses o lugares análogos destinados al servicio de viajeros, y los destinados al servicio de trabajadores con horarios nocturnos o de madrugada.

En todo caso, la modificación del horario se entiende sin perjuicio de las obligaciones materiales de cierre.

<u>Local</u>

En los casos de fiestas patronales u otras fiestas declaradas oficiales de ámbito local, la solicitud se hará ante los Ayuntamientos respectivos, resolviendo el Alcalde, quien deberá comunicarlo a la Secretaría General o Unidad competente y a la Policía Local.

• **Tramitación**

La solicitud se presentará con la anticipación de un mes, e irá acompañada de Informe del Ayuntamiento correspondiente, que acredite la licencia de apertura, actividades para las que ésta habilita, adopción de medidas por ruidos y seguridad, aforo y superficie disponibles para el público en el acto de que se trate.

• **Resolución**

El Secretario General dictará resolución en plazo de un mes, y determinará la hora de comienzo y terminación, y el plazo de concesión. La resolución se notificará al respectivo Ayuntamiento.

• **Silencio administrativo**

Transcurrido el plazo del mes sin haber recaído resolución expresa, la solicitud se entenderá desestimada.

• **Alcance de la autorización especial**

Las autorizaciones de horarios especiales se consideran efectuadas a título **precario** y sin reconocimiento de derecho alguno, pudiendo, por tanto, ser revocadas mediante resolución de la autoridad que las otorgó, por causa debidamente justificada y previa audiencia al interesado.

Cambios de titularidad, categoría o destino

Los cambios de titularidad, categoría o destino deberán comunicarse a la Consejería de Presidencia, a efectos de determinar el régimen de horarios que corresponde con arreglo al presente Decreto.

No serán transmisibles las autorizaciones de horarios especiales.

Inspección

Las actas de denuncia levantadas por los agentes de la autoridad relativas a presuntas infracciones se remitirán a la Secretaría General u órgano o Unidad competente, a efectos de incoar, en su caso, el correspondiente expediente sancionador.

Infracciones

Las infracciones sobre horarios serán sancionadas conforme a lo dispuesto en la *LO 1/1992, de 21 de febrero, sobre Protección de la Seguridad Ciudadana.*

Órganos competentes para sancionar

Son órganos competentes para imponer sanciones:

a) El Secretario General Técnico, para las infracciones leves.

b) El Consejero de Presidencia, para las graves.

c) El Consejo de Gobierno, para las muy graves.

Cartel anunciador

Todos los establecimientos deberán tener un cartel anunciador en lugar visible en el que deberá constar, la fecha de la licencia municipal, la categoría del establecimiento y el horario, que le corresponda según modelo que se facilitará y que expedirán los Ayuntamientos.

III. Jurisprudencia destacada

• Como indicamos la resolución impugnada no sólo no justifica las razones por las que no tiene en cuenta los precedentes administrativos, sino que no toma en consideración la propia instrucción en la que sustenta la decisión pues si **bien la ampliación de horarios puede contemplarse como excepcional, lo es no por razones subjetivas del órgano, sino por las razones objetivas contempladas en la Ley a las peculiaridades de las poblaciones, condiciones de insonorización, afluencia turística o duración del espectáculo**. Y la propia la Resolución de 25 de abril de 2013 del Coordinador General de Gestión Urbanística, Vivienda y Obras por la que se hace pública la Instrucción 02/2013 relativa a los criterios de actuación para la ampliación y reducción de horarios de locales de espectáculos públicos y actividades recreativas, publicada en el boletín oficial del Ayuntamiento de Madrid de 7 de junio de 2013, reconoce como circunstancia que justifica la ampliación del horario y por tanto circunstancia excepcional precisamente la de los recintos y establecimientos estén situados en carreteras y fuera del casco urbano de las poblaciones, y precisamente los que estén en las cercanías de los mercados de mayoristas con trabajadores con horarios nocturnos o de madrugada. [STSJ Madrid 8 mayo 2017.- LA LEY 75500/2017]

• Dada la dificultad de evaluar los beneficios derivados de la comisión de la infracción **superando el horario de cierre, está justificada la opción por la clausura para que la sanción produzca efecto disuasorio** en evitación de futuras infracciones, es decir cumpla el fin de prevención especial es decir provoque el condicionamiento interno del sujeto que ha infringido la norma para que no vuelva a realizar tales infracciones. [STSJ Madrid 4 febrero 2015.- LA LEY 12125/2015]

• Sin embargo examinada la citada normativa, entiende la Sala que la sentencia de instancia no incurre en error alguno en la aplicación de la misma, pues no obstante las distintas alegaciones del apelante, el Anexo forma parte de la Ley 4/2003, estableciendo una regulación específica para el supuesto de terrazas e instalaciones al aire libre, anexas al establecimiento principal o locales, siendo que la citada Ley 4/2003, tal y como sostienen las apeladas, ha dado **un tratamiento distinto al horario de los locales y establecimientos, y al horario de las terrazas a instalaciones al aire libre accesorias de las mismas**, sin que por tanto resulte de aplicación el artículo 30 de la Ley, que se refiere a locales y establecimientos que regula la Ley 3/2004, ni el artículo 5 del Decreto 196/1997 que se refiere a locales concretos o locales concentrados en determinadas zonas, pues como bien reconoce el apelante en su recurso, **la terraza de verano es una instalación al aire libre que no tiene la consideración de local**, y no se puede equiparar, por el propio tenor literal del artículo 1 de la citada Ley, a los establecimientos públicos, considerados como locales, que realicen espectáculos o actividades en instalaciones portátiles, desmontables o vía pública. [STSJ Comunidad Valenciana 21 julio 2015.- LA LEY 196207/2015]

• La conclusión a la que hemos llegado de que la adopción por los Ayuntamientos de cualesquiera medidas tendentes a corregir los incumplimientos de los objetivos de calidad acústica de una determinada zona debe encauzarse a través del procedimiento establecido en los artículos 25 y 26 de la LR, entendiéndose producido el desplazamiento del artículo 6.2 de la Orden n.º 1562/1998, de 23 de octubre, de la Consejería de Presidencia, supone un cambio de la doctrina que en otras ocasiones había mantenido esta Sala y Sección en relación con la impugnación de acuerdos municipales de reducción del horario de cierre de locales y establecimientos públicos, que se amparaban en la habilitación contemplada en el citado artículo 6.2.

Este cambio de doctrina viene motivado al tenerse en consideración la causa motivadora de la medida de reducción de horarios adoptada, explicitada y razonada en la propia resolución administrativa impugnada, lo que llevó a la Sala a tener en consideración el régimen jurídico de protección frente a la contaminación acústica y, particularmente, la Ley 37/2003, de 17 de noviembre, del Ruido, y el carácter de legislación básica de la misma. [STSJ Madrid 10 diciembre 2014.- LA LEY 207468/2014]

• Y finalmente estos mismos argumentos nos lleva a rechazar la denuncia que igualmente formula la parte apelante de que la sentencia de instancia es nula de pleno derecho por vulnerar el principio de igualdad, el principio de seguridad jurídica y el principio de interdicción de la arbitrariedad, al permitir y consentir dicha sentencia de instancia que solo se haya sancionado al establecimiento y no al público asistente, toda vez que no ofrece ninguna duda que la situación jurídica en la que se encuentra **la entidad titular del establecimiento que tiene la obligación de cerrar dicho establecimiento para cumplir el horario de cierre y el público asistente al mismo es distinta y por tanto no comparable**, como para poder afirmar que se ha infringido los citados principios. Y decimos que no es comparable por cuanto que si bien es verdad que uno y otros están obligados a respetar el horario de cierre, también lo es que **la diligencia del deber de conocimiento del horario de cierre en relación con el citado establecimiento es de muy diferente intensidad en el titular del establecimiento que en el público**, que fácilmente puede desconocer tal circunstancia como igualmente es lógico que pueda desconocer la naturaleza y categoría de dicho establecimiento, lo que indudablemente tiene su transcendencia en orden al horario de cierre y por ello también en orden a las consecuencias de su incumplimiento. Cuestión diferente es que los agentes de la Policía Local hubieran acordado desalojar el establecimiento por incumplir dicho horario y los clientes conocedores de tal incumplimiento se hubieran negado a desalojarlo. [STSJ Castilla y León 18 enero 2013.- LA LEY 7808/2013]

• Ahora bien, **una cosa es la «ampliación de horario»** que regula el Decreto 296/1997 en los artículos 11 y 12 de dicho texto reglamentario, y que se refiere a unos horarios especiales que pueden establecerse respecto de los que con carácter general se fijan en el artículo 2 de dicho Decreto. **Y otra cosa, muy diferente, es cómo se clasifican los locales de hostelería y espectáculos públicos** según los grupos establecidos en el artículo 2 del Decreto, y las consecuencias de dicha clasificación. [STSJ País Vasco 11 febrero 2011.- LA LEY 141271/2011]

III.1. Otra jurisprudencia

• Por de pronto la actividad de bar agota los horarios de apertura autorizados, en tanto que las actividades recreativas y culturales se limitan a los momentos de ocio, y en segundo lugar, y lo que es más relevante, la incidencia de unas y otras en la vida ciudadana es muy diferente, siendo notoriamente más acusada la de la actividad de bar. [STSJ País Vasco 11 febrero 2003]

• De los hechos relatados se evidencia que la actividad autorizada en dicho establecimiento Garloc, era la de Bar Especial, y por falta de insonorización se suspendió la actividad, y se le autorizó como bar o bar-cafetería, sin que sea admisible la postura del Ayuntamiento que manifiesta fue un cambio de horario del nocturno al diurno, *pues la característica del bar especial, no es solamente la actividad en sí, sino el horario de cierre permitido*. [STSJ Castilla y León, Burgos, 16 junio 2003]

• Si la Autoridad municipal puede fijar un horario de apertura más reducido para aquellos locales que no dispongan de una adecuada insonorización, con mayor razón podrá hacerlo respecto de aquellos elementos anexos a los establecimientos, tales como los veladores, que por su instalación en la vía pública carecen, por definición de cualquier tipo de aislamiento sonoro, con la lógica incidencia sobre los residentes en las inmediaciones del lugar. Dicha facultad, concluíamos, se la reserva la Ley al Alcalde Presidente de la Corporación. [STSJ Cataluña 12 diciembre 2003]

• **No parece lógico que los establecimientos con horario reducido, por circunstancias excepcionales puedan disponer de una ampliación de horario automática los fines de semana y festivos**. Por ello el citado artículo 8, que regula precisamente la «superposición, acumulaciones de ampliaciones y solapamiento de horarios», establece esta previsión, por lo que habrá que estar al contenido del acto administrativo en el que se establece la limitación de horarios. Además, no se olvide que el horario de bares funciona como un mínimo que no tiene por qué agotarse. [STSJ Madrid 18 octubre 2004]

CASTILLA-LA MANCHA

Horarios

I. Normativa

Arts. 5, 31,32,33,37,46 y 47 de la Ley 7/2011, de 21 de marzo, de Espectáculos Públicos, Actividades Recreativas y Establecimientos Públicos de Castilla-La Mancha.

II. Espectáculos públicos, actividades recreativas y establecimientos públicos

Ley 7/2011, de 21 de marzo, de Espectáculos Públicos, Actividades Recreativas y Establecimientos Públicos de Castilla-La Mancha.

• Competencias municipales

Corresponde a los Ayuntamientos:

— Establecer horarios especiales de apertura y cierre de los establecimientos dedicados a espectáculos públicos o a actividades recreativas dentro del término municipal, con motivo de fiestas patronales u otras fiestas de las declaradas oficialmente de ámbito local, en el marco del artículo 4.b de esta Ley, sin perjuicio de ser comunicado previamente a la Comunidad Autónoma.

— Limitar, en su caso, el horario de terrazas o veladores ubicados en espacios públicos, con arreglo a lo establecido en la normativa vigente.

• **Horario**

Salvo que concurran circunstancias excepcionales que justifiquen su alteración, todos los espectáculos públicos y actividades recreativas comenzarán a la hora anunciada y durarán el tiempo previsto en la correspondiente autorización, licencia o declaración responsable, que habrá de constar expresamente en los carteles y entradas que en su caso se emitan.

• **Horario general y apertura de establecimientos**

El horario general de los espectáculos y actividades recreativas, así como el de los establecimientos públicos se determinará por orden de la consejería competente en materia de espectáculos públicos, sin perjuicio de las limitaciones impuestas por las disposiciones legales existentes en materia de contaminación ambiental y acústica.

• **Publicidad**

La publicidad de los espectáculos públicos y actividades recreativas deberá contener la suficiente información para el público asistente a los mismos y, necesariamente, la siguiente:

Fecha, horario y lugar de las actuaciones, precios de las entradas y lugares de venta.

• **Funciones**

La Comisión Regional de espectáculos públicos, actividades recreativas y establecimientos públicos de Castilla-La Mancha tendrá las siguientes atribuciones:

Emisión de informes sobre los horarios de espectáculos, actividades recreativas y establecimientos regulados en esta Ley.

• **Infracciones graves**

El incumplimiento grave del horario de apertura o cierre, entendido como el anticipo o retraso en más sesenta minutos, respectivamente.

• **Infracciones leves**

No disponer en lugar visible al público y perfectamente legible, de copia del documento acreditativo de la habilitación correspondiente, del cartel de horario de apertura y cierre,

El incumplimiento de los horarios de apertura o cierre, entendido como el anticipo o retraso entre treinta y sesenta minutos, respectivamente.

III. Jurisprudencia destacada

• Como indicamos la resolución impugnada no sólo no justifica las razones por las que no tiene en cuenta los precedentes administrativos, sino que no toma en consideración la propia instrucción en la que sustenta la decisión pues si **bien la ampliación de horarios puede contemplarse como excepcional, lo es no por razones subjetivas del órgano, sino por las razones objetivas contempladas en la Ley a las peculiaridades de las poblaciones, condiciones de insonorización, afluencia turística o duración del espectáculo**. Y la propia la Resolución de 25 de abril de 2013 del Coordinador General de Gestión Urbanística, Vivienda y Obras por la que se hace pública la Instrucción 02/2013 relativa a los criterios de actuación para la ampliación y reducción de horarios de locales de espectáculos públicos y actividades recreativas, publicada en el boletín oficial del Ayuntamiento de Madrid de 7 de junio de 2013, reconoce como circunstancia que justifica la ampliación del horario y por tanto circunstancia excepcional precisamente la de los recintos y establecimientos estén situados en carreteras y fuera del casco urbano de las poblaciones, y precisamente los que estén en las cercanías de los mercados de mayoristas con trabajadores con horarios nocturnos o de madrugada. [STSJ Madrid 8 mayo 2017.- LA LEY 75500/2017]

• Dada la dificultad de evaluar los beneficios derivados de la comisión de la infracción **superando el horario de cierre, está justificada la opción por la clausura para que la sanción produzca efecto disuasorio** en evitación de futuras infracciones, es decir cumpla el fin de prevención especial es decir provoque el condicionamiento interno del sujeto que ha infringido la norma para que no vuelva a realizar tales infracciones. [STSJ Madrid 4 febrero 2015.- LA LEY 12125/2015]

• Sin embargo examinada la citada normativa, entiende la Sala que la sentencia de instancia no incurre en error alguno en la aplicación de la misma, pues no obstante las distintas alegaciones del apelante, el Anexo forma parte de la Ley 4/2003, estableciendo una regulación específica para el supuesto de terrazas e instalaciones al aire libre, anexas al establecimiento principal o locales, siendo que la citada Ley 4/2003, tal y como sostienen las apeladas, ha dado **un tratamiento distinto al horario de los locales y establecimientos, y al horario de las terrazas a instalaciones al aire libre accesorias de las mismas**, sin que por tanto resulte de aplicación el artículo 30 de la Ley, que se refiere a locales y establecimientos que regula la Ley 3/2004, ni el artículo 5 del Decreto 196/1997 que se refiere a locales concretos o locales concentrados en determinadas zonas, pues como bien reconoce el apelante en su recurso, **la terraza de verano es una instalación al aire libre que no tiene la consideración de local**, y no se puede equiparar, por el propio tenor literal del artículo 1 de la citada Ley, a los establecimientos públicos, considerados como locales, que realicen espectáculos o actividades en instalaciones portátiles, desmontables o vía pública. [STSJ Comunidad Valenciana 21 julio 2015.- LA LEY 196207/2015]

• La conclusión a la que hemos llegado de que la adopción por los Ayuntamientos de cualesquiera medidas tendentes a corregir los incumplimientos de los objetivos de calidad acústica de una determinada zona debe encauzarse a través del procedimiento establecido en los artículos 25 y 26 de la LR, entendiéndose producido el desplazamiento del artículo 6.2 de la Orden n.º 1562/1998, de 23 de octubre, de la Consejería de Presidencia, supone un cambio de la doctrina que en otras ocasiones había mantenido esta Sala y Sección en relación con la impugnación de acuerdos municipales de reducción del horario de cierre de locales y establecimientos públicos, que se amparaban en la habilitación contemplada en el citado artículo 6.2.

Este cambio de doctrina viene motivado al tenerse en consideración la causa motivadora de la medida de reducción de horarios adoptada, explicitada y razonada en la propia resolución administrativa impugnada, lo que llevó a la Sala a tener en consideración el régimen jurídico de protección frente a la contaminación acústica y, particularmente, la Ley 37/2003, de 17 de noviembre, del Ruido, y el carácter de legislación básica de la misma. [STSJ Madrid 10 diciembre 2014.- LA LEY 207468/2014]

• Y finalmente estos mismos argumentos nos lleva a rechazar la denuncia que igualmente formula la parte apelante de que la sentencia de instancia es nula de pleno derecho por vulnerar el principio de igualdad, el principio de seguridad jurídica y el principio de interdicción de la arbitrariedad, al permitir y consentir dicha sentencia de instancia que solo se haya sancionado al establecimiento y no al público asistente, toda vez que no ofrece ninguna duda que la situación jurídica en la que se encuentra **la entidad titular del establecimiento que tiene la obligación de cerrar dicho establecimiento para cumplir el horario de cierre y el público asistente al mismo es distinta y por tanto no comparable**, como para poder afirmar que se ha infringido los citados principios. Y decimos que no es comparable por cuanto que si bien es verdad que uno y otros están obligados a respetar el horario de cierre, también lo es que **la diligencia del deber de conocimiento del horario de cierre en relación con el citado establecimiento es de muy diferente intensidad en el titular del establecimiento que en el público**, que fácilmente puede desconocer tal circunstancia como igualmente es lógico que pueda desconocer la naturaleza y categoría de dicho establecimiento, lo que indudablemente tiene su transcendencia en orden al horario de cierre y por ello también en orden a las consecuencias de su incumplimiento. Cuestión diferente es que los agentes de la Policía Local hubieran acordado desalojar el establecimiento por incumplir dicho horario y los clientes conocedores de tal incumplimiento se hubieran negado a desalojarlo. [STSJ Castilla y León 18 enero 2013.- LA LEY 7808/2013]

• Ahora bien, **una cosa es la «ampliación de horario»** que regula el Decreto 296/1997 en los artículos 11 y 12 de dicho texto reglamentario, y que se refiere a unos horarios especiales que pueden establecerse respecto de los que con carácter general se fijan en el artículo 2 de dicho Decreto. **Y otra cosa, muy diferente, es cómo se clasifican los locales de hostelería y espectáculos públicos** según los grupos establecidos en el artículo 2 del Decreto, y las consecuencias de dicha clasificación. [STSJ País Vasco 11 febrero 2011.- LA LEY 141271/2011]

III.1. Otra jurisprudencia

• Por de pronto la actividad de bar agota los horarios de apertura autorizados, en tanto que las actividades recreativas y culturales se limitan a los momentos de ocio, y en segundo lugar, y lo que es más relevante, la incidencia de unas y otras en la vida ciudadana es muy diferente, siendo notoriamente más acusada la de la actividad de *bar*. [STSJ País Vasco 11 febrero 2003]

• De los hechos relatados se evidencia que la actividad autorizada en dicho establecimiento Garloc, era la de Bar Especial, y por falta de insonorización se suspendió la actividad, y se le autorizó como bar o bar-cafetería, sin que sea admisible la postura del Ayuntamiento que manifiesta fue un cambio de horario del nocturno al diurno, *pues la característica del bar especial, no es solamente la actividad en sí, sino el horario de cierre permitido*. [STSJ Castilla y León, Burgos, 16 junio 2003]

• Si la Autoridad municipal puede fijar un horario de apertura más reducido para aquellos locales que no dispongan de una adecuada insonorización, con mayor razón podrá hacerlo respecto de aquellos elementos anexos a los establecimientos, tales como los veladores, que por su instalación en la vía pública carecen, por definición de cualquier tipo de aislamiento sonoro, con la lógica incidencia sobre los residentes en las inmediaciones del lugar. Dicha facultad, concluíamos, se la reserva la Ley al Alcalde Presidente de la Corporación. [STSJ Cataluña 12 diciembre 2003]

• **No parece lógico que los establecimientos con horario reducido, por circunstancias excepcionales puedan disponer de una ampliación de horario automática los fines de semana y festivos**. Por ello el citado artículo 8, que regula precisamente la «superposición, acumulaciones de ampliaciones y solapamiento de horarios», establece esta previsión, por lo que habrá que estar al contenido del acto administrativo en el que se establece la limitación de horarios. Además, no se olvide que el horario de bares funciona como un mínimo que no tiene por qué agotarse. [STSJ Madrid 18 octubre 2004]

CASTILLA Y LEÓN

Horarios

I. Normativa

Art. 19 de la Ley 7/2006, de 2 de octubre, de espectáculos públicos y actividades recreativas de la Comunidad de Castilla y León.

Orden IYJ/689/2010, de 12 de mayo, por la que se determina el horario de los espectáculos públicos y actividades recreativas que se desarrollen en los establecimientos públicos, instalaciones y espacios abiertos de la Comunidad de Castilla y León.

II. Horarios de establecimientos públicos y actividades recreativas

En desarrollo del art. 19 de la Ley 7/2006, de 2 de octubre, de espectáculos públicos y actividades recreativas de la Comunidad de Castilla y León, la vigente Orden IYJ/689/2010, de 12 de mayo, determina el horario de los espectáculos públicos y actividades recreativas que se desarrollen en los establecimientos públicos, instalaciones y espacios abiertos de la Comunidad de Castilla y León, recogiendo lo establecido en la DIR/SER en relación con la necesidad de necesidad de realizar limitaciones del régimen horario de funcionamiento de los establecimientos, así como de regular las excepciones a este régimen mediante autorizaciones, pues dichas regulaciones no son discriminatorias, son proporcionadas y están justificadas por razones imperiosas de interés general como son el derecho al descanso y el orden público.

Se pretende asimismo que exista un **horario unificado** para toda la Comunidad de Castilla y León con **dos objetivos**. Por un lado, evitar la actual diversificación normativa existente en la Comunidad con regulaciones de horario diferenciadas para establecimientos de servicios de ocio similares en cada provincia, lo que provoca desventajas comparativas entre los mismos y estimula los desplazamientos de consumidores de ocio de unas provincias a otras en la búsqueda del horario más amplio. Por otro, y entendiendo que para ello es factor básico el escalonamiento de los horarios, colaborar en la especialización de la oferta de actividad que a cada tipología de los establecimientos le corresponde realizar a tenor de las definiciones expresadas en el Catálogo de la Ley.

• **Objeto y ámbito de aplicación**

La presente orden tiene por objeto la determinación del horario de apertura y cierre, de los establecimientos públicos e instalaciones a que se refiere la Ley 7/2006, de 2 de octubre, de espectáculos públicos y actividades recreativas de la Comunidad de Castilla y León, así como el horario en que podrán desarrollarse espectáculos públicos o actividades recreativas en espacios abiertos, para el ámbito territorial de la Comunidad de Castilla y León.

• **Apertura y cierre de establecimientos y otros**

Se entiende por apertura del establecimiento de espectáculos públicos y actividades recreativas el momento a partir del cual se permite el acceso de los espectadores o usuarios al local o establecimiento, permanente u ocasional, o al espacio abierto donde se desarrollen aquéllos. Los recintos destinados a espectáculos y actividades recreativas que puedan acoger a un número superior a 1.000 espectadores deberán estar abiertos al público al menos treinta minutos antes de la hora prevista de inicio de la específica actividad, con independencia de lo que establezca la normativa sectorial que sea de aplicación.

Se entiende por cierre del establecimiento o fin del espectáculo, en su caso, la hora máxima a partir de la cual el establecimiento, instalación o espacio abierto está obligado a cesar en la actividad para la que tiene licencia o para la que está autorizado. Por ello, a la hora de cierre especificada en el cuadro-horario para cada tipo de establecimiento, no se permitirá el acceso de nuevos clientes y se informará a los presentes de que deben abandonar el local o sitio y de que, en su caso, no se expenderá consumición alguna. Si existieran, deberán quedar fuera de funcionamiento la música ambiental o actuación musical o espectáculo, las máquinas recreativas o de juego, videos o cualquier aparato o máquina similar. Se encenderán las luces del interior y apagarán los carteles publicitarios luminosos y/o las señales luminosas ubicadas en el exterior de los locales.

Tiempo adicional destinado al desalojo: Al horario previsto de apertura y cierre, en su caso, en las variaciones, se añadirán quince minutos adicionales o treinta cuando el aforo supere las 500 personas, tiempo adicional destinado exclusivamente a que se terminen las consumiciones ya expedidas y a que el establecimiento, instalación o espacio abierto se vacíe de manera ordenada, sin que pueda desarrollarse ninguna otra actividad en ese tiempo. Los titulares o responsables de los establecimientos o recintos deberán anticipar, si lo precisan, el momento a partir del cual se inicien todas las operaciones de cierre previstas en el apartado anterior con el objeto de cumplir con el horario de cierre. Al finalizar este tiempo adicional no podrá haber clientes en el interior del establecimiento, local o recinto y las puertas al exterior deberán estar cerradas.

La adecuación y limpieza del establecimiento y el aporte de suministros diversos, que se realicen en la franja horaria existente entre el cierre y la apertura del establecimiento, deberán ser realizados por personal propio o ajeno al establecimiento, acreditado, en ambos casos, mediante una tarjeta en la que se especifique en el anverso, el nombre y apellidos y la relación con el titular o, en su caso, la empresa a la que pertenece y el número del Documento Nacional de Identidad, que podrá ir en el reverso.

• Régimen de horario de apertura y cierre

El horario de apertura y cierre de los establecimientos y actividades a que se refiere el artículo anterior será el que se determina en el cuadro siguiente. Este horario se deberá entender como período en el que se posibilita el ejercicio de la actividad, no como período de obligado funcionamiento, y por ello no es obligatorio que la actividad se encuentre en funcionamiento entre dichos horarios, siendo posible que el horario de cierre puede adelantarse y el horario de apertura puede retrasarse a voluntad de sus responsables.

HORARIO DE APERTURA Y CIERRE DE LOS ESTABLECIMIENTOS PÚBLICOS, INSTALACIONES Y ESPACIOS ABIERTOS DE LA COMUNIDAD DE CASTILLA Y LEÓN EN LOS QUE SE DESARROLLEN ESPECTÁCULOS PÚBLICOS Y ACTIVIDADES RECREATIVAS

	HORARIO APERTURA GENERAL	HORARIO DE CIERRE ORDINARIO	HORARIO CIERRE SINGULAR	HORARIO DE CIERRE FIN DE SEMANA Y FESTIVOS
Cines y Auto-cines[1]	9,00	00,05	00,30	1,00
Teatros y Auditorios[1]	9,00	00,05	00,30	1,00
Circos y similares.	9,00	1,00	1,30	2,00
Discotecas y salas de fiestas.	16,00	4,30	5,30	6,30
Salas de exhibiciones especiales.	16,00	4,30	5,30	6,30
Bar Especial, Pub, karaoke, Bar Musical[2]	12,00	3,00	4,00	4,30
Café teatro y Café cantante	12,00	3,00	4,00	4,30
Bolera.	12,00	3,00	4,00	4,30
Pizzerías, Bocaterías y similares.	8,00	3,00	4,00	4,30
Salones de banquetes.	6,00	2,00	2,30	3,00
Restaurantes.	6,00	1,30	2,00	2,30
Cafeterías, Café-Bar, Bar, Taberna y similares[2]	6,00	1,30	2,00	2,30
Ciber café.	6,00	1,30	2,00	2,30
Actividades Deportivas en general.	6,00	1,00	1,30	2,00
Salas de conferencia, salas de exposiciones y salas polivalentes.	9,00	21,00	21,30	22,00
Establecimientos de exhibición de animales en general.	9,00	21,00	21,30	22,00

HORARIO DE APERTURA Y CIERRE DE LOS ESTABLECIMIENTOS PÚBLICOS, INSTALACIONES Y ESPACIOS ABIERTOS DE LA COMUNIDAD DE CASTILLA Y LEÓN EN LOS QUE SE DESARROLLEN ESPECTÁCULOS PÚBLICOS Y ACTIVIDADES RECREATIVAS				
	HORARIO APERTURA GENERAL	HORARIO DE CIERRE ORDINARIO	HORARIO CIERRE SINGULAR	HORARIO DE CIERRE FIN DE SEMANA Y FESTIVOS
Actividades feriales y de atracciones.	10,00	2,00	2,30	3,00
Verbenas y actividades propias de celebraciones populares.	10,00	2,00	2,30	3,00

(1)   El horario de cierre de Cines, Autocines, Auditorios y Teatros, que se expresa en el cuadro, corresponde a la hora de inicio de la última proyección que se realice en el horario nocturno correspondiente.

(2)   Las denominaciones de Bar Musical, Taberna y similares no están recogidas en el Catálogo de Actividades Recreativas incorporado como ANEXO en la Ley 7/2006, de 2 de octubre (Modificado por el Decreto Ley 3/2009, de 23 de diciembre). No obstante, se regula su horario hasta que finalice el plazo de 5 años concedido para la revisión de las licencias de los establecimientos públicos especificado por la Disposición Transitoria Cuarta de la mencionada Ley.

Duración del horario

El horario de Apertura General se aplicará durante todo el año. El horario de cierre Ordinario se aplicará desde las 00,01 horas del lunes hasta las 24,00 horas del jueves. El horario de cierre Singular se aplicará entre las 00,01 y las 24,00 horas del viernes. El horario de cierre de Fin de Semana y Festivos se aplicará desde las 00,01 horas del sábado hasta las 24,00 horas del domingo, así como desde las 00,01 a las 24,00 horas de los días festivos.

• Variaciones al régimen de horarios de cierre

Ampliaciones

— Se ampliarán en 30 minutos cada uno de los horarios de cierre establecidos en el cuadro anterior en los períodos siguientes:

— Desde las 00,01 horas del 16 de junio a las 24,00 horas del 15 de septiembre.

— Desde las 00,01 horas del 16 de diciembre a las 24,00 horas del 5 de enero.

— Desde las 00,01 horas del lunes hasta las 24,00 horas del domingo de la Semana Santa.

— Desde las 00,01 horas del sábado anterior a la fiesta de carnaval hasta las 24,00 del primer miércoles siguiente a ese día.

Ausencia de limitación

Entre las 00,01 horas y las 24,00 horas de los días 25 de diciembre, 1 y 6 de enero, no habrá limitación de apertura y cierre en el horario de los establecimientos de espectáculos públicos y actividades recreativas.

- **Horario de apertura y cierre de establecimientos anexos a otras instalaciones principales**

Los establecimientos dedicados a actividades hosteleras y de restauración que estén ubicados en instalaciones en las que se desarrolle otra actividad considerada como principal y de las que sean accesorios, podrán tener, el horario de funcionamiento de aquella, siempre que se encuentre operativa la instalación principal y sin que dicho horario pueda exceder el horario de apertura y cierre de la misma. Se entiende por tales los ubicados en centros sanitarios, aeropuertos, estaciones de ferrocarril, de autobuses, lonjas, mercados centrales, áreas de servicio de autopistas, autovías y carreteras. Quedan excluidos de este régimen horario el resto de los establecimientos o locales que puedan existir en aquéllas, los cuáles se regirán por el horario específico que se determina en esta Orden o por el regulado en la preceptiva autorización, en su caso.

Los establecimientos públicos situados en centros comerciales o grandes superficies comerciales o de ocio y en establecimientos hoteleros se regirán por el horario general establecido en esta orden para cada tipo.

- **Horario para actividades compatibles. Locales Multiocio**

Cuando de conformidad con el artículo 16.1 de la Ley 7/2006, de 2 de octubre, se haya determinado compatible la realización de forma continuada de varias actividades de las mencionadas por separado en el Catálogo de la Ley en un mismo establecimiento público o instalación permanente, el régimen horario a aplicar a los mismos será el que se determine en la licencia o autorización correspondiente. El mismo régimen se aplicará a los Locales Multiocio reseñados en apartado B-5.9 del Catálogo incorporado como Anexo a la Ley.

- **Autorización previa de ampliaciones, reducciones y horarios especiales**

Solicitud

Las Delegaciones Territoriales de la Junta de Castilla y León a petición de los Ayuntamientos, con ocasión de la celebración de **fiestas locales o eventos especiales o singulares**, o de los interesados, podrán autorizar ampliaciones o reducciones del horario general, en atención a las peculiaridades que pudieran concurrir, y que sean justificadas por los solicitantes, tales como celebración de fiestas, ferias, festivales u otros certámenes locales o populares, así como en atención a la afluencia turística o duración del espectáculo.

Contenido

Las peticiones deberán especificar el ámbito territorial de aplicación de las mismas, bien sea el municipio en general o zonas, áreas, lugares o barrios específicos, y, en su caso, la tipología de establecimientos específicos para las que se solicitan. Asimismo deberán especificar el período temporal en que estarán vigentes, el cual, si se refiere a un evento determinado, no podrá exceder de la duración del mismo.

Supuesto especial

La Delegación Territorial podrá autorizar régimen de **horario especial**, previa solicitud de los interesados, para Bares, cafés, cafeterías, restaurantes y salones de banquetes situados en las carreteras u otras vías de comunicación, cuando se justifique la petición por la necesidad de prestar servicio a las líneas de servicio a los viajeros.

Comunicación

La concesión de ampliaciones, reducciones u horarios especiales deberá ser comunicada por la Delegación Territorial, a los efectos del desarrollo de las competencias en materia de vigilancia e inspección de las Fuerzas y Cuerpos de Seguridad, a la Subdelegación de Gobierno en la provincia respectiva y al Ayuntamiento correspondiente, si no fuera este el solicitante.

- **Documentación para las solicitudes de ampliaciones, reducciones y horarios especiales**

Contenido

Las solicitudes correspondientes deberán ir acompañadas de la siguiente documentación:

a) Nombre, apellidos y DNI/NIF del solicitante si es persona física, o nombre o razón social y NIF en el supuesto de personas jurídicas. En su caso, nombre, apellidos, DNI/NIF y documento que acredite la representación de la persona que actúe en nombre de otro. En todos los casos, especificación del domicilio que se señale a efectos de notificaciones.

b) Memoria justificativa de las causas que motivan la solicitud, incluyendo detalle de la ampliación o reducción del horario general o régimen de horario especial que se solicita.

c) Cuando el peticionario sea un particular, copia simple de la licencia municipal de actividad del local o establecimiento. Esta no será necesaria si la petición ha sido realizada en otras ocasiones y las circunstancias de actividad y titularidad del establecimiento no han variado desde la última realizada. Tampoco lo será cuando el peticionario sea una asociación, confederación, federación o unión de asociaciones representativa de los intereses del sector e inscrita en el Registro correspondiente de la Comunidad de Castilla y León.

d) Si el peticionario no fuera el Ayuntamiento se deberá acompañar informe municipal, que deberá recabar el propio interesado, sobre la procedencia de la petición de autorización.

e) Copia del justificante de vigencia de póliza(s) de seguro de responsabilidad civil derivada del ejercicio de la actividad.

Plazos

Las solicitudes deberán tener entrada en las Delegaciones Territoriales de la Junta de Castilla y León con, al menos, un mes de antelación a la fecha de inicio de la celebración de las fiestas locales, eventos o actividades especiales o singulares para las que se solicita autorización. Si faltara alguno de los requisitos se requerirá al interesado al objeto de que se subsane y/o mejore la solicitud, en cumplimiento del artículo *71.1 de la Ley 30/1992, de 26 de noviembre.*

Excepcionalmente, la antelación con la que debe presentarse la solicitud se reducirá a la mitad cuando concurran circunstancias debidamente justificadas que imposibiliten el cumplimiento de la prevista en el párrafo anterior, en cuyo caso, se reducirá también a la mitad el plazo para la subsanación y mejora de la solicitud establecido en el artículo

71.1 de la Ley 30/1992, de 26 de noviembre, de conformidad con lo que prevé el artículo 50 de dicha Ley.

Presentación electrónica

Las solicitudes y documentación podrán ser realizadas electrónicamente, en cumplimiento del artículo 17.4 de la Ley 17/2009, de 23 de noviembre, sobre el libre acceso a las actividades de servicios y su ejercicio, que incorpora al ordenamiento jurídico español la Directiva 2006/123/CE del Parlamento Europeo y del Consejo de 12 de diciembre de 2006, y a tenor de lo expresado para Castilla y León en el artículo 10 del Decreto-Ley 3/2009, de 23 de diciembre, ya citado.

• Establecimientos, espectáculos y actividades no comprendidos en la Orden IYJ/689/2010, de 12 de mayo

El horario de apertura y cierre de los establecimientos, espectáculos y actividades recreativas que no están sometidos a licencia para su funcionamiento y que, por lo tanto, no se contemplan en el cuadro horario anterior, se determinará en la correspondiente autorización que se precisa para su puesta en funcionamiento.

• Cartel informativo general

Los establecimientos públicos, instalaciones y espacios abiertos que se encuentran comprendidos dentro del ámbito de aplicación de la Ley 7/2006, de 2 de octubre, deberán colocar de manera permanente en el exterior, en lugar visible y en forma legible, un cartel-placa, con medidas mínimas de 30 cm. de ancho y 20 cm. de alto, en el que se exprese, al menos, el titular del local (persona física o jurídica), el tipo de licencia y el aforo del mismo. También deberá exhibirse en lugar visible del interior o exterior fotocopia compulsada de la licencia.

• Cartel horario

Los establecimientos públicos, instalaciones y espacios abiertos mencionados anteriormente deberán exponer tanto en el interior, a la vista de los usuarios, como en el exterior, en lugar visible y en forma legible, un cartel de medidas mínimas de 20 x 15 cm. en el que se especifique el horario de apertura y cierre en sus diferentes modalidades, es decir, teniendo en cuenta las ampliaciones según la época del año que corresponda, de acuerdo con lo establecido en esta Orden y, en su caso, las modificaciones que se hayan autorizado, con la fecha y el organismo que las ha autorizado.

• Sesiones para menores

El horario especial máximo para las sesiones destinadas exclusivamente para menores entre 14 y 17 años de edad será el comprendido entre las 17 horas para la apertura o inicio y las 22,30 horas para su cierre o finalización.

Dichas sesiones deberán ser autorizadas expresamente por la correspondiente Delegación Territorial, de conformidad con lo que establezca la normativa reglamentaria que regule las limitaciones y el procedimiento para su celebración, en cumplimiento de lo establecido en el artículo 23c) de la Ley 7/2006, de 2 de octubre, de Espectáculos Públicos y Actividades Recreativas de Castilla y León.

• Establecimientos con licencia municipal sometida a revisión

Los establecimientos públicos cuya licencia actual no se corresponda con las denominaciones y tipologías establecidas en el Catálogo de espectáculos públicos y actividades recreativas que se desarrollan en los establecimientos públicos, instalaciones y espacios abiertos de la Comunidad de Castilla y León, que se incluye como ANEXO en la Ley 7/2006, de 2 de octubre, podrán desarrollar el horario que se establece en Orden **IYJ/689/2010, de 12 de mayo** para establecimientos de similar actividad y grupo, hasta que finalice el plazo máximo de cinco años, establecido en la Disposición Transitoria Cuarta de la Ley citada, concedido a los Ayuntamientos para adaptar la denominación de la actividad y tipología del local a las definiciones contenidas en el mencionado Catálogo.

• **Autorizaciones de horarios especiales existentes en la actualidad**

Los titulares de establecimientos públicos con autorizaciones de horarios especiales concedidas con anterioridad a la fecha de entrada en vigor de Orden IYJ/689/2010, de 12 de mayo deberán solicitar, en el plazo de 30 días desde esta entrada en vigor, la ratificación de dichas autorizaciones ante la Delegación Territorial de la Junta de Castilla y León correspondiente. Transcurrido dicho plazo, quedarán sin validez todas aquellas autorizaciones que no hayan sido sometidas al referido trámite de ratificación.

III. Jurisprudencia destacada

• Como indicamos la resolución impugnada no sólo no justifica las razones por las que no tiene en cuenta los precedentes administrativos, sino que no toma en consideración la propia instrucción en la que sustenta la decisión pues si **bien la ampliación de horarios puede contemplarse como excepcional, lo es no por razones subjetivas del órgano, sino por las razones objetivas contempladas en la Ley a las peculiaridades de las poblaciones, condiciones de insonorización, afluencia turística o duración del espectáculo**. Y la propia la Resolución de 25 de abril de 2013 del Coordinador General de Gestión Urbanística, Vivienda y Obras por la que se hace pública la Instrucción 02/2013 relativa a los criterios de actuación para la ampliación y reducción de horarios de locales de espectáculos públicos y actividades recreativas, publicada en el boletín oficial del Ayuntamiento de Madrid de 7 de junio de 2013, reconoce como circunstancia que justifica la ampliación del horario y por tanto circunstancia excepcional precisamente la de los recintos y establecimientos estén situados en carreteras y fuera del casco urbano de las poblaciones, y precisamente los que estén en las cercanías de los mercados de mayoristas con trabajadores con horarios nocturnos o de madrugada. [STSJ Madrid 8 mayo 2017.- LA LEY 75500/2017]

• Dada la dificultad de evaluar los beneficios derivados de la comisión de la infracción **superando el horario de cierre, está justificada la opción por la clausura para que la sanción produzca efecto disuasorio** en evitación de futuras infracciones, es decir cumpla el fin de prevención especial es decir provoque el condicionamiento interno del sujeto que ha infringido la norma para que no vuelva a realizar tales infracciones. [STSJ Madrid 4 febrero 2015.- LA LEY 12125/2015]

• Sin embargo examinada la citada normativa, entiende la Sala que la sentencia de instancia no incurre en error alguno en la aplicación de la misma, pues no obstante las distintas alegaciones del apelante, el Anexo forma parte de la Ley 4/2003, estableciendo una regulación específica para el supuesto de terrazas e instalaciones al aire libre, anexas al establecimiento principal o locales, siendo que la citada Ley 4/2003, tal y como sostienen las apeladas, ha dado **un tratamiento distinto al horario de los locales y establecimientos, y al horario de las terrazas a instalaciones al aire libre accesorias de las mismas**, sin que por tanto resulte de aplicación el artículo 30 de la Ley, que se refiere a locales y establecimientos que regula la Ley 3/2004, ni el artículo 5 del Decreto 196/1997 que se refiere a locales concretos o locales concentrados en determinadas zonas, pues como bien reconoce el apelante en su recurso, **la terraza de verano es una instalación al aire libre que no tiene la consideración de local**, y no se puede equiparar, por el propio tenor literal del artículo 1 de la citada Ley, a los establecimientos públicos, considerados como locales, que realicen espectáculos o actividades en instalaciones portátiles, desmontables o vía pública. [STSJ Comunidad Valenciana 21 julio 2015.- LA LEY 196207/2015]

• La conclusión a la que hemos llegado de que la adopción por los Ayuntamientos de cualesquiera medidas tendentes a corregir los incumplimientos de los objetivos de calidad acústica de una determinada zona debe encauzarse a través del procedimiento establecido en los artículos 25 y 26 de la LR, entendiéndose producido el desplazamiento del artículo 6.2 de la Orden n.º 1562/1998, de 23 de octubre, de la Consejería de Presidencia, supone un cambio de la doctrina que en otras ocasiones había mantenido esta Sala y Sección en relación con la impugnación de acuerdos municipales de reducción del horario de cierre de locales y establecimientos públicos, que se amparaban en la habilitación contemplada en el citado artículo 6.2.

Este cambio de doctrina viene motivado al tenerse en consideración la causa motivadora de la medida de reducción de horarios adoptada, explicitada y razonada en la propia resolución administrativa impugnada, lo que llevó a la Sala a tener en consideración el régimen jurídico de protección frente a la contaminación acústica y, particularmente, la Ley 37/2003, de 17 de noviembre, del Ruido, y el carácter de legislación básica de la misma. [STSJ Madrid 10 diciembre 2014.- LA LEY 207468/2014]

• Y finalmente estos mismos argumentos nos lleva a rechazar la denuncia que igualmente formula la parte apelante de que la sentencia de instancia es nula de pleno derecho por vulnerar el principio de igualdad, el principio de seguridad jurídica y el principio de interdicción de la arbitrariedad, al permitir y consentir dicha sentencia de instancia que solo se haya sancionado al establecimiento y no al público asistente, toda vez que no ofrece ninguna duda que la situación jurídica en la que se encuentra **la entidad titular del establecimiento que tiene la obligación de cerrar dicho establecimiento para cumplir el horario de cierre y el público asistente al mismo es distinta y por tanto no comparable**, como para poder afirmar que se ha infringido los citados principios. Y decimos que no es comparable por cuanto que si bien es verdad que uno y otros están obligados a respetar el horario de cierre, también lo es que **la diligencia del deber de conocimiento del horario de cierre en relación con el citado establecimiento es de muy diferente intensidad en el titular del establecimiento que en el público,** que fácilmente puede desconocer tal circunstancia como igualmente es lógico que pueda desconocer la naturaleza y categoría de dicho establecimiento, lo que indudablemente tiene su transcendencia en orden al horario de cierre y por ello también en orden a las consecuencias de su incumplimiento. Cuestión diferente es que los agentes de la Policía Local hubieran acordado desalojar el establecimiento por incumplir dicho horario y los clientes conocedores de tal incumplimiento se hubieran negado a desalojarlo. [STSJ Castilla y León 18 enero 2013.- LA LEY 7808/2013]

• Ahora bien, **una cosa es la «ampliación de horario»** que regula el Decreto 296/1997 en los artículos 11 y 12 de dicho texto reglamentario, y que se refiere a unos horarios especiales que pueden establecerse respecto de los que con carácter general se fijan en el artículo 2 de dicho Decreto. **Y otra cosa, muy diferente, es cómo se clasifican los**

locales de hostelería y espectáculos públicos según los grupos establecidos en el artículo 2 del Decreto, y las consecuencias de dicha clasificación. [STSJ País Vasco 11 febrero 2011.- LA LEY 141271/2011]

III.1. Otra jurisprudencia

• Por de pronto la actividad de bar agota los horarios de apertura autorizados, en tanto que las actividades recreativas y culturales se limitan a los momentos de ocio, y en segundo lugar, y lo que es más relevante, la incidencia de unas y otras en la vida ciudadana es muy diferente, siendo notoriamente más acusada la de la actividad de bar. [(STSJ País Vasco 11 febrero 2003]

• De los hechos relatados se evidencia que la actividad autorizada en dicho establecimiento Garloc, era la de Bar Especial, y por falta de insonorización se suspendió la actividad, y se le autorizó como bar o bar-cafetería, sin que sea admisible la postura del Ayuntamiento que manifiesta fue un cambio de horario del nocturno al diurno, *pues la característica del bar especial, no es solamente la actividad en sí, sino el horario de cierre permitido.* [STSJ Castilla y León, Burgos, 16 junio 2003]

• Si la Autoridad municipal puede fijar un horario de apertura más reducido para aquellos locales que no dispongan de una adecuada insonorización, con mayor razón podrá hacerlo respecto de aquellos elementos anexos a los establecimientos, tales como los veladores, que por su instalación en la vía pública carecen, por definición de cualquier tipo de aislamiento sonoro, con la lógica incidencia sobre los residentes en las inmediaciones del lugar. Dicha facultad, concluíamos, se la reserva la Ley al Alcalde Presidente de la Corporación. [STSJ Cataluña 12 diciembre 2003]

• **No parece lógico que los establecimientos con horario reducido, por circunstancias excepcionales puedan disponer de una ampliación de horario automática los fines de semana y festivos.** Por ello el citado artículo 8, que regula precisamente la «superposición, acumulaciones de ampliaciones y solapamiento de horarios», establece esta previsión, por lo que habrá que estar al contenido del acto administrativo en el que se establece la limitación de horarios. Además, no se olvide que el horario de bares funciona como un mínimo que no tiene por qué agotarse. [STSJ Madrid 18 octubre 2004]

CATALUÑA

Horarios

I. Normativa

Orden INT/358/2011, de 19 de diciembre, por la que se regulan los horarios de los establecimientos abiertos al público, de los espectáculos públicos y de las actividades recreativas sometidos a la Ley 11/2009, de 6 de julio, de regulación administrativa de los espectáculos públicos y de las actividades recreativas, y a su Reglamento.

Art. 20 de la Ley 11/2009, de 6 de julio, de regulación administrativa de los espectáculos públicos y las actividades recreativas.

Decreto 112/2010, de 31 de agosto, por el que se aprueba el Reglamento de espectáculos públicos y actividades recreativas.

II. Horarios de establecimientos públicos y actividades recreativas
• Horario general para los espectáculos públicos (art. 3 Orden INT/358/2011)

1 Los horarios generales de apertura y cierre para los espectáculos públicos, entre los que se incluyen los espectáculos cinematográficos, teatrales, de audición, musicales, las manifestaciones festivas de carácter cultural y tradicional y los espectáculos de circo, son los siguientes:

a) Horario de apertura: a partir de las 6.00 horas, salvo que la normativa específica o la autorización correspondiente establezca otro horario.

b) Horario de cierre: hasta la 1.30 horas como a máximo.

2 Los espectáculos a que hace referencia el apartado anterior pueden prolongar el horario máximo de cierre por un período de sesenta minutos la noche del viernes a la madrugada del sábado, la noche del sábado a la madrugada del domingo y la noche de la víspera de los festivos a la madrugada de los festivos.

• Horario general para las actividades recreativas musicales (art. 4 Orden INT/358/2011)

Los horarios generales de apertura y cierre de las actividades recreativas musicales son los siguientes:

a) Bar musical: el horario de apertura es a partir de las 12.00 horas y el horario máximo de cierre es hasta las 2.30 horas. Este horario de cierre se puede prolongar por un período de treinta minutos la noche del viernes a la madrugada del sábado, la noche del sábado a la madrugada del domingo y la noche de la víspera de los festivos a la madrugada de los festivos.

b) Restaurante musical: el horario de apertura es a partir de las 6.00 horas y el horario máximo de cierre es hasta las 2.30 horas. Este horario de cierre se puede prolongar por un período de treinta minutos la noche del viernes a la madrugada del sábado, la noche del sábado a la madrugada del domingo y la noche de la víspera de los festivos a la madrugada de los festivos.

c) Discoteca, sala de baile y sala de fiestas con espectáculo: el horario de apertura es a partir de las 17.00 horas y el horario máximo de cierre es hasta las 5.00 horas. Este horario de cierre se puede prolongar por un período de una hora la noche del viernes a la madrugada del sábado, la noche del sábado a la madrugada del domingo y la noche de la víspera de los festivos a la madrugada de los festivos.

d) Sala de concierto, café teatro y café concierto: el horario de apertura es a partir de las 17.00 horas y el horario máximo de cierre es hasta las 4.30 horas. Este horario de cierre se puede prolongar por un período de treinta minutos la noche del viernes a la madrugada del sábado, la noche del sábado a la madrugada del domingo y la noche de la víspera de los festivos a la madrugada de los festivos.

e) Discotecas de juventud: el horario de apertura es a partir de las 17.00 horas y el horario máximo de cierre es hasta las 22.00 horas.

f) Karaoke: el horario de apertura y de cierre es aquel de la actividad recreativa musical o de restauración donde se desarrolle.

g) Salas de fiestas con espectáculo para menores de edad y conciertos de infancia y juventud: el horario de apertura es a partir de las 11.00 horas y el horario máximo de cierre es hasta las 19.00 horas.

h) Establecimientos de régimen especial: el horario de apertura es a partir de las 7.00 horas y el horario máximo de cierre es hasta las 14.00 horas.

i) Establecimientos públicos en los que se ejercen actividades de naturaleza sexual: el horario de apertura es a partir de las 17.00 horas y el horario máximo de cierre es hasta las 4.00 horas. Este horario de cierre se puede prolongar por un período de una hora la noche del viernes a la madrugada del sábado, la noche del sábado a la madrugada del domingo y la noche de la víspera de los festivos a la madrugada de los festivos.

• Horario general para las actividades de restauración (art. 5 Orden INT/358/2011)

1 Para las actividades de restauración, entre las que se incluyen el restaurante, el bar, el restaurante bar y el salón de banquetes, los horarios generales de apertura y cierre son los siguientes:

a) Horario de apertura: a partir de las 6.00 horas, salvo que la normativa específica o la autorización correspondiente establezca otro horario.

b) Horario de cierre: hasta las 2.30 horas como máximo, salvo que la normativa específica o la autorización correspondiente establezca otro horario.

2 Las actividades a que hace referencia el apartado anterior pueden prolongar el horario de cierre por un período de treinta minutos la noche del viernes a la madrugada del sábado, la noche del sábado a la madrugada del domingo y la noche de la víspera de los festivos a la madrugada de los festivos.

• Horario especial para la noche de Fin de año (art. 6 Orden INT/358/2011)

Los espectáculos públicos, los bares musicales, los restaurantes musicales, las salas de concierto, los cafés teatro, los cafés concierto, los bares, los restaurantes, los restaurantes bar y los salones de banquetes pueden prolongar el horario de cierre durante la noche de Fin de año en sesenta minutos sobre el horario máximo de cierre a que hacen referencia los artículos 3 a 5. Asimismo, en las discotecas, las salas de baile y las salas de fiestas con espectáculos, la prolongación horaria puede ser de noventa minutos sobre el horario máximo de cierre que prevé el artículo 4.

• Horarios especiales en periodos de vacaciones y en determinadas festividades (art. 7 Orden INT/358/2011)

1 Las actividades recreativas de bar musical, restaurante musical, sala de concierto, café teatro, café concierto, restaurante, bar, restaurante bar y salón de banquetes pueden prolongar el horario máximo de cierre en treinta minutos sobre el horario general de cierre, y las discotecas, salas de baile y salas de fiestas con espectáculo en cuarenta y cinco minutos sobre el horario general de cierre, en los periodos siguientes:

a) Del jueves al lunes de Semana Santa.

b) Del jueves al martes de Carnaval.

c) Del 21 de diciembre al 6 de enero, salvo la noche de Fin de año.

d) Del 1 de junio al 15 de septiembre.

e) Con motivo de las fiestas locales o patronales de cada municipio. Estas ampliaciones no se podrán efectuar en los periodos a que hacen referencia las letras a) a d), ni la noche de Fin de año.

f) Con ocasión de otros acontecimientos de carácter ferial, certámenes, exposiciones, verbenas populares o análogos, que hayan sido calificados como de interés turístico por el propio ayuntamiento o por el órgano competente de la Generalidad de Cataluña, con el límite máximo de seis días por año natural. Estas ampliaciones no se podrán efectuar en los periodos a que hacen referencia las letras a) a d), ni la noche de Fin de año.

2 Las ampliaciones generales de los horarios a que hace referencia el apartado anterior de este artículo son acumulativas respecto del horario general.

- **Horario de actividades susceptibles de compatibilidad (art. 8 Orden INT/358/2011)**

Si en un mismo establecimiento o local abierto al público se ejercen varios espectáculos públicos y actividades recreativas y se declara su compatibilidad, de conformidad con lo que prevé el artículo 92 del Reglamento de espectáculos públicos y actividades recreativas, cada uno de ellos tendrá que finalizar su funcionamiento, de acuerdo con el horario establecido en la licencia, autorización o comunicación previa, teniendo en cuenta que se tiene que cerrar dos horas de cada veinticuatro, con el fin de realizar las tareas de limpieza y ventilación del establecimiento, visto el contenido del artículo 70 del Reglamento citado.

- **Horario de actividades extraordinarias (art. 9 Orden INT/358/2011)**

Los espectáculos públicos y las actividades recreativas que tengan carácter extraordinario en los términos previstos en el Reglamento de espectáculos públicos y actividades recreativas tienen que cumplir los horarios de inicio y de cierre que se concreten en la licencia o autorización correspondiente.

- **Cierre y desalojo de los establecimientos (art. 10 Orden INT/358/2011)**

De acuerdo con el artículo 71 del Reglamento de espectáculos públicos y actividades recreativas, a partir de la hora límite de cierre no se puede permitir el acceso de ninguna persona usuaria o consumidora, no se puede servir ninguna consumición, tiene que dejar de funcionar la música, tienen que cesar todas las actividades recreativas o de espectáculo público que se estén realizando y se tiene que encender todo el alumbrado interior.

Asimismo, a partir de la hora límite de cierre se tiene que informar al público que ha llegado la hora de cierre y que disponen de un máximo de treinta minutos para salir, si el aforo máximo autorizado es de hasta 500 personas, o de cuarenta y cinco minutos, si el aforo máximo autorizado es de más de 500 personas. Una vez transcurrido este período, el personal del titular del establecimiento o de la persona organizadora del espectáculo público o actividad recreativa tiene que pedir que salga del establecimiento el público que se quede en el interior.

- **Horarios de terrazas y veladores (art. 11 Orden INT/358/2011)**

El horario de las terrazas y de los veladores es el mismo del espectáculo público o actividad recreativa, a menos que se establezca en las respectivas ordenanzas municipales un horario más restrictivo.

- **Ampliaciones excepcionales del horario de cierre (art. 12 Orden INT/358/2011)**

1.- La persona titular de la dirección general competente en materia de espectáculos públicos y actividades recreativas puede ampliar el horario de cierre cuando lo requiera la duración del espectáculo público o de la actividad recreativa, con la petición previa de la persona organizadora o titular del establecimiento u organizadora del espectáculo o actividad recreativa.

La citada ampliación de horario requiere el informe previo vinculante del ayuntamiento donde se ubique el local afectado, relativo a la idoneidad de la ampliación, el cual se tiene que emitir en un plazo máximo de quince días, como también el informe de la dirección general competente en materia de policía del departamento competente en materia de seguridad pública.

2.- Esta ampliación se tiene que acordar mediante resolución motivada, en la que se tiene que establecer el período de vigencia de la autorización. La resolución se tiene que notificar a la persona interesada en el plazo máximo de un mes desde la correspondiente solicitud y comunicar al ayuntamiento y a los diferentes órganos administrativos afectados. Transcurrido este plazo sin que se haya dictado y notificado la resolución correspondiente, la petición se tiene que entender estimada.

- **Revocación de la autorización de ampliación del horario (art. 13 Orden INT/358/2011)**

El mal uso de la autorización de ampliación del horario concedida, las molestias debidamente comprobadas en la vecindad, la producción de desórdenes en el entorno, cuando desaparezcan las circunstancias que motivaron su otorgamiento o sobrevengan otras, que de haber existido en el momento de su solicitud, hubieran justificado su denegación, podrán motivar, con la audiencia previa de las personas interesadas, la revocación de la autorización sin derecho a indemnización.

- **Reducción del horario (art. 14 Orden INT/358/2011)**

1.- Los alcaldes o las alcaldesas, dentro de los respectivos términos municipales, pueden establecer reducciones de los horarios que prevé esta Orden, por un máximo de dos horas.

2.- Las reducciones a que hace referencia el apartado 1 se pueden acordar de manera excepcional para locales concretos o para locales concentrados en determinadas zonas, cuando ocasionan molestias en la vecindad de su entorno físico, o bien por razones de seguridad, debidamente acreditadas y con los informes policiales correspondientes en ambos supuestos.

3.- Estas limitaciones se tienen que acordar mediante resolución motivada y se tienen que comunicar a la dirección general competente en materia de espectáculos públicos y actividades recreativas y a la dirección general competente en materia de policía del departamento competente en materia de seguridad pública.

- **Horarios específicos para los establecimientos de restaurante, bar y restaurante bar (art. 15 Orden INT/358/2011)**

1.- La persona titular de la dirección general competente en materia de espectáculos públicos y actividades recreativas puede autorizar horarios específicos en los establecimientos de restaurante, bar y restaurante bar, situados fuera del núcleo urbano de las poblaciones y también los situados en las carreteras, aeropuertos, estaciones de ferrocarril o en otros lugares análogos destinados al servicio de las personas viajeras, así como los destinados al servicio de las personas trabajadoras con horarios nocturnos o de madrugada, con la petición previa de la persona titular del establecimiento.

La citada autorización requiere el informe previo vinculante del ayuntamiento donde se ubique el local afectado, relativo a la idoneidad de la ampliación, el cual se tiene que emitir en un plazo máximo de quince días, como también el informe de la dirección general competente en materia de policía del departamento competente en materia de seguridad pública.

2.- Esta ampliación se tiene que hacer mediante resolución motivada, en la que se tiene que establecer el período de vigencia de la autorización. La resolución se tiene que notificar a la persona interesada en el plazo máximo de un mes desde la correspondiente solicitud y comunicar al ayuntamiento y a los diferentes órganos administrativos afectados. Transcurrido este plazo sin que se haya dictado y notificado la resolución correspondiente, la petición se tiene que entender estimada.

- **Rótulos horarios (art. 16 Orden INT/358/2011)**

1.- Los establecimientos, recintos e instalaciones comprendidos en el ámbito de aplicación de esta Orden tienen que colocar en sus accesos, visible desde el exterior, una placa o rótulo identificativo en que se indique el horario de apertura y cierre del local, de acuerdo con lo que establece el artículo 72 y el anexo IV del Reglamento de espectáculos públicos y actividades recreativas.

2.- En la placa o rótulo se tienen que hacer constar, en su caso, las modificaciones que por ampliación o reducción se hayan establecido respecto del horario de funcionamiento del espectáculo público o actividad recreativa.

- **Otros espectáculos públicos y actividades recreativas (art. 17 Orden INT/358/2011)**

Los espectáculos públicos y las actividades recreativas no comprendidos en esta Orden se rigen por su normativa específica.

- **Régimen sancionador (art. 18 Orden INT/358/2011)**

El incumplimiento de lo que establece esta Orden se tiene que sancionar, de acuerdo con lo que prevé la Ley 11/2009, del 6 de julio, de regulación administrativa de los espectáculos públicos y las actividades recreativas, y su Reglamento de desarrollo.

III. Jurisprudencia destacada

- Como indicamos la resolución impugnada no sólo no justifica las razones por las que no tiene en cuenta los precedentes administrativos, sino que no toma en consideración la propia instrucción en la que sustenta la decisión pues si **bien la ampliación de horarios puede contemplarse como excepcional, lo es no por razones subjetivas del órgano, sino por las razones objetivas contempladas en la Ley a las peculiaridades de las poblaciones, condiciones de insonorización, afluencia turística o duración del espectáculo**. Y la propia la Resolución de 25 de abril de 2013 del Coordinador General de Gestión Urbanística, Vivienda y Obras por la que se hace pública la Instrucción 02/2013 relativa a los criterios de actuación para la ampliación y reducción de horarios de locales de espectáculos públicos y actividades recreativas, publicada en el boletín oficial del Ayuntamiento de Madrid de 7 de junio de 2013, reconoce como circunstancia que justifica la ampliación del horario y por tanto circunstancia excepcional precisamente la de los recintos y establecimientos estén situados en carreteras y fuera del casco urbano de las poblaciones, y precisamente los que estén en las cercanías de los mercados de mayoristas con trabajadores con horarios nocturnos o de madrugada. [STSJ Madrid 8 mayo 2017.- LA LEY 75500/2017]

• Dada la dificultad de evaluar los beneficios derivados de la comisión de la infracción **superando el horario de cierre, está justificada la opción por la clausura para que la sanción produzca efecto disuasorio** en evitación de futuras infracciones, es decir cumpla el fin de prevención especial es decir provoque el condicionamiento interno del sujeto que ha infringido la norma para que no vuelva a realizar tales infracciones. [STSJ Madrid 4 febrero 2015.- LA LEY 12125/2015]

• Sin embargo examinada la citada normativa, entiende la Sala que la sentencia de instancia no incurre en error alguno en la aplicación de la misma, pues no obstante las distintas alegaciones del apelante, el Anexo forma parte de la Ley 4/2003, estableciendo una regulación específica para el supuesto de terrazas e instalaciones al aire libre, anexas al establecimiento principal o locales, siendo que la citada Ley 4/2003, tal y como sostienen las apeladas, ha dado **un tratamiento distinto al horario de los locales y establecimientos, y al horario de las terrazas a instalaciones al aire libre accesorias de las mismas**, sin que por tanto resulte de aplicación el artículo 30 de la Ley, que se refiere a locales y establecimientos que regula la Ley 3/2004, ni el artículo 5 del Decreto 196/1997 que se refiere a locales concretos o locales concentrados en determinadas zonas, pues como bien reconoce el apelante en su recurso, **la terraza de verano es una instalación al aire libre que no tiene la consideración de local**, y no se puede equiparar, por el propio tenor literal del artículo 1 de la citada Ley, a los establecimientos públicos, considerados como locales, que realicen espectáculos o actividades en instalaciones portátiles, desmontables o vía pública. [STSJ Comunidad Valenciana 21 julio 2015.- LA LEY 196207/2015]

• La conclusión a la que hemos llegado de que la adopción por los Ayuntamientos de cualesquiera medidas tendentes a corregir los incumplimientos de los objetivos de calidad acústica de una determinada zona debe encauzarse a través del procedimiento establecido en los artículos 25 y 26 de la LR, entendiéndose producido el desplazamiento del artículo 6.2 de la Orden n.º 1562/1998, de 23 de octubre, de la Consejería de Presidencia, supone un cambio de la doctrina que en otras ocasiones había mantenido esta Sala y Sección en relación con la impugnación de acuerdos municipales de reducción del horario de cierre de locales y establecimientos públicos, que se amparaban en la habilitación contemplada en el citado artículo 6.2.

Este cambio de doctrina viene motivado al tenerse en consideración la causa motivadora de la medida de reducción de horarios adoptada, explicitada y razonada en la propia resolución administrativa impugnada, lo que llevó a la Sala a tener en consideración el régimen jurídico de protección frente a la contaminación acústica y, particularmente, la Ley 37/2003, de 17 de noviembre, del Ruido, y el carácter de legislación básica de la misma. [STSJ Madrid 10 diciembre 2014.- LA LEY 207468/2014]

• Y finalmente estos mismos argumentos nos lleva a rechazar la denuncia que igualmente formula la parte apelante de que la sentencia de instancia es nula de pleno derecho por vulnerar el principio de igualdad, el principio de seguridad jurídica y el principio de interdicción de la arbitrariedad, al permitir y consentir dicha sentencia de instancia que solo se haya sancionado al establecimiento y no al público asistente, toda vez que no ofrece ninguna duda que la situación jurídica en la que se encuentra **la entidad titular**

del establecimiento que tiene la obligación de cerrar dicho establecimiento para cumplir el horario de cierre y el público asistente al mismo es distinta y por tanto no comparable, como para poder afirmar que se ha infringido los citados principios. Y decimos que no es comparable por cuanto que si bien es verdad que uno y otros están obligados a respetar el horario de cierre, también lo es que **la diligencia del deber de conocimiento del horario de cierre en relación con el citado establecimiento es de muy diferente intensidad en el titular del establecimiento que en el público**, que fácilmente puede desconocer tal circunstancia como igualmente es lógico que pueda desconocer la naturaleza y categoría de dicho establecimiento, lo que indudablemente tiene su transcendencia en orden al horario de cierre y por ello también en orden a las consecuencias de su incumplimiento. Cuestión diferente es que los agentes de la Policía Local hubieran acordado desalojar el establecimiento por incumplir dicho horario y los clientes conocedores de tal incumplimiento se hubieran negado a desalojarlo. [STSJ Castilla y León 18 enero 2013.- LA LEY 7808/2013]

• Ahora bien, **una cosa es la «ampliación de horario»** que regula el Decreto 296/1997 en los artículos 11 y 12 de dicho texto reglamentario, y que se refiere a unos horarios especiales que pueden establecerse respecto de los que con carácter general se fijan en el artículo 2 de dicho Decreto. **Y otra cosa, muy diferente, es cómo se clasifican los locales de hostelería y espectáculos públicos** según los grupos establecidos en el artículo 2 del Decreto, y las consecuencias de dicha clasificación. [STSJ País Vasco 11 febrero 2011.- LA LEY 141271/2011]

III.1. Otra jurisprudencia

• Por de pronto la actividad de bar agota los horarios de apertura autorizados, en tanto que las actividades recreativas y culturales se limitan a los momentos de ocio, y en segundo lugar, y lo que es más relevante, la incidencia de unas y otras en la vida ciudadana es muy diferente, siendo notoriamente más acusada la de la actividad de bar. [STSJ País Vasco 11 febrero 2003]

• De los hechos relatados se evidencia que la actividad autorizada en dicho establecimiento Garloc, era la de Bar Especial, y por falta de insonorización se suspendió la actividad, y se le autorizó como bar o bar-cafetería, sin que sea admisible la postura del Ayuntamiento que manifiesta fue un cambio de horario del nocturno al diurno, *pues la característica del bar especial, no es solamente la actividad en sí, sino el horario de cierre permitido.* [STSJ Castilla y León, Burgos, 16 junio 2003]

• Si la Autoridad municipal puede fijar un horario de apertura más reducido para aquellos locales que no dispongan de una adecuada insonorización, con mayor razón podrá hacerlo respecto de aquellos elementos anexos a los establecimientos, tales como los veladores, que por su instalación en la vía pública carecen, por definición de cualquier tipo de aislamiento sonoro, con la lógica incidencia sobre los residentes en las inmediaciones del lugar. Dicha facultad, concluíamos, se la reserva la Ley al Alcalde Presidente de la Corporación. [STSJ Cataluña 12 diciembre 2003]

• **No parece lógico que los establecimientos con horario reducido, por circunstancias excepcionales puedan disponer de una ampliación de horario automática los fines de semana y festivos.** Por ello el citado artículo 8, que regula precisamente la «superposición, acumulaciones de ampliaciones y solapamiento de horarios», establece esta previsión, por lo que habrá que estar al contenido del acto administrativo en el que se establece la limitación de horarios. Además, no se olvide que el horario de bares funciona como un mínimo que no tiene por qué agotarse. [STSJ Madrid 18 octubre 2004]

COMUNIDAD DE MADRID

Horarios

I. Normativa

Art. 23 de la Ley 17/1997, de 4 de julio, de Espectáculos Públicos y Actividades Recreativas.

Orden 42/2017, de 10 de enero, de la Consejería de Presidencia, Justicia y Portavocía del Gobierno, por la que se establece el régimen relativo a los horarios de los locales de espectáculos públicos y actividades recreativas, así como de otros establecimientos abiertos al público.

II. Horarios de establecimientos públicos y actividades recreativas

• **Horario General (art. 2 Orden 42/2017)**

Normas generales

1. Los **espectáculos y actividades** permitidas en las licencias de funcionamiento de los locales y establecimientos regulados en el Decreto 184/1998, de 22 de octubre, así como los que son objeto de las autorizaciones administrativas que fueren procedentes, en su caso, **sólo podrán ejercerse dentro del horario** que se fija en la presente normativa.

2. **Todos los horarios**, tanto generales, como específicos o especiales, sin excepción, tendrán la consideración de «**horarios máximos**», por lo que en ningún caso podrán ser rebasados o excedidos.

3. Se entenderá por **horario de apertura** el momento a partir del cual se permitirá el acceso de los usuarios al local o establecimiento.

4. A partir de la **hora de cierre** no se permitirá el acceso de ningún cliente al local o establecimiento y no se expenderá consumición alguna. Sin perjuicio de las disposiciones que al respecto puedan ser adoptadas, según la normativa especial en materia de protección medioambiental, deberán, en su caso, quedar fuera de funcionamiento, a partir de dicho momento, la ambientación musical, las máquinas y demás aparatos de juego, vídeo o similares, las señales luminosas ubicadas en el exterior del local y cesar las actuaciones que se celebren, con independencia de las tareas propias de recogida y limpieza que se realicen por parte del personal de los establecimientos.

5. Asimismo, a la hora de cierre reglamentariamente establecida, **se encenderán las luces generales del local**, quedando las puertas de entrada y de salida expeditas y abiertas para que se produzca el completo desalojo ordenado del local. Sin perjuicio de los límites que vengan impuestos por normativa sectorial o de seguridad y orden público, el desalojo de los locales, cuya licencia municipal de funcionamiento fije el aforo en 350 personas o más, se practicará en el plazo máximo de cuarenta y cinco minutos desde la hora de cierre, en los demás casos, el período en el que debe realizarse el desalojo, alcanzará como máximo treinta minutos.

6. Las resoluciones administrativas que autoricen espectáculos y actividades recreativas especificarán tanto el **horario de inicio como el de finalización** de la actividad que

contemplen, así como un período de tiempo de desalojo en función del aforo del local o recinto.

7. Serán de aplicación a las **instalaciones eventuales, desmontables o portátiles** que no figuren en el apartado B de este artículo, el mismo régimen horario que el fijado para las instalaciones permanentes, en función de la actividad que les haya sido autorizada en la correspondiente licencia municipal de funcionamiento.

8. En cualquier caso, y sin perjuicio del horario general de apertura y cierre que se determina en la presente Orden para todos los establecimientos y locales regulados en la misma, entre el cierre de los mismos y la subsiguiente apertura deberá **transcurrir un período mínimo de seis horas**.

Apertura y cierre

1. El horario general de apertura de los locales o establecimientos, en función de las categorías recogidas en el Catálogo aprobado por el Decreto 184/1998, de 22 de octubre, es el siguiente:

I) **Locales de espectáculos públicos** (tipología; epígrafe del Catálogo de locales del Decreto 184/1998; apertura/cierre):

a) Café-espectáculo (1.1): 17.00 h/5.30 h.

b) Salas de fiesta con espectáculo y restaurantes-espectáculo (1.4 y 1.5): 17 h/5.30 h.

c) Circos permanentes, portátiles o desmontables y asimilables (1.2): 10.00 h/ 24.00 h.

d) Locales donde se exhiben películas en vídeo o se realizan actuaciones en directo en las que el espectador se ubica en cabinas individuales o sistema similar (1.3): 10.00 h/3.00 h.

e) Auditorios, salas de conciertos y teatros permanentes, eventuales, portátiles o desmontables (2.1, 2.5 y 2.9): 10.00 h/1.00 h.

f) Cines permanentes (2.2.3): 10.00 h/2.00 h. Autocines y cines de verano (2.2.1 y 2.2.2): 20.00 h/0.30 h.

g) Salas de conferencias, exposiciones y multiuso (2.6, 2.7 y 2.8): 9.00 h/24.00 h.

II) **Locales de actividades recreativas** (tipología, epígrafe del Catálogo de locales del Decreto 184/1998; apertura/cierre):

a) Discotecas, salas de baile y asimilables (4.1): 17.00 h/5.30 h.

b) Salas de juventud (4.2.): 17.00 h/22.00 h.

c) Establecimientos de juegos colectivos de dinero y de azar (6.2): 12.30/3.00 horas.

Salones de juego y recreativos (6.3): 10.00/0.30 horas.

Salones de recreo y diversión (6.4): 10.00/0.30 horas.

d) Verbenas, desfiles, bailes, fiestas populares y manifestaciones folclóricas (8.1): 6.00 h/2.30 h.

III) **Otros establecimientos abiertos al público** (tipología, epígrafe del Catálogo de locales del Decreto 184/1998; apertura/cierre):

a) Bares especiales: Bares de copas con o sin actuaciones musicales en directo (9.1.1 y 9.1.2): 13.00 h/3.00 h.

b) Tabernas, bodegas y otras asimilables (10.1): 10.00 h/2.00 h. Cafeterías, bares, café-bares y asimilables (10.2): 6.00 h/2.00 h.

Heladerías, chocolaterías, croissanteríes, salones de té y asimilables (10.3): 8.00 h/1.00 h.

c) Restaurantes, salones de banquetes y otros asimilables (10.4 y 10.7): 10.00 h/2.00 h.

Supuestos especiales

1. Fines de semana y verano.

El horario de cierre de los locales e instalaciones a que se refiere la presente Orden se incrementará:

— Media hora los viernes, sábados y víspera de festivos, con carácter general.

— Los establecimientos de juegos colectivos de dinero y de azar podrán ampliar su horario de cierre treinta minutos, del 1 de julio al 30 de septiembre.

2. Bares y restaurantes de hoteles:

Podrán retrasar el horario de cierre una hora para atender exclusivamente a los clientes hospedados.

3. Terrazas:

Las terrazas se consideran como anexas o accesorias de los bares, cafeterías o restaurantes.

En consecuencia, se regirán por el horario general o el autorizado para el establecimiento del que son anexas, debiendo abrir y cerrar a las horas a las que esté autorizado el establecimiento concreto del que son anexas.

Sin perjuicio de lo dispuesto en el párrafo anterior, el horario general de apertura y cierre de las terrazas será el siguiente:

— Del 16 de octubre al 15 de marzo: de 08:00 horas a 01:00 horas.

— Del 16 de marzo al 15 de octubre: de 08:00 horas a 01:30 horas. En este período, los Ayuntamientos podrán autorizar la ampliación del horario de cierre como máximo hasta las 02:30 horas, en establecimientos situados en zonas no residenciales.

4. Espectáculos y Actividades Recreativas:

Los que no se encuentren recogidos en el apartado B del presente artículo no podrán, con carácter general, comenzar antes de las seis horas ni finalizar después de las veinticuatro horas, salvo que por una normativa específica se permita un horario diferente.

5. Fiestas Patronales, Fiestas de Navidad, Año Nuevo y Reyes y actividades declaradas de interés general por los Ayuntamientos:

a) Con ocasión de la celebración de las Fiestas Patronales de cada municipio, de las Fiestas Navideñas de Nochebuena, Fin de Año y Reyes y de la celebración de actividades de interés general declaradas por el respectivo Ayuntamiento, los locales y establecimientos contemplados en la presente Orden podrán ampliar su horario de cierre en una hora.

Los Ayuntamientos, en estas fechas, podrán resolver motivadamente, conforme al procedimiento establecido en el artículo 6 de esta Orden, el mantenimiento del horario ordinario contemplado en el artículo 2, de forma individual y para cada establecimiento, en razón de las peculiaridades de las poblaciones, de las condiciones de insonorización, de la afluencia turística o de la duración del espectáculo.

b) Se entenderá por fiestas patronales las establecidas oficialmente por cada Ayuntamiento en su término municipal.

c) Se entenderá por actividades de interés general, las establecidas oficialmente por cada Ayuntamiento en su término municipal que tengan especial impacto en la vida del municipio, por razones culturales, sociales o económicas, en especial por su incidencia en la actividad de los sectores productivos o de servicios y en la creación de empleo

• Modificaciones de horario (art. 3 Orden 42/2017)

1. Los horarios podrán ser modificados, es decir, aumentados o reducidos, en los supuestos que se establecen a continuación, y de conformidad con el procedimiento que se determina.

2. Corresponderá a los respectivos Ayuntamientos la ampliación y reducción de los horarios. Los acuerdos que se dicten en esta materia agotarán la vía administrativa, quedando expedita la vía jurisdiccional correspondiente.

• Ampliaciones de horario (art. 4 Orden 42/2017)

1. Los horarios se podrán ampliar exclusivamente en los siguientes supuestos:

1.1. Locales, recintos y establecimientos situados en carreteras y fuera del casco urbano de las poblaciones.

1.2. Los situados en aeropuertos, estaciones de tren, de autobuses, mercados de mayoristas o lugares asimilables, y aquellos que estén destinados preferentemente al servicio de viajeros o de trabajadores con horarios nocturnos o de madrugada.

1.3. En la celebración de espectáculos y actividades recreativas que por sus características específicas o excepcionales justificaran la implantación de un horario diferenciado.

1.4. Cuando concurran otras circunstancias de interés público o social distintas a las anteriores que así lo aconsejen.

2. Procedimiento de ampliación del horario:

2.1. La solicitud de autorización de ampliación de horario deberá de presentarse por el titular de la licencia de funcionamiento del local, recinto o establecimiento, y dirigirse al Ayuntamiento correspondiente, conteniendo necesariamente los siguientes extremos:

a) Nombre, apellidos, DNI/NIF y domicilio, a efectos de notificaciones, del interesado y, en su caso, de la persona que le represente, así como expresión del lugar, fecha y firma del interesado.

b) Además, si el solicitante fuera una persona jurídica: el poder de representación de la persona que actúe en su nombre.

c) Indicación del horario máximo solicitado.

2.2. Al escrito de solicitud se deberá acompañar la siguiente documentación:

a) Copia de la licencia de funcionamiento del local.

b) Justificante de haber abonado las tasas respectivas.

c) Memoria justificativa de las causas por las que se pretende el cambio solicitado.

d) Justificante acreditativo de encontrarse vigentes las pólizas de seguros de incendios y de responsabilidad civil relativas al ejercicio de la actividad.

2.3. Recibida la solicitud por el órgano competente, junto con toda la documentación apuntada anteriormente, se iniciará el procedimiento solicitándose, por parte del órgano municipal competente, los siguientes informes:

a) Informe en el que serán oídos los vecinos si los hubiere, que residan en un radio de hasta 100 metros del local para el que solicite horario especial, y en el que se hará constar la incidencia que supondrá la ampliación de horario en la convivencia ciudadana, así como, si el local se halla en o fuera del casco urbano y si dispone de aparcamiento.

El informe deberá ser remitido en un plazo de cuarenta días.

b) A los efectos de valorar la incidencia de la modificación solicitada, en la seguridad pública, informe motivado de los organismos competentes en dicha materia. Recibidos los informes o transcurrido el plazo para remitirlos, el órgano competente dictará la resolución correspondiente. El plazo máximo para resolver el expediente será de cuatro meses. Cuando hubiera transcurrido dicho plazo, sin haber recaído resolución expresa, el interesado podrá entender desestimada su solicitud.

2.4. Las autorizaciones de ampliación de horario deberán ser motivadas y no podrán concederse por períodos superiores a un año. Las autorizaciones podrán ser renovadas por un período de tiempo igual, previa solicitud del interesado y de conformidad con el procedimiento anteriormente indicado.

Asimismo, podrán ser objeto de revocación por causa debidamente justificada y motivada, previa audiencia del interesado.

De las resoluciones autorizatorias de ampliación de horario se dará traslado a la Delegación del Gobierno.

• Reducciones de horario (art. 6 Orden 42/2017)

1. Los Ayuntamientos podrán reducir el horario general de los locales, recintos, instalaciones y otros establecimientos abiertos al público, regulados por la presente Orden por las causas que a continuación se expresan, y de conformidad con el procedimiento que se determina.

2. Serán causas de reducción de horario la ubicación de locales recintos, instalaciones y establecimientos en áreas o zonas de alta concentración de los mismos y/o que se encuentren calificadas y delimitadas como residenciales, medioambientales protegidas o simplemente saturadas cuando la actividad que en ellos se desarrolla impida el derecho al descanso de los vecinos.

3. Procedimiento para la reducción del horario de un local o establecimiento:

En las zonas o áreas contempladas en el punto 2 del presente artículo, y cuando concurran las circunstancias mencionadas en el mismo, se podrá proceder a la reducción del horario general del cierre de los locales, recintos, instalaciones y establecimientos mencionados en el artículo 2, B7, apartados a), b), d), h) y l) de la presente Orden, hasta poder equipararlos, como máximo, al de los bares cafeterías y café-bares.

En estos supuestos, durante la tramitación del expediente, y con anterioridad a la Propuesta de Resolución, por los Ayuntamientos se recabarán los informes técnicos precisos además de la información vecinal correspondiente. Asimismo, se dará trámite de vista del expediente al titular del local o establecimiento, a los efectos de que pueda formular las alegaciones pertinentes en un plazo de quince días.

El Ayuntamiento resolverá el expediente de forma motivada en un plazo máximo de tres meses, haciéndose constar de forma expresa el período de vigencia de la reducción acordada. Transcurrido el mismo regirá de nuevo el horario general.

• Apertura de puertas de locales, recintos e instalaciones (art. 7 Orden 42/2017)

1. Todos los espectáculos y actividades comenzarán a la hora anunciada y durarán el tiempo previsto en los carteles o, en su caso, en la correspondiente autorización.

2. Los locales de espectáculos y actividades recreativas estarán abiertos y, en su caso, debidamente alumbrados, al menos quince minutos antes de dar comienzo sus actividades.

3. Sin perjuicio de lo establecido en la normativa sectorial de aplicación, los recintos e instalaciones de espectáculos estarán abiertos al público con la antelación siguiente:

— Hasta 1.000 personas de aforo, treinta minutos antes.

— De 1.000 a 5.000 personas de aforo, cuarenta y cinco minutos antes.

— De 5.001 a 25.000 personas de aforo, una hora antes.

— De más de 25.000 personas de aforo, hora y media antes.

• Superposición, acumulación de ampliaciones y solapamiento de horarios (art. 8 Orden 42/2017)

1. Los locales, recintos y establecimientos a los que se les haya aplicado tanto el régimen de autorización de ampliación del horario de cierre, como el de reducción del horario general, no podrán acogerse a la prolongación del horario de cierre establecido para los viernes, sábados y vísperas de festivos.

2. En los horarios de verano, la ampliación del horario de cierre establecida para los viernes, sábados y vísperas de fiesta se entenderá siempre que se aplica sobre el horario general de invierno previsto en el artículo 2,B).

3. En el supuesto de que en un local se ejerzan más de una de las actividades compatibles reguladas por la citada Ley de Espectáculos Públicos y Actividades Recreativas de la Comunidad de Madrid, y éstas tengan horarios de cierre distintos, cada una de ellas deberá cesar en su funcionamiento, de acuerdo con el horario establecido en el artículo 2,B) de la presente orden.

III. Jurisprudencia destacada

• Como indicamos la resolución impugnada no sólo no justifica las razones por las que no tiene en cuenta los precedentes administrativos, sino que no toma en consideración la propia instrucción en la que sustenta la decisión pues si **bien la ampliación de horarios puede contemplarse como excepcional, lo es no por razones subjetivas del órgano, sino por las razones objetivas contempladas en la Ley a las peculiaridades de las poblaciones, condiciones de insonorización, afluencia turística o duración del espectáculo**. Y la propia la Resolución de 25 de abril de 2013 del Coordinador General de Gestión Urbanística, Vivienda y Obras por la que se hace pública la Instrucción 02/2013 relativa a los criterios de actuación para la ampliación y reducción de horarios de locales de espectáculos públicos y actividades recreativas, publicada en el boletín oficial del Ayuntamiento de Madrid de 7 de junio de 2013, reconoce como circunstancia que justifica la ampliación del horario y por tanto circunstancia excepcional precisamente la de los recintos y establecimientos estén situados en carreteras y fuera del casco urbano de las poblaciones, y precisamente los que estén en las cercanías de los mercados de mayoristas con trabajadores con horarios nocturnos o de madrugada. [STSJ Madrid 8 mayo 2017.- LA LEY 75500/2017]

• Dada la dificultad de evaluar los beneficios derivados de la comisión de la infracción **superando el horario de cierre, está justificada la opción por la clausura para que la sanción produzca efecto disuasorio** en evitación de futuras infracciones, es decir cumpla el fin de prevención especial es decir provoque el condicionamiento interno del sujeto que ha infringido la norma para que no vuelva a realizar tales infracciones. [STSJ Madrid 4 febrero 2015.- LA LEY 12125/2015]

• Sin embargo examinada la citada normativa, entiende la Sala que la sentencia de instancia no incurre en error alguno en la aplicación de la misma, pues no obstante las distintas alegaciones del apelante, el Anexo forma parte de la Ley 4/2003, estableciendo una regulación específica para el supuesto de terrazas e instalaciones al aire libre, anexas al establecimiento principal o locales, siendo que la citada Ley 4/2003, tal y como sostienen las apeladas, ha dado **un tratamiento distinto al horario de los locales y establecimientos, y al horario de las terrazas a instalaciones al aire libre accesorias de las mismas**, sin que por tanto resulte de aplicación el artículo 30 de la Ley, que se refiere a locales y establecimientos que regula la Ley 3/2004, ni el artículo 5 del Decreto 196/1997 que se refiere a locales concretos o locales concentrados en determinadas zonas, pues como bien reconoce el apelante en su recurso, **la terraza de verano es una instalación al aire libre que no tiene la consideración de local,** y no se puede equiparar, por el propio tenor literal del artículo 1 de la citada Ley, a los establecimientos públicos, considerados como locales, que realicen espectáculos o actividades en instalaciones portátiles, desmontables o vía pública. [STSJ Comunidad Valenciana 21 julio 2015.- LA LEY 196207/2015]

• La conclusión a la que hemos llegado de que la adopción por los Ayuntamientos de cualesquiera medidas tendentes a corregir los incumplimientos de los objetivos de calidad acústica de una determinada zona debe encauzarse a través del procedimiento establecido en los artículos 25 y 26 de la LR, entendiéndose producido el desplazamiento del artículo 6.2 de la Orden n.º 1562/1998, de 23 de octubre, de la Consejería de Presidencia, supone un cambio de la doctrina que en otras ocasiones había mantenido esta Sala y Sección en relación con la impugnación de acuerdos municipales de reducción del horario de cierre de locales y establecimientos públicos, que se amparaban en la habilitación contemplada en el citado artículo 6.2.

Este cambio de doctrina viene motivado al tenerse en consideración la causa motivadora de la medida de reducción de horarios adoptada, explicitada y razonada en la propia resolución administrativa impugnada, lo que llevó a la Sala a tener en consideración el régimen jurídico de protección frente a la contaminación acústica y, particularmente, la Ley 37/2003, de 17 de noviembre, del Ruido, y el carácter de legislación básica de la misma. [STSJ Madrid 10 diciembre 2014.- LA LEY 207468/2014]

• Y finalmente estos mismos argumentos nos lleva a rechazar la denuncia que igualmente formula la parte apelante de que la sentencia de instancia es nula de pleno derecho por vulnerar el principio de igualdad, el principio de seguridad jurídica y el principio de interdicción de la arbitrariedad, al permitir y consentir dicha sentencia de instancia que solo se haya sancionado al establecimiento y no al público asistente, toda vez que no ofrece ninguna duda que la situación jurídica en la que se encuentra **la entidad titular del establecimiento que tiene la obligación de cerrar dicho establecimiento para cumplir el horario de cierre y el público asistente al mismo es distinta y por tanto no comparable,** como para poder afirmar que se ha infringido los citados principios. Y decimos que no es comparable por cuanto que si bien es verdad que uno y otros están obligados a respetar el horario de cierre, también lo es que **la diligencia del deber de conocimiento del horario de cierre en relación con el citado establecimiento es de muy diferente intensidad en el titular del establecimiento que en el público,** que fácilmente puede desconocer tal circunstancia como igualmente es lógico que pueda desconocer la naturaleza y categoría de dicho establecimiento, lo que indudablemente tiene su transcendencia en orden al horario de cierre y por ello también en orden a las consecuencias de su incumplimiento. Cuestión diferente es que los agentes de la Policía Local hubieran acordado desalojar el establecimiento por incumplir dicho horario y los clientes conocedores de tal incumplimiento se hubieran negado a desalojarlo. [STSJ Castilla y León 18 enero 2013.- LA LEY 7808/2013]

• Ahora bien, **una cosa es la «ampliación de horario»** que regula el Decreto 296/1997 en los artículos 11 y 12 de dicho texto reglamentario, y que se refiere a unos horarios especiales que pueden establecerse respecto de los que con carácter general se fijan en el artículo 2 de dicho Decreto. **Y otra cosa, muy diferente, es cómo se clasifican los locales de hostelería y espectáculos públicos** según los grupos establecidos en el artículo

2 del Decreto, y las consecuencias de dicha clasificación. [STSJ País Vasco 11 febrero 2011.- LA LEY 141271/2011]

III.1. Otra jurisprudencia

• Por de pronto la actividad de bar agota los horarios de apertura autorizados, en tanto que las actividades recreativas y culturales se limitan a los momentos de ocio, y en segundo lugar, y lo que es más relevante, la incidencia de unas y otras en la vida ciudadana es muy diferente, siendo notoriamente más acusada la de la actividad de bar. [STSJ País Vasco 11 febrero 2003]

• De los hechos relatados se evidencia que la actividad autorizada en dicho establecimiento Garloc, era la de Bar Especial, y por falta de insonorización se suspendió la actividad, y se le autorizó como bar o bar-cafetería, sin que sea admisible la postura del Ayuntamiento que manifiesta fue un cambio de horario del nocturno al diurno, *pues la característica del bar especial, no es solamente la actividad en sí, sino el horario de cierre permitido*. [STSJ Castilla y León, Burgos, 16 junio 2003]

• Si la Autoridad municipal puede fijar un horario de apertura más reducido para aquellos locales que no dispongan de una adecuada insonorización, con mayor razón podrá hacerlo respecto de aquellos elementos anexos a los establecimientos, tales como los veladores, que por su instalación en la vía pública carecen, por definición de cualquier tipo de aislamiento sonoro, con la lógica incidencia sobre los residentes en las inmediaciones del lugar. Dicha facultad, concluíamos, se la reserva la Ley al Alcalde Presidente de la Corporación. [STSJ Cataluña 12 diciembre 2003]

• **No parece lógico que los establecimientos con horario reducido, por circunstancias excepcionales puedan disponer de una ampliación de horario automática los fines de semana y festivos**. Por ello el citado artículo 8, que regula precisamente la «superposición, acumulaciones de ampliaciones y solapamiento de horarios», establece esta previsión, por lo que habrá que estar al contenido del acto administrativo en el que se establece la limitación de horarios. Además, no se olvide que el horario de bares funciona como un mínimo que no tiene por qué agotarse. [STSJ Madrid 18 octubre 2004]

COMUNIDAD VALENCIANA

Horarios

I. Normativa

Art. 35 de la Ley 14/2010, de 3 de diciembre, de Espectáculos Públicos, Actividades Recreativas y Establecimientos Públicos.

Decreto 21/2017, de 22 de diciembre, del president de la Generalitat, por el que se regulan los horarios de espectáculos públicos, actividades recreativas y establecimientos públicos, para el año 2018.

II. Horarios de espectáculos públicos y actividades recreativas

• **Horario general (art. 2 Decreto 21/2017)**

1. Sin perjuicio de las disposiciones legales existentes en materia de contaminación ambiental y acústica, los espectáculos públicos, actividades recreativas y establecimientos públicos, podrán ejercer su actividad únicamente dentro de los horarios establecidos

como de apertura y cierre para cada uno de ellos en los apartados siguientes, de acuerdo con los epígrafes del Catálogo del Anexo a la Ley 14/2010:

Grupo A. Apertura: 10.00 horas; cierre: después de la terminación de la última sesión, que como máximo empezará a las 01.05 horas.

Espectáculos cinematográficos

Teatros.

Anfiteatros.

Auditorios.

Salas multifuncionales.

Espectáculos circenses.

Grupo B. Apertura: 12.00 horas; cierre: 03.30 horas.

Cafés-teatro.

Cafés-concierto.

Cafés-cantante.

Pubs y karaokes.

Salas de exhibiciones especiales.

Grupo C. Apertura: 08.00 horas; cierre: 01.00 horas. Salones recreativos de máquinas de azar, tipo A.

Grupo D Apertura: 09.00 horas; cierre: 01.00

Espectáculos taurinos.

Salas de conferencia.

Museos y salas de exposiciones.

Tentaderos.

Pistas de patinaje.

Parques de atracciones.

Parques temáticos.

Establecimientos de juego de estrategias con armas simuladas.

Grupo E. Apertura: 09.00 horas; cierre: 24.00 horas.

Parques acuáticos.

Ludotecas.

Grupo F. Apertura: 10.00 horas; cierre: 24.00 horas.

Escuelas taurinas.

Salones ciber y similares.

Grupo G. Apertura: 10.00 horas; cierre: 01.00 horas.

Actividades recreativas (boleras y billares).

Grupo H. Apertura: 06.30 horas; cierre: 01.00 horas.

Pabellones deportivos.

Campos de deporte y estadios.

Piscinas deportivas.

Piscinas de recreo o polivalentes.

Otras instalaciones deportivas.

Gimnasios. Como excepción a este horario general, los gimnasios abiertos a la pública concurrencia, cuando resulte acreditada la debida insonorización de su local de acuerdo con la normativa sectorial en vigor, podrán abrir a las 06.00 horas. Este horario podrá ser objeto de reducción de acuerdo con lo indicado en el artículo 12 del presente decreto en el supuesto de incumplimiento de la normativa sobre contaminación acústica.

Grupo I. Apertura: 17.00 horas; cierre: 07.30 horas.

Salas de fiesta.

Discotecas.

Salas de baile.

Grupo J. Apertura: 06.00 horas; cierre: 01.30 horas.

Ciber café.

Restaurantes.

Café, bar.

Cafeterías

Grupo K. Apertura: 08.00 horas; cierre: 03.00 horas.

Restaurantes, Cafés, Bar y Cafeterías que se pudieren ubicar en establecimientos considerados como tiendas de conveniencia de acuerdo con la regulación actualmente vigente.

Grupo L. Apertura: 10.00 horas; cierre: 03.30 horas.

Salones de banquetes.

Grupo M. Apertura: 09.00 horas; cierre: 22.00 horas.

Zoológicos.

Acuarios.

Safari-park.

Grupo N. Apertura: 09.00 horas; cierre: 02.30 horas.

Salas polivalentes.

Grupo O. Apertura: 12.00 horas; cierre: 02.30 horas.

Salón-lounge.

2. Los espectáculos públicos, actividades recreativas y establecimientos públicos cuyo horario no se encuentre recogido expresamente en el apartado anterior, tendrán el que les corresponda por analogía con otros que sí lo estén en función del contenido u objeto que se desarrolle. Este horario deberá ser validado por la dirección general competente en materia de Espectáculos previa solicitud del interesado.

En el supuesto en que no resulte aplicable la aplicación analógica, será la dirección general competente quien determine el horario por resolución motivada.

3. El horario de los establecimientos que se ubiquen en dominio público marítimo-terrestre, incluido el situado en zona portuaria, cuyas actividades sean las hosteleras y de restauración (epígrafe 2.8 del Catálogo), tendrán un horario fijado entre las 10.00 de

la mañana y las 03.00 de la madrugada durante el período comprendido entre el 1 de junio y el 14 de octubre. El resto del año el horario de apertura y cierre será el general establecido en el apartado anterior. Se exceptúan aquellos que cuenten con licencia de salón de banquetes cuyo horario será el establecido con carácter general.

El resto de establecimientos situados en dicho lugar, atenderá al horario general previsto en el apartado anterior en función de la licencia correspondiente.

4. Los espectáculos, establecimientos públicos y actividades recreativas, incluidos en el ámbito de aplicación de este decreto, podrán prolongar el horario de cierre durante el día de Nochevieja/Año Nuevo en noventa minutos, sobre el establecido en el apartado 1 de este artículo.

5. Los espectáculos, establecimientos públicos y actividades recreativas, incluidos en el ámbito de aplicación de este decreto, podrán prolongar el horario de cierre en sesenta minutos, sobre el establecido en el apartado 1 de este artículo, en las siguientes fechas:

— Día 5 de enero, noche de Reyes.

— Día 8 de octubre, víspera del Día de la Comunitat Valenciana, 9 d'octubre.

— Día 24 de diciembre, nochebuena.

— Día 31 de octubre, víspera del día 1 de noviembre.

• Apertura e inicio (art. 3 Decreto 21/2017)

1. La antelación con que los locales y establecimientos deberán estar abiertos antes de que den comienzo los espectáculos públicos, incluidos en el Grupo A del artículo 2.1 de este decreto será, como mínimo, de quince minutos y, como máximo, de treinta minutos. Esta circunstancia se dará a conocer por el organizador del espectáculo mediante los carteles anunciadores del mismo.

Los locales destinados a los espectáculos de Café-Teatro, Café-Concierto y Café-Cantante, cuando realizan actuaciones en directo cuya hora de inicio coincida con la de apertura general establecida en el Grupo B del artículo 2.1 de este decreto, abrirán las puertas al público con una antelación respecto al inicio de la actuación de quince minutos como mínimo y de treinta minutos como máximo.

2. Para la celebración de espectáculos públicos o actividades recreativas en establecimientos, recintos, instalaciones o lugares abiertos al público, la apertura de los mismos, en función del aforo máximo autorizado, se realizará con la antelación suficiente para permitir el acceso ordenado del público asistente. En todo caso, el tiempo mínimo exigido entre la apertura y el inicio del espectáculo o actividad será el siguiente:

— De 15.000 a 35.000 personas de aforo autorizado, 2 horas.

— De 35.000 a 75.000 personas de aforo autorizado, 3 horas.

— Más de 75.000 personas de aforo autorizado, 4 horas.

No obstante, en los espectáculos y actividades que tengan la consideración de extraordinarios o aquellos que sean autorizados por los Ayuntamientos de acuerdo con lo indicado en la normativa de Espectáculos, cuando acontezcan en los referidos establecimientos, recintos, instalaciones o lugares abiertos al público, dicha antelación se ampliará, como mínimo, en una hora más.

Asimismo, en aquellos espectáculos o actividades en que por razones de orden público se requiera, el tiempo que medie entre la hora de apertura del establecimiento, instalaciones o recintos y el inicio del espectáculo o actividad, se podrá ampliar en función de las necesidades concurrentes.

- **Sesiones destinadas a menores de edad (art. 4 Decreto 21/2017)**

Los locales que hayan obtenido autorización para la celebración de sesiones especiales dirigidas a menores de edad, podrán iniciar la actividad o espectáculo a partir de las 17.00 horas. En todo caso, deberán finalizar antes de las 22.00 horas del mismo día. Estos establecimientos permanecerán cerrados al menos durante una hora, desde la finalización de la sesión y el comienzo de las sesiones ordinarias, si las tuvieren.

- **Espectáculos y actividades realizados con ocasión de fiestas populares, en vía pública o en espacios abiertos (art. 5 Decreto 21/2017)**

1. El horario de los espectáculos o actividades recreativas que conformen la programación de las fiestas populares (locales o patronales), referidas en el apartado 4.3 del Catálogo del Anexo de la Ley 14/2010 tendrán el horario que fije el Ayuntamiento del municipio en cuyo término se celebren, en atención a las circunstancias concurrentes. En este sentido, el Ayuntamiento deberá atender a lo indicado en la regulación sobre contaminación acústica y, asimismo, ponderará la fijación del horario de inicio y, sobre todo, de finalización del evento con el derecho al bienestar de los vecinos, orden público y cualquier otra circunstancia que afecte al respeto de las personas y bienes.

2. En idéntico sentido, corresponderá a los Ayuntamiento la determinación del horario de los espectáculos y actividades realizados en la vía pública o en espacios abiertos teniendo en cuenta lo referido en el apartado anterior. Cuando por excepción, de acuerdo con la normativa sectorial, corresponda a la Generalitat la autorización de estos espectáculos o actividades, se procederá por esta a la fijación del horario de inicio y fin en las mismas condiciones.

3. De acuerdo con las prescripciones y los principios generales establecidos en este decreto, corresponderá a las autoridades municipales la determinación de los horarios de comienzo y finalización de las verbenas, conciertos y el resto de espectáculos que tengan lugar con ocasión de fiestas populares.

- **Salas de Bingo, Casinos y Salones de juego tipo B (art. 6 Decreto 21/2017)**

1. La determinación del horario de apertura y cierre de las Salas de Bingo y de los Casinos así como las comunicaciones a los órganos directivos competentes que de ello se derive, se regirá por la normativa sectorial reguladora de los referidos establecimientos.

2. Los Salones de juego, dedicados específicamente a la explotación de máquinas de tipo B o recreativas con premio, tendrán un horario comprendido entre las 10.00 y las 03.00 horas del día siguiente. No obstante, los viernes, sábados, domingos, festivos y vísperas de festivos, así como durante los meses de julio, agosto y septiembre, el horario de cierre podrá ampliarse hasta las 04.00 horas.

- **Establecimientos anexos a otras instalaciones principales (art. 7 Decreto 21/2017)**

Los establecimientos previstos en el Grupo J del artículo 2.1, salvo los ciber-cafés, ubicados en instalaciones en las que se desarrolle otra actividad considerada como principal y de las que sean accesorias, podrán tener el mismo horario de aquellas.

Se entienden por tales los ubicados en carreteras, puertos, aeropuertos, estaciones de autobuses, estaciones de servicio y similares, mientras estén operativas las instalaciones principales. No obstante, quedan excluidos los establecimientos situados en centros comerciales o grandes superficies comerciales o de ocio, en cuyo caso serán regidos por el horario general establecido en este decreto, siempre que estén comprendidos dentro del horario de apertura y cierre del centro comercial o de ocio en que se ubiquen.

- **Bous al carrer (art. 8 Decreto 21/2017)**

El horario de celebración de «Bous al carrer» será el que se determine, en cada caso, en la resolución de autorización.

- **Concesión de horario excepcional por los Ayuntamientos (art. 9 Decreto 21/2017)**

1. Con carácter excepcional, los Ayuntamientos, con motivo de fiestas populares (locales o patronales) o para días festivos puntuales podrán, para todo su término municipal o para zonas concretas, autorizar la ampliación en hasta una hora del horario general establecido en este En este marco, deberá atenderse a lo que establezcan las disposiciones legales existentes en materia de contaminación ambiental y acústica.

No tendrán la consideración de fiestas populares ni se considerarán como días festivos puntuales las festividades de carácter nacional o autonómico de carácter cívico o religioso. Para este último supuesto no operará la ampliación prevista en este precepto.

2. La ampliación al horario general, a que se refiere el párrafo anterior afectará bien a todos los establecimientos, espectáculos o actividades previstas en el artículo 2 de este decreto, bien a todos aquellos contemplados en uno o algunos de los Grupos del mismo en su conjunto. Esta ampliación no será aplicable a uno o varios establecimientos, espectáculos o actividades individualmente considerados.

3. Las ampliaciones previstas en este artículo deberán ser comunicadas a la dirección general competente en materia de Espectáculos así como a las autoridades policiales correspondientes, dentro de los quince días siguientes a su autorización y, en todo caso, antes de que dicho horario excepcional sea de aplicación.

En dicha comunicación, los Ayuntamientos delimitarán exactamente y de manera motivada los días en los que se aplicará el horario excepcional del apartado anterior.

- **Ampliación del horario general por los Ayuntamientos durante la época estival (art. 10 Decreto 21/2017)**

1. Durante el período comprendido entre el 15 de junio y el 16 de septiembre de 2018, los Ayuntamientos de la Comunitat Valenciana podrán prolongar el horario general de finalización establecido en el artículo 2.1 de este decreto los viernes, sábados y vísperas de festivos para los Grupos siguientes:

— Grupo B: media hora hasta las 04.00 horas.

— Grupo J: una hora hasta las 02.30 horas.

— Grupo L: media hora hasta las 04.00 horas.

El ejercicio de esta facultad deberá ser motivada por el Ayuntamiento y la resolución correspondiente será comunicada a la dirección general competente en materia de Espectáculos, dentro de los quince días siguientes a su adopción.

2. Lo previsto en el presente artículo quedará sin efecto cuando se concedan por los Ayuntamientos los horarios excepcionales regulados en el artículo 9.1 de este decreto.

En este caso, solo regirá lo previsto en el horario excepcional citado sin que se aplique la ampliación del horario previsto para la época estival.

3. La ampliación a que se refiere este artículo se aplicará a todos los establecimientos de los Grupos citados en al apartado 1 o a los establecimientos de alguno o algunos de dichos Grupos. Esta ampliación no se aplicará a locales individualmente considerados.

- **Incompatibilidad en la ampliación de horarios otorgados por la Generalitat (art. 11 Decreto 21/2017)**

Los establecimientos a los que se les haya aplicado el régimen de ampliación horaria por la Generalitat previsto en el Título VIII del reglamento aprobado por Decreto 143/2015, no podrán acogerse a la prolongación del horario de cierre establecido para los viernes, sábados y vísperas de festivos indicada en el artículo 10 del presente decreto.

- **Reducción de horarios (art. 12 Decreto 21/2017)**

1. El procedimiento para la reducción del horario general de los locales y establecimientos públicos será el establecido en el reglamento aprobado por el Decreto 143/2015. Se iniciará preferentemente a instancia de los Ayuntamientos y, en su defecto, por parte por la Dirección General de la Agencia de Seguridad y Respuesta a las Emergencias en los supuestos previstos por la referida normativa.

2. En la resolución por la que se acuerde la reducción del horario, se establecerá también su plazo de duración. Transcurrido dicho plazo, el local estará sujeto de nuevo al horario general que se fija en el presente decreto.

3. Los establecimientos a los que se les haya aplicado el régimen de reducción de horarios previsto en el presente artículo no podrán acogerse a la prolongación del horario de cierre establecido para los viernes, sábados y vísperas de festivos indicada en el artículo 10 de este decreto.

- **Horario de espectáculos o actividades declarados compatibles (art. 13 Decreto 21/2017)**

1. La Resolución que declare la compatibilidad de los espectáculos o actividades que difieran en cuanto a horario en locales cuya solicitud de apertura contemplare dos o más de aquellos, determinará la hora de apertura y cierre de cada uno en función de las condiciones solicitadas para su autorización.

2. Los horarios de los espectáculos o actividades objeto de compatibilidad en un establecimiento no podrán ser autorizados en toda su extensión en tanto no se respete el plazo de cuatro horas entre la apertura y el cierre de aquel de acuerdo con lo previsto en el artículo 157 del reglamento aprobado por Decreto 143/2015.

- **Horario de espectáculos o actividades extraordinarios (art. 14 Decreto 21/2017)**

1. Los espectáculos y actividades recreativas que tengan carácter extraordinario cuando no supongan un incremento de riesgo en función de lo previsto en los artículos 7.1.d y 25.1 de la Ley 14/2010, deberán terminar, como máximo, a la hora de cierre del establecimiento de acuerdo con lo indicado en este decreto.

2. Los espectáculos y actividades recreativas que tengan carácter extraordinario cuando supongan un incremento de riesgo en función de lo previsto en los artículos 7.1.d y 25.2 de la Ley 14/2010, tendrán el horario que determine la Resolución emitida por el órgano competente para su autorización. La indicación de dicho horario estará justificado por el tipo de espectáculo o actividad que se solicite así como, en su caso,

por la equivalencia o analogía con un espectáculo o actividad catalogado en la normativa de Espectáculos y por la tipología y/o características del recinto donde se vayan a realizar. La Resolución emitida deberá ser motivada.

• Horario de espectáculos y actividades realizados en establecimientos con licencia no prevista en la normativa de Espectáculos (art. 15 Decreto 21/2017)

Los espectáculos o actividades que se realicen en establecimientos con licencia no prevista en la normativa de Espectáculos tendrán el horario que fije el Ayuntamiento de la localidad donde se efectúen.

La determinación del horario atenderá al tipo de espectáculo o actividad solicitado, a la situación del establecimiento dentro del término municipal y a la tipología y/o características del mismo.

• Horario de las terrazas (art. 16 Decreto 21/2017)

Las terrazas en vía pública autorizadas a los establecimientos de acuerdo con lo indicado en el artículo 21 de la Ley 14/2010, tendrán un horario máximo delimitado por el horario oficial de apertura y cierre del local del que dependan en función de lo establecido en el artículo 2 de este decreto. La competencia para la determinación de los horarios de dichas terrazas corresponderá a los respectivos Ayuntamientos.

• Horario de los establecimientos o recintos multiusos (art. 17 Decreto 21/2017)

El horario de los espectáculos o actividades que se celebren en los locales que tengan la consideración de establecimiento o recinto multiusos de acuerdo con lo indicado en el artículo 281 del reglamento aprobado por Decreto 143/2015, se ajustará a lo previsto en el artículo 2.1 de este decreto en función del evento correspondiente que se preste o realice en cada caso.

• Cartel horario (art. 18 Decreto 21/2017)

1. Los locales comprendidos dentro del ámbito de aplicación de la Ley 14/2010, deberán colocar un cartel en lugar legible y visible desde el exterior en el que se expresará el horario de apertura y cierre que realicen. Dicho horario deberá estar comprendido, en todo caso, dentro del establecido con carácter general en el artículo 2 de este decreto.

2. En el cartel de horario se hará constar, en su caso, las modificaciones que, por ampliación o reducción, se hayan establecido con respecto al horario general de funcionamiento del establecimiento.

3. Igualmente, en el referido cartel, se hará constar el horario en que se dejan de prestar alguno de los servicios, en el caso de que este sea diferente al de apertura o cierre.

4. El cartel referido en este precepto deberá estar redactado en las dos lenguas oficiales de la Comunitat Valenciana.

• Régimen sancionador (art. 19 Decreto 21/2017)

Las infracciones cometidas por incumplimiento de la normativa prevista en este decreto darán lugar a responsabilidad de acuerdo con lo previsto en el título IV de la Ley 14/2010.

III. Jurisprudencia destacada

• Como indicamos la resolución impugnada no sólo no justifica las razones por las que no tiene en cuenta los precedentes administrativos, sino que no toma en consideración la propia instrucción en la que sustenta la decisión pues si **bien la ampliación de horarios puede contemplarse como excepcional, lo es no por razones subjetivas del órgano, sino por las razones objetivas contempladas en la Ley a las peculiaridades de las poblaciones, condiciones de insonorización, afluencia turística o duración del espectáculo**. Y la propia la Resolución de 25 de abril de 2013 del Coordinador General de Gestión Urbanística, Vivienda y Obras por la que se hace pública la Instrucción 02/2013 relativa a los criterios de actuación para la ampliación y reducción de horarios de locales de espectáculos públicos y actividades recreativas, publicada en el boletín oficial del Ayuntamiento de Madrid de 7 de junio de 2013, reconoce como circunstancia que justifica la ampliación del horario y por tanto circunstancia excepcional precisamente la de los recintos y establecimientos estén situados en carreteras y fuera del casco urbano de las poblaciones, y precisamente los que estén en las cercanías de los mercados de mayoristas con trabajadores con horarios nocturnos o de madrugada. [STSJ Madrid 8 mayo 2017.- LA LEY 75500/2017]

• Dada la dificultad de evaluar los beneficios derivados de la comisión de la infracción **superando el horario de cierre, está justificada la opción por la clausura para que la sanción produzca efecto disuasorio** en evitación de futuras infracciones, es decir cumpla el fin de prevención especial es decir provoque el condicionamiento interno del sujeto que ha infringido la norma para que no vuelva a realizar tales infracciones. [STSJ Madrid 4 febrero 2015.- LA LEY 12125/2015]

• Sin embargo examinada la citada normativa, entiende la Sala que la sentencia de instancia no incurre en error alguno en la aplicación de la misma, pues no obstante las distintas alegaciones del apelante, el Anexo forma parte de la Ley 4/2003, estableciendo una regulación específica para el supuesto de terrazas e instalaciones al aire libre, anexas al establecimiento principal o locales, siendo que la citada Ley 4/2003, tal y como sostienen las apeladas, ha dado **un tratamiento distinto al horario de los locales y establecimientos, y al horario de las terrazas a instalaciones al aire libre accesorias de las mismas**, sin que por tanto resulte de aplicación el artículo 30 de la Ley, que se refiere a locales y establecimientos que regula la Ley 3/2004, ni el artículo 5 del Decreto 196/1997 que se refiere a locales concretos o locales concentrados en determinadas zonas, pues como bien reconoce el apelante en su recurso, **la terraza de verano es una instalación al aire libre que no tiene la consideración de local**, y no se puede equiparar, por el propio tenor literal del artículo 1 de la citada Ley, a los establecimientos públicos, considerados como locales, que realicen espectáculos o actividades en instalaciones portátiles, desmontables o vía pública. [STSJ Comunidad Valenciana 21 julio 2015.- LA LEY 196207/2015]

• La conclusión a la que hemos llegado de que la adopción por los Ayuntamientos de cualesquiera medidas tendentes a corregir los incumplimientos de los objetivos de calidad acústica de una determinada zona debe encauzarse a través del procedimiento establecido en los artículos 25 y 26 de la LR, entendiéndose producido el desplazamiento del artículo 6.2 de la Orden n.º 1562/1998, de 23 de octubre, de la Consejería de Presidencia, supone un cambio de la doctrina que en otras ocasiones había mantenido esta Sala y Sección en relación con la impugnación de acuerdos municipales de reducción del horario de cierre de locales y establecimientos públicos, que se amparaban en la habilitación contemplada en el citado artículo 6.2.

Este cambio de doctrina viene motivado al tenerse en consideración la causa motivadora de la medida de reducción de horarios adoptada, explicitada y razonada en la propia resolución administrativa impugnada, lo que llevó a la Sala a tener en consideración el régimen jurídico de protección frente a la contaminación acústica y, particularmente, la Ley 37/2003, de 17 de noviembre, del Ruido, y el carácter de legislación básica de la misma. [STSJ Madrid 10 diciembre 2014.- LA LEY 207468/2014]

• Y finalmente estos mismos argumentos nos lleva a rechazar la denuncia que igualmente formula la parte apelante de que la sentencia de instancia es nula de pleno derecho por vulnerar el principio de igualdad, el principio de seguridad jurídica y el principio de interdicción de la arbitrariedad, al permitir y consentir dicha sentencia de instancia que solo se haya sancionado al establecimiento y no al público asistente, toda vez que no ofrece ninguna duda que la situación jurídica en la que se encuentra **la entidad titular del establecimiento que tiene la obligación de cerrar dicho establecimiento para cumplir el horario de cierre y el público asistente al mismo es distinta y por tanto no comparable**, como para poder afirmar que se ha infringido los citados principios. Y decimos que no es comparable por cuanto que si bien es verdad que uno y otros están obligados a respetar el horario de cierre, también lo es que **la diligencia del deber de conocimiento del horario de cierre en relación con el citado establecimiento es de muy diferente intensidad en el titular del establecimiento que en el público**, que fácilmente puede desconocer tal circunstancia como igualmente es lógico que pueda desconocer la naturaleza y categoría de dicho establecimiento, lo que indudablemente tiene su transcendencia en orden al horario de cierre y por ello también en orden a las consecuencias de su incumplimiento. Cuestión diferente es que los agentes de la Policía Local hubieran acordado desalojar el establecimiento por incumplir dicho horario y los clientes conocedores de tal incumplimiento se hubieran negado a desalojarlo. [STSJ Castilla y León 18 enero 2013.- LA LEY 7808/2013]

• Ahora bien, **una cosa es la «ampliación de horario»** que regula el Decreto 296/1997 en los artículos 11 y 12 de dicho texto reglamentario, y que se refiere a unos horarios especiales que pueden establecerse respecto de los que con carácter general se fijan en el artículo 2 de dicho Decreto. **Y otra cosa, muy diferente, es cómo se clasifican los locales de hostelería y espectáculos públicos** según los grupos establecidos en el artículo 2 del Decreto, y las consecuencias de dicha clasificación. [STSJ País Vasco 11 febrero 2011.- LA LEY 141271/2011]

III.1. Otra jurisprudencia

• Por de pronto la actividad de bar agota los horarios de apertura autorizados, en tanto que las actividades recreativas y culturales se limitan a los momentos de ocio, y en segundo lugar, y lo que es más relevante, la incidencia de unas y otras en la vida ciudadana es muy diferente, siendo notoriamente más acusada la de la actividad de bar. [STSJ País Vasco 11 febrero 2003]

• De los hechos relatados se evidencia que la actividad autorizada en dicho establecimiento Garloc, era la de Bar Especial, y por falta de insonorización se suspendió la actividad, y se le autorizó como bar o bar-cafetería, sin que sea admisible la postura del Ayuntamiento que manifiesta fue un cambio de horario del nocturno al diurno, *pues la característica del bar especial, no es solamente la actividad en sí, sino el horario de cierre permitido.* [STSJ Castilla y León, Burgos, 16 junio 2003]

• Si la Autoridad municipal puede fijar un horario de apertura más reducido para aquellos locales que no dispongan de una adecuada insonorización, con mayor razón podrá hacerlo respecto de aquellos elementos anexos a los establecimientos, tales como los veladores, que por su instalación en la vía pública carecen, por definición de cualquier tipo de aislamiento sonoro, con la lógica incidencia sobre los residentes en las inmediaciones del lugar. Dicha facultad, concluíamos, se la reserva la Ley al Alcalde Presidente de la Corporación. [STSJ Cataluña 12 diciembre 2003]

• **No parece lógico que los establecimientos con horario reducido, por circunstancias excepcionales puedan disponer de una ampliación de horario automática los fines de semana y festivos**. Por ello el citado artículo 8, que regula precisamente la «superposición, acumulaciones de ampliaciones y solapamiento de horarios», establece esta previsión, por lo que habrá que estar al contenido del acto administrativo en el que se establece la limitación de horarios. Además, no se olvide que el horario de bares funciona como un mínimo que no tiene por qué agotarse. [STSJ Madrid 18 octubre 2004]

EXTREMADURA

Horarios

I. Normativa

Orden de 16 septiembre 1996. Establece los horarios de apertura y cierre de los establecimientos, espectáculos públicos y actividades recreativas.

Art. 2 c) de la Ley 3/2002, de 9 de mayo, de Comercio de la Comunidad Autónoma de Extremadura.- LA LEY 931/2002.

II. Horarios de espectáculos públicos y actividades recreativas

• **Horarios de apertura (art. 3 Orden 16 septiembre 1996)**

Con carácter general los locales y establecimientos destinados a espectáculos públicos y actividades recreativas no podrán ser abiertos sin que haya transcurrido entre el horario oficial máximo de cierre, y la apertura de los mismos, un período mínimo de tiempo de seis horas.

Los establecimientos encuadrados en el Grupo C del artículo 4 no podrán ser abiertos sin haber transcurrido entre el horario oficial máximo de cierre, y la apertura de los mismos, un período mínimo de tiempo de cuatro horas.

Los establecimientos encuadrados en los Grupos E y F del artículo 4, abrirán a partir de las once horas.

• **Horarios de cierre (art. 4 Orden 16 septiembre 1996)**

Horario de invierno

Desde el 1 de octubre hasta el 31 de mayo, ambos inclusive.

Grupo	Local o Establecimiento	Hora de cierre
A	Cines, Teatros, Circos, Frontones, Boleras, Canódromos, Pistas de Patinaje y otras instalaciones deportivas	1.30 h
B	Tabernas y Bodegas	1.00 h
C	Cafés, Bares, Cafeterías y Restaurantes	1.30 h

Grupo	Local o Establecimiento	Hora de cierre
D	Salones recreativos y de juego	23.00 h
E	Discotecas, Salas de Baile, Cafés, Teatro, Cafés-Concierto, Salas de Fiesta con espectáculos, Tablaos, Flamencos	4.00 h
F	Bares especiales	2.30 h
G	Salas de Fiesta de Juventud	22.00 h
H	Gimnasios	24.00 h
I	Salas de Bingo y Cacinos de Juego	3.00
J	Verbenas y Fiestas Populares	3.00 h
K	Espectáculos al aire libre	1.30 h

Horario de verano

Desde el 1 de junio al 30 de septiembre, ambos inclusive. Este mismo horario regirá también durante el período de Jueves Santo al Lunes de Pascua, ambos inclusive, y desde el 24 de diciembre al 6 de enero, ambos inclusive.

Grupo	Local o Establecimiento	Hora de cierre
A	Cines, Teatros, Circos, Frontones, Boleras, Canódromos, Pistas de Patinaje y otras instalaciones deportivas	2.00 h
B	Tabernas y Bodegas	1.30 h
C	Cafés, Bares, Cafeterías y Restaurantes	2.00 h
D	Salones recreativos y de juego	24.00 h
E	Discotecas, Salas de Baile, Cafés, Teatro, Cafés-Concierto, Salas de Fiesta con espectáculos, Tablaos, Flamencos	5.00 h
F	Bares especiales	3.00 h
G	Salas de Fiesta de Juventud	22.30 h
H	Gimnasios	1.00 h
I	Salas de Bingo y Casinos de Juego	3.30
J	Verbenas y Fiestas Populares	3.30 h
K	Espectáculos al aire libre	2.00 h

Horario de fines de semana

Los horarios de terminación y cierre podrán prolongarse media hora más los viernes, sábados y vísperas de fiestas.

• **Regulación de las operaciones materiales de cierre (art. 5 Orden 16 septiembre 1996)**

Para todos los locales

En los locales mencionados en el artículo 2, a partir de la hora de cierre de los mismos, no se permitirá el acceso de ningún cliente ni se expenderá consumición alguna, debiendo igualmente, en su caso, quedar fuera de funcionamiento tanto la música ambiental, como las máquinas recreativas, vídeos o cualquier aparato o máquina similar.

Llegada la hora establecida para el cierre, los locales y establecimientos aludidos deberán estar totalmente desalojados.

En los locales mencionados en el artículo 4, en los Grupos E, F y G, se deberá poner en conocimiento de la clientela el cierre con quinte minutos de antelación.

Para salones recreativos y de juego

En los salones recreativos y de juego deberán, llegada la hora de cierre, quedar todas las máquinas y aparatos de juego fuera de funcionamiento, así como, en su caso, dejar de expender cualquier artículo de consumo e impedir el acceso de nuevos clientes.

Para salas de bingo y casinos de juego

En las Salas de Bingo y Casinos de Juego, a partir de la hora de cierre no podrá realizarse ninguna partida de bingo ni practicarse ninguno de los juegos propios de Casinos, impidiéndose igualmente el acceso de nuevos clientes y poniéndose fuera de servicio las máquinas recreativas. Los locales deberán estar totalmente desalojados llegada la hora establecida para el cierre.

• **Horarios especiales (art. 6 Orden 16 septiembre 1996)**

Tipología

Podrá solicitarse autorización de horarios especiales en los siguientes casos:

a) Verbenas y festejos populares. La determinación de los horarios de comienzo y terminación de las verbenas, conciertos y demás espectáculos que tengan lugar con ocasión de fiestas patronales o locales, competerá a las autoridades municipales correspondientes, quienes deberán comunicar dicha determinación a la Dirección General de Administración Local e Interior de la Consejería de Presidencia y Trabajo.

b) Establecimientos situados fuera del casco urbano: siempre que disten del perímetro del mismo 2 kilómetros.

c) Establecimientos situados en estaciones y similares: locales y establecimientos situados en estaciones de trenes o de autobuses o lugares análogos y que estén destinados preferentemente al servicio de viajeros.

d) Establecimientos situados a pie de carretera, destinados preferentemente a trabajadores con horario nocturno siempre que no existan viviendas habitadas en un radio mínimo de 250 metros.

e) Los Salones de Celebraciones de Bodas o Banquetes.

f) Los Bares Especiales, sólo en cuanto al horario de apertura.

g) Espectáculos y acontecimientos públicos excepcionales. La Consejería de Presidencia y Trabajo podrá autorizar, para supuestos y fechas concretas, y en atención a acontecimientos de carácter ferial, certámenes, exposiciones o análogos, ampliaciones o reducciones del régimen general de horarios establecido en la presente Orden.

Procedimiento

La Consejería de Presidencia y Trabajo podrá autorizar los horarios especiales recogidos en las letras b), c), d), e), f) y g), del punto anterior con arreglo al siguiente procedimiento.

Documentación

Petición del propio interesado, acompañada de certificación del Ayuntamiento correspondiente, que acredite:

1) Disponer de Licencia de Apertura debidamente legalizada.

2) Informe del Alcalde.

3) Disponer del nivel de insonorización del local con relación a la normativa vigente.

4) El aforo o el número de metros cuadrados disponibles para el público.

5) Las actividades para las que la licencia otorgada habilita.

Resolución

La Consejería de Presidencia y Trabajo resolverá sobre la solicitud en un plazo máximo de tres meses, salvo los supuestos contemplados en el apartado g) del Punto 1.º en los que se resolverá en el plazo de diez días.

Cuando hubieran transcurrido los indicados plazos sin haber recaído resolución expresa, se entenderán desestimadas.

Dicha resolución determinará de forma concreta la hora de comienzo y de terminación de los horarios especiales y el plazo de concesión, y se notificara al respectivo Ayuntamiento.

Revocación

Las autorizaciones de ampliación de horarios especiales se considerarán efectuadas a título precario y por tanto no tendrán la consideración de declarativas de derechos por lo que podrán ser objeto de revocación mediante resolución motivada de la Consejería de Presidencia y Trabajo, por causa debidamente justificada y previa audiencia al interesado.

• **Cambios de titularidad, categoría o destino (art. 7 Orden 16 septiembre 1996)**

De conformidad con el artículo 50 del vigente Reglamento General de Policía de Espectáculos Públicos y Actividades Recreativas de 27 de agosto de 1982, los cambios de titularidad, categoría o destino de los establecimientos, deberán comunicarse a la Consejería de Presidencia y Trabajo a efectos de determinar el régimen de horarios que corresponde con arreglo a la presente Orden. No sean transmisibles las autorizaciones a que se refiere el citado artículo anterior.

- **Inspección (art. 8 Orden 16 septiembre 1996)**

1. En las actas de denuncia levantadas por los agentes de la autoridad relativas a presuntas infracciones deberá constar como mínimo:

a) Nombre, apellidos y número del NIF o CIF del titular del establecimiento o local.

b) Número del agente o agentes de la autoridad denunciante.

c) Día y hora en que haya tenido comienzo la inspección.

d) Nombre del local y tipo del mismo.

e) Número aproximado de las personas que se encuentran en el establecimiento o local.

f) Presunta infracción o infracciones cometidas.

g) Firma de los agentes de la autoridad denunciantes, del titular del local o, en su defecto, persona que se encuentre a cargo del mismo o diligencia expedida por dichos agentes en el caso de negativa a firmar por parte del titular.

Remisión de las actas

Los Agentes de la autoridad deberán remitir las actas que levanten a la Consejería de Presidencia y Trabajo, a efectos de incoar el correspondiente expediente sancionador, si procede.

- **Infracciones (art. 9 Orden 16 septiembre 1996)**

Las infracciones a lo dispuesto en esta Orden serán sancionadas de conformidad con lo dispuesto en la *LO 1/1992, de 21 de febrero, sobre Protección de la Seguridad Ciudadana.*

III. Jurisprudencia destacada

- Como indicamos la resolución impugnada no sólo no justifica las razones por las que no tiene en cuenta los precedentes administrativos, sino que no toma en consideración la propia instrucción en la que sustenta la decisión pues si **bien la ampliación de horarios puede contemplarse como excepcional, lo es no por razones subjetivas del órgano, sino por las razones objetivas contempladas en la Ley a las peculiaridades de las poblaciones, condiciones de insonorización, afluencia turística o duración del espectáculo**. Y la propia la Resolución de 25 de abril de 2013 del Coordinador General de Gestión Urbanística, Vivienda y Obras por la que se hace pública la Instrucción 02/2013 relativa a los criterios de actuación para la ampliación y reducción de horarios de locales de espectáculos públicos y actividades recreativas, publicada en el boletín oficial del Ayuntamiento de Madrid de 7 de junio de 2013, reconoce como circunstancia que justifica la ampliación del horario y por tanto circunstancia excepcional precisamente la de los recintos y establecimientos estén situados en carreteras y fuera del casco urbano de las poblaciones, y precisamente los que estén en las cercanías de los mercados de mayoristas con trabajadores con horarios nocturnos o de madrugada. [STSJ Madrid 8 mayo 2017.- LA LEY 75500/2017]

• Dada la dificultad de evaluar los beneficios derivados de la comisión de la infracción **superando el horario de cierre, está justificada la opción por la clausura para que la sanción produzca efecto disuasorio** en evitación de futuras infracciones, es decir cumpla el fin de prevención especial es decir provoque el condicionamiento interno del sujeto que ha infringido la norma para que no vuelva a realizar tales infracciones. [STSJ Madrid 4 febrero 2015.- LA LEY 12125/2015]

• Sin embargo examinada la citada normativa, entiende la Sala que la sentencia de instancia no incurre en error alguno en la aplicación de la misma, pues no obstante las distintas alegaciones del apelante, el Anexo forma parte de la Ley 4/2003, estableciendo una regulación específica para el supuesto de terrazas e instalaciones al aire libre, anexas al establecimiento principal o locales, siendo que la citada Ley 4/2003, tal y como sostienen las apeladas, ha dado **un tratamiento distinto al horario de los locales y establecimientos, y al horario de las terrazas a instalaciones al aire libre accesorias de las mismas**, sin que por tanto resulte de aplicación el artículo 30 de la Ley, que se refiere a locales y establecimientos que regula la Ley 3/2004, ni el artículo 5 del Decreto 196/1997 que se refiere a locales concretos o locales concentrados en determinadas zonas, pues como bien reconoce el apelante en su recurso, **la terraza de verano es una instalación al aire libre que no tiene la consideración de local**, y no se puede equiparar, por el propio tenor literal del artículo 1 de la citada Ley, a los establecimientos públicos, considerados como locales, que realicen espectáculos o actividades en instalaciones portátiles, desmontables o vía pública. [STSJ Comunidad Valenciana 21 julio 2015.- LA LEY 196207/2015]

• La conclusión a la que hemos llegado de que la adopción por los Ayuntamientos de cualesquiera medidas tendentes a corregir los incumplimientos de los objetivos de calidad acústica de una determinada zona debe encauzarse a través del procedimiento establecido en los artículos 25 y 26 de la LR, entendiéndose producido el desplazamiento del artículo 6.2 de la Orden n.º 1562/1998, de 23 de octubre, de la Consejería de Presidencia, supone un cambio de la doctrina que en otras ocasiones había mantenido esta Sala y Sección en relación con la impugnación de acuerdos municipales de reducción del horario de cierre de locales y establecimientos públicos, que se amparaban en la habilitación contemplada en el citado artículo 6.2.

Este cambio de doctrina viene motivado al tenerse en consideración la causa motivadora de la medida de reducción de horarios adoptada, explicitada y razonada en la propia resolución administrativa impugnada, lo que llevó a la Sala a tener en consideración el régimen jurídico de protección frente a la contaminación acústica y, particularmente, la Ley 37/2003, de 17 de noviembre, del Ruido, y el carácter de legislación básica de la misma. [STSJ Madrid 10 diciembre 2014.- LA LEY 207468/2014]

• Y finalmente estos mismos argumentos nos lleva a rechazar la denuncia que igualmente formula la parte apelante de que la sentencia de instancia es nula de pleno derecho por vulnerar el principio de igualdad, el principio de seguridad jurídica y el principio de interdicción de la arbitrariedad, al permitir y consentir dicha sentencia de instancia que solo se haya sancionado al establecimiento y no al público asistente, toda vez que no ofrece ninguna duda que la situación jurídica en la que se encuentra **la entidad titular del establecimiento que tiene la obligación de cerrar dicho establecimiento para cumplir el horario de cierre y el público asistente al mismo es distinta y por tanto no comparable**, como para poder afirmar que se ha infringido los citados principios. Y decimos que no es comparable por cuanto que si bien es verdad que uno y otros están obligados a respetar el horario de cierre, también lo es que **la diligencia del deber de conocimiento del horario de cierre en relación con el citado establecimiento es de muy diferente intensidad en el titular del establecimiento que en el público**, que fácilmente puede desconocer tal circunstancia como igualmente es lógico que pueda desconocer la naturaleza y categoría de dicho establecimiento, lo que indudablemente tiene su transcendencia en orden al horario de cierre y por ello también en orden a las consecuencias de su incumplimiento. Cuestión diferente es que los agentes de la Policía Local hubieran acordado desalojar el establecimiento por incumplir dicho horario y los clientes conocedores de tal incumplimiento se hubieran negado a desalojarlo. [STSJ Castilla y León 18 enero 2013.- LA LEY 7808/2013]

• Ahora bien, **una cosa es la «ampliación de horario»** que regula el Decreto 296/1997 en los artículos 11 y 12 de dicho texto reglamentario, y que se refiere a unos horarios especiales que pueden establecerse respecto de los que con carácter general se fijan en el artículo 2 de dicho Decreto. **Y otra cosa, muy diferente, es cómo se clasifican los locales de hostelería y espectáculos públicos** según los grupos establecidos en el artículo 2 del Decreto, y las consecuencias de dicha clasificación. [STSJ País Vasco 11 febrero 2011.- LA LEY 141271/2011]

III.1. Otra jurisprudencia

• Por de pronto la actividad de bar agota los horarios de apertura autorizados, en tanto que las actividades recreativas y culturales se limitan a los momentos de ocio, y en segundo lugar, y lo que es más relevante, la incidencia de unas y otras en la vida ciudadana es muy diferente, siendo notoriamente más acusada la de la actividad de bar. [STSJ País Vasco 11 febrero 2003]

• De los hechos relatados se evidencia que la actividad autorizada en dicho establecimiento Garloc, era la de Bar Especial, y por falta de insonorización se suspendió la actividad, y se le autorizó como bar o bar-cafetería, sin que sea admisible la postura del Ayuntamiento que manifiesta fue un cambio de horario del nocturno al diurno, *pues la característica del bar especial, no es solamente la actividad en sí, sino el horario de cierre permitido*. [STSJ Castilla y León, Burgos, 16 junio 2003]

• Si la Autoridad municipal puede fijar un horario de apertura más reducido para aquellos locales que no dispongan de una adecuada insonorización, con mayor razón podrá hacerlo respecto de aquellos elementos anexos a los establecimientos, tales como los veladores, que por su instalación en la vía pública carecen, por definición de cualquier tipo de aislamiento sonoro, con la lógica incidencia sobre los residentes en las inmediaciones del lugar. Dicha facultad, concluíamos, se la reserva la Ley al Alcalde Presidente de la Corporación. [(STSJ Cataluña 12 diciembre 2003]

• **No parece lógico que los establecimientos con horario reducido, por circunstancias excepcionales puedan disponer de una ampliación de horario automática los fines de semana y festivos**. Por ello el citado artículo 8, que regula precisamente la «superposición, acumulaciones de ampliaciones y solapamiento de horarios», establece esta previsión, por lo que habrá que estar al contenido del acto administrativo en el que se establece la limitación de horarios. Además, no se olvide que el horario de bares funciona como un mínimo que no tiene por qué agotarse. [STSJ Madrid 18 octubre 2004]

GALICIA

Horarios

I. Normativa

La Ley 10/2017, de 27 de diciembre, de espectáculos públicos y actividades recreativas de Galicia, en su art. 17 se refiere a los horarios, disponiendo que:

1. Mediante orden de la persona titular de la consejería competente en la materia, y previo informe de la Comisión de Espectáculos Públicos y Actividades Recreativas de Galicia, se determinará el horario general de apertura y cierre de los establecimientos abiertos al público y de inicio y finalización de los espectáculos públicos y actividades recreativas.

2. La orden que determine los horarios de apertura y cierre de los establecimientos abiertos al público y de inicio y finalización de los espectáculos públicos o actividades recreativas podrá establecer los criterios, supuestos y circunstancias que permitan a los ayuntamientos autorizar, de forma motivada, ampliaciones o reducciones sobre el horario general.

Por su parte la Disposición transitoria quinta, establece que en tanto no se apruebe y entre en vigor la orden a que se refiere el artículo 17 continuará vigente la Orden de 16 de junio de 2005 por la que se determinan los horarios de apertura y cierre de espectáculos y establecimientos públicos en la Comunidad Autónoma de Galicia, tanto en lo tocante a los horarios de apertura y cierre de establecimientos, espectáculos públicos y actividades recreativas como a la competencia autonómica para su alteración en los términos previstos en dicha orden.

II. Jurisprudencia destacada

• Como indicamos la resolución impugnada no sólo no justifica las razones por las que no tiene en cuenta los precedentes administrativos, sino que no toma en consideración la propia instrucción en la que sustenta la decisión pues si **bien la ampliación de horarios puede contemplarse como excepcional, lo es no por razones subjetivas del órgano, sino por las razones objetivas contempladas en la Ley a las peculiaridades de las poblaciones, condiciones de insonorización, afluencia turística o duración del espectáculo**. Y la propia la Resolución de 25 de abril de 2013 del Coordinador General de Gestión Urbanística, Vivienda y Obras por la que se hace pública la Instrucción 02/2013 relativa a los criterios de actuación para la ampliación y reducción de horarios de locales de espectáculos públicos y actividades recreativas, publicada en el boletín oficial del Ayuntamiento de Madrid de 7 de junio de 2013, reconoce como circunstancia que justifica la ampliación del horario y por tanto circunstancia excepcional precisamente la de los recintos y establecimientos estén situados en carreteras y fuera del casco urbano de las poblaciones, y precisamente los que estén en las cercanías de los mercados de mayoristas con trabajadores con horarios nocturnos o de madrugada. [STSJ Madrid 8 mayo 2017.- LA LEY 75500/2017]

• Dada la dificultad de evaluar los beneficios derivados de la comisión de la infracción **superando el horario de cierre, está justificada la opción por la clausura para que la sanción produzca efecto disuasorio** en evitación de futuras infracciones, es decir cumpla el fin de prevención especial es decir provoque el condicionamiento interno del

sujeto que ha infringido la norma para que no vuelva a realizar tales infracciones. [STSJ Madrid 4 febrero 2015.- LA LEY 12125/2015]

• Sin embargo examinada la citada normativa, entiende la Sala que la sentencia de instancia no incurre en error alguno en la aplicación de la misma, pues no obstante las distintas alegaciones del apelante, el Anexo forma parte de la Ley 4/2003, estableciendo una regulación específica para el supuesto de terrazas e instalaciones al aire libre, anexas al establecimiento principal o locales, siendo que la citada Ley 4/2003, tal y como sostienen las apeladas, ha dado **un tratamiento distinto al horario de los locales y establecimientos, y al horario de las terrazas a instalaciones al aire libre accesorias de las mismas**, sin que por tanto resulte de aplicación el artículo 30 de la Ley, que se refiere a locales y establecimientos que regula la Ley 3/2004, ni el artículo 5 del Decreto 196/1997 que se refiere a locales concretos o locales concentrados en determinadas zonas, pues como bien reconoce el apelante en su recurso, **la terraza de verano es una instalación al aire libre que no tiene la consideración de local**, y no se puede equiparar, por el propio tenor literal del artículo 1 de la citada Ley, a los establecimientos públicos, considerados como locales, que realicen espectáculos o actividades en instalaciones portátiles, desmontables o vía pública. [STSJ Comunidad Valenciana 21 julio 2015.- LA LEY 196207/2015]

• La conclusión a la que hemos llegado de que la adopción por los Ayuntamientos de cualesquiera medidas tendentes a corregir los incumplimientos de los objetivos de calidad acústica de una determinada zona debe encauzarse a través del procedimiento establecido en los artículos 25 y 26 de la LR, entendiéndose producido el desplazamiento del artículo 6.2 de la Orden n.º 1562/1998, de 23 de octubre, de la Consejería de Presidencia, supone un cambio de la doctrina que en otras ocasiones había mantenido esta Sala y Sección en relación con la impugnación de acuerdos municipales de reducción del horario de cierre de locales y establecimientos públicos, que se amparaban en la habilitación contemplada en el citado artículo 6.2.

Este cambio de doctrina viene motivado al tenerse en consideración la causa motivadora de la medida de reducción de horarios adoptada, explicitada y razonada en la propia resolución administrativa impugnada, lo que llevó a la Sala a tener en consideración el régimen jurídico de protección frente a la contaminación acústica y, particularmente, la Ley 37/2003, de 17 de noviembre, del Ruido, y el carácter de legislación básica de la misma. [STSJ Madrid 10 diciembre 2014.- LA LEY 207468/2014]

• Y finalmente estos mismos argumentos nos lleva a rechazar la denuncia que igualmente formula la parte apelante de que la sentencia de instancia es nula de pleno derecho por vulnerar el principio de igualdad, el principio de seguridad jurídica y el principio de interdicción de la arbitrariedad, al permitir y consentir dicha sentencia de instancia que solo se haya sancionado al establecimiento y no al público asistente, toda vez que no ofrece ninguna duda que la situación jurídica en la que se encuentra **la entidad titular del establecimiento que tiene la obligación de cerrar dicho establecimiento para cumplir el horario de cierre y el público asistente al mismo es distinta y por tanto no comparable**, como para poder afirmar que se ha infringido los citados principios. Y decimos que no es comparable por cuanto que si bien es verdad que uno y otros están obligados a respetar el horario de cierre, también lo es que **la diligencia del deber de conocimiento del horario de cierre en relación con el citado establecimiento es de muy diferente intensidad en el titular del establecimiento que en el público**, que fácilmente puede desconocer tal circunstancia como igualmente es lógico que pueda desconocer la naturaleza y categoría de dicho establecimiento, lo que indudablemente tiene su transcendencia en orden al horario de cierre y por ello también en orden a las consecuencias de su incumplimiento. Cuestión diferente es que los agentes de la Policía Local hubieran acordado desalojar el establecimiento por incumplir dicho horario y los clientes conocedores de tal incumplimiento se hubieran negado a desalojarlo. [STSJ Castilla y León 18 enero 2013.- LA LEY 7808/2013]

• Ahora bien, **una cosa es la «ampliación de horario»** que regula el Decreto 296/1997 en los artículos 11 y 12 de dicho texto reglamentario, y que se refiere a unos horarios especiales que pueden establecerse respecto de los que con carácter general se fijan en el artículo 2 de dicho Decreto. **Y otra cosa, muy diferente, es cómo se clasifican los locales de hostelería y espectáculos públicos** según los grupos establecidos en el artículo 2 del Decreto, y las consecuencias de dicha clasificación. [STSJ País Vasco 11 febrero 2011.- LA LEY 141271/2011]

II.1. Otra jurisprudencia

• Por de pronto la actividad de bar agota los horarios de apertura autorizados, en tanto que las actividades recreativas y culturales se limitan a los momentos de ocio, y en segundo lugar, y lo que es más relevante, la incidencia de unas y otras en la vida ciudadana es muy diferente, siendo notoriamente más acusada la de la actividad de bar. [STSJ País Vasco 11 febrero 2003]

• De los hechos relatados se evidencia que la actividad autorizada en dicho establecimiento Garloc, era la de Bar Especial, y por falta de insonorización se suspendió la actividad, y se le autorizó como bar o bar-cafetería, sin que sea admisible la postura del Ayuntamiento que manifiesta fue un cambio de horario del nocturno al diurno, *pues la característica del bar especial, no es solamente la actividad en sí, sino el horario de cierre permitido.* [STSJ Castilla y León, Burgos, 16 junio 2003]

• Si la Autoridad municipal puede fijar un horario de apertura más reducido para aquellos locales que no dispongan de una adecuada insonorización, con mayor razón podrá hacerlo respecto de aquellos elementos anexos a los establecimientos, tales como los veladores, que por su instalación en la vía pública carecen, por definición de cualquier tipo de aislamiento sonoro, con la lógica incidencia sobre los residentes en las inmediaciones del lugar. Dicha facultad, concluíamos, se la reserva la Ley al Alcalde Presidente de la Corporación. [STSJ Cataluña 12 diciembre 2003]

• **No parece lógico que los establecimientos con horario reducido, por circunstancias excepcionales puedan disponer de una ampliación de horario automática los fines de semana y festivos.** Por ello el citado artículo 8, que regula precisamente la «superposición, acumulaciones de ampliaciones y solapamiento de horarios», establece esta previsión, por lo que habrá que estar al contenido del acto administrativo en el que se establece la limitación de horarios. Además, no se olvide que el horario de bares funciona como un mínimo que no tiene por qué agotarse. [STSJ Madrid 18 octubre 2004]

ISLAS BALEARES

Horarios

I. Normativa

A las actividades permanentes de espectáculos públicos, actividades recreativas y establecimientos públicos se refiere el art. 25 Ley 7/2013 que determina un marco común sobre los horarios para cubrir el vacío legal existente.

• **Horario general de las actividades permanentes de espectáculos públicos, actividades recreativas y establecimientos públicos**

1. Las administraciones públicas, en el ámbito de sus competencias, deberán adecuar su función de regulación de los horarios y de autorización y control de actividades a las disposiciones de la presente ley. En especial, las administraciones competentes velarán para evitar las molestias y los problemas de orden público que el funcionamiento de la actividad pueda producir en el exterior derivados de ruidos y vibraciones y de concentraciones humanas o de vehículos que puedan afectar a la seguridad o a la salud pública.

2. Si no existen ordenanzas municipales o reglamentos insulares que regulen expresamente los horarios de actividades permanentes de espectáculos públicos, actividades recreativas y establecimientos públicos, éstas permanecerán cerradas:

— Entre las 24.00 h y las 10.00 h en las zonas al aire libre con actividad musical.

— Entre las 6.00 h y las 10.00 h en las zonas cerradas con actividad musical.

3. Para poder ejercer la actividad entre las 24.00 h y las 8.00 h deberán adoptar medidas para intentar evitar el ruido y la aglomeración de personas en el exterior de la actividad que puedan provocar molestias al vecindario.

4. A partir de la hora de cierre, las personas titulares o promotoras de las actividades de espectáculos públicos, recreativas y de establecimientos públicos deberán cumplir con las obligaciones siguientes:

a) Dejar de servir bebidas y otros servicios.

b) Parar la música.

c) Impedir la entrada de usuarios.

d) Dejar de ejecutar cualquier espectáculo, juego o similar.

e) Encender la iluminación.

5. Cuando se trate de una zona de la actividad con horario distinto al del resto de la actividad, además de las obligaciones anteriores y una vez que la zona esté vacía de público, los titulares o promotores deberán cumplir con las siguientes obligaciones:

a) Proceder al cierre efectivo o a la limitación física de la zona.

b) Garantizar la ausencia de alumbrado en la zona, excepto el necesario para la señalización y la evacuación.

6. El horario de la actividad estará señalizado en el acceso y en la taquilla.

II. Jurisprudencia destacada

• Como indicamos la resolución impugnada no sólo no justifica las razones por las que no tiene en cuenta los precedentes administrativos, sino que no toma en consideración la propia instrucción en la que sustenta la decisión pues si **bien la ampliación de horarios puede contemplarse como excepcional, lo es no por razones subjetivas del órgano, sino por las razones objetivas contempladas en la Ley a las peculiaridades de las poblaciones, condiciones de insonorización, afluencia turística o duración del espectáculo**. Y la propia la Resolución de 25 de abril de 2013 del Coordinador General de Gestión Urbanística, Vivienda y Obras por la que se hace pública la Instrucción 02/2013 relativa a los criterios de actuación para la ampliación y reducción de horarios de locales de espectáculos públicos y actividades recreativas, publicada en el boletín oficial del Ayuntamiento de Madrid de 7 de junio de 2013, reconoce como circunstancia que justifica la ampliación del horario y por tanto circunstancia excepcional precisamente la de los recintos y establecimientos estén situados en carreteras y fuera del casco urbano de las poblaciones, y precisamente los que estén en las cercanías de los mercados de mayoristas con trabajadores con horarios nocturnos o de madrugada. [STSJ Madrid 8 mayo 2017.- LA LEY 75500/2017]

• Dada la dificultad de evaluar los beneficios derivados de la comisión de la infracción **superando el horario de cierre, está justificada la opción por la clausura para que la sanción produzca efecto disuasorio** en evitación de futuras infracciones, es decir cumpla el fin de prevención especial es decir provoque el condicionamiento interno del sujeto que ha infringido la norma para que no vuelva a realizar tales infracciones. [STSJ Madrid 4 febrero 2015.- LA LEY 12125/2015]

• Sin embargo examinada la citada normativa, entiende la Sala que la sentencia de instancia no incurre en error alguno en la aplicación de la misma, pues no obstante las distintas alegaciones del apelante, el Anexo forma parte de la Ley 4/2003, estableciendo una regulación específica para el supuesto de terrazas e instalaciones al aire libre, anexas al establecimiento principal o locales, siendo que la citada Ley 4/2003, tal y como sostienen las apeladas, ha dado **un tratamiento distinto al horario de los locales y establecimientos, y al horario de las terrazas a instalaciones al aire libre accesorias de las mismas**, sin que por tanto resulte de aplicación el artículo 30 de la Ley, que se refiere a locales y establecimientos que regula la Ley 3/2004, ni el artículo 5 del Decreto 196/1997 que se refiere a locales concretos o locales concentrados en determinadas zonas, pues como bien reconoce el apelante en su recurso, **la terraza de verano es una instalación al aire libre que no tiene la consideración de local**, y no se puede equiparar, por el propio tenor literal del artículo 1 de la citada Ley, a los establecimientos públicos, considerados como locales, que realicen espectáculos o actividades en instalaciones portátiles, desmontables o vía pública. [STSJ Comunidad Valenciana 21 julio 2015.- LA LEY 196207/2015]

• La conclusión a la que hemos llegado de que la adopción por los Ayuntamientos de cualesquiera medidas tendentes a corregir los incumplimientos de los objetivos de calidad acústica de una determinada zona debe encauzarse a través del procedimiento establecido en los artículos 25 y 26 de la LR, entendiéndose producido el desplazamiento del artículo 6.2 de la Orden n.º 1562/1998, de 23 de octubre, de la Consejería de Presidencia, supone un cambio de la doctrina que en otras ocasiones había mantenido esta Sala y Sección en relación con la impugnación de acuerdos municipales de reducción del horario de cierre de locales y establecimientos públicos, que se amparaban en la habilitación contemplada en el citado artículo 6.2.

Este cambio de doctrina viene motivado al tenerse en consideración la causa motivadora de la medida de reducción de horarios adoptada, explicitada y razonada en la propia resolución administrativa impugnada, lo que llevó a la Sala a tener en consideración el régimen jurídico de protección frente a la contaminación acústica y, particularmente, la Ley 37/2003, de 17 de noviembre, del Ruido, y el carácter de legislación básica de la misma. [STSJ Madrid 10 diciembre 2014.- LA LEY 207468/2014]

• Y finalmente estos mismos argumentos nos lleva a rechazar la denuncia que igualmente formula la parte apelante de que la sentencia de instancia es nula de pleno derecho por vulnerar el principio de igualdad, el principio de seguridad jurídica y el principio de interdicción de la arbitrariedad, al permitir y consentir dicha sentencia de instancia que solo se haya sancionado al establecimiento y no al público asistente, toda vez que no ofrece ninguna duda que la situación jurídica en la que se encuentra **la entidad titular del establecimiento que tiene la obligación de cerrar dicho establecimiento para cumplir el horario de cierre y el público asistente al mismo es distinta y por tanto no comparable**, como para poder afirmar que se ha infringido los citados principios. Y decimos que no es comparable por cuanto que si bien es verdad que uno y otros están obligados a respetar el horario de cierre, también lo es que **la diligencia del deber de conocimiento del horario de cierre en relación con el citado establecimiento es de muy diferente intensidad en el titular del establecimiento que en el público**, que fácilmente puede desconocer tal circunstancia como igualmente es lógico que pueda desconocer la naturaleza y categoría de dicho establecimiento, lo que indudablemente tiene su transcendencia en orden al horario de cierre y por ello también en orden a las consecuencias de su incumplimiento. Cuestión diferente es que los agentes de la Policía Local hubieran acordado desalojar el establecimiento por incumplir dicho horario y los clientes conocedores de tal incumplimiento se hubieran negado a desalojarlo. [STSJ Castilla y León 18 enero 2013.- LA LEY 7808/2013]

• Ahora bien, **una cosa es la «ampliación de horario»** que regula el Decreto 296/1997 en los artículos 11 y 12 de dicho texto reglamentario, y que se refiere a unos horarios especiales que pueden establecerse respecto de los que con carácter general se fijan en el artículo 2 de dicho Decreto. **Y otra cosa, muy diferente, es cómo se clasifican los locales de hostelería y espectáculos públicos** según los grupos establecidos en el artículo 2 del Decreto, y las consecuencias de dicha clasificación. [STSJ País Vasco 11 febrero 2011.- LA LEY 141271/2011]

II.1. Otra jurisprudencia

• Por de pronto la actividad de bar agota los horarios de apertura autorizados, en tanto que las actividades recreativas y culturales se limitan a los momentos de ocio, y en segundo lugar, y lo que es más relevante, la incidencia de unas y otras en la vida ciudadana es muy diferente, siendo notoriamente más acusada la de la actividad de bar. [STSJ País Vasco 11 febrero 2003]

• De los hechos relatados se evidencia que la actividad autorizada en dicho establecimiento Garloc, era la de Bar Especial, y por falta de insonorización se suspendió la actividad, y se le autorizó como bar o bar-cafetería, sin que sea admisible la postura del Ayuntamiento que manifiesta fue un cambio de horario del nocturno al diurno, *pues la característica del bar especial, no es solamente la actividad en sí, sino el horario de cierre permitido.* [STSJ Castilla y León, Burgos, 16 junio 2003]

• Si la Autoridad municipal puede fijar un horario de apertura más reducido para aquellos locales que no dispongan de una adecuada insonorización, con mayor razón podrá hacerlo respecto de aquellos elementos anexos a los establecimientos, tales como los veladores, que por su instalación en la vía pública carecen, por definición de cualquier tipo de aislamiento sonoro, con la lógica incidencia sobre los residentes en las inmediaciones del lugar. Dicha facultad, concluíamos, se la reserva la Ley al Alcalde Presidente de la Corporación. [STSJ Cataluña 12 diciembre 2003]

• **No parece lógico que los establecimientos con horario reducido, por circunstancias excepcionales puedan disponer de una ampliación de horario automática los fines de semana y festivos**. Por ello el citado artículo 8, que regula precisamente la «superposición, acumulaciones de ampliaciones y solapamiento de horarios», establece esta previsión, por lo que habrá que estar al contenido del acto administrativo en el que se establece la limitación de horarios. Además, no se olvide que el horario de bares funciona como un mínimo que no tiene por qué agotarse. [STSJ Madrid 18 octubre 2004]

LA RIOJA

Horarios

I. Normativa

Decreto 47/1997, de 5 de septiembre, regulador de horarios de los establecimientos públicos y actividades recreativas de la Comunidad Autónoma de La Rioja.- LA LEY 6140/1997.

Arts. 27 y 28 de la Ley 4/2000, de 25 de octubre, de Espectáculos Públicos y Actividades Recreativas de la Comunidad Autónoma de La Rioja.

II. Horarios de establecimientos públicos y actividades recreativas

El Decreto 47/1997 regula los horarios de los establecimientos, con la singularidad de definir los establecimientos a los solos efectos de horarios de apertura y cierre, en su art. 2.

A los solos efectos de horarios de apertura y cierre se entenderá por:

1.- Discotecas, Salas de Baile y Salas de fiesta: Aquellos establecimientos cuya actividad principal es la práctica del baile, con actuación o no de espectáculo, que centralizan su actividad preferentemente en horario nocturno, se hallan expresamente acondicionados a tal fin de conformidad con la legislación aplicable y disponen en cualquier caso:

A. De un mínimo de 250 m útiles destinados al público.

B. De aseos, de acuerdo con la normativa vigente.

C. De una insonorización mínima del local acorde con lo establecido en la legislación vigente.

D. El acceso del público se realizará a través de un departamento estanco con absorción acústica y doble puerta. La doble puerta se podrá evitar siempre y cuando entre la zona de baile y la puerta de acceso al público exista una distancia no inferior a quince metros.

Están clasificados en el presente Decreto en el Grupo D del artículo 4.

2.- Bares especiales: Aquellos establecimientos públicos que centran su actividad preferentemente en horario nocturno, hallándose especialmente acondicionados para reducir ruidos y molestias a su entorno.

El horario de bar especial requerirá una autorización administrativa específica y deberán cumplir necesariamente como mínimo las características siguientes:

A. Disponer de 50 m útiles destinados al público.

B. El acceso al público se realizará a través de un departamento estanco con absorción acústica y doble puerta.

C. Una insonorización mínima del local, conforme a lo establecido en el artículo 7.3.A.3.a) de este Decreto.

D. Aire acondicionado o ventilación forzada, tanto para invierno como para verano, que permita el funcionamiento del establecimiento sin apertura de puertas o ventanas.

E. Deberá disponer, dentro del local y destinados al público, de un asiento por cada 1,75 m útiles al público. En el caso de que se instalen asientos corridos se computará un asiento por cada 0,50 m. lineales.

F. Deberán disponer de los siguientes elementos de aseos:

    a) En los locales de menos de 100 metros cuadrados útiles destinados al público:
        — Señoras: Zona de lavabo y dos inodoros.
        — Caballeros: Zona de lavabo, un inodoro y dos urinarios.

    b) En los locales con más de 100 metros cuadrados útiles destinados al público:
        — Señoras: Zona de lavabo y tres inodoros.
        — Caballeros: Zona de lavabo, un inodoro y cuatro urinarios.

G. Los «bares especiales» habrán de tener a disposición de cualquier agente de la autoridad o personal autorizado de la Consejería de Desarrollo Autonómico, Administraciones Públicas y Medio Ambiente, la correspondiente autorización administrativa junto a la licencia municipal, que deberán ser coincidentes en la identidad de su titular.

• Horarios máximos de apertura y cierre (art. 3 Decreto 47/1997)

1. El horario máximo general de establecimientos públicos a que se refiere el presente Decreto será el establecido conforme al siguiente cuadro:

Grupo	Establecimientos	Apertura	Cierre
A	Cines, teatros, circos, frontones, boleras.	07.00 h	01.00 h
B	Bares, cafeterías, clubes, tabernas, Bodegas o cualquier establecimiento similar que no se encuentre en otro Grupo.	07.00 h	02.00 h
B Apertura	Establecimientos con ampliación de horario de apertura conforme al artículo 7.1. E)	Según resolución	02.00 h
B Especial	Bares Especiales autorizados conforme al Art. 7.1.G)	08.30 h	3.30 h
B Restringido	Establecimientos autorizados conforme al artículo 3.3	07.00 h	00.00 h
C	Restaurantes, Asadores, Casas de comidas y similares	07.00 h	01.00 h
D	Discotecas, Salas de Baile y Salas de Fiestas	11.00 h	05.00 h
E	Sesiones para menores en Discotecas, Salas de Baile y Salas de Fiesta autorizadas conforme al Decreto 25/2004, de 30 de abril	18.00 h	22.00 h
F	Salas de Bingo y Casinos de Juego	09.30 h	03.30 h
G	Verbenas y fiestas populares	09.00 h	03.00 h
H	Espectáculos al aire libre	07.30 h	01.30 h
I	Salones recreativos y de juego	06.00 h	00.00 h

— Horario de Fines de Semana

El horario de apertura y cierre de los sábados, domingos y días festivos será el establecido en el siguiente cuadro:

Grupo	Establecimientos	Apertura	Cierre
A	Cines, teatros, circos, frontones, boleras.	07.30 h	01.30 h
B	Bares, cafeterías, clubes, tabernas, Bodegas o cualquier establecimiento similar que no se encuentre en otro Grupo.	08.30 h	02.30 h

Grupo	Establecimientos	Apertura	Cierre
B Apertura	Establecimientos con ampliación de horario de apertura conforme al artículo 7.1. E)	Según resolución	02.30 h
B Especial	Bares Especiales autorizados conforme al Art. 7.1.G)	10.00 h	04.00 h
B Restringido	Establecimientos autorizados conforme al artículo 3.3	08.30h	00.00 h
C	Restaurantes, Asadores, Casas de comidas y similares	07.30 h	01.30 h
D	Discotecas, Salas de Baile y Salas de Fiestas	11.30 h	05.30 h
E	Sesiones para menores en Discotecas, Salas de Baile y Salas de Fiesta autorizadas conforme al Decreto 25/2004, de 30 de abril	18.00 h	22.00 h
F	Salas de Bingo y Casinos de Juego	10.00 h	04.00 h
G	Verbenas y fiestas populares	09.30 h	03.30 h
H	Espectáculos al aire libre	08.00 h	02.00 h
I	Salones recreativos y de juego	06.30 h	00.30 h

Grupo B restringido

A través de las normas urbanísticas de su Plan General, los Ayuntamientos de La Rioja cuando establezcan condiciones específicas relativas a distancia para los establecimientos del Grupo B que determinen, el horario máximo de tales establecimientos será:

— Con carácter general, de las 07,00 horas a las 00,00 horas.

— Los sábados, domingos y días festivos, de las 8,30 horas a las 00,00 horas.

Condiciones especiales de apertura

Los locales y establecimientos públicos a que se refiere el presente Decreto, no podrán abrir sin haber transcurrido entre el horario oficial máximo de cierre, sea éste efectivamente realizado o no, y la apertura de los mismos, un período mínimo de seis horas, excepto los encuadrados en el Grupo B y Grupo B especial del artículo 3 que será de 5 horas en horarios laborales.

• Terrazas y Veladores (art. 4 Decreto 47/1997)

El horario de terminación y cierre de las terrazas y veladores será el que establezcan las respectivas Ordenanzas Municipales reguladoras de la utilización del dominio público o en el acuerdo de concesión de la licencia para la ocupación del dominio público.

En todo caso, el horario máximo permitido de terminación y cierre de las terrazas y veladores será hasta las 2,00 h de lunes a viernes y podrá prolongarse media hora más en la madrugada de los sábados, domingos y días festivos.

Para aquellos establecimientos que tengan terraza o velador y su horario de cierre sea inferior al establecido en el apartado anterior, el horario de cierre de la terraza o velador estará sujeto al horario de funcionamiento del establecimiento.

- **Carteles horarios (art. 5 Decreto 47/1997)**

Los locales y establecimientos a que se refiere el presente Decreto, dispondrán de un cartel de horario visible al público, donde figurarán entre otros datos, el horario de apertura así como el horario de cierre del local, según modelo que regulará la Consejería de Desarrollo Autonómico, Administraciones Públicas y Medio Ambiente y que será visado por ésta.

- **Regulación de las operaciones materiales de cierre (art. 6 Decreto 47/1997)**

Llegada la hora establecida para el cierre, los locales y establecimientos aludidos en el presente Decreto, deberán estar totalmente desalojados.

En los locales mencionados en los Grupos D y E del artículo 4, se deberá poner en conocimiento de la clientela el cierre con quince minutos de antelación.

- **Horarios especiales (art. 7 Decreto 47/1997)**

Supuestos

Podrá solicitarse autorización de horarios especiales en los siguientes casos:

A. **Verbenas y festejos populares en fiestas patronales o locales**. La determinación de los horarios de comienzo y terminación de las verbenas, conciertos y demás espectáculos que tengan lugar en la vía pública con ocasión de fiestas patronales o locales, competerá a las autoridades municipales correspondientes, quienes deberán comunicar dicha determinación a la Consejería de Desarrollo Autonómico, Administraciones Públicas y Medio Ambiente.

B. **Establecimientos situados fuera del casco urbano**. Establecimientos situados fuera del casco urbano siempre que disten una distancia del perímetro del mismo, de 2 kilómetros.

C. **Establecimientos situados en estaciones y similares**. Locales y establecimientos situados en estaciones de trenes o de autobuses o lugares análogos y que estén destinados preferentemente al servicio de viajeros.

D. **Establecimientos situados a pie de carretera**. Establecimientos que se encuentren a pie de carretera destinados preferentemente a trabajadores con horario nocturno siempre y cuando no existan viviendas habitadas en un radio mínimo de 250 metros.

E. **Ampliación de horario de apertura**. Los establecimientos encuadrados dentro del Grupo B del artículo 4, podrán solicitar de la Consejería de Desarrollo Autonómico, Administraciones Públicas y Medio Ambiente, ampliación del horario de apertura, cuando justifiquen con razones fundamentadas su petición.

A efectos de la concesión de este tipo de autorizaciones y previo los informes que se consideren pertinentes, se tendrá en cuenta:

1.- Que la prestación del servicio se efectúe en su totalidad en el interior del local.

2.- La ubicación del establecimiento. Este ha de estar situado fuera de las «zonas saturadas» a que se refiere el artículo 11 del presente Decreto.

3.- Distancias entre establecimientos. La distancia mínima que debe existir entre establecimientos a los que se les conceda la ampliación del horario de apertura será de cincuenta metros. Las distancias se medirán de conformidad con las Ordenanzas o Normativas Urbanísticas de cada Ayuntamiento en donde radique el local.

En todo caso, no se permitirá la emisión de música desde la hora autorizada de apertura hasta las 8,00 horas en días laborables y 8,30 horas en festivos, permitiéndose la emisión radiofónica o audiovisual no musical.

El horario máximo de apertura que la Consejería de Desarrollo Autonómico, Administraciones Públicas y Medio Ambiente podrá autorizar será: A las 6,00 horas los días laborables y a las 7,00 horas los festivos y vísperas de festivos.

F. **Espectáculos y acontecimientos públicos excepcionales**. La Consejería de Desarrollo Autonómico, Administraciones Públicas y Medio Ambiente podrá autorizar, ampliaciones o reducciones del régimen general de horarios establecidos en el presente Decreto, para supuestos y fechas concretas o en atención a acontecimientos de carácter ferial, certámenes, exposiciones o análogos.

Nota: Véase Res [LA RIOJA] del Director General de Justicia e Interior de 27 diciembre 2005 por la que se autoriza la ampliación del horario de cierre de establecimientos y locales destinados a espectáculos públicos y actividades recreativas en la Comunidad Autónoma de La Rioja para el año 2006 («B.O.L.R». 5 enero 2006). Véase Res [LA RIOJA] del Director General de Justicia e Interior de 27 diciembre 2005 por la que se autoriza la ampliación del horario de cierre de establecimientos y locales destinados a espectáculos públicos y actividades recreativas del Municipio de Logroño para el año 2006 («B.O.L.R». 5 enero 2006).

G. **Bares Especiales**. La Consejería de Desarrollo Autonómico, Administraciones Públicas y Medio Ambiente, concederá la autorización administrativa de ampliación de horario de cierre para aquellos bares que cumplan los requisitos establecidos en el artículo 2.2 del presente Decreto. El horario de cierre será a las 3,30 horas.

Procedimiento

La Consejería de Desarrollo Autonómico, Administraciones Públicas y Medio Ambiente podrá autorizar los horarios especiales recogidos en las letras B), C), D) y E), del punto 1 con arreglo al siguiente procedimiento:

A. Documentación:

1.- Solicitud de ampliación de horario, según modelo que figura en el anexo I al presente Decreto.

2.- Certificación del Ayuntamiento correspondiente, que acredite:

a) Disponer de Licencia de Apertura y titular de la misma.

b) Disponer del nivel de insonorización del local con relación a la normativa vigente.

c) Las actividades para las que la licencia otorgada habilita.

d) Para los horarios previstos en los apartados B) y D) del punto 1 constará la acreditación de las distancias exigidas.

3.- Copia compulsada del Impuesto de Actividades Económicas.

B. Resolución. La Consejería de Desarrollo Autonómico, Administraciones Públicas y Medio Ambiente, resolverá sobre la solicitud en un plazo máximo de tres meses, atendiendo a la finalidad de la presente norma y precisará, en su caso, los términos en que se concede la autorización.

Cuando hubiera transcurrido el indicado plazo sin haber recaído resolución expresa, se entenderá desestimada.

Dicha resolución determinará de forma concreta la hora de comienzo y de terminación de los horarios especiales.

Procedimiento

La Consejería de Desarrollo Autonómico, Administraciones Públicas y Medio Ambiente autorizará el horario especial recogido en la letra G) del punto 1 del presente artículo, con arreglo al siguiente procedimiento:

A. Documentación:

1.- Solicitud de ampliación de horario, según modelo que figura en el anexo I al presente Decreto.

2.- Certificado expedido por el Ayuntamiento correspondiente en que se acredite:

a) Tipo de licencia de apertura y titular de la misma.

b) El número de metros cuadrados disponibles para el público.

c) Las actividades para las que la licencia otorgada habilita.

3.- Certificado emitido por el Ayuntamiento correspondiente, o por técnico competente visado por su respectivo Colegio Profesional, en el que se acredite:

a) Que el local, en el desarrollo de la actividad, producirá un determinado nivel de presión sonora teniendo en cuenta todos los focos productores de ruido (equipo de música, caraoke, televisión, voces del público, etc.), y la potencia acústica de los mismos. Partiendo de dicho nivel, se acreditará mediante cálculos justificativos que el aislamiento colocado es suficiente para que el nivel de inmisión en colindantes no sobrepase los 30 dB(A) en horario nocturno (de 22 h. a 8 h.) y 35 dB(A) en horario diurno (de 8 h. a 22 h.) y en exterior no sobrepase los 40 dB(A) en horario nocturno (de 22 h. a 8 h.) y 50 dB(A) en horario diurno (de 8 h. a 22 h.).

Los niveles de vibración transmitidos a los elementos sólidos que componen la compartimentación del recinto receptor cumplirán los límites establecidos en la normativa vigente.

b) Que el local dispone de aire acondicionado o ventilación forzada, tanto para invierno como para verano.

c) Que el número de sillas, butacas, asientos, etc. se ajusta a lo establecido en el artículo 2.2.E).

4.- Plano de distribución del local.

5.- Copia compulsada del Impuesto de Actividades Económicas.

B. Resolución. La Consejería de Desarrollo Autonómico, Administraciones Públicas y Medio Ambiente, resolverá sobre la solicitud en un plazo máximo de tres meses y precisará, en su caso, los términos en que se concede la autorización.

Cuando hubiera transcurrido el indicado plazo sin haber recaído resolución expresa, se entenderá desestimada.

• Revocación (art. 8 Decreto 47/1997)

Las autorizaciones administrativas concedidas en virtud del presente Decreto no tendrán la consideración de declaratorias de derechos por lo que podrán ser objeto de revocación mediante Resolución motivada de la Consejería de Desarrollo Autonómico, Administraciones Públicas y Medio Ambiente.

El incumplimiento de los términos en que se conceda la autorización administrativa solicitada, sin perjuicio de responsabilidad administrativa a que diera lugar, determinará la revocación de la licencia concedida.

Igualmente, se podrá proceder a la revocación de la autorización, sin derecho a indemnización, cuando desaparezcan las circunstancias que motivaron su otorgamiento o sobrevengan otras que, de haber existido a la sazón, hubieran justificado su denegación.

• Inspección (art. 9 Decreto 47/1997)

Actas

En las actas de denuncia levantadas por los agentes de la autoridad o personal autorizado por la Consejería de Desarrollo Autonómico, Administraciones Públicas y Medio Ambiente, relativas a presuntas infracciones del Decreto, deberán figurar, siempre que sea posible, los siguientes datos:

A. Nombre, apellidos, y n.º del N.I.F. o C.I.F. del titular del establecimiento o local.

B. Número del agente o agentes de la autoridad denunciantes.

C. Día y hora en que se realiza la inspección.

D. Nombre del local y tipo del mismo.

E. Número aproximado de las personas que se encuentran en el establecimiento o local.

F. Presunta infracción o infracciones cometidas.

G. Firma de los agentes de la autoridad denunciantes, del titular del local o, en su defecto persona que se encuentre a cargo del mismo o diligencia expedida por dichos agentes, en el caso de negativa a firmar por parte del titular o del responsable.

Remisión de las actas

Los agentes de la autoridad deberán remitir las actas que levanten a la Consejería de Desarrollo Autonómico, Administraciones Públicas y Medio Ambiente, a efectos de incoar el correspondiente expediente sancionador si procediese.

- **Infracciones (art. 10 Decreto 47/1997)**

Las infracciones a lo dispuesto en este Decreto serán sancionadas de conformidad con lo dispuesto en la LO 1/1992, de 21 de febrero, sobre Protección de la Seguridad Ciudadana (B.O.E. del 22-02-92), salvo legislación autonómica aplicable a la materia regulada por el presente Decreto.

- **Zonas saturadas (art. 11 Decreto 47/1997)**

En función de la excesiva concentración de personas o de establecimientos dedicados a la hostelería o el esparcimiento en una determinada y concreta zona, o con ocasión del elevado impacto ambiental derivado de los ruidos producidos por las referidas concentraciones, los Ayuntamientos podrán declarar «zonas saturadas», con delimitación expresa de las calles afectadas, comunicándolo a la Consejería de Desarrollo Autonómico, Administraciones Públicas y

III. Jurisprudencia destacada

- Como indicamos la resolución impugnada no sólo no justifica las razones por las que no tiene en cuenta los precedentes administrativos, sino que no toma en consideración la propia instrucción en la que sustenta la decisión pues si **bien la ampliación de horarios puede contemplarse como excepcional, lo es no por razones subjetivas del órgano, sino por las razones objetivas contempladas en la Ley a las peculiaridades de las poblaciones, condiciones de insonorización, afluencia turística o duración del espectáculo**. Y la propia la Resolución de 25 de abril de 2013 del Coordinador General de Gestión Urbanística, Vivienda y Obras por la que se hace pública la Instrucción 02/2013 relativa a los criterios de actuación para la ampliación y reducción de horarios de locales de espectáculos públicos y actividades recreativas, publicada en el boletín oficial del Ayuntamiento de Madrid de 7 de junio de 2013, reconoce como circunstancia que justifica la ampliación del horario y por tanto circunstancia excepcional precisamente la de los recintos y establecimientos estén situados en carreteras y fuera del casco urbano de las poblaciones, y precisamente los que estén en las cercanías de los mercados de mayoristas con trabajadores con horarios nocturnos o de madrugada. [STSJ Madrid 8 mayo 2017.- LA LEY 75500/2017]

- Dada la dificultad de evaluar los beneficios derivados de la comisión de la infracción **superando el horario de cierre, está justificada la opción por la clausura para que la sanción produzca efecto disuasorio** en evitación de futuras infracciones, es decir cumpla el fin de prevención especial es decir provoque el condicionamiento interno del

sujeto que ha infringido la norma para que no vuelva a realizar tales infracciones. [STSJ Madrid 4 febrero 2015.- LA LEY 12125/2015]

• Sin embargo examinada la citada normativa, entiende la Sala que la sentencia de instancia no incurre en error alguno en la aplicación de la misma, pues no obstante las distintas alegaciones del apelante, el Anexo forma parte de la Ley 4/2003, estableciendo una regulación específica para el supuesto de terrazas e instalaciones al aire libre, anexas al establecimiento principal o locales, siendo que la citada Ley 4/2003, tal y como sostienen las apeladas, ha dado **un tratamiento distinto al horario de los locales y establecimientos, y al horario de las terrazas a instalaciones al aire libre accesorias de las mismas**, sin que por tanto resulte de aplicación el artículo 30 de la Ley, que se refiere a locales y establecimientos que regula la Ley 3/2004, ni el artículo 5 del Decreto 196/1997 que se refiere a locales concretos o locales concentrados en determinadas zonas, pues como bien reconoce el apelante en su recurso, **la terraza de verano es una instalación al aire libre que no tiene la consideración de local**, y no se puede equiparar, por el propio tenor literal del artículo 1 de la citada Ley, a los establecimientos públicos, considerados como locales, que realicen espectáculos o actividades en instalaciones portátiles, desmontables o vía pública. [STSJ Comunidad Valenciana 21 julio 2015.- LA LEY 196207/2015]

• La conclusión a la que hemos llegado de que la adopción por los Ayuntamientos de cualesquiera medidas tendentes a corregir los incumplimientos de los objetivos de calidad acústica de una determinada zona debe encauzarse a través del procedimiento establecido en los artículos 25 y 26 de la LR, entendiéndose producido el desplazamiento del artículo 6.2 de la Orden n.º 1562/1998, de 23 de octubre, de la Consejería de Presidencia, supone un cambio de la doctrina que en otras ocasiones había mantenido esta Sala y Sección en relación con la impugnación de acuerdos municipales de reducción del horario de cierre de locales y establecimientos públicos, que se amparaban en la habilitación contemplada en el citado artículo 6.2.

Este cambio de doctrina viene motivado al tenerse en consideración la causa motivadora de la medida de reducción de horarios adoptada, explicitada y razonada en la propia resolución administrativa impugnada, lo que llevó a la Sala a tener en consideración el régimen jurídico de protección frente a la contaminación acústica y, particularmente, la Ley 37/2003, de 17 de noviembre, del Ruido, y el carácter de legislación básica de la misma. [STSJ Madrid 10 diciembre 2014.- LA LEY 207468/2014]

• Y finalmente estos mismos argumentos nos lleva a rechazar la denuncia que igualmente formula la parte apelante de que la sentencia de instancia es nula de pleno derecho por vulnerar el principio de igualdad, el principio de seguridad jurídica y el principio de interdicción de la arbitrariedad, al permitir y consentir dicha sentencia de instancia que solo se haya sancionado al establecimiento y no al público asistente, toda vez que no ofrece ninguna duda que la situación jurídica en la que se encuentra **la entidad titular del establecimiento que tiene la obligación de cerrar dicho establecimiento para cumplir el horario de cierre y el público asistente al mismo es distinta y por tanto no comparable**, como para poder afirmar que se ha infringido los citados principios. Y decimos que no es comparable por cuanto que si bien es verdad que uno y otros están obligados a respetar el horario de cierre, también lo es que **la diligencia del deber de conocimiento del horario de cierre en relación con el citado establecimiento es de muy diferente intensidad en el titular del establecimiento que en el público**, que fácilmente puede desconocer tal circunstancia como igualmente es lógico que pueda desconocer la naturaleza y categoría de dicho establecimiento, lo que indudablemente tiene su transcendencia en orden al horario de cierre y por ello también en orden a las consecuencias de su incumplimiento. Cuestión diferente es que los agentes de la Policía Local hubieran acordado desalojar el establecimiento por incumplir dicho horario y los clientes conocedores de tal incumplimiento se hubieran negado a desalojarlo. [STSJ Castilla y León 18 enero 2013.- LA LEY 7808/2013]

• Ahora bien, **una cosa es la «ampliación de horario»** que regula el Decreto 296/1997 en los artículos 11 y 12 de dicho texto reglamentario, y que se refiere a unos horarios especiales que pueden establecerse respecto de los que con carácter general se fijan en el artículo 2 de dicho Decreto. **Y otra cosa, muy diferente, es cómo se clasifican los locales de hostelería y espectáculos públicos** según los grupos establecidos en el artículo 2 del Decreto, y las consecuencias de dicha clasificación. [STSJ País Vasco 11 febrero 2011.- LA LEY 141271/2011]

III.1. Otra jurisprudencia

• Por de pronto la actividad de bar agota los horarios de apertura autorizados, en tanto que las actividades recreativas y culturales se limitan a los momentos de ocio, y en segundo lugar, y lo que es más relevante, la incidencia de unas y otras en la vida ciudadana es muy diferente, siendo notoriamente más acusada la de la actividad de bar. [STSJ País Vasco 11 febrero 2003]

• De los hechos relatados se evidencia que la actividad autorizada en dicho establecimiento Garloc, era la de Bar Especial, y por falta de insonorización se suspendió la actividad, y se le autorizó como bar o bar-cafetería, sin que sea admisible la postura del Ayuntamiento que manifiesta fue un cambio de horario del nocturno al diurno, *pues la característica del bar especial, no es solamente la actividad en sí, sino el horario de cierre permitido.* [STSJ Castilla y León, Burgos, 16 junio 2003]

• Si la Autoridad municipal puede fijar un horario de apertura más reducido para aquellos locales que no dispongan de una adecuada insonorización, con mayor razón podrá hacerlo respecto de aquellos elementos anexos a los establecimientos, tales como los veladores, que por su instalación en la vía pública carecen, por definición de cualquier tipo de aislamiento sonoro, con la lógica incidencia sobre los residentes en las inmediaciones del lugar. Dicha facultad, concluíamos, se la reserva la Ley al Alcalde Presidente de la Corporación. [STSJ Cataluña 12 diciembre 2003]

• **No parece lógico que los establecimientos con horario reducido, por circunstancias excepcionales puedan disponer de una ampliación de horario automática los fines de semana y festivos.** Por ello el citado artículo 8, que regula precisamente la «superposición, acumulaciones de ampliaciones y solapamiento de horarios», establece esta previsión, por lo que habrá que estar al contenido del acto administrativo en el que se establece la limitación de horarios. Además, no se olvide que el horario de bares funciona como un mínimo que no tiene por qué agotarse. [STSJ Madrid 18 octubre 2004]

NAVARRA

Horarios

I. Normativa

Art. 12 de la Ley Foral 2/1989, de 13 de marzo, reguladora de espectáculos públicos y actividades recreativas

Decreto Foral 201/2002, de 23 de septiembre, por el que se regula el horario general de espectáculos públicos y actividades recreativas.- LA LEY 11307/2002

II. Horarios de espectáculos públicos y actividades recreativas

Horarios generales de apertura y cierre (art. 2 DF 201/2002)

El horario general de los siguientes establecimientos dedicados con carácter permanente a espectáculos públicos y actividades recreativas será:

GRUPO	ESTABLECIMIENTOS	APERTURA	CIERRE
A	Discotecas de Juventud	18:00 h	23:00 h
B	Bares. Cafeterías. Restaurantes	06:00 h	02:00 h
C	Salones recreativos y Cibercentros	09:00 h	02:00 h
D	Bares especiales. Cafés-Espectáculo	13:00 h	03:30 h
E	Salas de Bingo. Salones de Juego. Salones Deportivos	09:00 h	03:30 h
F	Discotecas. Salas de Fiesta	18:00 h	06:00 h

Los establecimientos encuadrados en los grupos B, D y F podrán retrasar, en media hora, el horario de cierre establecido en el apartado anterior los sábados y festivos.

El horario general de cierre contemplará un período de tiempo complementario para el desalojo, conforme al artículo 4.º de este Decreto Foral.

Los horarios de cierre establecidos en los apartados anteriores para los grupos B y D serán de aplicación a los locales de este tipo ubicados en establecimientos hoteleros. No obstante, podrán funcionar fuera del horario establecido para la atención exclusiva de los clientes hospedados en ellos.

El horario de apertura y de cierre o finalización de los demás establecimientos, espectáculos públicos y actividades recreativas que, según la normativa vigente, requieran autorización administrativa, se especificará en la correspondiente disposición autorizadora.

En los establecimientos encuadrados en el grupo B, los sábados y festivos no se permitirá la emisión de música desde su apertura hasta las 11:00 horas. Esta limitación será de aplicación también a los bares especiales que cuenten con la autorización prevista en el artículo 6.º2.c) de este Decreto Foral.

El horario de finalización y cierre de las terrazas y veladores será el que se establezca en las Ordenanzas Municipales reguladoras de la utilización del dominio público o en el acto de concesión de licencia para la ocupación del dominio público, sin que pueda sobrepasar el horario establecido en el apartado 1 del presente artículo.

Los establecimientos en los que coexistan las actividades de restaurante y bar especial se someterán al horario de apertura que tenga autorizado el bar especial y deberán cesar en su funcionamiento de acuerdo con el horario de cierre específico que corresponda a cada una de ellas.

- **Instalaciones no permanentes (art. 3 DF 201/2002)**

La celebración de los espectáculos públicos o actividades recreativas, encuadrados en el apartado 1 del artículo 2.º, en instalaciones eventuales, portátiles o desmontables, se ajustará al mismo régimen horario que el fijado para los locales de carácter permanente, en función de la actividad autorizada. No obstante, podrán establecerse limitaciones a dicho horario en aplicación de la normativa vigente en materia de emisión de ruidos y vibraciones.

- **Operaciones materiales de cierre (art. 4 DF 201/2002)**

A partir de la hora señalada como de finalización o de cierre, deberá cesar toda música, actuación o juego; no se podrán servir más consumiciones; se encenderán todas las luces y no se permitirá la entrada de más personas al local, que deberá quedar desalojado de público en el plazo máximo de media hora.

Durante el tiempo de desalojo, los elementos de cerramiento del local, como persianas o similares, deberán permanecer levantados y las puertas practicables sin llave.

- **Carteles (art. 5 DF 201/2002)**

Los establecimientos contemplados en el artículo 2.º1 del presente Decreto Foral deberán colocar, en sus accesos y en lugar visible, un cartel acreditado por el Departamento de Presidencia, Justicia e Interior en el que se expresará el nombre de la empresa organizadora, la actividad autorizada en dicho local, su emplazamiento, el aforo máximo y el horario de apertura y de cierre.

- **Horarios especiales (art. 6 DF 201/2002)**

Competencia Comunidad Foral

El Departamento de Presidencia, Justicia e Interior podrá autorizar modificaciones al régimen general de horarios establecido en el artículo 2.º del presente Decreto Foral, en los supuestos siguientes y con las limitaciones que se establezcan en la resolución administrativa correspondiente:

a) Establecimientos situados en aeropuertos, estaciones de ferrocarril, de autobuses, gasolineras o lugares análogos, y que estén destinados preferentemente al servicio de viajeros, así como aquellos establecimientos situados a pie de carretera que, con la misma finalidad anterior, se encuentren situados a más de 250 metros de la vivienda más próxima.

b) Establecimientos destinados al servicio de trabajadores con horarios nocturnos o de madrugada.

Competencia Ayuntamientos

Sin perjuicio de lo dispuesto en el artículo 2.º, los Ayuntamientos podrán autorizar horarios especiales en los supuestos siguientes y con las limitaciones que se establezcan en la resolución administrativa correspondiente:

a) Durante la celebración de fiestas populares en su localidad y en las de Navidad y Semana Santa.

b) En aquellas localidades que tengan una población inferior a 8.500 habitantes, en las que no exista autorizado algún establecimiento catalogado como Discoteca o Sala de Fiesta, los Ayuntamientos podrán retrasar en una hora el horario general de cierre para aquellos locales que cuenten con las licencias de Bar, Cafetería, Bar especial o Café-Espectáculo.

c) Para los establecimientos encuadrados en el grupo D, el Ayuntamiento podrá autorizar el adelantamiento de sus horarios de apertura con el límite máximo de las 08:00 horas. En todo caso, desde el inicio de la actividad y hasta las 13:00 horas, dichos locales deberán adecuar su régimen de funcionamiento al establecido con carácter general para los establecimientos catalogados como bares, previsto en este Decreto Foral y en el Catálogo de establecimientos, espectáculos públicos y actividades recreativas.

d) Los ayuntamientos podrán retrasar, en una hora, el horario general de cierre de aquellos establecimientos que cuenten con licencia de restaurante, con motivo de la celebración de banquetes de carácter familiar.

La ampliación de horarios prevista en el apartado anterior, o la rescisión, en su caso, deberá comunicarse al Departamento de Presidencia, Justicia e Interior y a las autoridades policiales de la localidad, con antelación a su fecha de aplicación.

• Restricciones (art. 6 DF 201/2002)

El Departamento de Presidencia, Justicia e Interior podrá adelantar el horario de cierre, o retrasar el horario de apertura, de aquellos locales a los que, por infracción a la normativa de actividades clasificadas, se les haya señalado la obligación de adoptar medidas correctoras. Dicha restricción de horarios de funcionamiento se prolongará hasta que se hayan adoptado dichas medidas y obtenido informe favorable del órgano competente.

• Revocaciones (art. 8 DF 201/2002)

Las autorizaciones administrativas concedidas al amparo de lo dispuesto en el artículo 6.º del presente Decreto Foral se considerarán otorgadas en régimen de a precario y, por tanto, no tendrán la consideración de declarativas de derechos, por lo que podrán ser objeto de revocación, sin derecho a indemnización, mediante resolución motivada del órgano competente.

El incumplimiento de las condiciones establecidas o de los términos en los que se concedan dichas autorizaciones, sin perjuicio de la responsabilidad administrativa a que diera lugar, determinará la revocación del horario especial concedido.

Igualmente, se deberá proceder a la revocación de la autorización, cuando desaparezcan las circunstancias que motivaron su otorgamiento, o sobrevengan otras que, de haber existido a la sazón, hubieran justificado su denegación.

• **Infracciones y sanciones (art. 9 DF 201/2002)**

El incumplimiento del horario de apertura o cierre constituirá, con arreglo al artículo 23.19 de la Ley Foral 2/1989, de 13 de marzo, una infracción grave que se sancionará por los Alcaldes de los municipios de población superior a 50.000 habitantes y por el Consejero de Presidencia, Justicia e Interior en el resto de los municipios, mediante multa con una cuantía graduada entre 601 euros y 6.010 euros, además de las otras sanciones que correspondan, de entre las previstas en el artículo 26 de la citada Ley Foral.

La reiteración o reincidencia en la misma infracción que, en virtud de lo dispuesto en el artículo 22.9 en la citada Ley Foral, suponga la comisión de una infracción muy grave, se sancionará por el Consejero de Presidencia, Justicia e Interior mediante multa de hasta 30.000 euros, además de las otras sanciones que procedan, de las previstas en el artículo 26 de la citada Ley Foral.

III. Jurisprudencia destacada

• Como indicamos la resolución impugnada no sólo no justifica las razones por las que no tiene en cuenta los precedentes administrativos, sino que no toma en consideración la propia instrucción en la que sustenta la decisión pues si **bien la ampliación de horarios puede contemplarse como excepcional, lo es no por razones subjetivas del órgano, sino por las razones objetivas contempladas en la Ley a las peculiaridades de las poblaciones, condiciones de insonorización, afluencia turística o duración del espectáculo**. Y la propia la Resolución de 25 de abril de 2013 del Coordinador General de Gestión Urbanística, Vivienda y Obras por la que se hace pública la Instrucción 02/2013 relativa a los criterios de actuación para la ampliación y reducción de horarios de locales de espectáculos públicos y actividades recreativas, publicada en el boletín oficial del Ayuntamiento de Madrid de 7 de junio de 2013, reconoce como circunstancia que justifica la ampliación del horario y por tanto circunstancia excepcional precisamente la de los recintos y establecimientos estén situados en carreteras y fuera del casco urbano de las poblaciones, y precisamente los que estén en las cercanías de los mercados de mayoristas con trabajadores con horarios nocturnos o de madrugada. [STSJ Madrid 8 mayo 2017.- LA LEY 75500/2017]

• Dada la dificultad de evaluar los beneficios derivados de la comisión de la infracción **superando el horario de cierre, está justificada la opción por la clausura para que la sanción produzca efecto disuasorio** en evitación de futuras infracciones, es decir cumpla el fin de prevención especial es decir provoque el condicionamiento interno del sujeto que ha infringido la norma para que no vuelva a realizar tales infracciones. [STSJ Madrid 4 febrero 2015.- LA LEY 12125/2015]

• Sin embargo examinada la citada normativa, entiende la Sala que la sentencia de instancia no incurre en error alguno en la aplicación de la misma, pues no obstante las distintas alegaciones del apelante, el Anexo forma parte de la Ley 4/2003, estableciendo una regulación específica para el supuesto de terrazas e instalaciones al aire libre, anexas al establecimiento principal o locales, siendo que la citada Ley 4/2003, tal y como sostienen las apeladas, ha dado **un tratamiento distinto al horario de los locales y establecimientos, y al horario de las terrazas a instalaciones al aire libre accesorias de las mismas**, sin que por tanto resulte de aplicación el artículo 30 de la Ley, que se refiere a locales y establecimientos que regula la Ley 3/2004, ni el artículo 5 del Decreto 196/1997 que se refiere a locales concretos o locales concentrados en determinadas zonas, pues como bien reconoce el apelante en su recurso, **la terraza de verano es una instalación al aire libre que no tiene la consideración de local**, y no se puede equiparar, por el propio tenor literal del artículo 1 de la citada Ley, a los establecimientos públicos, considerados como locales, que realicen espectáculos o actividades en instalaciones portátiles, desmontables o vía pública. [STSJ Comunidad Valenciana 21 julio 2015.- LA LEY 196207/2015]

• La conclusión a la que hemos llegado de que la adopción por los Ayuntamientos de cualesquiera medidas tendentes a corregir los incumplimientos de los objetivos de calidad acústica de una determinada zona debe encauzarse a través del procedimiento establecido en los artículos 25 y 26 de la LR, entendiéndose producido el desplazamiento del artículo 6.2 de la Orden n.º 1562/1998, de 23 de octubre, de la Consejería de Presidencia, supone un cambio de la doctrina que en otras ocasiones había mantenido esta Sala y Sección en relación con la impugnación de acuerdos municipales de reducción del horario de cierre de locales y establecimientos públicos, que se amparaban en la habilitación contemplada en el citado artículo 6.2.

Este cambio de doctrina viene motivado al tenerse en consideración la causa motivadora de la medida de reducción de horarios adoptada, explicitada y razonada en la propia resolución administrativa impugnada, lo que llevó a la Sala a tener en consideración el régimen jurídico de protección frente a la contaminación acústica y, particularmente, la Ley 37/2003, de 17 de noviembre, del Ruido, y el carácter de legislación básica de la misma. [STSJ Madrid 10 diciembre 2014.- LA LEY 207468/2014]

• Y finalmente estos mismos argumentos nos lleva a rechazar la denuncia que igualmente formula la parte apelante de que la sentencia de instancia es nula de pleno derecho por vulnerar el principio de igualdad, el principio de seguridad jurídica y el principio de interdicción de la arbitrariedad, al permitir y consentir dicha sentencia de instancia que solo se haya sancionado al establecimiento y no al público asistente, toda vez que no ofrece ninguna duda que la situación jurídica en la que se encuentra **la entidad titular del establecimiento que tiene la obligación de cerrar dicho establecimiento para cumplir el horario de cierre y el público asistente al mismo es distinta y por tanto no comparable**, como para poder afirmar que se ha infringido los citados principios. Y decimos que no es comparable por cuanto que si bien es verdad que uno y otros están obligados a respetar el horario de cierre, también lo es que **la diligencia del deber de conocimiento del horario de cierre en relación con el citado establecimiento es de muy diferente intensidad en el titular del establecimiento que en el público**, que fácilmente puede desconocer tal circunstancia como igualmente es lógico que pueda desconocer la naturaleza y categoría de dicho establecimiento, lo que indudablemente tiene su transcendencia en orden al horario de cierre y por ello también en orden a las consecuencias de su incumplimiento. Cuestión diferente es que los agentes de la Policía Local hubieran acordado desalojar el establecimiento por incumplir dicho horario y los clientes conocedores de tal incumplimiento se hubieran negado a desalojarlo. [STSJ Castilla y León 18 enero 2013.- LA LEY 7808/2013]

• Ahora bien, **una cosa es la «ampliación de horario»** que regula el Decreto 296/1997 en los artículos 11 y 12 de dicho texto reglamentario, y que se refiere a unos horarios especiales que pueden establecerse respecto de los que con carácter general se fijan en el artículo 2 de dicho Decreto. **Y otra cosa, muy diferente, es cómo se clasifican los locales de hostelería y espectáculos públicos** según los grupos establecidos en el artículo

2 del Decreto, y las consecuencias de dicha clasificación. [STSJ País Vasco 11 febrero 2011.- LA LEY 141271/2011]

III.1. Otra jurisprudencia

• Por de pronto la actividad de bar agota los horarios de apertura autorizados, en tanto que las actividades recreativas y culturales se limitan a los momentos de ocio, y en segundo lugar, y lo que es más relevante, la incidencia de unas y otras en la vida ciudadana es muy diferente, siendo notoriamente más acusada la de la actividad de bar. [STSJ País Vasco 11 febrero 2003]

• De los hechos relatados se evidencia que la actividad autorizada en dicho establecimiento Garloc, era la de Bar Especial, y por falta de insonorización se suspendió la actividad, y se le autorizó como bar o bar-cafetería, sin que sea admisible la postura del Ayuntamiento que manifiesta fue un cambio de horario del nocturno al diurno, *pues la característica del bar especial, no es solamente la actividad en sí, sino el horario de cierre permitido.* [STSJ Castilla y León, Burgos, 16 junio 2003]

• Si la Autoridad municipal puede fijar un horario de apertura más reducido para aquellos locales que no dispongan de una adecuada insonorización, con mayor razón podrá hacerlo respecto de aquellos elementos anexos a los establecimientos, tales como los veladores, que por su instalación en la vía pública carecen, por definición de cualquier tipo de aislamiento sonoro, con la lógica incidencia sobre los residentes en las inmediaciones del lugar. Dicha facultad, concluíamos, se la reserva la Ley al Alcalde Presidente de la Corporación. [STSJ Cataluña 12 diciembre 2003]

• **No parece lógico que los establecimientos con horario reducido, por circunstancias excepcionales puedan disponer de una ampliación de horario automática los fines de semana y festivos.** Por ello el citado artículo 8, que regula precisamente la «superposición, acumulaciones de ampliaciones y solapamiento de horarios», establece esta previsión, por lo que habrá que estar al contenido del acto administrativo en el que se establece la limitación de horarios. Además, no se olvide que el horario de bares funciona como un mínimo que no tiene por qué agotarse. [STSJ Madrid 18 octubre 2004]

PAÍS VASCO

Horarios

I. Normativa

Decreto 296/1997, de 16 de diciembre, por el que se establecen los horarios de los espectáculos públicos y actividades recreativas y otros aspectos relativos a estas actividades en el ámbito de la Comunidad Autónoma del País Vasco.- LA LEY 6834/1997.

Decreto 36/2012, de 13 de marzo, por el que se modifica el Decreto 296/1996.

Decreto 14/2014, de 11 de febrero, de tercera modificación del Decreto por el que se establecen los horarios de los espectáculos públicos y actividades recreativas y otros aspectos relativos a estas actividades en el ámbito de la Comunidad Autónoma del País Vasco.

Art. 18 Ley 10/2015, de 23 de diciembre, de Espectáculos Públicos y Actividades Recreativas.

II. Horarios de espectáculos públicos y actividades recreativas

• **Objeto (art. 1 Decreto 296/1997)**

Es objeto del presente Decreto la regulación de los horarios de los espectáculos públicos y actividades recreativas en el ámbito de la Comunidad Autónoma del País Vasco, así como otros aspectos de los mismos relacionados con los horarios.

• **Instalaciones eventuales (art. 4 Decreto 296/1997)**

A las instalaciones o estructuras eventuales, portátiles o desmontables que desarrollen alguna de las actividades especificadas en el artículo 2 les será aplicado el mismo régimen horario que el fijado para las permanentes, en función de la actividad que les haya sido autorizada en la correspondiente licencia municipal.

• **Otros espectáculos públicos y actividades recreativas (art. 5 Decreto 296/1997)**

Los horarios de comienzo y finalización de espectáculos públicos y actividades recreativas que, según la normativa vigente, requieran autorización administrativa se especificarán en la resolución de autorización.

No obstante, los espectáculos públicos y actividades recreativas que precisen autorización administrativa de conformidad con lo previsto en el artículo 16, número 2, letras a, b y c de la Ley 4/1995, tendrán como hora límite de finalización las 02:00 horas, a salvo de lo dispuesto en el artículo 7 del presente Decreto.

• **Publicidad de los horarios (art. 6 Decreto 296/1997)**

En los locales especificados en los artículos 2 y 3 del presente Decreto, amparados por la correspondiente licencia de establecimiento y cuyas actividades no estén sometidas a ulterior autorización administrativa, figurará en lugar visible información sobre el horario máximo de apertura y cierre, en soporte rígido, con unas medidas mínimas de 25 cm. por 14 cm. y según modelo que se incluye como Anexo I al presente Decreto.

• **Finalización de espectáculos y actividades y desalojo (art. 8 Decreto 296/1997)**

Llegada la hora establecida para el cierre de los locales o instalaciones, permanentes o eventuales, o de finalización de los espectáculos públicos y actividades recreativas previstos en el presente Decreto, y bajo la responsabilidad del titular del local, se deberán adoptar las siguientes medidas:

a) El cese de la música, espectáculo, representación, exhibición, proyección o actuación, así como de cualquier fuente de sonido existente en el local como servicio a los usuarios o clientes.

b) El cese del funcionamiento de las máquinas, aparatos o sistemas de juego de cualquier naturaleza. Igualmente, en los locales de juego, no podrá comenzarse ninguna partida o juego autorizado.

c) El cierre de las puertas de acceso al local y la prohibición de entrada al mismo de potenciales usuarios o clientes.

d) Proceder al desalojo de los usuarios o clientes restantes en el local en el plazo máximo de 30 minutos contados desde la hora de cierre establecido para el local, instalación, espectáculo o actividad recreativa. A partir de este momento, únicamente podrán permanecer en el interior las personas encargadas de las tareas propias de adecuación y limpieza del local.

Los espectáculos y actividades que se celebren en locales cerrados y que precisen autorización administrativa de conformidad con lo previsto en el artículo 16 de la Ley 4/1995, de 10 de noviembre, de espectáculos públicos y actividades recreativas, dispondrán de un plazo de desalojo igual y con idénticas condiciones al establecido en el apartado anterior. Cuando el aforo máximo autorizado así lo aconseje, la propia resolución de autorización podrá establecer el tiempo de desalojo oportuno.

Este tiempo de desalojo será igualmente aplicable a aquellos espectáculos públicos y actividades recreativas contenidos en el Anexo a la citada Ley.

Lo referido en la letra b del apartado 1 del presente artículo, se entenderá sin perjuicio de lo dispuesto para los juegos de círculo en la normativa de casinos.

• Periodo de cierre obligatorio y restricciones (art. 9 Decreto 296/1997)

1) Los espectáculos públicos y las actividades recreativas no podrán iniciarse, antes de las 06:00 horas, salvo que normativas sectoriales dispongan un horario diferente.

2) Entre el horario de cierre o de finalización establecido para los locales o las actividades incluidas en los grupos 3 y 4 del artículo 2 del presente Decreto, sea éste efectivamente realizado o no, y su apertura o iniciación deberá transcurrir un período mínimo de seis horas.

3) En todo caso, queda prohibido el funcionamiento de equipos o aparatos de música, actuaciones, pistas de baile o análogos, antes de las 09:00 horas.

• Consumo de bebidas en el exterior de los locales (art. 10 Decreto 296/1997)

Sin perjuicio de limitaciones superiores que pudiera introducir cada Ayuntamiento en sus ordenanzas municipales y las licencias para terrazas o similares que hubiera podido conceder, queda prohibida la consumición de bebidas en el exterior de los locales a partir de las 22:00 horas, a salvo de lo establecido en el artículo 7 de este Decreto.

A estos efectos, y con independencia de la responsabilidad en que pudieran incurrir los consumidores o usuarios, los titulares de los locales impedirán, a partir de la hora citada, que los clientes saquen las consumiciones fuera del local, pudiendo ser sancionados por infracción a los artículos 34 y 33, en su caso, de la Ley 4/1995, de Espectáculos Públicos y Actividades Recreativas, de 10 de noviembre.

• Facultades del Gobierno Vasco para establecer horarios especiales (art. 11 Decreto 296/1997)

La Dirección de Juego y Espectáculos del Departamento de Interior del Gobierno Vasco podrá autorizar ampliaciones al régimen general de horarios establecido en el presente Decreto, en los supuestos siguientes y con las limitaciones que se establezcan en la resolución administrativa correspondiente:

1) Locales o instalaciones situados fuera del casco urbano de las poblaciones o en carreteras.

2) Locales o instalaciones situados en aeropuertos, puertos, estaciones de tren, de autobuses o lugares análogos, y aquellos que estén destinados preferentemente al servicio de viajeros o de trabajadores con horarios nocturnos o de madrugada.

3) A las actividades de juego y a aquellos espectáculos, actividades o acontecimientos que por sus características específicas o excepcionales, justificaran la implantación de un horario diferenciado.

- **Facultades municipales para establecer horarios especiales (art. 12 Decreto 296/1997)**

1.- Las autoridades municipales podrán ampliar un máximo de dos horas el horario previsto con motivo de fiestas patronales y otros eventos festivos o de interés turístico conforme al calendario que deberá aprobar cada ayuntamiento para el año natural correspondiente.

[Téngase en cuenta que según lo establecido en las disposición transitoria del D (País Vasco) 36/2012, 13 marzo, de segunda modificación del Decreto por el que se establecen los horarios de los espectáculos públicos y actividades recreativas y otros aspectos relativos a estas actividades en el ámbito de la Comunidad Autónoma del País Vasco («B.O.P.V». 21 marzo), a la entrada en vigor de la presente modificación, los ayuntamientos podrán aprobar el calendario anual reformado para el resto del año.]

2.- A estos efectos, el calendario aprobado por el ayuntamiento podrá incluir los siguientes eventos y fechas:

a) Las fiestas patronales, entendiendo por tales las establecidas oficialmente por cada Ayuntamiento en su término municipal.

b) De jueves al lunes de Semana Santa; de jueves a martes en Carnavales, y desde el 15 de diciembre al 6 de enero en Navidades.

c) Las fechas concretas de celebración de acontecimientos o eventos calificados como festivos o de interés turístico por el propio ayuntamiento o por el órgano competente de la Comunidad Autónoma, tales como celebraciones públicas, fiestas de barrio, acontecimientos de carácter social, ferial, certámenes, exposiciones u otros análogos, con el límite máximo de quince días por año natural.

3.- Sin perjuicio de lo previsto para el calendario anual contemplado en el apartado anterior, el ayuntamiento podrá, asimismo, ampliar el horario general un máximo de dos horas con el límite máximo de quince días por año natural, en función de circunstancias sobrevenidas de carácter excepcional y no habitual que no se hayan podido prever y referidos a eventos de la misma naturaleza que los contemplados en el apartado anterior.

4.- Una vez vigente el calendario anual y en tanto el ayuntamiento no adopte resolución expresa al efecto en los ejercicios siguientes, se considerará prorrogado para ejercicios sucesivos, con las adaptaciones que requiera su acomodación a las fechas del correspondiente año natural.

5.- En el caso de fiestas de barrios u otros acontecimientos circunscritos a un ámbito territorial definido dentro del término municipal, el ayuntamiento podrá determinar que el horario especial se circunscriba a un ámbito territorial concreto del municipio.

6.- Para la determinación de la ampliación de los horarios, a que se refiere el presente artículo, los ayuntamientos podrán considerar la posibilidad de exigir la adopción de medidas correctoras singulares a los locales, tales como la obligación de instalar dispositivos para controlar, atenuar o eliminar el nivel de ruido o vibración excesivos.

7.- El ayuntamiento deberá comunicar el régimen horario especial adoptado conforme a los párrafos anteriores a la Dirección del Gobierno Vasco determinando el ámbito y las fechas en las que el mismo sea aplicable, y las limitaciones que, en su caso, dicho horario conlleve.

8.- En aquellos casos en que las autoridades municipales hayan otorgado licencias específicas para la disposición de terrazas o similares exteriores a los locales, se estará al horario de cierre que haya establecido para dichas instalaciones el propio Ayuntamiento, dentro de los límites establecidos en el presente Decreto y siempre que no produzcan molestia a terceros.

- **Procedimiento administrativo (art. 13 Decreto 296/1997)**

1.- El procedimiento para las autorizaciones recogidas en los artículos 11 y en el apartado tercero del artículo 12 del presente Decreto podrá ser instado por los titulares de las actividades y asociaciones empresariales. El procedimiento para las autorizaciones previstas en el artículo 11 podrá ser instado, asimismo, por los Ayuntamientos.

2.- La Administración deberá resolver y notificar la resolución de la solicitud de ampliación en el plazo máximo de tres meses. El vencimiento del plazo máximo sin haberse notificado resolución expresa legitima al interesado o interesados que hubieran deducido la solicitud para entenderla estimada por silencio administrativo.

3.- Sólo se autorizarán ampliaciones de horario u horarios especiales en caso de que las mismas no originasen molestias a terceros, ni problemas relativos a la salud pública o a la seguridad de los ciudadanos.

4.- Al objeto de su inspección y control, las ampliaciones de horarios, deberán ser comunicados por la Administración correspondiente a las autoridades policiales con competencias en materia de seguridad ciudadana en el municipio, con anterioridad a su entrada en vigor.

Artículo 13 redac

- **Inspección, control y régimen sancionador (art. 14 Decreto 296/1997)**

De conformidad con lo dispuesto en la Ley 4/1995, la competencia de inspección y control, así como la imposición de sanciones en relación con los horarios de las actividades reguladas en el presente Decreto, corresponderá a la Administración competente para el otorgamiento de licencias o autorizaciones, sin perjuicio de las facultades correspondientes al Gobierno Vasco establecidas en los apartados 2 y 5 del artículo 38 de la misma.

Las infracciones en la materia, tipificadas en el artículo 34 g) de la Ley 4/1995 antecitada como leves, podrán ser sancionadas con multa de hasta doscientas mil pesetas.

La comisión de una tercera infracción en el plazo de un año conllevará su tipificación como grave, de conformidad con lo establecido en el artículo 33 n) de la norma meritada, pudiendo ser sancionada, alternativa o acumulativamente, con multa de doscientas mil una a cinco millones de pesetas, suspensión o prohibición de la actividad o actividades hasta un año, clausura del local hasta un año e inhabilitación hasta seis meses para realizar la misma actividad.

* **Ley 10/2015**, de 23 de diciembre, de Espectáculos Públicos y Actividades Recreativas, en su art. 18 establece el régimen de horarios aplicables a los espectáculos públicos y actividades recreativas, por lo que el mismo viene a derogar tácitamente todo cuanto el Decreto 296/1997 contradiga a la citada Ley.

COMIENZO

Los espectáculos públicos y actividades recreativas deben comenzar y desarrollarse en las condiciones anunciadas y durante el tiempo previsto en los carteles, programas o anuncios, salvo que concurran circunstancias imprevistas que justifiquen su alteración y se pongan en conocimiento del público con antelación suficiente.

HORARIO GENERAL

El Gobierno Vasco determinará el horario general de los establecimientos públicos, preservando el equilibrio entre las legítimas actividades de diversión y ocio y el derecho de los empresarios a ejercer su actividad con el derecho de los ciudadanos y ciudadanas al descanso y la tranquilidad, así como atendiendo, entre otros factores, a la naturaleza del establecimiento, espectáculo o actividad recreativa y la época o estación anual, así como sus ampliaciones o restricciones.

AMPLIACIONES DE HORARIOS

Los ayuntamientos podrán establecer ampliaciones al horario general de los establecimientos con motivo de fiestas y otros eventos, en los supuestos y formas que reglamentariamente se prevean.

El departamento del Gobierno Vasco competente en materia de espectáculos públicos puede autorizar ampliaciones al horario general cuando las características del establecimiento, el espectáculo o la actividad recreativa justifiquen la implantación de un horario diferenciado. La implantación de un horario diferenciado, en tales casos, podrá condicionarse al cumplimiento de las medidas correctoras adicionales que se impongan para evitar molestias al vecindario.

Dichas autorizaciones no generan ni reconocen derechos para el futuro, y están sometidas en todo momento al cumplimiento de los requisitos establecidos para su concesión.

LIMITACIONES AL HORARIO GENERAL

Las administraciones competentes para autorizar el establecimiento público, el espectáculo o la actividad recreativa, o para recibir la comunicación previa, pueden fijar limitaciones particulares al horario general, mediante resolución motivada, cuando sus características de funcionamiento o distancia respecto a hospitales o equipamientos residenciales para la infancia o para personas mayores justifiquen implantación de un horario diferenciado.

Lo dispuesto en materia de horarios en el presente artículo se entiende sin perjuicio de las limitaciones impuestas por la normativa existente en materia de contaminación ambiental y acústica.

III. Jurisprudencia destacada

• Como indicamos la resolución impugnada no sólo no justifica las razones por las que no tiene en cuenta los precedentes administrativos, sino que no toma en consideración la propia instrucción en la que sustenta la decisión pues si **bien la ampliación de horarios puede contemplarse como excepcional, lo es no por razones subjetivas del órgano, sino por las razones objetivas contempladas en la Ley a las peculiaridades de las poblaciones, condiciones de insonorización, afluencia turística o duración del espectáculo**. Y la propia la Resolución de 25 de abril de 2013 del Coordinador General de Gestión Urbanística, Vivienda y Obras por la que se hace pública la Instrucción 02/2013 relativa a los criterios de actuación para la ampliación y reducción de horarios de locales de espectáculos públicos y actividades recreativas, publicada en el boletín oficial del Ayuntamiento de Madrid de 7 de junio de 2013, reconoce como circunstancia que justifica la ampliación del horario y por tanto circunstancia excepcional precisamente la de los recintos y establecimientos estén situados en carreteras y fuera del casco urbano de las poblaciones, y precisamente los que estén en las cercanías de los mercados de mayoristas con trabajadores con horarios nocturnos o de madrugada. [STSJ Madrid 8 mayo 2017.- LA LEY 75500/2017]

• Dada la dificultad de evaluar los beneficios derivados de la comisión de la infracción **superando el horario de cierre, está justificada la opción por la clausura para que la sanción produzca efecto disuasorio** en evitación de futuras infracciones, es decir cumpla el fin de prevención especial es decir provoque el condicionamiento interno del sujeto que ha infringido la norma para que no vuelva a realizar tales infracciones. [STSJ Madrid 4 febrero 2015.- LA LEY 12125/2015]

• Sin embargo examinada la citada normativa, entiende la Sala que la sentencia de instancia no incurre en error alguno en la aplicación de la misma, pues no obstante las distintas alegaciones del apelante, el Anexo forma parte de la Ley 4/2003, estableciendo una regulación específica para el supuesto de terrazas e instalaciones al aire libre, anexas al establecimiento principal o locales, siendo que la citada Ley 4/2003, tal y como sostienen las apeladas, ha dado **un tratamiento distinto al horario de los locales y establecimientos, y al horario de las terrazas a instalaciones al aire libre accesorias de las mismas**, sin que por tanto resulte de aplicación el artículo 30 de la Ley, que se refiere a locales y establecimientos que regula la Ley 3/2004, ni el artículo 5 del Decreto 196/1997 que se refiere a locales concretos o locales concentrados en determinadas zonas, pues como bien reconoce el apelante en su recurso, **la terraza de verano es una instalación al aire libre que no tiene la consideración de local**, y no se puede equiparar, por el propio tenor literal del artículo 1 de la citada Ley, a los establecimientos públicos, considerados como locales, que realicen espectáculos o actividades en instalaciones portátiles, desmontables o vía pública. [STSJ Comunidad Valenciana 21 julio 2015.- LA LEY 196207/2015]

• La conclusión a la que hemos llegado de que la adopción por los Ayuntamientos de cualesquiera medidas tendentes a corregir los incumplimientos de los objetivos de calidad acústica de una determinada zona debe encauzarse a través del procedimiento establecido en los artículos 25 y 26 de la LR, entendiéndose producido el desplazamiento del artículo 6.2 de la Orden n.º 1562/1998, de 23 de octubre, de la Consejería de Presidencia, supone un cambio de la doctrina que en otras ocasiones había mantenido esta Sala y Sección en relación con la impugnación de acuerdos municipales de reducción del horario de cierre de locales y establecimientos públicos, que se amparaban en la habilitación contemplada en el citado artículo 6.2.

Este cambio de doctrina viene motivado al tenerse en consideración la causa motivadora de la medida de reducción de horarios adoptada, explicitada y razonada en la propia resolución administrativa impugnada, lo que llevó a la Sala a tener en consideración el régimen jurídico de protección frente a la contaminación acústica y, particularmente, la Ley 37/2003, de 17 de noviembre, del Ruido, y el carácter de legislación básica de la misma. [STSJ Madrid 10 diciembre 2014.- LA LEY 207468/2014]

• Y finalmente estos mismos argumentos nos lleva a rechazar la denuncia que igualmente formula la parte apelante de que la sentencia de instancia es nula de pleno derecho por vulnerar el principio de igualdad, el principio de seguridad jurídica y el principio de interdicción de la arbitrariedad, al permitir y consentir dicha sentencia de instancia que solo se haya sancionado al establecimiento y no al público asistente, toda vez que no ofrece ninguna duda que la situación jurídica en la que se encuentra **la entidad titular del establecimiento que tiene la obligación de cerrar dicho establecimiento para cumplir el horario de cierre y el público asistente al mismo es distinta y por tanto no comparable**, como para poder afirmar que se ha infringido los citados principios. Y decimos que no es comparable por cuanto que si bien es verdad que uno y otros están obligados a respetar el horario de cierre, también lo es que **la diligencia del deber de conocimiento del horario de cierre en relación con el citado establecimiento es de muy diferente intensidad en el titular del establecimiento que en el público**, que fácilmente puede desconocer tal circunstancia como igualmente es lógico que pueda desconocer la naturaleza y categoría de dicho establecimiento, lo que indudablemente tiene su transcendencia en orden al horario de cierre y por ello también en orden a las consecuencias de su incumplimiento. Cuestión diferente es que los agentes de la Policía Local hubieran acordado desalojar el establecimiento por incumplir dicho horario y los clientes conocedores de tal incumplimiento se hubieran negado a desalojarlo. [STSJ Castilla y León 18 enero 2013.- LA LEY 7808/2013]

• Ahora bien, **una cosa es la «ampliación de horario»** que regula el Decreto 296/1997 en los artículos 11 y 12 de dicho texto reglamentario, y que se refiere a unos horarios especiales que pueden establecerse respecto de los que con carácter general se fijan en el artículo 2 de dicho Decreto. **Y otra cosa, muy diferente, es cómo se clasifican los locales de hostelería y espectáculos públicos** según los grupos establecidos en el artículo 2 del Decreto, y las consecuencias de dicha clasificación. [STSJ País Vasco 11 febrero 2011.- LA LEY 141271/2011]

III.1. Otra jurisprudencia

• Por de pronto la actividad de bar agota los horarios de apertura autorizados, en tanto que las actividades recreativas y culturales se limitan a los momentos de ocio, y en segundo lugar, y lo que es más relevante, la incidencia de unas y otras en la vida ciudadana es muy diferente, siendo notoriamente más acusada la de la actividad de bar. [STSJ País Vasco 11 febrero 2003]

• De los hechos relatados se evidencia que la actividad autorizada en dicho establecimiento Garloc, era la de Bar Especial, y por falta de insonorización se suspendió la actividad, y se le autorizó como bar o bar-cafetería, sin que sea admisible la postura del Ayuntamiento que manifiesta fue un cambio de horario del nocturno al diurno, *pues la característica del bar especial, no es solamente la actividad en sí, sino el horario de cierre permitido*. [STSJ Castilla y León, Burgos, 16 junio 2003]

• Si la Autoridad municipal puede fijar un horario de apertura más reducido para aquellos locales que no dispongan de una adecuada insonorización, con mayor razón podrá hacerlo respecto de aquellos elementos anexos a los establecimientos, tales como los veladores, que por su instalación en la vía pública carecen, por definición de cualquier tipo de aislamiento sonoro, con la lógica incidencia sobre los residentes en las inmediaciones del lugar. Dicha facultad, concluíamos, se la reserva la Ley al Alcalde Presidente de la Corporación. [STSJ Cataluña 12 diciembre 2003]

• **No parece lógico que los establecimientos con horario reducido, por circunstancias excepcionales puedan disponer de una ampliación de horario automática los fines de semana y festivos**. Por ello el citado artículo 8, que regula precisamente la «superposición, acumulaciones de ampliaciones y solapamiento de horarios», establece esta previsión, por lo que habrá que estar al contenido del acto administrativo en el que se establece la limitación de horarios. Además, no se olvide que el horario de bares funciona como un mínimo que no tiene por qué agotarse. [STSJ Madrid 18 octubre 2004]

PRINCIPADO DE ASTURIAS

Horarios

I. Normativa

Arts. 21 y 22 de la Ley del Principado de Asturias 8/2002, de 21 de octubre, de Espectáculos Públicos y Actividades Recreativas.

Decreto 90/2004, de 11 de noviembre, por el que se regula el régimen de horarios de los establecimientos, locales e instalaciones para espectáculos públicos y actividades recreativas en el Principado de Asturias.

II. Horarios de espectáculos públicos y actividades recreativas

• **Objeto (art. 1 D 90/2004)**

Es objeto del presente Decreto la regulación de los horarios de apertura y cierre de los establecimientos, locales e instalaciones comprendidos en el ámbito de aplicación de la Ley del Principado de Asturias 8/2002, de 21 de octubre, de Espectáculos Públicos y Actividades Recreativas.

• **Horario general (art. 2 D 90/2004)**

No podrán excederse los horarios de apertura y cierre que se describen a continuación:

a) Locales destinados a menores de 16 años.

- • Apertura:
  - — Días escolares lectivos: 14.00 horas.
  - — Resto de los días: 11.00 horas.

- • Cierre:
  - — Horario general: 22.00 horas
  - — Viernes, sábados y vísperas de festivos: 22.30 horas.

En el período no lectivo del calendario escolar aprobado por los órganos competentes en materia de educación, estos locales podrán ampliar su horario de cierre los jueves hasta las 22.30 horas.

b) Bares, cafeterías, restaurantes, sidrerías y en general locales donde se desarrollen actividades de restauración conforme a lo previsto en la legislación sectorial de aplicación.

- • Apertura: 06.00 horas
- • Cierre:
  - — Horario general: 01.30 horas del día siguiente al de apertura.

— Viernes, sábados y vísperas de festivos: 02.30 horas del día siguiente al de apertura.

En el período comprendido entre el 15 de junio y el 30 de septiembre, ambos incluidos, estos establecimientos podrán ampliar su horario general de cierre hasta las 02.00 horas del día siguiente al de apertura cuando ésta se produzca los domingos, lunes, martes y miércoles.

Cuando en este tipo de establecimientos se lleven a cabo actividades de música en vivo sin utilizar mecanismos de amplificación, éstas se ajustarán en su desarrollo al horario fijado para los establecimientos.

c) Locales con música amplificada, excepto discotecas:

- Apertura: 11.00 horas.

- Cierre:

— Horario general: 03.30 horas del día siguiente al de apertura.

— Viernes, sábados y vísperas de festivos: 05.30 horas del día siguiente al de apertura.

d) Discotecas, salas de baile, salas de fiestas con espectáculos o pases de atracciones, cafés-teatro y tablaos flamencos, así como locales con ocasión de celebración de bodas:

- Apertura: 11.00 horas.

- Cierre:

— Horario general: 05.00 horas del día siguiente al de apertura.

Viernes, sábados y vísperas de festivos: 07.30 horas del día siguiente al de apertura.

e) Locales destinados a actividades de juego:

- Salones de juegos:

— Apertura: 10.00 horas.

— Cierre: 00.00 horas.

- Salones recreativos:

— Apertura: 10.00 horas.

— Cierre: 23.00 horas.

Ampliación de horario

En el período comprendido entre el 15 de junio y el 30 de septiembre, ambos incluidos, los horarios generales máximos de cierre descritos en las letras b), c) y d) del número anterior podrán ampliarse durante una hora exclusivamente para las aperturas realizadas en jueves.

Exclusión de limitaciones de horario

Los días 25 de diciembre y 1 de enero no regirán las limitaciones de horarios establecidos en el presente artículo.

Aparatos de música

En todo caso, queda prohibido el funcionamiento de equipos, aparatos de música o análogos antes de las 10.00 horas.

Otros establecimientos

Los horarios de apertura y cierre del resto de los establecimientos, locales e instalaciones contemplados en el catálogo de los espectáculos públicos, las actividades recreativas y los establecimientos y locales e instalaciones públicas en el Principado de Asturias, serán los establecidos en sus respectivas licencias o autorizaciones.

• Operaciones materiales de cierre (art. 3 D 90/2004)

En todos los establecimientos, locales e instalaciones, a partir de su hora de cierre, se procederá al cierre material y no se permitirá el acceso de ningún cliente ni se expedirá consumición alguna, quedando fuera de funcionamiento la música ambiental, las máquinas recreativas y aparatos de juego, vídeos o cualquier otro aparato similar y las señales luminosas ubicadas en el exterior de las mismas. Asimismo se encenderán todas las luces para facilitar el desalojo del público, debiendo quedar totalmente vacíos de público media hora después del horario máximo permitido.

En los casinos, salas de bingo, salones de juego y recreativos, llegada la hora de cierre, no podrá realizarse ninguna partida ni juego ni seguir funcionando las máquinas ni, en su caso, expenderse cualquier artículo de consumo, impidiéndose el acceso de nuevos clientes, estableciéndose idéntico período de tiempo para su desalojo que el fijado en el número anterior de este artículo.

• Publicidad (art. 4 D 90/2004)

Los establecimientos, locales e instalaciones comprendidos dentro del ámbito de aplicación de este Decreto deberán colocar en un lugar visible en su interior un cartel en el que se expresará, además del tipo de establecimiento, local o instalación para el que se disponga de autorización, las horas de apertura y cierre máximo establecidos para dicho establecimiento y época del año.

Un cartel con idéntico contenido habrá de colocarse en el exterior del establecimiento, local o instalación con un tamaño mínimo que permita su lectura.

• Supuestos especiales (art. 5 D 90/2004)

En los supuestos de establecimientos, locales o instalaciones públicas dedicados a la celebración separada, en el tiempo o en zonas diferenciadas, de uno o varios espectáculos o actividades compatibles entre sí, cuando éstas tengan horarios de cierre distintos, cada una de ellas deberá cesar en su funcionamiento de acuerdo con el horario autorizado.

Los establecimientos, locales e instalaciones a que refiere el artículo 2.b de este Decreto, ubicados dentro de instalaciones donde se desarrolle otra actividad considerada como principal y de la que sean accesorio, podrán tener el mismo horario que aquélla y siempre que se encuentren operativas las instalaciones principales. Se entenderán por tales los ubicados en puertos, aeropuertos, estaciones de autobuses, estaciones de ferrocarril, lonjas, mercados centrales, áreas de servicio de autopistas, autovías y carreteras, polígonos industriales, centros hospitalarios y similares.

Sin perjuicio de otras prohibiciones o limitaciones que sobre los mismos pueda imponer la legislación en vigor, los establecimientos señalados en el párrafo anterior no podrán expedir bebidas alcohólicas superiores a 20o durante los períodos de ampliación horaria respecto del horario fijado para este tipo de establecimientos.

Los establecimientos, locales e instalaciones a los que refiere el artículo 2.b de este Decreto ubicados en el interior de los establecimientos hoteleros, podrán retrasar su horario de cierre una hora para la atención de los clientes que se hallen hospedados en los mismos.

- **Facultades municipales (art. 6 D 90/2004)**

El régimen de horarios de apertura y cierre aplicable a los establecimientos, locales o instalaciones establecido con carácter general en el artículo 2 del presente Decreto, podrá ser ampliado por los Ayuntamientos respectivos mediante la oportuna ordenanza municipal, en todo o en parte del territorio del concejo, con ocasión de la celebración de fiestas locales o de espectáculos o actividades singulares, para acomodar su régimen horario al derivado del establecido para los espectáculos públicos y las actividades recreativas que sean autorizadas con ocasión de la celebración de aquéllas.

- **Infracciones (art. 7 D 90/2004)**

Las infracciones a lo dispuesto en el presente Decreto se sancionarán conforme a lo establecido en la Ley del Principado de Asturias 8/2002, de 21 de octubre, de Espectáculos Públicos y Actividades Recreativas.

III. Jurisprudencia destacada

- Como indicamos la resolución impugnada no sólo no justifica las razones por las que no tiene en cuenta los precedentes administrativos, sino que no toma en consideración la propia instrucción en la que sustenta la decisión pues si **bien la ampliación de horarios puede contemplarse como excepcional, lo es no por razones subjetivas del órgano, sino por las razones objetivas contempladas en la Ley a las peculiaridades de las poblaciones, condiciones de insonorización, afluencia turística o duración del espectáculo**. Y la propia la Resolución de 25 de abril de 2013 del Coordinador General de Gestión Urbanística, Vivienda y Obras por la que se hace pública la Instrucción 02/2013 relativa a los criterios de actuación para la ampliación y reducción de horarios de locales de espectáculos públicos y actividades recreativas, publicada en el boletín oficial del Ayuntamiento de Madrid de 7 de junio de 2013, reconoce como circunstancia que justifica la ampliación del horario y por tanto circunstancia excepcional precisamente la de los recintos y establecimientos estén situados en carreteras y fuera del casco urbano de las poblaciones, y precisamente los que estén en las cercanías de los mercados de mayoristas con trabajadores con horarios nocturnos o de madrugada. [STSJ Madrid 8 mayo 2017.- LA LEY 75500/2017]

- Dada la dificultad de evaluar los beneficios derivados de la comisión de la infracción **superando el horario de cierre, está justificada la opción por la clausura para que la sanción produzca efecto disuasorio** en evitación de futuras infracciones, es decir cumpla el fin de prevención especial es decir provoque el condicionamiento interno del

sujeto que ha infringido la norma para que no vuelva a realizar tales infracciones. [STSJ Madrid 4 febrero 2015.- LA LEY 12125/2015]

• Sin embargo examinada la citada normativa, entiende la Sala que la sentencia de instancia no incurre en error alguno en la aplicación de la misma, pues no obstante las distintas alegaciones del apelante, el Anexo forma parte de la Ley 4/2003, estableciendo una regulación específica para el supuesto de terrazas e instalaciones al aire libre, anexas al establecimiento principal o locales, siendo que la citada Ley 4/2003, tal y como sostienen las apeladas, ha dado **un tratamiento distinto al horario de los locales y establecimientos, y al horario de las terrazas a instalaciones al aire libre accesorias de las mismas**, sin que por tanto resulte de aplicación el artículo 30 de la Ley, que se refiere a locales y establecimientos que regula la Ley 3/2004, ni el artículo 5 del Decreto 196/1997 que se refiere a locales concretos o locales concentrados en determinadas zonas, pues como bien reconoce el apelante en su recurso, **la terraza de verano es una instalación al aire libre que no tiene la consideración de local**, y no se puede equiparar, por el propio tenor literal del artículo 1 de la citada Ley, a los establecimientos públicos, considerados como locales, que realicen espectáculos o actividades en instalaciones portátiles, desmontables o vía pública. [STSJ Comunidad Valenciana 21 julio 2015.- LA LEY 196207/2015]

• La conclusión a la que hemos llegado de que la adopción por los Ayuntamientos de cualesquiera medidas tendentes a corregir los incumplimientos de los objetivos de calidad acústica de una determinada zona debe encauzarse a través del procedimiento establecido en los artículos 25 y 26 de la LR, entendiéndose producido el desplazamiento del artículo 6.2 de la Orden n.º 1562/1998, de 23 de octubre, de la Consejería de Presidencia, supone un cambio de la doctrina que en otras ocasiones había mantenido esta Sala y Sección en relación con la impugnación de acuerdos municipales de reducción del horario de cierre de locales y establecimientos públicos, que se amparaban en la habilitación contemplada en el citado artículo 6.2.

Este cambio de doctrina viene motivado al tenerse en consideración la causa motivadora de la medida de reducción de horarios adoptada, explicitada y razonada en la propia resolución administrativa impugnada, lo que llevó a la Sala a tener en consideración el régimen jurídico de protección frente a la contaminación acústica y, particularmente, la Ley 37/2003, de 17 de noviembre, del Ruido, y el carácter de legislación básica de la misma. [STSJ Madrid 10 diciembre 2014.- LA LEY 207468/2014]

• Y finalmente estos mismos argumentos nos lleva a rechazar la denuncia que igualmente formula la parte apelante de que la sentencia de instancia es nula de pleno derecho por vulnerar el principio de igualdad, el principio de seguridad jurídica y el principio de interdicción de la arbitrariedad, al permitir y consentir dicha sentencia de instancia que solo se haya sancionado al establecimiento y no al público asistente, toda vez que no ofrece ninguna duda que la situación jurídica en la que se encuentra **la entidad titular del establecimiento que tiene la obligación de cerrar dicho establecimiento para cumplir el horario de cierre y el público asistente al mismo es distinta y por tanto no comparable**, como para poder afirmar que se ha infringido los citados principios. Y decimos que no es comparable por cuanto que si bien es verdad que uno y otros están obligados a respetar el horario de cierre, también lo es que **la diligencia del deber de conocimiento del horario de cierre en relación con el citado establecimiento es de muy diferente intensidad en el titular del establecimiento que en el público**, que fácilmente puede desconocer tal circunstancia como igualmente es lógico que pueda desconocer la naturaleza y categoría de dicho establecimiento, lo que indudablemente tiene su transcendencia en orden al horario de cierre y por ello también en orden a las consecuencias de su incumplimiento. Cuestión diferente es que los agentes de la Policía Local hubieran acordado desalojar el establecimiento por incumplir dicho horario y los clientes conocedores de tal incumplimiento se hubieran negado a desalojarlo. [STSJ Castilla y León 18 enero 2013.- LA LEY 7808/2013]

• Ahora bien, **una cosa es la «ampliación de horario»** que regula el Decreto 296/1997 en los artículos 11 y 12 de dicho texto reglamentario, y que se refiere a unos horarios especiales que pueden establecerse respecto de los que con carácter general se fijan en el artículo 2 de dicho Decreto. **Y otra cosa, muy diferente, es cómo se clasifican los locales de hostelería y espectáculos públicos** según los grupos establecidos en el artículo 2 del Decreto, y las consecuencias de dicha clasificación. [STSJ País Vasco 11 febrero 2011.- LA LEY 141271/2011]

III.1. Otra jurisprudencia

• Por de pronto la actividad de bar agota los horarios de apertura autorizados, en tanto que las actividades recreativas y culturales se limitan a los momentos de ocio, y en segundo lugar, y lo que es más relevante, la incidencia de unas y otras en la vida ciudadana es muy diferente, siendo notoriamente más acusada la de la actividad de bar. [STSJ País Vasco 11 febrero 2003]

• De los hechos relatados se evidencia que la actividad autorizada en dicho establecimiento Garloc, era la de Bar Especial, y por falta de insonorización se suspendió la actividad, y se le autorizó como bar o bar-cafetería, sin que sea admisible la postura del Ayuntamiento que manifiesta fue un cambio de horario del nocturno al diurno, *pues la característica del bar especial, no es solamente la actividad en sí, sino el horario de cierre permitido.* [STSJ Castilla y León, Burgos, 16 junio 2003]

• Si la Autoridad municipal puede fijar un horario de apertura más reducido para aquellos locales que no dispongan de una adecuada insonorización, con mayor razón podrá hacerlo respecto de aquellos elementos anexos a los establecimientos, tales como los veladores, que por su instalación en la vía pública carecen, por definición de cualquier tipo de aislamiento sonoro, con la lógica incidencia sobre los residentes en las inmediaciones del lugar. Dicha facultad, concluíamos, se la reserva la Ley al Alcalde Presidente de la Corporación. [STSJ Cataluña 12 diciembre 2003]

• **No parece lógico que los establecimientos con horario reducido, por circunstancias excepcionales puedan disponer de una ampliación de horario automática los fines de semana y festivos**. Por ello el citado artículo 8, que regula precisamente la «superposición, acumulaciones de ampliaciones y solapamiento de horarios», establece esta previsión, por lo que habrá que estar al contenido del acto administrativo en el que se establece la limitación de horarios. Además, no se olvide que el horario de bares funciona como un mínimo que no tiene por qué agotarse. [STSJ Madrid 18 octubre 2004]

REGIÓN DE MURCIA

Horarios

I. Normativa

En materia de **espectáculos públicos y actividades recreativas** los horarios se regulan mediante la Circular 2/1994, de 16 de febrero, de la Delegación de Gobierno y Resolución de la Secretaría General Cultura y Educación, de 9 de junio de 1996, dictadas en aplicación de la Orden de 29 de junio de 1981, tanto para las actividades que dispongan de licencia ordinaria según la reglamentación de actividades clasificadas, como para los que tengan la licencia especial según la legislación de espectáculos públicos y actividades recreativas.

La Orden de la Consejería de Presidencia y Fomento, de 29 de enero de 2018 prorroga temporalmente el horario de cierre de determinados establecimientos públicos en la Región de Murcia.

II. Jurisprudencia destacada

• Como indicamos la resolución impugnada no sólo no justifica las razones por las que no tiene en cuenta los precedentes administrativos, sino que no toma en consideración la propia instrucción en la que sustenta la decisión pues si **bien la ampliación de horarios puede contemplarse como excepcional, lo es no por razones subjetivas del órgano, sino por las razones objetivas contempladas en la Ley a las peculiaridades de las poblaciones, condiciones de insonorización, afluencia turística o duración del espectáculo**. Y la propia la Resolución de 25 de abril de 2013 del Coordinador General de Gestión Urbanística, Vivienda y Obras por la que se hace pública la Instrucción 02/2013 relativa a los criterios de actuación para la ampliación y reducción de horarios de locales de espectáculos públicos y actividades recreativas, publicada en el boletín oficial del Ayuntamiento de Madrid de 7 de junio de 2013, reconoce como circunstancia que justifica la ampliación del horario y por tanto circunstancia excepcional precisamente la de los recintos y establecimientos estén situados en carreteras y fuera del casco urbano de las poblaciones, y precisamente los que estén en las cercanías de los mercados de mayoristas con trabajadores con horarios nocturnos o de madrugada. [STSJ Madrid 8 mayo 2017.- LA LEY 75500/2017]

• Dada la dificultad de evaluar los beneficios derivados de la comisión de la infracción **superando el horario de cierre, está justificada la opción por la clausura para que la sanción produzca efecto disuasorio** en evitación de futuras infracciones, es decir cumpla el fin de prevención especial es decir provoque el condicionamiento interno del sujeto que ha infringido la norma para que no vuelva a realizar tales infracciones. [STSJ Madrid 4 febrero 2015.- LA LEY 12125/2015]

• Sin embargo examinada la citada normativa, entiende la Sala que la sentencia de instancia no incurre en error alguno en la aplicación de la misma, pues no obstante las distintas alegaciones del apelante, el Anexo forma parte de la Ley 4/2003, estableciendo una regulación específica para el supuesto de terrazas e instalaciones al aire libre, anexas al establecimiento principal o locales, siendo que la citada Ley 4/2003, tal y como sostienen las apeladas, ha dado un **tratamiento distinto al horario de los locales y establecimientos, y al horario de las terrazas a instalaciones al aire libre accesorias de las mismas**, sin que por tanto resulte de aplicación el artículo 30 de la Ley, que se refiere a locales y establecimientos que regula la Ley 3/2004, ni el artículo 5 del Decreto 196/1997 que se refiere a locales concretos o locales concentrados en determinadas zonas, pues como bien reconoce el apelante en su recurso, **la terraza de verano es una instalación al aire libre que no tiene la consideración de local**, y no se puede equiparar, por el propio tenor literal del artículo 1 de la citada Ley, a los establecimientos públicos, considerados como locales, que realicen espectáculos o actividades en instalaciones portátiles, desmontables o vía pública. [STSJ Comunidad Valenciana 21 julio 2015.- LA LEY 196207/2015]

• La conclusión a la que hemos llegado de que la adopción por los Ayuntamientos de cualesquiera medidas tendentes a corregir los incumplimientos de los objetivos de calidad acústica de una determinada zona debe encauzarse a través del procedimiento establecido en los artículos 25 y 26 de la LR, entendiéndose producido el desplazamiento del artículo 6.2 de la Orden n.º 1562/1998, de 23 de octubre, de la Consejería de Presidencia, supone un cambio de la doctrina que en otras ocasiones había mantenido esta Sala y Sección en relación con la impugnación de acuerdos municipales de reducción del horario de cierre de locales y establecimientos públicos, que se amparaban en la habilitación contemplada en el citado artículo 6.2. **Este cambio de doctrina viene motivado al tenerse en consideración la causa motivadora de la medida de reducción de horarios adoptada**, explicitada y razonada en la propia resolución administrativa impugnada, lo que llevó a la Sala a tener en consideración el régimen jurídico de protección frente a la contaminación acústica y, particularmente, la Ley 37/2003, de 17 de noviembre, del Ruido, y el carácter de legislación básica de la misma. [STSJ Madrid 10 diciembre 2014.- LA LEY 207468/2014]

• Y finalmente estos mismos argumentos nos lleva a rechazar la denuncia que igualmente formula la parte apelante de que la sentencia de instancia es nula de pleno derecho por vulnerar el principio de igualdad, el principio de seguridad jurídica y el principio de interdicción de la arbitrariedad, al permitir y consentir dicha sentencia de instancia que solo se haya sancionado al establecimiento y no al público asistente, toda vez que no ofrece ninguna duda que la situación jurídica en la que se encuentra **la entidad titular del establecimiento que tiene la obligación de cerrar dicho establecimiento para cumplir el horario de cierre y el público asistente al mismo es distinta y por tanto no comparable**, como para poder afirmar que se ha infringido los citados principios. Y decimos que no es comparable por cuanto que si bien es verdad que uno y otros están obligados a respetar el horario de cierre, también lo es que **la diligencia del deber de conocimiento del horario de cierre en relación con el citado establecimiento es de muy diferente intensidad en el titular del establecimiento que en el público**, que fácilmente puede desconocer tal circunstancia como igualmente es lógico que pueda desconocer la naturaleza y categoría de dicho establecimiento, lo que indudablemente tiene su transcendencia en orden al horario de cierre y por ello también en orden a las consecuencias de su incumplimiento. Cuestión diferente es que los agentes de la Policía Local hubieran acordado desalojar el establecimiento por incumplir dicho horario y los clientes conocedores de tal incumplimiento se hubieran negado a desalojarlo. [STSJ Castilla y León 18 enero 2013.- LA LEY 7808/2013]

• Ahora bien, **una cosa es la «ampliación de horario»** que regula el Decreto 296/1997 en los artículos 11 y 12 de dicho texto reglamentario, y que se refiere a unos horarios especiales que pueden establecerse respecto de los que con carácter general se fijan en el artículo 2 de dicho Decreto. **Y otra cosa, muy diferente, es cómo se clasifican los locales de hostelería y espectáculos públicos** según los grupos establecidos en el artículo 2 del Decreto, y las consecuencias de dicha clasificación. [STSJ País Vasco 11 febrero 2011.- LA LEY 141271/2011]

II.1. Otra jurisprudencia

• Por de pronto la actividad de bar agota los horarios de apertura autorizados, en tanto que las actividades recreativas y culturales se limitan a los momentos de ocio, y en segundo lugar, y lo que es más relevante, la incidencia de unas y otras en la vida ciudadana es muy diferente, siendo notoriamente más acusada la de la actividad de bar. [STSJ País Vasco 11 febrero 2003]

• De los hechos relatados se evidencia que la actividad autorizada en dicho establecimiento Garloc, era la de Bar Especial, y por falta de insonorización se suspendió la actividad, y se le autorizó como bar o bar-cafetería, sin que sea admisible la postura del Ayuntamiento que manifiesta fue un cambio de horario del nocturno al diurno, *pues la característica del bar especial, no es solamente la actividad en sí, sino el horario de cierre permitido.* [STSJ Castilla y León, Burgos, 16 junio 2003]

• Si la Autoridad municipal puede fijar un horario de apertura más reducido para aquellos locales que no dispongan de una adecuada insonorización, con mayor razón podrá hacerlo respecto de aquellos elementos anexos a los establecimientos, tales como los veladores, que por su instalación en la vía pública carecen, por definición de cualquier tipo de aislamiento sonoro, con la lógica incidencia sobre los residentes en las inmediaciones del lugar. Dicha facultad, concluíamos, se la reserva la Ley al Alcalde Presidente de la Corporación. [STSJ Cataluña 12 diciembre 2003]

• **No parece lógico que los establecimientos con horario reducido, por circunstancias excepcionales puedan disponer de una ampliación de horario automática los fines de semana y festivos**. Por ello el citado artículo 8, que regula precisamente la «superposición, acumulaciones de ampliaciones y solapamiento de horarios», establece esta previsión, por lo que habrá que estar al contenido del acto administrativo en el que se establece la limitación de horarios. Además, no se olvide que el horario de bares funciona como un mínimo que no tiene por qué agotarse. [STSJ Madrid 18 octubre 2004]

CAPÍTULO XI

REGIMEN SANCIONADOR

Desde una perspectiva práctica, para abordar el tema de las infracciones y sanciones, deberemos de tener en cuenta las siguientes cuestiones con carácter general, a la vista de las distintas alternativas que tanto el ordenamiento estatal como el autonómico nos ofrecen, y ello debido a que es tal la complejidad existente, el número y clases de infracciones existentes, la graduación de las mismas, y las diversas clases de sanciones, con cuantías distintas, dispares y en muchos casos desorbitadas, porque no se debe de olvidar que cuando se pone una sanción es con el fin de que la misma no sólo sirva de ejemplo para el que comete la infracción y disuasoria para el resto, sino que además pueda ser pagada por el infractor. Y en este aspecto el legislador olvida la realidad y con demasiada ligereza contempla sanciones que difícilmente se pueden pagar, por lo que se produce el efecto contrario al que toda norma sancionadora ha de perseguir, que no es precisamente la de recaudar, sino la de impedir que se cometan actos ilícitos.

Dicho lo anterior, deberemos de tener presente en la instrucción de expedientes sancionadores por infracciones del ordenamiento en materia que directa o indirectamente afecta a los establecimientos comerciales o industriales, los siguientes aspectos:

— El órgano competente para instruir y resolver el expediente.

— El procedimiento a seguir.

— La/s norma/s a aplicar.

— La sanción a imponer.

Derogado el RD 1398/1993, de 4 de agosto, por el que se aprueba el Reglamento del Procedimiento para el Ejercicio de la Potestad Sancionadora (disposición derogatoria única. 2 e) de la LPACAP), será a través de la citada LPACAP y de la LRJSP, donde encontremos los fundamentos de la potestad sancionadora, con la novedad de que desaparece el secretario del procedimiento (art. 13.1 c) del RD 1398/1993), recayendo el peso administrativo del mismo en el instructor (art. 64.1 LPACAP).

Junto con las normas administrativas, el ordenamiento penal a través del artículo 325 del Código Penal, tipifica los delitos contra los recursos naturales y el medio ambiente (arts. 325 a 331), reforzándose el control que la Administración ha de realizar sobre las actividades productoras de efectos molestos, insalubres, nocivos o peligrosos, a la vez que se plantea el problema de delimitar la frontera entre el ilícito penal y la infracción administrativa, cuestión ésta que en determinadas circunstancias puede ser origen de conflicto, precisamente por la imprecisión que la norma penal establece, al ser una norma penal en blanco, y que de alguna forma viene a ser aclarada por las disposiciones legales que regulan las infracciones y sanciones.

Cuando las infracciones pudieran ser constitutivas **de delito o falta**, se pondrá en conocimiento del Ministerio Fiscal los hechos, absteniéndose la Administración de continuar el procedimiento sancionador.

1. ANDALUCÍA

Expediente sancionador

1.   Claves del Expediente

Procedimiento por el que se estructura el régimen sancionador en materia de infracción a las normas medioambientales, referidas a infracciones y sanciones de competencia municipal.

Se aplican los principios generales en materia sancionadora consagrados en la Constitución y en las normas generales de derecho administrativo.

La denuncia del particular no conlleva la obligatoriedad de incoar el procedimiento sancionador, que en todo caso se realizará de oficio por el órgano competente.

Importante tener en cuenta lo dispuesto en el art. 85.3 de la Ley 39/2015 de 1 de octubre, del Procedimiento Administrativo Común de las Administraciones Públicas sobre reducción de la sanción.

PREGUNTAS CLAVE

1. ¿Qué requisitos ha de reunir las denuncias de los particulares para la incoación de procedimiento sancionador?

Las denuncias deberán expresar la identidad de la persona o personas que las presentan, el relato de los hechos que pudieran constituir infracción y la fecha de su comisión y, cuando sea posible, la identificación de los presuntos responsables.

2. ¿Vincula la denuncia al órgano sancionador?

La formulación de una petición no vincula al órgano competente para iniciar el procedimiento sancionador, si bien deberá comunicar al órgano que la hubiera formulado los motivos por los que, en su caso, no procede la iniciación del procedimiento.

3. ¿Ha de comunicarse al denunciante la iniciación del procedimiento sancionador?

Cuando se haya presentado una denuncia, se deberá comunicar al denunciante la iniciación o no del procedimiento cuando la denuncia vaya acompañada de una solicitud de iniciación.

4. ¿Es obligatorio imponer junto a la sanción pecuniaria sanciones accesorias?

No. Es una potestad del órgano sancionador (art. 155 y 156 de la Ley 7/2007, de 9 de julio).

5. ¿Qué ocurre si la cuantía de la multa es inferior al beneficio obtenido?

Cuando la cuantía de la multa resulte inferior al beneficio obtenido con la comisión de la infracción, la sanción será aumentada hasta el importe en que se haya beneficiado el infractor (art. 157.2 de la Ley 7/2007, de 9 de julio).

6. ¿En caso de reincidencia, que sanción pecuniaria se impone?

En caso de reincidencia en un período de dos años, la multa correspondiente se impondrá en su cuantía máxima (art. 157.3 de la Ley 7/2007, de 9 de julio).

7. ¿Qué sanción se impone cuando un solo hecho pudiera ser sancionador por más de una infracción?

Cuando un solo hecho pudiera ser sancionado por más de una infracción, se impondrá la multa que corresponda a la de mayor gravedad en la mitad superior de su cuantía o en su cuantía máxima si es reincidente (art. 157.4 de la Ley 7/2007, de 9 de julio).

8. ¿Si la sanción es desproporcionada por la escasa o nula trascendencia del hecho sancionado, qué criterio se aplicará?

Por razón de la escasa o nula trascendencia del hecho sancionado o por resultar claramente desproporcionada la sanción prevista respecto a las circunstancias concurrentes, podrá aplicarse la sanción establecida para la infracción inmediatamente inferior (art. 157.5 de la Ley 7/2007, de 9 de julio).

2. Jurisprudencia

[Véase anexo I de este capítulo.]

3. Legislación aplicable

— Estatal

Ley 39/2015 de 1 de octubre, del Procedimiento Administrativo Común de las Administraciones Públicas.

Ley 40/2015, de 1 de octubre, de Régimen Jurídico del Sector Público.

— Autonómica

Arts. 134 a 136 y 163, Ley 7/2007, de 9 de julio de Gestión Integrada de la Calidad Ambiental.

Art. 9.12.f) y 9.14.a) Ley 5/2010, de Autonomía Local de Andalucía.

Arts. 18 a 32 de la Ley 13/1999, de 15 de diciembre de Espectáculos Públicas y Actividades Recreativas.

4. Documentos de interés

— Doctrina

GARCÍA VALDERREY, Miguel Ángel. «Procedimiento para la imposición de sanciones accesorias en materia de actividades». *El Consultor de los Ayuntamientos y de los Juzgados*, n.º 11,

Sección Práctica Local, Quincena del 15 al 29 Jun. 2014, Ref. 1257/2014, pág. 1257, tomo 1.- LA LEY 3390/2014.

«La potestad sancionadora de la Administración local. Análisis normativo, doctrinal y jurisprudencial». *El Consultor de los Ayuntamientos y de los Juzgados*, n.º 24, Sección Colaboraciones, Quincena del 30 Dic. 2010 al 14 Ene. 2011, Ref. 3472/2010, pág. 3472, tomo 3.- LA LEY 15192/2010.

GINER BRIZ, Fernando. «La impugnación de la actividad local. Los recursos administrativos en las entidades locales. Las reclamaciones previas al ejercicio de acciones civiles y laborales». Esta doctrina forma parte del libro *Procedimiento Administrativo Local*, edición n.º 1, *El Consultor de los Ayuntamientos y de los Juzgados,* Madrid, octubre 2010.- LA LEY 19183/2011.

VALERA ESCOBAR, Ginés. «La clausura de establecimientos que carecen de preceptiva licencia municipal de apertura en la legislación estatal y andaluza». *El Consultor de los Ayuntamientos y de los Juzgados*, n.º 14, Sección Colaboraciones, Quincena del 30 Jul. al 14 Ago. 2000, Ref. 2363/2000, pág. 2363, tomo 2.- LA LEY 3853/2003.

MODELO DE EXPEDIENTE *(Disponible a texto íntegro en smarteca.es)*

[Véase anexo II de este capítulo.]

2. ARAGÓN

Expediente sancionador

1. Claves del Expediente

Se aplican los principios generales en materia sancionadora consagrados en la Constitución y en las normas generales de derecho administrativo.

La denuncia del particular no conlleva la obligatoriedad de incoar el procedimiento sancionador, que en todo caso se realizará de oficio por el órgano competente.

Importante tener en cuenta lo dispuesto en el art. 85.3 de la Ley 39/2015 de 1 de octubre, del Procedimiento Administrativo Común de las Administraciones Públicas sobre reducción de la sanción

Las denuncias deberán expresar la identidad de la persona o personas que las presentan, el relato de los hechos que pudieran constituir infracción y la fecha de su comisión y, cuando sea posible, la identificación de los presuntos responsables.

Iniciado el expediente sancionador podrán acordarse por el órgano competente para resolver el procedimiento la adopción de medidas provisionales.

Las medidas provisionales respetaran los principios de proporcionalidad, efectividad y menor onerosidad en relación con los principios que se pretendan garantizar.

Las medidas provisionales serán acordadas previa audiencia del interesado por plazo de diez días. En caso de urgencia este plazo quedará reducido a dos días.

PREGUNTAS CLAVE

1. ¿Pueden adoptar medidas provisionalísimas los agentes de la autoridad?

el art. 42.2 de la Ley 11/2005, faculta a los agentes de la autoridad para que adopten medidas provisionalísimas inmediatas dando cuenta al titular del órgano competente en casos de absoluta urgencia o para evitar la celebración de espectáculos prohibidos.

2. ¿Qué procedimiento ha de seguirse para la imposición de medidas provisionalísimas?

El art. 44 de la Ley 11/2005 establece el procedimiento a seguir y que se concreta en:

• Las medidas provisionalísimas serán acordadas mediante resolución motivada, previa audiencia del interesado por un plazo de diez días.

• En caso de urgencia, debidamente motivada, el plazo de audiencia quedará reducido a dos días. No obstante, cuando se aprecie peligro inminente para la seguridad de las personas o grave riesgo para la salud pública por las condiciones higiénico-sanitarias de los locales o de sus productos, podrán adoptarse las medidas provisionalísimas sin necesidad de la citada audiencia previa.

• Las medidas provisionalísimas deberán ser confirmadas, modificadas o levantadas en el acuerdo de iniciación del preceptivo procedimiento sancionador, que deberá efectuarse en el plazo de quince días desde la adopción de las mismas.

• En todo caso, las medidas quedarán sin efecto si no se inicia el procedimiento sancionador en dicho plazo o cuando el acuerdo de iniciación no contenga pronunciamiento expreso acerca de las mismas.

3. ¿Quienes son los responsables de las infracciones administrativas?, ¿Y en caso de una pluralidad de responsables?

Serán responsables de las infracciones administrativas previstas en esta Ley los titulares de los espectáculos públicos, actividades recreativas o establecimientos públicos y las demás personas físicas o jurídicas que incurran en las acciones u omisiones tipificadas en la misma (art. 46.1 Ley 11/2005).

Cuando exista una pluralidad de responsables a título individual y no fuera posible determinar el grado de participación de cada uno en la realización de la infracción, responderán solidariamente todos ellos (art. 46.2 Ley 11/2005).

4. ¿Cuándo comienza el plazo de prescripción de la infracción?

El plazo de prescripción comenzará a contarse desde el día de la comisión del hecho. En las infracciones derivadas de una actividad continuada la fecha inicial del cómouto será la de la finalización de la actividad o la del último acto en que la infracción se consume (art. 50.2 Ley 11/2005).

5. ¿ Cuándo comienza el plazo de prescripción de la sanción?

El plazo de prescripción de las sanciones comenzará a contarse desde el día siguiente a aquel en que adquiera firmeza la resolución por la que se impone la sanción (art. 55.2 Ley 11/2005).

2. Jurisprudencia

[Véase anexo I de este capítulo.]

3. Legislación aplicable

— Estatal

Ley 39/2015 de 1 de octubre, del Procedimiento Administrativo Común de las Administraciones Públicas.

Ley 40/2015, de 1 de octubre, de Régimen Jurídico del Sector Público.

— Autonómica

Ley 11/2005, de 28 de diciembre, reguladora de los espectáculos públicos, actividades recreativas y establecimientos públicos de la Comunidad Autónoma de Aragón.

4. Documentos de interés

— Doctrina

GARCÍA VALDERREY, Miguel Ángel. «Procedimiento para la imposición de sanciones accesorias en materia de actividades». *El Consultor de los Ayuntamientos y de los Juzgados*, n.º 11, Sección Práctica Local, Quincena del 15 al 29 Jun. 2014, Ref. 1257/2014, pág. 1257, tomo 1.- LA LEY 3390/2014.

«La potestad sancionadora de la Administración local. Análisis normativo, doctrinal y jurisprudencial». *El Consultor de los Ayuntamientos y de los Juzgados*, n.º 24, Sección Colaboraciones, Quincena del 30 Dic. 2010 al 14 Ene. 2011, Ref. 3472/2010, pág. 3472, tomo 3.- LA LEY 15192/2010.

GINER BRIZ, Fernando. «La impugnación de la actividad local. Los recursos administrativos en las entidades locales. Las reclamaciones previas al ejercicio de acciones civiles y laborales». Esta doctrina forma parte del libro *Procedimiento Administrativo Local*, edición n.º 1, *El Consultor de los Ayuntamientos y de los Juzgados,* Madrid, octubre 2010.- LA LEY 19183/2011.

VALERA ESCOBAR, Ginés. «La clausura de establecimientos que carecen de preceptiva licencia municipal de apertura en la legislación estatal y andaluza». *El Consultor de los Ayuntamientos y de los Juzgados*, n.º 14, Sección Colaboraciones, Quincena del 30 Jul. al 14 Ago. 2000, Ref. 2363/2000, pág. 2363, tomo 2.- LA LEY 3853/2003.

MODELO DE EXPEDIENTE *(Disponible a texto íntegro en smarteca.es)*

[Véase anexo II de este capítulo.]

3. CANARIAS

Expediente sancionador

1. Claves del Expediente

Se aplican los principios generales en materia sancionadora consagrados en la Constitución y en las normas generales de derecho administrativo, recogiéndose en los arts. 58 a 73 el régimen sancionador por infracción a la Ley 7/2011, de 5 de abril, de actividades clasificadas y espectáculos públicos y otras medidas administrativas complementarias.

La denuncia del particular no conlleva la obligatoriedad de incoar el procedimiento sancionador, que en todo caso se realizará de oficio por el órgano competente.

Importante tener en cuenta lo dispuesto en el art. 85.3 de la Ley 39/2015 de 1 de octubre, del Procedimiento Administrativo Común de las Administraciones Públicas sobre reducción de la sanción

Las denuncias deberán expresar la identidad de la persona o personas que las presentan, el relato de los hechos que pudieran constituir infracción y la fecha de su comisión y, cuando sea posible, la identificación de los presuntos responsables.

Iniciado el expediente sancionador podrán acordarse por el órgano competente para resolver el procedimiento la adopción de medidas provisionales.

Las medidas provisionales respetaran los principios de proporcionalidad, efectividad y menor onerosidad en relación con los principios que se pretendan garantizar.

Las medidas provisionales serán acordadas previa audiencia del interesado por plazo de diez días. En caso de urgencia este plazo quedará reducido a dos días (art. 56.2 de la Ley 7/2011, de 5 de abril, de actividades clasificadas y espectáculos públicos y otras medidas administrativas complementarias)

PREGUNTAS CLAVE

1. ¿Quiénes son los responsables del cumplimiento de las condiciones establecidas para el ejercicio de espectáculos públicos?

Según art. 59.1 de la Ley 7/2011, son responsables:

a) La persona titular de la actividad, responsable de que esta se realice y se mantenga de conformidad a la normativa que le sea aplicable y a las condiciones impuestas.

b) Las empresas instaladoras y mantenedoras que garanticen que la instalación y el mantenimiento se han ejecutado cumpliendo la normativa vigente y el proyecto técnico.

c) El autor del proyecto técnico, que acredite que este se adapta a la normativa que le sea de aplicación y, en su caso, el colegio profesional que lo hubiere visado.

d) El técnico que emita el certificado final de obra o instalación, acreditativo de que la instalación se ha ejecutado de conformidad con el proyecto técnico y se han cumplido las normas de seguridad en su ejecución y el colegio profesional, que lo hubiera visado, en su caso. Si el técnico que emite el certificado pertenece a una empresa, esta se considerará subsidiariamente responsable.

e) Los usuarios, artistas, ejecutantes, espectadores o el público asistente, en los casos en que incumplan las obligaciones prescritas en esta ley.

2. ¿Cuándo son responsables solidarios los titulares y promotores de la actividad?

Lo serán cuando por acción u omisión, permitan o toleren la comisión de infracciones por parte del público o de los usuarios (art. 59.3 de la Ley 7/2011).

3. ¿Cuándo existe responsabilidad solidaria?

Cuando exista una pluralidad de personas responsables a título individual y no sea posible determinar el grado de participación de cada una ellas en la realización de la infracción (art. 59.4 Ley 7/2011).

4. En caso de concurrencia de sanciones, ¿cuál se impondrá?

Si ante unos mismos hechos y fundamentos jurídicos, el infractor pudiese ser sancionado con arreglo a esta ley o a otra u otras leyes que fueran de aplicación, de las posibles sanciones, se le impondrá la de mayor gravedad (art. 68 Ley 7/2011).

5. ¿Se ha de notificar al denunciante la resolución del expediente?

El art. 70 de la Ley 7/2011 determina que en el supuesto de que el procedimiento haya sido iniciado previa denuncia, se notificará al denunciante la resolución del expediente.

2. Jurisprudencia

[Véase anexo I de este capítulo.]

3. Legislación aplicable

— Estatal

Ley 39/2015 de 1 de octubre, del Procedimiento Administrativo Común de las Administraciones Públicas

Ley 40/2015, de 1 de octubre, de Régimen Jurídico del Sector Público

— Autonómica

Ley 7/2011, de 5 de abril, de actividades clasificadas y espectáculos públicos y otras medidas administrativas complementarias.-

Decreto 86/2013, de 1 de agosto, por el que se aprueba el Reglamento de actividades clasificadas y espectáculos públicos.-

Decreto Legislativo 1/2012, de 21 de abril, por el que se aprueba el Texto Refundido de las Leyes de Ordenación de la Actividad Comercial de Canarias y reguladora de la licencia comercial.-

Decreto 52/2012, de 7 de junio, por el que se establece la relación de actividades clasificadas y se determinan aquellas a las que resulta de aplicación el régimen de autorización administrativa previa.-

4. Documentos de interés

— Doctrina

GARCÍA VALDERREY, Miguel Ángel. «Procedimiento para la imposición de sanciones accesorias en materia de actividades». *El Consultor de los Ayuntamientos y de los Juzgados*, n.º 11, Sección Práctica Local, Quincena del 15 al 29 Jun. 2014, Ref. 1257/2014, pág. 1257, tomo 1.- LA LEY 3390/2014.

«La potestad sancionadora de la Administración local. Análisis normativo, doctrinal y jurisprudencial». *El Consultor de los Ayuntamientos y de los Juzgados*, n.º 24, Sección Colaboraciones, Quincena del 30 Dic. 2010 al 14 Ene. 2011, Ref. 3472/2010, pág. 3472, tomo 3.- LA LEY 15192/2010.

GINER BRIZ, Fernando. «La impugnación de la actividad local. Los recursos administrativos en las entidades locales. Las reclamaciones previas al ejercicio de acciones civiles y laborales».

Esta doctrina forma parte del libro *Procedimiento Administrativo Local*, edición n.º 1, *El Consultor de los Ayuntamientos y de los Juzgados*, Madrid, octubre 2010.- LA LEY 19183/2011.

VALERA ESCOBAR, Ginés. «La clausura de establecimientos que carecen de preceptiva licencia municipal de apertura en la legislación estatal y andaluza». *El Consultor de los Ayuntamientos y de los Juzgados*, n.º 14, Sección Colaboraciones, Quincena del 30 Jul. al 14 Ago. 2000, Ref. 2363/2000, pág. 2363, tomo 2.- LA LEY 3853/2003.

MODELO DE EXPEDIENTE *(Disponible a texto íntegro en smarteca.es)*

[Véase anexo II de este capítulo.]

4. CANTABRIA

Expediente sancionador

1. Claves del Expediente

Se aplican los principios generales en materia sancionadora consagrados en la Constitución y en las normas generales de derecho administrativo.

La denuncia del particular no conlleva la obligatoriedad de incoar el procedimiento sancionador, que en todo caso se realizará de oficio por el órgano competente.

Importante tener en cuenta lo dispuesto en el art. 85.3 de la Ley 39/2015 de 1 de octubre, del Procedimiento Administrativo Común de las Administraciones Públicas sobre reducción de la sanción.

Las denuncias deberán expresar la identidad de la persona o personas que las presentan, el relato de los hechos que pudieran constituir infracción y la fecha de su comisión y, cuando sea posible, la identificación de los presuntos responsables.

Iniciado el expediente sancionador podrán acordarse por el órgano competente para resolver el procedimiento la adopción de medidas provisionales.

Las medidas provisionales respetaran los principios de proporcionalidad, efectividad y menor onerosidad en relación con los principios que se pretendan garantizar.

Las medidas provisionales serán acordadas previa audiencia del interesado por plazo de diez días. En caso de urgencia este plazo quedará reducido a dos días.

PREGUNTAS CLAVE

1. ¿En qué casos se pueden adoptar medidas provisionales previas e inmediatas sin necesidad de audiencia previa?

En los casos de absoluta urgencia motivada por:

a) Riesgo inmediato de afectar gravemente a la seguridad de las personas y bienes, o a la convivencia.

b) Evitar la celebración de espectáculos públicos y actividades recreativas prohibidas (art. 46.1 de la Ley 3/2017, de 5 de abril, de Espectáculos Públicos y Actividades Recreativas de Cantabria).

2. ¿Cuándo quedan sin efecto las medidas provisionales?

En el caso de que no se ratifiquen, transcurridos quince días desde su imposición (art. 45.6 de la Ley 3/2017, de 5 de abril, de Espectáculos Públicos y Actividades Recreativas de Cantabria).

3. ¿Se puede aplicar el procedimiento simplificado en los expedientes sancionadores?

El art. 59.1 de la de la Ley 3/2017, de 5 de abril, de Espectáculos Públicos y Actividades Recreativas de Cantabria, determina que no será de aplicación el procedimiento simplificado.

4. ¿Qué plazo hay para resolver y notificar el procedimiento sancionador?

Seis meses (art. 59.2 de la de la Ley 3/2017, de 5 de abril, de Espectáculos Públicos y Actividades Recreativas de Cantabria).

2. Jurisprudencia

[Véase anexo I de este capítulo.]

3. Legislación aplicable

— Estatal

Ley 39/2015 de 1 de octubre, del Procedimiento Administrativo Común de las Administraciones Públicas.

Ley 40/2015, de 1 de octubre, de Régimen Jurídico del Sector Público.

— Autonómica

Ley 3/2017, de 5 de abril, de Espectáculos Públicos y Actividades Recreativas de Cantabria.

4. Documentos de interés

— Doctrina

GARCÍA VALDERREY, Miguel Ángel. «Procedimiento para la imposición de sanciones accesorias en materia de actividades». *El Consultor de los Ayuntamientos y de los Juzgados*, n.º 11, Sección Práctica Local, Quincena del 15 al 29 Jun. 2014, Ref. 1257/2014, pág. 1257, tomo 1.- LA LEY 3390/2014.

«La potestad sancionadora de la Administración local. Análisis normativo, doctrinal y jurisprudencial». *El Consultor de los Ayuntamientos y de los Juzgados*, n.º 24, Sección Colaboraciones, Quincena del 30 Dic. 2010 al 14 Ene. 2011, Ref. 3472/2010, pág. 3472, tomo 3.- LA LEY 15192/2010.

GINER BRIZ, Fernando. «La impugnación de la actividad local. Los recursos administrativos en las entidades locales. Las reclamaciones previas al ejercicio de acciones civiles y laborales». Esta doctrina forma parte del libro *Procedimiento Administrativo Local*, edición n.º 1, *El Consultor de los Ayuntamientos y de los Juzgados,* Madrid, octubre 2010.- LA LEY 19183/2011.

VALERA ESCOBAR, Ginés. «La clausura de establecimientos que carecen de preceptiva licencia municipal de apertura en la legislación estatal y andaluza». *El Consultor de los Ayuntamientos y de los Juzgados*, n.º 14, Sección Colaboraciones, Quincena del 30 Jul. al 14 Ago. 2000, Ref. 2363/2000, pág. 2363, tomo 2.- LA LEY 3853/2003.

MODELO DE EXPEDIENTE *(Disponible a texto íntegro en smarteca.es)*

[Véase anexo II de este capítulo.]

5. CASTILLA-LA MANCHA

Expediente sancionador

1. Claves del Expediente

Procedimiento por el que se estructura el régimen sancionador en materia de infracción a las normas medioambientales, referidas a infracciones y sanciones de competencia municipal.

Se aplican los principios generales en materia sancionadora consagrados en la Constitución y en las normas generales de derecho administrativo.

La denuncia del particular no conlleva la obligatoriedad de incoar el procedimiento sancionador, que en todo caso se realizará de oficio por el órgano competente.

Importante tener en cuenta lo dispuesto en el art. 85.3 de la Ley 39/2015 de 1 de octubre, del Procedimiento Administrativo Común de las Administraciones Públicas sobre reducción de la sanción

PREGUNTAS CLAVE

1. ¿Qué requisitos ha de reunir las denuncias de los particulares para la incoación de procedimiento sancionador?

Las denuncias deberán expresar la identidad de la persona o personas que las presentan, el relato de los hechos que pudieran constituir infracción y la fecha de su comisión y, cuando sea posible, la identificación de los presuntos responsables.

2. ¿Vincula la denuncia al órgano sancionador?

La formulación de una petición no vincula al órgano competente para iniciar el procedimiento sancionador, si bien deberá comunicar al órgano que la hubiera formulado los motivos por los que, en su caso, no procede la iniciación del procedimiento.

3. ¿Ha de comunicarse al denunciante la iniciación del procedimiento sancionador?

Cuando se haya presentado una denuncia, se deberá comunicar al denunciante la iniciación o no del procedimiento cuando la denuncia vaya acompañada de una solicitud de iniciación.

4. ¿Cuándo pueden adoptarse medidas provisionales inmediatas?

En los casos de urgencia absoluta ante espectáculos públicos y actividades recreativas que conlleven un riesgo inmediato de afectar gravemente a la seguridad de las personas y los bienes o la convivencia entre los ciudadanos (art. 43.1 de la Ley 7/2011).

5. ¿En el caso de adopción de medidas provisionales inmediatas ha de darse audiencia previa?

No. Así lo determina el art. 43.1 de la Ley 7/2011.

6. ¿Si existe una pluralidad de responsables a título individual y no fuera posible determinar el grado de participación de cada uno de ellos, qué responsabilidad se exige?

El art. 48.4 de la Ley 7/2011 dispone que en tal caso responderán todos ellos de forma solidaria.

2. Jurisprudencia

[Véase anexo I de este capítulo.]

3. Legislación aplicable

— Estatal

Ley 39/2015 de 1 de octubre, del Procedimiento Administrativo Común de las Administraciones Públicas.

Ley 40/2015, de 1 de octubre, de Régimen Jurídico del Sector Público.

— Autonómica

Ley 7/2011, de 21 de marzo, de Espectáculos Públicos, Actividades Recreativas y Establecimientos Públicos de Castilla-La Mancha.

4. Documentos de interés

— Doctrina

GARCÍA VALDERREY, Miguel Ángel. «Procedimiento para la imposición de sanciones accesorias en materia de actividades». *El Consultor de los Ayuntamientos y de los Juzgados*, n.º 11, Sección Práctica Local, Quincena del 15 al 29 Jun. 2014, Ref. 1257/2014, pág. 1257, tomo 1.- LA LEY 3390/2014.

«La potestad sancionadora de la Administración local. Análisis normativo, doctrinal y jurisprudencial». *El Consultor de los Ayuntamientos y de los Juzgados*, n.º 24, Sección Colaboraciones, Quincena del 30 Dic. 2010 al 14 Ene. 2011, Ref. 3472/2010, pág. 3472, tomo 3.- LA LEY 15192/2010.

GINER BRIZ, Fernando. «La impugnación de la actividad local. Los recursos administrativos en las entidades locales. Las reclamaciones previas al ejercicio de acciones civiles y laborales». Esta doctrina forma parte del libro *Procedimiento Administrativo Local*, edición n.º 1, *El Consultor de los Ayuntamientos y de los Juzgados,* Madrid, octubre 2010.- LA LEY 19183/2011.

VALERA ESCOBAR, Ginés. «La clausura de establecimientos que carecen de preceptiva licencia municipal de apertura en la legislación estatal y andaluza». *El Consultor de los Ayuntamientos y de los Juzgados*, n.º 14, Sección Colaboraciones, Quincena del 30 Jul. al 14 Ago. 2000, Ref. 2363/2000, pág. 2363, tomo 2.- LA LEY 3853/2003.

MODELO DE EXPEDIENTE *(Disponible a texto íntegro en smarteca.es)*

[Véase anexo II de este capítulo.]

6. CASTILLA Y LEÓN

Expediente sancionador

1. Claves del Expediente

Se aplican los principios generales en materia sancionadora consagrados en la Constitución y en las normas generales de derecho administrativo.

La denuncia del particular no conlleva la obligatoriedad de incoar el procedimiento sancionador, que en todo caso se realizará de oficio por el órgano competente.

Importante tener en cuenta lo dispuesto en el art. 85.3 de la Ley 39/2015 de 1 de octubre, del Procedimiento Administrativo Común de las Administraciones Públicas sobre reducción de la sanción.

Las denuncias deberán expresar la identidad de la persona o personas que las presentan, el relato de los hechos que pudieran constituir infracción y la fecha de su comisión y, cuando sea posible, la identificación de los presuntos responsables.

La formulación de una petición no vincula al órgano competente para iniciar el procedimiento sancionador, si bien deberá comunicar al órgano que la hubiera formulado los motivos por los que, en su caso, no procede la iniciación del procedimiento.

Cuando se haya presentado una denuncia, se deberá comunicar al denunciante la iniciación o no del procedimiento cuando la denuncia vaya acompañada de una solicitud de iniciación.

En los casos de urgencia absoluta ante espectáculos públicos y actividades recreativas que conlleven un riesgo inmediato de afectar gravemente a la seguridad de las personas y los bienes o la convivencia entre los ciudadanos han de adoptarse medidas cautelares (art. 34 de la Ley 7/2006, de 2 de octubre, de espectáculos públicos y actividades recreativas de Castilla y León).

Si existe una pluralidad de responsables a título individual y no fuera posible determinar el grado de participación de cada uno de ellos, responderá todos ellos de forma solidaria (art. 33.3 de la Ley 7/2006, de 2 de octubre, de espectáculos públicos y actividades recreativas de Castilla y León).

PREGUNTAS CLAVE

1. ¿Qué medidas provisionales pueden adoptarse previas a la incoación del procedimiento sancionador?

Por razón de urgencia el art. 31.1 de la Ley 7/2006, permite que se adopten las siguientes:

a) Prohibición del espectáculo público o actividad recreativa.

b) Desalojo, clausura y precinto del establecimiento o instalación, permanente o no.

c) Decomiso de los bienes, efectos o animales relacionados con el espectáculo o actividad.

2. ¿Quiénes son los sujetos responsables de la infracciones cometidas a la Ley 7/2006?

Serán sujetos responsables de las infracciones administrativas las personas físicas y jurídicas, así como las entidades sin personalidad jurídica, que incurran en las acciones u omisiones tipificadas (art. 33.1 Ley 7/2006).

3. ¿Cuándo se produce la responsabilidad solidaria?

El art. 33.2 y 3 de la Ley 7/2006 determina los supuesto de responsabilidad solidaria. Así:

a) Los titulares de los establecimientos públicos e instalaciones y los organizadores de espectáculos públicos y actividades recreativas serán responsables solidarios de las infracciones administrativas reguladas en la presente Ley que sean cometidas por quienes intervengan en el espectáculo o actividad.

b) Cuando exista una pluralidad de responsables a título individual y no fuera posible determinar el grado de participación de cada uno en la realización de la infracción responderán todos ellos de forma solidaria.

4. ¿Qué medidas cautelares pueden adoptarse durante la instrucción del procedimiento sancionador?

Incoado el procedimiento sancionador, el órgano administrativo competente para resolver el procedimiento podrá adoptar en cualquier momento, mediante resolución motivada y previa audiencia a los interesados, las medidas cautelares que estime oportunas para asegurar la eficacia de la resolución que pudiera recaer, el buen fin del procedimiento, y para evitar el mantenimiento de los efectos de la infracción y las exigencias de los intereses generales. En caso de urgencia, que deberá estar debidamente motivada en la resolución que determine la adopción de las medidas cautelares, podrá omitirse el trámite de audiencia (art. 34.1 Ley 7/2006).

5. ¿Cuándo se ha de acordar la imposición acumulativa de sanciones?

La imposición acumulativa de sanciones deberá acordarse en aquellos supuestos que impliquen grave alteración de la seguridad, cuando se incumplan las disposiciones en materia de protección de menores y en los casos de reincidencia en el incumplimiento de los horarios de apertura y cierre de los establecimientos públicos o instalaciones, siempre que no dé lugar a la consideración de una infracción de rango superior (art. 40.3 de la Ley 7/2006).

2. Jurisprudencia

[Véase anexo I de este capítulo.]

3. Legislación aplicable

— Estatal

Ley 39/2015 de 1 de octubre, del Procedimiento Administrativo Común de las Administraciones Públicas.

Ley 40/2015, de 1 de octubre, de Régimen Jurídico del Sector Público.

— Autonómica

Ley 7/2006, de 2 de octubre, de espectáculos públicos y actividades recreativas de Castilla y León.

4. Documentos de interés

— Doctrina

GARCÍA VALDERREY, Miguel Ángel. «Procedimiento para la imposición de sanciones accesorias en materia de actividades». *El Consultor de los Ayuntamientos y de los Juzgados*, n.º 11, Sección Práctica Local, Quincena del 15 al 29 Jun. 2014, Ref. 1257/2014, pág. 1257, tomo 1.- LA LEY 3390/2014.

«La potestad sancionadora de la Administración local. Análisis normativo, doctrinal y jurisprudencial». *El Consultor de los Ayuntamientos y de los Juzgados*, n.º 24, Sección Colaboraciones, Quincena del 30 Dic. 2010 al 14 Ene. 2011, Ref. 3472/2010, pág. 3472, tomo 3.- LA LEY 15192/2010.

GINER BRIZ, Fernando. «La impugnación de la actividad local. Los recursos administrativos en las entidades locales. Las reclamaciones previas al ejercicio de acciones civiles y laborales». Esta doctrina forma parte del libro *Procedimiento Administrativo Local*, edición n.º 1, *El Consultor de los Ayuntamientos y de los Juzgados,* Madrid, octubre 2010.- LA LEY 19183/2011.

VALERA ESCOBAR, Ginés. «La clausura de establecimientos que carecen de preceptiva licencia municipal de apertura en la legislación estatal y andaluza». *El Consultor de los Ayuntamientos y de los Juzgados*, n.º 14, Sección Colaboraciones, Quincena del 30 Jul. al 14 Ago. 2000, Ref. 2363/2000, pág. 2363, tomo 2.- LA LEY 3853/2003.

MODELO DE EXPEDIENTE *(Disponible a texto íntegro en smarteca.es)*

[Véase anexo II de este capítulo.]

7. CATALUÑA

Expediente sancionador

1. Claves del Expediente

Se aplican los principios generales en materia sancionadora consagrados en la Constitución y en las normas generales de derecho administrativo, recogiéndose en los arts. 46 a 65 de la Ley 11/2009, de 6 de julio, de regulación administrativa de los espectáculos públicos y las actividades recreativas.

La denuncia del particular no conlleva la obligatoriedad de incoar el procedimiento sancionador, que en todo caso se realizará de oficio por el órgano competente.

Importante tener en cuenta lo dispuesto en el art. 85.3 de la Ley 39/2015 de 1 de octubre, del Procedimiento Administrativo Común de las Administraciones Públicas sobre reducción de la sanción.

Las denuncias deberán expresar la identidad de la persona o personas que las presentan, el relato de los hechos que pudieran constituir infracción y la fecha de su comisión y, cuando sea posible, la identificación de los presuntos responsables.

Iniciado el expediente sancionador podrán acordarse por el órgano competente para resolver el procedimiento la adopción de medidas provisionales.

Los órganos competentes para sancionar las infracciones tipificadas por la Ley 11/2009, de 6 de julio, de regulación administrativa de los espectáculos públicos y las actividades recreativas, en ejercicio de sus competencias, antes de abrir el procedimiento sancionador que corresponda pueden adoptar las medidas provisionales previas pertinentes para impedir o suspender los espectáculos públicos o actividades recreativas.

PREGUNTAS CLAVE

1. ¿Qué medidas no tienen carácter sancionador?

El art. 54.1 de la Ley 11/2009, determina que no tienen carácter sancionador las siguientes medidas:

a) El cierre de un establecimiento abierto al público o la prohibición o suspensión de una actividad recreativa o de un espectáculo público carentes de la correspondiente licencia o autorización, hasta que no se restablezca la legalidad. Dichas medidas pueden ser adoptadas por la administración competente en materia de inspecciones y sanciones, después de haber dado audiencia a las personas interesadas.

b) La revocación y la declaración de caducidad de las licencias o autorizaciones, de acuerdo con el artículo 37.

2. ¿En el caso de que la infracción sea imputada a una persona jurídica, quienes son responsables solidarios?

En el caso de que la infracción sea imputada a una persona jurídica, son responsables solidarias las personas físicas que ocupan cargos de administración o dirección que hayan cometido la infracción o que hayan colaborado activamente a la misma, que no acrediten haber hecho todo lo posible, en el marco de sus competencias, para evitarla, que la hayan consentido o que hayan adoptado acuerdos que la posibiliten, hayan cesado o no en su actividad (art. 56.2 de la Ley 11/2009).

3. ¿En caso de cierre del establecimiento, hasta donde alcanza la responsabilidad?

Los responsables, aunque no tengan la titularidad patrimonial de los inmuebles donde se encuentran los establecimientos abiertos al público a los que se impone el cierre, tienen que responder, de acuerdo con la legislación civil, de los daños y perjuicios que puedan sufrir los propietarios y los titulares de los derechos sobre los inmuebles afectados como consecuencia del cierre (art. 56.3 de la Ley 11/2009).

4. ¿Qué relación tienen los denunciantes en el expediente sancionador?

En el caso de que el procedimiento haya sido iniciado mediante denuncia previa, debe comunicarse a los denunciantes si se ha decidido abrir el procedimiento sancionador o no. El planteamiento de una denuncia no otorga a los denunciantes, por sí solo, la condición de interesados, a efectos de poder pronunciarse sobre la admisión o no de eventuales recursos contra la comunicación del archivo de las actuaciones (art. 60.2 de la Ley 11/2009).

5. ¿Qué medidas provisionales previas pueden adoptarse antes del inicio del expediente sancionador?

El art. 63 de la Ley 11/2009 permite la adopción de una o varias de las siguientes medidas si concurren alguno de los supuestos establecidos en el art. 62:

a) La suspensión de la correspondiente licencia o autorización.

b) La suspensión o la prohibición de la actividad.

c) El cierre provisional del establecimiento abierto al público mediante precinto.

d) El decomiso o el precinto de los bienes utilizados para llevar a cabo el espectáculo público o la actividad recreativa.

e) El decomiso de las entradas y del dinero de la reventa o de la venta en la calle o en lugares no autorizados.

f) La prestación de fianzas.

g) Otras medidas que se consideren necesarias, apropiadas y proporcionadas para cada situación para la seguridad de las personas y de los establecimientos o los espacios abiertos al público.

2. Jurisprudencia

[Véase anexo I de este capítulo.]

3. Legislación aplicable

— **Estatal**

Ley 39/2015 de 1 de octubre, del Procedimiento Administrativo Común de las Administraciones Públicas.

Ley 40/2015, de 1 de octubre, de Régimen Jurídico del Sector Público.

— **Autonómica**

Ley 11/2009, de 6 de julio, de regulación administrativa de los espectáculos públicos y las actividades recreativas.

Decreto 112/2010, de 31 de agosto, por el que se aprueba el Reglamento de espectáculos públicos y actividades recreativas.

4. Documentos de interés

— **Doctrina**

GARCÍA VALDERREY, Miguel Ángel. «Procedimiento para la imposición de sanciones accesorias en materia de actividades». *El Consultor de los Ayuntamientos y de los Juzgados*, n.º 11, Sección Práctica Local, Quincena del 15 al 29 Jun. 2014, Ref. 1257/2014, pág. 1257, tomo 1.- LA LEY 3390/2014.

«La potestad sancionadora de la Administración local. Análisis normativo, doctrinal y jurisprudencial». *El Consultor de los Ayuntamientos y de los Juzgados*, n.º 24, Sección Colaboraciones, Quincena del 30 Dic. 2010 al 14 Ene. 2011, Ref. 3472/2010, pág. 3472, tomo 3.- LA LEY 15192/2010.

GINER BRIZ, Fernando. «La impugnación de la actividad local. Los recursos administrativos en las entidades locales. Las reclamaciones previas al ejercicio de acciones civiles y laborales». Esta doctrina forma parte del libro *Procedimiento Administrativo Local*, edición n.º 1, *El Consultor de los Ayuntamientos y de los Juzgados,* Madrid, octubre 2010.- LA LEY 19183/2011.

VALERA ESCOBAR, Ginés. «La clausura de establecimientos que carecen de preceptiva licencia municipal de apertura en la legislación estatal y andaluza». *El Consultor de los Ayuntamientos y de los Juzgados,* n.º 14, Sección Colaboraciones, Quincena del 30 Jul. al 14 Ago. 2000, Ref. 2363/2000, pág. 2363, tomo 2.- LA LEY 3853/2003.

MODELO DE EXPEDIENTE *(Disponible a texto íntegro en smarteca.es)*

[Véase anexo II de este capítulo.]

8. COMUNIDAD DE MADRID

Expediente sancionador

1. Claves del Expediente

Se aplican los principios generales en materia sancionadora consagrados en la Constitución y en las normas generales de derecho administrativo, recogiéndose en los arts. 32 a 44 de la Ley 17/1997, de 4 de julio, de Espectáculos Públicos y Actividades Recreativas.

La denuncia del particular no conlleva la obligatoriedad de incoar el procedimiento sancionador, que en todo caso se realizará de oficio por el órgano competente.

Importante tener en cuenta lo dispuesto en el art. 85.3 de la Ley 39/2015 de 1 de octubre, del Procedimiento Administrativo Común de las Administraciones Públicas sobre reducción de la sanción.

Las denuncias deberán expresar la identidad de la persona o personas que las presentan, el relato de los hechos que pudieran constituir infracción y la fecha de su comisión y, cuando sea posible, la identificación de los presuntos responsables.

Iniciado el expediente sancionador podrán acordarse por el órgano competente para resolver el procedimiento la adopción de medidas provisionales.

Las medidas provisionales respetaran los principios de proporcionalidad, efectividad y menor onerosidad en relación con los principios que se pretendan garantizar.

Las medidas provisionales serán acordadas previa audiencia del interesado por plazo de diez días. En casos de urgencia, el plazo podrá ser reducido a dos días.

PREGUNTAS CLAVE

1. ¿Cuándo existe responsabilidad solidaria?

Los titulares de los establecimientos y locales o de las respectivas licencias, y los organizadores o promotores de espectáculos públicos y actividades recreativas, serán responsables solidarios de las infracciones administrativas reguladas en la presente Ley que se cometan en los mismos por quienes intervengan en el espectáculo o actividad, y por quienes estén bajo su dependencia, cuando incumplan el deber de prevenir la infracción (art. 34.2 de la Ley 17/1997).

2. ¿Qué ocurre si el responsable de la infracción es una persona jurídica?

Cuando el responsable de una infracción administrativa sea una persona jurídica, la responsabilidad se extenderá a las personas físicas que integren sus órganos rectores o de dirección si, en el curso del procedimiento sancionador, se acredita que aquellas han tenido intervención directa e intencionada (art. 34.4 de la Ley 17/1997).

3. ¿Qué medidas cautelares pueden adoptarse una vez iniciado el procedimiento sancionador?

Iniciado el procedimiento sancionador se podrán adoptar, en cualquier momento del mismo, las medidas cautelares imprescindibles para el normal desarrollo del procedimiento, asegurar el cumplimiento de la sanción que pudiera imponerse o evitar la comisión de nuevas infracciones, y en especial (art. 36.2 Ley 17/1997) las siguientes:

a) Suspensión de la licencia o autorización.

b) Suspensión o prohibición de la actividad o el espectáculo.

c) Clausura de local o establecimiento.

d) Decomiso de los bienes relacionados con el espectáculo o actividad.

e) Decomiso de los ingresos obtenidos por la actividad o espectáculo.

f) Inhabilitación para la organización o promoción de los espectáculos y actividades recreativas.

4. ¿En caso de urgencia ha de darse trámite de audiencia para la adopción de medidas cautelares?

Las medidas cautelares serán acordadas en resolución motivada previa audiencia del interesado por un plazo de diez días. En caso de urgencia, el plazo quedará reducido a dos días (art. 36.3 de la Ley 17/1997).

5. ¿Puede darse publicidad de las sanciones?

La autoridad que resuelva el expediente podrá acordar, por razones de ejemplaridad, la publicación en los medios de comunicación social y en el Boletín Oficial de la Comunidad de Madrid de las sanciones firmes en vía administrativa que se impongan (art. 44.1 de la Ley 17/1997).

2. Jurisprudencia

[Véase anexo I de este capítulo.]

3. Legislación aplicable

— Estatal

Ley 39/2015 de 1 de octubre, del Procedimiento Administrativo Común de las Administraciones Públicas.

Ley 40/2015, de 1 de octubre, de Régimen Jurídico del Sector Público.

— **Autonómica**

Ley 17/1997, de 4 de julio, de Espectáculos Públicos y Actividades Recreativas.

4. Documentos de interés

— Doctrina

GARCÍA VALDERREY, Miguel Ángel. «Procedimiento para la imposición de sanciones accesorias en materia de actividades». *El Consultor de los Ayuntamientos y de los Juzgados*, n.º 11, Sección Práctica Local, Quincena del 15 al 29 Jun. 2014, Ref. 1257/2014, pág. 1257, tomo 1.- LA LEY 3390/2014.

«La potestad sancionadora de la Administración local. Análisis normativo, doctrinal y jurisprudencial». *El Consultor de los Ayuntamientos y de los Juzgados*, n.º 24, Sección Colaboraciones, Quincena del 30 Dic. 2010 al 14 Ene. 2011, Ref. 3472/2010, pág. 3472, tomo 3.- LA LEY 15192/2010.

GINER BRIZ, Fernando. «La impugnación de la actividad local. Los recursos administrativos en las entidades locales. Las reclamaciones previas al ejercicio de acciones civiles y laborales». Esta doctrina forma parte del libro *Procedimiento Administrativo Local*, edición n.º 1, *El Consultor de los Ayuntamientos y de los Juzgados,* Madrid, octubre 2010.- LA LEY 19183/2011.

VALERA ESCOBAR, Ginés. «La clausura de establecimientos que carecen de preceptiva licencia municipal de apertura en la legislación estatal y andaluza». *El Consultor de los Ayuntamientos y de los Juzgados*, n.º 14, Sección Colaboraciones, Quincena del 30 Jul. al 14 Ago. 2000, Ref. 2363/2000, pág. 2363, tomo 2.- LA LEY 3853/2003.

MODELO DE EXPEDIENTE *(Disponible a texto íntegro en smarteca.es)*

[Véase anexo II de este capítulo.]

9. COMUNIDAD VALENCIANA

Expediente sancionador

1. Claves del Expediente

Se aplican los principios generales en materia sancionadora consagrados en la Constitución y en las normas generales de derecho administrativo, y Ley 14/2010, de 3 de diciembre, de la Generalitat, de Espectáculos Públicos, Actividades Recreativas y Establecimientos Públicos.

La denuncia del particular no conlleva la obligatoriedad de incoar el procedimiento sancionador, que en todo caso se realizará de oficio por el órgano competente.

Importante tener en cuenta lo dispuesto en el art. 85.3 de la Ley 39/2015 de 1 de octubre, del Procedimiento Administrativo Común de las Administraciones Públicas sobre reducción de la sanción.

Las denuncias deberán expresar la identidad de la persona o personas que las presentan, el relato de los hechos que pudieran constituir infracción y la fecha de su comisión y, cuando sea posible, la identificación de los presuntos responsables.

Iniciado el expediente sancionador podrán acordarse por el órgano competente para resolver el procedimiento la adopción de medidas provisionales.

Las medidas provisionales respetaran los principios de proporcionalidad, efectividad y menor onerosidad en relación con los principios que se pretendan garantizar.

PREGUNTAS CLAVE

1. ¿Qué medidas provisionales pueden adoptarse en caso de urgencia?

El art. 43.1 de la Ley 14/2010, permite a los órganos competentes de la administración de la Generalitat o de los ayuntamientos, cuando concurra alguno de los supuestos de urgencia o protección provisional de los intereses implicados, previstos en el artículo 44 de esta ley, y antes de iniciar el preceptivo procedimiento sancionador, podrán adoptar alguna de las medidas provisionales siguientes:

a) La suspensión de la licencia o autorización de la actividad.

b) Suspensión o prohibición del espectáculo público, la actividad recreativa o sociocultural.

c) Clausura del local o establecimiento.

d) Decomiso de los bienes relacionados con el espectáculo o actividad.

e) Retirada de las entradas de la reventa o venta ambulante.

2. ¿Qué procedimiento ha de seguirse para la adopción de las medidas provisionales?

Las medidas provisionales serán acordadas mediante resolución motivada, previa audiencia del interesado por un plazo de diez días. En caso de urgencia, debidamente justificada, el plazo de audiencia quedará reducido a dos días. No obstante, cuando se aprecie peligro inminente para la seguridad de las personas, podrán adoptarse las medidas provisionales sin necesidad de la citada audiencia previa (art. 43.2 de la Ley 14/2010).

3. ¿Cuándo quedan sin efecto las medidas provisionales?

Si no se inicia el procedimiento sancionador en el plazo de quince días desde su adopción, o cuando el acuerdo de iniciación no contenga pronunciamiento expreso acerca de las mismas (art. 43.3 de la Ley 14/2010).

4. ¿Cuándo se produce la responsabilidad solidaria?

Los titulares o poseedores de los establecimientos públicos así como los prestadores, organizadores o promotores de espectáculos públicos, actividades recreativas o socioculturales y los titulares de los instrumentos de intervención ambiental (OCA), serán responsables solidarios de las infracciones administrativas reguladas en la presente ley cometidas por quienes intervengan en el espectáculo o actividad, y por quienes estén bajo su dependencia, cuando incumplan el deber de prevenir la infracción (art. 48.2 de la Ley 14/2010).

5. ¿Puede darse publicidad de las sanciones?

La autoridad que resuelva el procedimiento podrá acordar, por razones de ejemplaridad, la publicación en los medios de comunicación social y en el *Diari Oficial* de la Comunitat Valenciana de las sanciones firmes en vía administrativa que se impongan (art. 60 de la Ley 14/2010).

2. Jurisprudencia

[Véase anexo I de este capítulo.]

3. Legislación aplicable

— Estatal

Ley 39/2015 de 1 de octubre, del Procedimiento Administrativo Común de las Administraciones Públicas.

Ley 40/2015, de 1 de octubre, de Régimen Jurídico del Sector Público.

— Autonómica

Ley 14/2010, de 3 de diciembre, de la Generalitat, de Espectáculos Públicos, Actividades Recreativas y Establecimientos Públicos.

Decreto 120/2012, de 20 de julio, del Consell, por el que se modifica el artículo 146.4 del Reglamento de Desarrollo de la Ley 4/2003, de 26 de febrero, de la Generalitat, de Espectáculos Públicos, Actividades Recreativas y Establecimientos Públicos, aprobado por el Decreto 52/2010, de 26 de marzo, del Consell.

Decreto 143/2015, de 11 de septiembre, del Consell, por el que aprueba el Reglamento de desarrollo de la Ley 14/2010, de 3 de diciembre, de la Generalitat, de Espectáculos Públicos, Actividades Recreativas y Establecimientos Públicos.

4. Documentos de interés

— Doctrina

GARCÍA VALDERREY, Miguel Ángel. «Procedimiento para la imposición de sanciones accesorias en materia de actividades». *El Consultor de los Ayuntamientos y de los Juzgados*, n.º 11, Sección Práctica Local, Quincena del 15 al 29 Jun. 2014, Ref. 1257/2014, pág. 1257, tomo 1.- LA LEY 3390/2014.

«La potestad sancionadora de la Administración local. Análisis normativo, doctrinal y jurisprudencial». *El Consultor de los Ayuntamientos y de los Juzgados*, n.º 24, Sección Colaboraciones, Quincena del 30 Dic. 2010 al 14 Ene. 2011, Ref. 3472/2010, pág. 3472, tomo 3.- LA LEY 15192/2010.

GINER BRIZ, Fernando. «La impugnación de la actividad local. Los recursos administrativos en las entidades locales. Las reclamaciones previas al ejercicio de acciones civiles y laborales». Esta doctrina forma parte del libro *Procedimiento Administrativo Local*, edición n.º 1, *El Consultor de los Ayuntamientos y de los Juzgados,* Madrid, octubre 2010.- LA LEY 19183/2011.

VALERA ESCOBAR, Ginés. «La clausura de establecimientos que carecen de preceptiva licencia municipal de apertura en la legislación estatal y andaluza». *El Consultor de los Ayuntamientos y de los Juzgados*, n.º 14, Sección Colaboraciones, Quincena del 30 Jul. al 14 Ago. 2000, Ref. 2363/2000, pág. 2363, tomo 2.- LA LEY 3853/2003.

MODELO DE EXPEDIENTE *(Disponible a texto íntegro en smarteca.es)*

[Véase anexo II de este capítulo.]

10. EXTREMADURA

Expediente sancionador

1. Claves del Expediente

Procedimiento por el que se estructura el régimen sancionador en materia de infracción a las normas medioambientales, referidas a infracciones y sanciones de competencia municipal.

Se aplican los principios generales en materia sancionadora consagrados en la Constitución y en las normas generales de derecho administrativo.

La denuncia del particular no conlleva la obligatoriedad de incoar el procedimiento sancionador, que en todo caso se realizará de oficio por el órgano competente.

Importante tener en cuenta lo dispuesto en el art. 85.3 de la Ley 39/2015 de 1 de octubre, del Procedimiento Administrativo Común de las Administraciones Públicas sobre reducción de la sanción.

PREGUNTAS CLAVE

1. ¿Qué requisitos ha de reunir las denuncias de los particulares para la incoación de procedimiento sancionador?

Las denuncias deberán expresar la identidad de la persona o personas que las presentan, el relato de los hechos que pudieran constituir infracción y la fecha de su comisión y, cuando sea posible, la identificación de los presuntos responsables.

2. ¿Vincula la denuncia al órgano sancionador?

La formulación de una petición no vincula al órgano competente para iniciar el procedimiento sancionador, si bien deberá comunicar al órgano que la hubiera formulado los motivos por los que, en su caso, no procede la iniciación del procedimiento.

3. ¿Ha de comunicarse al denunciante la iniciación del procedimiento sancionador?

Cuando se haya presentado una denuncia, se deberá comunicar al denunciante la iniciación o no del procedimiento cuando la denuncia vaya acompañada de una solicitud de iniciación.

4. ¿Cuándo pueden adoptarse medidas provisionales inmediatas?

Iniciado el expediente sancionador, el órgano competente para resolver el procedimiento podrá acordar las medidas provisionales imprescindibles para el buen fin del procedimiento, asegurar el cumplimiento de la sanción que pudiera imponerse o evitar la comisión de nuevas infracciones (art. 13.1 de la Ley 4/2016).

5. ¿En el caso de adopción de medidas provisionales inmediatas ha de darse audiencia previa?

Las medidas provisionales serán acordadas mediante resolución motivada, previa audiencia del interesado por un plazo de diez días hábiles. En caso de urgencia, debidamente motivada, el plazo de audiencia quedará reducido a dos días (art. 13.3 de la Ley 4/2016).

6. ¿Si existe una pluralidad de responsables a título individual y no fuera posible determinar el grado de participación de cada uno de ellos, qué responsabilidad se exige?

Cuando exista una pluralidad de responsables a título individual y no fuera posible determinar el grado de participación de cada uno en la realización de la infracción, responderán todos ellos de forma solidaria (art. 3.2. de la Ley 4/2016).

2. Jurisprudencia

[Véase anexo I de este capítulo.]

3. Legislación aplicable

— Estatal

Ley 39/2015 de 1 de octubre, del Procedimiento Administrativo Común de las Administraciones Públicas.

Ley 40/2015, de 1 de octubre, de Régimen Jurídico del Sector Público.

— Autonómica

Ley 4/2016, de 6 de mayo, para el establecimiento de un régimen sancionador en materia de espectáculos públicos y actividades recreativas en la Comunidad Autónoma de Extremadura.

Decreto 9/1994, de 8 febrero, por el que se aprueba el Reglamento sobre procedimientos sancionadores seguidos por la Comunidad Autónoma de Extremadura.

4. Documentos de interés

— Doctrina

GARCÍA VALDERREY, Miguel Ángel. «Procedimiento para la imposición de sanciones accesorias en materia de actividades». *El Consultor de los Ayuntamientos y de los Juzgados*, n.º 11, Sección Práctica Local, Quincena del 15 al 29 Jun. 2014, Ref. 1257/2014, pág. 1257, tomo 1.- LA LEY 3390/2014.

«La potestad sancionadora de la Administración local. Análisis normativo, doctrinal y jurisprudencial». *El Consultor de los Ayuntamientos y de los Juzgados*, n.º 24, Sección Colaboraciones, Quincena del 30 Dic. 2010 al 14 Ene. 2011, Ref. 3472/2010, pág. 3472, tomo 3.- LA LEY 15192/2010.

GINER BRIZ, Fernando. «La impugnación de la actividad local. Los recursos administrativos en las entidades locales. Las reclamaciones previas al ejercicio de acciones civiles y laborales». Esta doctrina forma parte del libro *Procedimiento Administrativo Local*, edición n.º 1, *El Consultor de los Ayuntamientos y de los Juzgados,* Madrid, octubre 2010.- LA LEY 19183/2011.

VALERA ESCOBAR, Ginés. «La clausura de establecimientos que carecen de preceptiva licencia municipal de apertura en la legislación estatal y andaluza». *El Consultor de los Ayuntamientos y de los Juzgados*, n.º 14, Sección Colaboraciones, Quincena del 30 Jul. al 14 Ago. 2000, Ref. 2363/2000, pág. 2363, tomo 2.- LA LEY 3853/2003.

MODELO DE EXPEDIENTE *(Disponible a texto íntegro en smarteca.es)*

[Véase anexo II de este capítulo.]

11. GALICIA

Expediente sancionador

1. Claves del Expediente

Se aplican los principios generales en materia sancionadora consagrados en la Constitución y en las normas generales de derecho administrativo.

La denuncia del particular no conlleva la obligatoriedad de incoar el procedimiento sancionador, que en todo caso se realizará de oficio por el órgano competente.

Importante tener en cuenta lo dispuesto en el art. 85.3 de la Ley 39/2015 de 1 de octubre, del Procedimiento Administrativo Común de las Administraciones Públicas sobre reducción de la sanción.

Las denuncias deberán expresar la identidad de la persona o personas que las presentan, el relato de los hechos que pudieran constituir infracción y la fecha de su comisión y, cuando sea posible, la identificación de los presuntos responsables.

La formulación de una petición no vincula al órgano competente para iniciar el procedimiento sancionador, si bien deberá comunicar al órgano que la hubiera formulado los motivos por los que, en su caso, no procede la iniciación del procedimiento.

Cuando se haya presentado una denuncia, se deberá comunicar al denunciante la iniciación o no del procedimiento cuando la denuncia vaya acompañada de una solicitud de iniciación.

En los casos de urgencia absoluta ante espectáculos públicos y actividades recreativas que conlleven un riesgo inmediato de afectar gravemente a la seguridad de las personas y los bienes o la convivencia entre los ciudadanos han de adoptarse medidas provisionales previas (art. 27 de la Ley 10/2017, de 27 de diciembre, de espectáculos públicos y actividades recreativas de Galicia).

En casos de espectáculos públicos y actividades recreativas que conlleven un riesgo grave o peligro inminente para las personas y los bienes o la convivencia entre la ciudadanía, los agentes de los cuerpos y fuerzas de seguridad podrán adoptar de forma directa medidas de seguridad previa requerimiento a las personas responsables (art. 29 de la Ley 10/2017, de 27 de diciembre, de espectáculos públicos y actividades recreativas de Galicia).

Si existe una pluralidad de responsables a título individual y no fuera posible determinar el grado de participación de cada uno de ellos, responderá todos ellos de forma solidaria (art. 35.3 de la de la Ley 10/2017, de 27 de diciembre, de espectáculos públicos y actividades recreativas de Galicia).

PREGUNTAS CLAVE

1. ¿Qué medidas provisionales pueden adoptarse previas a la apertura del expediente sancionador?

Por razones de urgencia inaplazable y para la protección provisional de los intereses implicado, de conformidad con el art. 27.2 de la Ley 10/2017, pueden adoptarse las siguientes:

    a) La suspensión del espectáculo público o actividad recreativa.

    b) El desalojo, clausura y precinto del establecimiento abierto al público.

    c) El depósito, retención o inmovilización de los bienes, efectos o animales relacionados con el espectáculo o actividad.

2. ¿Qué procedimiento ha se seguirse para la adopción de medidas provisionales?

Se regula en el art. 27.3 de la Ley 10/2017 en el que se dispone que las medidas se adoptarán mediante resolución motivada, respetando siempre el principio de proporcionalidad y previa audiencia a las personas interesadas. El trámite de audiencia podrá omitirse en casos de extraordinaria urgencia debidamente justificados en la resolución.

3. ¿Pueden los agentes de las fuerzas y cuerpos de seguridad adoptar medidas directas?

Determina el art. 29.1 de la Ley 10/2017, que en casos de espectáculos públicos y actividades recreativas que conlleven un riesgo grave o peligro inminente para las personas y los bienes o la convivencia entre la ciudadanía, los agentes de los cuerpos y fuerzas de seguridad podrán adoptar de forma directa, previo requerimiento a las personas responsables de la celebración de aquellos y en caso de que este no fuese atendido, las siguientes medidas:

    a) La suspensión inmediata del espectáculo o actividad y el desalojo y precinto de los establecimientos abiertos al público y el depósito, retención o inmovilización de los bienes, efectos o animales relacionados con el espectáculo o actividad.

    b) Aquellas otras medidas que se estimen necesarias, en atención a las circunstancias concurrentes en cada caso, para garantizar la seguridad de las personas y los bienes y la convivencia entre la ciudadanía, y que guarden la debida proporción en atención a los bienes y derechos objeto de protección.

4. ¿Pueden adoptarse medidas preventivas durante el procedimiento sancionador?

Una vez incoado el procedimiento sancionador, el órgano administrativo competente para resolverlo podrá adoptar en cualquier momento, mediante resolución motivada y previa audiencia a las personas interesadas, las medidas preventivas que estime oportunas para asegurar la eficacia de la resolución que pueda dictarse, si existiesen elementos de juicio suficientes para ello, de acuerdo con los principios de proporcionalidad, efectividad y menor onerosidad. El trámite de audiencia previa podrá omitirse en caso de urgencia, que habrá de estar debidamente motivada en la resolución que determine la adopción de las medidas preventivas. En estos casos, se efectuará un trámite de audiencia con posterioridad a la adopción de la medida (art. 41.1 de la Ley 10/2017).

5. ¿Qué características han de tener las medidas preventivas?

Las medidas preventivas deberán ser proporcionadas a la naturaleza y gravedad de las infracciones cometidas, pudiendo consistir en alguna de las previstas en el artículo 27, o en cualquier otra que asegure la eficacia de la resolución que pueda dictarse. No podrán adoptarse medidas preventivas que puedan causar perjuicio de difícil o imposible reparación a las personas interesadas o que impliquen violación de derechos amparados por las leyes.

2.   Jurisprudencia

[Véase anexo I de este capítulo.]

3.   Legislación aplicable

— Estatal

Ley 39/2015 de 1 de octubre, del Procedimiento Administrativo Común de las Administraciones Públicas.

Ley 40/2015, de 1 de octubre, de Régimen Jurídico del Sector Público.

— Autonómica

Ley 10/2017, de 27 de diciembre, de espectáculos públicos y actividades recreativas de Galicia.

4.   Documentos de interés

— Doctrina

GARCÍA VALDERREY, Miguel Ángel. «Procedimiento para la imposición de sanciones accesorias en materia de actividades». *El Consultor de los Ayuntamientos y de los Juzgados*, n.º 11, Sección Práctica Local, Quincena del 15 al 29 Jun. 2014, Ref. 1257/2014, pág. 1257, tomo 1.- LA LEY 3390/2014.

«La potestad sancionadora de la Administración local. Análisis normativo, doctrinal y jurisprudencial». *El Consultor de los Ayuntamientos y de los Juzgados*, n.º 24, Sección Colaboraciones, Quincena del 30 Dic. 2010 al 14 Ene. 2011, Ref. 3472/2010, pág. 3472, tomo 3.- LA LEY 15192/2010.

GINER BRIZ, Fernando. «La impugnación de la actividad local. Los recursos administrativos en las entidades locales. Las reclamaciones previas al ejercicio de acciones civiles y laborales». Esta doctrina forma parte del libro *Procedimiento Administrativo Local*, edición n.º 1, *El Consultor de los Ayuntamientos y de los Juzgados,* Madrid, octubre 2010.- LA LEY 19183/2011.

VALERA ESCOBAR, Ginés. «La clausura de establecimientos que carecen de preceptiva licencia municipal de apertura en la legislación estatal y andaluza». *El Consultor de los Ayuntamientos y de los Juzgados*, n.º 14, Sección Colaboraciones, Quincena del 30 Jul. al 14 Ago. 2000, Ref. 2363/2000, pág. 2363, tomo 2.- LA LEY 3853/2003.

MODELO DE EXPEDIENTE *(Disponible a texto íntegro en smarteca.es)*

[Véase anexo II de este capítulo.]

12. ISLAS BALEARES

Expediente sancionador

1. Claves del Expediente

Consagrados en la Constitución y en las normas generales de derecho administrativo, recogiéndose en los arts. 96 a 110 de la Ley 7/2013, de 26 de noviembre, de régimen jurídico de instalación, acceso y ejercicio de actividades en las Illes Balears.

La denuncia del particular no conlleva la obligatoriedad de incoar el procedimiento sancionador, que en todo caso se realizará de oficio por el órgano competente.

Importante tener en cuenta lo dispuesto en el art. 85.3 de la Ley 39/2015 de 1 de octubre, del Procedimiento Administrativo Común de las Administraciones Públicas sobre reducción de la sanción.

Las denuncias deberán expresar la identidad de la persona o personas que las presentan, el relato de los hechos que pudieran constituir infracción y la fecha de su comisión y, cuando sea posible, la identificación de los presuntos responsables.

Iniciado el expediente sancionador podrán acordarse por el órgano competente para resolver el procedimiento la adopción de medidas provisionales.

Las medidas provisionales respetaran los principios de proporcionalidad, efectividad y menor onerosidad en relación con los principios que se pretendan garantizar.

Las medidas provisionales serán acordadas previa audiencia del interesado por plazo de diez días.

PREGUNTAS CLAVE

1. ¿Cómo se determina el responsable solidario?

El art. 98.3.4 y 5 de la Ley 7/2013, dispone que:

a) El titular y los promotores de las actividades de espectáculos públicos y recreativas son responsables solidarios cuando, por acción u omisión, permitan o toleren la comisión de infracciones por parte del público o de los usuarios.

b) El titular es responsable administrativamente de las infracciones cometidas por los trabajadores o por terceras personas que, sin vinculación laboral con el mismo, realicen prestaciones incluidas en los servicios contratados por éste.

c) Cuando existan diversas personas responsables a título individual y no sea posible determinar el grado de participación de cada una de ellas en la realización de la infracción, responderán todas ellas de forma solidaria.

2. ¿Cuándo pueden adoptarse medidas provisionales?

Durante la fase de instrucción del procedimiento sancionador podrán adoptarse medidas provisionales, cuando concurra en la actividad alguno de los siguientes supuestos de urgencia o gravedad especial (art. 100.1 de la Ley 7/2013):

a) Cuando se lleven a cabo actividades prohibidas por disposición legal. Si es constitutivo de delito, la autoridad que acuerde la adopción de las medidas provisionales lo pondrá en conocimiento del Ministerio Fiscal.

b) Cuando se aprecie que el ejercicio de la actividad pueda crear situaciones de peligro grave o riesgo para los bienes o para la seguridad y la integridad física de las personas o suponga una perturbación relevante que afecte de manera inmediata y directa al ejercicio de los derechos legítimos de terceros o de su tranquilidad.

c) Cuando su no adopción pudiera dar lugar a la desaparición del hecho motivo de la infracción.

d) Cuando se lleven a cabo actividades no permanentes sin la autorización preceptiva o el registro en las actividades itinerantes.

3. ¿Existe la acción pública?

El art. 101 de la Ley 7/2013 reconoce la acción pública para exigir ante los órganos administrativos y los tribunales la observancia de las normas en materia de actividades reguladas en la presente ley, y la adopción de las medidas de defensa de la legalidad, restauración de la realidad física alterada y sanción de las infracciones.

Si a consecuencia del ejercicio de la acción pública se inicia un expediente sancionador, dicha circunstancia se notificará al denunciante.

4. ¿Ha de notificarse a los colegios profesionales las resoluciones firmes de los expedientes sancionadores?

Las resoluciones firmes de los expedientes sancionadores en los que aparezca un técnico, se notificarán al correspondiente colegio profesional a los efectos de la depuración que corresponda según sus estatutos profesionales (art. 109 de la Ley 7/2013).

5. ¿Ha de darse publicidad de los expedientes sancionadores?

En el primer trimestre de cada año la administración competente, en cada caso, emitirá un extracto del resultado de los procedimientos sancionadores, enviándose copia a la consejería competente en materia de actividades clasificadas y espectáculos públicos de la Administración de la comunidad autónoma de las Illes Balears, que las analizará y realizará un estudio que se publicará en la página *web* de la Junta Autonómica de Actividades de las Illes Balears (art. 110 de la Ley 7/2013).

2. Jurisprudencia

[Véase anexo I de este capítulo.]

3. Legislación aplicable

— Estatal

Ley 39/2015 de 1 de octubre, del Procedimiento Administrativo Común de las Administraciones Públicas.

Ley 40/2015, de 1 de octubre, de Régimen Jurídico del Sector Público.

— Autonómica

Ley 7/1999, de 8 de abril, de Atribución de Competencias a los Consejos Insulares de Menorca y de Eivissa i Formentera en materia de Espectáculos Públicos y Actividades Recreativas.

Decreto 41/2011, de 29 de abril, regulador de los servicios de admisión y control de ambiente interno en las actividades de espectáculos públicos y recreativas.

Decreto 3/1999, de 5 de febrero, de distribución de competencias en materia sancionadora de espectáculos públicos y actividades recreativas.

Ley 7/2013, de 26 de noviembre, de régimen jurídico de instalación, acceso y ejercicio de actividades en las Illes Balears.

Decreto 18/1996, de 8 de febrero, por el que se aprueba el Reglamento de las actividades clasificadas.

4. Documentos de interés

— Doctrina

GARCÍA VALDERREY, Miguel Ángel. «Procedimiento para la imposición de sanciones accesorias en materia de actividades». *El Consultor de los Ayuntamientos y de los Juzgados*, n.º 11, Sección Práctica Local, Quincena del 15 al 29 Jun. 2014, Ref. 1257/2014, pág. 1257, tomo 1.- LA LEY 3390/2014.

«La potestad sancionadora de la Administración local. Análisis normativo, doctrinal y jurisprudencial». *El Consultor de los Ayuntamientos y de los Juzgados*, n.º 24, Sección Colaboraciones, Quincena del 30 Dic. 2010 al 14 Ene. 2011, Ref. 3472/2010, pág. 3472, tomo 3.- LA LEY 15192/2010.

GINER BRIZ, Fernando. «La impugnación de la actividad local. Los recursos administrativos en las entidades locales. Las reclamaciones previas al ejercicio de acciones civiles y laborales». Esta doctrina forma parte del libro *Procedimiento Administrativo Local*, edición n.º 1, *El Consultor de los Ayuntamientos y de los Juzgados,* Madrid, octubre 2010.- LA LEY 19183/2011.

VALERA ESCOBAR, Ginés. «La clausura de establecimientos que carecen de preceptiva licencia municipal de apertura en la legislación estatal y andaluza». *El Consultor de los Ayuntamientos y de los Juzgados*, n.º 14, Sección Colaboraciones, Quincena del 30 Jul. al 14 Ago. 2000, Ref. 2363/2000, pág. 2363, tomo 2.- LA LEY 3853/2003.

MODELO DE EXPEDIENTE *(Disponible a texto íntegro en smarteca.es)*

[Véase anexo II de este capítulo.]

13. LA RIOJA

Expediente sancionador

1. Claves del Expediente

Se aplican los principios generales en materia sancionadora consagrados en la Constitución y en las normas generales de derecho administrativo, recogiéndose en los arts. 38 a 52 de la Ley 4/2000, de 25 de octubre, de Espectáculos Públicos y Actividades Recreativas de la Comunidad Autónoma de La Rioja.

La denuncia del particular no conlleva la obligatoriedad de incoar el procedimiento sancionador, que en todo caso se realizará de oficio por el órgano competente.

Importante tener en cuenta lo dispuesto en el art. 85.3 de la Ley 39/2015 de 1 de octubre, del Procedimiento Administrativo Común de las Administraciones Públicas sobre reducción de la sanción.

Las denuncias deberán expresar la identidad de la persona o personas que las presentan, el relato de los hechos que pudieran constituir infracción y la fecha de su comisión y, cuando sea posible, la identificación de los presuntos responsables.

Iniciado el expediente sancionador podrán acordarse por el órgano competente para resolver el procedimiento la adopción de medidas provisionales.

Las medidas provisionales respetaran los principios de proporcionalidad, efectividad y menor onerosidad en relación con los principios que se pretendan garantizar.

Las medidas provisionales serán acordadas previa audiencia del interesado por plazo de diez días. En casos de urgencia, el plazo podrá ser reducido a dos días.

PREGUNTAS CLAVE

1. ¿Cuándo se produce la responsabilidad solidaria?

Dispone el art. 40,2,3,y 4 de la Ley 4/2000, que:

a) Los titulares de los establecimientos y locales o de las respectivas licencias, y los organizadores o promotores de espectáculos públicos y actividades recreativas, serán responsables solidarios de las infracciones administrativas reguladas en la presente Ley, cometidas por quienes intervengan en el espectáculo o actividad, y por quienes estén bajo su dependencia, cuando incumplan el deber de prevenir la infracción.

b) Los citados titulares y organizadores o promotores, serán responsables solidarios cuando, por acción u omisión, permitan o toleren la comisión de infracciones por parte del público o usuarios.

c) Cuando exista una pluralidad de responsables a título individual y no fuera posible determinar el grado de participación de cada uno en la realización de la infracción responderán todos ellos de forma solidaria.

2. ¿Pueden imponerse multas coercitivas?

La Administración competente, una vez transcurridos los plazos señalados en los requerimientos correspondientes, podrán imponer sucesivas multas coercitivas conforme a lo establecido en las normas del procedimiento administrativo. La cuantía de cada una de dichas multas no excederá del veinte por ciento de la sanción impuesta (art. 46 de la Ley 4/2000).

3. ¿Qué medidas cautelares pueden adoptarse una vez iniciado el expediente sancionador?

Las medidas cautelares que deberán ser proporcionadas a la naturaleza y gravedad de las infracciones cometidas, pudiendo consistir en (art. 52. 2 de la Ley 4/2000):

a) La suspensión de la licencia o autorización de la actividad.

b) Suspensión o prohibición de la actividad o espectáculo.

c) Clausura del local o establecimiento.

d) Decomiso de los bienes relacionados con el espectáculo o actividad.

4. ¿Qué duración han de tener las medidas cautelares?

La duración de las medidas cautelares de carácter temporal no podrá exceder de la mitad del plazo previsto para la sanción máxima que pudiera corresponder a la infracción cometida (art. 52. 3 de la Ley 4/2000).

2. Jurisprudencia

[Véase anexo I de este capítulo.]

3. Legislación aplicable

— Estatal

Ley 39/2015 de 1 de octubre, del Procedimiento Administrativo Común de las Administraciones Públicas.

Ley 40/2015, de 1 de octubre, de Régimen Jurídico del Sector Público

— Autonómica

Ley 4/2000, de 25 de octubre, de Espectáculos Públicos y Actividades Recreativas de la Comunidad Autónoma de La Rioja.

Ley 6/2017, de 8 de mayo, de Protección del Medio Ambiente de la Comunidad Autónoma de La Rioja.

Documentos de interés

— Doctrina

GARCÍA VALDERREY, Miguel Ángel. «Procedimiento para la imposición de sanciones accesorias en materia de actividades». *El Consultor de los Ayuntamientos y de los Juzgados*, n.º 11, Sección Práctica Local, Quincena del 15 al 29 Jun. 2014, Ref. 1257/2014, pág. 1257, tomo 1.- LA LEY 3390/2014.

«La potestad sancionadora de la Administración local. Análisis normativo, doctrinal y jurisprudencial». *El Consultor de los Ayuntamientos y de los Juzgados*, n.º 24, Sección Colaboraciones,

Quincena del 30 Dic. 2010 al 14 Ene. 2011, Ref. 3472/2010, pág. 3472, tomo 3.- LA LEY 15192/2010.

GINER BRIZ, Fernando. «La impugnación de la actividad local. Los recursos administrativos en las entidades locales. Las reclamaciones previas al ejercicio de acciones civiles y laborales». Esta doctrina forma parte del libro *Procedimiento Administrativo Local*, edición n.º 1, *El Consultor de los Ayuntamientos y de los Juzgados,* Madrid, octubre 2010.- LA LEY 19183/2011.

VALERA ESCOBAR, Ginés. «La clausura de establecimientos que carecen de preceptiva licencia municipal de apertura en la legislación estatal y andaluza». *El Consultor de los Ayuntamientos y de los Juzgados,* n.º 14, Sección Colaboraciones, Quincena del 30 Jul. al 14 Ago. 2000, Ref. 2363/2000, pág. 2363, tomo 2.- LA LEY 3853/2003.

MODELO DE EXPEDIENTE *(Disponible a texto íntegro en smarteca.es)*

[Véase anexo II de este capítulo.]

14. NAVARRA

Expediente sancionador

1.   Claves del Expediente

Se aplican los principios generales en materia sancionadora consagrados en la Constitución y en las normas generales de derecho administrativo, recogiéndose en los arts. 19 a 30 de la Ley Foral 2/1989, de 13 de marzo, reguladora de espectáculos públicos y actividades recreativas.

La denuncia del particular no conlleva la obligatoriedad de incoar el procedimiento sancionador, que en todo caso se realizará de oficio por el órgano competente.

Importante tener en cuenta lo dispuesto en el art. 85.3 de la Ley 39/2015 de 1 de octubre, del Procedimiento Administrativo Común de las Administraciones Públicas sobre reducción de la sanción.

Las denuncias deberán expresar la identidad de la persona o personas que las presentan, el relato de los hechos que pudieran constituir infracción y la fecha de su comisión y, cuando sea posible, la identificación de los presuntos responsables.

Iniciado el expediente sancionador podrán acordarse por el órgano competente para resolver el procedimiento la adopción de medidas provisionales.

Las medidas provisionales respetaran los principios de proporcionalidad, efectividad y menor onerosidad en relación con los principios que se pretendan garantizar.

Las medidas provisionales serán acordadas previa audiencia del interesado por plazo de diez días. En casos de urgencia, el plazo podrá ser reducido a dos días.

PREGUNTAS CLAVE

1. ¿Cuándo existe reiteración por infracción a la Ley Foral 2/1989, de 13 de marzo, reguladora de espectáculos públicos y actividades recreativas?

Cuando, al cometer la infracción, se hubiere sido sancionado por otra de mayor gravedad o por dos de gravedad igual o inferior (art. 25.1).

2. ¿Cuándo existe reincidencia por infracción a la Ley Foral 2/1989, de 13 de marzo, reguladora de espectáculos públicos y actividades recreativas?

Cuando, al cometer la infracción, se hubiere sido sancionado por otra u otras de la misma índole (art. 25.2).

3. ¿Cuándo se cancelan las anotaciones de infracciones administrativas?

La cancelación de acuerdo con el art. 25.4 de la Ley Foral 2/1989, se producirá de oficio, cuando concurran los siguientes requisitos:

a) No haber infringido disposiciones de la presente Ley Foral durante los plazos señalados en el párrafo c).

b) Tener satisfechas las sanciones y responsabilidades civiles en que pudiera haberse incurrido con anterioridad.

c) Haber transcurrido el plazo de seis meses para las infracciones leves, dos años para las graves y tres años para las muy graves, computados desde la fecha en que se hizo firme la resolución sancionadora.

4. Iniciado un procedimiento sancionador, ¿Qué medidas preventivas pueden adoptarse?

De conformidad con el art. 30.1 y 2 de la Ley Foral 2/1989, una vez iniciado procedimiento sancionador, el órgano competente para resolverlo podrá adoptar las medidas preventivas que estime necesarias para asegurar el cumplimiento de la resolución que pueda adoptarse y, en todo caso, para asegurar el cumplimiento de la legalidad.

Podrán adoptarse las siguientes medidas provisionales:

a) La suspensión de la actividad.

b) El cierre de locales o instalaciones.

c) La exigencia de fianza o caución.

d) La incautación de los objetos directamente relacionados con los hechos que dan lugar al procedimiento.

5. ¿Qué reglas han de tenerse en cuenta en el caso de concurrencia de infracciones y sanciones?

El art. 31 de la Ley Foral 2/1989, se refiere a las normas concursales, cuando los hechos sean susceptibles de ser calificados con arreglo a dos más preceptos de esta u otra Ley siendo sancionados observando las siguientes reglas:

a) El precepto especial se aplicará con preferencia al general.

b) El precepto más amplio o complejo absorberá al que sancione las infracciones consumidas en aquél.

c) En defecto de los criterios anteriores, el precepto más grave excluirá los que sancionen el hecho con una sanción menor.

En el caso de que un solo hecho constituya dos o más infracciones, o cuando una de ellas sea medio necesario para cometer la otra, la conducta será sancionada por aquella infracción que aplique una mayor sanción.

Cuando una acción u omisión deba tomarse en consideración como criterio de graduación de la sanción o como circunstancia que determine la calificación de la infracción no podrá ser sancionada como infracción independiente.

2. Jurisprudencia

[Véase anexo I de este capítulo.]

3. Legislación aplicable

— Estatal

Ley 39/2015 de 1 de octubre, del Procedimiento Administrativo Común de las Administraciones Públicas.

Ley 40/2015, de 1 de octubre, de Régimen Jurídico del Sector Público.

— Autonómica

Ley Foral 4/2005, de 22 de marzo, de intervención para la protección ambiental.

Decreto Foral 93/2006, de 28 de diciembre, por el que se aprueba el Reglamento de desarrollo de la Ley Foral 4/2005, de 22 de marzo, de Intervención para la Protección Ambiental.

Ley Foral 2/1989, de 13 de marzo, reguladora de espectáculos públicos y actividades recreativas.

Ley Foral 26/2001, de 10 de diciembre, de modificación de la Ley Foral 2/1989, de 13 de marzo, reguladora de espectáculos públicos y actividades recreativas.

Decreto Foral 37/2013, de 5 de junio, por el que se adoptan diversas medidas en materia de espectáculos públicos y actividades recreativas para transponer la Directiva 2006/123/CE, del Parlamento Europeo y del Consejo, de 12 de diciembre de 2006, relativa a los servicios en el mercado interior.

Decreto Foral 202/2002, de 23 de septiembre, por el que se aprueba el Catálogo de establecimientos, espectáculos públicos y actividades recreativas y se regulan los Registros de Empresas y Locales.

Decreto Foral 44/1990, de 8 de marzo, por el que se regulan las condiciones de autorización de espectáculos públicos y actividades recreativas en espacios públicos.

4. Documentos de interés

— Doctrina

GARCÍA VALDERREY, Miguel Ángel. «Procedimiento para la imposición de sanciones accesorias en materia de actividades». *El Consultor de los Ayuntamientos y de los Juzgados*, n.º 11, Sección Práctica Local, Quincena del 15 al 29 Jun. 2014, Ref. 1257/2014, pág. 1257, tomo 1.- LA LEY 3390/2014.

«La potestad sancionadora de la Administración local. Análisis normativo, doctrinal y jurisprudencial». *El Consultor de los Ayuntamientos y de los Juzgados*, n.º 24, Sección Colaboraciones,

Quincena del 30 Dic. 2010 al 14 Ene. 2011, Ref. 3472/2010, pág. 3472, tomo 3.- LA LEY 15192/2010.

GINER BRIZ, Fernando. «La impugnación de la actividad local. Los recursos administrativos en las entidades locales. Las reclamaciones previas al ejercicio de acciones civiles y laborales». Esta doctrina forma parte del libro *Procedimiento Administrativo Local*, edición n.º 1, *El Consultor de los Ayuntamientos y de los Juzgados,* Madrid, octubre 2010.- LA LEY 19183/2011.

VALERA ESCOBAR, Ginés. «La clausura de establecimientos que carecen de preceptiva licencia municipal de apertura en la legislación estatal y andaluza». *El Consultor de los Ayuntamientos y de los Juzgados*, n.º 14, Sección Colaboraciones, Quincena del 30 Jul. al 14 Ago. 2000, Ref. 2363/2000, pág. 2363, tomo 2.- LA LEY 3853/2003.

MODELO DE EXPEDIENTE *(Disponible a texto íntegro en smarteca.es)*

[Véase anexo II de este capítulo.]

15. PAÍS VASCO

Expediente sancionador

1.   Claves del Expediente

Se aplican los principios generales en materia sancionadora consagrados en la Constitución y en las normas generales de derecho administrativo, recogiéndose en los arts. 50 a 66 de la Ley 10/2015, de 23 de diciembre, de Espectáculos Públicos y Actividades Recreativas.

La denuncia del particular no conlleva la obligatoriedad de incoar el procedimiento sancionador, que en todo caso se realizará de oficio por el órgano competente.

Importante tener en cuenta lo dispuesto en el art. 85.3 de la Ley 39/2015 de 1 de octubre, del Procedimiento Administrativo Común de las Administraciones Públicas sobre reducción de la sanción.

Las denuncias deberán expresar la identidad de la persona o personas que las presentan, el relato de los hechos que pudieran constituir infracción y la fecha de su comisión y, cuando sea posible, la identificación de los presuntos responsables.

Iniciado el expediente sancionador podrán acordarse por el órgano competente para resolver el procedimiento la adopción de medidas provisionales.

Las medidas provisionales respetaran los principios de proporcionalidad, efectividad y menor onerosidad en relación con los principios que se pretendan garantizar.

Las medidas provisionales serán acordadas previa audiencia del interesado por plazo de diez días. En casos de urgencia, el plazo podrá ser reducido a dos días.

PREGUNTAS CLAVE

1. ¿En el caso de inexistencia de licencia o autorización, quién se presume que el titular de la misma?

En caso de no solicitarse las licencias o autorizaciones pertinentes o no presentarse las comunicaciones previas, se presumirá que es titular u organizador quien convoque o dé a conocer la celebración de un espectáculo público o actividad recreativa o, en su defecto, quien obtenga ingresos por venta de localidades para el acceso al establecimiento público, instalación o espacio abierto, o para presenciar el espectáculo público o la actividad recreativa (art. 54.2 de la Ley 10/2015).

2. ¿Qué medidas provisionales puede adoptarse durante la tramitación de un expediente sancionador?

A tenor del art. 64,1 y 2 de la Ley 10/2015, las medidas provisionales que deben guardar la debida proporción con la naturaleza y gravedad de las infracciones cometidas, pueden consistir en:

a) La suspensión de la correspondiente licencia o autorización.

b) La suspensión o la prohibición del espectáculo público o la actividad recreativa.

c) El cierre provisional del establecimiento abierto al público mediante precinto.

d) El decomiso o precinto de los bienes relacionados con el espectáculo público o la actividad recreativa.

e) El decomiso de las entradas y del dinero de la reventa o de la venta no autorizada.

f) La prestación de fianza.

g) Otras medidas que se consideren necesarias, apropiadas y proporcionadas para cada situación, para la seguridad de las personas y de los establecimientos o de los espacios abiertos al público.

3. ¿Pueden adoptarse medidas cautelares por el personal funcionarios inspector?

Excepcionalmente, cuando con el objetivo de evitar el mantenimiento de los efectos de la infracción y garantizar la seguridad de personas y bienes sea precisa la asunción inmediata de medidas cautelares, estas podrán ser impuestas, sin audiencia de las personas interesadas, por el personal funcionario que constate los hechos eventualmente ilícitos en el ejercicio de su específica función de inspección (art. 65.1 de la Ley 10/2015).

4. ¿Cuándo se extingue las medidas cautelares?

Las medidas cautelares se extinguirán una vez transcurridos cuatro días desde su adopción sin que se haya incoado el correspondiente procedimiento sancionador y se haya resuelto sobre la adopción, mantenimiento o modificación de las medidas (art. 65.4 de la Ley 10/2015).

5. ¿Existe un registro de sanciones?

El art. 66 de la Ley 10/2015 crea un registro administrativo autonómico de sanciones en materia de espectáculos públicos y actividades recreativas. En él se anotarán todas las sanciones en materia de espectáculos públicos, actividades recreativas y establecimientos públicos impuestas mediante resolución firme en vía administrativa, en las condiciones y con los requisitos que reglamentariamente se determinen tanto para el régimen de anotaciones como para el funcionamiento y organización del mismo, con sujeción a la legislación de protección de datos.

2. Jurisprudencia

[Véase anexo I de este capítulo.]

3. Legislación aplicable

— Estatal

Ley 39/2015 de 1 de octubre, del Procedimiento Administrativo Común de las Administraciones Públicas.

Ley 40/2015, de 1 de octubre, de Régimen Jurídico del Sector Público.

— Autonómica

Ley 10/2015, de 23 de diciembre, de Espectáculos Públicos y Actividades Recreativas.

Decreto 44/2014, de 25 de marzo, por el que se regulan los seguros de responsabilidad civil exigibles para la celebración de espectáculos públicos y actividades recreativas.

Decreto 14/2014, de 11 de febrero, de tercera modificación del Decreto por el que se establecen los horarios de los espectáculos públicos y actividades recreativas y otros aspectos relativos a estas actividades en el ámbito de la Comunidad Autónoma del País Vasco.

Decreto 400/2013, de 30 de julio, de espectáculos con artificios pirotécnicos en la Comunidad Autónoma de Euskadi.

Ley 7/2012, de 23 de abril, de modificación de diversas leyes para su adaptación a la Directiva 2006/123/CE, de 12 de diciembre, del Parlamento Europeo y del Consejo, relativa a los servicios en el mercado interior.

4. Documentos de interés

— Doctrina

GARCÍA VALDERREY, Miguel Ángel. «Procedimiento para la imposición de sanciones accesorias en materia de actividades». *El Consultor de los Ayuntamientos y de los Juzgados*, n.º 11, Sección Práctica Local, Quincena del 15 al 29 Jun. 2014, Ref. 1257/2014, pág. 1257, tomo 1.- LA LEY 3390/2014.

«La potestad sancionadora de la Administración local. Análisis normativo, doctrinal y jurisprudencial». *El Consultor de los Ayuntamientos y de los Juzgados*, n.º 24, Sección Colaboraciones, Quincena del 30 Dic. 2010 al 14 Ene. 2011, Ref. 3472/2010, pág. 3472, tomo 3.- LA LEY 15192/2010.

GINER BRIZ, Fernando. «La impugnación de la actividad local. Los recursos administrativos en las entidades locales. Las reclamaciones previas al ejercicio de acciones civiles y laborales». Esta doctrina forma parte del libro *Procedimiento Administrativo Local*, edición n.º 1, *El Consultor de los Ayuntamientos y de los Juzgados,* Madrid, octubre 2010.- LA LEY 19183/2011.

VALERA ESCOBAR, Ginés. «La clausura de establecimientos que carecen de preceptiva licencia municipal de apertura en la legislación estatal y andaluza». *El Consultor de los Ayuntamientos y de los Juzgados,* n.º 14, Sección Colaboraciones, Quincena del 30 Jul. al 14 Ago. 2000, Ref. 2363/2000, pág. 2363, tomo 2.- LA LEY 3853/2003.

MODELO DE EXPEDIENTE *(Disponible a texto íntegro en smarteca.es)*

[Véase anexo II de este capítulo.]

16. PRINCIPADO DE ASTURIAS

Expediente sancionador

1. Claves del Expediente

Se aplican los principios generales en materia sancionadora consagrados en la Constitución y en las normas generales de derecho administrativo, recogiéndose en los arts. 30 a 45 de la Ley del Principado de Asturias 8/2002, de 21 de octubre, de Espectáculos Públicos y Actividades Recreativas.

La denuncia del particular no conlleva la obligatoriedad de incoar el procedimiento sancionador, que en todo caso se realizará de oficio por el órgano competente.

Importante tener en cuenta lo dispuesto en el art. 85.3 de la Ley 39/2015 de 1 de octubre, del Procedimiento Administrativo Común de las Administraciones Públicas sobre reducción de la sanción.

Las denuncias deberán expresar la identidad de la persona o personas que las presentan, el relato de los hechos que pudieran constituir infracción y la fecha de su comisión y, cuando sea posible, la identificación de los presuntos responsables.

Iniciado el expediente sancionador podrán acordarse por el órgano competente para resolver el procedimiento la adopción de medidas provisionales.

Las medidas provisionales respetaran los principios de proporcionalidad, efectividad y menor onerosidad en relación con los principios que se pretendan garantizar.

Las medidas provisionales serán acordadas previa audiencia del interesado por plazo de diez días. En casos de urgencia, el plazo podrá ser reducido a dos días.

PREGUNTAS CLAVE

1. ¿Quiénes son los responsable solidarios de las infracciones tipificadas en la Ley 8/2002?

Serán responsables solidarios quienes gestionen o exploten los establecimientos, locales e instalaciones o desarrollen las actividades u organicen espectáculos, así como los titulares de las licencias o autorizaciones correspondientes (art. 36.2 de la Ley 8/2002).

2. ¿En el caso de las personas jurídicas ¿Quiénes son los responsables subsidiarios?

En el caso de las personas jurídicas serán responsables subsidiarios, hayan o no cesado en su actividad, quienes ostenten cargos de administración o dirección en ellas, entendiéndose por tales, a los efectos de esta Ley, a los administradores o miembros de los órganos colegiados de administración, a los directores generales o asimilados, los consejeros delegados, los presidentes ejecutivos de los consejos de administración y, en general, a quienes dentro de la entidad desarrollen facultades de dirección de la misma.

La responsabilidad subsidiaria se fijará, en su caso, en la resolución que ponga fin al expediente y se ejercitará previa declaración de fallido del responsable principal o solidario (art. 36.3 de la Ley 8/2002).

3. ¿Qué sanciones se han de publicar?

Las sanciones muy graves firmes serán publicadas en el Boletín Oficial del Principado de Asturias (art. 43 de la Ley 8/2002).

4. ¿Qué medidas cautelares puede imponerse una vez que se ha iniciado el expediente sancionador?

Iniciado el expediente sancionador y en cualquier momento del mismo, mediante acuerdo del órgano encargado de resolver y a petición del instructor del expediente, y por acuerdo motivado, se podrán imponer las medidas cautelares siguientes que aseguren la eficacia de la resolución final que pudiera recaer: (art. 44.1 de la Ley 8/2002).

a) La clausura del local o establecimiento.

b) La suspensión temporal de la actividad, licencia o autorización.

c) El decomiso de los bienes o animales relacionados con el espectáculo o actividad.

d) La adopción de otras medidas necesarias para garantizar la seguridad de personas o bienes.

5. ¿Cuándo se extinguen las medidas cautelares?

Las medidas se extinguirán, en todo caso, con la resolución administrativa que ponga fin al procedimiento (art. 44.2 de la Ley 8/2002).

2. Jurisprudencia

[Véase anexo I de este capítulo.]

3. Legislación aplicable

— Estatal

Ley 39/2015 de 1 de octubre, del Procedimiento Administrativo Común de las Administraciones Públicas.

Ley 40/2015, de 1 de octubre, de Régimen Jurídico del Sector Público.

— Autonómica

Ley del Principado de Asturias 8/2002, de 21 de octubre, de Espectáculos Públicos y Actividades Recreativas.

Decreto 63/2007, de 30 de mayo, por el que se regulan las hojas de reclamaciones en espectáculos públicos y actividades recreativas.

Decreto 38/2007, de 12 de abril, por el que se regulan las condiciones de los seguros obligatorios de responsabilidad civil exigibles para la celebración de espectáculos públicos y actividades recreativas.

Decreto 91/2004, de 11 de noviembre, por el que se establece el catálogo de los espectáculos públicos, las actividades recreativas y los establecimientos, locales e instalaciones públicas en el Principado de Asturias.

Decreto 100/2006, de 6 de septiembre, por el que se regulan los servicios de vigilancia y seguridad en los espectáculos públicos y actividades recreativas y el ejercicio del derecho de admisión.

4. Documentos de interés

— Doctrina

GARCÍA VALDERREY, Miguel Ángel. «Procedimiento para la imposición de sanciones accesorias en materia de actividades». *El Consultor de los Ayuntamientos y de los Juzgados*, n.º 11, Sección Práctica Local, Quincena del 15 al 29 Jun. 2014, Ref. 1257/2014, pág. 1257, tomo 1.- LA LEY 3390/2014.

«La potestad sancionadora de la Administración local. Análisis normativo, doctrinal y jurisprudencial». *El Consultor de los Ayuntamientos y de los Juzgados*, n.º 24, Sección Colaboraciones, Quincena del 30 Dic. 2010 al 14 Ene. 2011, Ref. 3472/2010, pág. 3472, tomo 3.- LA LEY 15192/2010.

GINER BRIZ, Fernando. «La impugnación de la actividad local. Los recursos administrativos en las entidades locales. Las reclamaciones previas al ejercicio de acciones civiles y laborales». Esta doctrina forma parte del libro *Procedimiento Administrativo Local*, edición n.º 1, *El Consultor de los Ayuntamientos y de los Juzgados,* Madrid, octubre 2010.- LA LEY 19183/2011.

VALERA ESCOBAR, Ginés. «La clausura de establecimientos que carecen de preceptiva licencia municipal de apertura en la legislación estatal y andaluza». *El Consultor de los Ayuntamientos y de los Juzgados*, n.º 14, Sección Colaboraciones, Quincena del 30 Jul. al 14 Ago. 2000, Ref. 2363/2000, pág. 2363, tomo 2.- LA LEY 3853/2003.

MODELO DE EXPEDIENTE *(Disponible a texto íntegro en smarteca.es)*

[Véase anexo II de este capítulo.]

17. REGIÓN DE MURCIA

Expediente sancionador

1. Claves del Expediente

Se aplican los principios generales en materia sancionadora consagrados en la Constitución y en las normas generales de derecho administrativo, y Ley 9/2016, de 2 de junio, de medidas urgentes en materia de espectáculos públicos en la Comunidad Autónoma de la Región de Murcia

La denuncia del particular no conlleva la obligatoriedad de incoar el procedimiento sancionador, que en todo caso se realizará de oficio por el órgano competente.

Importante tener en cuenta lo dispuesto en el art. 85.3 de la Ley 39/2015 de 1 de octubre, del Procedimiento Administrativo Común de las Administraciones Públicas sobre reducción de la sanción.

Las denuncias deberán expresar la identidad de la persona o personas que las presentan, el relato de los hechos que pudieran constituir infracción y la fecha de su comisión y, cuando sea posible, la identificación de los presuntos responsables.

Iniciado el expediente sancionador podrán acordarse por el órgano competente para resolver el procedimiento la adopción de medidas provisionales.

Las medidas provisionales respetaran los principios de proporcionalidad, efectividad y menor onerosidad en relación con los principios que se pretendan garantizar.

PREGUNTAS CLAVE

1. ¿Qué criterios ha de tenerse de cuenta para la graduación de las sanciones?

Para la graduación de las sanciones a aplicar se atenderá especialmente a los siguientes criterios: (art. 4.1 de la Ley 9/2016).

a) La existencia de intencionalidad o reiteración.

b) La naturaleza de los perjuicios causados.

c) La reincidencia, por comisión en el término de un año de más de una infracción de la misma naturaleza cuando así haya sido declarado por resolución firme.

2. ¿Puede incrementarse la cuantía de la sanción?

A fin de que la comisión de las infracciones no resulte más beneficiosa para la persona infractora que el cumplimiento de la norma, la sanción económica que en su caso se imponga podrá ser incrementada con la cuantía del beneficio ilícito obtenido (art. 4.2 de la Ley 9/2016).

3. ¿Aparte de la sanción pecuniaria, que sanción puede imponerse al infractor?

En el caso de infracción grave, podrán imponerse, aislada o conjuntamente, las siguientes sanciones: (art. 5.2 de la Ley 9/2016).

a) Suspensión temporal de las licencias o autorizaciones o permisos, hasta seis meses.

b) Clausura de locales o establecimientos, hasta seis meses.

En casos graves de reincidencia, la suspensión y clausura a que se refieren los dos apartados anteriores podrá ser de hasta dos años.

4. ¿Quiénes son los sujetos responsables de las infracciones administrativas a la Ley 9/2016?

Serán sujetos responsables de las infracciones administrativas las personas físicas o jurídicas que incurran en las acciones u omisiones tipificadas en la misma (art. 10.1 de la Ley 9/2016).

5. ¿Qué ocurre en el caso de que exista una pluralidad de responsables a título individual?

Cuando exista una pluralidad de responsables a título individual y no fuera posible determinar el grado de participación de cada uno en la realización de la infracción, responderán todos ellos de forma solidaria (art. 10.2 de la Ley 9/2016).

2. Jurisprudencia

[Véase anexo I de este capítulo.]

3. Legislación aplicable

— Estatal

Ley 39/2015 de 1 de octubre, del Procedimiento Administrativo Común de las Administraciones Públicas.

Ley 40/2015, de 1 de octubre, de Régimen Jurídico del Sector Público.

— Autonómica

Ley 4/2009, de 14 de mayo, de Protección Ambiental Integrada.

Ley 2/2011, de 2 de marzo, de admisión en espectáculos públicos, actividades recreativas y establecimientos públicos de la Región de Murcia.

Ley 9/2016, de 2 de junio, de medidas urgentes en materia de espectáculos públicos en la Comunidad Autónoma de la Región de Murcia.

Orden de 10 de febrero de 2017, de la Consejería de Presidencia, por la que se prorroga temporalmente el horario de cierre de determinados establecimientos públicos en la Región de Murcia.

DA octava y novena de la Ley 2/2017, de 13 de febrero, de medidas urgentes para la reactivación de la actividad empresarial y del empleo a través de la liberalización y de la supresión de cargas burocráticas.

4. Documentos de interés

— Doctrina

GARCÍA VALDERREY, Miguel Ángel. «Procedimiento para la imposición de sanciones accesorias en materia de actividades». *El Consultor de los Ayuntamientos y de los Juzgados*, n.º 11, Sección Práctica Local, Quincena del 15 al 29 Jun. 2014, Ref. 1257/2014, pág. 1257, tomo 1.- LA LEY 3390/2014.

«La potestad sancionadora de la Administración local. Análisis normativo, doctrinal y jurisprudencial». *El Consultor de los Ayuntamientos y de los Juzgados*, n.º 24, Sección Colaboraciones, Quincena del 30 Dic. 2010 al 14 Ene. 2011, Ref. 3472/2010, pág. 3472, tomo 3.- LA LEY 15192/2010.

GINER BRIZ, Fernando. «La impugnación de la actividad local. Los recursos administrativos en las entidades locales. Las reclamaciones previas al ejercicio de acciones civiles y laborales». Esta doctrina forma parte del libro *Procedimiento Administrativo Local*, edición n.º 1, *El Consultor de los Ayuntamientos y de los Juzgados,* Madrid, octubre 2010.- LA LEY 19183/2011.

VALERA ESCOBAR, Ginés. «La clausura de establecimientos que carecen de preceptiva licencia municipal de apertura en la legislación estatal y andaluza». *El Consultor de los Ayuntamientos y de los Juzgados*, n.º 14, Sección Colaboraciones, Quincena del 30 Jul. al 14 Ago. 2000, Ref. 2363/2000, pág. 2363, tomo 2.- LA LEY 3853/2003.

MODELO DE EXPEDIENTE *(Disponible a texto íntegro en smarteca.es)*

[Véase anexo II de este capítulo.]

ANEXO I. JURISPRUDENCIA

1. Principios sancionadores

• En definitiva, **la sanción impuesta lo ha sido**, no por no portar la persona que se encontraba el día de denuncia realizando tareas de control de acceso, en ese momento, **la correspondiente acreditación, sino por no estar aquella en posesión de la misma**, aunque la resolución recurrida haga referencia a la citada normativa, artículo 8 del Decreto ya citado 163/2008, de 29 de diciembre, en su Fundamento Jurídico Cuarto, folio 4 de dicha resolución impugnada.

Notar y recordar en todo caso, el contenido del acta denuncia de los hechos, en la que consta como hecho denunciado, «Encontrarse una persona ejerciendo la función de control de Accesos no presentado la acreditación correspondiente, pero comunica el implicado que la tiene».

Habida cuenta de que este **personal de acceso necesita contar con acreditación, se ha probado que el filiado disponía de ella**, por lo que no puede entenderse acreditada la comisión de la infracción tipificada.

Por todo lo expuesto debemos concluir que la resolución administrativa recurrida ha **vulnerado el principio de tipicidad** y de esta forma debe confirmarse la sentencia de instancia. [STSJ Madrid 22 julio 2014.- LA LEY 168732/2014]

• Por ello, **debe admitirse que la cláusula abierta**, recurrentemente utilizada por los artículos 146 y 147 del Decreto impugnado 112/2010, de 31 de agosto, concretamente la que tipifica determinadas circunstancias de los tipos de infracciones «en los demás casos en que se justifique debidamente», es contraria al principio de legalidad del artículo 25.1 de la Constitución, **en cuanto habilita a los órganos administrativos para concretar esas circunstancias, dificultando o impidiendo la imprescindible predecibilidad de las conductas constitutivas de infracción.**

Como tiene declarado el Tribunal Constitucional —sentencia 13/2013, de 28 de enero, que se remite, entre otras, a la 242/2005, de 10 de octubre (LA LEY 196748/2005)— **«no cabe excluir la colaboración reglamentaria en la propia tarea de tipificación de las infracciones y atribución de las correspondientes sanciones, aunque sí hay que excluir el que tales remisiones hagan posible una regulación independiente y no claramente subordinada a la Ley»**, por lo que **es admisible que el Reglamento, en aras a una mayor seguridad jurídica, concrete las conductas que, desde luego, puedan integrar el tipo previsto por la ley, pero no es admisible que enturbie esa seguridad, creando confusión o indefinición, contraria a la predecibilidad de la norma sancionadora**, utilizando cláusulas que remitan al criterio de los órganos administrativos, ya sea para constreñir o reducir el tipo legal, excluyendo conductas que pudieran integrarlo, o incluyendo otras que no encajen en el tipo infractor descrito por la ley, pues, **de conformidad con el principio de legalidad en materia penal y sancionadora, no es constitutiva de infracción la conducta, acción u omisión no prevista por la ley, pero es constitutiva de infracción toda aquélla que sí integre el tipo legal**, que, como se ha dicho, no puede quedar limitado o reducido por el Reglamento, como tampoco puede verse ampliado por el mismo. [STSJ Cataluña 29 diciembre 2014.- LA LEY 238851/2014]

2. Procedimiento sancionador

2.1. Carga de la prueba

• En tal sentido la presunción de inocencia comporta determinadas exigencias. Una primordial consiste en la **carga de probar los hechos constitutivos de cada infracción, que corresponde ineludiblemente a la Administración Pública actuante, sin que sea exigible al inculpado «una *probatio* diabólica de los hechos negativos».** En suma, pues, para que la presunción constitucional quede desvirtuada ser necesaria la concurrencia de una prueba suficiente y razonablemente concluyente de la culpabilidad del imputado.

Y en este mismo orden de cosas hemos de señalar que **la eficacia probatoria de las actas y denuncias formuladas por los Agentes de la Autoridad** en el ejercicio de sus funciones y su vinculación con la presunción constitucional antes examinada no comporta, en principio, violación del derecho fundamental. [STSJ Madrid 11 noviembre 2010.- LA LEY 285797/2010]

2.2. Clausura

• Ahora bien, existiendo una licencia de actividad y funcionamiento para el emplazamiento señalado en el caso presente consiste en **evaluar si procede la clausura de la totalidad de la actividad, o si en aplicación del principio de proporcionalidad es posible limitar la clausura y precinto a los elementos industriales no licenciados.** Como quiera que parece que la actividad que pudiera ejercerse se ejerce no es exclusivamente la de BAR sino que dicha actividad se superpone la no la licenciada que es la de BAR ESPECIAL, y siendo posible el precinto de los elementos industriales no licenciados, el Tribunal entiende que, no tratándose de un procedimiento sancionador, **es posible limitar el precinto de los elementos no licenciados. Lo trascendente ha de ser determinar si todos los elementos industriales se encuentran licenciados y de no estarlo, proceder al precinto o retirada de los mismos, pero no la clausura total de la actividad.**

Y no es posible la adopción de la medida de clausura porque además de privarse del ejercicio de la actividad de discoteca también se priva del ejercicio de la actividad de «sala de usos múltiples», para la que el recurrente cuenta con licencia de actividad y funcionamiento. **Si existen elementos no licenciados, podría procederse al precinto de estos pero no de la totalidad de la actividad**, ya que la misma cuenta con licencia y dicha clausura solo es posible tras la revocación de la licencia o tras el procedimiento establecido en los artículos 36 y 37 del Reglamento de Actividades Molestas, Insalubres, nocivas y Peligrosas aprobado por Decreto 2414/1961, de 30 de diciembre, como consecuencia de la retirada temporal o definitiva de la licencia a la que se refiere el artículo 38 del citado Reglamento «; es por lo que **resultaría procedente en este caso la clausura de la actividad de bar especial no licenciada, pero en ningún caso procede la clausura total de la actividad**, y del local en cuestión, dado que la licencia concedida cubre la actividad de bar; **la clausura de la actividad supondría, por tanto, una quiebra del principio de proporcionalidad**, por lo que debe revocarse parcialmente la sentencia apelada, en el único sentido de que el recurrente puede seguir ejerciendo la actividad de Bar para la que tiene licencia y que no aparece anulada.

Como señala la Sentencia de la sala Tercera del Tribunal Supremo de 27 de octubre de 1992 al no haber existido un control positivo previo de la Administración sobre la actividad de que se trata, **basta para decretar la clausura, como tiene declarado reiterada jurisprudencia de la Sala con que se haya dado audiencia previa al interesado —salvo la existencia de peligro—** y que se haya respetado el principio de proporcionalidad que establece el artículo 6.2 del Reglamento de Servicios de las Corporaciones Locales y hoy el artículo 84.2 de la Ley 7/1985, de 2 abril (LA LEY 847/1985). La necesidad de audiencia antes de acordar la clausura se deduce del juego de los artículos 33, 38 y 40 del Reglamento de Actividades de 30 de noviembre de 1.961. Concurriendo como concurren dichos requisitos los actos administrativos impugnados resultan correctos. [STSJ Madrid 2 junio 2011.- LA LEY 132686/2011]

• Para resolver la cuestión planteada debe partirse de la base de que **la consecuencia jurídica de la falta de licencia de actividad y/o funcionamiento no puede ser otra que la clausura de la actividad** pues como manifiestan las Sentencias de la sala Tercera del Tribunal Supremo de 10 de junio y 24 de abril de 1.987 la apertura clandestina de establecimientos comerciales e industriales o el ejercicio sin la necesaria licencia de actividades incluidas en el Reglamento de 30 noviembre 1961 (hoy la Ley 2/2002, de 19 de junio (LA LEY 1162/2002), de Evaluación Ambiental de la Comunidad de Madrid) obligan a adoptar, de plano y con efectividad inmediata, **la medida cautelar de suspender la continuación de las obras, clausurar el establecimiento o paralizar la actividad, con el fin de evitar que se prolongue en el tiempo la posible trasgresión de los límites impuestos por exigencias de la convivencia social,** hasta la obtención de la oportuna licencia que garantice la inexistencia de infracciones o la adopción de las medidas necesarias para corregirlas, la decisión de precinto y clausura adoptada constituye la medida de carácter cautelar y no sancionadora, más apropiada para impedir la continuidad de una actividad clandestina, que se ejerce sin la preceptiva licencia, por tanto sin garantía para el superior principio de respeto a la seguridad de los ciudadanos.

...**La falta de dicho acta de funcionamiento,** que en el presente caso además opera como condición suspensiva para la adquisición de la licencia de actividad, **impide el inicio del ejercicio de la misma,** y si dicha actividad ha comenzado, debe cesar, en tanto en cuanto no se disponga de la misma, **este cese se materializa en la clausura.**

...**La falta de la licencia de funcionamiento** que es posterior a la de clausura impide el ejercicio de la actividad y **legitima al Ayuntamiento de Madrid para acordar la clausura.** [STSJ Madrid 4 octubre 2012.- LA LEY 176287/2012]

• Dada la **dificultad de evaluar los beneficios derivados de la comisión de la infracción superando el horario de cierre, está justificada la opción por la clausura** para que la sanción produzca efecto disuasorio en evitación de futuras infracciones, es decir cumpla el fin de prevención especial es decir provoque el condicionamiento interno del sujeto que ha infringido la norma para que no vuelva a realizar tales infracciones. [STSJ Madrid 4 febrero 2015.- LA LEY 12125/2015]

• **Como regla general entiende la Sala que tratándose de una clausura impuesta en una sanción, es conveniente esperar en tanto se ventila la cuestión** referente a si se han adoptado o no las medidas correctoras, pues de ejecutarse el acto impugnado pues debe tenerse en cuenta que la impugnación el requerimiento pudiera tener como fundamento circunstancias enervadoras posteriores a la firmeza del acto impositivo de la sanción, como por ejemplo la prescripción de la sanción, la falta de proporcionalidad en el medio de ejecución empleado u otras. [STSJ Madrid 20 mayo 2015.- LA LEY 71856/2015]

• Como quiera que **el precinto deriva de la clausura impuesta** como consecuencia de una infracción administrativa en la que se impuso una sanción acumulada de ocho meses de clausura por la infracción prevista en el apartado 11 del artículo 38 de la de la Ley Territorial de la Comunidad de Madrid 17/1997, de 4 de julio, de Espectáculos Públicos y Actividades Recreativas, **así como de una sanción de clausura del local durante cinco meses**, la primera de las sanciones provocó la suspensión de la licencia, por lo que la continuación de la actividad no puede tener como base dicha licencia de donde deviene en aplicación la doctrina que afirma que al tratarse de una actividad desarrollada sin licencia, no procede suspender la ejecutividad del acuerdo municipal impugnado ya que, en caso de acordarla, se privaría de efectividad a una sanción impuesta por resolución administrativa firme, que no ha sido revocada por el procedimiento del artículo 105 de la Ley 30/1992, de 26 de noviembre, de Régimen Jurídico de las Administraciones Públicas y del Procedimiento Administrativo Común (LA LEY 3279/1992). La declaración responsable presentada ante el Ayuntamiento de Madrid el 1 de julio de 2015 para la apertura de la actividad, la misma **no puede servir de cobertura para dotar de apariencia de buen derecho a la pretensión de la actora hoy apelada, dado que el local se encuentra clausurado**, todo ello sin perjuicio de lo que resulte y se decida en el procedimiento principal. [STSJ Madrid 9 mayo 2016.- LA LEY 85923/2016]

• **El precinto no es sino un acto de ejecución de la clausura y por tanto subordinado a ella** de forma que si la clausura ha sido sometida a revisión judicial y el Juzgado de lo Contencioso-Administrativo competente acuerda que no procede la suspensión del acto, esta decisión en tanto en cuanto no sea revocada por este tribunal a través del correspondiente recurso de apelación produce efectos prejudiciales e impide la suspensión del precinto derivado de aquella. [STSJ Madrid 16 noviembre 2016.- LA LEY 185595/2016]

• Debe señalarse que **en los supuestos de la clausura de una actividad existen perjuicios que si bien pudieran ser reparados a través de la oportuna indemnización, varios son los elementos que provocan una dificultad de reparación**, en primer lugar, por la difícil valoración de las perdidas comerciales, no solo presentes sino también futuras y por la pérdida de expectativas y del correspondiente fondo de comercio y de la clientela. Además, en tanto en cuanto se resuelve el proceso, es patente que se producen perjuicios derivados de la pérdida de ingresos y por lo tanto de la necesidad de búsqueda de una fuente alternativa que permita la subsistencia. Por el contrario, el interés público alegado es el genérico, de presunción de legalidad de los actos administrativos y de ejecutividad, sin embargo siendo la infracción que se sanciona por un exceso de horario en el desarrollo de la actividad, no apareciendo terceros afectados (caso de exceso de ruido transmitido a la calle o las viviendas colindantes) y no haciéndose referencia en la resolución sancionadora a la posible existencia de riesgo para las personas, como ocurre en los supuestos de exceso de aforo cuando se supera en un alto porcentaje el autorizado por la por ello, se debe de acceder a la pretensión de suspensión, entendiendo que la reparación económica que en su caso conllevaría la no suspensión y en su caso estimación del recurso puede evitarse y sin que el interés público o general se vea afectado, por suspender unos meses la ejecución de la sanción impuesta, que dictada sentencia se ejecutaría, sin verse afectados, reiteramos, los intereses generales. [STSJ Madrid 22 febrero 2017.- LA LEY 22718/2017]

- Efectivamente el artículo 41 apartado 4 de la de la Ley Territorial de la Comunidad de Madrid 17/1997, de 4 de julio (LA LEY 1660/1998), de Espectáculos Públicos y Actividades Recreativas establece que las sanciones de clausura de locales y suspensión o prohibición de actividades o espectáculos, cuando sean superiores a seis meses, conllevarán la suspensión de las licencias reguladas en esta Ley. **Se trata de una consecuencia accesoria a la sanción de clausura o de la suspensión o prohibición de actividades y no de una sanción propiamente dicha**. Es cierto que si dicha clausura se prolonga por un período superior a seis meses resultará de aplicación el apartado 4.º del artículo 8 de la citada de la Ley Territorial de la Comunidad de Madrid 17/1997, de 4 de julio (LA LEY 1660/1998), de Espectáculos Públicos y Actividades Recreativas que establece que la inactividad o cierre, por cualquier causa, de un local o establecimiento durante más de seis meses determinará la suspensión de la vigencia de la licencia de funcionamiento, hasta la comprobación administrativa de que el local cumple las condiciones exigibles.

Desde luego **la clausura por más de seis meses provocará la necesidad de una nueva visita de comprobación para poder dejar sin efecto la suspensión de la licencia de funcionamiento que se prolongara por dicho tiempo**, sin embargo la sentencia no explica porque puede solicitarse el alzamiento de la suspensión de la licencia aunque no se hubiera cumplido el plazo de cierre; toda vez que la interpretación del apartado 4.º del artículo 41 de la de la Ley Territorial de la Comunidad de Madrid 17/1997, de 4 de julio (LA LEY 1660/1998), de Espectáculos Públicos y Actividades Recreativas debe llevar al entendimiento que **la suspensión de la licencia ha de tener la misma duración que la sanción de clausura de la que deriva**, de forma que la sanción afecta al autor de la infracción pero la consecuencia accesoria, la suspensión de la licencia afecta directamente a la propia licencia. Obsérvese que la Ley establece como efecto «la suspensión de la licencia» y no la «extinción de la licencia». [STSJ Madrid 1 marzo 2017.- LA LEY 22692/2017]

2.3. Medidas cautelares

- El **criterio decisivo para la adopción de las medidas cautelares** está representado por eso que tradicionalmente se viene denominando el **requisito del «periculum in mora»**, ya que en ello consiste la exigencia de los perjuicios de reparación imposible o difícil a que hace referencia el art. 122 de la Ley Jurisdiccional de 1956 (LA LEY 39/1956). También ha señalado que **la concurrencia de ese requisito** será de apreciar cuando, en la ponderación de los intereses que resulten enfrentados, inicialmente **presente una importancia superior el interés propio que haya sido invocado por el accionante que reclame la medida cautelar**. [STSJ Madrid 15 noviembre 2012.- LA LEY 216026/2012 (También la STSJ Madrid 14 octubre 2015.- LA LEY 161941/2015)]

- Los procedimientos correspondientes derivados de la aplicación de la Ley Territorial de Madrid 17/1997, de 4 de julio, de Espectáculos Públicos y Actividades Recreativas en cuyo artículo 36 se establece que iniciado el procedimiento sancionador **se podrán adoptar, en cualquier momento del mismo, las medidas cautelares imprescindibles para el normal desarrollo del procedimiento, asegurar el cumplimiento de la sanción que pudiera imponerse o evitar la comisión de nuevas infracciones**; disponiendo el artículo

8 de la citada Ley Territorial de Madrid 17/1997, de 4 de julio, de Espectáculos Públicos y Actividades Recreativas que el incumplimiento de los requisitos y condiciones en que fue concedida la licencia determinará la revocación de la misma previa tramitación de un expediente sumario con audiencia del interesado. **Esta es por tanto, la normativa aplicable cuando se «ejerce una actividad distinta de la licenciada» y en la que se han introducido elementos industriales no autorizados por la licencia que ampara la instalación de la actividad de que se trate. Sin embargo, cuando la disparidad entre la actividad ejercida y la licenciada se deba al cambio de clasificación** introducido por el Decreto n.º 184/1998 de 22 de octubre que aprueba el Catálogo de Espectáculos Públicos, Actividades recreativas, Establecimientos, Locales, e Instalaciones de la Comunidad de Madrid, **deberá la Administración en primer lugar clausurar previa audiencia, tan sólo aquellos elementos industriales no autorizados por la licencia**; y posteriormente, requerir al titular de la misma para la adaptación de la instalación al nuevo Nomenclátor y conforme a los elementos industriales que corresponda a las distintas categorías de locales con las medidas correctoras pertinentes. [STSJ Madrid 15 octubre 2014.- LA LEY 171714/2014]

• En la regulación de las **medidas cautelares** contenida en la vigente Ley de la Jurisdicción Contencioso-Administrativa (arts. 129 y 130), **para la adopción de las mismas debe apreciarse que o bien sean precisas para garantizar la efectividad de la sentencia que en su día se dicte, entendida como la posibilidad de ejecutarse en sus propios términos y no por el equivalente económico** (reparación de perjuicios) o, como ha señalado el Tribunal Supremo, preservar lo que se ha denominado el efecto útil de la sentencia (TS 3.ª secc. 3.ª S 2-12-2002), o bien pueda evitarse la pérdida de la finalidad legítima del recurso. No obstante incluso aun concurriendo alguno de esos presupuestos, **no sería suficiente para adoptar la medida pues debe ponderarse si los intereses generales o de terceros quedarían perturbados de forma grave en caso de adoptarse la medida cautelar**. El Tribunal Supremo ha señalado que no basta con apreciar la pérdida de la finalidad legítima del recurso para conceder la medida pues en el sistema de la LJCA se ha introducido un **contrapeso que consiste en la valoración o ponderación del interés general o de tercero** (TS S-14-6-2005), de forma que si se apreciara una perturbación grave de esos intereses, la medida debe denegarse.

También tiene declarado el Tribunal Supremo que junto con los criterios legales prevenidos en la LJCA para adoptar las medidas y como aportación jurisprudencial al sistema, «**sigue contando con singular relevancia la doctrina de la apariencia de buen derecho (*fumus boni iuris*), la cual permite en un marco de provisionalidad, dentro del limitado ámbito de la pieza de medidas cautelares**, y sin prejuzgar lo que en su día declare la sentencia definitiva, **proceder a valorar la solidez de los fundamentos jurídicos de la pretensión**, si quiera a los meros fines de la tutela cautelar» (TS 3.ª S 13-6-2007). No obstante en los casos en los que **la medida cautelar se solicite invocando sólo la apariencia de buen derecho, hay que actuar con gran prudencia** pues no cabe entrar a conocer del fondo del recurso en la pieza de medidas. De otra manera, se estaría anticipando de modo indebido la resolución de la cuestión de fondo al resolver la pieza de suspensión, lo que no es admisible pues se quebrantaría el derecho fundamental al proceso con las debidas garantías de contradicción y prueba (TS 3.ª secc. 6.ª S 18 de julio de 2000).

Con estas consideraciones podemos dar respuesta al recurso de apelación.

En el presente caso hay que apreciar que, en principio, concurren los requisitos legales exigidos para adoptar la medida cautelar. En efecto, la efectividad de la sentencia está en una parte comprometida (entendida dicha efectividad, como hemos dicho antes, por la posibilidad de ejecutar la sentencia en sus propios términos y no por el equivalente económico), pues probablemente la sanción de clausura se habrá cumplido cuando se dicte sentencia firme en el proceso principal, por lo que de ser ésta estimatoria para la recurrente, sólo podría ejecutarse por el equivalente económico (resarcimiento de perjuicios). Aparte de ello, también cabría apreciar una cierta pérdida de la finalidad legítima del recurso por los presumibles perjuicios económicos que se producirían derivados del cierre del local durante cuatro meses.

Ahora bien, aun cuando concurra alguno de esos presupuestos, ello no es suficiente para adoptar la medida pues debe ponderarse si los intereses generales o de terceros quedarían perturbados de forma grave en caso de adoptarse la medida cautelar. El Tribunal Supremo ha señalado que no basta con apreciar la pérdida de la finalidad legítima del recurso para conceder la medida pues en el sistema de la LJCA se ha introducido un contrapeso que consiste en la valoración o ponderación del interés general o de tercero (TS S-14-6-2005), de forma que si se apreciara una perturbación grave de esos intereses, la medida debe denegarse.

En el presente caso el Ayuntamiento ha decretado la sanción de clausura por la comisión de la infracción grave prevista en el art. 38.15 de la Ley 17/1997, de 4 de julio (LA LEY 1660/1998), de Espectáculos Públicos y Actividades Recreativas por la comisión de más de dos infracciones leves en un año. **Dejando a un margen si concurre o no apariencia de buen derecho, en lo que no es preciso entrar en el presente caso, debemos apreciar que el Ayuntamiento no ha acreditado que, si se adopta la medida cautelar, el interés general o el de terceros pueda sufrir una grave perturbación**, la cual, además, no cabe deducir del tipo de infracción sancionada pues, como dice el auto apelado, se refiere no a la emisión de ruidos por encima de los niveles permitidos, sino por el presunto incumplimiento de una norma general sobre horarios de emisión de música. [STSJ Madrid 15 febrero 2017.- LA LEY 22715/2017]

2.4. Notificación

• El recurrente sostiene el mismo en la invalidez de la notificación de la orden de cierre del local efectuada en el mismo establecimiento del que es titular afirmando la pertinencia de que a la luz del art 59.2 de la ley 30/92 la misma se hubiese efectuado en su domicilio.

En el análisis de dicho motivo de impugnación debe indicarse que visto el material probatorio obrante en el procedimiento la licencia de apertura del establecimiento **resultó notificada precisamente en el local en el que se efectuó la notificación de la orden de cierre**, sin que resultasen objeciones a la práctica de la notificación efectuada, resultando por tanto la asunción en relación al expediente de dicho establecimiento y la situación jurídica relativa al mismo como lugar hábil y eficaz para la práctica de las notificaciones relativas él, sin que conste que la actora hubiera designado otro lugar en lo relativo a la práctica de las notificaciones que debieran concernirle en lo relativo al establecimiento indicado.

De esta manera **debe entenderse plenamente valida la notificación de la orden de cierre del local cursada precisamente en el establecimiento afectado y titularidad de la**

actora en el cual se había cursado precisamente la notificación de la licencia de apertura del establecimiento por la Administración local. [STSJ Andalucía (Granada) 26 diciembre 2012.- LA LEY 234328/2012]

• La aplicación de la doctrina constitucional expuesta a las infracciones constitucionales denunciadas, supone la estimación del recurso de amparo formulado pues **la falta de notificaciones personales con éxito al demandante, intentadas en el local de negocio pub, en horario de mañana, cuando no tiene actividad, sin que conste aviso alguno en el buzón de correos de la citada actividad mercantil, acudiendo posteriormente a la mera notificación edictal, cuando consta el conocimiento del domicilio personal del recurrente, en el que se notifica la vía ejecutiva, ha vulnerado su derecho de defensa y a ser informado de la acusación protegidos** por el art. 24.2 CE al impedir que el administrado pudiera ejercer su derecho de defensa en el procedimiento administrativo sancionador cuya existencia no consta conociera, sin que tal situación de indefensión se produzca por causa imputable al demandante de amparo y sí a la Administración, que no obró con la debida diligencia en la búsqueda de domicilio en el que notificar personalmente o del horario adecuado para la notificación en el que efectivamente lo intentó, constándole el género de la actividad del negocio así como el domicilio personal del recurrente, como evidencia la efectiva notificación de la vía de apremio en este último domicilio. Y aunque dicho domicilio personal del recurrente no hubiera sido inicialmente conocido por la Administración sancionadora y que hubiera sido hallado por la ejecutiva, como aduce la Junta de Andalucía, aquélla había de haber obrado con la diligencia suficiente para buscar y obtener en los registros públicos correspondientes un domicilio donde poder realizar una notificación personal positiva como efectivamente se hizo en la vía ejecutiva, como recuerdan nuestras sentencias 32/2008, de 25 de febrero, FJ 2, y 128/2008, de 27 de octubre, FJ 2. [STC 5 mayo 2014.- LA LEY 58689/2014]

2.5.   Nulidad

• Asimismo, también debemos manifestar al Ayuntamiento que los **expedientes sancionadores están salpicados de diversas irregularidades** a las que haremos una breve referencia, dado que procede la nulidad de los mismos por haberse estimado la cuestión principal alegada.

Entre las diversas irregularidades nos encontramos con los informes o denuncias del jefe de la policía municipal, en los que **no consta la firma de ninguno de los agentes actuantes que presenciaron los hechos**, ni se aporta con ellos parte de comunicación alguno, distinto a los que han servido para la incoación de los expedientes, en el que conste la firma de alguno de ellos. Por lo que **dichos informes no gozarían de la presunción de veracidad que se otorga a las denuncias formuladas por los Agentes de la Autoridad**, que hacen fe, salvo prueba en contrario, respecto de los hechos denunciados, ya que los hechos constatados no se han formalizado en documento público observando los requisitos legales pertinentes, dado que falta ese documento público en el que conste la firma de alguno de los agentes actuantes. [STA Navarra 2 marzo 2012.- LA LEY 35996/2012]

2.6. Prescripción

• Por lo que respecta al motivo de impugnación basado en la prescripción de la sanción, **ha de señalarse que el plazo de prescripción**, contrariamente a lo pretendido por la parte recurrente, **ha de computarse desde la resolución del recurso de reposición, no desde la fecha de la resolución sancionadora**, pues así se desprende de lo dispuesto en el artículo 132.3 de la Ley 30/92, a tenor del cual el plazo de prescripción de las sanciones comenzará a contarse desde el día siguiente a aquel en que adquiera firmeza la resolución por la que se impone la sanción, **firmeza que se alcanza en vía administrativa, en el supuesto que nos ocupa, con la resolución del recurso de reposición.** [STSJ Madrid 2 octubre 2014.- LA LEY 168769/2014]

2.7. Presunción «iuris tantum»

*Así las cosas no podemos compartir los razonamientos de la Sentencia apelada puesto que los hechos constitutivos de la infracción sancionada sí se hicieron constar en el Acta levantada en el propio establecimiento y los agentes de la Guardia Civil, debidamente identificados, percibieron directamente los hechos, e incluso procedieron a identificar al menor presente en el local. **Resulta intranscendente que en el Acta aparezcan tachaduras puesto que, en definitiva, ésta fue firmada por la persona que estaba al frente del establecimiento sin hacer objeción alguna sobre ello**, y en el caso de que hubiese sido corregida o manipulada posteriormente, hubiera podido denunciarse y probarse este hecho por el sancionado mediante la presentación de la copia del Acta obrante en su poder.

Así pues debemos concluir que **existió actividad probatoria suficiente y que el Acta de inspección**, obrante al folio 5 del expediente administrativo y debidamente ratificada, **goza de presunción iuris tantun** que no ha quedado desvirtuada mediante la correspondiente prueba al efecto. [STSJ Madrid 2 junio 2010.- LA LEY 159809/2010]

• En el presente caso, del expediente administrativo, se deduce que los agentes de la Policía Local del Ayuntamiento de Valdemoro, debidamente identificados, en lo relativo a los hechos de fecha uno de febrero de del año 2009, han acreditado de forma bastante en el acta que obra en el expediente en el folio tres del mismo, que «**se impide o dificulta de cualquier modo la actuación policial, negándose por parte del reseñado, a la inspección de dicho establecimiento**», constando la ratificación de los agentes al folio 16 del expediente administrativo, en la que se hace constar que solamente han intervenido dos agentes, obrando en el acta levantada en el día de autos dos firmar de policías locales, debidamente identificados. En el supuesto enjuiciado, tal y como se afirma en la Sentencia, debemos expresar que la presunción que se establece en el artículo 137.3 de la Ley 30/92, **presunción «iuris tantum» en este caso concreto, no se ha desvirtuado mediante prueba alguna por la parte apelante, a quien incumbe la carga de la prueba**, por ser constitutiva de su pretensión, a tenor de lo que establece el artículo 217 de la LEC frente a la presunción que establece el artículo 137.3 de dicha Ley, por lo que el motivo no puede acogerse, sin que se haya producido indefensión alguna. [STSJ Madrid 30 abril 2012.- LA LEY 72514/2012]

• La convicción de la autoridad decisora se reduce a tener por cierto lo que afirma el funcionario o a dar crédito a lo que niega el presunto infractor, ante esta situación es natural que el ordenamiento jurídico reaccione estableciendo la **prevalencia de la decla-**

ración del funcionario público subjetivamente desinteresado en el objeto del procedimiento sancionador, por encima de la del administrado, directamente interesado en que no se le sancione, circunstancia esta que ha sido subrayada por la jurisprudencia señalando que **para eliminar la presunción de veracidad del acta no basta la mera manifestación en contrario de la parte interesada**, así las sentencias del Tribunal Supremo de 1 de junio de 1989, 15 de diciembre de 1987, 28 enero de 1988.

De conformidad con el criterio jurisprudencial acerca de la **presunción «*iuris tantum*» de veracidad de las denuncias de infracciones formuladas por agentes de la autoridad en el ejercicio de sus funciones** que establece el precepto citado, debe estimarse que a lo consignado en las denuncias o en las actas administrativas no es que haya de otorgárseles una fuerza de convicción privilegiada que las haga prevalecer a todo trance, pero sí **debe atribuírsele relevancia probatoria en el procedimiento administrativo sancionador en relación a la apreciación racional de los hechos y de la culpabilidad del expedientado**, en la medida en que los datos objetivos reflejados en la denuncia o en el acta no hayan sido conocidos de referencia por los denunciantes, ni fueren producto de su enjuiciamiento o deducción, sino que, por el contrario, hayan sido **percibidos real, objetiva y directamente por los agentes, que no han de ser considerados, en esos casos, como simples particulares**, sino como **funcionarios públicos actuando objetivamente en el cumplimiento de las funciones de su cargo** estas circunstancias son las que dotan al contenido de la denuncia o del acta administrativa de un carácter directo y de imparcialidad que habría de ser destruido mediante prueba en contrario. [STSJ Madrid 11 marzo 2013.- LA LEY 26668/2013 y STSJ Madrid 25 noviembre 2013.- LA LEY 227944/2013]

• **La presunción de veracidad y legalidad de las denuncias formuladas por un agente de la autoridad** encargado del servicio, como acompañamiento a todo obrar de los órganos administrativos y de sus agentes, **es un principio que debe acatarse y defenderse**, ya que constituye esencial garantía de una acción administrativa eficaz, si bien la presunción alcanza solamente a los hechos constatados por el agente, lo que exige no sólo una completa descripción de tales hechos, sino la especificación de la forma en que han llegado a su conocimiento, **no bastando siquiera con consignar el resultado final de la investigación, en tanto que esa atribución legal de certeza que en cualquier caso es de naturaleza «*iuris tantum*» pierde fuerza cuando los hechos a firmados en la denuncia, no son de apreciación directa**, ni se hace mención en ella a la realización de otras comprobaciones ó aporte de otras pruebas. En el caso presente efectivamente en el acta de inspección se indica que (…) en el momento de la inspección el local se encuentra abierto al público ejerciendo una actividad de bar con 109 personas en su interior contadas de una a una indicándose en el informe ampliatorio que los Agentes actuantes con n.º 10397.4 y 10001.8 **cuentan los clientes uno a uno en presencia encargado del local** filiado en dicho observando que supera **el aforo autorizado en 19 personas, que los agentes reflejan en el acta no consideran qué dicho hecho sea motivo de falta muy grave**. Que se le solicita al encargado que desaloje al número de personas que exceden de lo autorizado en la mayor brevedad posible para evitar problemas en el caso de emergencia. Según Licencia n.º 101/1999/05518, el aforo máximo permitido es de 90 personas. [STSJ Madrid 25 enero 2017.- LA LEY 8904/2017]

• Conforme a reiterada jurisprudencia del Tribunal Constitucional y del Tribunal Supremo, **los principios inspiradores del orden penal son de aplicación, con ciertos matices, al derecho administrativo sancionador**, dado que ambos son manifestaciones del ordenamiento punitivo y del *ius puniendi* del Estado y de las demás Administraciones Publicas, de tal modo que los principios esenciales reflejados en los arts. 24 (LA LEY 2500/1978) y 25 de la Constitución (LA LEY 2500/1978) han de ser transvasados a la actividad sancionadora de la Administración en la medida necesaria para preservar los valores fundamentales que se encuentran en la base de tales preceptos y alcanzar la seguridad jurídica preconizada en el art. 9 del mismo Texto, y, entre dichos principios, ha de destacarse el de presunción de inocencia, recogido en el art. 24.2 (que configurado como **una presunción *iuris tantum*, susceptible, como tal, de ser desvirtuada por una prueba en contrario**), constituye un verdadero derecho fundamental, inserto en la parte dogmática de la Constitución, que vincula a todos los poderes públicos (art. 53-11 de ese texto básico) y, especialmente, a la Administración, con más razón cuando ejercita su potestad sancionadora.

...Al respecto podemos traer a colación la Sentencia del Tribunal Constitucional 271/1990, de 2 de julio (LA LEY 2397/1990), que nos dice que **la presunción es siempre «*iuris tantum*» lo cual no es contrario al derecho a la presunción de inocencia ni implica invertir la carga de la prueba, sino simplemente que la presunción puede ser destruida por otro tipo de pruebas que sean más concluyentes.** Solamente podría padecer el derecho fundamental invocado en la medida en que se llegara a estimar que la presunción de veracidad de que están revestidas las denuncias de los Agentes de la Autoridad significara la concesión de una preferencia probatoria que supusiera la quiebra de la formación de la convicción judicial acerca de la verdad de los hechos empleando las reglas de la lógica y la experiencia, afectando al principio de la libre valoración de la prueba». [STSJ Madrid 25 enero 2017.- LA LEY 15596/2017]

2.8. *Principio de igualdad*

• En relación a la alegada vulneración del principio de igualdad en relación a establecimientos de hostelería, debemos recordar que es reiterada la jurisprudencia del Tribunal Constitucional a la luz de la cual **el soporte de comparación de dos actividades a las que se pretende aplicar el principio de igualdad es la licitud de ambas**, va que el principio de igualdad es invocable sólo ante la Ley, y no ante la ilegalidad (entre otras Sentencias del Tribunal Constitucional de 3-3-87, 23-3-87 o 29-12-86), por lo que **el hecho de que a otros establecimientos no se les sancione por realizar la actividad recreativa de baile pese a ser bares tampoco sirve para exonerar al recurrente de responsabilidad**, sin que, por otra parte, el apelante aporte un término válido de comparación que permita apreciar la desigualdad dentro de la obligada igualdad ante la ley, de acuerdo con el artículo 14 de la Constitución, siendo éste el presupuesto esencial para que pueda valorarse la existencia de un derecho que exige la concurrencia de otras situaciones que permitan realizar el cotejo, y así establecer la conclusión de desigualdad. [STSJ Madrid 11 marzo 2013.- LA LEY 26668/2013]

2.9. *Principio de proporcionalidad*

• **La potestad sancionadora**, en concreto, la individualización de la sanción, es esencialmente discrecional, pero su ejercicio **se encuentra sometido al principio de proporcionalidad** y, además, se requiere motivación, esto es, la fundamentación del proceso lógico que ha conducido a una concreta sanción, con lo que la motivación no actúa sino como elemento de deslinde entre lo discrecional y lo arbitrario.

Por lo demás convienen recordar que alcance del **principio de proporcionalidad no puede ser la sustitución de la discrecionalidad administrativa por la discrecionalidad judicial** sino que se ciñe a la corrección del exceso legal en que hubiese incurrido la Administración al aplicar la sanción, razón por la que a la Sala le incumbe excluir la solución desproporcionada pero no la indicación de la sanción más adecuada posible». Pues bien, que la sanción de multa, en el caso examinado no ha vulnerado el principio de proporcionalidad y está bien graduada pues pudiendo alcanzar hasta 300.506 euros, se ha impuesto en su grado mínimo y que si el Juez de Instancia consideró desproporcionada la sanción pudo anularla pero no sustituirla por otra a petición del sancionado. [STSJ Madrid 31 mayo 2011.- LA LEY 176417/2011]

• En lo que respecta a la **proporcionalidad**, la resolución administrativa impugnada tiene en cuenta, como **circunstancias de agravación** de las previstas en el artículo 52 de la citada Ley 11/2005, la intencionalidad —apartado b)—, los perjuicios ocasionados —apartado c)— y el ubicarse el establecimiento en una zona urbana con limitaciones, zona saturada C —apartado g)—. La concurrencia de esta última no se cuestiona, y, en cuanto a las primeras, ha de concluirse que han sido correctamente apreciadas, teniendo en cuenta la hora —las 3,55 horas— en que se constató por agentes de la policía local que permanecía abierto el local, con 18 personas en su interior —el aforo máximo es de 25—, con el equipo conectado y los trabajadores ejerciendo la actividad, cuando se había cumplido el horario de cierre a las 2,30 horas, a partir de cuyo momento, y en un máximo de media hora, debía haber procedido al desalojo de la clientela, sin emitirse música ni servir consumiciones; a lo que se añade **el evidente perjuicio que representa para los vecinos el mantenimiento de la actividad fuera del horario permitido. No pudiendo considerarse con base en tales circunstancias desproporcionada la sanción** cuando las infracciones graves, conforme al artículo 51 de dicha Ley pueden ser sancionadas alternativa o acumulativamente con multa de 601 a 30.000 euros y suspensión o prohibición de la actividad hasta seis meses. [STSJ Aragón 27 abril 2012.- LA LEY 51028/2012]

• Respecto a la alegación subsidiaria de considerar la sanción no ajustada a Derecho **por infracción del principio de proporcionalidad, debe ser rechazada** pues el apartado b del artículo 51.2 de la Ley 11/2005 permite la imposición de la suspensión o prohibición de la actividad hasta un máximo de seis meses, y argumenta la sentencia recurrida que corresponde tal sanción al incumplimiento de horarios en cuatro ocasiones en el plazo de quince días, con clara intencionalidad al haber provocado el recurrente una deliberada confusión en la solicitud de ampliación de la licencia de pub, lo que constituye motivo de agravamiento conforme a lo dispuesto en el artículo 139 LJCA (LA LEY 2689/1998). **No puede entenderse infringido el criterio de proporcionalidad al haberse impuesto la sanción, a pesar de la apreciación del motivo de agravamiento, en el grado mínimo de los seis meses legalmente previstos.** [STSJ Aragón 28 enero 2014.- LA LEY 5756/2014]

• La sanción impuesta lo ha sido en el mínimo de la sanción legalmente establecida para este tipo de infracciones, a tenor de lo dispuesto en el artículo 41.3 de la citada Ley 17/1997, por lo que **no cabe apreciar que exista vulneración del principio de proporcionalidad.** [STSJ Madrid 1 diciembre 2014.- LA LEY 180125/2014]

• Por otra parte, dado que la **clausura del local se ha impuesto en la mínima de las duraciones** normativamente posibles, seis meses y un día, y que **la sanción de multa** lo ha sido en la cuantía de 10.000 euros, cuando el mínimo previsto en el art. 41.3.a) de la Ley 17/1997, de 4 de julio (LA LEY 1660/1998), asciende a 30.051 euros, en la redacción aplicable *ratione temporis* y siendo la modificación posterior de la norma más gravosa para el interesado, **no queda margen alguno para acoger la alegación de que se ha infringido el principio de proporcionalidad.** [STSJ Madrid 5 abril 2016.- LA LEY 50499/2016]

• Debe advertirse que en caso de concurran circunstancias de peligro, riesgo, perjuicio o trascendencia la conducta de los espectadores puede ser calificada como muy grave (art. 22.1.a) y en todo la sanción correspondiente para las infracciones graves es el de una multa de 3.000,01 a 60.000,00 € (art. 24 de la Ley). Por lo que en el presente caso la multa está impuesta en el mínimo previsto legalmente, de modo que **no puede entenderse infringido ni el principio de legalidad ni la proporcionalidad**, por más que con ocasión de otros comportamientos que el recurrente considera más graves se hayan impuesto sanciones equivalentes. [STSJ GALICIA 20 julio 2016.- LA LEY 111620/2016]

• Con carácter general, recordemos, **el principio de proporcionalidad pone en relación la necesidad de una adecuación entre el fin perseguido por razones de interés público y los medios que se emplean para su consecución.**

Acorde con dicha enunciación, **la proyección de la proporcionalidad en este ámbito de intervención, como es la procedencia de terrazas de veladores en determinados establecimientos, ha de basarse en una interpretación acorde con el interés público concernido, que revela que la cita del tipo de establecimientos en los que se permite esta clase de terrazas, que omite la mención a las discotecas, salas de fiesta y bares especiales, se produce por las características cualitativamente diferentes de estos locales, respecto de los que cita la ordenanza** (cafetería, bar, restaurante, bar-restaurante, heladería, chocolatería, salón de té, taberna, café bar o croisantería), lo que necesariamente ha de condicionar la actividad administrativa, en lo relativo a la correspondencia entre medios empleados y fines que se persiguen».

Estas consideraciones del Tribunal Supremo nos indican que la interpretación que hace el Ayuntamiento de que no cabe considerar a los bares especiales como establecimientos en los que se puede autorizar la instalación de terrazas vinculadas al establecimiento, es correcta. Y ello con independencia de que se trate de una zona con o sin algún tipo de protección medioambiental (ZPAE o ZAP), a que se refiere el artículo 20.2 de la Ordenanza aplicable. [STSJ Madrid 23 noviembre 2016.- LA LEY 185562/2016]

2.10. Responsabilidad

• **La responsabilidad del apelado no puede afirmarse** con base en el apartado 4 del artículo 34 de la Ley 17/1997, de 4 de julio, de la Comunidad de Madrid, ni tampoco en su apartado 2, por cuanto que en el expediente administrativo **quedó demostrado que no era el titular del establecimiento ni de la actividad, por serlo la entidad «Restaurante Noelma, S.L».**, por lo que, no habiéndose desvirtuado en esta instancia los fundamentos de la sentencia impugnada, no resulta procedente estimar el presente recurso de apelación. [STSJ Madrid 9 junio 2014.- LA LEY 134085/2014]

3.   Prueba

• Ha de añadirse, a continuación, que en nuestras leyes procesales **no rige el principio de prueba tasada**, por lo que, en defecto de norma valorativa de prueba expresa, rige el **principio de libre apreciación de la prueba en su conjunto**, lo que significa que el Juzgador no está sujeto a ninguna regla siempre y cuando su proceso deductivo no colisione de una manera clara y manifiesta con el raciocinio humano, vulnerando de este modo la sana crítica, o que sus conclusiones, examinado en conjunto el resultado probatorio, sean ilógicas, absurdas o irracionales, o cuando haya dejado de considerarse, como prueba objetiva, alguna que las contradiga.

La aplicación al caso de la doctrina expuesta no nos permite acoger el motivo de recurso de apelación que acusa error manifiesto en la valoración de la prueba practicada:

Al hilo de los argumentos del recurrente, hemos de señalar, en primer lugar, la **desviada e improcedente conclusión que en el recurso se extrae de las pruebas practicadas en el proceso de instancia, pues a su valoración del material probatorio se oponen los claros, terminantes y contundentes términos expresados tanto en el acta de inspección, como en el informe emitido por los Agentes actuantes a instancias del instructor del procedimiento sancionador,** y lo mismo cabe predicar de la declaración testifical del Policía Local de San Agustín de Guadalix con número profesional 1016, que no consideramos desvirtuada por la del testigo don Luciano, pues su presencia en el lugar y momento de la inspección se revela, por primera vez, en sede jurisdiccional, sin que el interesado haya hecho la menor mención al testigo durante la tramitación del procedimiento administrativo, en el curso del cual pudo solicitar la declaración del cliente del establecimiento, sin haberlo hecho, inexplicablemente. [STSJ Madrid 11 abril 2012.- LA LEY 71159/2012]

• Dichas normas no se interpretan o significan la admisión del principio de inversión de la carga de la prueba, sino lo que afirman los preceptos es que **las pruebas que lleva a cabo la Administración no impiden el que el interesado pueda aportar por su cuenta las que juzgue conveniente** y que todas ellas serán valoradas conjuntamente en la resolución que en su día se dicte por el órgano decisor. Así, el **informe de los agentes de la autoridad tiene un valor de presunción de veracidad** *iuris tantum*, **limitándose su presunción de certeza sólo a los hechos que por su objetividad son susceptibles de precisión directa por el agente siempre que recojan de forma clara la relación de hechos apreciados, con la determinación de las circunstancias y los datos que han servido para su elaboración**. Cuando además, la expresión «funcionarios a los que se reconoce la condición de autoridad», en su acepción literal se refiere exclusivamente a un tipo de **funcionarios, que habitualmente se conocen como agentes o colaboradores de los agentes de la Autoridad propiamente dichos**. Estas potestades o facultades de «autoridad» se reservan a determinados funcionarios de la Administración Local y la ejercen derivada de la máxima Autoridad municipal. [STSJ Andalucía (Granada) 25 febrero 2013.- LA LEY 92814/2013]

ANEXO II. MODELO DE EXPEDIENTE SANCIONADOR

(Disponible a texto íntegro en smarteca.es)

1) *Inicio de expediente mediante denuncia de particular*

2) *Providencia ordenando información previa sobre los hechos denunciados*

3) *Informe de secretaría sobre comprobación de los hechos denunciados*

4) *Informe técnico sobre comprobación de hechos denunciados*

5) *Resolución de incoación de procedimiento sancionador*

6) *Comunicación al instructor del expediente sancionador*

7) *Notificación de la resolución de incoación a los interesados*

8) *Notificación de la resolución de incoación al denunciante (en su caso)*

9) *Acuerdo de apertura de período de prueba*

10) *Notificación del acuerdo de apertura de período de prueba*

11) *Acta para hacer constar el resultado de la práctica de prueba testifical*

12) *Informe técnico sobre las alegaciones presentadas (en su caso)*

13) *Trámite de audiencia*

14) *Propuesta de resolución*

15) *Remisión de actuaciones al órgano competente para resolver*

16) *Resolución expresa del procedimiento*

17) *Notificación de la resolución de terminación del procedimiento*

APÉNDICE DE JURISPRUDENCIA

ESPECTÁCULOS PÚBLICOS Y ACTIVIDADES RECREATIVAS

1. ACTAS DE INSPECCIÓN

• Resulta intranscendente que en el Acta aparezcan tachaduras puesto que, en definitiva, ésta fue firmada por la persona que estaba al frente del establecimiento sin hacer objeción alguna sobre ello, y en el caso de que hubiese sido corregida o manipulada posteriormente, hubiera podido denunciarse y probarse este hecho por el sancionado mediante la presentación de la copia del Acta obrante en su poder. [STSJ Madrid 2 junio 2010.- LA LEY 159809/2010]

• En definitiva, según afirma la Sentencia de 8 de mayo de 2000 de la Sala Tercera del Tribunal Supremo, **el acta de la Inspección es una prueba documental pública susceptible de valoración**, en cuanto refleja hechos constatados por funcionario, **sin perjuicio, claro está, de las pruebas que en defensa de sus respectivos derechos e intereses puedan aportar o señalar los administrados** (art. 137.3 de la Ley 30/1992, de 26 de noviembre, de Régimen Jurídico de las Administraciones Públicas y del Procedimiento Administrativo Común (LA LEY 3279/1992)). De otro lado afirma el Tribunal Constitucional, en sentencia 169/1998 de 21 de julio (LA LEY 8151/1998) con citas de otras del mismo órgano, que **tal valor probatorio sirve para rechazar la conculcación del derecho a la presunción de inocencia, que no conviene confundir con la presunción de validez de los actos administrativos**, como tampoco la indefensión administrativa con la judicial, pues la traslación de la presunción de inocencia al ámbito administrativo sancionador sólo cobra sentido cuando la Administración fundamenta su resolución en una presunción de culpabilidad del sancionado carente de elemento probatorio alguno. [STSJ Islas Baleares 9 abril 2013.- LA LEY 54241/2013]

• De los preceptos citados se deriva una **presunción «*iuris tantum*» de veracidad de las actas** y denuncias de infracciones formuladas por agentes de la autoridad en el ejercicio de sus funciones, que no implica que haya de otorgárseles una fuerza de convicción privilegiada que las haga prevalecer en todo caso frente a cualquier otro medio de prueba, pero sí que debe **atribuírseles eficacia probatoria, aunque no exclusiva ni excluyente**, en el procedimiento administrativo sancionador en relación a la apreciación racional de los hechos y de la culpabilidad del administrado, en la medida en que los datos objetivos reflejados en la denuncia o en el acta no hayan sido conocidos de referencia por los funcionarios, ni fueran producto de su enjuiciamiento o deducción, sino percibidos real, objetiva y directamente por los agentes, que no han de ser considerados, en esos casos, como simples particulares, sino como funcionarios públicos actuando objetivamente en el cumplimiento de las funciones de su cargo.

Estas circunstancias son las que dotan de **un carácter de imparcialidad y de la condición de prueba directa al contenido de las denuncias y de las actas**, que no sólo determinan la incoación del procedimiento sino que también son, a la vez, medios probatorios, que pueden ser muy relevantes en la valoración de la prueba practicada. [STSJ Madrid 4 octubre 2013.- LA LEY 185943/2013]

• Como hemos expuesto, la Sentencia apelada fundamentó su pronunciamiento estimatorio en la Sentencia dictada por esta Sala (Sección 9.ª) con fecha de 30 de marzo de 2005, por entender que el supuesto en ella examinado guarda similitud con el presente caso, y en definitiva, por considerar que **la ratificación del acta-denuncia, en cuya virtud se incoó el expediente sancionador, adolece de un defecto, por cuanto la firma de uno de los agentes, «ha tenido que ser realizada por distinta mano y persona», por lo que ha quedado desvirtuada la presunción de certeza del informe de ratificación**. Añade que los datos que constan en la denuncia y en el oficio de actuación resultan insuficientes a la hora de valorara si los hechos sancionados pueden encuadrarse en la norma que se considera infringida y que por ello, no ha quedado acreditado que se trate de una actividad «destinada al público en general «, como exige la norma.

No compartimos, sin embargo, esta conclusión, por las razones que pasamos a exponer.

En primer lugar cumple manifestar que los hechos sancionados se describen en el documento denominado «Oficio de Actuación» obrante al folio 3 del expediente administrativo, respecto de los que el llamado «informe sobre las alegaciones» nada nuevo añade, salvo la corrección de determinados errores materiales. Así las cosas, consideramos que **el hecho de que una de las firmas estampadas en el mismo**, en concreto, la del Agente identificado como NUM001, **no se corresponda con la estampada por el mismo en el Acta-denuncia —hecho que resulta apreciable a simple vista—, carece de la transcendencia que se le ha atribuido en la Sentencia apelada, puesto que en todo caso, el Acta denuncia y el Oficio de actuación han sido ratificados por el otro Agente actuante**, todo ello sin perjuicio del examen que deba hacerse sobre el valor y la fuerza probatoria de aquellas en orden a constituir prueba de cargo suficiente para destruir el principio de presunción de inocencia. [STSJ Madrid 5 noviembre 2013.- LA LEY 197225/2013]

• Por una parte, **las actas de la inspección de las que se entregó copia a la interesada, no contenían ningún dato sobre el resultado de la inspección** sino que se remitían a un informe técnico posterior del que no consta que se diera traslado a la interesada con carácter previo a la adopción de la medida de cierre, por lo que nada pudo alegar sobre ese resultado de la inspección y sobre la propuesta de cierre del establecimiento. Ciertamente **no hay obstáculo procedimental alguno para que el acta, cuando la inspección sea compleja (como es el caso), se complemente con un informe posterior** en el que se detalle el resultado de la inspección, pero en estos casos es necesario que se entregue copia a la parte interesada y se le conceda audiencia.

…En definitiva, **al no consignarse el resultado de la inspección en las actas levantadas y al no darse traslado del informe técnico ampliatorio a la interesada antes de**

dictarse la resolución acordando el cierre, debemos apreciar que se causó indefensión a la misma, lo que nos debe llevar a estimar parcialmente la apelación interpuesta y estimar parcialmente el recurso contencioso-administrativo anulando la resolución de 19/12/2012 y el posterior Decreto de 15 de enero de 2013 y la resolución de 5 de marzo de 2013, desestimatoria del recurso de reposición interpuesto contra la resolución de 19/12/2012. Anuladas dichas resoluciones, huelga examinar el resto de los motivos de impugnación articulados contra ellas. [STSJ Madrid 24 febrero 2016.- LA LEY 33365/2016]

• Esto es, **la presunción de certeza de las actas de los funcionarios no vulnera el derecho a la presunción de inocencia** porque dicha acta (la denuncia del agente), al ser un medio de prueba aportado por la Administración, no supone una inversión de la carga de la prueba. **El valor o eficacia de estas actas ha de medirse a la luz del principio de la libre valoración de la prueba.**

Ahora bien, **para que los hechos que se hagan constar en el acta** o boletín de denuncia gocen de mentada presunción de certeza **deberán de haber sido apreciados directamente por los agentes actuantes.** El valor probatorio de las denuncias únicamente se referirá a los hechos comprobados directamente por los agentes de la autoridad, quedando fuera de su alcance las calificaciones jurídicas, los juicios de valor o las simples opiniones (STC 76/1990, de 26 de abril (LA LEY 58461-JF/0000)). [SSTSJ Madrid 9 mayo 2016.- LA LEY 85930/2016 y 9 septiembre 2016.- LA LEY 146777/2016]

• Esto es, **la presunción de certeza de las actas** de los funcionarios no vulnera el derecho a la presunción de inocencia porque dicha acta (la denuncia del agente), al ser un medio de prueba aportado por la Administración, no **supone una inversión de la carga de la prueba.** El valor o eficacia de estas actas ha de medirse a la luz del principio de la libre valoración de la prueba. [STSJ Madrid 23 noviembre 2016.- LA LEY 185564/2016]

2. ACTA SIN FIRMAR

• En el mismo sentido, es totalmente **irrelevante que las actas de denuncia no fueran firmadas por el denunciado o que no conste la persona que comunicó a la Policía municipal la celebración del espectáculo.** Las actas policiales, a falta de prueba en contrario, son suficientes para acreditar la presencia de los elementos que configuran la acción sancionada. [STSJ Madrid 8 junio 2010.- LA LEY 126223/2010]

• A partir de esta constatación, **carecen de relevancia las supuestas infracciones formales que expone la demanda.** Y decimos supuestas porque, sin necesidad de profundizar en su análisis, tampoco se justifica mínimamente el fundamento jurídico en que se basa la censura. Así, desconocemos a partir de qué concreta norma jurídica, y de su correspondiente transgresión, **pretende construirse la denuncia de que los agentes actuantes no recabaran la firma de las menores para plasmar sus manifestaciones en la denuncia,** como tampoco lo verificaran con la del recurrente para el informe ampliatorio, o que este último estuviera suscrito por uno solo de ellos. [STSJ Madrid 5 abril 2016.- LA LEY 50499/2016]

• Una vez expuesta la anterior fundamentación jurídica, hemos de afirmar que la infracción leve por exceso de horario ha quedado debidamente probada, pues **los hechos reflejados en el acta de inspección son el fruto de la apreciación directa de los agentes denunciantes que** reflejaron con total claridad la hora en que se encontraba abierto el local, superando la autorizada en 95 minutos y el funcionamiento de aquél. Sin que a ello se haya practicado prueba alguna en contra que lo desvirtúe, pues el acta se levantó con entrega de copia a la propiedad, que **se limitó a no firmar pero sin hacer observación alguna a los datos que allí se reflejaron** y sin que se haya practicado otra prueba en sentido contrario, pues las testificales propuestas por el actor a tales efectos fueron objeto de renuncia por dicha parte. [STSJ Madrid 9 mayo 2016.- LA LEY 85930/2016]

3. ACTA CLANDESTINA

• Aquí es necesario hacer una matización, pues como señala la sentencia de instancia, **una actividad clandestina, mientras se continúe desarrollando, está sometida a las potestades de disciplina urbanística**, por lo que no caducan las acciones dirigidas a ordenar su cese y reponer las cosas a su estado anterior. Por ello, cuando el precepto parcialmente transcrito se refiere a usos y actividades debe entenderse aquellos que se ampararon en una licencia de actividad contraria a derecho y respecto a la cual haya caducado las acciones para su revisión.

No hay duda alguna que **las actividades clandestinas, propiamente tales, nunca entrarían dentro del régimen de «fuera de ordenación»** al que se refiere la normativa vigente. [STSJ CANARIAS (Las Palmas de Gran Canaria) 14 marzo 2014.- LA LEY 89403/2014]

• Examinadas las actuaciones puede comprobarse que no existe prueba de la solicitud de licencia de apertura pues lo que aporta el recurrente es una carta de pago de un depósito previo a la solicitud de licencia pero además, para un establecimiento de distinta naturaleza, como lo es un Café-Bar de 4.ª categoría (y no un Bar-Restaurante Los Taberneros). Que **ello ha supuesto el funcionamiento en régimen de clandestinidad o bajo una supuesta tolerancia de la Administración que, según la jurisprudencia supone un quebranto de los intereses generales por falta de los controles técnicos y de sanidad administrativos obligatorios**. Finalmente, añade la sentencia que los demás alegatos del recurrente relativos a una posterior solicitud de legalización de una carpa anexa y licencia de obra mayor para ampliación del Restaurante se refieren a expedientes ajenos al objeto de este recurso cual es la existencia o no de licencia de apertura del Bar Restaurante Los Taberneros.

Por lo que se refiere a la alegación de que la actividad se realizaba desde hacía tiempo ya por el año 1987, **debe indicarse que la mera tolerancia por parte de la Administración no supone autorización de la actividad realizada, ni tampoco el abono de las tasas supone concesión de la licencia solicitada, ya que el pago de las tasas supone una contraprestación por servicios prestados por la Administración.**

En consonancia con lo anterior el Tribunal Supremo en sentencia de 26 de junio de 1998 recoge doctrina jurisprudencial reiterada y afirma: Como señala conocida jurisprudencia (Sentencias, entre otras, de 23 de noviembre de 1.987 y 22 de mayo de 1993), dicha falta de licencia pueda suplirse por el transcurso del tiempo; en segundo lugar, que asimismo **es doctrina reiterada y conocida (Sentencia de 22 de mayo de 1993 y las que en ésta se citan) que el conocimiento de una situación de hecho por la Administración municipal y hasta la tolerancia que pueda implicar una actitud pasiva de ella ante el caso de que se trate, no puede ser equivalente al otorgamiento de la correspondiente autorización municipal legalizadora de la actividad ejercida** sin que tampoco el abono de tasas de apertura implique el otorgamiento de la licencia; en tercer lugar, que asimismo este Tribunal viene reiteradamente declarando que una actividad ejercida sin licencia se conceptúa como clandestina, y que como situación irregular puede en cualquier momento ser acordado su cese. [STSJ Andalucía (Granada) 26 mayo 2014.- LA LEY 95525/2014]

4.   ACTIVIDAD DE BAILE

• En primer lugar, y en relación a las alegaciones que formula la apelante en base a la **interpretación de diferentes vocablos tales como actividad recreativa, recreativa, baile, bailar, compás**, etc., y su definición en el diccionario de la Real Academia Española, es necesario decir desde el primer momento que no resultan admisibles dado que constituyen una argumentación que, aun siendo curiosa, resulta artificiosa y desligada de la realidad, pudiendo conducir la interpretación que sostiene el apelante a conclusiones un tanto ilógicas y cargadas de puro subjetivismo, alejado del sentido común. A pesar de que no se puede negar que constituye un conocimiento básico de cualquier persona, incluso de los niños, si otra pluralidad de personas u otra sola persona está bailando o realiza una actividad que puede ser calificada de baile, y ello al margen de que sus movimientos pueden ser calificados de armónicos, regulares o acompasados, no puede compartirse el criterio que nos traslada el apelante, y si, por el contrario, la afirmación que se realiza por la Administración demandada al oponerse al recurso de apelación cuando dice que se pretende sostener que la actividad de baile es una suerte de concepto técnico que no puede ser apreciado ni calificado por los agentes actuantes y que resulta insostenible dicha alegación por cuanto, precisamente, **el concepto de baile es un término de general conocimiento, sin que sea necesario para que dicha conducta se produzca la existencia de pista de baile, ni la existencia de DJ, ni es necesario que se consigne en el acta el tipo de baile que se estaba llevando a cabo.** [STSJ Madrid 11 marzo 2013.- LA LEY 26668/2013.

5.   AGENTES DE LA AUTORIDAD

• Dichas normas no se interpretan o significan la admisión del principio de inversión de la carga de la prueba, sino lo que afirman los preceptos es que las pruebas que lleva a cabo la Administración no impiden el que el interesado pueda aportar por su cuenta las que juzgue conveniente y que todas ellas serán valoradas conjuntamente en la resolución que en su día se dicte por el órgano decisor. Así, el **informe de los agentes de la autoridad tiene un valor de presunción de veracidad *iuris tantum*, limitándose su presunción de certeza sólo a los hechos que por su objetividad son susceptibles de precisión directa por el agente siempre que recojan de forma clara la relación de hechos apreciados, con la determinación de las circunstancias y los datos que han servido para su elaboración.** Cuando además, la expresión «funcionarios a los que se reconoce la condición de autoridad», en su acepción literal se refiere exclusivamente a un tipo de **funcionarios, que habitualmente se conocen como agentes o colaboradores de los agentes de la Autoridad propiamente dichos.** Estas potestades o facultades de «autoridad» se reservan a determinados funcionarios de la Administración Local y la ejercen derivada de la máxima Autoridad municipal. [STSJ Andalucía (Granada) 25 febrero 2013.- LA LEY 92814/2013]

6. ÁMBITO DE LA AUTORIZACIÓN

• Hemos de considerar que esta exigencia, además de carecer de motivación, tampoco se ajusta al ordenamiento jurídico por las mismas razones a que aludíamos respecto del apartado 14 de la resolución impugnada. De un lado, se imponen a la asociación recurrente obligaciones que se extienden a terceros; de otro, evitar actividades de carácter político o reivindicativo no encaja en las obligaciones en cuanto a seguridad e higiene a las que se refiere la LFEPAR, y mucho menos en cuanto a la conservación de espacios públicos. Y hemos de **resaltar la dificultad de deslindar a qué se refiere la resolución impugnada aludiendo a actividades de «carácter político o reivindicativo» y qué obligaciones concretas ha de asumir la asociación recurrente en cuanto en evitarlas**. ¿Debe requerir a los ciudadanos que tomen parte en los actos festivos, por ejemplo, para que se despojen de camisetas rotuladas con lemas que se puedan considerar como reivindicativos o políticos? ¿Debe censurar previamente las canciones que se interpreten en los conciertos para asegurarse de que su letra esté totalmente limpia de cualquier reivindicación, aunque sea sobre la paz mundial? ¿Debe tomar medidas represivas hacia las personas que coreen lemas políticos en la vía pública coincidiendo con cualesquiera actos que se celebren a lo largo de las fiestas? **Lo mismo podemos decir de la obligación de evitar actividades «que incumplan las leyes». El Ayuntamiento puede recordar a la asociación recurrente las obligaciones legales que le atañen, pero no crearle otras nuevas al margen de las leyes y, sobre todo, que impliquen el ejercicio de una función de vigilancia sobre terceros.** No cabe desplazar con un enunciado tan genérico como el de la resolución impugnada a la asociación recurrente, obligaciones que son propias de los poderes públicos y para las cuales aquella carece por completo de potestades. Y lo mismo sucede con la obligación de evitar que se coloquen pancartas en espacios públicos abiertos al uso general por parte de los ciudadanos. [STA Navarra 2 septiembre 2012.- LA LEY 204025/2012]

7. CAMBIO DE ACTIVIDAD

• Resulta incombatido y aceptado por las partes que el establecimiento sito en la C/ Numancia n.º 33 cuenta con las preceptivas licencias previas para ejercer la **actividad de «BAR» en el que se pueden servir tapas y raciones cocinadas, para ser consumidas junto con las bebidas, todo ello a cambio de un precio.** Es cierto que a la vista de las descripciones del citado Catálogo de Espectáculos Públicos, **resulta en ocasiones difícil distinguir la actividad de «BAR» de la actividad de «RESTAURANTE», pues a ambos establecimientos, el público acude para comer y beber.** Por tanto, como bien dice la parte apelante, citando la Sentencia dictada por ésta Sección 2.ª TSJM en fecha 30-Nov-2006, en el recurso de apelación n. º434/06, **lo trascendente, al objeto de resolver el presente recurso, con independencia de la denominación de una y otra actividad, es tener en cuenta los elementos licenciados, y solo en el caso de que la actividad se ejerza con elementos no licenciados, nos hallaremos ante una infracción consistente en el cambio de actividad, que equivale sin lugar a dudas al ejercicio de la actividad sin licencia.** En el presente supuesto, en la licencia que consta a los folios 77 y siguientes del expte. advo. con que cuenta la actividad sancionada no existe autorizada ninguna cocina, ni eléctrica ni de gas. Tan sólo están licenciadas una freidora y una plancha eléctrica; elementos industriales ambos con los que desde luego, no pueden elaborarse platos como potaje o macarrones, porrusalda ni pollo asado, que son los descritos por los agentes actuantes, cuya objetividad y veracidad no ha sido puesta en duda por la recurrente. Asimismo, los agentes policiales, describen que los referidos platos se sirven «en 8 mesas separadas por un biombo de otras 6 mesas». En consecuencia, careciendo de cocina licenciada y teniendo diferenciada la zona de Bar de la de «Bar-restaurante», resulta evidente que es esta última actividad la que se ejercía, de acuerdo con las prescripciones del Catálogo de Espectáculos, en el art. 10.4 del Anexo II.

Por tanto, **al no tener licenciada una cocina, y teniendo diferenciada la zona de servir las comidas (8 mesas) del resto del local, resulta evidente que la apelante ha incurrido en la conducta tipificada** en el citado art. 37.2 de la Ley 17/97, y ha quedado destruido su derecho a la presunción de inocencia, hasta el punto de que consta al folio 15 expte. advo. que con posterioridad a la incoación del expediente sancionador ha solicitado en febrero de 2012 ampliación de la licencia para «BAR RESTAURANTE». Si a ello añadimos el dato cierto e incombatido de que existían 8 mesas en espacio diferenciado tras un biombo tal y como exige el art. 10.5 del Catálogo de Espectáculos Públicos, **la única consecuencia jurídica posible es concluir que la comisión de la infracción está suficientemente acreditada para la imposición de la sanción**. [STSJ Madrid 24 julio 2015.- LA LEY 136571/2015]

8. CIERRE DEL ESTABLECIMIENTO

• En el caso presente el Tribunal entiende que las **actas de inspección que se dirán son prueba para acreditar los hechos y para fracturar la presunción de inocencia.** En la misma se hace referencia a hechos de conocimiento directo, que los agentes perciben por sus sentidos, indicándose que se encontraba la música en funcionamiento y se seguían expidiendo bebidas, no habiéndose iniciado las tareas de cierre. Según el demandante se había iniciado las tareas de cierre, **sin embargo habían transcurrido 70 minutos desde el momento en que se debió producir el cierre y no puede admitirse la existencia una actitud de cumplimiento de la norma, en modo alguno ya que el cese de la actividad en aquel día se produjo porque se produjo una inspección de la Policía municipal**, es decir por causas ajenas a la voluntad del infractor. Cuestión distinta hubiera sido que transcurridos escasos minutos desde la hora de cierre, se hubiera producido la inspección y constara que se habían iniciado las tareas de cierre, la música no se encontrara en funcionamiento, no se expendieran bebidas y se estuviera procediendo a desalojar el local. **En el caso presente la admisión de que las tareas de cierres se prolongaban más de 70 minutos desde el momento en que se debió producir dicho cierre, pues en realidad cuando la norma establece una hora de cierre, el local debe estar desalojado a dicha hora y las puertas del establecimiento cerrada sin ningún cliente dentro, pues eso es lo que significa el cierre.** [STSJ Madrid 4 febrero 2015.- LA LEY 12125/2015]

• Señalábamos en el caso de ampliación de la actividad con elementos no licenciados que en el caso presente consiste en **evaluar si procede la clausura de la totalidad de la actividad, o si en aplicación del principio de proporcionalidad es posible limitar la clausura y precinto a los elementos industriales no licenciados.** Esta es la doctrina que sigue el auto apelado por lo que ha de desestimarse el recurso de apelación interpuesto por el Letrado Consistorial del Ayuntamiento de Madrid, debiendo indicarse a mayor abundamiento que lo correcto debería haber seguido el procedimiento establecido en el artículo 31 de la Ley Territorial de la Comunidad de Madrid 17/1997, de 4 de julio, de Espectáculos Públicos y Actividades Recreativas. [STSJ Madrid 25 noviembre 2015.- LA LEY 191489/2015]

9. COTILLÓN

• La primera disfunción que parece existir entre la parte actora y la parte demandada **es si se puede considerar un cotillón de nochevieja y de Reyes, como una actividad esporádica u ocasional, o de considerarse como una actividad habitual**. En este sentido cabe poner de manifiesto que el diccionario de la Real Academia Española de la Lengua define «cotillón» como «fiesta y baile que se celebra en un día señalado como el de fin de año o Reyes», y la palabra «esporádico», en cuanto a la acepción que es aplicable a este supuesto, es definida de la siguiente forma: «dicho de una cosa: Ocasional, sin ostensible enlace con antecedentes ni consiguientes»; por último, la palabra «ocasional» es definida, en una primera acepción, como «dicho de una cosa: Que ocasiona» y, en una segunda acepción, «que sobreviene por una ocasión o accidentalmente». Por tanto, **el concepto de ocasional o esporádico de la actividad de cotillón habrá que referirla a si esta actividad se realiza por un concreto establecimiento sin que exista una habitualidad, en el sentido de que este establecimiento no viene realizándola con anterioridad, ni piensa venir realizándola con posterioridad, siendo una actividad meramente accidental o ejecutada en una ocasión**. Por tanto, **el cotillón como tal es una actividad habitual, si bien esta habitualidad solo tiene lugar dos veces al año (nochevieja y Reyes)**, pero la concreta actividad en unos locales será habitual si se organiza todos los años y será ocasionar o esporádica si normalmente no se organiza y sólo excepcionalmente se organiza algún esporádico año.

Por ello, **dependiendo del tipo de cotillón puede que un establecimiento tenga licencia para ese tipo de cotillón y ese mismo establecimiento no tenga licencia para realizar otro tipo de cotillón**; así, lo normal es que un pubs o una discoteca no tenga licencia para celebrar un cotillón en el que se sirva una cena y, por el contrario, un hotel no tenga licencia para celebrar un baile; pero puede haber discotecas que tengan también licencia para celebrar, en algunos de sus posibles salones, una cena y puede haber hoteles o restaurantes que posean licencias que les autoricen, además de realizar la actividad típica de los mismos, para realizar la actividad de baile. Por tanto, **el poder realizar la actividad de cotillón en la extensión que sea considerada para entender que la actividad realmente consista en un cotillón dependerá de la extensión que se le conceda al cotillón y de la amplitud de la licencia que se ostente**; por lo que no se puede excluir ni incluir con carácter general dentro del apartado A) del Bando a un concreto establecimiento público, ni tampoco incluirlo con carácter general en el apartado B).- STSJ Castilla y León (Burgos) 2 julio 2010.- LA LEY 158162/2010]

• Por tanto, **el concepto de ocasional o esporádico de la actividad de cotillón habrá que referirla a si esta actividad se realiza por un concreto establecimiento sin que exista una habitualidad**, en el sentido de que este establecimiento no viene realizándola con anterioridad, ni piensa venir realizándola con posterioridad, siendo una actividad meramente accidental o ejecutada en una ocasión. Por tanto, el cotillón como tal es una actividad habitual, si bien esta habitualidad solo tiene lugar dos veces al año (nochevieja y Reyes), **pero la concreta actividad en unos locales será habitual si se organiza todos los años y será ocasionar o esporádica si normalmente no se organiza y sólo excepcio-**

nalmente se organiza algún esporádico año. [STSJ Castilla y León (Burgos) 13 abril 2012.- LA LEY 69653/2012]

• El régimen limitado de acceso al consumo de alcohol no es tal; puede serlo, pero no es absoluto. Quiere con ello decirse que efectivamente para una boda o comunión si puede predicarse su naturaleza familiar o más o menos limitada, pero **un cotillón de fin de año no es en absoluto una celebración limitada** sino de contratación absolutamente libre. [STSJ Castilla y León (Valladolid) 17 enero 2014.- LA LEY 4363/2014]

10. DERECHO DE ADMISIÓN

• No compartimos la interpretación que del artículo 21 del Reglamento de Casinos de Juego de la Comunidad de Madrid, aprobado por Decreto 58/2006, de 6 de julio, realiza la Comunidad apelante. Es evidente que **la medida de «expulsión» ha de adoptarse cuando la persona destinataria de aquella todavía se encuentra en el interior del establecimiento, pero no así la de «impedir la entrada» que supone que la persona ya ha abandonado el lugar y pretende volver a entrar,** ya sea el mismo día u otro, cuestión temporal a la que la norma no alude. [STSJ Madrid 31 enero 2014.- LA LEY 18602/2014]

• Por tanto, se haya presentado y aprobado, o no, el documento de las condiciones de acceso, **los titulares de establecimientos públicos y los organizadores de espectáculos y actividades recreativas tienen la obligación de permitir el acceso** en las condiciones del artículo 10 de la Ley 11/2009, **y de prohibirlo** en las condiciones de los apartados 2.e y 2.j del artículo 5, así como respecto de los menores donde tengan prohibida la entrada por reglamento, de acuerdo con lo establecido por la citada Ley 11/2009 y demás legislación aplicable, de conformidad con el artículo 9 de la reiterada Ley, **incumplimiento que puede ser constitutivo de falta muy grave o grave** de conformidad con lo ya dicho, cualquiera que sea el momento en el que se cometa.

En coherencia con lo anterior, y de conformidad con el artículo 6.2 d) de la Ley 11/2009, **los titulares y organizadores tienen el derecho de «permitir la entrada al público, salvo en los casos establecidos por ley o por reglamento, entre los cuales está el derecho de admisión»,** habiéndose tipificado como falta leve en el artículo 49.1.d) de la misma Ley, «ejercer el derecho de admisión sin haberlo comunicado a la autoridad competente», por lo que **únicamente será constitutivo de falta y sancionable** —además de los supuestos de incumplimiento de la obligación de admisión del artículo 10 de la misma Ley y del incumplimiento de las prohibiciones de admisión dispuestas por ley o reglamento— **el ejercicio del derecho de admisión sin previa comunicación,** no siendo constitutivo de falta leve ni por tanto sancionable, contrariamente a lo que sostiene la actora, el ejercicio de ese derecho, aún **cuando no haya recaído aprobación expresa del documento de las condiciones de admisión,** siempre que se haya presentado a la Administración competente y conste sellado en prueba de ello. [STSJ Cataluña 29 diciembre 2014.- LA LEY 238851/2014]

11. DESVIACIÓN DE PODER

• **El procedimiento para la restauración de la legalidad urbanística** infringida regulado en los arts. 193 y siguientes de la Ley Territorial 9/2001, de 17 de julio, del Suelo de la Comunidad de Madrid que se refiere a la medida cautelar de suspensión de actos de edificación o uso del suelo realizados sin licencia u orden de ejecución, **no es apli-**

cable al ejercicio de actividades sino tan sólo a las obras, o implantación de instalaciones y usos pues aunque haga referencia a actos de uso del suelo sin ajustarse a las condiciones a la licencia concedida, se refiere a la licencia urbanística y a las condiciones urbanísticas de la licencia y no a las condiciones de ejercicio de una actividad clasificada.

Al no ser aplicable éste procedimiento en materia de actividades, las infracciones en ésta materia, no son infracciones urbanísticas porque no están tipificadas en el art. 204 de la Ley 9/01 y por tanto, conceptuarlas como tales constituye desviación de poder.

Existe desviación de poder si se utilizan facultades urbanísticas para otras finalidades, como es el caso de la regulación de las actividades o de corrección de deficiencias de las mismas, en lugar de incoar los procedimientos correspondientes derivados de la aplicación de la Ley Territorial de Madrid 17/1997, de 4 de julio (LA LEY 1660/1998), de Espectáculos Públicos y Actividades Recreativas o del RAMINYP como ya hemos visto, o de cualquier otra normativa aplicable a la actividad clasificada de que se trate. [STSJ Madrid 4 febrero 2015.- LA LEY 12124/2015]

12. DIRECTIVA DE SERVICIOS

• **Todos los requisitos que supediten el acceso a una actividad de servicios o su ejercicio deberán ajustarse a los siguientes criterios**: a) No ser discriminatorios. b) Estar justificados por una razón imperiosa de interés general. c) Ser proporcionados a dicha razón imperiosa de interés general. d) Ser claros e inequívocos. e) Ser objetivos. f) Ser hechos públicos con antelación. g) Ser transparentes y accesibles.

La primera conclusión a la que ha de llegarse es que **la prestación de servicios por parte de los establecimientos públicos en los que se realizan actividades recreativas no se encuentra sometida a restricción alguna**, salvo lo dispuesto en el art. 5, b) de la referida Ley, en relación con la seguridad y la salubridad pública, en los términos siguientes:

b) Necesidad: que el régimen de autorización esté justificado por razones de orden público, seguridad pública, salud pública, y protección del medio ambiente, o cuando la escasez de recursos naturales o la existencia de inequívocos impedimentos técnicos limiten el número de operadores económicos del mercado.

Concluyendo pues, **siendo la autorización de los elementos industriales que ha de reunir una actividad culinaria relativos a la seguridad y salud pública, y que afectan además al medio ambiente al tener licenciados elementos industriales para la salida de humos que afectan al medioambiente, el régimen de autorización o licencia previa es acorde con la referida Ley y Directiva Europea**, sin que resulte infracción de ninguno de sus preceptos que además están regulados en la Ley 17/1997 de Espectáculos Públicos y en el Catálogo que la complementa, así como en las competencias urbanísticas establecidas en el art. 25 de la Ley de Bases de Régimen Local con carácter claro e inequívoco y con absoluto respeto a los principios generales de la Ley 30/92 de 26 de noviembre. [STSJ Madrid 24 julio 2015.- LA LEY 136571/2015]

13. FUNCIONAMIENTO DE LA ACTIVIDAD

• Lo que sí podemos declarar de forma categórica por así establecerlo el art. 8.3 de la Ley 17/97 de 4 de julio, es que **la actividad se puede seguir ejerciendo** a pesar de carecer de licencia de funcionamiento por causas desde luego, **no imputables al administrado sino especialmente a la Administración** que previamente ha incumplido los deberes que le vienen legalmente impuestos. [STSJ Madrid 15 octubre 2014.- LA LEY 171714/2014]

14. HOJA DENUNCIA/RECLAMACIÓN

• La incorporación de **la hoja de denuncia/reclamación a la documentación del establecimiento, espectáculo o actividad no tiene por finalidad condicionar a los servicios de inspección y control o afectar a su imparcialidad, sino facilitar al usuario o espectador la formulación y presentación de la denuncia/reclamación**, lo que acontece sin el perjuicio alegado por la actora para el titular u organizador, ya que el Decreto 70/2003, de 4 de marzo, por el que se regulaban las hojas de reclamación/denuncia, vigente a la fecha de publicación del Decreto impugnado, impone al consumidor o usuario, en su artículo 7.1, la **obligación de formalizar la hoja en el mismo establecimiento**, y reconoce al titular, en su artículo 7.3, **el derecho a hacer alegaciones en la propia hoja, garantizando así la contradicción inmediata entre titular u organizador y usuario o consumidor, permitiendo que quede constancia de ella en la hoja**, lo que impide que el servicio de inspección o control o la policía autonómica, a cuya disposición debe quedar la hoja, pueda tomar conocimiento del hecho denunciado sin la previa e inmediata audiencia del titular u organizador interesado, y, por tanto, sin el contraste de la versión de este último, por lo que no puede aceptarse que el precepto en cuestión pueda afectar a la imparcialidad de esos servicios o de la policía autonómica. [STSJ Cataluña 29 diciembre 2014.- LA LEY 238851/2014]

15. HORARIOS

*No puede ignorar el Ayuntamiento que los hechos denunciados son el incumplimiento del horario de cierre establecido**, que se trata de una actividad autorizada, es decir no se trata de que unas personas hayan colocado sin ningún tipo de autorización una instalación en la que suena la música y se sirven bebidas (hecho que sí entraría en la infracción tipificada en la ordenanza municipal), **ni puede ignorar que el mismo Ayuntamiento dispuso, en la autorización otorgada para la instalación, el horario de cierre autorizado** y la legislación aplicable para su sanción en caso de incumplimiento. [STA Navarra 2 marzo 2012.- LA LEY 35996/2012]

• Aunque parece razonable que una actividad que genera ruido en la vía pública tenga señalado algún límite horario por la noche, lo cierto es que ni en la resolución impugnada ni en el expediente aparece la menor motivación sobre porqué el Ayuntamiento fija en particular esas horas y no otras (más tempranas o más tardías). E igualmente hemos de considerar que existe arbitrariedad ya que para otros barrios se han fijado otras horas, como a este Tribunal le consta a través de los recursos de alzada antes citados donde la hora habitual para finalizar verbenas y similares era las 3:30. **Lleva razón el Ayuntamiento en cuanto a que a diferentes circunstancias pueden corresponder dis-**

tintos horarios, pero en el expediente que nos ocupa no aparece justificación alguna al respecto. [STA Navarra 24 febrero 2012.- LA LEY 17873/2012]

• De esta forma, y en lo que ahora nos interesa, conviene poner de relieve que **para que resulte conforme a Derecho la reducción de horario no basta con que exista un área o zona de alta concentración de establecimientos sino que se precisa, además, que «la actividad que en ellos se desarrolla impida el derecho al descanso de los vecinos»**.

En el caso concreto, la Sentencia de instancia concluye que en el expediente administrativo no queda acreditado que la actividad desarrollada en los establecimientos regentados por los recurrentes sea la causa determinante de que se impida el derecho al descanso de los vecinos, conclusión que ratificamos. [STS Madrid, 15 noviembre 2012.- LA LEY 219157/2012]

• Respecto a la colaboración de los clientes en la infracción cometida por el ahora apelante, **el establecimiento público tiene el deber de cumplimentar los horarios de cierre previstos legalmente, de modo que el propio establecimiento tiene los medios necesarios para hacer que sus clientes no estén en el local fuera de los horarios permitidos** por la legislación vigente, y que es el establecimiento sancionado el único autor de la infracción cometida al dirigirse las sanciones a los establecimientos públicos. [STSJ Castilla y León (Burgos) 1 febrero 2013.- LA LEY 9233/2013]

16. INSTALACIONES PROVISIONALES

• Tiene razón el Ayuntamiento cuando señala que **la autorización de instalaciones provisionales para un Festival no debe someterse al procedimiento** de los arts. 23 y siguientes de la Ley 5/99 de Urbanismo de Aragón, que está pensando en instalaciones definitivas. Por la especialidad de la normativa deben de estar sometidos a la Ley Aragónesa 11/2005 de 28 de diciembre, reguladora de los espectáculos públicos y actividades recreativas. **Lo contrario sería tanto como pedir informe a la Comisión Provincial de Ordenación del Territorio —requisito establecido en la norma urbanística— para cualquier instalación provisional tales como ferias, plazas de toros portátiles, lo que evidentemente no se atiene a lo pedido por la norma, ni tiene justificación en el cumplimiento de la normativa urbanística**. [STSJ Aragón 1 septiembre 2015.- LA LEY 126539/2015]

17. MEDIDAS CORRECTORAS

• Lo primero que ha de señalarse, con independencia que se incorporara como una medida correctora más en la resolución que otorgó la licencia, como una más de las complementarias a las recogidas en el Proyecto y Anexo, es que **no pueden considerarse medida correctora esas precisiones de naturaleza urbanística**, dado que en su momento en el ámbito del RAMINP, en su artículo 30.1, como actualmente el Artículo 58.1 de la Ley 3/98, General de Medio Ambiente del País Vasco, se prevé que la licencia de actividad pueda denegarse *ad limine*, de forma expresa y motivada, sin llegar a informar al público, ni pasar a la fase de emisión de informes, cuando por razones de competencia municipal, basadas en el Planeamiento Urbanístico o en las Ordenanzas Municipales, pueda denegarse de forma expresa la licencia de actividad. [STSJ País Vasco 2 febrero 2011.- LA LEY 152094/2011]

• **La pretensión de nulidad de este precepto se fundamenta en la imposición de un mayor coste de la instalación de los establecimientos a que se refiere el precepto, por requerir un limitador de sonido con registrador**, incluso para aquéllos establecimientos respecto de los cuales no se haya acreditado la infracción de los valores límites de la normativa o de las ordenanzas sobre contaminación acústica.

La instalación del limitador obviamente tendrá un coste económico, pero la actora no señala el precepto de superior rango jerárquico al del Decreto impugnado que haya podido quedar infringido por dicho precepto, no siendo de aplicar en este caso el derecho a la presunción de inocencia, ya que no nos encontramos frente a una norma de derecho sancionador, y **la medida se adecua a una de las finalidades perseguidas** por la Ley 11/2009, de 6 de julio, desarrollada por el Decreto impugnado, **de garantizar la convivencia entre los ciudadanos**, en los términos del apartado 3.º del artículo 2 de la citada Ley, según el cual, las Administraciones, autoridades y personas responsables de los establecimientos abiertos al público, espectáculos públicos y actividades recreativas deben garantizar «la convivencia pacífica y ordenada entre los espectadores, participantes y usuarios de los establecimientos abiertos al público, espectáculos públicos y actividades recreativas y los demás ciudadanos, especialmente los que viven cerca de los lugares donde se llevan a cabo estas actividades, con pleno respeto a los derechos de estas personas», entre los que evidentemente se encuentran los derechos fundamentes a la intimidad personal y familiar y a la protección de la salud, reconocidos en los artículos 18 y 43 de la Constitución, cuyo respeto requiere la limitación y control de los niveles de ruido. [STSJ Cataluña 29 diciembre 2014.- LA LEY 238851/2014]

• Ciertamente, si además se constata que un local de ocio incumple o supera los valores sonoros permitidos las medidas a adoptar por la Administración municipal serán las contempladas y recogidas en la normativa específica contenida en la Ley 17/1997, de 4 de julio, de Espectáculos Públicos y Actividades Recreativas, pudiendo incluso llegarse a la clausura del local, con aplicación, además, del régimen sancionador previsto en aquélla en sus artículos 32 y siguientes.

Por tanto, de lo hasta ahora expuesto, en principio, resulta factible adoptar toda una **serie de medidas correctoras que tiendan a paliar la superación de los niveles u objetivos sonoros provenientes del «ocio nocturno», no existiendo obstáculo alguno a que las mismas puedan incidir en la actividad o desenvolvimiento de los locales de ocio existentes en la concreta zona declarada de protección acústica especial**. Cuestión distinta será si las concretas medidas correctoras contempladas son adecuadas y proporcionadas a las finalidades y objetivos perseguidos con su adopción, o resulten ser restrictivas de derechos fundamentales, lo que se estudiara al examinar el resto de los motivos de impugnación alegados en cuanto incidan en concretas medidas adoptadas. [STSJ Madrid 1 abril 2015.- LA LEY 65539/2015]

• Constatada la causalidad existente entre la **actividad de ocio nocturno y el incremento de la contaminación acústica**, como ya hemos señalado, es lógico que, entre otras, **las medidas correctoras a adoptar tiendan a paliar o disminuir el impacto que aquélla actividad de ocio produce en la contaminación acústica**. La adopción de este tipo de medidas es perfectamente compatible con el previo cumplimiento por los locales de ocio de los valores límites a ellos aplicables. Esto es, la **adopción de medidas correctoras no precisa de la previa constatación de la superación de los valores límites por parte de los emisores acústicos** (aquí, locales de ocio), como erróneamente, a juicio de la Sala, parecen entender los recurrentes. A este respecto resulta revelador el artículo

18.3 de la LR al disponer que: «El contenido de las autorizaciones, licencias u otras figuras de intervención... podrá revisarse por las Administraciones públicas competentes, sin que la revisión entrañe derecho indemnizatorio alguno, entre otros supuestos a efectos de adaptarlas a las reducciones de los valores límites acordados...». [STSJ Madrid 1 abril 2015.- LA LEY 65539/2015]

• Por tanto, en principio, corresponde a la Administración municipal, aquí Ayuntamiento de Madrid, la declaración de un área como zona de protección acústica especial, la elaboración, aprobación y ejecución del correspondiente plan zonal específico, la declaración de un área acústica como zona de situación acústica especial, así como la adopción y ejecución de las medidas correctoras específicas.

En consecuencia, tal como hemos visto, no existe obstáculo alguno a que por la Administración municipal, **en el ámbito de su término municipal, adopte y ejecute las medidas correctoras pertinentes que tengan por objeto paliar y corregir los incumplimientos los objetivos aplicables de calidad acústica**.

Los recurrentes, que no discuten dicha competencia y potestad de la Administración municipal demandada, sostienen que el artículo 25.4 de la LR, concretamente su apartado a) —«Señalar zonas en las que se apliquen restricciones horarias o por razón del tipo de actividad a las obras a realizar en la vía pública o en edificaciones»— no posibilita la adopción de una medida consistente en restringir el horario a una concreta actividad (salvo las obras realizadas en la vía pública o en un edificio), y sí sólo la restricción horaria para todas las actividades que se lleven a cabo en la concreta zona acústica.

Dicha argumentación no es compartida por la Sala. En efecto, **no solo por el hecho de que la enumeración de las medidas correctoras que se contemplan en el citado artículo 25.4 LR no tiene carácter exhaustivo** («Los planes zonales específicos podrán contener, entre otras, todas o algunas de las siguientes medidas»), **sino también, y fundamentalmente, porque no resulta lógico entender que el citado precepto permita y posibilite que la Administración municipal pueda adoptar como medida correctora la restricción horaria de la totalidad de las actividades que se lleven a cabo y no pueda, precisamente, adoptar dicha medida respecto de la concreta actividad que, directa o indirectamente, se entienda que incide en el incumplimiento de los objetivos de calidad sonora**, pudiendo al efecto traerse a colación el principio el que puede lo más puede lo menos (*qui potest plus, potest minus*). [STSJ Madrid 1 abril 2015.- LA LEY 65539/2015]

18. MENORES

• El establecimiento en cuestión es un Bar. La citada ley territorial, en su redacción originaria **no impedía la entrada y estancia de los menores en los Bares cafeterías, cafés concierto, salas de baile o discotecas, lo que prohibía es la expedición a los mismos de bebidas alcohólicas**, prohibición también contenida en el artículo 26 de la Ley de Seguridad Ciudadana. Solo después de la entrada en vigor de la Ley 17/1997 de la Comunidad de Madrid, de 4 Jul., de Espectáculos Públicos y Actividades Recreativas, está prohibida la entrada y permanencia de los menores de dieciséis años en salas de fiestas, de baile y discotecas, de conformidad con el artículo 25 de la citada Ley. En el acta redactada por los agentes de la policía municipal se señala que en el interior del local se encontraban 9 menores. **Entiende este Tribunal que la mera presencia de una menor no constituye un ilícito administrativo.** [STSJ Madrid 7 abril 2000.- LA LEY 77066/2000]

• En efecto, los agentes intervinientes relataron al Tribunal con todo detalle cómo fue la intervención, pudiéndose destacar a los efectos de resolver esta apelación que la misma se diseñó con unos agentes que estaban en el interior del complejo y que detectaron la presencia de los menores en el interior del disco-pub (y no en sus inmediaciones) y que, una vez constatado el hecho, se dio aviso a otros agentes para que procedieran a su comprobación y a documentar las actuaciones, lo que se llevó a efecto de manera inmediata.

Debe igualmente destacarse que en el momento de la intervención y a requerimiento de los agentes se paró la música y se encendieron las luces de modo y manera que **ninguna duda puede haber, en principio, en relación al hecho imputado, que es de naturaleza objetiva y exento de la más mínima valoración, ya que no se imputa una acción, sino un hecho, cual es si hay o no menores en el interior del local**. [STSJ Castilla y León (Valladolid) 17 septiembre 2014.- LA LEY 156859/2014]

• Es cierto que en ese informe de la Policía Local también se indica que los dos menores, ambos hermanos, «totalmente indocumentados», se encuentran «en compañía de otros jóvenes mayores de edad» en el interior del establecimiento, pero esto no supone que no se haya incurrido en la prohibición contemplada en el citado art. 23.1.c) de la Ley 7/2006, pues una cosa es estar «en compañía de otros jóvenes mayores de edad» y otra distinta que los menores estén acompañados por sus padres, tutores o persona mayor de edad responsable, en discotecas, salas de fiestas, pubs y bares especiales. **Lo que excepciona la prohibición expresa de que los menores de dieciséis años entren y permanezcan en esos establecimientos es que estén acompañados por sus padres, tutores o una persona mayor responsable**. [STSJ Castilla y León (Valladolid) 20 noviembre 2014.- LA LEY 196650/2014]

• **No resulta en momento alguno controvertido el hecho de que en el mencionado establecimiento, Bar de categoría Especial, se encontraban los menores de edad**, habiendo sido perfectamente identificados, conforme al acta de la Policía Local en cuyo contenido se han ratificado los agentes que la suscribieron, gozando de la presunción de veracidad que atribuye el art 29.2 de la citada Ley 7/2006 (LA LEY 9679/2006), en cuanto a los hechos contenidos en las actas, tratándose de una presunción de veracidad que admite prueba en contrario, como se establece en ese art. 29.2.

Es cierto que en ese informe de ratificación de los Policías Locales, obrante al folio 28 del expediente administrativo, **indican los agentes que ni los jóvenes ni el responsable del local les informaron que estaban en compañía de un mayor de edad, que se pudiera encontrar en el interior del establecimiento**, sin embargo se ha practicado prueba, tanto en vía administrativa como posteriormente en vía jurisdiccional, respecto de la presencia en el establecimiento del padre de uno de los menores, D Conrado, quien asevera que había quedado con su hijo y los amigos de éste en el establecimiento referenciado a los efectos de poder ver el partido de futbol Barcelona-Real Madrid que se retransmitía por canales cerrados, ya que se encontraba cerca de su domicilio y habían acudido en otras ocasiones con fines similares, y que se encontró allí con los jóvenes, si bien, dado que el local estaba lleno de gente se situó junto a otro de los televisores, por lo que no se percató de la presencia policial.

La constancia de una persona mayor que se encuentre a cargo de los menores es lo que viene a excepcionar la prohibición contemplada en el citado art. 23.1.c) de la Ley 7/2006 (LA LEY 9679/2006), que **exige la compañía de padres, tutores o persona mayor**

de edad responsable, en discotecas, salas de fiestas, pubs y bares especiales. La no constancia a los agentes de Policía de la presencia del padre de uno de los menores en el establecimiento no puede resultar óbice para que estemos en presencia de la excepción contemplada en la norma, pues ha de tenerse en consideración **la escueta redacción del acta-denuncia** que se limita a recoger los datos de identificación de los menores, del establecimiento y de su responsable, sin que se recoja en la misma dato alguno que refleje las circunstancias concretas del lugar exacto en que se encontraban los menores en el interior del establecimiento, la concurrencia de usuarios del establecimiento, **ni tan siquiera si se les preguntó si iban acompañados por alguna persona responsable de los mismos, inobservancia de estos extremos que tampoco resulta suplida en la diligencia de ratificación** de los agentes denunciantes conforme ya se ha expuesto anteriormente.

La prueba testifical practicada ante el Juzgado, viene a poner de relieve no solo **la presencia del padre de uno de los menores en el establecimiento**, sino también, ratificando lo manifestado en el escrito aportado al expediente administrativo, que **dicho padre era plenamente consciente de la presencia de su hijo y los amigos de éste en el establecimiento**, y de la circunstancia que en ese momento se proyectaba a través de los dos televisores que había el partido de futbol, si bien por la aglomeración de gente en el interior del establecimiento se situó frente al otro televisor, y hasta el descanso del partido no se percató que les habían identificado los agente de policía y ya no se encontraban en el local. **Precisamente la acreditación de la presencia del padre de uno de los menores en el establecimiento permite situarnos ante la excepción de la prohibición de entrada y permanencia de los menores en su interior**, si tenemos en consideración que el citado padre había comprobado las concretas circunstancias que se daban en el momento pues los menores no estaban sino visionando la retransmisión de un partido de futbol, sin que se constatara que consumieran ningún tipo de bebida no permitida. No puede entenderse que ese control ejercido por el padre responsable de los menores dejara de ejercerse en el momento en que resultaron identificados, percatándose en el descanso del partido de dicha circunstancia, dado que perfectamente **se ha acreditado que ejercía el control sobre lo que visionaban y podían consumir los menores**, siendo estos dos extremos precisamente los que precisan de la vigilancia al encontrarse en el bar de categoría especial. [STSJ Castilla y León (Valladolid) 24 mayo 2016.- LA LEY 82478/2016]

19. NORMATIVA DE APLICACIÓN

• Debe recordarse que en el desarrollo de las actividades reguladas en la Ley 17/97 de 4 de julio de Espectáculos Públicos y Actividades recreativas de la Comunidad de Madrid y en el Decreto 184/1998 que la desarrolla, se requiere la previa obtención de licencia de instalación y funcionamiento. **Al no existir un procedimiento específico en dicha Ley ni en la Ley Territorial de Madrid 2/2002, de 19 de junio, de Evaluación Ambiental de la Comunidad de Madrid, hemos de aplicar el procedimiento regulado en el Reglamento de Actividades Molestas, nocivas, Insalubres y Peligrosas de 30 de noviembre de 1961, norma que tiene carácter básico** y que ha de aplicarse en la Comunidad de Madrid, con tal carácter y en los aspectos no regulados por la legislación autonómica. [STSJ Madrid 15 octubre 2014.- LA LEY 171714/2014]

20. NÚMERO DE ASISTENTES

• Partiendo de las anteriores consideraciones y, admitido por el recurrente la celebración de la fiesta con la concurrencia de los estudiantes de varias facultades, queda por **valorar el número de asistentes**. Si bien es cierto que en el informe no se detalla la forma en que se llega a la contabilización del número exacto de personas, ello no impide, **en conjunción con la circunstancia que se expresa sobre la dificultad de deambulación por la misma, llegar a la conclusión de que el número de asistentes era elevado, y que se aproxima sin duda al especificado por los policías actuantes, pues, en caso contrario no se habría hecho constar la circunstancia relativa al riesgo que existía derivado de la dificultad de circular por el camino de acceso a la finca y del lugar en que se encontraban aparcados los vehículos, de acuerdo con la localización de la finca y la forma de acceso a la misma**, sin que esta conclusión se haya desvirtuado por la prueba aportada (en las fotografías aportadas se observa no sólo la estrechez del camino de tierra de acceso, sino también la insuficiencia de espacio para aparcamiento), por lo que la descripción realizada implica por sí misma una circunstancia de evidente riesgo y peligro para los asistentes a la fiesta, en el caso de producirse una situación de alarma, por cuanto que impide poner en marcha de forma adecuada los mecanismos de evacuación previstos. [STSJ Andalucía (Granada) 25 febrero 2013.- LA LEY 92814/2013]

• No puede, como apunta el Fiscal, imponerse una interpretación que otorgue el artículo 570.2 del Código Penal del Código antes de la reforma, un carácter extensivo, que no tiene y además en perjuicio del reo. En efecto al sustituir la frase «**gran número de personas**» por «**una manifestación o reunión numerosa**», **se ha dado mayor amplitud al alcance del tipo.**

Consecuentemente para aplicar la norma con el alcance anterior, era necesario que tales actos se produjeran «con ocasión de la celebración de eventos o espectáculos, que congregaran a un gran número de personas», mientras que en la actualidad bastaría que los hechos se lleven a cabo en «una reunión numerosa o con ocasión de ella».

… Por otro lado, la asistencia al acto no tenía un carácter abierto o público sino que se accedía con invitación personal y tras la confirmación de asistencia, y el lugar de la celebración, era un local propiedad de la Generalitat de Catalunya.

En cualquier caso faltaría el requisito de la asistencia de gran número de personas, **ya que no es lo mismo reunión numerosa** (que sí sería aplicable conforme a la nueva legalidad) **que «gran número de personas»** que requeriría que se congregarán masas en los referidos espectáculos o eventos. [STS, Sala Segunda de lo penal, 11 enero 2017.- LA LEY 26/2017]

21. ORDENANZAS MUNICIPALES

• En lo tocante a las **limitaciones superficiales** contenidas en los artículos 8 y 9 de la ordenanza modificada a que se refiere la actora, con independencia de que sus cálculos conduzcan o no al resultado final en número de habitaciones que señala, hay que remitirse de nuevo al contenido de la Ley 11/2009, de 6 de julio, de regulación administrativa de los espectáculos públicos y las actividades recreativas en Cataluña, cuyo artículo 26.2 permite que **los ayuntamientos, mediante ordenanzas o reglamentos, puedan someter los espectáculos públicos, las actividades recreativas y los establecimien-**

tos abiertos al público a requisitos y condiciones adicionales a los establecidos con carácter general. [STSJ Cataluña 2 abril 2015.- LA LEY 92828/2015]

22. RECINTOS OCASIONALES

• Dicha norma cuando hace referencia a «establecimiento público» **no está excluyendo aquellos recintos que de manera ocasional se celebren espectáculos o actividades recreativas**, al entenderse por establecimiento público «aquellos locales, recintos o instalaciones de pública concurrencia en los que se celebren o practiquen los espectáculos o las actividades recreativas» y, además, se entiende por actividad recreativa «el conjunto de operaciones desarrolladas por una persona natural o jurídica, o por un conjunto de personas, tendente a ofrecer y procurar al público, aislada o simultáneamente con otra actividad distinta o no catalogada, situaciones de ocio, diversión, esparcimiento o consumición de bebidas y alimentos«, de acuerdo con lo recogido en el Decreto 78/2002, de 26 de febrero, por el que se aprueban el Nomenclátor y el Catálogo de Espectáculos Públicos, Actividades Recreativas y Establecimientos Públicos de la Comunidad Autónoma de Andalucía, que además, cataloga como actividad recreativa, «II.10. Actividades de hostelería y esparcimiento. Se entiende por esta actividad recreativa aquélla que consiste en ofrecer al público asistente, de forma aislada o conjuntamente con otra actividad distinta, situaciones de ocio, diversión o esparcimiento mediante la consumición de bebidas o alimentos,…».

De acuerdo con todo lo anterior, l**a fiesta celebrada en la propiedad privada del recurrente concurren las circunstancias descritas por los preceptos reproducidos en el sentido que en el día de celebración de la fiesta su finca era de pública concurrencia (que había cedido para tal fin) en la que se ofrecía situaciones de ocio, diversión, esparcimiento o consumición de bebidas y alimentos, sin autorización administrativa.** [STSJ Andalucía (Granada) 25 febrero 2013.- LA LEY 92814/2013]

23. SILENCIO

• En el presente caso, ha quedado acreditado a través de los servicios técnicos municipales que **el Proyecto de reforma presentado incumple la normativa urbanística y ambiental** en materia de aislamiento acústico, climatización y contaminación acústica, por vulnerar el artículo 6.81, 6.83, 6.115, del PGOU, en cuanto a la configuración de salidas de evacuación, el potencial foro que puede albergar la actividad, accesibilidad, iluminación y ventilación natural y control de los humos durante el incendio, así como el incumplimiento del artículo 5.7 del PGOU sobre uso de sótanos. Por ello, **no podrá adquirirse por silencio positivo la licencia solicitada con lo que debe concluirse que lo resuelto en la sentencia se ajusta plenamente a la legalidad, sin que pueda entenderse concedida por silencio administrativo positivo**, como se ha dicho. [STSJ Andalucía 20 enero 2014.- LA LEY 30188/2014]

ÍNDICE SISTEMÁTICO

1.ª PARTE
ACTIVIDADES EN GENERAL

2.ª PARTE
ESPECTÁCULOS PÚBLICOS Y ACTIVIDADES RECREATIVAS